LITTLE GIANT

Essence

English-Korean Dictionary
영한소사전

사전 전문 민중서림

blame·less(·ly) *a.* (*ad.*) → **blame·less** *a.*, **blame·less·ly** *ad.*

9. 파생어는 가급적 본원어 표제어 항에 몰아 넣었으며, 이때 ~는 표제자어에 해당되며, 발음·음절 구분·악센트의 위치가 다른 것은 되도록 철자 전부를 보였고, 악센트 부호·발음 기호도 필요에 따라 명시하였다.

보기: **am·big·u·ous**[æmbígjuəs] *a.* .... **~·ly** *ad.*
av·id[ǽvid] *a.* ....**a·vid·i·ty**[əvídəti] *n.*

10. 동일어로서 철자가 다른 것은 콤마로 구분 병기하였으며, 뒤의 낱말은 분철에 따라 하이픈으로 일부를 생략하기로 하였다. 이는 파생어에서도 적용한 것이 있다.

보기: **Mu·zhik, -zjik.**
au·to·bi·og·ra·phy[ɔ̀:təbaiágrəfi/-ɔ́g-] *n.* .... **-pher** *n.*

11. 뜻이 같은 언어는 사용도가 높은 것을 보이고 나머지는 〔 〕로 표시하였다.

보기: **fáith cùre** 〔**hèaling**〕

B. 발 음

발음에 관해서는 발음 약해(p.7) 및 발음 기호 일람표(p.8) 참조.

C. 품사 구별과 관용구 및 예문

1. 품사명은 원칙적으로 발음 기호 뒤에, 또는 — 뒤에 약호로 표시하였으며, 한 낱말이 두 가지 이상의 품사로 쓰이는 경우에는 지면 절약을 위해 병기한 것도 많다. (약어표(p.9) 참조)

보기: †**fif·teen**[fíftí:n] *n., a.*

2. 연어 표제어는 대개 명사이므로 품사 표시를 생략하였다.

3. 관용구는 이탤릭 고딕체, 예문은 괄호 안에 이탤릭체로 나타내었다.

4. 관용구·예문 중에서는 표제어를 되풀이하는 대신에 ~ 기호를 사용하였다. 단, 되풀이되는 표제어의 첫 글자가 대문자일 경우에는 그 대문자를 쓰고 하이픈으로 이었다.

보기: **bless** 항 중 ***be ~ed*** = ***be blessed,*** ***B- me!*** = ***Bless me!***

D. 명사의 복수형

1. 명사의 복수꼴 변화는 다음과 같이 보였다.

보기: **goose**[gu:s] *n.* (*pl.* ***geese***)
deer[diər] *n.* (*pl.* ~, **~s**)는 복수꼴이 ***deer,*** 때로는 ***deers***임을 나타낸다.

2. 자음+o로 끝나는 낱말의 복수꼴은 다음과 같이 표시했다.

보기: **piano**[1][piǽnou, pjǽn-] *n.* (*pl.* **~s**)
mos·qui·to[məskí:tou] *n.* (*pl.* ~(**e**)**s**)는 ***mosquitoes***와

mosquitos 의 두 가지 꼴이 있음을 나타낸다.

3. 규칙 변화하는 낱말이라도 주의해야 할 것은 모두 표시하였다.

보기: **house**[haus] *n.* (*pl.* ***houses***[háuziz]) 《발음상의 주의》

bus[bʌs] *n.* (*pl.* ~(**s**)***es***)는 ***busses*** 와 ***buses*** 의 두 가지 꼴이 있음을 나타낸다.

4. 복합어 중 특히 주의를 요하는 것은 다음과 같이 표시하였다.

보기: **síster-in-làw** *n.* (*pl.* ***sisters-***)

E. 불규칙동사의 과거 · 과거분사형

1. 동사의 과거·과거분사의 변화형은 다음과 같이 표시하였다.

보기: **sing** *vi., vt.* (***sang,*** 《古》《稀》 ***sung; sung***)은 과거형이 ***sang*** (단, 고어나 드물게는 ***sung***), 과거분사는 ***sung*** 임을 나타낸다.

feel *vt.* (***felt***)는 과거·과거분사가 다 같이 ***felt*** 임을 나타낸다.

kneel *vi.* (***knelt,*** ~***ed***)는 ***kneel, knelt, knelt,*** 또는 ***kneel, kneeled, kneeled*** 의 2종류가 있음을 나타낸다.

2. 끝 자음이 겹칠 때에는 다음과 같이 표시하였다.

보기: **cut** *v.* (***-tt-***)에서 (***-tt-***)는 ***cutter, cutting.***

refer *v.* (***-rr-***)에서 (***-rr-***)는 ***referred, referring.***

mimic *v.* (***-ck-***)에서 (***-ck-***)는 ***mimicked, mimicking.***

travel *v.* (《英》 ***-ll-***)는 《美》 ***traveled, traveling,*** 《英》 ***travelled, travelling.***

F. 형용사 · 부사의 비교급 · 최상급

1. 단음절어는 -er; -est를 붙이고, 2음절 이상의 낱말에는 more; most가 붙는 것이 원칙이나, 그렇지 않은 것 또는 철자상 주의해야 할 것 따위는 다음처럼 표시하였다.

보기: **good**[gud] *a.* (***better; best***)

lit·tle[lítl] *a.* (***less, lesser; least;*** 《口》 ~***r;*** ~***st***)는 비교급이 ***less*** 또는 ***lesser*** 이고 최상급이 ***least*** 이나, 구어로는 비교급이 ***littler,*** 최상급이 ***littlest*** 로도 쓰임을 나타내었다.

2. 끝의 자음이 겹치는 것은 동사의 경우에 준하였다.

보기: **hot** *a.* (***-tt-***)에서 (***-tt-***)는 ***hotter; hottest*** 임을 나타낸다.

G. 셀 수 있는 명사와 셀 수 없는 명사

셀 수 있는 명사(countable), 셀 수 없는 명사(uncountable)에는 각각 Ⓒ, Ⓤ를 붙여 구별을 분명히 해 주었다.

1. 원칙적으로 고유명사(특별한 것은 예외) 이외의 모든 명사에는 어의에 따라

Ⓒ, Ⓤ를 보였다.

2. 어의 중에 Ⓒ와 Ⓤ 양쪽으로 쓰일 경우에는 그 주됨에 따라 [U,C] 또는 [C,U]로 표시하였다.

3. Ⓒ, Ⓤ 이외에 필요한 경우에는 (a ～), (the ～), (*pl.*), (*sing.*) 따위로 그 명사가 쓰이는 형태를 명시하였다.

보기: **life**...... ① [U,C] 생명, 목숨. ② Ⓒ 생애, 일생. ③ Ⓤ 일생; 《집합적》 생물. ④ [C,U] 생활, 생계......

rage...... ① Ⓤ 격노; 격렬...... ② (*sing.*) 열망, 열광. ③ (the ～) 대유행(하는 것)......

H. 주 석

1. 어의를 우리말로 옮기는 데에 있어 주어·목적어·보어 등은 생략하고, 조사와 더불어 쓰이는 경우에는 '…이', '…은', '…과' 같이 나타내었다.

2. 주요 단어에 한하여 뜻 구분을 ①, ② …로 뭉뚱그렸고, 또한 주요 어의를 고딕체로 하여 보는 데 도움이 되게 하였다.

3. 표제어가 어떤 어의에서는 그 첫 글자가 대문자에서 소문자로, 또는 소문자에서 대문자로 바뀌는 경우에는 (　) 안에 다음과 같이 이를 명시하였다.

보기: **Ben·e·dic·tine**[bènədíktin] *a.* .... — *n.* (b-) 달콤한 리큐어술......

:cath·o·lic[kǽθəlik] *a.* .... — *n.* (C-) 가톨릭 교도; ......

4. 주석 속에 영자가 소형 대문자로 들어 있는 것은 그 영자가 표제어로 나와 있으며, 그 낱말과 같거나 참고하라는 뜻이며, 또 관용구 중에 소형 대문자가 들어 있는 것은 그 관용구의 주석이 소형 대문자로 표시된 항에 나옴을 보인다.

보기: **hum·ble·bee** .... = BUMBLEBEE.

have 항에서 ～ ***got*** ⇨GET.

5. 파생어에서는 어미나 품사만을 보이고 그 풀이를 생략한 경우가 흔히 있다. 이는 표제어의 풀이로 보아 능히 그 뜻을 유추할 수 있는 것으로 믿기 때문이다.

I. 괄호 용법

1. (　)의 용법

a. 주석 바로 앞에서 뜻을 구체적으로 설명할 때.

보기: **bob**[1][bɑb/-ɔ-] *n.* ① (시계·저울 따위의) 추.

b. 영어의 동의어를 보일 때.

보기: **boor**[buər] *n.* 시골뜨기(rustic).

c. 주석 바로 뒤에서 그 낱말이 함께 쓰이는 전치사나 구문을 설명할 때.

보기: **loath**[louθ] *pred. a.* 꺼려서(*to* do; *that*)

d. 참조할 낱말 및 반의어를 보일 때.

보기: **sásh wíndow** 내리닫이 창(cf. casement window)

mo·nog·a·my[...] *n.* Ⓤ 일부 일처제〔주의〕(opp. polygamy)

e. 지면 절약을 위하여.

보기: 조각 (작품) = 조각, 조각 작품

눕(히)다 = 눕다, 눕히다.

2. 〔 〕의 용법

앞말과 바꾸어 놓을 수 있음을 나타낸다.

보기: 응전〔도전〕하다 = 응전하다, 도전하다.

3. 《 》의 용법

a. 주석 뒤에서 그 뜻을 부연 또는 설명할 때 썼다.

보기: **Saul**[sɔːl] *n.* 〖聖〗 사울《이스라엘의 초대왕》.

b. 그 낱말의 쓰임·용법을 나타내는 데 썼다.

보기: **accommodátion tràin** 《美》 완행 열차.

ab·strac·tion ...... ④ 《婉曲》 절취 ......

4. 《 》의 용법

흔히 주석 앞에서 관련되는 문법적 형태나 문법적 설명 또는 세분된 뜻 구별 따위를 보였다.

보기: **get**[get]......; 《~+O+p.p.의 형으로》 …시키다.

for[...] *prep.*......; 《이유·원인》 …때문에

5. 〖 〗의 용법

학술어·전문어를 표시하는 데 썼다.

보기: 〖天〗, 〖聖〗, 〖建〗

6. ' '의 용법

주석 속에 ' '로 묶인 것은 전문어·직역어(職域語)로서는 그 역어 또는 음역어(音譯語)가 보통임을 나타낸다.

보기: ***mét·ier***[...] *n.* (F.)......, (화가의) '메티에'

ópen sésame '열려라 참깨'

J. 기 타

1. 〈의 용법

〈는 어원을 나타낸다.

2. ⇨의 용법

⇨는 그것이 가리키는 낱말과 관련이 있음을 나타낸다.

보기: **Márk Twáin** ⇨TWAIN.

lády bèetle = ⇩. 다음 항 **lády·bìrd**와 뜻이 같음을 나타낸다.

발 음 약 해

(주의를 요하는 것만 다룸)

1	**box**[bɑks/-ɔ-]	빗금의 왼쪽이 美音으로 [bɑks], 오른쪽이 英音으로 [bɔks]임을 나타낸다. 한 낱말에 너무 많은 발음 방식이 있는 것은 그 대표적인 것을 두셋 실었다.
2	**ex·pe·di·tion** [èkspədíʃən]	[èkspədíʃən]의 [è]는 제2악센트를, [í]는 제1악센트를 표시한다. 대체로 제1악센트가 있는 음절의 하나 걸러 앞 또는 뒤의 음절에는 리듬관계로 제2악센트가 올 때가 많다.
3	**sug·ges·tion** [səgdʒéstʃən]	= [sədʒéstʃən]. 곧 이탤릭체는 생략할 수 있음을 보인다.
4	**girl**[gəːrl]	[əːr]는 美音으로, 혓바닥의 중앙을 높이 하여 [ə]발음을 하는 기분으로 낸다. 英音에는 이러한 발음이 없어 [gəːl]이라고 한다.
5	**floor·ing**[´iŋ]	floor의 항에 [flɔːr]로 발음 기호가 나와 있으므로 지면 절약을 위해 **flooring**의 발음을 [´iŋ]으로 간략 표시했지만, 이 때[flɔ́ːriŋ]이 아니고 [flɔ́ːriŋ]이다.
6	**phew**[ɸː, fjuː]	[ɸ]는 양입술을 가볍게 합치고 그 사이로 내는 무성마찰음. 우리말 「후」[ɸɯ]음에 가깝다.
7	**Bach**[bɑːx, bɑːk] **loch**[lɑk, lɑx/lɔk, lɔx]	[x]는 혀의 뒷면과 연구개 사이에서 이루어지는 마찰음. [bɑːx]는 대체로 「바아하」에 가깝고, [lɔx]는 「로호」에 가깝다.
8	**tut**[ʇ]	[ʇ]는 [t]를 발음할 때와 같은 혀의 위치로 내는 혀차는 소리.
9	***pen·si·on***[pɑ̃ːŋsiɔ̃ːŋ]	[ɑ̃, ɛ̃, ə̃, ɔ̃](콧소리 모음)은 [ɑ, ɛ, ə, ɔ]를 입과 코의 양쪽으로 숨을 내쉬는 것처럼 하여 발음한 것. 프랑스 말에서 종종 볼 수 있다.
10	**a·hem**[mm̥m]	발음기호의 위 또는 아래의 [˚][˳]은 유성음의 무성화를 표시한다. [m̥]은 성대의 진동을 뺀 자음을 보인다.

발음기호일람표

VOWELS 모음				CONSONANTS 자음			
종류	모음 기호	철 자	발 음	종류	자음 기호	철 자	발 음
Simple Vowels 단모음	i	**hill**	hil	파열음	p	**pipe**	paip
	iː	**seat**	siːt		b	**baby**	béibi
	e	**net**	net		t	**tent**	tent
	eː	**fairy**	fé(ː)ri		d	**did**	did
	æ	**map**	mæp		k	**kick**	kik
	ə	**about**	əbáut		g	**gag**	gæg
	ər	**singer**	síŋər	비음	m	**mum**	mʌm
	əːr	**girl**	gəːrl		n	**noon**	nuːn
	ʌ	**cup**	kʌp		ŋ	**sing**	siŋ
	ɑ	**ox**	ɑks	측음	l	**little**	lítl
	ɑː	**palm**	pɑːm	마찰음	f	**face**	feis
	ɔ	**dog**	dɔg		v	**valve**	vælv
	ɔː	**ball**	bɔːl		θ	**thick**	θik
	u	**foot**	fut		ð	**this**	ðis
	uː	**food**	fuːd		s	**six**	siks
Diphthongs 이중모음	iə	**near**	niə(英)		z	**zoo**	zuː
	iər	〃	niər		ʃ	**shoe**	ʃuː
	ei	**day**	dei		ʒ	**measure**	méʒər
	ɛə	**care**	kɛə(英)		h	**hand**	hænd
	ɛər	〃	kɛər		j	**yes**	jes
	ai	**high**	hai		w	**wish**	wiʃ
	au	**cow**	kau		r	**rest**	rest
	ɔi	**toy**	tɔi	파찰음	tʃ	**choice**	tʃɔis
	ou	**go**	gou		dʒ	**judge**	dʒʌdʒ
	uə	**poor**	puə(英)				
	uər	〃	puər				

약 어 표

(자명한 것은 생략함)

a. ……adjective (형용사)	*pl.* ……plural (복수형)
ad. ……adverb (부사)	p.p. ··past participle (과거분사형)
aux. v. ···auxiliary verb (조동사)	*pred. a.* ····predicative adjective (서술형용사)
c. ……circa (대략)	*pref.* ……prefix (접두사)
cf. ……compare (참조하라)	*prep.* ……preposition (전치사)
conj. ……conjunction (접속사)	*pron.* ……pronoun (대명사)
def. art. ··definite article (정관사)	*rel. ad.* 〔*pron.*〕 ··relative adverb 〔pronoun〕 (관계부사〔대명사〕)
fem. ……feminine (여성)	Sh(ak). ……Shakespeare
fl. ……flourished (활약한)	*sing.* ……singular (단수형)
indef. art. ·····indefinite article (부정관사)	*suf.* ……suffix (접미사)
int. ……interjection (감탄사)	*v.* ……verb (동사)
masc. ……masculine (남성)	*vi.* ·····intransitive verb (자동사)
n. ……noun (명사)	*vt.* ·······transitive verb (타동사)
p. ……past (과거형)	

《CB俗》…… Citizens Band 의 속어	《諧》……(해학어)	《卑》……(비어)
《Ir.》……(아일랜드)	《雅》……(아어. 문어)	《蔑》……(경멸적)
《Sc.》……(스코틀랜드)	《方》……(방언)	《反語》……(반어적)
《濠》··(오스트레일리아)	《兒》……(소아어)	《一般》……(일반적)
《印英》……(인도英語)	《古》……(고어)	《稀》……(드물게)
《南아》····(南아프리카)	《俗》……(속어)	
	《廢》……(폐어)	

Am. Sp. ··American Spanish	Gk. ……Greek	Port. ····Portuguese
Ar. ……Arabic	Heb. ……Hebrew	Russ. ……Russian
Chin. ……Chinese	Hind. ····Hindustani	Skt. ……Sanskrit
Du. ……Dutch	Ind. ……Indian	Slav. ……Slavic
F. ……French	Ir. ……Irish	Sp. ……Spanish
G. ……German	It. ……Italian	Sw. ……Swedish
	L. ……Latin	Turk. ……Turkish

〖競〗 ············(競技)	〖生〗 ······(生物·生理學)	〖印〗 ············(印刷)
〖考〗 ··········(考古學)	〖菌〗 ··········(細菌學)	〖電〗 ············(電氣)
〖古그〗 ······(옛그리스)	〖修〗 ··········(修辭學)	〖鳥〗 ············(鳥類)
〖古로〗 ········(옛로마)	〖神〗 ············(神學)	〖證〗 ············(證券)
〖그神〗 ····(그리스神話)	〖治〗 ············(治金)	〖地〗 ·····(地理·地質學)
〖幾〗 ··········(幾何學)	〖野〗 ············(野球)	〖採〗 ············(採鑛)
〖基〗 ··········(基督教)	〖言〗 ··········(言語學)	〖天〗 ··········(天文學)
〖氣〗 ············(氣象)	〖染〗 ············(染色)	〖鐵〗 ············(鐵道)
〖代〗 ··········(代數學)	〖外〗 ············(外科)	〖哲〗 ············(哲學)
〖로神〗 ······(로마神話)	〖窯〗 ············(窯業)	〖蹴〗 ············(蹴球)
〖文〗 ············(文法)	〖韻〗 ··········(韻律學)	〖土〗 ············(土木)
〖病〗 ············(病理)	〖理〗 ··········(物理學)	〖解〗 ··········(解剖學)

ENGLISH-KOREAN DICTIONARY

A

A, a[1][ei] *n.* (*pl.* ***A's, a's***[-z]) Ⓤ 〖樂〗 가음(音), 가조(調); Ⓒ 첫째(의 것); (A)《美》(학업 성적의) 수(秀); A 사이즈《구두나 브래지어의 크기: B보다 작고, AA보다 큼》.

†**a**[2][強 ei, 弱 ə] *indef. art.* 《모음의 앞에서는 an》 ① 하나의. ② 어느 하나의. ③ 어떤(a certain). ④ 같은(*girls of an age* 동갑의 소녀들). ⑤ 한〔매〕 …에(*twice a week* 주 2회). ⑥ 《고유명사에 붙여》 …와 같은 사람, …의 작품(*a Napoleon* 나폴레옹 같은 사람).

a- *pref.* ① on, to, in의 뜻: *a*bed, *a*blaze, *a*fire, *a*shore. ② [ei, æ, ə] (Gk.) '비(非)…', 무(無)…' 의 뜻: *a*moral, *a*sexual.

A ampere; angstrom (unit); argon; attack plane. **A.** Absolute; Academy; 〖映〗 (for) adults (only); America(n); April. **A., a.** acre; answer; artillery. **a.** about; adjective; alto; area; at.

AA AA사이즈《구두나 브래지어의 치수: A보다 작음》; Automobile Association.

a·back[əbǽk] *ad.* 뒤로, 후방으로; 돛이 거꾸로. ***be taken*** ~ 뜻밖에〔느닷없이〕 당하다; 깜짝 놀라다.

˚**ab·a·cus**[ǽbəkəs] *n.* (*pl.* ~***es, -ci***[-sài]) Ⓒ 수판; 〖建〗 (둥근 기둥의) 관판(冠板), 대접 받침.

:**a·ban·don**[əbǽndən] *vt.* ① 버리다, 버려두다, 단념하다. ② (내)맡기다; (집·동네를) 떠나다. ③ 〖法〗 유기하다. ~ ***oneself to*** (*drinking, despair*) (술)에 젖다, (절망)에 빠지다. — *n.* Ⓤ 방자, 방종. ***with*** ~ 거리낌없이, 마음껏. ~**ed** [-d] *a.* 버림받은; 자포 자기한. ~**·ment** *n.* Ⓤ 방기, 포기; 〖法〗 유기; 퇴거; 방자.

a·base[əbéis] *vt.* 낮추다, (지위나 품위를) 떨어뜨리다(degrade); (창피를) 주다. ~**·ment** *n.* Ⓤ 저하, 좌천, 영락, 굴욕.

a·bash[əbǽʃ] *vt.* 부끄럽게 하다; 당황케 하다(embarrass). ***be*** ~***ed*** 거북해하다, 어쩔 줄 모르다. ~**·ment** *n.*

˚**a·bate**[əbéit] *vt.* 감하다, 내리다, 할인하다, 덜다, 누그러뜨리다. — *vi.* 줄다, 약해지다, 누그러지다.

a·bate·ment[-mənt] *n.* Ⓤ 인하, 감소; Ⓒ 감세액; Ⓤ 〖法〗 배제, 중지.

ab·at·toir[æ̀bətwɑ́:r] *n.* (F.) Ⓒ 공설 도축장, 도살장.

ab·bess[ǽbis] *n.* Ⓒ 여자 수녀원장(cf. abbot).

:**ab·bey**[ǽbi] *n.* Ⓒ 수도원.

˚**ab·bot**[ǽbət] *n.* Ⓒ 수도원장.

abbr. abbreviated; abbreviation.

:**ab·bre·vi·ate**[əbrí:vièit] *vt.* 줄이다, 단축하다. **:-a·tion**[-ˌ-ˌ-éiʃən] *n.* Ⓤ (말의) 생략; Ⓒ 약어, 약자.

˚**ABC**[éibì:sì:] *n.* (*pl.* ~***'s*** [-z]) = ALPHABET; (the ~('s)) 초보, 입문.

ab·di·cate[ǽbdikèit] *vt., vi.* ① (권리 등을)포기하다. ② 양위하다, 퇴임하다. **àb·di·cá·tion** *n.* Ⓤ 포기, 기권; 양위; 퇴관.

˚**ab·do·men** [ǽbdəmən, æbdóu-]

n. Ⓒ 배, 복부. **ab·dom·i·nal**[æbdɑ́mənəl/-ɔ́-] *a.*

ab·duct[æbdʌ́kt] *vt.* 유괴하다; 『生』 외전(外轉)시키다. **ab·dúc·tion** *n.* **ab·dúc·tor** *n.* Ⓒ 유괴자.

ab·er·rant [æbérənt] *a.* 정도를(바른 길을) 벗어난. **-rance, -ran·cy** *n.*

ab·er·ra·tion [æ̀bəréiʃən] *n.* Ⓤ,Ⓒ 바른 길을 벗어남; 『醫』 정신 이상; (렌즈의) 수차(收差).

a·bet [əbét] *vt.* (**-tt-**) (부)추기다. ***aid and*** ~ 『法』 교사(教唆)하다. ~**·ment** *n.* Ⓤ 교사, 선동. ~**·ter, -tor** *n.* Ⓒ 교사자, 선동자.

a·bey·ance [əbéiəns] *n.* Ⓤ 중절, 정지.

˙**ab·hor** [æbhɔ́:*r*] *vt.* (**-rr-**) 몹시 싫어하다, 혐오하다(detest).

ab·hor·rence [əbhɔ́:rəns, -ɑ́-/-ɔ́-] *n.* Ⓤ 혐오; Ⓒ 아주 싫은 것. ***have an*** ~ ***of*** …을 몹시 싫어하다. **-rent** [-rənt] *a.* 싫은(*to* me); 몹시 싫은(*of* it); 서로 용납하지(맞지) 않는(*to, from*).

:**a·bide** [əbáid] *vi.* (**abode,** ~**d**) ① 머무르다, 살다. ② 지탱(지속)하다. ── *vt.* 기다리다, 대기하다; 참다, 감수하다; 맞서다, 대항하다. ~ ***by*** …을 굳게 지키다, …에 따르다. ~ ***with*** …와 동거하다. **a·bíd·ing** *a.* 영속적인.

:**a·bil·i·ty** [əbíləti] *n.* ① Ⓤ 능력, 수완(*to* do). ② (*pl.*) 재능. ***a man of*** ~ 수완가. ***to the best of one's*** ~ 힘이 닿는 한, 힘껏.

˙**ab·ject** [æ̀bdʒekt, ─́] *a.* 비참한; 비열한. ~**·ly** *ad.*

ab·jure [æbdʒúər, əb-] *vt.* 맹세코 그만두다; (주의·의견 등을) 버리다. **ab·ju·ra·tion** [≻dʒəréiʃən] *n.*

a·blaze [əbléiz] *ad., pred. a.* 불타올라, 격(激)하여. ***set*** ~ 불태우다.

†**a·ble** [éibəl] *a.* ① 재능 있는, 유능한. ② …할 수 있는. ***be*** ~ ***to*** (do) …할 수 있다.

-a·ble [əbl] *suf.* 가능을 나타내는 형용사를 만듦: admir*able*, comfort*able*.

áble-bódied *a.* 강장(강건)한, 튼튼한(*an* ~ *seaman* 적임(일등) 선원). ***the*** ~ 《집합적; 복수 취급》 강건한 사람들.

ab·lu·tion [əblú:ʃən] *n.* Ⓤ (몸을) 깨끗이 씻음; 목욕 재계, 세정식(洗淨式); 깨끗이 씻는 물.

a·bly [éibli] *ad.* 훌륭히; 교묘히; 유능히.

ab·ne·gate [æ̀bnigèit] *vt.* (권리 등을) 버리다; 자제하다; (쾌락 등을) 끊다. **-ga·tion** [≻─géiʃən] *n.*

:**ab·nor·mal** [æbnɔ́:*r*məl] *a.* 비정상인, 이상(異常)의; 변태의; 변칙의. ~ ***psychology*** 이상 심리학. ~**·i·ty** [≻─mǽləti] *n.* Ⓤ 이상; 변칙; Ⓒ 병신, 불구.

:**a·board** [əbɔ́:*r*d] *ad., prep.* 배 안에, 차내에, …을 타고.

:**a·bode** [əbóud] *v.* abide의 과거(분사). ── *n.* ① Ⓒ 거주; 주거. ② Ⓤ 체류. ***make*** (***take up***) ***one's*** ~ 거주하다, 체재하다.

˙**a·bol·ish** [əbɑ́liʃ/-ɔ́-] *vt.* (관례·제도 등을) 폐지(철폐)하다; 완전히 파괴하다. ~**·a·ble** *a.* ~**·ment** *n.* Ⓤ 폐지, 철폐.

˙**ab·o·li·tion** [æ̀bəlíʃən] *n.* Ⓤ 폐지; 노예 폐지. ~**·ism** [-ìzəm] *n.* Ⓤ (노예) 폐지론. ~**·ist** *n.* Ⓒ (노예) 폐지론자.

˙**a·bom·i·na·ble** [əbɑ́mənəbəl/-ɔ́m-] *a.* 싫은, 지겨운; 《口》 지독한. ***the*** ~ ***snowman*** (히말라야의) 설인(雪人). **-bly** *ad.* 미울 정도로; 지겹게.

a·bom·i·nate [əbɑ́mənèit/-ɔ́-] *vt.* 몹시 싫어하다, 혐오하다. ˙**-na·tion** [─≻néiʃən] *n.* Ⓤ 혐오, 증오; Ⓒ 싫은 일(것).

ab·o·rig·i·nal [æ̀bərídʒənəl] *a.* 처음부터의, 원주(原住)의; 토착(민)의. ── *n.* Ⓒ 원주민, 토인; 토착의 동식물. **-nes** [-nì:z] *n. pl.* 원주민, 토(착)민.

a·bort [əbɔ́:*r*t] *vi.* 유산(조산)하다; 실패하다; 발육이 안 된 채 끝나다; (로켓의) 비행이 중단되다; 『컴』 중단하다. ── *n.* Ⓤ,Ⓒ 미사일(로켓)의 비행 중지; 『컴』 중단.

a·bor·tion [əbɔ́:*r*ʃən] *n.* Ⓤ,Ⓒ 유산; 조산; 낙태; 실패; 발육부전; Ⓒ 기형물; 불구. ***artificial*** ~ 인공 유산. ~**·ist** *n.* Ⓒ 낙태의(醫). **-tive** *a.* 유산의; 조산의; 실패의.

˙**a·bound** [əbáund] *vi.* (…이) 많다 (*Trout ~ in this lake.* = *This lake ~s with trout.* 이 호수에는 송어가 많다). **~·ing** *a.* **~·ing·ly** *ad.*

˙**a·bout** [əbáut] *prep.* ① …에 관〔대〕하여. ② …쯤, 경(*~ five o'clock,* 5시경). ③ …의 가까이에; 주위에. ④ …하려고 하여(*to*); …에 종사하여(doing)(*What are you ~?* 무엇을 하고 있나). — *ad.* ① 거의, 대략(*That's ~ right.* 대강 맞는다). ② 둘레〔근처〕에〔를〕(*There is nobody ~.* 근처에는 아무도 없다). ③ 활동하여, 퍼져. **~ and ~** 《美》 어금지금〔비슷비슷〕하여. **be ~** 움직이고 있다, 활동하고 있다; 일어나 있다; 퍼지고〔유행되고〕 있다(*Rumors are ~ that* …이라는 풍문이다). ***go a long way ~*** 멀리 돌아가다. ***out and ~*** (병후 등에) 활동하여. ***turn and turn ~*** 차례로. — *vi.* (배의) 침로를 바꾸다. ***A- ship!*** (배를) 바람쪽으로 돌려〔돌릴 준비〕!

abóut-fáce *vi., n.* Ⓒ (보통 *sing.*) 뒤로 돌다〔돌기〕; (사상 따위) 전향(하다).

†**a·bove** [əbʌ́v] *ad.* ① 위에, 위로; 상급에. ② 전술에. — *pred.* ① …의 위에; …보다 높이〔멀리〕. ② …이상으로, …을 초월하여. **~ all**(**things**) 그중에서도, 특히. **~ oneself** 우쭐하여. — *a.* 상기(上記)의, 앞에 말한(*the ~ facts* 전술한 사실). — *n.* Ⓤ ① (the ~) 전술(한 것). ② 위쪽; 하늘. **from ~** 하늘에서.

abóve-méntioned *a.* 상술(上述)한, 앞에 말한.

ab·ra·ca·dab·ra [æ̀brəkədǽbrə] *n.* Ⓒ 이 말을 삼각형으로 거듭 쓴 (병 예방의) 부적; 주문; 뜻 모를 말(gibberish).

a·brade [əbréid] *vt., vi.* 닳(리)다, 문대어 벗(기)다. **a·brád·er** *n.* Ⓒ 연삭기(研削器).

a·bra·sion [əbréiʒən] *n.* Ⓤ 문질러 닳음, 벗겨짐; 마멸; Ⓒ 찰과상; Ⓒ 마멸된 곳.

ab·ra·sive [əbréisiv] *a.* 연마의; 피부를 긁히는 (듯한), 꺼칠꺼칠한; 마찰 있는《인간 관계》. — *n.* Ⓤ,Ⓒ 연마제.

˙**a·breast** [əbrést] *ad.* 나란히, 어깨를 나란히 하여. **keep ~ of**〔**with**〕(*the times*) (시세)에 뒤지지 않고 따라가다.

˙**a·bridge** [əbrídʒ] *vt.* ① 단축하다; 적요(摘要)하다, 간추리다; 줄이다. ② (…으로부터 …을) 빼앗다(deprive)(*of*). **a·brídg**(**e**)**·ment** *n.*

:**a·broad** [əbrɔ́ːd] *ad.* ① 밖에〔으로〕; 집 밖에; 해외에. ② (소문 등이) 퍼져서. ③ 틀려서. **be all ~** 전혀 잘못 생각하고 있다;《口》(어찌) 할 바를 모르다. **from ~** 해외로부터. **get ~** 외출하다; 세상에 알려지다.

ab·ro·gate [ǽbrəgèit] *vi.* 취소하다(cancel), 폐지하다. **-ga·tion** [∸–géiʃən] *n.* Ⓤ 폐지.

˙**ab·rupt** [əbrʌ́pt] *a.* ① 느닷없는. ② 험준한. ③ 퉁명스러운. ④ (문체가) 비약적인, 급전하는. ˙**~·ly** *ad.*

a·brup·tion [əbrʌ́pʃən] *n.* Ⓤ (급격한) 분열, 분리.

ab·scess [ǽbses] *n.* Ⓒ 농양(膿瘍), 종기.

ab·scond [æbskɑ́nd/-ɔ́-] *vi.* 도망하다(*~ with the money* 돈을 가지고 도망치다). **~·ence** *n.* Ⓤ 도망, 실종.

ab·seil [ɑ́ːpzail] *n.* Ⓒ (등산에서 자일을 쓰는) 현수 하강. — *vi.* 현수 하강을 하다.

:**ab·sence** [ǽbsəns] *n.* ① Ⓤ,Ⓒ 부재(不在), 결석(*from*); 결핍, 없음(*of*). ② Ⓤ 방심. **~ of mind** 방심. ***in the ~ of*** …이 없기 때문에, …이 없을 경우에.

†**ab·sent** [ǽbsənt] *a.* ① 부재(不在)의, 결석의, 없는. ② 멍(청)한. — [æbsént] *vt.* 결석시키다. **~ oneself from** …을 비우다, …에 결석하다. **~·ly** *ad.* 멍하여, 멍하게.

ab·sen·tee [æ̀bsəntíː] *n.* Ⓒ 부재자; 부재 지주. — *a.* 《美》 부재 투표자의〔를 위한〕. **~·ism** *n.* Ⓤ 부재 지주 제도; 사보타주 전술.

ábsentee lándlord 부재 지주.

:**ábsent-mínded** *a.* 방심 상태의, 멍(청)한. **~ly** *ad.*

:**ab·so·lute** [ǽbsəlùːt] *a.* ① 절대의; 순수한. ② 무조건의; 전제의. ③

A

절대 온도[고도]의. ④ 〖컴〗 기계어로 쓰인. — *n.* Ⓤ (보통 the A-) 절대적인 것[존재]; 절대자, 신; Ⓒ 절대 불변의 원리; 〖컴〗 절대. **:~·ly** *ad.* 절대로, 완전히; 《口》 아주; 《俗》 맞았어, 그래. **~·ness** *n.*

ábsolute majórity 절대 다수.

ábsolute zéro 〖理〗 절대 영도 (−273°C).

·ab·so·lu·tion [æ̀bsəlúːʃən] *n.* Ⓤ,Ⓒ (회개한 자의) 면죄; 책임 해제.

ab·so·lut·ism [ǽbsəlùːtizəm] *n.* Ⓤ 전제주의, 독재 정치. **~·ist** *n.*

·ab·solve [əbzálv, -sá-/-zɔ́-] *vt.* ① 용서하다, 면제하다. ② 해제하다, 무죄를 언도하다. **~** (*a person*) ***from*** (*his promise; the blame*) (약속)을 해제하다; (책임)을 면하다. **~** (*a person*) ***of*** (*a sin*) (죄)를 용서하다.

:ab·sorb [əbsɔ́ːrb, -z-] *vt.* ① 흡수하다; 병합하다; 동화하다. ② (흥미로) 이끌다. ***be ~ed by*** …에 흡수[병합]되다. ***be ~ed in*** …에 몰두[열중]하다. **~·a·ble** [-əbl] *a.* 흡수되는; 흡수되기 쉬운. **~·a·bil·i·ty** [-əbíləti] *n.* Ⓤ 흡수됨, 피(被)흡수성. **~·en·cy** [-ənsi] *n.* Ⓤ 흡수성. **~·ent** [-ənt] *a., n.* 흡수성의; Ⓤ,Ⓒ 흡수제. **~·ing** *a.* 흡수하는; 흥미 진진한.

·ab·sorp·tion [əbsɔ́ːrpʃən, -z-] *n.* Ⓤ 흡수; 몰두(*in*). **-tive** *a.*

·ab·stain [æbstéin] *vi.* 끊다, 자제하다, 삼가다(*from*); 금주하다. **~·er** *n.* Ⓒ 절제가, 금주가.

ab·ste·mi·ous [æbstíːmiəs] *a.* 절제하는(*an ~ diet* 소식(少食)).

ab·sten·tion [əbsténʃən] *n.* Ⓤ 절제, 자제(*from*); Ⓤ,Ⓒ 기권.

ab·sti·nence [ǽbstənəns] *n.* Ⓤ 금욕, 절제, 금주. **-nent** *a.*

:ab·stract [æbstrǽkt, ㅡ́ㅡ] *a.* ① 추상적인, 공상적인; 심원한. ② 방심한. ③ 〖美術〗 추상파의. — [ㅡ́ㅡ] *n.* ① Ⓒ 대요(大要); Ⓤ 추상적인 관념; Ⓒ 발췌. ② Ⓒ 〖美術〗 추상적인 작품. ***in the ~*** 추상적으로, 이론상. ***make an ~ of*** (논문·책)을 요약하다. — [ㅡ́] *vt.* ① 빼내다, 떼내다, 추출(抽出)하다, 발췌하다. ② (마음을) 빼앗다. **~·ed** [-id] *a.* 방심한, 멍한. **~(·ed)·ly** *ad.*

·ab·strac·tion [æbstrǽkʃən] *n.* ① Ⓤ 추상, 추출; Ⓒ 추상 개념. ② Ⓒ 추상파의 작품. ③ Ⓤ 방심. ④ Ⓤ 《婉曲》 절취. **~·ism** [-ìzəm] *n.* Ⓤ 〖美術〗 추상주의.

ábstract nóun 추상 명사.

ab·struse [æbstrúːs] *a.* 난해[심원]한.

:ab·surd [əbsɔ́ːrd, -z-] *a.* 부조리한; 엉터리 없는, 우스꽝스런. **·~·i·ty** *n.* Ⓤ 부조리; Ⓒ 엉터리 없는 일[것, 이야기]. **~·ism** *n.* Ⓤ 부조리주의. **~·ly** *ad.*

:a·bun·dance [əbʌ́ndəns] *n.* ① Ⓤ 풍부, 윤택; Ⓒ 다수. ② Ⓤ 부유, 유복. **:-dant** *a.* 풍부한, 남아돌 정도의. **-dant·ly** *ad.*

:a·buse [əbjúːz] *vt.* ① 남용[악용]하다. ② 학대하다. ③ 욕하다. — [-s] *n.* ① Ⓤ,Ⓒ 악용, 남용. ② Ⓤ 학대. ③ Ⓤ 욕(설). ④ Ⓒ 악습, 폐해. **a·bus·age** [-sidʒ/-zi-] *n.* Ⓤ 말의 오용. **a·bu·sive** [-siv] *a.* 입사나운.

a·but [əbʌ́t] *vi., vt.* (**-tt-**) (인)접하다(*on, upon*); 기대다(*against*). **~·ment** *n.* Ⓒ 인접(점); 교대(橋臺); 홍예 받침대. **~·tal** [-tl] *n.* (*pl.*) 경계; 인접. **~·ting** *a.* 인접하는.

a·bysm [əbízəm], **·a·byss** [əbís] *n.* Ⓤ,Ⓒ 심연(深淵), 심원; Ⓤ 끝없이 깊은 지옥, 나락. **a·bys·mal** [-z-] *a.*

AC, ac air conditioning; alternating current. **a/c** account; account current.

a·ca·cia [əkéiʃə] *n.* Ⓒ 〖植〗 아카시아.

ac·a·deme [ǽkədìːm], **ac·a·de·mi·a** [æ̀kədíːmiə] *n.* Ⓤ 《雅》 ① =ACADEMY ①. ② 학자의 세계[생활]. ***the grove(s) of academe*** 대학의 숲《대학을 둘러싼 환경》.

·ac·a·dem·ic [æ̀kədémik] *a.* ① 학문의, 대학의; academy의. ② 학구적인, 비현실적인. ③ 《美》 인문과의, 일반 교양적인. ④ 형식 존중의, 진부한. ⑤ (A-) 플라톤학파의. — *n.* Ⓒ 대학생; 학구적인 사람.

a·cad·e·mi·cian [əkæ̀dəmíʃən, æ̀kə-] *n.* Ⓒ 학회[학술원·미술원] 회

원.

:a·cad·e·my [əkǽdəmi] *n.* Ⓒ ① 학원(學院); 학원(學園); 《美》 (사립의) 고등 학교. ② 전문 학교. ③ 학회; 학술원; 예[미]술원. ④ (the A-) 아카데미아《플라톤이 철학을 강의한 아테네 근교의 올리브 숲》; (A-) 플라톤 학파[철학]. ***military*** **~** 육군 사관 학교; 《美》 (사립의) 군대 훈련 학교. ***the Royal A-*** (***of Arts***) 《英》 왕립 미술원. 「상.

Acádemy Awárd 〖映〗 아카데미

a·ca(p)·pel·la [ɑ̀:kəpélə] *ad., a.* (It.) 〖樂〗 무반주로[의].

ac·cede [æksí:d] *vi.* (직(職)에) 취임하다. 앉다(*to*); (요구에) 동의하다. 따르다; (조약 따위에) 참가하다.

˙ac·cel·er·ate [æksélərèit] *vt., vi.* 빨리하다. 빨라지다; 속도를 늘리다. **˙-a·tion** [-ˌ--éiʃən] *n.* Ⓤ 가속(도). **-a·tive** [-rèitiv/-rə-] *a.* 가속의. **-a·tor** *n.* Ⓒ 가속자[물]; (자동차의) 가속 장치; 〖化·寫〗 촉진제; 〖理〗 가속기.

:ac·cent [ǽksent/-sənt] *n.* Ⓒ ① 악센트(부호); 강조. ② 어조, 말투. ③ (*pl.*) 《詩》 음성, 말, 시구(詩句). ***in tender ~s*** 부드러운 어조로. — [æksént, ´-] *vt.* (…에) 악센트를 두다; (음·색채 따위를) 강하게 하다. **ac·cen·tu·al** [-tʃuəl/-tju-] *a.*

ac·cen·tu·ate [æksέntʃuèit] *vt.* (…에) 악센트를 두다. 악센트 부호를 붙이다; 두드러지게 하다; (…을) 역설하다. **-a·tion** [-ˌ--éiʃən] *n.*

†ac·cept [æksépt] *vt.* 받(아들이)다. 떠맡다. 용인하다. **: ~·a·ble** *a.* 받을[받아들일] 수 있는; 좋은. **˙~·ance** *n.* Ⓤ,Ⓒ 수령; 〖商〗 어음의 인수. **ac·cep·ta·tion** [æ̀kseptéiʃən] *n.* Ⓒ (어구의) 보통의 뜻; Ⓤ 받아들임; 신앙. **ac·cép·tor** *n.* Ⓒ 어음 인수인.

:ac·cess [ǽkses] *n.* ① Ⓤ 접근(의 기회); 〖컴〗 접근; Ⓒ 접근하는 길. ② Ⓒ 발작. ***be easy of ~*** 접근[가까이]하기 쉽다. ***gain ~ to*** …에 접근하다. …에 접하다. ***man of easy ~*** 가까이하기 쉬운 사람. — *vt.* (…에) 다가가다; 〖컴〗 접근하다.

˙ac·ces·si·ble [æksésəbl] *a.* ① 접근[가까이]하기 쉬운. ② 얻기 쉬운. **~ *to reason*** 사리를 아는. **-bly** *ad.*

ac·ces·si·bil·i·ty [-ˌ--bíləti] *n.* Ⓤ 도달 가능성; 다가갈 수 있음; 〖地〗 접근성.

˙ac·ces·sion [ækséʃən] *n.* ① Ⓤ 접근; 도달. ② Ⓤ 즉위, 취임. ③ Ⓤ 계승; 상속. ④ Ⓤ 증가; Ⓒ 증가물; (도서관의) 수납(受納) 도서. ⑤ Ⓤ (종업원의) 신규 채용.

˙ac·ces·so·ry [æksésəri] *a.* ① 부속의; 보조의. ② 종범(從犯)의. — *n.* Ⓒ ① 부속물; (여성의) 액세서리. ② 종범자.

áccess ròad (어느 시설에의) 진입로.

áccess tìme 〖컴〗 접근 시간《기억 장치에 정보를 기록·해독하게 하기 위한 시간》.

:ac·ci·dent [ǽksidənt] *n.* Ⓒ 우연히 일어난 일, 사고, 재난. ***by ~*** 우연히. ***chapter of ~s*** (the ~) 예상할 수 없는 일련의 일; (a ~) 계속되는 불행. ***without ~*** 무사히.

˙ac·ci·den·tal [æ̀ksidéntl] *a., n.* ① 우연의, 우발적인. ② Ⓒ 〖樂〗 임시 기호.

˙ac·ci·den·tal·ly [æ̀ksidéntəli] *ad.* 우연히, 뜻밖에(~*on purpose* 《俗》 우연을 가장하여 고의로).

áccident-pròne *a.* 사고를 일으키기 쉬운.

˙ac·claim [əkléim] *n., vt.* Ⓤ 갈채(를 보내다), 환호(하여 맞이하다). — *vi.* 갈채하다.

ac·cla·ma·tion [æ̀kləméiʃən] *n.* Ⓤ (보통 *pl.*) 환호, 갈채; 환호 투표. **ac·clam·a·to·ry** [əklǽmətɔ̀:ri] *a.*

ac·cli·mate [əkláimit, ǽkləmèit], 《英》 **-ma·tize** [-mətàiz] *vt., vi.* 풍토에 순화시키다. **-ma·tion** [æ̀kləméiʃən], **-ti·za·tion** [əklàimətizéiʃən/-tai-] *n.* Ⓤ (풍토) 순응.

ac·co·lade [ǽkəlèid, ˌ-´] *n.* Ⓒ 나이트작(爵) 수여식; 칭찬; 명예.

:ac·com·mo·date [əkɑ́mədèit/-ɔ́-] *vt.* ① (…에) 적응시키다. 조절하다(adapt)(*to*). ② 화해시키다. ③ 공급[지급]하다, 빌려주다(*with*). ④ 숙박시키다, 수용하다. **-da·tor** *n.* Ⓒ

A

적응〔조절, 융통〕자(者); 조절기; 《美》 가정부.
ac·com·mo·dat·ing [əkάmədèitiŋ/əkɔ́m-] *a.* 친절한; (성질이) 신선한.
:ac·com·mo·da·tion [əkὰmədéiʃən/-ɔ̀-] *n.* ① Ⓤ 적응, 순응. ② ⓊⒸ 화해, 조정. ③ Ⓤ 융통, 대부금. ④ ⓊⒸ 편의. ⑤ Ⓤ (호텔·병원·선박 등의) 설비, 숙박 설비.
:ac·com·pa·ni·ment [əkʌ́mpənimənt] *n.* Ⓒ ① 수반하는 물건. ② 〖樂〗 반주. *to the ~ of* …의 반주로.
:ac·com·pa·ny [əkʌ́mpəni] *vt.* (…와) 동반하다, 함께 가다, 따르다 (*be accompanied by a person* 〔*with a thing*〕); (…의) 반주를 하다. **-nist** *n.* Ⓒ 반주자.
ac·com·plice [əkάmplis/-ɔ́-] *n.* Ⓒ 공범자, 동류.
:ac·com·plish [əkάmpliʃ/-ɔ́-] *vt.* ① 완수하다, 성취하다; 달성하다. ② (학문·기예를) 가르치다.
·ac·com·plished [əkάmpliʃt/-ɔ́-] *a.* 완성한; 숙달한; 소양〔재예·교양〕이 있는(*in*). *~ fact* 기정 사실.
·ac·com·plish·ment [-mənt] *n.* Ⓤ 성취, 수행; Ⓒ (종종 *pl.*) 재예(才藝), 소양, 교양.
:ac·cord [əkɔ́:rd] *n., vi.* Ⓤ 일치(하다), 맞다, 조화(하다)(*with*). *be in ~ with* …와 일치하다. *of one's own ~* 자발적으로; 자연히. *with one ~* 일제히. — *vt.* 일치시키다; 주다, 허락하다.
·ac·cord·ance [əkɔ́:rdəns] *n.* Ⓤ 일치, 조화. *in ~ with* …에 따라서, …대로. *out in ~ with* …와 부조화하여. **-ant** *a.* 일치한, 화합한 (*to, with*). **-ant·ly** *ad.*
†ac·cord·ing [əkɔ́:rdiŋ] *ad.* 따라서. *~ as* (…함)에 따라서. *~ to* …에 의하면, …에 따라. **:~·ly** *ad.* 그에 따라; 그러므로.
:ac·cor·di·on [əkɔ́:rdiən] *n.* Ⓒ 아코디언. **~·ist** *n.* Ⓒ 아코디언 연주자.
ac·cost [əkɔ́:st, əkάst] *vt.* (…에게) 말을 걸다.
†ac·count [əkáunt] *n.* ① Ⓒ 계산(서), 셈. ② Ⓒ 설명, 변명. ③ Ⓒ 기사(記事), 이야기. ④ Ⓤ 이유, 근거. ⑤ Ⓤ 평가. ⑥ Ⓤ 가치. ⑦ Ⓤ 이익. *be much ~* 《口》 대단한 것이다. *bring* 〔*call*〕 *a person to ~* 설명〔해명〕을 요구하다; 책임을 묻다; 꾸짖다. *by* 〔*from*〕 *all ~s* 누구에게 〔어디에서〕 들어도. *cast ~s* 계산하다. *close an ~ with* …와 거래를 끊다. *for ~ of* (*a person*) (아무의) 셈으로. *give a good ~ of* …을 좋게 말하다; (승부에서) …을 패배시키다; (사냥에서) …을 잡다. *go to one's* (*long*) *~,* or 《美》 *hand in one's ~*(*s*) 죽다. *keep ~s* 장부를 기장하다; 회계일을 보다. *make ~ of* …을 중(요)시하다. *make no ~ of* …을 경시하다. *of ~* 중대한. *of no ~* 하찮은. *on ~* 계약금으로서. *on ~ of* …때문에. *on all ~s,* or *on every ~* 모든 점에서; 꼭, 무슨 일이 있어도. *on a person's ~* (아무의) 비용으로; (아무를) 위해. *on no ~* 아무리 해도 …않다. *on one's own ~* 자기 이익을 위하여; 독립하여. *on that ~* 그 때문에, 그러므로. *render an ~ of* …의 결산 보고를 하다; …을 개진〔답변〕하다. *stand* (*high*) *in a person's ~* (아무의) 존경을 받다, 높이 평가되다. *take ~ of* …을 고려하다, …을 적어 두다. *take ... into ~* …을 고려하다. *take no ~ of* …을 무시하다. *the great ~* 최후의 심판(날). *turn to* (*good*) *~* 이용하다. — *vt., vi.* …라고 생각하다, …로 보다, 설명하다; 계산하다, 셈하다. *~ for* …을 설명하다, …의 이유이다, (행위)에 책임을 지다. *be much* 〔*little*〕 *~ed of* 중시〔경시〕되다.
·ac·count·a·ble [əkáuntəbəl] *a.* 설명할 수 있는; 책임 있는. **-a·bil·i·ty** [–ˌ–bíləti] *n.* Ⓤ 책임.
·ac·count·ant [əkáuntənt] *n.* Ⓒ 회계원, 회계사, 계리사.
ac·cou·ter·ments, 《英》 **-tre-** [əkú:tərmənts] *n. pl.* 복장; (군복·무기 이외의) 장구(裝具).
ac·cred·it [əkrédit] *vt.* ① 믿다, 신뢰〔신임〕하다; 신임장을 주어 파견하다. ② (어떤 행위를 남에게) 돌리

다. (아무의) 것으로 돌리다(~ *him with an action* = ~ *an action to him*).

ac·cre·tion [əkríːʃən] *n.* ① Ⓤ (부가에 의한) 증대. ② Ⓒ 부가물. **-tive** *a.* 부착에 의한.

ac·crue [əkrúː] *vi.* (이자 따위가) 생기다, 발생하다.

:ac·cu·mu·late [əkjúːmjəlèit] *vt., vi.* 쌓다, 모으다; 쌓이다, 모이다. ***~d fund*** 적립금. **-la·tive** [-lèitiv/-lə-] *a.* **:-la·tion** [-ㅗ-léiʃən] *n.* Ⓤ 집적(集積), 축적.

:ac·cu·ra·cy [ǽkjərəsi] *n.* Ⓤ 정확, 정밀.

:ac·cu·rate [ǽkjərit] *a.* 정확[정밀]한. ***~·ly** *ad.*

ˑac·curs·ed [əkə́ːrsid, -st], **ac·curst** [-st] *a.* 저주받은; 지겨운, 진저리나는.

ˑac·cu·sa·tion [æ̀kjuzéiʃən] *n.* Ⓤ,Ⓒ ① 비난, 힐책. ② 고소, 고발. ③ 죄, 죄명.

ac·cu·sa·tive [əkjúːzətiv] *n., a.* (the ~) 〖文〗 대격(對格)(의).

:ac·cuse [əkjúːz] *vt.* ① 고발[고소]하다. ② 비난하다, 책하다. ~ (*a person*) ***of*** (*theft*) (아무를) (절도죄)로 고소하다. ***the ~d*** 피고. **ac·cús·er** *n.* Ⓒ 고소인, 원고.

:ac·cus·tom [əkʌ́stəm] *vt.* 익히다. ***be ~ed to*** …에 익숙해지다.

:ac·cus·tomed [əkʌ́stəmd] *a.* ① 예(例)의, 늘 하는 식의, 습관의. ② 익숙한, 익숙해져서. ***become*** [***get***] ***~ to*** …에 익숙해지다.

ˑace [eis] *n.* Ⓒ ① (카드 따위의) 1, (게임에서) 1점. ② 《美俗》 1달러 지폐. ③ 능수, 명인, (어느 분야의) 제1인자; 우수 선수; 하늘의 용사. ***within an ~ of ...*** 자칫[까딱] …할 뻔하여. — *a.* 우수한, 명인(급)의, 일류의.

a·cerb [əsə́ːrb], **a·cer·bic** [-ik] *a.* ① 신, 쓴, 떫은. ② (말·태도·기질이) 엄한, 격한, 통렬한.

a·cer·bi·ty [əsə́ːrbəti] *n.* Ⓤ 신맛; 쓴맛; 통렬함, 신랄함.

ac·e·tate [ǽsətèit] *n.* Ⓤ 〖化〗 초산염.

a·ce·tic [əsíːtik, -sé-] *a.* 초(醋)[초산]의.

acétic ácid 초산(醋酸).

a·cet·y·lene [əsétəlìːn] *n.* Ⓤ 〖化〗 아세틸렌.

:ache [eik] *vi.* ① 아프다, 쑤시다. ② 《口》 간망(懇望)하다. — *n.* Ⓒ 아픔.

:a·chieve [ətʃíːv] *vt.* ① 성취하다, 이루다, (목적을) 달하다. ② (명성을) 얻다.

:a·chieve·ment [ətʃíːvmənt] *n.* ① Ⓤ 성취. ② Ⓒ 업적, 위업.

A·chil·les [əkíliːz] *n.* 〖그神〗 아킬레스(Homer작 *Iliad*에서 발빠른 용사). ***heel of ~*** 유일한 약점.

Achílles(') téndon 〖醫〗 아킬레스건(腱).

:ac·id [ǽsid] *n., a.* Ⓤ,Ⓒ 산(酸); 신맛(이 있는), 신; 찌무룩한, 부루퉁한; 《美俗》 = LSD.

ácid hòuse 《英》 애시드 하우스《신시사이저 따위의 전자 악기를 쓰며, 비트가 빠른 음악》.

a·cid·i·fy [əsídəfài] *vt., vi.* 시게 하다; 시어지다, 산(성)화하다. **a·cid·i·ty** [əsídəti] *n.* Ⓤ 산성, 신맛.

ácid tést 산(酸)시험; 엄밀한 시험.

a·cid·u·lous [əsídʒələs] *a.* ① 다소 신맛이 있는. ② 찌무룩한; 심술궂은. **~·ly** *ad.*

:ac·knowl·edge [əknɑ́lidʒ/-ɔ́-] *vt.* ① 인정하다, 승인하다. ② 감사하다. ③ (편지 따위의) 받았음을 알리다. **~d** [-d] *a.* 정평이 있는.

ˑac·knowl·edg·ment, 《英》 **-edge·ment** [æknɑ́lidʒmənt, ik-/-nɔ́l-] *n.* ① Ⓤ 자인(自認), 승인. ② Ⓒ (접수의) 확인. ③ Ⓤ 감사; Ⓒ 답례장.

ac·me [ǽkmi] *n.* Ⓒ (보통 the ~) 결정, 극치(climax).

ac·ne [ǽkni] *n.* Ⓤ 여드름.

ac·o·lyte [ǽkəlàit] *n.* Ⓒ 〖가톨릭〗 복사(服事); 조수.

ac·o·nite [ǽkənàit] *n.* Ⓒ 〖植〗 바곳; 〖藥〗 아코나이트《그 뿌리에서 채취한 진통제》.

:a·corn [éikɔːrn] *n.* Ⓒ 도토리, 상수리.

a·cous·tic [əkúːstik], **-ti·cal** [-əl] *a.* 청각(聽覺)의; 보청(補聽)의; 음향

A

학의. **ac·ous·ti·cian** [ӕku:stíʃən] *n.* Ⓒ 음향학자. **a·cóus·tics** *n.* Ⓤ 음향학; 《복수 취급》 (홀 등의) 음향 효과.

:ac·quaint [əkwéint] *vt.* 알리다; 숙지(熟知)시키다. ***be* [*get*] *~ed with*** …을 알고 있다[알게 되다]. **:~ed** [-id] *a.* 아는; 정통한.

:ac·quaint·ance [-əns] *n.* ① Ⓤ 면식(面識), 안면, 아는 사이(*I made his* ~. =*I made* ~ *with* [*of*] *him.* 그와 알게 되었다). ② Ⓒ 친지. ③ Ⓤ 지식, 앎. **~·ship** [-ʃip] *n.* Ⓤ 서로 아는 사이, 친분 관계.

ac·qui·esce [ӕkwiés] *vi.* 묵묵히 따르다, 묵인하다. **-es·cence** [-ns] *n.* **-és·cent** *a.*

:ac·quire [əkwáiər] *vt.* ① 얻다. ② 습득하다. (버릇 따위를) 붙이다. ③ 가져오다. ***~d** [-d] *a.* 취득한; 후천적으로 얻은. ***~·ment** *n.* ① Ⓤ 취득, 획득, 습득. ② Ⓒ (종종 *pl.*) 학식, 재예.

·ac·qui·si·tion [ӕkwəzíʃən] *n.* ① Ⓤ 취득, 획득. ② Ⓒ 취득[획득]물.

ac·quis·i·tive [əkwízətiv] *a.* 습득성이 있는; 얻[갖]고 싶어하는(*of*); 욕심 많은. **~·ly** *ad.*

·ac·quit [əkwít] *vt.* (**-tt-**) ① 석방[방면]하다, 면제하다. ② 다하다. ~ (*a person*) ***of*** (*his responsibility*) (그의 책임을) 해제하다. ~ ***oneself of*** (*one's duty*) (의무를) 다하다. ~ ***oneself*** (*well*) (훌륭히) 행동하다. **~·tal** [-l] *n.* Ⓤ,Ⓒ 석방; 변제(辨濟); 수행. **~·tance** *n.* Ⓤ 변제; 영수증(證).

†a·cre [éikər] *n.* ① Ⓒ 에이커(《약 4046.8 m²》). ② (*pl.*) 토지, 경작지. ***God's A-*** 묘지(墓地).

a·cre·age [éikəridʒ] *n.* Ⓤ 에이커 수(數), 토지.

ac·rid [ǽkrid] *a.* 매운; 쓴; (코를) 톡 쏘는; (피부에) 스미는; 짓궂은; 신랄한. **a·crid·i·ty** [ækrídəti] *n.*

ac·ri·mo·ni·ous [ӕkrəmóuniəs] *a.* (말·태도가) 매서운, 격렬한, 신랄한(bitter). **~·ly** *ad.* **-ny** [ǽkrəmòuni] *n.*

ac·ro·bat [ǽkrəbæ̀t] *n.* Ⓒ 곡예사; 편의주의자. **ac·ro·bat·ic** [ӕkrəbǽtik] *a.* **àc·ro·bát·ics** *n.* 《단수 취급》 곡예; 《복수 취급》 곡예의 연기.

ac·ro·nym [ǽkrənìm] *n.* Ⓒ 두문자어(頭文字語)《머리 글자만 모아 만든 말; UNESCO 따위》.

†a·cross [əkrɔ́:s/-ɔ́-] *ad., prep.* ① (…을) 가로질러, (…을) 건너서, (…의) 저쪽[건너편]에. ② 엇갈리어, 교차되어, 지름[직경]으로. ***come*** [***run***] ~ 뜻하지 않게 …을 만나다. ***get*** ~ 건너다, 넘다; 화[짜증]나게 하다. ***go*** ~ 엇갈리다, 거꾸로 되다. ***put*** ~ 수행(遂行)하다; 잘 알도록 보이다; 《美俗》 속이다.

a·cros·tic [əkrɔ́:stik, -á-/-ɔ́-] *a., n.* Ⓒ 각 줄에서 처음과 끝을 맞추면 어구(語句)가 되는 (시); 그러한 식의 글자 퀴즈.

a·cryl·ic [əkrílik] *a.* 『化』 아크릴의.

†act [ækt] *n.* Ⓒ ① 행위; 행동. ② (극의) 막(幕)(cf. scene). ③ 결의(서); 법령. ~ ***and deed*** 증거물. ~ ***of God*** 『法』 불가항력. ~ ***of grace*** 은전, 특전; (A-) 일반 사면령(令). ***in the*** (***very***) ~ (***of***) (…의) 현행중에, (…하는) 현장에서. ***the Acts*** (***of the Apostles***) 『新約』 사도행전. — *vt.* 행하다, 하다; (…의) 시늉을[체를] 하다; (역을) 맡아[연기]하다, (극을) 상연하다. — *vi.* ① 행동하다. ② 작용하다(*on*). ③ 연기하다(*as*). ④ 《美》 판결을 내리다(*on*). ~ ***for*** …의 대리가 되다[대리를 보다]. ~ ***on*** [***upon***] …에 따라 행동하다; (뇌 따위)에 작용하다, 영향을 미치다. ~ ***the part of*** …의 역(할)을 하다. ~ ***up*** 《美口》 허세[허영] 부리다; 건방진 태도를 취하다; (못된) 장난을 하다. ~ ***up to*** (주의·주장)을 실행하다, …을 고수하다, (약속을) 지키다. **~·a·ble** [ǽktəbl] *a.* 상연[실행] 가능한.

:act·ing [ǽktiŋ] *a., n.* 대리의; Ⓤ 행함, 연기. ~ ***chief*** 과장 대리. ~ ***copy*** 『劇』 대본. ~ ***manager*** 지배인 대리. ~ ***principal*** 교장 대리.

†ac·tion [ǽkʃən] *n.* ① Ⓤ 활동, 작용. ② Ⓒ 행동, 행위. ③ Ⓤ 동작; 몸짓, 거동; 기능, 작용. ④ Ⓒ 소송. ⑤ Ⓒ 전투. ⑥ Ⓤ (소설 따위의) 줄거리(의 전개). ***be put out of*** ~

전투력을 잃다; 상태가 나빠지다. **bring** 〔**take**〕 **an ~ against** …을 기소(起訴)하다. **in ~** 활동〔실행〕하고; (기계 따위) 작동하고. **man of ~** 활동가. **put into** 〔**in**〕 **~** 실시하다. **take ~** 착수〔시작〕하다(*in*). **~·a·ble** *a.* 소송을 제기할 만한. **~·ist** *n.* Ⓒ (정치에서의) 직접 행동 주의자.

áction-pàcked *a.* 《口》 (영화 등이) 액션으로 꽉 찬.

áction réplay 《英》 (스포츠 중계 등에서) 슬로모션 즉시 재생.

áction stàtion 〖軍〗 전투 배치.

ac·ti·vate [ǽktəvèit] *vt.* 활동적으로 하다; 〖美軍〗 (부대를) 전시 편성하다; 동원(動員)하다; 〖理〗 방사능을 부여하다; 〖化〗 활성화하다; (하수를) 정화하다. **-va·tion** [⌐–véiʃən] *n.* Ⓤ 활발하게 함, 자극; 활성화; 전시 편성. **ác·ti·và·tor** *n.* Ⓒ 활발하게 만드는 사람〔것〕; 〖化〗 활성제.

:ac·tive [ǽktiv] *a.* ① 활동적인, 적극적인; 힘센. ② 〖文〗 능동의. ③ 〖軍〗 현역의. **˙~·ly** *ad.*

áctive dúty 〔**sérvice**〕 현역 근무.

ac·tiv·ism [ǽktivìzəm] *n.* Ⓤ (적극적인) 행동주의. **-ist** *n.* Ⓒ 행동주의자; 행동대원; (정치〔학생〕 운동 등의) 활동가.

:ac·tiv·i·ty [æktívəti] *n.* ① Ⓤ 활동, 활약. ② Ⓤ 활기, 활황(活況); 능동성. ③ Ⓒ (종종 *pl.*) 활동(범위).

:ac·tor [ǽktər] *n.* Ⓒ 배우; 행위자.

:ac·tress [ǽktris] *n.* Ⓒ 여(배)우.

:ac·tu·al [ǽktʃuəl] *a.* 현실의, 실제의; 현재의. **~ capacity** 실(實)능력; 실용량. **~ locality** 현지. **~ money** 현금. **:~·ly** [-li] *ad.* 현실적으로, 실제로.

˙ac·tu·al·i·ty [æ̀ktʃuǽləti] *n.* ① Ⓤ 현실(성). ② Ⓒ (종종 *pl.*) 현상, 실태, 진상. **in ~** 현실로.

ac·tu·ar·y [ǽktʃuèri/-tjuəri] *n.* Ⓒ 보험 회계사; 《古》 (법정의) 서기. **-ar·i·al** [æ̀ktʃuɛ́əriəl] *a.*

ac·tu·ate [ǽktʃuèit] *vt.* (기계를) 움직이다; (남을) 자극하여 …시키다.

a·cu·i·ty [əkjú:əti] *n.* Ⓤ 예민; 격렬; 신랄.

a·cu·men [əkjú:mən, ǽkjə-] *n.* Ⓤ 혜안(慧眼); 명민.

ac·u·punc·ture [ǽkjupʌ̀ŋktʃər] *n.* Ⓤ 침술, 침 치료.

:a·cute [əkjú:t] *a.* ① 날카로운; 뾰족한. ② 예민한, 빈틈없는. ③ 격렬한; 급성의(opp. chronic). **~·ly** *ad.*

acúte ángle 예각.

˙ad [æd] *n.* Ⓒ 《美》 광고(advertisement). **~ balloon** 광고 기구〔풍선〕.

:A.D. [éidí:] 서력…(< *Anno Domini*).

ad·age [ǽdidʒ] *n.* Ⓒ 격언, 속담.

a·da·gi·o [ədá:dʒou, -dʒiòu] *ad., a., n.* (*pl.* **~s**) (It.) 〖樂〗 느리게, 느린; Ⓒ 아다지오장(章)〔곡〕.

˙Ad·am [ǽdəm] *n.* 〖聖〗 아담.

ad·a·mant [ǽdəmənt, -mæ̀nt] *a., n.* Ⓤ 대단히 단단한 (물건); (의지가) 견고한. **-man·tine** [⌐–mǽntain, -ti(:)n] *a.* 견고한, 단단한.

Ádam's àpple 결후(結喉).

:a·dapt [ədǽpt] *vt.* ① 적응〔적합〕시키다(*to*). ② 개작〔수정〕하다; 번안하다. **~·ed** [-id] *a.*

a·dapt·a·ble [ədǽptəbəl] *a.* 적응〔순응〕할 수 있는(*to*); 각색할 수 있는(*for*). **-bil·i·ty** [–⌐–bíləti] *n.* Ⓤ 적응〔순응〕성; 각색의 가능성.

:ad·ap·ta·tion [æ̀dəptéiʃən] *n.* ① Ⓤ 적응. ② Ⓤ,Ⓒ 개작, 각색.

a·dapt·er, a·dap·tor [ədǽptər] *n.* Ⓒ 각색자; 번안자; 가감 장치; 〖電·機〗 어댑터, 연결관〔기〕; 〖컴〗 접속기.

a·dap·tive [ədǽptiv] *a.* 적합한, 적응한; 적합할 수 있는.

†add [æd] *vt., vi.* ① 더하다, 더해지다, 늘다. ② 가산하다. **~ to** …을 더하다, 증가하다. **~ up** 합계하다; 계산이 맞다. **to ~ to** …에 더하여. — *n.* Ⓤ,Ⓒ 〖컴〗 더하기(addition).

ad·den·dum [ədéndəm] *n.* (*pl.* **-da** [-də]) Ⓒ 보유(補遺); 추가.

ad·der [ǽdər] *n.* Ⓒ 〖動〗 살무사의 무리(cf. asp).

ad·dict [ədíkt] *vt.* 탐닉하게〔빠지게〕하다(~ *oneself to*). **be ~ed to** … 에 빠지다. — [ǽdikt] *n.* Ⓒ (마약 따위의) 상습자, 중독자. **ad·díc·tion** [əd-] *n.* Ⓤ,Ⓒ 탐닉, 빠짐.

ad·dic·tive [ədíktiv] *a.* (약 따위

A

가) 습관성의, 중독되기 쉬운.

:**ad·di·tion** [ədíʃən] *n.* ① Ⓤ 부가, 증가; ⓊⒸ 가산(加算). ② Ⓒ 부가물; 증축. ***in*** ~ (***to***) (…에) 더하여, 그 위에. **:~·al** *a.* 부가의 (*an ~al tax* 부가세). **~·al·ly** *ad.* 그 위에 (더).

ad·di·tive [ǽdətiv] *a.* 부가적인; 첨가의. ― *n.* Ⓒ 부가[첨가]물.

ad·dle [ǽdl] *a.* 썩은, 혼탁한. ― *vt., vi.* 썩(히)다, 혼란시키다[하다].

ádd-òn *n.* Ⓒ 추가물; (기계에 대한) 부가 장치.

†**ad·dress** [ədrés] *n.* ① Ⓒ 연설; 말을 걺; 인사《공식의》; 제언; 청원. ② Ⓤ 말투, 응대(의 멋짐). ③ Ⓤ 교묘, 솜씨(좋음). ④ Ⓒ [*美*+ǽdres] 수신인 이름·주소; 〖컴〗 번지. ⑤ (*pl.*) 구혼. ⑥ Ⓒ 《美》 대통령의 교서. ***a funeral*** ~ 조사. ***an*** ~ ***of thanks*** 치사. ***pay one's ~es to*** …에게 구혼하다. ***with*** ~ 솜씨 좋게. ― *vt.* ① (…에게) 말을 걸다; (…을 향하여) 연설하다(~ *an audience*). ② (편지 등의) 겉봉을 쓰다; …앞으로 보내다. ③ 신청하다《구두·서면으로》. ④ (문제에) 파고 들다; 다루다. ⑤ 〖골프〗 (공을) 칠 준비 태세로 들다. ~ ***oneself to*** …에 (본격적으로) 달려붙다; …에게 말을 걸다; 편지 쓰다. **~·a·ble** *a.* 〖컴〗 번지로 끄집어낼 수 있는. **~·er, -dres·sor** *n.* Ⓒ 발신인.

ad·dress·ee [æ̀dresí:] *n.* Ⓒ (우편물·메시지의) 수신인.

ad·duce [ədjú:s] *vt.* 인용하다, 증거로서 들다. **ad·duc·tion** [-dʌ́k-] *n.*

ad·e·noids [ǽdənɔ̀idz] *n.* Ⓤ 〖醫〗 아데노이즈《인두편도(咽頭扁桃)의 비대증》.

ad·ept [ǽdept, ədépt] *n.* Ⓒ 숙련자(expert). ― [ədépt] *a.* 숙련된 (*in, at*).

ad·e·qua·cy [ǽdikwəsi] *n.* Ⓤ 적당[충분]함; 타당.

:**ad·e·quate** [-kwit] *a.* 적당[충분]한. *~·ly** *ad.*

:**ad·here** [ædhíər] *vi.* ① 들러붙다, 접착하다(*to*). ② (신념을) 굳게 지키다, 집착하다.

˙**ad·her·ent** [ædhíərənt] *a.* 들러붙는, 집착하는, 붙어 떨어지지 않는. ― *n.* Ⓒ 지지자; 귀의자(歸依者); 졸개, 부하. **-ence** *n.* Ⓤ 집착, 경도(傾倒), 귀의.

ad·he·sion [ædhí:ʒən] *n.* Ⓤ 점착; 집착; 유착(癒着). **-sive** [-siv] *a., n.* 「한[히]」.

ad hoc [ǽd hák/-hɔ́k] (L.) 특별

˙**a·dieu** [ədjú:/ədjú:] *int., n.* (*pl.* **~s, ~x**[-z]) (F.) Ⓒ 안녕; 이별.

ad in·fi·ni·tum [æd ìnfənáitəm] (L.) 무한히, 무궁하게(forever).

˙**ad·ja·cent** [ədʒéisənt] *a.* 부근의, 인접하는(*to*). **-cen·cy** [-sənsi] *n.* Ⓤ 근접, 인접; Ⓒ 인접지[물].

ad·jec·ti·val [æ̀dʒiktáivəl] *a.* 〖文〗 형용사(적)인. ― *n.* Ⓒ 형용사적 어구.

:**ad·jec·tive** [ǽdʒiktiv] *n.* Ⓒ 형용사. ― *a.* 형용사의[적인]. ~ ***clause***[***phrase***] 형용사절[구]. ~ ***infinitive*** 형용사적 부정사.

:**ad·join** [ədʒɔ́in] *vi., vt.* 인접하다, 서로 이웃하다. **:~·ing** *a.* 인접하는, 이웃의.

:**ad·journ** [ədʒə́:rn] *vt., vi.* ① 연기하다. ② (회를) 휴지하다; 휴회하다. **~·ment** *n.*

ad·judge [ədʒʌ́dʒ] *vt.* 판결하다; 심판하다; 심판하여 (상을) 주다, 교부하다. **ad·judg(e)·ment** *n.*

ad·ju·di·cate [ədʒú:dikèit] *vt., vi.* 판결[재정]하다. **-ca·tion**[-ˌ-ˈ-kéiʃən] *n.*

˙**ad·junct** [ǽdʒʌŋkt] *n.* Ⓒ 부가물; 〖文〗 부가사(詞); 〖論〗 첨성(添性). ― *a.* 부속의. **ad·junc·tive**[ədʒʌ́ŋktiv] *a.* 부수적인.

ad·jure [ədʒúər] *vt.* 엄명하다; 탄원하다. **ad·ju·ra·tion**[æ̀dʒəréiʃən] *n.*

:**ad·just** [ədʒʌ́st] *vt.* ① 맞추다, 조정(調整)[조절]하다. ② 조정(調停)하다, 화해시키다. **~·a·ble** *a.* **:~·ment** *n.*

ad·ju·tant [ǽdʒətənt] *a.* 보조의. ― *n.* Ⓒ 부관(副官), 조수; 〖鳥〗 (인도·아프리카산의) 무수리. **-tan·cy** [-tənsi] *n.* Ⓤ 부관의 직.

ad-lib [ædlíb, ǽd-] *vt., vi.* (**-bb-**) 《口》 대본에 없는 대사를 말하다; 즉흥적으로 노래하다[연주하다].

ad·man [ǽdmæ̀n, -mən] *n.* Ⓒ《美口》 광고업자〔권유원〕; 광고 문안 제작자.

·**ad·min·is·ter** [ædmínəstər] *vt.* ① 관리〔처리〕하다, (법률을) 시행〔집행〕하다. ② (타격 따위를) 주다. ③ (치료를) 하다, 베풀다. ── *vi.* ① 관리하다. ② 돕다; 주다; (…에) 도움〔소용〕이 되다(*to*). ~ ***an oath to*** …에게 선서시키다.

:**ad·min·is·tra·tion** [ædmìnəstréiʃən, əd-] *n.* ① Ⓤ 관리, 경영, 행정, 시정(施政), 통치. ② Ⓒ《집합적》 관리자측, 경영진; 《美》 정부; Ⓤ 관료〔대통령〕의 임기. ③ Ⓤ,Ⓒ 줌; 시행; 투약(投藥). ~ ***of justice*** 법의 집행, 처형. ***board of*** ~ 이사회. ***civil*** 〔***military***〕 ~ 민〔군〕정.

·**ad·min·is·tra·tive** [ædmínəstrèitiv] *a.* 관리〔경영〕상의; 행정〔통치·시정〕상의.

ad·min·is·tra·tor [ədmínəstrèitər] *n.* (*fem.* **-trix** [–ˊ–tréitriks]; *fem. pl.* **-trices** [-trisì:z]) Ⓒ 관리〔관재〕인; 행정관. ~**·ship** [-ʃip] *n.* Ⓤ 위의 직.

·**ad·mi·ra·ble** [ǽdmərəbəl] *a.* 훌륭한. **-bly** *ad.* 훌륭히.

·**ad·mi·ral** [ǽdmərəl] *n.* Ⓒ ① 해군 대장, 제독; 해군 장성《대·중·소장》; (해군의) 사령관. ② 기함(旗艦). ③ 〖蟲〗 나비의 일종. ***fleet*** ~, 《英》 ~ ***of the fleet*** 해군 원수. ***Lord High A-*** 해군 장관. ***rear*** ~ 해군 소장. ***vice*** ~ 해군 중장.

ad·mi·ral·ty [ǽdmərəlti] *n.* Ⓤ 해군 대장의 직; Ⓒ 해사 재판소; (the A-) 《英》 해군성〔본부〕. ***Board of A-*** 《英》 해군 본부. ***First Lord of the A-*** 《英》 해상(海相).

:**ad·mi·ra·tion** [æ̀dməréiʃən] *n.* ① Ⓤ 감탄, 칭찬(*for*). ② (the ~) 찬미의 대상.

:**ad·mire** [ədmáiər] *vt., vi.* ① 감탄〔찬미〕하다. ② 《口》 칭찬하다. ③ 《美》 기뻐하다, 좋아하다. :**ad·mír·er** *n.* Ⓒ 숭배자; 감탄자; 구애자, 구혼자. ·**ad·mír·ing** *a.*

ad·mis·si·ble [ədmísəbəl] *a.* (의견·기획 등이) 용인될 수 있는; (지위에) 취임할 자격 있는(*to*); 〖法〗 증거로 인용(認容)할 수 있는. **-bly** *ad.* **-bil·i·ty** [–ˋ–bíləti] *n.*

:**ad·mis·sion** [ædmíʃən] *n.* ① Ⓤ 입장〔입학, 입회〕(허가). ② Ⓤ 입장료, 입회금. ③ Ⓒ 자인, 자백, 고백. ~ ***free*** 입장 무료. ~ ***to the bar*** 《美》 변호사 개업 허가.

†**ad·mit** [ædmít] *vt.* (**-tt-**) ① 인정하다, 승인하다; 진실〔유효〕임을 인정하다; 허락하다(permit). ② 들이다, 입장을〔입회를〕 허용하다. ③ 수용할 수 있다. ── *vi.* 인정하다, (…의) 여지가 있다(*of*), …할 수 있다. ~ ***to the bar*** 《美》 변호사 개업을 허가하다. ~**·ta·ble** [-əbəl] *a.* 들어갈 자격 있는. ~**·ted·ly** [-idli] *ad.* 일반에게 인정되어; 분명히; 인정하듯이.

ad·mit·tance [-əns] *n.* Ⓤ 입장〔입회〕(권(權)). ~ ***free*** 입장 무료. ***gain*** 〔***get***〕 ~ ***to*** …에 입장이 허락되다〔입장하다〕. ***No*** ~. 입장 사절.

·**ad·mon·ish** [ədmániʃ/-5-] *vt.* ① 훈계하다, 타이르다, 깨우치다, 충고〔권고〕하다(*to* do; *that*). ② 알리다(*of; that*). ~**·ment** *n.*

ad·mo·ni·tion [æ̀dməníʃən] *n.* Ⓤ,Ⓒ 타이름, 훈계, 충고. **ad·mon·i·to·ry** [ədmánitɔ̀:ri/-mɔ́nitəri] *a.* 훈계의.

ad nau·se·am [æd nɔ́:ziæ̀m, -si-] (L.) 싫증 날 정도로, 구역질 날 만큼.

·**a·do** [ədú:] *n.* Ⓤ 법석(fuss); 소동. ***much*** ~ ***about nothing*** 공연한 소동〔법석〕. ***without more*** ~ 다음은 순조로이.

a·do·be [ədóubi] *n., a.* Ⓤ 《美》 햇볕에 말린 어도비 찰흙〔벽돌〕(의), 멕시코 벽돌(로 지은).

ad·o·les·cence [æ̀dəlésəns] *n.* Ⓤ 청년기《남자는 14–25세, 여자는 12–21세》; 청춘. **-cent** *a., n.* Ⓒ 청년기의 (사람), 젊은이.

·**a·dopt** [ədápt/-5-] *vt.* 채택〔채용〕하다; 양자로 삼다. ~**·a·ble** *a.* ~**·ed** [-id] *a.* 양자가〔채용이〕 된(*an* ~*ed child* 양자). **a·dóp·tion** *n.* Ⓤ,Ⓒ 채용; 양자 결연. **a·dóp·tive** *a.* 채용의; 양자 관계의.

a·dor·a·ble [ədɔ́:rəbəl] *a.* 숭배〔경모〕할 만한; 《口》 귀여운.

ad·o·ra·tion [æ̀dəréiʃən] *n.* Ⓤ 숭

A

배, 경모; 애모, 동경.
:a·dore [ədɔ́:r] *vt.* ① 숭배하다; 경모하다. ②《口》무척 좋아하다. **a·dór·er** *n.* **a·dór·ing**(**·ly**) *a.* (*ad.*)
:a·dorn [ədɔ́:rn] *vt.* 꾸미다; 미관을 〔광채를〕 더하다. **~·ment** *n.* Ⓤ 장식.
ad·re·nal [ədrí:nəl] *a., n.* 신장〔콩팥〕에 가까운. Ⓒ 부신(副腎)(의).
ad·ren·al·in(**e**) [ədrénəlin] *n.* Ⓤ 아드레날린《부신에서 분비되는 호르몬》; (A-) 〖商標〗 아드레날린제《강심제·지혈제》.
a·drift [ədríft] *ad., pred. a.* 표류하여; 떠돌아. (정처없이) 헤매어; 일정한 직업 없이; 어찌할 바를 몰라. ***go* ~** (배가) 표류하다; 방황하다; 물건이 없어지다, 도둑맞다.
a·droit[ədrɔ́it] *a.* 교묘한. **~·ly** *ad.*
ad·u·late [ǽdʒəlèit] *vt.* 아첨하다. **-la·tion** [⌐–léiʃən] *n.* **-la·to·ry** [⌐–lətɔ̀:ri/-lèitəri] *a.*
:a·dult [ədʌ́lt, ǽdʌlt] *n., a.* Ⓒ 성인(의), 어른(의); 〖法〗 성년자. ***Adults Only*** 미성년자 사절《게시》. **~·hood** [-hùd] *n.*
a·dul·ter·ate [-rèit] *vt.* 섞음질하다, 질을 떨어뜨리다. — [-rət] *a.* 섞음질한. **-a·tion** [–⌐–éiʃən] *n.* Ⓤ 섞음질; Ⓒ 조악품, 막치.
a·dul·ter·er [-rər] *n.* Ⓒ 간부(姦夫), 샛서방.
a·dul·ter·ess [-ris] *n.* Ⓒ 간부(姦婦).
a·dul·ter·y [-ri] *n.* Ⓤ 간통, 간음. **-ter·ous**[-tərəs] *a.* 간통의; 불순한 (*adulterous wine* 섞음질한 포도주).
ad·um·brate [ædʌ́mbrèit, ǽdəm-] *vt.* 어렴풋이 보이다; 예시(豫示)하다; 그늘지게〔어둡게〕 하다.
†ad·vance [ədvǽns, -ɑ́:-] *vt.* ① 나아가게 하다. ② 승진시키다. ③ (값을) 올리다. ④ (의견을) 내다. ⑤ 선불(先拂)〔선대(先貸)〕하다. — *vi.* ① 나아가다. ② (밤이) 으슥해지다. ③ 승진하다. ④ (값이) 오르다. ⑤ (문답·게임 등에서) 다음 차례로 진행하다(*A-!* 자, 다음!). — *n.* ① Ⓒ 전진; 진군. ② Ⓤ,Ⓒ 진보; (때의) 진행; 승진. ③ Ⓒ 선불〔가불·입체〕금. ④ (*pl.*) (친하려는) 접근; 신청, 구애하다; 신청하다. — *a.* 앞의; 사전의, 미리의. **~ *base*** 전진 기지. **~ *sale*** (표의) 예매(豫賣). **~ *ticket*** 예매권. **:~d**[-t] *a.* 나아간, 진보한; 고등의; 늙은; (밤이) 깊은. **~*d country*** 선진국. **~*d credit*** 타교(他校)에서의 과목 수료로 인정된 것. **~*d standing*** 타교에서 딴 수료 과목의 승인(받아들이는 학교측의). ***~·ment** *n.* Ⓤ 전진, 발달; 승진; 선불, 선대(先貸). ***in* ~** 사전에, 미리; 선금으로; 앞서서. ***make* ~*s*** 입체하다; 환심 사다;
advánced lével 《英》 상급 학력 시험《대학 입학 자격 등에 필요함; A level》.
:ad·van·tage[ædvǽntidʒ, -ɑ́:-] *n.* ① Ⓤ 이익, 편의, 유리. ② Ⓒ 이점, 강점; 유리한 입장. ③ 〖테니스〗 =VANTAGE. ***take* ~ *of*** …을 이용하다, …을 틈타다. ***take a person at* ~** 불시에 타격을 가하다, 기습하다. ***to* ~** 유리하게, 형편 좋게; 뛰어나게, 훌륭하게. ***turn to* ~** 이용하다. ***with* ~** 유리〔유효〕하게. ***You have the* ~ *of me.*** 글쎄 전 누구신지 모르겠네요《교제를 구해 오는 이에 대한 완곡한 사절》. — *vt.* 이익을 주다; 돕다.
***ad·van·ta·geous** [æ̀dvəntéidʒəs] *a.* 유리한; 형편이 좋은. **~·ly** *ad.*
***Ad·vent** [ǽdvent, -vənt] *n.* ① 예수의 강림, 강림절《크리스마스 전의 약 4주간》. ② (the a-) 출현, 도래. ***the Second* ~** 예수의 재림. **~·ism**[-ìzəm] *n.* Ⓤ 예수 재림론. **~·ist** *n.*
ad·ven·ti·tious [æ̀dvəntíʃəs] *a.* 우발〔외래〕의; 〖植·動〗 부정(不定)의, 우생(偶生)의.
:ad·ven·ture [ædvéntʃər] *n.* ① Ⓤ 모험. ② Ⓒ 흔치 않은 체험. ③ Ⓤ,Ⓒ 투기. — *vt., vi.* =VENTURE. ***-tur·er** *n.* Ⓒ 모험가, 투기가. ***-tur·ous, ~·some**[-səm] *a.* 모험적인, 모험을 즐기는.
:ad·verb [ǽdvə:rb] *n.* Ⓒ 〖文〗 부사. **~ *clause*** 〔***phrase***〕 부사절〔구〕. ***relative* ~** 관계 부사. **ad·ver·bi·al** [ædvə́:rbiəl] *a.*
***ad·ver·sar·y** [ǽdvərsèri/-səri] *n.* Ⓒ 적; (경기 따위의) 상대(방); (the A-) 마왕(魔王).

A

*ad·verse [ædvə́:rs, ∸–] *a.* ① 역(逆)의, 거꾸로의, 반대의(*an* ~ *wind* 역풍, 맞바람). ② 적의(敵意)가 있는. ③ 불리한; 유해한. **~·ly** *ad.* 역으로; 불리하게.

*ad·ver·si·ty [ædvə́:rsəti, əd-] *n.* Ⓤ 역경, 불운; Ⓒ 불행한 일, 재난.

ad·vert[1] [ædvə́:rt, əd-] *vi.* (…에) 주의를 돌리다(*to*); (…에) 언급하다(*to*).

ad·vert[2] [ǽdvə:rt] *n.* ⦅英⦆ = ADVERTISEMENT.

:**ad·ver·tise, -tize** [ǽdvərtàiz] *vt., vi.* 광고[공고]하다. ~ ***for*** …을 광고 모집하다. ‡**~·ment** [æ̀dvərtáizmənt, ædvə́:rtis-, -tiz-] *n.* Ⓤ,Ⓒ 광고(*an* ~*ment column* 광고란/ ~*ment mail* 광고 우편). ***-tis·ing** *n.* Ⓤ 광고(업).

*ad·ver·tis·er [-ər] *n.* Ⓒ 광고자[주]; (A-) …신문.

†**ad·vice** [ædváis] *n.* ① Ⓤ 충고, 조언, 의견. ② Ⓒ (보통 *pl.*) 보도, 보고; 〖商〗 통지, 안내(*a letter of* ~ 통지서). ~ ***note*** 안내장. ~ ***slip*** 통지 전표.

*ad·vis·a·ble [ædváizəbəl] *a.* 권할 만한, 적당한; 현명한, 분별 있는. **-bil·i·ty** [–∸–bíləti] *n.* Ⓤ 권할 만함, 적당함; 득책.

:**ad·vise** [ædváiz] *vt.* 충고[조언]하다; 알리다(*of; that*). — *vi.* 상담[의논]하다(*with*). **~·ment** *n.* Ⓤ 고려. **~d** [-d] *a.* 곰곰이 생각한 끝의, (안 따위) 신중히 고려된; 정보를 얻은. **ad·vís·ed·ly** [-idli] *ad.* 숙고를 거듭한 끝에; 고의로. ***ad·ví·ser, -ví·sor** *n.* Ⓒ 조언자, 상담역, 고문.

ad·vi·so·ry [ædváizəri] *a.* 충고[조언]의; 고문의. ~ ***committee*** 자문 위원회.

*ad·vo·cate [ǽdvəkit, -kèit] *n.* Ⓒ 변호인; 주장자, 옹호자. — [-kèit] *vt.* 변호[옹호]하다; 주장하다. **ad·vo·ca·cy** [-kəsi] *n.* Ⓤ,Ⓒ 변호; 주장; 지지.

adz(e) [ædz] *n., vt.* Ⓒ 까뀌(로 깎다).

ae·gis [í:dʒis] *n.* (the ~) 〖그神〗 Zeus의 방패; Ⓒ 보호, 옹호.

ae·on [í:ən] *n.* Ⓒ 영겁(永劫).

aer·ate [éiərèit, ɛ́ə-] *vt.* 공기에 쐬다[를 넣다]; 탄산가스(따위)를 넣다. ~***d bread*** 무효모 빵. ~***d waters*** 탄산수. **aer·a·tion** [∸éiʃən] *n.* Ⓤ 통기(通氣), 통풍; 탄산가스 넣기. **áer·a·tor** *n.* Ⓒ 통풍기; 탄산수 제조기(機).

:**aer·i·al** [ɛ́əriəl] *a.* ① 공중의; 항공의. ② 기체의; 공기의[같은], 희박한. ③ 공상적인, 가공의. ④ 공중에 치솟은; 공중에 생기는; 공중 조작의. — *n.* Ⓒ 안테나. **~·ist** *n.* Ⓒ (공중 그네) 곡예사; ⦅俗⦆ 지붕을 타고 들어가는 강도.

aer·o- [ɛ́ərou, -rə] '공기, 공중, 항공(기)' 의 뜻의 결합사.

aer·o·bat·ics [ɛ̀ərəbǽtiks] *n.* Ⓤ 곡예비행술; ⦅복수 취급⦆ 곡예 비행.

aer·o·bics [ɛəróubiks] *n.* Ⓤ 에어로빅스⦅운동으로 체내의 산소 소비량을 늘리는 건강법⦆.

aer·o·drome [ɛ́ərədròum] *n.* Ⓒ ⦅英⦆ 비행장, 공항.

àero·dynámics *n.* Ⓤ 기체 동역학; 공기 역학.

aer·o·gram(me) [ɛ́ərəgræ̀m] *n.* Ⓒ 항공 서한; ⦅英⦆ 무선 전보.

aer·o·naut [ɛ́ərənɔ̀:t] *n.* Ⓒ 비행선[경기구] 조종사. **-nau·tic** [∸–nɔ́:tik], **-ti·cal** [-əl] *a.* 비행가[술]의, 항공의.

àero·náutics *n.* Ⓤ 항공학[술].

:**áero·plàne** *n.* ⦅英⦆ = AIRPLANE.

aer·o·sol [ɛ́ərəsɔ̀:l, -sɑ̀l/ɛ́ərəsɔ̀l] *n.* Ⓤ 〖化〗 연무질(煙霧質), 에어로솔.

áero·spàce *n., a.* Ⓤ 대기권과 우주(의); 항공 우주(의).

aes·thete [ésθi:t/í:s-] *n.* Ⓒ 미학자, 탐미주의자; 탐미가, …통(通).

*aes·thet·ic [esθétik/i:s-] *a.* 미(美)의, 미술(학)의; 심미적인, 미를 아는; 심미안이 있는. **~s** *n.* Ⓤ 미학(美學).

aes·thet·i·cal·ly [esθétikəli] *ad.* 미학적으로; 심미적으로.

*a·far [əfɑ́:r] *ad.* ⦅詩⦆ 멀리, 아득히. ~ ***off*** 멀리 떨어져서, 원방에. ***from*** ~ 멀리서, 원방에서.

af·fa·bil·i·ty [æ̀fəbíləti] *n.* Ⓤ 상냥함, 붙임성 있는, 사근사근함.

af·fa·ble [ǽfəbəl] *a.* 상냥한, 붙임성 있는; 부드러운. **-bly** *ad.*

A

†**af·fair**[əfέər] *n.* Ⓒ ① 일, 사건. ② (*pl.*) 사무, 일. ③ (막연히) 것, 하기(*It is an ~ of ten minutes' walk.* 걸어서 10분 정도의 거리다). ④ 관심사(*That's none of your ~.* 그건 네가 알 바 아니다). **~ *of honor*** 결투(duel). **~*s of State*** 국사(國事). ***framed* [*getup*] ~** 짬짜미 경기《승부를 미리 결정하고 하는》. ***love* ~** 정사, 로맨스. ***man of ~s*** 사무〔실무〕가. ***state of ~s*** 사태, 형세.

:**af·fect**[əfékt] *vt.* ① (…에게) 영향을 주다, (보통 나쁘게) 작용하다(act on). ② (병이) 침범하다. ③ 감동시키다. ④ 좋아하다, 즐겨 …하고 싶어하다. ⑤ (어떤 형태를) 취하기 쉽다. ⑥ (짐승이) 즐겨 (…에) 살다. ⑦ …체〔연〕하다, 짐짓 …체하다. **~·ing** *a.* 감동시키는, 애처로운. ── [ǽfekt] *n.* Ⓤ 〖心〗 감동, 정서.

af·fec·ta·tion[æ̀fektéiʃən] *n.* Ⓤ,Ⓒ …체〔연〕함, 짐짓 꾸밈.

af·fect·ed[əféktid] *a.* ① 영향을 받은, 침범된, 걸린. ② 감동한; …한 기분으로 있는. ③ …체〔연〕하는, 짐짓 꾸민; 일부러인 것 같은, 부자연스러운. **~·ly** *ad.* 짐짓 꾸며.

:**af·fec·tion**[əfékʃən] *n.* ① Ⓤ 애정; (종종 *pl.*) 감정. ② Ⓤ,Ⓒ 영향. ③ Ⓒ 병. ④ Ⓒ 성질, 특성.

:**af·fec·tion·ate**[əfékʃənit] *a.* ① 애정 있는〔어린〕. ② 깊이 사랑하고 있는. **:~·ly** *ad.* 애정을 다하여, 애정이 넘치게(*Yours ~ly*).

af·fi·da·vit[æ̀fədéivit] *n.* Ⓒ 〖法〗 선서 진술서.

af·fil·i·ate[əfílièit] *vt.* ① (…에) 가입〔관계〕시키다, 회원으로 하다; 합병하다. ② 양자로 삼다; 〖法〗 (사생아의) 아버지를 결정하다(*on*). ③ …으로 돌리다(*to, upon*). ── *vi.* ① 《美》 관계하다, 가입하다; 제휴하다. ② 친밀히 하다. **~*d company*** 방계〔계열〕 회사.

˚**af·fin·i·ty**[əfínəti] *n.* Ⓤ,Ⓒ ① 친척(관계). ② (타고난) 취미, 기호(*for*). ③ 유사, 친근(성). ④ 〖生〗 근연(近緣); (종종 *pl.*) 〖化〗 친화력.

:**af·firm**[əfə́:rm] *vt., vi.* (…에게) 단언하다, 확언하다; 〖法〗 확인하다. **~·a·ble** *a.* 단언할 수 있는. ˚**af·fir·ma·tion**[æ̀fə:rméiʃən] *n.* Ⓤ,Ⓒ 단언; 긍정.

:**af·firm·a·tive**[-ətiv] *a., n.* 확정의, 긍정의; Ⓒ 긍정문〔어〕; 찬성자 (opp. negative). ***answer in the* ~** '그렇다' 고 대답하다.

af·fix[əfíks] *vt.* (…에) 첨부하다, 붙이다(*to, on*); 도장을 누르다; (책임·비난 따위를) 씌우다. ── [ǽfiks] *n.* Ⓒ 첨부물; 〖文〗 접(두·미)사. **~·ture**[əfíkstʃər] *n.* Ⓤ 첨부, 첨가; Ⓒ 첨부물, 첨가물.

:**af·flict**[əflíkt] *vt.* 괴롭히다(*with*). ˚**af·flíc·tion** *n.* Ⓤ,Ⓒ 고난, 고뇌.

af·flu·ence[ǽflu(:)əns] *n.* Ⓤ 풍부; 풍부한 공급; 부유. **-ent** *a., n.* Ⓤ 풍부〔부유〕(한); Ⓒ 지류(支流).

:**af·ford**[əfɔ́:rd] *vt.* ① 《can, may에 수반되어》 …할〔…을 가질〕 여유가 있다, …할 수 있다(*I cannot ~ (to keep) a yacht.* 요트 따위를 가질 만한 여유는 없다). ② 산출하다, 나다(yield); 주다.

af·for·est[əfɔ́:rist, -á-/æfɔ́r-] *vt.* 식림(植林)하다. **-es·ta·tion** [–⌐–éiʃən] *n.*

af·fray[əfréi] *n.* Ⓒ 〖法〗 싸움, 법석.

˚**af·front**[əfrʌ́nt] *n., vt.* Ⓒ (공공연한) 경멸; 모욕(하다); 직면〔반항〕하다.

Af·ghan[ǽfgæn, -gən] *n., a.* Ⓒ 아프가니스탄 사람〔족〕(의); Ⓤ 아프가니스탄어(의); (a-) Ⓒ 담요·어깨걸이의 일종.

a·fi·cio·na·do[əfìʃiənɑ́:dou] *n.* (Sp.) Ⓒ 열애자, 팬, 애호가.

a·field[əfí:ld] *ad.* 들〔벌판〕에, 들로; 싸움터에서〔로〕; 집에서 떨어져; 헤매어; 상궤를 벗어나.

a·flame[əfléim] *ad., pred. a.* (불) 타올라.

˚**a·float**[əflóut] *ad., pred. a.* ① (물위에) 떠서, 떠돌아. ② 해상에, 배위에. ③ (강이) 범람하여. ④ (소문이) 퍼져; (어음이) 유통되어. ***keep* ~** 가라앉지 않고 있다; 빚을 안 지(게 하)다.

˚**a·foot**[əfút] *ad., pred. a.* 걸어서; 진행중에. ***set* ~** (계획 등을) 세우다.

afóre·mèntioned, afóre·sàid *a.* 전술(前述)한.

afóre·thòught *a.* 미리〔사전에〕 생각된, 고의의, 계획적인. ***malice*** ~ 살의(殺意).
a for·ti·o·ri [éi fɔ̀:rʃiɔ́:rài] (L.) 한층 더한 이유로, 더욱.
†**a·fraid** [əfréid] *pred. a.* 두려워하여(*of* a thing; *to* do); 근심〔걱정〕하여(*of* doing; that, lest). **be** ~ (**that**) 유감이〔미안하〕지만 …라고 생각하다. ***I am*** ~ ***not.*** 아마 …아니리라(*"Will he come?" "I'm* ~ *not."* '그 사람 올까' '아마 안 올걸'.).
˙**a·fresh** [əfréʃ] *ad.* 새로이, 다시 한 번(again).
†**Af·ri·ca** [ǽfrikə] *n.* 아프리카. **:Áf·ri·can** *a., n.* Ⓒ 아프리카의 (토인); 《美》 니그로〔흑인〕의.
Af·ri·kaans [æ̀frikɑ́:ns, -z] *n.* Ⓤ 남아프리카의 공용 네덜란드 말.
Af·ro [ǽfrou] *a., n.* Ⓤ (아프리카 니그로식의) 아프로형 두발(頭髮)(의).
Af·ro- [ǽfrou] '아프리카 (태생의); 아프리카 및' 의 뜻의 결합사.
aft [æft, ɑ:ft] *ad.* 〖海·空〗 고물쪽에〔으로〕, (비행기의) 후미에〔로〕.
†**af·ter** [ǽftər, ɑ́:f-] *ad.* 뒤에(behind); 나중〔후〕에(later). ── *prep.* ① …의 뒤에. ② …의 뒤를 쫓아, …을 찾아; …에 관〔대〕하여; …보다 뒤에; …에 잇따라, 다음에. ③ (…한) 이상〔바〕에는. ④ …에도 불구하고(~ *all his effort* 모처럼 있는 애를 다 썼건만). ⑤ …에 따라서; …을 흉내내어(*a painting* ~ *Matisse* 마티스풍의 그림); …에 연유하여, …을 따라. ── *conj.* (…한) 뒤에. ── *a.* 뒤〔후〕의; 〖海〗 (배의) 뒤의. ~ ***years*** 후년. ── *n.* Ⓤ,Ⓒ 《美俗》 오후.
áfter·bìrth *n.* Ⓤ 〖醫〗 후산(後産).
áfter·càre *n.* Ⓤ 치료 후의 몸조리; 애프터케어.
áfter·effèct *n.* Ⓒ 뒤에 남는 영향, 여파; (약의) 후작용.
áfter·glòw *n.* Ⓤ 저녁놀.
áfter·lìfe *n.* Ⓒ 내세; Ⓤ 여생.
áfter·màth *n.* Ⓒ (보통 *sing.*) (농작물의) 두번째 거둠; (사건 등의) 여파.
†**af·ter·noon** [æ̀ftərnú:n, ɑ̀:f-] *n., a.* Ⓒ 오후(의). ~ ***dress*** 애프터눈 드레스. ~ ***paper*** 석간. ~ ***sleep*** 낮잠. ~ ***tea*** 오후의 차〔다과회〕.
~**·er**[-ər] *n.* Ⓒ 《俗》 석간(신문).
af·ters [ǽftərz] *n. pl.* 《英口》 디저트.
áfter·shàve *a., n.* Ⓤ,Ⓒ 면도 후의 (로션)(~ lotion).
áfter·tàste *n.* Ⓒ (an ~) (특히, 불쾌한) 뒷맛, 여운.
áfter·thòught *n.* Ⓒ ① 되씹어 생각함; 고쳐 생각함. ② 때〔뒤〕 늦은 생각, 뒷궁리.
:áfter·ward(s) *ad.* 뒤에, 나중〔후〕에, 그 후.
†**a·gain** [əgén, əgéin] *ad.* ① (또) 다시, 또. ② (대)답하여; 응하여, 되돌려(***answer*** ~ 말대꾸하다); 반향하여(***ring*** ~ 메아리치다, 울려퍼지다); 본디 상태〔있던 곳으〕로 (되돌아와)(***be home*** ~). ③ …만큼 반복하여, 배(倍)의. ④ 그 위에(besides) (*A-, I* must say...). ⑤ 또 한편. ~ ***and*** ~, or ***time and*** ~ 여러 번, 몇번이고. ***as much*** 〔***many***〕 ~ (***as***) 다시 그만큼, 두 배만큼 (***all***) ***over*** ~ 되풀이하여. ***be oneself*** ~ 원상태로〔원래대로〕 되다, 완쾌하다. ***ever and*** ~ 때때로. ***You can say that*** ~***!*** 틀림없어!, 맞았어!
†**a·gainst** [əgénst, -géin-] *prep.* ① …에 대해서, …을 향하여, …에 거슬러서. ② …와 대조하여, 또렷이(~ *the blue sky* 푸른 하늘에 또렷이). ③ …에 부딪쳐, …에 기대서(*upon*) (~ *a wall* 벽에 기대서). ④ …에 대비하여(~ *a rainy day* 유사시에 대비하여). ~ ***all chances*** 가망이 없는. ~ ***one's heart*** 〔***will***〕 마음에 없으면서, 마지 못해서. ~ ***the stream*** 시세를 거슬러. ~ ***time*** (규정된) 얼마 안 되는 짧은 시간에 (마치고자 하여); 전속력으로.
a·gape [əgéip, əgǽp] *ad., pred. a.* 입을 (딱) 벌리고, 아연하여.
ag·ate [ǽgit] *n.* ① Ⓤ 마노(瑪瑙). ② Ⓒ (유희용) 튀김돌. ③ Ⓒ 《美》 애깃형 활자(ruby)《5.5 포인트》.
†**age** [eidʒ] *n.* ① Ⓤ 연령(*a boy* (*of*) *your* ~ 너와 같은 나이의 소년). ② Ⓤ 노년(老年). ③ Ⓒ 세대; 시대. ④ Ⓤ 성년, 정년(丁年). ⑤ Ⓒ (종종

A

pl.) 오랫동안(*It is ~s since I saw you last.* = *I haven't seen you for an ~.* 이거 꽤 오래간만이군요). **come of ~** 성년에 달하다. **for one's ~** 나이에 비해서(는). **full ~** 정년, 성년. **in all ~s** 예나 지금이나. **the golden ~** 황금 시대. **under ~** 미성년. — *vi., vt.* (**ag(e)·ing**) 나이를 먹(게 하)다, 늙(게 하)다. **∠·less** *a.* 늙지 않는.

áge bràcket 연령층.

:a·ged [éidʒid] *a.* ① 나이 먹은, 오래된, 낡은. ② [eidʒd] …살의.

áge-gròup *n.* Ⓒ 같은 연령층(의 사람들).

age·ism [éidʒizəm] *n.* Ⓤ (노인에 대한) 연령 차별.

áge·less *a.* 늙지 않는; 영원의. **~·ly** *ad.* **~·ness** *n.*

áge·lòng *a.* 오랫동안의, 영속하는 (everlasting).

:a·gen·cy [éidʒənsi] *n.* ① Ⓒ 대리점; Ⓤ 대리(권). ② Ⓤ 일, 작용. ③ Ⓤ 매개, 주선(*an employment ~* 직업 소개소). ④ Ⓒ 《美》 (정부의) 기관, 청, 국.

a·gen·da [ədʒéndə] *n. pl.* 회의 사항; 의제(議題).

:a·gent [éidʒənt] *n.* Ⓒ ① 대리인; 주선인; 행위[동작]자. ② 동인(動因), 작인(作因). **commission ~** 위탁 판매인, 객주. **general ~** 총대리인. **house ~** 가옥 소개업자. **literary ~** 《英》 문예 주선업자《신인 작품을 출판사에 알선하는 기관》. **road ~** 노상 강도. **secret ~** 비밀 탐정, 스파이.

áge-óld *a.* 예부터의, 오랜.

ag·glom·er·ate [əglámərèit/-ɔ́-] *n., a.* Ⓤ 덩이(진), 뭉쳐진, 모인. — [-rèit] *vt., vi.* 덩어리것다[지다]. **-a·tion** [-∸-éiʃən] *n.*

ag·gran·dize [əgrǽndaiz, ǽgrəndàiz] *vt.* 증대[확대]하다, (힘·부(富) 따위를) 늘리다, (계급을) 올리다. **~·ment** [-dizmənt] *n.*

˙ag·gra·vate [ǽgrəvèit] *vt.* ① 악화시키다, 심하게 하다. ② 《口》 괴롭히다; 노하게 하다.

ag·gra·vat·ing [ǽgrəvèitiŋ] *a.* 악화시키는; 《口》 아니꼬운, 부아나는.

ag·gra·va·tion [æ̀grəvéiʃən] *n.* U,C 악화; 도발; 격발.

˙ag·gre·gate [ǽgrigit, -gèit] *n., a.* U,C 집합(의), 집성(의); 총계(의); 집합체. **in the ~** 전체로. — [-gèit] *vt., vi.* 모으다, 모이다; 결합하다; 총합계 …이 되다.

:ag·gres·sion [əgréʃən] *n.* U,C 침략, 침해; (부당한) 공격.

:ag·gres·sive [əgrésiv] *a.* 침략적인; 공세의. **take** [**assume**] **the ~** 공세를 취하다; 도전하다. **~·ly** *ad.*

ag·gres·sor [∠ər] *n.* Ⓒ 침략자[국].

ag·grieve [əgríːv] *vt.* 괴롭히다; 학대하다, 압박하다(oppress). **be** [**feel**] **~d at** [**by**] …을 분개하다, …을 불쾌하게 느끼다.

a·ghast [əgǽst, -áː-] *pred. a.* 질겁하여, 두려워 떨며(*at*); 어안이 벙벙하여.

ag·ile [ǽdʒəl/ǽdʒail] *a.* 재빠른, 민활한. **a·gil·i·ty** [ədʒíləti] *n.* Ⓤ 민첩, 경쾌; 예민함, 민활함.

:ag·i·tate [ǽdʒitèit] *vt., vi.* ① 몹시 뒤흔들다, 휘젓다. ② (마음을) 들썩이다, 흥분시키다. ③ (…을) 격론하다. ④ 여론을 환기하다, 선동하다(*~ for the raise of pay* 임금 인상을 외치다).

:ag·i·ta·tion [∸–téiʃən] *n.* U,C 동요; 흥분, 동란; 선동.

˙ag·i·ta·tor [ǽdʒətèitər] *n.* Ⓒ 선동가; 교반기(攪拌器).

a·glow [əglóu] *ad., pred. a.* (이글이글) 타올라, 빛나서.

ag·nos·tic [ægnástik/-ɔ́-] *a., n.* Ⓒ 〖神·哲〗 불가지론의; 불가지론자. **-ti·cism** [-təsìzəm] *n.* Ⓤ 불가지론.

†a·go [əgóu] *ad.* (지금부터) …전에.

a·gog [əgág/-ɔ́-] *ad., pred. a.* (기대 따위로) 마음 부풀어, 들먹들먹하여; 법석을 떨며(*to*).

˙ag·o·nize [ǽgənàiz] *vt., vi.* 몹시 번민[고민]케 하다, 번민[고민]하다. **-niz·ing** [-iŋ] *a.* 괴롭히는, 고민하는.

:ag·o·ny [ǽgəni] *n.* ① Ⓤ 고통; 고뇌. ② Ⓒ 단말마의 괴로움; (희비의) 극치(*in an ~ of joy* 미칠 듯이 기뻐).

ágony còlumn 〖新聞〗 (찾는 사람 따위의) 사사(私事) 광고란; 신상 상

담란.

ag·o·ra·pho·bi·a [æ̀gərəfóubiə] *n.* Ⓤ 〖心〗 광장〔군중〕 공포증.

a·grar·i·an [əgrέəriən] *a.* 토지〔경지〕의; 토지에 관한; 농민을 위한(*the A- Party* 농민당); 야생의. ── *n.* Ⓒ 농지 개혁론자. ~ ***reform*** 농지 개혁.

†**a·gree** [əgríː] *vi.* ① 동의하다 (*with*), 찬성하다(*to*). ② 일치하다 (*with*). ③ 합의에 달하다(*upon*). ***Agreed!*** 좋아!(그렇게 합시다). ~ ***to differ*** 〔***disagree***〕 견해의 차이라고 서로 시인하다. **:~·ment** *n.* ① Ⓒ 협정; 계약. ② Ⓤ 일치, 호응.

:a·gree·a·ble [əgríːəbəl/-ríə-] *a.* ① 유쾌한, 기분 좋은; 마음에 드는. ② 쾌히 응하는(*to*). ③ 맞는, 어울리는(*to*). ~ ***to*** (*the promise*) (약속)한 대로. ***make oneself ~ to*** …와 장단을 맞추다. **-bly** *ad.* 쾌히; (…을) 좋아서(*to*).

ag·ri·busi·ness [ǽgrəbìznis] *n.* Ⓤ 농업 관련 사업.

:ag·ri·cul·ture [ǽgrikÀltʃər] *n.* Ⓤ ① 농업, 농예. ② 농학. **:-tur·al** [⌐–kÁl-] *a.* 농업의. ***agricultural chemistry*** 농예 화학. **ag·ri·cúl·tur·ist,** 《美》 **-tur·al·ist** *n.* Ⓒ 농업 경영자, 농가; 농학자.

ag·ro- [ǽgrou, -rə] *pref.* '토양, 농업의' 의 뜻의 결합사.

a·gron·o·my [əgránəmi/-ɔ́-] *n.* Ⓤ 농경학〔법〕, 농업 경영.

a·ground [əgráund] *ad.* 지상(地上)에; 좌초되어. ***go*** 〔***run, strike***〕 ~ (배가) 좌초되다.

:ah [ɑː] *int.* 아아!《고통·놀라움·연민·한탄·혐오·기쁨 등을 나타냄》.

***a·ha** [ɑ(ː)hάː] *int.* 아하!《기쁨·만족·승리 따위를 나타냄》.

:a·head [əhéd] *ad.* ① 앞에〔으로〕; 앞서서. ② 앞질러, 나아가, 우세하여. ③ 《美》 (게임에) 이겨, 벌어. ***get ~*** (***in the world***) 《美口》 성공하다; 출세하다. ***get ~ of*** 《美》 …을 앞지르다, 능가하다. ***go ~*** 나아가다; 진보하다; (…의) 앞을 가다(*of*); (…을) 나아가게 하다(*with*). ***Go ~!*** 〖海〗 전진!; 《口》 좋아, 해라!, 계속하시오!, 자 가라!, (재촉하여) 그래서? ***straight ~*** 곧장.

a·hem [mm̀m, hm, əhém] *int.* 으흠!; 에헴!; 에에!《[m̀]은 책머리의 '발음 약해' 참조》.

a·hoy [əhɔ́i] *int.* 〖海〗 어어이!《먼 배를 부를 때》.

AI artificial insemination; artificial intelligence.

:aid [eid] *vt., vi.* 돕다, 거들다(help), 원조하다; 조성하다, 촉진하다. ~ ***and*** ABET. ── *n.* Ⓤ 도움, 조력, 지지; Ⓒ 조수, 보좌역; 《美》 =AID(E)-DE-CAMP.

aide [eid] *n.* 《美》 =⇩.

aid(e)-de-camp [éiddəkǽmp, -kάŋ] *n.* (*pl.* ***aid(e)s-***) (F.) Ⓒ 〖軍〗 부관.

AIDS [eidz] (〈*a*cquired *i*mmuno*d*eficiency *s*yndrome) *n.* Ⓤ 〖醫〗 후천성 면역 결핍 증후군.

***ail** [eil] *vt., vi.* 괴롭히다, 괴로워하다; 앓다. ***~·ment** *n.* Ⓒ 병.

ai·ler·on [éilərὰn/-rɔ̀n] *n.* Ⓒ (비행기의) 보조익(翼).

:aim [eim] *vi., vt.* 겨누다, 노리다 (*at*); 목표로〔목적으로〕 하다, 뜻하다 (*at, to* do). ~ (*a gun*) ***at*** (총)을 …에게 돌리다. ── *n.* Ⓤ 겨눔; Ⓒ 목적, 의도. ***take ~*** 노리다, 겨누다 (*at*). ***∠·less(·ly)** *a.* (*ad.*)

***ain't** [eint] 《口》 =am not, are not, is not; 《俗》 =has not, have not.

†**air** [εər] *n.* ① Ⓤ 공기. ② (the ~) 대기, 공중; 하늘. ③ Ⓤ,Ⓒ 산들바람. ④ Ⓒ 선율, 가락, 노래. ⑤ Ⓒ 모양, 태도; (*pl.*) 짐짓 …체함; 공표 (*give ~ to one's feelings* 기분을 말하다). ***~s and graces*** 젠체함, 점잔뺌. ***beat the ~*** 허공을 치다, 헛된 짓을 하다. ***breath of ~*** 산들바람. ***by ~*** 비행기로; 무전으로. ***change of ~*** 전지(轉地). ***get ~*** 널리 퍼지다, 알려지다. ***get the ~*** 《美俗》 해고당하다; 버림받다. ***give oneself ~s*** 젠체하다; 점잔 빼다. ***give*** (*a person*) ***the ~*** 《美俗》 해고하다. ***hit the ~*** 《美俗》 방송하다. ***hot ~*** 열기; 《俗》 희떠운 소리, 호언장담. ***in the ~*** 공중에; (소문 따위가) 퍼지어; (안이) 결정되지 않고,

A

off the* ~** 방송되지 않고; (컴퓨터가) 연산중이 아닌. ***on the* ~** 방송(중)에; (컴퓨터가) 연산중에. ***open* ~** 집밖, 야외. ***put on* ~*s 젠체하다, 점잔 빼다. ***take* ~** 알려지다, 퍼지다. ***take the* ~** 산책하다; 방송을 시작하다; 이륙하다. ***tread* [*walk*] *on* [*upon*] *the* ~** 몹시 기뻐하다. ***up in the* ~** (계획·의안 따위가) 결정을 못 보고; 《美口》 흥분하여, 성나서. ***with an* ~** 자신을 갖고; 거드름을 피우며. — *vt.* 공기에 쐬다; 바람을 넣다; 건조시키다; 공표하다, 널리 퍼뜨리다(~ *a person's secret* 비밀을 누설하다); 자랑해 보이다(~ *one's jewels* 보석을 자랑해 보이다); 《美》 방송하다. ~ ***oneself*** 바깥 공기를 쐬다, 산책하다.

áir bàse 공군 기지.

áir·bèd *n.* Ⓒ 공기가 든 매트리스, 공기 베드.

áir·bòrne *a.* 공수(空輸)된; 바람에 의해 운반된(~ *seeds* 풍매(風媒) 종자).

áir bràke (압착) 공기 제동기.

áir·brùsh *n.* Ⓒ 에어브러시《칠·사진 수정용》. — *vt.* 에어브러시로 처리하다.

áir·bùs *n.* Ⓒ 에어버스《중단거리용 대형 여객기》.

Áir Chìef Márshal 《英》 공군 대장.

air còmmodore 《英》 공군 준장.

áir conditioner 냉난방[공기 조절] 장치.

˙áir conditioning 공기 조절《실내 온도·습도의》; 냉난방 장치.

áir-còol *vt.* 공랭(空冷)하다. **~ed** *a.* 공랭식의. **~ing** *n.* Ⓤ 공기 냉각법.

˙áir·cràft *n.* (*pl.* ~) Ⓒ 항공기(*an* ~ *carrier* 항공 모함). ***by* ~** 항공기로《무관사》.

áir·cràft(s)man *n.* Ⓒ 《英》 항공병 《1·2등병》.

áir·crèw *n.* Ⓒ 항공기 승무원.

áir·drome *n.* Ⓒ 비행장, 공항.

:áir·field *n.* Ⓒ 비행장.

áir fòrce (육·해군의) 항공 부대; (A- F-) 공군.

áir gùn 공기총; = AIRBRUSH.

áir hòstess (여객기의) 스튜어디스.

air·ing[ɛ́əriŋ] *n.* ① Ⓤ,Ⓒ 공기에 쐼, 바람에 말림. ② Ⓒ 산책, 야외 운동; 드라이브; 공표; 방송.

áir·less *a.* 바람이 없는; 환기가 나쁜.

áir lètter 항공 우편; 항공 서한.

áir lìft 공수(空輸) (보급).

˙áir·lìne *n.* Ⓒ (정기) 항공로; 항공회사; 《주로 美》 직행로.

˙áir·lìner *n.* Ⓒ 정기 여객기.

áir lòck 〖土〗 기갑(氣閘); 잠함(潛函)의 기밀실.

:áir màil 항공 우편 (제도). ***Via A-*** 항공편으로《봉함 엽서에》.

˙air·man[∠mən] *n.* Ⓒ 비행가[사].

Áir Màrshal 《英》 공군 중장.

†air·plane[∠plèin] *n.* Ⓒ 《美》 비행기《영국에서는 보통 aeroplane》.

áir pòcket 〖空〗 에어포켓, 직강(直降) 기류.

áir pollùtion 대기 오염.

†áir·pòrt *n.* Ⓒ 공항.

áir pùmp 공기 펌프.

áir ràid 공습.

áir rìfle 공기총.

:áir·shìp *n.* Ⓒ 비행선(dirigible) (*by* ~ 비행선으로 《무관사》).

áir·sìck *a.* 고공병[항공병]에 걸린, 비행기 멀미가 난. **~ness** *n.* Ⓒ 고[항]공병.

áir spàce (실내의) 공적(空積); 영공.

áir spèed 〖空〗 대기(對氣) 속도 (opp. ground speed).

áir·strìp *n.* Ⓒ 임시[가설] 활주로.

áir tèrminal 에어 터미널《항공 승객이 출입하는 건물》.

áir·tìght *a.* 기밀(氣密)의, 공기가 통하지 않는; (방비가) 철통 같은, 물 샐틈 없는.

áir-to-áir *a.* 공대공의, 기상(機上) 발사의(*an* ~ *rocket* 공대공 로켓); (비행 중인) 두 비행기 간의(~ *refueling* 연료 공중 보급).

Áir Vice-Márshal 《英》 공군 소장.

˙áir·wày *n.* Ⓒ 항공로; 통풍[환기] 구멍; (*pl.*) 항공 회사(airlines).

áir·wòman *n.* Ⓒ 여자 비행사.

áir·wòrthy *a.* (항공기가) 내공성(耐空性)이 있는(cf. seaworthy). **-wòrthiness** *n.* Ⓤ 내공성.

˙air·y[ɛ́əri] *a.* ① 공기의; 공중의[같

은〕. ② 바람이 잘 통하는. ③ 경쾌한, 쾌활한; 우미(優美)한; 엷은. ④ 경솔한; 자연스럽지 못한; 젠체하는; 공허한. **áir·i·ly** *ad.*

˙**aisle** [ail] *n.* Ⓒ (교회당의) 측랑(側廊); (좌석·객차·여객기의) 통로; 복도; (뜰·숲속의) 길. ***down the*** **~** 《口》 결혼식에서 제단을 향하여. **~d** [-d] *a.* 측랑이〔에〕 있는.

aitch [eitʃ] *n.* H〔h〕 글자; h음.

a·jar[ədʒɑ́ːr] *ad.* (문이) 조금 열려.

a·kim·bo [əkímbou] *ad.* 두 손을 허리에 대고.

˙**a·kin** [əkín] *pred. a.* 혈족의(*to*); 동종의, 같은, 비슷한(*to*).

-al[əl] *suf.* ① 《형용사 어미》 상태·관계 따위를 나타냄: annu*al*, nation*al*, numer*al*, reg*al*. ② 《명사 어미》 deni*al*, refus*al*.

à la, a la [ɑ́ː lə, -lɑː] (F.) …풍의〔으로〕.

˙**al·a·bas·ter** [ǽləbæ̀stər, -ɑ̀ː-] *n., a.* Ⓤ 설화(雪花) 석고(의, 같이 흰).

à la carte[ɑ̀ː lə kɑ́ːrt, æ̀ lə-] (F.) 정가표〔차림표〕에 따라, 일품 요리의 (opp. *table d'hôte*(정식)).

a·lac·ri·ty[əlǽkrəti] *n.* Ⓤ 활발, 민활(*with* ~ 척척).

à la mode, a la mode [ɑ̀ː lə móud, æ̀ lə-] (F.) 유행의〔을 따라서〕; (디저트가) 아이스크림을 곁들인〔곁들여〕; (쇠고기의) 야채찜의.

:**a·larm** [əlɑ́ːrm] *n.* ① Ⓤ 놀람, 공포. ② Ⓒ 경보; 경보기(器), 자명종. ***give*** 〔***raise***〕 ***the*** **~** 경보를 발하다, 위급을 알리다. ***in*** **~** 놀라서. ***take*** (***the***) **~** 깜짝 놀라다. ― *vt.* (…에게) 위급을 고하다, 경보를 울리다; 놀래다, 겁먹게 하다(~ *oneself* 겁먹다). ***be*** **~*ed for*** …을 근심하다.

:**alárm clòck** 자명종.

˙**a·larm·ing** [əlɑ́ːrmiŋ] *a.* 놀랄 정도의. **~·ly** *ad.* 놀랄 만큼.

a·larm·ist [-ist] *n.* Ⓒ 걸핏하면 놀라는〔놀래는〕 사람, 법석꾼.

:**a·las** [əlǽs/əlɑ́ːs] *int.* 아아!; 슬픈지고!

al·ba·tross [ǽlbətrɔ̀ːs/-rɔ̀s] *n.* Ⓒ ① 〖鳥〗 신천옹. ② 〖골프〗 앨버트로스 《한 홀에서 기준 타수보다 3타 적은 스코어》.

al·be·it [ɔːlbíːit] *conj.* 《古》 =ALTHOUGH.

al·bi·no [ælbáinou/-bíː-] *n.* (*pl.* **~*s***) Ⓒ 백피증(白皮症)의 사람; (동물의) 백변종(白變種). **-nism**[ǽlbənìzəm] *n.* Ⓤ 색소 결핍증.

†**al·bum** [ǽlbəm] *n.* Ⓒ 앨범.

al·bum·en [ælbjúːmən] *n.* Ⓤ 흰자위; 단백질(albumin); 〖植〗 배유(胚乳).

˙**al·che·my** [ǽlkəmi] *n.* Ⓤ 연금술 《중세의 화학》, 연단술. ˙**-mist** *n.* Ⓒ 연금술사.

:**al·co·hol** [ǽlkəhɔ̀ːl, -hɑ̀l/-hɔ̀l] *n.* Ⓤ,Ⓒ 알코올. **~·ism** *n.* Ⓤ 알코올 중독. **~·ist** *n.* Ⓒ 알코올 중독자.

˙**al·co·hol·ic** [æ̀lkəhɔ́ːlik, -hɑ́l-/-hɔ́l-] *a.* 알코올성의; 알코올(함유·중독)의.

al·cove [ǽlkouv] *n.* Ⓒ (큰 방 깊숙이 딸린) 골방; 구석진 칸; (정원의) 정자.

al·der [ɔ́ːldər] *n.* Ⓒ 〖植〗 오리나무.

al·der·man [ɔ́ːldərmən] *n.* Ⓒ (영국과 아일랜드의) 시참사회원, 부시장; 《美》 시의원.

:**ale** [eil] *n.* Ⓤ,Ⓒ (쓴맛이 강한) 맥주. ***small*** **~** 약한 맥주.

ále·hòuse *n.* Ⓒ 비어 홀.

:**a·lert** [ələ́ːrt] *a., n.* Ⓒ 방심 않는, 민활한; 경계; 경계 경보(의 상태). ― *vt.* 경계시키다; 경보를 발하다. ***on the*** **~** 경계하여. **~·ly** *ad.*

Á lèvel 《英》 ① =ADVANCED LEVEL. ② 상급 과정 과목 중의 합격 과목(cf. S level).

al·fal·fa [ælfǽlfə] *n.* Ⓤ 《美》 〖植〗 자주개자리(lucerne)《목초》.

al·fres·co [ælfréskou] *a., ad.* 야외의〔에〕.

alg. algebra.

al·ga [ǽlgə] *n.* (*pl.* **-gae** [-dʒiː]) Ⓒ (보통 *pl.*) 해조(海藻). **al·gal** [-l] *a.* 해조의.

:**al·ge·bra** [ǽldʒəbrə] *n.* Ⓤ 대수(학). **~·ic** [æ̀ldʒəbréiik], **-i·cal** [-əl] *a.* **~·ist**[ǽldʒəbrèiist] *n.*

al·go·rithm [ǽlgərìðəm] *n.* Ⓤ 〖數〗 연산(演算) 방식; 〖컴〗 알고리즘. **-rith·mic**[ˋ-ríðmik] *a.*

a·li·as[éiliəs] *n., ad.* Ⓒ 별명(으로).

A

ˈ**al·i·bi** [ǽləbài] *n.* Ⓒ 알리바이, 현장 부재 증명; 변명. ***A- Ike***[aik] 《美俗》 변명꾼. — *vi.* 《美口》 변명하다.

ˈ**al·ien** [éiljən, -liən] *a.* 외국(인)의; 다른(*from*); 반대의, 조화되지 않는(*to*). — *n.* Ⓒ 외국인. **~·a·ble** *a.* 양도할 수 있는; 멀리할 수 있는. **~·ate**[-èit] *vt.* 멀리하다, 불화하게 하다(*from*); 양도하다. **~·a·tion**[ˌ--éiʃən] *n.* Ⓤ 격리, 이간; 양도; 증여; 정신병. **~·ee**[ˌ--íː] *n.* Ⓒ 〖法〗 양수인(讓受人). **~·ist** *n.* Ⓒ 정신병의(醫).

:**a·light**[1] [əláit] *vi.* (**~ed,** 《詩》 ***alit***) ① 내리다; 하차[하마]하다. ② 〖空〗 착륙[착수]하다. (새가) 앉다(*on*). ③ (…을) 우연히 만나다(*on*).

a·light[2] *ad., pred. a.* 비치어, 빛나; 불타서.

a·lign [əláin] *vt., vi.* 일렬로 (나란히) 세우다[서다], 정렬[정돈]시키다[되다]; 제휴시키다(*with*); 〖컴〗 줄맞추다. **~·ment** *n.* Ⓤ 정렬, 정돈; 〖土〗 노선 설정; 제휴; 〖컴〗 줄맞춤.

:**a·like** [əláik] *pred. a., ad.* (똑)같은, (똑)같이; (똑)같아; 같게. **~·ness** *n.*

aliméntary canál 소화관.

al·i·mo·ny [ǽləmòuni/-məni] *n.* Ⓤ 〖法〗 (아내에의) 별거[이혼] 수당.

:**a·live** [əláiv] *pred. a.* 살아서; 혈기 왕성하여; 활기를 띠어(*with*); (…에) 민감하여, (…을) 감지하여(*to*); 현존의(*the greatest painter ~* 현존 최고의 화가). ***~ and kicking*** 기운이 넘쳐. ***Heart*** [***Man***] ***~!*** 어렵쇼!, 뭐라고! ***keep ~*** 살려 두다; (권리를) 소멸시키지 않고 두다. ***Look ~!*** =HURRY UP!

ˈ**al·ka·li** [ǽlkəlài] *n.* Ⓤ,Ⓒ 알칼리. **-line** *a.* 알칼리(성)의(*~ earth metals* 알칼리 토류(土類) 금속).

al·ka·loid [ǽlkəlɔ̀id] *n., a.* Ⓒ 알칼로이드(의).

†**all** [ɔːl] *a.* 모든, 전부의; 전, 온(*~ words and no thought* 공허한 말). ***~ the go*** [***rage***] 《美》 대유행하여. ***and ~ that*** 기타 여러 가지, …등(등) (and so on). ***for*** [***with***] ***~*** …에도 불구하고. ***on ~ fours*** 네 발로 기어; 꼭[잘] 맞아. — *n.* (one's ~) 전부, 전소유물. ***~ and sundry*** 각기 모두(each and all). ***~ in ~*** 전부, 모두; 무엇보다 소중한 것; 대체로. ***~ of*** 전부, 모두; 각기; 《美》 좋이(*~ of five hours* 좋이 다섯 시간). ***~ told*** 전부(해서). ***... and ~*** …도 함께, 송두리째(*head and ~* 머리째). ***at ~*** 조금도; 도대체(*Do you know it at ~?* 도대체 자넨 그것을 알고 있나); 일단 …할 바에는(*If you do it at ~, do it quick.* 하는 바에는 빨리 해라). ***be ~ one*** (어떻든) 전혀 같다[매한가지다]; 아무래도 좋다(*It's ~ one to me.* 나는 그 어느 쪽이든 상관 없다). ***in ~*** 전부해서, 합계. ***not at ~*** 조금도 …않다. ***That's ~.*** 그것으로 전부다[끝이다]; (결국) 그게 전부야. — *ad.* 전혀; 《口》 아주, 몹시; 〖競〗 쌍방 모두; 《詩》 바야흐로, 막(*~ as the sun began to rise* 막 해가 뜨려던 때). ***~ along*** (그동안) 죽; 내내. ***~*** ALONG ***of.*** ***~ at once*** 돌연. ***~ but*** 거의(nearly). ***~ in*** 《美口》 몹시 지쳐(cf. all-in). ***~ over*** 온 몸이; 《美》 도처에, 어디나; 아주 끝나; 《口》 아주(*She is her mother ~ over.* 그 어머니를 빼쏘았다). ***~ right*** 좋아; 무사하여(*All right!* 좋아; 《反語》 어디 두고 보자). ***~ the better*** 도리어 좋게[좋은]. ***~ the further*** 《美俗》 힘껏. ***~ there*** 《口》 제정신으로(*Are you ~ there?* 자네 돌지 않았는가); 《俗》 빈틈없이; 기민하여. ***~ the same*** 전혀 같은, 아무래도 좋은; (그래도) 역시. ***~ too*** 아주, 너무나. ***~ up*** 《口》 틀어져, 가망이 없어. ***~ very fine*** [***well***] 《비꼼》 무척 좋아.

Al·lah [ǽlə] *n.* 알라《이슬람교의 신》.

áll-aróund *a.* =ALL-ROUND.

ˈ**al·lay** [əléi] *vt.* 가라앉히다(quiet), 누그러뜨리다.

áll cléar 공습 경보 해제 신호.

:**al·lege** [əlédʒ] *vt.* 단언하다; 증거 없이 주장하다. **~d** [-d] *a.* (증거 없이) 주장된; 추정[단정]된. **al·leg·ed·ly**[-idli] *ad.* 주장하는 바에 의하면. **al·le·ga·tion**[æ̀ligéiʃən] *n.* Ⓒ 확언, 주장; 진술; 변명.

·al·le·giance [əlíːdʒəns] *n.* U,C (군주·조국에의) 충성; 충실; 전념.
al·le·go·ry [ǽligɔ̀ːri/-gəri] *n.* U 비유; C 우화, 비유담. **·-gor·ic** [æligɔ́ːrik, -ɑ́-/-ɔ́-], **-gor·i·cal** [-əl] *a.* 우화의, 우화적인.
al·le·gret·to [æ̀ligrétou] *ad.* (It.) 〖樂〗 좀 빠르게《*allegro*와 *andante* 와의 중간》.
al·le·gro [əléigrou] *ad., n.* (It.) 〖樂〗 빠르게; C 급속조(調).
al·le·lu·ia [æ̀ləlúːjə] *n., int.* = HALLELUJAH.
áll-embrácing *a.* 포괄적인.
al·ler·gen [ǽlərdʒən] *n.* U,C 〖醫〗 알러젠《알레르기를 일으키는 물질》.
al·ler·gen·ic [æ̀lərdʒénik] *a.* 알레르기를 일으키는.
al·ler·gic [ələ́ːrdʒik] *a.* 알레르기의; 《俗》 몹시 싫은(*to*).
·al·ler·gy [ǽlərdʒi] *n.* C 알레르기 (체질); 《俗》 질색, 반감.
al·le·vi·ate [əlíːvièit] *vt.* 경감[완화]하다. **-a·tion**[-⁀-éi-] *n.* **al·lé·vi·à·tive** *a., n.* C 완화하는 (것).
·al·ley[ǽli] *n.* C 《美》 뒷골목; 뒷길; 《英》 좁은 길; 샛길; 두렁길.
álley·wày *n.* C 《美》 (도시의) (뒷) 골목길; 좁은 통로.
áll-fired *a., ad.* 《美俗》 무서운, 무섭게; 굉장한.
·al·li·ance [əláiəns] *n.* ① C,U 동맹, 결연; 인척 관계. ② C,U 협력, 협조. ③ C 동맹자[국], 연합국. ***Holy A-*** 〖史〗 (1815년의) 신성 동맹. ***in ~ with*** …와 연합[동맹]하여.
:al·lied [əláid, ǽlaid] *a.* 동맹[연합]한; 연합국의; 결연한; (동·식물 등) 동류의. ***the A-*** [ǽlaid] ***Forces*** 연합군.
·Al·lies [ǽlaiz, əláiz] *n.* (the ~) (1·2차 대전의) 연합국; NATO 가맹국.
·al·li·ga·tor [ǽligèitər] *n.* ① C (미국·중국산의) 악어; U 악어 가죽. ② C 악어 입처럼 생긴 맞물리는 각종 기계.
áll-impòrtant *a.* 극히 중요한.
áll-ín *a.* 《주로 英》 모든 것을 포함한; 《美口》 기진맥진하여, 무일푼이 되어; 〖레슬링〗 자유형의.
áll-inclùsive *a.* 모든 것을 포함한, 포괄적인.
áll-in wréstling 자유형 레슬링.
al·lit·er·a·tion [əlìtəréiʃən] *n.* U 두운(頭韻)(법). **-ate** [əlítərèit] *vi., vt.* 두운이 맞다; 두운을 맞추다. **al·lít·er·a·tive** *a.*
·áll-níght *a.* 철야(영업)의.
al·lo·cate [ǽləkèit] *vt.* 할당하다, 배분하다; 배치하다; 〖컴〗 배정하다. **-ca·tor** *n.* **-ca·tion**[⁀-kéiʃən] *n.* U 배정.
áll-or-nóthing *a.* 《口》 절대적인, 타협의 여지가 없는, 전부가 아니면 아예 포기하는.
:al·lot [əlɑ́t/-ɔ́-] *vt.* (*-tt-*) 분배하다; 할당하다(*to*); 충당하다(*for*). — *vi.* 《美》 기대하다, 믿다; 생각하다, (…할) 작정이다(*upon doing*). **·~·ment** *n.* U 분배; 할당; C 배당, 몫.
áll-óut *a.* 《美口》 전력을 다한; 전면적인.
áll·òver *a., n.* (무늬 따위가) 전면에 걸친; U 전면 무늬의 (천).
†al·low [əláu] *vt.* ① 허(용)하다. ② (학비·수당을) 주다. ③ 인정하다; 참작하다. ④ 빼다(*for*), 할인하다. ⑤ 《美口》 말하다; …라고 여기다. ⑥ (재해 따위) 일어나게 내버려 두다. ***~ for*** …을 고려하다. ***~ of*** …을 허용하다, …할 수 있다. **~·a·ble** *a.* 허용[인정]할 수 있는. **~·a·bly** *ad.*
:al·low·ance [əláuəns] *n.* ① C 수당, 지급하는 돈. ② C 공제, 할인. ③ U 승인, 용인. ④ U (종종 *pl.*) 참작, 작량. ***make ~(s)*** 참작하다(*for*).
·al·loy [ǽlɔi, əlɔ́i] *n.* U,C 합금; (합금에 쓰는) 비(卑)금속; 섞음질(하는 물건); (금·은의) 품위. — [əlɔ́i] *vt., vi.* 합금하다; 섞음질하다; 품질을 떨어뜨리다.
áll-pówerful *a.* 최강의, 전능(全能)의. 「는, 만능의.
áll-púrpose *a.* 무엇에든 쓸 수 있
áll-róund *a.* 《口》 다방면에 걸친, 만능의; 융통성 있는.
áll-róunder *n.* C 만능인 사람, 만능 선수; 《俗》 양성애자.
áll-stàr *a.* 《美》 인기 배우 총출연

의; (팀이) 일류 선수로 짜인. — ***n.*** Ⓒ 선발 팀 선수.

áll-tìme *a.* 전시간(근무)의(full-time); 공전의, 기록적인. ***an ~ high*** 〔***low***〕 최고〔최저〕 기록.

·al·lude [əlúːd] *vi.* 넌지시 비추다, …에 관해 말하다(*to*) (cf. allusion).

·al·lure [əlúər] *vt.* 꾀다, 낚다; 부추기다(tempt) (*to, into*); 매혹하다(charm). — ***n.*** Ⓤ 매력. **~·ment** *n.* **al·lur·ing** [əlúəriŋ] *a.*

·al·lu·sion [əlúːʒən] *n.* Ⓤ,Ⓒ 변죽울림, 암시; 약간의 언급; 〖修〗 인유(引喩). **-sive** [-siv] *a.*

al·lu·vi·al [əlúːviəl] *a.* 충적(沖積)(기)의. **-vi·um** [-viəm] *n.* Ⓤ,Ⓒ 충적층〔토〕.

:al·ly [əlái] *vt., vi.* 동맹〔연합〕하다; 결연하다, 맺다. ***be allied with*** 〔***to***〕 …와 동맹하고〔관련이〕 있다; …와 친척이다. — [ǽlai] *n.* Ⓒ 동맹자〔국〕; 원조자; 동류(의 동·식물).

Al·ma Ma·ter, a- m- [ǽlmə mάːtər, -méi-] (L. = fostering mother) 모교.

·al·ma·nac [ɔ́ːlmənæ̀k, ǽl-] *n.* Ⓒ 달력, 책력; 연감.

:al·might·y [ɔːlmáiti] *a., ad.* 전능한; 《美口》 대단한〔히〕. ***the A-*** 전능자, 신.

·al·mond [άːmənd, ǽlm-] *n.* Ⓒ,Ⓤ 편도(扁桃), 아몬드; Ⓒ 그 나무.

al·mon·er [ǽlmənər, άːm-] *n.* Ⓒ (왕가·수도원 등의) 구휼품(救恤品) 분배관.

†al·most [ɔ́ːlmoust; 美+—´] *ad.* 거의.

·alms [ɑːmz] *n. sing.* & *pl.* 보시(布施), 베풀어 주는 물건.

álms·hòuse *n.* Ⓒ 《美》 공립 구빈원; 《英》 사립 구빈〔양로〕원.

al·oe [ǽlou] *n.* ① Ⓒ 〖植〗 알로에, 노회(蘆薈). ② (*pl.*) 《단수 취급》 침향(沈香); 노회즙《하제》. ③ 〖植〗 용설란(century plant).

·a·loft [əlɔ́ːft/əlɔ́ft] *ad.* 높이, 위(쪽)에, 위로; 돛대 꼭대기에. ***go ~*** 천국에 가다; 죽다.

†a·lone [əlóun] *pred. a., ad.* (실제로 또는 감정적으로) 홀로, 혼자; 단지; 다만 …뿐〔만〕. ***leave ~*** 내버려 두다. ***let ~*** …은 말할 것도 없고; = LEAVE[1] ~.

†a·long [əlɔ́ːŋ/əlɔ́ŋ] *prep.* …을 따라〔끼고〕. — ***ad.*** 앞으로, 거침없이; 함께; (동반자로) 데리고. ALL(*ad.*) ~. (***all***) ~ ***of*** 《美方》 …의 탓으로. ~ ***with*** …와 함께〔더불어〕. ***be ~*** 《美口》 다른 사람을 뒤따라 미치다. GET ~. RIGHT (*ad.*) ~.

·a·long·side [-sáid] *ad., prep.* (…의) 곁〔옆〕에; (…에) 옆으로 대어; (…와) 나란히(*of*).

a·loof [əlúːf] *ad.* 떨어져서. ***keep*** 〔***stand, hold***〕 ~ (…에서) 떨어져 있다, (…에) 초연해 있다(*from*). — *pred. a.* 초연한, 무관심의. **~·ly** *ad.* **~·ness** *n.*

:a·loud [əláud] *ad.* 소리를 내어; 큰 소리로; 《口》 똑똑히. THINK ~.

al·pa·ca [ælpǽkə] *n.* Ⓒ 〖動〗 알파카; Ⓤ 그 털〔천〕.

al·pha [ǽlfə] *n.* Ⓤ,Ⓒ 그리스 자모의 첫째 글자《*A, α*; 영어의 A, a에 해당》. ~ ***and omega*** 처음과 끝, 전부.

†al·pha·bet [ǽlfəbèt/-bit] *n.* Ⓒ 알파벳; (the ~) 초보; 〖컴〗 영문자. **: ~·ic** [≏–bétik], **-i·cal** [-əl] *a.* **~·ize** [-bətàiz] *vt.* 알파벳순으로 하다; 알파벳으로 표기하다.

al·pha·nu·mer·ic [æ̀lfənjuːmérik] *a.* 〖컴〗 영숫자의, 알파벳 등의 문자와 숫자로 된, 문자·숫자 양용의.

álpha pàrticle 〖理〗 알파 입자(粒子).

·Al·pine [ǽlpain, -pin] *a.* 알프스의; (a-) 고산의(~ *flora* 고산 식물); 대단히 높은. **al·pin·ist** [ǽlpənist] *n.* Ⓒ 등산가.

†al·read·y [ɔːlrédi] *ad.* 이미, 벌써; 《美俗》 곧(*Let's go ~!* 어서 가자).

al·right [ɔːlráit] *ad.* 《俗》 = ALL right.

Al·sa·tian [ælséiʃən] *a.* Alsace(사람)의. — *n.* Ⓒ Alsace 사람; 독일종 셰퍼드.

†al·so [ɔ́ːlsou] *ad.* …도 또한, 역시(too); 그 위에.

álso-ràn *n.* Ⓒ (경마의) 등외(等外) 말; 낙선자; 실패자, 범재(凡才).

:al·tar [ɔ́ːltər] *n.* Ⓒ 제단(祭壇).

lead (*her*) ***to the*** ~ 아내로 삼다.

:**al·ter** [ɔ́:ltər] *vt., vi.* 바꾸다; 바뀌다; 《美口》 거세하다. ~**·a·ble** [-əbl] *a.* 변경할 수 있는. *~**·a·tion** [ˋ–éiʃən] *n.* C,U 변경. ~**·a·tive** [-èitiv, -rət-] *a.* 변화[변질]하는.

al·ter·cate [ɔ́:ltərkèit] *vi.* 언쟁[말다툼]하다(*with*). **-ca·tion** [ˋ–ˊʃən] *n.* 「타아(他我); 친구.

al·ter e·go [ɔ́:ltər í:gou, ǽl-] (L.)

*__al·ter·nate__ [ɔ́:ltərnit, ǽl-] *a.* 번갈아서의; 〖植〗 호생(互生)의. ***on*** ~ ***days*** 하루 걸러. — *n.* C 교체; 《美》 대리(위원); 교체원; 〖컴〗 교체. — [-nèit] *vt., vi.* 번갈아 하다[되다], 교체하다(*with*); 〖電〗 교류(交流)하다. ~**·ly** *ad.*

álternating cúrrent 〖電〗 교류.

al·ter·na·tion [ɔ̀:ltərnéiʃən] *n.* U,C 교호(交互), 번갈음. ~ ***of generations*** 〖生〗 세대 교번(交番).

:**al·ter·na·tive** [ɔ:ltə́:rnətiv] *a.* 어느 한 쪽의, 둘(이상) 중 하나를 택해야 할; 다른, 별개의《관청 용어》. — *n.* C 양자 택일; 어느 한 쪽; 다른 수단, 달리 택할 길[방도]. ~**·ly** *ad.* 양자 택일로, 대신으로; 혹은, 또는.

altérnative médicine 대체 의학《침구술 같이 서양 의학에 들지 않는 것》.

al·ter·na·tor [ɔ́:ltərnèitər] *n.* C 교류 발전기.

†**al·though,** 《美》 **al·tho** [ɔ:lðóu] *conj.* = THOUGH.

al·tim·e·ter [æltímitər/ǽltimì:tər] *n.* C 고도 측량기; 〖空〗 고도계.

:**al·ti·tude** [ǽltət*j*ù:d] *n.* ① U,C 높이, 고도; 표고, 해발. ② C (보통 *pl.*) 높은 곳.

al·to [ǽltou] *n.* (*pl.* ~***s***) (It.) 〖樂〗 U 알토; C 알토 가수.

:**al·to·geth·er** [ɔ̀:ltəgéðər] *ad.* 아주, 전혀; 전부해서; 대체로. — *n.* U 전체(적 효과). ***the*** ~ 《口》 알몸.

al·tru·ism [ǽltruìzəm] *n.* U 애타[이타]주의. **-ist** *n.* **-is·tic** [ˋ–ístik] *n.* **-ís·ti·cal·ly** *ad.*

:**a·lu·mi·num** [əlú:mənəm], 《英》 **al·u·min·i·um** [æ̀ljumíniəm] *n.* U 알루미늄.

a·lum·nus [əlʌ́mnəs] *n.* (*pl.* ***-ni*** [-nai]; *fem.* ***-na*** [-nə], *pl.* ***-nae*** [-ni:]) C 《美》 졸업생; 교우(*an alumni association* 동창회); 《口》 (운동 팀의) 구멤버; 《英》 학생; 생도.

al·ve·o·lar [ælví:ələr] *a.* 폐포(肺胞)의; 〖音聲〗 치조(齒槽)의. — *n.* C 치경음(齒莖音)(t, d, n, l, s, z, ʃ, ʒ, r). **-late** [-lit, -lèit] *a.* 벌집 모양의, 작은 구멍이[기포가] 있는.

†**al·ways** [ɔ́:lwiz, -weiz, -wəz] *ad.* 언제나, 늘. ***not*** ~ 반드시 … 한 것은 아니다.

Álz·hei·mer's disèase [á:ltshàimərz-, ǽl-, ɔ́:l-] 알츠하이머병《노인에게 일어나는 치매; 뇌동맥 경화증·신경의 퇴화를 수반함》.

AM amplitude modulation(cf. FM).

†**am** [強 æm, 弱 əm] *v.* be의 1인칭·단수·직설법 현재.

A.M. *Artium Magister*(L. = Master of Arts).

:**A.M., a.m.** *ante meridiem* (L. = before noon).

a·mal·gam [əmǽlgəm] *n.* ① U,C 아말감《수은과 딴 금속의 합금》. ② C 혼합물.

a·mal·ga·mate [əmǽlgəmèit] *vt., vi.* 수은과 섞다, 아말감으로 하다; 합동[합병]하다. **-gam·a·tion** [–ˋ–méiʃən] *n.* U,C 아말감화(化); 〖人類〗 이인종(異人種)의 융합; 《美》 흑인과 백인의 혼혈.

a·mass [əmǽs] *vt.* 쌓다; 모으다; 저축하다. ~**·ment** *n.* U,C 축적, 축재.

:**am·a·teur** [ǽmətʃùər, -tʃər, -tər, æ̀mətə́:r] *n., a.* C 아마추어(의), 비직업적(인), 취미의. ~**·ish**(**·ly**) [æ̀mətʃúəriʃ(li), -tjúə-, -tə́:r-] *a.* (*ad.*). ~**·ism** [-ìzəm] *n.* U 아마추어 재주, 서투름.

:**a·maze** [əméiz] *vt.* 놀래다, 깜짝 놀라게 하다; 경이감을 품게 하다. ***be*** ~***d*** 깜짝 놀라다. — *n.* 《詩》 = AMAZEMENT. **a·maz·ed·ly** [-idli] *ad.* 기급을 하여. :~**·ment** *n.* U (깜짝) 놀람, 소스라침; 《廢》 아연함.

:**a·máz·ing**(**·ly**) *a.* (*ad.*)

:**am·bas·sa·dor** [æmbǽsədər] *n.* C 대사; 사절. ~ ***extraordinary*** (***and plenipotentiary***) 특명 (전권)

대사. ~ ***at large*** 《美》 무임소 대사, 특사. **-do·ri·al**[æmbæ̀sədɔ́:riəl] *a.* **~·ship**[-ʃìp] *n.* Ⓒ 대사의 신분(직, 자격). **-dress**[-dris] *n.* Ⓒ 여자 대사(사절); 대사 부인.

am·ber[ǽmbər] *n., a.* Ⓤ 호박(琥珀); 호박색(의).

am·bi-[ǽmbi] *pref.* '양쪽, 둘레' 따위의 뜻.

am·bi·dex·trous[æ̀mbidékstrəs] *a.* 양손잡이의; 교묘한; 두 마음을 품은. **~·ly** *ad.* **~·ness** *n.*

am·bi·ence, -ance[ǽmbiəns] *n.* Ⓒ 환경; (장소의) 분위기.

am·bi·ent[ǽmbiənt] *a.* 주위의(를 둘러싸는).

˙am·bi·gu·i·ty[æ̀mbigjú:əti] *n.* ① Ⓤ 애매(모호)함, 다의(多義). ② Ⓒ 애매한 말(표현).

˙am·big·u·ous[æmbígjuəs] *a.* 두 가지 뜻으로 해석할 수 있는(equivocal), 불명료한, 모호한. **~·ly** *ad.* **~·ness** *n.*

am·bit[ǽmbit] *n.* Ⓒ (흔히 *pl.*) 주위, 범위; 경계.

:am·bi·tion[æmbíʃən] *n.* Ⓤ,Ⓒ 야심, 대망; Ⓒ 야심의 대상.

:am·bi·tious[æmbíʃəs] *a.* 야심적인, 대망(大望)이 있는. **~·ly** *ad.*

am·biv·a·lence[æmbívələns] *n.* Ⓤ 【心】 양면 가치《동일 대상에 대한 반대 감정 병존》. **-lent** *a.*

am·ble[ǽmbəl] *n., vi.* (an ~) 【馬術】 측대(側對)걸음《같은 쪽의 양발을 한 쪽씩 동시에 들고 걷는 느린 걸음》(으로 걷다); 완보(緩步)(하다).

˙am·bu·lance[ǽmbjuləns] *n.* Ⓒ 상병자 운반차(선·기), 구급차; 야전병원.

ámbulance chàser 《美口》 사고의 피해자를 부추겨 소송을 제기하게 하여 돈벌이하는 변호사; 《一般》 악덕 변호사.

˙am·bush[ǽmbuʃ] *n.* ① Ⓤ 매복, 잠복. ② Ⓒ 매복 장소; 《집합적》 복병. ***fall into an*** ~ 복병을 만나다. ***lie*** (***wait***) ***in*** ~ 매복하다. — *vt., vi.* 매복하다.

a·mel·io·rate[əmí:ljərèit] *vt.* 개선(개량)하다. — *vi.* 좋아(나아)지다. **-ra·ble**[-rəbəl] *a.* **-ra·tion**[-ˊ-- réiʃən] *n.*

˙a·men[éimén, ɑ́:-] *int., n.* 아멘(=So be it! 그러할지어다); Ⓤ 동의, 찬동(***say*** ~ ***to*** …에 찬성하다).

a·me·na·ble[əmí:nəbəl, əmén-] *a.* 복종해야 할; (…을) 받아들이는, (…에) 순종하는(*to*); (법률에) 따라야 할; (법률에) 맞는. **-bly** *ad.* **-bil·i·ty**[-ˋ-bíləti] *n.* Ⓤ 복종해야 함; 순종.

:a·mend[əménd] *vt.* 고치다, 정정(수정·개정)하다.

:a·mend·ment[-mənt] *n.* ① Ⓤ,Ⓒ 변경, 개정, 교정. ② Ⓒ 수정안; (A-) (미국 헌법의) 수정 조항.

˙a·mends[əméndz] *n. pl.* 《단·복수 취급》 배상, 벌충(*for*).

˙a·men·i·ty[əménəti, -mí:-] *n.* ① Ⓤ (인품이) 호감을 줌, 온아함; (*pl.*) 예의. ② Ⓤ (환경·건물의) 아늑함, 쾌적. ③ (*pl.*) (가정의) 즐거움.

†A·mer·i·can[-n] *a.* 미국(인)의; 아메리카(인)의. — *n.* Ⓒ 미국인; 미국 원주민; Ⓤ 미어(美語).

A·mer·i·ca·na[əmèrəkǽnə, -kɑ́:-] *n. pl.* 미국 문헌, 미국지(誌).

Américan Énglish 미국 영어, 미어(美語)(cf. British English).

Américan Fóotball 미식 축구.

Américan Índian 아메리카 인디언(어).

A·mer·i·can·ism[əmérikənìzəm] *n.* Ⓒ 미국어(법); Ⓤ,Ⓒ 미국풍(식); Ⓤ 미국 숭배.

A·mer·i·can·ize[əmérikənàiz] *vt., vi.* 미국화(化)하다; 미국 말을 하다. **-i·za·tion**[-ˊ--izéiʃən/-naiz-] *n.* Ⓤ 미국화.

am·e·thyst[ǽməθist] *n.* Ⓤ,Ⓒ 자석영(紫石英), 자수정.

˙a·mi·a·ble[éimiəbəl] *a.* 귀여운; 호감을 주는; 마음씨가 상냥한; 온후한. **˙-bly** *ad.* **-bil·i·ty**[ˋ--bíləti] *n.*

˙am·i·ca·ble[ǽmikəbəl] *a.* 우호적인, 친화(평화)적인. **-bly** *ad.* **-bil·i·ty**[-ˋ-bíləti] *n.*

am·ice[ǽmis] *n.* Ⓒ 【가톨릭】 개두포(蓋頭布).

:a·mid[əmíd] *prep.* …의 한가운데에; 한창 …하는 중에.

amíd·shìp(s) *ad.* 배의 중앙에(을

향해].

:**a·midst** [əmídst] *prep.* = AMID.

amíno ácid 〖化〗 아미노산.

˙**a·miss** [əmís] *ad.* 빗나가서, 어긋나서, 형편 사납게; 잘못되어; 탈이 나서. ***come*** ~ 달갑지 않게(신통치 않게) 되다. ***do*** ~ 그르치다, 죄를 범하다. ***go*** ~ (일이) 잘 안 돼 가다, 어긋나다. ***not*** ~ 나쁘지 않은, 괜찮은. ***take*** (***it***) ~ 나쁘게 해석하다; 기분을 상하다. —— *a.* 빗나간, 어긋난; 틀린.

am·i·ty [ǽməti] *n.* U,C 친목, 친화, 친선.

am·mo [ǽmou] *n.* U 《俗》 = AMMUNITION.

˙**am·mo·nia** [əmóunjə, -niə] *n.* U 〖化〗 암모니아.

˙**am·mu·ni·tion** [æ̀mjuníʃən] *n., a.* U 탄약; 군수품; 《英》 군용의. ~ ***belt*** 탄띠. ~ ***boots*** 군화. ~ ***bread*** 군용빵. ~ ***box*** (***chest***) 탄약 상자. ~ ***industry*** 군수 산업.

am·ne·sia [æmní:ʒə] *n.* U 〖醫〗 건망증.

am·nes·ty [ǽmnəsti] *n., vt.* U 〖法〗 대사(大赦), 특사(하다).

am·ni·o·cen·te·sis [æ̀mniousentí:səs] *n.* (*pl.* ***-ses*** [-si:z]) C 〖醫〗 양수천자(羊水穿刺)《태아의 성별·염색체 이상을 진단함》.

a·moe·ba [əmí:bə] *n.* (*pl.* ~***s***, ***-bae*** [-bi:]) C 아메바. **-bic** [-bik] *a.* 아메바의(같은), 아메바성의. **-boid** [-bɔid] *a.* 아메바 비슷한.

a·mok [əmʌ́k, -ɑ́-/-ɔ́-] *n.* U (말레이 지방의) 광열병(狂熱病). —— *ad.* = AMUCK.

†**a·mong**(**st**) [əmʌ́ŋ(st)] *prep.* …의 가운데(속)에, …의 사이에; …중에서는(cf. between). ~ ***others*** (***other things***) (그 중에서도) 특히. ~ ***the*** REST[2]. ***from*** ~ …의 중에서, …속으로부터.

a·mor·al [eimɔ́:rəl, æm-/-mɔ́r-] *a.* 초(超)도덕의, 도덕에 관계 없는 (nonmoral)(cf. immoral).

am·o·rous [ǽmərəs] *a.* 호색의; 연애의; 연애를(사랑을) 하고 있는; 사랑을 표시하는, 요염한. ~**·ly** *ad.*

a·mor·phous [əmɔ́:rfəs] *a.* 무형의; 비결정(질)의; 무조직의. ~ ***sentence*** 〖文〗 무형문(無形文).

am·or·ti·za·tion [æ̀mərtəzéiʃən] *n.* U 〖經〗 (감채 기금에 의한) 할부 변제(금); 〖法〗 (부동산의) 양도.

am·or·tize [ǽmərtàiz, əmɔ́:-] *vt.* (감채 기금으로) 상각(상환)하다; 〖古英法〗 (부동산을) 법인에게 양도하다.

†**a·mount** [əmáunt] *vi.* 총계 …이 되다(*to*); 결국 …이 되다, (…과) 같다, 한가지다; (어느 상태에) 이르다. —— *n.* (the ~) 합계, 총액(sum total); (an ~) 양(量); 결국, 원리 합계. ***in*** ~ 총계; 결국, 요컨대. ***to the*** ~ ***of*** 총계 …까지 (이르는); …정도나 되는.

a·mour [əmúər] *n.* C 연애; 정사(情事).

a·mour-pro·pre [əmùərprɔ́:pr/æ̀muərprɔ́pr] *n.* (F.) 자존심, 자부심.

˙**am·pere** [ǽmpiər/–⌐] *n.* C 〖電〗 암페어.

am·per·sand [ǽmpərsæ̀nd] *n.* C '&'(=and)(의 명칭).

am·phet·a·mine [æmfétəmì:n] *n.* U 〖藥〗 암페타민《중추 신경을 자극하는 각성제》; C 암페타민 알약.

am·phi- [ǽmfi, -fə] *pref.* '양(兩)…, 두 가지; 원형, 주위'의 뜻.

Am·phib·i·a [æmfíbiə] *n. pl.* 〖動〗 양서류.

am·phib·i·an [æmfíbiən] *a., n.* C 양서류의 (동물); 수륙 양서(兩棲)의 (식물); 수륙 양용의 (탱크·비행기). **-i·ous** *a.* 수륙 양서(양용)의; 두 가지 성질을 가진.

ámphi·thèater, 《英》 **-tre** *n.* C (고대 로마의) 원형 극장, 투기장(cf. Colosseum); (근대 극장의) 계단식 관람석; 계단식 (수술 실습) 교실.

:**am·ple** [ǽmpl] *a.* ① 넓은, 광대한. ② 풍부한; 충분한. ~**·ness** *n.*

am·pli·fi·er [ǽmpləfàiər] *n.* C 확대하는 물건(사람); 확대경; 〖電·컴〗 증폭기, 앰프.

:**am·pli·fy** [ǽmpləfài] *vt., vi.* (…을) 넓게 하다, 넓어지다, 확대하다; (학설을) 부연하다. **-fi·ca·tion** [⌐–fikéiʃən] *n.*

am·pli·tude [ǽmplit*j*ù:d] *n.* U

폭; 넓이; 크기; 풍부함, 충분; 〖理〗 진폭.
am·ply [ǽmpli] *ad.* 충분히; 널리.
am·poule[ǽmpu:l], **-pule**[-pju:l] *n.* (F.) Ⓒ 앰플《1회분의 주사액을 넣은》.
am·pu·tate [ǽmpjutèit] *vt.* (…을) 절단하다.
am·pu·ta·tion [æ̀mpjutéiʃən] *n.* Ⓤ,Ⓒ 자름, 절단(수술). **-pu·tee** [-tí:] *n.* Ⓒ 절단 환자.
a·muck [əmʌ́k] *ad.* 미친 듯이 날뛰어. ***run*** ~ 함부로 날뛰다〔설치다〕.
am·u·let [ǽmjəlit] *n.* Ⓒ 부적.
:a·muse [əmjú:z] *vt.* 즐겁게〔재미있게〕 하다; 위안하다. ~ ***oneself*** 즐기다, 놀다(*by, with*). ***be*** ~***d*** (…을) 재미있어 하다, 즐기다(*at, by, with*). ~**d** *a.* 즐기는, 흥겨운. **:** ~**·ment** *n.* Ⓤ 즐거움, 위안, 오락(~***ment center*** 환락가 / ~***ment park*** 유원지 / ~***ment tax*** 유흥세). **:a·mús·ing** *a.* 재미있는, 우스운.
†an [強 æn, 弱 ən] *indef. art.* ⇨a².
a·nach·ro·nism [ənǽkrənìzəm] *n.* Ⓤ,Ⓒ 시대착오(적인 것). **-nis·tic** [-⌒-nístik] *a.*
an·a·con·da [æ̀nəkɑ́ndə/-ɔ́-] *n.* Ⓒ 〖動〗 (남아메리카의) 아나콘다 뱀; 《一般》 큰 뱀《boa, python 따위》.
a·nae·mi·a, -mic = ANEMIA, ANEMIC.
an·aer·obe [ænέəroub] *n.* Ⓒ 혐기성(嫌氣性) 생물《박테리아 따위》. **-o·bic** [⌒-óubik] *a.*
an·aes·the·sia, &c. = ANESTHESIA, &c.
an·a·gram [ǽnəgræ̀m] *n.* Ⓒ 글자 바꿈 수수께끼《time을 바꿔 써서 'emit', 'mite' 등으로 하는 따위》; (*pl.*) 《단수 취급》 글자 바꿈 수수께끼 놀이.
a·nal [éinəl] (＜anus) *a.* 항문(肛門)의, 항문 부근의.
an·al·ge·si·a [æ̀nəldʒí:ziə] *n.* Ⓤ 〖醫〗 무통각증. **-sic** [-zik, -dʒésik] *a., n.* 진통의; Ⓤ,Ⓒ 진통제.
an·a·log [ǽnəlɔ̀:g, -lɑ̀g/-lɔ̀g] *n.* 《美》 = ANALOGUE. — *a.* 상사형(相似型)의, 연속형의, 아날로그의.
·a·nal·o·gous [ənǽləgəs] *a.* 유사한, 상사의. ~**·ly** *ad.*
an·a·logue [ǽnəlɔ̀:g, -lɑ̀g/-lɔ̀g] *n.* Ⓒ 유사물; 〖生〗 상사기관; 〖컴〗 연속형, 아날로그.
:a·nal·o·gy [ənǽlədʒi] *n.* Ⓒ 유사; Ⓤ 유추(*false* ~ 그릇된 유추 / *forced* ~ 억지로 갖다 붙임, 견강부회); 〖生〗 (기관·기능 따위의) 상사(相似). ***on the*** ~ ***of*** …로 유추하여〔미루어〕.
:an·a·lyse [ǽnəlàiz] *v.* 《英》 = ANALYZE.
:a·nal·y·sis [ənǽləsis] *n.* (*pl.* **-ses** [-sì:z]) Ⓤ,Ⓒ ① 분해(opp. synthesis); 분석. ② 해석(解析)(학). ③ 〖컴·文〗 분석. ***in*** 〔***on***〕 ***the last*** 〔***final***〕 ~, or ***on*** ~ 요컨대, 결국.
·an·a·lyst [ǽnəlist] *n.* Ⓒ ① 분해자; 분석자, 해석학자. ② 정신 분석학자. ③ 경제〔정치〕 분석가. ④ 〖컴〗 분석가, 시스템 분석가.
·an·a·lyt·ic [æ̀nəlítik], **-i·cal** [-əl] *a.* 분석〔분해·해석〕의; 분석〔해석〕적인.
:an·a·lyze, 《英》 **-lyse** [ǽnəlàiz] *vt.* 분석〔분해·해석〕하다; (문장을) 분석하다. **·-lyz**〔**s**〕**·er** [-ər] *n.* Ⓒ 분석하는 사람〔물건〕.
an·ar·chism [ǽnərkìzəm] *n.* Ⓤ 무정부주의〔상태〕, 무질서; 테러 행위. **-chist** *n.* Ⓒ 무정부주의자〔당원〕.
·an·ar·chy [ǽnərki] *n.* Ⓤ 무정부(상태), (사회의) 무질서, 혼란; 무질서론. **-chic** [ænɑ́:rkik], **-chi·cal** [-əl] *a.*
a·nath·e·ma [ənǽθəmə] *n.* Ⓤ,Ⓒ 파문; Ⓒ 저주; 저주받은 물건〔사람〕.
:a·nat·o·my [ənǽtəmi] *n.* Ⓤ 해부(술·학); Ⓒ 분석; (동·식물의) 구조.
an·a·tom·ic [æ̀nətɑ́mik/-ɔ́-], **-i·cal** [-əl] *a.* **-mist** *n.* Ⓒ 해부학자. **-mize** [-màiz] *vt.* 해부〔분석〕하다.
:an·ces·tor [ǽnsestər, -səs-] *n.* (*fem.* ***-tress***) Ⓒ 조상. **·-tral** [ænséstrəl] *a.* 조상〔선조〕(전래)의. **·-try** [-tri] *n.* Ⓤ 《집합적》 조상; 집안; 가계(lineage).
:an·chor [ǽŋkər] *n.* Ⓒ 닻; 힘이〔의지가〕 되는 것; (릴레이의) 최종 주자(走者). ***at*** ~ 정박하여. ***cast*** 〔***drop***〕 ~ 닻을 내리다. ***drag*** ~ 표류하다. ***weight*** ~ 닻을 올리다, 출범하다.

— *vt., vi.* (…에) 닻을 내리다, 정박하다. ~ ***one's hope in*** 〔***on***〕 …에 희망을 걸다. *~·**age**[-idʒ] *n.* U,C 닻을 내림; 정박(지·세).

an·cho·rite[ǽŋkəràit] *n.* C 은자(隱者)(hermit), 속세를 떠난 사람(recluse).

ánchor·màn *n.* C ① 중심 인물; 최종 주자. ② (*fem.* ***-woman***) (방송의) 앵커맨.

an·cho·vy[ǽntʃouvi, -tʃə-] *n.* C 〖魚〗 안초비《지중해산 멸치류》. ~ ***paste*** 안초비를 풀처럼 갠 식품.

:**an·cient**[éinʃənt] *a.* 고대의, 옛날의; 고래(古來)의; 늙은(very old) (*The A- Mariner* 노(老)선원 《Coleridge 작의 시의 제목》); 구식의; 낡은. — *n.* C 고전 작가; 노인. ***the ~s*** 고대인《그리스·로마 사람 등》. ***the A- of Days*** 〖聖〗 옛적부터 항상 계신 이《하느님》. **~·ly** *ad.* 옛날에는.

an·cil·lar·y[ǽnsəlèri/ænsíləri] *a.* 보조의.

†**and**[強 ænd, 弱 ənd, nd] *conj.* ① 그리고, 및, 또한; 그러자. ② 《명령문 뒤에서》 그러면. ***and/or*** =and or or (*newspapers and/or magazines* 신문 및〔또는〕 잡지). ~ ALL (*n.*). ~ ***all that,*** or ~ ***so on*** 〔***forth***〕, or ~ ***what not*** …따위, …등등. ~ ***that*** 더우기, 게다가. ~ ***yet*** 그럼에도 불구하고. ***try*** ~ 해보다(*Try ~ do it.* 해 봐라).

an·dan·te[ændǽnti] *a., ad., n.* (It.) 〖樂〗 안단테《보통 빠르기》의〔로〕; C 안단테의 곡.

an·dan·ti·no[æ̀ndæntí:nou] *a., ad., n.* (It.) 〖樂〗 안단티노《안단테보다 좀 빠른 속도》의〔로〕; C 그런 곡.

an·drog·y·nous[ændrádʒənəs/-5-] *a.* 〖植〗 자웅화(雌雄花) 동체(同體)의; 남녀추니의; 양성(兩性)의.

an·droid[ǽndrɔid] *n.* C (SF에서) 인간 모양의 로봇.

:**an·ec·dote**[ǽnikdòut] *n.* C 일화(逸話); 기담(奇譚). **-do·tal**[∸–dóutl, ∠–∸–] *a.* **-dot·ic**[∸–dátik/-5-], **-i·cal**[-əl] *a.*

a·ne·mi·a[əní:miə] *n.* U 빈혈증. **-mic**[-mik] *a.*

*__a·nem·o·ne__[ənéməni] *n.* C 〖植〗 아네모네; 〖動〗 말미잘(sea ~).

an·es·the·sia[æ̀nəsθí:ʒə, -ziə] *n.* U 마취. ***general*** 〔***local***〕 ~ 전신〔국소〕 마취. **-thet·ic**[-θétik] *a., n.* 마취의〔를 일으키는〕; U,C 마취제. **-the·tist**[ənésθətist/əní:s-] *n.* C (수술할 때의) 마취사. **-the·tize**[-tàiz] *vt.* 마취를 걸다; 마비시키다.

*__a·new__[ənjú:] *ad.* 다시, 재차; 새로이.

:**an·gel**[éindʒəl] *n.* C ① 천사(같은 사람). ② 영국의 옛금화. ③ 《美俗》 (배우·극장 등의)재정적 후원자. ~ ('***s***) ***visit*** 귀한 손님; 좀처럼 없는 일. ***evil*** 〔***fallen***〕 ~ 악마.

*__an·gel·ic__[ændʒélik], **-i·cal**[-əl] *a.* 천사의〔같은〕.

an·gel·i·ca[ændʒélikə] *n.* U,C 안젤리카《멧두릅속의 식물; 요리·약용》; 그 줄기의 설탕절임; (안젤리카로 맛을 낸) 일종의 리큐르술.

:**an·ger**[ǽŋgər] *n., vt.* U 노염, 성, 화(나게 하다). ***be ~ed by*** 〔***at***〕 …에 화내다. ***in*** ~ 노하여, 성내어.

an·gi·na[ændʒáinə] *n.* U 〖醫〗 인후통, 안기나.

:**an·gle**[1][ǽŋgl] *n.* C ① 모(퉁이), 귀퉁이. ② 각(도). ③ 관점, 견지. ~ ***of depression*** 〔***elevation***〕 〖數〗 내려본〔올려본〕각. — *vt., vi.* (각지게) 구브리다, 각을 이루다; 굽다; (보도를) 왜곡하다.

an·gle[2] *vi.* 낚시질하다; 낚다(~ *for trout*); (교묘히) 꾀어내다(~ *for an invitation to a party* 파티에 초청되도록 획책하다). ***án·gler** *n.* C 낚시꾼; 〖魚〗 아귀.

*__An·gli·can__[ǽŋglikən] *a.* 영국 국교의, 영국 성공회의; 《美》 잉글랜드의. — *n.* C 영국 국교도. **~·ism**[-ìzəm] *n.* U 영국 국교; (특히) 고교회(高敎會)(High Church)파주의.

An·gli·cize, -cise[-sàiz] *vt., vi.* 영국〔영어〕화하다.

an·gling[-iŋ] *n.* U 낚시질.

An·glo-[ǽŋglou] '영국(의), 영국 및'의 뜻의 결합사.

*__Ánglo-Américan__ *a., n.* 영미(英美)의; C 영국계 미국인(의).

A

Ánglo-Cathólicism *n.* Ⓤ 영국 국교회 가톨릭주의.

An·glo·phile[ǽŋgləfàil], **-phil** [-fìl] *n.* Ⓒ 친영(親英)파 사람.

An·glo·phobe[-fòub] *n.* Ⓒ 영국을 싫어하는 사람, 반영(反英)주의자. **-pho·bi·a**[≃-fóubiə, -bjə] *n.* Ⓤ 영국 혐오; 공영(恐英) 사상.

an·glo·phone[ǽŋgləfòun] *a., n.* Ⓒ 영어 상용의[자]《영어 외에도 공용어가 있는 나라에서》.

:Ánglo-Sáxon *n.* (the ~s) 앵글로색슨 민족; Ⓤ 앵글로색슨어. — *a.* 앵글로색슨의.

an·go·ra[æŋgɔ́:rə] *n.* Ⓒ 앙고라고양이[염소·토끼]; [ǽŋgourə] = ANKARA.

†an·gry[ǽŋgri] *a.* ① 성난, 성나 있는(*at, with*). ② 몹시 쑤시는. ③ (색깔 등이) 강렬한, 타는 듯한. ***get* ~** 성내다. ***an* ~ *young man*** 반체제의 젊은이. **:án·gri·ly** *ad.*

angst[ɑ:ŋkst] *n.* (G.) Ⓤ 불안, 염세.

·an·guish[ǽŋgwiʃ] *n.* Ⓤ 격통, 고뇌. ***in* ~** 괴로워서, 괴로운 나머지. **~ed**[-t] *a.* 고뇌에 찬.

·an·gu·lar[ǽŋgjələr] *a.* 각이 있는, 모난; (사람이) 말라빠진; (태도가) 무뚝뚝한. **~·i·ty**[≃-lǽrəti] *n.* Ⓤ 모남, 모짐; 무뚝뚝함.

†an·i·mal[ǽnəməl] *n.* Ⓒ 동물; 《俗》 짐승; 금수(brute). — *a.* 동물의; 육체[육욕]적인. **~·ism**[-ìzəm] *n.* Ⓤ 동물적 생활; 수성(獸性), 수욕(獸欲); 인간 수성설. **~·i·ty**[ænəmǽləti] *n.* Ⓤ 동물성, 수성.

ánimal húsbandry 축산(업).

ánimal mágnetism 최면력; 성적 매력.

·an·i·mate[ǽnəmèit] *vt.* 살리다, 생명을 주다; 활기[생기] 띠게 하다; 격려하다. — [-mit] *a.* 산, 활기[생기] 있는(~ *nature* 생물계).

an·i·mat·ed[-id] *a.* 기운찬, 싱싱한; 살아 있는. 「화영화.

ánimated cartóons [fílms] 만

·an·i·ma·tion[ænəméiʃən] *n.* Ⓤ 생기, 원기, 활발; 만화 영화 제작; 【컴】 움직꼴, 애니메이션. ***with* ~** 활발히, 힘차게.

an·i·ma·tor[ǽnəmèitər] *n.* Ⓒ 생기를 주는 것; 【映】 만화 영화 제작자.

an·i·mos·i·ty[ænəmɑ́səti/-ɔ́-] *n.* Ⓤ,Ⓒ 격심한 증오[적의](*against, toward*). 「의.

an·i·mus[ǽnəməs] *n.* Ⓤ 의도; 적

an·ise[ǽnis] *n.* Ⓒ 【植】 아니스《지중해 지방의 약초》; = ⇩.

an·i·seed[ǽnəsì:d] *n.* Ⓤ anise의 열매《향료》.

An·ka·ra[ǽŋkərə] *n.* 터키의 수도.

:an·kle[ǽŋkl] *n.* Ⓒ 발목.

an·klet[ǽŋklit] *n.* Ⓒ (보통 *pl.*) 발목 장식, (여자용의) 짧은 양말, 속스.

·an·nals[ǽnəlz] *n. pl.* 연대기; 연보; 연감; (때로 *sing.*) (학회 따위의) 기록, 역사.

·an·nex[ənéks] *vt.* 부가[추가]하다(*to*); (영토 따위를) 병합하다; 착복하다(*The city ~ed those villages.* 시는 그 마을들을 병합했다). — [ǽneks] *n.* Ⓒ 추가물, 부록; 증축(增築)(*an ~ to a hotel* 호텔의 별관). **~·a·tion**[ænekséiʃən] *n.* Ⓤ 병합; Ⓒ 부가물, 병합지.

an·nexe[ǽneks] *n.* 《英》 = ANNEX.

·an·ni·hi·late[ənáiəlèit] *vt.* 전멸[근절]시키다, 【理】 (입자를) 소멸시키다, (야심 따위를) 꺾다, 좌절시키다, 무시하다. **·-la·tion**[-≃-léi-] *n.*

:an·ni·ver·sa·ry[ænəvə́:rsəri] *n., a.* Ⓒ 기념일, 축전; 예년의; 기념일의.

an·no·tate[ǽnətèit] *vt., vi.* 주석(註釋)하다. **-ta·tor** *n.* Ⓒ 주석자. **-ta·tion**[ænətéiʃən] *n.* Ⓤ,Ⓒ 주석, 주해.

†an·nounce[ənáuns] *vt.* 발표하다; 고지(告知)하다; 알리다; (…이) 왔음을 알리다. **:~·ment** *n.* **:an·nóun·cer** *n.*

:an·noy[ənɔ́i] *vt.* 성[짜증]나게 하다, 속태우다; 당황케 하다; 괴롭히다; 해치다. ***get* ~*ed*** 귀찮다, 애먹다. **·~·ance** *n.* Ⓤ 노염, 당황, 난처; Ⓒ 곤란한 것[사람]. **·~·ing** *a.* 괘씸한; 성가신; 귀찮은; 지겨운. **~·ing·ly** *ad.* 성가시게.

:an·nu·al[ǽnjuəl] *a.* ① 1년의. ② 예년(例年)의; 매해의; 연(年) 1회의. ③ 【植】 1년생의. ~ ***message***

《美》 연두 교서. ~ *pension* 연금. ~ *report* 연보(年譜). ~ *ring* (나무의) 나이테, 연륜. * ~**·ly** *ad.* 매년.

an·nu·i·ty[ənjúːəti] *n.* Ⓒ 연금.

an·nul[ənʌ́l] *vt.* (**-ll-**) 무효로 하다, 취소하다. ~**·ment** *n.*

an·nun·ci·ate[ənʌ́nsièit] *vt.* 고지(告知)하다. ~**·a·tion**[−ˋ−éiʃən] *n.* U,C 통고; 포고; (A-) 성수태 고지(절)《천사 Gabriel이 예수 수태를 알린 3월 25일》. **-a·tor** *n.* Ⓒ 고지자; 《美》 (벨 번호) 표시기.

an·ode[ǽnoud] *n.* Ⓒ 〖電〗 (전자관·전해조의) 양극; (축전지 따위의) 음극.

an·o·dyne[ǽnoudàin] *a., n.* 진통의; Ⓒ 진통제; 완화물; 기분〔감정〕을 누그러뜨리는(soothing).

˙a·noint[ənɔ́int] *vt.* ① 기름을 바르다. ② (세례식·취임식 따위에서) 기름을 뿌리다, 기름을 뿌려 신성하게 하다. *the* (*Lord's*) *Anointed* 예수; 고대 유대의 왕. ~**·ment** *n.* U,C 도유(塗油)(식). ~**·er** *n.* Ⓒ 기름을 붓는〔바르는〕 사람.

a·nom·a·lous[ənɑ́mələs/-ɔ́-] *a.* 변칙의; 이례의, 파격의, 예외적인.

a·nom·a·ly[ənɑ́məli/-ɔ́-] *n.* Ⓤ 불규칙, 변칙(irregularity); Ⓒ 이상한 것.

a·non[ənɑ́n/-ɔ́-] *ad.* 《古》 이내, (곧) 얼마 안 있어; 다시; 언젠가. *ever and* ~ 가끔.

anon. anonymous.

an·o·nym·i·ty[æ̀nəníməti] *n.* Ⓤ 익명, 무명; 작자 불명.

˙a·non·y·mous[ənɑ́nəməs/-ɔ́-] *a.* 익명(匿名)의; 작자 불명의; 개성 없는; 무명의, 세상에 알려져 있지 않은. ~**·ly** *ad.* ~**·ness** *n.*

a·no·rak[ǽnəræ̀k, ɑ́ːnərɑ̀ːk] *n.* Ⓒ 아노락《후드 달린 방한용 재킷》.

an·o·rex·i·a[æ̀nəréksiə] *n.* Ⓤ 식욕부진.

anoréxia ner·vó·sa[-nəːrvóusə] 신경성 식욕 부진.

†an·oth·er[ənʌ́ðər] *a.* 다른, 또〔다른〕 하나의, 별개의. — *pron.* 다른 〔별개의〕 것〔사람〕, 또〔다른〕 하나의 것〔사람〕(*"You're a liar." "You're* ~.*"* '너는 거짓말쟁이야' '너도 마찬가지야'). ~ *thing* 〔*question*〕 별문제. *one after* ~ 하나〔한 사람〕씩, 차례로, 속속. *one* ~ 서로 (each other). *such* ~ 그와 같은 사람〔것〕. *taken one with* ~ 이것 저것 생각해 보니, 대체로 보아. *Tell me* ~ (*one*)*!* 《口》 말도 안 돼, 거짓말 마.

†an·swer[ǽnsər, ɑ́ːn-] *n.* Ⓒ ① (대)답; 〖컴〗 응답. ② (문제의) 해답. ③ 〖法〗 답변. *know all the* ~*s* 《口》 머리가 좋다; 만사에 정통하다. *What's the* ~*?* 어쩌면 좋으냐. — *vt.* 대답하다; 풀다; 갚다; 도움되다(~ *the purpose*). — *vi.* ① (대)답하다(*to*). ② 책임을 지다, 보증하다(*for*). ③ 일치하다, 맞다(*to*). ④ 도움〔소용〕되다; 성공하다. ~ *back* 《口》 말대답〔말대꾸〕하다. *~**·a·ble** *a.* 책임이 있는(*for conducts; to persons*); 어울리는, 맞는(*to*); 대답할 수 있는. ~**·er** *n.* Ⓒ 대답〔회답〕자.

†ant[ænt] *n.* Ⓒ 개미.

-ant[ənt] *suf.* ① 《형용사 어미》 '성(性)의, …을 하는' 의 뜻; malig*nant*, ramp*ant*. ② 《명사 어미》 '…하는 이〔물건〕' 의 뜻: serv*ant*, stimul*ant*.

˙an·tag·o·nism[æntǽgənìzəm] *n.* U,C 적대, 적개심, 적극적 반항 (*against, to, between*). *in* ~ *to* …에 반대〔대항〕하여. ***-nist** *n.* Ⓒ 적대자, 대립자. **-nis·tic**[æntæ̀gənístik] *a.* 상반(相反)하는; 적대하는, 대립하는, 반대의.

an·tag·o·nize[æntǽgənàiz] *vt.* 적대〔대항〕하다; 적으로 돌리다; 반작용하다, (힘을) 상쇄하다; (어떤 약이 딴 약을) 중화하다.

:Ant·arc·tic[æntɑ́ːrktik] *a., n.* (opp. arctic) 남극의; (the A-) 남극; 남빙양.

Antárctic Círcle, the 남극권.

an·te[ǽnti] *n., vi.* Ⓒ (포커의) 태우는 돈(을 미리 내다); (몫을) 내다.

an·te-[ǽnti] before의 뜻의 결합사.

ánt·èater *n.* Ⓒ 개미핥기.

:an·te·ced·ent[æ̀ntəsíːdənt] *a.* ① 앞서는, 선행의, 앞의(*to*). ② 가정의. — *n.* Ⓒ ① 선례. ② 선행자; 앞

선 사건; 전항(前項). ③ 〖文〗 선행사. ④ (*pl.*) 경력; 조상. **-ence, -en·cy** *n.* Ⓤ 앞섬(priority); 선행; 〖天〗 역행.

ánte·chàmber *n.* Ⓒ (큰 방으로 통하는) 앞방, 대기실.

an·te·date[ǽntidèit] *vt.* (실제보다) 앞의 날짜를 매기다; (…보다) 앞서다; 내다보다, 예상하다. — *n.* Ⓒ 전일부(前日付).

an·te·di·lu·vi·an[æ̀ntidilúːviən/-vjən] *a., n.* Ⓒ 노아의 홍수 이전의 (사람, 생물); 시대에 뒤진 (사람); 노인.

an·te·lope[ǽntəlòup] *n.* Ⓒ 영양(羚羊).

an·te·na·tal[æ̀ntinéitl] *a.* 출생 전의.

:**an·ten·na**[ænténə] *n.* Ⓒ ① (*pl.* **-nae**[-niː]) 〖動〗 더듬이, 촉각. ② (*pl.* **~s**) 안테나, 공중선.

˙**an·te·ri·or**[æntíəriər] *a.* 전의; 앞의, (…에) 앞서는, 선행하는(*to*); 전면의, 전부(前部)의(*to*)(opp. posterior).

:**an·them**[ǽnθəm] *n.* Ⓒ 찬미가, 성가; 축하의 노래. ***national*** **~** 국가.

ánthìll *n.* Ⓒ 개밋둑.

˙**an·thol·o·gy**[ænθɑ́lədʒi/-ɔ́-] *n.* Ⓒ 명시선(名詩選), 명문집(集), 사화집(詞華集). **-gist** *n.* Ⓒ 그 편자.

an·thra·cite[ǽnθrəsàit] *n.* Ⓤ 무연탄.

an·thrax[ǽnθræks] *n.* Ⓤ 〖醫〗 비탈저(脾脫疽); 탄저열(炭疽熱); 부스럼.

an·thro·poid[ǽnθrəpɔ̀id] *a.* 인간〔인류〕 비슷한. — *n.* Ⓒ 유인원.

˙**an·thro·pol·o·gy**[æ̀nθrəpɑ́lədʒi/-ɔ́-] *n.* Ⓤ 인류학. **-po·log·i·cal** [-pəlɑ́dʒikəl/-ɔ́-] *a.* ˙**-gist** *n.* Ⓒ 인류학자.

an·thro·po·mor·phism [-pəmɔ́ːrfizəm] *n.* Ⓤ 신인(神人) 동형 동성설.

an·ti[ǽnti, -tai] *n.* Ⓒ 《口》 반대론자. — *a.* 반대의〔하는〕.

an·ti-[ǽnti] *pref.* '반대, 비(非), 역, 대(對)'의 뜻.

ànti·áircraft *a.* 대(對)항공기의, 고사(高射)(용)의, 방공(용)의(*an* ~ *gun* 고사포).

an·ti·bi·ot·ic[-baiɑ́tik/-ɔ́-] *n., a.* Ⓒ 항생물질(의). **~s** *n.* Ⓤ 항생 물질학.

an·ti·bod·y[ǽntibɑ̀di/-ɔ̀-] *n.* Ⓒ (혈액중의) 항체(抗體).

:**an·tic·i·pate**[æntísəpèit] *vt.* ① 예기〔예상〕하다; 기대하다; 예견하다. ② (수입을) 믿고 미리 쓰다. ③ 내다보고 근심하다. ④ 앞지르다, 선수 쓰다; 이르게 하다.

:**an·tic·i·pa·tion**[æntìsəpéiʃən] *n.* Ⓤ ① 예기, 예상. ② 미리 씀. ③ 앞지름; 예방. ***in*** 〔***by***〕 **~** 미리, 앞을 내다 보고. ***in*** **~** ***of*** …을 미리 내다 보고.

ànti·clímax *n.* Ⓤ 〖修〗 점강법(漸降法)(bathos); Ⓒ 용두사미(의 일·사건).

ànti·clóckwise *ad., a.* =COUNTERCLOCKWISE.

ànti·cýclone *n.* Ⓒ 〖氣〗 고기압.

˙**an·ti·dote**[ǽntidòut] *n.* Ⓒ 해독제; 교정 수단(*to, against, for*). **-dot·al**[-l] *a.*

ánti·frèeze *n.* Ⓤ 《美》 부동제(不凍劑).

an·ti·gen[ǽntidʒən] *n.* Ⓒ 〖生化〗 항원(抗原)《혈액 중에 antibody의 형성을 촉진하는 물질》.

ánti·hèro *n.* Ⓒ 〖文學〗 주인공답지 않은 주인공.

ànti·hístamine *n.* Ⓤ,Ⓒ 항(抗)히스타민제《알레르기나 감기 치료용》.

an·ti·mo·ny[ǽntəmòuni] *n.* Ⓤ 〖化〗 안티몬, 안티모니《기호 Sb》.

an·tip·a·thy[æntípəθi] *n.* Ⓤ,Ⓒ 반감, 전저리냄; Ⓒ 몹시 싫은 것(opp. sympathy). **an·ti·pa·thet·ic**[æ̀ntipəθétik], **-i·cal**[-əl] *a.* 왠일인지 싫은(*to*).

ànti·pérsonnel *a.* 대인(對人) 살상용의(~ *bombs* 대인 폭탄).

an·ti·per·spi·rant[æ̀ntipə́ːrspərənt] *n.* Ⓤ,Ⓒ 발한 억제제.

an·ti·pode[ǽntəpòud] *n.* Ⓒ 정반대의 것. **an·tip·o·des**[æntípədìːz] *n. pl.* (지구상의) 대척지(對蹠地)(의 사람들); 정반대의 일(*of, to*). **an·tip·o·dal**[æntípədl] *a.*

an·ti·quar·i·an[-kwɛ́əriən] *a.,*

n. Ⓒ 고물 연구〔수집〕(의); =⇩.
an·ti·quar·y[ǽntikwèri] *n.* Ⓒ 고물 연구가, 고물〔골동〕 수집가.
an·ti·quate[ǽntikwèit] *vt.* 낡게〔시대에 뒤지게〕 하다. **-quat·ed**[-id] *a.* 낡은, 고풍의.
*__an·tique__[æntíːk] *a.* 고풍의, 낡은; 고대 그리스〔로마〕의; 고래(古來)의. — *n.* Ⓒ 고물, 고기(古器).
*__an·tiq·ui·ty__[æntíkwəti] *n.* ① Ⓤ 오래됨, 낡음. ② Ⓤ 고대. ③ Ⓒ (보통 *pl.*) 고대의 풍습〔제도〕; (*pl.*) 고기(古器), 고물.
ànti-Semític *a.* 반(反)셈〔유대〕(주의)의.
ànti-Sémitism *n.* Ⓤ 셈족〔유대인〕 배척(운동). **-Sémite** *n.* Ⓒ 유대인 배척자.
an·ti·sep·tic[æ̀ntiséptik] *a., n.* 방부(防腐)의; Ⓤ,Ⓒ 방부제.
ànti·sócial *a.* 반사회적인; 사교를 싫어하는. **~ist** *n.* Ⓒ 반사회주의자; 비사교가.
ànti·tánk *a.* 대(對)전차용의.
an·tith·e·sis[æntíθəsis] *n.* (*pl.* **-ses**[-sìːz]) Ⓤ 정반대(*of*); 대조(*of, between*); 〖修〗 대조법; Ⓒ 〖哲〗 (변증법에서 정(正)에 대하여) 반(反), 안티테제(cf. thesis, synthesis).
ant·ler[ǽntlər] *n.* Ⓒ (보통 *pl.*) (사슴의) 가지진 뿔.
‡**an·to·nym**[ǽntənim] *n.* Ⓒ 반의어 (cf. synonym).
a·nus[éinəs] Ⓒ 항문.
*__an·vil__[ǽnvil] *n.* Ⓒ (대장간용의) 모루. ***on the ~*** (계획 등이) 심의 〔준비〕 중에.
‡**anx·i·e·ty**[æŋzáiəti] *n.* ① Ⓤ 근심, 걱정, 불안; Ⓒ 걱정거리. ② Ⓤ 열망(eager desire)(*for; to* do).
‡**anx·ious**[ǽŋkʃəs] *a.* ① 걱정스러운, 불안한(*about*). ② 열망하는, 몹시 …하고 싶어하는(*for; to* do). ***~·ly** *ad.* 걱정하여, 갈망하여.
†**an·y**[éni] *a., pron.* ① 《긍정》 무엇이나, 누구든, 얼마든지. ② 《의문·조건》 무엇인가, 누군가, 얼마인가. ③《부정》 아무 것도, 아무도, 조금도. — *ad.* 얼마간〔쯤〕은, 조금은, 조금(이라)도. ***~ longer*** 이제 이 이상(은). ***~ more*** 이 이상(은), 이제(는). ***~ one*** =ANYONE. ***~ time*** 언제든지〔라도〕. ***if ~*** 만일 있다면; 설사 있다손치더라도. ***in ~ case*** 어떤 경우에든, 여하튼.
†**an·y·bod·y**[-bàdi, -bʌ̀di/-bɔ̀di] *pron.* ① 《의문·조건》 누군가. ② 《부정》 누구도, 아무도. ③ 《긍정》 누구나. — *n.* Ⓤ 어엿한 인물(*Is he ~?*); (*pl.*) 보통 사람.
‡**an·y·how**[-hàu] *ad.* 어떻게든(in any way whatever); 어쨌든(in any case); 적어도; 적당히, 되는 대로(carelessly). ***feel ~*** 몸이 좋지 않다.
†**an·y·one**[-wʌ̀n, -wən] *pron.* ① 누구(라)도. ② 《부정》 누구도. ③ 《의문·조건》 누군가. 「라도.
ány·plàce *ad.* 《美口》 어디나, 어디
†**an·y·thing**[-θìŋ] *pron.* ① 《긍정》 무엇이든. ② 《의문·조건》 무엇인가. ③ 《부정》 아무 것도. ***~ but*** …외에는 무엇이든; …는 커녕, 어림도 없는 (far from)(*He is ~ but a poet.* 그는 결코 시인이라고 할 수 없다). ***as…as ~*** 대단히… (*He is as proud as ~.* 아주 뽐내고 있다). ***for ~*** 결단코(*I will not do it for ~.* 그런 일은 절대로 않는다). ***if ~*** 어느 편이냐 하면, 좀. ***like ~*** 《口》 아주, 몹시. ***not ~ like*** 전혀 … 아니다.
‡**an·y·way**[éniwèi] *ad.* 여하튼, 어쨌든; 어떻게 해서든.
‡**an·y·where**[-hwɛ̀ər] *ad.* ① 《부정》 어디(에)든. ② 《의문·조건》 어디엔가. ③ 《긍정》 어디(에)나.
a·or·ta[eiɔ́ːrtə] *n.* (*pl.* **~s, -tae**[-tiː]) Ⓒ 〖解〗 대동맥.
AP, A.P. Associated Press.
*__a·pace__[əpéis] *ad.* 빨리, 신속히.
‡**a·part**[əpáːrt] *ad.* 떨어져; 별개로, 떼어서. ***~ from*** …은 별문제로 하고. ***come ~*** 흐트러지다. ***joking ~*** 농담은 집어치우고. ***take ~*** 분해하다; 비난하다.
a·part·heid [əpáːrtheit, -hait/-heit, -heid] *n.* (Du.) Ⓤ 《南아》 민족 격리; 인종 차별 정책.
‡**a·part·ment**[əpáːrtmənt] *n.* Ⓒ 방; 아파트; (*pl.*) (공동 주택 내의) 한 세대의 방.

A

apártment hòuse 《美》 아파트.
ap·a·thy[ǽpəθi] *n.* Ⓤ 무감동; 냉담, 무관심. **-thet·ic**[⌐–θétik] *a.*
˙**ape**[eip] *n.* Ⓒ (꼬리 없는) 원숭이 《침팬지·고릴라·오랑우탄·긴팔원숭이 따위》; 《一般》 원숭이. ***go*** ~ 《美俗》 발광하다; 열광하다. ***play the*** ~ 서툴게 흉내내다. — *vt.* 흉내내다.
APEC[éipek] Asia-Pacific Economic Cooperation 아시아 태평양 경제 협력.
a·pé·ri·tif[ɑːpèritíːf] *n.* (F.) Ⓒ 식전(食前) 술《식욕 촉진을 위한》.
ap·er·ture[ǽpərtʃùər, -tʃər] *n.* Ⓒ 빠끔히 벌어진 데(opening), 구멍, 틈새(gap); 렌즈의 구경.
APEX, Apex[éipeks] advance purchase excursion 에이펙스《항공 운임의 사전 구입 할인제》.
a·pex [éipeks] *n.* (*pl.* **~es, apices**) Ⓒ 선단(先端), 꼭대기, 정점; 절정.
a·phid[éifid, ǽf-] *n.* (*pl. aphides* [-fədìːz]) Ⓒ 진디(plant louse).
aph·o·rism[ǽfərìzəm] *n.* Ⓒ 격언; 경구(警句). **-ris·tic**[æ̀fərístik], **-ti·cal**[-əl] *a.* 격언이 풍부한.
aph·ro·dis·i·ac[æ̀froudíziæ̀k] *a.* 최음의. — *n.* Ⓤ,Ⓒ 최음제, 미약(媚藥).
a·pi·ar·y[éipièri, -əri] *n.* Ⓒ 양봉장(養蜂場). **a·pi·a·rist**[éipiərist] *n.* Ⓒ 양봉가.
˙**a·piece**[əpíːs] *ad.* 한 사람[하나]에 대하여, 제각기, 각각.
a·plen·ty [əplénti] *ad.* 《美口》 많이.
a·plomb[əplʌ́m/-lɔ́m] *n.* (F.) Ⓤ 수직, 평형; 태연자약, 침착, 평정.
a·poc·a·lypse[əpɑ́kəlìps/-ɔ́-] *n.* Ⓒ ① 묵시(默示), 천계(天啓); (the A-) 〚新約〛 계시록(the Revelation). ② 대재해, 대참사. **-lyp·tic**[–⌐– líptik] *a.*
A·poc·ry·pha [əpɑ́krəfə/-ɔ́-] *n. pl.* 《종종 단수 취급》 (구약 성서의) 경외전(經外典); (a-) 출처가 의심스러운 문서, 위서(僞書). **-phal**[-fəl] *a.* 경외전의; (a-) 출처가 의심스러운.
ap·o·gee[ǽpədʒìː] *n.* Ⓒ 최고점; 정상; 〚天〛 원(遠)지점(opp. perigee).
a·po·lit·i·cal[èipəlítikəl] *a.* 정치에 무관심[무관계]한.
⁑**A·pol·lo**[əpɑ́lou/-ɔ́-] *n.* ① 〚그·로神〛 아폴로《태양·시·음악·예언·의료의 신》; 《詩》 태양. ② Ⓒ (*or* a-) 미남. ③ (미국의) 아폴로 우주선[계획].
˙**a·pol·o·get·ic**[əpɑ̀lədʒétik/-ɔ̀-] *a.* 사죄의, 변명의. — *n.* Ⓒ 변명; (*pl.*) 〚神〛 변증론. **-i·cal**[-əl] *a.*
a·pol·o·gist [əpɑ́lədʒist/-ɔ́-] *n.* Ⓒ 변명[변호]자; (기독교의) 변증[호교론]자.
⁑**a·pol·o·gize**[-dʒàiz] *vi.* 사죄[사과]하다(*to* him *for* that); 변명[해명]하다.
⁑**a·pol·o·gy**[əpɑ́lədʒi/-ɔ́-] *n.* Ⓒ ① 사죄, 사과; 해명, 변명(defence)(*for*). ② 《俗》 명색뿐인 것(*a mere* ~ *for a library* 단지 이름만의 도서실).
ap·o·plex·y[ǽpəplèksi] *n.* Ⓤ 〚醫〛 졸중(풍). ***cerebral*** ~ 뇌일혈. **ap·o·plec·tic**[æ̀pəpléktik] *a.* 졸중(풍)의[에 걸리기 쉬운].
a·pos·ta·sy[əpɑ́stəsi/-ɔ́-] *n.* Ⓤ,Ⓒ 배교(背敎); 배신, 변절; 탈당. **-tate** [-teit, -tit] *n.* Ⓒ 배교자; 변절자; 탈당자. **-ta·tize**[-tàiz] *vt.* 신앙을 버리다; 변절하다(*from, to*).
a pos·te·ri·o·ri[éi pɑstìːriɔ́ːrai/-pɔstèr-] (L.) 후천적[귀납적]인[으로](opp. *a priori*).
˙**a·pos·tle**[əpɑ́sl/-ɔ́-] *n.* Ⓒ ① (A-) 사도《예수의 12 제자의 한 사람》. ② (한 나라·한 지방의) 최초의 전도자. ③ (주의·정책·운동의) 주창자. **ap·os·tol·ic**[æ̀pəstɑ́lik/-ɔ́-] *a.* 사도의, 사도적인; 로마 교황의(papal).
ap·os·tol·ic[æ̀pəstɑ́lik/-tɔ́l-] *a.* ① 사도의; 사도와 동시대의. ② 사도의 신앙[가르침]에 관한. ③ (베드로의 계승자로서의) 교황의.
⁑**a·pos·tro·phe**[əpɑ́strəfi/-ɔ́-] *n.* Ⓒ 아포스트로피, 생략[소유격] 기호(’); Ⓤ 〚修〛 돈호(頓呼)법. **-phize** [-fàiz] *vt., vi.*
a·poth·e·o·sis[əpɑ̀θióusis/əpɔ̀θ-] *n.* (*pl.* **-ses**[-siːz]) Ⓤ,Ⓒ 신으로 모심; 찬미, 숭배.
˙**ap·pal(l)**[əpɔ́ːl] (＜pale) *vt.* (**-ll-**)

섬뜩하게 하다. **˚ap·páll·ing** *a.* 섬뜩한, 무서운; 끔찍한; 《俗》 심한, 대단한.

:ap·pa·rat·us [æ̀pərǽtəs, -réi-] *n.* (*pl.* ~(**es**)) U,C (한 벌의) 기구, 장치; 〖生〗 여러 기관(의 종합).

˚ap·par·el [əpǽrəl] *n.* U 의복; 제복(祭服)의 장식수(繡). — *vt.* (-**ll**-) 입히다, 차리다, 꾸미다.

:ap·par·ent [əpǽrənt] *a.* ① 보이는; 명백한(*to*). ② 겉꾸밈의, 외견의, 거죽만의. **:~·ly** *ad.* 겉보기에는, 일견(하여); 명백히.

˚ap·pa·ri·tion [æ̀pəríʃən] *n.* C 유령(ghost); 환영(幻影)(phantom); 요괴(specter); (초자연적인) 출현물; U (별의) 출현. **~·al** [-əl] *a.* 환영 같은.

:ap·peal [əpí:l] *vi.* ① 항소[상고]하다(*to*). ② (무력·여론·양심에) 호소하다, 애원[애소]하다(*to*). ③ 감동시키다, 흥미를 끌다, 마음에 들다(*to*). — *vt.* 《美》 항소[상고]하다. **~ *to the country*** (의회를 해산하고) 국민의 총의를 묻다. — *n.* ① U,C 소원(訴願); 항소. ② U,C (여론에) 호소하기; 애소(哀訴). ③ U (마음을 움직이는) 힘, 매력. ***court of ~*** [《美》 **~s**] 상고[항소]하다. ***make an ~ to*** …에 호소하다. **~·ing** *a.* 호소하는 듯한. **~·ing·ly** *ad.*

†ap·pear [əpíər] *vi.* ① 나타나다, 나오다, 보이다. ② 공표[발표]되다. ③ 출두하다. ④ …같다.

:ap·pear·ance [əpíərəns] *n.* U,C ① 출현(出現); 출두; 등장, 출연; 발간. ② 외관, 풍채, 겉보기; 모양. ③ (*pl.*) 상황, 형세. ***for ~'s sake*** 체면상. ***keep up*** [***save***] ***~s*** 허세 피우다, (무리하게) 체면을 유지하다. ***make*** [***enter, put in***] ***an ~*** 나타나다, 얼굴을 내밀다. ***to*** [***by***] ***all ~***(***s***) 아무리[어느 모로] 보아도; 얼핏 보아.

˚ap·pease [əpí:z] *vt.* ① 가라앉히다, 달래다, 누그러지게 하다(quiet). ② (식욕·요구 따위를) 채우다. ③ 유화[양보]하다. **~·ment** *n.* **ap·péas·a·ble** *a.*

ap·pel·lant [əpélənt] *n.* C 항소인, 상고인; 청원자.

ap·pel·la·tion [æ̀pəléiʃən] *n.* C 명칭; 호칭.

ap·pend [əpénd] *vt.* (표찰 등을) 붙이다, 달다(attach); 부가[첨가]하다(add); 〖컴〗 추가하다. **~·age** [-idʒ] *n.* C 부가물; 부속 기관《다리·꼬리·지느러미 따위》.

ap·pen·dec·to·my [æ̀pəndéktəmi] *n.* U,C 충양돌기 절제술.

ap·pen·di·ci·tis [əpèndəsáitis] *n.* U 맹장염.

:ap·pen·dix [əpéndiks] *n.* (*pl.* **~es, -dices** [-dəsì:z]) C ① 부속물, 부록. ② 〖解〗 충양돌기.

ap·per·tain [æ̀pərtéin] *vi.* 속하다; 관계하다(*to*).

:ap·pe·tite [ǽpitàit] *n.* C,U ① 식욕. ② 욕구, 욕망; 기호(*for*). **-tiz·er** [ǽpətàizər] *n.* C 식욕을 돋우는 음식[술].

:ap·plaud [əplɔ́:d] *vt., vi.* 박수갈채하다; 찬성[칭찬]하다.

:ap·plause [əplɔ́:z] *n.* U 박수갈채; 찬성; 칭찬. ***general ~*** 만장의 박수. ***win ~*** 갈채를 받다.

†ap·ple [ǽpl] *n.* C ① 사과《열매·나무》. ② 《口》 야구공. ③ 《美俗》 대도시; 지구. ***~ of discord*** 분쟁의 불씨《황금 사과가 트로이 전쟁의 원인이 됐다는 그리스 전설에서》. ***~ of Sodom*** (집으면 재가 되는) 소돔의 사과; 실망거리. ***~ of the eye*** 눈동자; 귀중한 것.

ápple·càrt *n.* C 사과 운반 수레. ***upset the*** [*a person's*] ***~*** 계획을 망쳐놓다.

˚ap·pli·ance [əpláiəns] *n.* C 기구, 기계; 장치(device); U,C 응용, 적용.

˚ap·pli·ca·ble [ǽplikəbəl] *a.* 응용[적용]할 수 있는; 적절한(suitable). **-bly** *ad.* **-bil·i·ty** [ˌ-ˌ-bílə-ti] *n.* U 적응성, 적당, 적절.

˚ap·pli·cant [ǽplikənt] *n.* C 신청자; 응모자, 지원자, 후보자(*for*).

:ap·pli·ca·tion [æ̀plikéiʃən] *n.* ① U 적용, 응용. ② U,C 신청, 출원(出願), 지원(*for*); C 원서, 신청서. ③ U (약의) 도포(塗布); C 바르는 (고)약. ④ U 부지런함, 열심(*a man of close ~* 열심가). ⑤ 〖컴〗

응용《컴퓨터에 의한 실무처리 등에 적합한 특정 업무, 또는 그 프로그램》. ***make an ~ for** (help) **to** (a person)* (아무)에게 (원조)를 부탁하다. ***on ~*** 신청하는 대로(*to*).

ˈap·plied [əpláid] *a.* 응용된. ~ ***chemistry*** 응용 화학.

ap·pli·qué [æplikéi] *n., vt.* (F.) Ⓤ 아플리케(를 달다[붙이다]).

ːap·ply [əplái] *vt.* ① 적용하다, 응용하다. ② (물건을) 대다, 붙이다, (약·페인트를) 바르다, 칠하다. ③ (열·힘 따위를) 가하다. ④ (용도에) 쓰다; 돌리다. ― *vi.* ① 적합하다, 꼭 들어맞다. ② 신청[지원]하다 (*for*). ③ 부탁[요청]하다(~ *to* him *for* help). ~ ***oneself to*** …에 전념하다.

ːap·point [əpɔ́int] *vt.* ① 임명하다; 지명하다. ② (날짜·장소를) 지정하다. ③ 〖法〗 귀속을 정하다. **ˈ~·ed** [-id] *a.* 지정된; 약속의; 설비된. **~·er, ap·póin·tor** *n.* Ⓒ 임명자. **ː~·ment** *n.* Ⓒ,Ⓤ 임명, 선정, 지정; Ⓒ 관직, 지위; (회합의) 약속; (*pl.*) 설비, 장구(裝具).

ap·point·ee [əpɔ̀intíː, æpɔin-] *n.* Ⓒ 피임명자.

ap·por·tion [əpɔ́ːrʃən] *vt.* 할당하다, 벼르다, 나누다; 배분하다. **~·ment** *n.* Ⓤ,Ⓒ 할당, 배분.

ap·po·site [ǽpəzit] *a.* 적당[적절]한(*to*). **~·ly** *ad.* **~·ness** *n.*

ːap·po·si·tion [æ̀pəzíʃən] *n.* Ⓤ ① 병치(竝置), 나란히 놓음. ② 〖文〗 동격. **~·al** *a.* 병치한; 〖文〗 동격의.

ap·prais·al [əpréizəl] *n.* Ⓤ,Ⓒ 평가, 감정.

ap·praise [əpréiz] *vt.* 평가하다 (estimate); 감정하다. **ap·práis·er** *n.* Ⓒ 평가[감정]인; 《美》 (세관의) 사정관.

ˈap·pre·ci·a·ble [əpríːʃiəbəl] *a.* 평가할 수 있는; 느낄 수 있을 정도의; 다소의. **-bly** *ad.*

ːap·pre·ci·ate [əpríːʃièit] *vt., vi.* ① 평가하다(opp. depreciate); 판단하다, …의 진가를 인정하다. ② 음미하다, 감상하다. ③ (좋음을) 이해하다; 감사하다. ④ 시세가 오르다.

ːap·pre·ci·a·tion [əprìːʃiéiʃən] *n.* Ⓤ ① 평가; 진가의 인정. ② 감상, 맛봄. ③ 인식; 감사. ④ (가격의) 등귀; 증가. ***in ~ of*** …을 인정하여, …을 감사하여.

ˈap·pre·ci·a·tive [əpríːʃiətiv, -ʃièi-] *a.* 감상안(眼)이 있는, 눈이 높은(~ *audience* 눈높은 관객[청중]); 감상적(鑑賞的)인; 감사의(~ *remarks* 감사의 말). **~·ly** *ad.* **~·ness** *n.*

ˈap·pre·hend [æ̀prihénd] *vt.* ① 염려[우려]하다. ② (붙)잡다, 체포하다. ③ (뜻을) 이해하다, 감지하다. ― *vi.* 이해하다; 우려하다. **-hen·si·ble** [-səbəl] *a.* 이해할 수 있는.

ˈap·pre·hen·sion [æ̀prihénʃən] *n.* Ⓤ ① 파악; 이해(력). ② 체포. ③ (종종 *pl.*) 우려, 걱정, 두려움. **ˈ-hén·sive** *a.* 근심[우려]하는(*for, of*); 이해가 빠른. **-hén·sive·ly** *ad.*

ˈap·pren·tice [əpréntis] *n., vt.* Ⓒ 도제[계시](로 삼다); 견습(으로 보내다). ***be bound ~ to*** …의 도제가 되다. **~·ship** [-ʃip] *n.* Ⓤ,Ⓒ 도제살이(*at*); 도제의 신분; Ⓒ 도제 기간.

ap·prise, ap·prize [əpráiz] *vt.* 알리다(~ *him of it*).

ːap·proach [əpróutʃ] *vt.* ① (…에) 접근하다; 접근시키다. ② (아무에게 이야기를) 꺼내다, (교섭을) 개시하다 (*on, with*); (매수 따위의 속셈으로) 접근하다. ③ (문제 해결에) 착수하다. ― *vi.* ① 접근하다. ② 거의 …와 같다. ― *n.* ① Ⓤ 접근, 다가감 (~ *to the moon* 달에의 접근). ② Ⓤ 유사, 근사. ③ Ⓒ 길, 입구(*to*); (학문 따위에의) 입문. ④ Ⓒ (종종 *pl.*) (아무에의) 접근; 구애; 교제의 제의. ***make one's ~es*** 환심을 사려고 하다. **~·a·ble** *a.* **~·ing** *a.*

ˈap·pro·ba·tion [æ̀proubéiʃən] *n.* Ⓤ 허가; 시인; 칭찬.

ːap·pro·pri·ate [əpróupriit] *a.* 적당한(*to, for*); 특유한, 고유의(*to*). ― [-prièit] *vt.* ① 착복하다, 도용하다, 후무리다. ② (어떤 목적에) 돌리다, 충당하다. ~ ***a thing to oneself*** 물건을 횡령하다. **~·ly** *ad.*

ˈap·pro·pri·a·tion [əpròupriéiʃən] *n.* ① Ⓤ 사용(私用), 도용(盜用), 착복. ② Ⓤ,Ⓒ 충당, 충당금; 세출 예

산. ~ ***bill*** 세출 예산안.

:ap·prov·al[əprúːvəl] *n.* Ⓤ ① 시인; 찬성. ② 인가. ***on*** ~ 〖商〗 반품할 수 있는 (조건으로).

:ap·prove[əprúːv] *vt.* ① 시인하다, 찬성하다, 마음에 들다. ② 인가하다; 실증하다, 보여주다(~ *oneself*...). — *vt.* 시인[찬성]하다. **~d** *a.* 시인[인가]된; 정평 있는. **~·er** *n.* **~·ing** *a.* 시인하는, 찬성의.

approx. approximate(ly).

˙ap·prox·i·mate[əprɑ́ksəmit/-ɔ́k-] *a.* 근사한, 대체의. — [-mèit] *vt., vi.* 접근시키다[하다]. **:~·ly** *ad.* 대체로, 대략. **˙-ma·tion**[-ˊ-méiʃən] *n.* Ⓤ,Ⓒ 접근; Ⓒ 〖數〗 근사치.

ap·pur·te·nance [əpə́ːrtənəns] *n.* Ⓒ (보통 *pl.*) 부속품[물]; 기계장치; 〖法〗 종물(從物). **-nant** *a., n.* 부속의[된](*to*); Ⓒ 부속물.

Apr. April.

˙ap·ri·cot[ǽprəkɑ̀t, éip-/éiprikɔ̀t] *n.* Ⓒ 살구; Ⓤ 살구빛.

†A·pril[éiprəl, -pril] *n.* 4월.

Ápril fóol 에이프릴 풀《만우절에 속아 넘어간 사람》; 그 장난.

Ápril Fóols' Dày 만우절《4월 1일》.

a pri·o·ri [éi praiɔ́ːrai, ɑ̀ː priːɔ́ːri] (L.) 연역(演繹)적으로[인], 선천적으로[인](opp. *a posteriori*).

:a·pron[éiprən] *n.* Ⓒ 에이프런(같은 것); 불쑥 나온 앞무대; 《美俗》 바텐더; 〖空〗 격납고 앞의 광장. — *vt.* (…에) 에이프런을[앞치마를] 두르다.

ap·ro·pos[æ̀prəpóu] *ad.* (F.) 적당히, 적절히, 때맞춰. ~ ***of*** …에 대하여, …의 이야기로 생각나는데(talking of). ~ ***of nothing*** 느닷없이, 불쑥. — *a.* 적당한, 적절한.

apse[æps] *n.* Ⓒ 〖建〗 (교회 동쪽 끝의) 쑥 내민 반원[다각]형의 부분.

:apt[æpt] *a.* ① (자칫) …하기 쉬운(*to*). ② 적당한. ③ 이해가 빠른. **˙ˊ·ly** *ad.* 적절히; 잘. **ˊ·ness** *n.* Ⓤ 적절함; 성향; 재능.

˙ap·ti·tude[ǽptitjùːd/-titjùːd] *n.* Ⓤ,Ⓒ ① 적절함. ② 경향; 재능, 소질. ③ 적성.

Aq·ua·lung[-lʌ̀ŋ] *n.* Ⓒ 〖商標〗 애퀴렁《잠수용 수중 호흡기》(cf. skin-dive).

aq·ua·ma·rine[æ̀kwəmərín] *n.* ① Ⓤ,Ⓒ 〖寶石〗 남옥(藍玉)《beryl의 일종》. ② Ⓤ 청녹색.

˙a·quar·i·um[əkwέəriəm] *n.* (*pl.* **~s, -ia**[-riə]) Ⓒ ① 양어지(養魚池)[조(槽)]. ② 수족관.

A·quar·i·us[əkwέəriəs] *n.* 〖天〗 물병자리; 보병궁(寶甁宮).

a·quat·ic[əkwǽtik, -kwɑ́-] *a.* 물의, 수중(水中)[수상]의; 물속에 사는[생장하는]. — *n.* ① Ⓒ 수생 동[식]물. ② (*pl.*) 수중[수상] 경기.

aq·ue·duct[ǽkwədʌ̀kt] *n.* Ⓒ 도수관(導水管), 수도; 수도교(橋); 〖生〗 (체내의) 관(管)(canal).

a·que·ous[éikwiəs, ǽk-] *a.* 물의[같은]; 〖地質〗 수성(水成)의.

aq·ui·fer[ǽkwəfər] *n.* Ⓤ 〖地〗 대수층(帶水層)《지하수를 함유한 삼투성 지층》.

aq·ui·line[ǽkwəlàin] *a.* 수리의[같은]; 독수리 부리 같은, 갈고리 모양의(*an* ~ *nose* 매부리코).

:Ar·ab[ǽrəb] *n.* Ⓒ 아라비아[아랍] 사람; 아라비아종의 말; (*or* a-) 부랑아(street ~). — *a.* 아라비아[아랍](사람)의.

ar·a·besque[æ̀rəbésk] *n.* Ⓒ ① 당초무늬. ② 〖발레〗 아라베스크《양손을 앞뒤로 뻗치고 한 발로 섬》. — *a.* 당초무늬의; 이상한; 정교한.

:A·ra·bi·a[əréibiə] *n.* 아라비아.

:A·ra·bi·an[-n] *a., n.* 아라비아(사람)의; Ⓒ 아라비아 사람[말(馬)].

˙Ar·a·bic[ǽrəbik] *a.* 아라비아의; 아라비아 사람[어(語)]의. — *n.* Ⓤ 아라비아어.

Árabic númeral [**fígure**] 아라비아 숫자.

ar·a·ble[ǽrəbəl] *a.* 경작에 적합한.

ar·bi·ter[ɑ́ːrbitər] *n.* Ⓒ 중재인.

ár·bi·tra·ble *a.* 중재할 수 있는.

ar·bi·trage[ɑ́ːrbitridʒ] *n.* Ⓤ 〖商〗 시세차를 이용한 되넘기기 거래.

˙ar·bi·trar·y[ɑ́ːrbitrèri/-bitrəri] *a.* ① 제 마음[멋]대로의; 기분내키는 대로의. ② 횡포한, 전횡(專橫)의, 독단적인. **-trar·i·ly** *ad.* **-i·ness** *n.*

ar·bi·trate[ɑ́ːrbətrèit] *vt., vi.* 중재하다; 재정(裁定)하다; 중재 재판에 제

A

소하다. ～ **between** (two parties) **in** (a dispute) (분쟁에) 관해 두 사이를 중재하다. **-tra·tor** *n.*

ar·bi·tra·tion[à:rbətréiʃən] *n.* Ⓤ,Ⓒ 중재; 조정; 중재(재판)《노동법에서는 arbitration(중재), conciliation(알선), mediation(조정)을 구별해서 씀》.

˙**ar·bor,** 《英》 **-bour**[á:rbər] *n.* Ⓒ ① 정자. ② 나무 그늘의 휴게소. **grape** ～ 포도 시렁. **ar·bo·re·al**[ɑ:rbɔ́:riəl] *a.* 수목(樹木)의〔에 나는, 에 사는〕; 교목성(喬木性)의.

ar·bo·re·tum[à:rbərí:təm] *n.* (*pl.* **～s, -ta**[-tə]) Ⓒ 수목원(樹木園).

:**arc**[ɑ:rk] *n.* Ⓒ ① 호(弧). ② 〖電〗 전호(電弧), 아크.

˙**ar·cade**[ɑ:rkéid] *n.* Ⓒ ① 아케이드《유개(有蓋) 도로 또는 상가》. ② 〖建〗 줄지은 홍예랑(紅霓廊).

:**arch**[1][ɑ:rtʃ] *n.* Ⓒ ① 〖建〗 아치, 홍예, 아치문(*a triumphal* ～ 개선문). ② 호(弧), 궁형(弓形). — *vt., vi.* 활 모양으로 굽(히)다; 홍예를 틀다.

arch[2] *a.* ① 주된. ② 장난〔익살〕스러운; 교활한. **∠·ly** *ad.* 장난스럽게, 짓궂게. **∠·ness** *n.*

˙**ar·ch(a)e·ol·o·gy** [à:rkiálədʒi/-ɔ́-] *n.* Ⓤ 고고(考古)학. **-o·log·i·cal**[-kiəládʒikəl/-ɔ́-] *a.* **-cal·ly** *ad.* **-gist** *n.*

˙**ar·cha·ic**[ɑ:rkéiik] *a.* 고대의; 고풍의; 고문체의; (A-) 고대 그리스풍의.

ar·cha·ism[á:rkiìzəm, -kei-] *n.* ① Ⓒ 고어(古語). ② Ⓤ 고풍의 문장〔말투〕; 고풍; 의고(擬古)주의.

arch·an·gel[á:rkèindʒəl] *n.* Ⓒ 대천사(大天使).

˙**arch·bish·op**[à:rtʃbíʃəp] *n.* Ⓒ (신교의) 대감독; (가톨릭·성공회의) 대주교. **～·ric**[∸∠–rik] *n.* Ⓤ,Ⓒ 위의 직〔교구〕.

àrch·déacon *n.* Ⓒ (신교의) 부감독; 〖가톨릭〗 부주교. **～·ry**[∸∠–ri] *n.* Ⓤ,Ⓒ 그 직〔교구, 저택〕.

àrch·díocese *n.* Ⓒ archbishop의 교구.

árch·dúchess *n.* Ⓒ 대공비(大公妃).

árch·dúke *n.* Ⓒ 대공(大公)《옛 오스트리아의 왕자》.

àrch·énemy *n.* Ⓒ 대적(大敵); ＝SATAN.

˙**arch·er**[á:rtʃər] *n.* ① Ⓒ 사수(射手)《활의》, 궁술가. ② (A-) 〖天〗 사수(射手)자리(Sagittarius). ˙**～·y**[-ri] *n.* Ⓤ 궁술; 《집합적》 사수대(射手隊).

ar·che·typ·al[á:rkitàipəl] *a.* 원형의; 전형적인.

ar·che·type[á:rkitàip] *n.* Ⓒ 원형(原型); 전형.

ar·chi·pel·a·go[à:rkəpéləgòu] *n.* (*pl.* **～(e)s**) Ⓒ 군도(群島); 다도해; (the A-) 에게 해(海).

:**ar·chi·tect**[á:rkətèkt] *n.* ① Ⓒ 건축가; 건축 기사(*a naval* ～ 조선(造船) 기사); 제작자. ② (the A-) 조물주(Creator)(*of*).

:**ar·chi·tec·ture**[á:rkətèktʃər] *n.* ① Ⓤ 건축술; 《집합적》 건조물. ② Ⓤ,Ⓒ 건축 양식; 구성. ③ 〖컴〗 구조. ˙**-tur·al**[∸–tékʃərəl] *a.* 건축학〔술〕의, 건축(상)의.

ar·chi·trave[á:rkətrèiv] *n.* Ⓒ 평방(平枋)《entablature의 최하부》; 처마도리.

ar·chive[á:rkaivz] *n. pl.* ① 공문서 보관소. ② 공문서, 고(古)기록. ③ 문서 기록. **ar·chí·val** *a.* **ar·chi·vist**[á:rkəvist] *n.*

árch·wày *n.* Ⓒ 아치 길.

árc làmp 〔**lìght**〕 〖電〗 호광등(弧光燈), 아크등.

:**Arc·tic**[á:rktik] *a.* 북극(지방)의; 극한(極寒)의. — *n.* (the A-) 북극(지방); (*pl.*) 방한(防寒) 덧신.

Árctic Círcle, the 북극권.

˙**ar·dent**[á:rdənt] *a.* ① 열심인, 열렬한. ② 불같은, 타는 듯한, 뜨거운; 빛나는. ˙**～·ly** *ad.* **～·ness** *n.*

ár·den·cy *n.* Ⓤ 열렬(함).

˙**ar·dor,** 《英》 **-dour**[á:rdər] *n.* Ⓤ 열정; 열심, 열의(zeal).

˙**ar·du·ous**[á:rdʒuəs/-dju-] *a.* 힘드는; 부지런한; 험악한. **～·ly** *ad.*

†**are**[1][強 ɑ:r, 弱 ər] *v.* be의 1인칭 단수〔1·2·3인칭 복수〕의 직설법 현재.

are[2][ɑ:r, ɛər] *n.* (F.) Ⓒ 아르《100 m^2》(cf. hectare).

:**ar·e·a**[ɛ́əriə] *n.* ① Ⓤ,Ⓒ 면적, 공

간. ② Ⓒ 지역, 지방; 영역; 범위; 〖컴〗 영역. ③ Ⓒ 공지;《英》 지하철 출입구.

área còde (전화의) 시의 국번《미국은 숫자 3자리》.

˙**a·re·na**[əríːnə] *n.* Ⓒ ① (원형 극장 복판의 모래를 깐) 투기장(鬪技場). ②《一般》 경기장; 활동 장소, (투쟁 등의) 무대.

†**aren't**[ɑːrnt] are not의 단축.

ar·gon[ɑ́ːrgɑn/-gɔn] *n.* Ⓤ 〖化〗 아르곤.

ar·got[ɑ́ːrgou, -gət] *n.* Ⓤ 은어(隱語).

:**ar·gue**[ɑ́ːrgjuː] *vi.* 논하다, 논쟁하다(*about, on*); (…에) 찬성〔반대〕론을 주장하다. — *vt.* ① 논하다(~ *it away*〔*off*〕 논파(論破)하다). ② 주장하다; 찬부(贊否)의 이유를 말하다 (*against, for*). ③ 입증하다, 보이다. ④ 설득하여 …시키다(*into, out of*). ~ (*a person*) **down** (아무를) 설복시키다. ~ **it away**〔**off**〕 논파하다, 말로 녹이다. **ár·gu·a·ble** *a.* 논할 수 있는.

:**ar·gu·ment**[ɑ́ːrgjəmənt] *n.* Ⓤ,Ⓒ 논의, 논증; (논문 등의) 개요; 〖컴〗 인수(引數). **-men·ta·tion**[ˌ–men-téiʃən] *n.* Ⓤ,Ⓒ 논의, 논쟁; 토의; 입론(立論). **ar·gu·men·ta·tive**[ɑ̀ːr-gjəméntətiv] *a.* 논쟁적인; 논쟁을 좋아하는.

ar·gy-bar·gy[ɑ̀ːrgibɑ́ːrgi] *n.* Ⓤ,Ⓒ 《英口》 입씨름(argument), 언쟁.

a·ri·a[ɑ́ːriə, ɛ́ər-] *n.* (It.) Ⓒ 〖樂〗 아리아, 영창(詠唱).

ar·id[ǽrid] *a.* (토지 따위가) 건조한; 불모의; 무미 건조한. **~·ness, a·rid·i·ty**[ərídəti, æ-] *n.*

Ar·ies[ɛ́əriːz, -riìːz] *n.* 〖天〗 양자리; (황도의) 백양궁(the Ram).

˙**a·right**[əráit] *ad.* 바르게; 정확히.

:**a·rise**[əráiz] *vi.* (***arose; arisen*** [ərízn]) ① 일어나다, 나타나다, (사건 따위가) 발생하다. ② (태양·연기 등이) 솟아 오르다. ③ (먼지·바람이) 일다. ④《詩》 부활〔소생〕하다. ⑤ (잠자리 따위에서) 일어나다.

˙**ar·is·toc·ra·cy**[æ̀rəstɑ́krəsi/-ɔ́-] *n.* Ⓒ 귀족(주의자). ˙**a·ris·to·crat·ic**[ərìstəkrǽtik, æ̀rəs-] *a.* 귀족(주의자)의.

:**a·rith·me·tic**[əríθmətik] *n.* Ⓤ 산수; 계산; Ⓒ 산수책. :**ar·ith·met·i·cal**[æ̀riθmétikəl] *a.* **a·rith·me·ti·cian**[əriθmətíʃən, æ̀riθ-] *n.* Ⓒ 산술가, 산술 잘하는 사람.

arithmétic progréssion 등차 수열.

˙**ark**[ɑːrk] *n.* Ⓒ ① 〖聖〗 (Noah의) 방주(方舟); 계약의 궤《모세의 십계명을 새긴 두 개의 석판을 넣어 둔》. ②《口》 볼품 없는 큰 배. ***Noah's* ~** 노아의 방주; (동물 장난감을 넣은) 방주. ***touch the* ~** 신성한 것을 모독하다.

†**arm**[1][ɑːrm] *n.* ① Ⓒ 팔; (동물의) 앞발, 전지(前肢). ② Ⓒ 팔 모양의 것; 까치발; (의자의) 팔걸이; 큰 가지; 후미, 내포(內浦)(~ of the sea). ③ Ⓤ 힘, 권력. ④ Ⓒ 유력한 일익(一翼). **~ *in* ~** 팔을 끼고. ***better* ~** 오른팔. ***child in* ~*s*** 갓난애. ***fold one's* ~*s*** 팔짱을 끼다. ***keep*** (*a person*) ***at* ~*'s length*** 경원하다. ***make a long* ~** 팔을 뻗치다. ***one's right* ~** 오른팔; 유력한 부하. ***with folded* ~*s*** 팔짱을 낀 채; 방관만 하여. ***with open* ~*s*** 두 손을 벌려, 환영하여.

:**arm**[2] ① Ⓒ (보통 *pl.*) 무기, 병기. ② Ⓒ 병과(兵科). ③ (*pl.*) 군사, 전쟁; 무력. ④ (*pl.*) (방패·기 따위의) 문장(紋章). ***bear* ~*s*** 무기를 들다, 병역에 복무하다. ***be up in* ~*s*** 무장 궐기하다; 반기를 들다. ***carry* ~*s*** 무기를 지니다(*Carry ~s!* 어깨에 총!). ***go to* ~*s*** 무력에 호소하다. ***in* ~*s*** 무장하고. ***lie upon one's* ~*s*** 무장한 채로 자다. ***Presents* ~*s*** 받들어 총! ***small* ~*s*** 휴대무기《권총·소총·기관총 따위》. ***To* ~*s*** 전투 준비!(의 나팔). ***under* ~*s*** 무장하고. — *vt., vi.* 무장시키다〔하다〕, 장갑시키다; 무기〔기구〕를 쥐(게 하)다. **~ *against*** (…에) 대한 방위〔예방〕책을 세우다. ***be* ~*ed to the teeth*** 충분히 무장을 갖추다.

˙**ar·ma·da**[ɑːrmɑ́ːdə, -méi-] *n.* Ⓒ 함대; 비행대. ***the*** (***Invincible***) ***A-*** (스페인의) 무적 함대《1588년 영국 함대에 격파됨》.

ar·ma·dil·lo [à:rmədílou] *n.* (*pl.* **~s**) Ⓒ 〖動〗 아르마딜로《라틴 아메리카산》.

Ar·ma·ged·don [à:rməgédən] *n.* ① 〖聖〗 아마게돈《세계의 종말 때 선(善)과 악(惡)의 대결전장》. ② Ⓒ (국제적인) 대결전, 대동란.

˙**ar·ma·ment** [á:rməmənt] *n.* U,C 군비, 병력; 병기; (진지·군함 등의) 장비.

árm·bànd *n.* Ⓒ 완장; 상장(喪章).

:**arm·chair** [á:rmtʃὲər/ㅅㅅ] *n.* Ⓒ 팔걸이 의자, 안락 의자.

˙**armed** [ɑ:rmd] *a.* 무장한(*an* ~ *robber* 무장 강도).

ármed fórces 〔**sérvices**〕 군대《육·해·공의》.

arm·ful [á:rmfùl] *n.* Ⓒ 한 아름의 분량, 한 팔 (또는 두 팔) 그득.

árm·hòle *n.* Ⓒ (옷의) 진동.

˙**ar·mi·stice** [á:rməstis] *n.* Ⓒ 휴전.

arm·let [á:rmlit] *n.* Ⓒ 팔찌; 좁은 후미.

:**ar·mor,** 《英》 **-mour** [á:rmər] *n.* Ⓤ ① 갑옷(투구), 갑주. ② (군함·요새 따위의) 철갑. ③ 방호복(*a submarine* ~ 잠수복). ④ (동식물의) 방호 기관. ⑤ 기갑부대. — *vt.* 장갑하다.

˙**ar·mor·y,** 《英》 **-mour·y** [á:rməri] *n.* ① Ⓒ 병기고. ② Ⓒ 《美》 병기 공장; 병기류. ③ Ⓤ 문장학(紋章學); 문장 화법(blazonry).

armo(u)red [á:rmərd] *a.* 무장한, 장갑한, 외장을 한.

ar·mo(u)r·er [á:rmərər] *n.* Ⓒ 무구(武具) 장색; 병기 제작자; (군대의) 병기계(係).

ármo(u)r plàted 장갑판(板).

árm·pìt *n.* Ⓒ 겨드랑이.

árms contròl 군비 관리〔제한〕.

árms ràce 군비 경쟁.

†**ar·my** [á:rmi] *n.* Ⓒ 육군; 군대; 군(부); 대군(大軍). ***standing*** 〔***reserve***〕 ~ 상비〔예비〕군.

a·ro·ma [əróumə] *n.* Ⓒ 방향(芳香); (예술 작품의) 기품, 묘미. **ar·o·mat·ic** [æ̀rəmǽtik] *a.* 향기로운.

aròma·thérapy *n.* Ⓤ 방향 요법.

:**a·rose** [əróuz] *v.* arise의 과거.

†**a·round** [əráund] *prep., ad.* ① (…의) 주변〔둘레〕에. ② (…의) 사방에. ③ 《美》 (…을) 돌아; (…의) 여기저기〔이곳저곳〕에〔으로〕. ④ (…의) 근처에. ⑤ 약, 대략. ***all*** ~ 사면(팔방)에, 도처에(서); 일동에게. ***be*** ~ 《美》 기상(起床)하다; 오다; 유행하고 있다. ***have been*** ~ 《口》 여러 경험을 쌓고 있다, 세상일을 환히 알고 있다.

:**a·rouse** [əráuz] *vt.* ① 깨우다, 일으키다(awaken). ② 자극하다, 격려하다; 분발시키다(excite).

ar·peg·gi·o [ɑ:rpédʒiou] *n.* (It.) (*pl.* **~s**) Ⓒ 〖樂〗 아르페지오《화음을 이루는 음을 연속해서 급속히 연주하는 법》.

ar·raign [əréin] *vt.* 〖法〗 (법정에) 소환하다, 공소 사실의 사실 여부를 묻다; 나무라다, 문책〔비난〕하다. **~·ment** *n.* U,C 죄상 인부(罪狀認否)(의 절차); 비난, 힐난, 문책.

:**ar·range** [əréindʒ] *vt.* ① 가지런히 하다, 정리〔정돈〕하다, 배열하다. ② (분쟁을) 해결하다; 조정〔처리〕하다. ③ 계획〔준비〕하다. ④ 각색〔편곡〕하다. — *vi.* 타합하다, 마련〔정〕하다, (사전) 준비하다(*for, about*).

:**ar·range·ment** [-mənt] *n.* ① U,C 정돈, 정리. ② U,C 배열, 배치(*flower* ~ 꽃꽂이); 배합, 분류. ③ (*pl.*) 준비(preparation)(*for, with*). ④ C,U 화해, 협정. ⑤ Ⓤ 각색, 편곡.

ar·rant [ǽrənt] *a.* 전적인(*an* ~ *lie* 새빨간 거짓말); 악명 높은, 극악한.

˙**ar·ray** [əréi] *vt.* ① 차리다, 성장(盛裝)시키다. ② 배열〔정렬〕시키다; (배심원을) 소집하다. — *n.* Ⓤ ① 정렬; 벌여세움; 군세(軍勢). ② 의장(衣裝), 치장. ③ 〖컴〗 배열《일정한 프로그램으로 배열된 정보군(群)》. ***in proud*** ~ 당당히.

ar·rears [əríərz] *n.* (*pl.*) (일·지불의) 밀림; 미불(未佛) 잔금; 잔무(殘務). ***in*** ~(**s**) 밀려서, 미불되어. ***in*** ~ ***of*** …에 뒤져서. ***in*** ~(**s**) ***with*** (*work*) (일)이 지체되어. **~·age** [əríəridʒ] *n.* U,C 연체(延滯)(금); 부채; 잔무.

:**ar·rest** [ərést] *vt.* ① 체포하다, 붙들다. ② 막다, 저지하다. ③ (마음

을) 끌다(attract). — *n.* U,C 저지; 체포, 구속, 구류. **under ~** 구류 중. **~·er** *n.* C 체포하는 사람; 방지 장치; 피뢰기(避雷器). **~·ment** *n.*
ar·rest·ing[əréstiŋ] *a.* 주의를 끄는, 깜짝 놀라게 하는《목소리 등》; 인상적인, 눈부신.
:**ar·ri·val**[əráivəl] *n.* ① U,C 도착; 출현. ② C 도착자[물]. 도달; 달성. ③ C《口》출생, 신생아.
†**ar·rive**[əráiv] *vi.* ① 도착하다(*at, in*). ② (연령·시기 따위에) 달하다(*at*). ③ 명성을[지위를] 얻다(*a pianist who has ~d* 잘 팔리는[인기 있는] 피아니스트); (시기가) 오다.
˙**ar·ro·gant**[ǽrəgənt] *a.* 거만한, 건방진. ˙**-gance, -gan·cy** *n.* U 오만, 거만. **~·ly** *ad.*
ar·ro·gate[ǽrəgèit] *vt.* (칭호 등을) 사칭하다; 멋대로 제것으로 하다; 정당한 이유 없이 (…을 남에게) 돌리다. **-ga·tion**[ˋ–géiʃən] *n.* U,C 사칭, 가로챔; 참람(僭濫), 월권(행위).
:**ar·row**[ǽrou] *n.* C 화살; 화살표; 굵은 화살표《영국 관유품 표시; 보통 BROAD ~ 라고 함》.
árrow·hèad *n.* C 화살촉; 쇠귀나물속(屬)의 식물.
árrow·ròot *n.* ① C 【植】 칡의 일종. ② U 갈분.
arse[ɑːrs] *n.* C《俗》궁둥이(ass).
ar·se·nal[áːrsənəl] *n.* C 병기고, 군수품 창고; 조병창.
ar·se·nic[áːrsənik] *n.* U 【化】 비소. — [ɑːrsénik] *a.* 비소의.
ar·son[áːrsn] *n.* U 【法】 방화(죄). **~·ist** *n.* C 방화범.
art[1][ɑːrt] *vi.*《古·詩》(thou가 주어일 때) be의 2인칭·단수·직설법 현재.
†**art**[2] *n.* ① U 예술; (종종 *pl.*) 미술. ② C 기술, 기능. ③ (*pl.*) 과목, 교양 과목(liberal arts). ④ U 인공, 기교, 숙련. ⑤ C (종종 *pl.*) 술책(trickery), 책략. ***applied ~*** 응용 미술. ***~ and part*** 【法】 방조죄, 종범(*in*). ***~s and crafts*** 공예 미술. ***~ editor*** 예술란 담당 편집자. ***Bachelor*** [***Master***] ***of Arts*** 문학사[석사]. ***black ~*** 마술. ***fine ~s*** 미술. ***the ~ preservative of all ~s*** 인쇄술. ***work of ~*** 예술품; 걸작. — *vt.* (영화·소설 등에) 기교를 가하다(*up*).
ar·te·fact[áːrtəfæ̀kt] *n.* =ARTIFACT.
ar·te·ri·al[ɑːrtíəriəl] *a.* 동맥의[같은]; 동맥혈의.
ar·te·ri·o·scle·ro·sis [ɑːrtìərious klərόusis] *n.* U 동맥 경화증.
˙**ar·ter·y**[áːrtəri] *n.* C 동맥; 간선도로.
ar·té·sian wéll[ɑːrtíːʒən-/-ziən-] (물 줄기 있는 데까지) 깊이 판 우물.
˙**art·ful**[áːrtfəl] *a.* 교활한(sly). **~·ly** *ad.*
ar·thri·tis[ɑːrθráitis] *n.* U 관절염.
ar·thro·pod[áːrθrəpɑ̀d/-pɔ̀d] *n., a.* C 절지 동물(의).
ar·ti·choke[áːrtitʃòuk] *n.* C 흰꽃엉겅퀴《꽃의 일부는 식용》. ***Jerusalem ~*** 뚱딴지《뿌리는 식용》.
†**ar·ti·cle**[áːrtikəl] *n.* C ① (신문·잡지의) 논설, 기사. ② (같은 종류의 물건의) 한 품목; 한 개(*an ~ of furniture* 가구(家具) 한 점). ③ 물품. ④ 조목, 조항. ⑤ (*pl.*) 계약, 규약. ⑥ 【文】 관사. ***~s of association*** 정관(定款). ***~s of war*** 군율. ***definite*** [***indefinite***] ***~*** 정[부정]관사. — *vt.* ① 조목별로 쓰다, 나열하다. ② 계약하여 도제로 삼다. ③ (죄상을 열거하여) 고발하다. — *vi.* 고발하다(*against*). **~d**[-d] *a.* 연기(年期) 도제 계약의.
˙**ar·tic·u·late**[ɑːrtíkjəlit] *a.* ① (언어가) 음절이 있는. ② (논설이) 이론 정연한; 분명한, 또렷한. ③ 의견을 분명히 말할 수 있는. ④ 관절이 있는; 구분[마디] 있는. — [-lèit] *vt., vi.* 똑똑히 발음[표현]하다; 관절로 잇다[이어지다].
ar·tic·u·la·tion[ɑːrtìkjəléiʃən] *n.* C 마디, 관절; U 분절(分節); 접합; 똑똑히 발음함; 발음(법).
ar·ti·fact[áːrtəfæ̀kt] *n.* C 가공품; (유사 이전의) 고기물(古器物).
ar·ti·fice[áːrtəfis] *n.* U 책략; 모략; C 기교, 고안(device). **ar·tif·i·cer**[ɑːrtífəsər] *n.* C 기술가[공]; 장색(匠色), 장인(匠人)(craftsman); 제작자(*the Great ~r* 조물

A

주, 하느님).
:**ar·ti·fi·cial**[à:*r*təfíʃəl] *a.* ① 인공〔인조〕의(*an* ~ *eye*〔*leg, tooth*〕 의안〔의족, 의치〕). ② 부자연스러운, 일부러 꾸민 것 같은(*an* ~ *smile* 거짓웃음). **-ci·al·i·ty**[à:*r*təfìʃiǽləti] *n.* Ⓤ 인공; Ⓒ 인공물.
artifícial inseminátion 인공 수정《생략 AI》.
artifícial intélligence 〖컴〗 인공지능《인간의 뇌에 가까운 역할을 하므로 '제5세대 컴퓨터'라 불림; 생략 AI》.
·**ar·til·ler·y**[ɑ:*r*tíləri] *n.* Ⓤ ① 《집합적》 대포(cannon). ② 포병(대). ③ 포술, 포학(砲學). **~·man, -ler·ist**[-rist] *n.* Ⓒ 포병.
ar·ti·san[á:*r*təzən/à:tizǽn] *n.* Ⓒ 장색(匠色).
:**art·ist**[á:*r*tist] *n.* Ⓒ 예술가, 화가.
ar·tiste[ɑ:*r*tí:st] *n.* (F.) Ⓒ 예술인; 《戲》 명인, 달인.
:**ar·tis·tic**[ɑ:*r*tístik], **-ti·cal**[-əl] *a.* ① 기술의, 예술(가)의; 미술(가)의. ② 예술〔미술〕적인, 멋〔풍류〕있는.
art·ist·ry[á:*r*tistri] *n.* Ⓤ 예술적 기교; 예술성.
art·less[á:*r*tlis] *a.* 무기교(無技巧)의; 단순한; 천진스러운; 자연스러운; 서투른; 어리석은. **~·ly** *ad.*
art·y[á:*r*ti] *a.* 《口》 예술가연(然)하는.
†**as**[强 æz, 弱 əz] *ad., conj.* ① 같을 만큼, 그만큼 《as... as...의 앞의 as는 *ad.*, 뒤의 as는 *conj.*》. ② (*conj.*) 그러나, …이〔하〕지만; …이〔하〕므로(*young as he is* 젊지만). ③ …처럼〔같이〕, …대로(*At Rome, do as Rome does.* 《속담》 입향순속(入鄕循俗)). ④ 《*prep.* 처럼 써서》 …로서(는)(*live as a saint* 성인 같은 생활을 하다/*act as chairman* 의장 노릇을 하다). ⑤ …하고 있을 때(when). ⑥ …하면서, …함에 따라(while). ⑦ (*conj.*) 《口》 =THAT. — *rel. pron.* 《such, the same, as에 수반되어》 …한 바의(*such people as have seen it* 그것을 본 사람들/*as many books as I bought* 내가 산 책이란 책은 모두). ***as ever*** 변함 없이, 여전히. ***as for*** …에 관하여서는, …따위는(as regards). ***as if*** 마치 …처럼. ***as it is*** 〔***was***〕 있는 그대로; 그러나 실제로는 (이에 반(反)하여). ***as it were*** 말하자면. ***as of*** …현재(로)(*as of Jan.* 1, 1991. 1991년 1월 1일 현재). ***as though*** =as if. ***as to*** =as for. ***as who should say*** 마치 …라고 할 것처럼, …라고 말하려는 듯이.
a.s.a.p., ASAP as soon as possible.
as·bes·tos, -tus[æzbéstəs, æs-] *n.* Ⓤ 석면, 돌솜.
as·bes·to·sis[æ̀sbestóusis] *n.* Ⓤ 〖醫〗 석면증.
:**as·cend**[əsénd] *vi.* ① 올라가다; 오르다; 오르막이 되다. ② (시대가) 거슬러 올라가다. **~·ance, ~·ence, ~·an·cy, ~·en·cy** *n.* Ⓤ 우세, 우월, 우위, 주권(*over*). **~·ing** *a.*
as·cend·ant, -ent[əséndənt] *a.* 상승(上昇)하는; 우세〔우월〕한. — *n.* Ⓤ 우위, 우세.
as·cen·sion[əsénʃən] *n.* Ⓤ 상승; 즉위; (the A-)(예수의) 승천.
Ascénsion Dày 예수 승천일 《Easter 후 40일째의 목요일》.
:**as·cent**[əsént] *n.* Ⓤ,Ⓒ 상승, 오름, 등산; Ⓒ 오르막(길).
·**as·cer·tain**[æ̀sə*r*téin] *vt.* 확인하다; 알아내다, 조사하다. **~·a·ble** *a.* **~·ment** *n.*
as·cet·ic[əsétik] *n.* Ⓒ 고행자, 금욕 생활자. — *a.* 고행의, 금욕적인. **-i·cism**[-təsìzəm] *n.* Ⓤ 금욕주의, 고행〔수도〕 생활.
ASCII[ǽski:] 〖컴〗 American Standard Code for Information Interchange 미국 정보 교환 표준 부호.
·**as·cribe**[əskráib] *vt.* (…에) 돌리다, (…의) 탓으로 하다(*to*). **as·crib·a·ble**[-əbl] *a.* (…에(게)) 돌릴 수 있는, (…에) 의한(*to*). **as·crip·tion**[əskrípʃən] *n.* Ⓤ 돌림, 이유 붙임; 송영(頌詠)《설교 끝에 행하는 신의 찬미》.
ASEAN[ǽsiən, eizí:ən] Association of Southeast Asian Nations.
a·sep·sis[əsépsis, ei-] *n.* Ⓤ 무균(無菌) 상태; 〖醫〗 무균법. **a·sép-**

tic *a.* 균이 없는, 방부성(防腐性)의.
a·sex·u·al[eisékʃuəl] *a.* 【生】 성별(性別)이〔성기가〕 없는, 무성(無性)의. **~·i·ty** *n.* Ⓤ 무성.
ash[1][æʃ] *n.* Ⓒ 【植】 양물푸레나무.
:ash[2] *n.* Ⓤ ① (보통 *pl.*) 재. ② (*pl.*) 유골; 《詩》 (*pl.*) 유해; 폐허. ***be ruduced*** 〔***burnt***〕 ***to ~es*** 타서 재가 되다.
:a·shamed[əʃéimd] *a.* 부끄러이 여겨(*of*), 낯을 붉히어; 부끄러워하여(*to* do).
ash·en[ǽʃən] *a.* ① 양물푸레나무(ash[1])(제(製))의. ② 재(ash[2])의〔같은〕; 회색의, 창백한.
:a·shore[əʃɔ́ːr] *ad.* 해변에, 물가에. ***go ~*** 상륙하다. ***run ~*** 좌초되다.
ásh·trày *n.* Ⓒ 재떨이.
Ásh Wédnesday 성회(聖灰) 수요일《Lent의 첫날》.
ash·y[ǽʃi] *a.* 재의〔같은〕; 회색의; 재투성이의.
:A·sian[éiʒən, -ʃən] *a., n.* 아시아(풍)의; Ⓒ 아시아 사람. ***A·si·at·ic** [èiʒiǽtik, -ʃi-] *a., n.* ＝ASIAN.
:a·side[əsáid] *ad.* 옆〔곁〕에; 떼어서, 떨어져서. ***~ from*** 《美》 …은 차치〔별문제로〕 하고, …외에; 《美》 …은 제외하고. ― *n.* Ⓒ 【劇】 방백(傍白); 여담, 잡담.
as·i·nine[ǽsənàin] *a.* 나귀의〔같은〕; 어리석은.
†ask[æsk, ɑːsk] *vt., vi.* ① 묻다, 물어보다(*about, of; if*). ② 부탁하다, (요)청하다. ③ 초청하다; 필요로 하다. ④ 《古》 (…의) 결혼 예고를 발표하다. ***~ after*** …의 일을 묻다, …의 안부를 묻다. ***~ for*** …을 요구〔청구〕하다; …을 찾다〔방문하다〕; …을 요하다. ***~ (a person) in*** (아무를) 불러 들이다, 들이다. ***~ … of (a person)*** (아무에게) …을 묻다〔부탁하다〕. ***be ~ed out*** 초대받다. ***for the ~ing*** 청구하는 대로, 거저.
a·skance[əskǽns], **a·skant**[-t] *ad.* 옆으로, 비스듬히; 곁눈질로. ***look ~ at*** …을 곁눈질로 흘기다; 의심쩍게 보다.
a·skew[əskjúː] *ad., pred. a.* 한쪽에〔으로〕 (쏠리어); 반대로 뒤틀리어; 일그러져; 옆으로; 비스듬히.
†a·sleep[əslíːp] *ad., pred. a.* ① 잠들어. ② 영면(永眠)하여. ③ 활발치 않아; (몸이) 마비되어. ④ (팽이가) 서서. ***fall ~*** 잠들다.
asp[æsp] *n.* Ⓒ 독사《남유럽·아프리카 산》; 이집트 코브라.
˚as·par·a·gus[əspǽrəgəs] *n.* Ⓤ 【植】 아스파라거스.
:as·pect[ǽspekt] *n.* ① Ⓒ 국면, 양상; 광경. ② Ⓤ,Ⓒ 모습, 얼굴 생김새. ③ Ⓤ,Ⓒ 【文】 (동사의) 상(相). ④ Ⓒ 방향, 방위, 향.
as·pen[ǽspən] *n.* Ⓒ 사시나무. ― *a.* 사시나무의; (와들와들) 떠는.
as·per·i·ty[æspérəti] *n.* Ⓤ 꺼칠꺼칠함; (말의) 격렬함, 퉁명스러움.
as·perse[əspə́ːrs] *vt.* 나쁜 소문을 퍼뜨리다, 중상하다; (세례의) 물을 뿌리다. **as·pérs·er** *n.* **as·per·sion** [əspə́ːrʃən, -ʒən] *n.*
˚as·phalt[ǽsfælt, -fɔːlt] *n.* Ⓤ 아스팔트.
as·phyx·i·a[æsfíksiə] *n.* Ⓤ 【病】 질식, 가사(假死).
as·phyx·i·ate[æsfíksièit] *vt.* 질식시키다. **-a·tion**[–ˋ–éiʃən] *n.*
as·pic[ǽspik] *n.* Ⓤ 고기젤리.
as·pir·ant [əspáiərənt, ǽspər-] *a., n.* Ⓒ (높은 지위 등을) 갈망하는 (사람), 지망자(*to, after, for*).
as·pi·rate[ǽspərit] *n., a.* Ⓒ 기음(氣音)(의), 기식음(의), [h] 음(의). ― [-pərèit] *vt.* 기식음으로 발음하다, [h] 음을 넣어 발음하다.
:as·pi·ra·tion[æ̀spəréiʃən] *n.* Ⓤ,Ⓒ ① 갈망, 대망, 포부(*for, after*). ② 【醫】 빨아냄(suction); 기음(발음).
:as·pire[əspáiər] *vi.* ① 대망을 품다; 갈망하다; 동경하다(*to, after, for; to* do). ② 《詩》 올라가다; 치솟다.
˚as·pi·rin[ǽspərin] *n.* Ⓤ 【藥】 아스피린; Ⓒ 아스피린정(錠).
:ass[æs] *n.* Ⓒ ① 당나귀. ② [[英]ɑːs] 바보; 외고집쟁이. ③ 《卑》 엉덩이. ***~es' bridge*** 못난이들이 못 건너는 다리《이등변 삼각형의 두 밑각은 서로 같다는 정리》. ***make an ~ of*** …을 우롱하다.
˚as·sail[əséil] *vt.* ① 습격〔엄습〕하다; 논란하다. ② (…에) 감연히 부닥치다. **~·a·ble** *a.* **˚~·ant, ~·er**

A

n. ~·**ment** *n.*

*__as·sas·sin__[əsǽsin] *n.* Ⓒ 암살자, (고용된) 자객. **-si·nate**[-sənèit] *vt.* 암살하다. ***-si·na·tion**[–ˋ–néiʃən] *n.* Ⓤ,Ⓒ 암살. **-si·na·tor**[–ˋ–néitər] *n.* Ⓒ 암살자.

:**as·sault**[əsɔ́:lt] *n.* Ⓒ 습격, 강습; 돌격; Ⓤ,Ⓒ 강간; 〖法〗 폭행, 협박. — *vt.* 강습하다, (…에게) 폭행을 가하다; 공격하다.

as·say[æséi, ǽsei] *n., vt.* Ⓒ 시금(試金)(하다); 분석(하다); 분석물. ~·**a·ble** *a.* ~·**er** *n.*

*__as·sem·blage__[əsémblidʒ] *n.* ① Ⓒ 《집합적》 회중(會衆), 집단; 집합, 집회(assembly), 수집. ② Ⓤ (기계의 부품) 조립.

:**as·sem·ble**[əsémbəl] *vt., vi.* 모으다, 모이다, 집합하다; (*vt.*) (기계를) 짜맞추다, 조립하다; 〖컴〗 어셈블하다.

:**as·sem·bly**[əsémbəli] *n.* ① Ⓒ 집합, 집회; 무도회; 회의. ② Ⓒ (A-) 입법의회; 《美》 (주의회의) 하원. ③ Ⓒ 집합 신호〔나팔〕. ④ Ⓤ (자동차 등 부품의) 조립; Ⓒ 조립 부품. ***General A-*** (UN의) 총회; 《美》 주(州)의회. ***National A-*** 〖프史〗 국민의회; 국회.

assémbly lìne 《美》 일관 작업 조직《인원과 기계》.

*__as·sent__[əsént] *n., vi.* Ⓤ 승낙〔동의〕(하다)(agree)(*to*). ***by common*** ~ 전원 일치로. ***give one's*** ~ ***to*** …에 동의하다. ***Royal*** ~ (국왕의) 비준, 재가. **as·sén·tor** *n.* Ⓒ 동의〔찬성〕자.

:**as·sert**[əsɔ́:rt] *vt.* 주장하다; 단언하다. ~ ***oneself*** 자설(自說)을 주장하다; 주제넘게 굴다. ***as·sér·tion** *n.* Ⓤ,Ⓒ 주장, 단언; 독단. **as·sér·tive** *a.*

as·sess[əsés] *vt.* (과세를 위해) 사정(査定)하다, 평가하다; 과세하다; 할당하다. ~·**a·ble** *a.* 평가 할 수 있는. *~·**ment** *n.* Ⓤ 재산 평가, 수입 사정; Ⓒ 사정액, 할당액. **as·sés·sor** *n.* Ⓒ 재산〔과세〕 평가인.

*__as·set__[ǽset] *n.* ① Ⓒ 자산의 한 항목; 가치 있는 것(*a cultural* ~ 문화재). ② (*pl.*) 자산, 재산. ~***s and liabilities*** 자산과 부채. ***personal*** 〔***real***〕 ~***s*** 동〔부동〕산.

as·sid·u·ous[əsídʒuəs] *a.* 근면〔부지런〕한; 빈틈없이 손이 미치는. ~·**ly** *ad.* ~·**ness** *n.*

:**as·sign**[əsáin] *vt.* ① 할당〔배당〕하다. ② (구실을) 명하다, 맡기다; 지정하다; 돌리다(*to*). ③ (재산·권리 등을) 양도하다(transfer). *~·**ment** *n.* Ⓤ 할당; 지정; 임무; 양도; Ⓒ 연구 과제; 〖컴〗 지정.

as·sig·na·tion[æ̀signéiʃən] *n.* Ⓒ 회합(의 약속); (특히, 연인끼리의) 밀회; Ⓤ 〖法〗 양도.

*__as·sim·i·late__[əsíməlèit] *vt.* ① 동화(同化)하다, 흡수하다. ② 소화하다; 이해하다; 비교하다(*with*). — *vi.* 동화하다; 비슷해지다. — *n.* Ⓒ 《美》 동화된 물건〔사람〕. ***-la·tion**[–ˋ–léiʃən] *n.* Ⓤ 동화 (작용). **-la·tive**[-lèitiv] *a.* 동화의, 동화력 있는. **-la·tor** *n.*

:**as·sist**[əsíst] *vt., vi.* 돕다, 거들다; 참석하다(*at*). — *n.* Ⓒ 조력; 〖野〗 보살(補殺); 〖籠〗 어시스트.

:**as·sist·ant**[əsístənt] *a., n.* 보조의; Ⓒ 조수; 점원. :**-ance** *n.* Ⓤ 조력, 원조.

assístant proféssor 조교수.

as·size[əsáiz] *n.* Ⓒ 재판; (*pl.*) 《英》 순회 재판. ***the Great A-*** 최후의 심판.

:**as·so·ci·ate**[əsóuʃièit] *vt.* ① 연합시키다(unite). ② 연상하다. — *vi.* 교제하다(*with*). — [-ʃiit] *n.* Ⓒ ① 동료, 한동아리; 준(準)회원. ② 연상되는 것. — *a.* 동아리〔동료〕의, 연합한; 준(準)….

assóciate proféssor 부교수.

:**as·so·ci·a·tion**[əsòusiéiʃən, -ʃi-] *n.* ① Ⓤ 연합, 합동, 결합. ② Ⓒ 조합, 협회. ③ Ⓤ,Ⓒ 연상; Ⓤ 관념 연합. ④ Ⓤ 교제, 친밀. ~·**al** *a.*

associátion fóotball 《英》 축구, 사커(soccer).

as·sort[əsɔ́:rt] *vt.* 분류하다; 갖추다; 짝〔골라〕맞추다. — *vi.* 맞다, 갖춰지다, 일치하다; 교제하다(*with*). *~·**ed**[-id] *a.* 유별(類別)한; (각종) 구색을 갖춘(~*ed chocolates* (한 상자에) 여러 가지로 구색을 갖춘

초콜릿). ***~·ment** *n.* Ⓤ 종별, 유별; Ⓒ (각종의) 구색 맞춤.

Asst., asst. assistant.

as·suage[əswéidʒ] *vt.* 누그러지게 하다, 가라앉히다. **~·ment** *n.* Ⓤ 경감, 완화.

:as·sume[əsjú:m] *vt.* ① (책임을) 지다; (임무를) 떠맡다. ② 짐짓 (…을) 가장하다(pretend). ③ 가로채다(usurp). ④ 생각[가정]하다, 미루어 헤아리다. ⑤ 몸에 차리다[지니다], (양상을) 띠다. — *vi.* 주제넘게 굴다. **as·súm·a·ble** *a.* 미루어 헤아릴 수 있는, 생각할 수 있는. **-bly** *ad.* 아마. ***~d**[-d] *a.* 짐짓 꾸민 (*an ~d voice* 꾸민 목소리); 가짜의(*an ~d name* 가명). **as·sum·ed·ly**[-idli] *ad.* 아마, 필시. **as·súm·ing** *a.* 주제 넘은, 건방진.

***as·sump·tion**[əsʌ́mpʃən] *n.* ① Ⓤ,Ⓒ (임무·책임의) 떠맡음; 횡령. ② Ⓤ,Ⓒ 짐짓 꾸밈, 가장. ③ Ⓒ 가정, 억설, 가설. ④ Ⓤ 건방짐, 주제넘음. ⑤ (the A-) 성모 승천 (대축일). **-tive** *a.* 가정의, 가설의; 건방진; 짐짓 꾸민.

:as·sur·ance[əʃúərəns] *n.* ① Ⓒ 보증. ② Ⓤ 확신, 자신; 철면피. ③ Ⓤ 《英》 보험. ***have the ~ to* (do)** 뻔뻔스럽게도 …하다. ***life ~*** 《英》 생명보험. ***make ~ doubly* [*double*] *sure*** 재삼 다짐하여 틀림없게 하다.

:as·sure[əʃúər] *vt.* ① (…에게) 보증하다, 확신시키다, 납득[안심]시키다. ② 보험에 넣다(insure). ③ 확실히 하다. ***~ oneself of*** …을 확인하다. ***I ~ you.*** 확실히, 틀림없이. ***~d**[-d] *a.* 확실한; 자신 있는; 보험에 부친. ***as·sur·ed·ly**[əʃúːəridli] *ad.* 확실하게; 자신 있게, 대담히. **as·sured·ness**[-dnis] *n.* Ⓒ 확실, 확신; 철면피; 대담 무쌍.

as·ter·isk[ǽstərìsk] *n., vt.* Ⓒ 별표(《*》)(를 달다).

a·stern[əstə́:rn] *ad.* 【海】 고물에[쪽으로]; 뒤에[로]. ***drop* [*fall*] *~*** 딴 배에 뒤처지다[앞질리다]. ***Go ~!*** 후진(後進)! 《구령》.

as·ter·oid[ǽstərɔ̀id] *a., n.* 별 모양의; Ⓒ (화성과 목성 궤도간의) 작은 유성; 【動】 불가사리.

asth·ma[ǽzmə, ǽs-] *n.* Ⓤ 【醫】 천식.

asth·mat·ic[æzmǽtik, æs-] *a.* 천식의. — *n.* Ⓒ 천식 환자.

a·stig·ma·tism[əstígmətìzəm] *n.* Ⓤ 난시; 비점수차(非點收差).

a·stir[əstə́:r] *ad., a.* 움직여; 일어나; 술렁거려; 활동하여.

:as·ton·ish[əstániʃ/-tɔ́n-] *vt.* 놀라게 하다. ***~·ing** *a.* **~·ing·ly** *ad.* **:~·ment** *n.* Ⓤ 경악(*in* [*with*] *~ment* 놀라서).

***as·tound**[əstáund] *vt.* (깜짝) 놀라게 하다. **~·ing** *a.*

as·tra·khan[ǽstrəkən/æ̀strəkǽn] *n.* Ⓤ 아스트라칸《러시아 Astrakhan 지방산 새끼양의 털가죽》; Ⓒ 아스트라칸을 모조한 직물.

as·tral[ǽstrəl] *a.* 별의, 별이 많은; 별로부터의.

a·stray**[əstréi] *a., ad.* 길을 잃어; 타락하여. ***go ~ 길을 잃다, 잘못하다; 타락하다.

a·stride[əstráid] *ad., prep.* (…에) 걸터앉아, (…에) 걸치어.

as·trin·gent[əstríndʒənt] *a., n.* 수렴성의[이 있는]; 엄(격)한; Ⓤ,Ⓒ 수렴제. **-gen·cy** *n.* Ⓤ 수렴성.

as·tro-[ǽstrou, -trə] '별·우주' 의 뜻의 결합사.

as·trol·o·ger [əstrálədʒər/-ɔ́-] *n.* Ⓒ 점성가(占星家).

***as·trol·o·gy**[əstrálədʒi/-ɔ́-] *n.* Ⓤ 점성학[술]. **as·tro·log·i·cal**[æ̀strəládʒikəl/-ɔ́-] *a.*

***as·tro·naut**[ǽstrənɔ̀:t] *n.* Ⓒ 우주 비행사[여행자].

:as·tron·o·mer[əstránəmər/-ɔ́-] *n.* Ⓒ 천문학자.

***as·tro·nom·i·cal** [æ̀strənámikəl/-ɔ́-] *a.* 천문학(상)의; (숫자가) 천문학적인, 거대한.

:as·tron·o·my[əstránəmi/-ɔ́-] *n.* Ⓤ 천문학.

àstro·phýsics *n.* Ⓤ 천체 물리학.

as·tute[əstjú:t] *a.* 날카로운, 기민한(shrewd); 교활한(crafty). **~·ly** *ad.*

***a·sun·der**[əsʌ́ndər] *ad.* 따로따로, 떨어져(apart); 조각조각[토막토

A

막, 동강동강]으로, 따로따로 떨어져〔흩어져〕(in pieces). **break** ~ 둘로 조개지다. **come** ~ 산산이 흩어지다. **fall** ~ 무너지다. **whole worlds** ~ 하늘과 땅만큼 떨어져서.

·a·sy·lum[əsáiləm] *n.* Ⓒ ① 수용소, 양육원; 정신 병원. ② 도피처(refuge).

a·sym·me·try[eisímətri, æs-] *n.* Ⓤ 불균정(不均整), 비대칭(非對稱)(opp. symmetry). **-met·ric**[ㅅ-mét-], **-met·ri·cal**[-əl] *a.*

†at[強 æt, 弱 ət] *prep.* ① 《위치》 …에(서)(*at home*). ② 《시간·시절·나이》 …(때)에(*at noon*/*at* (*the age*) *of fifteen*). ③ 《상태·정황·종사》 …하는 중에, …하여〔하고〕(*at peace*/*at work*). ④ 《방향·목표》 …에 대하여, …을 향하여(*look at it*). ⑤ 《경로》 …을 통하여; …에 의하여, …로부터(*come in* 〔*out*〕 *at the window* 창으로 들어가다〔나오다〕). ⑥ 《원인》 …에 접하여, …을 보고〔듣고〕, …으로(because of)(*rejoice at the news* 그 소식을 듣고 기뻐하다). ⑦ 《가격·비율》 …로(*at a lower price* 더 싼 값으로). ⑧ 《자유·임의》 …로, …에 따라서(*at will* 마음대로). ⑨ 《동작의 모양》 …하게, …으로(*at a gallop* 전속력으로).

†ate[eit/et] *v.* eat의 과거.

-ate[1][éit, èit] *suf.* '…시키다, …(이 되게) 하다, …을 부여하다' 따위의 뜻: loc*ate*, concentr*ate*, evapor*ate*.

-ate[2][ət, èit] *suf.* ① 어미가 ate인 동사의 과거분사에 상당하는 형용사를 만듦: anim*ate*(anim*ated*), situ*ate*(situ*ated*). ② '…의 특징을 갖는, (특징으로) …을 갖는, …의' 의 뜻: passion*ate*, collegi*ate*.

-ate[3][ət, èit] *suf.* ① '직위, 지위' 의 뜻: consul*ate*. ② '어떤 행위의 산물' 의 뜻: leg*ate*, mand*ate*. ③ 〖化〗 '…산염(酸鹽)' 의 뜻: sulf*ate*.

at·el·ier[ǽtəljèi] *n.* Ⓒ 아틀리에, (화가·조각가의) 작업실.

·a·the·ism[éiθiìzəm] *n.* Ⓤ 무신론. **·-ist** *n.* **-is·tic**[èiθiístik] *a.*

·ath·lete[ǽθli:t] *n.* Ⓒ 운동가, 경기자; 강건한 사람.

áthlete's fóot (발의) 무좀.

:ath·let·ic[æθlétik] *a.* 운동〔경기〕의; 운동가같은; 강장(强壯)한. ~ **meet**(**ing**) 운동〔경기〕회. **·~s**[-s] *n.* Ⓤ 운동, 경기; 체육; 체육 실기〔원리〕.

-a·tion[éiʃən] *suf.* 《명사어미》 '동작·결과' 의 상태를 뜻함: medit*ation*, occup*ation*.

a·ti·shoo[ətíʃu:, ətjú:] *int.* 에취《재채기 소리》. — *n.* Ⓒ 재채기.

·at·las[ǽtləs] *n.* ① Ⓒ 지도책. ② (A-) 〖그神〗 아틀라스《신의 벌로 하늘을 어깨에 짊어졌다는 거인》. ③ 《美》 (A-) 수폭 탄두를 적재한 대륙간 탄도 유도탄.

:at·mos·phere[ǽtməsfìər] *n.* ① (the ~) 대기; (*sing.*) 공기. ② (*sing.*) 분위기; 주위의 정황, 기분. ③ Ⓒ 〖理〗 기압; 천체를 싸고 있는 가스체. ④ (*sing.*) (예술 작품의) 풍격, 운치.

·at·mos·pher·ic [æ̀tməsférik], **-i·cal**[-əl] *a.* 대기의, 대기 중의(*atmospheric pressure* 기압).

at·oll[ǽtɔ:l, ətál/ǽtɔl, ətɔ́l] *n.* Ⓒ 환초(環礁).

:at·om[ǽtəm] *n.* Ⓒ 원자; 미진; (an ~ of) 미량. **~·ism**[-ìzəm] *n.* Ⓤ 원자론〔설〕. 「(cf. nuclear).

:a·tom·ic[ətámik/-ɔ́-] *a.* 원자의

atómic pówer 원자력 (발전).

at·om·ize[ǽtəmàiz] *vt.* 원자〔미분자〕로 만들다; 《俗》 원자 폭탄으로 분쇄하다; 분무(噴霧)하다. **-iz·er** *n.* Ⓒ 분무기; 향수 뿌리개.

·a·tone[ətóun] *vt., vi.* 보상〔속(贖)〕하다, 배상하다(*for*); 속죄하다. **·~·ment** *n.* Ⓤ,Ⓒ 보상; (the A-) (예수의) 속죄.

a·top[ətáp/-ɔ́-] *ad., prep.* (…의) 꼭대기에(서).

·a·tro·cious[ətróuʃəs] *a.* ① 흉악한; 흉포한, 잔학한. ② 지독한, 지겨운, 서투른. **·a·troc·i·ty**[ətrásəti/-ɔ́-] *n.* Ⓤ 극악; Ⓒ (보통 *pl.*) 잔학행위; Ⓒ 《俗》 지독함.

at·ro·phy[ǽtrəfi] *n., vi., vt.* Ⓤ,Ⓒ 〖醫〗 쇠약〔위축〕(하다, 하게 하다).

:at·tach[ətǽtʃ] *vt.* ① 붙이다, 달다(fasten). ② (서명 따위를) 곁들이

다(affix). ③ 부착하다, 소속〔부속〕 시키다, 돌리다(attribute). ④ (중요성 따위를) 두다. ⑤ 애정으로 맺다; 이끌다. ⑥ 【法】 구속하다, 압류하다(seize). ~ ***oneself to*** …에 가입하다; …에 애착을 느끼다. **~·a·ble** *a.* ***~·ment** *n.* ① [U] 부착, 접착, 붙임; [C] 부속물〔품〕, 닮. ② [C] 애정, 사모, 애착(*for, to*). ③ [U] 【法】 체포; 압류.

at·ta·ché[ætəʃéi, ətǽʃei] *n.* (F.) [C] (대사·공사 등의) 수행원; 대〔공〕사관원. ~ ***case*** 소형 서류 가방의 일종. ***military*** 〔***naval***〕 ~ 대〔공〕사관부 육〔해〕군 무관.

:at·tack[ətǽk] *vt.* ① 공격하다, 습격〔엄습〕하다. ② (병이) 침범하다. ③ (일에 기운차게) 착수하다. — *n.* ① [U,C] 공격; 비난. ② [C] 발작(fit).

:at·tain[ətéin] *vt., vi.* ① (목적을) 이루다, 달성하다. ② (장소·위치 따위에) 이르다, 도달하다. ***~·a·ble** *a.* ***~·ment** *n.* [U] 달성, (기술 등의) 터득; [C] (보통 *pl.*) 학식, 예능.

†at·tempt[ətémpt] *vt.* ① 시도하다, 해보다, 꾀하다. ② (생명을) 노리다. — *n.* [C] 시도, 노력; 습격.

†at·tend[əténd] *vt., vi.* ① (…에) 출석하다, (학교 등에) 다니다. ② 모시다, 섬기다; 간호하다(*on, upon*). ③ 주의하다, 주의하여 듣다. ④ 수행하다(go with). ⑤ 노력하다(*to*).

:at·tend·ance[əténdəns] *n.* ① [U,C] 출석, 출근, 참석(*at*). ② [U] 시중, 돌봄, 간호(*on, upon*). ③ [C] 출석〔참석〕자. ***in*** ~ 봉사하여, 섬기어. ***dance*** ~ ***on*** …을 모시다; …에게 아첨하다.

atténdance allòwance 《英》 간호수당《신체 장애자 간호에 국가가 지급하는 특별 수당》.

:at·tend·ant[-ənt] *a.* ① 시중드는, 수행의. ② 부수의, 따르는(*on, upon*). ③ 출석의. — *n.* [C] 곁에 따르는 사람, **수행원**; 출석〔참석〕자; 《주로 英》 점원, 안내인.

†at·ten·tion[əténʃən] *n.* [U] ① 주의, 주목; 주의력. ② 고려, 배려; 보살핌, 돌봄. ③ 친절, 정중. ④ (보통 *pl.*) 정중한 행위; (구혼자의) 정중한 몸가짐, 구혼. ⑤ 응급 치료; (고객에 대한) 응대. ***A-!*** 차려《구령》. ***call away the*** ~ 주의를 딴 곳으로 돌리다. ***come to*** 〔***stand at***〕 ~ 차려 자세를 취하다〔하고 있다〕. ***with*** ~ 주의하여; 정중하게.

:at·ten·tive[əténtiv] *a.* ① 주의 깊은. ② 경청하는(*to*). ③ 정중한, 친절한(*to*). **~·ly** *ad.*

at·ten·u·ate[əténjuèit] *vt., vi.* 얇게〔가늘게〕 하다〔되다〕; 묽게〔희박하게〕 하다(dilute); 약화하다〔되다〕. **-a·tion**[-∸-éiʃən] *n.* [U] 엷게〔묽게〕 함, 희박화; (전류·전압 등의) 감쇠, 저하. **-à·tor** *n.*

***at·test**[ətést] *vt., vi.* 증명〔증언〕하다; 맹세〔선서〕시키다. **at·tes·ta·tion** [ætestéiʃən] *n.* [U] 증명; 증거; [C] 증명서. **~·er, at·tés·tor** *n.*

:at·tic[ǽtik] *n.* [C] 다락방; 고미다락.

:at·tire[ətáiər] *n.* [U] 옷차림새; 의복, 복장. — *vt.* 차려 입다, 차리다. **~·ment** *n.* [U] 《廢》 의복, 복장.

:at·ti·tude[ǽtitjùːd] *n.* [C] ① 자세, 몸가짐; 태도(*toward*). ② 【空】 비행 자세. ③ 【컴】 속성. ***strike an*** ~ 짐짓 (점잔) 빼다, 젠체하다. **-tu·di·nize**[∸-∸dənàiz] *vi.* 짐짓 (점잔) 빼다.

at·tor·ney**[ətə́ːrni] *n.* [C] 변호사; 대리인. ~ ***at law 변호사. ***by*** ~ 대리인으로. ***letter*** 〔***warrant***〕 ***of*** ~ 위임장. ***power of*** ~ (위임에 의한) 대리권.

Attórney Géneral 법무 장관.

:at·tract[ətrǽkt] *vt.* ① 끌다, 끌어당기다. ② 매혹하다, 유혹하다. **~·a·ble** *a.* 끌리는.

:at·trac·tion[ətrǽkʃən] *n.* ① [U] 끄는 힘, 유혹, 흡인(력); 【理】 인력. ② [C] 매력; 인기거리. ③ [U] 【文】 견인(牽引).

:at·trac·tive[ətrǽktiv] *a.* ① 사람의 마음을 끄는; 관심을 끄는. ② 인력이 있는. **~·ly** *ad.* **~·ness** *n.*

at·trib·ut·a·ble[ətríbjutəbəl] *a.* (…에) 돌릴 수 있는, 기인하는(*to*).

:at·trib·ute[ətríbjuːt] *vt.* (…에) 돌리다, (…의) 탓으로 돌리다. — [ǽtribjùːt] *n.* [C] 속성, 특질; 붙어다니는 것《Neptune이 갖고 있는 trident 따위》; 표지; 【文】 한정사.

A

at·tri·bu·tion[æ̀trəbjúːʃən] *n.* Ⓤ 귀속, 귀인(歸因); Ⓒ 속성.
at·trib·u·tive[ətríbjətiv] *a.* 속성의; 속성을 나타내는; 〖文〗 한정적인, 관형적인(opp. predicative). — *n.* Ⓒ 〖文〗 한정사.
at·tri·tion[ətríʃən] *n.* Ⓤ 마찰; 마손(摩損). ***war of*** ~ 소모전.
at·tune[ətjúːn] *vt.* 가락을〔음조를〕 맞추다; 〖無電〗 (파장에) 맞추다.
˙**au·burn**[ɔ́ːbərn] *n., a.* Ⓤ 적갈색(의).
˙**auc·tion**[ɔ́ːkʃən] *n., vt.* Ⓤ,Ⓒ 공매, 경매(하다).
auc·tion·eer[ɔ̀ːkʃəníər] *n.* Ⓒ 경매인. — *vt.* 경매하다.
au·da·cious[ɔːdéiʃəs] *a.* 대담한; 뻔뻔스러운. **~·ly** *ad.* ˙**au·dac·i·ty**[ɔːdǽsəti] *n.* Ⓤ 대담; Ⓒ 뻔뻔스러움; 무례; (보통 *pl.*) 대담한 행위.
˙**au·di·ble**[ɔ́ːdəbəl] *a.* 들리는, 청취할 수 있는. **-bly** *ad.*
:au·di·ence[ɔ́ːdiəns/-djə-] *n.* ① Ⓒ 청중, 관객; (라디오·텔레비전의) 청취〔시청〕자; 독자(들). ② Ⓒ 알현; Ⓤ 들음, 청취. ***be received in*** ~ 알현이 허가되다. ***give*** 〔***grant***〕 ***an*** ~ ***to*** …에게 알현〔접견〕을 허락하다.
au·di·o[ɔ́ːdiòu] *a.* 〖無電〗 저(低)〔가청(可聽)〕주파의; 〖TV〗 음성의. — *n.* (*pl.* **-dios**) Ⓤ 〖컴〗 들림(띠), 오디오.
àudio-vísual *a.* 시청각의(~ *education* 시청각 교육).
au·dit[ɔ́ːdit] *n.* Ⓒ 회계 감사; (회사의) 감사; 결산 (보고서). — *vt., vi.* (회계를) 감사하다; 《美》 청강생으로 출석하다.
au·di·tion[ɔːdíʃən] *n., vt., vi.* Ⓤ 청력, 청각; Ⓒ (가수의) 오디션; 시청(試聽) 테스트를 하다〔받다〕.
˙**au·di·tor**[ɔ́ːditər] *n.* Ⓒ 방청자; 회계 감사관; 검사; 《美》 청강생. **~·ship**[-ʃìp] *n.* Ⓤ 검사역의 직.
:au·di·to·ri·um[ɔ̀ːditɔ́ːriəm] *n.* (*pl.* **~s, -ria**[-riə]) Ⓒ 방청〔청중〕석; 《美》 강당; 공회당.
au·di·tor·y[ɔ́ːditɔ̀ːri/-təri] *a.* 귀의, 청각의. — *n. pl.* 《古》 청중(석).
au fait[ou féi] (F.) 숙련하여, 정통하여; 유능하여.
˙**Aug.** August.
˙**aught**[ɔːt] *n., ad.* 《古》 ⇨ ANYTHING. ***for*** ~ ***I care*** 내게는 관심이 없다; 아무래도 상관 없다. ***for*** ~ ***I know*** 내가 알고 있는 한, 아마.
˙**aug·ment**[ɔːgmént] *vt., vi.* 늘(리)다, 증대〔증가〕하다. **~·a·ble** *a.* **aug·men·ta·tion**[ɔ̀ːgmentéiʃən] *n.* Ⓤ 증대; 증가율; Ⓒ 첨가물.
au·gur[ɔ́ːgər] *n.* Ⓒ (고대 로마의) 복점관(卜占官); 예언자(prophet). — *vt., vi.* 점치다, 예언〔예지(豫知)〕하다; (사건·현상이) 조짐이 되다. ~ ***well*** 〔***ill***〕 (재)수가 좋다〔나쁘다〕. **au·gu·ry**[ɔ́ːgjuri] *n.* Ⓤ 점; Ⓒ 전조(omen).
†**Au·gust**[ɔ́ːgəst] *n.* 8월.
˙**au·gust**[ɔːgʌ́st] *a.* 당당한; 존귀한.
auk[ɔːk] *n.* Ⓒ 바다쇠오리.
auld lang syne[ɔ́ːld læ̀ŋ záin, -sáin] 그리운 옛날.
†**aunt**[ænt/ɑːnt] *n.* Ⓒ 아주머니, 숙모, 백모, 이모, 고모(cf. uncle).
aunt·ie, aunt·y[ǽnti, ɑ́ːnti] *n.* Ⓒ 아줌마《aunt의 애칭》; 《俗》 요격용 미사일.
au pair[òu pέər] (F.) 상호 원조의.
au·ra[ɔ́ːrə] *a.* (*pl.* **~s, -rae**[-riː]) Ⓒ (사람이나 물체로부터의) 발기체(發氣體); 미묘한 분위기.
au·ral[ɔ́ːrəl] *a.* 귀의; 청력의, 청각의(*an* ~ *aid* 보청기).
au·re·ole[ɔ́ːriòul] *n.* Ⓒ 후광; (해·달의) 무리(halo).
au re·voir[òu rəvwɑ́ːr] (F.) 안녕《헤어질 때의 인사》.
au·ri·cle[ɔ́ːrikl] *n.* Ⓒ 〖解〗 귓바퀴, 외이(外耳); (심장의) 심이(心耳); 귀비슷한 것〔부분〕.
˙**au·ro·ra**[ərɔ́ːrə, ɔːr-] *n.* ① Ⓒ 극광; 서광. ② (A-) 〖로神〗 오로라《새벽의 여신》. **-ral** *a.* 극광의; 새벽의; 빛나는.
auróra bo·re·ál·is [-bɔ̀ːriǽlis, -éilis] (L.) 북극광.
˙**aus·pices**[ɔ́ːspisiz] *n.* ① Ⓤ (새의 나는 모양으로 판단하는) 점. ② Ⓒ (종종 *pl.*) 조짐, 길조(omen); 유리한 정세. ③ (*pl.*) 후원, 찬조(patronage). ***under the*** ~***s of*** …의 찬조〔후원·주최〕로.

aus·pi·cious[ɔːspíʃəs] *a.* 길조의, 상서로운; 행운의. **~·ly** *ad.*
Aus·sie[ɔ́ːsi/ɔ́(ː)zi] *n.* Ⓒ 《俗》 오스트레일리아 (사람).
˙**aus·tere**[ɔːstíər] *a.* ① 엄(격)한; 가혹한. ② (문체가) 극도로 간결한. ③ (맛이) 신; 떫은.
˙**aus·ter·i·ty**[ɔːstérəti] *n.* ① Ⓤ 엄격, 준엄; 간소, 내핍. ② Ⓒ (보통 *pl.*) 금욕 생활; 내핍 생활.
Austrálian Rùles 18 명이 하는 럭비 비슷한 구기.
˙**au·then·tic**[ɔːθéntik] *a.* 믿을 만한, 확실한; 진짜의, 진정한; 권위 있는. **-ti·cal·ly** *ad.* 확실히. **~·i·ty** [ɔ̀ːθentísəti] *n.* Ⓤ 진실성.
au·then·ti·cate[ɔːθéntikèit] *vt.* 확증[증명]하다(prove). **-ca·tion** [―ᅩ―kéiʃən] *n.* Ⓤ 확증, 증명.
:**au·thor**[ɔ́ːθər] *n.* Ⓒ ① 저자. ② 창시자. ③ 하수인, 본인. ④ 저작. **~·ess**[ɔ́ːθəris] *n.* Ⓒ 여류 작가 (˚author'로 씀이 보통임). **~·ship** [-ʃìp] *n.*
au·thor·i·tar·i·an[əθɔ̀ːrətέəriən, -θɑ̀r-/ɔːθɔ̀ritέər-] *a.* (민주주의에 대하여) 권위[독재]주의의. ― *n.* Ⓒ 권위[독재]주의자. **~·ism**[-ìzəm] *n.* Ⓤ 권위주의.
˙**au·thor·i·ta·tive** [əθɔ́ːrətèitiv, -θɑ́-/ɔ(ː)θɔ́ritətiv] *a.* 권위 있는, 믿을 만한(*an ~ source*); 관헌의, 당국의; 명령적인. **~·ly** *ad.*
:**au·thor·i·ty** [əθɔ́ːriti, əθɑ́r-/əθɔ́ri-] *n.* ① Ⓤ 권위, 권력(*over, with*). ② Ⓤ 권능, 권한. ③ Ⓒ,Ⓤ 전거(典據). ④ Ⓒ 권위자, 대가(*on*). ⑤ Ⓒ (보통 *pl.*) 관헌; 당국, 요로, 소식통. ***on good ~*** 권위[근거] 있는 출처에서. ***on one's own ~*** 독단으로. ***the authorities concerned,*** or ***the proper authorities*** 관계 관청, 당국.
˙**au·thor·ize**[ɔ́ːθəràiz] *vt.* ① 권한[권능]을 주다; 위임하다. ② 인가하다. ③ 정당하다고 인정하다. **-i·za·tion**[ᅩ-izéiʃən] *n.* Ⓤ 위임; 인가; Ⓒ 허가서.
Authorized Vérsion, the 흠정역(欽定譯) 성서《1611년 영국왕 James I의 명령으로 된; 생략 A.V.》.
au·tism[ɔ́ːtizəm] *n.* Ⓤ 〖心〗 자폐증. **au·tis·tic**[ɔːtístik] *a.*
:**au·to**[ɔ́ːtou] *n.* (*pl.* **~s**) *n., vi.* Ⓒ 《口》 자동차(automobile)(로 가다); Ⓤ 〖컴〗 자동.
au·to-[ɔ́ːtə] '자신의, 자기…; 자동차'의 뜻의 결합사.
˙**au·to·bi·og·ra·phy**[ɔ̀ːtəbaiɑ́grəfi/-ɔ́g-] *n.* Ⓒ 자서전. **-pher** *n.* Ⓒ 자서전 작자. **-o·graph·ic**[ɔ̀ːtəbàiəgrǽfik], **-i·cal**[-əl] *a.*
˙**au·toc·ra·cy**[ɔːtɑ́krəsi/-ɔ́-] *n.* Ⓤ 독재[전제] 정치. ˙**au·to·crat** [ɔ́ːtəkræ̀t] *n.* Ⓒ 독재[전제] 군주; 독재자. **-crat·ic**[ɔ̀ːtəkrǽtik], **-i·cal** [-əl] *a.*
áuto·cròss *n.* Ⓒ (벌판 따위를 달려 시간을 겨루는) 자동차 경주.
Au·to·cue[ɔ́ːtoukjùː] *n.* Ⓒ 〖商標〗 오토큐《텔레비전 방송의 자동 프롬프터 장치》.
au·to·graph[ɔ́ːtəgræ̀f, -ɑ̀ː-] *n., a.* Ⓒ 자필(의), 자필 서명(한); 자필 원고. ― *vt.* 자필로 쓰다; 자서(自署)하다. **~·ic**[ɔ̀ːtəgrǽfik], **-i·cal** [-əl] *a.*
au·to·mat[ɔ́ːtəmæ̀t] *n.* Ⓒ 《美》 자동 판매기; 자동 판매식 음식점.
au·to·mate[ɔ́ːtəmèit] *vt.* 오토메이션화하다, 자동화하다. ― *vi.* 자동장치를 갖추다.
:**au·to·mat·ic**[ɔ̀ːtəmǽtik] *a.* 자동(식)의; 기계적인, 무의식적인, 습관적인. ― *n.* Ⓒ 자동 기계[장치, 권총]. ˙**-i·cal·ly** *ad.*
automátic pílot 〖空〗 자동 조종장치.
:**au·to·ma·tion**[ɔ̀ːtəméiʃən] (< *autom*(atic) + (oper)*ation*) *n.* Ⓤ 오토메이션, 자동 조작; 〖컴〗 자동화.
au·tom·a·ton[ɔːtɑ́mətɑ̀n/-tɔ́mətən] *n.* (*pl.* **~s, -ta**) Ⓒ 자동 인형[장치]; 기계적으로 행동하는 사람; 〖컴〗 자동장치.
:**au·to·mo·bile**[ɔ́ːtəməbìːl, ᅩ―ᅩ, ɔ̀ːtəmóubiːl] *n.* Ⓒ 자동차. ― *vi.* 자동차에 타다[로 가다]. ― *a.* 자동(식)의. **-bil·ist**[ɔ̀ːtəməbíːlist, -móubil-] *n.* 《美》 = MOTORIST.
au·to·mo·tive[ɔ̀ːtəmóutiv] *a.* 자동차의; 자동적인.

A

au·ton·o·mous [ɔːtánəməs/-ɔ́-] *a.* 자치적인, 독립된. **˙-my**[-nəmi] *n.* Ⓤ 자치(권); Ⓒ 자치체.
áuto·pilot *n.* Ⓒ 〖空〗 자동 조정 장치(automatic pilot).
au·top·sy [ɔ́ːtɑpsi, -təp-/-tɔp-] *n.* Ⓒ 검시(檢屍), 부검.
àuto·suggéstion *n.* Ⓤ 〖心〗 자기 암시.
†au·tumn [ɔ́ːtəm] *n.* Ⓤ 가을. **˙au·tum·nal** [ɔːtʌ́mnəl] *a.*
:aux·il·ia·ry [ɔːgzíljəri] *a.* 보조의, 추가의. ― *n.* Ⓒ 보조자[물]; 〖文〗 조동사; (*pl.*) 외인 부대.
auxíliary vérb 조동사.
:a·vail [əvéil] *vt., vi.* 이롭다, 도움[소용]이 되다, 가치가 있다. **~ one-self of** …을 이용하다. ― *n.* Ⓤ 이익, 효용. **be of ~** [**no ~**] 도움이 되다[되지 않다], 쓸모 있다[없다]. **to no ~,** or **without ~** 보람 없이, 무익하게.
:a·vail·a·ble [-əbəl] *a.* ① 이용할 수 있는; 유효한(*for, to*). ② 손에 넣을 수 있는. ③ (일 따위에) 전심할 수 있는, 여가가 있는. **-bil·i·ty** [-―́― bíləti] *n.* Ⓤ 유효성, 유익, 도움, 쓸모.
˙av·a·lanche [ǽvəlæ̀ntʃ, -lɑ̀ːnʃ] *n., vi.* Ⓒ (눈·산)사태 (나다); 쇄도(하다).
a·vant-garde [əvɑ̀ːntgɑ́ːrd] *n.* (F.) Ⓒ (예술상의) 전위, 아방가르드.
˙av·a·rice [ǽvəris] *n.* Ⓤ 탐욕. **˙-ri·cious** [æ̀vəríʃəs] *a.* 탐욕스러운, 욕심 사나운.
Ave. Avenue.
˙a·venge [əvéndʒ] *vt., vi.* (…의) 원수를 갚다, (…을 위해) 복수하다, 대갚음하다(~ *one's father* 아버지의 원수를 갚다) (cf. revenge). **~ *oneself,*** or ***be ~d*** (…에게) 복수하다(*on, upon*). **a·véng·er** *n.*
:av·e·nue [ǽvənjùː] *n.* Ⓒ ① 가로수 길; 가로. ② 《美》 (번화한) 큰 거리《특히 남북으로 뻗은》 (cf. street); (성공 따위에의) 길, 수단.
˙a·ver [əvə́ːr] *vt.* (**-rr-**) 단언하다, 주장하다. **~·ment** *n.* Ⓤ,Ⓒ 주장, 단언.
:av·er·age [ǽvəridʒ] *n., a.* Ⓒ,Ⓤ ① 평균(의); 표준(의), 보통(의). ② 〖商〗 해손(海損). **on an** [**the**] **~** 평균하여; 대개는. ― *vt., vi.* 평균하다, 평균 …이 되다. **~ *down*** [***up***] (증권 따위를 매매하여) 평균 값을 내리다[올리다].
˙a·verse [əvə́ːrs] *a.* 싫어하여; 반대하여(*to*).
˙a·ver·sion [əvə́ːrʒən, -ʃən] *n.* Ⓤ 혐오, 반감; Ⓒ 싫은 물건[사람].
˙a·vert [əvə́ːrt] *vt.* 돌리다, 피하다; 막다.
a·vi·ar·y [éivièri] *n.* Ⓒ 새장, 조류 사육장.
˙a·vi·a·tion [èiviéiʃən] *n.* Ⓤ 비행술.
˙a·vi·a·tor [éivièitər] *n.* (*fem.* ***-tress, -trix***) Ⓒ 비행사, 비행가.
av·id [ǽvid] *a.* 탐욕스런; 갈망하는(*for, of*). **a·vid·i·ty** [əvídəti] *n.* Ⓤ 갈망, 탐욕. **~·ly** *ad.*
a·vi·on·ics [èiviániks/-ɔ́n-] *n.* Ⓤ 항공 전자 공학.
av·o·ca·do [æ̀vəkɑ́ːdou] *n.* (*pl.* ~(***e***)***s***) Ⓒ 〖植〗 아보카도《열대 아메리카산; 그 과실》.
:a·void [əvɔ́id] *vt.* ① 피하다, 회피하다(*doing*). ② 〖法〗 무효로 하다(annul). **˙~·a·ble** [-əbl] *a.* **˙~·ance** [-əns] *n.* Ⓤ 도피, 회피, 무효.
av·oir·du·pois [æ̀vərdəpɔ́iz] *n.* Ⓒ 상형(常衡)《16 온스를 1 파운드로 정한 형량(衡量); 생략 avoir., avdp.》 (cf. troy); 《美口》 체중, 몸무게.
a·vow [əváu] *vt.* 공언하다; 시인하다. **~·al** *n.* Ⓤ,Ⓒ 공언; 자백; 시인. **~·ed·ly** [-idli] *ad.* 공공연히; 명백히.
a·vun·cu·lar [əvʌ́ŋkjulər] *a.* 아저씨[백부·숙부]의[같은].
AWACS 《美》 Airborne Warning and Control System 공중 경보 조정 장치.
:a·wait [əwéit] *vt.* (…을) 기다리다.
†a·wake [əwéik] *vt.* (***awoke; awoke, ~d***) 일으키다, 깨우다(arouse); 자각시키다(*to*). ― *vi.* 눈뜨다, 깨다; 깨닫다; 분기하다(*to*). ― *a.* 깨어서, 방심 않는; 잘 알아채어(*to*). **~ or *asleep*** 자나 깨나.
:a·wak·en [əwéikən] *vt., vi.* = AWAKE.

a·wak·en·ing[-iŋ] *a.* 눈뜨게 하는, 각성의. — *n.* Ⓤ,Ⓒ 눈뜸, 각성.

:**a·ward**[əwɔ́ːrd] *vt.* ① 심사하여 주다, 수여하다. ② 재정(裁定)하다. — *n.* Ⓒ 심판, 판정; 상품. **~·ee**[əwɔ̀ːrdíː, —ᐟᐠ] *n.* Ⓒ 수상자.

:**a·ware**[əwέər] *pred. a.* 깨닫고, 알아차리고(*of; that*). *** ~·ness** *n.*

†**a·way**[əwéi] *ad.* ① 떨어져서, 멀리; 저쪽으로. ② 부재(不在)하여. ③ 점점 소멸하여, 없어져. ④ 끊임없이, 착착(*work* ~). ~ **back** 《美口》 훨씬 이전; 훨씬 멀리에. **A- with ... !** …을 쫓아버려라, 제거하라(*A- with him!* 그를 쫓아버려라/*A- with you!* 비켜라, 물러나라, 가라). **do**[**make**] ~ **with** …을 없애다; 처리[처분]하다, 죽이다. **far**[**out**] **and** ~ (*the best*) 단연[남을 훨씬 앞질러](일등). **right**[**straight**] ~ 곧, 즉각.

:**awe**[ɔː] *n., vt.* Ⓤ 경외(敬畏)(시키다). **stand in** ~ **of** …을 경외[두려워]하다. **ᐟ·less** *a.*

áwe-inspìring *a.* 두려운 마음이 일게 하는, 옷깃을 바로잡게 하는, 엄숙한. 「운.

awe·some[ᐟsəm] *a.* 두려운, 무서

áwe-strùck *a.* 두려운 감이 들어, 두려워 하여.

·**aw·ful**[ɔ́ːfəl] *a.* ① 두려운; 장엄한. ② [ɔ́ːfl] 《口》 대단한, 무서운, 굉장한. **:~·ly** *ad.* ① 무섭게. ② [ɔ́ːfli] 《口》 굉장히(very).

a·while[əhwáil] *ad.* 잠시(for a while).

:**awk·ward**[ɔ́ːkwərd] *a.* ① 보기 흉한; 섣부른, 서투른; 약빠르지 못한; …하기 어려운(*to* do); 어색한. ② 사용하기 거북한(*an* ~ *tool*); 다루기 어려운, 어거하기 힘든, 깔볼 수 없는. **~·ly** *ad.* **~·ness** *n.*

awl[ɔːl] *n.* Ⓒ (구둣방 따위의) 송곳.

·**awn·ing**[ɔ́ːniŋ] *n.* Ⓒ (창에 단) 차일, 비막이; (갑판의) 천막.

:**a·woke**[əwóuk] *v.* awake의 과거(분사).

AWOL[éiɔ̀ːl] *n., a.* absent without leave 무단 결근의; Ⓒ 무단 결근[외출]한 사람.

a·wry[ərái] *pred. a., ad.* 뒤틀린, 뒤틀리어. 일그러진[져]; 잘못되어. **go**[**run**] ~ 실패하다. **look** ~ 스쳐[곁눈질로] 보다.

:**ax,** 《英》 **axe**[æks] *n.* (*pl.* **axes**[ᐟiz]). *vt.* Ⓒ ① 도끼(로 자르다). ② (인원·예산 따위를) 삭감(하다). ③ 《口》 면직[해고](하다). **have an** ~ **to grind** 《美》 속 배포가 있다, 생각하는 바가 있다. **put the** ~ **in the helve** 수수께끼를 풀다.

ax·i·om[ǽksiəm] *n.* Ⓒ 공리(公理), 자명한 이치. **-o·mat·ic**[æ̀ksiəmǽtik], **-i·cal**[-əl] *a.*

·**ax·is**[ǽksis] *n.* (*pl.* **axes**[ǽksiːz]) Ⓒ 굴대, 축; 추축(樞軸). **the A-** (2차 대전 당시의) 추축국《독일·이탈리아·일본》.

·**ax·le**[ǽksəl] *n.* Ⓒ 굴대, 축(軸); = **ᐟ·trèe** 차축(車軸).

:**ay, aye**[ai] *int.* = YES. — *n.* Ⓤ 찬성; Ⓒ 찬성자.

a·ya·tol·lah[àːjətóulɑː] *n.* Ⓒ 아야톨라《이란의 이슬람 최고 지도자의 호칭》.

a·zal·ea[əzéiljə] *n.* Ⓒ 진달래.

az·i·muth[ǽzəməθ] *n.* Ⓒ 〖天·海〗 방위, 방위각(角).

·**az·ure**[ǽʒər] *n., a.* Ⓤ 하늘빛(의); (the ~) 《詩》 푸른 하늘.

B

B, b[biː] *n.* (*pl.* ***B's, b's***[-z]) Ⓤ 〖樂〗 나음, 나조(調); Ⓒ B자 모양의 것.
B 〖체스〗 bishop; black《연필 따위의 흑색 농도》; 〖化〗 boron. **B.** Bay; Bible; British; Brotherhood. **b.** bachelor; 〖野〗 base; baseman; bass; basso; bay; blended; blend of; book; born; bowled; breadth; brother. **B-** bomber 《미군 폭격기; B-52 따위》. **B/-** 〖商〗 bag; bale. **Ba** 〖化〗 barium. **B.A.** Bachelor of Arts(=A.B.)문학사; British Academy.
baa[bɑː] *n.* Ⓒ 매《양의 울음 소리》. — *vi.* (***~ed, ~'d***) 매 하고 울다.
˙**bab·ble**[bǽbəl] *n., vi., vt.* Ⓤ (어린이 등이) 떠듬거리는 말(을 하다); 허튼소리(를 하다), 수다(떨다)(***about***); 지껄여 누설하다(***out***); (시냇물의) 졸졸거림, (시냇물이) 졸졸 흐르다. **~r** *n.* Ⓒ 수다쟁이, 입이 싼 사람; 〖鳥〗 꼬리치레(의 일종).
:**babe**[beib] *n.* 《詩》 =BABY; Ⓒ 천진난만한 사람; (귀여운) 계집아이; 아가씨.
Ba·bel[béibəl, bǽb-] *n.* Shinar의 고도(古都); 바벨 탑(the Tower of Babel)《옛날 Babylon에서 하늘까지 닿도록 쌓으려다 실패한 탑; 창세기 11:9》; Ⓤ (*or* b-) 언어의 혼란, 소란(한 장소).
˙**ba·boon**[bæbúːn/bə-] *n.* Ⓒ 비비(狒狒); 보기 싫은 놈.
†**ba·by**[béibi] *n.* Ⓒ 갓난애; 어린애 같은 사람, 작은 동물[물건]; 《美》 젊은 여자, 소녀; 애인. ***hold the ~*** 성가신 것을 떠맡다. ***pass the ~*** 책임 회피하다.
báby bòom 베이비 붐《제2차 세계대전 후 미국에서 출생률이 급격히 상승한 현상》.
báby càrriage 《美》 유모차.
báby gránd 소형 그랜드 피아노.
báby·hòod *n.* Ⓤ 유아기; 《집합적》 젖먹이.
báby-sit *vi.* (**-sat; -tt-**) (시간제, 유료로) 어린애를 보아주다. **:~ter** *n.* Ⓒ (시간제의) 어린애 봐주는 사람.
báby tàlk 유아 말.
bac·ca·lau·re·ate[bæ̀kəlɔ́ːriit] *n.* Ⓒ 학사(bachelor)의 학위; (대학 졸업생에 대한) 송별 설교(~ sermon).
Bac·cha·na·li·a [bæ̀kənéiliə, -ljə] *n. pl.* (고대 로마의) 주신제(祭); Ⓒ (b-) 큰 술잔치; 야단법석. **~n**[-n] *a., n.* 취해 떠드는 (사람).
:**bach·e·lor**[bǽtʃələr] *n.* Ⓒ 독신자; 학사.
báchelor·hòod *n.* Ⓤ 독신(생활), 독신 시절.
˙**ba·cil·lus**[bəsíləs] *n.* (*pl.* **-li** [-lai]) Ⓒ 간상균(桿狀菌); 세균.
†**back**[bæk] *n.* ① Ⓒ 등, 잔등. ② Ⓒ 뒤; 후부, 안; (손발의) 등; (의자의) 등널. ③ Ⓒ 등뼈. ④ Ⓒ 산등성이. ⑤ Ⓒ,Ⓤ 〖球技〗 후위(後衛). ***at the ~ of*** …의 뒤에; 후원자로서. ***~ and belly*** 의식(衣食). ***behind a person's ~*** 아무가 없는 데서. ***break the ~ of*** …을 이겨내다; …을 꺾다[죽이다]; (어려운 일의) 고비를 넘기다. ***get one's*** [***a person's***] ***~ up*** 성내다[나게하다]. ***on one's ~*** 등에 지고; 벌떡 누워; 몸져 누워, 무력하여. ***on the ~ of*** …의 등뒤에; …에 더하여. ***put one's ~ into*** …에 헌신하여 노력[일]하다. ***put*** [***set***] ***a person's ~ up*** 노하게 하다. ***see the ~ of*** …을 쫓아버리다; 면하다. ***turn one's ~*** 도망치다. ***turn the*** [***one's***] ***~ on*** …을 저버리다, …에서 달아나다. ***with one's ~ to the wall*** 궁지에 빠져. — ***a.*** ① 뒤의, 배후의; 안의, 속의. ② 벽지의. ③ 거꾸로의; 밀린; 이전[과거]의. ***~ number*** 달을 넘긴 잡

지; 시대에 뒤진 사람〔사상, 방법〕. **~ slum** 빈민굴. **~ vowel** 후설 모음《u, ɔ, ɑ 따위》.

— *ad.* ① 뒤로, 뒤쪽으로, 뒤에; 되돌아가서. ② 소급하여; (몇 년) 전에. **~ and forth** 앞뒤로, 오락가락. **~ of** 《美》 …의 뒤에; …을 지지하여. **go ~ on** 〔《英》 **from**〕 …을 어기다, 배반하다. **keep ~** 누르다, 숨겨두다.

— *vi.* 후퇴하다. — *vt.* ① 후퇴시키다. ② (책 따위의) 등을 붙이다, 뒤를 대다. ③ (…에) 대하여 배경이 되다. ④ 원조〔지지〕하다. ⑤ (말에) 타다; (내기에) 걸다. ⑥ (어음에) 배서하다; 《口》 업어 나르다. **~ and fill** 〖海〗 갈지자로 나아가다; 《美口》 변덕부리다; 우물쭈물하다, (마음이) 동요하다. **~ down** 물러서다, 포기하다. **~ out (of)** 《口》 (…에서) 손을 떼다, (…을) 취소하다, 위약하다. **~ up** 돕다; 〖球技〗 뒤를 지키다; 《美》 후퇴하다. **~ water** (배를) 후진시키다; 《美口》 손떼다, 한 말을 취소하다.

báck·àche *n.* Ⓤ,Ⓒ 등의 통증.

báck·bénch(er) *n.* Ⓒ 《英》 하원 뒷자리(에 앉은 평의원).

báck·bìte *vt., vi.* (**-bit; -bitten,** 《口》 **-bit**) (없는 데서) 험담하다.

:back·bone[⏊bòun] *n.* ① Ⓒ 등뼈. ② Ⓤ 기골(氣骨).

báck·brèaking *a.* 몹시 힘드는.

báck·chàt *n.* Ⓤ 《口》 말대꾸, 대답; (만담 따위의) 수작; 모욕.

báck·dóor *a.* 은밀한; 교활한.

báck·dròp *n.* Ⓒ 배경(막).

báck·er *n.* Ⓒ 후원자.

báck·fìre *n.* Ⓒ (산불을 끄기 위한) 맞불; (내연기관의) 역화(逆火).

back·gam·mon[⏊gæ̀mən, ⏑⏊–] *n.* Ⓤ 서양 주사위 놀이.

:back·ground[⏊gràund] *n.* ① Ⓒ 배경; 이면. ② Ⓤ (의복의) 바탕색. ③ Ⓒ (무대의) 배경. ④ Ⓤ,Ⓒ (사람의) 경력, 소양. ⑤ Ⓤ (연극·영화·방송 등의) 음악 효과, 반주 음악. ⑥ 〖컴〗 뒷면. **in the ~** 표면에 나서지 않고, 흑막 속에서.

báck·hànd *a., n.* = BACKHANDED; Ⓒ (테니스 따위의) 역타(逆打); 왼쪽으로 기운 필적(筆跡).

báck·hánded *a.* 손등으로의; (필적이) 왼쪽으로 기운; 서투른; 간접적인; 성의 없는; 빈정대는.

báck·ing *n.* Ⓤ (제본의) 등붙이기; 지원; 배서; 속널.

báck·làsh *n.* Ⓤ,Ⓒ (기계·톱니바퀴 등의 느슨해지거나 마모된 곳의) 덜거덕거림; 격한 반동, 반발. **white ~** 흑인에 대한 백인의 반격.

báck·lòg *n.* Ⓒ 《美》 (난로 속 깊숙이 넣는) 큰 장작; 《口》 주문 잔고, 체화(滯貨); 잔무; 축적, 예비.

báck número ⇨ BACK(*a.*).

báck·pàck *n., vi.* Ⓒ 배낭(을 지고 여행하다).

báck·pèdal *vi.* (자전거) 페달을 뒤로 밟다; 후퇴하다《특히 권투에서》.

báck ròom 뒷방; 비밀 연구소.

báck-room bóy 《英口》 비밀 연구원〔공작원〕.

báck·scràtcher *n.* Ⓒ 등긁이; 《口》 타산적인 사람; 아첨꾼.

báck·séat *n.* Ⓒ 뒷자리; 말석, 하찮은 지위.

báckseat dríver 운전수에게 지시를 하는 승객; 간섭 좋아하는 사람.

báck·sìde *n.* Ⓒ 등, 뒤쪽; (보통 *pl.*) 궁둥이(rump).

báck·slìde *vi.* (**-slid; -slid, -slidden**) 다시 과오에 빠지다, (신앙적으로) 타락하다.

báck·stàge *n., a.* Ⓒ 무대 뒤(의).

báck·strèet *n.* Ⓒ 뒷골목.

báck·stròke *n.* Ⓒ 되치기; 〖테니스〗 역타(逆打); Ⓤ 배영(背泳).

báck tàlk 말대꾸.

báck-to-báck *a.* 잇따른; 등을 맞대고 선《주로 연립주택에서》.

báck·tràck *vi.* 《美》 물러나다, 되돌아가다.

báck·ùp *n.* Ⓤ 뒷받침; 후원; 저장; Ⓒ (차량 따위의) 정체(停滯); 여벌, 〖컴〗 여벌받기, 백업(~ *file* 여벌(기록)철, 백업파일).

:back·ward[bǽkwərd] *a.* ① 뒤로의, 거꾸로의(reversed). ② 싫어하는. ③ 개악의; 퇴보의; 뒤떨어진; 진보가 느린〔뒤늦은〕. ④ 수줍은, 내향적인. ⑤ 철 늦은. — *ad.* 뒤로, 후방으로; 거꾸로; 퇴보하여. **~·ly** *ad.* 마지못해; 늦어져. **~·ness** *n.*

:~s *ad.* = BACKWARD.
báck·wàsh *n.* Ⓒ 역류; 노로 저은 물; (사건의) 여파.
báck·wàter *n.* Ⓤ 되밀리는 물, 역수; Ⓒ (문화의) 침체, 정체.
báck·wóods *n. pl.* 《美》 변경의 삼림지, 오지(奧地).
back·yard [⌐já:rd] *n.* Ⓒ 《美》 뒤뜰; 늘 가는 곳.

B

:ba·con [béikən] *n.* Ⓤ 베이컨; 《美俗》 이익, 벌이. ***bring home the ~*** 《口》 성공하다. ***save one's ~*** 《口》 손해를 모면하다.
:bac·te·ri·a [bæktíəriə] *n. pl.* (*sing.* **-rium**) 박테리아. **-al** *a.*
bac·te·ri·ol·o·gy [bæktìəriáləd3i/-ɔ́l-] *n.* Ⓤ 세균학. **-gist** *n.* **-ri·o·log·i·cal** [-riəlád3ikəl/-ɔ́-] *a.*
†bad [bæd] *a.* (***worse; worst***) ① 나쁜, 불량한; 부정한, 불길한. ② 나쁘게 된, 썩은. ③ 서투른, 시원치 않은, 형편이 좋지 않은. ④ 아픈; 악성의, 심한. ⑤ 무효의. ⑥ 《美》 적의가 있는, 위험한(*a ~ man* 악한). ***feel ~*** 편찮다; 불쾌하게 느끼다. 유감스럽게 생각하다(*about*). ***go ~*** 썩다, 못쓰게 되다. ***have a ~ time (of it)*** 혼나다. ***in a ~ way*** 《口》 중병으로; 경기가 좋지 않아. ***not ~,*** or ***not half*** [***so***] ***~*** 《口》 과히 나쁘지 않은, 꽤 좋은. ― ***n.*** Ⓤ 나쁜 것[상태], 악운. ***be in ~*** 《美口》 …의 호감을 못 사다. ***go from ~ to worse*** 점점 나빠지다. ***go to the ~*** 파멸[영락, 타락]하다. ($1,000) ***to the ~*** (천 달러) 결손이 되어. **⌐·ness** *n.*
bád débt 대손(貸損)(금).
:bade [bæd/beid] *v.* bid의 과거.
:badge [bæd3] *n.* Ⓒ 기장(記章), 휘장, 배지; 표.
·badg·er [bǽd3ər] *n.* Ⓒ 오소리; Ⓤ 그 모피. ― *vt.* (…으로) 지분대다, 괴롭히다.
bad·i·nage [bæ̀diná:3] *n., vt.* (F.) Ⓤ 농담, 놀림; 놀리며 집적거리다.
:bad·ly [bǽdli] *ad.* (***worse; worst***) 나쁘게, 서투르게, 심하게. ***be ~ off*** 살림이 어렵다.
bad·min·ton [bǽdmintən] *n.* Ⓤ 배드민턴; 소다수로 만든 청량 음료.
bád-mòuth *vt.* 《美》 혹평하다, 헐뜯다.
bád-témpered *a.* 기분이 언짢은, 괴까다로운; 심술궂은.
·baf·fle [bǽfəl] *vt.* 좌절시키다, 깨뜨리다, 꺾다, 방해하다; 감당할 수 없게 되다. ― *vi.* (…에) 애태우다, 허우적거리다. ― *n.* Ⓒ (수류·기류·음향 따위의) 방지 장치. **~·ment** *n.* **-fling** *a.* 방해하는; 이해하기 어려운; 당황케 하는; (바람이) 일정 방향으로 불지 않는.
†bag [bæg] *n.* ① Ⓒ 자루; 가방, 손가방; 지갑. ② Ⓒ 주머니 모양의 것; (동물 체내의) 낭(囊)(sac); 눈 밑의 처진 살, 소의 젖통; (*pl.*) 음낭(陰囊). ③ (*pl.*) 《英俗》 (헐렁한) 바지. ④ Ⓒ 《美》 〖野〗 베이스, 누(壘). ⑤ Ⓒ 사냥감. ***~ and baggage*** 소지품 일체; 짐을 모두 꾸려서, 몽땅. ***bear the ~*** 재정권을 쥐다, 돈을 마음대로 쓰게 되다. ***empty the ~*** 얘깃거리가 다 떨어지다. ***get the ~*** 해고당하다. ***give a person the ~*** (…을) 해고하다; 《俗》 …에게 말 없이 가버리다; (구혼자에게) 단호히 거절하다. ***give*** [***leave***] ***a person the ~ to hold*** 곤란을 당하여 아무를 돌보지 않다; 책임을 지우다. ***hold the ~*** 혼자 책임을 뒤집어쓰다; 빈털터리가 되다. ***in the ~*** 《口》 확실한; 손에 넣은(것이나 마찬가지인). ***make a good ~*** 사냥감을 많이 잡다. ***the whole ~ of tricks*** 온갖 술책[수단]. ― *vt.* (***-gg-***) 자루에 넣다; 《口》 잡다, 죽이다, 훔치다(steal). ― *vi.* 자루처럼 부풀다(swell).
bag·a·telle [bæ̀gətél] *n.* (F.) Ⓒ 사소한 일[물건](a mere trifle); (피아노용의) 소곡(小曲); Ⓤ 배거텔 놀이(《당구의 일종》).
ba·gel [béigəl] *n.* Ⓒ,Ⓤ 도넛형의 굳은 빵.
:bag·gage [bǽgid3] *n.* ① Ⓤ 《美》 수화물(《英》 luggage); 《英》 군용 행낭. ② Ⓒ 말괄량이; 닳고 닳은 여자, 논다니.
bággage càr 《美》 수화물차.
bággage ròom 《美》 = CLOAK-

ROOM.
bag·gy[bǽgi] *a.* 자루 같은; 헐렁한; 불룩한. **-gi·ly** *ad.* **-gi·ness** *n.*
:bág·pìpe *n.* Ⓒ (종종 *pl.*) 백파이프《스코틀랜드 고지 사람이 부는 피리》. **-pìper** *n.*
bah[bɑː] *int.* 《蔑》 바보같은!; 흥!
Ba·ha·mas[bəhɑ́ːməz] *n. pl.* 바하마《미국 플로리다 반도 동남쪽에 있는 독립국》.
·bail[1][beil] *n.* Ⓤ 보석; Ⓒ 보석금; 보석 보증인. ***accept*** 〔***allow,*** ***or admit to take***〕 ~ 보석을 허가하다. ***give leg*** ~ 탈주하다. ***go*** ~ ***for*** …의 보석 보증인이 되다, …을 보증하다. ***out on*** ~ 보석〔출옥〕 중. — *vt.* (보증인이 수감자를) 보석받게 하다(*out*); (화물을) 위탁하다. **∠·a·ble** *a.* 보석할 수 있는; 죄가 가벼운. **∠·ment** *n.* Ⓤ,Ⓒ 보석; 위탁. **∠·or** *n.* Ⓒ 위탁인.
bail[2] *n.* Ⓒ 〚크리켓〛 삼주문 위의 가로 나무.
bail[3] *vt., vi., n.* (뱃바닥에 괸 물을) 퍼내다(*out*); Ⓒ그 물을 퍼내는 기구; 《口》 낙하산으로 뛰어내리다(*out*).
bail[4] *n.* Ⓒ (냄비·주전자 따위의) 들손, 손잡이(arched handle).
bail·iff[béilif] *n.* Ⓒ sheriff 밑의 집행관; 법정내의 간수; (지주의) 집사(執事); 《英》 (시의) 집행관.
bairn[bɛərn] *n.* Ⓒ 《Sc.》 어린이.
:bait[beit] *n.* Ⓤ 미끼, 먹이; 유혹. — *vt.* 미끼를 달다; 유혹하다; 개를 추켜 (동물을) 지분거리다(cf. bear-baiting); 구박하다, 괴롭히다. — *vi.* 《古》 (동물이) 먹이를 먹다; 여행 중 (식사를 위해) 쉬다.
baize[beiz] *n.* Ⓤ 일종의 나사(羅紗)《책상보·커튼용》.
:bake[beik] *vt.* (빵을) 굽다, 구워 만들다; (벽돌을) 구워 굳히다. — *vi.* (빵이) 구워지다. — *n.* Ⓒ (한 번) 굽기; 《美》 회식《즉석에서 구워 내놓는》.
:bak·er[béikər] *n.* Ⓒ 빵집, 빵 굽는 사람, 빵 제조업자; 《美》 휴대용 빵 굽는 기구. *~·y *n.* Ⓒ 제빵소, 빵집.
báker's dózen 13개.
·bak·ing[béikiŋ] *n.* Ⓤ 빵굽기; Ⓒ 한 번 굽기. — *a., ad.* 《俗》 태워버릴 것 같은〔같아〕.
báking pòwder 베이킹 파우더.
báking sòda 탄산수소나트륨.
bal·a·lai·ka[bæ̀ləláikə] *n.* Ⓒ 발랄라이카《기타 비슷한 삼각형의 러시아 악기》.
:bal·ance[bǽləns] *n.* ① Ⓒ 저울, 천칭(天秤). ② Ⓤ 균형, 평형, 조화; 비교, 대조. ③ (B-) 〚天〛 천칭(天秤) 자리. ④ Ⓤ 〚商〛 수지; Ⓒ 차액, 잔액; 《美口》 나머지. ~ ***due*** (…에) 대출(*from*), (…으로부터의) 차입(*to*). ~ ***of international payments*** 국제 수지. ~ ***of power*** 세력 균형. ~ ***of trade*** 무역 수지. ***be*** 〔***hang, tremble***〕 ***in the*** ~ 미결(상태)이다; 위기에 처해 있다. ***on*** 〔***the***〕 ~ 차감하여, 결국. ***strike a*** ~ 수지를 결산하다. — *vt., vi.* (…의) 균형을 잡다; 저울로 달다; 대조하다; 차감하다; 결산하다; 망설이다, 주저하다(*between*). ~ ***oneself*** 몸의 균형을 잡다. **~d**[-t] *a.* 균형이 잡힌(~*d diet* 완전 영양식).
bál·anc·er *n.* Ⓒ 다는 사람; 청산인; 평형기; 곡예사.
bálance shèet 〚商〛 대차대조표.
:bal·co·ny[bǽlkəni] *n.* Ⓒ 발코니; (이층의) 노대(露臺); (극장의) 이층 특별석(gallery).
:bald[bɔːld] *a.* 벗어진, 털 없는, 대머리의; 노출된(bare); 있는 그대로의(plain); (문체가) 단조로운. **∠·ing** *a.* (약간) 벗어진. **∠·ly** *ad.* 노골적으로. **∠·ness** *n.*
báld éagle 흰머리독수리《미국의 국장(國章)》.
bal·der·dash [bɔ́ːldərdæ̀ʃ] *n.* Ⓤ 헛소리.
·bale[1][beil] *n., vt.* Ⓒ (상품을 꾸린) 짐짝, 가마니, 섬; 포장하다.
bale[2] *n.* Ⓤ 《詩·古》 재앙, 악(惡), 해; 슬픔; 고통. **∠·ful** *a.* 해로운.
bale[3] *v., n.* = BAIL[3].
·balk, baulk[bɔːk] *n.* Ⓒ 장애, 방해; 《廢》 실책; 〚野〛 보크; 〚建〛 (귀를 둥글린) 각재(角材), 들보감. — *vt.* 방해하다; 좌절시키다(*in*), 실망시키다(*in*); (기회를) 놓치다. — *vi.* (말이 뒷걸음질 쳐) 급히 멈추다

B

B

(jib); 진퇴양난이 되다.

†**ball**[1][bɔːl] *n.* Ⓒ 공, 구(球); Ⓤ 구기, 야구; Ⓒ 〖野〗 볼(cf. strike); 탄알, 포탄; 둥근 것《눈알 따위》; (고기·과자 등의) 덩어리; 천체, 지구. *~ and chain* 《美》 쇳덩이가 달린 차꼬《죄수의 족쇄》. *catch* 〔*take*〕 *the ~ before the bound* 선수를 쓰다. *have the ~ at one's feet* 〔*before one*〕 성공할 기회를 눈앞에 두다. *keep the ~ rolling,* or *keep up the ~* (좌석이 심심해지지 않도록) 이야기를 계속하다. *play ~* 경기를 시작하다; 행동을 개시하다; 《美》 협력하다(*with*). *take up the ~* …의 이야기를 받아서 계속하다. — *vt., vi.* 공(모양)으로 만들다〔되다〕.

:**ball**[2] *n.* Ⓒ (공식의) 대무도회.

˙**bal·lad**[bǽləd] *n.* Ⓒ 민요; 전설 가요, 발라드.

˙**bal·last**[bǽləst] *n.* Ⓤ 밸러스트, 바닥짐; (기구의) 모래 주머니; 자갈, 쇄석; (마음의) 안정, 침착성(을 주는 것). *in ~* (배가) 바닥짐만으로, 실은 짐 없이. — *vt.* 바닥짐을 싣다; (철도·도로에) 자갈을 깔다; 안정시키다. **~·ing** *n.* Ⓤ 바닥짐 재료; 자갈.

báll béaring 〖機〗 볼베어링.

báll bòy 공 줍는 소년.

báll còck 부구(浮球) 콕《물탱크 등의 유출조절》.

bal·le·ri·na[bæ̀lərí:nə] *n.* (*pl.* *~s, -ne* [-ni]) (It.) Ⓒ 발레리나《여자 발레 무용가》.

˙**bal·let**[bǽlei, bæléi] *n.* Ⓤ 발레, 발레단〔음악〕.

bal·lís·tic míssile[bəlístik-] 탄도 병기, 탄도탄.

bal·lis·tics[bəlístiks] *n.* Ⓤ 〖軍〗 탄도학.

:**bal·loon**[bəlú:n] *n., vi.* Ⓒ 기구, 풍선(처럼 부풀다); 기구(를 타고 올라가다). **~·er, ~·ist** *n.*

˙**bal·lot**[bǽlət] *n.* Ⓒ 투표 용지, 투표용의 작은 공; Ⓤ (무기명) 투표; Ⓒ 투표 총수; Ⓤ 제비, 추첨; 투표권; Ⓒ 입후보자 명단. — *vi.* (무기명) 투표하다(*for, against*); 추첨으로 결정하다(*~ for a place* 추첨으로 장소를 정하다). **~·age**[-ɑ̀:ʒ, ∸–⊿] *n.* Ⓤ 결선 투표.

bállot bòx 투표함.

bállot pàper 투표 용지.

báll pàrk 《美》 야구장.

báll-point (**pén**) *n.* Ⓒ 볼펜.

báll·ròom *n.* Ⓒ 무도장.

bal·ly·hoo[bǽlihù:] *n.* Ⓤ 《美》 (요란스러운) 대선전; 야단법석(uproar); 떠벌려 퍼뜨림. — [⊿–∸, ∸–⊿] *vt., vi.* 대선전하다.

˙**balm**[bɑ:m] *n.* ① Ⓤ,Ⓒ 향유; 방향수지; 방향. ② Ⓤ,Ⓒ 진통제; 위안물. ③ Ⓒ 〖植〗 멜리사, 서양 박하. *~ of Gilead* [gíliæd] 감람과의 상록수; (그 나무에서 채취되는) 향유.

˙**balm·y**[1][bɑ́:mi] *a.* 향기로운; 진통의(soothing), 기분 좋은, 상쾌한(refreshing). **bálm·i·ly** *ad.*

balm·y[2] *a.* 《俗》 바보 같은; 머리가 돈.

bal·sa[bɔ́:lsə, bɑ́:l-] *n.* ① Ⓒ 발사《열대 아메리카산의 상록교목》; Ⓤ 발사재(材)《가볍고 강함》. ② Ⓒ 그 뗏목(raft).

bal·sam[bɔ́:lsəm] *n.* ① Ⓤ 발삼, 방향 수지. ② Ⓒ 진통제; 봉선화.

bal·us·ter[bǽləstər] *n.* Ⓒ 난간 동자《난간의 작은 기둥》.

bal·us·trade[bǽləstrèid, ∸–⊿] *n.* Ⓒ 난간. **-trad·ed**[-id] *a.* 난간이 달린.

:**bam·boo**[bæmbú:] *n.* Ⓒ 대, 대나무; Ⓤ 죽재. — *a.* 대나무로 만든; 대나무의.

bam·boo·zle[bæmbú:zəl] *vt., vi.* 《口》 속이다; 어리둥절하게 만들다, 당황하게 하다. **~·ment** *n.*

˙**ban**[bæn] *vt.* (*-nn-*) 금지하다(forbid); 〖宗〗 파문하다. — *n.* Ⓒ 금지(령); 파문; 〖史〗 소집령. *lift* 〔*remove*〕 *a ~* 해금(解禁)하다. *nuclear test ~* (*treaty*) 핵실험 금지(조약). *place* 〔*put*〕 *under a ~* 금지하다.

ba·nal[bənǽl, bənɑ́:l] *a.* 평범한(commonplace). **~·ly** *ad.* **~·i·ty**[bənǽləti] *n.*

:**ba·nan·a**[bənǽnə] *n.* Ⓒ 바나나《열매·나무》.

banána repùblic 《蔑》 바나나 공화국《국가 경제를 바나나 수출·외자

(外資)에 의존하는 중남미의 소국》.

ba·nan·as[bənǽnəz] *a.* 《美俗》 미친, 흥분한, 몰두한. ― *int.* 쓸데없는 소리!

:**band**[bænd] *n.* Ⓒ ① 끈, 밴드, 띠; 테. ② 일대(一隊), 집단, 군(群). ③ 악대, 악단(*a jazz* ~). ④ 〖라디오〗 밴드, 주파수대(帶); 〖컴〗 자기(磁氣) 드럼의 채널. ***beat the*** ~ 뛰어나다. ― *vi., vt.* 단결하다〔시키다〕(*together*).

:**band·age**[bǽndidʒ] *n., vt.* Ⓒ 붕대(를 감다); 안대(眼帶); 포대(布帶), 띠.

Bánd-Àid *n.* ① Ⓤ,Ⓒ 〖商標〗 반창고의 일종. ② Ⓒ (b- a-) (문제·사건 등의) 임시 방편, 미봉책; 《형용사적》 임시 방편의.

ban·dan·(n)a[bændǽnə] *n.* Ⓒ 무늬 있는 큰 비단 손수건.

b. & b. bed and breakfast 《英》 아침밥이 딸린 일박.

·**ban·dit**[bǽndit] *n.* (*pl.* ~***s,*** ~***ti*** [bændíti]) Ⓒ 산적, 노상 강도; 도둑, 악당. ~·**ry** *n.* Ⓤ 산적 행위; 《집합적》 산적단.

bánd·màster *n.* Ⓒ 악장(樂長).

ban·do·leer, -lier[bæ̀ndəlíər] *n.* Ⓒ 〖軍〗 (어깨에 걸쳐 띠는) 탄띠.

bands·man[bǽndzmən] *n.* Ⓒ 악사, 악단 대원, 밴드맨.

bánd·stànd *n.* Ⓒ (야외) 연주대.

bánd·wàgon *n.* Ⓒ 《美》 (행렬 선두의) 악대차; 《口》 (선거·경기 따위에서) 우세한 쪽; 사람의 눈을 끄는 것; 유행.

ban·dy[bǽndi] *vt.* ① 서로 (공 따위를) 던지고 받고 하다, 주고 받다. ② (소문을) 퍼뜨리다(*about*). ~ ***compliments with*** …와 인사를 나누다. ~ ***words*** 〔***blows***〕 ***with*** …와 언쟁〔주먹질〕하다. ― *a.* 안짱다리의.

bándy-lègged *a.* 안짱다리의(bow-legged).

bane[bein] *n.* Ⓤ 독; 해; 파멸. ~·**ful** [béinfəl] *a.* 해로운, 유독한. ∠·**ful·ly** *ad.* ∠·**ful·ness** *n.*

:**bang**[bæŋ] *n.* Ⓒ 강타하는 소리《탕, 쾅, 탁》; 돌연한 음향; 강타; 원기(vigor); 《美俗》 스릴, 흥분. ***in a*** ~ 급하게. ― *vt., vi.* 쿵쿵〔탁〕 치다, 쾅 닫다〔닫히다〕, 탕 발사하다〔울리다〕; 《俗》 (머리에) 주입시키다; 《美俗》 (여자와) 성교하다. ― *ad.* 쾅하고, 탁하고, 갑자기; 모두; 꼭. ***go*** ~ 뻥〔탕〕 울리다; 쾅 닫히다.

:**ban·ish**[bǽniʃ] *vt.* 추방하다(exile); (근심 따위를) 떨어 버리다. ~·**ment** *n.* Ⓤ 추방.

ban·is·ter[bǽnəstər] *n.* =BALUSTER; Ⓒ (때로 *pl.*) 난간.

ban·jo [bǽndʒou] *n.* (*pl.* ~(***e***)***s***) Ⓒ 밴조《손가락 또는 깍지로 타는 현악기》. ~·**ist** *n.*

:**bank**[1][bæŋk] *n.* Ⓒ 둑, 제방; 퇴적, 쌓여 오른 것(*a* ~ *of cloud* 층운); 강변; 모래톱, 얕은 여울; 언덕; 〖空〗 '뱅크' 가로 경사. ― *vi.* 둑이 되다; 〖空〗 '뱅크' 하다. ∠·**ing** *n.* Ⓤ 둑 쌓기.

†**bank**[2] *n.* Ⓒ 은행; 저장소; (the ~) (노름의) 판돈; 노름의 물주. ― *vt.* 은행에 맡기다. ― *vi.* 은행을 경영하다; 은행과 거래하다. ~ ***on*** 〔***upon***〕 《口》 (…을) 믿다〔의지하다〕. ***break the*** ~ (도박에서) 물주를 파산시키다; (…을) 무일푼으로 하다. :∠·**er** *n.* ⇨BANKER[1]. ·∠·**ing** *n.* Ⓤ 은행업.

bank[3] *n.* Ⓒ (갤리선의) 노 젓는 자리; 한줄로 늘어선 노; (건반의) 한 줄; (신문의) 부제목.

bánk accòunt 은행 계정; 당좌 예금.

bánk·bòok *n.* Ⓒ 예금 통장.

:**bank·er**[1][∠ər] *n.* Ⓒ 은행가〔업자〕; (도박의) 물주; Ⓤ 카드놀이의 일종.

bank·er[2] *n.* Ⓒ 대구잡이 배; 〖獵〗 둑을 뛰어 넘을 수 있는 말.

·**bánk hòliday** 《美》 (일요일 이외의) 은행 공휴일; 《英》 일반 공휴일.

·**bánk nòte** 은행권, 지폐.

bánk ràte 어음 할인율; 은행 일변(日邊).

bánk·ròll *n.* Ⓒ 《美》 자금(원(源)), 자본. ― *vt.* 《美》 경제적으로 지지〔지원〕하다.

·**bank·rupt**[bǽŋkrʌpt, -rəpt] *n.* Ⓒ 파산자. ― *a.* 파산한, 지불 능력이 없는; (신용·명예 등을) 잃은. ***go*** ~ 파산하다. ― *vt.* 파산시키다.

·bank·rupt·cy[bǽŋkrʌptsi, -rəpt-] *n.* U,C 파산, 파탄.

:ban·ner[bǽnər] *n.* C 기, 군기; 기치; 주장; 전단 표제. ***carry the ~*** 선두에 서다, 앞장서다. ***unfurl one's ~*** 주장을 밝히다. —— *a.* 《美》 일류의, 제1위의; 주요한.

banns[bænz] *n. pl.* (교회에서 연속 3회 행하는) 결혼 거행의 예고. ***ask* 〔*call, publish*〕 *the ~*** 결혼을 예고하다. ***forbid the ~*** 결혼에 이의를 제기하다.

:ban·quet[bǽŋkwit] *n.* C 연회, 향연. —— *vt., vi.* 향응하다, 향응을 받다. **~·er** *n.*

ban·shee, -shie[bǽnʃi:, ⌐⌐] *n.* C 《Sc., Ir.》 가족의 죽음을 예고한다는 요정(妖精).

ban·tam[bǽntəm] *n.* C 밴텀닭, 당(唐)닭; 암팡지고 싸움 좋아하는 사람; 《美》 =JEEP. —— *a.* 몸집이 작은; 가벼운; 공격적인; 〖拳〗 밴텀급의.

bántam·wèight *n.* C 밴텀급 선수《권투·레슬링 따위》.

ban·ter[bǽntər] *n., vt., vi.* U 놀림, 놀리다(joke), 조롱(하다)(chaff).

ban·yan[bǽnjən] *n.* C (인도산의) 벵골 보리수(~ tree).

·bap·tism[bǽptizəm] *n.* U,C 세례, 침례; 명명(식). ***~ of blood*** 피의 세례, 순교. ***~ of fire*** 포화의 세례, 첫 출전〔시련〕.

bap·tis·mal[bæptízməl] *a.* 세례의.

·Bap·tist[bǽptist] *n.* C 침례교도; 세례자《요한》.

·bap·tize[bæptáiz, ⌐⌐] *vt., vi.* (…에게) 세례를 베풀다, 침례를 행하다, 명명하다(christen).

:bar[1][bɑ:r] *n.* C ① 막대기; 막대 모양의 것(*a ~ of soap* 비누 한 개, 막대 비누/*a chocolate ~* 판(板)초콜렛); 쇠지레(crowbar); 가로장, (문)빗장, 동살, 칸막이의 가로 나무. ② 줄(무늬), (빛깔의) 띠; 〖紋〗 가로줄. ③ 술집, 카운터, 술청, 목로, 바. ④ 〖樂〗 소절, 종선(縱線). ⑤ (강어귀의) 모래톱. ⑥ 장애, 장벽, 관문, (통행 금지의) 차단봉; (난간의) 돌난대. ⑦ (법정안의) 난간; (the ~) 법정; 피고석. ⑧ (the ~) 《집합적》 변호사들, 법조계. ***~ association*** 변호사 협회, 법조 협회. ***~ gold*** 막대 금, 금덩어리. ***be admitted* 〔《英》 *called*〕 *to the ~*** 변호사 자격을 얻다. ***behind ~s*** 옥에 갇혀. ***in ~ of*** 〖法〗 …을 방지하기 위하여. ***let down the ~s*** 장애를 제거하다. ***the ~ of public opinion*** 여론의 제재. ***trial at ~*** 전(全)판사 참석 심리. —— *vt.* (***-rr-***) (…에) 빗장을 지르다, (가로대로) 잠그다; (길을) 막다; 금하다, 방해하다, 제외하다; 줄을 치다, 줄무늬를 넣다. ***~ in*** 가두다. ***~ out*** 내쫓다. —— *prep.* …을 제하고. ***~ none*** 예외 없이(cf. barring).

bar[2] *n.* C 〖理〗 바《압력의 단위》.

bar[3] *n.* C 《美》 모기장.

barb[1][bɑ:rb] *n.* C (낚시 끝의) 미늘; (철조망의) 가시; (물고기의) 수염. —— *vt.* (…에) 가시를 달다. **~ed** [-d] *a.* 미늘이〔가시가〕 있는. ***~ed wire*** 가시 철사, 철조망.

barb[2] *n.* C 바르바리 말《Barbary산의 좋은 말》.

·bar·bar·i·an[bɑ:rbέəriən] *n.* C 야만인; (말이 통하지 않는) 외국인; 교양 없는 사람. —— *a.* 야만적인, 미개한.

bar·bar·ic[bɑ:rbǽrik] *a.* 야만적인, 조야(粗野)한.

·bar·ba·rism[bɑ́:rbərìzəm] *n.* ① U 야만, 미개(상태); 조야. ② C 거친 행동〔말투〕.

bar·bar·i·ty[bɑ:rbǽrəti] *n.* U,C 만행; 잔인(한 행위); 조야.

·bar·ba·rous[bɑ́:rbərəs] *a.* ① 야만〔미개〕의; 잔인한, 조야한; 무식한. ② 이국어(語)의; 이국의; 파격적인. **~·ly** *ad.*

·bar·be·cue[bɑ́:rbikjù:] *n.* U,C 〖料理〗 바비큐; C (돼지 등의) 통구이; C 고기 굽는 틀; 통돼지 구이가 나오는 연회. —— *vt.* 통째로 굽다; 직접 불에 굽다; (고기를) 바비큐 소스로 간하다.

:bar·ber[bɑ́:rbər] *n., vt.* C 이발사; 이발하다; (…의) 수염을 깎다. ***~'s itch* 〔*rash*〕** 〖醫〗 모창(毛瘡), 이발소 습진.

bárber·shòp *n.* C 이발소.

bar·bi·tu·rate[bɑ:rbítʃurit/-tju-]

n. Ⓤ 〖化〗 바르비투르산염(酸鹽)《수면제》.

bár còde 바코드.

·**bard**[bɑːrd] *n.* Ⓒ (고대 Celt족의) 음유(吟遊) 시인; 시인(*the B- of Avon* = SHAKESPEARE).

:**bare**[bɛər] *a.* ① 벌거벗은, 알몸의, 노출된, 드러낸; 노골적인. ② 장식〔가구〕 없는; …이 없는(*of*). ③ 닳아빠진(cf. threadbare), 써서 낡은. ④ 부족한, 결핍된. ⑤ 가까스로의, 간신히 …한(*a ~ majority* 간신히 이뤄진 과반수); 다만 그것뿐인(mere). ***at the ~ thought (of...)*** (…을) 생각만 해도. ***~ livelihood*** 겨우 먹고사는 생활. ***~ of*** …이 없는. ***lay ~*** 털어놓다, 폭로하다. ***under ~ poles*** 돛을 올리지 않고; 벌거숭이로. ***with ~ feet*** 맨발로. ***with ~ life*** 겨우 목숨만 건지고. — *vt.* 발가벗기다, 벗기다(strip)(*of*); 들춰내다, 폭로하다. **∠·ness** *n.*

báre·bàck(ed) *a., ad.* 안장 없는 말의; 안장 없이; 맨발에. ***ride ~*** 안장 없는 말에 타다.

báre·fàced *a.* 맨얼굴의; 후안(무치)의. **-fàcedly** *ad.* 뻔뻔스럽게.

·**báre·fòot** *a., ad.* 맨발의〔로〕.

báre·hèad, báre·héaded *a., ad.* 맨머리 바람의〔으로〕.

:**bare·ly**[∠li] *ad.* 간신히, 겨우; 거의 …않고; 드러내놓고, 꾸밈없이.

·**bar·gain**[bɑ́ːrgən] *n.* Ⓒ 매매, 거래; (매매) 계약; 매득(買得)(부사적으로 써서: *I got this a ~.* 싸게 샀다). ***bad*** 〔***good***〕 ***~*** 비싸게〔싸게〕 산 물건. ***~ counter*** 특매장. ***~ day*** 염가 판매일. ***~ sale*** 대염가 판매. ***buy at a*** (***good***) ***~*** 싸게 사다. ***drive a hard ~*** 심하게 값을 깎다(*with*). ***Dutch*** 〔***wet***〕 ***~*** 술자리에서의 계약. ***into the ~*** 그 위에, 게다가. ***make*** 〔***strike***〕 ***a ~*** 매매 계약을 맺다. ***make the best of a bad ~*** 역경에 견디다. — *vi., vt.* (매매의) 약속을 하다, 흥정하다, 교섭하다(*with, that*). ***~ away*** 헐값으로 팔아버리다. ***~ for*** …을 기대하다, …을 믿다(expect). **~·ing** *n.* Ⓤ 거래, 계약; 교섭.

·**barge**[bɑːrdʒ] *n.* Ⓒ ① 거룻배, 바지《바닥이 편편한 화물선》. ② (의식용의) 유람선; 집배(houseboat). — *vt., vi.* 거룻배로 나르다; 거칠게 내닫다; 《口》 주제넘게 나서다. ***~ into*** 〔***against***〕 …에 난폭하게 부딪치다. **∠·man, bar·gee**[bɑːrdʒíː] *n.* Ⓒ barge의 사공.

bar·i·tone, 《英》 **bar·y-**[bǽrətòun] *n.* Ⓤ 바리톤; Ⓒ 바리톤 (가수). — *a.* 바리톤의.

bar·i·um[bɛ́əriəm] *n.* Ⓤ 〖化〗 바륨《금속 원소》. ***~ meal*** 바륨액《소화관 X선 촬영용 조영제(造影劑)》.

:**bark**[1][bɑːrk] *vi.* ① 짖다; 소리지르다(*at*). ② (총성이) 울리다. ③ 《美俗》 소리치며 손님을 끌다. — *vt.* 소리지르며 말하다. ***~ at the moon*** 쓸데없이 떠들어대다. ***~ up the wrong tree*** 《美》 헛물켜다, 헛다리 짚다. — *n.* Ⓒ 짖는 소리; 기침 소리; 포성, 총성. ***His ~ is worse than his bite.*** 입은 거칠지만 나쁜 사람이 아니다.

·**bark**[2] *n.* Ⓤ 나무껍질, 기나피(quinine); 《俗》 피부. ***man with the ~ on*** 《美口》 우락부락한 사나이. — *vt.* (나무에서) 껍질을 벗기다; 나무껍질로 덮다; 《俗》 (…의 피부를) 까다; (가죽을) 무두질하다.

bark[3]**, barque**[bɑːrk] *n.* Ⓒ 바크배《세대박이》; 《詩》 (돛)배.

bark·er[1][bɑ́ːrkər] *n.* Ⓒ 짖는 동물; 소리 지르는 사람; (가게·구경거리 등의) 여리꾼.

bark·er[2] *n.* Ⓒ (나무)껍질 벗기는 사람〔기구〕. **~·y** *n.* Ⓒ 무두질 공장, 가죽 다루는 곳(tanyard).

:**bar·ley**[bɑ́ːrli] *n.* Ⓤ 보리.

bár·màid *n.* Ⓒ 술집의 여급.

bar·man[∠mən] *n.* Ⓒ 술집 주인; 바텐더.

bar mítz·vah[-mítsvə] (종종 B-M-) 13세에 행하는 유대교의 남자 성년식.

barm·y [bɑ́ːrmi] *a.* 발효하는; 《英俗》 머리가 돈, 어리석은. ***go ~*** 머리가 돌다, 멍청해지다.

:**barn**[bɑːrn] *n.* Ⓒ ① (농가의) 헛간, 광; 《美》 가축 우리 겸용 헛간. ② 전차〔버스〕 차고. ③ 텅빈 건물.

B

B

bar·na·cle[bɑ́:rnəkəl] *n.* Ⓒ ① 조개삿갓, 따개비. ② (지위에) 붙들고 늘어지는 사람, 무능한 관리.
bárn dànce ⦅美⦆ 농가의 댄스 파티.
bárn·stòrm *vi.* ⦅美口⦆ 지방 순회 공연하다; 지방 유세하다.
***bárn·yàrd** *n.* Ⓒ ⦅美⦆ 헛간의 앞마당; 농가의 안뜰.
:**ba·rom·e·ter**[bərɑ́mətər/-rɔ́mi-] *n.* Ⓒ ① 기압계, 청우계. ② (여론 등의) 표준, 지표. **bar·o·met·ric** [bæ̀rəmétrik], **-ri·cal**[-əl] *a.*
***bar·on**[bǽrən] *n.* Ⓒ ① 남작. ② ⦅美⦆ 산업[금융]계의 거물(an oil ~ 석유왕). ③ ⦅英⦆ (영지를 받은) 귀족. **~·age**[-idʒ] *n.* Ⓤ ① 남작의 지위. ② ⦅집합적⦆ 남작들; 귀족. **~·ess** *n.* Ⓒ 남작 부인; 여남작. **~·et**[bǽrənit, -èt] *n.* Ⓒ 준남작⦅baron의 아래, knight의 위⦆. **~·et·cy** *n.* Ⓒ 준남작의 작위.
ba·ro·ni·al[bəróuniəl] *a.* 남작의, 남작다운; (건물 등이) 당당한.
bar·o·ny[bǽrəni] *n.* Ⓒ 남작의 작위; 남작령(領).
***ba·roque**[bəróuk] *n., a.* Ⓒ 【建】 (16-18세기의) 바로크식(의); 기괴[기이]한(양식·작품)(cf. rococo).
barque ⇨BARK[3].
***bar·rack**[1][bǽrək] *n., vt.* Ⓒ (보통 *pl.*) 병사(兵舍); 병영(에 수용하다); 가(假) 막사, 바라크(식 건물).
bar·rack[2] *vi., vt.* ⦅英·濠⦆ (상대편 경기자를) 야유하다.
bar·ra·cu·da[bæ̀rəkú:də] *n.* Ⓒ 【魚】 (서인도산의) 창꼬치의 무리.
bar·rage[bərɑ́:dʒ/bǽrɑ:ʒ] *n.* Ⓒ ① 【軍】 탄막. ② (질문 등의) 연속. ③ [bɑ́:ridʒ] 댐[제방] 공사.
:**bar·rel**[bǽrəl] *n.* Ⓒ ① 통; 한 통의 분량, 1배럴⦅미국에서는 31.5갤런, 영국에서는 36.18 또는 9갤런⦆. ② 통 모양의 것⦅북통 따위⦆. ③ (소·말의) 몸통(trunk). ④ 총신(銃身). ***a ~ of*** ⦅美口⦆ 하나 가득의, 많은. ― *vt.* (⦅英⦆ **-ll-**)(…을) 통에 담다.
bárrel òrgan 손으로 돌려 연주하는 풍금(hand ~).
:**bar·ren**[bǽrən] *a.* ① (땅이) 불모의, 메마른; (식물이) 열매를 맺지 않는. ② 임신 못 하는. ③ 빈약한(meager), 신통찮은(dull); 무능한. ④ …을 결한, …이 없는(*of*). ― *n.* (보통 *pl.*) 메마른 땅, 불모 지대. **~·ly** *ad.* **~·ness** *n.*
***bar·ri·cade** [bǽrəkèid, ⌐–⌐], **-cádo**[⌐–kéidou] *n.* (*pl.* **-does**) Ⓤ,Ⓒ 방책, 바리케이드; 통행 차단물, 장애물. ― *vt.* 방책을 만들다, 막다, 방해하다.
:**bar·ri·er**[bǽriər] *n.* Ⓒ ① 울타리; 방벽; 관문; (국경의) 성채. ② 장벽, 장애(물), 방해(*to*)(*language* ~ 언어 장벽/*trade* (*tariff*) ~ 무역(관세) 장벽).
bar·ring[bɑ́:riŋ] *prep.* = EXCEPT.
bar·ris·ter[bǽrəstər] (<bar) *n.* Ⓒ ⦅英⦆ 법정(法廷) 변호사; ⦅美口⦆ 변호사, 법률가.
bar·row[1][bǽrou] *n.* Ⓒ (2륜) 손수레; (1륜) 손수레(wheelbarrow); 들것식의 하물 운반대.
bar·row[2] *n.* Ⓒ 무덤⦅봉분, 또는 석총(石塚)⦆.
bárrow bòy ⦅英⦆ 손수레 행상인.
Bart. Baronet.
bár·tènder *n.* Ⓒ ⦅美⦆ 바텐더(⦅英⦆ barman).
***bar·ter**[bɑ́:rtər] *vi.* 물물교환하다(*for*); 교역하다. ― *vt.* (이익에 현혹되어 영예·지위 따위를) 팔다(*away*). ― *n.* Ⓤ 물물 교환(품).
ba·salt[bəsɔ́:lt, bǽsɔ:lt] *n.* Ⓤ 현무암(玄武岩).
†**base**[1][beis] *n.* Ⓒ 기초, 기부(基部), 기저(基底); 밑변; 토대(foundation); 기슭(foot); 기지; 【競】 출발점; 【野】 누(壘); 【化】 염기; 【數】 기수(基數); 색이 날지 않게 하는 약; 어간(stem); 【植·動】 기각(基脚), 기부; 【測】 기선; (복합물 중의) 주요소; 【컴】 기준. ― *vt.* (…에) 기초를 두다(*on*).
:**base**[2] *a.* ① 천한, 비열한(mean[2]); 비속한(~ *Latin* 통속 라틴어). ② (금속이) 열등한; (주화가) 조악한. ③ 【樂】 저음의. ④ ⦅古⦆ (태생이) 천한, 사생아의(bastard). **~ *coin*** 악화(惡貨)(debased coin), 위조 화폐(counterfeit coin). ― *n.* Ⓤ 【樂】 저음(bass). **∠·ly** *ad.* **∠·ness** *n.*

†**base·ball**[béisbɔ̀:l] *n.* Ⓤ 야구; Ⓒ 야구공.
báse·less *a.* 기초〔근거〕 없는. **~·ly** *ad.*
báse líne 기(준)선. 〚野〛 누선(壘線); 〚컴〛 기준선.
:**báse·ment** *n.* Ⓒ 지하실, 지계(地階).
báse métal 비(卑)금속.
ba·ses[1][béisi:z] *n.* basis의 복수.
bas·es[2][béisiz] *n.* base[1]의 복수.
bash[bæʃ] *vt., n.* 《口》 후려갈기다. Ⓒ 후려갈김; 일격(을 가하다).
*****bash·ful**[bǽʃfəl] *a.* 수줍어하는, 수줍은(shy) 부끄러워 하는, 숫기 없는. **~·ly** *ad.* **~·ness** *n.*
:**ba·sic**[béisik] *a.* 기초의, 근본의; 〚化〛 염기성의. ── *n.* (보통 *pl.*) 기본, 기초, 근본 원리; 기본적인 것. *****-si·cal·ly**[-əli] *ad.* 기본〔근본〕적으로, 원래.
BASIC, Ba·sic[béisik] *n.* Ⓒ 베이식 《대화형의 프로그램 언어》 (< *B*eginner's *A*ll-purpose *S*ymbolic *I*nstruction *C*ode).
bas·il[bǽzəl] *n.* Ⓤ 〚植〛 박하 비슷한 향기 높은 식물《향미료》.
ba·sil·i·ca[bəsílikə, -zíl-] *n.* Ⓒ 〚古로〛 (장방형의) 공회당; (초기) 그리스도 교회당.
bas·i·lisk[bǽsəlìsk, -z-] *n.* Ⓒ 〚그·로神〛 괴사(怪蛇)《그 눈빛·독기는 사람을 죽임》; (열대 아메리카산의) 등지느러미 도마뱀; 《古》 뱀무늬가 있는 옛날 대포.
:**ba·sin**[béisən] *n.* Ⓒ 대야; 세면기; 한 대야 가득한 분량; 웅덩이(pool), 못; 분지; 유역; 내만(內灣); 〚船〛 독.
:**ba·sis**[béisis] *n.* (*pl.* **-ses**) Ⓒ 기초, 근거(지); 근본 원리; 주성분. ***on a first-come first-served ~*** 선착순으로. ***on the war ~*** 전시 체제로.
*****bask**[bæsk, -ɑ:-] *vi.* (햇볕·불을) 쬐다, 몸을 녹이다; (은혜 따위를) 입다, 행복한 처지에 있다(*in*).
†**bas·ket**[bǽskit, -ɑ́:-] *n.* Ⓒ 바구니, 광주리; 한 바구니(의 분량) (*a ~ of apples*); 바구니 모양의 것; (농구의) 네트. *****~·ful**[-fùl] *n.* Ⓒ 한 바구니 가득(한 분량).
:**básket·bàll** *n.* Ⓤ 농구; Ⓒ 농구공.
bas-re·lief[bɑ̀:rilí:f, bǽs-] *n.* (*pl.* **~s**) Ⓤ,Ⓒ 얕은 돋을새김.
*****bass**[beis] *n.* Ⓤ 〚樂〛 저음(부); Ⓒ 베이스 (가수); Ⓒ 저음 악기. ── *a.* 저음의.
bas·set[bǽsit] *n.* Ⓒ 바셋《다리가 짧은 사냥개》.
bas·soon[bəsú:n] *n.* Ⓒ 바순《저음 목관 악기》. **~·ist** *n.*
*****bas·tard**[bǽstərd] *n.* Ⓒ 서자, 사생아; 가짜. ── *a.* 서출의; 가짜의(sham); 열등한; 모양이 이상한, 비정상인. **~·ize**[-àiz] *vt., vi.* 서자로 인정하다; 조악하게 하다, 나빠지다. **~·ly** *a.* 서출의, 사생의; 가짜의. **-tar·dy** *n.*
baste[1][beist] *vt.* 시침질하다. **bást·ing** *n.* Ⓤ 가봉, 시침질; Ⓒ (보통 *pl.*) 시침질한 바늘 땀.
baste[2] *vt.* (고기를 구울 때) 기름을 치다, 버터를 바르다.
baste[3] *vt.* 치다, 때리다(thrash).
bas·tion[bǽstʃən, -tiən] *n.* Ⓒ (성의) 능보(稜堡); 요새(要塞).
†**bat**[1][bæt] *n.* Ⓒ (구기의) 배트; 타봉, (크리켓의) 타자; 《口》 일격(blow); 덩어리, (벽돌·진흙 따위의) 조각; 《美俗》 야단 법석(spree). ***cross ~s with*** 《俗》 (…와) 시합하다. ***go on a ~*** 《美俗》 법석을 떨다. ***go to ~ for*** 《美口》 (…을) 위하여 지지〔변호〕하다; 〚野〛 …의 대타를 하다. ***off one's own ~*** 자력으로; 혼자 힘으로. (***right***) ***off the ~*** 《美口》 즉시. ***times at ~*** 〚野〛 타수(打數). ── *vi., vt.* (**-tt-**) 배트로 치다; …의 타율을 얻다. ***~ around*** 〔***back and forth***〕 상세히 논의〔검토〕하다.
:**bat**[2] *n.* Ⓒ 박쥐. (***as***) ***blind as a ~*** 장님이나 다름없는. ***have ~s in the belfry*** 머리가 돌다.
bat[3] *vt.* (**-tt-**) 《口》 (눈을) 깜박이다(wink). ***never ~ an eyelid*** 한숨도 자지 않다. ***not ~ an eye*** 꿈쩍도 안 하다, 놀라지 않다.
batch[bætʃ] *n.* Ⓒ (빵·도기 따위의) 한 번 굽기; 한 번 구운 분량; 한 떼(의 손님), 한 묶음(의 편지) (따위); 〚컴〛 묶음, 배치.

B

bátch pròcessing 〖컴〗 자료의 일괄 처리.
bate[1] [beit] *vt.* 덜다, 줄이다(lessen); 약하게 하다(weaken). — *vi.* 줄다; 약해지다. ***with ~d breath*** 숨을 죽이고.
bate[2] *n.* Ⓤ 《英俗》 분개, 노여움.
bate[3] *n., vt.* Ⓤ (무두질용의) 알칼리액(에 담그다).
†**bath** *n.* (*pl.* **~s**[bæðz, bɑ:ðz]) Ⓒ 목욕; 목욕통(bathtub); 목욕실; (때로 *pl.*) 목욕탕; 탕치장(湯治場), 온천장; Ⓤ,Ⓒ 침액(浸液), 용액(의 그릇). — *vi., vt.* 《英》 목욕하다[시키다].
báth chàir (환자 외출용의) 바퀴 달린 의자.
:**bathe** [beið] *vt., vi.* 잠그다, 적시다, 끼얹다, 씻다; (빛·열 따위가) …을 덮다; 목욕하다; 헤엄치다. ***~ oneself in the sun*** 일광욕하다. — *n.* Ⓤ 《英》 해수욕, 미역(*take* 〔*have*〕 *a* ~). **báth·er** *n.* Ⓒ 해수욕자, 미역감는 사람; 온천 요양객. **:báth·ing** *n.* Ⓤ 목욕, 수영, 멱감기(*a bathing beauty* (미인 대회에 나오는) 수영복 차림의 미인).
báthing càp 수영모.
báthing sùit (여성) 수영복.
ba·thos [béiθɑs/-θɔs] *n.* = ANTICLIMAX.
báth·ròbe *n.* Ⓒ 화장복《욕실용》.
:**bath·room** [∠rù(:)m] *n.* Ⓒ 욕실; 《婉曲》 변소.
báth·tùb *n.* Ⓒ 욕조.
ba·tik [bətí:k, bǽtik] *n., a.* Ⓤ 납결(臘)염색(법), 납결 염색한(천).
bat·man [bǽtmən] *n.* Ⓒ 《英》 장교의 당번병.
·**ba·ton** [bətɑ́n, bæ-, bǽtən] *n.* Ⓒ (관직을 상징하는) 지팡이; 지휘봉; 경찰봉; (릴레이의) 배턴.
·**báts·man** [bǽtsmən] *n.* = BATTER[1]; 착함(着艦)유도선.
·**bat·tal·i·on** [bətǽljən] *n.* Ⓒ 〖軍〗 포병〔보병〕대대; 대부대; 육군(army); (*pl.*) 대군(armies).
bat·ten[1] [bǽtn] *vi., vt.* 살찌(게 하)다; 많이 먹다(*on*).
bat·ten[2] *n., vt.* Ⓒ 〖建〗 (마루청용의) 작은 널빤지(를 깔다); 마루청(을 깔다); 작은 오리목(으로 누르다); 〖海〗 누름대(로 막다).
:**bat·ter**[1] [bǽtər] *n.* Ⓒ 〖野〗 타자.
:**bat·ter**[2] *vt., vi.* ① 연타〔난타〕하다(pound)(*about, at*), 쳐부수다. ② 상하게 하다, 써서 헐게 만들다. ③ 학대하다, 혹평하다. ④ 포격하다. **~ed**[-d] *a.* 써서 낡은, 찌그러진, 마멸된.
bat·ter[3] *n.* Ⓤ 〖料理〗 (우유·달걀·버터·밀가루 등의) 반죽.
·**bat·ter·y** [bǽtəri] *n.* ① Ⓤ 〖法〗 구타. ② Ⓒ 포열, 포대; (군함의) 비포(備砲); Ⓒ 포병 중대. ③ Ⓒ 한 벌의 기구; 전지; 〖野〗 배터리《투수와 포수》.
†**bat·tle** [bǽtl] *n.* Ⓤ 싸움, 전투(*a close* ~ 접전); Ⓒ 투쟁; (the ~) 승리, 성공. ***accept*** 〔***give***〕 ***~*** 응전〔도전〕하다. ***general's*** 〔***soldier's***〕 ***~*** 전략〔무력〕전. ***line of ~*** 전선.
báttle-àx(e) *n.* Ⓒ (중세의) 전투용 도끼.
báttle crùiser 순양 전함.
báttle crỳ 함성; 표어, 슬로건.
báttle drèss 전투복.
·**báttle·field** *n.* Ⓒ 싸움터, 전장.
bat·tle·ment [bǽtlmənt] *n.* Ⓒ (보통 *pl.*) 〖築城〗 (총안(銃眼)이 있는) 흉벽.
·**báttle·shìp** *n.* Ⓒ 전함.
bat·ty [bǽti] *a.* 박쥐 같은; 《俗》 머리가 돈(crazy).
bau·ble [bɔ́:bəl] *n.* Ⓒ 〖史〗 (광대가 가지는) 지팡이; 값 싸고 번지르르한 물건(gewgaw).
baulk [bɔ:k] *v., n.* = BALK.
baux·ite [bɔ́:ksait/bóuzait] *n.* Ⓤ 〖鑛〗 보크사이트《알루미늄의 원광》.
bawd [bɔ:d] *n.* Ⓒ 유곽의 포주《여주인》. **báw·dry** *n.* Ⓤ 외설(행위). **∠·y** *a.* 음탕한.
·**bawl** [bɔ:l] *vt., vi.* 고함지르다; 《美口》 호통치다. ***~ out*** 고함지르다; 《美口》 야단치다(scold). — *n.* Ⓒ 고함, 호통 소리.
bay[1] [bei] *n.* Ⓒ 〖植〗 월계수(laurel tree); (*pl.*) 월계관; 영예.
:**bay**[2] *n.* Ⓒ 만《gulf보다 작음》, (바다·호수의) 내포(內浦), 후미; 산모롱이; 〖軍〗 (참호 안의) 좀 넓은 곳; 〖空〗

(기체 내의) 격실(隔室).

*__bay__[3] *n.* Ⓤ 궁지; (사냥개의 길고도 굵은) 짖는 소리; 쫓겨서 몰린 상태. ***be*** 〔***stand***〕 ***at*** **~** 궁지에 빠져 있다. ***bring*** 〔***drive***〕 ***to*** **~** 궁지로 몰다. ***tune*** 〔***come***〕 ***to*** **~** 궁지에 몰려 반항하다. — *vi., vt.* 짖다, 짖어대며 덤비다; 소리지르다. **~ *a defiance*** 큰 소리로 반항하다. **~** (***at***) ***the moon*** 달을 보고 짖다《무익한 일》.

bay[4] *n.* Ⓒ 〖建〗 기둥과 기둥 사이의 우묵 들어간 벽면.

bay[5] *a., n.* Ⓒ 밤색의 (말).

bay·o·net**[béiənit] *n., vt.* Ⓒ 총검(으로 찌르다); (the ~) 무력(으로 강요〔강박〕하다). ***Fix 〔***Unfix***〕 **~*s!*** 꽂아〔빼어〕 칼!《구령》.

bay·ou[báiu:] *n.* Ⓒ 《美南部》(강·호수 따위의) 늪 같은 후미, 내포.

ba·za(a)r**[bəzá:r] *n.* Ⓒ (동양의) 상점가, 시장; (백화점·큰 상점의) 특매장; 바자. ***charity **~** 자선시.

ba·zoo·ka[bəzú:kə] *n.* Ⓒ 〖軍〗 바주카포《전차 공격용의 휴대 로켓포》.

B.B.C. Baseball Club; British Broadcasting Corporation. **bbl.** (*pl.* ***bbls.***) barrel.

:B.C. Bachelor of Chemistry 〔Commerce〕; Before Christ 기원전; Bicycle Club; Boat Club; British Columbia.

†be[強 bi:, 弱 bi] *vi., aux. v.* (⇨권말 변화표) …이다; 있다, 존재하다 (exist).

be-[bi, bə] *pref.* '전면에'의 뜻(*be*sprinkle); '아주'의 뜻(*be*dazzle); '…으로 만들다'의 뜻(*be*little, *be*foul); '…을 붙들다'의 뜻(*be*jewel); 타동사로 만듦(*be*smile).

†beach[bi:tʃ] *n.* Ⓒ 바닷가, 물가, 해변; 냇가, 호반; 《집합적》(해변의) 모래, 조약돌. ***on the*** **~** 초라해져. — *vi., vt.* 바닷가에 얹히다〔얹히게 하다〕; 바닷가에 끌어 올리다.

béach bàll 비치볼.

béach bùggy 비치버기《큰 타이어의 해변용 자동차》.

béach·còmber *n.* Ⓒ (바닷가의) 큰 파도; (부둣가의) 부랑자.

béach·hèad *n.* Ⓒ 〖軍〗 상륙 거점, 교두보.

béach·wèar *n.* Ⓤ 해변복.

***bea·con**[bí:kən] *n.* Ⓒ 횃불, 봉화; 등대; 수로〔항로〕 표지. — *vt., vi.* (…에게) 봉화를 올리다, 봉화로 신호하다; (비추어) 인도하다; 경고하다.

bead**[bi:d] *n.* Ⓒ 구슬, 염주알; (*pl.*) 염주, 로자리오(rosary); (이슬·땀의) 방울; 거품; (총의) 가늠쇠. ***count 〔***say, tell***〕 ***one's*** **~*s*** 염주알을 돌리며 기도를 올리다. ***draw a*** **~ *on*** …을 겨누다. — *vt.* 염주알을 꿰(어 장식하)다. — *vi.* 염주 모양이 되다; 거품이 일다(sparkle). **∠·ing** *n.* Ⓤ,Ⓒ 구슬 세공; 구슬선(장식); 거품. **∠·y**[bí:di] *a.* 구슬 같은, 구슬이 달린(~*y eyes* 또렷또렷한 눈); 거품이 인.

bead·ed[∠id] *a.* (땀·거품 등) 구슬 모양의, 방울진; 구슬이 달려 있는, 구슬 모양으로 된; 거품이 인; 땀방울이 맺힌.

bea·gle[bí:gəl] *n.* Ⓒ 작은 사냥개.

:beak[1][bi:k] *n.* Ⓒ (맹조 따위의) 부리(cf. bill[2]); (거북·낙지 등의) 주둥이; (주전자 따위의) 귀때; (옛 전함의) 격돌 함수(擊突艦首); 《俗》(매부리) 코; 〖建〗 누조(漏槽); 《英俗》 치안 판사; 교사. **beaked**[bi:kt] *a.* 부리가 있는; 부리 비슷한.

beak[2] *n.* Ⓒ 《英俗》 치안 판사; 교사, (특히) 교장.

beak·er[bí:kər] *n.* Ⓒ 비커; 굽 달린 큰 잔.

:beam[bi:m] *n.* Ⓒ ① (대)들보, 도리; (배의) 가로 들보; 선폭(船幅). ② (천칭의) 대; (쟁기의) 성에. ③ 광선; 방향 지시 전파; (확성기·마이크로폰의) 유효 가청(可聽) 범위. ④ 밝은 표정, 미소. ***fly*** 〔***ride***〕 ***the*** **~** 신호 전파에 따라 비행하다. ***kick the*** **~** (저울 한쪽이 가벼워) 저울대를 뛰어오르게 하다, 가볍다; 압도되다. ***off the*** **~** 〖空〗 지시 전파로부터 벗어나서; 《俗》 잘못되어. ***on the*** **~** 〖海〗 용골과 직각으로, 정 옆으로; 〖空〗 지시 전파를 따라, 옳게 조종하여; 《俗》 바르게. ***on the*** 〔***one's***〕 **~**(***'s***) ***ends*** 거의 전복되어; 위험에 처하여. ***the*** **~ *in one's*** (***own***) ***eye*** 〖聖〗 제 눈속에 있는 들보, 스스로 깨닫지 못하는 큰 결점. — *vt.,*

vi. (빛을) 발하다, 빛나다, 번쩍이다; 미소짓다(*upon*); 신호 전파를 발하다; 방송하다; 레이다로 탐지하다. ∗**∠·ing** *a.* 빛나는; 웃음을 띤.

:bean [biːn] *n.* Ⓒ (pea와 구별하여) (납작) 콩《강남콩·잠두류》; (콩 비슷한) 열매; 하찮은 것; 사소한 일; (*pl.*) 《口》 조금, 약간; (*pl.*) 《俗》 힐책, 벌; 《美俗》 머리; 《俗》 경화(硬貨). ***full of* ~s** 원기 왕성하여(cf. ~ fed). ***give a person* ~s** 《俗》 꾸짖다. ***not care a* ~** 《俗》 조금도 개의치 않다. ***not know* ~s** 아무것도 모르다. ***Old* ~!** 《英》 야 이 사람아! — *vt.* 《俗》 (공으로) (…의) 머리를 때리다.

béan·bàg *n.* Ⓤ 콩 따위를 헝겊으로 싼 공기.

béan cùrd 〔**chèese**〕 두부.

béan·fèast *n.* Ⓒ 《英》 (연 1회의) 고용인에게 베푸는 잔치; 《俗》 즐거운 잔치.

béan pòle 콩줄기를 받치는 막대기; 《口》 키다리.

béan spròut 콩나물.

†bear[1] [bɛər] *n.* Ⓒ 곰; 난폭자, 거동이 거친 사람; 〖證〗 (값 따위가) 내려갈 기세; 파는 편, 매도측(側), 함부로 파는 사람(opp. bull[1]). ***a* ~ *market*** 하락세, 약세. ***the Great* 〔*Little*〕 *B-*** 〖天〗 큰〔작은〕곰자리. — *vt., vi.* 팔아치우다.

†bear[2] *vt.* (**bore,** 《古》 **bare; borne, born**) ① 나르다. ② 지니다; (이름·특징 따위를) 가지다. ③ 견디다; 받치다; …하기에 족하다, 적합하다. ④ (의무·책임을) 지다; (비용을) 부담하다; 경험하다, (비난·벌을) 받다. ⑤ (열매를) 맺다, 산출하다(yield); (애를) 낳다(*born in Seoul/borne by Mary/She has borne two sons.*). ⑥ (불평·원한을) 품다. ⑦ 밀다, 쫓다. ⑧ 허락하다. — *vi.* ① 지탱하다, 배겨내다; 견디다. ② 덮치다, 누르다, 밀다; 기대다; 다가가다(*on, upon*). ③ 영향을 주다, 관계하다, 목표하다(*on, upon*). ④ …의 방향을 잡다, 나아가다(go) (~ *south*); …의 방향에 있다(*The island ~s due east.* 섬은 정동에 있다). ~ ***a hand*** 거들어 주다. ~ ***a part*** 참가〔협력〕하다(*in*). ~ ***away*** 가지고 가버리다; (상을) 타다; 〖海〗 진로를 변경하다, 출항하다. ~ ***back*** (군중 등을) 밀쳐내다. ~ ***a person company*** …와 동행하다; …의 상대를 하다. ~ ***down*** 압도하다; 넘어뜨리다, 내리누르다; 용쓰다. ~ ***down on*** 〔***upon***〕 …을 엄습하다; …을 내리누르다; 〖海〗 …에 접근하다. ~ ***hard*** 〔***heavy, heavily***〕 ***upon*** …을 압박하다. ~ ***in mind*** 기억하다. ~ ***off*** 견디다; (상 따위를) 타다(carry off); 빼앗다. ~ ***on*** 〔***upon***〕 …을 압박하다; …쪽을 향하다; …에 관계가〔영향이〕 있다. ~ ***oneself*** (*erectly*) 자세를 (바로) 잡다; 행동하다. ~ ***out*** 지탱하다, 견디다; 합세〔변호〕하다; 증명하다. ~ ***up*** 지지하다; (자락을) 걷어 올리다; (불행에) 굴하지 않다(*under*). ~ ***with*** …을 참다. ***be borne in upon*** …가 확신하기에 이르다(*It was borne in upon us that...* (우리는) …이라고 확신하고 있다). **∠·a·ble** *a.* 참을 수 있는; 지탱할 수 있는.

:beard [biərd] *n.* Ⓒ (턱)수염; (낚시의) 미늘; (보리 따위의) 꺼끄러기 (awn). ***in spite of a person's* ~** …의 뜻을 거역하여. ***speak in one's* ~** 중얼거리다. ***take by the* ~** 대담하게 공격하다. ***to a person's* ~** (…의) 면전에서; (…의) 면전을 꺼리지 않고. — *vt.* 수염을 잡다〔뽑다〕; 공공연히 반항하다(defy), 대담하게 대들다. ~ ***the lion in his den*** 상대의 영역에 들어가 과감히 맞서다, 호랑이 굴에 들어가다. **∠·ed** [∠id] *a.* 수염 있는; (화살·낚시 따위) 미늘 있는; 꺼끄러기 있는. **∠·less** *a.* 수염 없는; 젊은, 애송이의.

·bear·er [bέərər] *n.* Ⓒ 나르는〔가지고 있는〕 사람; 짐꾼; (소개장·수표의) 지참인; (공직의) 재임자; 꽃피는〔열매 맺는〕 나무.

béar·hùg *n.* Ⓒ (힘찬) 포옹.

·bear·ing [bέəriŋ] *n.* Ⓒ 태도(manner), 거동(behavior); Ⓤ 관계, 관련(*on, upon*); 말뜻; 인내; Ⓒ (보통 *pl.*) 방위(方位); 〖機〗 축받이; 〖紋〗

단문(單紋)(*armorial* ~*s* 문장). ***beyond* [*past*] *all* ~*s*** 도저히 참을 수 없는. ***bring* (*a person*) *to his* ~*s*** (…에게) 제 분수를 알게 하다; 반성시키다. ***lose one's* ~*s*** 방향을 잃다, 어찌할 바를 모르다. ***take one's* [*the*] ~*s*** 자기의 위치를 확인하다.

bear·ish[bέəriʃ] *a.* 곰 같은; 우락부락한; 〚證〛 약세의(cf. bullish).

béar·skìn *n.* ① Ⓤ 곰 가죽(제품). ② Ⓒ (영국 근위병의) 검은 털모자.

:beast[bi:st] *n.* Ⓒ 짐승, 가축, 《英》 식용 소; 짐승 같은 놈, 비인간; (the ~)(인간의) 야수성. ~ ***of burden* [*draft*]** 짐 나르는 짐승《마소 따위》. ***˙∠·ly**[-li] *a., ad.* 짐승 같은, 잔인한; 더러운(dirty); 《口》 불쾌한, 지겨운(~*ly weather* 고약한 날씨); 심히, 대단히(~*ly drunk* 곤드레 만드레 취하여). **béast·li·ness** *n.*

†beat[bi:t] *vt.* (***beat;*** ~***en***) ① (계속해서) 치다; 매질하다; (금속을) 두들겨 펴다; (길을) 밟아 고르다; 쳐서 울리다; 날개치다. ② (달걀을) 휘젓다. ③ 〚樂〛 (…의) 박자를 맞추다. ④ 지게 하다; (…을) 앞지르다; 녹초가 되게 하다; 《俗》 쩔쩔매게 만들다. ⑤ 《美口》 속이다. ⑥ 《美俗》 면하다; 공짜로 타다. — *vi.* ① 연거푸 치다(*at*); 때리다, 내리치다, 불어치다, 내리쬐다(*at*). ② (심장·맥박이) 뛰다. ③ (북이) 울리다. ④ 날개치다. ⑤ 〚海〛 돛에 바람을 비스듬히 받아 나아가다. ⑥ 《口》 (경기에서) 이기다. ~ ***about*** 찾아 헤매다; 〚海〛 돛에 바람을 비스듬히 받아 나아가다. ~ ***about the bush*** 넌지시 떠보다. ~ ***a retreat*** 퇴각의 북을 울리다; 퇴각하다. ~ ***away*** 계속해 치다; 두드려 털다. ~ ***down*** 타파하다; 값을 깎다; 실망시키다. ~ ***it*** 《俗》 도망치다. ~ ***off*** 쫓아버리다. ~ ***one's way*** 《美》 부정 입장하다, (기차 따위에) 무임 승차하다. ~ ***out*** (금속을) 두들겨 펴다; (뜻을) 분명히 하다; 해결하다; 몹시 지치게 하다. ~ ***the band* [*the devil*]** 빼어나다, 모든면에서 우월하다. ~ (*a person*) ***to it*** 《美》 (아무를) 앞지르다. ~ ***up*** 기습하다; 북을 울려 소집하다; (달걀을) 휘저어 거품 일게 하다; 순회하다; 때리다. ~ ***up and down*** 여기저기 뛰어 돌아다니다. — *n.* Ⓒ ① 계속해서 치기; 치는[두들기는] 소리; 고동; 〚樂〛 박자. ② 순찰 (구역); 세력권. ③ 《美》 (신문사 사이의) 특종기사 앞지르기(scoop), 특종기사. ④ 《美俗》 이긴 사람[경기, 내기]. ⑤ 《美俗》 거지, 부랑자; = BEATNIK. ***be in* [*out of, off*] *one's*** ~ 전문[전문밖]이다. — *a.* 《口》 지친; 놀란; 비트족의. **∠·dom** *n.* Ⓤ 《口》 비트족의 사회. **∠·er** *n.* Ⓒ 치는 사람; 우승자; 뒤섞는 기구.

:beat·en[bí:tn] *v.* beat의 과거분사. — *a.* 두들겨 맞은; 두들겨 편(~ *gold* 금박); 진; 밟아 다져진. ~ ***track*** 상도(常道), 관례.

be·a·tif·ic[bì:ətífik], **-i·cal**[-əl] *a.* 축복을 주는[줄 수 있는]; 행복에 넘친(blissful). **-i·cal·ly** *ad.*

be·at·i·fy[bi:ǽtəfài] *vt.* 축복하다(bless); 〚가톨릭〛 시복(諡福)하다. **-fi·ca·tion**[–˘–fikéiʃən] *n.*

˙beat·ing[bí:tiŋ] *n.* Ⓤ 때림; Ⓒ 매질; 타파; Ⓤ (심장의) 고동; 날개치기; 〚海〛 바람을 비스듬히 받아 배가 나아감; (금속을) 두들겨 펴기.

be·at·i·tude[bi:ǽtətjù:d] *n.* Ⓤ 지복(至福); (the B-) 〚聖〛 지복, 팔복《마태복음 5:3-11》.

beat·nik[bí:tnik] *n.* Ⓒ 《口》 비트족의 사람.

béat-ùp *a.* 《美口》 낡은.

beau[1][bou] *n.* (*pl.* ~***s,*** ~***x***) Ⓒ 멋쟁이 남자(dandy); 구혼자, 애인.

beau[2] *a.* (F.) 아름다운, 좋은.

Beau·jo·lais[bòuʒəléi] *n.* Ⓤ 프랑스 Beaujolais산의 빨간[백] 포도주.

beau monde [bóu mánd/-mɔ́nd] 사교계, 상류 사회.

beaut[bju:t] *n.* Ⓒ 《美俗》 고운[멋진] 것[사람].

˙beau·te·ous[bjú:tiəs] *a.* 《詩》 아름다운(beautiful).

beau·ti·cian[bju:tíʃən] *n.* Ⓒ 《美》 미용사.

†beau·ti·ful[bjú:təfəl] *a.* 아름다운; 훌륭한, 우수한. ***the*** ~ 아름다움. **:~·ly** *ad.*

˙beau·ti·fy[bjú:təfài] *vt., vi.* 아름답게 하다; 아름다워지다. **-fi·ca·tion**

B

[⌐–fikéiʃən] *n.*
·beau·ty [bjú:ti] *n.* Ⓤ 아름다움, 미(美); 미모; (the ~) 미점, 좋은점; Ⓒ 아름다운 것; 미인; 아름다운 동물.
béauty pàrlor 〔**sàlon, shòp**〕 《美》 미장원.
béauty quèen 미인 대회의 여왕.
béauty slèep 《口》 초저녁잠.
béauty spòt 명승지, 아름다운 경치; 애교점《곱게 보이려고 붙인》.
beaux [bouz] *n.* beau[1]의 복수.
:bea·ver[1] [bí:vər] *n.* Ⓒ 비버, 해리(海狸); Ⓤ 비버 모피; Ⓒ 그 모피로 만든 실크해트; 《美口》 부지런한 사람. ***eager*** ~ 《俗》 노력가.
bea·ver[2] *n.* Ⓒ 턱가리개《투구의 얼굴을 보호하는 것》; 《俗》 턱수염(beard).
be·bop [bí:bàp/-ɔ̀-] *n.* Ⓤ 비밥《재즈의 일종》. **~·per** *n.* Ⓒ 비밥 연주자〔가수〕.
be·calm [biká:m] *vt.* 잠잠하게〔가라앉게〕 하다; 바람이 자서 (배를) 정지시키다.
†be·came [bikéim] *v.* become의 과거.
†be·cause [bikɔ́:z, -káz, -kʌ́z / -kɔ̀z] *conj.* (왜냐하면) …이므로〔하므로〕, …라는 이유로〔는〕, …이라고 해서. — *ad.* ~ ***of*** …때문에.
beck [bek] *n.* Ⓒ 손짓, (사람을 부르기 위한) 고갯짓(nod). ***be at a person's ~ and call*** 아무가 시키는 대로 하다. ***have a person at one's ~*** 아무를 마음대로 부리다.
·beck·on [békən] *vi., vt.* 손짓〔고갯짓·몸짓〕으로 부르다, (손·턱으로) 신호하다(*to*); 유인〔유혹〕하다.
†be·come [bikʌ́m] *vi.* (**-came; -come**) …이 되다. — *vt.* (…에) 어울리다, (…에) 적합하다(suit). ~ ***of*** (물건·사람이) 되어 가다(*What has ~ of that book?* 그 책은 어떻게 되었나).
·be·com·ing [-iŋ] *a.* 어울리는; 알맞은.
†bed [bed] *n.* Ⓒ 침대; = MATTRESS; 동물의 잠자리(lair); Ⓤ 취침; Ⓒ 숙박; 묘상(苗床), 화단; 하상(河床), 강바닥; 토대; 지층, 층(*a coal ~* 탄층); 무덤. ***be brought to ~ of (a child)*** 해산하다. ***be confined to one's ~*** 병상에 누워 있다. ~ ***and board*** 침식(을 같이하기), 부부 관계(*separate from ~ and board* 별거하다). ~ ***of downs*** 〔***flowers, roses***〕 안락한 환경. ~ ***of dust*** 무덤. ***die in one's ~*** 제 명에 죽다. ***get out of ~ on the right*** 〔***wrong***〕 ***side*** 기분이 좋다〔나쁘다〕. ***go to ~*** 자다. ***keep one's ~*** 몸져 누워 있다. ***lie in*** 〔***on***〕 ***the ~ one has made*** 자업자득하다. ***make a*** 〔***the***〕 ~ 잠자리를 깔다〔개다〕. NARROW ~. ***take to one's ~*** 병 나다. — *vt., vi.* (**-dd-**) 재우다; 자다; 화단에 심다(*out*); 고정시키다, 판판하게 놓다(lay flat); (벽돌 따위를) 쌓아 올리다.
béd·bùg *n.* Ⓒ 《美》 빈대.
béd·chàmber *n.* Ⓒ 《古》 침실(*a Lady of the ~* 궁녀).
béd·clòthes *n. pl.* 침구《요를 제외한 시트나 모포 따위》.
béd·còver *n.* = BEDSPREAD.
bed·ding [bédiŋ] *n.* Ⓤ 《집합적》 침구(류); (마소에 깔아 주는) 깃; 토대, 기반; 〖地〗 성층(成層).
bédding plànt 화단용의 화초.
be·deck [bidék] *vt.* 장식하다 (adorn).
be·dev·il [bidévəl] *vt.* (《英》 **-ll-**) 귀신들리게 하다; 매혹하다; 괴롭히다. **~·ment** *n.* Ⓤ 귀신들림, 광란.
béd·fèllow *n.* Ⓒ 잠자리를 같이하는 사람, 친구; 아내.
bed·lam [bédləm] *n.* Ⓒ 정신 병원; Ⓤ 큰소동; 혼란; (B-) 런던 베들레헴 정신 병원의 속칭. **~·ite** [-àit] *n.* Ⓒ 미친 사람.
béd lìnen 시트와 베갯잇.
Bed·ou·in [béduin] *n.* (the ~(s)) 베두인족《아랍계의 유목민》; Ⓒ 베두인족의 사람; 유랑인, 방랑자.
béd·pàn *n.* Ⓒ (환자용의) 변기; 탕파(湯婆).
béd·pòst *n.* Ⓒ 침대 기둥《네귀의》 (BETWEEN *you and me and the ~*). ***in the twinkling of a ~*** 순식간에.
be·drag·gle [bidrǽgəl] *vt.* 질질 끌어 적시다〔더럽히다〕.

bed·rid(·den) [bédrìd(n)] *a.* 자리보전하고 있는.
béd·ròck *n.* Ⓤ 〖地〗 기반(基盤)(암), 암상(岩床); 기초, 바닥; 기본원리(*the* ~ *price* 최저 가격/*get down to* ~ 진상을 조사하다; 돈이 바닥나다).
:**béd·ròom** *n.* Ⓒ 침실.
·**béd·sìde** *n., a.* Ⓒ 베갯머리(의), 침대 곁(의), (환자의) 머리맡(의). ***have a good ~ manner*** (의사가) 환자를 잘 다루다. 「실.
béd-sítting ròom 《英》 침실 겸 거
béd·sòre *n.* Ⓒ (병상에 오래 누워 생기는) 욕창(褥瘡).
béd·sprèad *n.* Ⓒ 침대보.
béd·stèad *n.* Ⓒ 침대(의 뼈대).
·**béd·tìme** *n.* Ⓤ 잘 시각.
bédtime stòry (아이들에게) 취침 때 들려주는 옛날 이야기.
béd·wètting, béd-wètting *n.* Ⓤ 자면서 오줌싸기.
†**bee** [bi:] *n.* Ⓒ 꿀벌, 일꾼; 《美》 (유희·공동 작업 따위를 위한) 모임(*a spelling* ~ 철자 경기회). ***have a ~ in one's bonnet***〔***head***〕 열중해 있다; 머리가 돌아 있다.
·**beech** [bi:tʃ] *n.* Ⓒ 너도밤나무; Ⓤ 그 재목. **∠·en** *a.* 너도밤나무(재목)의.
:**beef** [bi:f] *n.* Ⓤ 쇠고기; (*pl.* ***beeves***) Ⓒ 식용우(牛); Ⓤ 《口》 근육, 체력, 완력; 《俗》 무게; (*pl.* **~s**) Ⓒ 《美俗》 불평. — *vi.* 《美俗》 불평을 하다. **∠·y** *a.* 건장한, 뚱뚱한.
béef·càke *n.* Ⓤ 《집합적》 《美俗》 남성의 근육미 사진(cf. cheesecake).
béef·èater *n.* (종종 B-) Ⓒ 런던탑의 수위; (왕의) 호위병.
:**béef·stèak** *n.* Ⓤ,Ⓒ 두껍게 저민 쇠고깃점; 비프스테이크.
béef téa 진한 쇠고기 수프, 고깃국.
bée·hìve *n.* Ⓒ 꿀벌통; 사람이 붐비는 장소.
bée·lìne *n.* Ⓒ 직선, 최단 거리(*make*〔*take*〕 *a* ~ 일직선으로 가다). — *vi.* 《美口》 직행하다.
†**been** [bin/bi(ː)n] *v.* be의 과거분사.
beep [bi:p] *n.* Ⓒ 삑하는 소리; 경적; 통화가 녹음 중임을 알리는 소리; (인공 위성의) 발신음. — *vi., vt.* ~를 울리다〔발신하다〕. **∠·er** *n.* Ⓒ ~를 하는 장치; 무선 호출기.
:**beer** [biər] *n.* Ⓤ 맥주. ***~ and skittles*** 편안(한 생활). ***black***〔***draught***〕 ***~*** 흑〔생〕맥주. ***small ~*** 약한 맥주; 시시한 것. ***think small ~ of...*** …을 깔보다(*She thinks no small ~ of herself.* 자신 만만하다). **~·y** [bíəri] *a.* 맥주 같은; 얼근히 취한.

bees·wax [bí:zwæ̀ks] *n., vt.* Ⓤ 밀, (…에) 밀랍(蜜蠟)(을 바르다).
·**beet** [bi:t] *n.* Ⓒ 비트《근대·사탕무 따위》. ***red ~*** 붉은 순무. ***white***〔***sugar***〕 ***~*** 사탕무.
:**bee·tle** [bí:tl] *n.* Ⓒ 투구벌레(류), 딱정벌레. — *vi., a.* 돌출하다(project); 돌출한.
béet·ròot *n.* Ⓒ,Ⓤ 《英》 사탕무 뿌리《샐러드 용》.
·**be·fall** [bifɔ́:l] *vt., vi.* (***-fell; -fallen***) (…의 신상에) 일어나다; (재난 따위가) 닥치다(happen to).
be·fit [bifít] *vt.* (**-tt-**) (…에) 어울리다, 적합하다(suit). **~·ting** *a.* 알맞은, 어울리는.
†**be·fore** [bifɔ́:r] *prep.* …의 앞(쪽)에; …의 이전에. — *ad.* 앞(쪽)에; 이전에. — *conj.* …보다 이전에. ***~ everything*** 무엇보다 먼저. ***~ God*** 하늘에 맹세코. ***~ I was aware*** 모르는 사이에. ***~ long*** 오래지 않아. ***~ a person's face*** 면전에서, 공공연히.
:**befóre·hànd** *ad.* 전부터, 미리. ***be ~ with*** …에 앞서다(forestall), …에 대비하다, …을 예기하다. ***be ~ with the world*** 여유가 있다; 현금을 가지고 있다.
be·friend [bifrénd] *vt.* (…의) 친구가 되다; 돕다.
be·fud·dle [bifʌ́dl] *vt.* 억병으로 취하게하다; 어리둥절하게〔당황하게〕하다. **~·ment** *n.*
:**beg** [beg] *vt., vi.* (**-gg-**) 빌다(ask); 구걸하다, 빌어먹다; (개가) 앞발을 들고 서다(*B-!* 앞발 들고 섯). ***~ for*** …을 빌다, 바라다. ***~*** (***leave***) ***to*** 실례지만(*I ~ to disagree.* 미안하지만 찬성할 수 없습니다). ***~ of*** (*a person*) (아무에게) 부탁〔간청〕하

다. ~ ***off*** (의무·약속 따위를) 사정하여 면하다, 정중하게 거절하다. ~ ***the question*** 〖論〗 증명되지 않은 일에 근거하여 논하다. ***go ~ging*** 살〔맡을〕 사람이 없다.

†**be·gan** [bigǽn] *v.* begin의 과거.

˙**be·get** [bigét] *vt.* (***-got;*** 《古》 ***-gat; -gotten, -got; -tt-***) (아버지가 자식을) 보다; 낳다(become the father of); 생기다.

:**beg·gar** [bégər] *n.* Ⓒ 거지; 가난뱅이; 악한; 놈; 자식(fellow). — *vt.* 거지로 만들다, 가난하게 하다; 무력〔빈약〕하게 하다(*It ~s description.* 필설로 표현하기 힘들다). ***I'll be ~ed if...*** 절대로 …하지 않다. **~·li·ness** *n.* Ⓤ 빈궁, 빈약. **~·ly** *a.* 거지 같은, 빈약한.

†**be·gin** [bigín] *vi., vt.* (***-gan; -gun; -nn-***) 시작하다(*She began singing* 〔*to sing*〕*.*); 시작되다; 착수하다. ***~ by*** (do*ing*) …하기부터 시작하다, 우선 …하다. ~ ***with*** …부터 시작하다. ***not ~ to*** (do) 《美口》 …할 정도가 아니다(*They don't ~ to speak English.* 영어의 영자도 지껄이지 못한다). ***to ~ with*** 우선 제일 먼저. **:~·ner** *n.* Ⓒ 초심자, 초학자; 창시자. †**~·ning** *n.* Ⓒ 시작, 개시; 처음; 발단.

be·gone [bigɔ́:n, -ɑ́-/-ɔ́-] *int.* 《보통 명령형으로》 가라.

be·go·ni·a [bigóuniə, -njə] *n.* Ⓒ 〖植〗 베고니아, 추해당.

˙**be·got** [bigɑ́t/-ɔ́-] *v.* beget의 과거(분사). ˙**~·ten** *v.* beget의 과거분사.

be·grudge [bigrʌ́dʒ] *vt.* 아까워하다; 시기하다.

˙**be·guile** [bigáil] *vt.* ① 현혹시키다; 사취하다. ② 즐겁게 하다(amuse); 지루함〔지루한 시간〕을 잊게 하다.

be·guil·ing [∠iŋ] *a.* 속이는; 기분을 전환시키는.

†**be·gun** [bigʌ́n] *v.* begin의 과거분사.

:**be·half** [bihǽf, -ɑ́:-] *n.* Ⓤ 이익(interest). ***in ~ of...*** …을 위하여. ***on ~ of...*** …을 위하여(in ~ of); …을 대신하여(representing).

:**be·have** [bihéiv] *vt., vi.* 처신하다; 행동하다(*toward, to*); 예모 있게 행동하다; 올바르게 행동하다; (기계가) 돌아가다; (약 따위가) 작용하다, 반응하다. ~ ***oneself*** 행동하다(*like*); 예모 있게 행동하다.

:**be·hav·ior,** 《英》 **-iour** [bihéivjər] *n.* Ⓤ ① 행실, 품행. ② 태도, 행동. ③ (기계의) 돌아가는 상태, 움직임. ④ (약의) 효능. ⑤ 〖心〗 행동, 습성. ***on*** 〔***upon***〕 ***one's good ~*** 얌전히 하고; 수습 중으로. **~·al** [-əl] *a.* 행동의〔에 관한〕. **~·ism** [-ìzəm] *n.* Ⓤ 〖心〗 행동주의.

behávioral scíence 행동 과학《인간 행동의 법칙을 탐구하는 심리학·사회학·인류학 따위》.

be·head [bihéd] *vt.* (…의) 목을 베다.

:**be·held** [bihéld] *v.* behold의 과거·과거분사.

be·hest [bihést] *n.* Ⓒ 명령.

†**be·hind** [biháind] *ad.* 뒤에〔를〕, 뒤로, 나중에; 그늘에. — *prep.* …의 나중〔뒤, 그늘〕에; …에 늦어서(~ *time* 시간에 늦어서/ ~ *the* TIMES). ***from ~*** 뒤로부터.

behínd·hànd *ad., pred. a.* 늦어, 늦게 되어; (지불이) 밀려(*in, with*).

:**be·hold** [bihóuld] *vt., vi.* (***-held; -held,*** 《古》 ***-holden***) 보다(look at). ***Lo and ~!*** 이 어찌된 셈인가! **~·en** *a.* 은혜를 입은(*to*).

be·hoove [bihú:v], 《英》 **-hove** [-hóuv] *vt.* (…함이) 당연하다, 의무이다《보통 it을 주어로》(*It ~s you to refuse such a proposal.* 이런 제안은 거절해야 마땅하다).

beige [beiʒ] *n., a.* Ⓤ 원모(原毛)로 짠 나사; 밝은 회갈색(의).

:**be·ing** [bí:iŋ] *v.* be의 현재분사. — *n.* Ⓤ 존재, 실재; 생존; Ⓒ 생물(creature), 사람; Ⓤ 본질, 본체(nature); (B-) 신(神). ***for the time ~*** 당분간. ***in ~*** 존재하는, 현존의.

be·jew·el [bidʒú:əl] *vt.* (《英》 ***-ll-***) 보석으로 장식하다.

be·la·bor, 《英》 **-bour** [biléibər] *vt.* 세게 치다, 때리다(thrash); 욕설하다, 호통치다.

be·lat·ed [biléitid] *a.* 늦은; 뒤늦은; 시대에 뒤진; 《古》 길이 저문.

be·lay[biléi] *vt., vi.* 〖海·登山〗 (밧줄걸이 따위에) 밧줄〔자일〕을 감아 매다.

˙**belch**[beltʃ] *n., vi., vt.* Ⓒ 트림(하다); (연기·불을) 내뿜다; 분출(하다); (폭언을) 퍼붓다.

be·lea·guer[bilí:gər] *vt.* 포위하다; 둘러싸다; 괴롭히다.

bel·fry[bélfri] *n.* Ⓒ 종각, 종루 (bell tower); 《俗》 머리.

be·lie[bilái] *vt.* (***belying***) 속이다, 왜곡하여 전하다; (희망에) 어긋나다, (약속을) 어기다, 배반하다; (…와) 일치하지 않다.

‡**be·lief** [bilí:f] *n.* Ⓤ 믿음; 신념 (conviction); Ⓒ 신앙(faith); Ⓤ 신용(trust). ***to the best of my*** ~ 확실히.

†**be·lieve**[bilí:v] *vt., vi.* ① 믿다, 신용하다; 신앙하다(*in*). ② 생각하다(think); …이라야 한다고〔…이 좋다고〕 생각하다(*in*). ***B- me.*** 《口》 정말입니다. ***make*** ~ …인 체하다. **be·líev·a·ble** *a.* ˙**be·líev·er** *n.* Ⓒ 신자(*in*).

Be·lí·sha béacon[bilí:ʃə-] 《英》 (황색의) 횡단로 표지.

be·lit·tle[bilítl] *vt.* 얕보다; 헐뜯다; 작게 하다, 작아 보이게 하다.

†**bell**[bel] *n.* Ⓒ 종; 방울, 초인종; 종〔방울〕 소리; 종 모양의 것; (보통 *pl.*) 〖海〗 (30분마다의) 시종(時種). ***bear*** 〔***carry***〕 ***away the*** ~ 상품을 타다, 승리를 얻다. ***curse by*** ~, ***book, and candle*** 〖가톨릭〗 (종을 울리고, 파문 선고서를 읽은 후, 촛불을 끔으로써) 정식으로 파문하다. — *vt.* (…에) 방울을 달다. ~ ***the cat*** 어려운 일을 맡다. — *vi.* 종 모양으로 되다〔벌어지다〕.

béll-bòttom *a.* 바지 가랑이가 넓은; 판탈롱의. ~**s** *n. pl.* 나팔바지, 판탈롱.

béll·bòy *n.* Ⓒ 《美》 (호텔이나 클럽의) 급사, 보이.

˙**belle**[bel] *n.* Ⓒ 미인; (the ~) (어떤 자리에서) 가장 예쁜 소녀.

belles-let·tres[bellétər, bellétr] *n. pl.* (F.) 순문학.

bel·li·cose[bélikòus] *a.* 호전적인 (warlike). **-cos·i·ty** [bèlikásəti/-ɔ́-] *n.*

˙**bel·lig·er·ent**[bilídʒərənt] *a.* 교전 중의, 교전국의; 호전적인. — *n.* Ⓒ 교전국; 교전자. **-ence**[-əns] *n.* Ⓤ 호전성; 교전. **-en·cy**[-ənsi] *n.* Ⓤ 교전 상태; 호전성.

˙**bel·low**[bélou] *vi., vt.* (황소가) 울다, (사람이) 고함을 지르다. — *n.* Ⓒ (황소의) 우는 소리; 노한 목소리.

˙**bel·lows**[bélouz] *n. sing. & pl.* 풀무; (사진기의) 주름 상자; 폐. ***have*** ~ ***to mend*** (말이) 헐떡거리다.

˙**bel·ly**[béli] *n.* Ⓒ 배, 복부; 위; 식욕; (병 따위의) 불룩한 부분, 배; 내부; 태내, 자궁. — *vt., vi.* 부풀(게 하)다.

bélly·àche *n.* Ⓤ,Ⓒ 《口》 복통; 푸념. — *vi.* 《俗》 불평을 말하다.

bélly·bùtton *n.* Ⓒ 《美口》 배꼽.

bélly dànce 벨리 댄스, 배꼽춤《중동 여성의 춤》.

bélly-flòp *n., vi.* (***-pp-***) Ⓒ 《口》 배로 수면을 치면서 뛰어 들기〔들다〕.

bélly làugh 《美俗》 웃음거리, 홍소.

†**be·long**[bilɔ́:ŋ/-lɔ́ŋ] *vi.* (…에) 속하다, (…의) 것이다(*to, in*)(*Where do you* ~ (*to*)? 어디 사십니까?/ *You don't* ~ *here.* 여기는 네가 있을 곳이 못 된다). ˙~**·ings** *n. pl.* 소지품; 재산; 성질, 재능.

‡**be·lov·ed**[bilʌ́vid] *a.* 가장 사랑하는; 소중한. — [-lʌ́vd] *n.* Ⓒ 가장 사랑하는 사람, 애인; 남편, 아내.

†**be·low**[bilóu] *ad.* ① 아래에, 아래로; 지상에, 이승에; 지옥에; 아래층에. ② 하위〔하류〕에. ③ 후단(後段)(의 장)에. ***down*** ~ 아래로; 땅속〔무덤·지옥〕에; 해저에; 밑바닥에. ***here*** ~ 지상에, 현세에서. — *prep.* ① …의 아래에. ② …의 하위〔아래쪽, 하류〕에. ③ …보다 못하여. ④ …의 가치가 없어.

‡**belt**[belt] *n.* Ⓒ 띠, 혁대; 〖機〗 피대, 벨트; 지대, 지방; 해협. ***below the*** ~ 부정한, 부정하게; 비겁한, 비겁하게도. ***tighten one's*** ~ 내핍 생활을 하다《허리띠를 졸라매어 배고픔을 잊다》. — *vt.* (…에) 띠를 두르다〔매다〕; (혁대로) 때리다. ∠**·ing** *n.* Ⓤ 띠의 재료; 벨트 종류.

bélt hìghway 《美》 (도시 주변의)

순환〔환상〕 도로.

bélt·wày *n.* = BELT HIGHWAY.

be·moan[bimóun] *vt., vi.* 비탄하다.

be·muse[bimjúːz] *vt.* 멍하게 하다.

†**bench**[bentʃ] *n.* ① Ⓒ 벤치. ② Ⓒ (개의) 진열대; 작업대. ③ (the ~) 판사석; 법정; Ⓤ《집합적》판사들, 재판관. ④ Ⓒ 의석; 〖野〗 '벤치', 선수석. **~ and bar** 법관과 변호사. **be raised to the ~** 판사〔《英》 주교〕로 임명되다. **sit** 〔**be**〕 **on the ~** 법관 자리에 있다; 심리 중이다; (보결 선수로서) 대기하고 있다. — *vt.* (…에) 벤치를 놓다; (어떤) 지위에 앉히다; 〖競〗 (선수를) 퇴장시키다. **∠·er** *n.* Ⓒ 벤치에 앉는 사람; 《英》 법학원(the Inns of Court)의 간부.

bénch·màrk *n.* Ⓒ 〖컴〗 견주기《여러가지 컴퓨터의 성능을 비교·평가하기 위해 쓰이는 표준 문제》.

:**bend**[bend] *vt.* (**bent,** 《古》 **~ed**) 구부리다; (무릎을) 굽히다; (활을) 당기다; 굴복시키다; (마음을) 기울이다, 주시하다(*to, toward*); 〖海〗 (돛·닻줄을) 잡아매다. — *vi.* 굽다; 굽히다(*down, over*); 굴복하다(*to, before*); 힘을 쏟다(~ *to the oars* 힘껏 노를 젓다). **~ oneself to** …에 정력을 쏟다. **on ~ed knees** 무릎 꿇고, 간절히. — *n.* Ⓒ 굽이, 굴곡(부); 경향; 〖海〗 결삭(結索)(법) (cf. knot); 〖紋〗 평행사선. **the ~s** 케이슨병(caisson disease), 항공병. **∠·er** *n.* Ⓒ 구부리는 것〔사람〕; 곡구(曲球); 《美口》 주흥, 야단법석; 《英俗》 6펜스 은화.

:**be·neath**[biníːθ] *ad.* 아래쪽에; …보다 못하여. — *prep.* …의 아래에(below, under); …에 어울리지 않는; …의 가치(조차) 없는.

Ben·e·dic·tine[bènədíktin] *a.* St. Benedict의; 베네딕트회의. — *n.* Ⓒ 베네딕트회의 수사; [-tiːn] (b-) Ⓤ (프랑스의 Fécamp산의) 달콤한 리큐어 술.

ben·e·dic·tion[bènədíkʃən] *n.* Ⓤ,Ⓒ 축복(blessing); (예배 후의) 축도; (식사 전후의) 감사의 기도; (B-) 〖가톨릭〗 성체 강복식.

ben·e·fac·tion[bènəfǽkʃən] *n.* Ⓤ,Ⓒ 은혜; 선행, 자선(慈善).

˙**ben·e·fac·tor** [bénəfæ̀ktər, ⁻⁻⁻́] *n.* (*fem.* **-tress**) Ⓒ 은인; 후원자, 보호자(patron); 기증자.

ben·e·fice [bénəfis] *n.* Ⓒ 〖英國國敎〗 목사록(祿); 〖가톨릭〗 성직록(church living).

˙**be·nef·i·cent**[binéfəsənt] *a.* 인정 많은, 자선을 베푸는. **~·ly** *ad.* ˙**-cence** *n.* Ⓤ 선행, 친절; Ⓒ 시여물(施與物).

˙**ben·e·fi·cial**[bènəfíʃəl] *a.* 유익〔유리〕한.

ben·e·fi·ci·ar·y [bènəfíʃièri, -ʃəri] *n.* Ⓒ 봉록〔은혜·이익〕을 받는 사람; 수익자; (연금·보험금 따위의) 수취인.

:**ben·e·fit**[bénəfit] *n.* Ⓤ,Ⓒ 이익; 은혜, 은전(favor); Ⓒ 자선 흥행; Ⓤ,Ⓒ (사회 보장 제도에 의한 각종의) 급부, 연금; Ⓤ《美》 세금 면제(relief). **~ of clergy** 〖史〗 성직자 특권《범죄를 범하여도 보통의 재판을 받지 않고, 또한 초범인 경우에는 사형을 받지 않음》; (결혼 따위의) 교회의 승인. **for the ~ of** …을 위하여; 《反語》 …을 골리기 위하여, …에 빗대어. **give** (*a person*) **the ~ of the doubt** 〖法〗 (피고의) 의심스러운 점을 유리하게 해석하여 주다. — *vt., vi.* 이익을 주다; 도움을 받다(profit)(*by*).

˙**be·nev·o·lent** [binévələnt] *a.* 자비스러운(charitable), 친절한. ˙**-lence** *n.* Ⓤ 자비심, 인정; 덕행, 자선.

be·night·ed[bináitid] *a.* 길이 저문(*a* ~ *traveler*); 무지한; 미개의.

be·nign[bináin] *a.* 인정 많은, 친절한; (기후가) 온화한(mild); 〖醫〗 병·종기 따위가) 양성(良性)의(opp. malign). **be·nig·ni·ty**[binígnəti] *n.* Ⓤ 친절, 자비; 온화.

˙**bent**[bent] *v.* bend의 과거(분사). — *a.* 굽은; 허리가 굽은; 마음을 기울인, 열심인. **be ~ on** 〔**upon**〕 …을 결심〔…에 열중〕하고 있다. — *n.* Ⓒ 기호(taste); 경향; 성벽, 성질; 《古》 굴곡. **to the top of one's**

~ 실컷.

bént·wòod *a.* 나무를 휘어 만든《의자 등》. — *n.* Ⓤ 굽은 나무.

ben·zene[bénziːn, –⌐] *n.* Ⓤ 〖化〗 벤젠.

·**be·queath**[bikwíːð, -θ] *vt.* (이름 작품 따위를) 남기다; (후세에) 전하다(hand down); (재산을) 유증하다. ~**·al** *n.* Ⓤ 유증.

be·quest[bikwést] *n.* Ⓤ 〖法〗 유증; Ⓒ 유산, 유물.

be·rate[biréit] *vt.* 《美》 꾸짖다, 야단치다.

·**be·reave**[biríːv] *vt.* (~**d, bereft**) 빼앗다(deprive)(*be ~d of one's mother* 어머니를 여의다/*be bereft of hope* 희망을 잃다). 《주의》 사람의 경우는 *bereaved,* 그 이외는 *bereft*의 형식. ~**·ment** *n.* Ⓤ,Ⓒ 사별.

·**be·reft**[biréft] *v.* bereave의 과거(분사). ***be utterly ~*** 어찌할 바를 모르고 있다.

be·ret[bəréi, bérei] *n.* (F.) Ⓒ 베레모; 《英》 베레형 군모(*a green ~* 《美》〖軍〗 특전 부대원).

:**ber·ry**[béri] *n.* Ⓒ (딸기의) 열매; (커피의) 열매; (물고기·새우의) 알. — *vi.* 열매가 열리다; 열매를 따다.

ber·serk[bə(ː)rsə́ːrk] *a., ad.* 광포한(하게), 사납게. ~**·er** *n.* Ⓒ 〖北歐傳說〗 사나운 전사; 폭한(暴漢).

·**berth**[bəːrθ] *n.* (*pl.* ~**s**[-θs, -ðz]) Ⓒ (선박·기차의) 침대; 정박지; 조선 여지(操船餘地) (sea room); 숙소; 《口》 지위, 직업. ***give a wide ~ to,*** or ***keep a wide ~ of*** …에서 멀리 떨어져 있다, …을 피하다. — *vi., vt.* 정박하다; 정박시키다.

·**be·seech**[bisíːtʃ] *vt.* (**besought**) 간청(탄원)하다. ~**·ing·ly** *ad.* 탄원(애원)하듯이.

·**be·set**[bisét] *vt.* (~; **-tt-**) 둘러싸다; 방해하다; 공격하다, 괴롭히다; 꾸미다, 박아넣다. ~**·ting** *a.* 끊임없이 괴롭히는, 범하기(빠지기) 쉬운《죄·나쁜 버릇·유혹 따위》.

†**be·side**[bisáid] *prep.* …의 곁에(near); …와 비교하여; …의 외에; …을 벗어나서, …을 떨어져서. ***be ~ oneself*** 정신이 없다, 머리가 돌다. ***~ the mark*** 과녁(대중)을 벗어나서.

:**be·sides**[bisáidz] *ad.* 그 위에, 게다가. — *prep.* …외에(의), …에 더하여; 《부정문 속에서》 …을 제외하고(except).

·**be·siege**[bisíːdʒ] *vt.* (장기간) 포위하다; (질문·요구 따위로) 몰아세우다. ~**·ment** *n.*

be·smirch[bismə́ːrtʃ] *vt.* 더럽히다, 때 묻히다.

be·som[bíːzəm] *n.* Ⓒ 마당비; 〖植〗 금작화(broom) 《빗자루 용》; 닳고 닳은 여자.

be·sot·ted[bisátid/-ɔ́-] *a.* 정신을 못 가누게 된; 취해버린.

·**be·sought**[bisɔ́ːt] *v.* beseech의 과거(분사).

be·spec·ta·cled[bispéktəkəld] *a.* 안경을 낀.

†**best**[best] *a.* 《good, well의 최상급》 가장 좋은, 최상의(*the ~ liar* 지독한 거짓말쟁이). — *n.* (the ~) 최량, 최선; 전력. — *ad.* 《well의 최상급》 가장 잘, 제일; 《口》 심하게, 몹시. — *vt.* (…에게) 이기다. ***at* (*the*) *~*** 기껏해야, 잘해야. ***~ of all*** 무엇보다도, 첫째로. ***for the ~*** 최선의 결과를 얻고자(*All for the ~.* 만사는 하느님의 뜻이다《체념의 말》). ***got* (*have*) *the ~ of it*** 이기다; (거래에서) 잘 해내다. ***give it ~*** 《英》 단념하다. ***had ~*** (do) …하는 것이 제일 좋다(cf. had BETTER[1]). ***make the ~ of*** …을 될 수 있는 대로 이용하다; …로 때우다, 참다. ***make the ~ of one's way*** 길을 서둘다. ***one's ~ days*** 전성기. ***one's* (*Sunday*) *~*** 나들이옷. ***the ~ part of*** …의 대부분. ***to the ~ of one's* (*ability* (*power*))** (힘)이 미치는 한. ***with the ~*** 누구에게도 지지 않고.

be·stir[bistə́ːr] *vt.* (**-rr-**) 분기시키다. ***~ oneself*** 분기하다.

bést mán 최적임자; 신랑 들러리(groomsman).

:**be·stow**[bistóu] *vt.* 주다, 수여하다(give)(*on*); 쓰다; 《古》 (간직하여) 두다; 《古》 숙박시키다. ~**·al** *n.*

bést séller 베스트셀러《일정 기간에 가장 많이 팔린 책·레코드》; 그 저

B

자〔작자〕.
bést-sélling *a.* 베스트셀러의.
:bet [bet] *n.* Ⓒ 내기, 건 돈〔것〕. — *vi.* (**bet, betted; -tt-**) 내기를 하다; 걸다(*on, against*). **~ a nickel** 《美口》 …을 확신하다. **hedge one's ~s** (내기에서) 양쪽에 걸다; 양다리 걸치다. **I ~ you** 《美口》 꼭 틀림 없이. **You ~!** 《口》 정말이야; 꼭. **You ~?** 《口》 정말이지?
be·ta [bí:tə, béi-] *n.* Ⓤ,Ⓒ 베타《그리스어 알파벳의 둘째 자 *B, ß*》.
bête noire [béit nwá:r] (F. = black beast) 무서운〔질색인〕 것.
be·tide [bitáid] *vt., vi.* 발생하다, 생기다; (…에게) 닥치다.
be·to·ken [bitóukən] *vt.* 보이다, 나타내다; (…의) 전조이다, 예시하다.
:be·tray [bitréi] *vt.* ① 배반하다(sell), 저버리다. ② (여자를) 유괴하다(seduce). ③ (비밀을) 누설하다(reveal). ④ (약점 따위를) 무심코 보이다, 나타내다. **~ oneself** 무심코 본성을 드러내다. **~·al** *n.* Ⓤ 배반, 배신. **~·er** *n.*
·be·troth [bitrɔ́:θ, -tróuð] *vt.* 약혼하다. **~ oneself to** …와 약혼하다. **be ~ed to** …와 약혼 중이다. **~·al** *n.* Ⓒ,Ⓤ 약혼(식).
†bet·ter[1] [bétər] *a.* 《good, well의 비교급》 더 좋은. — *n.* Ⓤ 더 좋은 것〔일〕; (보통 *pl.*) 손윗 사람, 선배. — *ad.* 《well의 비교급》 더 좋게; 더욱; 오히려. **be ~ off** 전보다 더 잘 지내다. **be ~ than one's word** 약속 이상으로 잘 해주다. **be the ~ for** …때문에 오히려 좋다. **for ~ (or) for worse** 좋든 나쁘든, 어떤 일이 있어도. **for the ~** 나은 쪽으로(*change for the ~* 호전하다). **get** (**have**) **the ~ of** …에 이기다. **had ~** (do) …하는 편이 좋다(cf. had BEST). **know ~** 더 분별이 있다(*I know ~ than to quarrel.* 싸움할 정도로 바보는 아니다). **no ~ than** …도 마찬가지; …에 지나지 않다. **not ~ than** …보다 좋지 않다, …에 지나지 않다. **one's ~ feelings** 본심, 양심. **one's ~ half** 《口》 아내. **one's ~ self** 양심, 분별. **so much the ~** 더욱 좋다. **the ~ part** 대부분. **think ~ of** …을 고쳐 생각하다. **think the ~ of** (생각보다 좋다고) 다시 보다. — *vt., vi.* 개선하다; …보다 낫다. **~ oneself** 승진하다. **~·ment** *n.* Ⓤ,Ⓒ 개선; 출세.
bet·ter[2], **-tor** [bétər] *n.* Ⓒ 내기하는 사람.
†be·tween [bitwí:n] *prep., ad.* (두 물건)의 사이에, …사이를; (성질이) …의 중간으로. **~ A and B,** A니 B니 해서(*~ work and worry* 일이다 걱정이다 하여). **~ ourselves,** or **~ you and me** (**and the bed-** 〔**gate-, lamp-**〕**post**) 우리끼리 이야기지만. **~ the cup and the lip** 다 되어 가던 판에. **choose ~ A and B,** A나 B중 어느 하나를 고르다. (**few and**) **far ~** 극히 드물게. **in ~** 중간에, 사이에.
be·twixt [bitwíkst] *prep., ad.* 《古》 = BETWEEN. **~ and between** 중간에, 이도저도 아니게.
bev·el [bévəl] *n., a.* Ⓒ 사각(斜角)(의); 경사(진); = **∠ squàre** 각도자. — *vt.* (《英》 **-ll-**) 사각을 만들다, 엇베다, 비스듬하게 하다.
·bev·er·age [bévəridʒ] *n.* Ⓒ 음료. **alcoholic ~** 알콜 음료. **cooling ~** 청량 음료.
bev·y [bévi] *n.* Ⓒ (작은 새·사슴·미인 따위의) 떼.
·be·wail [biwéil] *vt., vi.* 비탄하다, 슬퍼하다.
:be·ware [biwέər] *vi., vt.* 주의〔조심〕하다《명령법·부정사로서, 또는 조동사의 다음에만》(*B- of pickpockets!* 소매치기 조심 하시오!).
:be·wil·der [biwíldər] *vt.* 당황하게 하다(confuse). **~·ing** *a.* **·~·ingly** *ad.* **·~·ment** *n.*
·be·witch [biwítʃ] *vt.* 마법을 걸다(enchant); 매혹하다(charm). **~·ing** *a.* 황홀하게 하는, 매력 있는. **~·ment** *n.*
†be·yond [bijánd/-ɔ́-] *prep.* ① …의 저쪽〔저편〕에; …을 넘어서. ② …이 미치지 않는, …보다 우수한. ③ …외에. ④ (시간을) 지나서, 늦어서. **~ doubt** 의심할 여지 없이. **go ~ oneself** 자제력을 잃다; 평소보다 잘

하다. ***It's* (*gone*) ~ *a joke.*** 《口》 그것은 농담이 아니다, 진담이다. ── *ad.* 저쪽(저편)에; 외에. ── *n.* (the ~) 저편(의 것); 내세. ***the back of*** ~ 세계의 끝.

be·zique [bəzíːk] *n.* Ⓤ 카드놀이의 일종.

bi- [bai] *pref.* '둘, 쌍, 복, 등분, 2배, 2기 1회, 1기 2회' 따위의 뜻: *bi*valve, *bi*sect, *bi*carbonate, *bi*weekly.

bi·an·nu·al [baiǽŋjuəl] *a.* 연 2회의, 반년마다의.

*__bi·as__ [báiəs] *n.* Ⓤ,Ⓒ (솔기·재단의) 사선, 바이어스; 경사(slanting); 경향, 성벽; 편견; 〖無電〗 '바이어스', 편의(偏倚). ── *vt.* (《英》 **-ss-**) 기울이다, 치우치게 하다, 편견을 갖게 하다. ~(**s**)**ed** [-t] *a.* 비스듬한, 편견을 가진.

bib [bib] *n.* Ⓒ 《古》 턱받이; (에이프런 따위의) 가슴 부분. ***one's best ~ and tucker*** 나들이옷.

:**Bi·ble** [báibəl] *n.* (the ~) 성서; Ⓒ (*or* b-) 성전; (b-) 권위 있는 참고서(*the golfer's b-*). **Bib·li·cal, b-** [bíblikəl] *a.*

bib·li·o- [bíbliou, -liə] '책의, 성서의' 뜻의 결합사.

bib·li·og·ra·phy [bìbliágrəfi/-ɔ́-] *n.* Ⓒ 참고서(문헌) 목록; Ⓤ 서지학(書誌學). **-pher** *n.* Ⓒ 서지학자. **-o·graph·ic** [bìbliəgrǽfik], **-i·cal** [-əl] *a.*

bib·li·o·phile [bíbliəfàil], **-phil** [-fil] *n.* Ⓒ 애서가, 서적 수집가.

bib·u·lous [bíbjələs] *a.* 술꾼의, 술을 좋아하는; 흡수성의(absorbent).

bi·cam·er·al [baikǽmərəl] *a.* 〖政〗 양원제(兩院制)의. 「트륨.

bi·carb [baikáːrb] *n.* Ⓤ 중탄산 나

bi·car·bo·nate [baikáːrbənit, -nèit] *n.* Ⓤ 〖化〗 중탄산염; 중조. ***~ of soda*** 중탄산나트륨.

bi·cen·te·nar·y [baiséntənèri/bàisentíːnəri] *a., n.* = ⇩.

bi·cen·ten·ni·al [bàisenténiəl] *a., n.* 200년(째)의; Ⓒ 200년제(祭)(의); 200년기(忌)(의).

bi·ceps [báiseps] *n.* Ⓒ 〖解〗 이두근(二頭筋); 《口》 근력.

bick·er [bíkər] *n.* Ⓒ 말다툼; (불꽃이) 반짝거림; 후드득거림. ── *vi.* 말다툼하다; 반짝거리다; (비가) 후드득 떨어지다.

†**bi·cy·cle** [báisikəl] *n., vi.* Ⓒ 자전거(에 타다). **-clist** *n.* Ⓒ 자전거 타는 사람.

:**bid** [bid] *vt.* (***bade, bad, bid; bidden, bid; -dd-***) ① (…에게) 명하다 (~ *him* (*to*) do). ② (인사를) 말하다(~ *him farewell, welcome, etc.*). ③ 값매기다, 입찰하다, 값을 다투다(이 뜻의 과거(분사)는 *bid*). ④ 초대하다; 공고하다. ⑤ (카드놀이에서) 선언하다. ── *vi.* 값을 매기다, 입찰하다. ~ ***fair to*** …할 가망이 있다, 유망하다. ~ ***for*** = ~ on. ~ ***in*** (임자가) 자기 앞으로 낙찰시키다. ~ ***off*** 낙찰시키다. ~ ***on*** …의 입찰을 하다. ~ ***up*** 경매에서 값을 올리다. ── *n.* Ⓒ 부른 값, 입찰; 제안; (호의를 얻는) 노력; 시도. ***call for ~s on*** …의 입찰을 하다. ***make a*** (***one's***) ***~ for*** …에 값을 매기다; (호의를) 얻으려고 노력하다. **∠·da·ble** *a.* 유순한; 〖카드〗 겨룰 수 있는. **∠·der** *n.*

*__bid·ding__ [bídiŋ] *n.* Ⓤ ① 입찰, 값 다투기. ② 명령. ③ 초대. ④ 공고; 선언.

*__bide__ [baid] *vt., vi.* (~***d, bode;*** ~***d***) 기다리다(~ *one's time* 좋은 기회를 기다리다); 《古》 참다; 《古》 살다, 머물다.

bi·det [bidét/bíːdei] *n.* (F.) Ⓒ 비데《국부 세척기》.

bi·en·ni·al [baiéniəl] *a., n.* 2년에 한 번의; 2년간의; Ⓒ 〖植〗 2년생의(식물); 2년마다 여는 전람회, '비엔날레'; 2년마다 보는 시험《따위》. **~·ly** *ad.*

bier [biər] *n.* Ⓒ 관가(棺架); 영구차; 관대(棺臺).

biff [bif] *n., vt.* Ⓒ 《俗》 강타(하다).

bi·fo·cal [baifóukəl] *a., n.* 이중 초점의; (*pl.*) 이중 초점 안경.

bi·fur·cate [*v.* báifərkèit, ─∠─; *a.* -kit] *a., vt., vi.* 두 갈래진; 두 갈래로 가르다(갈리다).

†**big** [big] *a.* (**-gg-**) ① 큰; 성장한(grown-up). ② 중요한, 높은. ③

B

잘난 체하는, 뽐내는(boastful)(*get too ~ for one's boots* 뽐내다); 임신한(*She is ~ with child.*). — *ad.* 《口》 뽐내며 잘난 듯이; 다량으로, 크게; 《美口》 성공하여.

big·a·my[bígəmi] *n.* Ⓤ 〖法〗 중혼(重婚)(죄), 이중 결혼(cf. digamy).

bíg báng, Bíg Báng, the 〖天〗 (우주 생성 때의) 대폭발.

bíg báng thèory 〖天〗 (우주 생성의) 폭발 기원설.

Bíg Bén 영국 국회 의사당 탑 위의 큰 시계(종).

bíg bróther 형; (때로 B- B-) (고아·불량 소년 등을 선도하는) 형 대신이 되는 남자; 독재 국가의 독재자.

bíg búsiness 《口》 (종종 나쁜 뜻의) 대기업, 재벌.

bíg déal 《美俗》 하찮은 것.

Bíg Dípper, the ⇨ DIPPER.

bíg gáme 큰 시합; 큰 사냥감《범 따위》; 큰 목표.

bíg·hèad *n.* Ⓤ,Ⓒ 〖病〗 두부 팽창증《양(羊) 머리의 심한 염증》; 《美俗》 숙취; 《口》 자기 도취; Ⓒ 《美俗》 그런 사람; 우두머리.

bíg-héarted *a.* 친절한; 관대한.

bight[bait] *n.* Ⓒ 후미; 만곡부.

big·ot[bígət] *n.* Ⓒ 완고한 사람; 광신자; 괴팍스런 사람. **~·ed**[-id] *a.* 편협한, 완고한. **~·ry** *n.* Ⓤ 편협; 완미한 신앙.

bíg·wìg *n.* Ⓒ 《口·蔑》 높은 사람, 거물, 요인.

bi·jou[bíːʒuː] *n.* (*pl.* **~x**[-z])(F.) Ⓒ 보석(jewel); 작고 아름다운 장식. — *a.* 주옥 같은, 작고 우미한.

bike[baik] *n., v.* 《口》 = BICYCLE.

Bi·ki·ni[bikíːni] *n.* 비키니 환초(環礁)《마샬 군도의》; Ⓒ (*or* b-) (투피스의) 여자 수영복.

bi·la·bi·al[bailéibiəl] *a., n.* 〖音聲〗 두 입술로 발음하는; Ⓒ 양순음(兩脣音)(b, p, m, w 따위).

bi·lat·er·al[bailǽtərəl] *a.* 양측[양면]이 있는; 양자간의; 〖法〗 쌍무적인 (cf. unilateral).

bil·ber·ry[bílbèri, -bəri] *n.* Ⓒ 월귤나무속(屬)의 일종.

bile[bail] *n.* Ⓤ 담즙; 기분이 언짢음, 짜증. ***black ~*** 우울.

bilge[bildʒ] *n.* Ⓒ (배 밑의) 만곡부; Ⓒ (통의) 중배; Ⓤ 《俗》 허튼 소리(rot); **~ wàter** 배 밑에 괸 더러운 물. — *vt., vi.* (배 밑에) 구멍을 뚫다; 구멍이 뚫리다; 불룩하게 하다, 불룩해지다(bulge).

·bi·lin·gual[bailíŋgwəl] *a.* 두 나라 말을 하는, 두 나라 말을 쓴.

bil·ious[bíljəs] *a.* 담즙(bile)(질)의; 까다로운.

†bill[1][bil] *n.* Ⓒ ① 계산서. ② 목록. ③ 벽보; 전단, 포스터. ④ 《美》 지폐; 증서; 환어음. ⑤ 의안, 법안. ⑥ 〖法〗 소장(訴狀). ⑦ (연극의) 프로(printed program). — *vt.* 광고하다, 프로에 짜넣다; 예고하다; 청구서를 보내다. ***~ of exchange*** 환어음. ***~ of fare*** 식단표, 메뉴. ***~ of health*** 〖船〗 건강 증명서. ***~ of lading*** 선하 증권《생략 B/L》. ***~ of mortality*** 사망 통계표. ***B- of Rights*** 《美》 (정부가 기본적 인권을 보장하는) 권리 장전, 《英》 권리 선언(1689). ***~ of sale*** 〖商〗 매도 증서. ***fill the ~*** 《口》 요구를 충족시키다; 효과가 있다.

:bill[2] *n.* Ⓒ 부리(모양의 것) (cf. beak). — *vi.* (비둘기가) 부리를 맞대다. ***~ and coo***(남녀가) 서로 애무하며 사랑을 속삭이다.

bíll·bòard *n.* Ⓒ 게시판, 공고판.

bil·let[1][bílit] *n.* Ⓒ 〖軍〗 (민가에 대한) 숙사 할당 명령서; (병영 이외의) 숙사(宿舍); 일자리, 직업. — *vt.* (병사에게) 숙사를 할당하다.

bil·let[2] *n.* Ⓒ 굵은 장작; 강편(鋼片).

bil·let-doux[bílidúː, -lei-] *n.* (*pl.* ***billets-doux***[-z-]) (F.) Ⓒ 연애 편지.

bíll·fòld *n.* Ⓒ 《美》 (둘로 접게 된) 「지갑(wallet).

bil·liard[bíljərd] *a.* 당구(용)의. **~·ist** *n.* Ⓒ 당구가.

·bil·liards[bíljərdz] *n. pl.* 당구.

·bil·lion[bíljən] *n., a.* Ⓒ 《美·프》 10억(의); 《英·獨》 1조(兆)(의).

bil·lion·aire[bìljənέər, ⌐–⌐] *n.* Ⓒ 억만장자.

·bil·low[bílou] *n., vi.* Ⓒ 큰 파도(가 일다), 놀치다. **~·y** *a.* 너울의, 물결이 높은.

bil·ly[1][bíli] *n.* Ⓒ 곤봉; 《口》 경찰

봉; = BILLY GOAT.
bil·ly² *n.* Ⓒ 《濠》 (양철) 주전자.
bílly gòat 《兒》 숫염소.
bil·ly-o(h) [-ðu] *n.* 《英俗》 《다음 성구로만》 ***like ~*** 맹렬하게.
bi·month·ly [baimʌ́nθli] *a., ad.* 2개월에 한 번(의), 한 달 걸러서. ── *n.* Ⓒ 격월[월 2회] 발행지(誌).
*__bin__ [bin] *n.* Ⓒ (뚜껑있는) 큰 상자; 《英》 쓰레기통; 빵을 넣는 큰 통; (울을 친) 저장소; (the ~) 《俗》 정신병원.
bi·na·ry [báinəri] *a., n.* Ⓒ 둘의; 둘[두 요소]로 된 (것); 『컴』 2진수의; = ∠ **stár** 『天』 연성(連星).
:**bind** [baind] *vt.* (***bound***) 동이다, 매다; 감다; 제본하다; 속박[구속]하다; 의무를 지우다; (타르·시멘트 따위로) 굳히다; 변비를 일으키게 하다 (constipate). ── *vi.* 동이다; 굳어지다; 구속하다. ***be bound to*** 꼭 …하다. ***be in duty bound to*** … 할 의무가 있다. ***~ oneself to*** … 할 것을 맹세하다. ***~ up*** 붕대를 감다, 단으로 묶다. ── *n.* Ⓒ 묶는 것; (a ~) 《口》 난처한 입장, 곤경; 『樂』 연결선(tie). * ∠**·er** *n.* Ⓒ 묶는 것[사람], 끈; 제본인; 굳히는 것; (서류 따위를) 철하는 표지. ∠**·er·y** [-əri] *n.* Ⓒ 제본소. * ∠**·ing** *a., n.* 묶는, Ⓤ,Ⓒ 동이는 (것, 일); 제본; 붕대; 구속력이 있는, 의무적인.
bínd·wèed *n.* Ⓤ 메꽃(무리의 덩굴풀).
binge [bindʒ] *n.* Ⓒ 《口》 법석대는 술잔치. 「일종).
bin·go [bíŋgou] *n.* Ⓤ 빙고(lotto의
bin·oc·u·lar [bənákjələr, bai-/-ɔ́-] *a., n.* 두 눈(용)의; (*pl.*) 쌍안경(opera glass).
bi·no·mi·al [bainóumiəl] *n., a.* Ⓒ 『數』 이항식(二項式)(의); 『生』 이명식(二名式)의, 이명식 이름. ***~ nomenclature*** (속(屬)명과 종(種)명과의) 2명법《보기: *Homo sapiens* 사람》. ***~ theorem*** 이항 정리.
bi·o- [báiou, báiə] '생명'의 뜻의 결합사.
bìo·chémical *a.* 생화학의. ***~ oxygen demand*** 생화학적 산소요구량.
bìo·chémistry *n.* Ⓤ 생화학. **-chémist** *n.*
bi·o·de·grad·a·ble [-digréidəbəl] *a.* 미생물로 분해되는.
*__bi·og·ra·pher__ [baiágrəfər/-ɔ́-] *n.* Ⓒ 전기(傳記) 작가.
:**bi·og·raph·y** [baiágrəfi/-ɔ́-] *n.* Ⓒ 전기(life). *__bi·o·graph·ic__ [bàiougrǽfik], **-i·cal** [-əl] *a.*
*__bi·o·log·ic__ [bàiəládʒik/-ɔ́-], **-i·cal** [-əl] *a.* 생물학(상)의; 응용 생물학의. 「시계.
biológical clóck (생물의) 생체
biológical wárfare 생물학전, 세균전.
*__bi·ol·o·gist__ [baiálədʒist/-ɔ́-] *n.* Ⓒ 생물학자. 「물학.
:**bi·ol·o·gy** [baiálədʒi/-ɔ́-] *n.* Ⓤ 생
bío·màss *n.* Ⓤ 『生態』 생물량.
bi·on·ics [baiániks/-ɔ́-] *n.* Ⓤ 생체 공학《인간·동물의 행동 양식을 연구하여 컴퓨터 설계에 응용하는 학문》.
bi·op·sy [báiɑpsi/-ɔ-] *n.* Ⓤ 『醫』 생검(生檢), 생체 조직 검사.
bío·rhỳthm *n.* Ⓤ,Ⓒ 바이오리듬《생체의 주기성》.
bìo·technólogy *n.* Ⓤ 생명 공학.
bi·par·ti·san, -zan [baipáːrtəzən] *a.* 양당(兩黨)의.
bi·ped [báiped] *n.* Ⓒ 두 발 동물. ── *a.* 두 발의.
bi·plane [báiplèin] *n.* Ⓒ 복엽(複葉)(비행)기.
*__birch__ [bəːrtʃ] *n., vt.* Ⓒ 자작나무; Ⓤ 그 재목; Ⓒ 자작나무 회초리(로 때리다).
†**bird** [bəːrd] *n.* Ⓒ 새; 엽조; 《俗》 녀석(*a queer* ~ 괴짜), 계집아이; (the ~) 《俗》 (청중의) 야유 《휘파람이나 쉿쉿하는 소리》(*give him a* ~ 야유하다); 《口》 비행기; 《美俗》 로케트; 인공 위성. ***~ in the hand*** [***bush***] 확실[불확실]한 것. ***~ of paradise*** 극락조. ***~ of passage*** 철새; 방랑자. ***~ of peace*** 비둘기. ***~ of prey*** 맹금(猛禽). ***~s of a feather*** 동류[동호]인. ***eat like a ~*** 적게 먹다. ***get the ~*** 《俗》 야유당하다; 해고되다. ***kill two ~s with one stone*** 일석 이조를 얻다, 일거양득하다. ── *vi.* 들새를 관찰하

다; 새를 잡다.
bírd·bràin *n.* Ⓒ 《俗》 얼간이.
bírd càge 새장.
·**bird·ie**[bə́:rdi] *n.* Ⓒ 《兒》 새, 작은 새.
bírd·sèed *n.* Ⓤ 새 모이.
bírd wàtcher 들새 관찰자; 로켓〔위성〕 관측자.

Bi·ro[báirou] *n.* Ⓒ 《英》 (종종 b-) 〖商標〗 바이로《볼펜의 일종》.
:**birth**[bəːrθ] *n.* Ⓤ,Ⓒ 출생, 탄생; 출산; Ⓤ 태생, 혈통, 가문(descent); Ⓒ 태어난 것; Ⓤ 기원. ***by*** ~ 태생은; 타고난. ***give*** ~ ***to*** …을 낳다, 생기게 하다. ***new*** ~ 신생, 갱생, 재생.
bírth certìficate 출생 증명서.
bírth contròl 산아 제한.
†**birth·day**[bə́:rθdèi] *n.* 생일(*a* ~ *cake* 생일 케이크).
bírth·màrk *n.* Ⓒ 모반(母斑), (날 때부터 몸에 지닌) 점.
·**bírth·plàce** *n.* Ⓒ 출생지, 발생지.
bírth ràte 출생율.
bírth·rìght *n.* Ⓤ,Ⓒ 생득권(生得權); 장자 상속권.
:**bis·cuit**[bískit] *n.* Ⓒ 《英》 비스킷(《美》 cookie, cracker); Ⓤ 비스킷색; Ⓒ 《英俗》 매트리스. ***take the*** ~ 《英俗》 일등상을 타다. ~ ***ware*** 애벌구이 오지그릇.
bi·sect[baisékt] *vt.* 2(등)분하다. **bi·séc·tion** *n.* **bi·sec·tor**[-séktər] *n.* Ⓒ 〖數〗 2등분선.
bi·sex·u·al[baisékʃuəl] *a.* 양성(兩性)의; 양성을 갖춘.
:**bish·op**[bíʃəp] *n.* Ⓒ 〖聖公會·가톨릭〗 (종종 B-) 주교; 감독; 〖체스〗 비숍《모자꼴의 말》. ~·**less** *a.* ~·**ric** [-rik] *n.* Ⓒ 비숍의 직〔교구〕.
bi·son[báisən] *n.* (*pl.* ~) Ⓒ 들소 《유럽·북아메리카산》.
bis·tro[bístrou] *n.* (*pl.* ~**s**) Ⓒ 비스트로《소형 바·나이트클럽》.
†**bit**[1][bit] *n.* Ⓒ 작은 조각; (a ~) 조금, 소량; 잠시(*Wait a* ~); 잔돈; 《美俗》 12센트 반; (음식의) 한 입거리. ***a*** ~ ***of a...*** 어느 편인가 하면, 좀. ***a good*** ~ 오랫동안; 대단히. ***a nice*** ~ ***of*** 많은. ~ ***by*** ~ 점점, 조금씩. ***do one's*** ~ 《口》 본분을 다하다. ***give a*** ~ ***of one's mind*** 잔소리하다. ***not a*** ~ 《口》 조금도 …않다.
bit[2] *n.* Ⓒ (말의) 재갈; 구속(물); (송곳의) 끄트머리; (대패의) 날. ***draw*** ~ 말을 세우다; 삼가다. ***get*** 〔***take***〕 ***the*** ~ ***between the teeth*** (말이) 날뛰다; 반항하다. — *vt.* (**-tt-**) (…에게) 재갈을 물리다; 구속하다.
bit[3](< *bi*nary digi*t*) *n.* Ⓒ (보통 *pl.*) 〖컴〗 두값, 비트《정보량의 최소 단위》.
bit[4] bite의 과거(분사).
bitch[bitʃ] *n.* Ⓒ (개·이리·여우의) 암컷; 《俗》 개년; 갈보, 매춘부; 아주 싫은〔어려운〕 일.
:**bite**[bait] *vt.* (**bit; bitten, bit**) ① 물다, 물어뜯다. ② (추위가) 스미다. ③ (벼룩·모기가) 물다; (게가) 물다; (물고기가) 덥석 물다. ④ (톱니바퀴가) 맞물다(grip). ⑤ 《美》 《수동형으로》 속이다. ⑥ (산이) 부식하다(eat into). — *vi.* 물다, 대들어 물다(*at*); 부식하다; 피부에 스미다; 먹이를 덥석 물다; 유혹에 빠지다. ***be bitten with*** …에 열중하다. ~ ***away*** 〔***off***〕 물어 끊다. ~ ***off more than one can chew*** 힘에 부치는 일을 하려고 들다. ~ ***one's nails*** 분해하다, 안달하다. ~ ***the dust*** 〔***ground***〕 쓰러지다; 지다; 전사하다. — *n.* 한 번 묾〔깨묾〕, 한 입; 물린〔쏘인〕 상처; (물고기가) 미끼를 물기; 부식. (***a***) ~ ***and*** (***a***) ***sup*** 급히 먹는 식사. ***make two*** ~***s at*** 〔***of***〕 ***a*** CHERRY. **bít·er** *n.* Ⓒ 물어 뜯는 개; 무는 사람; 사기꾼 (*The biter* (*is*) *bit.* 《美談》 남잡이가 제잡이). ·**bít·ing** *a.* 찌르는 듯한, 날카로운; 부식성의.
bít pàrt (연극·영화의) 단역.
·**bit·ten**[bítn] *v.* bite의 과거분사.
:**bit·ter**[bítər] *a.* ① 쓴; 격심한(~ *cold* 몹시 추운). ② 가엾은; 비참한. ③ 모진(harsh). ***to the*** ~ ***end*** 끝까지. — *n.* Ⓤ 쓴맛; 《英》 쓴 맥주; (*pl.*) 고미제(苦味劑)《키니네 따위》. **:** ~·**ly** *ad.* · ~·**ness** *n.*
bit·tern[bítə(ː)rn] *n.* Ⓒ 〖鳥〗 알락해오라기.

bítter·swèet *a., n.* Ⓒ 쓰고도 단 (것); 고생스럽고도 즐거운; 〖植〗 배풍등.

bit·ty [bíti] *a.* 단편적인, 가늘게 자른.

bi·tu·men [baitjúːmən, bítjumən] *n.* Ⓤ 가연(可燃) 광물《아스팔트·석유·피치 따위》.

bi·tu·mi·nous [baitjúːmənəs, bi-] *a.* 역청(瀝靑)의. ~ ***coal*** 역청탄; 연탄(軟炭).

bi·valve [báivæ̀lv] *n., a.* Ⓒ 쌍각(雙殼) 조개(의); 굴; 양판(兩瓣)의.

biv·ou·ac [bívuæ̀k] *n., vi.* Ⓒ (**-ack-**) 텐트 없는 야영(을 하다). 〖登山〗 비부아크(하다).

bi·zarre [bizáːr] *a.* 기괴한; 기묘한.

blab [blæb] *vt., vi.* (**-bb-**), *n.* 지절거리다, 비밀을 누설하다; Ⓒ 지절거리는[비밀을 누설하는] 사람; Ⓤ 지절거림, 수다.

blab·ber(**·mouth**) [blǽbər(màuθ)] *n.* Ⓒ 수다쟁이.

†**black** [blæk] *a.* ① 검은; 더러운. ② 암담한(dismal). ③ 지르퉁한 (~ *in the face* 안색을 변하여). ④ 불길한. ⑤ 사악한(wicked) (~ *cruelty* 굉장한 잔학). ⑥ 험악한. ⑦ 《口》 철저한. ***beat ~ and blue*** 멍이 들도록 때리다. ***~ and white*** 흑백 얼룩의[으로]; 분명(한); 인쇄된. ***say ~ in one's eye*** 비난하다. ― *n.* ① Ⓤ,Ⓒ 검정, 흑색(물감) 흑점; 검은 그림물감[잉크]. ② Ⓒ 흑인. ③ Ⓒ 상복. ***~ and white*** 글씨 쓴 것; 인쇄(된 것); 흑백 사진 [TV]. ***in ~ and white*** (글씨로) 써서; 인쇄되어; 흰 바탕에 검게. ― *vt., vi.* ① 검게 하다[되다]. (구두를) 닦다. ② 더럽히다. ***~ out*** …을 온통 검게 칠하다; 무대를 어둡게 하다; 등화 관제하다(cf. DIM out); blackout를 일으키다. **∠·ly** *ad.* ˚**∠·ness** *n.*

bláck·bàll *n., vt.* Ⓒ 반대(투표)(하다); (사회에서) 배척하다.

Bláck Bèlt ① 《美》 (남부의) 흑인 지대. ② [∠∠] (유도·태권의) 검은 띠, 유단자.

˚**bláck·bèrry** *n.* Ⓒ 검은 딸기.

˚**bláck·bìrd** *n.* Ⓒ 《美》 찌르레기(의 무리); 《英》 지빠귀(의 무리).

†**black·board** [∠bɔ̀ːrd] *n.* Ⓒ 칠판.

bláck bóx 블랙박스《자동제어 장치·비행기록 장치 따위》.

bláck cómedy 블랙 코메디《블랙 유머를 쓰는 희극》.

Bláck Còuntry, the (잉글랜드 중부의 Birmingham을 중심한) 대공업지대.

Bláck Déath, the 흑사병, 페스트《14세기 유럽에 유행》.

˚**black·en** [∠ən] *vt., vi.* ① 검게[어둡게] 하다[되다]. ② (남의 인격·평판을) 비방하다.

Bláck Énglish (미국의) 흑인 영어.

bláck éye (맞아서 생긴) 눈언저리의 멍.

black·guard [blǽgərd, -gaːrd] *n., vt.* Ⓒ 악한(惡漢)(*You* ~! 이 나쁜 놈); 욕지거리하다.

bláck·hèad *a.* 뱃속 검은.

bláck·jàck *n., vt.* Ⓒ 큰 잔, 조끼(jug); 해적기; 《美》 곤봉(으로 때리다); 협박하다.

bláck·lèg *n.* Ⓒ 《俗》 사기꾼; 《英》 파업 파괴자.

bláck·lìst *n.* Ⓒ 요주의 인물 명부.

bláck mágic 마술, 요술.

bláck·màil *n., vt.* Ⓤ 갈취(한 돈), 공갈(하다).

Bláck María 《俗》 죄수 호송차.

bláck márk 흑점 《벌점》.

bláck márket 암시장; 암거래.

bláck marketéer [**márketer**] 암거래 상인.

Bláck Múslim 흑백인의 완전 격리를 주장하는 흑인 회교 단체.

bláck·òut *n.* Ⓒ (무대의) 암전(暗轉); 등화 관제; 〖空〗 (방향 급변 따위로 인한) 일시적 시력[의식] 상실.

bláck pépper 후춧가루《껍질째 빻은》.

Bláck Pówer 《美》 흑인 (지위 향상) 운동.

bláck pùdding 검은 소시지《돼지의 피나 기름을 넣어 만듦》.

bláck shéep (가문·단체의) 귀찮은 존재.

Bláck Shírt 검은 셔츠 당원《이탈리아의 Fascist의 별명》.

⁑**bláck·smìth** *n.* Ⓒ 대장장이.

bláck spót 위험 구역.
bláck·thòrn *n.* Ⓒ 자두나무《유럽산》; 산사나무《미국산》.
bláck tíe 검은 넥타이; 신사.
bláck·water féver 〖醫〗 흑수열《악성 말라리아》.
blad·der[blǽdər] *n.* Ⓒ 방광(膀胱); (물고기의) 부레.
:blade[bleid] *n.* Ⓒ ① (풀의) 잎. ② 칼날, 칼. ③ 검객(劍客); 멋쟁이. ④ (노의) 노깃, (프로펠러의) 날개. ⑤ 견갑골(骨)(scapula).
blah[blɑː] *int.* 《美俗》 바보같이! — *n.* Ⓤ 허튼 소리, 어리석은 짓.
:blame[bleim] *vt.* ① 나무라다, 비난하다(*for*). ② (…의) 탓으로 돌리다(*on, upon*). ***be to*** ~ 책임을 져야 마땅하다(*You are to* ~. 네가 나쁘다). — *n.* Ⓤ 비난; 책임; 허물. **∠·ful**(**·ly**) *a.* (*ad.*) **˙∠·less**(**·ly**) *a.* (*ad.*)
bláme·wòrthy *a.* 나무랄 만한.
˙blanch[blæntʃ, blɑːntʃ] *vt., vi.* ① 희게 하다[되다](whiten), 표백하다. ② (얼굴을) 창백하게 하다, 창백해지다. ~ ***over*** (과실 따위를) 둘러대다.
blanc·mange[bləmɑ́ːndʒ/-mɔ́ndʒ] *n.* Ⓤ,Ⓒ 블라망주《우유가 든 흰 젤리; 디저트용》.
˙bland[blænd] *a.* ① 온화한, 부드러운. ② 기분 좋은《산들바람 따위》. ③ 상냥한(suave). ④ 순한(sweet)《담배·약 등》.
blan·dish[blǽndiʃ] *vt.* 비위를 맞추다, 아첨하다; (교묘하게) 설득하다(coax). ~**·ment** *n.* (*pl.*) 추종, 아첨.
:blank[blæŋk] *a.* ① 백지의. ② 공허한; 흥미 없는, 단조로운. ③ (벽 따위) 문이나 창이 없는. ④ 무표정한, 멍한. ⑤ 순전한(~ *stupidity*). — *n.* Ⓒ 백지; 《美》 기입 용지(《英》 form); 여백, 공백; 공허; 대시(—)(*Mr.* — ('Mr. Blank'라 읽음) 모씨(某氏)); 〖컴〗 빈자리. ***draw a*** ~ 《口》 꽝을 뽑다; 실패하다. ***in*** ~ 공백인 채로. — *vt.* 비우다, 공백으로[무효로] 하다; 《美口》 영패(零敗)시키다. ***B- him!*** 염병할! **∠·ly** *ad.* 단호히; 멍하니.
blánk cártridge 공포탄.
blánk chéck 백지 수표. ***give a person a*** ~ 얼마든지 돈을 주다; 멋대로 하게 하다.
:blan·ket[blǽŋkit] *n.* Ⓒ 담요, 모포. ***be born on the wrong side of the*** ~ 사생아로 태어나다. ***wet*** ~ 흥을 깨뜨리는 것[사람]; 탈을 잡는 사람. — *a.* 총괄적인; 차별하지 않는; 일률적인. — *vt.* ① 담요에 싸(서 헹가래하)다. ② 《口》 (사건을) 덮어 버리다(obscure). ③ 《美》 (전화를) 방해하다. ④ 《口》 숨기다. ⑤ (법률이) (…에) 대하여 총괄적으로 적용되다.
blank·e·ty(**-blank**) [blǽŋkəti(-blǽŋk)] *a., ad.* 《口》 괘씸한; 괘씸하게도.
blánk vérse 무운시(無韻詩)《보통 5각약강격(五脚弱强格)》.
blare[blɛər] *vi.* (나팔이) 울려 퍼지다; 외치다, (동물이 굵은 소리로) 울다. — *vt.* 울리다. — *n.* (*sing.*) 울림; 외치는[우는] 소리.
blar·ney[blɑ́ːrni] *n., vt., vi.* Ⓤ 알랑대는 말(을 하다). 「지친.
bla·sé[blɑːzéi, ∠–] *a.* (F.) 환락에
˙blas·pheme[blæsfíːm, ∠–] *vt., vi.* ① (신에 대하여) 불경한 언사를 쓰다. ② (…에) 험담을 하다. **-phém·er** *n.* Ⓒ 모독자. **˙-phe·my**[blǽsfəmi] *n.* Ⓤ 불경, 모독. **-phe·mous**(**-ly**) *a.* (*ad.*)
:blast[blæst, -ɑː-] *n.* Ⓒ ① 한 바탕 부는 바람, 돌풍(gust). ② (나팔 따위의) 소리, 울려 퍼짐, 송풍(送風). ③ 발파, 폭파; 폭약. ④ (독기·악평의) 해독. ***at a*** [***one***] ~ 단숨에. ***in*** (***full***) ~ 한창 (송풍되어, 활약하여). ***give*** (***a person***) ***a*** ~ 《口》 (아무를) 호되게 비난하다. ***out of*** ~ 송풍이 멎어; 활약을 중지하여. — *vt., vi.* ① 폭파하다. ② 시들(게 하)다; 마르(게 하)다. ③ 파멸시키다[하다] (*B- him!* 뒈져라!/*B- it!* 빌어먹을!). ~**·ed**[∠id] *a.* 시든; 결단난; 저주받은.
blást fùrnace 용광로, 고로(高爐).
blást-òff *n.* Ⓤ (로켓 등의) 발사.
bla·tant[bléitənt] *a.* 소란스러운; 성가시게 참견하는; (차림이) 야한.

-**tan·cy** *n.*
blath·er [blǽðər] *vt., vi., n.* 지껄여대다; Ⓤ 허튼 소리(를 하다).
:**blaze**[1] [bleiz] *n.* ① (*sing.*) 화염, (강한) 빛, 광휘(光輝). ② (*sing.*) (명성의) 드날림. ③ (*sing.*) (감정의) 격발(*in a* ~ 불끈 성나). ④ (*pl.*) 《俗》 지옥(hell) (*Go to* ~*s!* 뒈져라!). ***like*** ~***s*** 《俗》 맹렬히. — *vi.* 불타다(*up*), 빛나다; 불같이 노하다(*up*). ~ ***away*** 펑펑 쏘아대다, 부지런히 일하다(*at*). ~ ***out*** 〔***up***〕 확 타오르다; 격노하다.
blaze[2] *n., vt.* Ⓒ (길잡이로 나무껍질을 벗긴) 안표(眼標)(를 만들다, 로 표시하다); (가축 얼굴의) 흰 점〔줄〕.
blaze[3] *vt.* 포고하다(proclaim), (널리) 알리다.
blaz·er [bléizər] *n.* Ⓒ 블레이저 코트《화려한 빛깔의 스포츠용 상의》.
blaz·ing [bléiziŋ] *a.* 타는 (듯한); 강렬한, 심한.
bla·zon [bléizən] *n.* Ⓒ 문장(紋章); 문장 표사〔기술〕(법); 과시. — *vt.* 문장을 그리다, 문장으로 장식하다; 말을 퍼뜨리다, 공표하다. ~·**ry** [-ri] *n.* Ⓤ 문장; 미관.
·**bleach** [bli:tʃ] *vt.* 표백하다, 마전하다. ~***ing powder*** 표백분. ∠·**er** *n.* Ⓒ 마전장이, 표백기; (*pl.*) 《美》 (야구장 따위의) 노천 관람석.
·**bleak** [bli:k] *a.* ① 황폐한, 황량한. ② 으스스 추운, 쌀쌀한. ③ 쓸쓸한(dreary). ∠·**ly** *ad.* ∠·**ness** *n.*
blear [bliər] *a.* 흐린, 침침한(~ *eyes*); 몽롱한(dim). — *vt.* 흐리게 하다. ~·**y** [blíəri] *a.* 눈이 흐린; 몽롱한.
bléar-éyed *a.* 흐린 눈의; 눈이 잘 보이지 않는.
·**bleat** [bli:t] *vt.* (염소·송아지 따위가) 매애 울다. — *n.* Ⓒ (염소 따위의) 매애 우는 소리.
bled [bled] *v.* bleed의 과거(분사).
:**bleed** [bli:d] *vi.* (***bled***) ① 출혈하다. ② 피흘리다《나라를 위하여 따위》. ③ 슬퍼하다(*for* him). — *vt.* ① (환자의) 피를 뽑다. ② 돈을 우려내다. ③ 〖製本〗 (잘못하여) 인쇄면의 한 끝을 잘라내다; (사진판에 미적 효과를 주려고) 페이지의 가를 자르다. — *n.* Ⓒ 〖印〗 찍힌 부분까지도 자른 사진; 인쇄된 부분까지도 자른 페이지. ∠·**ing** *n.* Ⓤ 출혈; 방혈(放血) (bloodletting).
bleed·er [blí:dər] *n.* Ⓒ 피를 잘 흘리는 사람; 혈우병자(血友病者); 《俗·蔑》 (역겨운) 인물, 놈.
bleep [bli:p] *n.* Ⓒ 삐익하는 소리《휴대용 라디오 등에서 나는》. — *vi.* 삐익 소리를 내다.
·**blem·ish** [blémiʃ] *n., vt.* Ⓒ 흠, 결점(defect); 손상하다(injure).
blench [blentʃ] *vi.* 뒷걸음치다, 주춤하다(flinch).
:**blend** [blend] *vt., vi.* (~***ed, blent***) 섞(이)다, 융화〔조화〕하다(harmonize). — *n.* Ⓒ 혼합(물). ∠·**ing** *n.* ① Ⓤ 혼합; 〖言〗 혼성. ② Ⓒ 혼성어.
blend·er [bléndər] *n.* Ⓒ ① 혼합하는 사람〔것〕. ② 《美》 믹서《주방용품》.
blent [blent] *v.* blend의 과거(분사).
:**bless** [bles] *vt.* (***blest,*** ~***ed***) ① 정화(淨化)하다. ② (신을) 찬미하다(glorify). ③ (신이) 은총을 내리다. ④ 수호하다. ⑤ (…의) 행복을 빌다; 행운을 감사하다. ⑥ 《反語》 저주하다. ***be*** ~***ed with*** …을 누리고 있다; 《反語》 …으로 곤란을 받고 있다. ***B- me!*** 야단났구나!; 당치도 않다. ~ ***oneself*** 이마와 가슴에 십자를 긋다. ~ ***one's stars*** 행운을 감사하다. ***God*** ~ ***you!*** 신의 가호가 있기를!; 고맙습니다!; 이런! :∠·**ing** *n.* Ⓒ (신의) 가호, 은총; 축복; 식전〔식후〕의 기도; 행복; 고마운 것.
·**bless·ed** [blésid] *a.* ① 신성한. ② 복된, 축복을 받은, 행복한. ③ 《反語》 저주받은(cursed). ***not a*** ~ ***one*** 《俗》 하나〔한 사람〕도 없는. (*my father*) ***of*** ~ ***memory*** 돌아가신 (우리 아버지).
·**blest** [blest] *v.* bless의 과거(분사). — *a.* =BLESSED.
:**blew** [blu:] *v.* blow[1, 2]의 과거.
·**blight** [blait] *n.* ① Ⓤ 〖植〗 말라 죽는 병. ② (a ~) (식물의) 병균, 해충. ③ Ⓒ 파멸을〔실패를〕 초래하는 것; 암영. ***cast a*** ~ ***over*** …에 어두운 그림자를 던지다. — *vt.* ① 말라

죽게 하다. ② 파멸시키다(ruin).

blimp[blimp] *n.* Ⓒ 《口》 소형 연식 비행선; 《俗》 완고한 보수주의자; 《美俗》 뚱뚱보.

†**blind**[blaind] *a.* ① 장님의; 눈먼. ② 맹목적인, 어리석은, 이성을 잃은. ③ 숨은(*a* ~ *ditch* 암거(暗渠)). ④ 문[창]이 없는《벽 따위》. ⑤ 무감각한 (*a* ~ *stupor* 망연 자실). ⑥ 막다른 (*a* ~ *alley*). ***be* ~ *of an eye,*** or ***be* ~ *in*** [***of***] ***one eye*** 한 눈이 보이지 않다. ***go* ~** 장님이 되다. ***go it* ~** 맹목적으로 하다. — *vt.* 눈멀게 하다; 속이다. — *n.* Ⓒ 블라인드, 커튼, 발, 차일. **∠·er** *n.* Ⓒ (보통 *pl.*) 《美》 (말의) 눈가리개 (blinkers). ***∠·ly** *ad.* **:∠·ness** *n.*

blínd álley 막다른 골목; 막바지; 전도가 없는 형세《직업·지위 등》.

blínd dáte 《口》 (소개에 의한) 서로 모르는 남녀간의 데이트 (상대).

blínd·fòld *vt.* (…의) 눈을 가리다; 어찌할 바를 모르게 하다; 속이다. — *a., ad.* 눈이 가려진[가려져]; 무모한[하게]. **~·ed**[-id] *a.*

blíndman's búff 소경놀이.

blínd spòt (눈·주의의) 맹점; 〖無電〗 수신 감도가 나쁜 지역.

***blink**[bliŋk] *vi., vt.* ① 깜박거리(게 하)다; (등불이) 반짝거리다. ② 힐끔 보다; 무시하다(ignore) (*at*). — *n.* Ⓒ ① 깜박거림. ② 힐끔 봄. ③ 섬광. **∠·er** *n., vt.* Ⓒ 명멸(明滅) 신호등; (*pl.*) = BLINDER; (*pl.*) 보안용 안경; (말에) 눈마리개를 하다.

blink·ing[blíŋkiŋ] *a.* 반짝이는, 명멸하는; 《英》 지독한, 심한. **~·ly** *ad.*

blip[blip] *n.* Ⓒ (레이더의) 영상.

:bliss[blis] *n.* Ⓤ 더없는 행복[기쁨], 지복(至福)(heavenly joy). ***∠·ful** (**-ly**) *a.* (*ad.*)

blis·ter**[blístər] *n., vt., vi.* Ⓒ ① (화상 따위) 물집(이 생기(게 하)다). ② 돌출부. ③ (독설 따위로) 중상하다. ~ ***gas 독가스의 일종《피부를 상하게 함》.

***blithe** [blaið], **blithe·some** [∠səm] *a.* 명랑[쾌활]한, 유쾌한; 행복한.

blith·er·ing[blíðəriŋ] *a.* 허튼 소리하는; 《口》 철저한; 수다스러운.

blitz[blits], ***blitz·krieg***[∠krìːg] *n., vt.* (G.) Ⓒ 전격전(을 가하다), 급습(하다).

bliz·zard[blízərd] *n.* Ⓒ 심한 눈보라; 쇄도; 구타; 일제 사격.

bloat[blout] *vi., vt.* 부풀(리)다 (swell); 자부하(게 하)다; (*vt.*) (청어를) 훈제하다. **~·ed**[∠id] *a.* 부풀은; 우쭐대는. **∠·er** *n.* Ⓒ 훈제한 청어.

blob[blab/-ɔ-] *n.* Ⓒ (걸쭉한 액체의) 한 방울; 작은 얼룩점; 〖크리켓〗 영점. — *vi., vt.* (**-bb-**) (…에) 한 방울 튀기다[들다], 떨어지다, 튀다.

***bloc**[blak/-ɔ-] *n.* (F.) Ⓒ (정치·경제상의) 블록, …권(圈); 《美》 의원 연합.

:block[blak/-ɔ-] *n.* Ⓒ ① 덩어리, 토막. ② 받침(나무); 경매대(競賣臺); 단두대. ③ 모탕; 조선대; 모자골; 목판; 각석(角石). ④ 《英》 (큰 건축의) 한 채. ⑤ 《美》 (시가의) 한 구획; 한 벌. ⑥ 한 장씩 떼어 쓰게 된 것. ⑦ 활차, 도르래. ⑧ 장애, 방해. ⑨ 〖컴〗 블록《한 단위로 취급되는 연속된 언어의 집단》. ***as like as two* ~*s*** 아주 닮은, 쏙 빼. ~ ***and tackle*** 고패와 고팻줄. ***go to the* ~** 단두대로 가다; 경매에 부쳐지다. — *vt.* ① 방해하다; (길을) 막다 (*up*). ② 봉쇄하다. ~ ***in*** [***out***] 약도를 그리다, (대체의) 설계를 하다. ~ ***off*** 저지하다(check).

block·ade**[blakéid/blɔk-] *n.* Ⓒ 봉쇄, (항만) 폐쇄; 교통 차단; 경제 봉쇄. ***raise [***break***] ***a* ~** 봉쇄를 풀다[깨뜨리다]. — *vt.* 봉쇄하다.

blóck·bùster *n.* Ⓒ 《口》 고성능의 대형 폭탄; 유력자; (신문의) 광고.

blóck·hèad *n.* Ⓒ 바보.

blóck·hòuse *n.* Ⓒ 토치카; 작은 목조 요새; 로켓 발사 관제소.

blóck lètter 〖印〗 블록 자체.

bloke [blouk] *n.* Ⓒ 《英俗》 놈 (fellow, chap).

:blond(**e**)[bland/-ɔ-] *a., n.* Ⓒ 블론드(의) (사람)《금발에 흰 피부임; 원래 blond는 남성형, blonde는 여성형》.

†**blood**[blʌd] *n.* ① Ⓤ 피, 혈액. ②

Ⓤ 유혈, 살육. ③ Ⓤ 혈통, 가문; 순종. ④ (the ~) 왕족. ⑤ Ⓒ《英》 혈기 왕성한 사람, 멋쟁이. ***bad* 〔*ill*〕 ~** 적의(敵意). **~ *and thunder*** (통속 소설의) 유혈과 소동〔폭력〕. ***in* 〔*out of*〕 ~** 기운차게〔없이〕. ***in cold* ~** 냉정히; 침착하게. ***in hot* 〔*warm*〕 ~** 핏대를 올리고, 성나서. ***let* ~** 〖醫〗 방혈(放血)하다. ***make a person's* ~ *run cold*** (아무를) 겁에 질리게 하다.

blóod bànk 혈액 은행.

blóod bàth 대학살. 「은 형제.

blóod bróther 친형제; 피로써 맺

blóod còunt 혈구수 측정.

blóod·cùrdling *a.* 소름 끼치는, 등골이 오싹하는.

blóod dònor 헌혈자.

blóod gròup 〔**tỳpe**〕 혈액형.

blóod hèat 혈온《인간의 표준 체온; 보통 37℃》.

blóod·hòund *n.* Ⓒ (후각이 예민한 영국산의) 경찰견; 《俗》 탐정.

blood·less [ˊlis] *a.* 핏기 없는; 피 흘리지 않는, 무혈의; 기운 없는; 무정한.

blóod·lètting *n.* Ⓤ 방혈(phlebotomy); 유혈.

blóod mòney 살인 사례금; 《軍俗》 (적기를 격추한 자에게 주는) 공로금; 피살자의 근친에게 주는 위자료.

blóod pòisoning 패혈증(敗血症).

blóod prèssure 혈압.

blóod relátion 〔**rèlative**〕 혈족.

˙**blóod·shèd** *n.* Ⓤ 유혈(의 참사); 살해; 학살. 「한.

blóod·shòt *a.* 충혈된.

blóod·stàined *a.* 피 묻은; 살인을

blóod·stòck *n.* Ⓤ《집합적》 순종의 말.

blóod tèst 혈액 검사.

blóod·thìrsty *a.* 피에 굶주린.

blóod transfùsion 수혈(법).

blóod tỳpe ＝BLOOD GROUP.

blóod vèssel 혈관.

:blood·y [ˊi] *a.* ① 피의, 피 같은; 피투성이의. ② 잔인한. ③《英俗》 심한《꺼리어 b—(d)y라고도 씀》. — *vt.* 피투성이를 만들다.

:bloom [blu:m] *n.* ① Ⓒ (관상용의) 꽃. ② Ⓤ《집합적》 (특정 장소·식물·철의) 꽃. ③ Ⓤ 개화기, 한창; (기운·아름다움의) 전성기(prime). ④ Ⓤ 건강한 얼굴빛, 앵두빛. ⑤ Ⓤ (포도 따위의 껍질의) 뿌연 가루. ***in* (*full*) ~** 꽃이 피어; 만발하여. — *vi.* 피다; 번영하다.

bloom·er [blúːmər] *n.* 《英俗》 큰 실수; 실책.

bloom·ers [blúːmərz] *n. pl.* (여자용의) 블루머《운동용 팬츠》.

˙**bloom·ing** [blúːmiŋ] *a.* ① 활짝 핀 (in bloom). ② 한창인, 청춘의. ③ 번영하는. ④《英口》 지독한. ⑤《反語》 어처구니 없는. **~·ly** *ad.*

bloop·er [blúːpər] *n.* Ⓒ《俗》 큰 실수; 〖野〗 역회전의 높은 공; 텍사스 히트.

:blos·som [blάsəm/-ɔ́-] *n.* ① Ⓒ (과실 나무의) 꽃(cf. flower). ② Ⓤ《집합적》 (한 과실 나무의) 꽃(전체). ③ Ⓤ 개화(기); 청춘. ***in* ~** 꽃이 피어. ***in full* ~** 만발하여. — *vi.* 피다; 번영하다; (낙하산이) 펼쳐지다.

:blot [blαt/-ɔ-] *n.* Ⓒ ① (잉크 따위의) 얼룩, 때(stain). ② 오점, 오명, 결점(*on*). — *vt.* (**-tt-**) ① 더럽히다. ② (글씨를) 지우다. ③ (잉크를) 빨아들이다. **~ *out*** 지우다; 감추다. **blót·ter** *n.* Ⓒ 압지(壓紙); 기록부.

blotch [blαtʃ/-ɔ-] *n.* Ⓒ (큼직한) 얼룩; 점, 종기(boil).

:blótting pàper 압지.

blot·to [blάtou/-ɔ́-] *a.* 《俗》 곤드레만드레 취한.

˙**blouse** [blauz, -s] *n.* Ⓒ 블라우스《여자·어린이용의 셔츠식의 웃옷》; 《美》 군복의 상의(上衣).

†**blow**[1] [blou] *vi.* (**blew; blown,**《俗》 **~ed**) ① (입으로) 불다. ② (바람이) 불다(*It is ~ing.* ＝ *The wind is ~ing.*). ③ 바람에 날리다(*The dust ~s.*). ④ (퓨즈·진공관이) 끊어지다. ⑤ (피리가) 울리다. ⑥ 헐떡이다(pant). ⑦ (고래가) 숨을 내뿜다(spout air). ⑧ 폭발하다. ⑨ 《口》 자랑하다, 풍떨다(brag). — *vt.* ① 불다, 휘몰아치다(puff). ② (유리 그릇·비누 방울을) 불어서 만들다. ③ 취주하다. ④ 말을 퍼뜨리다.

⑤《美俗》 실패하다. ⑥ (파리가 쉬를) 슬다. ⑦《俗》(…에) 돈을 쓰다; 한턱 내다. ⑧《俗》비밀을 누설하다. 고자질하다. ⑨ (퓨즈를) 끊어지게 하다(melt). ⑩《俗》저주하다(*B- it!* 빌어먹을!/*I'm ~ed if I do.* 절대 하지 않는다). ⑪ (코를) 풀다. ⑫《美俗》마리화나를 피우다. ~ ***hot and cold*** 좋게 말했다 나쁘게 말했다 하다, 변덕스럽다. ~ ***in***《俗》난데없이 나타나다; 들르다(drop in). ~ ***off*** 불어 날리다; (물·증기를) 내뿜다. ~ ***out*** 불어 끄다; 태풍이 멎다; (불이) 꺼지다; (용광로의) 운전을 정지하다. (용광로가) 활동을 정지하다; 펑크가 나다. ~ ***over*** (바람이) 멎다; (불행이) 지나가 버리다; (소문이) 잊혀지다. ~ ***sky-high*** 찍소리 못 하게 윽박지르다. ~ ***up*** 부풀게 하다.《비유》부풀다; 폭발〔폭파〕하다; 못쓰게 하다; (바람이) 점점 세게 불다; 〖寫〗확대하다; 일어나다(arise); 《口》노하다; 꾸짖다. — *n.* Ⓒ ① (바람이) 한 번 불기. ② 취주. ③ (고래의) 숨뿜기. ④《口》자만, 허풍. ⑤《口》휴식, 산책.

blow² *n., vi.* (**blew; blown**) Ⓤ 개화(開花); 꽃피다(bloom¹).

:blow³ *n.* Ⓒ ① 강타, 타격(hard hit). ② 불행. ***at one*** ~ 일격에; 단번에. ***come*** 〔***fall***〕 ***to ~s*** 주먹다짐을 시작하다.

blow·er[´-ər] *n.* Ⓒ 부는 사람〔것〕; 송풍기; 유리를 불어 만드는 사람; (the ~)《英俗》전화.

blów·làmp *n.* = BLOWTORCH.

:blown[bloun] *v.* blow¹·²의 과거분사.

blów·òut *n.* Ⓒ (공기·물의) 분출, 펑크; (퓨즈의) 용해;《俗》큰 잔치, 대향연.

blów·tòrch *n.* Ⓒ (파이프공의) 발염(發炎) 장치, 토치램프.

blów·ùp *n.* Ⓒ 폭발; 발끈 화냄;《美》파산; 〖寫〗확대.

blow·y[blóui] *a.* = WINDY.

blowz·y[bláuzi] *a.* 단정치 못한(untidy); 봉두난발의; 지저분한; 고상하지 못한; 얼굴이 불그레한.

blub·ber¹[blʌ́bər] *vt., vi., n.* Ⓤ 엉엉 욺; 엉엉 울다; (얼굴을) 눈물로 얼룩지게 하다, 울며 말하다.

blub·ber² *n.* Ⓤ (고래의) 기름.

bludg·eon[blʌ́dʒən] *n.* Ⓒ 곤봉.

†blue[blu:] *a.* ① 푸른. ② 음울한, 우울한, 낙담한. ③ (추위·공포 따위로) 새파래진, 창백한(livid). ④ 푸른 옷을 입은. ⑤ 인텔리의《여자》. ⑥《口》외설한(obscene). ⑦ 엄한《법률 따위가》. ***a ~ moon*** 거의 없는 일, 어리석은 일. ***like ~ murder*** 전속력으로. ***look ~*** 우울해 보이다. ***once in a ~ moon*** 극히 드물게 (cf. a ~ moon). ***till all is ~*** 철저하게, 끝까지(*drink till all is ~* 곤드레만드레 취하다). ***true ~*** 충실한. — *n.* ① Ⓤ,Ⓒ 파랑 (*dark ~* 암청색), 남빛. ② (the ~) 푸른 하늘〔바다〕. ③ (*pl.*) 우울. ④ (*pl.*) 블루스《우울한 곡조의 재즈곡》. ***out of the ~*** (청천 벽력같이) 뜻밖에, 불시의.

blúe bàby 〖醫〗청색아《선천성 심질환·폐확장 부전의 유아》.

·blúe·bèll *n.* Ⓒ 종 모양의 푸른 꽃이 피는 풀《야생의 히아신스·초롱꽃 따위》. 「그 열매.

·blúe·bèrry *n.* Ⓒ 월귤나무의 일종;

blúe blòod 명문(名門)《피부가 희고 정맥이 비쳐 보이는 데서》;《口》귀족.

blúe·bòttle *n.* Ⓒ 〖蟲〗금파리; 〖植〗수레국화.

blúe-cóllar *a.* 육체 노동의, 작업복의(*a ~ worker* 공장 노동자)(cf. white-collar).

blúe·gràss *n.* Ⓤ 〖植〗새포아풀속의 목초(牧草).

blúe-péncil *vt.* (《英》 **-ll-**) (편집자가) 파란 연필로 원고를 수정하다, 정정하다.

Blúe Péter 출범기(出帆旗).

blúe·prìnt *n., vt.* Ⓒ 청사진; 계획(하다).

blúe·stòcking *n.* Ⓒ (18세기 런던의) 청탑(靑鞜)회원; 여류 문학자.

·bluff¹[blʌf] *n., a.* ① Ⓒ 절벽(의). ② 무뚝뚝하나 진실한. ③ 솔직한. **∠·ly** *ad.*

bluff² *n., vt., vi.* Ⓤ,Ⓒ 허세(부리다); 속임; 속이다(cheat).

·blu·ish[blú:iʃ] *a.* 푸르스름한.

˙**blun·der** [blʌ́ndər] *n., vi., vt.* Ⓒ 실책(을 하다), 큰 실수(를 하다); 잘못 …하다, 머뭇머뭇하다.

blun·der·buss [blʌ́ndərbʌ̀s] *n.* Ⓒ (17-8세기의) 나팔총.

:**blunt** [blʌnt] *a.* ① 날 없는, 날이 무딘, 들지 않는(dull). ② (이해력이) 둔한(dull). ③ 거리낌 없는(outspoken). — *vt., vi.* 무디게 하다, 무디어지다. ˙**∠·ly** *ad.*

˙**blur** [bləːr] *vt., vi.* (**-rr-**) ① 더럽히다; 더러워지다. ② 흐리게 하다; 흐려지다. — *n.* Ⓒ ① 더러움. ② 몽롱, 흐림. ③ 오점, 오명.

blurb [bləːrb] *n.* Ⓒ 《口》 (신간 서적의 커버(jacket)에 실린) 선전[광고] 문구.

blurt [bləːrt] *vt.* 무심결에 말하다「(*out*).

:**blush** [blʌʃ] *n., vi.* ① Ⓒ 얼굴을 붉힘[붉히다]. ② 부끄러워하다. ③ 빨개지다. ***at*** (***the***) ***first*** ~ 언뜻 보아. ***put to the*** ~ 얼굴을 붉히게 만들다. ***spare a person's*** ~***es*** 《口》 수치심을 주지 않도록 하다(*spare my* ~*es* 너무 칭찬 마라).

˙**blus·ter** [blʌ́stər] *vi., n.* Ⓤ ① (파도·바람이) 휘몰아치다[침], 거세게 일다[일기]. ② 떠들어대다[댐], 허세부리다[부림].

bo·a [bóuə] *n.* Ⓒ 큰 구렁이; 보아 《모피로 만든 긴 목도리》. ~ ***constrictor*** (아메리카산의) 큰 구렁이.

˙**boar** [bɔːr] *n.* ① Ⓒ 수퇘지; 멧돼지 (wild ~). ② Ⓤ 그 고기.

†**board** [bɔːrd] *n.* ① Ⓒ 널판. ② Ⓒ 대판(臺板). ③ Ⓒ,Ⓤ 판지(板紙), 마분지(pasteboard). ④ Ⓒ 식탁. ⑤ Ⓤ 식사. ⑥ Ⓒ 회의(council); 평의원회, 위원회. ⑦ Ⓒ 부(部), 청, 국, 원, 처. ⑧ Ⓒ 〖海〗 뱃전; Ⓤ 배안; 《美》 (버스·열차 따위의) 차안, 차간. ⑨ (*pl.*) 무대. ⑩ Ⓒ 《美》 증권 거래소. ⑪ Ⓒ 〖컴〗 기판, 판. ***above*** ~ 공명 정대하게. ~ ***and*** [***on***] ~ (두 배가) 뱃전이 맞닿을 정도로 나란히. ~ ***and lodging*** 식사를 제공하는 하숙. ~ ***of directors*** 중역[평의원]회. ***B- of Education*** 《美》 교육위원회; 《英》 교육국《구칭; 지금은 the Ministry of Education》. ~ ***of health*** 보건국. ~ ***of trade*** 《美》 실업(추진) 연맹《chamber of commerce 비슷한 딴 기구》; (B- of T-) 《英》 상무성(商務省). ***go by the*** ~ (돛대가 부러져) 배 밖으로 떨어지다; 실패하다. ***on*** ~ 배[차]를 타고. ***tread the*** ~***s*** 무대를 밟다, 배우가 되다.
— *vt.* ① (…에) 널을 대다. ② 식사를 주다. ③ 승차하다. — *vi.* ① 하숙하다(*with*). ② 식사하다(*at*). ~ ***out*** (하숙인이) 외식하다(dine out). **:∠·er** *n.* Ⓒ 하숙인, 기숙생.

bóarding hòuse 하숙집; 기숙사.

bóarding schóol 기숙사제 학교.

bóard·ròom *n.* Ⓒ (주로) 중역 회의실.「도.

bóard·wàlk *n.* Ⓒ 《美》 널을 깐 보

:**boast** [boust] *vi., vt.* ① 자랑하다(*of, about; that*). ② (…을) 가졌음을 자랑하다, 가지고 있다. **∠·er** *n.* **∠·ful** *a.* **∠·ful·ly** *ad.* **∠·ful·ness** *n.*

†**boat** [bout] *n.* Ⓒ ① 보트. ② 기선. ③ 배 모양의 그릇(*a sauce* ~). ***burn one's*** ~***s*** 배수의 진을 치다. ***in the same*** ~ 같은 처지에. ***take*** ~ 배를 타다. — *vi., vt.* ① 배로 가다[나르다]. ② 배에 싣다. ~ ***it*** 배로 가다. **∠·ing** *n.* Ⓤ 뱃놀이.

bóat·hòuse *n.* Ⓒ 보트 창고.

˙**boat·man** [∠mən] *n.* Ⓒ ① 뱃사공, 보트 젓는 사람. ② 보트 세 놓는 사람.

˙**bob**[1] [bab/-ɔ-] *n.* Ⓒ ① (시계·저울 따위의) 추. ② (낚시의) 찌. ③ 획 움직임. ④ =CURTSY. ⑤ 한 번 흔듦. ⑥ 단발(cf. shingle). ⑦ (말의) 자른 꼬리. ⑧ =BOBSLED. — *vt.* (**-bb-**) ① 획 움직이다. ② 짧게 자르다. ③ 단발하다. — *vi.* ① 획 움직이다, 둥실거리다. ② 획 머리를 들다(*up*). ③ 제물낚시로 낚다(*for*). ④ 꾸벅 절[인사]하다(*at*).

bob[2] *n., vt.* (**-bb-**) Ⓒ 가볍게 침[치다](tap[1]).

bob[3] *n.* Ⓒ 《美口》 실링(shilling).

bob·bin [bábin/-ɔ́-] *n.* Ⓒ 실감개, 보빈; 가는 실; 〖電〗 (코일) 감는 틀.

bob·ble [bábəl/bɔ́b-] *vi., vt.* 《美口》 깐닥깐닥 상하로 움직이다; (공을) 놓치다.

B

bob·by[bábi/-5-] *n.* Ⓒ 《英口》 순경.
bóbby pìn 《美》 머리핀의 일종.
bób·slèd, -slèigh *n.* Ⓒ 연결 썰매; 봅슬레이 경기용 썰매. — *vi.* ~를 타다.
bode[1][boud] *vt., vi.* (…의) 조짐을 나타내다[이 되다](~ *ill* [*well*] 징조가 나쁘다[좋다]).
bode[2] *v.* bide의 과거.
bod·ice[bádis/-5-] *n.* Ⓒ 여성복의 몸통 부분(꽉 끼는), 보디스.
:bod·i·ly[bádəli/-5-] *a.* ① 몸의. ② 육체적인. — *ad.* ① 몸소. ② 통째로, 모조리.
†bod·y[bádi/-5-] *n.* ① Ⓒ 몸, 육체. ② Ⓒ 몸통(부분). ③ Ⓒ 동의(胴衣). ④ Ⓒ 시체. ⑤ Ⓒ 주부(主部). ⑥ Ⓒ 본문《서문·일러두기·부록 따위에 대하여》. ⑦ Ⓒ 대(隊), 떼. ⑧ Ⓒ 《口》 사람(*an honest* ~ 정직한 사람). ⑨ Ⓒ 〖理〗 물체. ⑩ Ⓤ 실질, 농도(density)(*wine of a good* ~ 독한 포도주). ⑪ Ⓒ 차체, 선체. ⑫ Ⓒ 덩이(mass)(*a* ~ *of water, cloud, etc.*). ~ ***and breeches*** 《美口》 아주, 완전히. ~ ***corporate*** 법인. ~ ***of Christ*** 성체 성사용의 빵. ~ ***politic*** 정치 통일체, 국가. ***in a*** ~ 하나로 되어. ***in*** ~ 몸소, 스스로. ***keep*** ~ ***and soul together*** 겨우 생계를 유지하다. — *vt.* 형체를 주다. ~ ***forth*** 표상하다; 체현하다(embody); (…을) 마음에 그리다.
bódy·bùilder *n.* Ⓒ 보디빌딩용 기구; 보디빌딩하는 사람; 영양식; 차체 제작공. **-bùilding** *n.*
bódy·guàrd *n.* Ⓒ 호위(병).
bódy lànguage 보디 랭귀지, 신체 언어《몸짓·표정 따위 의사 소통의 수단》.
bódy stòcking 보디스타킹《꼭 맞는 스타킹식의 속옷》.
bódy·wòrk *n.* Ⓤ 차체; 차체의 제작[수리].
Boer[bɔːr, bouər] *n.* Ⓒ 보어 사람 《남아프리카 Transvaal등지의 네덜란드계의 백인》.
bof·fin[báfin/-5-] *n.* Ⓒ 《英俗》 과학자, (군사) 연구원.
·bog[bag, bɔ(ː)g] *n., vi., vt.* (**-gg-**) Ⓤ,Ⓒ 소택지, 수렁(에 가라앉다, 가라앉히다)(*be* ~*ged* 수렁에 빠지다; 궁지에 빠져 꼼짝 못 하다). **∠·gy** *a.* 수렁이 많은, 소택지의.
bo·gey, bo·gie[bóugi] *n.* = BOGY; Ⓒ 〖골프〗 기준 타수(par) 보다 하나 더 많은 타수.
bog·gle[bágəl/-5-] *vi.* 주춤거리다, 머뭇거리다(*at, about*); (말이) 겁에 질려 멈춰서다, 펄쩍 뛰어 물러서다(shy); 속이다; 시미치 떼다; 《口》 실수하다.
bo·gus[bóugəs] *a.* 《美》 가짜의, 엉터리의(sham).
bo·gy[bóugi] *n.* Ⓒ 도깨비, 귀신; 유령; 《軍俗》 국적 불명의 항공기.
Bo·he·mi·a[bouhíːmiə] *n.* 체코공화국 서부의 주. **·~n**[-n] *a., n.* Ⓒ 보헤미아의; 보헤미아 사람(의); Ⓤ 《古》 체코 말(의); 방랑의; Ⓒ (종종 b-) 방랑자; 태평스러운 (사람); 습관에 구애받지 않는.
:boil[1][bɔil] *vi., vt.* ① 끓(이)다; 비등하다[시키다]. ② 삶(아지)다, 데치(어 지)다. ③ 격분하다. ~ ***down*** 졸이다; 요약하다(digest). ~ ***over*** 끓어 넘다; 분통을 터뜨리다. — *n.* (the ~) 비등(상태). ***at*** [***on***] ***the*** ~ 비등하여. **·∠·er** *n.* Ⓒ 보일러; 끓이는 그릇《냄비·솥》.
boil[2] *n.* Ⓒ 〖醫〗 종기, 부스럼(cf. carbuncle).
bóiling pòint 끓는점.
·bois·ter·ous[bɔ́istərəs] *a.* ① (비바람이) 사납게 몰아치는(stormy). ② 소란스러운; 난폭한(rough); 야단법석의. **~·ly** *ad.*
:bold[bould] *a.* ① 대담한. ② 거리낌 없는(forward). ③ (글씨·윤곽 따위) 굵은; 〖印〗 볼드체의; 뚜렷한. ④ 가파른(steep). ***in*** ~ ***outline against*** (*the sky*) (하늘)에 뚜렷이. ***make*** ~ ***to*** (do) 감히 …하다. **·∠·ly** *ad.* **·∠·ness** *n.*
bole[boul] *n.* Ⓒ 나무 줄기(trunk).
bo·le·ro[bəléərou] *n.* (*pl.* **~s**) (Sp.) Ⓒ 볼레로《경쾌한 스페인 무도(곡)》; 볼레로《여자의 짧고 앞이 트인 웃옷》.
boll[boul] *n.* Ⓒ (목화·아마 따위의) 둥근 꼬투리.
bol·lard[bálərd/-5-] *n.* Ⓒ 〖海〗 배

매는 기둥.
bo·lo·ney[bəlóuni] *n.* Ⓤ 헛소리.
˚**Bol·she·vik, b-**[bálʃəvìk, bóul-, bɔ́(ː)l-] *a., n.* Ⓒ 볼셰비키, 다수파〔과격파〕의 (당원). **-vik·i**[bálʃəvìkiː/-ɔ́-] *n. pl.* 다수파, 과격파《러시아 사회 민주당의 급진파, 러시아 공산당(1918-)의 모체》(cf. Mensheviki).
Bol·she·vism[-vìzəm] *n.* Ⓤ 과격주의〔사상〕. **-vist** *n.*
bol·ster[bóulstər] *n., vt., vi.* Ⓒ 긴 베개《시트 밑의》; 받침(을 대다); 메우는 물건, 메우다. ~ ***up*** 지지하다, (사기를) 북돋우다.
:**bolt**[boult] *n.* Ⓒ ① 빗장. ② 볼트. ③ 전광, 번갯불. ④ (큰 활의) 굵은 화살. ⑤ 도주. ⑥ (도배지·천 등의) 한 통〔필〕. ⑦《美》탈당, 자당(自黨)의 정책〔후보〕에 대한 지지 거절. ***a ~ from the blue*** 청천 벽력, 아닌 밤중의 홍두깨. — *vi.* ① 뛰어 나가다. ② 도망하다. ③《美》자당(의 후보·정책)으로부터 이탈하다. — *vt.* ① 빗장으로 걸다. ② 볼트로 죄다. ③《美》탈퇴하다, 이탈하다. ④ (씹지 않고) 삼키다. ~ ***in*** 가두다. ~ ***out*** 내쫓다. **∠·er** *n.*
:**bomb**[bam/-ɔ-] *n.* ① Ⓒ 폭탄, 수류탄. ② (the ~) 원자〔수소〕폭탄. ③ Ⓒ《美俗》(흥행의) 큰 실패. — *vt.* 폭격하다(*be ~ed out* 공습으로 집을 잃다). ~ ***up*** (비행기에) 폭탄을 싣다. **∠·er** *n.* Ⓒ 폭격기.
˚**bom·bard**[bambáːrd/bɔm-] *vt.* ① 포격〔공격〕하다. ② 욕하다, 비방하다. ˚**~·ment** *n.*
bom·bar·dier[bàmbərdíər/bɔ̀m-] *n.* Ⓒ 폭격수; 《英》포병 하사관.
bom·bast[bámbæst/-ɔ́-] *n.* Ⓤ 호언 장담. — *a.* 《廢》과장된. **bom·bás·tic** *a.*
bómb dispòsal 불발탄 처리.
bómb·pròof *a.* 폭탄에 견디는.
bómb·shèll *n.* Ⓒ 폭탄; 돌발 사건.
bómb·sìte *n.* Ⓒ 공습 피해 지역.
bo·na fi·de[bóunə fáidi; -fàid] (L.) 진실한; 성의 있는.
bo·nan·za[bounǽnzə] *n.* (Sp.) Ⓒ (금·은의) 노다지 광맥; 《口》대성공, 큰벌이(거리). ***in ~*** 크게 수지맞아.
:**bond**[1][band/-ɔ-] *n.* ① Ⓒ 묶는 것, 끈, 새끼. ② Ⓒ 유대, 맺음, 인연(tie); (종종 *pl.*) 속박, 쇠고랑(shackles); 감금. ③ Ⓒ 계약. ④ Ⓒ 증서; 증권, 공채 증서, 채권. ⑤ Ⓒ 보증인. ⑥ Ⓤ (세금 납입까지의) 보세 창고 유치. ⑦ Ⓒ 접착제. ⑧ Ⓒ (벽돌 따위의) 쌓는 법. ⑨ Ⓒ 〖化〗(원자의) 결합수(結合手), 가표(價標). — *vt.* ① 채권으로 대체하다(~ *a debt*), 저당잡하다. ② 보세 창고에 넣다. ③ 결합하다. ④ (벽돌·돌을) 엇물림으로 쌓다.
bond[2] *a.* 사로잡힌, 노예의.
˚**bond·age**[∠idʒ] *n.* Ⓤ 노예의 신분; 속박.
†**bone**[boun] *n.* ① Ⓒ,Ⓤ 뼈, 뼈로 만든 것. ② (*pl.*) 해골, 시체. ③ (*pl.*) 골격, 몸. ④ (*pl.*) 캐스터네츠. ⑤ Ⓒ 코르셋 따위의 뼈대, 우산의 살. ⑥《美俗》(*pl.*) 주사위(dice). ***~ of contention*** 분쟁의 씨. ***have a ~ to pick*** (*with*) (…에게) 할 말〔불만〕이 있다. ***make no ~s of*** …을 태연히 하다, …을 주저하지 않다. ***make old ~s*** 장수하다. ***to the ~*** 골수까지, 완전히. — *vt.* ① 뼈를 발라내다; 골분 비료를 주다. ②《英俗》훔치다. — *vi.* 《俗》공부만 들이파다(*up*).
bóne-drý *a.* 《口》바싹 마른; 《口》절대 금주의.
bóne·hèad *n.* Ⓒ 《俗》얼간이, 바보.
bóne mèal (비료·사료용의) 골분.
˚**bon·fire**[bánfàiər/-ɔ́-] *n.* Ⓒ ① (경축의) 화톳불. ② 모닥불(*make a ~ of* …을 태워 버리다).
Bónfire Nìght 《英》11월 15일의 밤(cf. guy[2]).
bon·go *n.* (*pl.* ~(*e*)*s*) Ⓒ 봉고《손으로 두드리는 세로로 긴 북, 2개 한 벌》.
bon·ho·mie [bànəmíː, ∠-∠/bɔ́nɔmìː] *n.* (F.) Ⓤ 온용(溫容); 붙임성.
:**bon·net**[bánit/-ɔ́-] *n.* Ⓒ ① 보닛《여자·어린애의 턱끈 있는 모자》. ②《Sc.》남자 모자. ③ (기계의) 덮개.

B

bon·ny, bon·nie [báni/-ɔ́-] *a.* 《주로 Sc.》 (혈색 좋고) 아름다운; 건강해 보이는. **bon·ni·ly** *ad.* 《英方》 아름답게; 즐거운 듯이.

·**bo·nus** [bóunəs] *n.* Ⓒ ① 보너스, 상여〔위로〕금. ② 특별 배당금, 할증금(割增金), 리베이트, 경품.

·**bon·y** [bóuni] *a.* ① 뼈의, 골질(骨質)의. ② 뼈만 앙상한, 말라 빠진.

boo[1] [bu:] *int., vi., vt.* 피이! 《비난·경멸·남을 놀라게 할 때 지르는 소리》; (…에게) 피이하다.

boo[2] *n.* Ⓤ 《美俗》 마리화나.

boob [bu:b] *n.* Ⓒ 《美俗》 멍청이 (fool).

boo·by [bú:bi] *n.* Ⓒ 〖鳥〗 가마우지의 일종; 멍청이(fool).

bóoby prìze (경기 등에서) 꼴찌상.

bóoby tràp 장난으로 꾸며 놓은 함정 장치; 〖軍〗 위장 폭탄.

boog·ie-woog·ie [bú(:)giwú(:)gi] *n.* Ⓤ 〖樂〗 부기우기《재즈피아노곡의 일종》.

boo·hoo [bù:hú:] *vi., n.* Ⓒ 엉엉 울다〔울어댐〕.

†**book** [buk] *n.* ① Ⓒ 책; (the B-) 성서. ② Ⓒ 권, 편. ③ Ⓒ 대본. ④ Ⓒ 장부; (*pl.*) 회계부. ⑤ (*pl.*) 명부. ⑥ (the ~) 기준, 규칙; 설명서. ***be at one's ~s*** 공부하고 있는 중이다. ***~ of life*** '생명 책'《천국에 들어갈 사람들의 기록》. ***bring a person to ~*** 힐문하다. ***close the ~s*** (회계) 장부를 마감하다. ***God's*** 〔***the Good***〕 ***~*** 성서. ***in a person's good*** 〔***bad, black***〕 ***~s*** 아무의 귀염을 받아〔마음에 들지 않아〕. ***keep ~s*** 치부하다. ***like a ~*** 정확하게; 충분히. ***on the ~s*** 명부에 올라. ***speak by the ~*** 전거를 들어 (정확하게) 이야기하다. ***suit a person's ~*** 뜻에 맞다. ***the B- of Books*** 성서. ***without ~*** 암기하여; 전거 없이. ── *vt.* ① (장부에) 기입하다. ② (좌석을) 예약하다. ③ (…행의) 표를 사다. ④ 《口》 (행동을) 예정하다, 약속시키다. ── *vi.* 좌석을 예약하다. ***be ~ed*** (***for it***) 붙들려 꼼짝 못 하다. ***be ~ed for*** 〔***to***〕 …가는 표를 사 가지고 있다. ***be ~ed up*** 예매가 매진되다; 선약이 있다.

bóok·bìnder *n.* Ⓒ 제본업자〔공〕.

bóok·bìnding *n.* Ⓤ 제본(술).

:**bóok·càse** *n.* Ⓒ 책장, 책꽂이.

bóok clùb 도서 클럽; 독서회.

bóok ènd 북엔드《책버팀대의 일종》.

book·ie [´i] *n.* Ⓒ 《口》 마권업자.

·**bóok·ing** *n.* Ⓤ,Ⓒ ① 치부, 기입. ② 예약, 출연 계약; 출찰(出札). ***~ clerk*** 《英》 출찰계. ***~ office*** 《英》 출찰소, 매표소.

book·ish [´iʃ] *a.* 책의, 책을 좋아하는, 학식이 많은; 학자연하는; 서적상(上)의, 탁상의.

·**bóok·kèeper** *n.* Ⓒ 장부계원.

bóok·kèeping *n.* Ⓤ 부기.

book·let [´lit] *n.* Ⓒ 팸플릿, 작은 책자.

bóok·màker *n.* Ⓒ (이익 본위의) 저작자, 편집자; 마권업자.

bóok·màking *n.* Ⓤ ① (이익 본위의) 저작; 서적 제조. ② 마권 영업.

bóok·màrk(er) *n.* Ⓒ 서표(書標).

bóok·plàte *n.* Ⓒ 장서표(藏書票) (*ex libris*).

·**bóok·sèller** *n.* Ⓒ 책장수.

bóok·stàll *n.* Ⓒ 헌 책 파는 노점.

:**bóok·stòre,** :**-shòp** *n.* Ⓒ 서점.

bóok tòken 《英》 도서 구입권.

·**bóok·wòrm** *n.* Ⓒ 좀; 독서광.

:**boom**[1] [bu:m] *n.* Ⓒ ① (종·대포·파도·먼 데서 울리는 천둥 따위의) 쿵〔쿵〕 소리, 울림. ② 벼락 경기, 붐. ③ 급등. ── *vi.* ① 진동하다, 울리다. ② 경기〔인기〕가 오르다. ── *vt.* 경기가 일게 하다; (후보자를) 추어올리다, 선전하다. **´·ing** *a.*

boom[2] *n.* Ⓒ 〖海〗 돛의 아래 활대; (항구의) 방재(防材); 기중기의 가로대.

·**boom·er·ang** [bú:məræ̀ŋ] *n.* Ⓒ 부메랑《던진 자리로 되돌아오는 오스트레일리아 토인의 무기》; 하늘에 대고 침뱉기, 긁어부스럼.

bóom tòwn (벼락 경기로 생긴) 신흥 도시.

·**boon**[1] [bu:n] *n.* Ⓒ ① 은혜, 혜택, 이익. ② 《古》 부탁.

boon[2] *a.* 유쾌한(merry), 명랑한 (gay); 《雅》 (날씨가) 기분이 좋은.

boor[buər] *n.* Ⓒ 시골뜨기(rustic), 농사꾼; 우락부락한 사나이. **~·ish** [búəriʃ] *a.*

˙**boost**[bu:st] *n., vt.* Ⓒ ① 뒤에서 밂〔밀다〕. ② (값을) 인상함〔하다〕.

boost·er[bú:stər] *n.* Ⓒ 《美》 후원자(supporter); 〖電〗 승압기; (텔레비전·라디오 등의) 증폭기; 〖로켓〗 부스터《미사일·로켓의 보조 추진 장치》, 보조 로켓. **~ shot** 〖醫〗 두 번째의 예방 주사.

:boot[1][bu:t] *n., vt.* Ⓒ ① (보통 *pl.*) 《美》 장화(를 신기다); 《英》 목 긴 구두(를 신다). ② 구둣발질(하다). ③ 《口》 해고(하다). ④ 《俗》 (미해군의) 신병. ⑤ 칼집 모양으로 된 보호 커버. ⑥ 〖컴〗 띄우다(*up*)《(운영 체제를) 컴퓨터에 판독시키다; 그 조작으로 가동할 수 있는 상태로 하다》. ***big in one's ~s*** 뽐내어. ***die in one's ~s*** 변사하다(die by violence). ***get*** 〔***give***〕 ***the ~*** 《口》 해고되다〔하다〕. ***have one's heart in one's ~s*** 겁을 집어먹다; 깜짝 놀라다. ***lick the ~s of*** …에게 아첨하다. ***like old ~s*** 《美俗》 맹렬〔철저〕히. ***Over shoes, over ~s*** 《속담》 이왕 내친 걸음이면 끝까지. ***The ~ is on the other leg.*** 사실은 정반대다; 당치도 않다. ***wipe one's ~s on*** …을 모욕하다.

boot[2] *n.* Ⓤ 《古·方》 덤. ***to ~*** 덤으로. — *vt.* 《古·詩》 쓸모 있다.

boot·ee[bú:ti:, ─́] *n.* Ⓒ (보통 *pl.*) 여자용의 목긴 구두; 어린이용의 부드러운 털실 신.

:booth[bu:θ/bu:ð] *n.* (*pl.* **~s** [bu:ðz]) Ⓒ ① 오두막. ② 노점, 매점. ③ 공중 전화 박스; (선거용) 가설 기표소.

bóot·làce *n.* Ⓒ 《주로 英》 구두끈.

bóot·lèg *vt.* (**-gg-**), *n.* 《美》 (주류를) 밀매〔밀수〕하다; Ⓤ 밀매〔밀수〕주. **~ger** *n.* Ⓒ 밀매〔밀수〕자.

bóot·stràp *n.* Ⓒ (보통 *pl.*) ① 편상화의 손잡이 가죽. ② 〖컴〗 부트스트랩《예비 명령에 의해 프로그램을 로딩(loading)하는》.

˙**boo·ty**[bú:ti] *n.* Ⓤ 《집합적》 ① 전리품; 포획물. ② (사업의) 이득.

booze[bu:z] *n., vi., vt.* Ⓤ 《口》 술(을 들이키다)(drink deep); Ⓒ 주연. **bóoz·y** *a.* 《口》 술취한.

bop[bɑp/-ɔ-] *n.* = BEBOP.

bor·age[bɔ́:ridʒ, bɔ́(:)-, bɑ́-] *n.* Ⓤ 〖植〗 서양지치.

bo·rax[bɔ́urəks, bɔ́:-] *n., a.* Ⓤ 〖化〗 붕사; 《俗》 값싸고 번쩍이는 (것).

Bor·deaux[bɔ:rdóu] *n.* 보르도《프랑스 남서부의 항구 도시》; Ⓤ 보르도(산의) 포도주. **~ *mixture*** 보르도액《살충·살균제》.

B

†**bor·der**[bɔ́:rdər] *n.* Ⓒ ① 가, 가장자리; 가선. ② 경계(boundary); 국경, 변경. — *vt., vi.* ① 접하다. ② 가를 두르다. **~ *on*** 〔***upon***〕 …에 접하다; …와 비슷하다(resemble).

bórder·lànd *n.* Ⓒ 국경〔중간〕 지대.

˙**bórder·lìne** *n., a.* ① Ⓒ 경계선(의). ② 이것도 저것도 아닌(*a ~ case* 이것도 저것도 아닌 것〔경우〕).

:bore[1][bɔ:r] *v.* bear[2]의 과거.

:bore[2] *n., vt., vi.* Ⓒ ① 송곳 구멍, 시굴공(試掘孔). ② 총구멍; 구경. ③ 구멍(을 뚫다). ④ 싫증〔넌더리〕나게 하다; 싫증나게 하는 사람〔일〕. **∠·some** *a.* 싫증나는.

˙**bore·dom**[bɔ́:rdəm] *n.* Ⓤ 권태; Ⓒ 지루한 것.

˙**bor·ing**[bɔ́:riŋ] *n.* Ⓤ 구멍뚫기; (채광의) 시굴, 보링. — *a.* 싫증〔진저리〕나게 하는.

†**born**[bɔ:rn] *v.* bear[2]의 과거분사. — *a.* 태어난; 타고난. **~ *and bred,*** or ***bred and ~*** 토박이의, 순수한. **~ *of woman*** 무릇 인간으로 태어난. ***in all one's ~ days*** 나서 지금까지.

:borne[bɔ:rn] *v.* bear[2]의 과거분사.

˙**bor·ough**[bɔ́:rou/bʌ́rə] *n.* Ⓒ ① 《美》 자치 읍·면; (New York 시의) 독립구. ② 《英》 자치 도시; 국회의원 선거구(로서의 시). ③ (the B-)(런던의) Southwark 자치구.

†**bor·row**[bɔ́:rou, bɑ́r-/bɔ́r-] *vt., vi.* 빌리다, 차용하다. **~ *troubles*** 부질없이 걱정을 하다. ˙**~·er** *n.*

bort[bɔ:rt] *n.* Ⓤ 저품질의 다이아몬드《공업용》; 다이아몬드 부스러기.

bosh[bɑʃ/-ɔ-] *n., int.* 《口》 = NONSENSE.

B

:bos·om[búzəm, bú:-] *n.* Ⓒ ① 가슴. ② (의복의) 흉부, 품; 《美》 셔츠의 가슴(dickey). ③ 가슴속, 내부. ④ (바다·호수의) 표면. — *a.* 믿고 있는(*a* ~ *friend* 친구). — *vt.* 껴안다; 마음속에 간직하다.

:boss[1][bɔ:s, bɑs/bɔs] *n., vt., vi.* Ⓒ 《口》 두목, 보스; 감독(하다); (…의) 우두머리가 되다. **∠·y**[1] *a.*

boss[2] *n.* Ⓒ 둥근 돌기, 사마귀; 〖建〗 둥근 돋을새김, 양각 장식. **∠·y**[2] *a.*

bóss-èyed *a.* 《英俗》 애꾸눈의; 사팔뜨기의; 일방적인.

˙bo·tan·i·cal[bətǽnikəl] *a.* 식물학의.

botánical gárden(s) 식물원.

:bot·a·ny[bátəni/-5-] *n.* Ⓤ 식물학. **˙-nist** *n.* **-nize**[-nàiz] *vi.* 식물을 채집[연구]하다.

botch[bɑtʃ/-ɔ-] *vt.* 서투르게 수선하다(*up*); 망치다(spoil). — *n.* Ⓒ 서투른 수선, 흉한 기움질.

bótch-ùp *n.* 《口》 = BOTCH.

†both[bouθ] *pron., a.* 둘 다(의), 쌍방(의). — *ad.* 다같이(alike). ~ ***...and...*** …이기도 하고 …이기도 하다, …도 …도.

:both·er[báðər/-5-] *vt., n.* ① (…을) 괴롭히다, 귀찮게[성가시게] 하다; Ⓒ 귀찮은 사람[일]. ② Ⓤ 법석(fuss). — *vi.* 괴로워하다, 번민하다. ***B-*** **(*it*)!** 귀찮아!, 지긋지긋하다! **~·a·tion**[bɑ̀ðəréiʃən/bɔ̀ð-] *n., int.* = BOTHER. (*n.*); 귀찮아!

both·er·some[báðərsəm/bɔ́ð-] *a.* 귀찮은, 성가신.

†bot·tle[bátl/-5-] *n.* ① Ⓒ 병. ② Ⓒ 젖병. ③ (the ~) 술. — *vi.* ① 병에 담다. ② 《英俗》 (범인을) 붙잡다. ③ (감정을) 억누르다(*up*).

bóttle-fèd *a.* 인공 영양의, 우유로 자란.

bóttle·nèck *n.* Ⓒ 애로; 장애.

bóttle pàrty 술을 각자 지참하는 파티.

†bot·tom[bátəm/-5-] *n.* ① Ⓒ (밑) 바닥, 기초. ② Ⓒ 바다 밑, 물밑. ③ Ⓒ 근거, 원인. ④ Ⓒ 배 밑; 배, 선복(船腹). ⑤ Ⓒ (의자의) 앉는 부분, (바지의) 궁둥이. ⑥ Ⓤ 말석, 꼴찌. ⑦ (the ~) 《稀》 저력, 끈기. ⑧ Ⓒ 〖野〗 한 회(回)의 말(*the* ~ *of the fifth,* 5회 말). **at (the) ~** 실제로는, 마음속은. **~ up** 거꾸로. ***go to the ~*** 가라앉다; 탐구하다. ***stand on one's own ~*** 독립하다. ***touch ~*** 바닥에 닿다, (값이) 밑바닥으로 떨어지다; 좌초하다. — *vt.* 바닥을 대다; (…을) 근거로 하다. — *vi.* 기초를 두다, 기인하다(rest) (*on*). — *a.* 바닥의, 최저의(*the* ~ *price* 최저 가격/*the* ~ *doller* 마지막 1달러). **˙~·less** *a.*

bóttom·mòst *a.* 제일 밑의, 최저의.

bóttom líne, the 최저값; 수지 결산; (계상된) 순이익, 손실; 최종 결과[결정]; 《口》 요점.

bot·u·lism[bátʃəlìzəm/bɔ́tju-] *n.* Ⓤ 보툴리누스 중독.

bou·doir[bú:dwɑ:r] *n.* (F.) Ⓒ (상류) 부인의 침실.

bouf·fant[bu:fá:nt] *a.* (소매나 스커트 등이) 불룩한.

bou·gain·vil·lae·a[bù:gənvíliə] *n.* Ⓒ 〖植〗 부겐빌리아《빨간 꽃이 피는 열대 식물》.

:bough[bau] *n.* Ⓒ 큰 가지.

†bought[bɔ:t] *v.* buy의 과거(분사).

bouil·lon[búljɑn/búljɔn] *n.* (F.) Ⓤ 부용《소·닭고기의 맑은 수프》.

boul·der[bóuldər] *n.* Ⓒ 크고 둥근 돌, 옥석.

boul·e·vard[bú(:)ləvà:rd] *n.* (F.) Ⓒ 불바르, (가로수가 있는) 넓은 길; 《美》 큰길, 대로.

˙bounce[bauns] *vi.* ① 뛰어오르다, 껑충 뛰다(jump). ② 튀다. ③ 《주로 英》 허풍을 치다(talk big). — *vt.* ① 튀어 돌아오게 하다. ② 《口》 꾸짖다. ③ 《英》 을러서 …시키다 (*into, out of*). ④ 《美俗》 해고하다. — *n.* Ⓒ 튀어 올라옴, 되튐; Ⓤ 원기; 《英俗》 허풍, 허세; (the ~) 《美俗》 해고. — *ad.* 톡 튀어; 불쑥, 갑자기. **bóunc·er** *n.* Ⓒ 거대한 것; 뛰는 사람[것]; 허풍; 《英俗》 허풍선이; 《美俗》 경호인《나이트클럽 따위의》. **bóunc·ing** *a.* 튀는; 거대한; 강한; 기운찬, 원기 왕성한; 허풍떠는.

:bound[1][baund] *n.* Ⓒ ① 경계. ② (보통 *pl.*) 한계, 범위, 한도(limits).

keep within **~s** 절도(節度)가 있다, 도를 지나치지 않다. ***know no*** **~s** 끝이 없다, 심하다. — *vt.* ① 한정하다(limit). ② 경계를 접하다. — *vi.* (…와) 인접하다(*on*).

:bound[2] *n.* U,C 뜀; (공 따위가) 되튐; 탄력. — *vi., vt.* 뛰다; 되튀(게 하)다, 튀다.

:bound[3] *v.* bind의 과거(분사). — *a.* (…할) 의무가 있는(*to* do); 제본한; 확실한; 《美口》 결심을 한. **~ *up*** 열중하여(*in*); 밀접한 관계에(*with*). ***I'll be*** **~.** 틀림없어.

:bound[4] *a.* …행의(*for*); …에 가는(*Where are you ~?* 어디 가십니까?).

:bound·a·ry[báundəri] *n.* C 경계, 「한계.

bound·en[báundən] *a.* 《英古》 책임〔의무〕 있는; 《古》 은혜를 입고(*to*). ***one's*** **~ *duty*** 본분.

·bóund·less *a.* 한없는.

·boun·te·ous[báuntiəs] *a.* 활수한(generous); 풍부한.

boun·ti·ful[báuntifəl] *a.* =⇧.

·boun·ty[báunti] *n.* ① U 활수함, 관대(generosity). ② C 하사품(gift); 장려금; 보수.

·bou·quet[boukéi, bu:-] *n.* C 꽃다발; U,C 향기(aroma).

Bour·bon[búərbən, bə́:r-] *n.* C (프랑스의) 부르봉 왕가의 사람; 《蔑》 완고한 보수(정치)가; (b-)[bə́:r-] U,C 버본 위스키.

·*bour·geois*[buərʒwɑ́:, ∠-] *a., n.* (F.) (*pl.* ~) ① C 『프史』 중산 계급의 (사람). ② C (현대의) 유산 계급의 (사람), 부르조아(의) (opp. proletariat).

bour·geoi·sie[bùərʒwɑ:zí:] *n.* (F.) (the ~) 『史』 중산 계급; (무산 계급에 대한) 유산〔부르조아〕 계급.

bourse[buərs] *n.* (F.) C (특히 파리의) 증권 거래소.

·bout[baut] *n.* C (일·발작 따위의) 한 바탕, 한참(spell); 한판. ***drinking*** **~** 주연.

bou·tique[bu:tí:k] *n.* C 가게; 여성복 장식품점.

bo·vine[bóuvain] *a., n.* C 소과의 (동물); 소의; 소 같은, 느린.

:bow[1][bou] *n.* C ① 활. ② (현악기의) 활(의 한 번 당기기). ③ 나비 넥타이(bow tie); 나비매듭. ④ 만곡부. ***bend*** 〔***draw***〕 ***the*** 〔***a***〕 ***long*** **~** 허풍 떨다. — *vt., vi.* 활 모양으로 휘(어지)다; (현악기를) 켜다. **∠·ing** *n.* U (현악기의) 운궁법(運弓法).

:bow[2][bau] *n.* C, *vi.* ① 인사(하다), 절(하다), 머리를 숙이다. ② 몸을 굽힘〔굽히다〕. ③ 굴복하다(yield)(*to*). **~ *and scrape*** 절을 하며 왼쪽 발을 뒤로 빼다《옛날의 정중한 인사》; 지나치게 굽신굽신하다; 아첨하다. **~ *down*** 인사하다(*to*). — *vt.* 구부리다(bend); 굴복시키다. 「리.

·bow[3][bau] *n.* C 이물, 함수, 뱃머

bowd·ler·ize[báudləràiz, bóud-] *vt.* (책의) 속악한〔상스러운〕 곳을 삭제하다(expurgate).

:bow·el[báuəl] *n.* ① C 장(腸)의 일부. ② (*pl.*) 창자; 내부. ③ (*pl.*) 《古》 동정. **~*s of mercy*** 자비심. ***move the*** **~*s*** 대변을 보게 하다.

bówel mòvement 배변(排便), 변통(便通)《생략 BM》.

bow·er[1][báuər] *n.* C 정자; 나무그늘; 내실; 침실. **~·y**[báuəri] *a.* 나무 그늘의.

bow·er[2] *n.* C 이물닻, 주묘(主錨).

:bowl[1][boul] *n.* C ① 대접, 사발, 공기(의 양); 큰 잔. ② (the ~) 음주, 주연. ③ 저울의 접시, (숟가락의) 오목한 부분, (파이프의) 대통. ④ 축구 경기장.

:bowl[2] *n.* ① C (bowling 등의) 나무공. ② (*pl.*) (잔디에서 하는) 볼링 경기. — *vt.* ① (공을) 굴리다, 볼링을 하다. ② (차를) 굴리다. ③ 『크리켓』 투구하다. ④ (마차가) 미끄러지듯 달리다(*along*). **~ *down*** 〔***over***〕 쓰러뜨리다; 당황하게 하다. **~ *out*** 『크리켓』 아웃시키다; 지우다. **·∠·ing** *n.* U 볼링《구기》. **~*ing alley*** 볼링장, 볼링공의 주로(走路). **~*ing green*** 잔디 볼링장.

bow·leg[bóulèg] *n.* C 안가발, O형 다리, 내반슬. **~·ged**[-id] *a.* 앙가발이의. 「모.

bowl·er[1][bóulər] *n.* C 《英》 중산

bowl·er[2] *n.* C 공 굴리는〔볼링하는〕 사람; 『크리켓』 투수.

bow·man[bóumən] *n.* C 활잡이,

궁술가(archer).
bów tíe[bóu-] 나비 넥타이.
˙**bow·wow**[báuwáu] *n., vi.* Ⓒ 멍멍 (짖다).
box[1][bɑks/-ɔ-] *n.* Ⓤ,Ⓒ 〖植〗 회양목; Ⓤ 그 재목.
†**box**[2] *n.* Ⓒ ① 상자. ② (상자에 든) 선물(*a Xmas* ~). ③ 상자 모양의 것. ④ (신문·잡지의) 선을 두른 기사. ⑤ 마부석; (극장의) 특등석; 배심[증인]석(席); 〖野〗 타자석. ⑥ 초막(哨幕)(booth). ⑦ 《美》 사서함. ⑧ 《美俗》 여성의 성기. ⑨ 《俗》 텔레비전. ***be in a*** (***tight***) ~ 어찌할 바를 모르고 있다. ~ ***and needle*** 나침반. ***in the same*** ~ 같이 곤란한 입장으로. ***in the wrong*** ~ 장소를 잘못 알아, 잘못하여. — *vt., vi.* 상자에 넣다(*up*); 상자 모양으로 만들다; 칸막다; 상자를 달다. ~ ***off*** 칸막다; 〖海〗 뱃머리를 돌리다. ~ ***the compass*** (토론이) 결국 원점으로 되돌아 가다.
box[3] *n., vt., vi.* Ⓒ 따귀(를 갈기다); 손[주먹]으로 갈기다; 권투하다. ~ ***on the ear***(***s***) 뺨따귀를 때리다. ˙**∠·er** *n.* **:∠·ing** *n.* Ⓤ 권투.
bóx·càr *n.* Ⓒ 유개 화차.
bóxer shòrts 《美》 허리에 고무를 넣은 헐렁한 남성 바지.
Bóxing Dày 《英》 크리스마스의 이튿날《고용인·우편 배달부에게 Xmas box를 줌》.
bóxing glòve 권투 장갑, 글러브.
bóx jùnction 《英》 (교차점의) 정지 금지 구역《격자형의 노란선이 그어져 있음》.
bóx nùmber 《美》 사서함 번호; (신문의) 광고 반신용 번호《익명 광고주의 주소 대용임》.
bóx òffice 매표소.
bóx-òffice *a.* (연극·영화 따위가) 인기 있는, 크게 히트한.
†**boy**[bɔi] *n.* Ⓒ ① 사내아이, 소년. ② 남(자)학생(*a college* ~ 대학생). ③ (친숙하게) 놈, 녀석. ④ 급사, 보이. ***my*** ~ 얘《호칭》. **:∠·hood** *n.* Ⓤ 소년기; 소년 사회. ˙**∠·ish** *a.*
˙**boy·cott**[bɔ́ikɑt/-kɔt] *vt.* 불매(不買)동맹을 하다, 배척[보이콧]하다. — *n.* Ⓒ 보이콧, 불매동맹.
:boy·friend[bɔ́ifrènd] *n.* Ⓒ 《口》 (여성의) 애인, 남자 친구.
˙**bóy scòut** 소년단원《the Boy Scouts의 단원》.
Br. Britain; British.
bra[brɑː] *n.* 《美口》 = BRASSIERE.
˙**brace**[breis] *n.* Ⓒ ① 지주(支柱), 버팀대(prop). ② 〖建〗 거멀장; 꺾쇠; 죄는 끈; (보통 *pl.*) 중괄호(《 }》). ③ (사냥개 따위의) 한 쌍. ④ (보통 *pl.*) 《英》 바지멜빵. ⑤ 〖醫〗 부목(副木); (보통 *pl.*) 치열 교정기(齒列矯正器). ~ ***and bit*** 손잡이가 굽은 송곳, 회전 송곳. — *vt., vi.* ① 버티다, 죄다. ② 긴장시키다. ③ 〖印〗{ }로 묶다. ~ (***oneself***) ***up*** 기운을 내다. **brác·er** *n.* Ⓒ 밧줄, 띠; 《口》 술, 흥분제. ˙**∠·let** *n.* Ⓒ 팔찌.
brác·ing *a.* 죄는, 긴장시키는; 상쾌한.
brack·en[brǽkən] *n.* Ⓤ 《英》 고사리(의 숲).
˙**brack·et**[brǽkit] *n.* Ⓒ ① 까치발; 선반받이; 돌출한 전등의 받침대. ② (보통 *pl.*) 모난 괄호(《], 〔]》)(cf. braces, parenthesis). ③ 동류, 부류; (어떤) 계층(*high income* ~*s* 고소득층). — *vt.* ① ~ 으로 받치다. ② 괄호로 묶다. ③ 일괄해서 다루다, 하나로 몰아 다루다.
brack·ish[brǽkiʃ] *a.* 소금기 있는; 맛없는.
brae[brei] *n.* 《Sc.》 Ⓒ 가파른 비탈; 산허리.
˙**brag**[bræg] *vt., vi.* (**-gg-**) 자랑하다, 허풍떨다(*of, about*). — *n.* Ⓤ 자랑, 흰소리; Ⓒ 허풍선이.
brag·gart[brǽgərt] *n., a.* Ⓒ 자랑꾼(의).
Brah·man[brɑ́ːmən] *n.* (*pl.* ~**s**) Ⓒ 브라만《인도의 사성(四姓) 중 최고의 caste》.
Brah·min[brɑ́ːmin] *n.* = BRAHMAN; Ⓒ 《美》 지식인.
˙**braid**[breid] *n.* ① Ⓤ 끈 끈, 땋은 끈; 몰. ② Ⓒ 땋은 머리. — *vt.* (끈을) 꼬다, 땋다(plait); 끈목으로 장식하다.
Braille, b-[breil] *n.* Ⓤ 브레일식 점자(법)《소경용》.
†**brain**[brein] *n.* ① Ⓒ 뇌. ② (보통

pl.) 두뇌, 지력. ***beat*** 〔***cudgel, rack***〕 ***one's*** ~***s*** (***out***) 머리를 짜내다. ***crack one's*** ~***s*** 발광하다, 미쳐버리다. **∠·less** *a.* 어리석은.
bráin child 《美口》 생각, 계획; 두뇌의 소산, 작품.
bráin dràin 두뇌 유출.
bráin stòrm (발작적인) 정신 착란; 《口》 갑자기 떠오른 묘안, 영감.
bráin·stòrming *n.* Ⓤ 브레인스토밍《회의에서 각자 의견을 제출하여 최선책을 결정하는 일》.
bráins trùst 〖放〗 (청취자의 질문에 대답하는) 응답 위원단; =BRAIN TRUST.
bráin tèaser 《口》 어려운 문제, 퀴즈.
bráin trùst 《美》 브레인트러스트《정부의 정책 고문단》.
bráin·wàshing *n.* Ⓤ 세뇌(洗腦).
bráin wàve 〖醫〗 뇌파; 《口》 영감, 묘안.
brain·y [∠i] *a.* 머리가 좋은.
braise [breiz] *vt.* (고기·채소를) 기름에 살짝 튀긴 후 약한 불에 끓이다.
:brake[1] [breik] *n., vt., vi.* Ⓒ 브레이크(를 걸다).
brake[2] *v.* 《古》 break의 과거.
bram·ble [brǽmbəl] *n.* Ⓒ 가시나무, 찔레나무; 《英方》 검은딸기, 나무딸기. **-bly** *a.* bramble이 무성한.
bran [bræn] *n.* Ⓤ 밀기울, 겨, 왕겨.
†branch [bræntʃ, brɑːntʃ] *n.* Ⓒ ① 가지 (모양의 것). ② 분파, 분가, 지류, 지맥, 지선, 지점, 출장소; 부문. ③ 〖言〗 어족(語族). ④ 〖컴〗 (프로그램의) 가지, 분기. — *vi.* ① 가지를 내다. ② 갈라지다(*away, off, out*).
:brand [brænd] *n.* Ⓒ ① 상표, 상품명; 품질. ② 타는 나무, 타다 남은 나무(동강). ③ (가축에 찍은) 낙인; 그 인두; 오명. ④ 《詩》 검(劍). — *vt.* 낙인을 찍다; 오명을 씌우다; (…라고) 단정하다(*as*); (가슴에) 강하게 새겨두다.
bran·dish [brǽndiʃ] *vt.* (칼 따위를) 휘두르다(flourish).
brand-new [brǽndnjúː] *a.* 아주 새것인.
·bran·dy [brǽndi] *n.* Ⓤ,Ⓒ 브랜디.
brash [bræʃ] *a.* 《美》 성마른; 성급한; 경솔한; 뻔뻔스러운; 무른.
:brass [bræs, -ɑː-] *n.* ① Ⓤ 놋쇠, 황동; Ⓒ 놋제품. ② Ⓒ 금관악기(*a* ~ *band* 취주악단). ③ Ⓤ 《英俗》 금전; 《口》 철면피. ④ Ⓤ 《美俗》 《집합적》 고급 장교.
brass·ie [brǽsi, -ɑ́-] *n.* Ⓒ 바닥에 놋쇠를 붙인 골프채.
bras·siere, *bras·sière* [brəzíər] *n.* (F.) Ⓒ 브래지어.
brass·y [brǽsi, -ɑ́ː-] *a.* (빛깔·소리가) 놋쇠 같은; 뻔뻔스런. — *n.* =BRASSIE.
brat [bræt] *n.* Ⓒ 《蔑》 꼬마놈, 선머슴.
bra·va·do [brəvɑ́ːdou] *n.* (*pl.* ~(***e***)***s***) Ⓤ 허세.
†brave [breiv] *a.* ① 용감한. ② 화려한(showy). ③ 《古》 훌륭한. — *n.* Ⓒ 용사; 북아메리카 토인의 전사. — *vt.* 용감하게 해내다; 도전하다. ~ ***it out*** 태연히 밀고 나가다. **:∠·ly** *ad.* **∠·ness** *n.* Ⓤ 용감(성).
:brav·er·y [∠əri] *n.* Ⓤ 용감; 화려.
bra·vo [brɑ́ːvou, -∠] *n.* (*pl.* ~(***e***)***s***) Ⓒ 갈채, 브라보를 외치는 소리. — *int.* 잘한다!; 좋다!; 브라보!
bra·vu·ra [brəvjúərə] *n.* (It.) Ⓤ 화려한 곡〔연주〕; 용맹; 의기(意氣).
brawl [brɔːl] *n., vi.* Ⓒ 말다툼〔싸움〕(하다). 「**∠·y** *a.*
brawn [brɔːn] *n.* Ⓤ 근육, 완력.
bray [brei] *n.* Ⓒ 나귀의 울음소리; 나팔 소리. — *vi.* (나귀가) 울다; (나팔 소리가) 울리다.
·bra·zen [bréizən] *a.* ① 놋쇠로 만든. ② 놋쇠빛의, 놋쇠처럼 단단한; 시끄러운. ③ 뻔뻔스러운(impudent). — *vt.* 뻔뻔스럽게 …하다. ~ ***it out*** 뻔뻔스럽게 해내다. ~**·ly** *ad.* 뻔뻔스럽게. ~**·ness** *n.*
bra·zier, -sier [bréiʒər] *n.* Ⓒ 화로; 놋갓장이.
·breach [briːtʃ] *n.* ① Ⓤ,Ⓒ (법률·도덕·약속 따위의) 위반, 파기. ② Ⓒ 절교; 불화. ~ ***of duty*** 〔***faith***〕 배임〔배신〕. ~ ***of promise*** 파약(破約); 〖法〗 약혼 불이행. ~ ***of the peace*** 치안 방해, 폭동. ***stand in the*** ~ 적의 정면에 서다, 난국에 처

B

하다. — *vt.* 깨뜨리다.

†**bread** [bred] *n.* Ⓤ ① 빵; 먹을 것, 양식. ② 생계. ***beg one's*** ~ 빌어먹다. ~ ***and butter*** 버터 바른 빵; 《口》 생계. ~ ***and scrape*** 버터를 조금 바른 빵. ~ ***buttered on both sides*** 매우 넉넉한 처지. ***break*** ~ 식사를 같이 하다(*with*); 성체성사에 참례하다. ***know*** (***on***) ***which side one's*** ~ ***is buttered*** 빈틈없다. ***take the*** ~ ***out of*** (*a person's*) ***mouth*** 남의 밥줄을 끊다.

bréad-and-bútter *a.* 생계를 위한; 《주로 英》 한창 먹을 나이의〔자라는〕; 환대에 감사하는(*a* ~ *letter* 대접에 대한 사례장).

bréad·bàsket *n.* Ⓒ 빵광주리; (the ~) 《美》 보리(따위)의 산지, '곡창'; 《俗》 위, 밥통; Ⓒ 《俗》 소이탄.

bréad·bòard *n.* Ⓒ 밀가루 반죽하는 대(臺); 빵을 써는 도마.

bréad lìne 《美》 빵 배급을 받는 사람(의 열).

:**breadth** [bredθ, bretθ] *n.* ① Ⓤ,Ⓒ 폭, 나비. ② Ⓤ 넓은 도량. ***by a hair's*** ~ 아슬아슬하게. ***to a hair's*** ~ 한 치도 안 틀리게, 정확히.

bréad·wìnner *n.* Ⓒ (집안의) 버는 사람.

†**break** [breik] *vt.* (***broke,*** 《古》 ***brake; broken,*** 《古》 ***broke***) ① 부수다, 깨뜨리다. ② (뼈를) 부러뜨리다, (기를) 꺾다. ③ 타박상을 내다(bruise). ④ 억지로 열다; 끊어지게 하다. ⑤ (약속·법규·질서를) 어기다, 깨뜨리다. ⑥ (망을) 갈다. ⑦ (기계를) 고장내다. ⑧ (말을) 길들이다; 교정하다. ⑨ 누설하다, 털어놓다. ⑩ (돈을) 헐다, 잔돈으로 바꾸다. ⑪ 파산〔파멸〕시키다; 해직하다; 좌천〔강등〕시키다. ⑫ (공을) 커브시키다. — *vi.* ① 부서지다, 깨지다, 꺾어지다. ② 침입하다(*into*); 탈출하다; 나타나다. ③ 돌발하다; 급변하다, 변성(變聲)하다. ④ 교제〔관계〕를 끊다. ⑤ 헤치고 나아가다. ⑥ (압력·무게로) 무너지다. ⑦ (주가가) 폭락하다, (구름 따위가) 쪼개지다, 흩어지다. ⑧ 도망치다, 내달리다(dash)(*for, to*). ⑨ 싹이 트다. ⑩ (공이) 커브하다. ~ ***away*** 도망치다, 이탈하다(*from*). ~ ***down*** 파괴하다, 으스러뜨리다; 분류〔분해〕하다; 부서지다, 으스러지다, 실패하다; (몸이) 쇠약해지다; 울음을 터뜨리다; 정전(停電)되다. ~ ***even*** 《美口》 득실이 없게 되다. ~ ***forth*** 돌연 …하다; 떠들기〔지껄이기〕 시작하다. ~ ***in*** 침입하다; (말을) 길들이다; 말참견하다; 갑자기 나타나다. ~ ***into*** …에 침입하다; 갑자기 …하기 시작하다(~ *into tears*). ~ ***in upon*** 갑자기 엄습하다, 방해하다; 퍼뜩 머리에 떠오르다. ~ ***off*** 꺾다; 끊다; 부러지다, 갈라지다; 갑자기 그치다. ~ ***out*** 일어나다, 돌발하다; (부스럼 따위가) 내돋다; 시작하다. ~ ***through*** (…을) 헤치고 나아가다; (구멍을) 뚫다; (햇빛이) …사이에서 새나다; 돌파하다. ~ ***up*** (*vt., vi.*) 분쇄하다, 해산하다, 쇠약하(게 하)다; 끝나게 하다; 《英》 방학이 되다. ~ ***with*** …와 절교하다; (낡은 사고 방식을) 버리다.

— *n.* Ⓒ ① 깨진 틈. ② 변환점. ③ 변성(變聲). ④ 중단. ⑤ 《美》 폭락. ⑥ 《美》 도망, 탈주; 개시. ⑦ 《口》 실책, 실언. ⑧ 《口》 운, 운명, 행운, 기회(*an even* ~ 비김, 동점, 공평한 기회/*a bad* ~ 불운, 실언, 실수). ⑨ 대형 4륜마차. ⑩ 〖컴〗 (일시) 정지. ~ ***of day*** 새벽. ***Give me a*** ~***!*** 《美口》 그만해; (한 번 더) 기회를 다오. **∠·a·ble** *a.* ***∠·er** *n.* Ⓒ 깨뜨리는 사람〔기계〕; (암초를 나타내는) 부서지는 파도; 말을 길들이는 사람, 조마사(調馬師)(cf. ~ in).

break·age [bréikidʒ] *n.* Ⓤ 파손; Ⓒ 파손물; 파손(배상)액.

bréak dàncing 브레이크 댄스.

***bréak·dòwn** *n.* Ⓒ ① (기계의) 고장, 사고; 붕괴; 쇠약. ② 분해, 분석, 분류. ③ 《美》 요란스러운 댄스. ④ 〖電〗 방전.

†**break·fast** [brékfəst] *n.* Ⓤ,Ⓒ 조반. — *vt., vi.* 조반을 먹다〔내다〕. **~er** *n.* Ⓒ 조반을 먹는 사람.

bréak·ìn *n.* Ⓒ (건물에의) 침입; 연습 운전.

bréak·nèck *a.* 목이 부러질 것 같은, 위험한. ***at*** ~ ***speed*** 무서운 속

도로. 「(탈출).
bréak·òut *n.* Ⓒ 〖軍〗 포위진 돌파
bréak·thròugh *n.* Ⓒ 〖軍〗 적진 돌파; (난국의) 타개.
bréak·ùp *n.* Ⓒ 해산; 붕괴; 종말.
bréak·wàter *n.* Ⓒ 방파제.
bream[bri:m] *n.* Ⓒ 잉어과의 담수어; 도미 비슷한 바다물고기.
:**breast**[brest] *n.* Ⓒ ① 가슴, 흉부. ② 유방(*a child at* 〔*past*〕 *the* ~ 젖먹이〔젖 떨어진 아이〕); 마음(속). ***beat the*** ~ 가슴을 치며 슬퍼하다. ***give the*** ~ ***to*** …에게 젖을 먹이다. ***make a clean*** ~ ***of*** …을 몽땅 털어놓다〔고백하다〕. — *vt.* ① 가슴에 받다. ② 무릅쓰다; 감연히 맞서다(face).
bréast·bòne *n.* Ⓒ 흉골(胸骨).
bréast·fèd *a.* 모유로 키운(cf. bottle-fed).
bréast-fèed *vt.* 모유로 기르다.
bréast·plàte *n.* Ⓒ (갑옷의) 가슴받이.
bréast stròke 개구리 헤엄.
˙**breath**[breθ] *n.* ① Ⓤ 숨, 호흡 (작용). ② Ⓒ 한 호흡, 한 숨. ③ Ⓒ 순간. ④ Ⓒ (바람의) 선들거림(*a* ~ *of air*); 속삭임. ⑤ Ⓒ (은근한) 향기(whiff). ⑥ Ⓤ 〖音聲〗 숨, 무성음(cf. voice). ⑦ Ⓤ 생기; 생명. ***at a*** ~ 단숨에. ***below*** 〔***under***〕 ***one's*** ~ 소곤소곤. ~ ***of life*** 〔***one's nostrils***〕 귀중한〔불가결의〕 것. ***catch*** 〔***hold***〕 ***one's*** ~ (움찔하여) 숨을 죽이다; 한차례 쉬다. ***draw*** ~ 숨 쉬다. ***gather*** ~ 숨을 돌리다. ***get out of*** ~, or ***lose one's*** ~ 숨차다. ***give up the*** ~ 죽다. ***in a*** ~ 이구 동성으로; 단숨에. ***in the same*** ~ 동시에. ***save*** 〔***spend, waste***〕 ***one's*** ~ 잠자코 있다〔쓸데없이 지껄이다〕. ***take*** ~ 쉬다. ***take a person's*** ~ (***away***) …을 깜짝 놀라게 하다. ***with one's last*** ~ 임종시에(도); 최후까지.
breath·a·lyz·er, -lys·er[bréθəlàizər] *n.* Ⓒ 〖商標〗 몸 속 알코올분 측정기.
:**breathe**[bri:ð] *vi.* ① 호흡하다, 살아 있다. ② 휴식하다, 쉬다(rest). ③ 선들거리다, (향기가) 풍기다. — *vt.* ① 호흡하다. ② (생기·생명을) 불어넣다(infuse) (*into*). ③ 휴식시키다. ④ (향기를) 풍기다; 속삭이다. ⑤ (불평을) 털어놓다; 발언하다. ⑥ (나팔 따위를) 불다. ⑦ 〖音聲〗 무성음으로 발음하다(cf. voice). ~ ***again*** 〔***freely***〕 마음 놓다, 안심하다. ~ ***one's last*** 죽다. ~ ***upon*** (…에) 입김을 내뿜다, (…을) 흐리게 하다; 더럽히다; 나쁘게 말하다.

breath·er[brí:ðər] *n.* Ⓒ 심한 운동; 《口》 한 숨 돌리기; (숨쉬는) 생물; (잠수부에의) 송기 장치; 환기 구멍.
˙**breath·ing**[brí:ðiŋ] *n.* Ⓤ ① 호흡(*deep* ~ 심호흡). ② 휴식; 미풍. ③ 발성, 말. ④ 열망, 동경. ⑤ [h] 음, 기음(氣音).
bréathing spàce 휴식할 기회; 숨돌릴 짬.
˙**bréath·less** *a.* ① 숨가쁜. ② 죽은. ③ 숨을 죽인. ④ 바람 없는. ~**·ly** *ad.*
˙**bréath·tàking** *a.* 깜짝 놀랄 만한, 손에 땀을 쥐게 하는, 흥분시키는(thrilling).
bréath tèst 《英》 주기(酒氣) 검사.
bred[bred] *v.* breed의 과거(분사). — *a.* …하게 자란(*well-*~ 뱀뱀이 좋게 자란).
breech[bri:tʃ] *n.* Ⓒ 궁둥이; 뒷부분; 총미(銃尾), 포미(砲尾).
˙**breech·es**[brítʃiz] *n. pl.* ① 반바지. ② (승마용) 바지. ~ ***buoy*** (바지 모양의) 구명대. ***wear the*** ~ 남편을 깔아 뭉개다.
:**breed**[bri:d] *vt., vi.* (***bred***) ① (새끼를) 낳다; 알을 까다. ② 기르다, 키우다(raise); 길들이다. ③ 번식시키다〔하다〕. ④ (…을) 야기하다. ~ ***from*** (좋은 말 등)의 씨를 받다. ~ ***in and in*** 동종 교배를〔근친 결혼을〕 반복하다. — *n.* Ⓒ 품종, 종류. ***happy*** ~ 행복한 종족《영국인을 가리킴(Sh(ak).의 문장에서)》. ˙**∠·er** *n.* Ⓒ 사육자; 종축(種畜); 장본인.
bréeder reàctor 〖理〗 증식형(增殖型) 원자로.
˙**breed·ing**[∠iŋ] *n.* Ⓤ ① 번식. ② 사육. ③ 교양, 예의범절. ④ 〖理〗 증

식 작용.

bréeding gròund 양식장, 사육장.

:breeze [bri:z] *n.* ① Ⓤ,Ⓒ 산들바람. ② Ⓒ 소문. ③ Ⓒ 《英口》 법석, 소동, 싸움(*kick up a* ~ 소동을 일으키다). — *vi.* ① 산들바람이 불다. ② 거침없이[힘차게] 나아가다[행동하다]. ~ ***through*** 쾌 지나치다; 대강 훑어보다. **bréez·y** *a.* 산들바람이 부는; 쾌활[유쾌]한.

:breth·ren [bréðrən] *n. pl.* 《brother의 옛 복수형》 (종교상의) 형제; 동포; 회원, 동인.

breve [bri:v] *n.* Ⓒ 단모음 기호 《ŏ, ĭ 따위의 ˘》; 〖樂〗 2온음표.

bre·vi·ar·y [brí:vièri, brév-] *n.* Ⓒ 〖가톨릭〗 성무 일도서(聖務日禱書).

˙brev·i·ty [brévəti] *n.* Ⓤ (문장 따위의) 간결(簡潔), 짧음.

˙brew [bru:] *vt.* ① 양조하다; (음료를) 조합(調合)하다. ② (차를) 끓이다. ③ (음모를) 꾸미다. — *vi.* ① 양조하다. ② 조짐이 보이다; (폭풍우가) 일어나려 하다. ***drink as one has ~ed*** 자업자득하다. — *n.* Ⓤ 양조; Ⓒ 양조량. **∠·age** [∠idʒ] *n.* Ⓤ 양조(주). **∠·er** *n.* Ⓒ (맥주) 양조업자. ***∠·er·y** *n.* Ⓒ 양조장. **∠·ing** *n.* Ⓤ (맥주) 양조; Ⓒ 양조량.

˙bri·ar [bráiər] *n.* =BRIER.

:bribe [braib] *n., vt., vi.* Ⓒ 뇌물(로 매수하다), (…에게) 증회하다. **bríb·a·ble** *a.* 매수할 수 있는. **bríb·er** *n.* Ⓒ 증회자. ***bríb·er·y** *n.* Ⓤ 증수회.

bric-a-brac [bríkəbræ̀k] *n.* (F.) Ⓤ 《집합적》 골동품, 고물 (장식품).

:brick [brik] *n.* ① Ⓤ,Ⓒ 벽돌. ② Ⓒ 벽돌 모양의 것; (장난감의) 집짓기 나무. ③ Ⓒ 《口》 서글서글한 사람, 호인. — *vt.* 벽돌로 둘러싸다[막다] (*in, up*); 벽돌로 짓다; 벽돌을 깔다. ***drop a*** ~ 실수하다; 실언하다. ***feel like ~s*** 《美口》 비참한 생각이 들다. ***have a ~ in one's hat*** 취해 있다. ***like a ~,*** or ***like ~s*** 활발히, 맹렬히(*like a hundred of ~s* 맹렬한 기세로).

bríck·bàt *n.* Ⓒ 벽돌 조각[부스러기]; 《口》 통렬한 비평.

bríck·làyer *n.* Ⓒ 벽돌공.

bríck·wòrk *n.* Ⓒ 벽돌로 지은 것 [집]; Ⓤ 벽돌쌓기[공사].

bríck·yàrd *n.* Ⓒ 《美》 벽돌 공장.

˙brid·al [bráidl] *n., a.* Ⓒ 혼례(의), 새색시의, 신부의.

:bride [braid] *n.* Ⓒ 새색시, 신부.

:bride·groom [∠grù(:)m] *n.* Ⓒ 신랑.

brides·maid [bráidzmèid] *n.* Ⓒ 신부 들러리(미혼 여성).

†bridge[1] [bridʒ] *n.* Ⓒ ① 다리. ② 선교(船橋), 함교(艦橋). ③ 콧대; 가공의치(架工義齒); (바이올린 등의) 기러기발; (안경 중앙의) 브리지. ④ (방송국 등의 장면과 장면을 잇는) 연결 음악. ⑤ (당구의) 큐대. ***burn one's ~s*** 배수의 진을 치다. — *vt.* ① 다리 놓다. ② 중개역을 하다.

bridge[2] *n.* Ⓤ 브리지《카드놀이의 일종》.

brídge·hèad *n.* Ⓒ 교두보.

:bri·dle [bráidl] *n.* Ⓒ 굴레 《고삐·재갈 따위의 총칭》, 고삐; 구속(물). ***put a ~ on a person's tongue*** 아무에게 말조심시키다. — *vt.* 굴레를 씌우다, 고삐를 매다; 구속하다. — *vi.* 몸을 뒤로 젖히다(*up*) 《자랑·경멸·분개의 표정》.

brídle pàth 승마길.

Brie [bri:] *n.* Ⓤ 희고 말랑말랑한 프랑스산의 치즈.

:brief [bri:f] *a.* 짧은; 단시간의; 간결한. ***to be ~*** 간단히 말하면. — *n.* Ⓒ ① 대의, 요령; 〖法〗 (소송 사실의) 적요서(*have plenty of ~s* (변호사가) 사건 의뢰를 많이 받다); (원고·피고의) 신청서; 영장(writ). ② (로마 교황의) 훈령. ③ =BRIEFING. ***hold a ~ for*** …을 신속히 처리하다. — *vt.* ① 요약하다. ② (변호사에게) 소송 사실 적요서를 제출하다; 변호를 의뢰하다. ③ 명령(briefing)을 내리다. **∠·less** *a.* 의뢰자 없는 (*a ~less lawyer*). **:∠·ly** *ad.*

brief càse 서류 가방.

brief·ing [∠iŋ] *n.* Ⓤ,Ⓒ (출발 전에 전투기 탑승원에게 주는) 간결한 명령(서); (간추린) 보고서.

˙bri·er, -ar [bráiər] *n.* Ⓒ 찔레나무; 들장미(wild rose).

brig[1] [brig] *n.* Ⓒ 두대박이 범선.
brig[2] *n.* Ⓒ《美》(군함의) 영창(營倉).
·**bri·gade**[brigéid] *n., vt.* Ⓒ 대(隊), 여단; 대로[여단으로] 편성하다. ***a fire*** ~ 소방대.
brig·a·dier[brìgədíər] *n.* Ⓒ《英》여단장;《美》= ∠ **géneral** 육군 준장.
brig·and[brígənd] *n.* Ⓒ 산적, 도둑. ~**·age**[-idʒ] *n.* Ⓤ 강탈, 산적 행위; 산적들.
†**bright**[brait] *a.* ① 환한, 밝게 빛나는; 갠, 화창한. ② 머리가 좋은. ③ (색깔이) 선명한. ④ 쾌활한. ⑤ (액체가) 맑은. ⑥ 유망한; 명성이 있는. ~ ***and early*** 아침 일찍이. — *ad.* = BRIGHTLY. **:**∠**·ly** *ad.* **:**∠**·ness** *n.*
:bright·en[bráitn] *vt., vi.* 반짝이(게 하)다; 밝아지다; 밝게 하다, 상쾌하게 되다[하다].
brìght·èyed *a.* 눈이[눈매가] 시원한[또렷한].
brill[bril] *n.* (*pl.* ~(**s**)) Ⓒ 〖魚〗 가자미의 무리.
·**bril·liance**[bríljəns], **-lian·cy**[-si] *n.* Ⓤ ① 광휘, 광채; 빛남. ② 훌륭함; 재기. ③ (빛깔의) 명도 (cf. hue, saturation).
:bril·liant[-ənt] *a.* ① 찬란하게 빛나는, 번쩍번쩍하는(sparkling). ② 훌륭한(splendid). ③ 재기에 넘치는. — *n.* Ⓒ 브릴리언트형의 다이아몬드. ~**·ly** *ad.*
:brim[brim] *n.* Ⓒ (속에서 본) 가, 가장자리; (모자의) 양테. ***to the*** ~ 넘치도록. — *vt., vi.* (**-mm-**) (가장자리까지) 가득 채우다, 넘치다(*over*). ~**·ful**(**l**)[∠fúl] *a.* 넘치는, 넘칠 것 같은.
brim·stone[brímstòun] *n.* = SULFUR《주로 상업 용어》. ***fire and*** ~ 제기랄! **-ston·y** *a.*
brin·dle[bríndl] *n.* Ⓒ 얼룩(개). Ⓤ 얼룩진 색. ~**d**[-d] *a.* 얼룩진, 얼룩덜룩한, 얼룩 갈색[회색]의.
brine[brain] *n.* Ⓤ 소금물, 바닷물; (the ~) 바다. ~ ***pan*** 소금 가마.
†**bring**[briŋ] *vt.* (***brought***) ① 가지고[데리고] 오다. ② 오게 하다; 초래하다, 일으키다. ③ 이끌다. ④ 낳다. ⑤ (소송 등을) 제기(提起)하다 (*against*). ⑥ (이익을) 가져오다. ~ ***about*** 야기하다; 수행하다. ~ ***around***《口》의식을 회복시키다; 설득하다. ~ ***back*** 데리고 돌아오다; 상기시키다. ~ ***down*** 내리다, 떨어뜨리다; 넘어뜨리다, 멸망시키다; (자랑을) 꺾다; (기록을) 보유하다. ~ ***forth*** 낳다; (열매를) 맺다(bear); 초래하다, (비밀을) 밝히다(reveal). ~ ***forward*** 내놓다, 제출하다. ~ ***in*** 들여오다; 소개하다, 판결하다; (…만큼의) 수입이 있다; 〖野〗 생환시키다. ~ ***on*** (병을) 일으키다; …을 야기하다. ~ ***out*** 내놓다; (비밀을) 밝히다; 발표하다; 나타내다. ~ ***over*** 넘겨주다; 개종(改宗)시키다; 제편으로 끌어넣다. ~ ***round***《英》= ~ AROUND. ~ ***to*** 의식을 회복시키다; (배를) 멈추다. ~ ***to bear*** (영향·압력을) 가하다; (총을) 들이대다, 집중하다. ~ ***to pass*** 일으키다. ~ ***under*** 진압하다; 억제하다. ~ ***up*** 기르다; 훈육[교육]하다; 제안하다; 토하다.
·**brink**[briŋk] *n.* (the ~) ① (벼랑의) 가장자리. ② 물가. ③ (…할) 찰나, 위기, (…한) 고비(verge[1]). ***on the*** ~ ***of ...*** …에 임하여, …의 직전에.
brink·man·ship[∠mənʃip] *n.* Ⓤ (외교 교섭 등을 위험한 사태까지 몰고 가는) 극한 정책.
brin·y[bráini] *a.* 소금물의; 짠(cf. brine).
bri·oche[bríːouʃ, -ɑʃ/-ɔʃ] *n.* Ⓒ (F.) 버터와 달걀이 든 빵.
bri·quet(**te**)[brikét] *n.* Ⓒ 연탄; 조개탄.
:brisk[brisk] *a.* ① 기운찬, 활발한, 활기 있는(lively). ② 상쾌한(crisp). **:**∠**·ly** *ad.*
bris·ket[brískət] *n.* Ⓤ,Ⓒ (짐승의) 가슴(고기).
·**bris·tle**[brísəl] *n.* Ⓒ 강모(剛毛), (돼지 등의) 뻣뻣한 털《브러시용》. ***set up one's*** [*a person's*] ~**s** 화내다[나게 하다]. — *vt., vi.* 털을 곤두세우다, 털이 곤두서다; 촘촘이 나다(~ *with hair* 털이 촘촘이 나 있

다); 줄을 짓다(~ *with spears* 창을 죽 늘어 세우다).

Brit. Britain; Britannia; British; Briton.

:**Brit·ain**[brítən] *n.* 대(大)브리튼(Great Britain).

:**Brit·ish**[brítiʃ] *a.* 영국(인)의. **~·er** *n.* Ⓒ 《美》 영국인.

Brítish Énglish 영국 영어.

Brítish Ísles, the 영국 제도.

*__Brit·on__[brítn] *n.* Ⓒ ① 브리튼 사람《로마인 침입 당시의 Britain 남부의 켈트인》. ② 영국인.

*__brit·tle__[brítl] *a.* 부서지기 쉬운; 《詩》 덧없는.

broach[broutʃ] *n.* Ⓒ (고기 굽는) 꼬치, 꼬챙이; 송곳; 교회의 뾰족탑(spire). — *vt., vi.* 꼬챙이에 꿰다; 입을 열다; (이야기를) 꺼내다; 공표하다, 널리 알리다.

†**broad**[brɔːd] *a.* ① (폭·면적이) 넓은. ② 광대한. ③ 마음이 넓은. ④ 밝은, 명백한, 노골적인, 야비한(*a ~ joke*). ⑤ 대강의, 넓은 뜻의, 일반적인. ***as ~ as it is long*** 《口》 폭과 길이가 같은; 결국 마찬가지인. ***in ~ daylight*** 대낮에, 공공연히. — *n.* Ⓒ 넓은 곳; 《英》 (강이 넓어진) 호수; 《俗·蔑》 계집(애). **∠·ish** *a.* 좀 넓은. *__∠·ly__ *ad.*

bróad bèan 〖植〗 잠두.

:**broad·cast**[∠kæ̀st, -ɑ̀ː-] *vt., vi.* (~, ~***ed***) ① 방송〔방영〕하다. ② (씨 따위를) 흩뿌리다. — *n.* Ⓒ,Ⓤ ① 방송 (프로). ② (씨) 살포. — *a.* 방송의, 방송된; 살포한. **~·er** Ⓒ 방송자〔장치〕; 살포기.

*__broad·cast·ing__[∠kæ̀stiŋ, -kɑ̀ːst-] *n.* Ⓤ 방송, 방송 사업.

*__broad·en__[∠n] *vt., vi.* 넓히다; 넓어지다.

bróad jùmp 넓이뛰기.

*__bróad-mínded__ *a.* 도량이 넓은, 관대한.

bróad·shèet *n.* Ⓒ 한 면만 인쇄한 대판지(大版紙)《광고·포스터 등》.

bróad·sìde *n.* Ⓒ 뱃전; 한 쪽 뱃전의 대포의 전부; 그의 일제 사격; (비난 따위의) 일제 공격.

bróad·swòrd *n.* Ⓒ 날 넓은 칼.

bro·cade[broukéid] *n., vt.* Ⓤ 비단(으로 꾸미다); (…을) 비단으로 짜다.

broc·(c)o·li[brɑ́kəli/-ɔ́-] *n.* Ⓒ,Ⓤ 〖植〗 모란채《cauliflower의 일종; 식용》.

bro·chure[brouʃúər, -ʃə́ːr] *n.* (F.) Ⓒ 팸플릿, 가철(假綴)한 책.

bro·de·rie ang·laise[broudríː ɑːŋgléiz] (F.) 영국 자수《바탕천을 도려내어 하는》.

brogue[1][broug] *n.* Ⓒ (생가죽의) 튼튼한 구두.

brogue[2] *n.* Ⓒ 아일랜드 사투리; 시골 사투리.

*__broil__[1][brɔil] *vt., vi., n.* 굽다; 쬐다; Ⓤ 굽기; 쬐기; 불고기.

broil[2] *n., vi.* Ⓒ 싸움〔말다툼〕(하다).

broil·er[brɔ́ilər] *n.* Ⓒ 《美》 불고기용 철판〔석쇠〕; 불고기용 영계.

†**broke**[brouk] *v.* break의 과거〔《古》 과거분사〕. — *a.* 《口》 무일푼의; 파산한. ***go for ~*** 기를 쓰고 해 보다.

†**bro·ken**[bróukən] *v.* break의 과거분사. — *a.* ① 깨진, 부서진; 끊어진, 부러진. ② 파산한, 멸망한, 쇠약한. ③ (말 따위가) 길든(tamed). ④ 울퉁불퉁한. ⑤ (외국어 따위) 서투른, 변칙적인(~ *English* 엉터리 영어). **~ *heart*** 실연(失戀). **~ *line*** 파선(破線); 절선(折線); 고속 도로의 차선 변경 금지 표지. **~ *meat*** 먹다 남은 고기, 고깃점. **~ *money*** 잔돈. **~ *numbers*** 분수; 우수리. **~ *time*** 짬짬이 나는 시간; 방해가 된 (근무) 시간. **~ *weather*** 변덕스러운 날씨.

bróken-dówn *a.* 부서진; 기가 꺾인; 몰락한, 파산한.

bróken-héarted *a.* 슬픔에 잠긴; 실연한.

*__bro·ker__[bróukər] *n.* Ⓒ 중개인. **~·age**[-idʒ] *n.* Ⓤ 중개(수수료), 구전.

brol·ly[brɑ́li/-ɔ́-] *n.* Ⓒ 《英口》 양산; 《英俗》 낙하산.

bro·mide[bróumaid] *n.* Ⓤ 브롬화물; 브로마이드 사진〔인화지〕; 《美》 진부한 말, 상투어. **bro·mid·ic**[broumídik] *a.* 《美口》 평범한, 진부한(trite).

bron·chi[bráŋkai/-ɔ́-], **bron·chi·a**[-kiə] *n. pl.* 기관지. **-chi·al**[-kiəl] *a.* 기관지의. **-chi·tis**[braŋkáitis/brɔŋ-] *n.* Ⓤ 기관지염.

bron·c(h)o[bráŋkou/-ɔ́-] *n.* (*pl.* **~s**) Ⓒ (미국 서부의) 야생마(wild pony).

bron·to·sau·rus [brántəsɔ̀:rəs/brɔ́n-] *n.* Ⓒ 〖古生〗 (아메리카 쥐라기(紀)의) 뇌룡(雷龍).

Brónx chéer 《美》 혀를 입술 사이에서 떨어 내는 소리 《경멸을 나타냄》 (cf. raspberry).

:**bronze**[branz/-ɔ-] *n., a.* Ⓤ 청동; 청동(색)의(*a* ~ *statue* 동상). — *vt., vi.* 청동색으로 만들다〔되다〕; (햇볕에 태워) 갈색으로 만들다〔되다〕.

Brónze Àge, the 청동기 시대.

*****brooch**[broutʃ, bru:tʃ] *n.* Ⓒ 브로치.

:**brood**[bru:d] *n.* Ⓒ ① 《집합적》 한 배의 병아리; (동물의) 한 배 새끼. ② 《蔑》 아이들. ③ 종류, 종족(breed). — *vi.* ① 알을 품다〔안다〕. ② 생각에 잠기다, 곰곰이 생각하다(*on, over*). ③ (구름·걱정이) 내리 덮이다(*over, on*) — *vt.* 숙고하다(~ *vengeance* 복수의 계획을 짜다). **∠·er** *n.* Ⓒ 인공 부화기.

:**brook**[1][bruk] *n.* Ⓒ 시내. **∠·let** *n.* Ⓒ 실개천.

brook[2] *vt.* 견디다, 참다(endure).

:**broom**[bru(:)m] *n., vt.* Ⓒ 비(로 쓸다), 청소하다; 〖植〗 금작화.

bróom·stìck *n.* Ⓒ 빗자루. ***marry*** 〔***jump***〕 ***over the ~*** 내연의 관계를 맺다.

Bros. Brothers.

*****broth**[brɔ(:)θ, braθ] *n.* Ⓤ,Ⓒ 묽은 수프(thin soup).

broth·el[brɔ́:θəl, bráθ-] *n.* Ⓒ 갈봇집.

†**broth·er**[brʌ́ðər] *n.* Ⓒ 형제, 친구, 동료; 동지, 동포(cf. brethren). ***~s in arms*** 전우. **~·less** *a.* 형제가 없는. * **~·ly** *a.* 형제의〔같은〕; 친절한.

*****broth·er·hood**[-hùd] *n.* Ⓤ 형제〔동포〕 관계; Ⓒ 동료; Ⓒ 친선 단체, 협회, 결사, 조합; Ⓒ 《美》 철도 종업원 조합.

*****bróther-in-làw** *n.* (*pl.* ***brothers-in-law***) Ⓒ 매부, 처남, 시숙 등.

brough·am[brú:əm] *n.* Ⓒ 브룸《마부·운전사의 자리가 밖에 있는 마차·자동차》. 「사).

†**brought**[brɔ:t] *v.* bring의 과거(분

brou·ha·ha[blu:há:ha:, ∸–∠] *n.* Ⓤ 소음; (무질서한) 소동; 열광.

:**brow**[brau] *n.* ① Ⓒ 이마. ② (보통 *pl.*) 눈썹. ③ (the ~) (돌출한) 벼랑 꼭대기. ***bend*** 〔***knit***〕 ***one's ~s*** 눈살을 찌푸리다.

brów·bèat *vt.* (*~; ~en*) 노려보다, 위협하다.

†**brown**[braun] *n.* ① Ⓤ,Ⓒ 다갈색, 밤색. ② Ⓤ 갈색 그림물감. — *a.* 다갈색의; 햇볕에 탄(tanned), 거무스름한. ***do up ~*** 《美俗》 완전히 마무리하다. — *vt., vi.* 갈색이 되(게 하)다; 햇볕에 타다. ~ ***off*** 《俗》 지루하게 만들다; 꾸짖다. ~ ***out*** 《美》 = DIM out. **∠·ish** *a.*

brówn bréad 흑빵.

brown·ie[∠i] *n.* Ⓒ 〖Sc. 傳說〗 (농가의 일을 도와 준다는) 작은 요정(妖精) (brown elf); Ⓒ 땅콩이 든 판(板) 초콜릿; (B-) (소녀단의) 유년 단원.

brown·ish[bráuniʃ] *a.* 갈색을 띤.

brówn súgar 누런 설탕; 《美俗》 동남 아시아산의 지질 헤로인.

*****browse**[brauz] *n.* Ⓤ 어린 잎, 새싹; 〖컴〗 훑어보기. — *vi., vt.* (소 따위가 어린 잎을) 먹다(feed)(*on*); 책을 여기저기 읽다.

:**bruise**[bru:z] *n.* Ⓒ 타박상; (과일의) 흠. — *vi., vt.* (몸·마음에) 상처나다〔내다〕; 감정을 상하(게 하)다.

brúis·er *n.* Ⓒ 권투가; 《口》 난폭자.

brunch[brʌntʃ] (＜*b*reakfast + *l*unch) *n.* Ⓤ,Ⓒ 《口》 늦은 조반, 조반 겸 점심.

bru·net(te)[bru:nét] *a., n.* Ⓒ 브루네트의 (사람)《머리와 눈이 검거나 갈색이고 피부색이 거무스름함. 원래 brunet은 남성형, brunette은 여성형》 (cf. blond(e)).

brunt[brʌnt] *n.* (the ~) 공격의 주력〔예봉〕. ***bear the ~*** (…의) 정면에 맞서다(*of*).

:**brush**[brʌʃ] *n.* ① Ⓒ 브러시, 솔.

B

B

② Ⓒ 붓, 화필; (the ~) 미술, 화풍. ③ Ⓒ (여우 따위의) 꼬리(bushy tail). ④ Ⓒ (솔·붓으로) 한 번 문지르기; 찰과(擦過); (작은) 싸움. **at a ~** 일거에. **give ... another ~** …을 더 공들여 손질하다. — *vt.* (…에) 솔질을 하다; 털다. 비비다(rub); 스치다(*against*). — *vi.* 질주하다. **~ aside** (**away**) 털어버리다; 무시하다. **~ over** 가볍게 칠하다. **~ up** 《口》 멋을 내다; 닦다. (학문 따위를) 다시 하다.

brúsh-òff *n.* (the ~) 《美俗》 (매정한) 거절; 해소.

·**brúsh·ùp** *n.* Ⓒ 닦음, 수리, 손질, 몸단장; 복습.

brúsh·wòod *n.* ① Ⓤ 숲. ② Ⓒ 베어낸 작은 나뭇가지. 「법, 화풍.

brúsh·wòrk *n.* Ⓤ ① 필치. ② 화

brusque [brʌsk/-u-] *a.* 무뚝뚝한.

·**Brus·sels** [brʌ́səlz] *n.* 브뤼셀《벨기에의 수도》. **~ sprouts** 평지과의 다년생 초본《양배추의 일종》.

:**bru·tal** [brú:tl] *a.* ① 짐승 같은. ② 모진, 가차 없는; 잔인한. ③ 《美俗》 굉장히 좋은, 대단한. **~·li·ty** [bru:tǽləti] *n.* Ⓤ 야수성, 잔인, 무도. ·**~·ly** *ad.*

bru·tal·ize [brú:təlàiz] *vt., vi.* 짐승같이 만들다〔되다〕; (…에게) 잔인한 처사를 하다.

:**brute** [bru:t] *n.* ① Ⓒ 짐승. ② Ⓒ 《口》 싫은 놈. ③ (the ~)(인간의) 수성, 수욕. — *a.* ① 야수적인. ② 잔인한, 육욕적인. ③ 감각이 없는 (**~ matter** 무생물). **brút·ish** *a.*

B.S. Bachelor of Science 〔Surgery〕.

:**bub·ble** [bʌ́bəl] *n.* ① Ⓒ 거품; Ⓤ 거품이는 소리; 끓어 오름. ② Ⓒ 거품같이 허망한 계획. **burst** (*a person's*) **~** (아무의) 희망을 깨다. — *vt., vi.* ① 거품 일(어 넘쳐 흐르)다. ② 부글부글 소리 내다. **a ~ company** (이내 쓰러지는) 포말(泡沫) 회사. **blow ~s** 비눗방울을 불다; 공론(空論)에 열중하다. **~ over** 거품 일어 넘치다; 기를 쓰다. **~ gum** 풍선껌. **búb·bler** *n.* Ⓒ (역 따위의) 분수식 수도.

bu·bon·ic [bju:bánik/-ɔ́-] *a.* 〖醫〗 림프선종(腺腫)의. **~ plague** 선(腺)페스트.

buc·ca·neer [bʌ̀kəníər] *n., vi.* Ⓒ 해적(질하다).

·**buck**[1] [bʌk] *n.* Ⓒ ① 수사슴; (토끼·염소 따위의) 수컷. ② 멋쟁이 (남자) (dandy). ③ 《美口》 흑인 남자; 《美俗》 달러. **as hearty as a ~** 원기 왕성한. **~ private** 《美軍俗》 이등병 《Pfc.의 아래》.

buck[2] *vi., vt.* (말이 등을 굽히고) 뛰어오르다; (말이 탄 사람을) 날뛰어 떨어뜨리다(*off*); 《美口》 저항하다; 《美》 (머리·뿔로) 받다(butt). **~ up** 《美口》 기운을 내다; 격려하다. — *n.* Ⓒ (말의) 뛰어오름; 도약; 반항.

:**buck·et** [bʌ́kit] *n.* Ⓒ ① 양동이. ② 피스톤, 물받이. ③ 버킷〔양동이〕 가득(bucketful). **a ~ of bolts** 《美俗》 고물 자동차. **give** (*a person*) **the ~** 《俗》 (아무를)해고하다. **kick the ~** 《俗》 죽다.

búcket sèat (자동차 등의) 접의자.

búcket shòp 무허가 중개소; 엉터리 거래소; (주식의) 장외 거래점.

·**buck·le** [bʌ́kəl] *n., vt., vi.* ① Ⓒ 혁대장식(으로 채우다), 죔쇠(로 죄다) (*up*). ② 구부리다, 굽다. ③ 뒤틀(리)다. **~ (down) to**, or **~ oneself to** …에 전력을 기울이다.

buck·ram [bʌ́krəm] *n.* Ⓤ 〖製本〗 아교를 먹인 천.

búck·shòt *n.* Ⓤ 녹탄《사슴·꿩 따위의 사냥용 총알》.

búck·skìn *n.* ① Ⓤ 사슴 가죽. ② (*pl.*) 사슴 가죽 바지.

búck·tòoth *n.* (*pl.* **-teeth**) Ⓒ 뻐드렁니. 「밀가루.

búck·whèat *n.* Ⓤ 메밀; 《美》 메

bu·col·ic [bju:kálik/-kɔ́l-] *a., n.* 시골〔전원〕의; 양 치는 사람의, 전원 생활의; Ⓒ 목가.

:**bud**[1] [bʌd] *n.* Ⓒ 눈, 싹, 꽃봉오리. **nip in the ~** 미연에 방지하다. — *vi., vt.* (**-dd-**) 싹트(게 하)다.

bud[2] *n.* 《美口》 = BUDDY.

Bu·da·pest [bú:dəpèst, ´-`] *n.* 부다페스트《헝가리의 수도》.

·**Bud·dha** [bú:də] *n.* 부처. ·**Búd·dhism** *n.* Ⓤ 불교. ·**Búd·dhist** *n.*

bud·dy [bʌ́di] *n.* Ⓒ 《美口》 동료,

소년; 여보게《부르는 말》. **~-~** *a.* 《美俗》 아주 친한.

budge[bʌdʒ] *vi., vt.* 조금 움직이다; 몸을 움직이다.

:**budg·et**[bʌ́dʒit] *n., vi.* Ⓒ 예산(안); (뉴스·편지 따위의) 한 묶음; 예산을 세우다(*for*). ***open the ~*** (의회에) 예산안을 제출하다. **~·ar·y**[-èri/-əri] *a.*

buff¹[bʌf] *n.* ① Ⓤ (물소 따위의) 담황색의 가죽. ② Ⓤ 담황색(dull yellow). ③ (the ~)《口》(사람의) 맨살, 알몸. ④ Ⓒ 열광자, 팬, …광(狂). ***strip to the ~*** 발가벗기다. ── *vt.* 부드러운 가죽으로 닦다.

buff²*vt., vi.* (…의) 충격을 완화하다, 약화시키다. ── *n.* Ⓒ《英方·古》 타격, 찰싹 때림. ── *a.* 의연한.

:**buf·fa·lo**[bʌ́fəlòu] *n.* (*pl.* ~(**e**)**s,** 《집합적》 ~) Ⓒ ① 물소. ② 아메리카 들소(bison). ③《軍俗》 수륙 양용 탱크.

buff·er[bʌ́fər] *n.* Ⓒ ① (기차 따위의) 완충기(《美》 bumper). ②【컴】 버퍼. **~ *state*** 완충국.

·**buf·fet**¹[bʌ́fit] *n.* Ⓒ 일격, 한 대(blow); (운명·파도·바람의) 타격. ── *vt., vi.* 치다, 때리다; (운명·파도·바람과) 싸우다(*with*).

buf·fet²[bəféi, bu-/bʌ́fit] *n.* Ⓒ 찬장(sideboard); [búfei] 뷔페, 간이 식당. **~ *car***《주로 英》 식당차.

buf·foon[bəfú:n] *n.* Ⓒ 익살꾼, 어릿광대(clown). ***play the ~*** 익살떨다. **~·er·y**[-əri] *n.* Ⓤ 익살; 조잡한 농담. **~·ish** *a.*

·**bug**[bʌg] *n.* Ⓒ ①《주로 英》 빈대. ② 벌레, 곤충, 딱정벌레. ③《美口》 (기계·조직 따위의) 고장, 결함. ④ 젠체하는 사람. ⑤《美俗》 소형 자동차. ⑥【컴】《俗》 오류《프로그램 작성시 뜻하지 않은 잘못》. ***big ~***《비꼼》 거물, 명사. ***go ~*** 발광하다, 미치다. ***smell a ~***《美》 수상쩍게 여기다.

búg·bèar *n.* Ⓒ 도깨비; 무서운 것.

búg-éyed *a.*《美俗》 (놀라서) 눈알이 튀어나온.

bug·ger[bʌ́gər] *n.* Ⓒ ① 비역쟁이. ②《卑》 싫은 놈[일];《俗》《형용사에 붙어》 (…란) 놈. **~ *all***《英俗》 전무, 제로. ── *vt., vi.* (…와) 비역하다. **~ *about***《卑》 빈둥빈둥하다; 혼내주다. ***B- off!***《卑》 꺼져.

·**bug·gy**[bʌ́gi] *n.* Ⓒ《美》 말 한 필이 끄는 4륜[2륜]마차.

·**bu·gle**[bjú:gəl] *n., vi., vt.* (군대용) Ⓒ 나팔(을 불다, 불어 집합시키다);《古》 뿔피리. **bú·gler** *n.* Ⓒ 나팔수.

†**build**[bild] *vt.* (**built**) ① 짓다, 세우다, 만들다; (재산·지위 따위를) 쌓아올리다. ② (…에) 의지[의존]하다(*on, upon*). **~ *in*** 붙박이로 짜넣다; (집·벽 따위로) 에워싸다. **~ *up*** 빽빽이 세우다; (명성을) 조작하다; (건강을) 증진하다; 고쳐 짓다;【劇】 (최고조로) 돋우어 올리다. ── *n.* Ⓤ 만듦새, 구조; Ⓤ,Ⓒ 체격. **:∠·er** *n.* †**∠·ing** *n.* Ⓒ 건물, 빌딩(*the main* ~ 주건물); Ⓤ 건축(술).

búilding blòck (장난감의) 집짓기 나무; (건축용) 블록;【컴】 빌딩 블록.

búild-ùp *n.* Ⓒ 형성; 발전; 선전, 매명(賣名);【劇】 (장면을) 최고조로 돋우어올리기;《美口》 날조, 조작.

†**built**[bilt] *v.* build의 과거(분사).

búilt-ìn *a.* 붙박이의, 짜넣은; (성질이) 고유의.

:**bulb**[bʌlb] *n.* Ⓒ 구근(球根); 구근식물; 전구, 진공관. **∠·ous** *a.* 구근(모양)의; 동글동글한.

·**bulge**[bʌldʒ] *n.* Ⓒ ① 부푼 것; (물통 따위의) 중배(의 불룩함). ②《口》 이익, 잇점. ③【海】 배 밑의 만곡부(bilge). ④【軍】 (전선의) 돌출부. ── *vi.* 부풀다(swell out).

búl·gy *a.*

bu·lim·i·a[bju:lí(:)miə] *n.* Ⓤ【醫】 식욕 항진, 병적 기아.

:**bulk**[bʌlk] *n.* ① Ⓤ 부피(volume); 크기. ② (the ~) 대부분(*of*). ③ Ⓒ 거대한 사람[것]. ④ Ⓤ 적하(積荷). ***break ~*** 짐을 부리다. ***by ~*** (저울을 쓰지 않고) 눈대중으로. ***in ~*** 포장 않은 채로; 대량으로. ── *vi., vt.* 부풀(리)다, 쌓아 올리다; 중요하게 보이다. **~ *large*** [***small***] 커[작아]지다; 중요하게[하지 않게] 보이다. ***∠·y** *a.* 부피가 커진, 턱없이 큰, 거대한; 다루기 힘든.

B

búlk bùying 매점(買占).
búlk·hèad *n.* Ⓒ (배 따위의) 격벽(隔壁); (지하실의) 들어서 여는 문.
:**bull**[1][bul] *n.* ① Ⓒ 황소; (코끼리·고래 따위의) 수컷(cf. ox). ② (B-) 【天】 황소자리(Taurus). ③ Ⓒ 【證】 사는 편, 시세가 오르리라고 내다보는 사람(cf. bear[1]). ④ Ⓒ 《美俗》 경관. ⑤ Ⓤ 《俗》 쓸데 없는 소리. ⑥ = BULLDOG. ***a ~ in a china shop*** 남에게 방해가 되는 난폭자. ***shoot the ~*** 《美俗》 기염을 토하다; 허튼 소리를 하다. ***take the ~ by the horn*** 감연히 난국에 맞서다. — *a.* 수컷과 같은, 황소 같은, 센, 큰. **∠·ish** *a.*
bull[2] *n.* Ⓒ (로마 교황의) 교서.
˙**búll·dòg** *n.* Ⓒ 불도그; 용맹[완강]한 사람; 《英俗》 학생감 보좌역.
bull·doze[∠dòuz] *vt.* 불도저로 고르다; 《美口》 위협하다; 못살게 굴다; 《美口》 (무리하게) 강행하다.
˙**bull·doz·er**[búldòuzər] *n.* Ⓒ 불도저; 《美口》 위협자.
:**bul·let**[búlit] *n.* Ⓒ 소총탄.
:**bul·le·tin**[búlətin] *n.* Ⓒ 게시, 공보; 회보. ***~ board*** 게시판. — *vt.* 공시하다, 게시하다.
búllet·pròof *a.* 방탄의.
búll·fight *n.* Ⓒ 투우. **~er** *n.*
búll·finch *n.* Ⓒ 【鳥】 피리새; 높은 산울타리.
búll·fròg *n.* Ⓒ 식용 개구리《북아메리카산》.
búll·hòrn *n.* Ⓒ 《美》 전기 메가폰.
bul·lion[búljən] *n.* Ⓤ 금[은]덩어리.
búll-nècked *a.* 목이 굵은.
bul·lock[búlək] *n.* Ⓒ 네 살 이하의 불깐 소(steer).
búll rìng 투우장.
búll's-èye Ⓒ 과녁의 중심점, 정곡; 둥근 창; 볼록 렌즈(가 달린 남포).
búll·shìt *n.* Ⓤ 《卑》 무의미한 일.
búll térrier 불테리어《불독과 테리어의 잡종》.
˙**bul·ly**[búli] *n.* Ⓒ 약자를 괴롭히는 자. — *vt., vi.* 위협하다; 못살게 굴다(tease). — *a.* 《口》 훌륭한. — *int.* 《口》 멋지다!, 장하다!
bul·rush[búlrʌ̀ʃ] *n.* Ⓒ 【植】 큰고랭이; 애기부들.
˙**bul·wark**[búlwərk] *n.* Ⓒ ① 누벽(壘壁). ② 방파제. ③ (보통 *pl.*) (상(上) 갑판의) 뱃전. — *vt.* 성채로 견고히 하다; 방어하다.
bum[bʌm] *n.* Ⓒ 《美口》 게으름뱅이; 부랑자(tramp). ***get the ~'s rush*** 《美俗》 내쫓기다. — *a.* 쓸모없는; 품질이 나쁜; 잘못된. — *vi., vt.* (**-mm-**) 《美口》 빈둥빈둥 놀고 지내다; 술에 빠지다; 《美俗》 떼를 써 빼앗다(sponge on), 조르다.
bum·ble[1][bʌ́mbəl] *vi.* 큰 실수를 하다, 실책을 하다.
bum·ble[2] *vi.* (벌 등이) 윙윙 거리다.
búmble·bèe *n.* Ⓒ 뒝벌.
bumf, bumph[bʌmf] *n.* Ⓤ 《英俗》 화장지; 논문, 신문, 문서.
bum·mer[bʌ́mər] *n.* Ⓒ 《口》 빈둥거리는 자, 부랑자; 《美俗》 불쾌한 경험[감각, 일].
:**bump**[bʌmp] *vt., vi.* ① 부딪치다, 충돌하다(*against, into*). ② 털썩 떨어뜨리다(*down, on*). ③ 덜거덕거리며 나아가다. ***~ off*** 부딪쳐 떨어뜨리다; 《美俗》 죽이다. — *ad., n.* Ⓒ ① 텅[쿵](하는 소리). ② 때려서 생긴 멍[혹]. ③ (수레의) 동요. ④ (보트의) 충돌. ⑤ 악기류(惡氣流), 돌풍. ⑥ 재능, 능력, 육감. ˙**∠·er** *n., a.* Ⓒ ① 부딪는 (사람·것). ② 범퍼, 완충기. ③ 가득 채운 잔; 초만원(의); 풍작(의)(*~er crop* 대풍작), 풍어의, 대히트(의).
bump·kin[bʌ́mpkin] *n.* Ⓒ 시골뜨기, 뒤틈바리.
bump·tious[bʌ́mpʃəs] *a.* 주제넘은.
bump·y[bʌ́mpi] *a.* (지면이) 울퉁불퉁한(rough); (수레가) 덜커덕거리는(jolting).
˙**bun**[bʌn] *n.* Ⓒ ① 롤빵《건포도를 넣은 단 빵》. ② (롤빵 모양으로) 묶은 머리. ***take the ~*** 《美俗》 일등이 되다, 이기다.
:**bunch**[bʌntʃ] *n., vi., vt.* Ⓒ (포도 따위) 송이[다발, 떼](가 되다, 로 만들다). **∠·y** *a.*
bun·combe, -kum[bʌ́ŋkəm] *n.* Ⓤ 《美》 인기 위주의 연설, 빈 말.
:**bun·dle**[bʌ́ndl] *n., vi., vt.* ① Ⓒ 다발, 꾸러미. ② 꾸리다, 다발지어 묶다, 싸다. ③ 서둘러 떠나(게 하)다

(*away, off*). ~ **of nerves** 굉장히 신경질적인 사람. ~ **oneself up** (많이) 껴입다.
bung[bʌŋ] *n., vt., vi.* Ⓒ 마개(를 하다), 막다; 《俗》 상처를 입히다, 쳐부수다(*up*).
·**bun·ga·low**[bʌ́ŋgəlòu] *n.* Ⓒ 방갈로(식 주택)《베란다 있는 목조 단층집》.
bun·gle[bʌ́ŋgəl] *n., vt., vi.* Ⓒ 실수(하다). **bún·gling** *a.* 서투른.
bun·ion[bʌ́njən] *n.* Ⓒ (엄지발가락 안쪽의) 염증, 못.
bunk[1][bʌŋk] *n., vi.* Ⓒ (배·기차 따위의) 침대[잠자리](에서 자다), 등걸잠 자다.
bunk[2] *n.* 《美俗》 = BUNCOMBE.
bunk[3] *n., vi.* Ⓒ 《英俗》 도망(하다), 뺑소니치다. **do a** ~ 도망하다.
búnk-bèd *n.* Ⓒ 2단 침대.
bunk·er[bʌ́ŋkər] *n., vt.* Ⓒ (배의) 연료 창고(에 쌓아 넣다); 『골프』 벙커《모래땅의 장애 구역》(에 쳐서 넣다); 『軍』 지하 엄폐호.
búnk·hòuse *n.* Ⓒ 산막; 합숙소.
bun·kum[bʌ́ŋkəm] *n.* = BUNCOMBE.
·**bun·ny**[bʌ́ni] *n.* Ⓒ 《口》 토끼; 《方》 다람쥐.
bun·ting[1][bʌ́ntiŋ] *n.* Ⓒ 멧새의 무리.
bun·ting[2] *n.* Ⓤ ① 기(旗) 만드는 천. ② 《집합적》 (장식) 기(flags).
:**bu·oy**[bú:i, bɔi] *n.* Ⓒ 부표(浮標), 부이. — *vt., vi.* ① 띄우다. ② 기운을 돋우다, 지지하다(support). ③ 뜨다(*up*).
buoy·an·cy[bɔ́iənsi, bú:jən-] *n.* Ⓤ ① 부력(浮力). ② (타격을 받고도) 쾌활, 경쾌. ③ 『商』 (시세 따위의) 오름세.
·**buoy·ant**[bɔ́iənt, bú:jənt] *a.* ① 부력이 있는. ② 경쾌한(light), 쾌활한(cheerful). ③ (값이) 오름세의.
bur[1][bə:r] *n.* Ⓒ 우엉의 열매; 가시 있는 식물; 성가신 사람; = BURR[1].
bur[2] *vi., n.* = BURR[2].
bur·ble[bə́:rbəl] *vi.* 부글부글 소리나다; 투덜거리다.
:**bur·den**[bə́:rdn] *n.* ① Ⓒ 짐(load). ② Ⓒ 무거운 짐, 부담; 귀찮은 일. ③ Ⓤ (배의) 적재량. ~ **of proof** 거증(擧證)의 책임. **lay down life's** ~ 죽다. — *vt.* (…에게) 무거운 짐을 지우다; 괴로움을 끼치다. ~**·some** *a.* 무거운; 귀찮은.
:**bu·reau**[bjúərou] *n.* (*pl.* ~**s,** ~**x** [-z]) Ⓒ ① 《美》 경대 붙은 옷장. ② 《英》 양소매[서랍 달린] 책상. ③ 사무소(*a* ~ *of information* 안내소). ④ (관청의) 국, 부.
bu·reauc·ra·cy [bjuərɑ́krəsi/bjuərɔ́-] *n.* ① Ⓤ 관료 정치. ② (*the* ~) 관료 사회; 《집합적》 관료(들)(officialdom). **bu·reau·crat** [bjúərəkræ̀t] *n.* Ⓒ 관료. **bu·reau·crat·ic**[∸–krǽtik] *a.* **bu·reau·crat·ism**[bjuərɑ́krətìzəm/bjuərɔ́kræt-] *n.* Ⓤ 관료주의.
bur·geon[bə́:rdʒən] *n., vi.* Ⓒ 싹(트다).
burg·er[bə́:rgər] *n.* Ⓒ,Ⓤ 《美口》 햄버거 스테이크(가 든 빵)(hamburger).
burgh[bə:rg/bʌ́rə] *n.* 《Sc.》 = BOROUGH. **∠·er**[bə́:rgər] *n.* Ⓒ (네덜란드·독일의) 시민(citizen).
:**bur·glar**[bə́:rglər] *n.* Ⓒ 밤도둑. ~**·ize**[-àiz] *vt., vi.* 《口》 (불법으로) 침입하다. **-gla·ry** *n.* Ⓤ,Ⓒ 밤도둑(질), (야간의) 불법 주거 침입.
búrglar alàrm 자동 도난 경보기.
bur·gle[bə́:rgəl] *vt., vi.* 《口》 밤도둑질하다.
Bur·gun·dy[bə́:rgəndi] *n.* ① 부르고뉴《프랑스의 남동부 지방》. ② Ⓤ (종종 b-) 그 곳에서 나는 붉은 포도주, 부르고뉴. 「식.
:**bur·i·al**[bériəl] *n.* Ⓤ,Ⓒ 매장, 매장
búrial gròund [**plàce**] 묘지.
·**bur·lesque**[bə:rlésk] *a.* 익살스러운(comic). — *n.* Ⓒ 익살스런 풍자, (개작한) 해학시(parody); Ⓤ 《美》 저속한 소극(笑劇)(horseplay). — *vt.* 익살스럽게 흉내내다.
bur·ly[bə́:rli] *a.* 강한, 억센; 덜렁대는.
†**burn**[bə:rn] *vt., vi.* (~**ed, burnt**) ① 태우다; 타다; (불을) 때다; 타게 하다. ② 그슬리다; 그을다. ③ 불에 데다, 얼얼하다. ④ 화끈거리다; 화내다. ⑤ 흥분하다, 열중하다. ⑥ 내

B

B

리쬐다, 볕에 타다. ⑦ 〖化〗 소작(燒灼)하다. ⑧ 산화시키다. **be burnt to death** 타 죽다. **~ away** 태워버리다; 타 없어지다. **~ down** 몽땅 태워버리다; 약해지다. **~ for** (…을) 열광〔동경〕하다. **~ one's finger** 공연히 참견〔당황〕하여 되게 혼나다. **~ out** 타버리다; 다 타다. **~ powder** 발사〔발포〕하다. **~ up** 타버리다, 다 타다; 열광시키다. **have** (*books*) **to ~** 《美》 (책이) 주체 못할 만큼 있다. ***∠·er** *n.* Ⓒ 태우는〔굽는〕 사람; 버너. **:∠·ing** *a.* (불)타는; 열렬한, 격렬한; 긴급한.

búrned-óut *a.* ① 타버린, 다 탄; 소진된; (전구 따위가) 타서 끊어진. ② (정력을 다 써) 지친.

***bur·nish**[bə́ːrniʃ] *vt., vi.* 닦다(polish); 광나다, 닦이다. — *n.* Ⓤ 윤, 광택.

***burnt**[bəːrnt] *n.* burn의 과거(분사). 「다).

burp[bəːrp] *n., vi.* Ⓒ 《口》 트림(하

***burr**[1] [bəːr] *n., vt.* Ⓒ ① (치과 의사 등의) 리머(reamer). ② 깔쭉깔쭉하게 깎다〔깎은 자리〕, 깔쭉깔쭉함.

burr[2] *vi.* 그릉그릉〔윙윙〕하다; 목젖을 울려서 내는 r음([R]), 후음(喉音)으로 말하다. — *n.* Ⓒ 그릉그릉, 윙윙하는 소리.

bur·ro[búərou, bə́ːr-] *n.* Ⓒ 당나귀 (donkey).

***bur·row**[bə́ːrou, bʌ́r-] *n.* Ⓒ (토끼 따위의) 굴, 숨어 있는 곳. — *vt., vi.* ① 굴을 파다. ② 굴에 살다; 숨다. ③ 찾다; 탐구하다(*in, into*).

bur·sar[bə́ːrsər] *n.* Ⓒ (대학의) 회계원(treasurer); 《주로 Sc.》 (대학) 장학생.

:burst[bəːrst] *vt., vi.* (**burst**) ① 파열〔폭파〕하다. ② 째(어지)다, 터뜨리다, 터지다. ③ 충만하다. ④ 별안간 나타나다(*forth, out, upon*); 갑자기 …하기 시작하다(break) (*into*). **be ~ing to** (do) 《口》 …하고 싶어 못 견디다. **~ away** 파열하다; 뛰쳐나가다. **~ in** (문이 안으로) 홱 열리다; 뛰어들다; 말참견하다. **~ open** 홱 열다 **~ out laughing** 웃음을 터뜨리다. **~ up** 폭발하다; 《俗》 파산하다. **~ with** …으로 충만하다 (*She is ~ing with health.*). — *n.* Ⓒ 파열, 폭발; 돌발; 분발.

bur·ton[bə́ːrtn] *n.* 《英俗》 《다음 성구로》 **go for a ~** 깨지다, 못쓰게 되다; 꺼지다, 죽다.

:bur·y[béri] *vt.* ① 묻다, 감추다. ② 매장하다, 장사지내다. ③ 몰두하게 하다(*in*); 초야에 묻히다. **~ing ground** 묘지. **~ oneself in** (…에) 몰두하다; (…에) 묻히다.

†bus[bʌs] *n.* (*pl.* **~(s)es**) Ⓒ ① 버스. ② 《口》 여객기, (낡은 대형의) 자동차. ③ 〖컴〗 버스《여러 장치 사이를 연결, 신호를 전송하기 위한 공통로》. — *vi.* (**-ss-**) **~ it** 버스에 타고 가다.

bus·by[bʌ́zbi] *n.* Ⓒ (영국 기병의) 털모자.

:bush[buʃ] *n.* ① Ⓒ 관목(shrub). ② Ⓒ (관목의) 덤불, 숲. ③ Ⓒ 담쟁이의 가지《옛날의 술집 간판》 (*Good wine needs no ~.* 《속담》 좋은 술에 간판은 필요 없다). ④ Ⓤ 삼림지, 오지(奧地). **beat about the ~** 남을 떠보다; 요점을 피하다. **take to the ~** 벽지로 달아나다, 산적이 되다. — *vi., vt.* 무성하게 자라다〔하다〕. **~ out** 미개척지에 길을 내다. **~·ed**[-t] *a.* 《口》 = WORN-OUT.

:bush·el[1][búʃəl] *n.* Ⓒ 부셸《건량(乾量) 단위; 미국에서는 1.95말, 영국에서는 2.01말》; 부셸 되.

bush·el[2] *vt., vi.* (《英》 **-ll-**) 《美》 (옷을) 고쳐 만들다; 수선하다.

bush·man[∠mən] *n.* Ⓒ 총림지(叢林地)의 거주민; (B-) (남아프리카의) 부시맨 토인.

búsh tèlegraph (밀림에서의) 정보 전달(법).

***bush·y**[búʃi] *a.* 덤불 같은〔이 많은〕; 털이 많은.

:bus·i·ly[bízəli] *ad.* 바쁘게, 분주하게; 열심히, 부지런히.

†busi·ness[bíznis] *n.* ① Ⓤ 실업; 상업, 거래. ② Ⓤ 직업, 직무. ③ Ⓤ 사무, 영업. ④ Ⓒ 사업, 점포. ⑤ Ⓤ 용건, 볼일. ⑥ (a ~) 사건, 일. ⑦ Ⓤ (연극의) 몸짓(action). **Business as usual.** (금일) 영업합니다 《게시》. **do a big ~** 장사가 잘 되다, 번창하다. **enter into ~** 실업

계에 투신하다. ***have no ~ to*** (do) (…할) 권리가 없다. ***make a great ~ of*** …을 감당 못 하다. ***make the ~ for*** …을 없애버리다, 해치우다. ***mean ~*** 《口》 진정이다. ***mind one's own ~*** 자기 분수를 지키다, 남의 일에 간섭 않다. ***on ~*** 용무로(*No admittance except on ~.* 관계자외 출입 금지). ***send*** (*a person*) ***about his ~*** (아무를) 꾸짖다; 추방하다; 해고하다.

búsiness càrd 업무용 명함.

·**búsiness·lìke** *a.* 사무적[실제적]인; 민첩한.

:**busi·ness·man**[-mæ̀n] *n.* Ⓒ 실업가; 사무가, 회사원.

bus·man[bʌ́smən] *n.* Ⓒ 버스 승무원. ***~'s holiday*** 《美》 평상시와 비슷한 일을 하며 보내는 휴일, 이름뿐인 휴일.

bús stòp 버스 정류소.

:**bust**[1][bʌst] *n.* Ⓒ ① 흉상(胸像), 반신상. ② 상반신; (여자의) 가슴.

bust[2] *n.* Ⓒ 《俗》 파열, 펑크; 실패, 파산; 《口》 후려침. — *vt., vi.* 《俗》 = BURST; 《俗》 파산[실패]하다; 《口》 좌천하다; (트러스트를 해체하여) 몇 작은 회사로 가르다; 때리다; 길들이다; 《俗》 체포하다.

bust·er[bʌ́stər] *n.* Ⓒ ① 거대한 [크게 효과적인, 파괴적인] 것. ② 《美》 법석, 소란. ③ (종종 B-) 《蔑》 젊은 친구《호칭》.

:**bus·tle**[1][bʌ́sl] *vi., vt.* ① 떠들다; 떠들게 하다. ② 재촉하다; 서두르(게 하)다(*up*). — *n.* (*sing.*) 야단법석. **bus·tling·ly**[bʌ́sliŋli] *ad.* 떠들썩하게; 번잡하게.

bus·tle[2] *n.* Ⓒ (옛날, 여자 스커트를 부풀리는) 허리받이.

búst-ùp *n.* Ⓒ 파열; 해산; 《俗》 싸움; 이혼.

†**bus·y**[bízi] *a.* ① 바쁜; (…으로) 분주한(*doing, at, it, with*). ② (전화가) 통화 중인(*The line is ~.* 통화 중). ③ 교통이 번잡한, 번화한(*a ~ street* 번화가). ④ 참견 잘 하는. — *vt.* 바쁘게 만들다. ***~ oneself at*** [***in, with, doing***] …하기에 분주하다. ***get ~*** 일에 착수하다. ***~-ness*** *n.* Ⓤ 바쁨.

búsy·bòdy *n.* Ⓒ 참견하기 좋아하는 사람.

†**but**[強 bʌt, 弱 bət] *conj.* ① 그러나, 그렇지만. ② 《not, never 등과 함께 써서》 (…이) 아니고(*He is not a statesman, ~ a politician.* 정치가가 아니고 정객이다); …하는 것이 아니면(unless)(*It never rains ~ it pours.* 《속담》 왔다하면 장대비다; 화불단행(禍不單行)). ③ ~ = but that …하지 않을 만큼(that... not)(*He is not such a fool ~ he can tell that.* 그것을 모를 만큼 어리석지는 않다). ④ 《부정어 하나 다음에 but (that)이 오면》 ~ = that ...not (*It can hardly be ~ that it is intended as a satirical hit.* 그것은 빈정대려고 한 비평이 아닐 리가 없다). ⑤ 《부정어 둘 다음에 but이 오면, 즉 3중의 부정어가 겹치면 but은 뜻이 없어짐》 ~ (that) = that(*It is not impossible ~ such a day as this may come.* 이러한 날이 올 것은 불가능하지 않다). ⑥ 《마찬가지로 부정구문 중에 deny, doubt 따위 부정적 의미의 동사와 함께 써서》 ~ *that* = that (*I don't doubt ~ that*) *they will do it.* 그들은 그것을 꼭 하리라고 생각한다). ⑦ …이외에는, …을 제하고는(*All ~ she went away.* 그 여자 외에는 모두 다 떠났다《이 경우 *All ~ her* 라면 but은 *prep.*》). ⑧ 《무의미한 but》(*Heavens! B- it rains!* 제기랄, 비가 오네!/*B- how nice!* 야, 근사하구나!). — *rel. pron.* 《but = who [that] ...not》(*There is no one ~ knows it.* 모르는 사람은 한 사람도 없다). — *ad.* 다만 …뿐 (*There is ~ one God.* 신은 단 하나다/*He is ~ a child.* 그는 한낱 어린애다). — *prep.* …이외에는 (except) (*All ~ him remained.* 그 사람 외에는 모두 남았다); …을 제외하면, …이 없더라면(*B- that you were there, he would have been drowned.* 네가 없었더라면 그는 빠져 죽었을 것이다). ***all ~*** 거의. ***anything ~*** 《강한 부정》 결코…않다. ***~ for*** …이 없었더라면(if it were not for; if it had not

B

been for). ~ **good** 《美口》 비참히, 아주. ~ **then** 그렇지만, 그러나 한편. **cannot choose** ~ (do) …하지 않을 수 없다. **not** ~ **that** [**what**] …이 아니라는 것은 아니다 (*Not* ~ *that* [*what*] *he thought otherwise.* 그가 다른 생각을 하지 않은 것은 아니나). (**It is**) **not that ...,** ~ **that ...** …라는 것이 아니고 …인 것이다; …라고 해서가 아니라 …이기 때문이다(*Not that I like this house,* ~ *that I have no other place to live in.* 이 집이 마음에 들어서가 아니고, 이 밖에는 살 집이 없기 때문이다). **nothing** ~ …에 지나지 않는다(*It is nothing* ~ *a joke.* 그저 농담에 지나지 않는다). — *vt., n.* '그러나'라고 말하다; (보통 *pl.*) '그러나'라는 말(*B- me not* ~*s!* '그러나, 그러나'라는 말은 그만 둬라).

bu·tane [bjúːtein, –⌐] *n.* Ⓤ 〖化〗 부탄(가연성 탄화수소).

butch·er [bútʃər] *n.* Ⓒ ① 푸주한; 도살업자. ② 학살자. ③ 《俗》 외과 의사. ④ (열차·관람석에서의) 판매원. ⑤ 권투 선수. — *vt.* (먹기 위해) 도살하다; 학살하다(massacre). ~**'s meat** 식육. ⌐**·er·y** *n.* Ⓤ 도살, 학살; Ⓒ 《英》 도살장.

˙**but·ler** [bʌ́tlər] *n.* Ⓒ ① 집사, 하인 우두머리. ② 식사 담당원. ~**'s pantry** 식기실.

butt[1] [bʌt] *n.* Ⓒ 큰 (술)통.

butt[2] *n.* Ⓒ ① 과녁; 무겁; (*pl.*) 사적장(射的場). ② 표적; 비웃음의 대상, 웃음거리.

˙**butt**[3] *vt., vi.* ① (머리·뿔 따위로) 받다; 부딪치다(*against, into*). ② 불쑥 나오다, 돌출하다(*on, against*).

butt[4] *n.* Ⓒ (막대·총 따위의) 굵은 쪽의 끝; 나무 밑동; 꽁초; 《俗》 궁둥이.

†**but·ter** [bʌ́tər] *n., vt.* Ⓤ ① 버터(를 바르다). ② 《口》 아첨(하다) (*up*). **look as if** ~ **would not melt in one's mouth** 시치미 떼다, 태연하다.

˙**bútter·cùp** *n.* Ⓒ ① 〖植〗 미나리아재비. ② 《美俗》 악의 없는 귀여운 아가씨. ③ 《俗》 여자역의 호모.

bútter·fingers *n. sing. & pl.* 물건을 잘 떨어뜨리는 사람; 서투른[부주의한] 사람.

:**but·ter·fly** [-flài] *n.* Ⓒ 나비; 멋쟁이, 바람둥이(여자).

bútter·milk *n.* Ⓤ 버터밀크(버터를 뺀 후의 우유).

bútter·scòtch *n.* Ⓒ 버터스코치(버터가 든 사탕·버터볼).

but·ter·y [bʌ́təri] *a.* 버터 비슷한[를 함유하는]; 버터 바른; 《口》 알랑거리는.

but·tock [bʌ́tək] *n.* Ⓒ (보통 *pl.*) 엉덩이(rump).

:**but·ton** [bʌ́tn] *n.* ① Ⓒ 단추, 누름단추; 단추 모양의 것. ② (*pl.*) 《주로 英》 급사. — *vt., vi.* (…에) 단추를 달다; 단추를 채우다[가 채워지다].

˙**bútton·hòle** *n., vt.* ① Ⓒ 단추구멍(에 꽂는 꽃). ② 단추구멍을 내다. ③ (아무를) 붙들고 길게 이야기하다.

but·tress [bʌ́tris] *n., vt.* Ⓒ 〖建〗 버팀벽(으로 버티다); 지지(하다).

but·ty[1] [bʌ́ti] *n.* Ⓒ 《英方》 동료; (탄광의) 십장, 감독.

but·ty[2] *n.* Ⓒ 《英方》 버터를 바른 빵 한 조각; 샌드위치.

bux·om [bʌ́ksəm] *a.* (여자가) 토실토실한; 건강하고 쾌활한.

†**buy** [bai] *vt., vi.* (**bought**) ① 사다. ② 매수하다(bribe). ③ (희생을 치르고) 손에 넣다. ④ 한턱 내다(~ *him beer*). ⑤ (아무의) 의견을 받아들이다. ⑥ 선전에 넘어가다. **B-American Policy** 미국 상품 우선 매입 정책(표어). ~ **a pig in a poke** 물건을 잘 안 보고 사다; 얼결에 맡다. ~ **back** 되사다. ~ **off** (협박자 등을) 돈을 주어 내쫓다; 돈을 내고 면제받다. ~ **out** (권리 따위를) 돈으로 사다. ~ **over** 매수하다. ~ **up** 매점(買占)하다. — *n.* Ⓒ 《口》 구입, 물건 사기; 《美口》 매득(bargain). :⌐**·er** *n.* Ⓒ 사는 사람, 작자; 구매계원.

búyer's màrket 〖經〗 (공급 과잉으로 구매자가 유리한) 구매자 시장.

búy·òut, búy-òut *n.* Ⓒ (주식의) 매점(買占).

:**buzz** [bʌz] *n.* ① Ⓒ (벌레의) 날개소리(humming); (기계의) 소리; (극장 따위의) 웅성거림. ② (a ~)

《美口》 전화의 호출 소리. ③ Ⓒ 속삭임(whisper); 잡담, 소문. — *vt., vi.* ① 윙윙거리다; 와자지껄하다, 웅성거리며 퍼뜨리다. ② 《口》 (…에게) 전화를 걸다. ③ 〖空〗 저공 비행하다. ~ **about** 바삐 돌아다니다. ~ **off** 전화를 끊다, 《英口》 떠나다, 가다.

buz·zard [bʌ́zərd] *n.* Ⓒ 〖鳥〗 말똥가리; 아메리카독수리; 멍청이.

buzz·er [bʌ́zər] *n.* Ⓒ 윙윙거리는 벌레; 버저, 사이렌, 경보.

†**by**[1] [bai] *ad., prep.* ① (…의) 곁에 (near)(*He lives close by.* 바로 이웃에 살고 있다/*south by west* 서쪽으로 약간 치우친 남쪽, 서미남(西微南). ② (…을) 지나서(past)(*Many days went by.* 여러 날이 지났다/*go by the house* 집앞을 지나가다). ③ 《美口》 (지나는 길에) 집으로[에] (*at, in, into*)(*Please come by.* 들르십시오); …의 동안에[은](*by day* 낮에는). ④ …까지에는(*by noon*). ⑤ …에 의하여, …을 써서, …으로(*a poem by Poe*/*by rail* 기차로). ⑥ …로, …씩(*sell by the pound* 1파운드 얼마로 팔다/*by degrees* 차차로). ⑦ …에 대하여, …에 관하여, …은(*my duty by them* 그들에 대한 나의 의무/*Alice by name* 이름은 앨리스/*a doctor by profession* 직업은 의사/2*ft.* by 7 *in.* 길이 2피트 폭 7인치의). ⑧ …에 걸고, …에 맹세코(*By God!* 신에 맹세코, 꼭). — *a.* 부수적인, 우연한; 본도를 벗어난, 궁벽한; 내밀의. **by and again** 《美》 때때로. **by and by** 곧, 멀지 않아서. **by and large** 전반적으로, 어느 모로 보나; 대체로. **by oneself** 혼자, 독력으로; 단독으로, 고립하여. **by the by** [**bye**] ⇨BYE. **close** [**hard, near**] **by** 바로 곁에. **stand by** ⇨STAND.

by[2], **bye** [bai] *n.* Ⓒ (토너먼트 경기에서 짝지을 상대가 없어) 남은 사람[상태] odd man [condition]. **by the by**(**e**) 말이 난 김에 말이지, 그런데, 그건 그렇고.

by- [bai] *pref.* ① '부수적인'의 뜻: *by*product. ② '옆의, 곁의'의 뜻: *by*stander. ③ '지나간'의 뜻: *by*gone.

by-and-by [báiən*d*bái] *n.* (the ~) 가까운 미래.

bye-bye[1] [báibài] *n.* Ⓤ,Ⓒ 《兒》 잠(sleep). **go to ~** 코하다.

bye-bye[2] [∠∠] *int.* 《口》 안녕.

bý(e)-elèction *n.* Ⓒ 중간 선거; 《英》 보궐 선거.

bý(e)·làw *n.* Ⓒ 내규; 부칙; 세칙; (지방 단체의) 조례(條例).

˙**bý·gòne** *a., n.* 과거의; (*pl.*) 과거(the past). **Let ~s be ~s.** 《속담》 과거를 묻지 마라.

bý-lìne *n.* Ⓒ (철도의) 병행선; 《美》 (신문·잡지의) 필자명을 적는 줄; 부업; 내직(side-line).

˙**bý-pàss** *n.* Ⓒ ① 우회로, 보조 도로, 측도(側道). ② (수도의) 측관(側管); 〖電〗 측로(shunt). — *vt.* 우회하다; 회피하다; 무시하다; (…에) 측관[보조관]을 대다.

bý-plày *n.* Ⓒ 〖劇〗 (본 줄거리에서 벗어난) 부수적인 연극; (회화중의) 본제를 벗어난 이야기.

bý·pròduct *n.* Ⓒ 부산물.

bý·ròad *n.* Ⓒ 옆길, 샛길.

˙**bý·stànder** *n.* Ⓒ 방관자, 구경꾼; 국외자.

byte [bait] *n.* Ⓒ 〖컴〗 바이트《정보 단위로서 8 bit로 됨》. ~ **mode** 바이트 단위 전송 방식. ~ **storage** 바이트 기억기(機).

bý-wày *n.* Ⓒ 옆길; 샛길; (학문·연구 따위의) 별로 알려지지 않은 방면.

bý·wòrd *n.* Ⓒ 우스운 것, 웃음거리; 속담, 격언; (개인의) 말버릇.

˙**Byz·an·tine** [bízəntìːn, -tàin, bizǽntin] *a., n.* Ⓒ 비잔틴(Byzantium)의 (사람); 〖建·美術〗 비잔틴식[파]의 (사람). ~ **architecture** 비잔틴식 건축. ~ **Empire** 동로마 제국(395-1453). **-tin·ism** [bizǽntənìzəm] *n.* 비잔틴풍.

C

C, c[siː] *n.* (*pl.* ***C's, c's***[-z]) [C] 〖樂〗 다음(音); 다조(調); [C] 〖數〗 제3기지수; [U] (로마 숫자의) 백(centum); [C] 《美俗》 100달러 (지폐); 제3의 가정자, 병(丙); C모양의 것; 《美》 (학업 성적의) 가(可).

C 〖化〗 carbon; 〖電〗 coulomb. **C.** Cape; Catholic; Celsius; Celtic; Centigrade. **C., c.** candle; capacity; case; catcher; cent; center; centimeter; century; chapter; *circa*(L. = about); cirrus; city; copyright; cost; cubic; current. © copyrighted.

ca. cent(i)are; *circa*(L. = about).

:cab[kæb] *n.* [C] 택시(taxi); 승합 마차; 기관사실; 트럭의 운전대(臺); 《英》 자습서. — *vi.* (***-bb-***) 택시로 가다.

ca·bal[kəbǽl] *n., vi.* (***-ll-***) [C] 도당, 비밀 결사; 음모(를 꾸미다)(conspire).

cab·a·ret[kæ̀bəréi/ㅅ—ㅅ] *n.* (F.) [C] 카바레.

:cab·bage[kǽbidʒ] *n.* [U,C] 양배추.

cab·by[kǽbi] *n.* [C] 《口》 마부(cabman); 택시 운전사.

:cab·in[kǽbin] *n.* [C] (통나무) 오두막; 캐빈《1·2등 선실(船室), 여객기의 객실, 군함의 함장실·사관실, 우주선의 선실 따위》.

cábin bòy (1·2등 선실·사관실의) 「보이, 급사.

cábin clàss (기선의) 특별 2등.

cábin crùiser = CRUISER.

:cab·i·net[kǽbənit] *n.* [C] ① 상자, 용기; 장식장〔찬장〕, 진열장(유리)장, 캐비닛. ② 〖寫〗 카비네판. ③ 회의실, 각의실. ④ (C-) 내각; 《美》 대통령의 고문단; 《古》 사실(私室). ***C- council*** 각의(閣議). ***~ edition*** 카비네판《4·6판》. ***C- government*** 내각 책임제(하의 내각). ***C- member***〔***minister***〕 각료.

cábinet·màker *n.* [C] 가구상(家具商), 소목장이; 《英·諧》 (조각(組閣) 중의) 신임 수상.

:ca·ble[kéibəl] *n* [U,C] (철사·삼 따위의) 케이블; 굵은 밧줄, 강삭(鋼索); 닻줄; 피복(被覆) 전선; 케이블선(線); [C] 해저 전선〔전신〕, 해외 전보. — *vt., vi.* (통신을) 해저 전신으로 치다; 케이블을 달다; 해저 전신으로 통신하다. ***nothing to ~ home about*** 《口》 평범한, 중요하지 않은.

cáble càr 케이블카.

cáble·gràm *n.* [C] 해저 전신〔전보〕.

cáble ràilway 케이블〔강삭〕 철도.

cáble TV 〖컴〗 유선 텔레비전《생략 CATV》.

ca·boose[kəbúːs] *n.* [C] 《美》 (화물 열차 끝의) 승무원차; 《英》 (상선 갑판 위의) 요리실.

cache[kæʃ] *n., vi., vt.* [C] (식료 따위의) 감춰 두는 곳(에 저장하다, 감추다)《탐험가·동물 등이》; 〖컴〗 캐시.

ca·chet[kæʃéi, ㅅ—] *n.* (F.) [C] (편지 따위의) 봉인; 특징; 〖醫〗 교갑(capsule).

cack·le**[kǽkl] *n., vi., vt.* [U,C] 꼬꼬댁〔꽥꽥〕하고 우는 소리〔울다〕; 수다(떨다); 새되게 웃는 소리〔웃다〕. ***cut the ~ 《俗》 서론을 생략하고 본론으로 들어가다; 《명령형》 입닥쳐!

ca·coph·o·ny[kækɑ́fəni/-ɔ́-] *n.* (*sing.*) 불협화음; 불쾌한 음(조).

cac·tus[kǽktəs] *n.* (*pl.* ***~es, -ti***[-tai]) [C] 〖植〗 선인장.

CAD 〖컴〗 computer-aided design 컴퓨터 이용 설계.

cad[kæd] *n.* [C] 비열한 사람.

ca·dav·er·ous[kədǽvərəs] *a.* 송장 같은, 창백한.

cad·die[kǽdi] *n., vi.* [C] 캐디(로 일하다).

***ca·dence**[kéidəns] *n.* [C,U] 운율; (목소리의) 억양; [C] 〖樂〗 종지법.

ca·den·za[kədénzə] *n.* (It.) [C] 〖樂〗 카덴차《협주곡의 장식 악구》.

ca·det[kədét] *n.* [C] 《美》 육군〔해

군] 사관 학교 생도; 상선(商船) 학교 학생; 아우; 차남 이하의 아들, (특히) 막내 아들; [kædéi] 아우(쪽)《이름 뒤에 붙임》(opp. *aîné*).

cadge[kædʒ] *vi., vt.* 《英》 도부치다, 행상하다; 조르다.

cad·mi·um[kǽdmiəm] *n.* Ⓤ 〖化〗 카드뮴.

ca·dre[kɑ́:drei] *n.* Ⓒ 테두리; 뼈대, 구조, 조직; 개요; [kǽdri] 〖軍〗 간부 (조직), 기간 요원.

Cae·sar·e·an, -i·an[sizɛ́əriən] *a.* 황제의; 카이사르의.

Caesárean (**séction**) 제왕 절개, 개복(開腹) 분만(술).

cae·si·um[sí:ziəm] *n.* =CESIUM.

cae·su·ra[siʒúrə, -zjúrə] *n.* Ⓒ (시행(詩行)의) 중간 휴지.

˙***ca·fé, ca·fe***[kæféi, kə-/kǽfei] *n.* ① Ⓒ 커피점, 다방; 요리점; 바; 술집(barroom). ② Ⓤ 커피.

:**caf·e·te·ri·a**[kæ̀fətíəriə] *n.* Ⓒ 《주로 美》 카페테리아《셀프서비스 식당》. ***school*** ~ 교내식당.

caf·fein(e)[kæfí:n, ⌐−] *n.* Ⓤ 〖化〗 카페인, 다소(茶素).

caf·tan[kǽftən, kɑ:ftɑ́:n] *n.* Ⓒ 터키[이집트] 사람의 긴 소매 옷.

:**cage**[keidʒ] *n.* Ⓒ 새장, 조롱(鳥籠); (동물의) 우리; 감금실; 포로 수용소; 승강기의 칸; 철골 구조. — *vt.* 새장[우리]에 넣다; 가두다.

cag(e)·y[kéidʒi] *a.* 《口》 빈틈없는.

ca·goule, ka·gool[kəgú:l] *n.* Ⓤ 카굴《무릎까지 오는 얇고 가벼운 아노락(anorak)》.

ca·hoot(s)[kəhú:t(s)] *n.* (*pl.*) 《美俗》 공동, 공모. ***go*** ~ 《俗》 한패가 되다; 똑같이 나누다. ***in*** ~ 《俗》 공모하여, 한통속이 되어.

cairn[kɛərn] *n.* Ⓒ 돌무더기.

ca·jole[kədʒóul] *vt.* 구워삶다(flatter); 그럴듯한 말로[감언으로] 속이다(*into* do*ing*). **-er·y**[-əri], **~·ment** *n.* Ⓤ 감언, 그럴싸하게 속임.

†**cake**[keik] *n.* ① Ⓤ,Ⓒ 케이크, 양과자. ② Ⓒ (딱딱한) 덩어리, (비누 따위의) 한 개. ***a piece of*** ~ 쉽게 할 수 있는 일. ***~s and ale*** 과자와 맥주; 인생의 쾌락; 연회. ***My ~ is dough.*** 내 계획은 실패했다. ***take the*** ~《口》 상품을 타다, 남보다 빼어나다(excel). ***You cannot eat your ~ and have it*** (***too***). 《속담》 동시에 양쪽 다 좋은 일은 할 수 없다. — *vi., vt.* (과자 모양으로) 덩어리지다, 굳다; 굳게 하다.

cal·a·mine[kǽləmàin] *n.* Ⓤ 이극석(異極石); 《英》 능아연석(菱亞鉛石); 〖藥〗 칼라민.

cálamine lótion 칼라민 로션《햇볕에 탄 자리에 바름》.

ca·lam·i·tous[kəlǽmitəs] *a.* 비참한; 재난을 일으키는.

:**ca·lam·i·ty**[kəlǽməti] *n.* Ⓒ,Ⓤ 재난; 비참, 참화. ~ ***howler*** 《美俗》 불길한 예언만 하는 사람.

cal·ci·fy[kǽlsəfài] *vt., vi.* 석회화하다; 석회염류의 침적(沈積)에 의해 경화(硬化)하다. **-fi·ca·tion**[⌐−fikéiʃən] *n.*

˙**cal·ci·um**[kǽlsiəm] *n.* Ⓤ 칼슘.

cal·cu·la·ble[kǽlkjələbəl] *a.* 계산[신뢰]할 수 있는.

:**cal·cu·late**[kǽlkjəlèit] *vt., vi.* 계산하다; 산정[추정]하다; 기대[전망]하다(depend)(*on*); 계획하다; …할 작정[예정]이다(intend); 《美口》 (…라고) 생각하다; 《보통 수동으로》 (어떤 목적에) 적합시키다(adapt)(*for*). ***be ~d to*** (do) …하기에 적합하다; …하도록 계획되어 있다. **-lat·ed**[-id] *a.* 계획적인; 고의적인; 적합한(*a ~d crime* 계획적 범죄/*~d risk* 산정(算定) 위험률). **-lat·ing** *a.* 계산하는, 타산적인; 빈틈없는. **:-la·tion**[⌐−léiʃən] *n.* Ⓤ,Ⓒ 계산; 타산; Ⓒ 계산의 결과; Ⓤ,Ⓒ 계획; 예측. **-la·tive**[-lèitiv, -lətiv] *a.* 계산상의; 타산적인; 계획적인. **-la·tor** *n.* Ⓒ 계산자[기]; 타산적인 사람; 〖컴〗 계산기.

cal·cu·lus [kǽlkjələs] *n.* (*pl.* ***-li*** [-lài], ***~es***) Ⓒ 〖醫〗 결석(stone); Ⓤ 〖數〗 계산법; 미적분학. ***differential*** (***integral***) ~ 미[적]분학.

cal·dron[kɔ́:ldrən] *n.* Ⓒ 큰 솥[가마].

†**cal·en·dar**[kǽləndər] *n.* Ⓒ ① 달력, 역법(曆法). ② (공문서의) 기록부; 일람표; 연중행사 일람; (의회의) 의사 일정(표). ***solar*** (***lunar***) ~ 태양[태음]력. — *vt.* 달력[연대표]에

C

적다; 일람표로 하다.

cálendar mónth 역월(曆月).

cálendar yéar 역년(曆年)《1월 1일부터 12월 31일까지의 1년; cf. fiscal year》.

:**calf**[1][kæf, -ɑ:-] *n.* (*pl.* **calves**[-vz]) Ⓒ 송아지; (코끼리·고래·바다표범 등의) 새끼; 《口》 머리 나쁜 아이; =CALFSKIN; (빙산의) 얼음 덩어리. ***in*** 〔***with***〕 ~ (소가) 새끼를 배어. ***kill the fatted ~ for*** (돌아온 탕아 등을) 환대하다, …의 준비를 하다. ***slip the*** 〔***her***〕 ~ (소가) 유산하다.

calf[2] *n.* (*pl.* **calves**[-vz]) Ⓒ 장딴지, 종아리.

cálf·skìn *n.* Ⓒ 송아지 가죽.

˙**cal·i·ber,** 《英》 **-bre**[kǽləbər] *n.* ① Ⓒ (총포의) 구경. ② Ⓤ 기량(器量); 재능(ability); 인품. ③ Ⓤ 품질; 등급. **-brate**[kǽləbrèit] *vt.* (…의) 구경을 측정하다, 눈금을 조사하다. **-bra·tion**[ˌ–bréiʃən] *n.* Ⓤ 구경 측정; (*pl.*) 눈금.

˙**cal·i·co**[kǽlikòu] *n.* (*pl.* ~(**e**)**s**), *a.* Ⓤ,Ⓒ 《英》 옥양목(의); 《美》 사라사(무늬)(의).

cal·i·per[kǽləpər] *n.* Ⓒ (종종 *pl.*) 캘리퍼스, 양각 측경기(測徑器).

˙**ca·liph, -lif**[kéilif, kǽl-] *n.* 칼리프《이슬람교국의 왕, Mohammed의 후계자의 칭호, 지금은 폐지》. **ca·li·phate**[kǽləfèit] *n.* Ⓒ 그 지위.

cal·is·then·ic[kæ̀ləsθénik] *a.* 미용 체조의. **~s** *n.* Ⓤ 미용 체조(법).

†**call**[kɔ:l] *vt.* ① (소리내어) 부르다, (이름을) 부르다, 불러내다; 불러오다; 소집하다; (…에게) 전화를 걸다. ② …라고 이름붙이다; …라고 부르다; …라고 일컫다; 명(命)하다. ③ (주의 따위를) 불러 일으키다; 주의를 주다, 비난하다. ④ …라고 생각하다. ⑤ (리스트 등을) 죽 읽다. ⑥ 〖競〗 (경기를) 중지시키다, (심판이) (…의) 판정을 내리다, (…을) 선언하다; (지불을) 요구하다; (채권 따위의) 상환을 청구하다; (포커에서 전 패를) 보이라고 요구하다. — *vi.* ① 소리쳐 부르다; (새가) 울다; (나팔이) 울리다. ② 들르다, 방문〔기항〕하다. ③ 전화를 걸다. ④ (포커에서) 든 패를 보일 것을 요구하다. ~ ***after*** (…을) 쫓아가서 부르다; (…을) 따서〔에 연유하여〕 이름짓다. ~ ***at*** (집을) 방문하다. ~ ***away*** (기분을) 풀다(divert), 주의를 딴 데로 돌리다; 불러가다. ~ ***back*** 되불러들이다; 취소하다(revoke); 《美》 (전화 걸린 사람이) 나중에 되걸다. ~ ***down*** (신에게) 기구하다(invoke); (천벌을) 가져오다; 《美俗》 꾸짖다. ~ ***for*** 요구하다; 가지러〔데리러〕 가다. ~ ***forth*** (용기를) 불러 일으키다. ~ ***in*** 회수하다; 불러들이다, 초청하다, (의사를) 부르다. ~ ***in sick*** (근무처에) 전화로 병결(病缺)을 알리다. ~ ***into play*** 작용〔활동케〕하다. ~ ***a person*** NAME***s.*** ~ ***off*** (주의를) 딴 데로 돌리다(divert); 《口》 (약속을) 취소하다; 손을 떼다, 돌아보지 않다; (명부를) 죽 읽다, 열거하다. ~ ***on*** 〔***upon***〕 (***a person***) 방문하다; 부탁〔요구〕하다. ~ ***out*** 큰 소리로 외치다; (경관대·군대 등을) 출동시키다; (…에) 도전하다; 《美口》 (노동자를) 파업에 몰아넣다. ~ ***over*** 점호(點呼)하다. ~ ***round*** (집을) 방문하다, 들르다. ~ ***up*** 불러내다; 전화로 불러내다; 《美》 상기(想起)하다; (군인을) 소집하다. ***what you*** 〔***we, they***〕 ~, or ***what is*** ~***ed*** 소위, 이른바. — *n.* Ⓒ ① 외치는 소리; (새의) 울음소리; (나팔·호루라기의) 소리; 부름, (전화의) 불러냄; 초청; 소집; 점호(roll call); 〖컴〗 불러내기. ② 유혹(lure). ③ 요구, 필요. ④ 방문; 기항(寄港). ⑤ 천직(天職)(calling). ***at*** 〔***on***〕 ~ 요구있는 대로. ~ ***of the wild*** 〔***sea***〕 광야(曠野)〔바다〕의 매력. ~ ***to quarters*** 《美軍》 귀영 나팔《소등 나팔 15분전》. ***have the*** ~ 인기〔수요〕가 있다. ***within*** ~ 지호지간에, 지척에, 연락이 되는 곳에; 대기하고.

cáll bòx 《美》 (우편의) 사서함; 경찰〔소방〕서의 연락 전화; 《英》 공중 전화실; 화재 경보기.

:**call·er**[kɔ́:lər] *n.* Ⓒ 방문자, 손님.

cáll gìrl 콜걸《전화로 불러내는 매춘부》.

cal·lig·ra·phy[kəlígrəfi] *n.* Ⓤ 서예(書藝); 능서(能書).

˙**call·ing**[kɔ́:liŋ] *n.* Ⓤ,Ⓒ 부름, 소집, 점호; Ⓒ 신〔하늘〕의 뜻, 천직; 직업.

cálling càrd 《美》 (방문용) 명함 (visiting card).
cal·li·per[kǽləpər] *n.* = CALIPER.
cal·lis·then·ic(s)[kæ̀ləsθénik(s)] *a.* (*n.*) = CALISTHENIC(S).
*__cal·lous__[kǽləs] *a.* (피부가) 못이 박힌; 무정한, 무감각한; 냉담한(*to*). ~**·ly** *ad.* ~**·ness** *n.*
cal·low[kǽlou] *a.* 아직 깃털이 다 나지 않은; 미숙한, 풋내기의.
cáll-ùp *n.* Ⓒ (군대의) 소집 (인원); (특히 매춘부와의) 약속.
cal·lus[kǽləs] *n.* Ⓒ 굳은 살, 피부경결, 못; 〖病〗 가골(假骨); 〖植〗 유합(癒合) 조직.
:**calm**[kɑːm] *a.* 고요한, 바람이 없는, 평온한; 차분한; 《口》 뻔뻔스러운. ~ ***belt*** 무풍대. — *vt., vi.* 가라앉(히)다(*down*). — *n.* Ⓒ 고요함, 바람 없음, 정온(靜穩). :**∠·ly** *ad.* *∠**·ness** *n.*
Cál·or gàs[kǽlər-] 〖商標〗 = BUTANE. 「Ⓤ 열(熱)(의).
ca·lor·ic[kəlɔ́ːrik, -ɑ́-/-ɔ́-] *n., a.*
*__cal·o·rie, -ry__[kǽləri] *n.* Ⓒ 칼로리, 열량.
cal·o·rif·ic[kæ̀lərífik] *a.* 열을 내는, 열의. ~ ***value*** 발열량.
ca·lum·ni·ate[kəlʌ́mnièit] *vt.* 중상(中傷)하다(slander), 비방하다. **-a·tion**[kəlʌ̀mniéiʃən], **-ny**[kǽləmni] *n.* Ⓤ,Ⓒ 중상. **-ni·ous**[kəlʌ́mniəs] *a.*
calve[kæv, -ɑː-] *vt., vi.* (소·고래 등이) 새끼를 낳다; (빙산이) 갈라져 분리되다(cf. calf[1]). 「수.
*__calves__[kævz, -ɑː-] *n.* calf[1,2]의 복
ca·lyx [kéiliks, kǽl-] *n.* (*pl.* ~***es***, ***-lyces***[-lisìːz]) Ⓒ 꽃받침.
cam[kæm] *n.* Ⓒ 〖機〗 캠《회전 운동을 왕복 운동 따위로 바꾸는 장치》.
cam·ber[kǽmbər] *n., vi., vt.* Ⓤ,Ⓒ 위로 (붕긋이) 휨[휘(게 하)다].
cam·bric[kéimbrik] *n., a.* ① Ⓤ (상질의 얇은) 아마포(亞麻布)(제의). ② Ⓒ 백마(白麻) 손수건.
†**came**[keim] *v.* come의 과거.
:**cam·el**[kǽməl] *n.* Ⓒ 낙타. ***break the ~'s back*** 차례로 무거운 짐을 지워 견딜 수 없게 하다.
ca·mel·lia[kəmíːljə] *n.* Ⓒ 〖植〗 동백《나무·꽃》.
cámel('s) hàir 낙타털 (모직물).
Cam·em·bert[kǽməmbɛ̀ər] *n.* Ⓤ (프랑스의) 카망베르 치즈《연하고 향기가 강함》.
cam·e·o[kǽmiòu] *n.* (*pl.* ~***s***) Ⓒ 카메오 새김(을 한 조가비·마노 등).
:**cam·er·a**[kǽmərə] *n.* Ⓒ ① 카메라, 사진기; 텔레비전 카메라; 암실; (구식 사진기의) 어둠 상자. ② (*pl.* ***-erae***[-rìː]) 판사의 사실(私室). ***in*** ~ 판사의 사실에서, 비밀히.
cámera·màn *n.* Ⓒ (영화의) 촬영기사; (신문사의) 사진반원.
cam·i·sole[kǽməsòul] *n.* Ⓒ 《英》 여성용의 (소매 없는) 속옷; 여자용 화장옷; 광인(狂人)용 구속복.
cam·o·mile[kǽməmàil] *n.* Ⓒ 〖植〗 카밀레의 일종.
*__cam·ou·flage__[kǽməflɑ̀ːʒ, kǽmu-] *n., vt.* ① Ⓤ,Ⓒ 〖法〗 위장(僞裝)(하다), 미채(迷彩), 카무플라주. ② Ⓤ 변장, 속임; 속이다, 눈속임(하다).
†**camp**[kæmp] *n.* ① Ⓒ 야영(지); 《美》 캠프(촌). ② Ⓤ 텐트 생활(camping); 군대 생활. ③ Ⓒ 동지(들); 진영. ④ Ⓒ 수용소, 억류소(concentration camp). ***be in the same*** [***enemy's***] ~ 동지[적]이다. ~ ***school*** 임간 학교. ***change ~s*** 주장[입장]을 바꾸다. ***go to*** ~ 캠프하러 가다; 자다. ***make*** [***pitch***] ~ 텐트를 치다. ***take into*** ~ 제것으로 하다; 이기다. — *vi., vt.* 야영하다[시키다](encamp). ~ ***out*** 캠프 생활을 하다; 노숙하다. *∠**·er** *n.* Ⓒ 야영하는 사람.
:**cam·paign**[kæmpéin] *n.* Ⓒ ① (일련의) 군사 행동. ② 종군. ③ (조직적인) 운동, 유세(canvass). ***election*** ~ 선거전. — *vi.* 종군[운동, 유세]하다. ***go ~ing*** 종군하다; 운동하다. ~**·er** *n.*
cam·pa·ni·le[kæ̀mpəníːli] *n.* (*pl.* ~***s***, ***-nili***[-níːliː]) Ⓒ 종루(鍾樓).
*__cámp·fìre__ *n.* Ⓒ 캠프파이어, 야영의 모닥불(을 둘러싼 모임·친목회) (*a* ~ ***girl*** 미국 소녀단원).
cámp fòllower 비전투 종군자《노무자, 세탁부, 위안부 등》.
cámp·gròund *n.* Ⓒ 야영지; 야외

C

전도(傳道) 집회지.

·**cam·phor**[kǽmfər] *n.* Ⓤ 장뇌(樟腦). **～·ic**[kæmfɔ́ːrik, -fɑ́r-/-fɔ́r-] *a.* 장뇌질의.

cam·ping(**-out**) [kǽmpiŋ(-áut)] *n.* Ⓤ 캠프 생활; 야영.

cámp·site *n.* Ⓒ 캠프장, 야영지.

:**cam·pus**[kǽmpəs] *n.* Ⓒ 《美》 (주로 대학의) 교정; 대학 (분교).

cám·shàft *n.* Ⓒ 【機】 캠축.

:**can**[1][強 kæn, 弱 kən] *aux. v.* (**could**) ① …할 수 있다. ② 해도 좋다(may)(*C- I go now?*). ③ …하고 싶다(feel inclined to); …나 해라(*You ～ go to* HELL!). ④ 《부정·의문》 …할[일]리가 없다(*It ～ not be true.* 그건 정말 일 리가 없다); …일까, …인지 몰라(*C- it be true?* 정말일까). ***as … as ～ be*** 더(할 나위) 없이. ***～not but*** do …하지 않을 수 없다. ***～not … too*** 아무리 …하여도 지나치지 않다[지나치단 법은 없다](*We ～not praise the book too much.* 그 책은 아무리 칭찬해도 오히려 부족할 지경이다).

†**can**[2][kæn] *n.* Ⓒ 양철통; 《美》 (통조림 따위의) (깡)통(《英》 tin); 액체를 담는 그릇; 물컵; 변소; 엉덩이; 《美俗》 교도소. ***a ～ of worms*** 《口》 귀찮은 문제; 복잡한 사정. ***carry the ～*** 《美俗》 책임지(워지)다. ***in the ～*** 【映】 촬영이 끝나; 《一般》 준비가 되어. ── *vt.* (**-nn-**) ① 통[병]조림으로 하다(cf. canned). ② 《美俗》 해고하다(fire); 중지하다. CANNED ***program.*** **∠·ning** *n.* Ⓤ 《美》 통[병]조림 제조(업).

:**ca·nal**[kənǽl] *n., vt.* (**-l(l)-**, 《英》 **-ll-**) Ⓒ ① 운하(를 개설하다); 수로. ②【解·植】 도관(導管). **～·ize**[kənǽlaiz, kǽnəlàiz] *vt.* (…에) 운하[수로]를 파다[내다].

cánal·bòat *n.* Ⓒ (운하용의 좁고 긴) 화물선.

ca·na·pé[kǽnəpi, -pèi] *n.* (F.) Ⓒ 카나페《얇게 썬 토스트에 치즈 얹은 크래커 또는 빵》.

ca·nard[kənɑ́ːrd] *n.* Ⓒ 허보(虛報).

:**ca·nar·y**[kənέəri] *n.* ① Ⓒ 【鳥】 카나리아. ② Ⓤ 카나리아빛《담황색》. ③ Ⓒ 《俗》 여자 가수. ④ Ⓒ 《俗》 동료를 파는 범인, 밀고자.

ca·nas·ta[kənǽstə] *n.* Ⓤ rummy 비슷한 카드놀이.

can·can[kǽnkæ̀n] *n.* (F.) Ⓒ 캉캉《다리를 차올리는 춤》.

:**can·cel**[kǽnsəl] *n., vt.* (《英》 **-ll-**) 삭제(하다); 취소(하다); 상쇄[말소](하다); 【컴】 없앰; 【印】 (…을) 삭제하다. ***～ed check*** 지불필(畢) 수표. **～·la·tion**[kæ̀nsəléiʃən] *n.*

:**can·cer**[kǽnsər] *n.* ① Ⓤ,Ⓒ 【醫】 암(癌). ② Ⓒ 사회악. ③ (C-) 【天】 게자리. ***～ of the stomach*** [***breast***] 위암[유방암]. ***the Tropic of C-*** 북회귀선. **～·ous** *a.*

can·de·la·brum[kæ̀ndilɑ́ːbrəm] *n.* (*pl.* **～s, -bra**(**s**)[-brə(z)]) Ⓒ 가지촛대, 큰 촛대.

·**can·did**[kǽndid] *a.* 솔직한(frank); 성실한; 공정한; 입바른, 거리낌없는; 【寫】 자연 그대로의. ***to be quite ～*** (***with you***) 솔직히 말하면《일반적으로 문두(文頭)에》 **～·ly** *ad.*

can·di·da·cy[kǽndidəsi] *n.* Ⓤ,Ⓒ 《美》 후보 자격, 입후보. :**-date** [kǽndədèit/-dit] *n.* Ⓒ 후보자; 지원자. **-da·ture**[∠dətʃùər, -tʃər/-tʃə] *n.* 《英》 = CANDIDACY.

can·died[kǽndid] *a.* 당(분)화된; 설탕을 쓴[친]; 말솜씨 교묘한; 달콤한; 결정(結晶)한.

:**can·dle**[kǽndl] *n.* Ⓒ (양)초, 양초 비슷한 것; 촉광. ***burn the ～ at both ends*** 재산[정력]을 낭비하다. ***cannot*** [***be not fit to***] ***hold a ～ to*** …와는 비교도 안 되다. ***hold a ～ to another*** 남을 위해 등불을 비추다, 조력하다. ***not worth the ～*** 애쓴 보람이 없는, 돈 들인 가치가 없는. ***sell by the ～*** [***by inch of***] (경매에서) 촛동강이 다 타기 직전의 호가로 팔아 넘기다. ── *vt.* (달걀을) 불빛에 비춰 조사하다.

·**cándle·lìght** *n.* Ⓤ 촛불(빛); 불을 켤 무렵, 저녁.

·**cándle·stìck** *n.* Ⓒ 촛대.

cándle·wìck *n.* Ⓒ 초의 심지.

·**can·dor,** 《英》 **-dour**[kǽndər] *n.* Ⓤ 공평함; 솔직; 담백함.

C & W country and western.

†**can·dy**[kǽndi] *n.* Ⓤ,Ⓒ 《美》 사탕,

캔디(《英》 sweets); 《英》 얼음 사탕. ― *vt., vi.* (…에) 설탕절임으로 하다, 설탕으로 끓이다; (말을) 달콤하게 하다(sweeten) (cf. candied).

:**cane** [kein] *n.* Ⓒ (등(藤), 대, 사탕수수 따위의) 줄기; 지팡이, 단장, 회초리; 유리 막대. ― *vt.* 매로 치다.

cáne sùgar 사탕수수 설탕.

ca·nine [kéinain] *a., n.* 개의(같은); Ⓒ 개, 개과(科)의 (동물); = ∠· **tòoth** 송곳니.

can·ing [kéiniŋ] *n.* Ⓤ 매질, 태형(笞刑); 등나무로 엮은 앉을 자리.

can·is·ter [kǽnistər] *n.* Ⓒ 차통, 커피통, 담배(산탄(散彈))통.

·**can·ker** [kǽŋkər] *n.* ① Ⓤ,Ⓒ 〖醫〗 옹(癰), 구암, 구강 궤양. ② Ⓤ 〖獸醫〗 마제암(馬蹄癌); (개·고양이의) 이염(耳炎); 〖植〗 암종(癌腫). ③ Ⓒ 해독; 고민. ― *vi., vt.* (…에) 걸리(게 하)다; 파괴하다, 부패하다(시키다). **~·ous** [-əs] *a.*

can·na·bis [kǽnəbis] *n.* Ⓤ 마리화나. **-bìsm** *n.*

·**canned** [kænd] *v.* can[1]의 과거(분사). ― *a.* 《美》 통조림으로 한; 《俗》 녹음된; 《俗》 미리 준비한; 《俗》 취한. **~ *goods*** 통조림 식품. **~ *heat*** 휴대 연료; 독한 술; 《俗》 폭탄. **~ *music*** 레코드 음악. **~ *program*** 〖放〗 녹음(녹화) 프로.

can·ner·y [kǽnəri] *n.* Ⓒ 통조림 공장; 교도소.

·**can·ni·bal** [kǽnəbəl] *n., a.* Ⓒ 식인종; 서로 잡아먹는 동물; 식인의, 서로 잡아먹는. **~·ism** [-ìzəm] *n.* Ⓤ 식인(의 풍습); 잔인한 행위.

can·ni·bal·ize [kǽnəbəlàiz] *vt.* 사람 고기를 먹다; (차·기계 따위를) 해체하다; 뜯어서 짜맞추다(조립하다); 인원을 차출하여 다른 부대를 보충하다. ― *vi.* 수선 조립업을 하다.

:**can·non** [kǽnən] *n.* (*pl.* **~s,** 《집합적》 **~**), *vi.* Ⓒ 대포(를 쏘다); 〖空〗 기관포; 《俗》 권총; 《俗》 소매치기; 《英》 〖撞〗 캐넌(《美》 carom)(을 치다); 맹렬히 충돌하다. **~·ade** [kæ̀nənéid] *n., vt., vi.* Ⓒ 연속 포격(하다). **~·eer** [kæ̀nəníər] *n.* Ⓒ 포수, 포병. **~·ry** [kǽnənri] *n.* 《집합적》 포(砲); Ⓤ,Ⓒ 연속, 포격.

cánnon bàll 포탄(본디 구형); 《美俗》 특급 열차.

cánnon fòdder 대포 밥(병졸 등).

†**can·not** [kǽnɑt/-ɔt] = can not.

can·ny [kǽni] *a.* 주의 깊은, 조심성 많은, 세심한(cautious); 빈틈없는; 《Sc.》 알뜰한; 조용한. **-ni·ly** *ad.* **-ni·ness** *n.*

:**ca·noe** [kənúː] *n.* Ⓒ 카누(마상이). ***paddle one's own ~*** 독립 독행하다. ― *vt., vi.* (**-noed; -noeing**) 카누를 젓다; 카누로 가다.

can·on [kǽnən] *n.* ① Ⓒ 교회법. ② Ⓒ (the ~) 정전(正典) (cf. Aocrypha). ③ Ⓒ 성인록(聖人錄). ④ Ⓒ 미사(mass)의 일부; 법전(code). ⑤ Ⓒ 규범, 규준; 전칙곡(典則曲). ⑥ Ⓤ 〖印〗 캐넌 활자(48포인트). ⑦ Ⓒ 《英》 성직자회 평의원.

ca·non·i·cal [kənɑ́nikəl/-nɔ́n-] *a.* 교회법의; 정전(正典)의; 정규의. **~s** *n. pl.* 제복(祭服).

can·on·ize [kǽnənàiz] *vt.* 시성(諡聖)하다, 찬미하다; 정전(正典)으로 인정하다. **-i·za·tion** [≻–nizéiʃən/-nai-] *n.*

cán òpener 《美》 깡통따개(《英》 tin opener); 《美俗》 금고 도둑.

·**can·o·py** [kǽnəpi] *n., vi.* Ⓒ 닫집(으로 덮다); 차양; 하늘. ***under the ~*** 《美俗》 도대체(in the world). **-pied** *a.*

cant[1] [kænt] *n.* Ⓤ (거지 등의) 우는 소리; 암호의 말; 변말, 은어(lingo); 유행어; 위선적인 말. **~ *phrase*** 유행어. ― *vi.* 변말을(유행어를) 쓰다; 위선적인 말을 하다.

cant[2] *n., vi., vt.* Ⓒ 경사(면); 기울(이)다; 비스듬이 베다.

†**can't** [kænt, -ɑː-] cannot의 단축.

Cantab. Cantabrigian.

can·tan·ker·ous [kæntǽŋkərəs, kən-] *a.* 비꼬인, 툭하면 싸우는, 심술 사나운(ill-natured).

can·ta·ta [kəntɑ́ːtə/kæn-] *n.* (It.) Ⓒ 〖樂〗 칸타타.

can·teen [kæntíːn] *n.* Ⓒ ① 《英》 주보; (기지 등의 간이 식당(오락장)). ② 《美》 수통, 빨병. ③ (캠프용) 취사 도구 상자. ***a dry* (*wet*) *~*** 술을 팔지 않는(파는) 군(軍)매점.

C

C

can·ter[kǽntər] *n., vi., vt.* (a ~) 〖馬術〗 캔터. (gallop와 trot 중간의) 보통 구보(로 몰다. 나아가다. 달리게 하다).
can·ti·cle[kǽntikəl] *n.* Ⓒ 찬송가. ***the Canticles*** 〖聖〗 아가(雅歌) (the Song of Solomon).
can·ti·lev·er[kǽntəlèvər, -lìːv-] *n.* Ⓒ 〖建〗 외팔보.
***can·to**[kǽntou] *n.* (*pl.* ~*s*) Ⓒ ① (장편시의) 편(篇)《산문의 chapter에 해당》. ② 《俗》 (경기의) 한 이닝〔게임〕. (권투의) 한 라운드.
can·ton[kǽntn, -tɑn/-tɔn] *n.* Ⓒ (스위스의) 주(州); (프랑스의) 군(郡); [-tən] 〖紋〗 소(小)구획. — [kǽntɑn, ─ˊ/-tɔ́n] *vt.* 주〔군으〕로 나누다; 분할하다; [kæntóun/kəntúːn] 〖軍〗 숙영(宿營)시키다. **~·ment**[kæntóunmənt, -tɑ́n-/kəntúːn-] *n.* Ⓒ 숙영(지).
can·tor[kǽntər] *n.* Ⓒ 합창 지휘자; 독창자《유대 교회의》.
:**can·vas**[kǽnvəs] *n.* ① Ⓤ 돛; 범포(帆布). ② Ⓒ 텐트. ③ Ⓒ,Ⓤ 캔버스, 화포. ④ Ⓒ 유화. ***carry too much*** ~ 신분〔능력〕에 맞지 않은 일을 시도하다. ***under*** ~ 돛을 올리고; 〖軍〗 야영하여.
***can·vass**[kǽnvəs] *vt.* 조사하다; 논하다; 선거 운동하며 돌아 다니다; (…에게) 부탁하며 다니다. 주문 맡으러 다니다. — *n., vi.* Ⓒ 선거 운동(하다); 권유(하다); 정사(精査)(하다). **~·er** *n.* Ⓒ 운동〔권유〕원.
can·yon** [kǽnjən] *n.* Ⓒ 《美》 협곡 (canon). ***Grand C- Colorado 강의 대계곡《국립 공원》.
†**cap**[kæp] *n.* Ⓒ ① (양태 없는) 모자, 제모. ② 뚜껑, 캡, (버섯의) 갓. ③ 정상, 꼭대기. ④ 뇌관; 포장한 소량의 화약; (수리한 타이어의) 지면 접촉 부분. ~ ***and bells*** (어릿광대의) 방울 달린 모자. ~ ***and gown*** (대학의) 식복(式服). ~ ***in hand*** 《口》 모자를 벗고; 겸손하게. ***feather in one's*** ~ 자랑할 만한 공적. ***kiss ~s with*** 아무와 함께 술을 마시다. ***pull ~s*** (맞붙어) 싸우다. ***set one's ~ for*** 《俗》 (여자가 남자에게) 연애를 걸어 오다. — *vt.* (**-pp-**) ① (…에) 모자를〔뚜껑을〕 씌우다. ② (…의) 꼭대기〔위〕를 덮다〔씌우다〕. ③ 탈모하다. ④ (남을) 지게하다; (인용구·익살 따위를) 다투어 꺼내다. — *vi.* 모자를 벗다. ***to ~ all*** 결국에는, 필경〔마지막〕에는.
:**ca·pa·ble**[kéipəbəl] *a.* 유능한; 자격있는(*for*); …할 수 있는, …되기 쉬운(*of*). ***-bil·i·ty**[kèipəbíləti] *n.* Ⓤ,Ⓒ 할 수 있음, 능력; (*pl.*) 뻗을 소질, 장래성. **-bly** *ad.*
***ca·pa·cious**[kəpéiʃəs] *a.* 넓은; 너그러운; 듬뿍 들어가는.
:**ca·pac·i·ty**[kəpǽsəti] *n.* ① Ⓤ 수용력; 용량, 용적. ② Ⓤ 능력, 재능, 역량(ability). ③ Ⓒ 자격, 지위. ④ 〖컴〗 용량. ***be filled to*** ~ 가득 차다. ***be in*** ~ 법률상의 능력이 있다. ~ ***house*** 대만원(의 회장).
ca·par·i·son[kəpǽrisən] *n., vt.* Ⓒ (보통 *pl.*) (중세의 기사·군마의) 성장(盛裝); 미장(美裝)(시키다).
***cape**[1][keip] *n.* Ⓒ 어깨망토; (여성·어린이옷의) 케이프.
:**cape**[2] *n.* Ⓒ 곶. ***the C-*** (***of Good Hope***) (남아프리카의) 희망봉.
Cápe Cólo(u)red 《南아》 백인과 유색 인종과의 혼혈인.
ca·per**[1][kéipər] *vi., n.* Ⓒ (까불까불) 뛰어다니다〔다님〕. 깡총거리다(frisk)〔거림〕; (종종 *pl.*) 광태(狂態). ***cut ~s 〔***a*** ~〕 깡총거리다; 광태를 다하다.
ca·per[2] *n.* Ⓒ 풍조목(風鳥木)의 관목《지중해 연안산》.
cap·il·lar·y [kǽpəlèri/kəpíləri] *a., n.* 털 같은; Ⓒ 모세관(의); Ⓤ 모관 현상(의). 「(引力).
cápillary attráction 모세관 인력
†**cap·i·tal**[kǽpitl] *a.* ① 주요한, 으뜸〔수위〕의. ② 《英》 훌륭한. ③ 사형에 처할 만한; 중대한, 대단한 (gross). ***C-!*** 됐어!, 좋아! ~ ***city*** 수도. ~ ***letter*** 대문자, 머릿글자. ~ ***punishment*** 사형. — *n.* ① Ⓒ 수도. ② Ⓒ 머릿글자, 대문자. ③ Ⓤ 자본(금); 자본가측〔계급〕; 이익. ~ ***and labor*** 노자(勞資). ***circulating*** 〔***fixed***〕 ~ 유동〔고정〕 자본. ***make*** ~ (***out***) ***of*** …을 이용하다. ***working*** ~ 운전 자본. * **~·ism**[-ìzəm]

n. Ⓤ 자본주의. *~·**ist** *n.* Ⓒ 자본가〔주의자〕. **cap·i·tal·is·tic**[ˌ--ístik] *a.* ~·**ize**[-àiz] *vt.* 자본화하다; 자본으로 산입〔평가〕하다; (…에) 투자하다; 《美》 (*vt., vi.*) 이용하다(*on*); 《美》 머릿글자〔대문자〕로 쓰다〔인쇄하다〕. ~·**i·za·tion**[kæ̀pətəlizéiʃən] *n.* ~·**ly** *ad.*
cápital góods 자본재.
cápital-inténsive *a.* 자본 집약적
cápital lèvy 자본세(稅). ⌊인.
cap·i·ta·tion[kæ̀pətéiʃən] *n.* Ⓒ 인두세(人頭稅).
ca·pit·u·late[kəpítʃəlèit] *vi.* (조건부 또는 무조건으로) 항복하다, 굴복하다. **-la·tion**[-ˌ-léiʃən] *n.* Ⓤ (조건부 또는 무조건) 항복; Ⓒ 항복문서; 일람표.
ca·pon[kéipən, -pɑn] *n.* Ⓒ (거세하여 살찌운) 식용 수탉; 《美俗》 여성적인 남자; 면《남색의 상대》(catamite); 《比》 겁쟁이.
*ca·price[kəprí:s] *n.* Ⓤ,Ⓒ 변덕; 〖樂〗 가상곡(綺想曲). ***ca·pri·cious** [kəpríʃəs] *a.*
Cap·ri·corn[kǽprikɔ̀:rn] *n.* 〖天〗 염소자리.
cap·si·cum[kǽpsikəm] *n.* Ⓒ 고추(의 열매).
cap·size[kǽpsaiz, -ˊ] *vi., vt.* 전복하다〔시키다〕.
cap·stan[kǽpstən] *n.* Ⓒ 〖海〗 (닻을 감아 올리는) 고패.
*cap·sule[kǽpsəl/-sju:l] *n.* Ⓒ ① (약·우주 로켓 등의) 캡슐. ② 〖植〗 (씨·포자의) 꼬투리, 삭과; 두겁쇠, (코르크 마개를) 덧싼 박(箔); 요약. — *vt., a.* 요약하다〔한〕.
Capt. Captain.
†**cap·tain**[kǽptin] *n.* Ⓒ ① 장(長), 수령, 두목. ② 선장, 함장. ③ 육군〔공군〕 대위; 해군 대령; 군사(軍師). ④ 주장(主將). ***a ~ of industry*** 대실업가. ~·**cy** *n.* Ⓤ,Ⓒ ~의 지위〔임무, 직, 임기〕.
cap·tion[kǽpʃən] *n.* Ⓒ (페이지·장 따위의) 표제(title), 제목(heading); (삽화의) 설명; (영화의) 자막. — *vt.* (…에) 표제를 붙이다; 자막을 넣다.
cap·ti·vate[kǽptəvèit] *vt.* (…의) 넋을 빼앗다; 황홀하게 하다, 매혹하다(fascinate). **-vát·ing** *a.* **-va·tion** [ˌ-véiʃən] *n.*
:**cap·tive**[kǽptiv] *n.* Ⓒ 포로. — *a.* 포로가 된; 매혹된. ***cap·tiv·i·ty** [kæptívəti] *n.* Ⓤ (사로) 잡힌 상태〔몸〕; 감금.
cáptive áudience 싫어도 들어야 하는 청중《스피커 따위를 갖춘 버스의 승객 등》.
cáptive ballóon 계류 기구.
cáptive fíring (로켓의) 지상 분사.
cáptive tèst 로켓 본체를 고정시킨 채 하는 엔진 시험.
cap·tor[kǽptər] *n.* Ⓒ 잡는〔빼앗는〕 사람; 포획자.
:**cap·ture**[kǽptʃər] *n., vt.* Ⓤ 잡음, 포획; Ⓒ 포획물; 잡다, 포획〔생포〕하다, 빼앗다; Ⓤ 〖컴〗 갈무리.
†**car**[kɑ:r] *n.* Ⓒ ① 자동차; 차. ② 전차, (열차의) 객차. ③ (비행선·경기구의) 객실; 곤돌라.
ca·rafe[kərǽf, -ɑ́:-] *n.* Ⓒ (식탁·침실용 등의) 유리 물병.
*car·a·mel[kǽrəməl, -mèl] *n.* Ⓤ 캐러멜, 구운 설탕《조미·착색용》; Ⓒ 캐러멜 과자.
car·a·pace[kǽrəpèis] *n.* Ⓒ (거북 따위의) 등딱지; (새우·가재 따위의) 딱지.
*car·at[kǽrət] *n.* Ⓒ 캐럿《보석의 단위; 1/5 g》; 금위(金位)(*gold* 14 *~s fine,* 14금).
:**car·a·van**[kǽrəvæ̀n] *n.* Ⓒ ① (사막의) 대상(隊商). ② (집시·서커스 등의) 포장 마차. ③ 《英》 이동 주택, 하우스 트레일러. ~·**sa·ry**[kæ̀rəvǽnsəri], ~·**se·rai**[-rài] *n.* Ⓒ 대상 숙박 여관.
car·a·way[kǽrəwèi] *n.* Ⓒ 〖植〗 캐러웨이《회향풀의 일종》.
car·bine[kɑ́:rbain, -bi:n] *n.* Ⓒ 카빈총, 기병총.
*car·bo·hy·drate[kɑ̀:rbouhái-dreit] *n.* Ⓒ 〖化〗 탄수화물, 함수탄소.
*car·bol·ic[kɑ:rbɑ́lik/-ɔ́-] *a.* 탄소〔콜타르〕에서 얻은.
carbólic àcid 석탄산.
*car·bon[kɑ́:rbən] *n.* ① Ⓤ 〖化〗 탄소; Ⓒ 탄소 막대. ② Ⓤ,Ⓒ 카본지; Ⓒ 카본지 복사.
cárbon cópy (복사지에 의한) 복

사; 《口》 아주 닮은 사람〔물건〕.
cárbon dáting 탄소의 방사성 동위 원소 함유량에 의한 연대 측정.
cárbon dióxide 이산화탄소, 탄산가스(～ *snow* 드라이 아이스).
car·bon·if·er·ous[kὰːrbənífərəs] *a.* 석탄을 산출하는; (C-) 〖地〗 석탄기〔계〕의. ── *n.* (the C-) 석탄기.
cárbon monóxide 일산화탄소.
cárbon pàper 카본〔탄산〕지《복사용》.
car·boy[kάːrbɔi] *n.* Ⓒ 상자〔채롱〕에 든 유리병《극약 용기》.
car·bun·cle[kάːrbʌŋkəl] *n.* Ⓒ 〖鑛〗 홍옥(紅玉)《루비 등》; 석류석; 〖醫〗 정(疔), 뾰루지; (모주의) 붉은 코; Ⓤ 적갈색.
car·bu·ret[kάːrbərèit, -bjərèt] *vt.* (《英》 *-tt-*) 탄소와 화합시키다; 탄소 화합물《가솔린 따위》을 섞다. **-re(t)·tor** *n.* Ⓒ 기화기(氣化器), 탄화기; (자동차의) 카뷰레터.
***car·cass, -case**[kάːrkəs] *n.* Ⓒ (짐승의) 시체.
car·cin·o·gen[kaːrsínədʒən] *n.* Ⓒ 〖醫〗 발암(發癌) 물질〔인자〕.
card[1][kaːrd] *n.* Ⓒ 금속빗〔솔〕. ── *vt.* (양털·삼 따위를) 빗다, 훑다, 솔질하다. **∠·er** *n.* **∠·ing** *n.*
†**card**[2] *n.* Ⓒ ① 카드; 판지(板紙); 명함; 엽서; 초대장. ② 트럼프, 카드; (*pl.*) 카드놀이; 프로(그램). ③ 《口》 인물, 놈; 별난 사람, 괴짜. ④ 《英口》 (the ～) 적절한 것(*for*). ***castle* 〔*house*〕 *of* ～*s*** (어린이가 만드는) 카드의 집; 무너지기 쉬운 것, 위태로운 계획. ***have a* ～ *up one's sleeve*** 준비가〔비책이〕 있다. ***in* 〔*on*〕 *the* ～*s*** 아마 (…인〔일〕 것 같은) (likely). ***lay* 〔*place, put*〕 *one's* ～*s on the table*** 계획〔비법〕을 밝히다〔말하다〕. ***leave one's* ～ (*on*)** (…에) 명함을 두고 가다. ***play one's best* ～** 비장의 수법을 쓰다. ***queer* ～** 괴짜. ***play one's* ～*s well* 〔*rightly*〕** 재치있게 조치하다, 일 처리를 잘 하다. ***show one's* ～*s*** (손에) 든 패를 보이다, 계획〔비밀〕을 보이다. ***speak by the* ～** 정확히 말하다. ***the best* ～** 인기 있는 것. ***throw* 〔*fling*〕 *up one's* ～*s*** 계획을 포기하다.
car·da·mom, -mum[kάːrdəməm], **-mon**[-mən] *n.* Ⓒ 생강과의 식물(의 열매)《향료》.
***card·board**[kάːrdbɔ̀ːrd] *n.* Ⓤ 판지(板紙), 마분지. 「의.
cárd-càrrying *a.* 정식 당원〔회원〕
car·di·ac[kάːrdiæ̀k] *a., n.* 심장의; (위(胃)의) 분문(噴門)의; Ⓒ 심장병 환자.
car·di·gan[kάːrdigən] *n.* Ⓒ 카디건《앞을 단추로 채우는 스웨터》.
***car·di·nal**[kάːrdənl] *a.* 주요한, 기본적인; 붉은, 주〔진〕홍색의(scarlet). ── *n.* Ⓒ 〖가톨릭〗 (교황청의) 추기경《진홍색 옷·모자를 착용》; Ⓤ 진〔주〕홍색; = **∠ bírd** (북미산의) 알록참새 《finch 무리》. **～·ate**[-èit, -it] *n.* Ⓤ 추기경의 직〔지위〕.
cárdinal númber 〔**númeral**〕 기수(基數).
cárdinal pòints 〖天〗 방위 기점(基點)《north, south, east, west》.
cárd ìndex 카드식 색인.
car·di·o·graph [kάːrdiəgræ̀f, -grὰːf] *n.* Ⓒ 심전계(心電計).
car·di·ol·o·gy[kὰːrdiάlədʒi/-ɔ́-] *n.* Ⓤ 심장학.
cárd·shàrp(er) *n.* Ⓒ 카드놀이 사기꾼.
cárd tàble 카드놀이용 테이블.
cárd vòte 《英》 카드 투표《노동 조합 대회 따위에서 대의원이 대표하는 조합원의 수를 명기한 카드로 표수를 정하는 투표》.
†**care**[kɛər] *n.* ① Ⓤ 근심, 걱정(worry); Ⓒ 근심거리. ② Ⓤ 시중, 돌봄, 간호, 감독(charge); 고생(pains). ③ Ⓤ 주의, 조심(caution). ④ Ⓤ 관심; Ⓒ 관심사. ***C- killed the cat.*** 《속담》 걱정은 몸에 해롭다. ***～ of*** …방(方)《생략 c/o》. ***take* ～,** or ***have a* ～** 조심하다. ***take* ～ *of*** …을 돌보다, 소중히 하다; …에 조심하다; 《美》 …을 다루다. ***take* ～ *of oneself*** 몸을 조심하다; 자기 일은 자기가 하다. ***under the* ～ *of*** …의 신세를 지고, …의 보호 밑에. ***with* ～** 조심하여. ── *vi.* ① 걱정〔근심〕하다. ② 돌보다, 시중들다, 병구완하다. ③ 하고자 하

다, 좋아하다. ~ **about** …을 염려〔걱정〕하다, …에 주의하다. ~ **for** …을 좋아하다, 탐내다; …을 돌보다, 걱정〔근심〕하다. ~ **nothing for** 〔**about**〕 …에 전혀 흥미가〔관심이〕 없다. **for all I** ~ 나는 알 바 아니나〔아니지만〕; 어쩌면, 혹시. **I don't** ~ **if** (I go). 《口》 (가도) 괜찮다《권유에 대한 긍정적 대답》. **Who** ~**s?** 알게 뭐야.

ca·reen [kəríːn] *vi., vt.* 〖海〗 (배를) 기울이다, (배가) 기울다; (기울여) 수리하다.

:ca·reer [kəríər] *n.* ① Ⓤ 질주; 속력. ② Ⓒ 인생 행로, 생애; 경력, 이력; (교양·훈련을 요하는) 직업. ③ Ⓤ,Ⓒ 성공, 출세. **in full** 〔**mad**〕 ~ 전속력으로. **make a** ~ 출세하다. ― *a.* 직업적인, 본격적인. ~ **diplomat** 직업 외교관. ~ **woman** 〔**girl**〕 《口》 (자립하고 있는) 직업 여성. ― *vi.* 질주〔쾌주〕하다(speed)(*about*). ~**·ism**[-ìzəm] *n.* Ⓤ 입신 출세주의. ~**·ist** *n.*

·cáre·frèe *a.* 근심걱정 없는, 태평한, 행복한, 명랑한.

†care·ful [kέərfəl] *a.* ① 주의 깊은, 조심스런(cautious)(*of*). ② 소중히 하는〔여기는〕(mindful)(*of*). **:** ~**·ly** *ad.* **·** ~**·ness** *n.*

:care·less [kέərlis] *a.* ① 부주의한, 경솔한. ② 걱정하지 않는(nonchalant). ③ 《古》 마음 편한(carefree). **be** ~ **of** …을 염두에 두지 않다. **·** ~**·ly** *ad.* **·** ~**·ness** *n.*

·ca·ress [kərés] *n., vt.* Ⓒ 애무《키스·포옹 등》(하다); 어르다.

cáre·tàker *n.* Ⓒ 돌보는 사람, 관리인; 지키는 사람; 《英》 고용원《사환·수위를 점잖게 이르는 말》 (cf. 《美》 custodian). ~ **government** 선거 관리 정부〔내각〕. 「〔찌든〕.

cáre·wòrn *a.* 근심 걱정으로 야윈

cár·fàre *n.* Ⓤ (전차·버스의) 요금.

:car·go [káːrgou] *n.* (*pl.* ~(**e**)**s**) Ⓒ 뱃짐, 선하, 적하(積荷).

car·i·bou [kǽrəbùː] *n.* (*pl.* ~**s** 《집합적》 ~) Ⓒ 북미산 순록(馴鹿).

·car·i·ca·ture [kǽrikətʃùər, -tʃər] *n.* Ⓒ (풍자) 만화, 풍자 그림〔글〕; Ⓤ,Ⓒ 만화화(化). ― *vt.* 만화화하다.

-tur·ist *n.*

car·ies [kέəriːz] *n.* (L.) Ⓤ 〖醫〗 카리에스, 골양(骨瘍); 충치.

car·i·ous [kέəriəs] *a.* 카리에스에 걸린; 부식한.

cár·lòad *n.* Ⓒ 《주로 美》 화차 1량분(輛分)의 화물.

car·mine [káːrmain, -min] *n., a.* Ⓤ 양홍(洋紅)색(의). 「학살.

car·nage [káːrnidʒ] *n.* Ⓤ (대량)

·car·nal [káːrnl] *a.* 육체의, 육욕적인, 육감적인(sensual); 물질적인, 현세〔세속〕적인(worldly).

cárnal knówledge 성교.

:car·na·tion [kaːrnéiʃən] *n., a.* Ⓒ 카네이션; Ⓤ 살빛(의).

:car·ni·val [káːrnəvəl] *n.* Ⓒ 사육제 《Lent 전의 축제》; Ⓒ 축제, 법석.

car·ni·vore [káːrnəvɔ̀ːr] *n.* Ⓒ 육식 동물; 식충(食蟲) 식물. **-niv·o·rous** [kaːrnívərəs] *a.* 육식성의(cf. herbivorous, omnivorous).

:car·ol [kǽrəl] *n.* Ⓒ 기쁨의 노래; 찬(미)가(hymn); 《詩》 새의 지저귐. ― *vi., vt.* (《英》 (**-ll-**)) 기뻐 노래하다, 지저귀다.

ca·rot·id [kərάtid/-ɔ́-] *n., a.* Ⓒ 〖解〗 경(頸)동맥(의).

ca·rous·al [kəráuzəl] *n.* =⇩.

ca·rouse [kəráuz] *n.* Ⓤ 큰 술잔치(noisy feast). ― *vi., vt.* 통음(痛飮)하다(drink heavily); 술을 마시며 떠들다.

·carp[1] [kaːrp] *n.* (*pl.* ~**s,** 《집합적》 ~) Ⓒ 잉어.

carp[2] *vi.* 시끄럽게 잔소리하다; 흠을 찾다, 약점을 잡다, 트집 잡다(*at*). **∠·ing** *a.* 흠〔탈〕잡는.

:car·pen·ter [káːrpəntər] *n., vi., vt.* Ⓒ 목수(일을 하다). ~**'s rule** 〔**square**〕 접자〔곱자〕. **-try** [-tri] *n.* Ⓤ 목수직; 목수일; Ⓒ 목공품.

:car·pet [káːrpit] *n.* Ⓒ ① 융단, 양탄자(cf. rug); 깔개. ② (풀의) 온통 깔림. **call on the** ~ 불러서 꾸짖다. **on the** ~ 심의〔연구〕 중에; 《口》 야단맞아.

cárpet·bàg *n.* Ⓒ (융단감으로 만든) 여행 가방. ~**ger** *n.* Ⓒ (한 몫 보려고 타고장에서 온) 뜨내기; 〖美史〗 《蔑》 (남북전쟁 후의 부흥기에 남부로

C

건너간) 북부의 야심(정치)가.

car·pet·ing[kɑ́:rpitiŋ] *n.* Ⓤ 깔개용 직물, 양탄자감; 깔개.

cárpet slìpper (모직천으로 만든) 실내용 슬리퍼.

cárpet swèeper 양탄자 (전기) 청소기.

cár·pòrt *n.* Ⓒ (간이) 자동차 차고.

:**car·riage**[kǽridʒ] *n.* ① Ⓒ 탈것, 마차; 《英》 (철도의) 객차; 포차(砲車). ② [*+kǽriidʒ] Ⓤ 운반; 수송(비), 운임. ③ Ⓤ 몸가짐; 자세, 태도. ④ Ⓤ 처리, 경영. **~ *and pair* 〔*four*〕** 쌍두〔4두〕 4륜 마차.

cárriage·wày *n.* Ⓒ (가로의) 차도. ***dual* ~** 《英》 중앙 분리대가 있는 도로.

:**car·ri·er**[kǽriər] *n.* Ⓒ 운반인〔업자〕; 《美》 우편 집배원; 운송 회사; 전서 비둘기; 항공모함; (자전거의) 짐받이; 보균자; ≒ **wàve** 〖無電〗 반송파(搬送波).

cárrier pìgeon 전서(傳書) 비둘기.

car·ri·on[kǽriən] *n.* Ⓤ 사육(死肉), 썩은 고기; 불결물. ── *a.* 썩은 고기의〔같은〕, 썩은 고기를 먹는.

˙**car·rot**[kǽrət] *n.* Ⓒ 당근. **~ *and stick*** 회유와 위협 (정책). **~·y** *a.* 당근색의; (머리털이) 붉은.

car·rou·sel[kæ̀rəsél, -zél] *n.* Ⓒ 《美》 회전 목마(merry-go-round).

†**car·ry**[kǽri] *vt.* ① 운반하다, 나르다; 휴대하다; (아이를) 배다; 버티다; (몸을 어떤 자세로) 유지하다(hold); 행동하다(~ *oneself*). ② (액체를) 이끌다, (소리를) 전하다; 미치다; 연장하다(extend); 감복시키다; (주장·의안 따위를) 통과〔관철〕시키다. ③ 수반하다, (의미 따위를) 띠다; (이자 따위를) 낳다. ④ (진지 따위를) 점령하다; 획득하다. ⑤ 〖簿〗 (다른 장부에) 전기(轉記)하다; 이월하다; 〖數〗 한 자리 올리다; 《美》 (신문에) 싣다; (명부에) 올리다. ⑥ 기억해 두다. ⑦ 가게에 놓다〔팔다〕. ── *vi.* 가져가다, 나르다; (소리·총 따위가) 미치다. **~ *all* 〔*everything, the world*〕 *before one*** 파죽지세로 나아가다. **~ *away*** 앗아〔채어〕가다; 도취시키다. **~ (*a person*) *back*** 생각나게 하다. **~ *forward*** (사업 등을) 진행〔추진〕하다; (부기에서) 차기(次期)〔다음 페이지〕로 이월하다. **~ *off*** 앗아〔채어〕가다, 유괴하다; (상을) 타다; 잠시 견디다(palliate); 해치우다. **~ *on*** 계속하다; (사업을) 영위하다. **~ *oneself*** 행동하다. **~ *out*** 성취하다, 수행하다. **~ *over*** 이월하다. **~ *the audience* 〔*house*〕** 청중〔만장〕을 도취시키다. **~ *the* DAY. ~ *through*** 완성하다; 견디어내다, 버티다; 극복하(게 하)다. **~ *weight*** 중시되다, 유력하다; 〖競馬〗 핸디캡이 붙여지다. **~ *a person with one*** 납득시키다. **~ *something with one*** 어떤 일을 기억하고 있다; …을 수반〔휴대〕하다. ── *n.* Ⓤ ① (총포의) 사정; (골프 공 따위가) 날아간 거리. ② 〖컴〗 자리 올림.

cár·sìck *a.* 차멀미 난.

:**cart**[kɑ:rt] *n., vi.* ① Ⓒ 2륜마차〔손수레〕(로 나르다). ② 수월히 이기다. **~ *about*** 들고〔끌고〕돌아다니다, 안내하고 다니다. ***in the* ~** 《英俗》 곤경에 빠져(in a fix). ***put the* ~ *before the horse*** 본말을 전도하다. **∠·age** *n.* Ⓤ (짐차) 운송(료). **∠·er** *n.* Ⓒ (짐)마차꾼. **~·ful**[∠fùl] *n.* Ⓒ 한 차(車)분.

carte blanche[kɑ́:rt blɑ́:nʃ] (F.) 백지〔전권〕 위임.

car·tel[kɑ:rtél] *n.* Ⓒ 〖經〗 카르텔, 기업 연합《가격 유지·시장 독점을 위한》 (cf. syndicate, trust); 포로 교환 조약서.

cárt hòrse 짐마차 말.

car·ti·lage[kɑ́:rtilidʒ] *n.* Ⓤ,Ⓒ 연골(軟骨). **-lag·i·nous**[kɑ̀:rtilǽdʒənəs] *a.*

car·to·graph[kɑ́:rtəgræ̀f, -grɑ̀:f] *n.* Ⓒ (그림) 지도. **car·tog·ra·pher**[kɑ:rtɑ́grəfər/-tɔ́g-] *n.* Ⓒ 지도 제작자. **car·tóg·ra·phy**[-fi] *n.* Ⓤ 지도 제작(법).

car·ton[kɑ́:rtən] *n.* Ⓒ 판지(板紙), 마분지; 두꺼운 종이 상자.

˙**car·toon**[kɑ:rtú:n] *n.* Ⓒ 《美》 (모자이크·벽화 따위의) (실물 크기의) 밑그림; 풍자화, 시사 만화; (연속) 만화, 만화 영화. ── *vt.* 만화로 풍자하다. **~·ist** *n.* Ⓒ 만화가.

˙**car·tridge**[kɑ́:rtridʒ] *n.* Ⓒ 탄약

통, 약포(藥包); (카메라의) 필름통(에 든 필름); (전축의) 카트리지《바늘 꽂는 부분》; (내연 기관의) 기동(起動) 장치.

cártridge pàper 약협(藥莢) 용지; 도화지.

cárt whèel (짐차의) 바퀴; 옆재주넘기.

:**carve** [kɑːrv] *vt.* (**~d;** 《詩》 **~n**) ① 자르다, (요리한 고기를) 썰다. ② 파다, 조각하다. ③ (진로를) 트다, 열다. **~ *for oneself*** 제멋대로 하다〔굴다〕. **~ *out*** 베어〔떼어, 잘라〕 내다; 분할하다; 개척하다. **~ *up*** (유산·땅 따위를) 가르다. ***cárv·er** *n.* Ⓒ 조각가; (요리 고기를) 써는 사람; (*pl.*) 고기 써는 나이프와 포크. ***cárv·ing** *n.* Ⓤ 조각; Ⓒ 조각물; Ⓤ 고기 썰어 놓기.

cárving knìfe (식탁용) 고기 썰때 쓰는 큰 나이프.

***cas·cade** [kæskéid] *n., vi.* Ⓒ (계단 모양의) 분기(分岐) 폭포, 작은 폭포(를 이루어 떨어지다); 현애(懸崖)식 가꾸기(의 꽃); 〖電〗 (축전지의) 직렬; 〖컴〗 캐스케이드.

†**case**[1] [keis] *n.* ① Ⓒ 경우, 사건. ② 소송. ③ (the ~) 실정, 사정. ④ Ⓒ 실례, 예, 사실(*a* ~ *in point* 적례(適例)). ⑤ Ⓒ 병증(*a bad*〔*hard*〕 ~ 난증(難症)), 환자. ⑥ Ⓒ 〖文〗 격; 《口》 괴짜. ***as is often the ~ with*** …에는 흔히 있는 일이지만. ***as the ~ may be*** 경우에 따라서. ***be in good ~*** 어지간히 (잘) 살고 있다. **~ *by* ~** 하나하나, 축조적(逐條的)으로. ***drop a ~*** 소송을 취하하다. ***in any ~*** 어떤 경우에도, 어떻든, 아무튼. ***in ~*** 만일(…한 경우에)(if); …에 대비하여. ***in ~ of*** …한 때〔경우〕에는. ***in nine ~s out of ten*** 십중팔구. ***in no ~*** 결코 …않다. ***in the ~ of*** …에 관해 말하면, …의 입장에서 말하면.

†**case**[2] *n.* Ⓒ ① 상자, 케이스, 갑. ② (칼)집, 자루, 주머니, 통, 용기, 겉싸개, 외피(外被), (시계의) 딱지; 한 벌. ③ 활자 케이스. ***upper*〔*lower*〕 ~** 대〔소〕문자 활자 케이스. — *vt.* case에 넣다〔로 싸다〕.

cáse·bòok *n.* Ⓒ 판례집, 사례집.

cáse hístory〔**récord**〕 개인 경력〔기록〕; 병력(病歷).

cáse làw 판례법.

***case·ment** [kéismənt] *n.* Ⓒ (두 짝) 여닫이 창(의 한 쪽)(~ window); 창틀; 《一般》 창.

cáse stúdy 사례(事例) 연구《사회조사법의 하나》.

***cáse·wòrk** *n.* Ⓤ 케이스워크《개인이나 가족의 특수 사정에 따라 개별적으로 원조·지도하는 사회사업 활동》. **~er** *n.* Ⓒ 케이스워크를 하는 사람.

:**cash** [kæʃ] *n.* Ⓤ 현금. ***be in*〔*out of*〕 ~** 현금을 갖고 있다〔있지 않다〕. **~ *down*** 즉전(卽錢). **~ *in*〔*on*〕 *hand*** 현금 시재. **~ *on delivery*** 대금 상환 (인도)《생략 C.O.D.》. ***hard*** **~** 경화(硬貨). — *vt.* 현금으로 (지불)하다. **~ *in*** 《美》 현금으로 바꾸다; 청산하다; 죽다. **~ *in on*** 《口》 …로 벌다. **~ *in one's checks*** 《美俗》 죽다.

cásh-and-cárry *a.* 《美》 (슈퍼마켓 따위의) 현금 상환 인도의, 현금 판매제의.

cásh càrd 캐시〔현금 인출〕 카드.

cásh cròp 바로 현금으로 바꿀 수 있는 농작물.

cásh dispenser 《英》 현금 자동 지급기.

cash·ew [kǽʃuː/-´] *n.* Ⓒ 캐슈《아메리카 열대 식물; 열매는 식용》.

***cash·ier**[1] [kæʃíər] *n.* Ⓒ 출납〔회계〕원(teller); (은행의) 지배인.

cash·ier[2] [kæʃíər, kə-] *vt.* (사관·관리를) 면직하다; 내버리다.

cash·mere [kǽʒmiər, kǽʃ-] *n.* Ⓤ (인도 Kashmir 지방산 염소털의) 캐시미어 천.

cásh règister 금전 등록기.

cas·ing [kéisiŋ] *n.* Ⓒ 상자, 싸개; 포장; 창〔문〕틀; 둘러싼 것; 《美》 (타이어의) 외피(外被); Ⓤ 포장재료.

ca·si·no [kəsíːnou] *n.* (*pl.* **~s**) Ⓒ (춤·도박 따위를 할 수 있는) 오락장, 클럽.

***cask** [kæsk, -ɑː-] *n.* Ⓒ 통(barrel); 한 통(의 분량).

***cas·ket** [kǽskit, -ɑ́ː-] *n.* Ⓒ (보석·편지용의) 작은 상자; 《美》 관(棺).

cas·sa·va [kəsɑ́ːvə] *n.* Ⓒ 〖植〗 카

C

사버《열대 식물; 뿌리의 전분으로 tapioca를 만듦》.

cas·se·role [kǽsəròul] *n.* Ⓒ 뚜껑 달린 찜 냄비; Ⓤ 오지냄비 요리; Ⓒ 《英》 스튜 냄비.

ˇ**cas·sette** [kæsét, kə-] *n.* Ⓒ 필름 통(cartridge); (보석 따위를 넣는) 작은 상자; (녹음·녹화용의) 카세트.

cas·sock [kǽsək] *n.* Ⓒ (성직자의) 통상복《보통 검은색》.

:**cast** [kæst, -ɑː-] *vt.* (**cast**) ① 던지다(throw); (표를) 던지다; 내던지다, 벗어버리다. ② (광선·그림자·암담한 기분 따위를) 던지다. ③ (눈길을) 향하다, 돌리다. ④ (나무가 덜 익은 과실을) 떨어뜨리다, 짐승이 새끼를 조산하다, 지우다. ⑤ (허물을) 벗다, (뿔을) 갈다(shed). ⑥ (녹인 금속을 거푸집에 부어) 뜨다; 〚印〛 연판으로 뜨다. ⑦ 계산하다. ⑧ 배역(配役)하다. ⑨ 해고하다. — *vi.* ① 주사위를 던지다. ② 낚시줄을 드리우다. ③ 생각〔궁리〕하다; 예상하다. ④ 계산하다. ~ ***about*** 찾다; 생각하다. ~ ACCOUNT***S***. ~ ***aside*** (내던져) 버리다, 배척하다. ~ ***away*** (내) 버리다; 물리치다; 파선시키다. ~ ***down*** 태질치다; 낙담시키다. ~ ***off*** (벗어) 던지다, (속박에서) 벗어나다; 끝마무르다; 〚海〛 (배를) 풀어놓다. ~ ***on*** 재빨리 입다; (뜨개질의) 첫 코를 뜨다〔잡다〕. ~ ***out*** 내던지다; 쫓아내다. ~ ***up*** 던져〔쳐〕올리다; 합계하다(add up). — *n.* Ⓒ ① 던짐; 한 번 던짐; 사정(射程). ② 시도. ③ 거푸집(mold), 주물(鑄物), 주조. ④ 《집합적》 배역. ⑤ 계산, 셈. ⑥ (생긴) 모양; 종류, 타이프. ⑦ 색조, (빛깔의) 기미(tinge). ⑧ (가벼운) 사팔뜨기(slight squint). ~ ***of mind*** 기질. ***have a*** ~ ***in the eye*** 사팔눈이다. ***the last*** ~ 최후의 모험적 시도. — *a.* (말 따위가) 일어설 수 없는 모양의.

cas·ta·net [kæ̀stənét] *n.* Ⓒ (보통 *pl.*) 〚樂〛 캐스터네츠《손에 쥐고 딱딱 소리내는 두 짝의 나무》.

cást·awày *a., n.* Ⓒ 난파한 (사람); 버림받은 (자); 무뢰한.

ˇ**caste** [kæst, -ɑː-] *n.* Ⓒ 카스트, (인도의) 사성(四姓); Ⓤ 사성제도; Ⓒ 《一般》 특권 계급; Ⓤ 사회적 지위. ***lose*** ~ 영락하다.

cas·ti·gate [kǽstəgèit] *vt.* 매질하다; 징계하다; 혹평하다. **-ga·tion** [⌐-géiʃən] *n.*

cast·ing [kǽstiŋ, -ɑ́ː-] *n.* Ⓤ 주조; Ⓒ 주물(鑄物); Ⓤ 〚劇〛 배역.

cásting vóte 결정 투표《의장이 던짐》.

cást íron 주철(鑄鐵), 무쇠.

cást-íron *a.* 무쇠로 만든; 견고한, 불굴의; (규칙 따위) 융통성 없는.

†**cas·tle** [kǽsl, -ɑ́ː-] *n.* ① Ⓒ 성; 큰 저택, 누각; (체스의) 성장(城將) 《차(車)에 해당》. ② (the C-) 《英》 더블린 성, 아일랜드 정청(政廳). ~ ***in the air*** 〔***in Spain***〕 공중 누각, 공상. ~**d** [-d] *a.* 성을 두른, 성으로 튼튼히 한, 성이 있는.

cást·òff *a., n.* 벗어버린; Ⓒ 버림받은 사람〔것〕.

cas·tor *n.* Ⓒ 양념 병(cruet); (가구 다리의) 바퀴.

cástor óil 아주까리 기름.

cas·trate [kǽstreit] *vt.* 거세하다(geld); 골자를 빼버리다(mutilate); (마땅치 않은 곳을) 삭제하다. **cas·tra·tion** [kæstréiʃən] *n.*

:**cas·u·al** [kǽʒuəl] *a.* ① 우연의. ② 뜻하지 않은, 무심결의. ③ 임시의; 《廢》 불확실한. ④ 태평한. ~ ***labor·er*** 임시 노동자. ~ ***wear*** 약식 평상복《산책·스포츠용 따위》. — *n.* Ⓒ 임시 노동자; (*pl.*) 《英》 임시 구제를 받는 사람들. ~**·ize** [-àiz] *vt.* (상시 고용자를) 임시 고용자로 하다. ˇ~**·ly** *ad.*

ˇ**cas·u·al·ty** [-ti] *n.* Ⓒ 상해, 재해, 재난(mishap); 사상자〔병〕; (*pl.*) 사상자수.

cas·u·ist [kǽʒuist] *n.* Ⓒ 〚神〛 결의론자(決疑論者); 궤변가(quibbler). ~**·ry** *n.* Ⓤ 결의론《개개의 행위를 비판하는 이론》; 궤변.

†**cat** [kæt] *n.* Ⓒ ① 고양이; 고양이속(屬)의 동물《사자·표범·범 따위》. ② 메기(catfish). ③ 심술궂고 앙칼진 여자. ④ =CAT-O'-NINE-TAILS. ⑤ 《美俗》 (열광적인) 스윙 연주가, 재즈광(狂). ⑥ 《美俗》 사내 녀석(fellow), 멋쟁이 사내; 룸펜. ***A*** ~ ***has nine***

lives. 《속담》 고양이는 목숨이 아홉 《질겨서 좀처럼 안 죽는다》. ***A ~ may look at a king.*** 《속담》 고양이도 상감을 뵐 수 있다《누구나 각자에 상당한 권리가 있다》. CARE ***killed the ~.*** ***fight like ~s and dogs*** 쌍방이 쓰러질 때까지 싸우다. ***It is enough to make a ~ speak.*** 《英》 (고양이도 한 마디 없을 수 없을 만큼) 기막힌 맛이다《술 따위》. ***It rains ~s and dogs.*** 억수같이 퍼붓는다. ***let the ~ out of the bag*** 《口》 비밀을 누설하다. ***see which way the ~ jumps*** 형세를 관망하다(sit on the fence). ***The ~ jumps.*** 대세가 결정되다. ***turn the ~ in the pan*** 배신하다.

cat·a·clysm[kǽtəklìzəm] *n.* Ⓒ 홍수(deluge); (지각의) 대변동; (사회·정치상의) 대변혁. **-clys·mal** [kæ̀təklízməl], **-clys·mic**[-mik] *a.*

cat·a·comb[kǽtəkòum] *n.* Ⓒ (보통 *pl.*) 지하 묘지.

cat·a·falque[kǽtəfæ̀lk] *n.* Ⓒ 영구대(靈柩臺); 영구차.

:**cat·a·log(ue)**[kǽtəlɔ̀:g, -lɑ̀g/-lɔ̀g] *n.* Ⓒ 목록, 카탈로그; 《美》 (대학 등의) 편람(便覽); 〖컴〗 목록, 카탈로그. — *vt.* 카탈로그로 만들다[에 올리다]; 분류하다.

ca·tal·y·sis[kətǽləsis] *n.* (*pl.* **-ses**[-sì:z]) Ⓤ 〖化〗 접촉 반응; Ⓒ 유인(誘因). **cat·a·lyst**[kǽtəlist] *n.* Ⓒ 촉매, 접촉 반응제. **cat·a·lyt·ic** [kæ̀təlítik] *a.*

cat·a·ma·ran[kæ̀təmərǽn] *n.* Ⓒ 뗏목; (두 척을 나란히 연결한) 안정선(船); 《口》 앙알거리는 여자.

˙**cat·a·pult**[kǽtəpʌ̀lt] *n.* Ⓒ 〖史〗 쇠뇌, 투석기(投石機), (돌 던지는) 새총; 〖空〗 캐터펄트《함재기 사출 장치》. — *vi., vt.* 투석기로[새총으로] 쏘다; 발사[사출]하다.

˙**cat·a·ract**[kǽtərækt] *n.* ① Ⓒ 큰 폭포; 호우(豪雨); 분류(奔流), 홍수. ② Ⓤ,Ⓒ 〖醫〗 (눈의) 백내장(白內障).

˙**ca·tarrh**[kətá:r] *n.* Ⓤ 〖醫〗 카타르; 《英》 감기. **~·al**[-əl] *a.*

˙**ca·tas·tro·phe**[kətǽstrəfi] *n.* Ⓒ ① (희곡의) 대단원(*dénouement*); (비극의) 파국. ② 대이변, 큰 재변, 파멸. **cat·a·stroph·ic**[kæ̀təstráfik/-ɔ́-] *a.*

cát búrglar (2층 따위 높은 곳으로부터 침입하는) 도둑, 강도.

cát·càll *vi., vt.* 야유하다. — *n.* Ⓒ (집회·극장 등에서 고양이 소리로) 야유하는 소리, 휘파람.

†**catch**[kætʃ] *vt.* (**caught**) ① (붙)잡다, 붙들다; 집다, 잡다(take). ② (…하고 있는 것을) 발견하다, 보다. ③ 뒤따라 미치다. ④ (폭풍우가) 휩쓸다. ⑤ (기차에) 때맞추다, 대다. ⑥ 움켜잡다, 휘감다; (던진 것을) 받다. ⑦ 맞(히)다, (주먹을) 먹이다(give). ⑧ (…에) 감염하다(*~ a bad cold* 악성 감기에 걸리다). ⑨ 불이 붙다, 불이 옮아 번지다. ⑩ (주의를) 끌다. ⑪ 이해하다, 알다(get). ⑫ (벌을) 받다. — *vi.* ① (붙)잡으려고 하다, 이해하려고 하다(*at*). ② (자물쇠가) 걸리다; 휘감기다; (목소리가) 잠기다. ③ 불이 붙다. ④ 감염하다. ***be caught in*** (*the rain, a trap*) (비를) 만나다; (함정·올가미에) 걸리다. ***~ as ~ can*** 닥치는 대로[기를 쓰고] 붙들다[덤비다]. ***~*** (*a person*) ***a blow on the head*** (아무의) 머리를 치다. ***~ a person at*** [***in*** (*doing*)] …하고 있는 것을 붙들다 (***C- me at it!*** = I'll never do it.). ***~ at a*** STRAW. ***~ it*** 《口》 야단맞다. ***C- me!*** 내가 그런 일을 할 것 같아! ***~ off*** 잠들다. ***~ on*** 《口》 인기를 얻다, (연극이) 히트하다; 《美》 이해하다. ***~ out*** 〖野〗 (공을 잡아 타자를) 아웃시키다. ***~ up*** 뒤따라 미치다, 호각(互角)이 되다(*on, to, with*); (이야기하는 사람을) 방해하다, 질문 공세를 펴다(heckle), (상대방의 말을) 중도에 꺾다. ***~ you later*** 《口》 안녕. — *n.* ① Ⓒ (붙)잡음, 포획; 포구(捕球) 포수(捕手); Ⓤ 캐치볼(*play ~*). ② Ⓒ 《口》 좋은 결혼 상대; 발굴물, 횡재. ③ Ⓒ 손잡이; 걸쇠; 《口》 올가미, 함정, 트릭; (목소리·숨의) 걸림. ④ Ⓒ 〖樂〗 윤창곡(輪唱曲), 가곡. ***by ~es*** 때때로. ***no ~*** = ***not much of a ~*** 대단치 않은 물건, 별 것 아닌 것.

cátch·àll *n.* Ⓒ 잡동사니 넣는 그릇, 잡낭; 포괄적인 것.

C

:**catch·er**[⌐ər] *n.* Ⓒ 잡는 사람〔도구〕; 〖野〗 포수, 캐처.
catch·ing[⌐iŋ] *a.* 전염성의; 마음을 빼앗는.
catch·ment[⌐mənt] *n.* Ⓤ 집수(集水); Ⓒ 집수량(*a* ~ *area* 집수 지역, 유역); 저수지.
cátch phràse 주의를 끄는 문구, 캐치프레이즈, 표어.
cátch-22[⌐twèntitú:] *n.* Ⓒ 《俗》 (희생자는 보상받지 못한다는) 딜레마, 곤경《H. Heller의 작품에서》.
catch·y[⌐i] *a.* 외우기 쉬운; 매력 있는; 미혹시키는.
cat·e·chism[kǽtəkìzəm] *n.* Ⓒ 교리 문답서; 문답집; 연속적 질문. **-chist** *n.* Ⓒ 문답 교수자; 전도사.
cat·e·gor·i·cal[kæ̀təgɔ́:rikəl/-ɔ́-] *a.* 범주(範疇)의; 절대적인, 무조건의; 명백한; 〖論〗 단언적인. **~·ly** *ad.* **~·ness** *n.*
·**cat·e·go·ry**[kǽtəgɔ̀:ri/-gəri] *n.* Ⓒ 부류, 부문(class); 〖論〗 범주.
ca·ter[kéitər] *vi.* 음식을〔식사를〕 조달하다, 제공하다(*for*); 오락을 제공하다(*for, to*). **~·er** *n.* Ⓒ 음식〔식사〕 제공인; 음식점〔다방〕 경영자.
:**cat·er·pil·lar**[kǽtərpìlər] *n.* Ⓒ ① 모충(毛蟲), 풀쐐기. ② 욕심쟁이. ③ 무한궤도.
cat·er·waul[kǽtərwɔ̀:l] *vi.* (고양이가) 야옹야옹 울다. 으르렁대다. — *n.* Ⓒ 고양이의 울음 소리.
cát·fish *n.* Ⓒ 〖魚〗 메기.
cát·gùt *n.* Ⓤ (현악기·라켓의) 줄, 장선, 거트.
·**ca·thar·sis**[kəθɑ́:rsis] *n.* Ⓤ,Ⓒ 〖醫〗 (위·장(腸)의) 세척(洗滌), 배변(排便); 〖哲〗 카타르시스, 정화(淨化) (emotional relief)《걸작 비극 등이 끼치는 효과》.
Cath. cathedral; catholic.
ca·thar·tic[kəθɑ́:rtik], **-ti·cal** [-əl] *n.* Ⓒ 하제(下劑). — *a.* 통리(通利)의, 설사의.
:**ca·the·dral** [kəθí:drəl] *n.* Ⓒ (cathedra가 있는) 대성당; 대회당.
cath·e·ter[kǽθitər] *n.* Ⓒ 〖醫〗 카테터, 도뇨관(導尿管). **~·ize**[-ràiz] *vt.* (…에) 카테터를 꽂다.
cath·ode[kǽθoud] *n.* Ⓒ 〖電〗 (전해조·전자관의) 음극(opp. anode); (축전지 따위의) 양극.
cáthode-rày tùbe 브라운관.
:**cath·o·lic**[kǽθəlik] *a.* 전반〔보편〕적인; 도량〔속〕이 넓은, 관대한; (C-) 가톨릭〔천주〕(교)의. — *n.* Ⓒ (C-) 가톨릭 교도; 구교도. ***Ca·thol·i·cism**[kəθɑ́ləsìzəm/-ɔ́-] *n.* Ⓤ 가톨릭〔천주〕교(의 교의·신앙·조직). **~·i·ty**[kæ̀θəlísəti] *n.* Ⓤ 보편성; 관용; 도량; (C-) = CATHOLICISM.
Cátholic Chúrch, the (로마) 가톨릭 교회.
cat·kin[kǽtkin] *n.* Ⓒ 〖植〗 (버드나무 따위의) 유제화서(葇荑花序).
cát·mìnt *n.* 《英》 = CATNIP.
cát·nàp *n., vi.* (*-pp-*) Ⓒ 걸잠〔풋잠〕 (들다).
cát·nìp *n.* Ⓤ 〖植〗 개박하.
càt-o'-níne-tàils *n.* Ⓒ *sing.* & *pl.* 아홉 가닥 끈 채찍.
cát's cràdle 실뜨기 (놀이).
cát's-èye *n.* Ⓒ 묘안석(猫眼石); 야간 반사 장치《횡단 보도 표지·자전거 후미(後尾) 따위의》.
:**cat·tle**[kǽtl] *n.* 《집합적; 복수 취급》 ① 《美》 소, 축우. ② 《稀》 가축 (livestock). ③ (사람을 경멸적으로) 개새끼들.
cat·ty[kǽti] *a.* 고양이 같은; (여성의 언동 등이) 교활한.
cát·wàlk *n.* Ⓒ 좁은 도로.
Cau·ca·sia[kɔ:kéiʒə, -ʃə/-ziə] *n.* 코카서스《흑해와 카스피해와의 중간 지방》. **~n**[-n] *a., n.* 코카서스의; Ⓒ 코카서스 사람(의); 백인(의).
cau·cus[kɔ́:kəs] *n., vi.* Ⓒ 《집합적》 (정당 따위의) 간부회(를 열다).
†**caught**[kɔ:t] *v.* catch의 과거·과거분사.
caul·dron [kɔ́:ldrən] *n.* = CALDRON.
·**cau·li·flow·er**[kɔ́:ləflàuər] *n.* Ⓒ 〖植〗 콜리플라워《양배추의 일종》.
cáuliflower éar (권투 선수 등의 상한) 찌그러진 귀.
caus·al[kɔ́:zəl] *a.* 원인의, 인과율의. **~·ly** *ad.*
cau·sal·i·ty[kɔ:zǽləti] *n.* Ⓤ 원인 작용, 인과 관계. ***law of* ~** 인과율.
cau·sa·tion[kɔ:zéiʃən] *n.* Ⓤ 원인

(이 됨); 인과 관계; 결과를 낳음. ***law of*** ~ 인과율.

caus·a·tive[kɔ́ːzətiv] *a.* 원인이 되는, 일으키는(*of*); 〖文〗 사역의. — *n.* = ∠ **vèrb** 사역 동사《make, let, get 따위》. **~·ly** *ad.* 원인으로서; 사역적으로.

†**cause**[kɔːz] *n.* ① U,C 원인; U 이유, 동기(*for*). ② C 소송(의 사유); 사건; 문제. ③ C 대의(大義), 주의, 주장; 명분; 운동. ***in the*** ~ ***of*** …을 위해서. ***make common*** ~ ***with*** …와 협력하다, …에(게) 편들다. ***plead a*** ~ 소송의 이유를 개진하다. ***the first*** ~ 제일 원인; (the F- C-) 조물주, 하느님. — *vt.* 야기시키다; …시키다(~ *him to do...*). ∠**·less** *a.* 이유〔원인〕 없는, 우발적인. ∠**·less·ly** *ad.*

cause·way[kɔ́ːzwèi] *n.* C (습지 따위 사이의) 두렁길; (높인) 인도.

caus·tic[kɔ́ːstik] *a.* 부식성의(corrosive), 가성(苛性)의; 신랄한, 빈정대는. ~ ***silver*** 질산은(窒酸銀). ~ ***soda*** 가성소다. — *n.* U,C 부식제(劑); 빈정댐.

cau·ter·ize[kɔ́ːtəràiz] *vt.* (달군 쇠나 바늘로) 지지다; 마비시키다; 뜸질하다; 부식시키다. **-i·za·tion**[kɔ̀ːtərizéiʃən] *n.*

:**cau·tion**[kɔ́ːʃən] *n.* ① U 조심(스럼), 신중함. ② C 경계, 경고. ③ (a ~) 《口》 묘한 녀석; 야릇한〔기발한〕 것. — *vt.* (…에게) 경고〔충고〕하다. **~·ar·y**[-èri/-əri] *a.* 경고의, 교훈의.

:**cau·tious**[kɔ́ːʃəs] *a.* 조심스러운, 신중한. ***~·ly** *ad.* **~·ness** *n.*

cav·al·cade[kæ̀vəlkéid] *n.* C 기마 행렬〔행진〕; 행렬, 퍼레이드.

***cav·a·lier**[kæ̀vəlíər] *n.* C ① 기사. ② (귀부인의) 시중 드는 남자, 춤 상대; 명랑하고 스마트한 군인; 상냥한 남자; 정중한 신사. ③ (C-) (Charles 시대의) 왕당원. — *a.* 무관심한, 돈단무심의; 거만한. **~·ly** *ad., a.* 기사답게〔다운〕.

***cav·al·ry**[kǽvəlri] *n.* U 《집합적》 기병(대).

:**cave**[keiv] *n.* C 굴, 동굴; (토지의) 함몰; 《俗》 어두운 말. — *vi., vt.* 함몰하다(*in*); 《口》 항복하다〔시키다〕; 움푹 들어가(게 하)다.

ca·ve·at[kéiviæ̀t] *n.* (L.) C 경고; 〖法〗 절차 정지 신청.

càveat émp·tor[-émptɔːr] (L.) 〖商〗 매주(買主)의 위험 부담.

cáve-ìn *n.* C 함몰(지점).

cáve màn 혈거인; 야인.

***cav·ern** [kǽvərn] *n.* C 동굴, 굴(large cave). **~·ous** *a.* 동굴이 많은; 움푹 들어간〔팬〕.

cav·i·ar(e)[kǽviɑ̀ːr, ∸–∠] *n.* U 철갑상어의 알젓. ~ ***to the general*** 너무 고상해 세속에 안 맞는 것.

cav·il[kǽvəl] *n., vi.* (《英》 **-ll-**) C 흠〔탈〕잡음, 흠〔탈〕잡다(carp)(*at, about*).

***cav·i·ty**[kǽvəti] *n.* C 움푹 팬 곳, 구멍, 굴; 〖解〗 (체)강(腔).

ca·vort[kəvɔ́ːrt] *vi.* 《美口·英俗》 껑충거리다, 뛰다; 활약하다.

caw[kɔː] *vi.* (까마귀가) 깍깍 울다. — *n.* C 까마귀 우는 소리.

cay·enne[keién, kai-] *n.* C 고추.

cayénne pépper = ⇧.

C.B. Companion of the Bath. **CBC** Canadian Broadcasting Corporation. **C.B.S.** Columbia Broadcasting System. **c.c.** carbon copy. **CC, C.C.** cubic centimeter(s). **CD** Compact disc. **Cdr.** Commander. **CD-ROM** compact disc read-only memory. **C.E.** Church of England.

:**cease**[siːs] *vi., vt.* 그치다, 끝나다; 그만두다, 멈추다, 중지하다. — *n.* U 중지, 중단. ***without*** ~ 끊임없이.

céase-fíre *n.* C 정전(停戰).

***cease·less**[síːslis] *a.* 끊임없는. **~·ly** *ad.* 끊임없이.

***ce·dar**[síːdər] *n.* C (히말라야) 삼목.

cede[siːd] *vt.* (권리 따위를) 이양하다, 양도하다.

†**ceil·ing**[síːliŋ] *n.* C ① 천장(널). ② 한계; 〖空〗 상승 한도.

cel·e·brant[séləbrənt] *n.* C (미사) 집전 사제(司祭); 축하자.

:**cel·e·brate**[séləbrèit] *vt.* ① (의

C

식 따위를) 거행하다(perform); 경축하다. ② 찬양[찬미]하다; 기리다. — *vi.* 식을 거행하다, 흥청거리며 떠들다. **:-brat·ed**[-id] *a.* 유명한. **-bra·tor**[-ər] *n.* Ⓒ 축하하는 사람. **:-bra·tion**[ˌ–bréiʃən] *n.* Ⓤ 축하; 칭찬; Ⓒ 축전, 의식.

˙ce·leb·ri·ty[səlébrəti] *n.* Ⓤ 명성(fame); Ⓒ 명사(名士).

ce·ler·i·ty[səlérəti] *n.* Ⓤ 빠르기; 속도; 신속.

˙cel·er·y[séləri] *n.* Ⓒ 〖植〗 셀러리.

˙ce·les·tial[səléstʃəl] *a.* 하늘의; 천상(天上)의; 신성한. ~ ***body*** 천체. — *n.* Ⓒ 천인, 천사; (C-) 중국인. **~·ly** *ad.*

cel·i·ba·cy[séləbəsi] *n.* Ⓤ 독신생활.

cel·i·bate[séləbit] *a., n.* 독신(주의)의; Ⓒ 독신자[주의자].

:cell[sel] *n.* Ⓒ ① 작은 방, (교도소의) 독방; 《詩》 무덤. ② (벌집의) 봉방. ③ 전지(電池); 〖化〗 전해조(電解槽). ④ 〖生〗 세포; (정치단체의) 세포. ⑤ 〖컴〗 낱칸, 셀《비트 기억 소자》.

:cel·lar[sélər] *n.* ① Ⓒ 지하실, 땅광. ② Ⓒ 포도주 저장실. ③ Ⓤ 저장 포도주. ***from ~ to attic*** 집안 구석구석까지. ***keep a good*** [***small***] ~ 포도주의 저장이 많다[적다]. **~·age**[séləridʒ] *n.* Ⓤ 《집합적》 지하실(cellars); 지하실 사용료.

cel·list[tʃélist] *n.* Ⓒ 첼로 연주가.

˙cel·lo[tʃélou] *n.* (*pl.* **~s**) Ⓒ 첼로 《violoncello의 단축》.

cel·lo·phane[séləfèin] *n.* Ⓤ 셀로판.

cel·lu·lar[séljələr] *a.* 세포로 된, 세포(모양)의; 구획된.

céllular phóne [**télephone**] 소형 휴대 이동 전화기.

˙cel·lu·loid[séljəlɔ̀id] *n.* Ⓤ 셀룰로이드, 영화. — *a.* 《美》 영화의.

˙cel·lu·lose[séljəlous] *n.* Ⓤ 섬유소(素).

˙Celt[selt, k-] *n.* Ⓒ 켈트 사람. (the ~s) 켈트족《Ireland, Wales, Scotland 등지에 삶》. **˙Célt·ic** *n., a.* Ⓤ 켈트말(의), 켈트족의.

:ce·ment[simént] *n.* Ⓤ 시멘트; 접합제; (우정 따위의) 유대. — *vt., vi.* 접합하다, 결합하다(unite); (우정 따위를) 굳게 하다.

:cem·e·ter·y[sémətèri/-tri] *n.* Ⓒ 공동묘지, 매장지(graveyard).

cen·o·taph[sénətæ̀f, -ɑ̀:-] *n.* Ⓒ 기념비; (the C-) (런던의) 세계대전 영령 기념비.

˙cen·sor[sénsər] *n.* ① Ⓒ (고대 로마의) 감찰관. ② Ⓒ 검열관; 풍기 단속원, 까다롭게 구는 사람. ③ Ⓤ 〖精神分析〗 잠재의식 억압력(censorship). — *vt.* 검열하다. **˙~·ship** [-ʃìp] *n.* Ⓤ 검열; 검열관의 직(무); = CENSOR ③.

cen·so·ri·ous[-riəs] *a.* 잔소리가 심한, 까다로운; 혹평하는(hypercritical). **~·ly** *ad.*

˙cen·sure[sénʃər] *n.* Ⓤ 비난, 견책, 혹평. ***hint ~ of*** …을 풍자하다. — *vt.* 비난하다(blame), 견책하다(reprimand); 혹평하다. **cén·sur·a·ble** *a.* 비난할 (만한).

˙cen·sus[sénsəs] *n.* Ⓒ 국세[인구] 조사.

:cent[sent] *n.* Ⓒ 센트《미국과 캐나다의 화폐 단위; 1센트 동전; 백분의 1달러》. ***feel like two ~s*** 《美》 부끄럽다.

cen·taur[séntɔ:r] *n.* Ⓒ 〖그神〗 반인반마(半人半馬)의 괴물; (the C-) 〖天〗 켄타우루스자리.

cen·ten·a·ri·an [sèntənέəriən/-nέər-] *a., n.* Ⓒ 백 살의 (사람).

˙cen·ten·ary[senténəri, séntənèri/sentí:nəri] *a.* 백의, 백 년(마다)의. — *n.* Ⓒ 백 년간; 백년제(祭).

˙cen·ten·ni·al[senténiəl] *a.* 백년제(祭)의; 백 년(마다)의; 백 살[세]의. — *n.* Ⓒ 백년제. **~·ly** *ad.* 백년마다.

†cen·ter, 《英》 **-tre**[séntər] *n.* ① Ⓒ (보통 the ~) 중심, 중앙; 핵심, 중추. ② Ⓒ 중심지[인물]. ③ Ⓤ 〖政〗 중간[중도]파. ***catch on*** (***the***) ~ 《美》 (피스톤이) 중앙에서 서다; 《比》 이러지도 저러지도 못 하게 되다. ~ ***field*** 〖野〗 센터(필드). ~ ***of gravity*** 중심(重心). — *vi., vt.* 집중하다(*in, at, on, about, around*).

cénter·fòld *n.* Ⓒ (잡지 따위의)

접어서 넣은 광고; 중앙 페이지의 좌우 양면 광고.

cénter·pièce *n.* Ⓒ 식탁 중앙에 놓는 장식물《유리 제품, 레이스 따위》. (천장의) 중앙부 장식.

cen·ti-[sénti, -tə] '100, 100분의 1'의 뜻의 결합사.

·**cénti·gràde** *a.* 백분도의; 섭씨의《생략 C.》.

cénti·gràm, 《英》 **-gràmme** *n.* Ⓒ 센티그램.

cénti·lìter, 《英》 **-tre** *n.* Ⓒ 센티리터.

:**cénti·mèter,** 《英》 **-tre** *n.* Ⓒ 센티(미터).

·**cen·ti·pede**[-pì:d] *n.* Ⓒ 지네.

:**cen·tral**[séntrəl] *a.* 중심(center)의; 중앙의; 주요한. — *n.* Ⓒ 《美》 전화 교환국; 교환수(operator). **~·ly** *ad.* 중심[중앙]에.

céntral bánk 중앙 은행.

céntral héating 중앙 난방 (장치).

cen·tral·ism[-ìzəm] *n.* Ⓒ 중앙 집권제[주의].

cen·tral·ize[séntrəlàiz] *vt., vi.* 집중하다; 중앙 집권화하다. **-i·za·tion**[$\stackrel{\frown}{-}$–izéi-/-laiz-] *n.* Ⓤ 중앙 집권; (인구 등의) 집중(*urban centralization* 도시 집중).

céntral nérvous sỳstem 〖解〗 중추 신경계.

céntral prócessing ùnit 〖컴〗 중앙 처리 장치《생략 CPU》.

céntral reservátion 《英》 (도로의) 중앙 분리대.

†**cen·tre**[séntər] *n., v.* 《英》 =CENTER.

cen·trif·u·gal[sentrífjəgəl] *a.* 원심(성)의(opp. centripetal).

centrífugal fórce 원심력.

cen·tri·fuge[séntrəfjù:dʒ] *n.* Ⓒ 원심 분리기(機).

cen·trip·e·tal[sentrípətl] *a.* 구심(성)의(opp. centrifugal).

cen·trist[séntrist] *n.* Ⓒ 중도파(당원·의원); 온건파.

cen·tu·ri·on[sent*j*úəriən] *n.* Ⓒ (고대 로마의) 백인대장(百人隊長).

†**cen·tu·ry**[séntʃuri] *n.* Ⓒ ① 세기, 백년. ② 백인조; (고대 로마의) 백인대(隊). ③ 《美俗》 백 달러 (지폐).

ce·ram·ic[səræ̀mik] *a.* 도(자)기의, 제도(製陶)(술)의. — *n.* Ⓒ 요업 제품. **~s** *n.* Ⓤ 제도술[업]; 《복수 취급》 도자기.

:**ce·re·al**[síəriəl] (<Ceres) *a.* 곡물의. — *n.* (보통 *pl.*) 곡물(류); Ⓤ,Ⓒ 《美》 곡물식품《오트밀 따위》.

cer·e·bral[sérəbrəl, sərí:-] *a.* 뇌의; 대뇌(cerebrum)의. **~ *anemia*** 뇌빈혈.

cer·e·brum[sérəbrəm, sərí:-] *n.* (*pl.* **~s, -bra**) (L.) Ⓒ 대뇌, 뇌.

·**cer·e·mo·ni·al**[sèrəmóuniəl] *n., a.* Ⓒ 의식(의); =⇩. **~·ly** *ad.*

cer·e·mo·ni·ous[-niəs] *a.* 격식[형식]을 차린, 딱딱한(formal). **~·ly** *ad.*

:**cer·e·mo·ny**[sérəmòuni/-məni] *n.* ① Ⓒ 식, 의식. ② Ⓒ 예의, 딱딱함(formality). ***Master of Ceremonies*** 사회자《생략 M.C.》; 《英》 의전(儀典)관. ***stand on*** [***upon***] **~** 격식 차리다; 스스러워하다. ***with* ~** 격식을 차려. ***without* ~** 스스럼없이, 마음 편히.

ce·rise[sərí:s, -z] *n., a.* (F.) Ⓤ 연분홍(의).

CERN (F.) *Conseil Européen pour la Recherche Nucléaire* 유럽 원자핵 공동 연구소.

cert[sə:rt] *n.* Ⓒ 《英俗》 확실함.

†**cer·tain**[sə́:rtən] *a.* ① 확실한(sure). ② 틀림없이 …하는. ③ 확신한(convinced) (*of; that*). ④ 신뢰할[믿을] 수 있는. ⑤ (어떤) 일정한, 정해진(fixed); 어떤(some). ***for* ~** 확실히. ***make* ~ *of*** 확인[다짐]하다. †**~·ly** *ad.* 확실히; (대답에서) 알았습니다; 물론이죠, 그렇고 말고요. ·**~·ty** *n.* Ⓤ 확신; 확실(성). ***for*** [***of, to***] ***a* ~*ty*** 확실히.

:**cer·tif·i·cate**[sə*r*tífəkit] *n.* Ⓒ 증명서, 면(허)장, 인가증; 증서; 주권. ***a* ~ *of birth*** [***health, death***] 출생[건강, 사망] 증명서. — [-kèit] *vt.* (…에게) 증명서를[면허장을] 주다.

·**cer·ti·fi·ca·tion**[sə̀:rtəfəkéiʃən] *n.* Ⓤ 증명, 검정; 증명서 교부, 면허.

·**cer·ti·fied**[sə́:rtəfàid] *a.* 증명된, 보증된. **~ *check*** 지불 보증 수표.

C

~ **milk** (공인 기준에 맞는) 보증 우유. ~ **public accountant** 《美》 공인 회계사《생략 C.P.A.》(cf. 《英》 CHARTERed accountant). **-fi·a·ble**[-əbəl] *a.* 증명[보증]할 수 있는. **-fi·er**[-ər] *n.* Ⓒ 증명자.

˙**cer·ti·fy**[sə́:rtəfài] *vt., vi.* (정당성·자격 따위를) 증명하다, 보증하다; 《美》 지불을 보증하다.

˙**cer·ti·tude**[sə́:rtətjù:d] *n.* Ⓤ 확신(conviction); 확실(성).

cer·vi·cal[sə́:rvikəl] *a.* 목의, 경부(頸部)의.

ce·si·um[síːziəm] *n.* Ⓤ 〖化〗 세슘 《금속 원소; 기호 Cs》.

˙**ces·sa·tion**[seséiʃən] *n.* Ⓤ,Ⓒ 중지, 휴지(ceasing). ~ ***of diplomatic relations*** 외교 관계 단절. ~ ***of hostilities*** [***arms***] 휴전.

cess·pit[séspìt] *n.* Ⓒ 쓰레기 버리는 구멍; 《英》 쓰레기장.

cess·pool[séspù:l] *n.* Ⓒ 구정물 웅덩이; 더러운 곳.

:**cf.**[síːéf, kəmpɛ́ər] *confer* (L. = compare). **CFC** chlorofluorocarbon. **ch.** (*pl.* ***Chs., chs.***) chapter.

cha-cha(**-cha**)[tʃɑ́:tʃɑ̀:(tʃɑ́:)] *n.* Ⓒ 〖樂〗 차차차《서인도 제도의 4분의 2박자 빠른 무도곡》. ***hot cha-cha*** 핫차차《차차차보다 속도가 빠른 재즈곡》.

˙**chafe**[tʃeif] *vt.* ① (손을) 비벼서 녹이다. ② (쓸려서) 벗어지게[닳게] 하다. ③ 성나게 하다. — *vi.* ① 벗겨지다. ② 성나다(*at*). ③ 몸을 비비다(rub)(*against*). ~ ***under*** … 으로 짜증내다. — *n.* ① Ⓒ 찰과상(의 아픔). ② (a ~) 짜증(fret). ***in a*** ~ 짜증이 나서.

˙**chaff**[tʃæf/-ɑ:-] *n.* Ⓤ ① (왕)겨; (말먹이) 여물. ② 폐물, 시시한 것. ③ 레이더 탐지 방해용 금속편. ***be caught with*** ~ 쉽게 속다. **∠·y** *a.* 겨가 많은, 겨 같은; 시시한.

cháff·cùtter *n.* Ⓒ 작두.

chaf·finch[tʃǽfintʃ] *n.* Ⓒ 〖鳥〗 검은 방울새, 되새(무리).

cha·grin[ʃəgrín/ʃǽgrin] *n.* Ⓤ,Ⓒ 분함, 유감. — *vt.* 《보통 수동태》 분하게 하다. ***be ~ed*** 분해하다.

†**chain**[tʃein] *n.* Ⓒ ① (쇠)사슬; 연쇄, 연속. ② (보통 *pl.*) 속박, 굴레, 구속; 구속물; 족쇄. ③ 〖測量〗 측쇄(의 길이)《측량용은 66피트, 기술용은 100피트》. ④ 연쇄점 조직. ⑤ 〖化〗 원자의 연쇄; 연쇄 반응. ⑥ 〖컴〗 사슬. ***in ~s*** 감옥에 갇혀. — *vt.* (쇠)사슬로 연결하다; 구속[속박]하다; 투옥하다.

cháin gàng 《美》 (호송 중의) 한 사슬에 매인 죄수.

cháin lètter 행운의 (연쇄) 편지.

cháin máil 사슬[미늘] 갑옷.

cháin reàction 〖理〗 연쇄 반응.

cháin-smòke *vi.* 줄담배를 피우다.

cháin smòker 줄담배 피우는 사람.

˙**cháin stòre** 《美》 연쇄점, 체인 스토어.

†**chair**[tʃɛər] *n.* ① Ⓒ 의자(cf. stool). ② Ⓒ (대학의) 강좌; 대통령[지사·사장]의 자리; (the ~) 의장[교수]석(席)[직], 의장. ③ Ⓒ 《美》 전기 (사형) 의자. ***appeal to the*** ~ 의장에게 채결(採決)을 요청하다. ***escape the*** ~ 《美》 사형을 모면하다. ~ ***socialism*** (실천적이 못되는) 강단 사회주의. ***take a*** ~ 참석하다. ***take the*** ~ 의장석에 앉다, 개회[사회]하다. — *vt.* 자리[직]에 앉히다; 의자에 앉히어 메고 다니다.

cháir lìft 체어 리프트《등산·스키 따위의 사람을 산 위로 나르는》.

:**chair·man**[∠mən] *n.* Ⓒ 의장, 사회자, 위원장. **~·ship**[-ʃìp] *n.* Ⓤ chairman의 지위[신분·자격].

cháir·wòman *n.* (*pl.* ***-women*** [-wìmin]) Ⓒ 《주로 英》 여(女)의장[위원장, 사회자]《호칭은 Madame Chairman》.

cháise lóngue[-lɔ́:ŋ/-lɔ́ŋ] (F.) 긴 의자의 일종.

cha·let[ʃæléi, ∠–] *n.* Ⓒ (스위스 산중의) 양치기의 오두막; 스위스의 농가.

chal·ice[tʃǽlis] *n.* Ⓒ 성작(聖爵)《굽 달린 큰 잔》; 《詩》 잔 (모양의 꽃)《나리 따위》.

†**chalk**[tʃɔ:k] *n.* Ⓤ,Ⓒ 분필; Ⓤ 백악(白堊)(질). ***by a long ~,*** or ***by long ~s*** 《口》 훨씬(by far). (*He*

does) ***not know ~ from cheese.*** 선악을 분간하지 못 하다. — *vt.* 분필로 쓰다〔문지르다〕. ~ ***out*** 윤곽을 뜨다〔잡다〕, 설계하다. ~ ***up*** (득점을) 기록하다. **∠·ly** *a.* 백악(질)의.

chálk·bòard *n.* Ⓒ 《美》 칠판.

:chal·lenge[tʃǽlindʒ] *n.* ① Ⓒ 도전(장); 결투의 신청. ② Ⓒ (보초 등의) 수하. ③ Ⓒ 이의 신청. ④ Ⓤ 〖法〗 기피. — *vt.* ① 도전하다, (싸움을) 걸다; (시합을) 신청하다. ② 수하하다. ③ (주의를) 촉구하다. ④ (이의를) 말하다; 기피하다. ~ ***attention*** 주의를 끌다; 주의를 요하다. ~ (*a person*) ***to a duel*** 격투를 신청하다. **chál·leng·er** *n.* **chál·leng·ing** *a.*

:cham·ber[tʃéimbər] *n.* ① Ⓒ 방; 침실. ② (the ~) 회의실. ③ (*pl.*) 변호사〔판사〕 사무실. ④ Ⓒ 〖解〗 (체내의) 소실(小室). ⑤ Ⓒ (총의) 약실. ⑥ (the ~) 의원(議院)의회. ~ ***of commerce*** 〔***agriculture***〕 상업〔농업〕 회의소. ***the upper*** 〔***lower***〕 ~ 상〔하〕원.

chámber còncert 실내악 연주회.

·cham·ber·lain[-lin] *n.* Ⓒ 시종, 집사(執事) (steward); (시(市)의) 출납 공무원. ***Lord C-*** (***of the Household***) 《英》 의전 장관. ***Lord Great C-*** (***of Great Britain***) 《英》 시종 장관.

chámber·màid *n.* Ⓒ 하녀, 시녀.

chámber mùsic 〔**òrchestra**〕 실내악〔악단〕.

chámber pòt 침실용 변기.

cha·me·le·on[kəmí:liən, -ljən] *n.* Ⓒ 카멜레온; 변덕쟁이.

cham·ois[ʃǽmi/ʃǽmwɑ:] *n.* (*pl.* ~, ***-oix***[-z]) Ⓒ 영양(羚羊)(의 무리); [^{美+}ʃǽmi] Ⓤ 섀미 가죽《영양·사슴·염소 따위의 부드러운 가죽》.

cham·o·mile[kǽməmàil] *n.* = CAMOMILE.

champ[1][tʃæmp] *vt., vi.* 어적어적 씹다; (말이 재갈을) 우적우적 물다.

champ[2] *n.* 《俗》 = CHAMPION.

·cham·pagne[ʃæmpéin] *n.* Ⓤ 샴페인.

·cham·pi·on[tʃǽmpiən] *n.* Ⓒ ① 투사; (주의의) 옹호자(*for*). ② 우승자, 챔피언, 선수권 보유자. — *vt.* (…을) 대신해 싸우다, 옹호하다. — *a.* 일류의, 선수권을 가진, 더 없는(*a* ~ *idiot* 지독한 바보). **:~·ship** [-ʃìp] *n.* Ⓒ 선수권; 우승; Ⓤ 옹호.

†chance[tʃæns/-ɑ:-] *n.* ① Ⓒ 기회, 호기. ② Ⓤ 우연, 운; Ⓒ 우연한 일. ③ Ⓤ,Ⓒ 가망(성); 승산, 가능성. ***by any*** ~ 만일. ***by*** ~ 우연히(accidentally). ***even*** ~ 반반의 가망성. ***game of*** ~ 운에 맡긴 승부. ***on the*** ~ ***of*** 〔***that***〕 …을 기대〔예기〕하고. ***take*** ~***s*** 〔***a*** ~〕 운명에 맡기고 해보다. ***take one's*** 〔***the***〕 ~ (…을) 무릅쓰고 해 보다, 추세에 내맡기다. ***the main*** ~ 절호의 기회. — *a.* 우연의(casual). ~ ***customer*** 뜨내기 손님. ~ ***resemblance*** 남남끼리 우연히 닮음. — *vi.* 우연히 발생하다, 공교롭게(도) …하다(happen). — *vt.* 운에 맡기고 해보다. ~ ***on*** 〔***upon***〕 우연히 만나다〔발견하다〕.

chan·cel[tʃǽnsəl/-ɑ́:-] *n.* Ⓒ 성단소(聖壇所), 성상 안치소.

chan·cel·ler·y[tʃǽnsələri] *n.* Ⓒ chancellor의 직〔관청〕; 대사관〔영사관〕 사무국.

·chan·cel·lor[tʃǽnsələr/-ɑ́:-] *n.* Ⓒ ① 《英》 여러 고관의 칭호《장관·대법관·상서(尙書) 등》. ② (독일의) 수상. ③ 《英》 (대학의) 명예 총장. ④ 대사관 1등 서기관. ***Lord*** (***High***) ***C-*** 《英》 대법관. ***the C- of the Exchequer*** 《英》 재무 장관. **~·ship** [-ʃìp] *n.*

chan·cer·y[tʃǽnsəri/-ɑ́:-] *n.* Ⓒ 《美》 형평법(衡平法) 재판소(court of equity); (the ~) 《英》 대법관청; Ⓒ 기록소. ***in*** ~ 형평법 재판소에서 (소송 중인); 〖拳〗 머리가 상대 겨드랑이에 끼여; 진퇴 양난이 되어.

chanc·y[tʃǽnsi, tʃɑ́:n-] *a.* 《口》 불확실한, 위태로운; (Sc.) 행운을 가져오는.

·chan·de·lier[ʃæ̀ndəlíər] *n.* Ⓒ 샹들리에.

chan·dler[tʃǽndlər/-ɑ́:-] *n.* Ⓒ 양초 제조인; 양초 상인; 잡화상. **~·y** *n.* Ⓒ 양초 창고; 잡화점; Ⓤ

C

잡화류.

†**change**[tʃeindʒ] *vt.* ① 변하다, 바꾸다(*into*), 고치다. ② 바꿔치다, 갈다. ③ 환전(換錢)하다; 잔돈으로 바꾸다; (수표를) 현금으로 하다. ④ 갈아타다(~ *cars*); 갈아입다. ── *vi.* ① 변하다, 바뀌다. ② 갈아입다; 바꿔타다. ③ 교대하다. ~ ***about***《口》변절하다; (지위 등이) 바뀌다. ~ ***at*** …에서 갈아타다. ~ ***for*** …행으로 갈아타다. ~ (*a £ 5 note*) ***for gold*** (5파운드 지폐를) 금화로 바꾸다. ~ ***into*** …으로 갈아 입다. ── *n.* ① U,C 변화, 변경, 변천; 바꿈, 갈아입음, 갈아탐, 전지(轉地). ② U 거스름돈, 잔돈. ③ C (보통 *pl.*) 〖樂〗 편종(編鍾)을〔종소리를〕 다르게 침; 조바꿈, 전조(轉調). ④ (C-) C (상업의) 거래소《'Change라고도 씀》. ~ ***of air*** 전지 요양. ~ ***of cars*** 갈아탐. ~ ***of clothes*** 갈아입음. ~ ***of heart*** 변심; 전향. ~ ***of life*** (여성의) 갱년기. ***for a*** ~ 변화를〔기분 전환을〕 위해. ***ring the*** ~***s*** 여러 가지 명종법(鳴鍾法)을 시도하다; 이리저리 해 보다. ***small*** ~ 잔돈; 쓸데 없는 것. ***take the*** ~ ***out of*** (*a person*) (…에게) 대갚음하다. ∠**·ful** *a.* 변화 많은.

:**change·a·ble**[tʃéindʒəbəl] *a.* 변화기 쉬운, 불안전한, 변덕스러운(fickle); 가변성의 ~**·ness** *n.* **-bly** *ad.* **-bil·i·ty**[≥─bíləti] *n.*

chánge·less *a.* 변화 없는, 불변의; 단조로운. ~**·ly** *ad.*

change·ling[tʃéindʒliŋ] *n.* C 바꿔친 아이《요정이 예쁜 아이 대신 두고 가는 못생긴 아이 따위》; 저능아.

chánge·òver *n.* C (정책) 전환; 개각(改閣).

:**chan·nel**[tʃǽnəl] *n.* C ① 수로, 해협, 강바닥, 하상(河床). ② (문지방 등의) 홈(groove). ③ 루트, 경로(*through the proper* ~ 정당한 경로로); 계통, (수송의) 수단. ④ 〖放〗 통신로(路), 채널《일정한 주파대(帶)》. ⑤ 〖컴〗 채널. ***the*** (***English***) ***C-*** 영국 해협. ── *vt.* (《英》 ***-ll-***) (…에) 수로를 트다〔열다〕; 홈을 파다.

·**chant**[tʃænt/-ɑː-] *n.* C ① 노래; (기도서의) 성가; 영창(詠唱). ② (억양 없는) 음영조(吟詠調); 단조로운 애기투. ── *vt., vi.* ① 노래하다(sing). ② 읊다, 단조롭게 이야기하다, 되풀이하여 말하다. ③ 기리어 노래하다; 크게 찬양하다. ~ ***the praises of*** …을 되풀이하여 칭찬하다. ∠**·er** *n.* C 가수, 성가대원〔장〕.

chant·(e)y[ʃǽnti, tʃǽn-] *n.* C (뱃사람의) 노래《일할 때 가락 맞추는》.

·**cha·os**[kéiɑs/-ɔs] *n.* U ① (천지 창조 이전의) 혼돈. ② 혼란 (상태); 무질서. ·**cha·ot·ic**[keiátik/-5-] *a.*

:**chap**[1][tʃæp] *n.* C 《口》 놈, 녀석.

chap[2] *n.* C (보통 *pl.*) (살갗의) 틈, 동창(凍瘡); (목재·지면의) 균열. ── *vt., vi.* (**-pp-**) (추위로) 트(게 하)다.

chap. chapter.

:**chap·el**[tʃǽpəl] *n.* ① C (학교·관저 따위의) 부속 예배당(cf. church; chaplain). ② C (영국 국교회 이외의) 교회당. ③ U (대학에서의) 예배(에의 참석).

chap·er·on(e)[ʃǽpəròun] *n., vt.* C 샤프롱《사교 석상에 나가는 아가씨에 붙어다니는 (나이 지긋한) 부인》; (…에) 붙어 다니다. **-on·age**[-idʒ] *n.* U 샤프롱 노릇.

·**chap·lain**[tʃǽplin] *n.* C 목사《chapel 전속의》; 군목(軍牧).

chap·let[tʃǽplit] *n.* C 화관(花冠); 〖가톨릭〗 (rosary의 3분 1 길이의) 묵주(默珠).

:**chap·ter**[tʃǽptər] *n.* C ① (책의) 장(章). ② 부분; 한 구간, 한 시기; 연속. ③ (조합의) 지부. ④ 《英》 성직자단(의 집회). ~ ***and verse*** 출처, 전거(典據)《성서의 장과 절(verse)에서》. ~ ***of*** (*accidents*) (사고)의 연속. ***read*** (*a person*) ***a*** ~ 설교를 하다. ***to the end of the*** ~ 최후까지.

chápter hòuse (cathedral 부속의) 참사회 회의장; 《美》 학생 회관《대학의 fraternity나 sorority의 지부 회관》.

char[tʃɑːr] *n.* U 숯, 목탄; C 까맣게 탄 것. ── *vt., vi.* (**-rr-**) 숯으로 굽다; (새까맣게) 태우다〔타다〕.

char-à-banc[ʃǽrəbæŋk] *n.* (F.) C 대형 유람 버스〔마차〕.

·**char·ac·ter**[kǽriktər] *n.* ① U,C

인격, 성격; 특질, 특징. ② Ⓒ 인물. ③ U,C 평판; 명성. ④ Ⓒ 지위, 신분, 자격. ⑤ Ⓒ (소설·극의) 인물, 역(役). ⑥ Ⓒ 괴짜; (전 고용주가 사용인에 주는) 인물 증명서, 추천장. ⑦ Ⓒ 글자, 기호. ⑧ Ⓒ 〖컴〗 문자. ***in* ~** 격에 맞아. ***man of* ~** 인격자. ***out of* ~** 어울리지 않아〔않게〕. **~·less** *a.* 특징이 없는.

chàracter àctor 〔**àctress**〕 성격 배우〔여배우〕.

:char·ac·ter·is·tic [kæ̀riktərístik] *a.* 특색의〔있는, 을 나타내는〕 (*of*). ── *n.* Ⓒ 특질, 특징. **-ti·cal·ly** *ad.* 독특하게, 특징으로서.

char·ac·ter·i·za·tion[kæ̀riktərizéiʃən] *n.* U,C 성격 묘사, 특색지움.

·char·ac·ter·ize, 《英》 **-ise**[kǽriktəràiz] *vt.* 특징을 나타내다〔그리다〕; 특색짓다.

cha·rade[ʃəréid/-rɑ́:d] *n.* ① (*pl.*) 《단수 취급》 제스처 게임《인형(doll)과 지느러미(fin)의 그림 또는 동작을 보여 'dolphin'을 알아 맞히게 하는 따위》. ② Ⓒ 그 게임의 몸짓(으로 나타내는 말).

·char·coal[tʃɑ́:rkòul] *n.* ① U 숯 (char). ② Ⓒ 목탄화; (목탄화용의) 목탄.

chárcoal grày 〔《英》 **grèy**〕 진회색.

†charge[tʃɑ:rdʒ] *vt.* ① 채워넣다, (총에) 탄환을 재다(load), 채우다; (전기를) 통하다, (전지를) 충전하다. ② (책임 따위를) 지우다, (임무를) 맡기다(entrust)(*with*); 명하다, 지시하다. ③ 비난하다, (죄를) 씌우다, 고소하다(accuse)(*with*). ④ (지급의 책임을) 지우다; (대금 따위를) 청구〔요구〕하다, (세를) 부과하다. ⑤ 습격〔엄습〕하다, (…을) 향해 돌격하다. ── *vi.* 대금〔요금〕을 청구하다 (*for*); 돌격하다(*at, on*); (…라고) 비난하다, 고발하다(*against, that* …). **~ *high*** (***for***) (…에 대하여) 고액(高額)을 요구하다. **~ *off*** 손해 공제를 하다; (…의) 탓으로 돌리다, (…의) 일부로 보다(*to*). **~ *oneself with*** …을 떠맡다. ── *n.* ① Ⓒ 짐, 하물. ② U,C (총의) 장전; (탄알의) 한 번 잼; 충전(充電). ③ U 보호(care); 관리; 책임, 의무; 위탁(trust); Ⓒ 위탁물〔인〕. ④ U 명령, 지시. ⑤ Ⓒ 혐의, 소인(訴因), 고소; 비난. ⑥ Ⓒ 부채; 대금; 세; (보통 *pl.*) 비용. ⑦ Ⓒ 돌격, 돌진. ⑧ Ⓒ 문장(紋章)(의 의장(意匠)). ***bring a* ~ *against*** 고소하다. ***free of* ~** 무료로. ***give in* ~** 맡기다. ***in* ~ *of*** …을 맡아, …담당〔책임〕의(*the nurse in* ~ *of the child*); …에게 맡겨져(*the child in* ~ *of the nurse*). ***in full* ~** 쏜살같이, 곧장. ***on the* ~ *of*** …의 이유〔혐의〕로. ***take* ~** 《口》 (사물이) 수습할 수 없게 되다. ***take* ~ *of*** …을 떠맡다, …을 돌보다.

charge·a·ble[tʃɑ́:rdʒəbəl] *a.* (세금·비용·책임·죄 따위가) 부과〔고발〕되어야 할.

chárge accòunt 외상 계정.

chárge càrd 〔**plàte**〕 (특정 업소에서만 통용되는) 크레디트 카드.

char·gé d'af·faires [ʃɑ:rʒéi dəfέər/ˊ── ─ˊ] (*pl.* ***chargés d'-***) (F.) 대리 공사〔대사〕.

chárge nùrse 《英》 (병동의) 수간호사.

charg·er[tʃɑ́:rdʒər] *n.* Ⓒ (장교용의) 군마; 충전기.

chárge shèet 《英》 (경찰의) 사건부(簿); 고발장, 기소장.

·char·i·ot[tʃǽriət] *n.* Ⓒ (옛 그리스·로마의) 2륜 전차; (18세기의) 4륜 경마차.

char·i·ot·eer[tʃæ̀riətíər] *n.* Ⓒ chariot의 마부.

cha·ris·ma[kərízmə] *n.* (*pl.* ***-mata*** [-mətə]) U,C 카리스마《개인적인 매력, 대중을 끄는 힘》. **char·is·mat·ic**[kæ̀rizmǽtik] *a.*

·char·i·ta·ble[tʃǽrətəbəl] *a.* 자비로운, 인정 많은.

:char·i·ty[tʃǽrəti] *n.* ① U 사랑《기독교적인》, 자비. ② U,C 베풂, 기부(금), 자선 (사업). ③ Ⓒ 양육원. ***be in*** 〔***out of***〕 **~ *with*** …을 가엾게 여기다〔여기지 않다〕. **~ *concert*** 〔***hospital, school***〕 자선 음악회〔병원, 학교〕. ***out of* ~** 가엾이〔딱하게〕 여겨.

C

char·la·dy [tʃɑ́:rlèidi] *n.* 《英》 = CHARWOMAN.

char·la·tan [ʃɑ́:rlətən] *n.* Ⓒ 허소리꾼; 사기꾼; 돌팔이 의사(quack). **～·ry** *n.* Ⓤ 아는 체함, 허풍.

Charles·ton [tʃɑ́:rlztən, -stən] *n.* Ⓒ 《美》 찰스턴《fox trot의 일종》.

char·lie [tʃɑ́:rli] *n.* Ⓒ 《英俗》 바보; 《美俗·蔑》 백인; (*pl.*) 유방.

:charm [tʃɑ:rm] *n.* ① Ⓤ,Ⓒ 매력; (보통 *pl.*) (여자의) 애교, 미모. ② Ⓒ 마력, 마법. ③ Ⓒ 주문(呪文); 주물(呪物), 호부(護符)(amulet). ④ Ⓒ 작은 장식《시곗줄·팔찌 따위》. ── *vt., vi.* ① (…에게) 마법을 걸다, 호[홀]리다, 매혹하다, 황홀케 하다(bewitch); 기쁘게 하다. ② (땅꾼이 피리로 뱀을) 부리다, 길들이다. ***be ～ed with*** …에 넋을 잃다, 열중하다. **∠·er** *n.* Ⓒ 뱀 부리는 사람. **:∠·ing** *a.* 매력적인, 아름다운; 즐거운; 재미있는.

chár·nel hòuse [tʃɑ́:rnl-] 납골당.

:chart [tʃɑ:rt] *n.* Ⓒ ① 그림, 도표. ② 해도(海圖), 수로도. ── *vt.* 그림으로[도표로] 나타내다.

:char·ter [tʃɑ́:rtər] *n.* Ⓒ (자치 도시·조합 따위를 만드는) 허가서; 특허장; (국제 연합 등의) 헌장; 계약서; =∠ **pàrty** 용선(傭船) 증서. ***the Atlantic C-*** 대서양 헌장. ***the C- of the United Nations*** 유엔 헌장. ***the Great C-*** = MAGNA C(H)ARTA. ***the People's C-*** 〖英史〗 인민 헌장. ── *vt.* 특허하다; (배를) 빌다. **～ed** [-d] *a.* 특허를 받은; 용선 계약을 한. ***～ed accountant*** 《英》 공인 회계사. ***～ed ship*** 세낸 배, 용선(傭船).

Char·treuse [ʃɑ:rtrú:z/-trú:s] *n.* 카르투지오회의 수도원; Ⓤ (c-) 위 수도원제(製)의 리큐어; 연두빛.

chár·wòman *n.* Ⓒ (빌딩의 날품팔이) 잡역부(婦); 《英》 파출부.

char·y [tʃɛ́əri] *a.* 몹시 조심하는; 부끄러워하는(shy); 아끼는(*of*).

:chase[1] [tʃeis] *vt.* ① 뒤쫓다. ② 쫓아[몰아]내다, 사냥하다. ── *vi.* 쫓아가다, 부리나케 걷다, 달리다. ── *n.* ① Ⓤ,Ⓒ 추적, 추격. ② (the ～) 사냥, 수렵; Ⓒ 《英》 사냥터. ③ Ⓒ 쫓기는 짐승[배]. ***give ～ to*** …을 뒤쫓다.

chase[2] *vt.* (금속에) 돋을새김[섭새김]하다, (돋을 무늬를) 새겨[찍어]내다(emboss).

chas·er [tʃéisər] *n.* Ⓒ 추격자; 사냥꾼; 추격함[포·기]; 《口》 (독한 술 다음에 마시는) 입가심 음료《맥주·물 따위》; 조각사(〈chase[2]).

·chasm [kǽzəm] *n.* Ⓒ (바위·지면의) 깊게 갈라진 틈; 틈새(gap); (감정·의견 따위의) 간격, 차.

chas·sis [ʃǽsi] *n.* (*pl.* ～[-z]) Ⓒ (비행기·자동차·마차 따위의) 차대; (포차의) 포대; (라디오·TV의) 조립 밑판.

·chaste [tʃeist] *a.* ① 정숙[순결]한(virtuous). ② (문체·취미 등) 담박한, 수수한(simple), 고아한, 점잖은. **∠·ly** *ad.*

·chas·ten [tʃéisən] *vt.* (신이) 징계[응징]하다; (글을) 다듬다; (열정을) 억제하다; 누그러뜨리다. **～·er** *n.* Ⓒ 응징자[물]; 시련자[물].

·chas·tise [tʃæstáiz] *vt.* 《詩》 응징[징계]하다, 벌하다(punish). **～·ment** [tʃæstáizmənt/tʃǽstiz-] *n.*

·chas·ti·ty [tʃǽstəti] *n.* Ⓤ 정숙, 순결.

chas·u·ble [tʃǽzjəbəl, tʃǽs-] *n.* Ⓒ (미사 때 사제가 alb 위에 입는 소매 없는) 제의(祭衣).

:chat [tʃæt] *n., vt.* (*-tt-*) ① Ⓤ,Ⓒ (…와) 잡담(하다); 〖컴〗 대화. ② Ⓒ 지빠귓과의 작은 새.

·châ·teau [ʃætóu] *n.* (*pl.* ～**x**[-z]) (F.) Ⓒ 성; 대저택.

chat·tel [tʃǽtl] *n.* Ⓒ (보통 *pl.*) 가재(家財); 〖法〗 동산(動産); 《古》 노예.

:chat·ter [tʃǽtər] *vi., n.* Ⓤ ① 재잘거리다; 수다. ② (기계가) 덜덜거리다[거리는 소리]; (이가) 덜덜 떨리다[떪, 떨리는 소리]; (새·원숭이가) 시끄럽게 울다[우는 소리]. ③ (시냇물이) 졸졸 흐르다[흐르는 소리]; 여울.

chátter·bòx *n.* Ⓒ 수다쟁이.

chat·ty [tʃǽti] *a.* 수다스러운, 이야기를 좋아하는.

·chauf·feur [ʃóufər, ʃoufə́:r] *n., vi.* (F.) Ⓒ (자가용의) 운전사 (노릇하다); (자가용차에) 태우고 가다.

chau·vin·ism[ʃóuvənìzəm] *n.* U 맹목적 애국주의, 극우적(極右的) 배타 사상. **-ist** *n.*

†**cheap**[tʃiːp] *a.* ① 싼; 값싼, 싸구려의, 시시한. ② (인플레 등으로) 값어치가 떨어진. ~ **money** 가치가 떨어진 돈. **feel** ~ 초라하게 느끼다, 풀이 죽다. **hold** (*a person*) ~ (아무를) 얕보다. **on the** ~ 《주로 英》 (값)싸게. ― *ad.* 싸게. **∠·ly** *ad.* **∠·ness** *n.*

cheap·en[tʃíːpən] *vt., vi.* 싸게 하다; 싸지다.

:**cheat**[tʃiːt] *vt., vi.* ① 속이다; 속여서 빼앗다. ② (시간을) 보내다(beguile). ③ 용케 피하다(elude). ― *n.* C 속임, 협잡(꾼). **∠·er** *n.* C 협잡[사기]꾼.

†**check**[tʃek] *n.* ① C 저지(물), (돌연한) 방해; 정지, 휴지; U 억제, 방지. ② U 감독, 감시, 관리, 지배. ③ C (잘못을 막기 위한) 대조(표), 체크, 점검; 『컴』 검사. ④ C (하물) 상환표[패], 물표; 수표(《英》 cheque); 《美》 (먹은) 음식의 계산서. ⑤ U,C 바둑판[체크] 무늬; U 『체스』 장군. ~ **bouncer** 부정 수표 남발자. **hold** [**keep**] **in** ~ 저지하다; 억제하다. **pass** [**hand**] **in one's** ~**s** 죽다. ― *vt.* ① (갑자기) 제지하다, 방해[억제]하다. ② 『체스』 장군 부르다. ③ 『野』 견제하다. ④ 『軍』 책하다. ⑤ (하물의) 물표[상환표]를 붙이다; 물표를 받고 보내다[맡기다]; 체크표를 하다, 점검[대조·검사]하다. ⑥ 균열[금]을 내다. ― *vi.* ① (장애로 인해) 갑자기 멈추다; (사냥개가 냄새를 잃고) 멈춰서다. ② 《美》 수표를 쓰다[떼다]. ~ **at** …에게 화를 내다. ~ **in** 여관에 들다; 《美俗》 죽다; 《美口》 도착하다; 출근하다. ~ **off** 체크하다, 표를 하다. ~ **out** 《美》 (셈을 마치고) 여관을 나오다; 《俗》 죽다; 《美口》 물러나다, 퇴근하다. ~ **up** 대조[사조(査照)]하다. ― *int.* 『체스』 장군!; 《美口》 좋아!, 찬성!, 맞았어!

chéck·bòok *n.* C 수표장(帳).

checked[-t] *a.* 체크[바둑판] 무늬의.

˙**check·er**[tʃékər] *n.* ① C 《美》 바둑판[체크] 무늬. ② C (체커의) 말; (*pl.*) 《美》 체커《서양 장기》(《英》 draughts). ― *vt.* 바둑판 무늬로 하다, 교착(交錯)시키다, 변화를 주다(vary). ~**ed**[-d] *a.* 바둑판 무늬의; 교착된, 변화가 많은.

chécker·bòard *n.* C 체커판.

chéck-ìn *n.* U,C (호텔에의) 숙박 수속, 체크인.

chécking accòunt 《美》 당좌 예금《수표로 찾음》.

chéck lìst 《美》 대조표, 일람표; 선거인 명부.

check·mate[∠mèit] *n.* U,C (체스의) 외통 장군; (사업의) 막힘, 실패; 대패(大敗). ― *vt.* 외통 장군을 부르다; 막히게[막다르게] 하다.

chéck·òut *n.* U,C (호텔에서의) 퇴숙(退宿) 수속; 점검, 검사.

chéck·pòint *n.* C 《美》 검문소.

chéck·ròom *n.* C 《美》 휴대품 맡기는 곳.

chéck·ùp *n.* C 대조, 사조(査照).

Ched·dar[tʃédər] *n.* U 치즈의 일종(~ cheese).

†**cheek**[tʃiːk] *n.* ① C 볼, 뺨. ② U 철면피; 건방진 말[태도]. ~ **by jowl** 사이좋게 나란히, 친밀히. **have plenty of** ~ 낯가죽이 두껍다. **None of your** ~**s!** 건방진 소리 마라.

chéek·bòne *n.* C 광대뼈.

cheek·y[tʃíːki] *a.* 《口》 건방진. **cheek·i·ly** *ad.* **cheek·i·ness** *n.*

cheep[tʃiːp] *vi.* 삐악삐악 울다. ― *n.* C 그 소리.

:**cheer**[tʃiər] *n.* ① C 갈채, 환호, 응원. ② U 기분, 기운(spirits). ③ U 음식, 성찬. **give three** ~**s for** …을 위해 만세 삼창을 하다. **make good** ~ 유쾌하게 음식을 먹다. **of good** ~ 명랑한, 기분이 좋은. **The fewer the better** ~. 《속담》 좋은 음식은 사람이 적을수록 좋다. **What** ~**?** 기분은 어떤가. ― *vt., vi.* (…에게) 갈채하다; 격려하다, 기운이 나다, 기운을 북돋우다. **C- up!** 기운을 내라. ~ **up at** …을 듣고[보고] 기운이 나다. ~**·ing**[tʃí(ː)riŋ/tʃíər-] *n.* U 갈채. **∠·less** *a.*

:**cheer·ful**[∠fəl] *a.* 기분[기운]이 좋은; 즐거운; 유쾌한; 기꺼이 하는. :~**·ly** *ad.* ˙~**·ness** *n.*

cheer·i·o(h)[tʃìərióu] *int.* 《英口》 여어(hello); 잘 있게(goodby); 축

하한다; 만세(hurrah).
·**chéer·lèader** *n.* Ⓒ 응원 단장.
·**cheer·y**[tʃíəri] *a.* 기분〔기운〕좋은.
 ·**cheer·i·ly** *ad.* **cheer·i·ness** *n.*
†**cheese**[1][tʃi:z] *n.* Ⓤ 치즈. ***green** ~* 생치즈. ***make ~s*** (여성이) 무릎을 굽히고 인사하다.
cheese[2] *vt.* 《俗》 그만두다, 멈추다. ***C- it!*** 멈춰(Have done!); 정신 차려(Take care!); 튀어라(Run away!).
chéese·búrger *n.* Ⓤ,Ⓒ 치즈가 든 햄버거(스테이크) 샌드위치.
chéese·càke *n.* Ⓤ,Ⓒ 치즈·설탕·달걀을 개어서 넣은 케이크; Ⓤ 《俗》 《집합적》 각선미 사진(의 촬영); Ⓒ 매력 있는 여자.
chéese·clòth *n.* Ⓤ 일종의 설핀 무명.
chéese·pàring *n., a.* Ⓤ 치즈 겉껍질을 깎은 지스러기, 하찮은 것; 몹시 인색한〔함〕; 구두쇠 근성; (*pl.*) 사천.
chees·y[tʃí:zi] *a.* 치즈 같은; 《美俗》 볼품없이 된, 나쁜.
chee·tah[tʃí:tə] *n.* Ⓒ 치타; Ⓤ 그 털가죽. 「방장(廚房長).
chef[ʃef] *n.* (F.) Ⓒ 쿡(장(長)), 주
chef-d'oeu·vre[ʃeidə́:vər] *n.* (*pl.* ***chefs-***[ʃei-])(F.) Ⓒ 걸작(masterpiece).
:**chem·i·cal**[kémikəl] *a.* 화학(상)의; 화학적인. *~ **combination*** 화합. *~ **engineering*** 화학 공업. *~ **formula** 〔**warfare**〕* 화학식〔전〕. ── *n.* Ⓒ (종종 *pl.*) 화학 약품. **~·ly** *ad.*
·**che·mise**[ʃəmí:z] *n.* Ⓒ 슈미즈, 속치마.
:**chem·ist**[kémist] *n.* Ⓒ 화학자; 《英》 약제사, 약종상.
:**chem·is·try**[-ri] *n.* Ⓤ 화학.
chem·o·ther·a·py[kèmouθérəpi, kì:-] *n.* Ⓤ 화학 요법.
·**cheque**[tʃek] *n.* Ⓒ 《英》 수표(《美》 check).
chéque·bòok *n.* Ⓒ 《英》 = CHECKBOOK.
·**cheq·uer(ed)** [tʃékər(d)] 《英》 = CHECKER(ED).
:**cher·ish**[tʃériʃ] *vt.* ① 귀여워하다; 소중히 하다〔키우다〕. ② (희망·원한을) 품다(foster).
che·root[ʃərú:t] *n.* Ⓒ 양끝을 자른 여송연.
:**cher·ry**[tʃéri] *n.* ① Ⓒ 벚나무(~ tree); Ⓤ 그 재목. ② Ⓒ 버찌. ③ Ⓤ 체리(색), 선홍색. ④ (*sing.*) 처녀막〔성〕. ***make two bites at* 〔*of*〕 *a* ~** 꾸물거리다. ── *a.* 벚나무 재목으로 만든; 선홍색의.
:**chérry blòssom** 벚꽃.
:**chérry trèe** 벚나무.
:**cher·ub** [tʃérəb] *n.* (*pl.* **~im** [-im]) Ⓒ ① 게루빔《둘째 계급의 천사》(cf. seraph). ② 날개 있는 천동(天童)(의 그림·조상(彫像)). ③ (*pl.* **~s**) 귀여운 아이; 통통하고 순진한 사람. **che·ru·bic**[tʃərú:bik] *a.* 귀여운.
cher·vil[tʃə́:rvil] *n.* Ⓤ 〖植〗 파슬리의 무리《샐러드용》.
:**chess**[tʃes] *n.* Ⓤ 체스, 서양 장기.
chéss·bòard *n.* Ⓒ 체스 판.
chéss·màn *n.* Ⓒ 체스의 말.
:**chest**[tʃest] *n.* Ⓒ ① 가슴. ② (뚜껑 있는) 큰 상자, 궤. *~ **of drawers*** 옷장. *~ **trouble*** 폐병.
:**chest·nut**[tʃésnʌ̀t, -nət] *n., a.* ① Ⓒ 밤《나무·열매》; Ⓤ 밤나무 재목; =HORSE CHESTNUT. ② Ⓤ 밤색(의); Ⓒ 구렁말(의). ③ Ⓒ 《口》 진부한 이야기〔익살〕.
chev·ron[ʃévrən] *n.* Ⓒ 갈매기표 무늬《∧》; (부사관·경관 등의) 갈매기표 수장(袖章).
:**chew**[tʃu:] *vt., vi.* ① 씹다, 씹어〔깨물어〕 부수다(cf. crunch, munch). ② 숙고(熟考)하다(*over*). ── *n.* Ⓒ 씹음, 씹는 물건; 한 입, 한 번 씹음
chéwing gùm 껌. 「〔깨묾〕.
Chi·an·ti[kiǽnti, -á:n-] *n.* Ⓤ 이탈리아산 붉은 포도주.
chi·a·ro·scu·ro[kiɑ̀:rəskjú(:)rou] *n.* (It.) Ⓤ (그림·문예상의) 명암(明暗)의 배합〔대조〕(법).
chic[ʃi(:)k] *n., a.* (F.) Ⓤ 멋짐, 멋진, 스마트한〔함〕.
chi·can·er·y[-əri] *n.* Ⓤ,Ⓒ 속임(수의 말).
:**chick**[tʃik] *n.* Ⓒ ① 병아리, 열쭝이. ② 《애칭》 어린애; (the ~s) 한 집안의 아이들. ③ 《美俗》 젊은 여자.

†**chick·en**[tʃíkin] *n.* (*pl.* ~(**s**)) ① Ⓒ 새새끼, 병아리. ② Ⓒ 닭; Ⓤ 영계 고기, 닭고기. ③ Ⓒ《口》어린애, 풋내기, 계집아이, 약골. ④ Ⓒ 하찮은 일, 거짓말, 성마름. ***go to bed with the ~s*** 일찍 자다. ***play ~***《美俗》상대가 물러서기를 기대하면서 서로 도전하다.

chícken fèed《美》닭모이;《美俗》잔돈.

chícken pòx 수두(水痘), 작은 마마.

chic·o·ry[tʃíkəri] *n.* Ⓤ,Ⓒ 【植】치코리《잎은 샐러드용, 뿌리는 커피 대용》;《英》= ENDIVE.

·**chide**[tʃaid] *vt., vi.* (***chid, ~d; chidden, chid, ~d***) 꾸짖다; 꾸짖어 내쫓다(*away*).

†**chief**[tʃi:f] *n.* Ⓒ ① 장(長), 수령, 지도자. ② 추장, 족장(族長). ③ 장관, 국장, 소장, 과장(따위). ***~ of staff*** 참모장. ***in ~*** 최고위의; 주로 (*the editor in ~* 편집장). — *a.* ① 첫째의, 제 1위의, 최고의. ② 주요한.

:**chief·ly**[tʃí:fli] *ad.* ① 주로. ② 흔히, 대개.

·**chief·tain**[tʃí:ftən] *n.* Ⓒ 지도자, 두목, 추장, 족장. **~·cy, ~·ship** [-ʃip] *n.*

chif·fon[ʃifán/ʃífɔn] *n.* (F.) ① Ⓤ 시퐁《얇은 비단》. ② (*pl.*) 옷의 장식《리본 따위》.

chi·gnon[ʃí:njɑn/ʃi:nʌ́n] *n.* (F.) Ⓒ (속발(束髮)의) 쪽.

chil·blain[tʃílblèin] *n.* Ⓒ (보통 *pl.*) 동상(凍傷).

†**child**[tʃaild] *n.* (*pl.* ~**ren**[tʃíldrən]) Ⓒ ① 아이, 어린이, 유아. ② 자식; (*pl.*) 자손. ③ 미숙자. ***a ~ of fortune*** 〔***the age***〕 운명〔시대〕의 총아, 행운아. ***as a ~*** 어릴 때. ***with ~*** 임신하여. **∠·less** *a.* 아이〔어린애〕 없는.

chíld·bèaring *n.* Ⓤ,Ⓒ 출산, 해산.

chíld·bìrth *n.* Ⓤ,Ⓒ 출산, 해산.

:**child·hood**[∠hùd] *n.* Ⓤ ① 유년기, 어림. ② 초기의 시대.

:**child·ish**[∠iʃ] *a.* 어린애 같은, 앳된, 유치한. **~·ly** *ad.* **~·ness** *n.*

·**chíld·lìke** *a.* (좋은 뜻으로) 어린애다운, 천진한(cf. childish).

chíld·pròof *a.* 아이는 다룰 수 없는; 어린 아이가 장난칠 수 없는.

†**chil·dren**[tʃíldrən] *n.* child의 복수.

chil·i[tʃíli] *n.* (*pl.* ~**es**) Ⓤ,Ⓒ 고추(의 일종).

:**chill**[tʃil] *n.* Ⓒ ① (보통 *sing.*) 한기(寒氣), 냉기(coldness). ② 으스스함, 오한; 냉담함; 섬뜩함, 두려움. ***cast a ~ over*** …의 흥을 깨다. ***catch*** 〔***have***〕 ***a ~*** 오싹〔으스스〕하다. ***~s and fever***《美》【醫】학질, 간헐열. ***take the ~ off*** (음료 따위를) 조금 데우다. — *a.* ① 차가운, 찬. ② 냉담한. — *vt.* ① 차게 하다, 냉동하다. ② 흥을 잡치다; 낙심시키다(dispirit). ③ (용철(熔鐵)을) 냉강(冷剛)하다. ④ (음료를) 알맞게 데우다. — *vi.* 식다, 차가워〔추워〕지다, 한기가 들다. **~ed** [-d] *a.* 냉각된, 냉장한. **:chíl·ly** *a.* 찬, 차가운.

:**chime**[tʃaim] *n.* ① Ⓒ 차임《조율(調律)한 한 벌의 종》; (*pl.*) 그 소리; (시보(時報)의) 차임. ② Ⓤ,Ⓒ 조화. ***fall into ~ with*** …와 조화하다. ***keep ~ with*** …와 가락을 맞추다. — *vt., vi.* ① (가락을) 맞추어 울리다; (종·시계가) 아름다운 소리로 울리다. ② 울리어 알리다. ③ 일치〔조화〕하다, 가락을 맞추다. ***~ in*** 찬성하다, 맞장구치다; (…와) 가락〔장단〕을 맞추다(*with*); 일치하다.

chi·me·ra[kaimí:rə, ki-] *n.* (*or* C-) 【그神】키메라《사자의 머리, 염소의 몸, 용〔뱀〕의 꼬리를 한 괴물; 입으로 불을 뿜음》; Ⓒ 괴물; 환상. **chi·mer·ic**[-mérik], **-i·cal**[-əl] *a.* 환상의, 정체를 알 수 없는.

:**chim·ney**[tʃímni] *n.* Ⓒ 굴뚝, (남포의) 등피.

chímney còrner 노변(爐邊), 난롯가.

chímney pìece = MANTELPIECE.

chímney pòt 연기 잘 빠지게 굴뚝 위에 얹은 토관;《美》실크해트.

chímney stàck 짜맞춘 굴뚝; (공장 따위의) 큰 굴뚝.

chímney swèep(er) 굴뚝 청소부.

C

chimp [tʃimp] *n.* 《口》 = CHIMPANZEE.

·**chim·pan·zee** [tʃìmpænzíː, ―⌐―/ -pən-, -pæn-] *n.* Ⓒ 침팬지.

:**chin** [tʃin] *n.* Ⓒ 턱; 턱끝. **~ *in* (*one's*) *hand*** 손으로 턱을 괴고. ***keep one's* ~** 버티다, 굴하지 않다. ***wag one's* ~** 지껄이다(talk). ― *vt., vi.* 《美》 지껄이다; (바이올린 따위를) 턱에 대다. **~ *oneself*** (철봉에서) 턱걸이하다. ***C- up!*** 《俗》 기운[힘] 내라.

:**chi·na** *n., a.* Ⓤ 자기(磁器)(의); 《집합적》 도자기(porcelain).

chína clày 도토(陶土), 고령토.

chink[1] [tʃiŋk] *n., vi., vt.* Ⓒ 갈라진 틈; 균열(이 생기다, 을 만들다), 금(이 가다, 이 가게 하다); 《美》 (…의) 틈을 메우다[막다].

chink[2] *vi., vt.* 짤랑짤랑 소리나(게 하)다. ― *n.* ① Ⓒ 그 소리. ② Ⓤ,Ⓒ 《俗》 주화, 돈.

chintz [tʃints] *n., a.* Ⓤ (광택을 낸) 사라사 무명(의).

chín·wàg *n.* Ⓒ 《俗》 수다, 잡담. ― *vi.* (***-gg-***) 《俗》 수다떨다.

:**chip** [tʃip] *n.* ① Ⓒ (나무·금속 따위의) 조각, 나무때기. ② Ⓒ 얇은 조각. ③ Ⓒ 사기 그릇 따위의 이빠진 곳[흠]; 깨진 조각, 쪼가리. ④ Ⓒ (포커 따위의) 점수패. ⑤ Ⓒ 너절한 것. ⑥ (*pl.*) 《英》 (감자 따위) 얇게 썬 것(의 튀김). ⑦ Ⓒ 가축의 말린 똥《연료용》. ⑧ (*pl.*) 《俗》 돈. ⑨ Ⓒ 【컴】 칩. ***a* ~ *of* [*off*] *the old block*** 아비 닮은 아들. ***a* ~ *in porridge* [*pottage, broth*]** 있으나마나 한 것. ***have a* ~ *on one's shoulder*** 《美口》 시비조다. ***dry as a* ~** 무미 건조한. ***in* ~*s*** 《俗》 돈많은. ***The* ~*s are down.*** 《美俗》 주사위는 던져졌다; 결심이 섰다. ***when the* ~*s are down*** 《口》 위급할 때, 일단 유사시. ― *vt.* (***-pp-***) 자르다, 깎다, 쪼개다. ― *vi.* 떨어져 나가다, 빠지다(*off*). **~ *at*** …에 덤벼[대]들다; 독설을 퍼붓다. **~ *in*** 《口》 (이야기 도중에) 말 참견하다; 돈을 추렴하다(contribute).

chíp·bòard *n.* Ⓤ 마분지, 판지.

chip·munk [⌐mʌ̀ŋk] *n.* Ⓒ 얼룩다람쥐《북미산》.

chip·ping [tʃípiŋ] *n.* Ⓒ (보통 *pl.*) 지저깨비.

chi·rop·o·dy [kirápədi, kai-/ kirɔ́-] *n.* Ⓤ (손)발치료《못·부르튼 곳 등의》.

chi·ro·prac·tic [kàirəprǽktik] *n.* Ⓤ (척추) 지압 요법.

chi·ro·prac·tor [káirəprǽktər] *n.* Ⓒ 지압(指壓) 치료사.

:**chirp** [tʃəːrp] *vi.* (새·벌레가) 짹짹[찍찍] 울다. ― *n.* Ⓒ 그 우는 소리.

chir·rup [tʃírəp, tʃə́ːr-] *vi.* 지저귀다; (갓난애를) 혀를 차서 어르다; 《俗》 (박수 부대가) 박수를 치다. ― *n.* Ⓒ 지저귐; (쯧쯧) 혀 차는 소리.

·**chis·el** [tʃízl] *n.* ① Ⓒ 끌, 조각칼. ② Ⓤ (the ~) 조각술. ③ Ⓤ,Ⓒ 《俗》 잔꾀, 사기. ― *vt.* 《英》 (***-ll-***) 끌로 깎다[파다]; 《美俗》 속이다.

chit[1] [tʃit] *n.* Ⓒ 어린애; (건방진) 계집애; 새끼 고양이.

chit[2] *n.* Ⓒ 짧은 편지, 메모; (식당·다방 따위의) 전표.

chit·chat [tʃíttʃæ̀t] *n.* Ⓤ 잡담; 세상 얘기.

·**chiv·al·rous** [ʃívəlrəs] *a.* 기사적인(knightly), 의협적인, 용감하고 관대한; 여성에게 정중한(gallant). **~·ly** *ad.* 「도).

·**chiv·al·ry** [ʃívəlri] *n.* Ⓤ 기사도[제

chive [tʃaiv] *n.* Ⓒ 【植】 골파.

chiv·(v)y [tʃívi] *n.* Ⓒ 《英》 사냥(의 몰잇소리); 추적(追跡). ― *vt. vi.* 뒤쫓다(chase); 쫓아 다니다; 혹사(酷使)하다, 괴롭히다; 뛰어 다니다.

chlo·ride [klɔ́ːraid] *n.* Ⓤ 염화물; 《口》 표백분. **~ *of lime*** 표백분.

chlo·rine [klɔ́ːrin] *n.* Ⓤ 【化】 염소.

chlo·ro·form [klɔ́ːrəfɔ̀ːrm] *n., vt.* Ⓤ 클로로포름(으로 마취시키다).

chlo·ro·phyl(l) [klɔ́ːrəfìl] *n.* Ⓤ 엽록소(葉綠素).

chock·a·block [tʃákəblák/tʃɔ́kəblɔ́k] *a., ad.* 꽉 찬; 꽉 차서(*with*).

chóck-fúll *a.* 꽉 찬.

:**choc·o·late** [tʃɔ́ːkəlit, -á-/-ɔ́-] *n., a.* Ⓤ 초콜릿(과자·빛)(의).

:**choice** [tʃɔis] *n.* ① Ⓤ,Ⓒ 선택(selection); 가림(preference). ② Ⓤ 선택권[력]; Ⓒ 선택의 기회. ③ Ⓒ 뽑

흰 것〔사람〕, 우량품, 정선(精選)된 것(best part) (*of*). ④ Ⓤ 선택의 범위〔종류〕 (variety)(*We have a large*〔*great*〕 ~ *of ties.* 여러 가지 넥타이가 있습니다). ***at one's own*** ~ 좋아하는〔마음〕 대로. ***by*** ~ 좋아서, 스스로 택하여. ~ ***for the tokens*** 《英俗》 베스트 셀러, 날개돋힌 책. ***for*** ~ 어느 쪽인가를 택해야 한다면. ***have no*** ~ 가리지 않다《아무 것이나 좋다》; 이것저것 가릴 여지가 없다. ***have no*** ~ ***but to*** (do) …할 수밖에 없다. ***have one's*** ~ 자유로 선택할 수 있다. ***Hobson's*** ~ (주어진 것을 갖느냐 안 갖느냐의) 명색뿐인 선택. ***make*** ~ ***of*** …을 고르다. ***without*** ~ 가리지 않고, 차별 없이. — ***a.*** 고르고 고른(select), 우량한.

:**choir**[kwaiər] ***n.*** Ⓒ 《집합적》 (교회의) 성가대; (보통 *sing.*) 성가대석.

chóir·bòy ***n.*** Ⓒ (성가대의) 소년 가수.

chóir màster 성가대 지휘자.

:**choke**[tʃouk] ***vt.*** ① 막히게 하다, 질식시키다. ② 목졸라 죽이다; 꽉 채워 넣다(fill), (틀어)막다(block). ③ 멈추다, (불을) 끄다. ④ (감정을) 억제하다. — ***vi.*** 숨이 막히다, (목이) 메다(*with*); 막히다. ~ ***back*** 억누르다(hold back). ~ ***down*** 간신히 삼키다; 꿀꺽 참다. ~ ***in*** 〔***up***〕 《美俗》 잠자코 있다. ~ ***off*** 질식〔중지〕시키다. ~ ***up*** 막다(*with*); 막히게 하다; 말라죽게 하다. — ***n.*** Ⓒ ① 질식. ② (파이프의) 폐색부. ~**d**[-t] ***a.*** 《口》 넌더리 내어, 실망하여.

chok·er[⌐ər] ***n.*** Ⓒ choke시키는 물건〔사람〕; 《口》 초커《목걸이》.

chol·er[kálər/-ɔ́-] ***n.*** Ⓤ 《古》 담즙(bile); 울화, 노여움, 성마름. ~·**ic** [kálərik/-ɔ́-] ***a.*** 담즙질(質)의; 성마른, 잘 불끈거리는.

chol·er·a**[kálərə/-ɔ́-] ***n. Ⓤ 콜레라. ***Asiatic*** 〔***epidemic, malignant***〕 ~ 진성 콜레라.

cho·les·ter·ol [kəléstəròul, -rɔ̀(ː)l] ***n.*** Ⓤ 〖生化〗 콜레스테롤《혈액·뇌·담즙 등에 있는 지방질》.

†**choose**[tʃuːz] ***vt., vi.*** (***chose; chosen***) ① 고르다(select), 선택하다. ② 선거하다(elect). ③ …하고 싶은 기분이 들다, …하려고 생각하다. ***as you*** ~ 좋을〔마음〕대로. ***cannot*** ~ ***but*** (do) …하지 않을 수 없다.

choos·(e)y[tʃúːzi] ***a.*** 《口》 가리는, 까다로운.

:**chop**[1][tʃɑp/-ɔ-] ***vt.*** (**-pp-**) ① 찍다, 쳐〔팍〕 자르다, 싹뚝 베다(hack), 잘게 자르다(mince)(*up*). ② (길을) 트다. ③ 〖테니스〗 (공을) 깎아치다. — ***vi.*** ① 자르다; 잘라지다, 가르다; 갈라지다; 금이 가다. ② 중뿔나게 참견하다(*in*). ~ ***about*** 난도질하다. ~ ***in*** 《口》 불쑥 말참견하다. — ***n.*** Ⓒ ① 절단(한 한 조각), 두껍게 베어낸 고깃점. ② 〖테니스〗 (공을) 깎아치기.

chop[2] ***vi., vt.*** (**-pp-**) 갑자기 바꾸다〔바뀌다〕. ~ ***about*** (바람이) 끊임없이 바뀌다; 갈팡질팡하다, 마음이 바뀌다. ~ ***and change*** (생각·직업 따위를) 자꾸 바꾸다. ~ ***logic*** 억지 이론〔궤변〕을 늘어놓다. ~ ***words*** 언쟁〔말다툼〕하다.

chop-chop[tʃáptʃáp/tʃɔ́ptʃɔ́p] ***ad., int.*** 《俗》 빨리 빨리, 서둘러.

chop·per[tʃápər/-ɔ́-] ***n.*** Ⓒ 자르는〔써는〕 사람; 고기 써는 큰 식칼(cleaver); 《美俗》 헬리콥터; 《俗》 (특히) 의치; 〖電子〗 초퍼《직류나 광선을 단속하는 장치》.

chop·py[tʃápi/-ɔ́-] ***a.*** (바람이) 변하기 쉬운; 삼각파가 이는.

chóp·stìck ***n.*** Ⓒ (보통 ***pl.***) 젓가락.

chóp sú·ey[-súːi] 잡채.

cho·ral[kɔ́ːrəl] ***a., n.*** Ⓒ 성가대(choir)의; 합창(chorus)의; 합창대, 성가. ~ ***service*** 합창 예배.

cho·rale[kərǽl/kɔráːl] ***n.*** Ⓒ = CHORAL.

†**chord**[kɔːrd] ***n.*** Ⓒ ① (악기의) 현, 줄(string). ② 화현(和弦), 화음. ③ 심금(心琴), 정서. ④ 〖數〗 (원의) 현(弦).

chore[tʃɔːr] ***n.*** Ⓒ 《美》 잡일, 허드렛일, 싫은 일.

cho·re·og·ra·pher[kɔ̀ːriágrəfər/kɔ̀ːriɔ́-] ***n.*** Ⓒ 〖발레〗 안무가(按舞家).

C

cho·re·og·ra·phy [kɔ̀:riágrəfi], 《英》 **cho·reg·ra·phy**[kəré-] *n.* Ⓤ 발레(의 안무); 무용술.

chor·is·ter [kɔ́:ristər, -á-/-ɔ́-] *n.* Ⓒ 성가대원; 성가대 지휘자(choir leader).

chor·tle[tʃɔ́:rtl] *vi.* 의기 양양하게 웃다.

:**cho·rus**[kɔ́:rəs] *n.* Ⓒ 합창, 코러스; 합창곡[단]. ***in*** ~ 이구동성으로, 일제히. — *vt.* 합창하다.

chórus gìrl 코러스 걸《레뷔 가수·무용수》.

C

:**chose**[tʃouz] *v.* choose의 과거.

:**cho·sen**[tʃóuzn] *v.* choose의 과거분사. — *a.* 선택된, 뽑힌. ***the*** ~ ***people*** (신의) 선민《유대인의 자칭》.

chow[tʃau] *n.* ① Ⓒ (혀가 검은) 중국종 개. ② Ⓤ 《美俗》 음식, 식사. — *vi.* 《美俗》 먹다.

chow·der[tʃáudər] *n.* Ⓤ 《美》 (조개·생선의) 잡탕《요리》.

chòw méin[tʃàu méin] (Chin.) 초면(炒麵).

:**Christ**[kraist] *n.* 그리스도, 구세주. **∠·ly** *a.* 그리스도의[같은].

˙**chris·ten**[krísn] *vt., vi.* ① 세례를 주다(baptize). ② 세례하여 명명하다; 이름을 붙이다. ③ 《口》 처음으로 사용하다. **~·ing**[-iŋ] *n.* Ⓤ,Ⓒ 세례(식); 명명(식).

Chris·ten·dom[krísndəm] *n.* Ⓤ 《집합적》 기독교국[교도].

:**Chris·tian**[krístʃən] *n.* Ⓒ ① 기독교도. ② 《口》 신사, 숙녀, 문명인. ***Let's talk like*** **~s.** 점잖게 얘기하자. — *a.* ① 그리스도(교)의. ② 《口》 신사적인.

˙**Chris·ti·an·i·ty**[krìstʃiǽnəti] *n.* Ⓤ 기독교 (신앙).

:**Chrístian náme** 세례명, 이름.

Chríst·lìke *a.* 그리스도 같은; 그리스도적인.

†**Christ·mas**[krísməs] *n.* Ⓤ 크리스마스, 성탄절(~ Day)《12월 25일》. ~ ***book*** 크리스마스의 읽을거리. ***Merry*** **~!** 크리스마스를 축하합니다.

Chrístmas bòx 《英》 크리스마스 선물《우체부·하인 등에 대한》. 「드.

Chrístmas càrd 크리스마스 카

Chrístmas Éve 크리스마스 이브 [전야(제)].

Chrístmas trèe 크리스마스 트리.

chro·mat·ic[kroumǽtik] *a.* 색(채)의; 염색성의; 〖樂〗 반음계의(cf. diatonic).

chromátic scále 반음계.

chrome[kroum] *n.* Ⓤ 〖化〗 크롬, 크로뮴(chromium); 황색 그림물감.

chro·mic[∠ik] *a.* 크롬을 함유하는.

chro·mi·um [króumiəm] *n.* Ⓤ 〖化〗 크로뮴.

chro·mo·some[króuməsòum] *n.* Ⓒ 〖生〗 염색체.

˙**chron·ic**[kránik/-ɔ́-] *a.* 오래 끄는, 만성의; 고질이 된. **-i·cal·ly** *ad.*

˙**chron·i·cle**[kránikl/-ɔ́-] *n.* Ⓒ 연대기(年代記); 기록; 이야기; (C-) …신문(*The News C-*). ***the Chronicles*** 〖舊約〗 역대기. — *vt.* (연대순으로) 기록하다. **-cler** *n.* Ⓒ 연대기 작자, 기록자.

chron(·o)-[krán(ə)/krɔ̀-] '시(時)'의 뜻의 결합사.

chron·o·log·i·cal[krànəládʒikəl/krɔ̀nəlɔ́dʒ-] *a.* 연대순의. **~·ly** *ad.*

chro·nol·o·gy[krənálidʒi/-ɔ́-] *n.* ① Ⓤ 연대학. ② Ⓒ 연대기. **-gist** *n.* Ⓒ 연대학자.

chro·nom·e·ter [krənámitər/-nɔ́mi-] *n.* Ⓒ 크로노미터《항해용 정밀 시계》; 《一般》 정밀 시계.

chrys·a·lis[krísəlis] *n.* (*pl.* **~es, -lides**[krisǽlədì:z]) Ⓒ 번데기(chrysalid); 준비기.

˙**chrys·san·the·mum** [krisǽnθəməm] *n.* Ⓒ 국화(꽃).

chub[tʃʌb] *n.* (*pl.* **~s,** 《집합적》 ~) Ⓒ 황어 무리의 민물고기.

chub·by[tʃʌ́bi] *a.* 토실토실 살찐(plump[1]).

˙**chuck**[1][tʃʌk] *vt.* ① 가볍게 두드리다(pat). ② (휙) 던지다. ③ 《英俗》 (친구를) 버리다. ④ (턱 밑 따위를 장난삼아) 톡톡 치다. ~ ***away*** 버리다; 낭비하다. ***C- it!*** 집어쳐!, 그만둬!, 닥쳐! ~ ***oneself away on*** 《口》 (남이 보아 하찮은 사람)과 결혼[교제]하다; …에 시간[돈, 노력]을 허비하다. ~ ***out*** (성가신 자를) 쫓아내다, 끌어내다; (의안을) 부결하다. ~ ***up*** 그만두다; 포기[방기]하다.

— *n.* Ⓒ 던짐; 가볍게 침; 중지; 투전(投錢). ***get the ~*** 해고당하다. ***give the ~*** 《俗》 갑자기 해고하다; (친구를) 뿌리쳐 버리다.

chuck[2] *n., vt.* Ⓒ 〖機〗 척《선반(旋盤)의 물림쇠》; 지퍼(zipper); (소의) 목 부분의 살, 목정; 《美西部俗》 음식; 〖機〗 척에 걸다[으로 죄다].

:**chuck·le**[tʃʌ́kl] *vi.* ① 킬킬 웃다. ② (암탉이) 꼬꼬거리다. — *n.* Ⓒ 낄낄 웃음; 꼬꼬하는 울음 소리.

chug[tʃʌg] *vi.* (**-gg-**) (발동기 따위가) 칙칙[폭폭] 소리를 내다. — *n.* Ⓒ 칙칙[폭폭]하는 소리.

***chum**[tʃʌm] *n., vi.* (**-mm-**) Ⓒ 단짝; 한 방의 동무; 친구; 한 방을 쓰다, 사이 좋게 지내다. **∠·my** *n., a.* Ⓒ 《口》 단짝(의), 사이 좋은.

chump[tʃʌmp] *n.* Ⓒ 큰 나뭇조각[고깃점]; 《口》 멍텅구리, 바보(blockhead); 《俗》 대가리(head).

chunk[tʃʌŋk] *n.* Ⓒ 《口》 큰 덩어리; 땅딸막한 사람[말]. **∠·y** *a.* 《口》 똥똥한, 앙바름한.

†**church**[tʃəːrtʃ] *n.* ① Ⓒ 교회당, 성당. ② Ⓤ (교회에서의) 예배(*early ~* 새벽 예배). ③ Ⓒ (C-) 교파. ④ Ⓤ 전기독교도; 교권. ⑤ (the C-) 성직(聖職). ***after ~*** 예배 후. ***Anglican C-*** = C- of England. ***as poor as a ~ mouse*** 몹시 가난하여. ***at ~*** 예배중에. ***C- of England*** 영국 국교회, 성공회. ***C- of Jesus Christ of Latter-day Saints*** 모르몬 교회. ***Eastern C-*** 동방[그리스] 교회. ***English C-*** = C- of England. ***enter*** [***go into***] ***the C-*** 성직자[목사]가 되다. ***High*** [***Low***] ***C-*** 고파(高派)[저파(低派)] 교회《의식 등을 중시하는[하지 않는] 영국 국교의 일파》. ***talk ~*** 종교적인 말을 하다; 《俗》 재미 없는 말을 하다. ***Western C-*** 서방[가톨릭] 교회.

chúrch·gòer *n.* Ⓒ (늘) 교회에 다니는 사람.

chúrch·gòing *a., n.* Ⓤ 교회에 다니는[다니기].

church·man[∠mən] *n.* Ⓒ 목사.

chúrch·wàrden *n.* Ⓒ 교구위원[집사]; 《英》 긴 사기 담뱃대.

***chúrch·yàrd** *n.* Ⓒ 교회의 경내(境內); 교회 묘지.

churl[tʃəːrl] *n.* Ⓒ 촌사람; 야비한 사나이; 구두쇠. **∠·ish** *a.*

churn[tʃəːrn] *n.* Ⓒ 교유기(攪乳器)《버터를 만드는 대형 통》. — *vt., vi.* (우유·크림을) 휘젓다(stir); (휘저어) 버터를 만들다; 휘저어지다, 거품일(게 하)다. **∠·er** *n.*

chute[ʃuːt] *n.* Ⓒ (물·재목 따위의) 활강로(滑降路); 급류, 폭포(rapids); 《口》 낙하산.

chut·ney, -nee[tʃʌ́tni] *n.* Ⓤ 처트니《인도의 달콤하고 매운 양념》.

CIA 《美》 Central Intelligence Agency.

***ci·ca·da**[sikéidə, -káː-] *n.* (*pl.* **~s, -dae**[-diː]) Ⓒ 매미.

C.I.D. Criminal Investigation Department 《美》 검찰국; 〖軍〗 범죄수사대; 《英》 (런던 경찰국의) 수사과.

ci·der**[sáidər] *n.* Ⓤ 사과술《한국의 '사이다'는 탄산수》. ***all talk and no ~ 공론(空論).

cíder prèss 사과 착즙기(搾汁器).

:**ci·gar**[sigáːr] *n.* Ⓒ 엽궐련, 여송연.

:**cig·a·ret**(**te**)[sìgərét, ∠-∠] *n.* Ⓒ 궐련.

C. in C., C-in-C Commander-in-Chief.

cinch[sintʃ] *n.* Ⓒ 《美》 (말의) 뱃대끈; 《口》 꽉 쥠[잡음]; 《俗》 확실한 일, 수월한 일(*That's a ~.* 그런 것은 식은 죽먹기다). — *vt.* 《美》 (말의) 뱃대끈을 죄다; 《俗》 꽉 붙잡다, 확보하다, 확실히 하다.

cin·der**[síndər] *n.* ① Ⓤ (석탄 따위의) 타다 남은 찌꺼기; 뜬숯. ② (*pl.*) 타다 남은 것, 재(ashes); 경주로. ***burn up the ~s 《美》 (경주에서) 역주하다.

cínder blòck 속이 빈 건축용 블록.

***Cin·der·el·la**[sìndərélə] (＜cinder) *n.* ① 신데렐라(＝G. *Aschenbrödel;* F. *Cendrillon*). ② Ⓒ 숨은 미인[재원]; 하녀; 밤 12시까지만의 무도회(*~ dance*).

cin·e-[síni, -nə] 'cinema'의 뜻의 결합사.

cíne·càmera *n.* Ⓒ 영화 촬영기.

:**cin·e·ma**[sínəmə] *n.* ① 《英》 Ⓤ 영화관(*go to the ~* 영화 보러 가

다). ② Ⓒ (한 편의) 영화. ③ (the ~) 《집합적》 영화(《美》 movies).

cin·e·ma·tog·ra·phy [sìnəmətɑ́grəfi/-ɔ́-] *n.* Ⓤ 영화 촬영 기술[기법].

˙**cin·na·mon** [sínəmən] *n., a.* Ⓤ 계피; 육계색(肉桂色)의.

˙**ci·pher** [sáifər] *n.* ① Ⓒ 영(零)(zero); 하찮은 사람[것]; 아라비아 숫자. ② Ⓤ,Ⓒ 암호 (해독서). ***in* ~** 암호로. ― *vt., vi.* 계산하다; 암호로 쓰다.

C

cir·ca [sə́:rkə] *prep.* (L.) 약 (…년경)(《생략 c., ca.》).

†**cir·cle** [sə́:rkl] *n.* Ⓒ ① 원(주) (*draw a* ~ 원을 그리다), 권(圈). ② 원형의 장소. ③ 【天】 궤도(orbit); 주기(cycle). ④ (종종 *pl.*) 집단, 사회; …계(界), 범위(*have a large* ~ *of friends* 안면이 넓다). ***come* [*go*] *full* ~** 일주하다. ***family* ~** 집안, 가족. ***go round in* ~*s*** 《口》 제자리를 맴돌다; 노력의 성과가 없다. ***in a* ~** 둥그렇게, 원을 그리며. ***run round in* ~*s*** 《口》 하찮은 일에 안달복달하다. ***well-informed* ~*s*** 소식통. ― *vi., vt.* 돌다, 둘러싸다.

cir·clet [sə́:rklit] *n.* Ⓒ 작은 원[고리]; 팔찌, 반지, 머리띠.

:**cir·cuit** [sə́:rkit] *n.* Ⓒ ① 주위, 주행, 순회(구). ② 우회 (도로). ③ 범위. ④ 순회 재판(구). ⑤ 【電·컴】 회로. ⑥ 흥행 계통(chain). ***closed* ~** 폐회로. ***go the* ~ *of*** …을 일주하다. ***short* ~** 【電】 단락(短絡), 합선. ― *vt., vi.* 순회하다.

círcuit bòard 【컴】 ① 회로판. ② 회로판 또는 집적 회로를 탑재한 회로 구성 소자.

círcuit brèaker 【電】 회로 차단기.

cir·cu·i·tous [sə:rkjú:itəs] *a.* 에움길의, 에두르는, 완곡한(roundabout). **~·ly** *ad.*

:**cir·cu·lar** [sə́:rkjələr] *a.* ① 원형(circle)의, 고리 모양[환상]의. ② 순환[순회]하는. ③ 회람의. ― *n.* Ⓒ 회장(回章); 안내장; 광고 전단. **~·ize** [-àiz] *vt.* (…에게) 광고를 돌리다; 원형으로 만들다.

círcular sáw 둥근톱《동력을 씀》.

:**cir·cu·late** [sə́:rkjəlèit] (＜circle) *vi., vt.* ① 돌[게 하]다, 순환하다[시키다]. ② 유포[유통]하다[시키다]. ③ 널리 미치다. **-lat·ing** [-iŋ] *a.*

:**cir·cu·la·tion** [sə̀:rkjəléiʃən] *n.* ① Ⓤ,Ⓒ 순환; 운행. ② Ⓤ (통화 따위의) 유통; 유포; 배포(配布). ③ (*sing.*) 발행 부수; (도서의) 대출 부수.

cir·cu·la·to·ry [sə́:rkjələtɔ̀:ri/sə̀:kjəléitəri] *a.* (혈액) 순환의; 유통의.

cir·cum·cise [sə́:rkəmsàiz] *vt.* (유대교 따위) 할례를 행하다; (마음을) 깨끗이 하다.

cir·cum·ci·sion [sə̀:rkəmsíʒən] *n.* Ⓤ 할례; 포경 수술.

˙**cir·cum·fer·ence** [sərkʌ́mfərəns] *n.* Ⓤ,Ⓒ 원주, 주위, 주변. **-en·tial** [sərkʌ̀mfərénʃəl] *a.*

cir·cum·flex [sə́:rkəmflèks] *a.* 곡절(曲折) 악센트가 있는; 만곡(灣曲)한. ― *vt.* (…에) 곡절 악센트를 붙이다; 굽히다.

círcumflex áccent 곡절 악센트 기호《모음 글자 위의 ^, ˘, ˜》.

cir·cum·lo·cu·tion [sə̀:rkəmloukjú:ʃən] *n.* ① Ⓤ 완곡. ② Ⓒ 완곡한 표현, 에두른 표현. ˙**-loc·u·to·ry** [-lɑ́kjətɔ̀:ri/-lɔ́kjətəri] *a.*

circum·návigate *vt.* (세계를) 일주하다. **-navigátion** *n.*

cir·cum·scribe [sə́:rkəmskràib] *vt.* 둘레에 선을 긋다, 한계를 정하다; 에워싸다(surround); 제한하다; 【幾】 외접(外接)시키다.

cir·cum·spect [sə́:rkəmspèkt] *a.* 조심성 많은; 빈틈없는. **-spec·tion** [ˊ–spékʃən] *n.*

:**cir·cum·stance** [sə́:rkəmstæ̀ns/-əns] *n.* ① (*pl.*) 사정, 정황, 상황; 환경, 처지, 생활 형편. ② Ⓒ 일어난 일; 사건, 사실. ③ Ⓤ 부대 사항, 상세. ④ Ⓤ 형식에 치우침. ***in easy* [*good*] ~*s*** 살림이 넉넉하여. ***not a* ~ *to*** 《俗》 …와 비교가 안 되는. ***the whole* ~*s*** 자초지종. ***under no* ~*s*** 여하한 일이 있어도 …않다. ***under* [*in*] *the* ~*s*** 이러한 사정에서는. ***with* ~** 자세히. ***without* ~** 형식 차리지 않고.

cir·cum·stan·tial [sə̀:rkəmstǽnʃəl] *a.* 정황에 의한, 추정상의; 상세한(detailed)(*a* ~ *report*); 우연

한, 부수적인, 중요치 않은. ~ ***evidence*** 〚法〛 정황 증거.
cir·cum·vent[-vént] *vt.* 선수치다, 속이다, (함정에) 빠뜨리다; 에워싸다. **-vén·tion** *n.*
:**cir·cus**[sə́ːrkəs] *n.* Ⓒ 서커스, 곡예, 곡마단〔장〕; (고대 로마의) (원형) 경기장; 《英》 (방사상으로 도로가 모이는) 원형 광장(*Piccadilly* ~ (런던의) 피커딜리 광장); 재미있는 사람〔일·것〕.
cir·rho·sis[siróusis] *n.* Ⓤ 〚醫〛 (특히 과음에 의한 간·신장 등의) 경변증(硬變症).
cir·rus[sírəs] *n.* (*pl.* ***-ri***[-rai]) Ⓒ 〚氣〛 권운(卷雲), 새털구름; 〚植〛 덩굴손(tendril); 〚動〛 촉모(觸毛).
cis·sy[sísi] *n.* Ⓒ 《口》 무기력한 사내; 《美俗》 동성애의 남자(sissy).
˙**cist·ern**[sístərn] *n.* Ⓒ (흔히, 옥상의) 저수 탱크; 〚解〛 체강(體腔).
˙**cit·a·del**[sítədl, -dèl] *n.* Ⓒ (도시를 지키는) 요새; 거점; 피난처; (군함의) 포탑.
ci·ta·tion[saitéiʃən] *n.* ① Ⓤ 인용; Ⓒ 인용문. ② Ⓤ 소환; Ⓒ 소환장. ③ Ⓒ 〚美軍〛 열기(列記)《수훈 군인, 부대 따위의》, 감사장.
˙**cite**[sait] *vt.* 인용하다(quote); 〚法〛 소환하다(summon); (훈공 따위를) 열기(列記)하다.
:**cit·i·zen**[sítəzən] *n.* Ⓒ ① 시민, 공민. ② 도회 사람. ③ 《美》 민간인(civilian). ④ 국민(member of a nation). ~ ***of the world*** 세계인(cosmopolitan). **~·ry** *n.* 《집합적》 시민. ˙**~·ship**[-ʃip] *n.* Ⓤ 시민의 신분, 공민〔시민〕권; 국적.
Cítizens(')Bánd (때로 c-b-) 시민밴드《트랜시버 등을 위한 개인용 주파수대(帶) 및 그 라디오; 생략: CB, C.B.》.
cit·ric[sítrik] *a.* 레몬의〔에서 채취한〕. ~ ***acid*** 구연산.
†**cit·y**[síti] *n.* ① Ⓒ 시(市)《미국에서는 주청(州廳)이 인정한 도시; 영국에선 칙허장에 의함, 또 cathedral이 있는 도회》. ② Ⓒ 도시. ③ (the C-) 런던시부(市部)〔상업 지구〕. ***one on the*** ~ 《美俗》 물 한 잔의 주문.
cíty éditor 〚新聞〛 《美》 사회부장; 《英》 경제부장.
cíty háll 《美》 시청.
cíty·státe *n.* Ⓒ 도시 국가《아테네 따위》.
civ·et[sívit] *n.* ① Ⓒ 사향고양이. ② Ⓤ 그것에서 얻는 향료.
˙**civ·ic**[sívik] *a.* 시(市)의, 시민〔공민, 국민〕의. ~ ***rights*** 시민〔공민〕권. **~s** *n.* Ⓤ 공민학〔과〕, 시정학.
cívic cénter 〔《英》 **céntre**〕 시의 중심지.
:**civ·il**[sívəl] *a.* 시민〔국민〕의; 문관〔민간〕의; 일반인의; 민사〔민법상〕의(cf. criminal); 국내의; 예의 바른; 문명의. **~·ly** *ad.* 정중히, 예의바르게; 민법상.
cívil defénce 〔《英》 **defénse**〕 민간 방위〔방공〕.
cívil disobédience 시민적 저항《반세(反稅) 투쟁 따위》.
cívil engineér 토목 기사.
cívil engineéring 토목 공학; 토목 공사.
˙**ci·vil·ian**[sivíljən] *n.* Ⓒ ① (군인에 대한) 일반인, 민간인; 문관; 비전투원. ② 민법〔로마법〕 학자. — *a.* 일반인〔문민·민간〕의; 문관의.
˙**ci·vil·i·ty**[sivíləti] *n.* ① Ⓤ 정중함. ② (*pl.*) 정중〔공손〕한 태도.
:**civ·i·li·za·tion**[sìvəlizéiʃən] *n.* ① Ⓤ,Ⓒ 문명. ② Ⓤ 문명 세계〔사회〕. ③ 《집합적》 문명국(민). ④ Ⓤ 교화, 개화.
˙**civ·i·lize**[sívəlàiz] *vt.* 문명으로 이끌다; 교화하다. **:~d** *a.* 문명의; 교양 있는, 세련된(refined).
cívil láw 민법; (C- L-) 로마법(法).
cívil líberty 공민의 자유.
cívil márriage 종교 의식에 의하지 않은 신고 결혼.
cívil ríghts (공)민권.
cívil sérvant 《英》 문관, 공무원.
cívil sérvice 문관 근무, 행정 사무; 《집합적》 공무원(~ *examination* 공무원 임용 시험).
cívil súit 민사 소송.
˙**cívil wár** 내란; (the C- W-) 《美》 남북 전쟁(1861-65); 《英》 Charles Ⅰ세와 의회와의 분쟁(1642-49).
civ·vy, -vie[sívi] *n.* Ⓒ 《俗》 일반인; 시민; (*pl.*) 평복.

C

Cívvy Strèet 《英俗》 비전투원의 민간인 생활.
cl. centiliter.
clack[klæk] *n., vi.* (*sing.*) 잘깍〔딱〕 소리(내다); 지껄임; 지껄여대다(chatter).
·**clad**[klæd] *v.* 《古·雅》 clothe의 과거(분사). ── *a.* 갖춘, 장비한(*iron ~ vessels* 철갑선).
:**claim**[kleim] *n.* Ⓒ ① (당연한) 요구, 청구(demand); (권리의) 주장. ② 권리, 자격(title). ③ (보험·보상금의) 지급 청구, 클레임. ***jump a ~*** 《美》 (남이) 선취한 땅〔채굴권〕을 가로채다. ***lay ~ to*** …의 소유권을 주장하다, …을 요구하다; …라고 자칭하다. ── *vt.* ① 요구〔청구·신청〕하다. ② 주장〔공언·자칭〕하다. ③ (…의) 가치가 있다, 필요로 하다. ── *vi.* 손해 배상을 청구하다(*against*).
·**claim·ant**[kléimənt] *n.* Ⓒ 청구자, 신청자.
clair·voy·ance[klɛərvɔ́iəns] *n.* Ⓤ 천리안, 투시(력); 굉장한 통찰력. **-ant** *a., n.* (*fem.* **-ante**) Ⓒ 천리안의 (사람).
·**clam**[klæm] *n.* (*pl.* **~(s)**). *vi.* (**-mm-**) Ⓒ 대합조개(를 잡다); 《美口》 과묵한 사람, 뚱보. **~ up** 《美口》 입을 다물다.
·**clam·ber**[klǽm*bər*] (cf. climb) *vi., n.* (a ~) (애를 써서) 기어 오르다〔오름〕.
clam·my[klǽmi] *a.* 끈끈한; (날씨가) 냉습한.
:**clam·or,** 《英》 **-our**[klǽmər] *n.* (*sing.*) 외치는 소리, 왁자지껄 떠듦, 소란(uproar); (불평·요구 등의) 외침; 들끓는 비판. ── *vi., vt.* 와글와글 떠들다; 시끄럽게 말하다; 떠들어 …시키다. **~ down** 야유를 퍼부어 (연사를) 침묵시키다.
·**clam·or·ous**[klǽmərəs] *a.* 시끄러운. **~·ly** *ad.*
·**clamp**[klæmp] *n., vt.* Ⓒ 죔쇠(로 죄다). **~ down** 《美口》 탄압하다, 억누르다.
clámp·dòwn *n.* Ⓒ 《口》 엄중 단속, 탄압.
·**clan**[klæn] *n.* Ⓒ ① 씨족, 일가, 일문; (스코틀랜드 고지 사람의) 일족. ② 당파, 파벌(派閥)(coterie).
clan·des·tine[klændéstin] *a.* 비밀의; 은밀한(underhand)(*~ dealings* 비밀 거래).
·**clang**[klæŋ] *vi., vt.* 쾅〔땡그랑〕 울리다. ── *n.* Ⓒ 쩽그렁〔쾅〕하는 등의 소리.
clan·gor, 《英》 **-gour**[klǽŋgər] *n.* (*sing.*) 쾅쾅〔땡그랑땡그랑〕 울리는 소리. **~·ous** *a.*
clank[klæŋk] *vi.* (무거운 쇠사슬 따위가) 탁〔철꺽〕 소리를 내다. ── *n.* (*sing.*) 철꺽, 탁(하는 소리).
clan·nish[klǽniʃ] (＜clan) *a.* 씨족의; 파벌적인; 배타적인.
clans·man[klǽnzmən] *n.* Ⓒ 가문〔일가〕의 한 사람.
:**clap**[1][klæp] *vt., vi.* (**-pp-**) ① 철썩 때리다, 치다(slap); 날개치다(flap). ② 박수하다. ③ 쾅 닫히다(slam); (돛을) 싹 펴다. ④ 투옥하다. ***~ eyes on*** …을 보다, 발견하다《보통 부정문에서》. ***~ hold of*** …을 붙들다. ***~ up*** 〔***together***〕 서둘러 만들다; (거래를) 재빨리 해치우다. ── *n.* Ⓒ clap하기〔하는 소리〕.
clap[2] *n.* (the ~) 《卑》 임질.
clap·board[klǽpbɔ̀ːrd, klǽbərd] *n.* Ⓤ 《美》 미늘벽 판자.
clap·per[klǽpər] *n.* Ⓒ 박수〔손뼉〕 치는 사람; 종의 추; 딱딱이; 《俗》 혀; 수다쟁이.
cláp·tràp *a., n.* Ⓤ (인기·주목을 끌기 위한) 과장된 (연설, 작품).
clar·et[klǽrit] *n.* Ⓤ 클라레《보르도 포도주》; 자줏빛. ── *a.* 자줏빛의.
·**clar·i·fy**[klǽrəfài] *vt., vi.* 맑게〔정하게〕 하다, 맑아지다; 명백히 하다〔되다〕. **-fi·ca·tion**[∸─fikéiʃən] *n.*
·**clar·i·net**[klæ̀rənét] *n.* Ⓒ 클라리넷《목관 악기》.
·**clar·i·on**[klǽriən] *n.* Ⓒ 클라리언《예전에 전쟁 때 쓰인 나팔》. ── *a.* 낭랑하게 울려 퍼지는.
·**clar·i·ty**[klǽrəti] *n.* Ⓤ 맑음, 투명함; 뚜렷함(clearness).
:**clash**[klæʃ] *n.* ① (*sing.*) 우지끈, 쾅, 쨍강《부딪치는 소리》. ② Ⓒ 충돌; 불일치, 불화(conflict). ── *vt., vi.* ① 쾅〔우지끈, 쨍강〕 울리다. ② 충돌하다(collide)(*against, into,*

upon). ③ (의견이) 대립하다(*with*).

:clasp[klæsp, -ɑ:-] *n., vt., vi.* Ⓒ 물림쇠(로 물리다), 죔쇠(로 죄다); 악수(하다); 포옹; 껴안다.

clásp knìfe 접칼.

†class[klæs, -ɑ:-] *n.* ① Ⓒ,Ⓤ 계급. ② Ⓒ,Ⓤ 학급, 반; 수업 시간. ③ 《美》《집합적》 동기생, 동기병(兵). ④ Ⓒ 등급. ⑤ (the ~es) 상류 계급. ⑥ Ⓤ 《口》 우수. ⑦ Ⓒ 〖動·植〗 강(綱) 《phylum과 order의 중간》. ***be in a ~ by oneself*** 타의 추종을 불허하다. ***be no ~*** 너절하다. ***in ~*** 수업중. ***the ~es and the masses*** 상류 계급과 일반 대중. — *vt.* 분류하다, 가르다.

cláss-cónscious *a.* 계급 의식이 있는. **~·ness** *n.* Ⓤ 계급 의식.

:clas·sic[klǽsik] *a.* ① 고급의, 명작의; 고상한, 고아한. ② 고전적인, (문학·예술이) 고대 그리스·로마풍의. ③ 유서깊은, 유명한; (복장 등) 유행과 동떨어진. ④ 《英》 멋진; 우수한. ~ ***myth*** 그리스〔로마〕 신화. — *n.* ① Ⓒ 고급의 문예, 명작. ② (the ~s) (그리스·로마의) 고전, 고전어; Ⓒ 고전작가. ③ Ⓒ 고전학자; 《古》 고전주의자. ***the ~s*** (그리스·라틴의) 고전어(語)〔문학〕.

:clas·si·cal[klǽsikəl] *a.* ① 그리스·라틴 문학의, 고전적인. ② 고전주의의; (재즈·탱고 따위에 대하여) 고전 음악의. ③ 우수〔고상〕한(classic). **~·ly** *ad.*

clas·si·cism[klǽsəsìzəm] *n.* Ⓤ 고전주의〔숭배〕; 의고(擬古)주의《고전적 어법, 고전의 지식》(cf. romanticism). **-cist** *n.*

·clas·si·fied[klǽsəfàid] *a.* 분류〔분배〕된; 《美》 (공문서 따위) 기밀의, 기밀 취급으로 지정된; 《俗》 비밀의, 은밀한.

clássified ád 《美》 (구인·구직 따위의) 3행 광고(want ad).

:clas·si·fy[klǽsəfài] *vt.* 분류〔유별〕하다; 등급으로 가르다, (공문서를) 기밀 취급으로 하다. **:-fi·ca·tion** [≥–fikéiʃən] *n.* Ⓤ,Ⓒ 분류; 《美》 (정부·군 문서의) 기밀 종별.

:class·mate[≤mèit] *n.* Ⓒ 급우, 동급생.

†class·room[≤rù(:)m] *n.* Ⓒ 교실.

cláss strúggle 〔**wár, wárfare**〕 계급 투쟁.

class·y[klǽsi, klɑ́:si] *a.* 《美俗》 고급의, 멋있는.

:clat·ter[klǽtər] *n., vi., vt.* Ⓤ 덜걱덜걱〔덜거덕덜거덕〕 소리(나다, 나게 하다); 수다; 재잘거리다.

:clause[klɔ:z] *n.* Ⓒ 조목, 조항(*a saving ~* 단서); 〖文〗 절(節). ***main ~*** 주절. ***subordinate ~*** 종속절.

claus·tro·pho·bi·a [klɔ̀:strəfóubiə] *n.* Ⓤ 〖醫〗 밀실 공포증.

clav·i·chord[klǽvəkɔ̀:rd] *n.* Ⓒ 클라비코드《피아노의 전신》.

clav·i·cle[klǽvəkəl] *n.* Ⓒ 〖解·動〗 쇄골(鎖骨).

:claw[klɔ:] *n.* Ⓒ ① (새·짐승의) 발톱(이 있는 발); (게의) 집게발. ② 움켜잡음. ③ 《비유》 (공격의) 발톱. ***cut the ~s of*** …에서 공격력을 빼앗다, …을 무력하게 만들다. — *vt., vi.* (발톱으로) 할퀴다; (욕심부려) 긁어모으다. ~ ***back*** (애써서) 되찾다; 《英》 (부적절한 급부금 따위를) 부가세 형식으로 회수하다. ~ ***hold of*** …을 꽉 잡다〔움켜잡다〕. ~ ***one's way*** 기듯이 나아가다.

cláw hàmmer 노루발 장도리; 《口》 연미복.

:clay[klei] *n.* Ⓤ ① 찰흙, 점토; 흙(earth). ② 육체. ***potter's ~*** 도토(陶土). **~·ey**[kléii] *a.* 점토질의; 점토를 바른(clayish).

clay·more[kléimɔ̀:r] *n.* Ⓒ (고대 스코틀랜드 고지인(人)의) 양날의 큰 칼.

cláy pígeon 클레이《사격용으로 공중에 쳐던지는 둥근 표적》.

cláy pípe 토관(土管); 사기 파이프.

†clean[kli:n] *a.* ① 깨끗한, 청결한. ② 순결한; 결백한. ③ (산란기를 지나서, 위험 없이) 식용에 적합한(*a ~ fish* 식용어). ④ 미끈한, 균형이 잡힌; 모양이 좋은. ⑤ 흠없는(*a ~ copy* 청서(淸書)/ ~ *timber* 마디〔옹두리〕 없는 재목). ⑥ 훌륭한, (솜씨가) 멋진(skillful)(*a ~ hit*). ⑦ 마땅한, 당연히 해야 할(*That's the ~ thing for us to do.* 바로 우리들이 해야 할 일이다). ⑧ 완전한(*He lost*

C

a ~ *10,000 won.* 고스란히 만 원이나 손해를 보았다). ⑨ 방사성 낙진이 없는[적은]; 방사능에 오염이 안 된. **be ~ in one's person** 몸차림이 말쑥하다. **~ record** 흠없는(훌륭한) 경력. **~ tongue** 깨끗한 말씨(쓰기). **come ~** 《俗》 자백[실토]하다. **make a ~** BREAST **of.** ***Mr. C-*** 정직한[청렴 결백한] 사람《세제(洗劑)의 상표명에서》. **show a ~ pair of** HEELS. ― *ad.* ① 깨끗이. ② 아주, 완전히. ― *vt.* ① 깨끗이 하다; 청소하다; 씻다. ② 처치하다, 치우다. **~ out** 깨끗이 청소[일소]하다; 다 써버리다; 《俗》 (아무를) 빈털터리로 만들다. **~ up** 치우다; 청소하다. (악인·적을) 일소하다; 《美口》 (돈을) 벌다. **:∠·er** *n.* Ⓒ 청소부[기]. **:∠·ing** *n.* Ⓤ 세탁. **∠·ness** *n.* Ⓤ 청결, 결백.

cléan-cút *a.* (윤곽이) 또렷한(neat); (설명 따위) 명확한, 단성하고 건강한(*a ~ boy*).

***clean·ly**[∠li] *ad.* 청결히, 깨끗이; 완전히(completely). ― [klénli] *a.* 깨끗한 것을 좋아하는, 말쑥한(neat). 청결한. ***-li·ness**[klénlinis] *n.* Ⓤ 깨끗함, 청결; 명백함; 결백.

***cleanse**[klenz] *vt.* 청결히 하다; 깨끗이 하다(*from, of*). **cléans·er** *n.* Ⓤ,Ⓒ 세제(洗劑).

cléan-sháven *a.* 깨끗이 면도한.

cléan·ùp *n.* Ⓤ 청소, 정화(淨化), (범죄 등의) 일소; 《俗》 벌이; 이득(profit); Ⓒ 【野】 4번 타자.

†**clear**[kliər] *a.* ① 밝은, 맑은, 갠; ((목)소리가) 청아한. ② (머리가) 명석한; 명백한. ③ 가리는 것 없는; 방해받지 않는. ④ 죄 없는; 결점 없는, 더럽혀지지 않는; 흠 없는(clean). ⑤ 순전한, 깔축없는, 정미[알속]의(*a ~ hundred dollars* 깔축없는 백 달러). ⑥ 확신을 가진. ⑦ 접촉하지 않은, 떨어진. **get ~ of** …에서 떨어지다, 피하다. **keep ~ of** …에서 떨어져 있다, …에 접근치 않다. ― *ad.* 분명히; 완전히, 아주. ― *vt.* ① 분명히 하다; 맑게 하다; 깨끗이 하다. ② 처치하다, 치우다(*They ~ed the land of* [*from*] *trees.* 그 토지의 나무를 베어 버렸다). ③ (토지를) 개간하다. ④ (빚을) 갚다. ⑤ (배의) 출항 준비를 하다. ⑥ 뛰어 넘다. ⑦ (정리를 위해) 떨이로 팔다(cf. clearance). ⑧ (어음·셈을) 결제(決濟)하다. ⑨ 순이익을 올리다(*from*). ― *vi.* ① 분명해지다; 맑아지다; 개다. ② 출항 절차를 마치다; 출항하다; 떠나다. **~ away** 처치하다; (안개가) 걷히다; 떠나다, 사라지다. **~ out** 쓸어내다; (급히) 떠나가다. **~ the sea** 소해(掃海)하다. **~ up** (날씨가) 개다; 풀다(solve), 밝히다(explain); 깨끗이 치우다[처리하다]; (빚을) 청산하다. ― *n.* Ⓒ 빈 터, 공간; 【배드민턴】 클리어 샷; 【컴】 지움, 지우기. **in the ~** 안목으로; (혐의 등이) 풀리어; 결백하여; 무죄하여; 명문(明文)으로; 《美俗》 빚지지 않고. **:∠·ly** *ad.* 똑똑히, 분명히, 확실히. **:∠·ness** *n.*

***clear·ance**[klíərəns] *n.* ① Ⓤ 제거, 일소; 처치; (상품의) 떨이; 해제. ② Ⓤ (산림지의) 개간; Ⓒ 개간한 곳. ③ Ⓤ (은행간의) 어음 교환(액). ④ Ⓤ 출항 인가, Ⓒ 그 증서; Ⓤ 통관 절차. ⑤ Ⓤ,Ⓒ 【機】 빈틈, 여유.

cléar-cút *a.* 윤곽이 뚜렷한(*a ~ face*); 명쾌한.

cléar-héaded *a.* 머리가 좋은.

***clear·ing**[klíəriŋ] *n.* ① Ⓤ 청소; 제거. ② Ⓒ (산림 속의) 개간지. ③ Ⓤ 어음 교환.

cléaring·hòuse *n.* Ⓒ 【商】 어음 교환소; 정보 센터.

cléar-síghted *a.* 눈이 잘 보이는; 명민한; 선견지명 있는. 「간.

cléar·wày *n.* Ⓒ 《英》 정차 금지 구

cleat[kli:t] *n.* Ⓒ 쐐기 모양의 미끄럼막이; 【船】 (볼록한) 밧줄 걸이. ― *vt.* 밧줄 걸이에 밧줄을 고정시키다.

cleave**[1][kli:v] *vt., vi.* (clove, cleft, ~d; cloven, cleft, ~d***) ① 짜개[빠개](지)다, 가르다, 갈라지다. ② 베어 헤치며 나아가다. ③ (물·공기를) 헤치며 나아가다. **cléav·age** *n.* Ⓤ,Ⓒ 갈라짐, 터진 금. **cléav·er** *n.* Ⓒ 고기 써는 식칼.

cleave[2] *vi.* (**~d,** 《古》 ***clave, clove; ~d***) 집착하다(stick)(*to*); 단결하다(*together*).

clef[klef] *n.* Ⓒ 〖樂〗 음자리표. ***C*** 〔***F, G***〕 ~ 다〔바, 사〕음자리표, 가온〔낮은, 높은〕음자리표.

˙**cleft**[kleft] *v.* cleave[1]의 과거(분사). ── *a., n.* 짜개진, 갈라진; Ⓒ 갈라진 금〔틈〕(crack, chink). ***in a ~ stick*** 진퇴양난에 빠져.

clem·a·tis[klémətis] *n.* Ⓒ 〖植〗 참으아리속의 식물《선인장·위령선·사위질빵 무리》.

clem·en·cy[klémənsi] *n.* Ⓤ,Ⓒ 관대함, 인정 많음; 자비로운 행위〔조처〕. **clém·ent** *a.*

clem·en·tine[kléməntàin] *n.* Ⓒ 클레멘타인《오렌지의 일종》.

˙**clench**[klentʃ] *vt.* ① 꽉 죄다〔쥐다〕; (이를) 악물다. ② (못의) 대가리를 쳐서 구부리다(clinch). ③ (의론을) 결정짓다. ── *vi.* 단단히 죄어지다. **∠·er** *n.* = CLINCHER.

clere·sto·ry[klíərstɔ̀ːri, -stouri] *n.* Ⓒ 〖建〗 (교회 등의) 고창층(高窓層).

˙**cler·gy**[klə́ːrdʒi] *n.* (the ~) 《집합적》 목사(들), 성직자.

:**cler·gy·man**[-mən] *n.* Ⓒ 성직자, 목사.

cler·ic[klérik] *n., a.* Ⓒ 목사(의).

˙**cler·ic·al**[-əl] *n., a.* Ⓒ 목사(의), 성직의; 서기의(cf. clerk); 베끼는 (데 있어서의)(*a ~ error* 잘못 씀, 오기); (*pl.*) 목사〔성직〕복. ***~ staff*** 사무직원. **cler·i·cal·ism**[-əlìzəm] *n.* Ⓤ 성직 존중주의; 성직자의 (정치적) 세력.

†**clerk**[kləːrk/klɑːk] *n.* Ⓒ ① 사무원, 회사원; 서기. ② 《美》 점원, 판매원. ③ 〖宗〗 목사, 성직자(clergyman). ④ 《古》 학자. ***~ in holy orders*** 목사, 성직자. ***the C- of the weather*** 《美俗》 기상대장. **∠·ship** *n.* Ⓤ,Ⓒ 서기〔사무원〕의 직〔신분〕.

†**clev·er**[klévər] *a.* ① 영리한, 머리가 좋은. ② 교묘한(*at*).

˙**clev·er·ly**[-li] *ad.* 영리하게; 솜씨있게, 잘.

˙**clev·er·ness**[-nis] *n.* Ⓤ 영리함; 솜씨있음, 교묘.

˙***cli·ché***[kli(ː)ʃéi] *n.* (*pl.* **~s**[-z]) (F.) Ⓒ 진부한 문구《'My wife' 대신 'my better half'라고 하는 따위》.

˙**click**[klik] *n., vi., vt.* Ⓒ 짤까닥〔째깍〕 (소리가 나(게 하)다); 〖音聲〗 혀 차는 소리; 《口》 크게 히트치다, 성공하다; 〖컴〗 마우스의 단추를 누르다.

˙**cli·ent**[kláiənt] *n.* Ⓒ 변호 의뢰인; 단골, 고객. ***~ state*** 무역 상대국.

cli·en·tele[klàiəntél, klìːɑːntéil] *n.* Ⓤ 《집합적》 소송 의뢰인; 고객, (연극·상점의) 단골 손님(customers).

:**cliff**[klif] *n.* (*pl.* **~s**) Ⓒ 벼랑, 절벽.

clíff·hànger *n.* Ⓒ 연속〔연재〕 스릴러〔소설〕, 대모험물〔담〕.

cli·mac·tic[klaimǽktik], **-ti·cal**[-əl] *a.* 절정(climax)의.

:**cli·mate**[kláimit] *n.* Ⓒ ① 기후, 풍토. ② (사회·시대의) 풍조, 사조. **cli·mat·ic**[klaimǽtik] *a.*

cli·ma·tol·o·gy [klàimətɑ́lədʒi/-ɔ́-] *n.* Ⓤ 기후학, 풍토학.

:**cli·max**[kláimæks] *n., vi., vt.* Ⓒ ① 〖修〗 점층법(漸層法). ② 절정〔최고조〕(에 달하다, 달하게 하다).

†**climb**[klaim] *vt., vi.* ① 기어오르다(*up*); 오르다(rise). ② (식물이) 기어오르다. ③ 출세하다. ***~ down*** 기어내리다; 《口》 물러나다, 양보〔단념〕하다(give in). ── *n.* Ⓒ (보통 *sing.*) 오름; 오르는 곳, 비탈; 치받이. ˙**∠·er** *n.* Ⓒ 오르는 사람, 야심가; 등산자〔가〕; 덩굴 식물. **∠·ing** *a., n.*

clime[klaim] *n.* Ⓒ 《詩》 풍토; 지방, 나라.

˙**clinch**[klintʃ] *vt., vi.* ① (빠지지 않도록 못대가리를) 쳐 구부리다; 죄다. ② (의론의) 결말을 짓다. ③ 〖拳〗 (상대를) 껴안다, 클린치하다. ── *n.* Ⓒ ① 못대가리를 두드려 구부림. ② 〖拳〗 클린치. ③ (밧줄의) 매듭(knot). **∠·er** *n.* Ⓒ 두드려 구부리는 연장; 결정적인 의론, 매듭지음.

:**cling**[kliŋ] *vi.* (***clung***) 들러붙다(stick), 달라붙다(*to*); 고수〔집착〕하다(adhere)(*to*). **~·y**[∠i] *a.*

:**clin·ic**[klínik] *n.* Ⓒ 임상 강의(실, 클라스); (외래) 진찰실; 진료소.

˙**clin·i·cal**[-əl] *a.* 임상(臨床)의. ***~ lectures*** 임상 강의. ***~ medicine*** 임상 의학. ***~ thermometer*** 체온

계.

clink[1][kliŋk] *n., vi., vt.* Ⓤ 쨍[절그렁](소리가 나다[를 내다]); 《古》 각운(脚韻)(rhyme).

clink[2] *n.* Ⓒ 《口》 교도소; 유치장.

clink·er[klíŋkər] *n.* ⓊⒸ (네덜란드식 구이의) 경질(硬質) 벽돌; 교착 벽돌덩이; (용광로 속의) 용재(溶滓) 덩이; Ⓒ 《英俗》 (종종 regular ~) 극상품, 일품(逸品); 뛰어난 인물; 《俗》 실패(작).

C

:clip[1][klip] *vt.* (**-pp-**) ① (가위로) 자르다(cut), 짧게 자르다[깎다](cut short)(*away, off*). ② 바싹 자르다, 잘라[오려]내다. ③ (어미의 음을) 발음하지 않다. ④ 《口》 때리다. — *vi.* ① 질주하다, 달리다(cf. clipper). ② (신문을) 오려내다. *~ped word* 생략어 《'ad' 따위》. — *n.* ① Ⓒ 가위로 잘라냄, 한번 가위질; 벤 [오려낸] 물건. ② Ⓤ 쾌주(快走). ③ Ⓒ 《美口》 회(回)(*at one ~* 한 번에). ④ Ⓒ 〖컴〗 오림, 오리기, 클립. **∠·per** *n.* Ⓒ 베는[깎는] 사람; 가위, 이발기계; 쾌속선(船), 쾌속(여객)기; (C-) 클립퍼기(機). **∠·ping** *n., a.* Ⓤ 깎기. Ⓒ 깎아[베어]낸 털 [풀]; Ⓒ 《美》 (신문 따위의) 오려낸 것; Ⓒ 《口》 강타; 《俗》 굉장한; 일류의.

:clip[2] *n., vt.* (**-pp-**) Ⓒ 클립, 종이 끼우개, 클립(으로 물리다).

clíp·bòard *n.* Ⓒ 종이 끼우개(판); 〖컴〗 오려둠판, 오림판.

clíp jòint 《俗》 하급 카바레[나이트클럽].

clique[kli:k] *n., vi.* Ⓒ 도당(을 짜다), 파벌(을 만들다).

cliq·uy[klí:ki] *a.* 당파심이 강한, 배타적인. **clí·qui·ness** *n.*

clit·o·ris[klítəris, kláit-] *n.* Ⓒ 〖解〗 음핵.

:cloak[klouk] *n.* Ⓒ ① (소매 없는) 외투, 망토. ② 가면; 구실. *under the ~ of* …을 빙자[구실로]하여; …을 틈타. — *vi., vt.* 외투를 입(히)다; 덮어 가리다.

clóak-and-dágger *a.* (소설·연극이) 음모나 스파이 활동을 다룬, 음모극의.

clóak·ròom *n.* Ⓒ 휴대품 보관소 (baggage room); 《美》 (의사당) 의원 휴게실(《英》 lobby); 《英》 변소.

clob·ber[1][klábər/-5-] *n.* Ⓒ 《英·濠俗》 의복, 장비.

clob·ber[2] *vt.* 《俗》 때려눕히다; 쳐서 이기다; 통렬히 비판하다.

cloche[klouʃ] *n.* Ⓒ 헬멧형 여자 모자; 〖園藝〗 (종 모양의) 유리 덮개.

†clock[1][klɑk/-ɔ-] *n.* Ⓒ 시계《괘종·탁상시계 따위》. ***around the ~,*** 24시간 내내, 밤낮없이. — *vt.* (…의) 시간을 재다[기록하다]; 〖競〗 (…의) 속도에 달하다. *~ in* [*out*] 타임리코더로 출[퇴]근 시간을 기록하다.

clock[2] *n.* Ⓒ (발목에서 위로 결쳐서의) 양말의 장식 수.

clóck wàtcher 퇴근 시간에만 마음 쓰는 사람, 태만한 사람.

clóck·wise *ad., a.* (시계 바늘처럼) 오른쪽으로 도는[돌아].

clóck·wòrk *n.* Ⓤ 태엽 장치.

˙clod[klɑd/-ɔ-] *n.* Ⓒ 흙덩이; 흙; 투미한[우둔한] 사람.

clód·hòpper *n.* Ⓒ 시골뜨기, 농사꾼; (*pl.*) 무겁고 투박한 구두.

˙clog[klɑg/-ɔ-] *n.* Ⓒ 방해[장애]물; 바퀴멈추개《제동 장치》; (보통 *pl.*) 나무창신(을 신고 추는 춤). — *vt., vi.* (**-gg-**) 방해하다; (틀어)막다; 막히다.

˙clois·ter [klɔ́istər] *n.* Ⓒ 수도원(monastery), 수녀원(nunnery); 은둔처; (the ~) 은둔 생활; (안뜰을 싼) 회랑.

clois·tered[klɔ́istərd] *a.* 초야에 묻힌; 수도원에 틀어박힌.

clone[kloun] *n.* Ⓒ 〖植〗 영양계(系); 〖動〗 분지계(分枝系); 〖生〗 복제생물, 빼쏜 것; 〖컴〗 복제품.

†close[1][klouz] *vt.* ① 닫다; (눈을) 감다. ② (틀어)막다; 메우다(fill up). ③ 끝내다. ④ (조약을) 체결하다. ⑤ 〖電〗 접속하다. ⑥ 둘러싸다, 에우다; 접근하다, 다가가다. — *vi.* ① 닫히다. ② 합쳐지다; 막히다, 메이다. ③ 끝나다. ④ 다가들다; (다가들어) 맞붙다(*with*); 일치하다(*on, upon, with*). *~ **about*** 둘러싸다. *~ **an account*** 거래를 끊다; 청산하다. *~ **down*** 폐쇄하다; (반란을) 진압하다; (마약 거래를) 단속하다.

～ **in** 포위하다; (밤 따위가) 다가오다 (*upon*). ～ **out** (물건을) 떨이로 팔다; (업무를) 폐쇄하다. ～ **the eyes of** …의 임종을 지켜보다. ～ **the ranks** 〖軍〗 열의 간격을 좁히다. ～ **up** 닫다, 폐쇄하다; 밀집하다[시키다]; (상처 따위가) 아물다; 낫다. **with** ～**d doors** 비공개로. ── *n.* Ⓒ (보통 *sing.*) 결말, 끝(장); 드잡이; [klous] 구내, 경내(境內); 〖樂〗 마침; 〖컴〗 닫음, 닫기.

†**close**[2][klous] *a.* ① 가까운, 접근한. ② 닫은(closed), 좁은, 꼭 끼는, 거북한; 갇힌; 바람이 잘 안 통하는, 답답한(stuffy), 무더운(sultry), 밀접한, 밀집된(crowded)(～ *order* 밀집대형); 친밀한. ③ 비밀의; 말없는. ④ 정밀한,(번역 따위가) 정확한. ⑤ 한정된; 금렵(禁獵)의. ⑥ 인색한(stingy)(～ *with one's money* 돈에 인색한). ⑦ 아슬아슬한, 접전(接戰)의. ⑧ 〖音聲〗 폐쇄(음)의(*a* ～ *vowel* 폐모음; [i], [u] 처럼 입을 작게 벌리는 모음). ── *ad.* 밀접하여, 바로 곁에; 가깝게; 친하게; 정밀[정확]히. ～ **application** 정려(精勵). ～ **at hand** 가까이, 절박하여. ～ **by** 바로 가까이. ～ **call** [**shave**] 《口》 위기 일발. ～ **on** [**upon**] 거의, 대략. ～ **resemblance** 아주 닮음. **come to** ～ **quarters** 접전이 되다. **keep** [**lie**] ～ 숨어 있다. **press** (*a person*) ～ 호되게 곯리다. **sail** ～ **to the wind** 〖海〗 바람을 거의 마주받으며 배를 진행시키다; 법률에 저촉될락말락한 짓을 하다; 음탕한 이야기를 하다. **:**∠**.ly** *ad.* 꼭, 빽빽이, 갑갑하게; 가까이; 면밀히, 찬찬히; 친밀히; 일심으로; 알뜰[검소]하게. ∠**.ness** *n.*

clóse-crópped *a.* 머리를 짧게 깎은.

clóse-cút *a.* 짧게 깎은[벤].

:closed[klouzd] *a.* 폐쇄한.

clósed-círcuit télevision 〖컴〗 유선[폐회로]텔레비전《생략 CCTV》.

clóse-dòwn *n.* Ⓒ 《美》 공장 폐쇄.

clósed séason 《美》 금렵기(《英》 close season).

clósed shóp 노조원 이외는 고용하지 않는 사업장(opp. open shop).

clóse-fítting *a.* (옷 따위가) 꼭 맞는.

:clos·et[klázit/-ɔ́-] *n.* Ⓒ 벽장, 다락장(cupboard); 작은 방, 사실(私室); 변소. **of the** ～ 이론상[뿐]의. ── *vt.* 사실에 가두다. **be** ～**ed with** …와 밀담하다. ── *a.* 비밀의; 실제적이 아닌, 서재용의.

clóse-ùp *n.* Ⓤ,Ⓒ 〖映·TV〗 근접 촬영, 클로즈업; 정사(精査) (close examination).

˙**clos·ing**[klóuziŋ] *n.* Ⓤ,Ⓒ 폐쇄; 마감, 폐점; 종결. ── *a.* 끝의, 마지막의; 폐점[폐회]의. ～ **address** 폐회사(辭). ～ **price** 파장 시세. ～ **quotations** 〖證〗 입회 최종 가격. ～ **time** 폐점[폐장] 시간.

clo·sure[klóuʒər] *n.* Ⓤ,Ⓒ 폐쇄, 체결; 울타리; (표결에 들어가기 위한) 토론 종결. ── *vt.* (…에 대하여) 토론 종결을 선언하다.

clot[klɑt/-ɔ-] (*-tt-*) *n., vi.* 엉기다; Ⓒ (혈액·대변 따위의) 엉긴 덩어리. ～**·ted**[∠id] *a.* 엉겨붙은(～*ted nonsense* 잠꼬대, 허튼 소리).

†**cloth**[klɔːθ, klɑθ] *n.* (*pl.* ～**s**[-θs, -ðz]) ① Ⓤ 피륙, 옷감. ② Ⓤ 표지(表紙) 헝겊(～ *binding* 클로스 장정). ③ Ⓒ (어떤 용도에 쓰이는) 천, 걸레, 행주, 식탁보. ④ Ⓒ 법의(法衣). ⑤ (the ～) 《집합적》 목사(the clergy), 성직자(clergymen). **lay** [**draw, remove**] **the** ～ 상을 차리다[치우다].

:clothe[klouð] *vt.* (～**d,** 《古》 **clad** [klæd]) ① (옷을) 주다; 입히다. ② 덮다, 가리다. ③ (권한 따위를) 주다(furnish)(*with*). **be** ～**d** [**clad**] **in** (…을) 입고 있다. ～ **and feed** …에 의식(衣食)을 대다.

†**clothes**[klouðz] *n. pl.* ① 옷(*two suits of* ～ 옷 두 벌). ② 침구. ③ 빨랫감. **in long** ～ 배내옷을 입고, 유치하여.

clóthes·hòrse *n.* Ⓒ 빨래 너는 틀.

clóthes·lìne *n.* Ⓒ 빨랫줄.

clóthes-pèg, 《英》 **-pìn** *n.* Ⓒ 빨래집게.

:cloth·ing[klóuðiŋ] *n.* Ⓤ 《집합적》 의류(衣類).

†**cloud**[klaud] *n.* ① Ⓤ,Ⓒ 구름. ②

C

Ⓒ 연기, 모래 먼지. ③ Ⓒ (움직이는) 큰 떼(*a* ~ *of birds* 새 떼). ④ Ⓒ (거울 따위의) 흐림; 구름무늬; 의운(疑雲), 암운, 근심의 빛. ***a ~ of words*** 구름잡는 것 같은 말. ***in the ~s*** 하늘 높이; 비현실적으로, 공상하여; 멍하여. ***on a ~*** 《俗》 행복[득의]의 절정에. ***under a ~*** 의혹을 받고; 미움받고(out of favo(u)r), 풀이 죽어(chapfallen). ― *vi., vt.* 흐려지(게 하)다, 어두워지(게 하)다. ~ ***over*** [***up***] 잔뜩 흐리다. **~·ed** [∠id] *a.* 흐린; 구름무늬의.

clóud·bùrst *n.* Ⓒ 호우(豪雨).

clóud-cúckoo-lànd *n.* Ⓤ 이상향.

˙**clóud·less** *a.* 구름 없는, 맑게 갠; 밝은. **~·ly** *ad.* 구름 한 점 없이.

†**cloud·y**[kláudi] *a.* 흐린; 똑똑[또렷]하지 않은; 탁한; (대리석 따위) 구름 무늬가 있는. **clóud·i·ness** *n.*

clout[klaut] *vt., n.* Ⓒ 《口》 탁 때리다[때림].

clove[1][klouv] *v.* cleave[1]의 과거.

clove[2] *n.* Ⓒ 정향(丁香)나무《이 나무에서 향료를 채취함》.

clove[3] *n.* Ⓒ 〖植〗 (마늘 따위의) 주아(珠芽), 살눈.

cloven[klóuvən] *v.* cleave[1]의 과거분사. ― *a.* 갈라진, 째진.

clóven-fóoted, -hóofed *a.* 발굽이 갈라진, 악마(의 발) 같은(devilish).

:**clo·ver**[klóuvər] *n.* Ⓤ,Ⓒ 클로버, 토끼풀. ***live in ~*** 호화로운 생활을 즐기다《소에 비유하여》.

˙**clown**[klaun] *n.* Ⓒ 어릿광대(jester); 촌뜨기(rustic), 교양 없는 사람. **∠·er·y** *n.* Ⓤ 익살맞음, 무무함. **∠·ish** *a.*

cloy[klɔi] *vt.* (미식(美食)·열락(悅樂)에) 물리게 하다(satiate)(*with*). **∠·ing** *a.* 넌더리나게 하는.

clóze tèst[klóuz-] 클로즈식 독해 테스트《공란의 문장을 채우는》.

†**club**[klʌb] *n.* Ⓒ ① 곤봉, 굵은 몽둥이; (구기용의) 클럽, 타봉(bat). ② (동지가 모이는) 클럽, 회; 클럽 회관; (트럼프의) 클럽의 패(*the king of ~s*). ― *vt.* (**-bb-**) 곤봉으로 치다; (막대 모양으로 어우르다란 뜻에서) 단결시키다; (돈 따위를) 분담하다. ― *vi.* 클럽을 조직하다; 협력하다, 돈을 추렴하다(*together, with*).

clúb·fóot *n.* Ⓒ 내반족(內反足). **~ed** *a.*

clúb·hòuse *n.* Ⓒ 클럽 회관.

˙**cluck**[klʌk] *vt., n.* (암탉이) 꼬꼬 울다; Ⓒ 그 우는 소리.

˙**clue**[klu:] *n.* Ⓒ 단서, 실마리, (해결의) 열쇠; (이야기의) 줄거리.

˙**clump**[klʌmp] *n., vi.* Ⓒ 풀숲, 덤불(bush), 수풀; 덩어리; 쿵쿵(무겁게 걷다).

˙**clum·sy**[klʌ́mzi] *a.* 솜씨 없는; 볼품[모양] 없는; 무뚝뚝한; 볼썽사나운; 어설픈(awkward). **-si·ly** *ad.* **-si·ness** *n.*

:**clung**[klʌŋ] *v.* cling의 과거(분사).

clunk[klʌŋk] *n., vi.* (a ~) 텅하는 소리(를 내다); Ⓒ 《口》 강타, 일격; 쾅 치다.

:**clus·ter**[klʌ́stər] *n., vi.* Ⓒ 덩어리, 떼(를 이루다), 몰리다; 송이[떨기](bunch)(를 이루다); 〖컴〗 다발.

:**clutch**[1][klʌtʃ] *vt., vi.* 꽉[단단히] 붙들다(grasp tightly); 달려들어 움켜 쥐다(snatch)(*at*). ― *n.* (a ~) 붙잡음, 파악; Ⓒ 연동기, 클러치; (보통 *pl.*) 움켜잡는 손, (악인 따위의) 독수(毒水), 지배(력)(power).

clutch[2] *n.* Ⓒ 한 번에 품는 알, 한 둥지의 날짐승의 갓깬 새끼.

clut·ter [klʌ́tər] *n.* (a ~) 혼란. ***in a ~*** 어수선하게 흩뜨리어. ― *vt.* 어수선하게 하다, 흩뜨리다(*up*). ― *vi.* 후다닥 뛰어가다; 《方》 떠들다.

Cm., Cm centimeter(s). **CO., C.O.** Commanding Officer. ˙**Co., CO.** company; county. ˙**CO., C/O** care of; carried over.

co-[kou] *pref.* 'with, together, joint, equally' 등의 뜻 : *cooperate, co-ed.*

:**coach**[koutʃ] *n.* Ⓒ ① 대형의 탈것; 4륜 대형 마차; 객차; 《美》 =BUS; 《英》 (장거리용) 대형 버스. ② (경기의) 코치; (수험 준비의) 가정 교사. ~ ***and four*** 사두(四頭) 마차. ― *vt.* 코치하다(teach)(~ *swimming*/~ *a team*); 수험 준비를 해 주다;

(전투기에) 무전 지령을 하다. **∠·er** *n.*

·coach·man [∠mən] *n.* Ⓒ (coach의) 마부.

cóach·wòrk *n.* Ⓤ 자동차의 설계[디자인].

co·ag·u·late [kouǽgjəlèit] *vi., vt.* 엉겨 굳(게 하)다. **-la·tion** [─∸─léiʃən] *n.*

†coal [koul] *n.* Ⓤ 석탄; Ⓒ 석탄 덩어리; Ⓤ 숯(charcoal). ***call* [*drag, haul, take*] (*a person*) *over the* ~*s*** 호되게 꾸짖다. ***carry* [*take*] ~*s to Newcastle*** 헛수고하다《Newcastle이 탄광지임》. ***cold* ~ *to blow at*** 가망이 없는 일. ***heap* ~*s of fire on a person's head*** (원수를 은혜로써 갚아) 부끄럽게 하다《로마서 7 : 20》. — *vt.* 태워 숯으로 하다; (…에) 석탄을 공급하다. — *vi.* 석탄을 싣다.

cóal-bláck *a.* 새까만.

co·a·lesce [kòuəlés] *vi.* 합체[합동]하다; 유착하다. **-lés·cence** *n.* **-cent** *a.*

cóal fàce (탄갱의) 막장, 채벽(採壁).

cóal field 탄전(炭田).

cóal gàs 석탄 가스.

·co·a·li·tion [kòuəlíʃən] *n.* Ⓤ 연합, 합동; Ⓒ (정치적인) 제휴, 연립. **~ *cabinet*** 연립 내각.

cóal mìne 탄갱.

cóal scùttle (실내용) 석탄 그릇.

cóal tàr 콜타르.

coam·ing [kóumiŋ] *n.* Ⓒ 【船】 (갑판 승강구 따위에 해수 침투를 막는) 테두리판(板).

:coarse [kɔːrs] *a.* ① 조잡한, 조악한 (**~ *fare*** 조식(粗食)). ② 눈[올, 결]이 성긴, 거친(rough). ③ 야비[조야]한, 음탕한. **∠·ly** *ad.* **cóars·en** [∠n] *vt., vi.* 조악하게[거칠게] 하다[되다].

†coast [koust] *n.* ① Ⓒ 해안(seashore); (the ~) 연안 지방. ② (the C-) 《美口》 태평양 연안 지방. ③ 《美·Can.》 (썰매·자전거 따위로의) 내리받이 활주. ***from* ~ *to* ~** 《美》 전국[미국] 방방곡곡(에). ***The* ~ *is clear.*** 해안 감시《방해》가 없다, 이제야말로 호기다. — *vi.* ① 연안을 항행하다. ② (썰매·자전거 따위로) 미끄러져 내려오다. ③ (우주선이) 타력으로 추진하다. **∠·er** *n.* Ⓒ 연안 무역선; 활강 썰매[자전거]; = ROLLER COASTER; 작은 쟁반; 컵(을 받치는) 접시. **∠·ing** *n.* Ⓤ 연안 항행; 연안 무역; (썰매·자전거의) 내리받이 활주.

·coast·al [∠əl] 연안[해안]의, 근해의 (**~ *defense*** 연안 경비). **~·ly** *ad.*

cóast guàrd 해안 경비대(원).

·cóast·lìne *n.* Ⓒ 해안선.

†coat [kout] *n.* Ⓒ ① 상의; (여자의) 코트, 외투. ② (동·식물의) 외피(外被); 덮개; (페인트 따위의) 칠, 막(膜). ***change* [*turn*] *one's* ~** 변절하다. **~ *of arms*** 문장(紋章). **~ *of mail*** 쇠미늘 갑옷. ***cut one's* ~ *according to one's cloth*** 수입에 걸맞는 지출을 하다. — *vt.* 덮다; (도료를) 칠하다, 입히다, 도금하다 (*with*).

·coat·ing [kóutiŋ] *n.* ① Ⓤ,Ⓒ 겉칠, 겉입힘, 도금. ② Ⓤ 상의용 옷감.

·coax [kouks] *vt.* ① 어르다, 달래다; 교묘히 설복하다(persuade softly) (*into doing; to* do). ② 감언으로 사취하다(*out of*). ③ (열쇠·관(管)·실 등을) 살살 (잘) 집어넣다.

cob [kɑb/-ɔ-] *n.* Ⓒ 다리 짧고 튼튼한 조랑말; (석탄·돌 따위의) 둥근 덩이; = COBNUT.

·co·balt [kóubɔːlt/─∠] *n.* Ⓤ 코발트 《금속 원소》; 코발트색 (그림 물감).

cob·ble[1] [kábəl/-ɔ́-] *n., vt.* Ⓒ 조약돌[자갈](을 깔다).

cob·ble[2] *vt.* (구두를) 수선하다 (*up*); 어설프게 꿰매다. ***·cób·bler*** *n.* Ⓒ 신기료장수, 구두장이; 서투른 장인(匠人); Ⓤ,Ⓒ 《美》 과일 파이의 일종.

COBOL, Co·bol [kóuboul] (< *c*ommon *b*usiness *o*riented *l*anguage) *n.* Ⓤ 【컴】 코볼《사무 계산용 프로그램 언어》.

·co·bra (de ca·pel·lo) [kóubrə (di kəpélou)] *n.* Ⓒ 코브라《인도의 독사》.

·cob·web [kábwèb/-ɔ́-] *n., vt.* (**-bb-**) Ⓒ ① 거미집; 거미줄(로 덮다). ② 올가미, 함정. ③ (*pl.*) (머리의) 혼란.

Co·ca-Co·la[kòukəkóulə] *n.* U,C 〖商標〗 코카콜라.

co·cain(e)[koukéin, kóu⌐] *n.* U 〖化〗 코카인《coca 잎에서 얻는 국소 마취제》. **co·cáin·ism** *n.* U 〖醫〗 코카인 중독.

coc·cyx[káksiks/-ɔ́-] *n.* (*pl.* **-cyges**[kaksáidʒi:z/kɔk-]) C 〖解〗 미저골(尾骶骨).

coch·i·neal[kátʃəni:l/kóutʃ-] *n.* C 연지벌레; U 양홍(洋紅)(carmine).

C

:cock[kak/-ɔ-] *n.* C ① 《英》 수탉; (새의) 수컷(cf. peacock). ② 지도자; 두목. ③ = WEATHERCOCK. ④ 마개, 꼭지(faucet). ⑤ (총의) 공이치기, 격철. ⑥ (짐짓 새침을 떠는 코의) 위로 들림; (눈의) 칩떠보기; (모자의) 위로 잦힘. ⑦ 《卑》 음경(penis). ***at full* 〔*half*〕 ~** (총의) 공이치기를 충분히〔반쯤〕 당기어; 충분히〔반쯤〕 준비하여. **~ *of the loft* 〔*walk*〕** 통솔자, 보스, 두목. ***Old ~!*** 이봐 자네! ***That ~ won't fight.*** 그따위 것〔변명·계획〕으론 통하지 않아, 그렇게 (간단히는) 안 될걸. ― *vt.* ① (총의) 공이치기를 올리다. ② 짐짓 새침떨며 코끝을 위로 치키다. ③ (귀를) 쫑긋 세우다. ④ (눈을) 칩떠보다, 눈짓하다. ― *vi.* 쫑긋 서다.

cock-a-doo·dle-doo[kákədù:dldú:/kɔ́-] *n.* C 꼬끼오《닭의 울음》; 《兒》 꼬꼬, 수탉.

cock-a-hoop[kàkəhú:p/kɔ̀-] *a., ad.* 크게 의기 양양한〔하여〕.

cóck-and-búll *a.* 허황된, 황당한 (*a ~ story*).

cock·a·too[kàkətú:/kɔ̀-] *n.* C (오스트레일리아·동인도 제도산의) 큰 앵무새.

cóck·cròw(ing) *n.* U 이른 새벽, 첫새벽, 여명.

cock·er *n.* C 투계 사육자, 투계사; = ⌐ **spániel** 스파니엘종의 개《사냥·애완용》.

cock·er·el[⌐ərəl] *n.* C 어린 수탉; 한창 혈기의 젊은이.

cóck·eyed *a.* 사팔눈의; 《俗》 한쪽으로 쏠린〔뒤틀린〕 (tilted or twisted).

cóck·fighting *n.* U 투계(鬪鷄).

cock·le[kákəl/-ɔ́-] *n.* C 새조개(의 조가비); 작은 배, 조각배. **~s *of the* 〔*one's*〕 *heart*** 깊은 마음속.

˙cock·ney[kákni/-ɔ́-] *n.* ① C (종종 C-) 런던내기, 런던 토박이《Bow Bells가 들리는 범위내에 태어나, 그곳에 사는 사람》; (East End 방면의) 주민. ② U 런던 말투. ― *a.* 런던 내기〔말투〕의. **~·ism**[-ìzəm] *n.* U,C 런던내기풍; 런던 말씨.

˙cóck·pìt *n.* C 투계장, 싸움터; 〖空〗 조종실.

cóck·ròach *n.* C 〖蟲〗 바퀴.

cóck·súre *a.* 확신하여(*of*); 반드시 일어나는〔하는〕 (*to* do); 자신 만만한 (too sure), 독단적인(dogmatic).

˙cock·tail[⌐tèil] *n.* ① C 칵테일《얼음 넣은 혼합주》. ② C 꼬리 자른 말. ③ C,U 새우〔굴〕 칵테일《전채용》. ④ C 벼락 출세자.

cóck·ùp *n.* C 《英俗》 실수, 실패; 혼란 상태. 「방진.

cock·y[⌐i] *a.* 《口》 젠체하는, 시건

˙co·coa[kóukou] *n.* U 코코아(색).

˙co·co(a)·nut[kóukənʌ̀t] *n.* C 코코야자 열매.

co·coon[kəkú:n] *n.* C 누에고치.

˙cod[kad/-ɔ-] *n.* (*pl.* **~s,** 《집합적》 ~) C 〖魚〗 대구.

C.O.D., c.o.d. 〖商〗 collect 〔《英》 cash〕 on delivery.

co·da[kóudə] *n.* (It.) C 〖樂〗 코다, 결미구; (연극의) 종결부.

cod·dle[kádl/-ɔ́-] *vt.* 소중히 하다; 어하다(pamper); (달걀 따위를) 뭉근 불에 삶다.

†code[koud] *n.* C ① 법전. ② 규정(set of rules); (사교의) 예법, 규율. ③ (전신) 부호(*the Morse ~* 모스 부호); (전문(電文)용) 암호; (수기(手旗)용) 신호. ④ 〖컴〗 코드, 부호; 부호 시스템. ***civil ~*** 민법전. **~ *of honor*** 의례(儀禮); 결투의 예법. ― *vt.* ① 법전으로 만들다. ② 암호(문으)로 고치다(cf. decode). ③ 〖컴〗 (프로그램을) 코드〔부호〕화하다.

co·deine[kóudi:n], **co·de·in**[-diin] *n.* U 〖藥〗 코데인《진통·최면제》.

codg·er [kádʒər/-ɔ́-] *n.* Ⓒ《口》 괴짜, 괴팍한 사람《특히 노인》.

cod·i·cil [kádəsil/kɔ́d-] *n.* Ⓒ 유언 보충서.

cod·i·fy [kádəfài, kóu-/kɔ́-, kóu-] *vt.* 법전으로 편찬하다. **-fi·ca·tion** [≃-fikéiʃən] *n.* **-fi·er** *n.* Ⓒ 법전 편찬자.

cód-lìver óil 간유.

co·ed, co-ed [kóuéd] *n.* Ⓒ《美口》(대학 등의) 남녀 공학의 여학생.

˚**cò·educátion** *n.* Ⓤ 남녀 공학. ~**al** *a.*

cò·efficient *n.* Ⓒ 〖數·理·컴〗 계수. ~ ***of expansion*** 팽창 계수.

˚**co·erce** [kouə́ːrs] *vt.* 강제하다(compel); (권력 따위로) 억누르다(*into* do*ing*, *to* do).

co·er·cion [kouə́ːrʃən] *n.* Ⓤ 강제, 위압. **-cive** *a.*

cò·exist *vi.* 공존하다(*with*). ***~·ence** *n.* ~**ent** *a.*

†**cof·fee** [kɔ́ːfi, -á-/-ɔ́-] *n.* Ⓤ 커피; Ⓒ 커피 한 잔.

cóffee brèak (오전·오후의) 차 마시는 시간, 휴게 (시간).

cóffee hòuse (고급) 다방.

cóffee ròom (호텔 따위의 간단한 식당을 겸한) 다실.

cóffee shòp 《美》 다방; ＝COFFEE ROOM.

cof·fer [kɔ́ːfər, -á-/-ɔ́-] *n.* Ⓒ (귀중품) 상자; 금고; (*pl.*) 재원(財源)(funds). 「관(에 넣다).

:**cof·fin** [kɔ́ːfin, -á-/-ɔ́-] *n., vt.* Ⓒ

cog [kag/-ɔ-] *n.* Ⓒ 톱니바퀴(의 톱니); 《口》 (큰 조직 중에서) 별로 중요치 않은 사람. ***slip a ~*** 실수하다, 그르치다.

co·gent [kóudʒənt] *a.* 수긍케 하는, (의론 따위) 설득력 있는. **có·gen·cy** *n.*

cog·i·tate [kádʒətèit/-ɔ́-] *vi., vt.* 숙고(熟考)하다(meditate). **-ta·tion** [≃-téiʃən] *n.*

co·gnac [kóunjæk, kán-] *n.* Ⓤ,Ⓒ 코냑《프랑스산의 브랜디》.

˚**cog·nate** [kágneit/-ɔ́-] *a., n.* Ⓒ 동족(同族)의 (사람); 같은 어계(語系)의 (언어); 같은 어원의 (말)《*cap* 과 *chief* 따위》.

cog·ni·tion [kagníʃən/kɔg-] *n.* Ⓤ 인식.

cog·ni·tive [kágnətiv/kɔg-] *a.* 인식상의, 인식력이 있는.

cog·ni·zant [kágnəzənt/kɔ́g-] *a.* 인식하여(*of*). **-zance** *n.*

co·gno·scen·te [kànjəʃénti/kɔ̀-] *n.* (*pl.* ***-ti*** [-tiː]) (It.) Ⓒ (미술품의) 감정가(connoisseur).

co·hab·it [kouhǽbit] *vi.* (흔히 미혼자가 부부처럼) 동거 생활을 하다. **~·ant** *n.* Ⓒ 동서(同棲)자. **-i·ta·tion** [-≃-téiʃən] *n.*

co·here [kouhíər] *vi.* 밀착하다(stick together); 응집(凝集)〔결합〕하다; (논리의) 조리가 서다, 동이 닿다(be consistent). ˚**co·her·ent** [-híərənt] *a.* 밀착하는; 앞뒤의 동이 닿는, 조리가 선. **-ence, -en·cy** *n.*

˚**co·he·sion** [kouhíːʒən] *n.* Ⓤ 점착(성), 결합(력)(sticking together); 〖理〗(분자의) 응집력(凝集力). ***-sive** *a.* 점착력이 있는; 밀착〔결합〕하는. **-sive·ly** *ad.*

co·hort [kóuhɔːrt] *n.* Ⓒ (고대 로마의) 보병대《legion의 1/10 (300-600명)》; 군대; 집단, 무리; 《美》 동료.

C.O.I. Central Office of Information.

coif·fure [kwɑːfjúər] *n.* (F.) Ⓒ 머리형, 결발(結髮) (양식) (hairdo).

:**coil** [kɔil] *n., vi.* Ⓒ 둘둘 감은 것; 둘둘 감(기)다; 사리(다)(*up*); 〖電〗 코일.

†**coin** [kɔin] *n.* Ⓤ,Ⓒ 경화(硬貨); Ⓤ 《俗》 돈. ***pay*** (*a person*) (***back***) ***in his*** 〔***her***〕 ***own ~*** 앙갚음하다. — *vt.* (화폐를) 주조하다; (신어를) 만들다. ~ ***money*** 《口》 돈을 척척 벌다. ~ ***one's brains*** 머리를 써 돈을 벌다.

˚**co·in·cide** [kòuinsáid] *vi.* 일치〔합치〕하다(correspond)(*with*).

˚**co·in·ci·dence** [kouínsədəns] *n.* ① Ⓤ (우연의) 일치, 부합. ② Ⓤ 동시 발생; Ⓒ 동시에 일어난 사건.

˚**co·in·ci·dent** [kouínsədənt, -si-] *a.* 일치하는. **-den·tal** [-≃-déntl] *a.* ＝COINCIDENT.

co·i·tion [kouíʃən], **-tus** [kóuitəs] *n.* Ⓤ 성교.

coke[1][kouk] *n., vt., vi.* Ⓤ 코크스(로 만들다, 가 되다).
coke[2] *n.* (종종 C-) = COCA-COLA; 《美》 = COCAIN.
Col. Colombia; Colonel; Colorado; Colossians. **col.** collected; collector; college; colonel; colonial, colony; colo(u)r(ed); column.
col·an·der[kʌ́ləndər, -á-] *n.* Ⓒ 물 거르는 장치, 여과기(濾過器).
†**cold**[kould] *a.* ① 추운, 차가운; 한기가 도는. ② 냉정한, 열의 없는(indifferent). ③ (뉴스 따위가) 좋지 않은, 불쾌한. ④ 〖獵〗 (냄새가) 희미한(faint). ⑤ 한색(寒色)의. ***have ~ feet*** 《口》 겁을 먹고 있다. ***in ~ blood*** 냉연히, 태연히. — *n.* Ⓤ 추위, 한기; Ⓒ,Ⓤ 감기. ***catch*** 〔***take***〕 (***a***) ~ 감기가 들다. ~ ***in the head*** 코감기, 코카타르. ~ ***without*** (감미를 가하지 않은) 물 탄 브랜디(cf. WARM with). ***have a ~*** 감기에 걸려 있다. ***leave out in the ~*** 따돌리다, 배돌게 하다. ***of ~*** 빙점하(에서)(*3 degrees of ~*).
cóld-blóoded *a.* 냉혈의; 냉혹한, 태연한.
cóld chìsel (금속을 쪼는) 정, 끌.
cóld crèam (화장용) 콜드크림.
cóld-héarted *a.* 냉담한, 무정한.
:**cold·ly**[∠li] *ad.* 차게, 춥게; 냉랭하게, 냉정하게.
:**cold·ness**[∠nis] *n.* Ⓤ 추위, 차가움; 냉랭함, 냉담.
cóld-shóulder *vt.* 《口》 냉대〔무시〕하다.
cóld sòre (코감기 때의) 입속〔입언저리〕 발진.
cóld stórage 냉동; 냉장(고).
cóld swéat 식은 땀.
cóld wár 냉전(冷戰).
cole·slaw[kóulslɔ̀ː] *n.* Ⓤ 《美》 양배추 샐러드.
col·ic[kálik/-ɔ́-] *n., a.* Ⓤ 복통(의), 산통(疝痛)의. **col·ick·y**[∠i] *a.*
co·li·tis[kəláitis, kou-/kɔ-] *n.* Ⓤ 결장염, 대장염.
˙**col·lab·o·rate**[kəlǽbərèit] *vi.* 함께 일하다, 협력하다; 공동 연구하다(*with*); 적측〔점령군〕에 협력하다.
-ra·tor *n.* ˙**-ra·tion**[kəlæ̀bəréiʃən] *n.*
col·lage[kəlɑ́ːʒ] *n.* (F.) Ⓤ 〖美術〗 콜라주《신문이나 광고를 오려 붙여 선이나 색채로 처리한 추상적 회화 구성법》; 그 작품.
:**col·lapse**[kəlǽps] *n., vi.* Ⓤ 붕괴(하다); 쇠약(해지다); 실패(하다); 찌부러〔무너〕지다. **col·láps·i·ble, -a·ble** *a.* 접는 식의.
:**col·lar**[kálər/-ɔ́-] *n.* Ⓒ ① 칼라, 깃. ② (훈장의) 경식장. ③ 목걸이; 고리 모양의 물건. ***against the ~*** (말의) 목걸이가 어깨에 스치어; 괴로움〔어려움〕을 견디어; 마지못해. ***in ~*** (말이) 목걸이를 걸고; 일할 준비를 하고; 《古》 직업을 얻어. ***out of ~*** 《古》 실직하여. ***slip the ~*** 《口》 곤란〔힘든 일〕에서 벗어나다. — *vt.* ① (…에) 칼라〔목걸이〕를 달다. ② 멱살을 잡다, 붙잡다.
cóllar·bòne *n.* Ⓒ 쇄골(鎖骨).
col·late[kəléit, kou-, káleit] *vt.* 대조하다, 교합(校合)하다; 〖宗〗 성직을 주다. **col·lá·tion** *n.* Ⓤ,Ⓒ 대조, 사조(査照); 성직 수여; Ⓒ 가벼운 (저녁) 식사. **col·lá·tor** *n.*
˙**col·lat·er·al**[kəlǽtərəl/kɔ-] *a.* ① 평행하는(parallel); 부차적인. ② 방계의. ③ 증권류를 담보로 한. — *n.* Ⓒ 방계의 친척; Ⓤ 담보 물건, 부저당품《증권류》. **~·ly** *ad.*
˙**col·league**[káliːg/-ɔ́-] *n.* Ⓒ 동료; 동아리.
†**col·lect**[1][kəlékt] *vt.* ① 모으다, 수집하다. ② (세를) 징수하다, 거둬들이다. ③ (기운을) 회복하다, (생각을) 가다듬다. — *vi.* ① 모으다, 쌓이다. ② 수금하다. ~ ***a horse*** 말을 제어하다. ~ ***one's courage*** 용기를 떨치어 일으키다. ~ ***oneself*** 정신을 가다듬다, 마음을 가라앉히다. ~ ***one's faculties*** 〔***feelings, emotions, ideas, wits***〕 자신(自信)을 되찾다, 제 정신으로 돌아오다. ~ ***one's scattered senses*** 흐트러진 마음을 가다듬다. — *a., ad.* 《美》 대금 상환의〔으로〕, 선불의〔로〕. **~·ed**[-id] *a.* 모은; 침착〔냉정〕한. ˙**col·léc·tor** *n.* Ⓒ 수집가, 수금원, 징수원.
col·lect[2][kálikt, -lekt/-ɔ́-] *n.* Ⓒ

축도(祝禱)《짧은 기도문》.

:**col·lec·tion**[kəlékʃən] *n.* ① Ⓤ 수집; Ⓒ 수집물, 컬렉션. ② ⓊⒸ 수금, 징수. ③ Ⓒ (쓰레기 등의) 더미. ***make a ~ of*** (*books*) (책)을 모으다.

˙**col·lec·tive**[-tiv] *a.* 집합적인, 집단[전체]적인. — *n.* Ⓒ ① 〖文〗 집합명사. ② 집단농장. **~·ly** *ad.* **-tiv·ism**[-ìzəm] *n.* Ⓤ 집단주의. **-tiv·ist** *n.*

colléctive báragaining 단체 교섭.

colléctive nóun 집합 명사.

col·leen[káli:n, kalí:n/-ɔ́-] *n.* 《Ir.》 Ⓒ 소녀.

†**col·lege**[kálidʒ/-ɔ́-] *n.* ① ⓊⒸ 단과 대학. ② Ⓒ (특수) 전문학교. ③ Ⓒ 《英》 (Oxf., Camb. 양대학의) 학료(學寮)(*Balliol* [béiljəl] ~). ④ Ⓒ 단체, 학회.

col·le·gian[kəlí:dʒiən] *n.* Ⓒ 대학생; 전문 학교생. ˙**-giate**[-dʒiit] *a.* 대학(생)의.

˙**col·lide**[kəláid] *vi.* 충돌하다 (*with*); 일치하지 않다.

col·lie[káli/-ɔ́-] *n.* Ⓒ 콜리《원래는 양지키는 개; 스코틀랜드 원산》.

col·lier[káljər/kɔ́liə] *n.* Ⓒ 《주로 英》 석탄 운반선; 탄갱부(coal miner). **~·y** *n.* Ⓒ (지상 시설을 포함한) 탄갱, 채탄소.

:**col·li·sion**[kəlíʒən] *n.* ⓊⒸ 충돌(colliding); 〖컴〗 부딪힘.

col·lo·cate[káləkèit/-ɔ́-] *vt.* 함께[나란히] 두다; 배치하다. ˙**-ca·tion**[ˋ-kéiʃən] *n.* ① Ⓤ 배열, 병치; (문장 속의) 말의 배열. ② Ⓒ 〖文〗 연어(連語).

:**col·lo·qui·al**[kəlóukwiəl] *a.* 구어(체)의. **~·ism**[-ìzəm] *n.* Ⓤ 구어체; Ⓒ 구어적 표현. **~·ly** *ad.*

col·lo·quy[káləkwi/-ɔ́-] *n.* ⓊⒸ 대화; 회담; 토의.

col·lude[kəlú:d] *vi.* 밀의(密議)에 가담하다, 공모하다. **col·lu·sion** [-ʒən] *n.* Ⓤ 공모.

col·ly·wob·bles[káliwàblz/kɔ́liwɔ̀b-] *n. pl.* 《口·方》 (배의) 꾸루룩거림(rumbling), 복통.

Co·logne[kəlóun] *n.* (독일의) 쾰른(G. *Köln*); (c-) ＝EAU DE COLOGNE.

:**co·lon**[1][kóulən] *n.* Ⓒ 콜론《:》.

co·lon[2] *n.* (*pl.* **~s, cola**) Ⓒ 결장(結腸)《대장의 하부》.

:**colo·nel**[kɔ́:rnəl] *n.* Ⓒ 육군 대령; 연대장. **~·cy, ~·ship**[-ʃip] *n.*

:**co·lo·ni·al**[kəlóuniəl/-njəl] *a.* 식민(지)의; (종종 C-) 《美》 영국 식민지 시대의, 낡아빠진. — *n.* Ⓒ 식민지 거주민. **~·ism** [-ìzəm] *n.*

:**col·o·nist**[kálənist/-ɔ́-] *n.* Ⓒ 식민(사업)가; 식민지 사람; 이주민; 외래 동[식]물.

col·o·nize[kálənàiz/-ɔ́-] *vt.* 식민지로 삼다; 식민하다; 이식하다(transplant). — *vi.* 개척자가 되다; 입식(入植)하다(settle). **-nìz·er** *n.* Ⓒ 식민지 개척자. **-ni·za·tion**[ˋ-nizéiʃən/-nai-] *n.*

col·on·nade [kàlənéid/-ɔ̀-] *n.* Ⓒ 〖建〗 주열(柱列), 주랑(柱廊); 가로수.

:**col·o·ny**[káləni/-ɔ́-] *n.* Ⓒ 식민지, 거류지, 조계; 식민(단); 거류민(단); …인(人) 거리(*the Chinese ~ in California* 캘리포니아주(州)의 중국인 거리); 〖生〗 군체(群體), 군락(群落). ***summer*** 〔***winter***〕 ***~*** 피서[피한]지.

†**col·or,** 《英》 **-our** [kʌ́lər] *n.* ① ⓊⒸ 색, 색채; Ⓤ 채색. ② Ⓒ (보통 *pl.*) 그림 물감. ③ Ⓤ 안색, 혈색. ④ Ⓤ (작품의) 맛, 음조. ⑤ Ⓤ 분위기, 활기, 생채(生彩); (흥미를 돋우는) 곁들이 프로. ⑥ ⓊⒸ 겉모습, 꼴; 가장, 구실(pretext). ⑦ (*pl.*) 군기(旗), 선[함]기(船[艦]旗); 국기[군기] 게양[하기]식. ⑧ (*pl.*) 색리본, 무색옷. ***change ~*** 안색이 (파랗게, 붉게) 변하다. ***come off with flying ~s*** 군기를 휘날리며 개선하다, 성공을 거두다, 면목을 세우다. ***gain ~*** 혈색이 좋아지다. ***give*** 〔***lend***〕 ***~ to ...*** (이야기 따위를) 그럴 듯이 해 보이다. ***local ~*** 지방[향토]색. ***lose ~*** 창백해지다; 색이 바래다. ***nail one's ~s to the mast*** 주의[주장]을 선명하게 하다; 의지를 굽히지 않다. ***off ~*** 《口》 기운 없는, 건강이 좋지 않은, 《美俗》

C

상스러운. **see the ~s of a person's money** (…에게서 현금으로) 지불을 받다. **show one's ~s** 본심을 나타내다, 본성[본색]을 드러내다; 의견을 말하다. **with the ~s** 병역에 복무하여; 현역인. — *vt., vi.* ① (…에) 물들이다. ② 윤색(潤色)하여 전하다. ③ 물들다, 얼굴을 붉히다 (*up*). **~·a·ble** *a.* 착색할 수 있는; 그럴 듯한; 겉보기의. **·~ed**[-d] *a.* 채색한, 유색의, 흑인(Negro)의; 윤색한; 편견이 있는. **:~·ful** *a.* 다채로운; (문체를) 꾸민, 화려한(florid). **~·ist** *n.* Ⓒ 착색[채색]의 명수; 미문가(美文家). **·~·less** *a.* 색이 없는; 퇴색한; 공평한.

col·o·ra·tu·ra[kʌ̀lərətjúərə/kɔ̀lərətúərə] *n., a.* Ⓤ 콜로라투라《성악의 화려한 장식적 기교》(의); Ⓒ 콜로라투라 가수(의). **~ soprano** 콜로라투라 소프라노 가수.

cólor bàr 백인과 유색 인종과의 법률적·사회적 차별.

cólor-blìnd *a.* 색맹의.

col·or·ing[kʌ́ləriŋ] *n.* ① Ⓤ 착색(법); 채색(법). ② Ⓤ,Ⓒ 안료, 그림물감. ③ Ⓤ (살갗, 모발의) 색. ④ Ⓤ 색조. ⑤ Ⓤ 스타일; 윤색. ⑥ Ⓤ 외견; 편견.

cólor schème (장식 등) 색채의 배합 설계.

cólor sùpplement (신문 따위의) 컬러 부록 페이지[면].

·co·los·sal[kəlɑ́səl/-lɔ́sl] *a.* 거대한; 《口》 굉장한.

co·los·sus[kəlɑ́səs/-ɔ́-] *n.* (*pl.* **~es, -si**[-sai]) Ⓒ 거상(巨像), 거인; (C-) (Rhodes 항(港) 어귀에 있던 거대한) Apollo의 동상.

†col·our[kʌ́lər] 《美》 = COLOR.

:colt[koult] *n.* Ⓒ (너덧 살까지의 수컷) 망아지; 당나귀 새끼; 미숙한 사람, 풋내기(greenhorn). **∠·ish** *a.* (망아지처럼) 깡총거리는, 까부는.

col·um·bine[kɑ́ləmbàin/-ɔ́-] *n.* Ⓒ 〖植〗 매발톱꽃. — *a.* 비둘기의, 비둘기 같은.

:col·umn[kɑ́ləm/-ɔ́-] *n.* Ⓒ 원주(圓柱)(모양의 물건); (신문의) 난; (군사·군함·숫자 따위의) 종렬(縱列); 〖컴〗 열. **~·ist**[-nist] *n.* Ⓒ (신문 따위의) 기고가.

co·ma[kóumə] *n.* Ⓤ,Ⓒ 혼수(昏睡).

com·a·tose[kóumətòus, kɑ́m-] *a.*

:comb[koum] *n.* Ⓒ 빗(모양의 것); (닭의) 볏(모양의 것)《산봉우리·물마루 따위》; 벌집. **cut a person's ~** 기를 꺾다. — *vt.* (머리를) 빗다; (양털을) 빗질하여 기르다; 샅샅이 뒤지어 찾다. — *vi.* (놀이) 굽이치다 (roll over), 부서지다(break). **~ out** (머리를) 빗다, 가려내다. **∠·er** *n.* Ⓒ 빗질하는[훑는] 사람; 훑는 기계, 소모기(梳毛機); 밀려드는 물결, 길고 흰 파도.

:com·bat[kɑ́mbæt, kʌ́m-/kɔ́mbət] *n.* Ⓤ,Ⓒ 격투, 전투(**~ plane** 전투기). **in single ~** 일대일[맞상대] 싸움으로. — [kəmbǽt, kɑ́mbæt/kɔ́mbət] *vi., vt.* 격투하다(*with, against*); 분투하다(*for*).

·com·bat·ant[kəmbǽtənt, kɑ́mbət-/kɔ́mbətənt, -ʌ́-] *n., a.* Ⓒ 전투원; 싸우는; 전투적인; 호전적인.

com·ba·tive[kəmbǽtiv, kɑ́mbə-/kɔ́mbə-, kʌ́m-] *a.* 호전적인(bellicose).

:com·bi·na·tion [kɑ̀mbənéiʃən/kɔ̀mb-] *n.* ① Ⓤ,Ⓒ 결합, 단결; 공동 동작; 배합, 짝지음. ② Ⓤ 〖化〗 화합; Ⓒ 화합물; (*pl.*) 〖數〗 조합(組合)(cf. permutation). ③ (*pl.*) 콤비네이션《내리닫이 속옷》. ④ Ⓒ (자물쇠의) 이리저리 맞추는 글자[숫자]. ⑤ Ⓤ,Ⓒ 〖컴〗 조합. **in ~ with** …와 공동[협력]하여.

combinátion lòck (금고 따위의) 글자[숫자] 맞춤 자물쇠.

:com·bine[kəmbáin] *vt.* (…을) 결합[합동]시키다; 겸하다, 아우르다, 화합시키다. — *vi.* 결합[화합]하다 (*with*). — [kɑ́mbain/-ɔ́-] *n.* Ⓒ 《美口》 기업 합동, 카르텔; 도당; 연합; 복식 수확기, '콤바인'《베기와 탈곡을 동시에 하는 농기구》.

combíning fòrm 〖文〗 결합사《보기: *Anglo-, -phone* 따위; 접두·접미사가 종위적(從位的)임에 대해 이것은 등위적인 연결을 함》.

com·bo[kɑ́mbou/-ɔ́-] *n.* Ⓒ 《美》 소편성의 재즈 악단(< *combination*); 《濠俗》 토인 여자와 동거하는 백인.

comb-out[kóumàut] *n.* Ⓒ 행정 정리; 일제 검사〔검색〕; (신병의) 일제 징집.
com·bus·ti·ble[kəmbʌ́stəbl] *a., n.* Ⓒ 타기 쉬운 (것), 연소성의; 격하기 쉬운(fiery). **-bil·i·ty**[-ˌ-bíləti] *n.* Ⓤ 가연성(可燃性).
˚**com·bus·tion**[kəmbʌ́stʃən] *n.* Ⓤ 연소. (유기물의) 산화(oxidation); 격동, 흥분, 소동.
†**come**[kʌm] *vi.* (**came; come**) ① 오다, (상대쪽으로) 가다(*I will ~ to you tomorrow.* 내일 댁으로 가겠습니다). ② 일어나다, 생기다(occur), (생각이) 떠오르다. ③ …태생〔출신〕이다(*of, from*). ④ 만들어지다(*The ice cream will not ~.* 아이스크림이 좀처럼 되지 않는다). ⑤ …하게 되다, …해지다(*I have ~ to like him.* 그가 좋아졌다). ⑥ 합계〔결국〕 …이 되다(*What you say ~s to this.* 너의 말은 결국 이렇게 된다). ⑦ 《형용사, p.p.형의 보어를 수반하여》 …이 되다〔해지다〕, …이다(*~ untied* 풀려지다/*It came true.* 참말이었다〔임을 알았다〕). ⑧ 손에 넣을 수 있다, 살 수 있다(*The suitcases ~ in three sizes.* 여행가방에는 세 종류가 있습니다). ⑨ 《명령형》 자! (now then), 이봐, 어이(look), 그만 둬(stop), 좀 삼가라(behave)(*C-, ~, don't speak like that!* 어이 이봐, 그런 말투는 삼가는 게 좋다). ⑩ 《가정법 현재형으로》 …이 오면〔되면〕(*She will be ten ~ Christmas.* 크리스마스가 오면 열 살이 된다). ⑪ 《美俗》 오르가슴에 이르다. ― *vt.* (어떤 나이에) 달하다(*The dog is coming five.*); 하다(do)(*I can't ~ that.* 그것은 나로선 못한다); 《口》 …체〔연〕하다(pretend to be)(*~ the moralist* 군자연하다). ~ ***about*** (사건 따위가) 일어나다; (바람 방향이) 바뀌다. ~ ***across*** 만나다; 우연히 발견하다; 떠오르다. ~ ***again*** 다시 한번 말하다. ~ ***along*** 《口》《명령형으로》 자 빨리. ~ ***apart*** 낱낱이 흩어지다. (육체적·정신적으로) 무너지다. ~ ***around***= ~ round. ~ ***at*** (…에) 달하다; (…을) 엄습하다, 덤벼들다; 손에 넣다. ~ ***away*** 끊어지다, 떨어지다; (자루 따위가) 빠지다. ~ ***back*** 돌아오다, 《口》 회복하다, 되돌아오다; 《美俗》 되쏘아 주다(retort). ~ ***between*** 사이에 들다; 사이를 갈라놓다. ~ ***by*** (…을) 손에 넣다(get); (…의) 옆을 지나다〔에 오다〕; 《美》 들르다(call). ~ ***down*** 내리다; 《英口》 돈을 지불하다(*with*), 돈을 주다; 전래하다(*from*); 영락하다; 병이 되다. ~ ***down on*** 〔***upon***〕 불시에 습격하다; 요구하다; 《口》 꾸짖다. ~ ***forward*** 자진해 나아가다, 지원하다. ~ ***from*** …의 출신이다. ~ ***from behind*** 〖競〗 역전승을 거두다. ~ ***in*** 들(어 가)다; 당선〔취임〕하다; 도착하다; 유행되기 시작하다; (익살 따위의) 재미〔묘미〕가 …에 있다(*Where does the joke ~ in?* 그 익살의 묘취(妙趣)는 어디 있지). ~ ***in handy*** 〔***useful***〕 도움〔소용〕이 되다. ~ ***into*** 되다; 상속하다(inherit). ~ ***off*** 떨어지다, 빠지다; 이루다, 이루어지다; 행해지다(be held); …이 되다(turn out)(*~ off a victor* 〔*victorious*〕). ~ ***on*** 다가오다, 가까워지다, 일어나다; 엄습하다; 등장하다; 진보하다; (의안이) 상정되다; 《口》 자 오너라. ~ ***on in*** 《美》 들어오다. ~ ***out*** 나오다; 드러나다; 출판되다; 첫무대〔사교계〕에 나가다; 판명하다; 스트라이크를 하다; 결과가 …이 되다. ~ ***out with*** 보이다; 입밖에 내다, 누설하다. ~ ***over*** 오다; (감정이) 엄습하다; 전래하다; (적측에서) 오다, 자기편이 되다. ~ ***round*** 돌아서 오다; 회복하다; 기분을 고치다; (…의) 기분을〔비위를〕 맞추다; 의견을 바꾸다. ~ ***through*** 해내다; 지불하다; 성공하다. ~ ***to*** 합계〔결국〕 …이 되다; 제정신이 들다; (…의) 상태가 되다; 닻을 내리다; (배가) 머물다《to은 *ad.*》. ~ ***to oneself*** 제 정신으로 돌아오다. ~ ***to pass*** 일어나다. ~ ***to stay*** 영구적인 것이 되다. ~ ***up*** 오르다; 올라오다; 접근하다, 다가오다; 일어나다; 유행하기 시작하다; 《英》 (대학의) 기숙사에 들다. ~ ***upon*** 만나다; (…을) 요구하다. ~ ***up to*** …에 달하다, 필적하다. ~ ***up with*** …에 따라 붙다; 공급하다;

C

C

제안하다. ~ **what may** 무슨 일이 일어나더라도. **First ~, first served.** 《諺》 빠른 놈이 장땡이다, 선착자 우선(《'come' 은 p.p.》). ***cóm·er** *n.*
:cóm·ing *n., a.* ⇨COMING.
cóme·bàck *n.* Ⓒ 《口》 회복, 복귀, 되돌아옴; 《俗》 말대꾸(retort); 《美俗》 불평.
cómeback wín 역전승.
***co·me·di·an**[kəmí:diən] *n.* Ⓒ 희극 배우, 희극 작가.
cóme·dòwn *n.* Ⓒ 《口》 (지위·명예의) 하락, 영락; 퇴보.
:com·e·dy[kámədi/kɔ́m-] *n.* Ⓤ,Ⓒ (1편의) 희극 (영화); 희극 (문학).
còme-hìther *a.* (특히 성적으로) 도발적인; 유혹적인. **—** *n.* Ⓤ 유혹. **~y** *a.* 매혹적인.
***come·ly**[kʌ́mli] *a.* 자색이 고운, 아름다운; 《古》 적당한; 걸맞는. **-li·ness** *n.*
:com·et[kámit/-ɔ́-] *n.* Ⓒ 혜성, 살별.
come·up·(p)ance [kʌ̀mʌ́pəns] *n.* Ⓒ (보통 *pl.*) 《美口》 (당연한) 벌.
:com·fort[kʌ́mfərt] *n.* ① Ⓤ 위로, 위안(solace); 안락; 마음 편함 (ease). ② Ⓒ 위안을[위로를] 주는 사람[것], 즐거움; (*pl.*) 생활을 안락하게 해 주는 것, 위안물(《necessities 와 luxuries 와의 중간》). **be of** (**good**) ~ 원기 왕성하다. **cold ~** 달갑지 않은 위안. **—** *vt.* 위로[위안]하다(console); (…에게) 원조하다. ***~·er** *n.* Ⓒ 위안하는 사람, 위안물; 조붓하고 긴 털실 목도리; 《美》 이불(comfortable); 《英》 (젖먹이의) 고무 젖꼭지(pacifier); (the C-) 성신(聖神). **~·less** *a.*
:com·fort·a·ble[kʌ́mfərtəbəl] *a.* 기분 좋은; 안락한, 마음 편한; (수입 따위) 충분한. **—** *n.* Ⓒ 《美》 이불. ***-bly** *ad.*
:com·ic[kámik/-ɔ́-] *a.* 희극의; 우스운(funny). **—** *n.* Ⓒ 희극 배우; 《口》 만화책(comic book); (*pl.*) 만화(란)(funnies). ***cóm·i·cal** *a.*
cómic strìp 연재 만화.
:com·ing[kʌ́miŋ] *n., a.* (*sing.*) 도래; 내방(來訪); 다가올, 미래의; 다음의(next); 신진의, 유명해지기 시작한; 지금 팔리기 시작한.
:com·ma[kámə/-ɔ́-] *n.* Ⓒ 쉼표, 콤마; 〖樂〗 콤마.
†com·mand[kəmǽnd/-á:-] *vt.* ① (…에게) 명(命)하다, 명령하다. ② 지휘[지배]하다. ③ 마음대로 할 수 있다. ④ (존경·동정 따위를) 얻다. ⑤ 바라보다, 내려다보다(overlook) (~ *a fine view* 좋은 경치가 보이다). ~ **oneself** 자제하다. **—** *vi.* 지휘[명령]하다. **—** *n.* ① Ⓒ 명령, (컴퓨터에의) 지령; Ⓤ 지휘(권); 지배(력)(*over*). ② Ⓒ 〖軍〗 관구; 관하[예하] 부대[함선]. ③ Ⓤ (말의) 구사력(mastery)(*have a good ~ of French* 프랑스어에 능통하다). ④ Ⓤ 전망. ⑤ Ⓒ 〖컴〗 명령, 지시. **at ~** 손안에 있는. **~ of the air** (**sea**) 제공[제해]권. **high ~** 최고 사령부. **in ~ of** …을 지휘하여. **officer in ~** 지휘관. ***~·ing** *a.* 지휘하는; 위풍당당한; 전망이 좋은. ***~·ment** *n.* Ⓒ 계율(*the Ten Commandments* 〖聖〗 (여호와가 Moses에게 내린) 십계).
com·man·dant [kámәndæ̀nt, -dà:-/kɔ̀məndǽnt] *n.* Ⓒ (요새·군항 등의) 사령관.
com·man·deer[kàməndíər/-ɔ̀-] *vt.* 징발[징용]하다; 《口》 강제로[제멋대로] 뺏다.
:com·man·der[kəmǽndər/-á:-] *n.* Ⓒ 지휘[사령]관; 해군 중령.
commánder in chíef (*pl.* **-s in chief**) (종종 C- in C-) 총사령관; 최고 사령관.
com·man·do[kəmǽndou/-á:-] *n.* (*pl.* ~(**e**)**s**) Ⓒ 남아프리카의 보어 민군(民軍); 전격 특공대.
commánd perfórmance 어전(御前) 연주[연극].
commánd pòst 〖美陸軍〗 (전투) 지휘소(《생략 CP》); 〖英軍〗 포격 지휘소.
***com·mem·o·rate** [kəmémərèit] *vt.* (…으로) 기념하다, 축하하다; (…의) 기념이 되다. **-ra·tive**[-rətiv, -rèi-] *a.* **-ra·to·ry**[-rətɔ̀:ri/-təri] *a.* ***-ra·tion**[-ˊ-réiʃən] *n.* Ⓤ 기념; 축전(祝典).
:com·mence[kəméns] *vt., vi.* 개

시하다《begin보다 격식을 차린 말》. *~·**ment** *n.* Ⓤ 개시; 학사 학위 수여식[일], 졸업식.

·**com·mend**[kəménd] *vt.* 칭찬하다 (praise); 추천하다(*to*); (…의) 관리를) 위탁하다. ~ ***itself to*** …에게 인상을 주다. ***C- me to***《古》…에게 안부 전해 주시오;《古》오히려 …이 낫다[좋다];《諧》《反語》…이라니 고맙기도 하군, (…은) …이 제일이다 (*C- me to callers on such a busy day!* 이렇게 바쁜 중에 손님이라니 반갑기도 하군). ~·**a·ble** *a.* 권장[추천]할 수 있는.

·**com·men·da·tion** [kɑ̀məndéiʃən/ -ɔ̀-] *n.* Ⓤ 칭찬, 추천; Ⓒ 상, 상장.

com·mend·a·to·ry[kəméndətɔ̀:ri/ -təri] *a.* 칭찬의; 추천의.

com·men·su·rate[⌐rit] *a.* 같은 양[크기]의(***with***); 균형잡힌(*to, with*).

:**com·ment**[kɑ́ment/-ɔ́-] *n.* Ⓤ,Ⓒ 주석(note); 해설; 논평, 의견. ***No ~.*** 의견 없음《신문 기자 등의 질문에 대한 상투 어구》. — *vi.* 주석[논평] 하다(*on, upon*).

·**com·men·tar·y** [kɑ́məntèri/ kɔ́məntəri] *n.* Ⓒ 주석(서), 논평, 비평;【放送】시사 해설.

com·men·tate [kɑ́məntèit/kɔ́-men-] *vi.* 해설하다, 논평하다.

·**com·men·ta·tor** [kɑ́məntèitər/ kɔ́mən-] *n.* Ⓒ 주석자; (라디오 따위의) 뉴스 해설자(cf. newscaster).

:**com·merce**[kɑ́mərs/-ɔ́-] *n.* Ⓤ 상업, 통상, 무역; 교제.

:**com·mer·cial**[kəmə́:rʃəl] *a.* ① 상업[통상·무역](상)의. ② 판매용의. ③ 돈벌이 위주인(~ *novels*);《美》(방송이) 광고용의(*a ~ program* 광고 프로/*a ~ song* 선전용 노래). — *n.* Ⓒ 광고 방송, 커머셜; (스폰서의) 제공 프로(cf. SUSTAINing program). ~·**ism**[-ʃəlìzəm] *n.* Ⓤ 영리주의; 상관습; Ⓤ,Ⓒ 상용어(법). ~·**ize**[-àiz] *vt.* 상업[상품]화하다. ~·**ly** *ad.*

commércial trável(l)er (지방을 도는) 외판원.

com·mis·er·ate[kəmízərèit] *vt.* 동정하다, 가엾이 여기다(pity). -**a·tion**[-⌐-éiʃən] *n.*

:**com·mis·sion**[kəmíʃən] *n.* ① Ⓤ,Ⓒ 위임(장), (권한·직무의) 위탁. ② Ⓤ (위탁의) 임무, 직권. ③ Ⓒ 위원회. ④ Ⓤ (업무의) 위탁; Ⓒ 대리 수수료. ⑤ Ⓒ【軍】장교 임명 사령. ⑥ Ⓒ 부탁. ⑦ Ⓤ,Ⓒ 범행, 수행. ***in*** [***out of***] ~ 현역[퇴역]의. — *vt.* (…에게) 위임[임명]하다. ~***ed officer*** (육군) 장교, (해군) 사관. ~***ed ship*** 취역함.

com·mis·sion·aire[kəmìʃənέər] *n.* Ⓒ《英》(제복의) 수위, 사환.

:**com·mis·sion·er**[kəmíʃənər] *n.* Ⓒ 위원, 이사; 국장, 장관; 판무관; 커미셔너《프로스포츠의 최고 책임자》. ***High C-*** 고등 판무관.

:**com·mit**[kəmít] *vt.* (**-tt-**) ① 저지르다(~ *suicide*/ ~ *a crime*/ ~ *an error*). ② 위탁[위임]하다, 위원에게 맡기다(entrust)(*to*). ③ (감옥·정신 병원에) 넣다. ④ (체면을) 손상하다. ⑤ 속박하다(~ *oneself to do..., to a promise*); 언질을 주다 (pledge). ~ ***to memory*** 기억해 두다. ~ ***to paper*** 적어 두다. ~ ***to the earth*** [***flames***] 매장[소각(燒却)]하다. ~·**tal** *n.* =⇩.

:**com·mit·ment**[-mənt] *n.* ① Ⓤ,Ⓒ 범행; (범죄의) 수행. ② Ⓤ 위임; 위원회 회부. ③ Ⓤ,Ⓒ 공약[서약함], 언질을 줌; 혼약; (…한다는) 공약. ④ Ⓤ,Ⓒ 투옥, 구류; 구속(영장).

:**com·mit·tee**[kəmíti] *n.* Ⓒ ① 위원회;《집합적》위원들. ② [kəmíti/ kɔ̀mití:]【法】수탁자(受託者); (미친 사람의) 후견인. ~·**man**[-mən] *n.* Ⓒ 위원(한 사람).

commn. commission.

com·mode[kəmóud] *n.* Ⓒ 옷장, (서랍 있는) 장농; 찬장; 실내 세면대 [변기].

com·mo·di·ous[-iəs] *a.* (집·방이) 넓은(roomy); 편리한. ~·**ly** *ad.*

:**com·mod·i·ty**[kəmɑ́dəti/-ɔ́-] *n.* Ⓒ 물품, 상품; 필수품, 일용품(~ *prices* 물가).

·**com·mo·dore**[kɑ́mədɔ̀:r/-ɔ́-] *n.* Ⓒ《美》해군 준장;《英》전대(戰隊) 사령관; (넓은 뜻의 경칭으로서) 제독.

†**com·mon**[kɑ́mən/-ɔ́-] *a.* ① 공통

C

의, 공동의, 공유의(*to*). ② 공중의 (public). ③ 일반의, 보통의, 흔히 있는. ④ 평범한, 통속적인; 품위없는(~ *manners* 무무함). ***in*** ~ 공통으로, 공동으로(*with*). ***make*** ~ ***cause with*** …와 협력하다. ***the Book of C- Prayer*** (영국 국교회의) 기도서. — ***n.*** ① Ⓒ (부락의) 공유지(共有地), 공유지(公有地)《울 없는 들판·황무지》. ② Ⓤ 〖法〗 공유〔공용(公用)〕권, 입회권. ③ (*pl.*) 평민, 서민. ④ (*pl.*) 《집합적》 (C-) (영국·캐나다의) 하원 (의원). ⑤ (*pl.*) 《英》 (대학 따위의 공동 식탁의) 정식; 《一般》 식료. ***out of*** (***the***) ~ 보통이 아닌. ***put*** *a person* ***on short*** ~***s*** 감식시키다. ***the House of Commons*** 《英》 하원. **~·age**[-idʒ] ***n.*** Ⓤ 공용권; Ⓒ 공유지. **~·al·ty** ***n.*** Ⓒ 평민, 대중. **~·er** ***n.*** Ⓒ 평민; (Oxf. 대학 등의) 자비생(自費生); 토지 공용자; 《英》 하원 의원. **:~·ly** ***ad.***

cómmon denóminator 〖數〗 공분모; 공통점〔신조〕.

cómmon gróund 《美》 (사회 관계·논쟁·상호 이해 등의) 공통 기반.

cómmon làw 관습법.

Cómmon Márket, the 유럽 공동 시장.

cómmon nóun 〖文〗 보통 명사.

:cómmon·plàce ***a., n.*** Ⓒ 평범한 (일·말); 비망록(~ book).

cómmon ròom 교원 휴게실, 담화실, 휴게실.

:cómmon sénse 상식, 양식.

˙com·mon·wealth[⌐wèlθ] ***n.*** Ⓒ 국가(state); Ⓤ 《집합적》 국민 (전체); Ⓒ 공화국(republic); 《美》 주(州)《Pa., Mass., Va., Ky.의 4주(州)의 공식명; cf. state》; 단체, 연방. ***the*** (***British***) ***C- of Nations*** 영연방. ***the C- of Australia*** 오스트레일리아 연방.

˙com·mo·tion[kəmóuʃən] ***n.*** Ⓤ,Ⓒ 동요, 동란, 격동, 폭동.

com·mu·nal[kəmjú:nəl, kɑ́mjə-/kɔ́m-] ***a.*** 자치 단체의, 공동〔공공〕의; 사회 일반의. **~·ism**[-nəlìzəm] ***n.*** **~·ly** ***ad.***

˙com·mune[1][kəmjú:n] ***vi.*** 친하게 이야기하다(*with*); 성체(聖體)(Holy Communion)를 영하다. — [kɑ́mju:n/-ɔ́-] ***n.*** Ⓤ 간담(懇談); 친교; 심사(深思).

com·mune[2][kɑ́mju:n/-ɔ́-] ***n.*** Ⓒ 코뮌《프랑스·이탈리아·벨기에 등지의 시읍면 자치체(최소 행정 구분)》; (중국의) 인민 공사; 히피 부락.

com·mu·ni·ca·ble [kəmjú:nikəbəl] ***a.*** 전할 수 있는; 전염성의.

com·mu·ni·cant[-kənt] ***n., a.*** Ⓒ 성체(聖體)를 영하는 사람; 전달〔통지〕자, 전달하는.

:com·mu·ni·cate[kəmjú:nəkèit] ***vt.*** (열·동력·사상 따위를) 전하다; 감염시키다(*to*). — ***vi.*** 통신〔서신왕래〕하다(*with*); 통하다; 성체를 영하다. **-ca·tor** ***n.*** Ⓒ 전달자; 발신기; (차내의) 통보기.

:com·mu·ni·ca·tion [kəmjù:nəkéiʃən] ***n.*** ① Ⓤ 전달, 통신, 서신왕래, 연락. ② Ⓤ,Ⓒ 교통 (기관). ~***s gap*** 연령층·사회 계층 간의 의사 소통 결여. ~***s satellite*** 통신위성. ~(***s***) ***theory*** 정보 이론. ***means of*** ~ 교통 기관.

com·mu·ni·ca·tive [kəmjú:nəkèitiv, -kə-] ***a.*** 얘기를 좋아하는 (talkative); 터놓고 이야기하는; 통신(상)의, 전달의.

˙com·mun·ion[kəmjú:njən] ***n.*** ① Ⓤ 공유(共有)(관계). ② Ⓤ 친교; 간담; 영적인 교섭(*hold* ~ *with nature* 자연을 마음의 벗으로 삼다). ③ Ⓒ 종교 단체; (C-) 성찬, 영성체.

com·mu·ni·qué [kəmjú:nəkèi, —⌐—⌐] ***n.*** (F.) Ⓒ 코뮈니케, 공식 발표, 성명.

:com·mu·nism[kɑ́mjənìzəm/-ɔ́-] ***n.*** Ⓤ 공산주의. **:-nist** ***n., a.*** Ⓒ 공산주의자; (*or* C-) 공산당원; 공산주의의. **-nis·tic**[⌐—nístik], **-ti·cal** [-əl] ***a.***

Cómmunist Párty, the 공산당.

:com·mu·ni·ty[kəmjú:nəti] ***n.*** Ⓒ (지역) 사회; 공동 생활체; (the C-) 공중; Ⓤ 공유, (사상의) 일치.

commúnity cènter 지역 문화 회관.

com·mut·a·ble[kəmjú:təbəl] ***a.*** 교환〔대체〕할 수 있는. **-bil·i·ty**[—⌐—bíləti] ***n.***

com·mu·ta·tion [kɑ̀mjətéiʃən/-ɔ̀-] *n.* Ⓤ 교환; Ⓒ 교환물; Ⓤ,Ⓒ 대체; 감형; Ⓤ《美》정기권 통근.
com·mute [kəmjúːt] *vt.* (…와) 교환하다; 대상(代償)〔대체〕하다; 감형하다; 대체하다;〖電〗정류(整流)하다. — *vi.* 대상하다; 정기〔회수〕권으로 승차〔통근〕하다. **com·mut·er** [-ər] *n.* Ⓒ (정기권에 의한) 통근자.
:com·pact[1] [kəmpǽkt] *a.* 잔뜩〔꽉〕찬(firmly packed), 질이 밴; (체격이) 잘 짜인(well-knit), (집·자동차 따위가) 아담한; 간결한; …로 된(composed)(*of*); (문체가) 간결한. — *vt.* 잔뜩〔꽉〕채우다; 빽빽하게〔배게〕하다, 굳히다, 안정시키다; 결합하여 만들다. — [kɑ́mpækt/-ɔ́-] *n.* Ⓒ 콤팩트《분갑》; 소형 자동차. **~·ly** *ad.* **~·ness** *n.*
˙com·pact[2] [kɑ́mpækt/-ɔ́-] *n.* Ⓤ,Ⓒ 계약(agreement).
cómpact dísc〖컴〗압축판; 짜임(저장)판《생략 CD》.
:com·pan·ion [kəmpǽnjən] *n.* Ⓒ 동료, 동무, 동반자, 반려; 짝; (C-) 최하급의 knight 작(爵)(*C- of the Bath* 바스 훈작사). **~·ship** [-ʃìp] *n.* Ⓤ 교우관계.
compánion·wày *n.* Ⓒ〖海〗갑판과 선실의 승강 계단.
†com·pa·ny [kʌ́mpəni] *n.* ① Ⓤ《집합적》친구, 동아리; 교제, 교우, 친교(*in* ~ 동행하여). ② Ⓤ《집합적》손님(들), 방문자. ③ Ⓒ《집합적》일단, 일행, 패거리. ④ Ⓒ 회사, 상사《생략 Co.》. ⑤ Ⓒ《집합적》〖軍〗(보병) 중대(*a ~ commander* 중대장);〖海〗승무원. **bear** 〔**keep**〕 *a person* ~ 동행하다, 교제〔상종〕하다. **be good** ~ 사귀어(보아) 재미있다. **err** 〔**sin**〕 **in good** ~ 높은 양반들도 실패한다(고로 나의 실패도 무리 아니다). **for** ~ 교제〔의리〕상, 따라서(*weep for* ~ 따라서 울다). **keep** ~ **with** …와 사귀다; …와 친밀해지다. **part** ~ **with** …와 (도중에) 헤어지다; 절교하다. **Two's ~, three's none.**《속담》둘은 친구, 셋이면 갈라진다.
˙com·pa·ra·ble [kɑ́mpərəbəl/-ɔ́-] *a.* 비교할 수 있는(*with*); 필적하는(*to*). **-bly** *ad.*
:com·pare [kəmpέər] *vt.* (…와) 비교하다(*with*); 참조하다; 비유하다, 비기다(*to*). — *vi.* 필적하다(*with*). (**as**) **~d with** …와 비교하여. **cannot ~ with,** or **not to be ~d with** …와는 비교도 안 되다. **~ favorably with** …와 비교하여 낫다. — *n.*《다음 성구로》**beyond** 〔**past, without**〕 ~ 비길 데 없이.
:com·par·i·son [kəmpǽrisən] *n.* Ⓤ,Ⓒ ① 비교(*There is no ~ between them.* 비교가 되지 않는다). ② 유사. ③〖修〗비유;〖文〗비교 변화. **bear** 〔**stand**〕 ~ **with** 〔**to**〕 …에 필적하다. **in ~ with** …와 비교하여. **without ~** 비길 데 없이.
˙com·part·ment [kəmpɑ́ːrtmənt] *n.* Ⓒ 구획, 구분; (객차·객선내의) 칸막이방.
˙com·pass [kʌ́mpəs] *n.* Ⓒ 나침반, 자석; (보통 *pl.*) (제도용) 컴퍼스; Ⓤ,Ⓒ 둘레(circuit); 한계, 범위(limits); Ⓤ,Ⓒ〖樂〗음역(音域). BOX[2] **the ~.** **in small ~** 간결하게. — *vt.* 일주하다; 에우다(*with*); 손에 넣다; 이해하다; 이루다, 달성하다; (음모 따위를) 꾸미다(plot).
˙com·pas·sion [kəmpǽʃən] *n.* Ⓤ 연민(憐憫)(pity), 동정(*on*).
˙com·pas·sion·ate [-it] *a.* 자비로운; 온정적인; 정상을 참작한. **~ allowance** (규정 외의) 특별 수당.
˙com·pat·i·ble [kəmpǽtəbəl] *a.* 양립할 수 있는(*with*);〖TV〗(컬러 방송에서 흑백 수상기에 흑백으로 수상할 수 있는) 겸용식의;〖컴〗호환성 있는. **~ colo(u)r system** 흑백 겸용식 컬러 텔레비전. **-bil·i·ty** [-ˌ-bíləti] *n.* Ⓤ〖컴〗호환성.
com·pa·tri·ot [kəmpéitriət/-pǽ-] *n., a.* Ⓒ 동국인, 동포; 같은 나라의.
:com·pel [kəmpél] *vt.* (**-ll-**) 강제하다(force), 억지로 …시키다; 강요하다. ˙**~·ling** *a.* 강제적인; 어쩔 수 없게 만드는; 사람을 움직이고야 마는, 마음을 끄는.
com·pen·di·um [kəmpéndiəm] *n.* (*pl.* **~s, -dia**) Ⓒ 대요(大要). **-di·ous** *a.* 간결한.
˙com·pen·sate [kɑ́mpənsèit/-ɔ́-]

vt. (…에게) 보상하다, 변상하다 (make up for)(~ *a loss* / ~ *him for a loss*); 지불하다; (금(金)의 함유량을 조정하여 통화의) 구매력을 안정시키다. — *vi.* 보상하다. **-sa·to·ry** [kəmpénsətɔ̀:ri/-təri] *a.*

:com·pen·sa·tion [kɑ̀mpənséiʃən/kɔ̀mpen-] *n.* U,C ① 보상(금). ② 《美》 보수; 봉급, 급료, 수당. ③ 〖心·生〗 대상 작용. ④ 〖經〗 (달러화의) 구매력 보정.

com·père, com·pere [kámpɛər/-ɔ́-] *n., vt.* (F.) C 《주로 英》 (방송 따위의) 사회자; (…의) 사회를 맡아보다, 사회를 보다.

:com·pete [kəmpí:t] *vi.* (사람이) 경쟁하다(*with; for, in*); (물건이) 필적하다(*with*).

˙com·pe·tent [kámpətənt/kɔ́mp-] *a.* 유능한(capable), 적당한(fit); 상당한, 충분한(*a* ~ *income* 충분한 수입); 자격〔권능〕이 있는. **˙-tence, -ten·cy** *n.* U 적성, 능력, 자격; U 권능, 권한; C 충분한 자산.

:com·pe·ti·tion [kɑ̀mpətíʃən/kɔ̀mp-] *n.* U,C 경쟁; C 경기회, 콩쿠르(contest). **˙com·pet·i·tive** [kəmpétətiv] *a.* 경쟁적인. **˙com·pet·i·tor** [kəmpétətər] *n.* C 경쟁자.

˙com·pile [kəmpáil] *vt.* (자료 따위를) 모으다; 편집하다; 〖컴〗 다른 부호〔컴퓨터 언어〕로 번역하다. **com·píl·er** *n.* C 편집자; 〖컴〗 번역기, 컴파일러. **com·pi·la·tion** [kɑ̀mpəléiʃən/kɔ̀m-] *n.* U 편집; C 편집물.

com·pla·cent [kəmpléisnt] *a.* 자기 만족의, 득의의; 안심한; 은근한, 느긋한(selfsatisfied). **~·ly** *ad.* **-cence, -cen·cy** *n.*

:com·plain [kəmpléin] *vi.* 불평하다(*of, against*); 고소하다(appeal)(*to*); (병상·고통을) 호소하다, (…이) 아프다고 하다(~ *of a headache* 골치가 아프다고 하다). **~·ant** *n.* C 불평꾼; 원고(plaintiff). **~·ing·ly** *ad.* 불만스러운 듯이, 투덜대며.

:com·plaint [kəmpléint] *n.* U,C ① 불평; 비난; 불평거리. ② 《美》 고소(accusation). ③ 병.

com·plai·sant [kəmpléisənt, -zənt] *a.* 공손〔친절〕한; 상냥한(affable). **-sance** *n.*

:com·ple·ment [kámpləmənt/kɔ́mplə-] *n.* C 보충(물); 〖文〗 보어; 〖數〗 여각(餘角), 여집합; (함선 승무원의) 정원; 〖컴〗 보수. — [-mènt] *vt.* 메워 채우다, 보충하다. **˙-men·ta·ry** [kɑ̀mpləméntəri/kɔ̀m-] *a.* 보충적인, 보족의.

†com·plete [kəmplí:t] *a.* 완전한; 순전〔철저〕한(thorough). — *vt.* 완성하다, 끝마치다(finish). **:~·ly** *ad.* **~·ness** *n.* **˙com·ple·tion** [-plí:ʃən] *n.* U 완성, 종료.

:com·plex [kəmpléks, kámpleks/kɔ́mpleks] *a.* 복잡한(complicated); 복합의(composite); 〖文〗 복문(複文)의. — [kámpleks/-ɔ́-] *n.* C 집합〔복합〕체; 〖精神分析〗 복합, 콤플렉스; 고정〔강박〕관념; 콤비나트. **˙~·i·ty** [kəmpléksəti] *n.* U 복잡(성); C 복잡한 것.

˙com·plex·ion [kəmplékʃən] *n.* C 안색, 형세, 모양(aspect)(*the* ~ *of the sky*).

cómplex séntence 〖文〗 복문(複文)《종속절이 있는 문장》.

˙com·pli·ance [kəmpláiəns] *n.* U 응낙; 순종(*to*). ***in* ~ *with*** …에 따라서. **-ant** *a.*

˙com·pli·cate [kámplikèit/kɔ́mpli-] *vt.* 복잡하게 하다, 뒤얽히게 하다. **:-cat·ed** [-id] *a.* 복잡한, 까다로운. **˙-ca·tion** [≻–kéiʃən] *n.* U,C 복잡, 분규(紛糾); C 병발증(secondary disease).

com·plic·i·ty [kəmplísəti] *n.* U 연루(連累), 공범.

:com·pli·ment [kámpləmənt/kɔ́m-] *n.* C 찬사, 겉말, 치렛말; (*pl.*) (의례적인) 인사, 치하의 말. ***Give my ~s to*** …에게 안부 전해 주십시오. ***return the*** ~ 답례하다; 대갚음〔보복〕하다. ***with the ~s of*** …근정(謹呈), 혜존(惠存)《저서 증정의 서명 형식》. — [-mènt] *vt., vi.* (…에게) 인사하다; 칭찬하다(*on*); 치렛말하다; 증정하다(*with*).

˙com·pli·men·ta·ry [kɑmpləméntəri/kɔ́m-] *a.* 인사의; 경의를 표하는〔표하기 위한〕; 무료의, 우대의 (*a* ~ *ticket* 우대권); 치렛말의〔을

잘하는].
:**com·ply** [kəmplái] *vi.* 응하다, 따르다, 승낙하다(*with*).
˙**com·po·nent** [kəmpóunənt] *a., n.* Ⓒ 구성하는(*a* ~ *part* 구성 분자); 요소, 부분; 〖數〗(벡터장의) 성분, 〖理〗(힘·속력 등의) 분력(分力).
:**com·pose** [kəmpóuz] *vt., vi.* ① 짜맞추다, 구성하다(make up). ② 짓다(~ *a poem*), 저작[작곡·구도(構圖)]하다. ③ 〖印〗(판을) 짜다. ④ (안색·태도 등을) 누그러뜨리다; (마음을) 진정시키다(calm)(*oneself*). ⑤ (논쟁·싸움 따위를) 가라앉히다, 조정하다(settle). ˙~**d** [-d] *a.* 침착[태연]한. **com·pos·ed·ly** [-idli] *ad.* ˙**com·pós·er** *n.* Ⓒ 작곡가.
˙**com·pos·ite** [kəmpázit/kɔ́mpɔ-] *a.* ① 합성의, 혼성의. ② (C-) 〖建〗 혼합식의. ③ 〖로켓〗 다단식(多段式)의; (발사 화약이) 혼합 연료와 산화제로 이루어진.
:**com·po·si·tion** [kàmpəzíʃən/-ɔ̀-] *n.* Ⓤ 짜맞춤, 조립, 조성(助成); 조직, 구도(構圖); Ⓤ,Ⓒ 배합; 식자; Ⓤ (타고난) 성질; 작곡; 작문; Ⓒ 혼합물; 화해.
com·pos·i·tor [kəmpázitər/-pɔ́z-] *n.* Ⓒ 식자공(工).
com·post [kámpoust/kɔ́mpɔst] *n.* Ⓒ 혼합물; Ⓤ 혼합 비료, 퇴비.
˙**com·po·sure** [kəmpóuʒər] *n.* Ⓤ 침착, 냉정, 자제.
com·pote [kámpout/kɔ́mpɔt] *n.* Ⓤ,Ⓒ 과일 따위의 설탕찜; 굽 달린 과일 접시.
:**com·pound**[1] [kəmpáund, kɑm-/kɔm-] *vt.* ① 혼합[조합(調合)]하다(mix)(*with, into*). ② 〖言〗(낱말·문장을) 복합하다(combine). ③ (분쟁을) 가라앉히다; 화해시키다. ④ 돈으로 무마하다. ⑤ (이자를) 복리 계산으로 치르다. ⑥ 하나로 만들어 내다, 조성하다. ~ ***a felony*** (돈을 받고) 중죄의 기소를 중지하다. ― [kámpaund/-ɔ́-] *a.* 혼합[복합·합성]의. ― [kámpaund/-ɔ́-] *n.* Ⓒ 혼[화]합물; 복합어《보기: textbook, bluebell》.
com·pound[2] [kámpaund/-ɔ́-] *n.* Ⓒ (동양에서) 울타리친 백인 저택(의 구내); (아프리카의) 현지 노무자의 주택 지구; 포로 수용소.
cómpound frácture 〖醫〗 복합[복잡]골절.
cómpound ínterest 복리.
:**com·pre·hend** [kàmprihénd/kɔ̀m-] *vt.* (완전히) 이해하다; 포함하다(include).
com·pre·hen·si·ble [-hénsəbəl] *a.* 이해할 수 있는(understandable). **-bil·i·ty** [-̀-́-bíləti] *n.*
:**com·pre·hen·sion** [-hénʃən] *n.* Ⓤ ① 이해(력). ② 포함; 함축.

:**com·pre·hen·sive** [-hénsiv] *a.* 이해력이 있는; 포함하는, 함축성이 풍부한, 광범위에 걸친.
comprehénsive schòol 《英》 종합 중(등)학교《여러 과정이 있는》.
˙**com·press** [kəmprés] *vt.* 압축[압착]하다; 줄이다(*into*). ― [kámpres/-ɔ́-] *n.* Ⓒ 습포(濕布). ˙~**ed** *a.* 압축된; 간결한(~*ed air* 압축 공기). ~**·i·ble** *a.* ˙**com·prés·sion** *n.* Ⓤ 압축, 압착; 축소, 요약. ˙**com·prés·sor** *n.* Ⓒ 압축기[장치]; 압축자; 〖醫〗 지혈기.
˙**com·prise, -prize** [kəmpráiz] *vt.* 포함[함유]하다; (…로) 되다[이루어지다](consist of).
:**com·pro·mise** [kámprəmàiz/-ɔ́-] *n.* Ⓤ,Ⓒ 타협; 절충(안); 사화(*between*); (명예·신용 등을) 위태롭게 하는 것. ***make a*** ~ ***with*** …와 타협하다. ― *vt.* 사화[화해]하다, 서로 양보하여 해결하다; (신용·명예를) 위태롭게 하다(endanger); (의혹·불평 등을) 입게 하다. ***be*** ~***d by*** …에게 누를 끼치게 되다. ~ ***oneself*** 신용을 의심 받게 하다, 의심받을 일[짓]을 하다. ― *vi.* 타협하다, 서로 양보하다.
˙**com·pul·sion** [kəmpʌ́lʃən] *n.* Ⓤ 강제; 〖心〗 강박 충동. ***by*** ~ 강제적으로. ˙**-sive** *a.* 강제적인, 강박감에 사로잡힌.
˙**com·pul·so·ry** [kəmpʌ́lsəri] *a.* 강제적인; 의무적, 필수의. **-so·ri·ly** *ad.*
com·punc·tion [kəmpʌ́ŋkʃən] *n.* Ⓤ 양심의 가책; 후회(하는 마음)(regret).
˙**com·pute** [kəmpjúːt] *vt., vi.* 계산

〔산정〕하다(*at*). ***com·pu·ta·tion** [kàmpjutéiʃən/-ɔ̀-] *n.*

:com·put·er, -pu·tor [-ər] *n.* Ⓒ 전자계산기(electronic ~), 컴퓨터. 셈틀; 계산기(器), 계산하는 사람.

compúter gràphics 〖컴〗 컴퓨터 그래픽《컴퓨터로 도형 처리》.

com·put·er·ize [kəmpjú:tərὰiz] *vt.* 컴퓨터로 처리〔관리, 자동화〕하다. **-i·za·tion** [-ˌ--izéiʃən] *n.* Ⓤ 컴퓨터화.

C

com·rade [kámræd/kɔ́mrid] *n.* Ⓒ 동무, 동지(mate), 친구(companion). ~ ***in arms*** 전우. **~·ship** [-ʃìp] *n.* Ⓤ 동지로서의 사귐; 동지애, 우애.

con[1] *ad.* 반대하여(against)(cf. pro[1]). — *n.* Ⓒ 반대론〔투표(자)〕.

con[2] (< confidence) *a.* 《美俗》 사기의, 속이는(~ *game* 사기/*a* ~ *man* 사기꾼). — *vt.* (**-nn-**) 속이다.

con[3] (< convict) *n.* Ⓒ 《美俗》 죄수.

con·cat·e·nate [kankǽtənèit/kɔn-] *vt.* 잇다, 연결시키다. **-na·tion** [kankæ̀tənéiʃən/kɔn-] *n.*

***con·cave** [kankéiv/kɔ́nkeiv] *n., a.* Ⓒ 옴폭〔오목〕함〔한〕; 요면(凹面)(의) (opp. convex). **con·cav·i·ty** [-kǽvəti] *n.* Ⓤ,Ⓒ 오목한 상태〔물건·부분〕, 요면.

:con·ceal [kənsí:l] *vt.* 숨기다(hide) (*from*). ***~·ment** *n.* Ⓤ 숨김, 숨음, 감춤; Ⓒ 숨기는〔숨는〕 장소.

***con·cede** [kənsí:d] *vt., vi.* 인정하다; (권리 따위를) 승인하다, 주다; (승리를) 양보하다(*to*).

:con·ceit [kənsí:t] (< conceive) *n.* Ⓤ 자부; 생각; 혼자〔제딴의〕 생각; 착상, 기상(奇想)(fancy); 《古》 사견(私見). ***be out of ~ with*** …이 시틋해지다, 싫증이 나다. ***in one's own ~*** 자기 혼자 생각으로. ***~·ed** [-id] *a.* 자부심이 강한.

:con·ceive [kənsí:v] *vt., vi.* ① (생각·의견·감정 등을) 마음에 품다(entertain); 생각하다, 생각해내다(*of*), 상상하다. ② 《흔히 수동구문으로》 (말로) 나타내다(express). ③ 임신하다(*with*). ***~·a·ble** *a.* 생각할 수 있는.

:con·cen·trate [kánsəntrèit, kɔ́n-] *vt., vi.* 집중하다; 전념하다(*on, upon*); 〖化〗 농축하다. **~*d uranium*** 농축 우라늄.

***con·cen·tra·tion** [kànsəntréiʃən, kɔ̀n-] *n.* Ⓤ,Ⓒ ① 집중; 전념. ② 농축, 농도.

concentrátion càmp 강제 수용소《포로, 정치범 등의》.

con·cen·tric [kənséntrik] *a.* 동심(同心)의(*with*).

***con·cept** [kánsept/-ɔ́-] *n.* Ⓒ 개념, 생각.

:con·cep·tion [kənsépʃən] *n.* Ⓤ 개념 작용; Ⓤ,Ⓒ 임신; Ⓒ 개념(idea); Ⓤ,Ⓒ 착상(conceiving); 계획(plan). **-tu·al** *a.* 개념의.

:con·cern [kənsə́:rn] *vt.* ① (…와) 관계가 있다; 영향하다. ② 《수동으로》 관계하다. ③ 걱정케 하다. ***as ~s*** …에 관해서는. ***be ~ed about*** …에 관심을 가지다; 걱정하다. ***~ oneself about*** …을 염려〔괘념〕하다. ***~ oneself in*** 〔***with***〕 …에 관계하다. ***so far as*** (*I am*) ***~ed*** (내)게 관한한. ***To whom it may ~*** 관계자〔관〕 앞《서류의 수신인 쓰기 형식》. — *n.* ① Ⓒ (이해) 관계. ② Ⓤ 관심, 걱정, 염려. ③ Ⓒ (종종 *pl.*) 관심사, 사건. ④ Ⓒ 영업, 사업; 회사, 상사(firm). ⑤ Ⓒ 《口》 것, 일, 놈(*I dislike the whole ~.* 어디까지나 싫다). ***have no ~ for*** …에 아무 관심도 없다. ***~ed** [-d] *a.* 근심〔걱정〕하여; 관계의〔있는〕(*the authorities ~ed* 당국자); 종사하여(*in*). **:~·ing** *prep.* …에 관하여. **~·ment** *n.* 《文語》 Ⓤ 중요함; Ⓒ 관계하고 있는 일; Ⓤ 걱정.

:con·cert [kánsə(:)rt/-ɔ́-] *n.* ① Ⓒ 합주(곡); 연주회(cf. recital). ② Ⓤ 협조, 제휴(*in* ~ 협력하여); 협력, 일치. — [kənsə́:rt] *vt.* 협정하다. **~·ed** [-id] *a.* 협정의, 협동의; 〖樂〗 합창〔합주〕용으로 편곡한.

cóncert gránd (**piáno**) 연주회용의 그랜드 피아노.

con·cer·ti·na [kànsərtí:nə/kɔ̀n-] *n.* Ⓒ 〖樂〗 (보통 육각형의 소형) 손풍금(cf. accordion).

cóncert·màster *n.* Ⓒ 합주장(合奏長)《보통 수석 바이올리니스트》.

con·cer·to[kəntʃértou] *n.* (*pl.* **~s, -ti**[-tiː]) Ⓒ 〖樂〗 콘체르토, 협주곡.

*__con·ces·sion__[kənséʃən] *n.* ① Ⓤ,Ⓒ 양보, 양여(conceding), 허가. ② Ⓒ 면허(grant); 이권. ③ Ⓒ 조차지, 조계. ④ Ⓒ《美》구내 매점(사용권). **-sive** *a.* 양보의, 양보적인.

conch[kaŋk, kantʃ/-ɔ-] *n.* (*pl.* **~s**[-ks], **~es**[kántʃiz/-ɔ́-]) Ⓒ (대형의) 고둥《소라 따위》; 컷바퀴.

con·cil·i·ate [kənsílièit] *vt.* 달래다(soothe), 화해시키다(reconcile); 회유하다(win over); (아무의) 호의(따위)를 얻다; 〖法〗 알선하다. **-a·tion**[-ˋ-éiʃən] *n.* Ⓤ 달램; 〖法〗 조정, 화해(cf. arbitration). ***the Conciliation Act*** 《英》(노동쟁의) 조정 법률. **-a·to·ry**[kənsíliətɔ̀ːri/-təri] *a.*

:**con·cise**[kənsáis] *a.* 간명[간결]한(succinct). **~·ly** *ad.* **~·ness** *n.*

con·clave[kánkleiv/-ɔ́-] *n.* Ⓒ 비밀 회의; 교황 선거 회의(실).

:**con·clude**[kənklúːd] *vt., vi.* ① 끝내다; 결론[추단]하다(infer). ② 결심하다. ③ (조약을) 체결하다. ***To be ~d*** (연재물 따위가) 차회(次回) 완결. ***to ~*** 결론으로서 말하면.

:**con·clu·sion**[kənklúːʒən] *n.* ① Ⓤ 종결; 결과(result); Ⓒ 결론; 추단(推斷). ② Ⓤ 체결. ***in ~*** 최후로. ***try ~s with*** …와 자웅을 결하다.

*__con·clu·sive__[kənklúːsiv] *a.* 결정적인; 확정적인; 명확한; 종국의, 최종의. **~·ly** *ad.*

con·coct [kankákt, kən-/kən-kɔ́kt] *vt.* (음식 따위를) 한데 섞어서 만들다, 조합하다; 조작하다; (음모 등을) 꾸미다(make up). **con·cóc·tion** *n.* Ⓤ,Ⓒ 조합[조제]물; 날조(물); Ⓒ 책모.

con·com·i·tant [kənkámətənt/-kɔ́m-] *a., n.* Ⓒ 부수(附隨)하는 (물건, 일). **-tance, -tan·cy** *n.* Ⓤ 부수.

:**con·cord** [kánkɔːrd, káŋ-/kɔ́ŋ-, kɔ́n-] *n.* Ⓤ ① 일치, 화합; 협약. ② 협화음(opp. discord).

*__con·cord·ance__ [kənkɔ́ːrdəns, kan-/kən-] *n.* ① Ⓤ 일치. ② Ⓒ (성서나 중요한 작가의) 용어 색인.

con·cor·dat [-dæt] *n.* Ⓒ 협약; (로마 교황과 정부간의) 조약.

*__con·course__[káŋkɔːrs/-ɔ́-] *n.* Ⓒ ① (사람·물건의) 집합; 군집, 군중; (강의) 합류. ② 큰 길(driveway); (역·공항의) 중앙 홀.

:**con·crete**[kankríːt, ˊ-/kɔ́nkriːt] *a.* 구체적인(real)(opp. abstract); 콘크리트(제)의. — [kánkriːt/-ɔ́-] *n.* (the ~) 구체(성); Ⓤ 콘크리트. — *vt., vi.* 콘크리트로 굳히다; [-ˊ] 응결시키다[하다]. **con·cre·tion** [kankríːʃən/kən-] *n.* Ⓤ 응결; Ⓒ 응결물.

con·cu·bine[káŋkjəbàin/-ɔ́-] *n.* Ⓒ 첩. **-bi·nage**[kànkjúːbənidʒ/kɔn-] *n.* Ⓤ 첩을 둠; 첩의 신분.

con·cu·pis·cence [kankjúːpisəns/kɔn-] *n.* Ⓒ 음욕; 탐욕; 〖聖〗 욕망.

*__con·cur__[kənkɔ́ːr] *vt.* (**-rr-**) ① 동시에 일어나다; 병발하다(*with*). ② 협력하다(*to* do). (여러 가지 사정이) 서로 관련되다. ③ (의견이) 일치하다, 동의하다(agree)(*with*).

con·cur·rent [kənkɔ́ːrənt, -kʌ́-rənt] *a.* 동시에 일어나는, 병발하는(concurring); 동시의; 일치[조화]하는; 같은 권한[권리]의; 동일점에 집중하는; 겸임의(*a ~ post* 겸직). — *n.* Ⓒ 병발사(건); 동시에 작용하는 원인; 《古》 경쟁자. **~·ly** *ad.* 병발[일치, 겸무]하여. **-rence** *n.*

con·cuss[kənkʌ́s] *vt.* 뒤흔들다; (…에게) 뇌진탕을 일으키게 하다.

con·cus·sion[kənkʌ́ʃən] *n.* Ⓤ 격동; 뇌진탕.

:**con·demn**[kəndém] *vt.* ① 비난하다; (죄를) 선고하다. ② 운명짓다(*to*). ③ (의사가) 포기하다; 불량품으로[위험물로] 결정하다. ④《美》(정부가 공용으로) 수용하다. **~ed** *a.* 유죄 선고를 받은; 비난된; 사형수의. *__con·dem·na·tion__ [kàndem-néiʃən/kɔ̀n-] *n.*

:**con·dense**[kəndéns] *vt., vi.* ① 응축(凝縮)하다; (기체를) 액화하다. ② (이야기 등을) 단축하다, 간결히 하다. ③ (전기의) 강도를 더하다. **con·den·sa·tion**[kàndenséiʃən/kɔ̀n-]

n. ˙~**d**[-t] *a.* 압축된, 간결한.
condénsed milk 연유(煉乳).
˙**con·dens·er**[kəndénsər] *n.* Ⓒ ① 응결기, 응축기. ② 집광(集光) 렌즈. ③ 축전기, 콘덴서.
˙**con·de·scend** [kàndisénd/-ɔ̀-] *vi.* ① (아랫사람에게) 겸손히 행하다. ② 스스로를 낮추어 …하다(deign) (*to*). ③ (짐짓 은혜나 베푸는 듯이) 친절히 하다〔생색 쓰다〕. **~·ing** *a.* 겸손한(humble); 짐짓 겸허한; 덕색 질하는. **-scén·sion** *n.* Ⓤ 겸허, 겸손; 덕색질하는〔생색 쓰는〕 태도.

C

con·di·ment [kándəmənt/-ɔ́-] *n.* Ⓒ,Ⓤ 양념《겨자, 후추 따위》.
†**con·di·tion**[kəndíʃən] *n.* ① Ⓤ 상태, 처지, 신분(social position). ② (*pl.*) 상황, 사정, 형세; 조건(term). ③ Ⓒ《美》재시험. ***change one's ~*** 결혼하다. ***in ~*** 건강하여, 양호한 상태로. ***on ~ that*** …라는 조건으로, 만일 …이면(if). ***out of ~*** 건강을 해쳐; (보존이) 나쁜. — *vt.* ① 조건 짓다, (…의) 조건이 되다; 좌우〔결정〕하다. ② 조절하다; (양털 등을) 검사하다. ③《美》재시험을 조건으로 가(假)진급시키다. **~ed**[-d] *a.* 조건이 붙은; (어떤) 상태의; (실내 공기 등) 조절된. **~·er** *n.* Ⓒ 조건 붙이는 사람〔물건〕; (유용성 증가를 위한) 첨가물; 공기 조절 장치. **~·ing** *n.* Ⓤ 검사; (공기) 조절.
˙**con·di·tion·al**[kəndíʃənəl] *a.* 조건부의; 가정의. **~ *clause*** 《文》 조건절《if, unless 따위로 인도되는 부사절》. **~·ly** *ad.*
condítioned réflex 〔**respónse**〕 《心》 조건 반사.
con·dole[kəndóul] *vi.* 조문하다, 조위하다(*with*). **con·dó·lence** *n.*
con·dom[kándəm, -ʌ́-/-ɔ́-] *n.* Ⓒ 콘돔.
con·do·min·i·um[kàndəmíniəm/kɔ̀n-] *n.* (*pl.* **~s, -ia**[-niə]) Ⓤ,Ⓒ 공동 관리〔통치〕; Ⓒ 분양 아파트〔맨션〕.
con·done[kəndóun] *vt.* 용서하다; 《法》 (간통을) 용서하다. **con·do·na·tion**[kàndounéiʃən/kɔ̀n-] *n.*
con·dor[kándər/kɔ́ndɔːr] *n.* Ⓒ 《鳥》 콘도르《남미산의 큰 매의 일종》.
:**con·duct**[kándʌkt/kɔ́n-] *n.* Ⓤ ① 행위, 행동, 품행. ② 지도, 지휘. ③ 취급, 관리. ④ 취향(趣向), 줄거리의 전개(법), 각색. — [kəndʌ́kt] *vt., vi.* ① 행동하다(~ *oneself*); 이끌다(*over*). ② 지도〔지휘〕하다; 처리〔경영〕하다. ③ (전기·열을) 전하다. **~·ance**[kəndʌ́ktəns] *n.* Ⓤ 《電》 전도 계수. **~·i·ble**[-əbl] *a.* 전도성(傳導性)의. **con·dúc·tion** *n.* Ⓤ (물 따위를) 끌기; (열 따위의) 전도.
con·dúc·tive *a.* **con·duc·tiv·i·ty** [kàndʌktívəti/kɔ̀n-] *n.* Ⓤ 전도성.
:**con·duc·tor**[kəndʌ́ktər] *n.* Ⓒ ① 지도자, 지휘자. ② 안내자, 차장《단, 영국에서는 기차 차장은 'guard'라고 함》. ③ 《理》 전도체. ④ 피뢰침. **~·ship**[-ʃìp] *n.* Ⓤ ~의 직.
con·du·it[kándjuːit/kɔ́ndit] *n.* Ⓒ 도관(導管); 수도(aqueduct), 암거(暗渠), 수멍; (매몰 전선의) 선거(線渠).
˙**cone**[koun] *n.* Ⓒ ① 원추(형)(의 물건)(*an ice cream ~* 웨이퍼로 만든 아이스크림 컵); 솔방울. ② (원추형의) 폭풍 신호(storm ~).
con·fec·tion[kənfékʃən] *n.* Ⓒ 당과(糖菓). **~·er** *n.* Ⓒ 과자 제조인, 과자상(商). **~·ar·y**[-èri/-əri] *n.* Ⓤ《집합적》 과자; Ⓒ 과자점; Ⓤ 과자 제조.
˙**con·fed·er·a·cy**[kənfédərəsi] *n.* ① Ⓒ 연합; 동맹(국), 연방. ② (the C-) 《美史》 남부 연방. ③ Ⓒ 도당(league); Ⓤ,Ⓒ 공모(共謀). ***Southern C-*** = the CONFEDERATE STATES OF AMERICA.
˙**con·fed·er·ate**[kənfédərit] *a.* 연맹〔연합〕한; 공모한; (C-) 《美史》 남부연방(측)의. — *n.* Ⓒ 동맹국; 한패, 공모자. — [-rèit] *vt., vi.* (…와) 동맹시키다〔하다〕; 한패로 하다〔되다(*with*)〕. ˙**-a·tion**[-⌐-éiʃən] *n.* Ⓒ 동맹국; Ⓤ 동맹, 연방.
Conféderate Státes of América, the 《美史》 미국 남부연방《남북전쟁 때의 남부 11주》.
˙**con·fer**[kənfə́ːr] *vt.* (**-rr-**) (…에게) 주다, 수여하다(bestow)(*on, upon*). — *vi.* 회담〔협의〕하다(*with*). ~·

ee[kɑ̀nfəríː/-ɔ̀-] *n.* Ⓒ《美》 회의 출석자; 상담 상대. **~·ment** *n.* Ⓤ,Ⓒ 수여; 협의. **~·er** *n.* Ⓒ 수여[협의]자.

:con·fer·ence[kɑ́nfərəns/-ɔ́-] *n.* ① Ⓒ 회의; Ⓤ 상담, 협의. ②《美》 Ⓒ (학교간의) 경기 연맹.

:con·fess[kənfés] *vt., vi.* ① 자공(自供)하다, 자백하다; 자인하다. ② 신앙을 고백하다; (신부에게) 참회하다. ③ (신부가) 고해를 듣다. **~ *to*** (약점·과실 따위를) 시인하다, …은 정말이라고 말하다. ***to* ~ *the truth*** 사실은. **~ed**[-t] *a.* 공인된, 명백한 (*stand ~ed as* …임[죄상]이 뚜렷하다). **~·ed·ly**[-idli] *ad.* 명백히.

:con·fes·sion[kənféʃən] *n.* ① Ⓤ,Ⓒ 자백. ② Ⓒ 신앙 고백. ③ Ⓤ 〖가톨릭〗 고해. **~·al** *a., n.* Ⓒ 참회의 (자리).

con·fes·sor[kənfésər] *n.* Ⓒ 고백자; 참회[고해]자; 고해 (듣는) 신부; (박해에 굴치 않는) 신앙 고백자, 독신자. ***the C-*** 독신왕(篤信王)《영국왕 Edward(재위 1042-66)》.

con·fet·ti[kənféti(ː)] *n. pl.* 《단수 취급》 (It.) 캔디; (사육제 같은 때의) 색종이 조각.

con·fi·dant [kɑ̀nfidǽnt, ⌐–⌐/kɔ̀nfidǽnt] *n.* (*fem.* **~e**) Ⓒ (속을 털어 놓을 수 있는) 친구, 심복.

:con·fide[kənfáid] *vi.* ① (속을) 털어놓다; 신임[신뢰]하다(*in*). ② 신탁[위탁]하다(*to*). **con·fí·ding** *a.* 믿기 쉬운; 믿어버리고 있는.

:con·fi·dence[kɑ́nfidəns/kɔ́nfi-] *n.* Ⓤ ① 신임, 신용, 신뢰(trust). ② (만만한) 자신; 대담한(boldness). ③ 뻔뻔스러움(assurance). ④ 속사정 이야기, 비밀. ***in* ~** 내밀히. ***make a* ~** [**~*s***] ***to*** (*a person*), or ***take*** (*a person*) ***into one's* ~** (아무에게) 비밀을 털어놓다. 「신용 사기.

cónfidence gàme [《英》 **trick**]

:con·fi·dent[kɑ́nfidənt/kɔ́nfi-] *a.* ① 확신[신용]하여[하고 있는]. ② 자신 있는; 자부심이 강한; 대담한. — *n.* = CONFIDANT. ***~·ly** *ad.*

·con·fi·den·tial [kɑ̀nfidénʃəl/kɔ̀nfi-] *a.* ① 신임하는, 심복의. ② 비밀의; (편지가) 친전(親展)의. ③ 무간한, 격의 없는(*a ~ tone*). **~·ly** *ad.*

con·fig·u·ra·tion[kənfìgjəréiʃən] *n.* Ⓒ 구성, 배치, 형상; 〖心〗 = GESTALT; 〖컴〗 구성.

con·fig·ure[kənfígjər] *vt.* (어떤 틀에 맞추어) 형성하다(*to*); 〖컴〗 구성하다.

:con·fine[kənfáin] *vt.* 제한하다(*to, within*); 가두다, 감금하다(*in*). ***be* ~*d*** 죽치고[틀어박혀] 있다; 해산을 하다(*be ~d of a child*). — [kɑ́nfain/-ɔ́-] *n.* Ⓒ (보통 *pl.*) 경계, 한계. ***~·ment** *n.* Ⓤ 감금, 억류; 제한, 한계; Ⓤ,Ⓒ 해산 (자리에 눕기), 산욕.

:con·firm[kənfə́ːrm] *vt.* ① 강하게 [굳게] 하다, 견고히 하다. ② 확인[다짐]하다, (조약을) 비준하다. ③ (…에게) 견진성사(堅振聖事)[안수례]를 베풀다. **~*ing the conjecture*** 과연, 생각[예기]했던 바와 같이. **~·a·ble** *a.* 확인[확증]할 수 있는. ***~ed**[-d] *a.* 확인된; 뿌리 깊은, 만성의, 손댈 수 없는.

·con·fir·ma·tion [kɑ̀nfərméiʃən/-ɔ̀-] *n.* Ⓤ,Ⓒ ① 확정, 확인. ② 〖宗〗 견진성사(堅振聖事), 안수례.

con·fis·cate [kɑ́nfiskèit/-ɔ́-] *vt.* 몰수[징발]하다. **-ca·tion**[⌐–kéiʃən] *n.*

·con·fla·gra·tion [kɑ̀nfləgréiʃən/-ɔ̀-] *n.* Ⓒ 큰 불(big fire).

con·flate[kənfléit] *vt.* 융합시키다; 혼합하다; (특히) 2종류의 이본(異本)을 융합시키다.

:con·flict[kɑ́nflikt/-ɔ́-] *n.* Ⓤ,Ⓒ 투쟁; 모순, 충돌. **~ *of laws*** 법률 저촉; 국제 사법(私法). — [kənflíkt] *vi.* (…와) 다투다; 충돌하다 (disagree)(*with*). **~·ing** *a.*

con·flu·ence[kɑ́nfluəns/-ɔ́-] *n.* Ⓤ,Ⓒ 합류; Ⓒ 합류점, 집합, 군중, 군집. **-ent** *a., n.* Ⓒ 합류하는 (강), 지류(tributary).

·con·form[kənfɔ́ːrm] *vi., vt.* (…와) 일치하다[시키다], 따르(게 하)다, 적합하다[시키다] (*to*). **~·a·ble** *a.* 적합[조화]된(adapted) (*to, with*); 순종하는(obedient)(*to*). **~·ist** *n.* Ⓒ 준봉자(遵奉者); (C-) 영국 국교도.

C

con·for·ma·tion[kɑ̀nfɔːrméiʃən/-ɔ̀-] *n.* Ⓤ,Ⓒ 구조, 형상; 조화적 배치; Ⓤ 적합; 순종(*to*).

˙**con·form·i·ty**[kənfɔ́ːrməti] *n.* Ⓤ 일치, 상사(相似), 적합; 따름; 국교 신봉(信奉). ***in ~ with*** 〔*to*〕 …에 따라서.

:**con·found**[kənfáund] *vt.* ① (…와) 혼동하다(*with*). ② 곤혹(困惑)하게 하다. ③ (희망·계획을) 꺾다(defeat). ④ 저주하다《damn보다 좀 약한 말》(*C- it!* 에이 지겨워!, 아뿔싸!). ˙**~·ed**[-id] *a.* 지겨운, 어이없는.

:**con·front**[kənfrʌ́nt] *vt.* (…에) 직면하다; 맞서다(oppose); 대항시키다; (어려움이, …의) 앞에 나타나다. ***be ~ed with*** …에 직면하다. **~·er** *n.* Ⓒ 대항자[물], 대결자.

con·fron·ta·tion[kɑ̀nfrəntéiʃən/kɔ̀n-] *n.* Ⓤ,Ⓒ 직면; 〖法〗 (불리한 증인과의) 법정 대결, 대심(對審).

:**con·fuse**[kənfjúːz] *vt.* ① 혼란시키다; 혼동하다(mix up). ② 당황케 〔어쩔줄 모르게〕 하다(perplex). ˙**~d**[-d] *a.* 혼란[당황]한; 낭패한. **con·fus·ed·ly**[-idli] *ad.*

:**con·fu·sion**[kənfjúːʒən] *n.* Ⓤ ① 혼란; 혼동. ② 당황; 착란. ***~ worse confounded*** 혼란에 또 혼란《Milton의 '*Paradise Lost*' 에서》. ***drink ~ to*** …을 저주하여 잔을 들다.

con·fute[kənfjúːt] *vt.* 논파(論破)하다; 논박하다. **-fu·ta·tion**[kɑ̀nfjutéiʃən/-ɔ̀-] *n.*

con·ga[kɑ́ŋgə/-ɔ́-] *n.* Ⓒ 콩가《Cuba의 춤(곡)》.

con·geal[kəndʒíːl] *vi., vt.* 동결[응결]하다[시키다]. **con·ge·la·tion**[kɑ̀ndʒəléiʃən/-ɔ̀-] *n.*

˙**con·gen·ial**[kəndʒíːnjəl] *a.* ① 같은 성질의; 마음이 맞는. ② (기분에) 맞는. **con·ge·ni·al·i·ty**[kəndʒìːniǽləti] *n.*

con·gen·i·tal[kəndʒénətl] *a.* 타고난, 선천적인.

cón·ger (**èel**)[kɑ́ŋgər(-)/-ɔ́-] *n.* Ⓒ 〖魚〗 붕장어.

˙**con·gest**[kəndʒést] *vi., vt.* ① 충혈하다[시키다]. ② 충만[밀집]하다[시키다]. **~·ed**[-id] *a.* **con·ges·tion**[-dʒéstʃən] *n.* Ⓤ 밀집, 혼잡, 충혈. **con·gés·tive** *a.* 충혈(성)의.

con·glom·er·ate [kənglɑ́mərit/-ɔ́-] *a., n.* Ⓒ (잡다한 것이) 밀집하여 뭉친 (것), 집괴상(集塊狀)의 (바위). — [-rèit] *vt., vi.* 한데 모아 뭉치게 하다; 모여 뭉치다. **-a·tion**[kənglɑ̀məréiʃən/-ɔ̀-] *n.* Ⓤ 모여 뭉침; Ⓒ 집괴(集塊).

:**con·grat·u·late** [kəngrǽtʃəlèit] *vt.* 축하하다(…에), 축하의 말을 하다(*~ him on his birthday*). ***~ oneself on*** 〔*upon*〕 …을 의기양양〔우쭐〕해 하다. :**-la·tion**[—⌐—léiʃən] *n.* Ⓤ 축하; (*pl.*) 축하의 말(*Congratulations!* 축하합니다!).

con·grat·u·la·to·ry [-lətɔ̀ːri/-təri] *a.* 축하의. ~ ***telegram*** 축전(祝電).

˙**con·gre·gate**[kɑ́ŋgrigèit/-ɔ́-] *vi., vt.* 모이다, 모으다(assemble). ˙**-ga·tion**[⌐—géiʃən] *n.* Ⓤ 모임; 집합; 〖宗〗 집회; 《집합적》 회중(會衆). **-ga·tive**[-gèitiv] *a.*

con·gre·ga·tion·al[kɑ̀ŋgrigéiʃənəl/-ɔ̀-] *a.* 회중의; (C-) 조합 교회의. ***C- Church*** 조합 교회. **~·ism**[-ìzəm] *n.* Ⓤ 조합 교회주의. **~·ist** *n.*

:**con·gress**[kɑ́ŋgris/kɔ́ŋgris] *n.* ① Ⓒ 회의, 위원회. ② (C-) Ⓤ (미국·중남미의) 국회. ˙**con·gres·sion·al**[kəngréʃənəl/kɔŋ-] *a.* 회의의; (C-) 《美》 국회의.

˙**con·gress·man**[-mən] *n.* (종종 C-) Ⓒ 《美》 국회[하원] 의원. **~-at-lárge** *n.* (*pl.* ***-men-***) Ⓒ 주 선출 국회의원.

con·gress·wom·an [-wùmən] *n.* (종종 C-) Ⓒ 《美》 여자 국회[하원] 의원.

con·gru·ent[kɑ́ŋgruənt/-ɔ́-] *a.* 일치하는; 〖幾〗 합동의. **-ence** *n.*

con·ic[kɑ́nik/-ɔ́-], **-i·cal**[-əl] *a.* 원뿔[원추] 모양(cone)의.

co·ni·fer[kɑ́nəfər, kóunə-] *n.* Ⓒ 〖植〗 침엽수. **co·nif·er·ous**[kounífərəs] *a.*

˙**con·jec·ture**[kəndʒéktʃər] *n., vt., vi.* Ⓤ,Ⓒ 추측(하다). **-tur·al** *a.*

con·join[kəndʒɔ́in] *vt., vi.* 결합하다, 연합하다, 합치다.
con·ju·gal[kɑ́ndʒəgəl/-ɔ́-] *a.* 부부(간)의, 결혼의.
ˑ**con·ju·gate**[kɑ́ndʒəgèit/-ɔ́-] *vt.* (동사를) 변화〔활용〕시키다; 결합시키다. **:-ga·tion**[ㅗ—géiʃən] *n.* U,C (동사의) 변화.
:con·junc·tion [kəndʒʌ́ŋkʃən] *n.* U,C 결합, 접합; C 〖文〗 접속사. ***in ~ with*** …와 함께. **ˑ-tive** *a., n.* 〖文〗 접속의; C 접속어.
con·junc·ti·vi·tis [kəndʒʌ̀ŋktəváitis] *n.* U 결막염.
ˑ**con·jure**[kɑ́ndʒər, kʌ́n-] *vt., vi.* 마법〔요술〕을 쓰다. ***~ up*** (유령 따위를) 마법으로 불러내다(summon); (환상을) 불러일으키다. **cón·jur·er, -ju·ror**[-rər] *n.* C 마술〔주술〕사.
conk[1][kɑŋk/kɔŋk] *n., vt.* C 《俗》 머리(를 때리다); 《英俗》 코(를 때리다).
conk[2] *vi.* 《口》 (기계가) 망그러지다; 실신하다.
:con·nect[kənékt] *vt.* ① (두개의 것을) 잇다, 결합〔연결〕하다. ② 연상하다. — *vi.* 이어지다, 접속하다 (*with*); 〖野〗 강타하다. **~·ed**[-id] *a.* 관계〔연락〕 있는.
connécting ròd (기관 따위의) 연접봉.
:con·nec·tion, 《英》 **-nex·ion** [kənékʃən] *n.* ① U 연결, (열차·배 따위의 시간적) 연락; U,C 관계. ② U,C 교섭, 사귐, 친밀함; 정교; 친척〔연고〕 관계; 연줄. ③ C 거래처, 단골(customers). ***criminal ~*** 간통. ***in ~ with*** …와 관련하여. ***in this ~*** 이와 관련하여, 이에 덧붙여. ***take up one's ~s*** 《美》 대학을 나오다.
con·nec·tive[kənéktiv] *a., n.* 연결의; C 연결물; 〖文〗 연결사《관계사·접속사 따위》.
cón·ning tòwer[kɑ́niŋ-/-ɔ́-] (군함의) 사령탑; (잠수함의) 전망탑.
con·nive[kənáiv] *vi.* (나쁜 일을) 못본 체하다, 묵인하다(wink)(*at*); 공모하다, 서로 짜다(*with*). **con·nív·ance** *n.*
con·nois·seur[kɑ̀nəsə́ːr/-ɔ̀-] *n.* C 감정〔감식〕가, 익수, 전문가(expert).
con·note[kənóut/kɔ-] *vt.* (특별한 뜻을) 품다(imply); 〖論〗 내포(内包)하다. **con·no·tat·ion** [kɑ̀nətéiʃən/-ɔ̀-] *n.* U,C 〖論〗 내포(opp. denotation).
con·nu·bi·al[kənjúːbiəl] *a.* 결혼의, 부부의.
:con·quer[kɑ́ŋkər/-ɔ́-] *vt.* 정복하다; 극복하다. — *vi.* 이기다. **~·a·ble** *ad.* 정복할 수 있는. **:~·or** [-ər] *n.* C 정복자, 승리자; (*the* C-) 영국왕 William I의 별명.
:con·quest[kɑ́ŋkwest/-ɔ́-] *n.* U,C 정복; C 정복한 토지〔주민〕. ***the*** (NORMAN) ***C-.***
con·san·guin·e·ous [kɑ̀nsæŋgwíniəs/-ɔ̀-] *a.* 혈족〔동족〕의. **-i·ty** [-gwínəti] *n.*
:con·science[kɑ́nʃəns/-ɔ́-] *n.* U 양심, 선악관념(*a bad* 〔*guilty*〕 *~* 양심에 꺼릴 못된 마음). ***for ~(') sake*** 양심을 위해〔에 꺼리어〕; 제발. ***have ... on one's ~*** …을 마음에 꺼리다, …이 양심에 걸리다. ***have the ~ to*** (do) 철면피하게도(…하다). ***in all ~,*** or ***upon one's ~*** 양심상, 정말. ***keep a person's ~*** 양심에 부끄럽지 않은 행동을 하게 하다.
cónscience mòney (탈세자 따위의) 속죄 납금.
cónscience-strìcken *a.* 양심에 찔린〔꺼리는〕.
ˑ**con·sci·en·tious**[kɑ̀nʃiénʃəs/-ɔ̀-] *a.* 양심적인. **~·ly** *ad.* **~·ness** *n.*
consciéntious objéctor 양심〔종교〕적 병역 거부자《생략 C.O.》.
:con·scious[kɑ́nʃəs/-ɔ́-] *a.* 의식〔자각〕 있는; 알아채어(*of, that*). ***become ~*** 제정신이 들다. **ˑ~·ly** *ad.* 의식적으로, 알면서.
:con·scious·ness[-nis] *n.* U 의식. ***stream of ~*** 〖心〗 의식의 흐름.
con·script[kɑ́nskript/-ɔ́-] *a., n.* 징집된; C 징집병, 장정. — [kənskrípt] *vt.* 군인으로 뽑다, 징집〔징용〕하다. **con·scrip·tion**[kənskrípʃən] *n.* U 징병, 징용.
ˑ**con·se·crate** [kɑ́nsikrèit/-ɔ́-] *vt.* ① 하느님에게 바치다(dedicate)

(~ *a church* 헌당(獻堂)하다). ② 성화(성별)하다(hallow). ③ 바치다. ***-cra·tion**[⌐–kréiʃən] *n.* U,C 봉헌(식); U 정진, 헌신(devotion); 신성화.

con·sec·u·tive** [kənsékjətiv] *a.* 연속적인; 〖文〗 결과의. ~ ***numbers 연속 번호. **~·ly** *ad.* **~·ness** *n.*

***con·sen·sus**[kənsénsəs] *n.* C (의견 등의) 일치, 총의; 컨센서스; 〖生〗 교감(交感).

:con·sent[kənsént] *n., vi.* U 동의(하다)(*to*). ***by common*** (***general***) ~ 만장일치로. **con·sen·tient** [-ʃənt] *a.* 일치한.

:con·se·quence [kánsikwèns/ kɔ́nsikwəns] *n.* ① C 결과(result), 추세; 〖論〗 결론. ② U 중대함, 주요성. ***in ~ of*** …의 결과, …로 인해. ***of ~*** 유력한; 중대한. ***of no ~*** 사소한, 중요치 않은. ***take*** (***answer for***) ***the ~s*** 결과를 감수하다, 결과에 대해 책임지다.

***con·se·quent** [kánsikwènt/ kɔ́nsikwənt] *a.* 결과로서 일어나는 (resulting)(*on, upon*); 필연의. **:~·ly** *ad.* 따라서.

con·se·quen·tial[kànsikwénʃəl/ -ɔ̀-] *a.* 결과로서 일어나는, 필연의; 중대한; 거드름 부리는. **~·ly** *ad.*

con·serv·an·cy[kənsə́:rvənsi] *n.* ① C 《집합적》《英》 (하천·산림 등의) 관리 위원회. ② U (하천·산림 등의) 관리, 보존.

***con·ser·va·tion** [kànsə:rvéiʃən/ -ɔ̀-] *n.* ① U 보존; (하천·산림의) 국가 관리. ② C 보안림(林)(하천). ③ U 〖理〗 (질량의) 불변, (에너지의) 불멸.

:con·serv·a·tive[kənsə́:rvətiv] *a.* ① 보수적인; (C-) 보수당의. ② 보존력이 있는. ③ 신중한, 조심스러운. ***the C- Party*** (영국의) 보수당. — *n.* C 보수적인 사람; (C-) 보수당원. ***-tism**[-ìzəm] *n.* U 보수주의.

con·ser·va·toire [kənsə̀:rvətwá:r, ⌐–⌐–⌐] *n.* (F.) C 음악(미술) 학교.

con·serv·a·to·ry[kənsə́:rvətɔ̀:ri/ -təri] *n.* C 온실; = CONSERVATOIRE.

***con·serve**[kənsə́:rv] *vt.* ① 보존(저장)하다(preserve). ② 설탕절임으로 하다. — [kánsə:rv/kənsə́:rv, kɔ́n-] *n.* U (종종 *pl.*) 설탕절임 한 과일; 잼.

†con·sid·er[kənsídər] *vt.* ① 생각하다(ponder); 고려(참작)하다. ② (…로) 생각하다(보다)(regard as). — *vi.* 생각하다, 숙고하다. ***all things ~ed*** 여러 가지(모)로 생각한 끝에.

:con·sid·er·a·ble[kənsídərəbəl] *a.* ① (수량·금액 등이) 상당한, 적지 않은. ② 고려할 만한(해야 할); 중요한. — *ad.* 《俗》 어지간히, 듬뿍. — *n.* U 《美口》 다량, 다액. **:-bly** *ad.* 꽤, 상당히 많이.

***con·sid·er·ate**[kənsídərit] *a.* ① 동정(인정) 있는. ② 사려 깊은, 신중한. **~·ly** *ad.* **~·ness** *n.*

:con·sid·er·a·tion[-sìdəréiʃən] *n.* ① U 고려; 생각; C 고려할 만한 일. ② C 보수. ③ U 감안, 헤아림. ④ U 중요함; 존중. ***for a ~*** 보수를 주면(받으면). ***have no ~ for*** …을 고려하지 않다; …을 마음에 두지 않다. ***in ~ of*** …을 고려(감안)하여; …의 사례로서. ***on*** (***under***) ***no ~*** 절대로 …않다. ***take into ~*** 고려하다. ***the first ~*** 첫째 요건. ***under ~*** 고려중.

:con·sid·er·ing[kənsídəriŋ] *prep.* …(한 점)을 고려한다면, …에 비해서는(for)(~ *his age* 나이에 비해서는). — *ad.* 《口》 비교적.

***con·sign**[kənsáin] *vt.* ① 위탁하다(entrust), 넘겨주다. ② 〖商〗 탁송하다. **~·ee**[kànsainí/-ɔ̀-] *n.* C 맡는 사람, 수탁자, 하수인(荷受人). **~·er**[kənsáinər] *n.* C 위탁자.

con·sign·ment[kənsáinmənt] *n.* ① U 위탁. ② C 위탁 상품(화물); 적송품(積送品).

:con·sist[kənsíst] *vi.* ① (…로) 되다(*of*). ② (…에) 있다, 가로놓이다(lie)(*in*). ③ 양립(일치)하다(*with*).

***con·sist·en·cy**[-ənsi], **-ence** [-əns] *n.* ① U 일관성; 일치. ② U,C 농도, 밀도.

***con·sist·ent**[-ənt] *a.* 일치하는; 모순 없는(*with*), 시종 일관돼 있는.

~·ly *ad.*

ˑ**con·so·la·tion**[kɑ̀nsəléiʃən/-ɔ̀-] *n.* ① Ⓤ 위자(慰藉), 위로. ② Ⓒ 위안이 되는 것(사람). **sol·a·to·ry** [kənsɑ́lətɔ̀:ri/-sɔ́lətəri] *a.*

consolátion prìze 애석상(賞).

:**con·sole**[1][kənsóul] *vt.* 위로하다, 위자하다. **con·sól·a·ble** *a.*

con·sole[2][kɑ́nsoul/-ɔ́-] *n.* Ⓒ (오르간 따위의) 연주대(臺); 〖建〗 소용돌이 모양의 까치발; (라디오·텔레비전·전축의) 콘솔형(대형) 캐비닛《바닥에 놓음》; 〖컴〗 조종대, 제어탁자; ≈ **∠ tàble** (벽면) 고정 테이블.

ˑ**con·sol·i·date** [kənsɑ́lidèit/-sɔ́li-] *vt., vi.* ① 굳게(공고하게) 하다, 굳어(튼튼해)지다, 견실하게 하다(되다). ② 결합(합병)하다; 정리(통합)하다; 〖軍〗 (새 점령지를) 기지로서 굳히다. **-da·to·ry**[-dətɔ̀:ri/-təri] *a.* 통합하는, 굳히는.

Consólidated Fúnd, the 《英》 정리 공채 기금.

ˑ**con·sol·i·da·tion**[kənsɑ̀lədéiʃən/-ɔ̀-] *n.* Ⓤ,Ⓒ 통합, 합병; 강화.

con·som·mé[kɑ̀nsəméi/kənsɔ́mei] *n.* (F.) Ⓤ 콩소메《맑간 수프》 (clear soup).

:**con·so·nant**[kɑ́nsənənt/-ɔ́-] *a.,* ① 일치(조화)된(*with, to*). ② 자음의; 〖樂〗 협화음의. — *n.* Ⓒ 자음(글자); 협화음. **-nance, -nan·cy** *n.* Ⓤ 일치, 조화; Ⓤ,Ⓒ 〖樂〗 협화(음). **-nan·tal**[∸—nǽntl] *a.* 자음의.

ˑ**con·sort**[kɑ́nsɔ:rt/-ɔ́-] *n.* Ⓒ (주로 왕·여왕의) 배우자(spouse); 요함(僚艦). ***prince*** ~ 여왕의 부군(夫君). — [kənsɔ́:rt] *vi., vt.* 교제하다(시키다); 조화(일치)하다(agree) (*with*).

con·sor·ti·um [kənsɔ́:rʃiəm, -tiəm] *n.* (*pl.* ***-tia***[-ʃiə]) Ⓒ (개발도상 국가의 원조를 위한) 국제 차관단; 연합, 협회.

:**con·spic·u·ous**[kənspíkjuəs] *a.* 두드러진. ***be ~ by one's absence*** 없음(결근)으로 해서 오히려 더 드러나다. ***cut a ~ figure*** 이채를 띠다. ~·**ly** *ad.*

conspícuous consúmption (**wáste**) 과시적인 낭비.

ˑ**con·spir·a·cy**[kənspírəsi] *n.* Ⓤ,Ⓒ 공모; 음모(plot); 동시 발생.

ˑ**con·spir·a·tor**[kənspírətər] *n.* Ⓒ 공모(음모)자. **-to·ri·al**[-∸—tɔ́:riəl] *a.* 공모의.

ˑ**con·spire**[kənspáiər] *vi., vt.* ① 공모하다, (음모를) 꾸미다(plot) (*against*). ② 협력하다.

ˑ**con·sta·ble**[kʌ́nstəbəl, -ɑ́-] *n.* Ⓒ 치안관; 《英》 경관.

con·stab·u·lar·y[kənstǽbjulèri/-ləri] *n.* Ⓒ 《집합적》 경찰대(력).

ˑ**con·stan·cy**[kɑ́nstənsi/-ɔ́-] *n.* Ⓤ ① 불변성, 항구성. ② 정절, 성실.

:**con·stant**[kɑ́nstənt/-ɔ́-] *a.* ① 불변의, 일정한. ② 마음이 변치 않는 (not fickle), 성실한(faithful). — *n.* Ⓒ 〖數·理〗 상수(常數)《생략 k》; 변치 않는 것.

:**con·stant·ly** [kɑ́nstəntli/kɔ́n-] *ad.* 변함없이; 끊임없이; 빈번히.

con·stel·la·tion [kɑ̀nstəléiʃən/-ɔ̀-] *n.* Ⓒ ① 별자리. ② 기라성 같은 모임.

con·ster·na·tion[kɑ̀nstərnéiʃən/-ɔ̀-] *n.* Ⓤ 깜짝 놀람, 경악.

con·sti·pate[kɑ́nstəpèit/-ɔ́-] *vt.* 변비 나게 하다(bind). **-pat·ed**[-id] *a.* 변비의(bound). **-pa·tion**[∸—péiʃən] *n.* Ⓤ 변비.

con·stit·u·en·cy [kənstítʃuənsi] *n.* Ⓒ 선거구; 《집합적》 선거구민; 고객.

ˑ**con·stit·u·ent**[-ənt] *a.* ① 구성(조직)하는. ② 선거권이 있는. — *n.* Ⓒ ① (구성) 요소, 성분. ② 〖文〗 구성소. ③ (선거) 유권자. ***immediate ~*** 〖文〗 직접 구성소. 「국민 의회.

Constítuent Assémbly 〖프史〗

:**con·sti·tute** [kɑ́nstitjù:t/kɔ́nstitjù:t] *vt.* ① 구성(조직)하다. ② 제정하다(establish). ③ 선임하다; 임명하다(appoint). **-tut·or**[-ər] *n.* Ⓒ 구성(제정)자.

:**con·sti·tu·tion** [kɑ̀nstitjú:ʃən/kɔ̀nstitjú:-] *n.* ① Ⓤ 구성, 조직. ② Ⓒ 체격, 체질. ③ Ⓤ 제정, 설립. ④ Ⓒ 법령, 규약; (the C-) 헌법.

ˑ**con·sti·tu·tion·al**[-əl] *a.* ① 타고난, 체질의. ② 헌법의, 입헌적인. ③ 보건(상)의. ④ 구성(조직)의. ~ ***for-***

mula 〖化〗 구조식. ~ ***government*** 〔***monarchy***〕 입헌 정치〔군주국〕. — *n.* Ⓒ (건강을 위한) 운동, 산책. **~·ism**[-nəlìzəm] *n.* Ⓤ 입헌제〔주의〕; 헌정(憲政) 옹호. **~·ist** *n.* **~·i·ty**[⌐–⌐–ǽləti] *n.* Ⓤ 합헌성. **~·ly** *ad.* 선천〔본질〕적으로; 헌법상.

:con·strain[kənstréin] *vt.* ① 강제하다(compel)(*to*). ② 억누르다(repress). ③ 속박하다. ***be ~ed to*** (do) 부득이〔할 수 없이〕 …하다. **~ed**[-d] *a.* 강제된, 무리한. ***~t** *n.* Ⓤ 강제; 억압; 속박.

con·strict[kənstríkt] *vt.* 단단히〔꼭〕 죄다. **~·ed**[-id] *a.* 꼭 죄인; 갑갑한. **con·stríc·tion** *n.* **-tive** *a.* **-tor** *n.* Ⓒ 왕뱀(cf. boa); 괄약근; 압축기.

:con·struct[kənstrʌ́kt] *vt.* ① 조립하다; 세우다, 구성하다. ② 〖幾〗 작도(作圖)하다. — [kánstrʌkt/kɔ́n-] *n.* Ⓒ 구조물; 구문(構文); 〖心〗 구성 개념. **~·er, -struc·tor** *n.*

:con·struc·tion[kənstrʌ́kʃən] *n.* ① Ⓤ 건조, 건축; 건축 양식; 건설업. ② Ⓒ 건조물. ③ Ⓒ 구문(構文). ④ Ⓤ 작도(*a ~ problem* 작도 문제). ⑤ Ⓒ 해석(〈construe). ***put a false ~ on*** …을 곡해하다. **~·al** [-ʃənəl] *a.* **~·ism**[-ìzəm] *n.* = CONSTRUCTIVISM. **~·ist** *n.* Ⓒ 법령 해석자; 〖美術〗 = CONSTRUCTIVIST.

***con·struc·tive**[-tiv] *a.* 구성〔구조〕상의, 구성적인; 건설적인(opp. destructive).

con·struc·tiv·ism[-tivìzəm] *n.* Ⓤ 〖美術〗 구성주의; 구성파. **-ist** *n.* Ⓒ 구성화의 화가.

***con·strue**[kənstrú:] *vt.* (구문을) 해부하다(analyze), 해석하다. — *vi.* 해석하다; (문장이) 해석되다. ⇨ CONSTRUCTION.

con·sul**[kánsəl/-ɔ́-] *n.* Ⓒ ① 영사. ② (고대 로마의) 집정관. ③ 〖프史〗 집정. ***acting 〔***hono(u)rary***〕 ~ 대리〔명예〕 영사. **~·ship**[-ʃìp] *n.* Ⓤ 영사의 직〔임기〕.

con·su·lar[kánsələr/kɔ́nsju-] *a.* 영사의; 집정(관)의.

con·su·late[kánsəlit/kɔ́nsju-] *n.* Ⓒ 영사관; Ⓤ 영사의 직〔임기〕.

:con·sult[kənsʌ́lt] *vt.* ① 상의〔의논〕하다; 의견을 듣다; (의사의) 진찰을 받다. ② (참고서를) 조사하다, (사전을) 찾다. ③ (이해·감정 따위를) 고려하다(consider). ~ ***a person's convenience*** (아무의) 사정을 고려하다. — *vi.* 상의하다(*with*). **~·a·ble** *a.* 협의〔자문〕의.

con·sul·tan·cy[kənsʌ́ltənsi] *n.* Ⓤ,Ⓒ 컨설턴트업(무).

***con·sult·ant**[kənsʌ́ltənt] *n.* Ⓒ ① 의논자; 의논〔상의〕 상대. ② 고문; 고문 의사, 고문 기사.

***con·sul·ta·tion**[kànsəltéiʃən/-ɔ̀-] *n.* ① Ⓤ,Ⓒ 상담, 협의; 진찰; (변호사의) 감정. ② Ⓒ 협의회. ③ Ⓤ 참고, 참조.

:con·sume[kənsú:m] *vt.* ① 소비〔소모〕하다, 다 써버리다(use up). ② 다 먹어〔마셔〕 치우다; 다 불태워 버리다. — *vi.* 다하다, 소멸〔소모〕하다. ***be ~d with*** (비탄으로) 몸이 여위다; (질투·분노로) 가슴을 태우다.

:con·sum·er[-ər] *n.* Ⓒ 소비자. **consúmer(s') gòods** 소비재.

***con·sum·mate**[kánsəmèit/kɔ́n-] *vt.* 이루다, 성취〔완성〕하다. — [kənsʌ́mət] *a.* 무상의, 완전한(perfect). **-ma·tion**[⌐–méiʃən] *n.* Ⓤ 완성.

:con·sump·tion[kənsʌ́mpʃən] *n.* Ⓤ ① 소비(consuming); 소모. ② 소모병, (폐)결핵. **-tive** *a., n.* 소비〔소모〕의; Ⓒ 폐병의 (환자).

:con·tact[kántækt/-ɔ́-] *n.* Ⓤ 접촉(touch); 교제. ***come in*** 〔***into***〕 ***~ with*** …와 접촉하다. ***lose ~ with*** …와의 접촉이 두절되다. — [kəntǽkt] *vt., vi.* 접촉시키다〔하다〕; 연락을 취하다.

cóntact lèns 콘택트 렌즈.

con·ta·gion[kəntéidʒən] *n.* ① Ⓤ (접촉) 전염. ② Ⓒ 전염병; 악영향. ***-gious** *a.* 전염성의.

†con·tain[kəntéin] *vt.* ① 포함〔함유〕하다; 넣다. ② …이 들어가다〔있다〕(hold). ③ (감정·소변 따위를) 참다. ***be ~ed between*** 〔***within***〕 … 사이〔안〕에 있다. **~·ment**[-mənt] *n.* Ⓤ 견제; 봉쇄.

:con·tain·er[kəntéinər] *n.* Ⓒ 용기

(容器); (화물 수송용) 컨테이너. **~·ize**[-àiz] *vt.* 컨테이너에 넣다[로 수송하다]. **~·ship**[-ʃìp] *n.* Ⓒ 컨테이너선.

con·tam·i·nant [kəntǽmənənt] *n.* Ⓒ 오염균[물질].

con·tam·i·nate [kəntǽmənèit] *vt.* 더럽히다, 오염하다.

con·tam·i·na·tion** [kəntæ̀mənéiʃən] *n.* ① Ⓤ 오염. ② Ⓒ 더럽히는 것. ③ Ⓤ 〖言〗 혼성(混成). ***radioactive ~ 방사능 오염.

contd. contained; continued.

:con·tem·plate [kántəmplèit/kɔ́ntem-] *vt.* ① 응시하다, 눈여겨[뚫어지게] 보다(gaze at). ② 숙고하다(study carefully), 심사(深思)하다. ③ 예기하다; 꾀[계획]하다(~ *a trip;* ~ *visiting Lake Como*). ***be lost in*** ~ 명상에 잠겨 있다. ***have*** (*a thing*) ***in*** [***under***] ~ (어떤 일을) 계획하고 있다. — *vi.* 심사하다. **-pla·tor**[-ər] *n.* Ⓒ 숙고자.

:con·tem·pla·tion [kàntəmpléiʃən/kɔ̀ntem-] *n.* Ⓤ ① 눈여겨 봄. ② 숙고, 명상. ③ 계획, 예상. ***in*** ~ 계획중. **-tive**[kəntémplətiv, kántəmplèi-/kɔ́ntemplèi-] *a.*

con·tem·po·ra·ne·ous[kəntèmpəréiniəs] *a.* 동시대의. **~·ly** *ad.*

:con·tem·po·rar·y[kəntémpərèri/-pərəri] *a., n.* Ⓒ ① 같은 시대의(사람, 잡지); 현대의. ② 같은 나이의(사람). ③ (신문의) 동업자.

:con·tempt[kəntémpt] *n.* Ⓤ 모욕, 경멸(disdain)(*for*); 치욕. ***~·i·ble**[-əbəl] *a.* 야비한(mean).

***con·temp·tu·ous**[kəntémptʃuəs] *a.* 경멸적인[하는]. ***~·ly** *ad.* **~·ness** *n.*

:con·tend [kənténd] *vi.* 다투다(fight), 경쟁하다(compete)(*with*); 논쟁하다(debate). — *vt.* 주장하다(maintain)(*that*). **~·er** *n.* Ⓒ 경쟁[주장]자.

:con·tent[1] [kántent/-ɔ́-] *n.* ① (*pl.*) 알맹이; 내용, 목차. ② Ⓤ (때로 *pl.*) 용적, 용량. ③ Ⓤ 요지. ~ ***analysis*** 〖社會·心〗 내용 분석《매스커뮤니케이션의》.

:con·tent[2] [kəntént] *vt.* (…에) 만족시키다(satisfy)(~ *oneself* 만족하다)(*with*). — *pred. a.* 만족하여; 흐뭇해하여. — *n.* Ⓤ 만족. ***to one's heart's*** ~ 마음껏. ***~·ed**[-id] *a.* 만족한. ***~·ment** *n.* Ⓤ 만족.

***con·ten·tion**[kənténʃən] *n.* ① Ⓤ 다툼; 경쟁(contest); 논쟁(dispute). ② Ⓒ 논(쟁)점. **-tious** *a.* 다투기[말다툼] 좋아하는, 걸핏하면 싸우려 드는; 〖法〗 소송의.

†con·test[kántest/-ɔ́-] *n.* Ⓒ 다툼, 논쟁; 경쟁, 경연, 콩쿠르. — [kəntést] *vt., vi.* 다투다, 경쟁하다; 논쟁하다. **con·tést·ant** *n.* Ⓒ 경쟁자; 경기[경연]자, 소송 당사자. **con·tes·ta·tion**[kàntestéiʃən/-ɔ̀-] *n.* Ⓤ 논쟁, 주장, 쟁점.

***con·text**[kántekst/-ɔ́-] *n.* Ⓒ,Ⓤ 문맥; 정황, 배경, 경위. **con·tex·tu·al**[kəntékstʃuəl] *a.*

con·tig·u·ous[kəntígjuəs] *a.* 접촉[인접]하는(adjoining). **con·ti·gu·i·ty**[kàntəgjú(ː)iti/kɔ̀n-] *n.*

†con·ti·nent[1] [kántənənt/kɔ́n-] *n.* ① Ⓒ 대륙; 본토, 육지. ② (the C-) 유럽 대륙.

con·ti·nent[2] (<contain) *a.* 절제하는(temperate), 금욕적인; 정절의(chaste). **-nence, -nen·cy** *n.* Ⓤ 절제; 정조(chastity). **~·ly** *ad.*

:con·ti·nen·tal[kàntənéntl/kɔ̀n-] *a.* 대륙의. **~·ism**[-təlìzəm] *n.* Ⓤ 대륙주의[기질].

continéntal bréakfast (커피, 롤빵, 주스 정도의) 가벼운 아침 식사.

continéntal shélf 〖地〗 대륙붕.

con·tin·gen·cy [kəntíndʒənsi] *n.* ① Ⓤ 우연(성). ② Ⓒ 우발 사건.

con·tin·gent[-dʒənt] *a.* 뜻하지 않은, 임시의; 있을 수 있는(*to*); …나름인(*upon*). — *n.* ① Ⓒ 우발사건(contingency); 몫. ② 《집합적》 분견(分遣)(함)대. **~·ly** *ad.*

:con·tin·u·al[kəntínjuəl] *a.* 끊임없는, 연속적인, 빈번한(~ *bursts of laughter* 잇단 폭소). **:~·ly** *ad.*

***con·tin·u·ance**[kəntínjuəns] *n.* Ⓤ 연속, 계속(기간); 〖法〗 연기.

***con·tin·u·a·tion** [kəntìnjuéiʃən] *n.* ① Ⓤ 계속, 연속. ② Ⓒ (이야기의) 계속, 속편(sequel). ③ Ⓒ 연

장(부분).

†**con·tin·ue** [kəntínju:] *vi.* 계속하다; 계속해서〔변함없이〕…하다〔이다〕. ― *vt.* 계속하다, 연장〔연기〕하다. **~d fraction** 〔**proportion**〕 〖數〗 연분수〔연비례〕. **~d story** 연재 소설. **To be ~d.** 계속, 이하 다음 호에.

˙**con·ti·nu·i·ty** [kàntənjú:əti/kɔ̀n-] *n.* Ⓤ ① 연속, 계속, 연결. ② 촬영〔방송〕 대본(scenario; radio script).

C

:**con·tin·u·ous** [kəntínjuəs] *a.* 연속적인, 끊이지 않는(unbroken) (*a ~ flow, rain, &c.*). **~·ly** *ad.*

con·tin·u·um [kəntínjuəm] *n.* (*pl.* **-tinua** [-tínjuə], **~s**) Ⓒ 연속(체).

con·tort [kəntɔ́:rt] *vt.* 비틀다, 구부리다(twist), 일그러지게 하다; 왜곡하다. **-tór·tion** *n.* **-tór·tion·ist** *n.* Ⓒ (몸을 마음대로 구부리는) 곡예사.

˙**con·tour** [kántuər/-ɔ́-] *n.* Ⓒ 윤곽. **cóntour lìne** 등고선. ⌊(outline).

con·tra- [kántrə/kɔ́n-] '반〔비, 역〕…'의 뜻의 결합사 : *contra*ception, *contra*dict.

con·tra·band [kántrəbæ̀nd/-ɔ́-] *a., n.* Ⓤ 금제의; 금제〔밀매〕품; 밀무역(smuggling). **~ of war** 전시 금제품. **~·ist** *n.*

con·tra·cep·tion [kàntrəsépʃən/-ɔ̀-] *n.* Ⓤ 피임. **-tive** *a., n.* 피임의; Ⓒ 피임약〔용구〕.

:**con·tract** [kántrækt/-ɔ́-] *n.* ① Ⓤ,Ⓒ 계약; 청부; Ⓒ 계약서. ② Ⓒ 약혼. ③ = **~ bridge** 〖카드〗 점수 계약식의 브리지. **make** 〔**enter into**〕 **a ~ with** …와 계약을 맺다. ― [kántrækt/kəntrǽkt] *vt.* ① 계약하다. ② (혼인·친교를) 맺다. ③ (못된 버릇이) 들다, (병에) 걸리다, (감기가) 들다; (빚을) 지다. ④ 수축(收縮)시키다. **~ note** 약속 어음, 계약서. ― *vi.* 계약하다; 수축되다. **~·ed** [-id] *a.* 수축된; 도량이 좁은. **~·i·ble** [kəntrǽktəbəl] *a.* 수축할 수 있는. **con·trac·tile** [-til/-tail] *a.* 수축성의. ˙**con·trác·tion** *n.* Ⓤ,Ⓒ 단축, 수축; 〖文〗 생략, 축약. ˙**con·trác·tor** *n.* Ⓒ 청부인; 수축근(筋). **con·trac·tu·al** [-tʃuəl] *a.*

˙**con·tra·dict** [kàntrədíkt/-ɔ̀-] *vt.* ① 부정하다(deny); 반박하다. ② (…와) 모순되다. **~ oneself** 모순된 말〔짓〕을 하다. ˙**-dic·tion** [-díkʃən] *n.* **-dic·tory** [-təri] *a.*

còntra·distínction *n.* Ⓤ 대조, 대비(對比).

con·tral·to [kəntrǽltou] *n.* (*pl.* **~s, -ti** [-ti:]) ① Ⓤ 〖樂〗 콘트랄토《여성 최저음》. ② Ⓒ 콘트랄토 가수.

con·trap·tion [kəntrǽpʃən] *n.* Ⓒ 《美口》 신안(新案)(device); 《英俗》 (기묘한) 장치(gadget).

con·tra·pun·tal [kàntrəpʌ́ntl/-ɔ̀-] *a.* 〖樂〗 대위법(counterpoint)의〔에 의한〕. **~·ly** [-təli] *ad.*

con·tra·ri·wise [kántreriwàiz/kɔ́n-] *ad.* 거꾸로, 반대로; 짓궂게; 고집 세게.

:**con·tra·ry** [kántreri/kɔ́n-] *a.* ① 거꾸로의, 반대의. ② [kəntrέəri] 빙퉁그러진(perverse). ― *n.* (the ~) 반대, 역(逆). **by contraries** 정반대로. **on the ~** 이에 반하여; 그렇긴커녕. **to the ~** 그와는 반대로〔의〕(*an opinion to the ~* 반대 의견). ― *ad.* (…에) 반하여(*to*).

:**con·trast** [kántræst/kɔ́ntra:-] *n.* ① Ⓤ 대조(*between*). ② Ⓤ,Ⓒ 차이(점). ― [kəntrǽst/-á:-] *vt.* 대조하다(*~ this with that* 이것과 저것과를 비교하다). ― *vi.* (…와) 현저히 다르다(*with*).

con·tra·vene [kàntrəví:n/-ɔ̀-] *vt.* 어기다, 위배하다, 범하다(violate); 반대하다; (…와) 모순되다. **con·tra·vén·tion** *n.*

con·tre·temps [kántrətà:ŋ/kɔ́n-] *n.* (*pl.* ~[-z]) (F.) Ⓒ 뜻밖의 일〔사고〕.

:**con·trib·ute** [kəntríbju:t] *vt., vi.* ① 기부〔기증〕하다. ② 기고(寄稿)하다. ③ 이바지〔공헌·기여〕하다. ˙**-u·tor** [-tríbjətər] *n.*

:**con·tri·bu·tion** [kàntrəbjú:ʃən/kɔ̀n-] *n.* ① Ⓤ 기부, 기증; 공헌; Ⓒ 기부금. ② Ⓤ 기고(寄稿).

con·trib·u·to·ry [kəntríbjətɔ̀:ri/-təri] *a.* 기여하는. **~ negligence** 〖法〗 기여 과실(寄與過失).

con·trite [kəntráit/kɔ́ntrait] *a.* (죄를) 뉘우친(penitent). **con·tri·tion**

[-tríʃən] *n.*
:**con·trive** [kəntráiv] *vt.* ① 연구(발명·고안)하다. ② 꾀하다(plot). ③ 그럭저럭 …하다(manage)(*to* do); (불행 따위를) 일부러 부르다. — *vi.* 연구(계획)하다. ***con·triv·ance** [-əns] *n.* Ⓤ 고안; Ⓒ 고안품; 장치; 계략. **con·trív·er** *n.*
†**con·trol** [kəntróul] *n.* ① Ⓤ 지배(력), 관리, 통제, 억제; 〖컴〗 제어, 컨트롤. ② Ⓒ (실험의) 대조 표준. ③ Ⓒ (보통 *pl.*) 조종 장치. ***be in ~ of*** …을 관리하고 있다. ***bring* (*keep*) *under ~*** (억)누르다, 억제하다. ***~ed economy*** 통제 경제. ***~ of production*** 생산 관리. ***out of* (*beyond*) *~*** 지배가 미치지 못하는, 억누를 수 없는. ***without ~*** 제멋대로. — *vt.* (***-ll-***) 지배(관리·통제·억제)하다; (회계를) 감사하다. ***~·ler** *n.* Ⓒ 다잡는 사람, 관리인; (회계) 감사관(comptroller); 〖電·컴〗 제어기.
·**con·tro·ver·sy** [kántrəvə̀ːrsi/-ɔ́-] *n.* Ⓤ,Ⓒ 논쟁, 논의; 말다툼. ***beyond* (*without*) *~*** 논쟁의 여지 없이, 당연히. **-sial** [⌐–və́ːrʃəl] *a.*
con·tro·vert [kɑntrəvə́ːrt] *vt.* 반박하다; 논쟁하다. **~·i·ble** [⌐–və́ːrtəbəl] *a.* 논의의 여지가 있는.
con·tuse [kəntjúːz] *vt.* (…에게) 타박상을 입히다(bruise). **-tu·sion** [-ʒən] *n.* Ⓤ,Ⓒ 타박상.
co·nun·drum [kənʌ́ndrəm] *n.* Ⓒ 수수께끼; 재치 문답; 수수께끼 같은 인물.
con·ur·ba·tion [kànəːrbéiʃən/-ɔ̀-] *n.* Ⓒ 집합 도시, 광역도시권.
con·va·lesce [kànvəlés/-ɔ̀-] *vi.* (병이) 차도가 있다, 건강을 회복하다.
con·va·les·cent [kànvəlésnt] *a., n.* Ⓒ 회복기의 (환자). **-cence** *n.* Ⓤ 회복(기).
con·vec·tion [kənvékʃən] *n.* Ⓤ 〖理·氣〗 대류(對流); 전달.
con·vec·tor [kənvéktər] *n.* Ⓒ 대류식(對流式) 난방기.
con·vene [kənvíːn] *vt.* 소집(소환)하다(summon). — *vi.* 회합하다.
:**con·ven·ience** [kənvíːnjəns] *n.* ① Ⓤ 편리, 형편좋음. ② Ⓒ (의식주의) 편의; 편리한 것; 《英》 변소(privy). ***at one's ~*** 편리하도록 (한 때에).
convénience fòod 인스턴트 식품.
convénience stòre 일용 잡화 식품점, 편의점.
:**con·ven·ient** [-njənt] *a.* 편리한, 형편이 좋은. ***make it ~ to*** do 형편을 보아서. ***when it is ~ to* (*you*)** (당신)의 형편이 좋을 때. ***~·ly** *ad.*
·**con·vent** [kánvənt/-ɔ́-] *n.* Ⓒ 수녀원(nunnery) (cf. monastery); 수녀단.
:**con·ven·tion** [kənvénʃən] *n.* Ⓒ ① 협의회, 집회. ② 협약. ③ (사회의) 관례(관습), 인습.
·**con·ven·tion·al** [-ʃənəl] *a.* 관습(인습)적인. ***~ weapons*** (핵무기에 대해) 재래식 병기. **~·ism** [-ʃənəlìzəm] *n.* ① Ⓤ 관례 고수, 전통주의. ② Ⓒ 상투 어구. **~·ist** [-ʃənəlist] *n.* **~·i·ty** [–⌐ʃənǽləti] *n.* Ⓤ 관례 존중; Ⓒ 인습, 관례. **~·ize** [-ʃənəlàiz] *vt.* 인습화하다. **~·ly** *ad.*
con·verge [kənvə́ːrdʒ] *vi., vt.* 한 점에 집중하다(시키다); 한 점에 모으다(모아지다).
con·ver·gence [kənvə́ːrdʒəns], **-gen·cy** [-i] *n.* Ⓤ 집중(성); 수렴; 폭주.
con·ver·gent [-ənt] *a.* (한 점에) 「집중하는.
con·ver·sant [kənvə́ːrsənt] *a.* 잘 알고 있는, 친한 (사이의)(*with*).
†**con·ver·sa·tion** [kànvərséiʃən/-ɔ̀-] *n.* Ⓤ,Ⓒ 회화; 담화. ***~·al** [-ʃənəl] *a.* 회화(체)의; 좌담을 잘(좋아)하는. **~·al·ist** *n.*
:**con·verse**[1] [kənvə́ːrs] *vi.* 이야기(담화)하다(*with*). — [kánvəːrs/-ɔ́-] *n.* Ⓤ 담화.
·**con·verse**[2] [kánvəːrs/-ɔ́-] *n., a.* (the ~) 역(逆)(의); 〖論〗 전환 명제.
·**con·ver·sion** [kənvə́ːrʒən, -ʃən] *n.* Ⓤ ① 전환; 전향; 개종. ② 환산, 환전. ③ 횡령. ④ 〖컴〗 변환.
:**con·vert** [kənvə́ːrt] *vt.* ① 바꾸다, 전환(전향·개심)시키다(turn). ② 대환(환산)하다. ③ 횡령하다. ④ 〖컴〗 변환하다. — [kánvəːrt/-ɔ́-] *n.* Ⓒ

C

개종〔전향〕자. ~·**er**, **-vér·tor** *n.* [C] convert하는 사람; 『電·컴』 변류기; 변환기〔장치〕; 『治』 전환로. ~·**i·bil·i·ty**[–⌐təbíləti] *n.* ˚~·**i·ble**[-əbl] *a.* ~***ible note*** 태환권.

˚**con·vex**[kɑnvéks, ⌐–/kɔnvéks] *a.* 볼록한, 철면(凸面)의(opp. concave). — [kánveks/kɔ́nveks] *n.* [C] 볼록면〔렌즈〕. ~·**i·ty**[kənvéksəti, -ɑ-/-ɔ-] *n.*

:**con·vey**[kənvéi] *vt.* ① 나르다; 운반하다. ② 전하다, 전달하다(transmit), 나타내다. ③ 『法』 양도하다.

˚**con·vey·ance**[-əns] *n.* [U,C] ① 운반, 수송 (기관); 전달. ② 『法』 양도(증서). **-anc·er** *n.* [C] 운반〔전달〕자; 『法』 (부동산) 양도 취급인.

con·vey·er, -or[-ər] *n.* [C] 수송자〔장치〕, 컨베이어; 양도인.

convéyer bèlt 컨베이어 벨트.

˚**con·vict**[kənvíkt] *vt.* (…의) 유죄를 증명하다(*of*); 유죄를 선고하다(declare guilty); (…에게) 과오를 깨닫게 하다. — [kánvikt/-ɔ́-] *n.* [C] 죄인, 죄수(*an ex-*~ 전과자).

:**con·vic·tion**[kənvíkʃən] *n.* ① [U,C] 확신, 신념. ② [U,C] 유죄 판결. ③ [U] 죄의 자각, 회오. ④ [U] 심복시킴, 설득(력).

:**con·vince**[kənvíns] *vt.* 확신〔납득〕시키다(*of, that*). **be** ~**d** 확신하다(*of, that*). **con·vin·ci·ble**[-əbəl] *a.* 설득할 수 있는. **con·vínc·ing** *a.* 납득이 가는.

con·viv·i·al[kənvíviəl] *a.* 연회의; 연회〔잔치〕를 좋아하는, 명랑한(jovial). ~·**i·ty**[-vìviǽləti] *n.*

con·vo·ca·tion[kànvəkéiʃən/-ɔ̀-] *n.* [U] (회의의) 소집; [C] 집회; (C-) 『英大學』 평의회; (C-) 『英國國敎』 성직회의. **-ca·tor**[⌐–⌐tər] *n.* [C] (회의) 소집자, 참집자.

con·voke[kənvóuk] *vt.* (의회 등을) 소집하다.

con·vo·lute[kánvəlù:t/-ɔ́-] *a., vt., vi.* 회선상(回旋狀)의; 말다, 감다. **-lu·tion**[⌐–⌐ʃən] *n.*

con·vol·vu·lus [kənválvjələs/-ɔ́-] *n.* (*pl.* ~**es**, **-li**[-lài]) [C] 『植』 메꽃(류).

˚**con·voy**[kánvɔi, kənvɔ́i/kɔ́nvɔi] *vt.* 호위〔호송〕하다. — [kánvɔi/-ɔ́-] *n.* [U] 호송; [C] 호위자, 호위함(艦).

con·vulse[kənvʌ́ls] *vt.* (격렬히) 진동시키다; (경련을) 일으키다, 몸을 떨다. ***be ~d with laughter*** 〔***anger***〕 포복 절도하다〔노여움으로 몸을 부들부들 떨다〕. ˚**con·vúl·sion** *n.* ① [C] 격동; (사회적) 동요. ② (*pl.*) 몸의 뒤틂. **con·vúl·sive** *a.*

˚**coo**[ku:] *vi.* (비둘기가) 구구 울다; 밀어를 속삭이다(BILL[2] *and* ~). — *n.* [C] 구구구《비둘기 따위의 울음 소리》.

†**cook**[kuk] *vt.* ① (불에) 요리하다. ② 《口》 조작〔날조〕하다, 변경하다(tamper with)(~ *accounts* 장부를 속이다). ③ 열〔불〕에 쬐다. ④ 《俗》 잡치다(ruin); 해치우다; 피로케 하다(*I am ~ed.* 몹시 지쳤다). — *vi.* 요리되다(*The dinner is ~ing.*); 취사하다; 숙수로 일하다. ~ ***a person's goose*** 《俗》 아무를 해치우다, 실패케 하다. ~ ***up*** 조작하다. — *n.* [C] 요리사, 쿡. ***be a good*** 〔***bad***〕 ~ 요리 솜씨가 좋다〔나쁘다〕. ⌐·**er** *n.* [C] 냄비, (가마)솥; 요리용 식품〔과일〕.

cóok·bòok *n.* [C] 《美》 요리책.

˚**cook·er·y**[⌐əri] *n.* ① [U] 요리(법). ② [C] 취사장.

˚**cóokery bòok** 《英》 =COOKBOOK.

cóok·hòuse *n.* [C] 취사장.

˚**cook·ie, -y**[kúki] *n.* [C] 《美》 쿠키《납작한 케이크》; 《Sc.》 빵.

:**cook·ing**[kúkiŋ] *n., a.* [U] 요리(법); 요리용의.

†**cool**[ku:l] *a.* ① 시원〔서늘〕한; (기분 좋게) 차가운. ② 냉정〔침착〕한(calm); 냉담한(cold). ③ 뻔뻔스러운(impudent) (*have a ~ cheek* 철면피다). ④ 《口》 정미(正味)의, 에누리 없는(*It cost me a ~ thousand dollars.* 에누리 없는 천 달러나 들었다). ***as ~ as a cucumber*** 아주 냉정〔침착〕한. — *n.* (the ~) 냉기; 서늘한 곳. ***keep one's ~*** 《俗》 침착하다. — *vt., vi.* ① 차게 하다〔식히다〕; 차지다, 식다. ② (마음을) 가라앉히다, 가라앉다. ~ ***one's heels*** 《口》 오래 기다리게 되

다. **:∠·er** *n.* Ⓒ 냉각기; 청량음료; (the ~)《美俗》 교도소. **∠·ish** *a.* 좀 차가운. **:~·ly**[kúːlli] *ad.* **'∠·ness** *n.*

cool·ant[kúːlənt] *n.* Ⓤ,Ⓒ 〖機〗 냉각제(수).

cóol-héaded *a.* 침착한.

coo·lie, -ly[kúːli] *n.* Ⓒ (인도·중국 등의) 쿨리; 하급 노무자.

cóoling-óff *a.* (분쟁 등을) 냉각시키기 위한.

coon [kuːn] *n.* Ⓒ 너구리의 일종 (raccoon); 《美口》 녀석.

coop[kuːp] *n., vt.* Ⓒ 닭장(계사) (에 넣다); 가두다(confine)(*in, up*).

co-op[kóuap, −∠/kóuɔp] *n.* Ⓒ《口》 소비조합 매점(cooperative store).

coop·er[kúːpər] *n., vt.* Ⓒ 통(메)장이; (통을) 고치다.

:co·op·er·ate[kouápərèit/-ɔ́-] *vi.* ① 협동(협력)하다. ② (사정 따위가) 서로 돕다. **:-a·tion**[−ˌ−éiʃən] *n.* Ⓤ 협력, 협동(조합). **-a·tor** *n.* Ⓒ 협력자; 소비조합원(員).

'co·op·er·a·tive [kouápərətiv/-ɔ́-] *a., n.* 협동의; Ⓒ 협동조합(의). ~ ***society*** 협동(소비)조합. ~ ***store*** = COOP.

co-opt[-ápt/-ɔ́-] *vt.* 신(新)회원으로 선출하다. **co-op·ta·tion**[ˌ−téiʃən], **co-op·tion**[-ápʃən/-ɔ́-] *n.* Ⓤ 신회원 선출.

'co·or·di·nate[kouɔ́ːrdənit] *a., n.* Ⓒ ① 동등(동격)의 (것). ② 〖文〗 등위(等位)의. ③ 〖數〗 좌표(의). — [-nèit] *vt.* ① 동격으로 하다. ② 조정하다(adjust), 조화시키다(harmonize). **'-na·tion**[−ˌ−néiʃən] *n.* Ⓤ 동격(화); 조정. **co·ór·di·na·tive** *a.* **'co·ór·di·na·tor** *n.* Ⓒ 조정자; 방송 진행계.

coórdinate cláuse 등위절.

coot[kuːt] *n.* Ⓒ 〖鳥〗 검둥오리; 큰 물닭; 《口》 바보.

cop[kap/-ɔ-] *n.* 《美俗》 = POLICEMAN; Ⓤ 《英俗》 체포. — *vt.* (*-pp-*) 《美俗》 체포하다; 훔치다. ~ ***it*** 벌받다, 죽다. — *vi.* 《다음 성구로》 ~ ***out*** 《美俗》 도망하다, 손을 떼다, 체념하다, 배반하다.

:cope[1][koup] *vi.* 다투다, 대항하다; 잘 대처하다(struggle)(*with*).

cope[2] *n.* Ⓒ (사제의) 가빠; 덮개《닫집·하늘 따위》. — *vt.* (cope로) 덮어 가리다.

cop·i·er[kápiər/-ɔ́-] *n.* = COPYIST; 복사하는 사람, 복사기.

co·pi·lot[kóupàilət] *n.* Ⓒ 〖空〗 부조종사.

cop·ing[kóupiŋ] *n.* Ⓒ 갓돌(copestone)(공사), (돌담·벽돌담의) 지붕돌.

'co·pi·ous[kóupiəs] *a.* 많은; 말수가 많은(~ ***notes*** 상주(詳註)). **~·ly** *ad.* **~·ness** *n.*

:cop·per[kápər/-ɔ́-] *n., a.* ① Ⓤ 구리, 동(銅). ② 동전; 동기; 구리(제)의; 구릿빛의. ***have hot ~s*** (폭음 후) 몹시 목이 마르다. — *vt.* 구리로 싸다(를 입히다); 구리 도금을 하다.

cópper·plàte *n.* Ⓤ 동판; Ⓒ 동판 인쇄; Ⓤ (동판 인쇄처럼) 가늘고 예쁜 초서체 글씨.

cop·pice[kápis/-ɔ́-] *n.* = COPSE.

copse[kaps/-ɔ-] *n.* Ⓒ 잡목(덤불)숲.

cop·u·la[kápjələ/-ɔ́-] *n.* (*pl.* **~s, -lae**[-lìː]) Ⓒ 〖論·文〗 계사(繫辭) 《'be' 따위》.

cop·u·late[kápjəlèit/-ɔ́-] *vi.* 교접하다. **-la·tive**[-lèitiv, -lə-] *a., n.* 연결(교접)의; Ⓒ 연사(連辭)《'be'》, 연결(연계) 접속사《'and' 따위》. **-la·tion**[−ˌ−léiʃən] *n.*

†cop·y[kápi/-ɔ́-] *n.* ① Ⓒ 베낌, 복사; 모방. ② Ⓒ (책·신문 따위의) (한) 부. ③ Ⓤ 원고; (습자의) 본. ④ Ⓤ 광고문(안). ***a clean*** (***fair***) ~ 청서, 정서. ***foul*** (***rough***) ~ 초고. ***keep a ~ of*** …의 사본을 떠두다. ***make good ~*** 좋은 원고가 되다, (신문의) 특종이 되다. — *vt., vi.* 베끼다; 모방하다(imitate); (남의 답안을) 몰래 보고 베끼다.

cópy·bòok *n., a.* Ⓒ 습자책; 진부(陳腐)한, 판에 박힌.

cópy·càt *n.* Ⓒ 《口》 흉내(입내)장이, 모방자.

copy·ist[-ist] *n.* Ⓒ 베끼는 사람; 모방자.

'cópy·rìght *n., vt., a.* Ⓤ,Ⓒ 판권(저

C

C

작권](을 얻다; 을 가진).
*còpy·writer n. Ⓒ 광고 문안 작성자, 카피라이터.
co·quet[koukét/kɔ-] vi., vt. (-tt-) (여자가) 교태를 짓다, (…에 대하여) 아양을 떨다(with). ~·ry[-kətri] n. Ⓤ 요염함; Ⓒ 아양, 교태.
co·quette[koukét/kɔ-] n. Ⓒ 요염한 계집, 요부. co·quét·tish a. 요염한.
cor·a·cle[kɔ́:rəkl, kɑ́-/kɔ́-] n. Ⓒ 가죽을[방수포를] 입힌 고리배.
*cor·al[kɔ́:rəl/-ɔ́-] n., a. Ⓤ,Ⓒ 산호(의); Ⓤ 산호빛(의).
cor·bel[kɔ́:rbəl] n. Ⓒ 〖建〗 (벽의) 내물림 받침.
:cord[kɔ:rd] n. ① Ⓤ,Ⓒ 새끼, 끈; (전기의) 코드. ② Ⓒ (종종 pl.) 구속. ③ Ⓤ 골지게 짠 천. — vt. 밧줄로 묶다. ~·age[⌐idʒ] n. Ⓤ 《집합적》 밧줄. ~·ed[⌐id] a. 밧줄로 동인[묶은]; 골지게 짠.
:cor·dial[kɔ́:rdʒəl/-diəl] a. ① 충심[진심]으로의, 성실한. ② 강심성(强心性)의. — n. Ⓤ 강심[강장]제; 달콤한 (리큐어) 술. *~·ly ad. cor·di·al·i·ty[⌐dʒiǽləti/-di-] n. Ⓤ 성실, 친절.
cord·ite[kɔ́:rdait] n. Ⓤ 끈 모양의 무연 화약.
cor·don[kɔ́:rdn] n. Ⓒ 비상(경계)선; 장식끈; (어깨에서 걸치는) 수장(綬章). POST[2] a ~.
*cor·du·roy[kɔ́:rdərɔ̀i] n. ① Ⓤ 코르덴. ② (pl.) 코르덴 바지.
CORE Congress of Racial Equality.
*core[kɔ:r] n. ① Ⓒ (과일의) 속; 나무 속. ② (the ~) 핵심, 마음속. ③ Ⓒ 〖컴〗 코어. to the ~ 철저하게. — vt. 속을 빼내다(out).
co·re·spond·ent [kòurispɑ́ndənt/kóurispɔ̀nd-] n. Ⓒ 〖法〗 (간통 사건의) 공동 피고.
cor·gi[kɔ́:rgi] n. Ⓒ 코르기 개《다리가 짧고 몸통이 긴》.
co·ri·an·der[kɔ̀:riǽndər/kɔ̀r-] n. Ⓤ,Ⓒ 〖植〗 고수풀《미나릿과》.
:cork[kɔ:rk] n. Ⓤ 코르크; Ⓒ 코르크 마개[부표]; = CORK OAK. — vt. 코르크 마개를 하다; (감정을) 억누르다(up); (얼굴을) 태운 코르크로 검게 칠하다. ~·y a. 코르크 같은; 《口》 들뜬, 쾌활한.
cork·er[kɔ́:rkər] n. Ⓒ ① (코르크) 마개를 막는 사람[기구]. ② 《俗》 (반박의 여지가 없는) 결정적 의론[사실]; 새빨간 거짓말; 좋아하는 사람[것].
córk òak[tree] 코르크 나무.
córk·screw n., a., vt., vi. Ⓒ 타래송곳(모양의)(a ~ staircase 나사층층대); 나사 모양으로 나아가(게 하)다(~ oneself out of the crowd 군중 속에서 간신히 빠져 나오다).
cor·mo·rant[kɔ́:rmərənt] n., a. Ⓒ 가마우지 (같은); 탐욕스러운, 많이 먹는; 대식가.
†corn[1][kɔ:rn] n. ① Ⓒ 낟알(grain). ② Ⓤ 《집합적》 곡물(cereals). ③ Ⓤ 《英》 밀; 《美》 옥수수(maize); 《Sc., Ir.》 귀리(oats). ④ Ⓤ 《俗》 고리타분[진부]한 것. ⑤ 《美口》 = córn whìsk(e)y 옥수수 술. — vt. (고기를) 소금에 절이다; 곡물을 심다. ~(ed) beef 콘비프.
corn[2] n. Ⓒ (발가락의) 못, 티눈.
cor·ne·a[kɔ́:rniə] n. Ⓒ 〖解〗 (눈의) 각막.
†cor·ner[kɔ́:rnər] n. Ⓒ ① 구석; (길의) 모퉁이. ② 궁벽한 시골; 궁지, 궁경. ③ (증권이나 상품의) 매점(買占)(buying up)(make a ~ in cotton). around [round] the ~ 길모퉁이에, 길 어귀에; 가까이. cut ~s 질러가다; (돈·시간을) 절약하다. drive a person into a ~ (아무를) 궁지에 몰아넣다. leave no ~ unsearched 샅샅이 찾다. look out of the ~ of one's eyes 곁눈질로 보다. turn the ~ 모퉁이를 돌다; (병·불경기가) 고비를 넘다. — vt., vi. 구석에 처박다; 궁지에 몰아넣다[빠지다](up); 《美》 길모퉁이에서 만나다; 매점하다.
córner·stòne n. Ⓒ (건축의) 주춧돌, 초석, 귓돌; 기초.
cor·net[kɔ:rnét, kɔ́:rnit] n. Ⓒ 코넷《금관악기》; 원뿔꼴의 종이봉지; 《英》 = ice cream CONE.
*córn·field n. Ⓒ 곡물 밭; 밀밭; 옥수수 밭.

córn·flàkes *n. pl.* 콘플레이크 《cereal의 일종》.
córn flòur 《英》 = CORNSTARCH.
córn·flòwer *n.* Ⓒ 〖植〗 수레국화 《엉거싯과》.
cor·nice[kɔ́ːrnis] *n.* Ⓒ 〖建〗 (처마·기둥 꼭대기의) 배내기.
Cor·nish[kɔ́ːrniʃ] *a., n.* Ⓤ (영국의) Cornwall(사람)의 (말)《고대 켈트어》.
córn pòne 《美南部》 (네모진) 옥수수 빵.
córn·stàrch *n.* Ⓤ 《美》 옥수수 녹말.
cor·nu·co·pi·a [kɔ̀ːrnəkóupiə, -njə-] *n.* ① (the ～) 〖그神〗 풍요의 뿔(horn of plenty). ② (a ～) 풍부(의 상징); Ⓒ 뿔 모양의 그릇.
corn·y[kɔ́ːrni] *a.* 곡물의; 《口》 촌스러운; 《美俗》 (재즈가) 감상적인 (oversentimental); 진부한.
cor·ol·lar·y [kɔ́ːrəlèri, kár-/ kərɔ́ləri] *n.* Ⓒ (정리(定理)에 대한) 계(系); 당연한〔자연의〕 결과.
˙**co·ro·na** [kəróunə] *n.* (*pl.* **～s** **-nae**[-niː]) Ⓒ 관(冠); 〖天〗 코로나 《태양의 광관(光冠)》; 〖電〗 코로나 방전.
˙**cor·o·na·tion**[kɔ̀ːrənéiʃən, kàr-/ kɔ̀r-] *n.* Ⓒ 대관식; Ⓤ 대관, 즉위.
cor·o·ner[kɔ́ːrənər, kár-/kɔ́r-] *n.* Ⓒ 검시관(檢屍官). **～'s inquest** 검시.
˙**cor·o·net**[kɔ́ːrənit, kár-/kɔ́r-] *n.* Ⓒ (귀족의) 작은 관; (금·은제의) 여자용 머리 장식.
Corp., corp. Corporation.
˙**cor·po·ral**[1][kɔ́ːrpərəl] *a.* 육체의 (bodily); 개인의. **～·ly** *ad.*
cor·po·ral[2] *n.* Ⓒ 〖軍〗 상병《sergeant의 아래》; (C-) 《美》 지대지 미사일.
˙**cor·po·rate**[kɔ́ːrpərit] *a.* 단체의, 법인 조직의; 단결한.
:**cor·po·ra·tion**[kɔ̀ːrpəréiʃən] *n.* Ⓒ 법인; 자치 단체; 시의회; 《美》 유한회사, 주식회사(company); 《口》 올챙이배(potbelly).
cor·po·re·al[kɔːrpɔ́ːriəl] *a.* 육체(상)의; 물질적인; 형이하(形而下)의; 〖法〗 유형의.
:**corps**[kɔːr] *n.* (*pl.* **corps**[-z]) Ⓒ 군단, 단(團), 대, 반. **～ de ballet** (F.) 발레단. **～ diplomatique** (F.) 외교단.
˙**corpse**[kɔːrps] *n.* Ⓒ 시체.
cor·pu·lent[kɔ́ːrpjələnt] *a.* 뚱뚱한(fat). **-lence** *n.*
˙**cor·pus** [kɔ́ːrpəs] *n.* (*pl.* **-pora** [-pərə]) Ⓒ ① 신체; 시체. ② (문헌 따위의) 집성.
cor·pus·cle[kɔ́ːrpʌsəl] *n.* Ⓒ 〖解〗 소체(小體); 혈구(*red* **～s**). **cor·pus·cu·lar**[kɔːrpʌ́skjulər] *a.*
cor·ral[kərǽl/kɔrɑ́ːl] *n., vt.* (**-ll-**) Ⓒ (짐승 잡는) 우리(에 몰아 넣다); 《美口》 잡다; 가축 우리.
†**cor·rect**[kərékt] *a.* 바른, 정확한; 예의에 맞는(proper). — *vt.* 바로잡다, 정정하다; (결점을) 고치다, 교정하다(cure)(*of*); 징계하다. ˙**～·ly** *ad.* **～·ness** *n.*
˙**cor·rec·tion**[kərékʃən] *n.* Ⓤ,Ⓒ 정정, 정오(正誤); 교정; 바로잡음, 질책; 〖證〗 너무 오른〔내린〕 값의 정정; 〖컴〗 바로잡기. **house of ～** 감화원, 소년원. **-tive** *a., n.* 고치는, 바로잡는; (해를) 완화하는; 징계하는; Ⓒ 교정물〔수단〕.
corréctive tráining 《英》 교정 교육 처분《교도 시설에서의 직업 및 일반 교육》.
˙**cor·re·late**[kɔ́ːrəlèit, kár-/kɔ́r-] *vt., vi., n.* 서로 관계하다〔시키다〕; Ⓒ 상관물. ˙**cor·re·la·tion**[∸–léiʃən] *n.* Ⓤ 상관성; Ⓒ 상호 관계.
:**cor·re·spond**[kɔ̀ːrəspánd, kàr-/ kɔ̀rəspɔ́nd] *vi.* (…에) 상당하다(*to*); 일치〔부합·조화〕하다(*to, with*); 서신 왕래〔교환〕하다(*with*).
:**cor·re·spond·ence**[kɔ̀ːrəspánd-əns] *n.* ① Ⓤ 서신 왕래, 왕복 서한 (letters). ② Ⓤ,Ⓒ 일치, 상당; 조응(照應); 조화.
correspóndence còurse 〔**schòol**〕 통신 강좌〔교육 학교〕.
:**cor·re·spond·ent**[-ənt] *n.* Ⓒ 서신 왕래자; 통신원(*a special* ～ 특파원); 거래처.
:**cor·re·spond·ing**[kɔ̀ːrəspándiŋ] *a.* ① 대응하는, 상당〔일치〕하는. ② 서신 내왕〔통신〕하는. **～·ly** *ad.* (…

에) 상당하여.

:cor·ri·dor[kɔ́:ridər, kár-/kɔ́ridɔ̀:r] *n.* Ⓒ 복도(long hallway); (*or* C-) 회랑(回廊)(지대)(*the Polish* ~).

cor·rob·o·rate[kərábərèit/-ɔ́-] *vt.* 확실히 하다(verify), 확증하다(confirm). **-ra·tion**[-∸-réiʃən] *n.* Ⓤ 확증; 확증적인 진술(사실).

cor·rode[kəróud] *vt., vi.* 부식하다; 마음에 파고 들다.

cor·ro·sion[kəróuʒən] *n.* Ⓤ 부식(침식)작용(상태). **cor·ró·sive** *a., n.* 부식(성)의; Ⓤ,Ⓒ 부식제.

C

cor·ru·gate [kɔ́:rəgèit, kár-/kɔ́rə-] *vt.* 주름지게 하다, 물결 모양으로 하다. — *vi.* 주름이 지다. — [-git, -gèit] *a.* 물결 모양의. **-ga·tion**[∸-géiʃən] *n.*

:cor·rupt[kərʌ́pt] *a.* ① 타락(부패)한; 사악(邪惡)한; 뇌물이 통하는. ② (원고 등이) 틀린 것 투성이의; 전와(轉訛)된. — *vt., vi.* ① 타락시키다(하다). ② (말을) 전와(轉訛)시키다; (원문을) 개악하다(cf. interpolate, tamper). **~·i·ble** *a.* 타락하기 쉬운; 뇌물이 통하는.

·cor·rup·tion[kərʌ́pʃən] *n.* Ⓤ ① 부패; 타락, 부정 (행위); 증수회. ② (언어의) 전와(轉訛). **-tive** *a.* 타락시키는.

cor·sage[kɔ:rsá:ʒ] *n.* Ⓒ 여성복의 동체; (어깨나 허리에 다는) 꽃 장식.

·cor·set[kɔ́:rsit] *n.* Ⓒ 코르셋.

cor·tège[kɔ:rtéiʒ] *n.* (F.) Ⓒ 《집합적》 행렬; 수행원 (대열).

cor·tex[kɔ́:rteks] *n.* (*pl.* ***-tices*** [-təsì:z]) Ⓒ 외피(外皮); 피부; 피층(皮層); 나무껍질. **-ti·cal** *a.*

cor·ti·sone [kɔ́:rtəsòun, -zòun/-tizòun] *n.* Ⓤ 코티손《부신피질에서 분비되는 호르몬; 류머티즘 치료약》.

cos[1][kas/-ɔ-] *n.* Ⓤ,Ⓒ 〖植〗 상추의 일종.

cos[2] cosine.

cosh[kaʃ/-ɔ-] *n., vt.* Ⓒ (쇠붙이 대가리가 붙은) 막대(로 치다).

co·sig·na·to·ry [kousígnətɔ̀:ri/-təri] *a.* 연서(連署)의. — *n.* Ⓒ 연서인.

co·sine[kóusain] *n.* Ⓒ 〖數〗 코사인, 여현(餘弦).

·cos·met·ic[kazmétik/-ɔ-] *n., a.* Ⓒ (피부·두발용의) 화장품; 화장용의.

·cos·mic[kázmik/-ɔ́-] *a.* 우주의; 광대한; 질서정연한.

cósmic ráys 우주선.

cos·mol·o·gy[-málədʒi/-ɔ́-] *n.* Ⓤ 우주론.

cos·mo·naut[kázmənɔ̀:t/-ɔ́-] *n.* Ⓒ 우주 비행사(여행자).

·cos·mo·pol·i·tan [kàzməpálətən/kɔ̀zməpɔ́l-] *a., n.* Ⓒ ① 세계주의적인 (사람), 세계를 집으로 삼는 (사람). ② (러시아의) 자유주의 경향의 인텔리. **~·ism**[-ìzəm] *n.* Ⓤ 세계주의.

·cos·mos[kázməs, -mas/kɔ́zmɔs] *n.* Ⓤ 우주; 질서, 조화; Ⓒ 〖植〗 코스모스.

†cost[kɔ:st/kɔst] *n.* Ⓤ,Ⓒ 값, 원가; 비용(expense), 희생, 손해(loss). ***at all ~s,*** or ***at any ~*** 어떤 희생을 치르더라도, 무슨 일이 있어도. ***at ~*** 원가로. ***at the ~ of*** …을 희생하여. ***~ of living*** 생활비. ***to one's ~*** 손실을 입어, (…에) 데어. — *vt.* (***cost***) 요하다; (…이) 들게 하다, 잃게 하다. **:∠·ly** *a.* 값이 비싼; 사치한.

co-star [kóustá:r] *vi., vt.* (***-rr-***) 〖映·劇〗 공연하다(시키다). — [∠∠] *n.* Ⓒ 공연자(共演者).

cóst-efféctive *a.* 비용효과가 있는. **~ly** *ad.* **~ness** *n.*

cost·ing[kɔ́:stiŋ] *n.* Ⓤ 〖商〗 원가계산.

:cos·tume[kástju:m/kɔ́stju:m] *n.* ① Ⓤ,Ⓒ (나라·시대·계급 특유의) 복장; 의상(衣裳). ② Ⓒ (한 벌의) 여성복. — [-∠, ∠-/∠-] *vt.* (…에게) 의상을 입히다(dress).

cóstume jéwelry 인조 장신구《모조 보석 따위》.

·co·sy[kóuzi], **& c.** = COZY, &c.

cot *n.* Ⓒ 즈크 침대; 《英》 소아용 침대(crib).

co·te·rie[kóutəri] *n.* Ⓒ 한패, 동아리, 동지; 그룹, 일파(clique).

:cot·tage[kátidʒ/-ɔ́-] *n.* Ⓒ 시골집, 작은 주택, 교외 주택; 오두막집; (시골의) 별장. **-tag·er** *n.* Ⓒ cottage에 사는 사람.

cóttage chèese (시어진 우유로 만드는) 연한 흰 치즈.
cóttage lòaf 《英》 대소 두 개를 겹친 빵.
†**cot·ton**[kátn/-ɔ́-] *n.* Ⓤ 목화 (나무); 솜; 무명, 면사, 무명실. — *vi.* 《口》 사이가 좋아지다(*to*). ~ *on* 《俗》 …을 알다. ~ *up* 친해지다(*with*).
cótton càndy 《美》 솜사탕.
cótton wóol 원면, 솜.
:**couch**[kautʃ] *n.* Ⓒ ① 《詩》 침대, 침상; 소파. ② (짐승의) 집(lair). — *vt.* ① 눕히다, 재우다(~ *oneself* 눕다). ② 말로 나타내다(*in*), 함축시키다(*under*). — *vi.* 눕다, 자다; 웅크리다.
cóuch potáto 《口》 짬이 나면 텔레비전만 보는 사람.
cou·gar[kúːgər] *n.* Ⓒ 〖動〗 퓨마.
:**cough**[kɔːf/kɔf] *n., vi., vt.* Ⓒ 기침(하다, 하여 내뱉다). ~ *out* 〔*up*〕 기침하여 뱉어내다; 《俗》 주다(give); 내다; 돈을 내다(pay).
†**could**[強 kud, 弱 kəd] can[2]의 과거. ① 《특수용법》 …하고 싶은 (마음이 들다)(*I* ~ *laugh for joy.* 기뻐서 웃고 싶을 지경이다); …해 주시다(하시다)(*C- you come and see me tomorrow?* 내일 와주실 수 없겠습니까《can보다 정중》). ② 《not과 함께 쓰이어》 아주 …(못하다)(*I ~n't sing.* 노래 같은 건 아주 못 합니다).
†**could·n't**[kúdnt] could not의 단축.
:**coun·cil**[káunsəl] *n.* Ⓒ ① 회의, 평의회. ② 주(州)〔시·읍·면·동〕의회. ③ (the C-) 《英》 추밀원. *cabinet* ~ 각의(閣議). ~ *of war* 군사회의. *Great C-* 〖英史〗 노르만 왕조 시대의 귀족·고위 성직자 회의《상원의 시초》.
˙**coun·ci·lor,** 《英》 **-cil·lor**[káunsələr] *n.* Ⓒ 평의원; (주·시·읍·면·동 의회의) 의원; 고문관.
:**coun·sel**[káunsəl] *n.* ① Ⓤ,Ⓒ 상담, 협의, 충고. ② Ⓤ 목적, 계획. ③ (*sing. & pl.*) 변호사(단). *keep one's own* ~ 계획 등을 밝히지 않다. *King's* 〔*Queen's*〕 *C-* 《英》 왕실 고문 변호사. *take* ~ 상의하다. — *vt.* (《英》 *-ll-*) 조언〔권고〕하다. — *vi.* 상의〔의논〕하다. **-sel·(l)ing** *n.* Ⓤ 〖教育·心〗 상담, 조언. **:-se·lor,** 《英》 **-sel·lor** *n.* Ⓒ 고문; 《美》 변호사; 〖教育〗 상담 지도 교사.
†**count**[1][kaunt] *vt.* 세다, 계산하다, (…라고) 생각하다(consider). — *vi.* 수를 세다; 축에 들다〔끼다〕, 큰 비중을 이루다〔차지하다〕; (…을) 믿다, 기대하다 (rely)(*on, upon*). *be ~ed on one's fingers* 손으로 꼽을 정도밖에 없다. ~ *down* (로켓 발사 때 따위에, … 10, 9, 8, 7 … 하고) 초(秒)읽기하다. ~ *for little* 〔*much*〕 대수롭지 않다〔중요하다〕. ~ *off* 같은 수의 조(組)로 나누다. ~ *out* 세면서 꺼내다; 제외하다, 셈에서 빠뜨리다; 〖拳〗 'count-out'를 선언하다; 〖英下院〗 정족수 미달로 휴회하다. — *n.* Ⓤ,Ⓒ 계산; 〖컴〗 계수. *keep* ~ *of* …의 수를 기억하고 있다. *lose* ~ *of* …을 잘못 세다; 못다 세다; …의 수를 잊다. *out of* ~ 무수한. *take no* ~ *of* 무시하다. **:∠·less** *a.* 무수한.
˙**count**[2] *n.* Ⓒ (유럽의) 백작(《英》 earl).
cóunt·dòwn *n.* Ⓒ (로켓 발사 따위의) 초(秒)읽기.
:**coun·te·nance**[káuntənəns] *n.* ① Ⓤ,Ⓒ 생김새, 용모, 표정. ② Ⓤ 침착(composure). ③ Ⓤ 찬성, 애고(愛顧), 원조. *give* 〔*lend*〕 ~ *to* …을 원조〔장려〕하다. *keep in* ~ 체면을 세워주다. *keep one's* ~ 새침 떨고 있다, 웃지 않고 있다. *put* (*a person*) *out of* ~ (아무를) 당황케 하다; 면목을 잃게 하다. — *vt.* (암암리에) 장려하다; 승인〔묵인〕하다.
:**coun·ter**[1][káuntər] *n.* Ⓒ ① 카운터, 계산대, 판매대. ② (게임의) 셈표, 셈돌, 산가지. ③ 모조 화폐. ④ 〖컴〗 계수기.
˙**count·er**[2] *a., ad.* 반대의〔로〕, 역(逆)의〔으로〕. *run* ~ *to* (가르침·이익 등에) 반하다. — *vt., n.* 역습하다. Ⓒ 〖拳〗 되받아치다〔치기〕.
coun·ter-[káuntər] '반대, 대응, 보복, 적대'의 뜻의 결합사.
˙**còunter·áct** *vt.* (…에) 반작용하

다; 방해하다; 중화(中和)하다. **-áction** *n.*
cóunter·attàck *n.* Ⓒ 반격. — [⌐⌐] *vt., vi.* (…에) 반격하다.
còunter·bálance *n.* Ⓒ 균형 추(錘); 평형력. — [⌐⌐] *vt.* 균형잡히게 하다; 에끼다, 상쇄하다(offset).
cóunter·blàst *n.* Ⓒ 맹렬한 반대〔반박〕(*to*).
cóunter·clàim *n.* Ⓒ 〖法〗 반대 요구, 반소(反訴). — [⌐⌐] *vi.* 반소하다(*against, for*).
còunter·clóckwise *a., ad.* (시계 바늘의 반대로) 왼쪽으로 도는〔돌게〕.
còunter·éspionage *n.* Ⓤ 방첩책(策)〔조직〕.
˙**coun·ter·feit** [káuntərfìt] *a., n. vt.* 모조의, 가짜의; Ⓒ 가짜 물건, 모조품; 위조하다; 흉내내다, 시늉을 하다. **~·er** *n.* Ⓒ 위조자.
cóunter·fòil *n.* Ⓒ 《英》 (수표·영수증 등을 떼어주고 남는) 부본.
còunter·insúrgency *n., a.* Ⓤ 대(對)게릴라 활동(의).
còunter·intélligence *n.* Ⓤ 《美》 〖軍〗 방첩 활동.
coun·ter·mand [kàuntərmǽnd/-má:nd] *vt.* (명령·주문 등을) 취소〔철회〕하다; 반대 명령을 하여 되불러들이다〔중지시키다〕. — [⌐-⌐] *n.* Ⓒ 반대 명령; 취소.
cóunter·mèasure *n.* Ⓒ 대책; 보복〔대항〕 수단.
coun·ter·pane [káuntərpèin] *n.* Ⓒ 이불(coverlet).
˙**coun·ter·part** [-pà:rt] *n.* Ⓒ (짝을 이룬 것의) 한 짝; (정부(正副) 서류의) 한 통; 한 쪽; 비슷한 사람〔것〕.
cóunter·pòint *n.* Ⓤ 〖樂〗 대위법; Ⓒ 대위법에 의한 곡.
còunter·prodúctive *a.* 역효과의〔를 초래하는〕.
còunter·revolútion *n.* Ⓤ,Ⓒ 반혁명. **~ist** *n.* Ⓒ 반혁명주의자.
cóunter·sìgn *n., vt.* Ⓒ (군대의) 암호; 〖海〗 응답 신호; 부서(副署)(하다).
coun·ter·vail [kàuntərvéil] *vt., vi.* 《古》 (…와) 같다; 에끼다; 보충〔보상〕하다.
count·ess [káuntis] *n.* Ⓒ 백작 부인《count 또는 earl의 아내》; 여백작.
cóunt nòun 〖文〗 가산 명사.
coun·tri·fied [kʌ́ntrifàid] *a.* 시골풍의.
†**coun·try** [kʌ́ntri] *n.* ① Ⓒ 나라, 국가. ② Ⓒ고국. ③ Ⓒ 국민(nation). ④ Ⓤ 시골, 지방. ***appeal to the*** **~** (의회를 해산하여) 국민의 총의를 묻다. ***go*** (***out***) ***into the*** **~** 시골로 가다. — *a.* 시골(풍)의(rustic).
cóunty-and-wéstern *n.* = COUNTRY MUSIC.
cóuntry clùb 컨트리 클럽《테니스·골프 따위의 설비를 갖춘 교외 클럽》.
cóuntry hòuse 시골의 본집; 시골 신사(country gentleman)의 저택.
˙**coun·try·man** [-mən] *n.* Ⓒ 시골 사람; 동향인.
cóuntry mùsic 《口》 컨트리 뮤직《미국 남부에서 발달한 대중음악》.
cóuntry·sèat *n.* Ⓒ 《英》 (귀족·부호의) 시골 저택.
:**coun·try·side** [-sàid] *n.* Ⓤ 시골, 지방; (the ~) 《집합적; 단수 취급》 지방 주민.
cóuntry·wíde *a.* 전국적인(nationwide).
cóuntry·wòman *n.* Ⓒ 시골 여자; 동향의 여성.
:**coun·ty** [káunti] *n.* Ⓒ 《美》 군(郡)《주(州)의 아래 구획》; 《英》 주.
cóunty séat 《美》 군청 소재지.
cóunty tówn 《英》 주청 소재지.
coup [ku:] *n.* (*pl.* **~s**[-z]) (F.) Ⓒ (멋진) 일격; 대성공; (기상천외의) 명안.
coup de grâce [kú: də grá:s] (F.) 자비의 일격《죽음의 고통을 덜게 하는》; 최후의 일격.
coup d'é·tat [kú: deitá:] 쿠데타.
cou·pé [ku:péi/⌐-] *n.* (F.) Ⓒ 상자 모양의 2인승 4륜마차; [ku:p] 쿠페《2-6인승의 상자형 자동차》.
†**cou·ple** [kʌ́pl] *n.* Ⓒ 한 쌍〔짝〕, 둘, 두 사람, 한 쌍(의 남녀), 부부. — *vt.* (…와) 연결하다(unite); 결혼시키다; 짝짓다; 연상하다(associate). — *vi.* 결합〔결혼〕하다; 교미〔흘레〕하다(mate). **cóu·pler** *n.* Ⓒ

연결기.
cou·plet[kʌ́plit] *n.* Ⓒ (시의) (각운(脚韻)) 대구(對句).
cou·pling[kʌ́pliŋ] *n.* Ⓤ 연결; Ⓒ 연결기(器).
˙**cou·pon**[kjúːpɑn/kúːpɔn] *n.* Ⓒ 쿠폰(권). 떼어내게 된 표[배급권(따위)]; 이자 지급표.
†**cour·age**[kə́ːridʒ/kʌ́ridʒ] *n.* Ⓤ 용기. ***pluck up*** [***take***] ~ 용기를 내다. ***take one's*** ~ ***in both hands*** 대담하게 나서다[감행하다].
:**cou·ra·geous**[kəréidʒəs] *a.* 용기 있는(brave), 대담한(fearless). ~**·ly** *ad.*
cour·i·er[kúriər, kə́ːr-] *n.* Ⓒ 급사(急使); (여행단의 시중을 드는) 수원(隨員); 시중꾼; 안내원.
†**course**[kɔːrs] *n.* ① Ⓤ 진행, 추이; 과정, 경과. ② Ⓒ 코스, 진로, 길; 주로(走路), 경마장. ③ Ⓒ 방침; 행위; 경력, 생애; (*pl.*) 행실. ④ Ⓒ 학과, 교육 과정; 과목, 〖美大學〗 단위. ⑤ Ⓒ 한 경기. ⑥ Ⓒ (요리의) 코스. ⑦ Ⓒ 연속(series), (바른) 순서. ⑧ Ⓒ 〖建〗 (기와 따위의) 줄지은 열(row); 층. (***as***) ***a matter of*** ~ 당연한 일(로서). ***by*** ~ ***of*** …의 관례에 따라서. ~ ***of events*** 일의 추세. ***in*** ~ ***of*** …하는 중으로. ***in due*** ~ 당연한 순서를 따라. ***in due*** ~ (***of time***) 때가 와서[오면], 불원간. ***in the*** ~ ***of*** (***today***) (오늘) 중에. ***lower*** [***upper***] ~ 하[상]류. ***of*** ~ 물론. — *vt.* (토끼 따위를) 뒤쫓다, (…의) 뒤를 밟다; 달리게 하다. — *vi.* 달리다, 뒤쫓다. **cóurs·er** *n.* Ⓒ 사냥개; 《詩》 준마; 말.
†**court**[kɔːrt] *n.* ① Ⓒ 안뜰(courtyard). ② Ⓤ,Ⓒ (보통 C-) 궁전; 왕실; 왕궁; 《집합적》 조정의 신하. ③ Ⓤ,Ⓒ 법정, 재판소; 《집합적》 재판관. ④ Ⓒ 정구장; 뒷거리(의 공터), 뒷골목. ⑤ Ⓤ 아첨; 구혼. ***at C-*** 궁정에(서). ~ ***of*** APPEAL(***s***). ~ ***of justice*** [***law***] 법정. ***C- of St. James's***[snt dʒéimziz] 영국 궁정. ***High C- of Parliament*** 《英》 최고 법원으로서의 의회. ***pay*** [***make***] ***one's*** ~ ***to*** …의 비위를 맞추다; 지싯거리다, 구혼하다(woo). ***put out of*** ~ 무시하다. — *vt., vi.* (…의) 비위를 맞추다; 구혼하다; (칭찬 따위를) 받고자 하다(seek); (사람을) 초청하다, (위험을) 초래하다.
cóurt càrd 《英》 (카드의) 그림 패 (《美》 face card).
:**cour·te·ous**[kə́ːrtiəs] *a.* 정중한; 예의 바른(polite). ˙~**·ly** *ad.*
cour·te·san, -zan [kɔ́ːrtəzən, kə́ːr-/kɔ̀ːtizǽn] *n.* Ⓒ (고급) 매춘부.
:**cour·te·sy**[kə́ːrtəsi] *n.* Ⓤ 예의, 정중함; 호의; 인사(curtsy). ***by*** ~ 예의상. ***by*** ~ ***of*** …의 호의로.

C

˙**cóurt·hòuse** *n.* Ⓒ 법원; 《美》 군청.
˙**cour·ti·er**[kɔ́ːrtiər] *n.* Ⓒ 정신(廷臣); 아첨꾼.
˙**court·ly**[kɔ́ːrtli] *a.* ① 궁정의; 예의 바른, 품위 있는, 점잖은. ② 아첨하는. **-li·ness** *n.*
cóurt-mártial *n.* (*pl.* **courts-**) Ⓒ 군법 회의. — *vt.* (《英》 **-ll-**) 군법 회의에 부치다.
cóurt·ròom *n.* Ⓒ 법정.
˙**cóurt·shìp** *n.* Ⓤ 구혼, 구애.
˙**cóurt·yàrd** *n.* Ⓒ 안뜰, 마당.
†**cous·in**[kʌ́zn] *n.* Ⓒ 사촌《형제·자매》; 먼 친척(*Don't call ~s with me.* 친척이라고 부르지 말라). ***first*** ~ ***once removed,*** or ***second*** ~ 육촌, 재종(再從).
cou·ture[kuːtjúər] *n.* (F.) Ⓒ 여성복 디자인; 《집합적》 여성복 디자이너(들); 그 가게.
cou·tu·ri·er[kuːtúərièi] *n.* (F.) Ⓒ 양재사《남자》.
˙**cove**[kouv] *n.* Ⓒ (깊숙한) 후미, 작은 만(灣); 한 구석.
˙**cov·e·nant**[kʌ́vənənt] *n., vi., vt.* Ⓒ (…와) 계약(하다); (C-) 〖聖〗 (신이 인간에게 준) 성약(聖約).
Cov·en·try[kʌ́vəntri, -ʌ́-/-ɔ́-] *n.* 잉글랜드의 Birmingham 동쪽에 있는 도시. ***send*** (***a person***) ***to*** ~ 한 패에서 제외시키다.
†**cov·er**[kʌ́vər] *vt.* ① 덮다, 가리다; 싸다(wrap up). ② 모자를 씌우다. ③ 숨기다. ④ (닭이 알을) 품다; 교미[흘레]하다; (수말이 암말에) 덮치다. ⑤ 표지를 붙이다. ⑥ (비용·손실

을) 메우다; 보호[비호]하다, 감싸주다; 포함하다; 겨누다(~ *him with a rifle*). ⑦ (어떤 거리를) 통과하다(go over); (범위가 …에) 걸치다[미치다](extend). ⑧ 『商』 (공(空)계약('short' contract)을 경계하여 상품·증권 따위를) 투기적으로 사들이다; (노름에서 상대가 건 돈과) 같은 액을 태우다. ⑨ 『新聞』 (…의 보도를) 담당하다(act as reporter of) (~ *a crime, conference, &c.*). ― *n.* ① Ⓒ 덮개, 겉싸개; 뚜껑; 표지; 봉투. ② Ⓤ (새·짐승의) 숨는 곳; 풀숲; 보호물(*under* ~ *of night* 야음을 틈타서); 『軍』 (폭격기 엄호의) 전투기대. ③ Ⓒ 한 사람분의 식기[식탁](*a dinner of fifteen ~s,* 15인분의 만찬). ***break*** ~ (새·짐승이) 숨은 곳에서 나오다. ***take*** ~ 『軍』 지형을 이용하여 숨다, 피난하다. ***under*** ~ 지붕 밑에; 몰래; 봉투에 넣어. ***under the same*** ~ 동봉하여. **~ed**[-d] *a.* 덮개[뚜껑·지붕] 있는(*a ~ed wag(g)on* 포장 마차; 《英》 유개 화차); 집안의; 모자를 쓴; …로 덮인.

·cov·er·age[kʌ́vəridʒ] *n.* Ⓤ 적용 범위; 《一般》 범위; 『經』 정화(正貨) 준비금; 보험 적용액; 보도 (범위); (광고의) 분포 범위; 『放』 유효 시청 범위; 『保險』 보상 범위, (보상하는) 위험 범위.

cóver·àll *n.* Ⓒ (상의와 바지가 붙은) 작업복. 「비스료.

cóver chàrge (요리점 따위의) 서

cóver gìrl 잡지 표지에 실린 미인.

:cov·er·ing[kʌ́vəriŋ] *n.* Ⓒ 덮개; 지붕; Ⓤ 피복; 엄호. ― *a.* 덮는; 엄호하는.

cóvering lètter (동봉한) 설명서.

·cov·er·let[kʌ́vərlit] *n.* Ⓒ 침대 커버; 덮개; 이불.

cóver stòry 커버스토리《잡지 등의 표지에 관련된 기사》.

cov·ert[kʌ́vərt] *a.* 비밀의, 숨긴, 은밀한(furtive)(~ *glances*)(opp. overt); 『法』 보호를 받고 있는; 남편이 있는. ― *n.* Ⓒ (새·짐승의) 숨는 곳; 피난처.

cóver-ùp *n.* Ⓒ (사건의) 은폐(책).

·cov·et[kʌ́vit] *vt., vi.* 몹시 탐[욕심]내다. **~·ous** *a.* 탐내는(*of*); 탐욕스러운; 열망하는.

†cow[1][kau] *n.* Ⓒ 암소(opp. bull); (코끼리·고래 따위의) 암컷.

cow[2] *vt.* 으르다, 겁을 먹게 하다.

:cow·ard[káuərd] *n., a.* Ⓒ 겁쟁이, 열쭝이; 겁많은. **·~·ice**[-is] *n.* Ⓤ 겁, 소심. **·~·ly** *a., ad.* 겁많은; 겁을 내어.

:ców·bòy *n.* Ⓒ 목동, 카우보이.

cow·er[káuər] *vi.* 움츠러들다, 《英方》 웅크리다.

ców·hìde *n.* Ⓤ,Ⓒ 소의 생가죽; Ⓤ 쇠가죽; Ⓒ 쇠가죽 채찍.

cowl[kaul] *n.* Ⓒ (수도사의) 망토 두건(hood); (굴뚝의) 갓; 자동차 [비행기]의 앞쪽[전부(前部)].

cow·man[∠mən] *n.* Ⓒ (미국 서부의) 목장 주인; 《英》 소치는 사람.

ców·slìp *n.* Ⓒ 《美》 『植』 애기미나리아재비 (따위); 《英》 앵초과의 식물.

cox[kɑks/-ɔ-] *n., vt., vi.* Ⓒ 《口》 (보트의) 키잡이(coxswain)(가 되다).

cox·swain[kɑ́kswèin, kɑ́ksn/-ɔ́-] *n.* Ⓒ (보트의) 키잡이(cox).

·coy[kɔi] *a.* 수줍어하는(shy), 스스럼 타는; 짐짓 부끄러운 체하는, 요염하게 수줍어하는(coquettishly shy). ***be*** ~ ***of*** …을 (스스러워해) 좀처럼 말하지 않다.

coy·ote[káiout, kaióuti/kɔ́iout] *n.* Ⓒ 이리의 일종《북아메리카 초원의》; 악당.

co·zy[kóuzi] *a.* (따뜻하여) 기분이 좋은, 포근한(sung). ― *n.* Ⓒ 보온 커버《tea-cozy 따위》. **có·zi·ly** *ad.* **có·zi·ness** *n.*

cp. compare. **Cpl. cpl.** corporal.

:crab[1][kræb] *n.* ① Ⓒ 『動』 게. ② (the C-) 『天』 게자리(Cancer). ③ 자아틀. ④ Ⓒ 짓궂은 사람. ― *vt.* (**-bb-**) 《口》 흠[탈]잡다(find fault with).

cráb[2] **(àpple)** *n.* Ⓒ 야생 능금(나무·열매).

crab·bed[krǽbid] *a.* 까다로운, 성난(cross), 빙퉁그러진(perverse); 읽기 어려운.

C

:crack[kræk] *n.* ① Ⓒ 금, 균열, 갈라진 틈. ② Ⓒ (채찍·불꽃 등의) 철썩, 퍽(하는 소리); 철썩[딱] 때림. ③ Ⓒ《口》순간. ④ Ⓒ《口》재치 있는 말; 신소리. ⑤ Ⓒ 농담. ⑥ Ⓒ 변성(變聲). ⑦ Ⓒ 결점; Ⓤ (가벼운) 정신 이상. ⑧ Ⓒ《口》시도, 찬스; 《英古·英俗》자랑(거리), 허풍. **~ of doom** 최후의 심판 날의 천둥. **in a ~** 순식간에. — *vt., vi.* ① 깨뜨리다, 깨지다, 빠개(지)다, 갈라지다; 금이 가(게 하)다. ② 목소리가 변하다. ③ 딱[철썩] 소리가 나(게 하)다; 딱 때리다. ④ 굴(복)하다(give way). ⑤ (농담·익살)을 부리다(~ *a joke*). ⑥《口》(금고 따위를) 비집어 열다. ⑦《口》(술병을) 따다[열다], 따서 마시다. **~ down**《美口》혼내다, 단호한 조처를 취하다(*on*). **~ up**《俗》(건강·신경이) 결딴나다; 《口》칭찬하다; 《口》(착륙할 때 따위에) 기체를 손상시키다; (기체가) 상하다. — *a.*《口》멋진, 훌륭한, 일류의. — *ad.* 딱, 퍽, 철썩. ***~ed** [-t] *a.* 깨진, 빠개진, 갈라진, 금이 간; 목소리가 변한; **=≺·bràined** 머리가 돈(crazy).

cráck·dòwn *n.* Ⓒ 단호한 조처.

***crack·er**[≺ər] *n.* Ⓒ ① 깨뜨리는[빠개는] 사람[것]. ② (*pl.*) 호두 까는 집게(nutcracker). ③ 폭죽; 딱총(fire cracker); 크래커 봉봉《양끝을 당기면 터져 과자·장난감 등이 튀어나옴》. ④ 크래커《과자》. ⑤《學生俗》거짓말; 《美》(Georgia, Florida 등지의) 가난한 백인.

crack·er·jack[krǽkərdʒæ̀k] *a., n.* Ⓒ《美俗》뛰어나게 훌륭한 (사람, 것).

crack·ing[krǽkiŋ] *n.* Ⓤ 〖化〗분류(分溜).

***crack·le**[krǽkəl] *n., vt.* Ⓤ 딱딱[바스락바스락] (소리가 나다)《종이를 구길 때 따위》; (도자기 등의) 구울 때 생긴 잔금. **cráck·ling** *n.* Ⓤ 딱딱[우지끈] 소리; (바삭바삭하는) 구운 돼지의 겉가죽.

cráck-pòt *a., n.* Ⓒ《口》정신나간 (사람), 기묘한 (사람).

-cra·cy[krəsi] *suf.* '정체, 정치, 사회 계급, 정치 세력, 정치 이론' 의 뜻: demo*cracy*.

:cra·dle[kréidl] *n., vt.* Ⓒ ① 요람(搖籃)(에 넣다, 넣어 흔들다); 어린 시절; 키우다; (문명 등의) 발상지. ② (배의) 진수대(進水臺)(에 올리다); (비행기의) 수리대. ③ 〖採〗선광대(選鑛臺)(로 선광하다).

:craft[kræft, krɑːft] *n.* ① Ⓤ 기능, 기교, 솜씨, 교묘함. ② Ⓤ 기술; Ⓒ 기술이 드는 직업. ③ Ⓤ 간지(奸智); 못된 술책. ④ Ⓒ 배; 항공기. **art and ~** 미술 공예. **the gentle ~** 낚시질 (친구).

***crafts·man**[≺smən] *n.* Ⓒ 장색(匠色); 예술가.

***craft·y**[≺i] *a.* 교활한(sly). **cráft·i·ly** *ad.* **cráft·i·ness** *n.*

crag[kræg] *n.* Ⓒ 울퉁불퉁한 바위(steep rugged rock), 험한 바위산. **~·ged**[-id]. **≺·gy** *a.*

***cram**[kræm] *vt., vi.* (**-mm-**) ① (장소·그릇에) 억지로 채워 넣다; 잔뜩 먹(이)다. ② 《口》(학과를) 쑤셔 넣다. ③ (*vt.*)《古》(…에게) 허풍떨다. — *n.* Ⓤ 채워[처박아] 넣음; 《口》벼락 공부; 《口》거짓말. **≺·mer** *n.* Ⓒ《英口》벼락 공부꾼《교사·학생》. **≺·ming** *n.* Ⓤ 주입식 교육, 벼락 공부.

***cramp**[1][kræmp] *n., vt.* Ⓒ 꺾쇠(로 죄다); 속박하다[하는 것]. — *a.* 제한된(restricted), 비좁은, 갑갑[답답]한; 읽기[알기] 어려운.

***cramp**[2] *n., vt.* Ⓤ,Ⓒ 경련(을 일으키다). **~ed**[-t] *a.* 경련을 일으킨; 압축된; 답답한; 읽기[알기] 어려운.

cran·ber·ry [krǽnbèri/-bəri] *n.* Ⓒ 덩굴월귤《진한 소스의 원료》.

:crane[krein] *n., vt., vi.* Ⓒ 〖鳥〗두루미; 기중기; 〖TV·映〗카메라 이동장치; (두루미처럼 목을) 늘이다, 뻗어 오르다; 기중기로 나르다.

cra·ni·um[kréiniəm] *n.* (*pl.* **~s, -nia**) Ⓒ 〖解〗두개(頭蓋)(골). **cra·ni·al**[-niəl, -njəl] *a.*

***crank**[kræŋk] *n.* Ⓒ 〖機〗크랭크; 굴곡; 변덕(맞은 생각·말); 《口》괴짜, (성격이) 비뚤어진 사람. — *a.* 비슬거리는, 병약한; 〖海〗뒤집히기 쉬운. — *vt., vi.* 크랭크 꼴로 굽히다; 크랭크를 달다; 크랭크를 돌리다.

C

～ **up** (크랭크로) 발동기를 돌리다. **∠·y** *a.* 심술궂은; 야릇한; 흔들흔들한; 병약한; 꾸불꾸불한.

cránk·shàft *n.* Ⓒ 〖機〗 크랭크 축. 크랭크샤프트.

cran·ny [krǽni] *n.* Ⓒ 갈라진 틈〔금〕, 벌어진 틈, 틈새기.

crap [kræp] *n.* Ⓒ (크랩스에서) 주사위를 굴려 나온 지는 끗수; Ⓤ《俗》찌꺼기, 너절한 물건. **～s** *n. pl.* 《단수 취급》 크랩스《주사위 두개로 하는 노름의 일종》.

C

˙**crape** [kreip] *n.* = CREPE.

:crash [kræʃ] *n., vi.* Ⓒ ① 와지끈〔탁·쾅·아지직·뎅그렁·쟁그렁·와르르〕 소리(를 내며 부서지다). ② 충돌(하다); 《俗》 실패(하다). ③ 파산(하다); 추락(하다). — *vt.* ① (…을) 탁〔쾅·와지끈·와르르·뎅그렁·쟁그렁〕 부수다; 찌부러뜨리다; 격추하다. ② 《口》 (불청객이) 오다. — *ad.* 쾅, 탁, 쟁〔뎅〕그렁, 와지끈.

crásh bàrrier (도로·경주로 등의) 가드 레일, 중앙 분리대.

crásh hèlmet (자동차 경주용) 헬멧.

crásh-lánd *vi., vt.* 〖空〗 불시착하다〔시키다〕.

crass [kræs] *a.* 우둔한; 터무니 없는; 《比》 심한, 지독한.

crate [kreit] *n.* Ⓒ (가구·유리 따위 운송용의) 나무틀, 나무판 상자; (과일을 나르는) 바구니, 광주리.

˙**cra·ter** [kréitər] *n.* Ⓒ 분화구; 지뢰〔포탄〕 구멍; (달 표면의) 운석(隕石) 구멍, 크레이터.

cra·vat [krəvǽt] *n.* Ⓒ 〖商〗 넥타이; 목도리(scarf).

˙**crave** [kreiv] *vt., vi.* 간절히 바라다, 열망하다(*for*); 필요로 하다. ˙**cráv·ing** *n.* Ⓒ 갈망; 염원.

cra·ven [kréivən] *a., n.* Ⓒ 겁많은〔비겁한〕(자). ***cry*** ～ 항복하다.

:crawl [krɔːl] *vi.* ① 기(어가)다; 느릿느릿 나아가다; 살금살금 걷다. ② 살살 환심을 사다(creep)(*into*). ③ 벌레가 기는 느낌이 들다; 근실거리다. ～ **up** (옷이) 밀려 오르다. — *n.* Ⓤ 기다시피〔느릿느릿〕 걷는 걸음, 서행; = **∠ stròke** 크롤 수영법. **∠·er** *n.* Ⓒ 길짐승; 아첨꾼; 《英》 손님을 찾아 천천히 달리는 빈 택시. **∠·y** *a.* 《口》 근실거리는.

cray·fish [kréifìʃ] *n.* Ⓒ 가재.

:cray·on [kréiən, -ɑn/-ɔ̀n] *n., vt.* Ⓒ 크레용 (그림); 크레용으로 그리다; 대충 그리다.

˙**craze** [kreiz] *vi., vt.* ① 미치(게 하)다. ② (도자기에) 금이 가다〔금을 넣다〕. — *n.* Ⓒ ① 미침, 열광(mania); 대유행. ② (도자기의) 금.

:cra·zy [∠i] *a.* ① 미친; 《口》 열광한. ② (건물 따위가) 흔들흔들하는. ③ 《俗》 굉장한, 멋진.

˙**creak** [kriːk] *vi., vt., n.* 삐걱거리(게 하)다; Ⓒ 그 소리. ***Creaking doors hang the longest.*** 《속담》 쭈그렁 밤송이 삼 년 간다. **∠·y** *a.*

:cream [kriːm] *n.* Ⓤ ① 크림(색); 유제(乳劑)(emulsion). ② (the ～) 가장 좋은〔알짜〕 부분, 노른자, 정수. — *vt.* 크림(모양으로) 하다; 크림으로〔크림 소스로〕 요리하다. **∠·er·y** *n.* Ⓒ 크림 제조〔판매〕소. ˙**∠·y** *a.* 크림 모양〔빛〕의; 크림을 포함한; 크림색의.

créam chèese 크림 치즈.

créam cràcker 《英》 크래커.

crease [kriːs] *n., vi., vt.* Ⓒ 주름〔금〕(이 잡히다, 을 내다).

:cre·ate [kriːéit] *vt.* ① 창조〔창작〕하다; 창시하다. ② (…에게) 작위(爵位)를 주다(invest with)(*He was* ～*d* (*a*) *baron.* 남작의 작위가 수여되었다). ③ 일으키다. ④ 〖컴〗 만들다. — *vi.* 《英俗》 법석을 떨다(*about*).

:cre·á·tion *n.* Ⓤ 창조, 창작; 창설; Ⓒ 창조〔창작〕물; Ⓤ 수작(授爵); (the C-) 천지 창조. ˙**cre·á·tive** *a.* 창조〔창작〕적인 (재능이 있는). ˙**cre·á·tor** *n.* Ⓒ 창조〔창작〕자; (the C-) 조물주, 하느님.

:crea·ture [kríːtʃər] *n.* Ⓒ ① 창조물, 생물, 동물. ② 인간, 남자, 여자. ③ 녀석(*Poor* ～*!* 가엾은 놈). ④ 부하, 수하, 노예. ⑤ 《俗·方》 (the ～) 위스키.

créature cómforts 육체적 쾌락을 주는 것《특히 음식물》.

crèche [kreiʃ] *n.* (F.) Ⓒ 《英》 탁아소(day nursery). 「신임.

cre·dence [kríːdəns] *n.* Ⓤ 신용;

cre·den·tial [kridénʃəl] *n.* (*pl.*) 신임장; 추천장.

cred·i·ble [krédəbəl] *a.* 신용할〔믿을〕 수 있는. **-bil·i·ty** [ˋ–bíləti] *n.* Ⓤ 신뢰성, 진실성.

:**cred·it** [krédit] *n.* ① Ⓤ 신용; 명예; 명성. ② Ⓤ 자랑; Ⓒ 자랑거리. ③ 신용 대부〔거래〕; (국제 금융상의) 크레디트. ④ Ⓤ 〖簿〗 대변(貸邊)(opp. debit); 채권. ⑤ Ⓒ 《美》 과목 이수증(證), 이수단위(unit). ⑥ Ⓒ 〖放〗 광고〔스폰서명〕 방송; =CREDIT LINE. ***do*** (*a person*) ~ …의 명예가〔공이〕 되다. ***give ~ to*** …을 믿다. ***letter of ~*** 신용장《생략 L/C》. ***on ~*** 신용 대부로, 외상으로. ***reflect ~ on*** …의 명예가 되다. — *vt.* 신용하다; 대변에 기입하다(~ *him with a sum;* ~ *a sum to him*); 신용 대부하다, 외상 주다; 《美》 단위 이수 증명을 주다; (…에게) 돌리다(ascribe) (*to*). ***~·a·ble*** *a.* 신용할〔믿을〕 만한; 훌륭한. **~·a·bly** *ad.* 훌륭히.

créd·i·tor *n.* Ⓒ 채권자; 〖簿〗 대변 《생략 Cr.》 (opp. debtor).

crédit accòunt 《英》 외상 거래 계정(《美》 charge account).

crédit càrd 크레디트 카드.

crédit lìne 크레디트 라인《기사·회화·사진·텔레비전프로 등에 밝히 제공자의 이름》.

crédit nòte 대변 전표.

crédit ràting (개인·법인의) 신용 등급〔평가〕.

crédit-wórthy *a.* 〖商〗 신용도가 높은, 지불 능력이 있는.

cre·do [kríːdou] *n.* (*pl.* **~s**) Ⓒ 신조(creed); (the C-) 〖宗〗 사도 신경, 니케노 신경.

cred·u·lous [krédʒələs] *a.* 믿기〔속기〕 쉬운. **~·ness,** ***cre·du·li·ty*** [kridjúːləti] *n.* Ⓤ (남을) 쉽사리 믿음, 고지식함.

:**creed** [kriːd] *n.* Ⓒ 신조, 교의(敎義). ***the C-*** or ***Apostles' C-*** 사도 신경.

:**creek** [kriːk] *n.* Ⓒ 작은 내; 후미, 내포, 작은 만(灣).

creel [kriːl] *n.* Ⓒ (낚시질의) 물고기 바구니; 통발.

:**creep** [kriːp] *vt.* (***crept***) ① 기다 (crawl); (담쟁이 따위가) 휘감겨 붙다. ② 가만히〔발소리를 죽이며〕 걷다. ③ 슬슬 환심을 사다(~ *into favor*). ④ 군실거리다; 오싹하다. — *n.* Ⓒ 김, 포복; (the ~s) 《口》 오싹하는 느낌. ***give a person the ~s*** 섬뜩하게 하다. **∠·er** *n.* Ⓒ 기는 것; 덩굴풀, 담쟁이(ivy); (*pl.*) 어린이용의 헐렁한 옷; Ⓒ (다리 짧은) 닭의 일종; 〖鳥〗 나무발바리. **∠·y** *a.* 기는; 군실군실하는, 오싹하는.

creep·ing [∠iŋ] *a.* 기는, 기어다니는; 휘감겨 붙는; 진행이 더딘, 느린; 아첨하는; 군실거리는. **~·ly** *ad.*

cre·mate [kríːmeit, kriméit] *vt.* 화장(火葬)하다. **cre·má·tion** *n.*

cren·el·(l)ate [krénəlèit] *vt.* (…에) 총안을 만들다〔설비하다〕.

Cre·ole [kríːoul] *n.* Ⓒ (Louisiana 주에 정착한) 프랑스인의 자손; Ⓤ 그 주(州)에서 쓰이는 프랑스 말; Ⓒ 서인도〔남아메리카〕 태생의 유럽 사람; (c-) Ⓒ 미국 태생의 흑인.

cre·o·sote [kríː(ː)əsòut] *n.* Ⓤ 〖化〗 크레오소트.

crepe, crêpe [kreip] *n.* (F.) Ⓤ 크레이프《바탕이 오글오글한 비단의 일종》; Ⓒ 상장(喪章). ***~ de Chine*** [∠dəʃíːn] 크레이프 드신《얇은 비단 크레이프》.

crépe pàper (냅킨용의) 오글오글한 종이.

:**crept** [krept] *v.* creep의 과거(분사).

cre·scen·do [kriʃéndou] *ad., a. n.* (*pl.* **~s**) (It.) 〖樂〗 점점 세게, Ⓒ 점점 세어지는 (일·음).

cres·cent [krésənt] *n., a.* Ⓒ 초승달(의); 초승달 모양의 (것); (예전 터키의) 초승달기(旗).

cress [kres] *n.* Ⓤ 〖植〗 양갓냉이《식용》.

:**crest** [krest] *n.* Ⓒ ① (닭 따위의) 볏(comb), 도가머리, (투구의) 앞꽂이 장식 깃. ② 갈기(mane). ③ 봉우리, 산꼭대기; 물마루. ④ 문장(紋章)의 꼭대기 부분. **~·ed** [∠id] *a.*

crést·fàllen *a.* 볏이 처진; 머리를 푹 숙인; 풀이 죽은.

cre·tin [kríːtn, kritǽn/kretɔ́n, ∠–] *n.* Ⓒ 크레틴병 환자; 백치(idiot). **~·ism** [-ìzəm] *n.* Ⓤ 크레틴 병.

cre·vasse[krivǽs] *n.* (F.) Ⓒ (빙하의) 갈라진 틈, 균열. 「터진 곳.

ˑ**crev·ice**[krévis] *n.* Ⓒ 갈라진 틈,

:**crew**[kru:] *n.* Ⓒ 《집합적》 승무원; 《蔑》 동아리, 패거리.

crew·man[krú:mən] *n.* Ⓒ 승무원. 「인》.

créw nèck 크루넥《깃 없는 네크라

ˑ**crib**[krib] *n.*Ⓒ ① (난간이 둘린) 소아용 침대. ② 구유(manger); 통나무〔귀틀〕집, 작은 방. ③ 《口》 (학생의) 주해서. ― *vt.* (**-bb-**) (…에) 가두다; 도용(盜用)하다; 표절하다. ― *vi.* 《口》 주해서를 쓰다, 몰래 베끼다.

crib·bage[kríbidʒ] *n.* Ⓤ 카드놀이의 일종.

:**crick·et**[1][kríkit] *n.* Ⓒ 귀뚜라미.

:**crick·et**[2] *n.* Ⓤ 크리켓. **∼·er** *n.*

cri·er[kráiər] *n.* Ⓒ 부르짖는〔우는〕 사람; (포고 따위를) 외치며 알리는 사람; 광고꾼, 외치며 파는 상인.

:**crime**[kraim] *n.* Ⓒ 범죄, 나쁜 짓 (cf. sin).

:**crim·i·nal**[krímənl] *a., n.* 범죄의; Ⓒ 범인. **∼·ly** *ad.* 죄를 저질러; 형법상.

crim·i·nal·i·ty[krìmənǽləti] *n.* Ⓒ 범죄(행위); Ⓤ 범죄적 성질, 유죄, 범죄성.

crim·i·nol·o·gy [krìmənɑ́lədʒi/-ɔ́-] *n.* Ⓤ 범죄학.

crimp[krimp] *vt., n.* (머리 등을) 지지다, 오그라지게 하다; Ⓒ (보통 *pl.*) 고수머리, 오그라짐; 주름(잡기); 제한, 장애(물).

:**crim·son**[krímzn] *n., a., vt., vi.* Ⓤ 진홍색(의, 으로 하다, 이 되다).

crin·kle[kríŋkl] *n., vi., vt.* Ⓒ 주름(지(게 하)다); 오그라들(게 하)다, 오글 쪼글하게 하다; 바스락〔바삭바삭〕 소리 나다.

crin·o·line[krínəlì(ː)n] *n.* Ⓒ 〖史〗 버팀테(hoop)를 넣은 스커트.

:**crip·ple**[krípl] *n., vt.* Ⓒ 신체 장애자, 뚝발이〔불구자〕(로 만들다); 해치다, 약하게 하다; 무능케 하다. **∼d soldier** 상이 군인.

:**cri·sis**[kráisis] *n.* (*pl.* **-ses**[-si:z]) Ⓒ 위기; 〖經〗 공황.

:**crisp**[krisp] *a.* ① 아삭아삭〔파삭파삭〕하는; (병 따위가) 깨지기 쉬운 (brittle). ② 오그라든. ③ (공기가) 상쾌한(bracing), 팔팔한; 시원시원한, 명확한. ― *vi., vt.* 아삭아삭〔파삭파삭〕하게 되다〔하다〕; 오그라들(게 하)다. ― *n.* Ⓒ 아삭아삭〔파삭파삭〕한 상태; (*pl.*) 《주로 英》 파삭파삭하도록 얇게 썰어 기름에 튀긴 감자. ˑ**∠·ly** *ad.* ˑ**∠·ness** *n.* **∠·y** *a.*

criss·cross[krískrɔ̀:s/-krɔ̀s] *a., ad., n.* Ⓒ 열십자(무늬)(의, 로); = TICK-TACK-TOE. ― *vt.* 열십자〔무늬〕로 하다. ― *vi.* 교차하다.

ˑ**cri·te·ri·on**[kraitíəriən] *n.* (*pl.* **∼s, -ria**) Ⓒ (판단의) 표준, (비판의) 기준.

:**crit·ic**[krítik] *n.* Ⓒ 비평〔평론〕가; 흠〔트집〕 잡는 사람.

:**crit·i·cal**[krítikəl] *a.* ① 비평의(of criticism), 평론의; 눈이 높은; 비판적인, 입이 건. ② 위독한, 위험한(of a crisis) (∼ *condition* 위독 상태); 〖理·數〗 임계(臨界)의(∼ *temperature* 임계온도). **with a ∼ eye** 비판적으로. **∼·ly** *ad.* 비판적으로; 아슬아슬하게, 위험한 정도로(*be ∼ly ill* 위독하다).

:**crit·i·cism**[krítisìzəm] *n.* Ⓤ,Ⓒ 비평, 비판, 평론; 혹평, 비난.

:**crit·i·cize**[krítisàiz] *vt., vi.* 비평〔비판〕하다; 비난하다.

cri·tique[kritíːk] *n.* Ⓤ,Ⓒ (문예 작품 등의) 비평, 평론(문); 서평; 비판 (*the C- of Pure Reason by Kant* 칸트의 '순수 이성 비판').

ˑ**croak**[krouk] *vi., vt., n.* Ⓒ (까마귀·해오라기·개구리가) 깍깍〔개골개골〕 울다, 그 소리; 목쉰 소리(로 말하다); 음울한 소리를 내(어 말하)다; 불길한 말을 하다. **∠·er** *n.*

cro·chet[krouʃéi/∠-, -ʃi] *n., vi., vt.* Ⓤ 코바늘 뜨개질(하다).

crock[krɑk/-ɔ-] *n.* Ⓒ (토기의) 항아리, 독. **∼·er·y**[∠əri] *n.* Ⓤ 토기류(土器類), 사기그릇류.

ˑ**croc·o·dile**[krɑ́kədàil/-ɔ́-] *n.* Ⓒ 악어. **-dil·i·an**[≧-dílian] *a., n.* Ⓒ 악어류의 (동물); 악어.

crócodìle tèars 거짓 눈물.

ˑ**cro·cus**[króukəs] *n.* (*pl.* **∼es, -ci**[-sai]) Ⓒ ① 〖植〗 크로커스(의 꽃). ② 산화철《마분(磨粉)》.

croft[krɔːft/krɔft] *n.* Ⓒ《英》(주택에 접한) (텃)밭; 작은 소작 농장. **∠·er** *n.* Ⓒ 소작농(小作農).

crois·sant[krwɑːsɑ́ːnt] *n.* (F.) Ⓒ 초생달형의 롤빵.

crone[kroun] *n.* Ⓒ (주름투성이의) 노파.

cro·ny[króuni] *n.* Ⓒ 다정한 친구, 단짝, 옛벗.

˙**crook**[kruk] *n.* Ⓒ ① 굽은 것; (양치는 목동의) 손잡이가 굽은 지팡이. ② 만곡, 굽음. ③《口》사기꾼, 도둑놈. ***a* ~ *in one's lot*** 불행. ***by*** HOOK ***or by* ~. *on the* ~** 《俗》 부정수단으로. ── *vt., vi.* 구부리다; 구부러지다.

:**crook·ed**[∠id] *a.* 꼬부라진, 뒤틀린, 부정직한; [krukt] 갈고리〔굽은 손잡이〕가 달린.

croon[kruːn] *vi., vt.* 작은 소리로 읊조리다; 웅얼웅얼 노래하다(hum). **∠·er** *n.* Ⓒ 작은 소리로 읊조리는〔노래하는〕 사람; 저음 가수.

†**crop**[krɑp/-ɔ-] *n.* ① Ⓒ 작물, 수확〔생산〕(량)(*a bad* 〔*bumper, large*〕 ~ 흉〔풍〕작); (the ~s)(한 지방•한 계절의) 전(全)농작물. ② Ⓒ 많음, 모임; 속출. ③ Ⓒ (새의) 멀떠구니(craw). ④ (*sing.*) (머리를) 짧게 깎기(cf. bob[1], shingle[1]). ⑤ Ⓒ (끝에 가죽 고리가 달린) 채찍. ***be out of*** 〔***in, under***〕 **~** 농작물이 심어져 있지 않다〔있다〕. ── *vt.* (**-pp-**) (땅에) 재배하다, 심다(~ *a field with seed, wheat, &c.*); (짧게) 깎다; 수확하다. ── *vi.* (농작물이) 되다; 깎아〔베어〕내다(clip); (광상(鑛床)이) 노출하다(*out*). (불시에) 나타나다(*forth, out, up*); (양•새 따위가) 싹을 먹다.

crop·per[krɑ́pər/krɔ́p-] *n.* Ⓒ 농부, 《美》(반타작의) 소작인; 작물(*a good* ~ 잘 되는 작물); 베는〔깎는〕 사람〔것〕; 추락, 낙마(落馬), 대실패(*come* 〔*fall, get*〕 *a* ~ 말에서 떨어지다, 실패하다).

cro·quet[kroukéi/∠−, -ki] *n.* Ⓤ 크로케《나무공을 나무 망치로 ⊓형의 틀 안으로 쳐 넣는 게임》.

cro·quette[kroukét/-ɔ-] *n.* (F.) Ⓒ,Ⓤ 〖料理〗 크로켓.

cro·sier[króuʒər] *n.* Ⓒ 〖宗〗(bishop 또는 abbot의) 사목장(司牧杖).

†**cross**[krɔːs/krɔs] *n.* Ⓒ ① 십자가; (the C-) 예수의 수난(의 십자가), 속죄(the Atonement); 기독교. ② 고난, 시련, 고생; 방해(*bear one's* ~ 고난을 참다). ③ 십자형, 십자로(路), 네거리; 십자 훈장(*the Victoria C-* 빅토리아 훈장). ④ 교배, 잡종. ***on the* ~** 엇갈리게, 교차되게; 《俗》 부정 행위를 하여(살다, 따위). ***take the* ~** 십자군〔개혁 운동〕에 참가하다(join the crusade). ── *a.* ① 열십자(형)의; 비스듬한, 가로의. ② 반대의(~ *luck* 불운). ③ (질문•대답 따위) 심술궂은, 찌무룩한. ④ 잡종의(crossbred). ***as* ~ *as two sticks*** 《口》 성미가 지독히 까다로운. ***run* ~ *to*** …와 충돌하다. ── *vt.* ① 가로지르다, 건너다. ② (팔짱을) 끼다, (발을) 꼬다. ③ (선을) 가로 긋다〔그어 지우다〕(*off, out*). ④ 반대〔방해〕하다. ⑤ (편지 따위가) (…와) 엇갈리다; 교배시키다; 〖電話〗 혼선되게 하다. ── *vi.* 가로〔건너〕지르다; 교차하다; 엇갈리게 하다; 잡종이 되다. ***be* ~*ed in*** …에 실망하다. **~ *a horse*** 말에 걸터앉다. **~ *a person's hand*** 〔***palm***〕 ***with silver*** 아무에게 뇌물을 쥐어주다. **~ *a person's path*** …을 만나다; …의 앞길〔계획〕을 방해하다. **~ *oneself*** 〔***one's heart***〕 가슴(또는, 이마)에 십자를 긋다. **~ *one's fingers*** 두 손가락을 열 십자로 걸다《재난의 액막이로》. **~ *one's mind*** 마음에 떠오르다. **~ *wires*** 〔***lines***〕 전화를 (잘못) 연결하다. **~ed**[-t] *a.* 열십자로 교차된, 횡선을 그은(*a* ~*ed check* 횡선 수표); (열십자 또는 횡선으로) 말소한; 방해〔저지〕된. ˚**∠·ly** *ad.* 가로, 거꾸로; 심술궂게, 뾰로통해서. **∠·ness** *n.*

cróss·bàr *n.* Ⓒ 가로장, 빗장; (높이 뛰기 등의) 바.

cróss-bènch *n.* (보통 *pl.*) 〖英下院〗 무소속 의원석(席). ── *a.* 중립의.

cróss·bònes *n. pl.* 2개의 대퇴골을 교차시킨 그림《죽음•위험의 상징》.

cross·bow[∠bòu] *n.* Ⓒ 석궁(石弓).

cróss·brèed *n., vt., vi.* (**-bred**) Ⓒ 잡종(을 만들다).

C

cróss-cóuntry *a.* 들판 횡단의(*a* ~ *race* 단교(斷郊) 경주).
cróss·cúltural *a.* 문화 비교의.
cróss-exámine *vt.* 〖法〗 반대 심문하다; 힐문하다.
cróss-èyed *a.* 사팔눈의, (특히) 모들뜨기의.
cróss-fertilizátion *n.* Ⓤ 〖植·動〗 이화(異花)〔타가〕 수정; (이질 문화의) 교류.
cróss fíre 〖軍〗 십자 포화; 활발히 주고받는 질의 응답; (요구·용건의) 쇄도, 집중; 곤경.
cróss-hàtch *vt.* (펜화(畫)에서) 종횡선의 음영(陰影)을 넣다.
:**cross·ing**[ˊiŋ] *n.* ① Ⓤ,Ⓒ 횡단, 교차. ② Ⓒ (가로의) 교차점, 네거리, (선로의) 건널목. ③ Ⓤ,Ⓒ 방해, 반대. ④ Ⓤ,Ⓒ 십자를 긋기. ⑤ Ⓤ,Ⓒ 이종 교배. ⑥ Ⓤ,Ⓒ (수표의) 횡선.
cross-legged[ˊlégid] *a.* 발을 꼰〔엇건〕; 책상 다리를 한.
cróss·òver *n.* Ⓒ (입체) 교차로.
cróss·pìece *n.* Ⓒ 가로장(나무).
cróss-quéstion *vt.* =CROSS-EXAMINE.
cróss réference (한 책 안의) 앞뒤 참조, 상호 참조.
˙**cróss·ròad** *n.* Ⓒ 교차 도로; 갈림길, 골목길; (*pl.*) 《단수 취급》 네거리; 집회소. ***at the ~s*** 갈림길에 서서, 할 바를 몰라.
cróss sèction 횡단면; 대표적인 면; 단면도.
cróss-stìtch *n., vt., vi.* Ⓒ (바느질의) 십자뜨기(를 하다).
cróss-wàlk *n.* Ⓒ 횡단 보도.
˙**cróss·wìse** *ad.* ① 옆으로, 가로; 열십자 (모양으로). ② 심술궂게.
˙**cróss·word** (**pùzzle**) *n.* Ⓒ 크로스워드퍼즐, 십자 말풀이.
crotch[kratʃ/-ɔ-] *n.* Ⓒ (발의) 가랑이, (손의) 갈래, 손샅, (나무의) 아귀; 〖海〗 갈라진 지주.
crotch·et[krátʃit/-ɔ́-] *n.* Ⓒ 별난 생각, 변덕(whim); 갈고리(small hook); 〖樂〗 4분 음표. **~·y** *a.* 변덕스러운; 별난.
:**crouch**[krautʃ] *vi., n.* Ⓤ 쭈그〔웅크〕리다〔림〕; 바싹 웅크리다〔웅크림〕; (비굴하게) 움츠리다.
croup[1][kru:p] *n.* Ⓤ 〖病〗 크루프, 위막성(僞膜性) 후두염.
croup[2], **croupe**[kru:p] *n.* Ⓒ (말 따위의) 궁둥이(rump).
crou·pi·er[krú:piər] *n.* Ⓒ (노름판의) 물주.
crou·ton[krú:tan/-tɔn] *n.* (F.) Ⓒ 크루톤《수프에 띄우는 튀긴 빵 조각》.
:**crow**[1][krou] *n.* Ⓒ 까마귀《raven, rook 도 포함》. ***as the ~ flies*** 일직선으로. ***eat ~*** 《美口》 굴욕을 참다. ***white ~*** 진품.
crow[2] *vi.* (**crew, ~ed; ~ed**) (수탉이) 울다; 홰를 쳐 때를 알리다; (**~ed**) (아기가) 까르륵 웃다; 환성〔함성〕을 지르다(올리다)(*over*).
crów·bàr *n.* Ⓒ 쇠지레.
†**crowd**[kraud] *n.* Ⓒ ① 《집합적》 군중, 붐빔; (the ~) 민중. ② 다수(*a ~ of books*). ③ 《口》 패거리, 동아리. ④ 관객, 구경꾼. — *vi.* 모여들다, 북적대다; 서로 밀치며 들어가다. — *vt.* 밀치락달치락하다, 잔뜩 처넣다; 찌부러뜨리다(*down*); 밀(어 붙이)다; 《口》 강요하다. **:~·ed**[ˊid] *a.* 붐비는, 만원의.
†**crown**[kraun] *n.* ① Ⓒ 왕관; (the ~) 왕위, 군주권; (the C-) 군주, 제왕. ② Ⓒ 화관(花冠), 영관, 영예. ③ Ⓒ 왕관표(가 달린 것). ④ Ⓒ 5실링 은화. ⑤ Ⓤ 크라운판(判) 용지 《15×20 인치》. ⑥ Ⓒ 꼭대기; (모자 따위의) 위; 머리, 정수리; (the ~) 절정, 극치(acme). ⑦ Ⓒ 〖齒科〗 (이의) 금관; (닻의) 하단부. — *vt.* (…에게) (왕)관을 주다, 즉위시키다; 꼭대기에 얹다〔를 꾸미다〕; (명예 따위를) 주다; (…의) 최후를 장식하다, 완성하다. ***to ~ all*** 끝판〔결국〕에 가서는, 게다가. **ˊ·ing** *a.* 최후를 장식하는; 더 없는(*the ~ing folly* 더할 나위 없는 어리석음).
crówn cólony 《英》 직할 식민지.
crówn prínce (영국 이외의) 왕세자《영국은 Prince of Wales》.
crów's-fòot *n.* (*pl.* ***-feet***) Ⓒ (보통 *pl.*) 눈꼬리의 주름.
crów's-nèst *n.* Ⓒ 돛대 위의 망대.
˙**cru·cial**[krú:ʃəl] *a.* ① 최종〔결정〕적인, 중대한. ② 혹독한, 어려운, 곤란한(*a ~ period* 어려운 시기).

cru·ci·ble[krúːsəbl] *n.* Ⓒ 도가니(melting pot); 《比》 호된 시련.
cru·ci·fix[krúːsəfìks] *n.* Ⓒ 십자가(의 예수상(像)). **~·ion**[ˌ—fíkʃən] *n.* Ⓤ (십자가에) 못박음; (the C-) 십자가에 못박힌 예수; Ⓒ 그 그림(상); Ⓤ 모진 박해, 큰 시련.
cru·ci·form[krúːsəfɔ̀ːrm] *a., n.* 십자형(의).
˙**cru·ci·fy**[krúːsəfài] *vt.* 십자가에 못박다; 괴롭히다(torture).
crud[krʌd] *n.* Ⓤ 《俗》 앙금; Ⓒ 쓸모없는 자, 무가치한 것.
:**crude**[kruːd] *a.* 천연 그대로의, 생것(날것)의(raw)(~ *gum* 생고무); 미숙한; 조잡(엉성)한(rough), 무무(조야)한(~ *manners* 예절없음); 노골적인(bald). — *n.* Ⓤ 원유(原油). **∠·ly** *ad.* **∠·ness, cru·di·ty**[krúːdəti] *n.*
:**cru·el**[krúːəl] *a.* 잔인한; 비참한. — *ad.* 《方》 몹시, 아주. ˙**~·ly** *ad.* :**~·ty** *n.* Ⓤ 잔학; Ⓒ 잔학 행위.
cruet[krúːit] *n.* Ⓒ (소금·후추 따위를 넣은) 양념병.
˙**cruise**[kruːz] *n., vi.* ① Ⓒ 순항(巡航)(하다). ② (택시가 손님을 찾아) 돌아다니다. ③ 순항 속도로 비행하다. ˙**crúis·er** *n.* Ⓒ 순양함; 행락용 모터보트; 손님 찾아 돌아다니는 택시; (경찰의) 순찰차(prowl car).
crúise míssile 크루즈 미사일《컴퓨터로 조정되며 저공 비행함》.
˙**crumb**[krʌm] *n.* ① Ⓒ (보통 *pl.*) (빵·과자의) 작은 조각, 빵부스러기. ② Ⓤ (빵의) 말랑말랑한 속(cf. crust). ③ Ⓒ 소량, 조금(~*s of learning*).
:**crum·ble**[krʌ́mbl] *vt., vi.* 산산이 바수다(바스러지다); 빻다, 가루로 만들다; 무너(부서)지다, 붕괴하다. **-bly** *a.* 무른, 부서지기 쉬운.
crum·my[krʌ́mi] *a.* 《俗》 지저분한; 싸구려의, 하찮은.
crum·pet[krʌ́mpit] *n.* Ⓒ 《주로 英》 일종의 구운 과자; Ⓤ 《俗》 성적 매력(이 있는 여자).
˙**crum·ple**[krʌ́mpl] *n., vt., vi.* Ⓒ 주름, 꾸김; 꾸기다, 쭈글쭈글하게 하다, 꾸겨지다(*up*).
crunch[krʌntʃ] *vi., vt., n.* Ⓒ 우두둑우두둑(어적어적) 깨물다(깨묾); (*sing.*) 어쩍 깨물다(깨무는 소리); 저벅저벅 걷다(걷기, 소리); (the ~) 위기; (a ~) 금융 핍박, 경제 위기.
˙**cru·sade**[kruːséid] *n.* Ⓒ ① (보통 C-) 〖史〗 십자군. ② 성전(聖戰); 개혁(박멸) 운동(*against*). ˙**cru·sád·er** *n.* Ⓒ 십자군 전사(戰士); 개혁(박멸) 운동가.
:**crush**[krʌʃ] *vt.* ① 짓눌러 찌부러뜨리다, 으깨다, 부수다. ② 꼭 껴안다. ③ 꺾다; 진압하다. — *vi.* ① 쇄도하다(*into, through*). ② 찌그러(으깨)지다; 꾸기다(wrinkle). **~ down** 뭉개다; 바수다; 진압하다. — *n.* ① Ⓤ 분쇄. ② Ⓤ 붐빔; (*pl.*) 붐비는 군중. ③ Ⓒ 《口》 홀딱 반함(반하는 상대). **∠·er** *n.* Ⓒ 쇄광기(碎鑛機). **∠·ing** *a.* (타격 따위) 철저한.

:**crust**[krʌst] *n.* ① Ⓤ,Ⓒ 식빵의 껍질(cf. crumb). ② Ⓒ 생활의 양식(糧食); (the ~) 〖地〗 지각(地殼). — *vt., vi.* 외피(겉껍데기)로 덮다; 껍질이(딱지가) 생기다. **~·ed**[∠id] *a.* 겉껍데기(껍질) 있는; 오래된; 굳어버린(~*ed habits; a ~ed egoist*). **∠·y** *a.* 껍질이 딱딱한(굳은); 심통 사나운(surly).
crus·ta·cean[krʌstéiʃən] *a., n.* Ⓒ 갑각류의 (동물).
˙**crutch**[krʌtʃ] *n.* Ⓒ (보통 *pl.*) 협장(脇杖); 버팀.
crux[krʌks] *n.* (*pl.* **~es, cruces**[krúːsiːz]) Ⓒ 십자가; 난문제, 난점; 요점(essential part); (the C-) 〖天〗 남십자성.
†**cry**[krai] *n.* Ⓒ ① 외침, 외치는(부르 짖는) 소리. ② 울음(우는) 소리. ③ 여론. **a far ~** 원거리, 큰 차이(*to*). **have** (**get**) **a ~ on** 《口》 …에 열중(반)하여, …에 홀리다. **in full ~** (사냥개가) 일제히 추적하여, 일제히. **Much** (**Great**) **~ and no** (**little**) **wool.** 《속담》 태산 명동에 서일필, 헛소동. **within** (**out of**) **~** 소리가 미치는(미치지 않는) 곳에. — *vi.* ① 부르짖다, 우짖다. ② 큰소리로 외치다. ③ (소리내어) 울다; 흐느껴 울다; (새 등이) 울다. — *vt.* 외쳐 알리다, 외치며 팔다. **~ against** …에 반대를 외치다. ~

down 야유를 퍼붓다, 비난하다. ~ **for** 다급함을 호소하다, 울며 청하다; 필요로 하다. ~ **off** (협정 따위를) 취소하다. ~ **one's eyes** [**heart**] **out** 훌쩍훌쩍 울다. ~ **out** 큰 소리로 외치다. ~ **to** [**unto**] …에게 조력을 청하다. ~ **up** 극구 칭찬하다. **for ~ing out loud** 《口》 이거 참, 뭐라고, 야 잘 됐다. **~·ing** *a.* 다급[긴급]한(*a ~ing need* 긴급히 필요한 일); 심한(*a ~ing shame* 호된 수치).

C

crý·bàby *n.* Ⓒ 울보.

cry·o·gen·ic[kràioudʒénik] *a.* 저온학의, 극저온의.

crypt[kript] *n.* Ⓒ (교회의) 지하실 《옛적에는 납골소》; 〖解〗 선와(腺窩).

cryp·tic[kríptik], **-ti·cal**[-əl] *a.* 비밀의; 신비스런.

cryp·tog·ra·phy [kriptágrəfi/-tɔ́g-] *n.* Ⓤ 암호 사용[해독]법; 암호 방식.

:crys·tal[krístl] *n., a.* ① Ⓒ 결정(체); 검파용 광석. ② Ⓤ 수정(처럼 투명한); 크리스털 유리. ③ Ⓒ 수정 제품; 수정과 같은 것.

crýstal báll (점쟁이의) 수정 구슬.

crýstal gàzing 수정점(水晶占).

·crys·tal·line[krístəlin, -təlàin] *a.* ① 수정의[같은]; 결정성의. ② 투명한, 맑은. — *n.* Ⓒ (눈알의) 수정체(~ lens).

·crys·tal·lize[krístəlàiz] *vt., vi.* ① 결정(結晶)하다[시키다]. ② (계획 따위를) 구체화하다. ③ 설탕절임으로 하다. **-li·za·tion**[≧–lizéiʃən/-lai-] *n.* Ⓤ 결정(과정); 구체화; Ⓒ 결정(체).

CS gàs[sí:és-] 최루 가스의 일종 《CS는 군용기호》.

CST Central Standard Time.

·cub[kʌb] *n.* Ⓒ ① (곰·사자·여우 따위의) 새끼; 고래[상어]의 새끼. ② 버릇 없는 아이; 애송이. ③ 수습 기자(cub reporter).

cub·by(·hole)[kʌ́bi(hòul)] *n.* Ⓒ 아늑한[쾌적한] 장소.

:cube[kju:b] *n.* Ⓒ 입방(체); 세제곱. — *vt.* 입방체로 하다; 주사위 모양으로 베다; 세제곱하다.

cúbe róot 입방근, 세제곱근.

:cu·bic[kjú:bik] *a.* 입방(체)의, 세제곱의. ~ **equation** 3차 방정식. **cu·bi·cal**[-əl] *a.*

cu·bi·cle[kjú:bikl] *n.* Ⓒ (기숙사 따위의) 작은 침실; 작은 방.

cub·ism[kjú:bizəm] *n.* Ⓤ 〖美術〗 입체파, 큐비즘. **cúb·ist** *n.*

cuck·old[kʌ́kəld] *n.* Ⓒ 부정한 여자의 남편. — *vt.* (아내가) 오쟁이지다; (남의) 아내와 간통하다.

:cuck·oo[kú(:)ku:] *n.* (*pl.* **~s**), *a.* Ⓒ 뻐꾸기; 뻐꾹《그 울음 소리》; 《美俗》 얼간이, 멍청이; 《美俗》 정신이 돈; 얼빠진.

·cu·cum·ber[kjú:kəmbər] *n.* Ⓒ 오이. (**as**) **cool as a ~** 침착한, 냉정한.

cud[kʌd] *n.* Ⓤ (반추 동물의) 되새김질 먹이. **chew the ~** 되새기다; 숙고(熟考)하다.

·cud·dle[kʌ́dl] *vt., vi., n.* ① (a ~) 꼭 껴안다[안음](hug); 포옹, (어린애를) 안고 귀여워하다. ② 웅크리고 자다(*up*); 바싹 붙어 자다. **~·some**[-səm], **cud·dly**[-i] *a.* 껴안고 싶어지는.

·cudg·el[kʌ́dʒəl] *n., vt.* (《英》 **-ll-**) Ⓒ 곤봉(으로 때리다). ~ **one's brains** 머리를 짜내다. **take up the ~s** 강력히 변호하다(*for*).

cue[1] [kju:] *n.* Ⓒ ① 큐《대사의 실마리 말》; 계기; 단서, 실마리, 역할, 구실, 신호, 힌트. ② 역할(role). ③ 기분(mood). **in the ~ for** (*walking*)(산보)하고 싶은 기분이 되어. **on ~** 마침내 좋은 때에, 적시에. **take the** [**one's**] **~ from** …에서 단서를 얻다, …을 본받다.

cue[2] *n.* Ⓒ 변발(queue); (차례를 기다리는) 열(*stand in ~* 줄을 서다); (당구의) 큐.

·cuff[1] [kʌf] *n.* Ⓒ 소맷부리[동], 커프스, (바지의) 접어젖힌 단; (*pl.*) 쇠고랑(handcuffs).

cuff[2] *n., vt.* Ⓒ 손바닥으로 치기[치다](slap).

cúff bùtton 커프스 단추.

cúff lìnk 커프스 버튼(《英》 sleeve link).

cui·sine[kwizí:n] *n.* Ⓤ 요리(법); Ⓒ 《古》 부엌(kitchen), 조리실.

cul-de-sac [kʌ́ldəsæ̀k, kúl-] *n.* (F.) Ⓒ 막다른 골목(blind alley).

cu·li·nar·y [kʌ́lənèri, kjú:-/kʌ́lənəri] *a.* 부엌(용)의; 요리(용)의 (~ *art* 요리법).

cull [kʌl] *vt., n.* (꽃을) 따다; 가려〔골라〕내다; Ⓒ 따기, 채집; 선별; (보통 *pl.*) 가려낸 가축.

˙**cul·mi·nate** [kʌ́lmənèit] *vi., vt.* 절정에 이르다〔이르게 하다〕; 드디어 …이 되다(*in*); 〖天〗 남중(南中)하다. **-na·tion** [∸–néiʃən] *n.* Ⓤ (보통 the ~) 최고조, 절정; 전성; 완성; 〖天〗 남중.

cu·lottes [kju:láts/kju:lɔ́ts] *n. pl.* 퀼로트《여성의 바지 같은 스커트》.

cul·pa·ble [kʌ́lpəbəl] *a.* 책〔비난〕할 만한, 유죄(有罪)의. **-bil·i·ty** [∸–bíləti] *n.* Ⓤ,Ⓒ 유죄.

˙**cul·prit** [kʌ́lprit] *n.* Ⓒ 피의자, 미결수; 죄인.

˙**cult** [kʌlt] *n.* Ⓒ ① 예배(식), 제례. ② 숭배, 예찬(*of*). ③ 열광, 유행, …열(*the ~ of baseball* 야구열). ④ 숭배자〔팬〕들.

cul·ti·va·ble [kʌ́ltəvəbəl] *a.* 재배할 수 있는.

:cul·ti·vate [kʌ́ltəvèit] *vt.* ① 갈다, 경작하다, 재배하다; 배양하다. ② 교화하다, (정신·기능을) 닦다. ③ (수염을) 기르다. ④ (교제를) 청하다; (우정을) 깊게 우려하다. ˙**-vat·ed** [-id] *a.* 경작된; 교양 있는; 세련된. ˙**-va·tor** *n.* Ⓒ 재배자, 경작자〔기〕; 교화〔수련〕자. **:-va·tion** [∸–véiʃən] *n.* Ⓤ 경작, 재배; (세균의) 배양; 수양; 교양; 교화.

:cul·tur·al [kʌ́ltʃərəl] *a.* ① 문화의, 교양의(~ *studies* 교양 과목). ② 배양하는, 경작〔재배〕의. ˙**~·ly** *ad.*

:cul·ture [kʌ́ltʃər] *n.* ① Ⓤ 경작, 재배(cultivation); 배양. ② Ⓤ 교양, 수양. ③ Ⓤ,Ⓒ 문화. ④ Ⓤ 배양; Ⓒ 배양균〔조직〕. **~ *area*** 〖社〗 (동질) 문화 영역. **~ *complex*** 〖社〗 문화 복합체. **~ *pattern*** 〖社〗 문화 형식. **~ *trait*** 〖社〗 문화 단위 특성. ***intellectual*** 〔***physical***〕 **~** 지육〔체육〕. ***silk* ~** 양잠(養蠶). **~d** [-d] *a.* 계발된, 교양 있는, 점잖은; 배양〔양식〕된.

cúlture shòck 문화 쇼크《타문화에 처음 접했을 때의 충격》.

cul·vert [kʌ́lvərt] *n.* Ⓒ 암거(暗渠), 지하 수로.

cum [kʌm] *prep.* (L. =with) …와 함께〔더불어〕, …이 딸린. (*a house-~-farm* 농장이 딸린 주택), …부(附)(의).

cum·ber [kʌ́mbər] *n., vt.* Ⓤ 방해(하다); 폐(를 끼치다), 괴롭히다(trouble). **~·some, cum·brous** [kʌ́mbrəs] *a.* 성가신; 부담이 되는.

˙**cu·mu·la·tive** [kjú:mjəlèitiv, -lə-] *a.* 누적적(累積的)인. **~ *dividend*** 누적 배당.

cu·mu·lus [kjú:mjələs] *n.* (*pl.* **-li** [-lài]) Ⓤ,Ⓒ 적운, 산봉우리구름; (a ~) 퇴적, 누적.

cu·ne·i·form [kju:ní:əfɔ̀:rm, kjú:niə-] *a., n.* 쐐기 모양의; Ⓤ 설형(楔形) 문자.

cun·ni·lin·gus [kʌ̀nilíŋgəs] *n.* Ⓤ 여성 성기의 구강 성교.

:cun·ning [kʌ́niŋ] *a.* ① 교활한(sly), 약삭빠른. ② 교묘한(skillful). ③ 《口》 귀여운(charming). ── *n.* Ⓤ 교활함; (솜씨의) 교묘함; 교활. ˙**~·ly** *ad.*

†cup [kʌp] *n.* Ⓒ ① 찻종; (양주용의) (굽달린) 컵, 글라스. ② 성배(聖杯); 포도주, 술; (찻잔·컵에) 한 잔; 운명(의 잔). ③ 우승배(*the Davis* ~ 데이비스 컵); 잔 모양의 것. ***a bitter* ~** (인생의) 고배, 쓰라린 경험. ***be a* ~ *too low*** 기운이 없다; 침울해 있다. **~ *and ball*** 장난감의 일종, 그 놀이. **~ *and saucer*** 접시에 받친 찻잔. ***have got*** 〔***had***〕 ***a* ~ *too much*** 《口》 취해 있다. ***in one's* ~*s*** 취하여. ***The*** 〔***One's***〕 **~ *is full.*** 더없는 슬픔〔기쁨·분함〕에 젖어〔빠져〕 있다. ── *vt.* (**-pp-**) (손을) 컵 모양으로 하다; 컵으로 받다. **∠·fùl** *n.* Ⓒ 한 잔 그득(한 분량).

:cup·board [kʌ́bərd] *n.* Ⓒ 찬장; 《英》 작은 장, 벽장. ***cry* ~** 배고픔을 호소하다. SKELETON ***in the* ~.**

cúpboard lòve 타산적인 애정.

cúp·càke *n.* Ⓒ 컵 모양의 틀에 구운 과자.

˙**Cu·pid** [kjú:pid] *n.* ① 〖로神〗 큐피드《연애의 신》. ② Ⓒ (c-) 사랑의

사자. ③ Ⓒ (c-) 미소년.
cu·pid·i·ty[kju:pídəti] *n.* Ⓤ 탐욕, 물욕.
cu·po·la[kjú:pələ] *n.* Ⓒ 〖建〗 둥근 지붕(의 탑).
cur[kə:r] *n.* Ⓒ 들개; 불량배.
˙**cur·a·ble**[kjúərəbəl] *a.* 치료할 수 있는, 고칠 수 있는.
cu·ra·cy[kjúərəsi] *n.* U,C curate의 직(職)〔지위·임기〕.
cu·rate[kjúərit] *n.* Ⓒ 《주로 英》 목사보(補), 부목사《rector, vicar의 보좌역》. **~'s egg** 《英》 좋은 점과 나쁜 점이 있는 물건.
cur·a·tive[kjúərətiv] *a.* 치료의; 치료에 효과 있는. — *n.* Ⓒ 치료법, 의약.
cu·ra·tor[kjuəréitər] *n.* Ⓒ (박물관·도서관 등의) 관장(custodian); [kjúərətər] 〖法〗 후견인, 보호자.
˙**curb**[kə:rb] *n., vt.* Ⓒ (말의) 고삐〔재갈〕(을 당기어 멈추다); 구속(하다), 억제(하다); 《美》 =CURB MARKET. ***on the*** **~** 거리에서.
cúrb màrket 《美》 장외(場外) 주식 시장.
˙**curd**[kə:rd] *n., vi.* (보통 *pl.*) 응유(凝乳)(로 되다).
cur·dle[kə́:rdl] *vi., vt.* 엉겨 굳(어지게 하)다. **~ *the blood*** 오싹〔섬뜩〕하게 하다.
:**cure**[kjuər] *vt.* ① 치료하다. (병·못된 버릇을) 고치다(remedy); 제거하다. ② (고기나 과일 따위를 절여〔말려〕) 저장하다. ③ (고무를) 경화(硬化)시키다. — *n.* ① Ⓒ (병의) 치유. ② U,C 치료법, 약(*for*). ③ U,C 구제책, 교정법. ④ U,C 소금절이, 저장(법). ⑤ Ⓤ (영혼의) 구원. **∠·less** *a.* 불치의.
cur·few[kə́:rfju:] *n.* U,C 만종, 저녁 종《8시 쯤》; 소등(消燈) 명령.
cu·ri·o[kjúəriòu] *n.* (*pl.* **~s**) Ⓒ 골동품; 진품.
:**cu·ri·os·i·ty** [kjùəriɑ́səti/kjùəriɔ́s-] *n.* ① Ⓤ 호기심; 진기함. ② Ⓒ 진기한 것, 골동품(curio). **~ *shop*** 골동품점.
:**cu·ri·ous**[kjúəriəs/kjúər-] *a.* ① 진기한, 이상한, 호기심을 끄는. ② 호기심이 강한(*about*); 무엇이나 알고 싶어하는(inquisitive). ③ (책이) 외설한. **~ *to say*** 이상한 얘기지만. **~*er and* ~*er*** 기기 묘묘한. ˙**~·ly** *ad.* **~·ness** *n.*
:**curl**[kə:rl] *n.* Ⓒ 고수머리, 컬; Ⓤ 컬된 상태, 컬하기. — *vt., vi.* ① 곱슬곱슬하게 하다; 뒤틀(리)다(twist); 굽이치(게 하)다. ② (연기가) 맴돌다; (공이) 커브하다. **~ *oneself up*** 잔뜩 꼬부리고 자다. **~ *one's lip*** (경멸적으로) 윗입술을 비쭉하다. **~ *up*** 말아 올리다, 용그리게 하다; 몸을 옹그리다; 《口》 기운이 없어지다. **~ed** [-d] *a.* 고수머리의, 오그라든. ˙**∠·y** *a.* 오그라든; 고수머리가 있는; 소용돌이치는.
cur·lew[kə́rlu:] *n.* Ⓒ 〖鳥〗 마도요.
curl·ing[kə́:rliŋ] *n.* Ⓤ 컬링《둥근 돌을 미끄러뜨려 과녁을 맞히는 얼음판 놀이》; U,C 머리의 컬, 지짐.
cur·mudg·eon[kərmʌ́dʒən] *n.* Ⓒ 심술 사나운 구두쇠.
cur·rant[kə́:rənt, kʌ́r-] *n.* Ⓒ (씨 없는) 건포도; 까치밥나무(의 열매).
:**cur·ren·cy**[kə́:rənsi, kʌ́r-] *n.* ① Ⓤ 유통, 통용; 유포, 퍼짐(circulation). ② U,C 통화(通貨). ③ Ⓤ 성가(聲價). ***paper* ~** 지폐.
:**cur·rent**[kə́:rənt, kʌ́r-] *a.* ① 통용하는; 유행하는. ② 현재의; 당좌(當座)의. ③ 흐르는; 갈겨쓴, 초서〔흘림〕체의(cursive). **~ *English*** 시사 영어. **~ *issue,* or ~ *number*** 이달〔금주〕호. **~ *month*** 〔***week, year***〕 이달〔금주, 금년〕. **~ *price*** 시가. **~ *thoughts*** 현대 사조. **~ *topics*** 오늘의 화제. — *n.* ① Ⓒ 흐름, 조류, 해류, 기류; 경향, 풍조(trend). ② U,C 전류. ***the* ~ *of time*** 〔***the times***〕 시류, 세상 풍조. ˙**~·ly** *ad.* 일반적으로, 널리; 현재.
cúrrent accóunt 당좌 계정.
:**cur·ric·u·lum** [kəríkjələm] *n.* (*pl.* **~s, -la**[-lə]) Ⓒ 교과 과정, 이수 과정(course(s) of study). **-lar** *a.* 교육 과정의.
curriculum ví·tae[-váiti:] 이력; 이력서.
˙**cur·ry, cur·rie**[kə́:ri, kʌ́ri] *n., vt.* C,U 카레, 카레 요리(하다); Ⓤ 카레 가루. **~ (*and*) *rice*** 카레라이

스. **give** *a person* ~ 아무를 호통치다, 윽박지르다.
cúrry pòwder 카레 가루.
:curse[kə:rs] *n.* ① Ⓒ 저주(의 대상), 욕설, 악담, 저주의 말《Damn! 따위》. ② Ⓒ 재앙, 빌미, 소수(所祟), 벌력; 재해. ③ (the ~)《俗》 월경(기간). ***Curses come home to roost.*** 《속담》 남 잡이가 제잡이. ***not care a*** ~ 조금도[전혀] 상관 없다(*for*). ***under a*** ~ 저주를 받아. — *vt., vi.* (~**d, curst**[-t]) 저주하다; 욕을 퍼붓다; 〖宗〗 파문하다; 빌미 붙다, 괴롭히다. ***be*** ~***d with*** … 으로 괴로워하다. ***C- it!*** 빌어먹을!
˙curs·ed[kə́:rsid, -st] *a.* 저주받은, 빌미 붙은, 동티 난; 저주할; 지겨운, 지긋지긋한; 《口》 지독한. ~**·ly** *ad.* ~**·ness** *n.*
cur·sive[kə́:rsiv] *a.* 잇대어 쓰는, 초서체의. — *n.* Ⓒ 초서체(의 문자·활자·글).
cur·sor[kə́:rsər] *n.* Ⓒ 커서《계산자, 컴퓨터 화면 등의》.
cur·so·ry[kə́:rsəri] *a.* 조잡[소략]한, 엉성한.
curt[kə:rt] *a.* 짧은, 간략한(brief); 무뚝뚝한. **∠·ly** *ad.* **∠·ness** *n.*
˙cur·tail[kə:rtéil] *vt.* 줄이다, 단축하다; (비용·봉급을) 삭감하다. ~**·ment** *n.*
†cur·tain[kə́:rtən] *n., vt.* Ⓒ 커튼(을 달다); 막[휘장](을 치다). ***behind the*** ~ 그늘[뒤]에서. ***draw a*** [***the***] ~ ***on*** [***over***] …을 휘장으로 가리다; (어떤 일을) 더 이상 거론않다. ***lift the*** ~ 막을 올리다; 터놓고 이야기하다, 폭로하다(reveal). ***The*** ~ ***rises*** [***is rised***]. (연극의) 막이 오르다, 개막되다.
cúrtain càll 〖劇〗 커튼콜《관객의 박수로 배우가 다시 무대에 나오는 일》.
cúrtain ràiser 개막극.
˙curt·s(e)y[kə́:rtsi] *n., vi.* Ⓒ (여성이 무릎을 약간 굽혀서 하는) 인사, 절; 인사하다. ***drop*** [***make***] ***a*** ~ 무릎을 굽혀 (형식대로) 인사하다.
cur·va·ceous[kə:rvéiʃəs] *a.* 《口》 곡선미의; 육체미의《여성에 대한 말》.
cur·va·ture[kə́:rvətʃər] *n.* Ⓤ,Ⓒ 굽음, 휨, 만곡(curve); 〖幾〗 곡률(曲率).
:curve[kə:rv] *n.* Ⓒ ① 곡선. ② (길의) 굽음. ③ 〖野〗 곡구(曲球); 커브. ***French*** ~ 운형(雲形) 곡선[자]. ***throw a*** ~ 《口》 속이다; 의표를 찌르다. — *vt., vi.* 구부리다, 구부러지다; 곡구를 던지다.
:cush·ion[kúʃən] *n., vt.* Ⓒ ① 쿠션[방석](에 올려[얹어] 놓다, 을 대다); (당구대의) 고무 쿠션. ② 〖放〗 (방송 시간 조절을 위한) 간주(間奏) 음악. ③ (충격 따위에 대한) 완충물; (불평·충격을) 가라앉히다.
cusp[kʌsp] *n.* Ⓒ 뾰족한 끝, 첨단.
cuss[kʌs] *n.* Ⓒ 《美口》 저주; 욕; 놈, 자식. — *vt., vi.* 《美口》 저주하다, 욕을 퍼붓다.
cus·tard[kʌ́stərd] *n.* Ⓒ,Ⓤ 커스터드《우유·달걀·설탕에 향료를 가미하여 만든 과자》.
cústard-píe *a.* = SLAPSTICK.
cus·to·di·an[kʌstóudiən] *n.* Ⓒ 관리인, 보관자(keeper); 수위(janitor).
˙cus·to·dy[kʌ́stədi] *n.* Ⓤ ① 보관, 관리(keeping). ② 후견, 보호(care). ③ 감금. ***have the*** ~ ***of*** …을 보관[관리]하다. ***in*** ~ 구류[구금]되어. ***take into*** ~ 구금하다(arrest).
†cus·tom[kʌ́stəm] *n.* ① Ⓒ,Ⓤ 습관(habit), 관습, 풍습(usage)(*It is* ~ *to do so.*). ② Ⓤ,Ⓒ 〖法〗 관습법, 관례. ③ Ⓤ (평소의) 애호, 돌봐줌(patronage); 《집합적》 고객(customers). ④ (*pl.*) 관세, 세관.
:cus·tom·ar·y[kʌ́stəmèri/-məri] *a.* 관습[관례]상의; 〖法〗 관례에 의한. **-ar·i·ly** *ad.*
「문제(製)의.
cústom-búilt *a.* (자동차 따위) 주
:cus·tom·er[-ər] *n.* Ⓒ ① 고객. ② 《口》 (성가신) 녀석, 사내(fellow).
cus·tom·ize[kʌ́stəmàiz] *vt.* 주문에 따라 만들다.
†cut[kʌt] *vt.* (***cut; -tt-***) ① 베다, 자르다, 잘라[베어]내다; 상처를 입히다. ② 가르다, 빼[쪼]개다; 깎다; (옷감을) 마르다; 재단하다; 가로지르다. ③ 긴축하다, 줄이다, 조리차하다. ④ 파서 내다[트다], (도로·도랑을) 내다; 파다, 새기다; (보석을) 잘라 가공하다. ⑤ (태도·모습을) 보이

다(*He ~s a poor figure.* 비참한 몰골을 하고 있다); 《口》 (관계를) 끊다, 모르는 체하다. ⑥ 《口》 (무단히) 빠지다(avoid) (~ *a meeting*). ⑦ 몸에 스미다〔사무치다〕, (…의) 감정을 해치다. ⑧ (알코올 따위를) 타다, 녹이다. ⑨ (공을) 깎아 치다; (카드를) 떼다(cf. shuffle); 거세하다. ⑩ (이를) 나게 하다(~ *a tooth*); 《口》 (레코드에) 취입(吹入)하다. — *vi.* (날이) 잘 들다(*This knife ~s well.*); 헤치고 나아가다(make way); 가로지르다; 《口》 도망하다; (바람이) 몸에 스며들다〔몸을 에다〕. ***be ~ out for*** 《美口》 …의 능력이 있다. ***~ about*** 《口》 뛰어 돌아다니다. ***~ across*** 횡단하다. ***~ adrift*** (배를) 흘러가게 하다; (영원히) 헤어지다. ***~ after*** (…을) 급히 쫓다〔따르다〕. ***~ and come again*** (식탁의 고기·파이를 썰어) 몇 번이고 마음대로 집어 먹다. ***~ and run*** 재빨리 도망치다. ***~ a person dead*** 만나도 짐짓 모른 체하다(*He ~ me dead in the street.* 길에서 만나도 모른체 했다). ***~ at*** 맹타하다; (희망 등을) 빼앗다. ***~ away*** 잘라〔떼어〕 내다; 도망치다. ***~ back*** (니 및)가지를 치다; 〖映〗 cutback하다; 〖蹴〗 갑자기 후퇴하다. ***~ both ways*** 양다리 걸치다. ***~ down*** 베어〔잘라〕 넘기다; 바싹 줄이다, 아끼다; (병이) …을 쓰러뜨리다. ***~ in*** 끼어들다; 간섭하다; 말참견하다; (댄스 중인 남자로부터) 여자를 가로채다. ***~ it*** 도망치다; 입닥쳐! ***~ it*** (***too***) FINE¹(*ad.*). ***~ off*** 떼어〔잘라〕내다; (공급을) 중단하다; 차단하다; (병이) …의 목숨을 빼앗다. ***~ off with a shilling*** (약간의 재산을 주어) 폐적(廢嫡)하다. ***~ out*** 떼 버리다, 잘라 내다, 제거하다; 《口》 멈추다, 중지하다; 잘라〔베어〕 만들다; 준비하다(*Your work is ~ out for you.* 자네가 (해줘야) 할 일이 있다); 적합시키다(*He is ~ out for the work.* 그 일에 아주 적격자이다); 연구하다; (경쟁 상대를) 앞지르다, 제쳐놓다; (…에) 대신하다, 대신 들어앉다(supplant). ***~ short*** 바싹 줄이다; 갑자기 그치다; (남의) 말을 가로막다(*He ~ me short.* 그는 내 말을 가로막았다). ***~ under*** 《美》 …보다 싸게 팔다(undersell). ***~ up*** 째다, 난도질하다; 분쇄하다; 혹평하다; 《美口》 허세를 피우다(show off); (옷감이 몇 벌 분으로) 마를 수 있다; 마음을 아프게 하다(hurt); 《口》 농담하다, 장난치다. — *n.* Ⓒ ① 절단, 삭제, 한 번 자르기. ② 벤 상처, 칼자국; 벤〔자른〕 곳; 도랑. ③ 베어낸 조각, 살점; (*sing.*) 벌채량. ④ 지름길. ⑤ (*sing.*) (옷의) 재단(법); (조발의) 형; (보석의) 커트. ⑥ (카드 패를) 떼기; (공을) 깎아치기. ⑦ 삭제, 〖映〗 컷; (비용을) 줄이기; 값을 깎기; 깎아내림(*a ~ in salary*). ⑧ 모른 체하기; 빠지기. ⑨ 목판(화), 삽화, 컷. ⑩ 《俗》 (이득의) 몫. ⑪ 〖컴〗 자르기. ***~ and thrust*** 백병전; 격투, 드잡이. ***draw ~*** 제비뽑다. — *a.* 자른, 벤; 저민(~ *tobacco* 살담배); 조탁(彫琢) 세공의(⇨CUT GLASS); 바싹 줄인, 깎아 내린; 불깐, 거세한; 《俗》 술취한. (***at***) ***~ rates*** 〔***prices***〕 할인 가격으로.

cút·bàck *n.* Ⓒ (생산의) 축소, 삭감; 〖映〗 컷백《장면 전환을 한 후 다시 먼저 장면으로 되돌아가기》(cf. flashback).

ˈ**cute** [kjuːt] (＜acute) *a.* ① 《口》 약삭빠른; 영리한. ② 《美口》 귀여운, 예쁜. 「컷 글라스.

cút gláss 조탁(彫琢) 세공 유리,

cu·ti·cle [kjúːtikl] *n.* Ⓒ 표피(表皮); (손톱 뿌리의) 연한 살갗.

cut·las(s) [kʌ́tləs] *n.* Ⓒ (옛 선원의) 휘우듬한 단도.

cut·ler [kʌ́tlər] *n.* Ⓒ 날붙이 장인(匠人)〔장수〕. **~·y** [-ləri] *n.* Ⓤ 《집합적》 날붙이; (식탁용) 철물《나이프·포크·스푼 따위》.

ˈ**cut·let** [kʌ́tlit] *n.* Ⓒ 커틀릿; (특히 소·양의) 얇게 저민 고기.

cút·òff *n.* Ⓒ 지름길; (증기의) 차단(장치).

cút·òut *n.* Ⓒ 도려내기, 오려낸 그림; (영화·각본의) 삭제된 부분; 〖電〗 안전기; 〖機〗 (내연 기관의) 배기판.

ˈ**cut·ter** [∠ər] *n.* Ⓒ ① 자르는〔베는〕 사람; 재단사, 〖映〗 편집자. ② 절단기(器), 깡통따개, 앞니(incisor). ③ (외대박이) 소형 쾌속 범선; (군함

의) 잡역정(雜役艇). ④ 《美》 (연안 경비용) 소형 감시선. (말이 끄는) 소형 썰매.
cút·thròat *n., a.* Ⓒ 살해자, 자객; 흉악한, 잔인한; 〖카드놀이〗 셋이서 하는. ~ ***razor*** 《俗》 서양 면도칼.
:cut·ting[kʌ́tiŋ] *n.* ① U,C 자름, 벰, 베어[오려, 도려]냄. ② Ⓒ 베어낸 물건; (신문의) 베어[도려]낸 것. ③ U,C (보석의) 절단 가공. ④ Ⓤ 〖映〗 필름 편집. ― *a.* 잘 드는, 예리한; 신랄한, 통렬한; 《口》 할인의. **~·ly** *ad.*
cut·tle·fish[kʌ́tlfìʃ] *n.* (*pl.* ~ (***-es***)) Ⓒ 오징어.
-cy[si] *suf.* 《명사 어미》 직·지위·성질·상태 등을 나타냄: abba*cy*, fluen*cy*.
cy·a·nide[sáiənàid, -nid], **-nid** [-nid] *n.* Ⓤ 〖化〗 시안화물(化物), 청산염(青酸鹽); (특히) 청산칼리(potassium ~). 「공 두뇌(학)의.
cy·ber·net·ic[sàibərnétik] *a.* 인
cy·ber·net·ics[sàibərnétiks] *n.* Ⓒ 인공 두뇌학《인간의 두뇌와 복잡한 (전자) 계산기 따위와의 비교 연구》.
cyc·la·men [síkləmən, sái-, -mèn] *n.* Ⓒ 〖植〗 시클라멘.
:cy·cle[sáikl] *n.* Ⓒ ① 주기(周期), 순환, 일순(一巡). ② 한 시대, 오랜 세월. ③ (시·이야기의) 일련(一連), 담총(談叢)(series)(*the Arthurian* ~ 아더 왕 전설집). ④ 자전거. ⑤ 주파, 사이클. ⑥ 〖컴〗 주기, 사이클. ― *vi.* 순환하다; 자전거를 타다. **cy·clic**[sáiklik, sík-], **cy·cli·cal**[-əl] *a.* 주기의, 주기적인, 순환하는. **:cy·cling** *n.* Ⓤ 자전거 타기, 사이클링. **˙cy·clist**[sáiklist] *n.* Ⓒ 자전거 타는 사람.
cy·clone[sáikloun] *n.* Ⓒ 회오리바람, 선풍(tornado). **cy·clon·ic** [-klɑ́n-/-ɔ́-] *a.*
cyg·net[sígnit] *n.* Ⓒ 백조 새끼.
:cyl·in·der[sílindər] *n.* Ⓒ ① 원통(형). ② 기관의 실린더. ③ 〖幾〗 원기둥(*a right* ~ 직원기둥). ④ (권총(revolver)의 탄창. **cy·lin·dric** [silíndrik], **-dri·cal**[-əl] *a.*
˙cym·bal[símbəl] *n.* Ⓒ (보통 *pl.*) 〖樂〗 심벌즈.
˙Cyn·ic[sínik] *a., n.* Ⓒ ① (고대 그리스의) 견유학파(犬儒學派)의 (사람). ② (c-) 냉소자; 빈정거리는, 비꼬는. **˙cýn·i·cal** *a.* 냉소적인, 빈정대는.
cyn·i·cism[sínəsìzəm] *n.* ① Ⓤ 빈정댐. ② Ⓒ 빈정대는 말. ③ Ⓤ (C-) 견유 철학.
cy·pher[sáifər] *n., v.* =CIPHER.
cy·press[sáipris] *n.* Ⓒ 삼나무의 일종; 그 가지《애도의 상징》.
cyst[sist] *n.* Ⓒ 〖生〗 포(胞), 포낭; 〖醫〗 낭종(囊腫).
cys·ti·tis[sistáitis] *n.* Ⓤ 〖醫〗 방
˙Czar[zɑːr] *n.* ① 구(舊)러시아 황제. ② (c-) Ⓒ 황제, 전제 군주. **~·e·vitch**[zɑ́ːrəvìtʃ] *n.* Ⓒ 구러시아의 황태자. **Cza·rev·na**[zɑːrévnə] *n.* Ⓒ 구러시아 공주[황태자비]. **Cza·ri·na**[-ríːnə] *n.* Ⓒ 구러시아 황후.

C

D

D, d [di:] *n.* (*pl.* ***D's, d's***[-z]) Ⓒ D자 모양(의 것); Ⓤ 〖樂〗 라음(音), 라조(調); (로마 숫자의) 500(*DCC* = 700; *CD* = 400).

d. date; daughter; day(s); delete; *denarii* (L. = pence); *denarius* (L. = penny); dialect; diameter; died; dime; dollar; dose.

d— [di:, dæm] = DAMN.

DA, D.A. 《美》 District Attorney.

dab [dæb] *vt., vi.* (**-bb-**), *n.* Ⓒ (분 따위를) 가볍게 두드리다〔두드림〕(pat); 톡톡 갖다대다〔대기〕; 바르다, 칠하다(*on, over*), 한 번 쓱 칠하기〔바르기〕; 소량; (*pl.*) 《俗》 지문(을 채취하다).

·**dab·ble** [dǽbəl] *vt., vi.* (물을) 튀기다(splash), 물장난을 하다; 도락삼아 하다(*in, at*).

dachs·hund [dɑ́:kshúnd, -hùnt, dǽʃhùnd] *n.* Ⓒ 닥스훈트《긴 몸, 짧은 발의 독일 개》.

:**dad** [dæd], ·**dad·dy** [dǽdi] *n.* Ⓒ 《口》 = PAPA.

dad·dy-long·legs [dǽdilɔ́:ŋlègz/-lɔ́ŋ-] *n. sing. & pl.* 꾸정모기(cranefly); 긴발장님거미(harvestman).

da·do [déidou] *n.* (*pl.* ~(**e**)**s**) Ⓒ 〖建〗 징두리 판벽.

:**daf·fo·dil** [dǽfədìl] *n.* Ⓒ 나팔수선화.

daft [dæft/-ɑ:-] *a.* 《美口》 어리석은(silly); 미친(crazy).

:**dag·ger** [dǽgər] *n.* Ⓒ 단도; 칼표(†). ***at ~s drawn*** 심한 적의를 품고. ***double ~*** 이중칼표(‡). ***look ~s*** 무서운 눈초리로 노려보다(*at*). ***speak ~s*** 독설을 퍼붓다(*to*).

da·go [déigou] *n.* (*pl.* ~(**e**)**s**) (종종 D-) Ⓒ 《美俗·蔑》 남유럽인(人)《이탈리아·스페인 등지의 사람》.

·**dahl·ia** [dǽljə, dé:l-, déil-] *n.* Ⓒ 달리아. ***blue ~*** 진기한 것.

†**dai·ly** [déili] *a., ad., n.* 날마다(의); Ⓒ 일간 신문; 《英》 파출부(派出婦).

:**dain·ty** [déinti] *a.* 우아한; 품위 있는(elegant); 성미가 까다로운(particular), (취미 따위가) 쾌까다로운(overnice); 맛좋은(delicious). — *n.* Ⓒ 진미. **dáin·ti·ly** *ad.* **dáin·ti·ness** *n.*

:**dair·y** [dέəri] *n.* ① Ⓒ 낙농장〔실〕; Ⓤ 낙농업. ② Ⓒ 우유점(店), 유제품 판매소.

dáiry·màid *n.* Ⓒ 젖 짜는 여자.

dáiry·man [-mən] *n.* Ⓒ 낙농장 주인〔일꾼〕; 우유 장수.

da·is [déiis, dái-] *n.* Ⓒ (응접실·식당 등의) 높은 단(壇), 상좌《귀빈석》; 연단.

:**dai·sy** [déizi] *n., a.* Ⓒ 데이지; 《俗》 상등품, 썩 훌륭한 (물건)(*She's a real ~.* 천하일색이다); 《美》 훈제(燻製) 햄. ***push up daisies*** 《口》 무덤 밑에 잠들다, 죽다.

·**dale** [deil] *n.* Ⓒ 《주로 英》 골짜기(valley).

dal·ly [dǽli] *vi., vt.* (…에게) 희롱〔새롱〕거리다, 장난치다; 빈둥거리다, 빈들빈들 거닐다(loiter); 우물쭈물(때를) 헛되게 보내다(idle). **dál·li·ance** *n.*

Dal·ma·tian [dælméiʃiən] *n.* Ⓒ 달마시아 개《포인터 비슷한 큰 바둑이》.

:**dam**[1] [dæm] *n.* Ⓒ 댐, 둑. — *vt.* (**-mm-**) 둑으로 막다; 저지하다, 막다(*up*).

dam[2] *n.* Ⓒ 어미 짐승; 어미(cf. sire); 《蔑》 아이 딸린 여자.

:**dam·age** [dǽmidʒ] *n.* ① Ⓤ 손해(harm), 손상(injury). ② (*pl.*) 손해배상(금). — *vt.* 해치다, 손상시키다(injure). — *vi.* 못쓰게 되다.

dam·ask [dǽməsk] *n.* Ⓤ 다마스크천, 능직; 석죽색. — *a.* 다마스크천〔능직〕의; 석죽색의. ≈ **stéel** 다마스크 강철《도검용》. — *vt.* 능직으로 짜다; (뺨을) 붉히다.

dame[deim] *n.* Ⓒ 귀부인(lady); 부인《knight, baronet 부인의 경칭》.

dam·mit[dǽmit] *int.* = DAMN it.

:damn[dæm] *vt., vi.* 비난하다; 저주하다(curse). 욕을 퍼붓다. (관객이) 들어가라고 외치다; 파멸시키다; 빌어먹을!; 지겨워!《꺼리어 d— 또는 d—n 따위로도 씀》. ***D- it*** 〔***him, you***〕***!*** 빌어먹을! ***D- the flies!*** 이 경칠놈의 파리! ***~ with faint praise*** (…을) 냉담한 칭찬으로 깍아내리다. ***I'll be ~ed if …*** 절대로 …할 리가 없다. — *n.* Ⓒ 저주; 《부정어와 함께》 조금도. ***don't care a ~*** 조금도 개의〔상관〕치 않다. — *int.* 《俗》 제기랄!, 빌어먹을! **dam·na·ble**[ˊnəbəl] *a.* 저주할; 지겨운. **·damned**[dæmd] *a., ad.* 저주받은 (cursed); 지겨운; 《俗》 지독히.

dam·na·tion[dæmnéiʃən] *n.* Ⓤ 비난, 저주; 지옥에 떨어뜨림; 파멸 (ruin). — *int.* 《俗》 제기랄!; 아뿔싸(Damn!). **-to·ry**[dǽmnətɔ̀ːri/-təri] *a.*

:damp[dæmp] *n.* Ⓤ 습기; 낙담, 실망; 방해; (탄갱 등의) 독가스. — *a.* 축축한, 습기 있는. — *vt.* 축축하게 하다(dampen); 낙담시키다(discourage), 기를 꺾다, 못살게 굴다; (불을) 끄다; 〖理〗 (전파의) 진폭을 감퇴시키다. **~·en**[ˊən] *vt.* = damp(*v.*). **ˊ·er** *n.* Ⓒ 흥을 깨뜨리는 사람, 기를 꺾는 것; (피아노의) 단음(斷音) 장치; (현악기의) 약음기(弱音器); (난로의) 공기 조절판.

dámp còurse 〖建〗 (벽속의) 방습층.

dam·sel[dǽmzəl] *n.* Ⓒ 처녀; 《古·詩》 (지체 높은) 소녀.

dam·son[dǽmzən] *n.* Ⓒ 서양자두(나무). — *a.* 암자색의.

†dance[dæns/-ɑː-] *vi., vt.* (…에게) 춤추(게 하)다; 뛰다; (불그림자 따위가) 흔들거리다; (아기를) 어르다. ***~ off*** 《美》 죽다. ***~ to*** 〔***after***〕 ***a person's tune*** 〔***piping***〕 아무의 장단에 춤추다, 하라는 대로 하다. ***~ upon nothing*** 교수형을 받다. — *n.* Ⓒ 춤, 무도(곡), 무도회. ***lead the ~*** 솔선하다. **:dánc·er** *n.*

:danc·ing[ˊiŋ] *n.* Ⓤ 춤, 무도. ***~ girl*** 무희(舞姬). ***~ hall*** 댄스홀, 무도장. ***~ master*** 댄스 교사.

·dan·de·li·on[dǽndəlàiən] *n.* Ⓒ 민들레.

dan·dle[dǽndl] *vt.* (안고) 어르다; 귀여워하다, 어하다.

dan·druff[dǽndrəf] *n.* Ⓤ (머리의) 비듬.

·dan·dy[dǽndi] *n.* Ⓒ 멋쟁이; 《口》 썩 좋은 물건〔사람〕, 일품. — *a.* 멋진; 《美口》 훌륭한.

·Dane[dein] *n.* Ⓒ 덴마크(계의) 사람; 데인 사람.

†dan·ger[déindʒər] *n.* ① Ⓤ 위험(한 상태)(risk). ② Ⓒ 장애, 위협. ***be in ~ of*** …의 위험〔우려가, 걱정이〕 있다.

dánger mòney 《英》 위험 수당.

†dan·ger·ous[déindʒərəs] *a.* 위험한. **·~·ly** *ad.* 위험하게, 몹시. ***be ~ly ill*** 위독하다, 위독 상태에 있다.

·dan·gle[dǽŋgəl] *vi.* 매달리다; 뒤쫓다; 따라〔붙어〕다니다(*about, after*). — *vt.* (매)달다; 어른거려 꾀다.

·Dan·ish[déiniʃ] *a., n.* 덴마크(사람, 말)의; Ⓤ 덴마크 말. 「기 찬.

dank[dæŋk] *a.* 축축한(damp), 습

dap·per[dǽpər] *a.* (복장이) 단정한; 작고 활발한.

dap·ple[dǽpəl] *a., n., vt.* Ⓒ 얼룩진(말·개); 얼룩지게 하다. **~d**[-d] *a.* 얼룩진.

:dare[dɛər] *vt., vi.* (**~*d,*** 《古》 ***durst;* ~*d***) 감히〔결기 있게, 대담히〕 …하다《이 뜻으로 쓰일 때 부정문·의문문에서는 조동사 취급》; (위험을) 무릅쓰다, 도전하다. ***I ~ say*** 아마(probably).

dáre·dèvil *a., n.* Ⓒ 무모한 (사람).

:dar·ing[dɛ́əriŋ] *n., a.* Ⓤ 대담무쌍(한); 겁이 없는.

†dark[dɑːrk] *a.* 어두운, 캄캄한; (피부가) 거무스레한(swarthy); 비밀의, 숨은; 수수께끼 같은; 무지한; 사악한; 음울한; 슬픈, 우울한(sad); 부루퉁한(sullen); 방송이 정지된. ***keep a thing ~*** 사물을 숨겨 두다. — *n.* Ⓤ 암흑, 어둠, 땅거미; 무지. ***a stab in the ~*** 억측, 근거 없는 추측에 따른 행동. ***at ~*** 해질녘에. ***in the ~*** 어둠속에, 어두운 곳에서; 비밀히; 모르고. **·ˊ·ly** *ad.* **:ˊ-**

D

ness *n.* Ⓤ 어둠, 암흑; 무지; 실명; 애매.
Dárk Áges, the 암흑 시대《중세》.
:dark·en [⌐ən] *vt., vi.* 어둡게 하다〔되다〕, 모호하게 하다(keep in the dark). ***Don't ~ my door again.*** 다시는 내 집에 발을 들여놓지 마라.
dárk·róom *n.* Ⓒ 〖寫〗 암실.
:dar·ling [dá:rliŋ] *a., n.* Ⓒ 귀여운; (부부·연인간의 호칭으로서) 당신, 가장 사랑하는 (사람).
darn[1] [da:rn] *vt., n.* 꿰매 깁다, Ⓒ 떠서 깁다〔깁는 곳〕.
darn[2] *vt., vi., n.* 《美口》 = DAMN.
darned [da:rnd] *a., ad.* 《口》 말도 안 되는, 우라질; 심한, 몹시, 터무니없는〔게〕.
·dart [da:rt] *n.* ① 던지는 창〔화살〕, Ⓒ 표창(鏢槍); (벌 따위의) 침 (stinger); 〖裁縫〗 다트; (a ~) 돌진. ② (*pl.*) 《단수 취급》 다츠. — *vt., vi.* 던지다, 발사하다; 돌진하다.
:dash [dæʃ] *vt.* ① 던지다, 내던지다 (throw). ② (물을) 끼얹다(splash). ③ 약간 섞다. ④ 때려부수다; (기를) 꺾다; 부끄럽게 하다(abash). ⑤ = DAMN. — *vi.* 돌진하다(*forward*), 부딪다(*against*); 단숨에 하다, 급히 쓰다〔해내다〕(*off*). ***D- it!*** 염병할! — *n.* ① (a ~) 돌진; 충돌. ② Ⓤ 위세, 기운, 허세. ③ (a ~) (가미(加味)된) 소량, (…의) 기미(touch) (*of*). ④ Ⓒ (부호의) 대시《—》. ⑤ Ⓒ (보통 *sing.*) 단거리 경주. ⑥ = DASHBOARD. ***at a ~*** 단숨에. ***cut a ~*** 허세를 부르다. **·⌐·ing** *a.* 기운찬; 화려한, 멋부린.
dásh·bòard *n.* Ⓒ (보트 전면의) 물보라 막이, (마차의) 흙받기; (자동차 따위 조종석의) 계기반(計器盤).
das·tard [dǽstərd] *n.* Ⓒ 비겁한 자, 겁쟁이(coward). **~·ly** *a.* 비겁한, 소심한, 못난.
:da·ta [déitə, dǽt-] *n. pl.* (*sing.* ***datum***) 《단·복수 취급》 자료, 데이터; (관찰·실험에 의한) 지식, 정보.
dáta bànk 〖컴〗 데이터〔정보〕 은행.
dáta·bàse *n.* Ⓒ 〖컴〗 자료틀, 데이터 베이스.
date[1] [deit] *n.* Ⓒ 대추야자(의 열매).
†date[2] *n.* Ⓒ 날짜, 연월일; 기일; Ⓤ 연대, 시대; Ⓒ 《美口》 만날 약속, 데이트 (상대자). ***at an early ~*** 머지않아. (***down***) ***to ~*** 오늘까지(의). ***have a ~ with*** …와 데이트를 하다. ***out of ~*** 시대에 뒤진. ***up to ~*** 현재까지(의); 최신식의. — *vt.* 날짜를 쓰다; 시일을 정하다. — *vi.* 날짜가 적혀 있다; 시작되다(*from*). ***~ back to*** (날짜가) …에 소급하다. **dát·ed** *a.* 날짜 있는; 시대에 뒤진(out-of-date). **⌐·less** *a.* 날짜 없는; 무(기)한의; 태고의; 시대를 초월하여 흥미 있는. 「선.
dáte lìne (보통 the ~) 일부 변경
dáte pàlm 대추야자(date).
da·tive [déitiv] *n., a.* Ⓒ 〖文〗 여격(의).
daub [dɔ:b] *vt., vi., n.* 바르다 (*with*); Ⓤ,Ⓒ 바르기; 처덕처덕 칠하다〔칠하기〕; Ⓒ 서투른 그림(을 그리다).
†daugh·ter [dɔ́:tər] *n.* Ⓒ 딸.
dáughter-in-làw *n.* (*pl.* ***-s-in-law***) Ⓒ 며느리.
·daunt [dɔ:nt] *vt.* 으르다, 놀라게 하다(scare); (…의) 기세를 꺾다. ***nothing ~ed*** 조금도 겁내지 않고. **·⌐·less** *a.* 대담한. **⌐·less·ly** *ad.*
dau·phin [dɔ́:fin] *n.* Ⓒ (종종 D-) 〖프史〗 황태자.
daw·dle [dɔ́:dl] *vt., vi.* 빈둥거리며 시간을 보내다(idle)(*away*).
:dawn [dɔ:n] *n.* Ⓤ 새벽, 동틀녘, 여명. — *vi.* 동이 트다, 밝아지다; 시작되다; 점점 분명해지다. ***It*** 〔***Morning, The day***〕 ***~s.*** 날이 샌다. ***It has ~ed upon me that ...*** (…라는) 것을 나는 알게 되었다.
†day [dei] *n.* ① Ⓒ 날, 하루. ② Ⓤ 낮, 주간(*before ~* 날 새기 전에). ③ Ⓤ,Ⓒ 축일; 약속날. ④ Ⓒ (종종 *pl.*) 시대(period); (*pl.*) 일생(lifetime); Ⓤ 전성 시대. ⑤ (the ~) (하루의) 싸움, (그날의) 승부; 승리. ***all ~*** (***long***), or ***as the ~ is long*** 종일. ***between two ~s*** 밤을 새워. ***by ~*** 낮에는. ***carry the ~*** 이기다. ***~ about*** 하루 걸러. ***~ after ~***, or ***~ by ~***, or ***from ~ to ~*** 매일, 날마다, 나날이, 하루

하루. ~ *in,* ~ *out* 해가 뜨나 해가 지나, 날마다. *end one's ~s* 죽다. *have one's* ~ 때를 만나다. *in broad* ~ 대낮에. *in one's* ~ 젊었을〔한창이었을〕 때에. *in the ~s of old* 옛날에. *keep one's* ~ 약속날을 지키다. *know the time of* ~ 만사에 빈틈이 없다. *lose the* ~ 지다. (*men*) *of the* ~ 당시〔당대〕의 (명사). *on one's* ~ 《口》 한창 때에. *one of these ~s* 근일중에. *this* ~ *week* 〔*month*〕 전주〔전달〕의 오늘; 내주〔내달〕의 오늘. *win the* ~ 이기다. *without* ~ 기일을 정하지 않고.

dáy bòy 《英》 통학생.

˙**dáy·drèam** *n., vi.* Ⓒ 백일몽, 공상(에 잠기다). **~er** *n.* Ⓒ 공상가.

:**dáy·lìght** *n.* Ⓤ 일광; 낮, 주간. *burn* ~ 쓸데없는 짓을 하다. *in broad* ~ 대낮에.

dáylight-sáving (**tìme**) 하기 일광 절약 시간.

dáy·lòng *a., ad.* 온종일(의).

dáy núrsery 탁아소. 「락실.

dáy ròom (기지·공공 시설 내의) 오

dáy schòol (boarding school에 대한) 통학 학교; 주간 학교.

:**dáy·tìme** *n.* (the ~) 낮, 주간.

dáy-to-dáy *a.* 나날의; 그날 벌어 그날 사는.

:**daze**[deiz] *vt.* 현혹시키다; 멍하게 하다(stun); 눈이 부시게 하다(dazzle). — *n.* (a ~) 현혹; 얼떨떨한 상태.

:**daz·zle**[dǽzl] *vt., vi.* 눈이 부시(게 하)다; 현혹(케)하다. — *n.* (*sing.*) 눈부심; 눈부신 빛.

˙**daz·zling**[dǽzliŋ] *a.* 눈부신.

DC, D.C. direct current.

D.D. Doctor of Divinity.

D-dày *n.* 〖軍〗 공격 개시 예정일; 《一般》 행동 개시 예정일.

DDT dichloro-diphenyl-trichloroethane 《살충제》.

de-[di, də, diː] *pref.* '분리(*de*throne), 제거(*de*ice), 반대(*de*centralize), 저하(*de*press)' 따위의 뜻.

˙**dea·con**[díːkən] *n.* Ⓒ (교회의) 집사, 〖가톨릭〗 부제(副祭).

†**dead**[ded] *a.* ① 죽은; 무감각한(insensible)(*to*); 활기 없는(not lively). ② 지쳐버린; 고요한; 쓸모 없이 된. ③ 완전한; 확실한(sure). ~ *above ears* 《俗》 골이 빈, 바보 같은. *in* ~ *earnest* 진정으로. — *ad.* 아주, 완전히; 몹시. CUT *a person* ~. ~ (*set*) *against* 정면으로 반대하여. ~ *tired* 녹초가 되어. — *n.* (the ~) 《집합적》 죽은 사람; 가장 생기가 없는 시각; 죽은 듯이 고요함; 가장 …한 때. *at* ~ *of night* 한밤중에. *in the* ~ *of winter* 한 겨울에. *rise from the* ~ 부활하다.

déad·béat *a.* (계기(計器)의 바늘이) 흔들리지 않는, 제 눈금에 딱 서는. — [⌐⌐] *n.* Ⓒ 《美口》 (외상·빚 등을) 떼먹는 사람; 게으름뱅이, 식객.

dead·en [dédn] *vt.* 약하게 하다(weaken); 둔하게 하다; 무감각하게 하다; 소리〔윤기〕를 없애다. — *vi.* 죽다; 약해지다; 둔해지다.

déad énd 막다른 데〔골목〕.

déad·hèad *n.* Ⓒ 무임 승객; 무료 입장자; 멍청이; 비어서 가는 차.

déad héat 팽팽한 접전(接戰).

déad létter 배달 불능의 우편; (법령 따위의) 공문(空文).

˙**déad·lìne** *n.* Ⓒ (포로 수용소 등의) 사선(死線); (기사의) 마감 시간; 〖컴〗 기한.

˙**déad·lòck** *n.* Ⓤ,Ⓒ 막힘, 정돈(停頓); 〖컴〗 수렁, 교착.

déad lóss 전손(全損).

:**dead·ly**[dédli] *a.* 죽음 같은; 치명적인(fatal); 심한; 용서할 수 없는(*the seven* ~ SINS). — *ad.* 주검〔송장〕처럼; 몹시.

déad·pàn *n., vi.* (**-nn-**) Ⓒ 무표정한 얼굴(을 하다).

déad wéight (차량의) 자중(自重).

déad·wòod *n.* Ⓤ 죽은 나무; 《집합적》 무용지물(사람·물건).

:**deaf**[def] *a.* 귀머거리의; 들으려 하지 않는(*to*). *fall on* ~ *ears* (요구 따위가) 무시되다.

déaf-àid *n.* Ⓒ 《英》 보청기.

˙**deaf·en**[défən] *vt.* 귀먹게〔안 들리게〕 하다; 큰 소리가 (다른 소리를) 죽이다. **~ing** *a., n.* 귀청이 터질 듯한; Ⓤ 방음 장치〔재료〕.

déaf-mùte *n.* Ⓒ (선천적) 농아자

(聾兒者).

†**deal**[1][di:l] *vt.* (**dealt**) 나누다(*out*), (카드를) 도르다(distribute); 베풀다; (슬픔을) 주다, (타격을) 가하다. — *vi.* 장사하다; 거래하다(*in*); (몫 등을) 처리하다, 다루다; (사건·일 등에서) 행동하다(*by, toward, with*). — *n.* Ⓤ (어떤) 분량; (the ~) (카드놀이의) 패 도르는 일〔차례〕, 한판; Ⓒ 거래; 《口》 취급; 정책. ***a* (*good, great*) ~** 많이, 다량으로. ***Fair*** 〔***New***〕 ***D-,*** Truman 〔Roosevelt〕 대통령의 페어딜〔뉴딜〕 정책.

deal[2] *n.* Ⓤ 소나무 재목〔판자〕, 전나무 재목〔판자〕.

D

:**deal·er**[dí:lər] *n.* Ⓒ ① 상인, …상(商). ② 패 도르는 사람. ③ 어떤 특정의 행동을 하는 사람(*a double ~*).

déaler·shìp *n.* Ⓤ (어느 지역내의) 상품 총판권〔점〕.

:**déal·ing** *n.* ① Ⓤ 취급; (타인에의) 태도. ② (*pl.*) (거래) 관계, 교제 (***have ~s with*** …와 교제하다).

:**dealt**[delt] *v.* deal[1]의 과거(분사).

·**dean**[di:n] *n.* Ⓒ 〖宗〗 사제장(司祭長) 《Cathedral 등의 장》; (대학의) 학장; 《美》 학생 과장; 《英》 학생감.

†**dear**[diər] *a.* 친애하는, 귀여운; 귀중한(precious)(*to*); 비싼(costly) (opp. cheap). ***D- Sir*** 근계(謹啓). ***for ~ life*** 간신히 (도망치다, 따위); 열심히. — *n.* Ⓒ 사랑하는 사람, 귀여운 사람, 애인. — *ad.* 사랑스레; 비싸게. — *int.* ***D-, ~!,*** or ***D- me!,*** or ***Oh, ~!*** 어머나!; 참!, 아니 그런데! **:∠·ly** *ad.* 애정 깊이; 비싸게.

·**dearth**[də:rθ] *n.* Ⓤ 부족, 결핍; 기근(famine).

†**death**[deθ] *n.* ① Ⓤ,Ⓒ 죽음, 사망. ② (the ~) 소멸; 사인. ③ Ⓤ 살해, 유혈. ④ Ⓤ (D-) 사신(死神). ⑤ Ⓤ 사형. ***be at ~'s door*** 죽음이 가깝다. ***be ~ on*** 《口》 …에 능하다; …을 아주 좋아〔싫어〕하다. ***be the ~ of*** …의 사인이 되다, …을 죽이다. ***civil ~*** 〖法〗 (범죄 따위에 의한) 공민권 상실. ***to ~*** 극도로, 몹시. ***to the ~*** 죽을 때까지, 최후까지. **∠·less** *a.* 죽지 않는; 불멸의(~ *poem* 불멸의 시). **∠·ly** *a., ad.* 죽은 듯한〔듯이〕; 치명적인〔으로〕; 몹시.

déath·bèd *n.* Ⓒ (보통 *sing.*) 죽음의 자리, 임종.

déath·blòw *n.* Ⓒ (보통 *sing.*) 치명적 타격.

déath certìficate 사망 진단서.

déath dùties 〖英法〗 상속세(《美》 death tax).

déath·màsk *n.* Ⓒ 사면(死面), 데스마스크.

déath ràte 사망률(mortality).

déath ràttle 임종 때의 꼬르륵 소리.

déath sèntence 사형 선고.

déath's-hèad *n.* Ⓒ 해골《죽음의 상징》.

déath tòll 사망자 수.

déath·tràp *n.* Ⓒ 위험한 장소; 화재 위험이 있는 건물.

déath wàrrant 사형 집행 명령.

de·ba·cle, *dé·bâ·cle*[deibá:kl, -bǽkl] *n.* (F.) Ⓒ (강의) 얼음이 깨짐, 사태; 괴멸, 붕괴; 재해; 대홍수.

de·bar[dibá:r] *vt.* (**-rr-**) 제외하다, 저지하다(*from*). **~·ment** *n.*

de·base[dibéis] *vt.* (품성·품질 따위를) 저하시키다(degrade). **~d** [-t] *a.* 저하된; 야비한. **~·ment** *n.*

de·bat·a·ble[dibéitəbəl] *a.* 이론(異論)의 여지가 있는.

:**de·bate**[dibéit] *n.* Ⓤ,Ⓒ 토론, 논쟁; Ⓤ 숙고; Ⓒ 토론회. — *vt., vi.* 토론〔논쟁〕하다(*on, upon*). ***~ with oneself*** 숙고하다.

de·bauch[dibɔ́:tʃ] *vt.* 타락시키다(corrupt); 유혹하다(seduce); (생활을) 퇴폐시키다. — *n.* Ⓒ 방탕, 난봉. **~ed**[-t] *a.* **deb·au·chee**[dèbɔ:tʃí:] *n.* Ⓒ 난봉꾼. **~·er·y**[dibɔ́:tʃəri] *n.* Ⓤ 방탕; 유혹(seduction); (*pl.*) 유흥.

de·ben·ture[dibéntʃər] *n.* Ⓒ 사채(社債)(권).

de·bil·i·tate[dibílətèit] *vt.* 쇠약하게 하다(weaken). **-ty** *n.* Ⓤ 쇠약.

deb·it[débit] *n., vt.* Ⓒ 〖簿〗 차변(借邊)(에 기입하다)(opp. credit).

deb·o·nair(**e**)[dèbənέər] *a.* 점잖고 쾌활한, 사근사근한.

de·brief[di:brí:f] *vt.* (귀환 비행사 등으로부터) 보고를 듣다.

de·bris, *dé·bris*[dəbrí:, déibri:/

déb-] *n.* Ⓤ 파괴의 자취; 파괴물[암석]의 파편; 쓰레기.

:debt[det] *n.* ① Ⓒ 부채, 빚. ② ⓊⒸ 의리, 은혜(obligation). ***bad ~*** 대손(貸損). ***be in*** [***out of***] **~** 빚이 있다[없다](*to*). **~ *of honor*** (노름 에서의) 신용빚. ***get*** [***run***] ***into ~*** 빚지다. ***pay one's ~ of*** [***to***] ***Nature*** 죽다. **:∠·or** *n.* Ⓒ 꾼 사람, 차주(借主), 채무자; 〖簿〗 차변《생략 Dr.》(opp. creditor).

de·bug[di:bʌ́g] *vt.* (**-gg-**) 《口》(…에서) 해충을 제거하다; (…에서) 잘못[결함]을 제거하다; 〖컴〗(프로그램에서) 잘못을 찾아 정정하다; (…에서) 도청기를 제거하다.

de·bunk[di:bʌ́ŋk] *vt.* 《美口》(명사 등의) 정체를 폭로하다.

˙de·but, *dé·but*[deibjú:, ∠—, di-, déb-] *n.* (F.) Ⓒ 사교계에의 첫발, 첫 무대, 첫출연, 데뷔. ***make one's ~*** 처음[공식으로] 사교계에 나오다; 첫무대를 밟다, 초연(初演)하다.

deb·u·tant[débjutɑ̀:nt, -bjə-] *n.* (*fem.* ***-tante***[débjutɑ̀:nt]) (F.) Ⓒ 처음으로 사교계에 나선 사람[처녀]; 첫무대를 밟는 사람.

˙Dec. December. **dec.** decease(d); decimeter; declaration; declension.

dec·a-[dékə] *pref.* '10'의 뜻 : *dec*agon; *deca*liter(= 10*l*).

˙dec·ade[dékeid, dəkéid] *n.* Ⓒ 10; 10 개; 10년간.

dec·a·dence[dékədəns, dikéidns], **-den·cy**[-i] *n.* Ⓤ 쇠미, 퇴폐. **-dent**[-dənt] *a., n.* 쇠미[퇴폐]한; Ⓒ (19세기말 프랑스의) 퇴폐[데카당]파의 (예술가).

de·camp[dikǽmp] *vi.* 야영을 걷어치우다, 진을 거두고 물러나다; 도망치다(depart quickly). **~·ment** *n.*

de·cant[dikǽnt] *vt.* (용액 따위의 웃물을 딴 그릇에) 가만히 옮기다. **~·er** *n.* Ⓒ 〖化〗 경사기(傾瀉器); (식탁용의) 마개 달린 유리 술병.

de·cap·i·tate[dikǽpətèit] *vt.* (…의) 목을 베다(behead); 《美口》 해고하다. **-ta·tion**[—∸—téiʃən] *n.*

de·cath·lete[dikǽθli:t] *n.* Ⓒ 10 종 경기 선수.

de·cath·lon[dikǽθlɑn/-lɔn] *n.* Ⓤ (the ~) 10종 경기(cf. pentathlon).

:de·cay[dikéi] *vi.* 썩다, 부패하다(rot); 쇠미하다. — *n.* Ⓤ 부패, 쇠미; 〖理〗(방사성 물질의) 자연 붕괴. **~ed**[-d] *a.*

de·cease[disí:s] *n., vi.* Ⓤ 사망(하다). **˙~d**[-t] *a.* 죽은, 고(故)…. ***the ~d*** 고인(故人).

:de·ceit[disí:t] *n.* Ⓤ ① 사기. ② 허위, 거짓(deceiving). **˙~·ful** *a.* 거짓의.

:de·ceive[disí:v] *vt.* 속이다; 미혹시키다(mislead). **~ *oneself*** 잘못 생각하다. **de·céiv·a·ble** *a.* 속(이)기 쉬운. **de·céiv·er** *n.* Ⓒ 사기꾼.

de·cel·er·ate[di:sélərèit] *vt., vi.* 감속(減速)하다(opp. accelerate).

†De·cem·ber[disémbər] *n.* 12월.

˙de·cen·cy[dí:snsi] *n.* Ⓤ ① 보기 싫지 않음; 체면. ② 예의(바름)(decorum), (태도·언어의) 점잖음(propriety); 품위. ③ 《口》 친절. ***for ~'s sake*** 체면상. ***the decencies*** 예의범절; 보통의 살림에 필요한 물건(cf. comforts).

:de·cent[dí:snt] *a.* ① 적당한, 어울리는(proper). ② 점잖은; 상당한 신분의. ③ 《口》 상당한(fair). ④ 관대한, 친절한. **~·ly** *ad.*

de·cen·tral·ize[di:séntrəlàiz] *vt.* (권한을) 분산하다. **-i·za·tion**[di:sèntrəlizéiʃən] *n.* Ⓤ 분산, 집중 배제, 지방 분권(화).

˙de·cep·tion[disépʃən] *n.* Ⓤ ① 속임(deceiving); 속은 상태. ② 사기(fraud), 야바위. **-tive** *a.* 속임의, 미혹케 하는. **-tive·ly** *ad.*

dec·i-[désə, -si] *pref.* '10분의 1'의 뜻: *deci*gram(= 1/10 g), *deci*meter(= 1/10 m).

dec·i·bel[désəbèl] *n.* Ⓒ 데시벨《전압·음향 측정 단위》.

†de·cide[disáid] *vt.* 결정하다, 해결하다; 결심시키다. — *vi.* 결심하다 (*on, upon; to* do); 결정하다(*against, between, for*).

:de·cid·ed[-id] *a.* 뚜렷한, 명백한(clear); 단호한(resolute). **˙~·ly** *ad.*

D

de·cid·u·ous[disídʒu:əs] *a.* 탈락성의; 낙엽성의. ～ ***tooth*** 젖니.
dec·i·li·ter, 《英》 **-tre**[désilì:tər] *n.* Ⓒ 데시리터《1 리터의 1/10》.
dec·i·mal[désəməl] (cf. deci-) *a., n.* 십진법의; Ⓒ 소수(의).
décimal fràction 소수.
décimal pòint 소수점.
dec·i·mate[désəmèit] *vt.* (고대 형법에서) 열 명에 하나씩 죽이다; (질병·전쟁 따위가) 많은 사람을 죽이다.
dec·i·me·ter, 《英》 **-tre**[-mì:tər] *n.* Ⓒ 데시미터《1 미터의 1/10》.
de·ci·pher[disáifər] *vt.* (암호(cipher)·난해한 글자 따위를) 풀다, 번역〔판독〕하다. **～·ment** *n.*

D

:de·ci·sion[disíʒən] *n.* ① Ⓤ,Ⓒ 결정; 해결. ② Ⓒ 판결; Ⓤ 【拳】 판정승. ③ Ⓤ 결심, 결의. ④ Ⓤ 결단력.
:de·ci·sive[disáisiv] *a.* 결정적인, 움직이기 어려운; 단호〔확고〕한; 명확한. ***～·ly** *ad.* **～·ness** *n.*
:deck[dek] *n.* Ⓒ 갑판(과 비슷한 것); (빌딩의) 평평한 지붕; 《주로 美》 (카드패의) 한 벌(pack); 《俗》 지면; 【컴】 덱, 대(臺), 천공 카드를 모은 것. ***clear the ～s*** 전투 준비를 하다. ***on ～*** 갑판에 나와서; 《口》 준비되어; 《口》【野】 다음 타자가 되어. ***upper***〔***main, middle, lower***〕 상〔중, 제2중, 하〕 갑판. ── *vt.* 갑판을 깔다; 꾸미다, 단장하다(dress).
déck chàir (즈크로 된) 갑판 의자.
déck hànd 【海】 갑판원, 평선원; 【劇】 무대계원《장치·조명 따위의》.
de·claim[dikléim] *vi.* (미사여구를 늘어놓아) 연설하다, 열변을 토하다. ── *vt.* (극적으로) 낭독하다(recite).
dec·la·ma·tion[dèkləméiʃən] *n.*
de·clam·a·to·ry [diklǽmətɔ̀:ri/-təri] *a.* 연설조의; 낭독의.
:dec·la·ra·tion[dèkləréiʃən] *n.* Ⓤ,Ⓒ 선언, 포고; 신고. ～ ***of war*** 선전 포고. ***the D- of Independence*** 미국 독립 선언《1776년 7월 4일》.
:de·clare[diklέər] *vt.* 선언〔포고·발표〕하다(proclaim); 언명하다(assert); (소득액·과세품을) 신고하다. ── *vi.* 공언〔성명〕하다. ～ ***off*** (언명해 놓고) 그만두다, 해약하다. ***Well, I ～!*** 저런!, 설마! **～d**[-d] *a.* 공언한; 숨김 없는, 공공연한.
de·clas·si·fy[di:klǽsəfài] *vt.* 《美》 기밀 취급을 해제하다; 기밀 리스트에서 빼다.
:de·cline[dikláin] *vi., vt.* ① 아래로 향(하게)하다, 기울(이)다; (해가) 지다. ② 사퇴〔사절〕하다. ③ (*vi.*) 쇠하다. ④ 【文】 격변화하다〔시키다〕. ── *n.* Ⓒ (보통 *sing.*) (물가의) 하락; 쇠미, 쇠약(병); 늘그막(declining years). ***on the ～*** 기울어; 쇠하여.
de·clin·ing[-iŋ] *a.*
de·cliv·i·ty[diklívəti] *n.* Ⓤ,Ⓒ 하향(下向), 내리막(opp. acclivity).
de·coct[di:kákt/-ɔ́-] *vt.* (약초 따위를) 달이다. **de·cóc·tion** *n.* Ⓤ 달이기; Ⓒ 달인 즙〔약〕.
de·code[di:kóud] *vt.* 암호(code)를 풀다. **de·cód·er** *n.* Ⓒ 암호 해독자; 자동 암호 해독 장치; 【無電】 아군 식별 장치; 【컴】 해독기(器).
dé·col·le·té[deikàlətéi/deikɔ́lətei] (*fem.* ***-tée***[-téi/-tei]) *a.* (F.) 어깨와 목을 드러낸, 로브 데콜테(***robe décolletée***)를 입은.
·de·com·pose[dì:kəmpóuz] *vt., vi.* 분해〔환원〕하다; 썩(이)다. ***·-po·si·tion***[-kampəzíʃən/-ɔ-] *n.*
de·con·tam·i·nate[dì:kəntǽmənèit] *vt.* 정화(淨化)하다, (…에서 방사능 따위) 오염을 제거하다. **-na·tion**[ˋ-ˋ-néiʃən] *n.*
dé·cor[deikɔ́:r, ˊ-] *n.* (F.) Ⓤ,Ⓒ 장식; (무대) 장치.
:dec·o·rate[dékərèit] *vt.* 꾸미다, 장식하다(adorn); 훈장을 수여하다.
:dec·o·ra·tion[dèkəréiʃən] *n.* Ⓤ 장식(법); Ⓒ 장식품; 훈장, 서훈(敍勳). ***the D- Day*** = the MEMORIAL DAY. **·-tive**[dékərèitiv, -rə-] *a.* 장식적인. **·-tor**[dékərèitər] *n.* Ⓒ (실내) 장식업자.
dec·o·rous[dékərəs] *a.* 예의바른, 점잖은(decent). **～·ly** *ad.*
de·co·rum[dikɔ́:rəm] *n.* Ⓤ (태도·말·복장 따위의) 고상함, 예의바름.
·de·coy[dí:kɔi, dikɔ́i] *n.* Ⓒ 미끼새, 유혹물(lure). ── [dikɔ́i] *vt.* 꾀어 들이다, 유인하다.
:de·crease[dí:kri:s, dikrí:s] (opp. increase) *n.* Ⓤ,Ⓒ 감소(*in*); Ⓒ 감

소량〔액〕. ***on the ~*** 감소되어. ── [dikríːs] *vi., vt.* 줄(이)다; 저하하다, 쇠하다. **de·creas·ing** [dikríːsiŋ] *a.*

:de·cree [dikríː] *n.* Ⓒ 법령, 포고; 명령; 하늘의 뜻, 신명(神命); 판결. ── *vt., vi.* 명하다; 포고〔판결〕하다; (하늘이) 정하다.

de·crep·it [dikrépit] *a.* 노쇠한. **-i·tude** [dikrépitjùːd] *n.* Ⓤ 노쇠, 노후(老朽).

de·cry [dikrái] *vt.* 비난하다, 헐뜯다. **de·crí·er** *n.* Ⓒ 비난자.

:ded·i·cate [dédikèit] *vt.* 봉납〔헌납〕하다; 바치다(devote); (자기 저서를) 증정하다. ***Dedicated to*** …께 드림. ~ ***oneself*** 전념하다(*to*). **-ca·tor** *n.* ***-ca·tion** [dèdikéiʃən] *n.* Ⓤ 바침, 헌신; 헌정(獻呈); Ⓒ 헌정사(辭). **-ca·to·ry** [dédikətɔ̀ːri/-təri] *a.* 봉납의; 헌상〔헌정〕의.

de·duce** [didjúːs] *vt.* 추론(推論)〔추정〕하다, 연역(演繹)하다(*from*) (opp. induce); (…의) 유래를 캐다(trace[1])(~ ***one's descent 조상을 더듬어 찾다). **de·dúc·i·ble** *a.*

***de·duct** [didʌ́kt] *vt.* 빼다, 할인하다.

***de·duc·tion** [didʌ́kʃən] *n.* Ⓤ,Ⓒ 뺌, 공제; 추론, 추정; 〖論〗 연역법 (opp. induction). **-tive** *a.* 추론〔추정〕의, 연역적인.

:deed [diːd] *n.* Ⓒ ① 행위. ② 행동(action), 실행(performance). ③ 행하여진 일; 공적, 사적(事績); 사실. ④ 〖法〗 증서. ***in ~*** 실로, 실제로. ***in word and (in) ~*** 언행이 함께.

***deem** [diːm] *vt., vi.* 생각하다, (…으로) 간주하다.

†deep [diːp] *a.* ① 깊은; 심원한(profound). ② 깊이 파묻힌. ③ 몰두해 있는. ④ (목소리가) 굵고 낮은, (색이) 짙은. ⑤ 심한, 마음으로부터의. ⑥ 음험한, 속검은. ~ ***one*** 《俗》 교활한 놈. ── *ad.* 깊이, 깊숙이; 늦게. ~ ***into the night*** 밤길도록. ── *n.* (the ~) 깊은 곳, 심연(abyss); 《詩》 바다; 깊음, (겨울·밤의) 한창. **:∠·ly** *ad.* **∠·ness** *n.*

:deep·en [díːpən] *vt., vi.* 깊게 하다, 깊어지다; 짙게〔굵게〕 하다; 짙어〔굵어〕지다.

déep·fréeze *n.* Ⓒ 〖商標〗 급속 냉동 냉장고. ── *vt.* (d-) (~***d, -froze;*** ~***d, -frozen***) (음식을) 급속 냉동하다.

déep-fríed *a.* 기름에 튀긴.

déep-róoted *a.* 깊이 뿌리 박힌; (감정 등이) 뿌리 깊은.

déep-séa *a.* 심해〔원양〕의.

déep-séated, -sét *a.* (원인·병·감정 따위가) 뿌리 깊은.

:deer [diər] *n.* (*pl.* ~, ~**s**) Ⓒ 사슴.

de-es·ca·late [diːéskəlèit] *vi., vt.* 단계적으로 축소하다〔시키다〕.

de-es·ca·la·tion [diːèskəléiʃən] *n.* Ⓤ 단계적 축소.

de·face [diféis] *vt.* 표면을 손상〔마멸〕시키다; 흠 내다(mar), 흉하게 하다(disfigure). ~**·ment** *n.*

de fac·to [diː fǽktou] (L.) 사실상(의)(cf. *de jure*).

de·fame [diféim] *vt.* (…의) 명예를 손상하다(dishonor), 중상하다(slander). **def·a·ma·tion** [dèfəméiʃən] *n.* **de·fam·a·to·ry** [difǽmətɔ̀ːri/-təri] *a.*

de·fault [difɔ́ːlt] *n.* Ⓤ 태만, (채무) 불이행; (재판에의) 결석; 결핍. ***in ~ of*** …이 없을 때에는, …이 없어서. ***judgment by ~*** 결석 재판. ~**·er** *n.* Ⓒ 불이행자; (재판) 결석자; 위탁금 소비자.

:de·feat [difíːt] *vt.* 격파하다, 지우다(overcome); 방해하다(thwart); 〖法〗 무효로 하다. ── *n.* Ⓤ 격파, 타파; Ⓤ,Ⓒ 패배; 〖法〗 파기. ~**·ism** *n.* Ⓤ 패배주의. ~**·ist** *n.*

def·e·cate [défikèit] *vt.* 맑게〔정하게〕 하다(purify). ── *vi.* 맑아지다(clarify); 뒤를〔대소변을〕 보다.

:de·fect [difékt, díːfekt] *n.* Ⓒ 결함, 결점; Ⓤ,Ⓒ 부족. ***in ~*** 부족〔결핍〕하여. ***in ~ of*** …이 없는 경우에.

de·fec·tion [difékʃən] *n.* Ⓤ,Ⓒ 배반, 변절, 탈당, 탈회; 결핍, 부족.

de·fec·tive** [diféktiv] *a.* 결점 있는, 불완전한. ~ ***verbs 〖文〗 결여 동사 《*will, can, may* 따위》. ~**·ly** *ad.*

:de·fence [diféns] *n.* 《英》 = DEFENSE.

:de·fend [difénd] *vt.* 지키다, 방위하다(protect)(*against, from*); 변호〔옹호〕하다(vindicate). *~**·er** *n.*

D

·**de·fend·ant**[-ənt] *n., a.* Ⓒ 피고(의)(opp. plaintiff).
:**de·fense**[diféns, dí:fens] *n.* ① Ⓤ 방위, 수비(protection). ② Ⓒ 방어물; (*pl.*) 방어 시설. ③ Ⓤ 변명; Ⓒ 〖法〗 변호; (피고의) 답변; (the ~)《집합적》 피고측. ④ (the ~)《집합적》〖競〗 수비측. **~ *in depth*** 종심(縱深) 방어(법). ***in* ~ *of*** …을 지키어; …을 변호하여. ·**~·less** *a.* 무방비의. **~·less·ness** *n.*
de·fen·si·ble[difénsəbəl] *a.* 방어〔변호〕할 수 있는. **-bly** *ad.*
:**de·fen·sive**[difénsiv] *n., a.* Ⓤ (the ~) 방위(의), 수세(의)(opp. offensive). ***be*** 〔***stand***〕 ***on the*** ~ 수세를 취하다. **~·ly** *ad.*
·**de·fer**[1][difə́:r] *vt., vi.* (**-rr-**) 늦추다, 물리다, 늦춰지다, 연기하다. **~·ment** *n.* Ⓤ,Ⓒ 연기; 《美》 징병 유예.
de·fer[2] *vi.* (**-rr-**) (남의 의견에) 따르다(*to*); 경의를 표하다(*to*).
·**def·er·ence** [défərəns] *n.* Ⓤ 복종, 경의. **-en·tial**[dèfərénʃəl] *a.* 공경하는, 공손한(respectful). **-én·tial·ly** *ad.*
·**de·fi·ance**[difáiəns] *n.* Ⓤ 도전; 반항, 무시. ***bid* ~ *to*** 무시하다; 도전하다. ***in* ~ *of*** …을 무시하여, …에 상관 않고. ***set at*** ~ 무시하다.
·**de·fi·ant**[difáiənt] *a.* 도전〔반항〕적인; 무례한; 무시하는(*of*).
·**de·fi·cien·cy**[difíʃənsi] *n.* Ⓤ,Ⓒ 결핍, 결함.
·**de·fi·cient**[difíʃənt] *a.* 결함 있는; 불충분한(insufficient)(*in*). 「(액).
·**def·i·cit** [défəsit] *n.* Ⓒ 결손, 부족
de·file[1][difáil] *vt.* 더럽히다(soil[2]). **~·ment** *n.* Ⓤ 더럽힘; Ⓒ 부정물.
de·file[2] *vi.* 종대(縱隊)로 나아가다. — *n.* Ⓒ 애로, 좁은 길〔골짜기〕.
:**de·fine**[difáin] *vt.* 한계를 정하다; 명확히 하다, 정의를 내리다. **de·fín·a·ble** *a.* 정의〔한정〕할 수 있는.
:**def·i·nite**[défənit] *a.* 명확한, 뚜렷한(clear); 일정한. **:~·ly** *ad.*
:**définite árticle** 〖文〗정관사《the》.
·**def·i·ni·tion**[dèfəníʃən] *n.* Ⓤ 한정; Ⓒ 정의, 해석; Ⓤ (렌즈의) 선명도, (라디오의) 충실도; 선명(하기).
de·fin·i·tive[difínətiv] *a.* 결정적인, 최종적인(conclusive). — *n.* Ⓒ 〖文〗 한정사《*the, this, all, some* 따위》. **~·ly** *ad.*
de·flate[difléit] *vt.* (…에서) 공기〔가스〕를 빼다; (통화를) 수축시키다.
·**de·fla·tion**[difléiʃən] *n.* Ⓤ ① 공기〔가스〕를 빼기. ② 통화 수축; 디플레이션.
de·flect[diflékt] *vt., vi.* (…의) 진로를 빗나가게 하다; (생각을) 삐뚤어지게 하다; 빗나가다(turn aside).
de·fléc·tion, 《英》 **-fléx·ion** *n.*
de·flow·er[difláuər] *vt.* 꽃을 따다〔꺾다〕; (처녀를) 능욕하다(ravish).
de·fo·li·ate[di(:)fóulièit] *vt., vi.* 잎을 따내다〔말리다〕; 잎이 떨어지다.
de·fo·li·a·tion[di(:)fòuliéiʃən] *n.* Ⓤ 낙엽(기); 나무를 자르거나 숲을 불태우거나 하는 작전.
de·for·est[di:fɔ́:rist, -fár-/-fɔ́r-] *vt.* (…의) 산림〔수목〕을 베어내다; 개척하다. **~·a·tion**[—◡—éiʃən] *n.* Ⓤ 산림 벌채〔개척〕.
de·form[difɔ́:rm] *vt.* 흉하게 하다, 모양 없이 하다(misshape); 불구로 하다. ·**~ed**[-d] *a.* 흉한, 일그러진; 불구의. ·**de·for·ma·tion**[dì:fɔ:rméiʃən] *n.* Ⓤ 변형; 〖美術〗 데포르마시옹《미적 효과를 위한 변형》.
·**de·form·i·ty**[difɔ́:rməti] *n.* Ⓤ 불구; 추함; Ⓤ,Ⓒ (인격상의) 결함.
·**de·fraud**[difrɔ́:d] *vt.* 편취하다(~ *him of his money*), 속이다(cheat).
de·fray[difréi] *vt.* (경비를) 지불하다(pay). **~·al, ~·ment** *n.*
de·frost[di:frɔ́:st, -frást/-frɔ́st] *vt.* (식품의) 언 것을 녹이다; (냉장고의) 서리를 제거하다. **~·er** *n.* Ⓒ 제상(除霜) 장치.
deft[deft] *a.* 솜씨 좋은, 능숙한(skillful). **∠·ly** *ad.* **∠·ness** *n.*
de·funct[difʌ́ŋkt] *a.* 소멸한; 죽은; (the ~) 고인(the deceased).
de·fuse, de·fuze[di:fjú:z] *vt.* (폭탄에서) 신관을 제거하다; (긴장 상태에서) 위험성을 없애다.
:**de·fy**[difái] *vt.* 도전하다(~ *him to* do); 반항하다, 거부하다; 무시하다, 깔보다; 방해하다.
deg. degree(s).
·**de·gen·er·ate** [didʒénərèit] *vi.*

나빠지다(grow worse); 퇴보[타락]하다. — [-dʒénərit] *a., n.* Ⓒ 퇴보한 (것), 타락한 (사람). **˙-a·tion**[-ˌ-ˊ-ʃən] *n.* Ⓤ 퇴보, 타락, 악화; Ⓤ 〖生〗 퇴화. **-a·tive**[-rətiv, -rèit-] *a.* 타락(적인 경향)의.

˙de·grade[digréid] *vt.* 하위로 낮추다; 타락[악화]시키다; (현재의 지위·직책·소임으로부터) 떨어뜨리다; 〖生〗 퇴화시키다. — *vi.* 떨어지다; 타락[퇴화]하다.

˙deg·ra·da·tion[dègrədéiʃən] *n.* Ⓤ ① 격하, 좌천; 면직. ② 타락, 저하. ③ 〖地〗 침식. ④ 〖化〗 분해.

de·grad·ing[digréidiŋ] *a.* 타락[퇴폐]시키는, 불명예스런, 비열한.

de·gree[digrí:] *n.* ① Ⓤ,Ⓒ 정도; 등급. ② Ⓒ 도, 눈금. ③ Ⓤ 지위, 계급; Ⓒ 학위, 칭호. ④ Ⓒ 〖文〗 (비교의) 급; 〖數〗 차(次). ***by ~s*** 점차. ***in some ~*** 다소, 얼마간은. ***to a ~*** 몹시; 다소. ***to the last ~*** 극도로.

de·hu·man·ize[di:hjú:mənàiz] *vt.* (…의) 인간성을 빼앗다. **-i·za·tion** [-ˌ-ˌ-nizéiʃən/-nai-] *n.* Ⓤ 인간성 말살.

de·hy·drate[di:háidreit] *vt., vi.* 탈수하다; 수분이 없어지다. ***~d eggs*** 건조 달걀.

de·ice[di:áis] *vt.* 제빙(除氷)하다.

de·ic·er[di:áisər] *n.* Ⓒ 〖空〗 제빙(除氷)[방빙] 장치.

de·i·fy[dí:əfài] *vt.* 신으로 삼다[모시다], 신성시하다. **-fi·ca·tion**[ˌ-ˊ-fikéiʃən] *n.*

deign[dein] *vi.* 황송하옵게도 …하시다, …하옵시다(*to* do). — *vt.* 내리시다. **~ *a reply*** (왕 등이) 대답해 주시다.

˙de·i·ty[dí:əti] *n.* Ⓤ 신성(神性)(divine nature); Ⓒ 신, 여신; (the D-) 우주신, 하느님(God).

dé·jà vu[dèiʒɑ: vjú:] (F.) 〖心〗 기시감(旣視感); 아주 진부한 것.

˙de·ject·ed[didʒéktid] *a.* 낙담한, 기운 없는. **de·jéc·tion** *n.* Ⓤ 낙담, 실의.

de ju·re[di: ʒúəri] (L.) 정당한 권리로, 합법의(cf. *de facto*).

:de·lay[diléi] *vt.* 늦게 하다, 지연[지체]시키다, 연기하다(postpone); 방해하다. — *vi.* 늦어지다, 지체하다. — *n.* Ⓤ,Ⓒ 지연, 유예; 〖컴〗 늦춤. ***without ~*** 즉시, 곧. **~ed**[-d] *a.* (뒤) 늦은.

de·le[dí:li] *vt.* (L.) 〖校正〗 삭제하라, 빼라(delete).

de·lec·ta·ble[diléktəbəl] *a.* 매우 즐거운, 유쾌한. **-bly** *ad.* **~·ness** *n.*

de·lec·ta·tion[dì:lektéiʃən, dilèk-] *n.* Ⓤ 유쾌, 환희, 환락.

:del·e·gate[déligèit, -git] *n.* Ⓒ 대표자(representative), 사절. — [-gèit] *vt.* 대표[대리]로서 보내다[임명하다]; 위임하다(entrust).

del·e·ga·tion[dèligéiʃən] *n.* ① Ⓤ 대리[위원] 파견; 위임. ② Ⓒ 《집합적》 (파견) 위원단, 대표단.

de·lete[dilí:t] *vt.* (문자를) 삭제하다, 지우다(strike out); 〖컴〗 지우다, 소거하다. **de·lé·tion** *n.* Ⓤ 삭제; Ⓒ 삭제 부분.

del·e·te·ri·ous[dèlətíəriəs] *a.* (심신에) 해로운, 유독한. **~·ly** *ad.*

˙de·lib·er·ate[dilíbərèit] *vt., vi.* 숙고하다; 협의[논의]하다. — [-bər-it] *a.* 숙고한; 신중한; 유유한. **:~·ly** *ad.* 숙고한 끝에; 신중히; 완만히.

˙de·lib·er·a·tion[dilìbəréiʃən] *n.* Ⓤ,Ⓒ 숙고; 심의; Ⓤ 신중. **-tive**[-ˊ-rèitiv, -rit-] *a.* 신중한; 심의의; 심의를 위한.

˙del·i·ca·cy[délikəsi] *n.* ① Ⓤ 우미, 정교, (감각의) 섬세함; 민감. ② Ⓤ 허약, 연약함(weakness). ③ Ⓤ 미묘함(nicety). ④ Ⓒ 진미(dainty).

:del·i·cate[délikit] *a.* ① 우미[섬세]한, 정묘한. ② 고상한. ③ 민감한. ④ 허약한, 다루기 힘든. ⑤ 미묘한(subtle). ⑥ 맛있는. **˙~·ly** *ad.*

del·i·ca·tes·sen[dèlikətésn] *n.* Ⓤ 《집합적》 조제(調劑) 식료품; Ⓒ 조제 식료품점.

:de·li·cious[dilíʃəs] *a.* 맛있는; 유쾌한. — *n.* (D-) Ⓤ 델리셔스《사과》. **~·ly** *ad.*

:de·light[diláit] *n.* Ⓤ 기쁨, 유쾌; Ⓒ 좋아하는 것. — *vi., vt.* 기뻐하다, 기쁘게 하다, 즐기다, 즐겁게 하다(*in*). **˙~·ed**[-id] *a.* 매우 즐거운(highly pleased), 기쁜(glad)(*about,* *at*). **~·some**[-səm] *a.* = ⇩.

:de·light·ful[-fəl] *a.* 매우 기쁜[즐거운], 유쾌한. **~·ly** *ad.*

de·lim·it[dilímit], **de·lim·i·tate** [di(:)límətèit] *vt.* 한계[경계]를 정하다. **-i·ta·tion**[dilìmətéiʃən] *n.* Ⓒ 경계, 한계; Ⓤ 한계 결정.

de·lin·e·ate[dilínièit] *vt.* 윤곽을 그리다; 묘사하다(describe). **-a·tion**[-ˋ-ˊ-ʃən] *n.* Ⓤ 윤곽 묘사; 서술; Ⓒ 약도, 도형.

de·lin·quent[dilíŋkwənt] *a.* 의무를 게을리하는, 태만한; 체납되어 있는; 죄[과실] 있는. — *n.* Ⓒ 태만한 사람; 과실[범죄]자. ***juvenile*** **~** 비행 소년[소녀]. **-quen·cy** *n.* U,C 태만; 과실(fault); 비행, 범죄. ***juvenile delinquency*** 소년 범죄.

˙de·lir·i·ous[dilíriəs] *a.* 정신 착란의; 헛소리하는; 무아경의, 황홀한.

de·lir·i·um[-riəm] *n.* U,C 정신 착란; 황홀, 무아경.

delírium tré·mens[-trí:mənz] (알코올 중독에 의한) 섬망증(譫妄症) 《생략 D.T.》.

:de·liv·er[dilívər] *vt.* ① 넘겨주다. ② 배달하다. ③ (연설을) 하다. ④ (의견을) 말하다. ⑤ (타격을) 가하다; (공을) 던지다. ⑥ 구해내다(rescue), 해방[석방]하다(*from*). ⑦ 분만시키다. ***be* ~*ed of*** (아이를) 낳다; (시를) 짓다. **~ *oneself of*** (*an opinion*) (의견을) 말하다. **~ *the goods*** 물품을 건네주다; 약속을 이행하다; 기대에 어그러지지 않다. **˙~·ance** *n.* Ⓤ 구출, 석방, 해방. **˙~·er** *n.* Ⓒ 구조자; 인도인; 배달인.

:de·liv·er·y[dilívəri] *n.* ① U,C 배달; 인도, 교부. ② (a ~) 연설을 하는 식, 이야기투. ③ Ⓒ 분만. ④ U,C 방출; 투구(投球).

dell[del] *n.* Ⓒ 작은 골짜기.

del·phin·i·um[delfíniəm] *n.* Ⓒ 〖植〗 참제비고깔(larkspur).

˙del·ta[déltə] *n.* U,C 그리스어 알파벳의 넷째 글자(Δ, δ); 삼각주; 삼각형의 물건.

˙de·lude[dilú:d] *vt.* 속이다; 호리다, 미혹시키다(mislead).

˙del·uge[délju:dʒ] *n.* Ⓒ 대홍수; 큰비; 쇄도; (the D-) 노아(Noah)의 홍수. ***After me*** [***us***] ***the* ~.** 나중에야 어찌 되든 알 바 아니다. — *vt.* 범람시키다; (…에) 쇄도하다.

˙de·lu·sion[dilú:ʒən] *n.* Ⓤ 속임, 미혹(deluding); Ⓒ 미망(迷妄); 환상, 착각. **-sive**[-siv], **-so·ry**[-səri] *a.* 호리는, 속이는.

de·luxe[dəlúks, -lʌ́ks] *a., ad.* (F.) 호화로운, 호화판의; 호화롭게. ***a* ~ *edition*** 호화판.

delve[delv] *vt., vi.* 탐구하다(burrow); 《古》 파다.

Dem. Democrat(ic).

dem·a·gog(ue)[déməgɔ̀:g, -gàg/-gɔ̀g] *n.* Ⓒ 선동(장치)가. **-gog·ic** [dèməgádʒik, -gág-/-gɔ́g-, -gɔ̀dʒ-], **-i·cal**[-əl] *a.* **-go·gy**[déməgòudʒi, -gàgi/-gɔ̀gi, -gɔ̀dʒi] *n.* Ⓤ 선동, 민중 선동.

†de·mand[dimǽnd/-á:-] *n.* Ⓒ 요구, 청구; Ⓤ 〖經〗 수요(량)(*for, on*). ***be in* ~** 수요가 있다. ***on* ~** 청구하는 대로, 일람불의. — *vt., vi.* 요구[청구]하다(ask)(*of, from*); 요(要)하다; 심문하다. **~·a·ble** *a.*

de·mar·cate[dimá:rkeit, dí:ma:r-kèit] *vt.* (…의) 경계[한계]를 정하다; 한정하다; 구획하다, 구별하다.

de·mar·ca·tion[dì:ma:rkéiʃən] *n.* Ⓤ 한계[경계] 설정; Ⓒ 경계, 구분.

de·mean[1][dimí:n] *vt.* 《보통 재귀적》 (품위를) 떨어뜨리다(humble).

de·mean[2] *vt.* 처신하다; 행동하다. **~ *oneself like a gentleman*** [***lady***] 신사[숙녀]답게 행동하다.

˙de·mean·or, 《英》 **-our**[dimí:nər] *n.* Ⓤ 행동, 태도; 행실.

de·ment·ed[diméntid] *a.* 정신 착란의, 미친.

de·men·tia[diménʃiə] *n.* (L.) Ⓤ 〖醫〗 치매(癡呆).

de·mer·it[di:mérit] *n.* Ⓒ 결점, 과실; 죄과; (학교의) 벌점(~ mark).

dem·i-[démi] *pref.* '반(半)'의 뜻 (cf. hemi-, semi-).

de·mil·i·ta·rize[di:mílətəràiz] *vt.* 비군사화하다; 군정에서 민정으로 이양하다. **~*d zone*** 비무장 지대《생략 DMZ》. **-ri·za·tion**[-ˋ-ˋ-rizéiʃən/-rai-] *n.* Ⓤ 비군사화.

de·mise[dimáiz] *n.* U (재산의) 유증(遺贈); 양위(讓位); 죽음, 서거; 폐지, 소멸. — *vt.* 물려주다, 양위하다, 유증하다.
de·mob[di:mɑ́b/-ɔ́-] *vt.* (**-bb-**) 《英口》 = ⇩.
de·mo·bi·lize[di:móubəlàiz] *vt.* 〖軍〗 복원(復員)하다, 제대시키다. **-li·za·tion**[-⌐-lizéiʃən/-lai-] *n.* U 동원 해제, 복원.
:**de·moc·ra·cy**[dimɑ́krəsi/-ɔ́-] *n.* ① U 민주주의, 민주 정체. ② C 민주국. ③ (D-) 《美》 민주당 (강령).
·**dem·o·crat**[déməkræ̀t] *n.* C 민주주의자; (D-) 《美》 민주당원.
:**dem·o·crat·ic**[dèməkrǽtik] *a.* 민주주의〔정체〕의; 민주적인. ***the D- Party*** 《美》 민주당. **-i·cal·ly** *ad.*
de·moc·ra·tize [dimɑ́krətàiz/-ɔ́-] *vt., vi.* 민주화하다. **-ti·za·tion**[-⌐-tizéiʃən/-tai-] *n.* U 민주화; 평등화.
de·mog·ra·phy [dimɑ́grəfi/di:mɔ́g-] *n.* U 인구 통계학.
·**de·mol·ish**[dimɑ́liʃ/-ɔ́-] *vt.* 파괴하다; 《口》 먹어치우다.
dem·o·li·tion[dèməlíʃən, dì:-] *n.* U,C 파괴; 폭파.
·**de·mon**[dí:mən] *n.* C 악마, 귀신(fiend); (일·사업에) 비범한 사람.
de·mon·stra·ble[démənstrəbəl, dimɑ́n-] *a.* 논증〔증명〕할 수 있는.
:**dem·on·strate**[démənstrèit] *vt.* ① 논증〔증명〕하다(prove). ② 실지 교수하다, (상품을) 실물 선전하다. — *vi.* ① 시위 운동을 하다; (감정을) 드러내다(exhibit). ② 〖軍〗 양동(陽動)〔견제〕하다. **-stra·tor** *n.*
:**dem·on·stra·tion**[dèmənstréiʃən] *n.* ① U,C 논증. ② U,C 실지 교수; 실물 선전; 실연(實演). ③ C 표시. ④ C 데모, 시위 (운동).
·**de·mon·stra·tive** [dimɑ́nstrətiv/-ɔ́-] *a.* 감정을 노골적으로 나타내는(*of*); 논증적인; 〖文〗 지시의; 시위적인. — *n.* = ∠ **ádjective** 〔**prónoun**〕 〖文〗 지시 형용사〔대명사〕.
de·mor·al·ize [dimɔ́:rəlàiz, -mɑ́r-/-mɔ́r-] *vt.* 퇴폐시키다; (…의) 사기를 꺾다; 혼란시키다, 당황케 하다. **-i·za·tion**[-⌐-izéiʃən/-lai-] *n.* U 퇴폐; 혼란.
de·mote[dimóut] *vt.* 강등〔좌천〕시키다(opp. promote).
de·mot·ic[dimɑ́tik/-ɔ́-] *a.* 민중의, 서민의.
·**de·mur**[dimə́:*r*] *n., vi.* (**-rr-**) 이의(異義)를 말하다(*at, to*); U 항변(하다).
de·mure[dimjúə*r*] *a.* 기품 있는, 침착한; 젠체하는, 점잔 빼는, 근직〔근엄〕한, 진지한. **~·ly** *ad.*
:**den**[den] *n.* C (야수의) 굴; (도둑의) 소굴; 작고 아늑한 사실(私室).
de·na·tion·al·ize[di:nǽʃənəlàiz] *vt.* (…의) 국적〔국민성〕을 박탈하다; 독립국의 자격을 빼앗다; (…의) 국유를 해제하다. **-i·za·tion**[di:næ̀ʃənəlizéiʃən/-lai-] *n.*
·**de·ni·al**[dinái*ə*l] *n.* ① U,C 부정, 부인; 거부. ② U 극기(克己). ***take no ~*** 싫다는 말을 못 하게 하다.
de·ni·er[dináiə*r*] *n.* C 부인하는 사람.
den·i·grate[dénigrèit] *vt.* 검게 하다; 더럽히다; 평판을 떨어뜨리다.
den·im[dénim] *n.* U 데님《작업복(overall)용의 능직 무명》; (*pl.*) (푸른 데님천의) 작업복.
den·i·zen[dénizən] *n.* C 주민; 외래어; 외래 동〔식〕물; 《英》 귀화인. — *vt.* 귀화를 허가하다, 시민권을 주다.
de·nom·i·nate[dinɑ́mənèit/-ɔ́-] *vt.* 명명하다(name). — [-nit] *a.* 특정한 이름이 있는. **-na·tor**[-nèitə*r*] *n.* C 〖數〗 분모 (cf. numerator); 《古》 명명자.
·**de·nom·i·na·tion**[dinɑ̀mənéiʃən/-nɔ̀mi-] *n.* ① U 명명; C (특히 종류의) 명칭. ② C 종파, 교파(sect); 종류; 계급. ③ C (도량형·화폐의) 단위 명칭. **~·al** *a.* 종파〔교파〕의 (지배하의). **~·al·ism**[-ìzəm] *n.* U 종파심; 파벌주의.
·**de·note**[dinóut] *vt.* 나타내다, 표시하다(indicate); 의미하다.
dé·noue·ment[deinú:mɑ:ŋ] *n.* (F.) C 대단원(大團圓), 종결.
·**de·nounce**[dináuns] *vt.* ① 공공연히 비난하다. ② 고발하다(accuse). ③ (조약 따위의) 종결을 통고하다.

D

④ 《古》 (경고로서) 선언하다.

:dense[dens] *a.* 조밀한, 밀집한; 짙은(thick); 우둔한. **∠·ly** *ad.* **∠·ness** *n.*

˙den·si·ty[dénsəti] *n.* Ⓤ 밀도, 농도; 〖컴〗 밀도; Ⓤ,Ⓒ 〖理〗 비중. ***traffic* ~** 교통량.

˙dent[dent] *n., vt., vi.* Ⓒ 움푹 팬 곳; 움푹 패(게 하)다.

˙den·tal[déntl] *a., n.* 이의; 치과의; Ⓒ 〖音聲〗 치음(齒音)(의)(θ, ð, t, d 따위); 치음자.

déntal súrgeon 치과 의사.

:den·tist[déntist] *n.* Ⓒ 치과 의사. **~·ry** *n.* Ⓤ 치과 의술.

den·ture[déntʃər] *n.* (*pl.*) 의치(義齒), 틀니(의 치열).

de·nude[dinjú:d] *vt.* 발가벗기다, (옷 따위를) 벗기다(strip)(*of*); (바위 따위를) 삭박(削剝)하다. **den·u·da·tion** [dì:nju(ː)déiʃən, dèn-] *n.* Ⓤ 노출(시키기); 박탈; 삭박(削剝).

˙de·nun·ci·a·tion [dinʌ̀nsiéiʃən, -ʃi-] *n.* Ⓤ,Ⓒ 공공연한 비난; 고발(accusation); (조약 따위의) 파기 통고. **-to·ry**[-∠siətɔ̀:ri, -ʃiə-/-təri] *a.* 비난하는; 위협[협박]적인.

:de·ny[dinái] *vt.* 부정[부인]하다; (주기를) 거절하다(refuse); 면회를 거절하다. **~ *oneself*** 자제(自制)하다. **~ *oneself to callers*** 방문객을 만나지 않다.

de·o·dor·ant[di:óudərənt] *a., n.* 방취의; Ⓤ,Ⓒ 방취제.

dep. departed; department; depart(s); departure; deponent; deposed; deposit; depot; deputy.

:de·part[dipá:rt] *vi., vt.* 출발[발차]하다, 떠나다; 벗어나다, 빗나가다(deviate); 죽다. **~ *from one's word*** 약속을 어기다. **˙~·ed**[-id] *a.* 지나간(gone), 과거의(past); 죽은. ***the* ~*ed*** 고인, 죽은 사람.

:de·part·ment[-mənt] *n.* Ⓒ 부문; 부, 성(省), 국, 과. **-men·tal**[-⌐méntl/dì:pɑ:rt-] *a.*

†depártment stòre 백화점.

:de·par·ture[dipá:rtʃər] *n.* ① Ⓤ,Ⓒ 출발, 발차; 이탈(離脫), 변경(*from*). ② Ⓤ 《古》 서거(逝去). ***a new* ~** 새 방침, 신기축(新機軸).

:de·pend[dipénd] *vt.* …나름이다, …여하에 달리다(*on, upon*); 의지[신뢰]하다(rely)(*on, upon*). **~ *upon it*** 《口》 확실히. ***That* ~*s.*** 그것은 사정 여하에 달렸다. **˙~·a·ble** *a.* 믿을 수 있는; 신빙성 있는.

de·pend·ant[dipéndənt] *n., a.* = DEPENDENT.

˙de·pend·ence[-əns] *n.* Ⓤ 종속; 의존; 신뢰(reliance); 의지. **-en·cy** *n.* Ⓤ 의존, 종속; Ⓒ 속령, 속국.

:de·pend·ent[-ənt] *a.* (…에) 의지하고 있는, 의존하는(relying), …나름의(*on, upon*); 〖文〗 종속의(subordinate). **—** *n.* Ⓒ 의존하는 사람; 부양 가족; 식객; 하인.

depéndent cláuse 〖文〗 종속절.

˙de·pict[dipíkt] *vt.* (그림·글로) 묘사하다. **de·pic·tion**[dipíkʃən] *n.*

de·pil·a·to·ry[dipílətɔ̀:ri/-təri] *a., n.* 탈모(작용)의; Ⓤ,Ⓒ 탈모제.

de·plete[diplí:t] *vi.* 비우다(empty), 고갈시키다. **de·plé·tion** *n.*

˙de·plor·a·ble[diplɔ́:rəbl] *a.* 슬퍼할; 가엾은, 애처로운, 비참한; 한탄할 만한. **-bly** *ad.*

˙de·plore[diplɔ́:r] *vt.* 비탄하다.

de·ploy[diplɔ́i] *vi., vt.* 〖軍〗 전개하다[시키다]. **~·ment** *n.*

de·pop·u·late[di:pɑ́pjəlèit/-ɔ́-] *vt., vi.* (…의) 주민을 없애다[감소시키다]; 인구가 줄다. **-la·tion**[-⌐-léiʃən] *n.*

de·port [dipɔ́:rt] *vt.* 처신하다; 이송[추방]하다(expel). **~ *oneself*** (*well*) (잘) 행동하다. **˙~·ment** *n.* Ⓤ 행동, 태도. **de·por·ta·tion**[dì:pɔ:rtéiʃən] *n.* Ⓤ 추방.

˙de·pose[dipóuz] (cf. deposit) *vt.* 면직시키다, (왕을) 폐하다; 〖法〗 증언하다. **—** *vi.* 증언하다(testify). **de·pós·al** *n.*

:de·pos·it[dipɑ́zit/-ɔ́-] *vt.* 놓다; (알을) 낳다(lay); 침전시키다; 맡기다, 공탁하다(~ *a thing with him*); 계약금을 걸다. **—** *n.* Ⓤ,Ⓒ 부착[퇴적]물; 침전물; Ⓒ 예금, 공탁금, 보증금, 계약금. **-i·tor** *n.* Ⓒ 공탁자; 예금자. **-i·to·ry**[-tèri/-təri] *n.* Ⓒ 수탁자; 보관소, 저장소.

depósit accòunt 《英》 저축 계정

(《美》 savings account).
dep·o·si·tion [dèpəzíʃən, dìːp-] *n.* Ⓤ 면직; 퇴위; 증언.
˙**de·pot** [díːpou/dép-] *n.* Ⓒ ① 《美》 정거장, 버스 정류장. ② 〖軍〗 저장소, 창고. ③ [dépou] 〖軍〗 보충 부대; 병참부.
de·prave [dipréiv] *vt.* 타락[악화]시키다(corrupt). **~d** [-d] *a.* 타락한. **dep·ra·va·tion** [dèprəvéiʃən]. **de·prav·i·ty** [diprǽvəti] *n.* Ⓤ 타락; 비행.
dep·re·cate [déprikèit] *vt.* 비난[반대]하다. **-ca·tion** [dèprikéiʃən] *n.* **-ca·to·ry** [-kətɔ̀ːri/-təri] *a.* 반대의; (비난에 대하여) 변명적인.
˙**de·pre·ci·ate** [dipríːʃièit] *vt.* (…의) 가치를 떨어뜨리다; 깎아내리다; 얕보다, 경시하다(belittle)(opp. appreciate). — *vi.* 가치가 떨어지다.
˙**de·pre·ci·a·tion** [diprìːʃiéiʃən] *n.* Ⓤ,Ⓒ 가치 하락; 감가 상각; 경시. **-to·ry** [-́ʃiətɔ̀ːri/-təri] *a.* 가치 하락의; 경시하는.
dep·re·da·tion [dèprədéiʃən] *n.* Ⓤ 약탈(ravaging); Ⓒ 약탈 행위.
˙**de·press** [diprés] *vt.* 내리 누르다(press down); 저하시키다; (활동을) 약화시키다; 풀이 죽게 하다(dispirit); 불경기로 만들다. **~·i·ble** *a.* **~·ing** *a.* **~·ing·ly** *ad.*
:de·pressed [-t] *a.* 내리 눌린; 저하된; 움푹 들어간; 풀이 죽은; 불황의. ~ ***area*** 빈곤 지구. ~ ***classes*** (인도의) 최하층민.
:de·pres·sion [dipréʃən] *n.* ① Ⓤ,Ⓒ 하락; 침하. ② Ⓒ 우묵 팬 곳. ③ Ⓒ 〖氣〗 저기압. ④ Ⓤ 불황. ⑤ Ⓤ,Ⓒ 의기 소침.
:de·prive [dipráiv] *vt.* 빼앗다(divest); 면직시키다; 저해하다(~ *him of his popularity* 그의 인기를 잃게 하다). **dep·ri·va·tion** [dèprəvéiʃən] *n.*
dept. department; deponent; deputy.
:depth [depθ] *n.* ① Ⓤ,Ⓒ 깊이. (땅·집 등의) 세로길이. ② Ⓤ 농도; 저음(低音). ③ Ⓤ,Ⓒ (흔히 the ~s) 깊은 곳, 심연, 심해; (겨울·밤 따위의) 한중간(middle).
dep·u·ta·tion [dèpjətéiʃən] *n.* Ⓤ 대리 임명[파견]; Ⓒ 《집합적》 대표단.
de·pute [dipjúːt] *vt.* 대리를 명하다(appoint as deputy); (임무·권한을) 위임하다(commit).
dep·u·tize [dépjətàiz] *vi., vt.* 대리를 보다[삼다].
˙**dep·u·ty** [dépjəti] *n.* Ⓒ ① 대리, 대표자; 사절. ② (프랑스·이탈리아의) 민의원. ***the Chamber of Deputies*** (프랑스 제3 공화국의) 하원.
de·rail [diréil] *vi., vt.* 탈선하다[시키다]. **~·ment** *n.*
de·range [diréindʒ] *vt.* 어지럽히다, 혼란시키다, 방해하다; 발광시키다. **~·ment** *n.* Ⓤ,Ⓒ 혼란, 발광.
˙**Der·by** [dɑ́ːrbi/dɑ́ː-] *n.* (the ~) (영국 Epsom 시에서 매년 열리는) 더비 경마, 대경마; Ⓒ (d-) 《美》 중산 모자(《英》 bowler).
der·e·lict [dérəlikt] *a.* 버려진, 버림받은, 유기된(forsaken); 직무 태만의. — *n.* Ⓒ 유기물, 유기[표류]선; 버림받은 사람. **-lic·tion** [≥–líkʃən] *n.* Ⓤ,Ⓒ 유기, 태만.
˙**de·ride** [diráid] *vt.* 조롱하다(ridicule).
de ri·gueur [də rigə́ːr] (F.) 예의상 필요한(required by etiquette) (*Tuxedo is* ~. (당일은) 턱시도를 착용할 것).
˙**de·ri·sion** [diríʒən] *n.* Ⓤ 비웃음, 조롱(ridicule), 경멸(contempt); Ⓒ 조소[웃음] 거리. ***be the ~ of*** …로부터 우롱당하다. **-sive** [diráisiv], **-so·ry** [-səri] *a.*
:de·rive [diráiv] *vt.* (…에서) 끌어내다(*from*); 기원을[유래를] 더듬다(trace); (…에) 기원을 발하다. ***be ~d from*** …에 유래하다. ˙**der·i·va·tion** [dèrəvéiʃən] *n.* ① Ⓤ 유도; 유래, 기원; 〖文〗 파생. ② Ⓒ 파생물; 파생어. ˙**de·riv·a·tive** [dirívətiv] *a., n.* 파생의; Ⓒ 파생물; 파생어; 〖數〗 도함수.
der·ma·ti·tis [də̀ːrmətáitis] *n.* Ⓤ 〖醫〗 피부염.
der·ma·tol·o·gy [də̀ːrmətɑ́lədʒi/-ɔ́-] *n.* Ⓤ 피부(병)학.
der·rick [dérik] *n.* Ⓒ 데릭 기중기; 《美》 유정탑(油井塔).

D

der·ring-do[dériŋdúː] *n.* Ⓤ 《古》 대담한 행위(daring deeds).
der·vish[dɔ́ːrviʃ] *n.* Ⓒ (이슬람교의) 탁발승.
de·sal·i·nate[diːsǽlənèit], **de-sal·i·nize**[diːsǽlənàiz] *vt.* =⇩.
de·salt[diːsɔ́ːlt] *vt.* 염분을 제거하다, 담수화하다.
des·cant[deskǽnt] *vi.* 상세히 설명하다(*on, upon*); 노래하다. — [ᐟ—] *n.* Ⓒ 상설; 《詩》 노래; 가곡; 〖樂〗 수반(隨伴) 선율.
Des·cartes [deikáːrt], **René** (1596-1650) 데카르트《프랑스의 철학자·수학자》.
:de·scend[disénd] *vi.* ① 내리다, 내려가다〔오다〕(opp. ascend). ② (성질·재산 따위가 자손에게) 전해지다. ③ (도덕적으로) 타락하다, 전락하다(stoop). ④ 급습하다(*on, upon*). **:~·ant**[-ənt] *n.* Ⓒ 자손. **~·ent** *a.*
:de·scent[disént] *n.* Ⓤ,Ⓒ 하강; Ⓒ 내리받이(opp. ascent); Ⓤ 가계(lineage), 상속; 급습. ***make a ~ on*** 〔***upon***〕 …을 급습하다.
:de·scribe[diskráib] *vt.* 기술〔묘사〕하다(depict); 그리다(draw).
:de·scrip·tion[diskrípʃən] *n.* Ⓤ,Ⓒ 서술, 기술, 묘사; 특징; Ⓒ 종류, 종목. ***beggar*** (***all***) ***~,*** or ***be beyond ~*** 이루 말할 수 없다. ***˙de-scríp·tive*** *a.* 서술〔기술〕적인. ***de-scriptive grammar*** 기술 문법《규범 문법에 대하여》.
des·e·crate[désikrèit] *vt.* (…의) 신성을 더럽히다(profane). **-cra·tion**[dèsikréiʃən] *n.*
de·seg·re·gate[diːségrigèit] *vt., vi.* 《美》 (학교 등의) 인종〔흑인〕 차별 대우를 그만두다.
de·sert[1][dizɔ́ːrt] (〈deserve) *n.* (*pl.*) 공적(merit); 공죄(功罪), 당연한 응보.
˙de·sert[2] *vt.* 버리다(forsake); 도망〔탈주〕하다(*from*). **˙~·ed**[-id] *a.* 사람이 살지 않는; 황폐한; 버림받은. **~·er** *n.* Ⓒ 유기자; 탈주자. **˙de-sér·tion** *n.* Ⓤ 유기, 탈당, 탈함(脫艦), 탈주.
:des·ert[3][dézərt] *n., a.* Ⓒ 사막(지방)(의); 불모의.
:de·serve[dizɔ́ːrv] *vt.* (상·벌을) 받을 만하다, …할 가치가 있다, …할 만하다(be worthy)(*of*). **de·serv-ed·ly**[-idli] *ad.* 당연히. **de·sérv-ing** *a.* 당연히 …을 받아야 할, …할 만한(*of*); 공적 있는.
des·ic·cate[désikèit] *vi., vt.* 건조시키다〔하다〕.
†de·sign[dizáin] *n.* ① Ⓤ 설계; 디자인; Ⓒ 밑그림, 도안. ② Ⓤ 구상, 줄거리. ③ Ⓒ 계획(scheme), 목적, 의도; 음모(plot)(*against, on*). ***by ~*** 고의로. — *vt.* ① 도안을 만들다, 설계하다. ② 계획〔기도〕하다(plan). ③ …으로 예정하다, 마음먹다(intend)(*~ one's son for* 〔*to be*〕 *an artist*). **:~·er** *n.* Ⓒ 설계자; 도안가, 디자이너; 음모가. **~·ing** *a., n.*
:des·ig·nate[dézignèit] *vt.* 가리키다; 명명하다; 지명〔선정〕하다; 임명하다(appoint). — [-nit, -nèit] *a.* 지명〔임명〕된. **˙-na·tion**[dèzignéiʃən] *n.* Ⓤ 명시; 지정; 임명; Ⓒ 명칭; 칭호.
:de·sir·a·ble[dizáiərəbəl] *a.* 바람직한; 갖고 싶은. **˙-bil·i·ty**[dizàiərəbíləti] *n.*
†de·sire[dizáiər] *vt.* 원하다, 바라다, 요구〔욕구〕하다, 구하다(ask for). — *n.* Ⓤ,Ⓒ 소원(wish); 욕구; Ⓒ 바라는 것; Ⓤ,Ⓒ 정욕. ***at one's ~*** 희망에 따라.
˙de·sir·ous[dizáirəs/-záiər-] *a.* 바라는(*of*); 원하는(*to* do; *that*).
de·sist[dizíst] *vi.* 단념하다, 그만두다(cease)(*from*).
†desk [desk] *n.* Ⓒ 책상; (the ~) 《美》 (신문사의) 편집부, 데스크; 《美》 설교단(pulpit).
désk·tòp *a.* 탁상용의《컴퓨터 등》. — *n.* Ⓒ 〖컴〗 탁상.
désktop públishing 〖컴〗 탁상 출판《퍼스널 컴퓨터와 레이저 프린터를 이용한 인쇄 대본 작성 시스템; 생략 DTP》.
:des·o·late[désəlit] *a.* 황폐한, 황량한(waste), 사람이 안 사는(deserted); 고독한, 쓸쓸한; 음산한(dismal). — [-lèit] *vt.* 황폐케 하다; 주민을 없애다; 쓸쓸〔비참〕하게 하다.

~·**ly** *ad.* ˙**-la·tion**[dèsəléiʃən] *n.* Ⓤ 황폐, 황량, 쓸쓸함, 서글픔; Ⓒ 폐허.

:de·spair[dispέər] *n., vi.* Ⓤ 절망(하다); Ⓒ 절망의 원인. ~·**ing**[-spέəriŋ] *a.*

des·patch[dispǽtʃ] *v., n.* = DISPATCH.

des·per·a·do[dèspəréidou, -rɑ́:-] *n.* (*pl.* ~(**e**)**s**) Ⓒ 목숨 아까운 줄 모르는 흉한(兇漢), 무법자.

:des·per·ate[déspərit] *a.* 절망적인; 필사적인; 자포자기의; 터무니없는. ***a ~ fool*** 형편 없는 바보. **:~·ly** *ad.* ˙**-a·tion**[dèspəréiʃən] *n.* Ⓤ 절망; 기를 씀, 필사, 자포자기.

des·pi·ca·ble[déspikəbəl, dispík-] *a.* 야비한; 비열한(mean). **-bly** *ad.*

:de·spise[dispáiz] *vt.* ① 경멸하다. ② 싫어[혐오]하다. **de·spís·er** *n.*

:de·spite[dispáit] *n.* Ⓤ 모욕; 원한, 증오. (***in***) ~ ***of*** …에도 불구하고. — *prep.* …에도 불구하고.

de·spoil[dispɔ́il] *vt.* 약탈하다. ~·**er** *n.* Ⓒ 약탈자. ~·**ment** *n.* Ⓤ 약탈.

de·spond[dispɑ́nd/-ɔ́-] *vi.* 낙담하다. ~·**ence,** ~·**en·cy**[-ənsi] *n.* Ⓤ 낙담. ~·**ent** *a.*

˙**des·pot**[déspət, -pɑt/-pɔt, -pət] *n.* Ⓒ 전제 군주, 독재자(autocrat); 폭군(tyrant). ~·**ism**[-ìzəm] *n.* Ⓤ 압제, 압박, 횡포; 독재 정치; Ⓒ 절대 군주국. ~·**ic**[despɑ́tik/-ɔ́-], ~·**i·cal**[-əl] *a.* 횡포[포악]한.

:des·sert[dizə́:rt] *n.* Ⓤ,Ⓒ 디저트 《dinner 끝에 나오는 과자·과일 따위》.

:des·ti·na·tion[dèstənéiʃən] *n.* Ⓒ 목적지; 보낼 곳; Ⓤ,Ⓒ 목적, 용도.

:des·tine[déstin] *vt.* 운명짓다; 예정하다, 할당하다. ***be ~d for*** …에 가기로[…이 되기로] 되어 있다.

:des·ti·ny[déstəni, -ti-] *n.* Ⓤ 운명, 천명(fate).

˙**des·ti·tute**[déstət*j*ù:t/-tjù:t] *a.* 결핍한, (…이) 없는(*of*); (생활이) 궁색한(needy).

des·ti·tu·tion [∸–t*j*ú:ʃən/-tjú:-] *n.* Ⓤ 결핍; 빈궁; 빈곤.

†**de·stroy**[distrɔ́i] *vt.* 파괴하다(demolish); 멸(滅)하다, 죽이다; 폐하다(abolish). — *vi.* 파괴되다; 부서지다. ~ ***oneself*** 자살하다. ˙~·**er** *n.* Ⓒ 파괴자; 구축함.

:de·struc·tion[distrʌ́kʃən] *n.* Ⓤ 파괴(destroying); 멸망.

de·struc·tive[distrʌ́ktiv] *a.* 파괴적인; 파멸시키는(*of*); 유해한(*to*). ~·**ly** *ad.*

des·ul·to·ry[désəltɔ̀:ri/-təri] *a.* 산만한, 종작 없는. **-ri·ly** *ad.* **-ri·ness** *n.*

˙**de·tach**[ditǽtʃ] *vt.* 분리하다(separate)(*from*); 분견[파견]하다. ~·**a·ble** *a.* ˙~**ed**[-t] *a.* 떨어진; 공평한(impartial); 분견(分遣)된; 초연한, 편견이 없는. ***~ed palace*** 별궁. ˙~·**ment** *n.* Ⓤ 분리(opp. attachment); 초월; Ⓒ 《집합적》 분견대. ***artistic detachment*** 〖文〗 초연 기교《작품 속에 필자의 생활 감정 등을 개입시키지 않는 일》.

:de·tail[dí:teil, ditéil] *n.* Ⓒ 세부; 부분도; (*pl.*) 상세한 내용; Ⓒ 《집합적》 분견대. ***go into ~*** 자세히 말하다. ***in ~*** 상세히. — *vt.* 상술(詳述)하다; 〖軍〗 선발[특파]하다. **:~ed** [-d] *a.* 상세한(minute).

˙**de·tain**[detéin] *vt.* 말리다, 붙들다(hold back); 억류[구류]하다.

de·tain·ee[diteiní:] *n.* Ⓒ 억류자.

:de·tect[ditékt] *vt.* 발견하다(find out). **de·téc·tion** *n.* Ⓤ,Ⓒ 발견, 탐지. ˙**de·téc·tor** *n.* Ⓒ 발견자, 탐지자[기](*a lie* ~); (라디오의) 검파기. **:de·téc·tive** *n., a.* Ⓒ 탐정[형사](의). ***detective story*** 탐정[추리]소설.

dé·tente[deitɑ́:nt] *n.* (F.) Ⓒ (국제간의) 긴장 완화.

de·ten·tion[diténʃən] *n.* Ⓤ 붙듦(detaining); 억류, 구류(confinement). ~ ***home*** 소년원. ~ ***hospital*** 격리 병원.

de·ter[ditə́:r] *vt.* (**-rr-**) 방해하다(*from*); 단념시키다(*from* do*ing*). ~·**ment** *n.* Ⓤ 방해, 방지; 단념시키는 사정(事情).

de·ter·gent[ditə́:rdʒənt] *a., n.* 깨끗하게 하는; Ⓤ,Ⓒ (합성) 세제.

D

de·te·ri·o·rate[ditíəriərèit] *vt., vi.* 악화[저하·타락]시키다[하다]. **-ra·tion**[ditìəriəréiʃən] *n.*

de·ter·mi·nant[ditə́:rmənənt] *n., a.* Ⓒ 결정자[물], 결정하는 [요소]; 〖數〗 행렬식; 〖生〗 결정소(素); 〖論〗 한정사(辭).

:de·ter·mine[ditə́:rmin] *vt.* (…에게) 결심시키다; 결정[확정]하다(fix); 한정하다; 측정하다. ***be ~d*** 결심하(고 있)다. — *vi.* 결심하다; 결정하다. **:-mi·na·tion**[–ˌ–néiʃən] *n.* Ⓤ 결심; 확정(確定); 판결; 측정. **-mi·na·tive**[ditə́:rminèitiv, -nə-] *a., n.* 결정[한정]적인; Ⓒ 〖文〗 한정사《관사·지시 대명사 따위》. **-min·ism** [-ìzəm] *n.* Ⓤ 〖哲〗 결정론.

·de·ter·mined[ditə́:rmind] *a.* 결심한; 결의가 굳은; 확정된.

de·ter·rent[ditə́:rənt, -tér-] *a., n.* 제지하는, Ⓒ 방해하는(deterring) (것), 방해물(***nuclear ~ power*** 핵 저지력); 《英》 핵무기.

·de·test[ditést] *vt.* 미워[싫어]하다 (hate). **~·a·ble** *a.* 몹시 싫은. **de·tes·ta·tion**[dì:testéiʃən] *n.* Ⓤ 혐오; Ⓒ 몹시 싫은 것.

de·throne[diθróun] *vt.* (왕을) 폐하다(depose). **~·ment** *n.* Ⓤ 폐위, 퇴위.

de·tour[dí:tuər, ditúər] *n.* Ⓒ 우회로.

de·tract[ditrǽkt] *vt., vi.* (가치·명성 따위를) 떨어뜨리다, 손상시키다 (*from*). **de·trác·tion** *n.* Ⓤ 훼손; 비방. **de·trác·tive** *a.* **de·trác·tor** *n.*

det·ri·ment[détrəmənt] *n.* Ⓤ 손해 (damage). **-men·tal**[dètrəméntl] *a., n.* 유해한(*to*); Ⓒ 《英俗》 탐탁지 않은 구혼자《차남·삼남 따위》.

de·tri·tus[ditráitəs] *n.* Ⓤ 쇄석(碎石), 암설(岩屑); = DEBRIS.

deuce[dju:s/dju:s] *n.* Ⓒ (주사위·카드놀이의) 2점(의 눈·패); Ⓤ 〖테니스〗 듀스; 불운, 재액; Ⓒ 악마. ***a*** [***the***] ***~ of a …*** 굉장한, 대단한. ***~ a bit*** 결코 …아니다. ***D-knows!*** 알게 뭐야! ***D- take it!*** 제기랄!, 아뿔싸! ***go to the ~*** 멸망하다; 《명령법으로》 뒈져라! ***the ~*** 도대체. ***The ~ is in it if I cannot!*** 내가 못하다니 말이 돼. — *vt.* 〖테니스〗 (경기를) 듀스로 만들다. **deuc·ed** [ˊsid, -st] *a., ad.* 《英口》 지독한 [히]. **deuc·ed·ly**[-sidli] *ad.* 지독히, 지겹도록.

Déut·schmàrk [dɔ́itʃ-] 독일 마르크《독일의 화폐 단위; 생략 DM》.

·dev·as·tate[dévəstèit] *vt.* 약탈하다; 망치다, (국토를) 황폐케 하다. **-ta·tion**[dèvəstéiʃən] *n.*

dev·as·tat·ing [-iŋ] *a.* (아주) 호된(반론, 조소 등); 《口》 아주 좋은, 대단한, 못견딜.

†de·vel·op[divéləp] *vt., vi.* 발달[발전]시키다[하다]; 계발하다; 〖寫〗 현상하다; 〖樂〗 (선율을) 전개시키다. **:~·ment** *n.* Ⓤ 발달, 발전; 전개. **~·er** *n.* **~·ing** *a.* 발전 도상의.

devélopment àrea 《英》 (산업) 개발 지구.

de·vi·ate[dí:vièit] *vi., vt.* (옆으로) 빗나가(게 하)다(turn aside). **-a·tor** *n.* Ⓒ 일탈자; 빗나가는 것.

·de·vi·a·tion[dì:viéiʃən] *n.* Ⓤ,Ⓒ 벗어남, 일탈(逸脫); 오차; Ⓒ 〖統〗 편차. **~·ism**[-ìzəm] *n.* Ⓤ (정당에서의) 당규 일탈, (주류에서의) 이탈. **~·ist** *n.* Ⓒ 일탈[편향]자.

:de·vice[diváis] *n.* Ⓒ 계획; 고안; 장치; 도안(design), 의장; 기장(記章); 계략(trick). ***be left to one's own ~s*** 혼자 힘으로 하게 내버려두다.

:dev·il[devl] *n.* Ⓒ ① 악마《저주를 나타내는 말의 용법은 deuce와 같음》; (the D-) = SATAN. ② 악인. ③ 비상한 정력가; (인쇄소의) 사동. ④ 〖料理〗 매운 불고기. ***be a ~ for*** …광이다. ***beat the ~'s*** TATTOO[1]. ***be ~ may care*** 전혀 무관심이다. ***between the ~ and the deep sea*** 진퇴 양난에 빠져서. ***~ a bit*** 조금도 …아닌. ***~'s advocate*** 험구가, 트집쟁이. ***~'s books*** 카드 패. ***give the ~ his due*** 어떤[싫은] 상대에게도 공평히 하다. ***go to the ~*** = go to the DEUCE. ***It's the ~*** (***and all***). 그거 난처하다, 귀찮은데. ***raise the ~*** 《俗》 소동을 일으키다. ***The ~ take the hindmost!*** 뒤떨

D

어진 놈 따위 알게 뭐야(악마에게나 잡아 먹혀라). **the ~ to pay** 앞으로 일어날 골칫거리[곤란]. **whip the ~ round the post** [**stump**] 《美》 교묘한 구실로 곤란을 타개하다. — *vt., vi.* (《英》 **-ll-**) (고기에) 후추(따위)를 발라 굽다; 절단기에 넣다; 《美口》 괴롭히다; 하청일[대작(代作)]을 하다(*for*). **∠·ish** *a., ad.* 악마 같은, 극악무도[잔혹]한; 《口》 극도의[로]. **∠·ment** *n.* U,C 악행.

dévil-may-cáre *a.* 무모한(reckless); 태평한.

dev·il·(t)ry [-(t)ri] *n.* U,C 악마의 소행, 악행; 마법.

de·vi·ous [díːviəs, -vjəs] *a.* 꾸불꾸불한(winding); 우회하는; 인륜(人倫)을 벗어난.

:de·vise [diváiz] (cf. device, divide) *vt.* 안출[궁리]하다; 【法】 유증(遺贈)하다.

·de·void [divɔ́id] *a.* (…을) 결한, (…이) 전혀 없는(lacking)(*of*).

de·volve [diválv/-ɔ́-] *vt., vi.* (임무 따위) 맡기(어지)다; 넘겨지다, 넘어가다; 전하(여지)다. (임무가) 돌아오다(*to, upon*). **dev·o·lu·tion** [dèvəlúːʃən/dìːv-] *n.* U 상전(相傳); 양도; 계승; 【生】 퇴화.

:de·vote [divóut] *vt.* (심신을) 바치다(*to*). **~ oneself to** …에 전념하다; …에 빠지다[몰두하다]. **·de·vot·ed** [-id] *a.* 헌신적인; 열애(熱愛)하는. **de·vót·ed·ly** *ad.* **de·vót·ed·ness** *n.* **dev·o·tee** [dèvoutíː] C 귀의자(歸依者); 열성가(*of, to*).

:de·vo·tion [divóuʃən] *n.* U 헌신; 전념, 귀의; 애착; (*pl.*) 기도. **~·al** *a.*

:de·vour [diváuər] *vt.* ① 게걸스럽게 먹다; 먹어치우다. ② (화재 따위가) 멸망시키다(destroy). ③ 탐독하다; 뚫어지게 보다; 열심히 듣다. ④ 열중케 하다(absorb). **~·ing·ly** *ad.* 게걸들린 듯이, 탐하듯이.

·de·vout [diváut] *a.* 경건한; 열심인; 성실한. **~·ly** *ad.* **~·ness** *n.*

:dew [djuː/djuː] *n.* U 이슬; (땀·눈물의) 방울. — *vt., vi.* 이슬로 적시다; 이슬이 내리다. **It ~s.** 이슬이 내리다. **dew·y** [∠i] *a.* 이슬을 머금은; (잠 따위) 상쾌한.

déwy-eýed *a.* 천진난만한 (눈을 가진), 순진한.

dex·ter·ous [dékstərəs] *a.* (손재간이) 능란한(skillful); 기민한, 영리한. **~·ly** *ad.* **·dex·ter·i·ty** [dekstérəti] *n.* U 솜씨좋음; 기민함.

dex·trose [dékstrous] *n.* U 【化】 포도당.

di·a·be·tes [dàiəbíːtis, -tiːz/-tiːz] *n.* U 【醫】 당뇨병. **-bet·ic** [-bétik, -bíː-] *a., n.* C 당뇨병의 (환자).

di·a·bol·ic [dàiəbálik/-ɔ́-], **-i·cal** [-əl] *a.* 악마(적)인, 극악 무도한.

di·a·dem [dáiədèm] *n.* C 왕관; 왕권, 왕위, 주권.

di·ag·nose [dàiəgnóus, -nóuz/dáiəgnòuz, ∸–∠] *vt.* 【醫】 진단하다.

·di·ag·no·sis [dàiəgnóusis] *n.* (*pl.* **-noses** [-siːz]) U,C 진단(법); 【生】 표징(標徵). **-nos·tic** [-nástik/-ɔ́-] *a.*

di·ag·o·nal [daiǽgənəl] *n., a.* C 【數】 대각선(의), 비스듬한. **~·ly** *ad.*

:di·a·gram [dáiəgræ̀m] *n.* C 도표, 도식. **~·mat·ic** [dàiəgrəmǽtik], **-i·cal** [-əl] *a.* **-i·cal·ly** *ad.*

:di·al [dáiəl] *n.* C (시계·계기·라디오·전화 따위의) 다이얼, 문자반, 지침반(~ plate); =SUNDIAL. — *vt., vi.* (《英》 **-ll-**) 다이얼을 돌리다; 전화를 걸다.

·di·a·lect [dáiəlèkt] *n.* U,C 방언; 파생 언어; (어떤 직업·계급 특유의) 통용어, 말씨. **di·a·lec·tal** [dàiəléktl] *a.*

di·a·lec·tic [dàiəléktik] *a.* 변증(법)적인. — *n.* U (종종 *pl.*) 변증법.

di·a·lec·ti·cal [-əl] *a.* =↑.

:di·a·log(ue) [dáiəlɔ̀ːg, -làg/-lɔ̀g] *n.* U,C 문답, 대화; 대화체.

díal tòne (전화의) 발신음.

:di·am·e·ter [daiǽmitər] *n.* C 직경. **di·a·met·ri·c** [dàiəmétrik], **-ri·cal** [-əl] *a.* 직경의; 정반대의. **di·a·mét·ri·cal·ly** *ad.*

:dia·mond [dáiəmənd] *n.* U,C 다이아몬드, 금강석; C 유리칼; (카드의) 다이아; 마름모꼴; 【野】 야구장, 내야. ***a ~ in the rough,*** or ***a rough***

D

～ 천연 (그대로의) 다이아몬드; 거칠지만 실은 훌륭한 인물. **～ *cut* ～** (불꽃 튀기는 듯한) 호적수의 대결. **～ *of the first water*** 일등 광택의 다이아몬드; 일류의 인물.
díamond wédding 다이아몬드혼식《결혼 60 또는 75 주년 기념식》.
di·a·per[dáiəpər] *n., vt.* Ⓤ 마름모꼴 무늬의 무명; Ⓒ 기저귀(를 채우다); Ⓤ 마름모꼴 무늬(로 꾸미다).
di·aph·a·nous[daiǽfənəs] *a.* 투명한, 비치는. **～·ly** *ad.* **～·ness** *n.*
di·a·phragm [dáiəfræ̀m] *n.* Ⓒ 〖解〗 횡격막(橫隔膜); (전화기의) 진동판; (사진기의) 조리개.
di·ar·rhe·a, 《英》 **-rhoe·a**[dàiəríːə] *n.* Ⓤ 설사(loose bowels).
†**di·a·ry** [dáiəri] *n.* Ⓒ 일기(장). **dí·a·rist** *n.*
Di·as·po·ra[daiǽspərə] *n.* (the ～) ① 유대인의 이산《Babylon 포수(捕囚) 이후의》; 《집합적》 팔레스타인 이외에 사는 유대인. ②(d-) 《집합적》 이산한 장소.
di·a·ton·ic[dàiətánik/-5-] *a.* 〖樂〗 온음계의(cf. chromatic).
di·a·tribe[dáiətràib] *n.* Ⓒ 통렬한 비난, 혹평.
·**dice**[dais] *n. pl.* (*sing.* **die**) ① 주사위; 《단수 취급》 주사위 놀이, 노름. ② 작은 입방체(small cubes). ── *vi.* 주사위 놀이를 하다. ── *vt.* (주사위) 노름으로 잃다; (야채 따위를) 골패짝 모양으로 썰다.
di·chot·o·my[daikátəmi/-5-] *n.* Ⓤ,Ⓒ 2분하는(되는) 일; 〖論〗 2분법; 〖生〗 2차분지(二叉分枝); 〖天〗 반월 배열(半月配列).
dick [dik] *n.* 《俗》 《다음 용법뿐》 ***take one's ～*** 선서하다(*to; that*).
dick·ens[díkinz] *n., int.* 《口》 = DEVIL.
dick·ey, dick·y[díki] *n.* Ⓒ 당나귀; **= ∠·bird** 작은 새; (와이셔츠·블라우스의, 뗄 수 있는) 가슴판, 앞 장식; (아이의) 턱받이; 《英方》 (마차의) 마부석.
:**dic·tate**[díkteit, -∠] *vt., vi.* 받아쓰게 하다; 명령하다. ── [∠-] *n.* Ⓒ (보통 *pl.*) 명령, 지령.
:**dic·ta·tion**[diktéiʃən] *n.* Ⓤ 구술(口述), 받아쓰기; 명령, 지령. ***at the ～ of*** …의 지시에 따라.
·**dic·ta·tor**[díkteitər, -∠-] *n.* Ⓒ 구술자; 명령(독재)자.
dic·ta·to·ri·al[dìktətɔ́ːriəl] *a.* 독재자의, 독재적인(despotic); 명령적인, 오만한.
·**dictátor·shìp** *n.* Ⓒ 독재국(정권); Ⓤ,Ⓒ 독재(권); 집정관의 지위.
·**dic·tion**[díkʃən] *n.* Ⓤ 말씨; 용어.
†**dic·tion·ar·y**[díkʃənèri/-ʃənəri] *n.* Ⓒ 사전, 사서(辭書).
dic·tum[díktəm] *n.* (*pl.* **～s, -ta**) Ⓒ 단언, 언명; 격언.
†**did**[did] *v.* do[1]의 과거.
di·dac·tic [daidǽktik], **-ti·cal** [-əl] *a.* 교훈적인.
did·dle[dídl] *vt., vi.* 《口》 편취하다(swindle); (시간을) 낭비하다(waste).
†**did·n't**[dídnt] did not의 단축.
di·dym·i·um[daidímiəm, di-] *n.* Ⓤ 〖化〗 디디뮴《희금속》.
·**die**[1][dai] *vi.* (**dying**) ① 죽다(***～ of hunger*** [***illness***] 아사[병사]하다/ ***～ from wounds*** 부상 때문에 죽다/ ***～ in an accident*** 사고로 죽다); 말라죽다. ② 희미해지다, 소멸하다 (*away, down*). ③ 그치다(*off, out*). ***be dying*** (탐나서, 하고 싶어) 못견디다(itch)(*for; to* do). **～ *away*** (바람·소리 등) 잠잠해지다; 실신하다. ～ GAME[1](*a.*). **～ *hard*** 쉽사리 죽지 않다[없어지지 않다]. **～ *in one's boots*** [***shoes***] 변사하다; 교수형을 받다. **～ *on the air*** (종소리 등이) 공중에서 사라지다. ***Never say ～!*** 죽는 소리 하지 마라.
†**die**[2] *n.* Ⓒ ① (*pl.* **dice**) 주사위. ② (*pl.* **～s**) 거푸집, 나사틀. ③ 찍어내는 틀, 수나사를 자르는 틀. ④ 다이스. ***be upon the ～*** 위태롭다(be at stake). ***straight as a ～*** 똑바른. ***The ～ is cast.*** 주사위는 던져졌다, 벌린 춤이다.
díe·hàrd *a., n.* Ⓒ 끝까지 저항하는 [버티는] (사람); 끈덕진 사람.
die·sel, D-[díːzəl, -səl] *n.* Ⓒ 디젤차(선); = ⇩.
·**díesel èngine** 디젤 엔진(기관).
:**di·et**[dáiət] *n.* Ⓒ,Ⓤ 상식(常食); Ⓒ (치료·체중 조절을 위한) 규정식. ***be***

put on a (***special***) ~ 규정식을 취하도록 지시되다. — *vt., vi.* 규정식을 주다〔취하다〕.

di·e·tar·y [dáiətèri/-təri] *a., n.* Ⓒ 식사〔음식〕의 (규정량); 규정식.

di·e·tet·ics [dàiətétiks] *n.* Ⓤ 식이 요법, 영양학.

di·e·ti·tian, -ti·cian [dàiətíʃən] *n.* Ⓒ 영양사〔학자〕.

:**dif·fer** [dífər] *vi.* 다르다(*from*); 의견을 달리하다(disagree)(*from, with*).

†**dif·fer·ence** [dífərəns] *n.* Ⓒ,Ⓤ 다름, 차이(점); 차(액); 불화; (종종 *pl.*) (국제간의) 분쟁. ***make a*** ~ 차가 있다; 중요하다; 구별짓다(*between*). ***split the*** ~ 타협하다; 서로 양보하다.

†**dif·fer·ent** [dífərənt] *a.* 다른(*from; to,* 때로 *than*); 여러 가지의. *~·**ly** *ad.*

·**dif·fer·en·tial** [dìfərénʃəl] *a.* 차별의, 차별적인, 차별하는; 특징의; 〖數〗 미분의; 〖機〗 차동(差動)의. ~ ***calculus*** 미분. ~ ***gear*** 차동 장치. — *n.* Ⓤ 미분; Ⓒ 차동 장치; 〖經〗 차별 관세, 협정 임금차.

·**dif·fer·en·ti·ate** [dìfərénʃièit] *vt., vi.* 차별〔구별〕하다〔이 생기다〕; 분화시키다〔하다〕; (*vi.*) 미분하다. **-a·tion** [ㅡㅡㅡʃiéiʃən] *n.* Ⓤ,Ⓒ 구별; 〖生〗 분화, 변이(變異); 특수화; 〖數〗 미분(微分).

†**dif·fi·cult** [dífikʌ̀lt, -kəlt] *a.* 어려운; 까다로운, 다루기 힘든(hard).

†**dif·fi·cul·ty** [dífikʌ̀lti] *n.* ① Ⓤ 곤란. ② Ⓒ 난국; 지장(obstacle). ③ Ⓒ 이의(異議); 《美》 논쟁. ④ (보통 *pl.*) 경제적 곤란, 궁박(窮迫). ***make*** 〔***raise***〕 ~ 이의를 제기하다. ***with*** ~ 간신히.

·**dif·fi·dent** [dífidənt] *a.* 자신 없는, 수줍은(shy). ~·**ly** *ad.* *-**dence** *n.* Ⓤ 자신 없음, 망설임(opp. confidence); 암띰, 수줍음.

dif·fract [difrǽkt] *vt.* 〖理〗 (광선·음향 등을) 회절(回折)시키다. **dif·frác·tion** *n.* Ⓤ 〖理〗 회절. **dif·frác·tive** *a.* 회절〔분해〕하는.

·**dif·fuse** [difjú:z] *vi., vt.* 발산〔유포〕하다〔시키다〕(spread). — [-s] *a.* 퍼진, 유포한; (문장·말 등이) 산만한. ~·**ly** *ad.* ~·**ness** *n.*

·**dif·fu·sion** [difjú:ʒən] *n.* Ⓤ 산포; 유포, 보급; 산만. **-sive** *a.*

:**dig** [dig] *vt.* (**dug,** 《古》 ~**ged; -gg-**) ① 파다, 파〔캐〕내다, 탐구하다(burrow)(*up, out*). ② 《口》 (손가락·팔꿈치로) 찌르다; (손톱·칼을) 찔러 넣다(*into, in*). ③ 《美俗》 보다, 듣다, 주의를 기울이다, 알다, 좋아하다. — *vi.* ① 파다; 파서 뚫다, 파나가다. ② 탐구하다(*for, into*). ③ 《美口》 꾸준히 공부하다(*at*). ~ ***down*** 파내려가다; 파무너뜨리다; 《美俗》 돈을 치르다. ~ ***in*** 파묻다, 찔러〔박아〕넣다; 참호를 파서 몸을 숨기다; 《口》 열심히 일하다. ~ ***into*** 《口》 …을 맹렬히 공부하다; 맹공격하다. ~ ***open*** 파헤치다. ~ ***out*** 파내다; 조사해 내다; 《美俗》 도망치다. ~ ***up*** 파서 일구다; 발굴하다; 《口》 드러내다, 들추어〔밝혀〕내다; 《美俗》 (이상〔불쾌〕한 사람·물건)을 만나다. — *n.* Ⓒ 한 번 찌르기; 쿡 찌르기(poke); 빈정거림, 빗댐; (*pl.*) 《주로 英口》 하숙(diggings). ***have*** 〔***take***〕 ***a*** ~ ***at*** …에게 귀에 거슬리는 소리를 하다.

:**di·gest** [didʒést, dai-] *vt.* ① 소화하다, 이해하다, 납득하다. ② (모욕·손해 따위를) 참다, 견디다. ③ 요약하다, 간추리다. — *vi.* 소화되다, 삭다. — [dáidʒest] *n.* Ⓒ 요약(summary); (문학 작품 따위의) 개요; 요약〔축약〕판; 법률집. ~·**i·ble** *a.* 소화되기 쉬운; 요약할 수 있는.

·**di·ges·tion** [didʒéstʃən, dai-] *n.* Ⓤ 소화(작용, 기능), 소화력. *-**tive** *a., n.* 소화의〔를 돕는〕; Ⓒ 《단수형》 소화제.

dig·ger [dígər] *n.* Ⓒ 파는 사람〔도구〕; (금광의) 갱부; (D-) 음식물을 도르는 따위의 봉사를 하는 히피.

dig·it [dídʒit] *n.* Ⓒ ① 손〔발〕가락(finger, toe). ② (0에서 9까지의) 아라비아 숫자.

dig·it·al [dídʒitl] *a.* 손가락의; (컴퓨터 등이) 계수형인, 디지털형의. — *n.* Ⓒ 손〔발〕가락; 〖컴〗 디지털.

dígital compúter 〖컴〗 디지털 컴퓨터.

dígital recórding 디지털 녹음.

·**dig·ni·fy** [dígnəfài] *vt.* (…에) 위엄

D

을〔품위를〕 부여하다. **˙-fied**[-d] *a.* 위엄〔품위·관록〕 있는; 고귀한.

dig·ni·tar·y[dígnətèri/-təri] ***n.*** Ⓒ 고위 성직자, 고승; 귀인, 고관.

:dig·ni·ty[dígnəti] ***n.*** ① Ⓤ 위엄, 존엄, 관록, 품위. ② Ⓒ 고위층 인물, 고관; 《집합적》 고위층. ***be beneath one's ~*** 체면에 관계되다, 위신을 손상시키다. ***stand*** 〔***be***〕 ***upon one's ~*** 점잔을 빼다; 뽐내다. ***with ~*** 위엄있게, 점잔빼고.

di·gress[daigrés, di-] *vi.* 본론에서 벗어나다, 탈선하다(deviate). **di·grés·sion** ***n.*** Ⓤ,Ⓒ 여담, 탈선; 본제를 벗어나 지엽으로 흐름. **di·grés·sive** *a.*

D

dike[daik] ***n., vt.*** Ⓒ 둑(을 쌓다)(bank); 도랑(을 만들다, 을 만들어서 배수(排水)하다); 《美俗》 레스비언.

di·lap·i·dat·ed[dilǽpədèitid] *a.* (집 따위가) 황폐한, 황량한; (옷 따위가) 남루한, 초라한. **-da·tion**[–ˌ–déiʃən] ***n.***

˙di·late[dailéit, di-] ***vt.*** 넓게 펴다, 팽창〔확장〕시키다. — ***vi.*** 넓어지다; 상세히 말하다, 부연하다(***upon***). **dil·a·ta·tion**[dìlətéiʃən, dàil-], **di·la·tion**[dailéiʃən, di-] ***n.***

dil·a·to·ry[dílətɔ̀ːri/-təri] *a.* 완만한, 느린.

:di·lem·ma[dilémə] ***n.*** Ⓒ 진퇴양난, 궁지, 딜레마; 〖論〗 양도(兩刀)논법.

dil·et·tan·te[dìlətǽnti, -tάːnt] ***n.*** (*pl.* **~s, -ti**[-tiː]) Ⓒ 예술 애호가, 아마추어 예술가. — *a.* 딜레탕트(풍)의. **-tant·ism**[-ìzəm] ***n.*** Ⓤ 딜레탕티즘, 예술 애호; 서투른 기예.

:dil·i·gence[dílədʒəns] ***n.*** Ⓤ 부지런함, 근면, 노력.

:dil·i·gent[dílədʒənt] *a.* 부지런한. **˙~·ly** *ad.*

dil·ly·dal·ly[dílidæ̀li] *vi.* 꾸물대다(waste time); 빈둥거리다(loiter).

di·lute[dilúːt, dailúːt] ***vt., vi.*** 묽게 하다(thin), 희석(稀釋)하다; 약하게 하다(weaken). — *a.* 묽게 한, 약한, 묽은. **di·lú·tion** ***n.*** Ⓤ 희석; Ⓒ 희석액. ***dilution of labor*** (비숙련공 때문에 생기는) 노동 희석〔능률 저하〕.

:dim[dim] *a.* (**-mm-**) 어둑한, 어슴푸레한; (소리 따위) 희미한; (빛깔·이해력이) 둔한; 비관적인(***a ~ view***). — ***vi., vt.*** (**-mm-**) 어둑하게 하다, 어둑해지다; 둔하게 하다, 둔해지다; 흐려지다, 흐리게 하다. ***~ out*** 등불을 어둡게 하다. **˙∠·ly** *ad.* **∠·ness** ***n.***

˙dime[daim] ***n.*** Ⓒ (미국·캐나다의) 10센트 은화.

˙di·men·sion[diménʃən, dai-] ***n.*** Ⓒ (길이·폭·두께의) 치수; 〖數〗 차(次); 〖컴〗 차원; (*pl.*) 용적; 규모, 크기(size); 《美俗》 (여자의) 버스트·웨이스트·히프의 사이즈. **~·al** *a.*

:di·min·ish[dimíniʃ] ***vt., vi.*** 줄이다, 감소시키다〔하다〕; (*vt.*) 〖樂〗 반음 낮추다. ***~ed fifth*** 감오도(減五度).

di·min·u·en·do [dimìnjuéndou] *ad.* (It.) 〖樂〗 점점 여리게.

˙dim·i·nu·tion[dìmən*j*úːʃən] ***n.*** Ⓤ 감소, 축소; Ⓒ 감소액〔량·분〕.

˙di·min·u·tive[dimínjətiv] *a.* 작은; 〖言〗 지소(指小)의. — ***n.*** Ⓒ 〖言〗 지소사(辭)《owl*et*, lamb*kin*, book*let*, duck*ling* 등》(opp. augmentative).

dim·mer[dímər] ***n.*** Ⓒ (헤드라이트의) 제광기(制光器), (무대 조명의) 조광기(調光器).

˙dim·ple[dímpəl] ***n., vt., vi.*** Ⓒ 보조개(를 짓다, 가 생기다); 움푹 들어간 곳; 움푹 들어가(게 하)다; 잔물결을 일으키다, 잔물결이 일다.

dím·wit ***n.*** Ⓒ 《口》 얼간이, 멍청이, 바보.

dím-wítted *a.* 《口》 얼간이〔바보〕의.

˙din[din] ***n., vt., vi.*** (**-nn-**) Ⓤ 소음(을 일으키다, 이 나다); 큰 소리로 되풀이 하다(say over and over).

:dine[dain] *vi., vt.* 식사를 하다〔시키다〕; 정찬(dinner)을 들다〔에 초대하다〕. ***~ on*** 〔***off***〕 식사에 (…을) 먹다. ***~ out*** (초대되어) 밖에서 식사하다. **din·er**[dáinər] ***n.*** Ⓒ 식사하는 사람; 식당차; 식당차식 음식점.

ding-dong[∠dɔ̀ːŋ] ***n.*** Ⓒ 땡땡, 댕댕《종소리 등》. — *ad.* 부지런히. — *a.* (경쟁 따위) 접전의.

din·ghy, din·gey[díŋgi] ***n.*** Ⓒ (인도의) 작은 배.

*__din·gy__[díndʒi] *a.* 거무스름한(dark); 더러운, 지저분한; 그을은(smoky). **-gi·ly** *ad.* **-gi·ness** *n.*
díning càr 식당차.
díning tàble 식탁.
dink·y[díŋki] *a.* 《口》 작은, 왜소한, 빈약한; 《英口》 말쑥한, 청초한, 멋진, 예쁜. — *n.* Ⓒ 소형 기관차.
†__din·ner__[dínər] *n.* ⓊⒸ 정찬(正餐) 《하루 중의 으뜸 식사》; (손님을 초대하는) 만찬, 오찬(午餐).
dínner còat 〔**jàcket**〕 = TUXEDO.
*__di·no·saur__ [dáinəsɔ̀ːr] *n.* Ⓒ 〖古生〗 공룡(恐龍).
*__dint__[dint] *n.* Ⓒ 두들겨 움푹 들어간 곳〔자국〕(dent); Ⓤ 힘(force). ***by ~ of*** …의 힘으로, …에 의하여. — *vt.* (두들겨서) 자국을 내다(dent).
di·o·cese[dáiəsis, -sìːs] *n.* Ⓒ 주교 관구. **di·oc·e·san**[daiɑ́səsən] *a., n.* Ⓒ 주교(bishop) 관구의 (주교).
*__di·ox·ide__[daiɑ́ksaid, -sid/-ɔ́ksaid] *n.* Ⓒ 〖化〗 이산화물.
:__dip__[dip] *vt.* (**~ped,** 《古》 **~t; -pp-**) ① 담그다, 적시다; 살짝 적시다. ② (…에게) 침례를 베풀다. ③ (신호기 따위를) 조금 내렸다 곧 올리다. ④ (양(羊)을) 살충액에 담그어 씻다. ⑤ 퍼내다(*out*), 건져올리다(*up*). ⑥ (양초를) 만들다. — *vi.* ① 젖다, 잠기다; 가라앉다, 내려가다. ② (떠내기 위해 손·국자를) 디밀다. ③ 대충 읽다(~ *into a book*). — *n.* Ⓒ ① 담금, 적심; 한번 잠기기〔멱감기〕. ② 경사; 하락; 우묵함. ③ (실심지) 양초. ④ (비행기의) 급강하. ⑤ 《俗》 소매치기.
*__diph·the·ri·a__[difθíəriə, dip-] *n.* Ⓤ 〖醫〗 디프테리아.
diph·thong[dífθɔːŋ, díp-/-θɔŋ] *n.* Ⓒ 〖音聲〗 2중 모음《ai, au, ɔi, ou, ei, uə 따위》.
*__di·plo·ma__[diplóumə] *n.* Ⓒ 졸업 증서; 학위 증서; 면허장; 상장.
*__di·plo·ma·cy__[diplóuməsi] *n.* Ⓤ 외교(수완).
*__dip·lo·mat__[dípləmæ̀t] *n.* Ⓒ 외교관〔가〕. **di·plo·ma·tist**[diplóumətist] *n.* 《英》 = DIPLOMAT.
*__dip·lo·mat·ic__[dìpləmǽtik] *a.* 외교상의; 외교에 능한; 고문서학의.
diplomátic immúnity 외교관 면책 특권《관세·체포 등을 면한》.
*__dip·per__[dípər] *n.* Ⓒ ① 적시는〔푸는〕 사람〔것〕, 국자(ladle). ② (the D-) 북두(칠)성. ***the Big D-*** 북두칠성. ***the Little D-*** (작은곰자리의) 소북두칠성.
dip·so·ma·ni·a[dìpsouméiniə] *n.* Ⓤ 알코올 의존증〔중독〕. **-ma·ni·ac** [-méiniæ̀k] *n.* Ⓒ 알코올 중독자.
díp·stìck *n.* Ⓒ 유량계(油量計)《탱크 등의 속에 넣어 재는》.
*__dire__[daiər] *a.* 무서운; 극도의(extreme); 긴급한.
†__di·rect__[dirékt, dai-] *vt.* ① 지도〔지휘〕하다; 관리〔감독〕하다(manage); 통제하다(control). ② (영화·극 따위를) 연출하다(cf. produce). ③ (주의·노력을) 돌리다(aim)(*at, to, toward*). ④ …앞으로 (편지를) 내다〔겉봉을 쓰다〕(*to*). ⑤ 길을 가리키다. — *a.* 똑바른, 직접의; 솔직한; 완전한, 정확한(exact)(*the ~ opposite*). ***a ~ descendant*** 직계 자손.
diréct áction 직접 행동《권리를 위한 파업·데모·시민적 저항 등》.
diréct cúrrent 〖電〗 직류.
†__di·rec·tion__[dirékʃən, dai-] *n.* ① ⒸⓊ 방위, 방향. ② Ⓒ 경향; 범위. ③ (보통 *pl.*) 지휘, 명령, 지시, 감독. ④ ⓊⒸ 지도; 관리. ⑤ Ⓤ 〖劇·映〗 감독, 연출. ***in all ~s*** 사면 팔방으로. **~·al** *a.* 방향〔방위〕의. **-tive** *a., n.* 지휘〔지도〕하는; 〖無電〗 지향(식)의; Ⓒ 지령.
:__di·rect·ly__[diréktli, dai-] *ad.* 곧바로; 직접(으로); 즉시. — *conj.* = as soon as.
diréct narrátion 〔**óbject**〕 〖文〗 직접 화법〔목적어〕.
:__di·rec·tor__[diréktər, dai-] *n.* Ⓒ 지휘자, 지도자; 중역, 이사; 교장; 감독; 〖劇〗 연출가(《英》 producer). **~·ship**[-ʃip] *n.* Ⓤ director의 직〔임기〕.
di·rec·to·rate[diréktərit, dai-] *n.* ① Ⓤ director의 직. ② Ⓒ 중역〔이사〕회, 간부회; 중역진.
di·rec·to·ri·al[direktɔ́ːriəl, dài-] *a.* 지휘(자)의; 관리(자)의.

D

·di·rec·to·ry [diréktəri, dai-] *n.* Ⓒ 주소 성명록, 인명부; 지령〔훈령〕서; 예배 규칙서; 중역〔이사·간부〕회(directorate); 〖컴〗 자료방, 디렉토리. ***telephone*** ~ 전화 번호부. — *a.* 지휘〔관리〕의.

dirge [də:rdʒ] *n.* Ⓒ 만가(輓歌), 애도가(funeral song).

dirk [də:rk] *n., vt.* Ⓒ 비수, 단검(으로 찌르다).

dirn·dl [dɔ́:rndl] *n.* Ⓒ (Tyrol 지방 농가의) 여성복.

:dirt [də:rt] *n.* Ⓤ ① 쓰레기, 먼지; 오물. ② 진흙; 흙; 《蔑》 토지. ③ 비열한 언사, 욕. ***eat*** ~ 굴욕을 참다. ***fling* 〔*throw*〕** ~ 욕지거리하다(*at*).

dírt-chéap *a., ad.* 《美口》 똥값의〔으로〕.

dírt fàrmer 《口》 자작농.

dírt róad 포장하지 않은 도로.

:dirt·y [dɔ́:rti] *a.* ① 더러운, 추잡한. ② 비열한(base). ③ 날씨가 험악한. ④ 공기 오염도가 높은. ~ ***bomb*** 원자〔수소〕폭탄(opp. CLEAN bomb). **dírt·i·ly** *ad.*

dis- [dis] *pref.* '비(非)·반(反)·부(不)(*dis*honest), 분리(*dis*connect), 제거(*dis*cover)' 따위의 뜻.

·dis·a·ble [diséibəl] *vt.* 무력하게 하다(*from* do*ing; for*); 불구로 만들다(cripple); 무자격하게 하다(cripple); 〖컴〗 불능케 하다. **~·ment** *n.* Ⓤ 무력(화). **·dis·a·bil·i·ty** [dìsəbíləti] *n.* Ⓤ,Ⓒ 무력, 무능; 불구; 〖法〗 무자격.

dis·a·buse [dìsəbjú:z] *vt.* (…의) 어리석음〔잘못〕을 깨닫게 하다(*of*).

·dis·ad·van·tage [dìsədvǽntidʒ, -vá:n-] *n.* Ⓒ 불리(한 입장), 불편; Ⓤ 손(해). **-ta·geous** [disæ̀dvəntéidʒəs, dìsæd-] *a.* **-geous·ly** *ad.*

dis·af·fect·ed [dìsəféktid] *a.* 싫어진, 불만스러운(discontented); 정떨어진, 마음이 떠난, 이반(離反)한(disloyal). **-féc·tion** *n.*

·dis·a·gree [dìsəgrí:] *vi.* 일치하지 않다, 맞지 않다(*with, in*); 의견을 달리하다, 다투다(*with*); (음식·풍토가) 맞지 않다(*with*). **·~·ment** *n.*

·dis·a·gree·a·ble [dìsəgrí:əbəl] *a.* 불쾌한; 까다로운(hard to please). **~·ness** *n.* **-bly** *ad.*

dis·al·low [dìsəláu] *vt.* 허가〔인정〕하지 않다; 부인하다; 각하하다(reject). **~·ance** *n.*

:dis·ap·pear [dìsəpíər] *vi.* 안 보이게 되다; 소실〔소멸〕하다(vanish). **·~·ance** [dìsəpíərəns] *n.* Ⓤ 소멸, 소실; 〖法〗 실종.

:dis·ap·point [dìsəpɔ́int] *vt.* 실망〔낙담〕시키다, (기대를) 어기다(belie) (*I was ~ed in him* 〔*of my hopes*〕. 그에게 실망했다〔나는 희망이 없어졌다〕); (계획 등을) 좌절시키다, 꺾다(upset). **~·ed** [-id] *a.* 실망〔낙담〕한. **·~·ing** *a.* 실망〔낙담〕시키는. **:~·ment** *n.* Ⓤ,Ⓒ 실망〔낙담〕(시키는 것·사람).

dis·ap·pro·ba·tion [dìsæprəubéiʃən] *n.* = DISAPPROVAL.

·dis·ap·prove [dìsəprú:v] *vt.* (…을) 안된다고 하다; 인가하지 않다; 비난하다(*of*). **·-prov·al** [-əl] *n.* Ⓤ 불찬성; 비난, 부인.

·dis·arm [disá:rm, -z-] *vt.* (…의) 무기를 거두다, 무장 해제하다; (노여움·의혹을) 풀다. — *vi.* 군비를 해제〔축소〕하다. **·dis·ár·ma·ment** *n.* Ⓤ 무장 해제; 군비 축소.

dis·ar·range [dìsəréindʒ] *vt.* 어지럽게 하다, 난잡〔어수선〕하게 하다. **~·ment** *n.* Ⓤ,Ⓒ 혼란, 난맥.

dis·ar·ray [dìsəréi] *n., vt.* Ⓤ 난잡(하게 하다); (복장이) 흐트러지다〔흐트러짐〕, 흐트러진 복장; 《詩》 옷을 벗기다(undress), 벌거벗기다.

:dis·as·ter [dizǽstər, -zá:s-] *n.* ① Ⓤ 천재(天災), 재해(calamity). ② Ⓒ 재난, 참사.

·dis·as·trous [dizǽstrəs, -á:s-] *a.* 재해의; 비참한. **~·ly** *ad.*

dis·a·vow [dìsəváu] *vt.* 부인〔거부〕하다(disown). **~·al** *n.* **~·er** *n.*

dis·band [disbǽnd] *vt.* (부대·조직을) 해산하다; (군인을) 제대시키다. — *vi.* 해산〔제대〕하다. **~·ment** *n.*

dis·bar [disbá:r] *vt.* (**-rr-**) 〖法〗 (…에게서) 변호사 자격을 빼앗다.

·dis·be·lief [dìsbilí:f] *n.* Ⓤ 불신(unbelief), 의혹(*my ~ in him*).

dis·be·lieve [dìsbilí:v] *vt., vi.* 믿지 않다, 의심하다.

dis·burse[disbə́:rs] *vt.* 지불하다; 지출하다(pay out). **~·ment** *n.* Ⓤ 지불, 지출.

***disc**[disk] *n.* = DISK.

***dis·card**[diskɑ́:rd] *vt.* 〖카드〗(필요 없는 패(card)를) 버리다; (애인·신앙 따위를) 버리다(abandon); 해고하다(discharge). — [∠–] *n.* Ⓒ 버림받은 사람; 내버린 패.

:dis·cern[dizə́:rn, -s-] *vt., vi.* 인식하다, 지각하다(perceive); 분간하다(~ *A and B*/ ~ *A from B*/ ~ *between A and B*). **~·i·ble** *a.* 인식〔식별〕할 수 있는. **~·ing** *a.* 식별력이 있는; 명민한. **~·ment** *n.*

:dis·charge[distʃɑ́:rdʒ] *vt.* ① 발사하다(shoot); (물 따위를) 방출하다(pour forth). ② (배에서) 짐을 부리다(unload). ③ 해고하다; 해방〔제대·퇴원〕시키다; (부채를) 갚다, 지불하다. ④ (직무·약속을) 이행하다(~ (*oneself of*) *one's duties* 의무를 이행하다). ⑤ 탈색하다. ⑥ 〖電〗 방전(放電)하다. ⑦ 〖法〗 (명령을) 취소하다. — *vi.* 짐을 부리다; 발사〔방출·방전〕하다; 번지다, 퍼지다(run). — [∠–, –∠] *n.* Ⓤ,Ⓒ 발사, 방출; Ⓤ 짐부리기; 방전; Ⓒ 해고, 해임; Ⓤ 이행; 반제(返濟)(따위).

dis·ci·ple**[disáipəl] *n.* Ⓒ 제자; 사도, 문하생, 신봉자. ***the* (*twelve*) ~*s (예수의) 12제자.

dis·ci·pli·nar·i·an [dìsəplinέəriən] *a.* 훈련〔훈육〕(상)의; 규율의. — *n.* Ⓒ 훈육가; 엄격한 사람.

dis·ci·pli·nar·y[dísəplinèri/-nəri] *a.* 훈육상의; 징계의.

:dis·ci·pline[dísəplin] *n.* Ⓤ,Ⓒ 훈련, 훈육; Ⓤ (정욕의) 제어; 규율, 풍기(order); 징계. — *vt.* 훈련하다; 징계하다(punish).

dísc jòckey 디스크 쟈키《생략 DJ, D.J.》.

dis·claim[diskléim] *vt.* (권리를) 포기하다; (…와의) 관계를 부인하다. **~·er** *n.* Ⓒ 포기(자); 부인(자).

:dis·close[disklóuz] *vt.* 나타〔드러〕내다, 노출시키다; 폭로하다; (비밀을) 털어놓다; 발표하다. ***dis·clo·sure** [-klóuʒər] *n.*

dis·co [dískou] *n.* = DISCOTHEQUE.

dis·col·or, 《英》 **-our**[diskʌ́lər] *vi., vt.* (…으로) 변색하다〔시키다〕. **~·a·tion**[–̀–éiʃən] *n.* Ⓤ 변색, 퇴색.

dis·com·fit[diskʌ́mfit] *vt.* 쳐부수다; (상대방의) 계획〔목적〕을 뒤엎다, 좌절시키다; 당황케 하다(disconcert). **-fi·ture** *n.*

***dis·com·fort**[diskʌ́mfərt] *n., vt.* Ⓤ 불쾌(하게 하다); Ⓒ 불편(을 주다).

***dis·con·cert**[dìskənsə́:rt] *vt.* 당황하게 하다(discompose); (계획 따위를) 좌절〔혼란〕시키다(upset). **~·ment** *n.*

dis·con·nect[dìskənékt] *vt.* (…와) 연락을〔관계를〕 끊다; 자르다, 떼다, 분리하다. **~·ed**[-id] *a.* 연락〔일관성〕이 없는. **-néc·tion,** 《英》 **-néx·ion** *n.* Ⓤ,Ⓒ 분리, 절단.

dis·con·so·late[diskɑ́nsəlit/-ɔ́-] *a.* 쓸쓸한, 허전한; 서글픈. **~·ly** *ad.*

***dis·con·tent**[dìskəntént] *n., a., vt.* Ⓤ 불만(인)(*with*); 불만을 품게 하다. ***~·ed**[-id] *a.* 불만스러운(*with*). **~·ment** *n.* Ⓤ 불만, 불평.

***dis·con·tin·ue**[dìskəntínju:] *vt., vi.* 중지〔중단·정지〕하다; (신문 등의) 구독을 그만두다; 〖法〗 (원고가 소송을) 취하하다. **-tin·u·ance, -tin·u·a·tion**[–̀––éiʃən] *n.*

dis·con·tin·u·ous[dìskəntínjuəs] *a.* 중도에서 끊어진, 중단된. ***-ti·nu·i·ty**[dìskɑntənjú:əti/-kɔn-] *n.* Ⓤ 불연속; 중단; 끊어짐.

***dis·cord**[dískɔ:rd] *n.* Ⓤ 부조화, 불일치, 불화(disagreement); Ⓤ,Ⓒ 〖樂〗 불협화음(opp. concord). ***the* APPLE *of* ~.**

dis·cord·ant[diskɔ́:rdənt] *a.* 조화〔일치〕하지 않는; 충돌하는; 불협화음의. **~·ly** *ad.* **-ance** *n.*

dis·co·theque[dískətèk] *n.* Ⓒ 디스코테크.

:dis·count[dískaunt] *n.* Ⓤ,Ⓒ 할인(액)(reduction). ***at a* ~** 할인해서. — [–∠] *vt.* 할인하다(deduct)(~ *10%,* 1할 감하다/*get a bill ~ed* 어음을 할인해 받다); 에누리하여 듣다; (…의) 가치〔효과〕를 감하다〔잃다〕.

:dis·cour·age [diskə́:ridʒ, -kʌ́r-] *vt.* (…에게) 용기를 잃게 하다; 낙담

〔단념〕시키다(*from*) (opp. encourage). **:~·ment** *n.*

·dis·course[dískɔːrs, —ˊ] *n.* ① Ⓒ 강연, 설교; 논설; 논문. ② Ⓤ 이야기, 담화. — [—ˊ] *vt., vi.* (…에게) 강연〔설교〕하다; 논술하다(*upon, of*).

dis·cour·te·ous [diskə́ːrtiəs] *a.* 무례한(impolite). **~·ly** *ad.* **~·ness** *n.* **-to·sy**[-təsi] *n.*

†dis·cov·er[diskʌ́vər] *vt.* 발견하다, 찾아내다; 《古》 나타내다, 밝히다. ***D- America.*** 《美》 미국을 발견하자《국내 관광 진흥책으로 쓰는 표어》. ***~ oneself to*** …에게 자기 성명을 대다〔밝히다〕. **·~·er** *n.* Ⓒ 발견자. **:~·y** *n.* Ⓤ 발견; Ⓒ 발견물.

·dis·cred·it[diskrédit] *n.* Ⓤ 불신; 불명예; 의혹. — *vt.* 신용하지 않다; 신용을〔명예를〕 잃게 하다. **~·a·ble** *a.* 불명예스러운.

·dis·creet[diskríːt] *a.* 사려가 깊은; 신중한, 분별 있는. **~·ly** *ad.*

dis·crep·ant[diskrépənt] *a.* 어긋나는, 상위(相違)하는. **-an·cy** *n.*

dis·crete[diskríːt] *a.* 분리한; 구별된, 개별적인; 불연속의; 〖哲〗 추상적인. — *n.* Ⓒ (시스템의 일부를 이루는) 독립된 장치; 〖컴〗 불연속형. **~·ly** *ad.* **~·ness** *n.*

·dis·cre·tion[diskréʃən] *n.* Ⓤ 사려(깊음), 분별, 신중(discreetness); 행동〔판단〕의 자유, 자유 재량(free decision). ***age of ~*** 분별 연령《영국법에서는 14세》. ***at ~*** 마음대로. ***at the ~ of*** = ***at one's ~*** …의 재량으로, …의 임의로. ***with ~*** 신중히. **~·ar·y**[-ʃənèri/-əri] *a.* 임의(任意)의; 무조건의.

·dis·crim·i·nate [diskrímənèit] *vt.* 분간〔식별〕하다(distinguish) (*between, from*). — *vi.* 식별하다; 차별하다(*against, in favor of*). — [-nət] *a.* 차별적인; (식별이) 명확한. **-nat·ing** *a.* 식별력있는; 차별적인. **·-na·tion**[-ˋ—néiʃən] *n.* Ⓤ 구별; 식별(력), 차별 대우. **-na·tive** [-nèitiv, -nə-]. **-na·to·ry**[-nətɔ̀ːri/-təri] *a.* 식별력이 있는; 차별을 나타내는.

dis·cur·sive[diskə́ːrsiv] *a.* 산만한. **~·ly** *ad.* 만연히. **~·ness** *n.*

dis·cus[dískəs] *n.* (*pl.* ***~es, disci***[dísai/dískai]) Ⓒ 원반; (the ~) 원반 던지기.

:dis·cuss[diskʌ́s] *vt.* (여러 각도에서) 음미하다, 토론〔논의〕하다, 논하다(debate); 상의하다, 서로 이야기하다(talk over); 《古口》 맛있게 먹다〔마시다〕(enjoy).

:dis·cus·sion[diskʌ́ʃən] *n.* ① Ⓤ,Ⓒ 토론, 토의, 논의; 변론. ② Ⓒ 논문(*on*). ③ Ⓤ 《口》 상미(賞味)(*of*).

·dis·dain[disdéin] *n., vt.* Ⓤ 경멸(하다)(scorn). **~·ful** *a.* 경멸적인; 거만한(haughty). **~·ful·ly** *ad.*

:dis·ease[dizíːz] (<dis-+ease) *n.* Ⓤ,Ⓒ 병; Ⓤ 불건전. **:~d**[-d] *a.* 병의, 병적인.

dis·em·bark [dìsembɑ́ːrk] *vt., vi.* (선객·짐을) 양륙하다; 상륙시키다〔하다〕. **-bar·ka·tion**[disèmbɑːrkéiʃən] *n.*

dis·em·bod·y[dìsembɑ́di/-ɔ́-] *vt.* (혼을) 육체에서 분리시키다. **-bód·i·ment** *n.*

dis·em·bow·el[dìsembáuəl] *vt.* (《英》 **-ll-**) 창자를 빼내다. ***~ oneself*** 할복하다. **~·ment** *n.*

dis·en·chant[dìsintʃǽnt, -tʃɑ́ːnt] *vt.* (…을) 미몽(迷夢)에서 깨어나게 하다; 마법을 풀다. **~·ment** *n.*

dis·en·fran·chise [dìsenfrǽntʃaiz] *vt.* (개인에게서) 공민권〔선거권〕을 빼앗다.

dis·en·gage[dìsingéidʒ] *vt.* 풀다(loosen); 해방하다(set free); 〖軍〗 (…와의) 싸움을 중지하다. — *vi.* 떨어지다; 관계를 끊다. **~d**[-d] *a.* 풀린; 떨어진; 자유로운, 한가한, 약속이 없는. **~·ment** *n.* Ⓤ 해방; 이탈; 파혼; 자유, 여가.

dis·en·tan·gle [dìsintǽŋgl] *vt.* (…의) 엉킨 것을 풀다(*from*). **~·ment** *n.*

dis·e·qui·lib·ri·um [disìːkwəlíbriəm] *n.* Ⓤ,Ⓒ 불균형, 불안정.

dis·es·tab·lish[dìsistǽbliʃ] *vt.* (설립된 것을) 폐지하다; (교회의) 국교제를 폐하다. **~·ment** *n.*

dis·fa·vor, 《英》 **-vour**[disféivər] *n.* Ⓤ 소외(疎外), 냉대; 싫어함(dislike); 인기없음. ***be in ~ with*** …

의 마음에 들지 않다; 인기가 없다. — *vt.* 소홀히〔냉대〕하다, 싫어하다.

ˈ**dis·fig·ure**[disfígjər/-fígər] *vt.* 모양〔아름다움〕을 손상하다, 보기 흉하게 하다(deform). ~**·ment** *n.*

dis·gorge[disgɔ́:rdʒ] *vt., vi.* (…에게) 토해내다, 게우다; (부정 이득 따위를) 게워내다.

:**dis·grace**[disgréis] *n., vt.* Ⓤ 창피, 치욕(을 주다); 욕보이다. :~**·ful** *a.* 수치스러운, 욕된. ~**·ful·ly** *ad.*

dis·grun·tle[disgrʌ́ntl] *vt.* (…에게) 불만을 품게 하다. ~**d**[-d] *a.* 시무룩한; 불평을 품은.

:**dis·guise**[disgáiz] *vt.* ① (…으로) 변장〔가장〕하다, 거짓 꾸미다. ② (감정 따위를) 속이다, 감추다. ***be ~d,*** or ~ ***oneself*** 변장하다. ***throw off one's*** ~ 가면을 벗다, 정체를 드러내다. — *n.* Ⓤ,Ⓒ 변장, 가장(복); Ⓤ 거짓꾸밈(pretense), 구실(pretext). ***in*** ~ 변장한〔하여〕; 가장의〔하여〕.

:**dis·gust**[disgʌ́st] *vt.* 역겹게〔싫증나게〕하다, 정떨어지게 하다. ***be ~ed at*** 〔***by, with***〕 …에 넌더리 나다. — *n.* Ⓤ 역겨움, 혐오(*against, at, for, toward*); 유감. ***to one's*** ~ 불쾌하게도, 유감스럽게도. :~**·ing** *a.* 구역질나는, 지겨운. ~**·ing·ly** *ad.*

†**dish**[diʃ] *n.* Ⓒ ① (큰) 접시, 푼주. ② 요리; 식품. ③ 접시꼴(의 물건). ④ 《美俗》 성적 매력이 있는 여자. ⑤ 《美俗》 『野』 홈베이스. ⑥ 파라볼라 안테나. ~ ***of gossip*** 잡담. — *vt.* 접시에 담다; 접시꼴로 만들다; 가운데를 우묵하게 하다; 《俗》 해치우다, 지우다, 속이다(cheat); 《俗》 파산〔낙심〕시키다. — *vi.* (접시꼴로) 움푹해지다. ~ ***out*** 나눠 담다. ~ ***up*** 음식을 내놓다; 《口》 재미나게 이야기하다.

dis·har·mo·ny [dishɑ́:rməni] *n.* Ⓤ 부조화, 불협화.

dísh·clòth *n.* Ⓒ 행주.

ˈ**dis·heart·en**[dishɑ́:rtn] *vt.* 낙담〔실망〕시키다(discourage).

di·shev·el(l)ed[diʃévəld] *a.* (머리카락이) 헝클어진, 봉두난발의; 단정치 못한(untidy).

:**dis·hon·est**[disɑ́nist/-ɔ́-] *a.* 부정직한. ~**·ly** *ad.* ˈ-**es·ty**[-i] *n.*

:**dis·hon·or,** 《英》 **-our**[disɑ́nər/-ɔ́-] *n.* Ⓤ ① 불명예, 치욕. ② 경멸. ③ (어음·수표의) 부도. — *vt.* (…에게) 치욕을 주다, 이름을 더럽히다(disgrace); (어음 지불을) 거절하다. ~**·a·ble** *a.* 불명예스러운, 부끄러운(shameful).

dísh·wàsher *n.* Ⓒ 접시 닦는 사람〔기계〕.

dísh·wàter *n.* Ⓤ 개숫물; 《俗》 맛없는 수프, 멀건 커피.

ˈ**dis·il·lu·sion**[dìsilú:ʒən] *n., vt.* Ⓤ 환멸(을 느끼게 하다), 미몽〔잘못〕을 깨우치다〔기〕, 각성; 환멸. ~**·ment** *n.* Ⓤ 환멸.

dis·in·cen·tive [dìsinséntiv] *a., n.* Ⓒ 행동〔의욕·(특히 경제적) 발전〕을 방해하는 (것).

dis·in·cline[dìsinkláin] *vi., vt.* 싫증나(게 하)다, 마음이 내키지 않(게 하)다. -**cli·na·tion**[disìnklinéiʃən] *n.* Ⓤ 마음 없음, 꺼림, 싫증.

dis·in·fect[dìsinfékt] *vt.* 소독〔살균〕하다. ~**·ant** *a., n.* 소독하는; Ⓒ 소독제. -**féc·tion** *n.*

dis·in·for·ma·tion [disìnfərméiʃən] *n.* Ⓤ 그릇된 정보《특히 적의 간첩을 속이기 위한》.

dis·in·gen·u·ous[dìsindʒénjuəs] *a.* 불성실한(insincere); 부정직한; 음흉한. ~**·ly** *ad.* ~**·ness** *n.*

dis·in·her·it[dìsinhérit] *vt.* 『法』 폐적(廢嫡)〔의절(義絶)〕하다, 상속권을 박탈하다. -**i·tance** *n.*

dis·in·te·grate[disíntigrèit] *vi., vt.* 분해〔붕괴〕하다〔시키다〕. -**gra·tor** *n.* Ⓒ 분해기, 분쇄기. -**gra·tion** [-ˊ-ˋ-gréiʃən] *n.*

dis·in·ter[dìsintə́:r] *vt.* (-**rr**-) (무덤 따위에서) 발굴하다(dig up). ~**·ment** *n.*

ˈ**dis·in·ter·est·ed** [disíntəristid, -rèst-] *a.* 사심이 없는; 공평한(fair); 《美口》 무관심한(not interested). ~**·ly** *ad.* ~**·ness** *n.*

dis·in·vest[dìsinvést] *vt., vi.* 『經』 (…에서) 해외 투자를 회수하다.

dis·joint[disdʒɔ́int] *vt.* 관절을 통기다, 탈구(脫臼)시키다; 뿔뿔이 해체〔분해〕하다; (질서를) 어지럽히다. ~-

D

ed[-id] *a.*
·disk[disk] *n.* Ⓒ 평원반 (모양의 것); 원반; 레코드; 〖컴〗 디스크.
dis·kette[diskét] *n.* Ⓒ 〖컴〗 디스켓(floppy disk).
dísk jòckey = DISC JOCKEY.
:dis·like[disláik] *vt., n.* 싫어하다, 미워하다; U,C 혐오, 증오(aversion) (*to, for, of*).
dis·lo·cate[dísloukèit] *vt.* 관절을 삐다[퉁기다], 탈구시키다; (순서를) 어지럽히다(disturb). **·-ca·tion** [ᅩ–kéi–] *n.* U,C 탈구; 〖地〗 단층.
dis·lodge[dislάdʒ/-ɔ́-] *vt.* 쫓아내다(expel); 격퇴하다; 떼어내다. **~·ment** *n.*
:dis·loy·al[dislɔ́iəl] *a.* 불충(不忠)한, 불충실[불성실]한(unfaithful). **~·ly** *ad.* **~·ty** *n.*
·dis·mal[dízməl] *a.* ① 음침한, 어두운; 쓸쓸한(dreary). ② 무시무시한. ③ 참담한. **~·ly** *ad.*
dis·man·tle[dismǽntl] *vt.* (아무에게서) 옷을 벗기다(strip)(*of*); (집의 설비·가구, 배의 삭구(索具)·장비 따위를) 철거하다; 분해하다.
:dis·may[disméi] *vt.* 깜짝 놀라게 하다, 근심시키다. — *n.* Ⓤ 당황, 경악(horrified amazement); 낭패. ***with* ~** 당황하여.
dis·mem·ber[dismémbər] *vt.* (…의) 손발을 자르다; 분할하다.
:dis·miss[dismís] *vt.* ① 면직[해고·퇴학]시키다. ② 떠나게 하다, (하녀 등에게) 물러가라고 말하다. ③ (생각에서) 물리치다, (의혹 따위를) 잊어버리다. ④ 〖法〗 기각하다. **·~·al** [-əl] *n.* Ⓤ 면직.
dis·mis·sive[dismísiv] *a.* (사람을) 무시하는 듯한(*of*), 깔보는 듯한 《태도, 말 따위》.
·dis·mount[dismáunt] *vi., vt.* (말·자전거에서) 내리다; 말에서 떨어뜨리다; (기계를 대좌(臺座) 등에서) 떼어내다; 분해(검사)하다(take apart).
·dis·o·be·di·ent[dìsəbí:diənt] *a.* 순종치 않는, 따르지 않는, 불효한. **~·ly** *ad.* **·-ence** *n.* Ⓤ 불순종; 불복종, 불효; 위반.
·dis·o·bey[dìsəbéi] *vt., vi.* 반항하다, (어버이 등의 말을) 듣지 않다.
:dis·or·der[disɔ́:rdər] *n., vt.* U,C 무질서, 혼란(시키다); 소동(social unrest); 병(들게 하다). **~ed**[-d] *a.* 혼란된, 고장난; 병에 걸린. **·~·ly** *a.* 무질서한, 어수선한; 난잡한.
dis·or·gan·ize[disɔ́:rgənàiz] *vt.* (…의) 조직을[질서를] 파괴하다; 혼란시키다(confuse). **-i·za·tion**[–ᅩ–izéiʃən] *n.*
dis·o·ri·ent[disɔ́:riènt] *vt.* (…에게) 방향[위치]감각을 잃게 하다; (…의) 머리를 혼란케 하다. **-en·ta·tion** [–ᅩ––téiʃən] *n.* Ⓤ 방향감각의 상실; 〖醫〗 지남력 상실; 혼미.
dis·own[disóun] *vt.* (관계·소유·의무 따위를) 부인하다; 의절하다.
dis·par·age[dispǽridʒ] *vt.* 얕보다(belittle); 헐뜯다(depreciate). **~·ment** *n.* **-ag·ing·ly** *ad.* 경멸하여; 비난하여.
dis·par·i·ty[dispǽrəti] *n.* U,C 다름, 상이; 불균형.
dis·pas·sion·ate [dispǽʃənit] *a.* 냉정한(calm); 공평한(impartial). **~·ly** *ad.*
:dis·patch[dispǽtʃ] *vt., vi.* 급송[급파]하다; (일·식사를) 재빨리 처리하다[마치다]; (사람을) 해치우다[죽이다]. — *n.* Ⓤ 발송, 급송, 급파; 신속한 조처; U,C 살해, 처형. ***happy* ~** 할복. ***with* ~** 재빠르게.
dispátch bòx (공문서의) 송달함.
·dis·pel[dispél] *vt.* (**-ll-**) 쫓아 버리다; 흩뜨리다.
dis·pen·sa·ble[dispénsəbəl] *a.* 없어도 좋은(not essential); 과히 중요치 않은; 〖가톨릭〗 특면(特免)될 수 있는.
dis·pen·sa·ry[dispénsəri] *n.* Ⓒ 약국, 무료 진료소, (학교 등의) 양호실.
dis·pen·sa·tion [dìspənséiʃən, -pen-] *n.* ① U,C 분배; 시여(施與). ② Ⓤ 조제(調劑). ③ Ⓤ (하늘의) 섭리, 하늘의 뜻; 하늘이 준 것. ④ Ⓤ (어떤 특별한) 관리, 지배; 제도(regime). ⑤ Ⓤ 〖가톨릭〗 특면(特免); Ⓒ 〖神〗 천계법(天啓法), 율법.
·dis·pense[dispéns] *vt.* ① 분배하다. ② 조제하다. ③ 실시하다. ④ (의무를) 면제하다(*from*). ⑤ 〖가톨릭〗 (타교도와의 결혼 등을) 특면하다.

— *vi.* 면제하다; 특면하다. ~ ***with*** …의 수고를 덜다; 면제하다(exempt); 없이 마치다(do without).
dis·pens·er[dispénsər] *n.* Ⓒ ① 약제사, 조제사. ② 분배자, 시여하는 사람; 실시〔실행〕자. ③ 필요한 만큼 인출하는 용기《우표 자동 판매기(stamp ~), 자동 현금 인출기(cash ~), 휴지를 빼내 쓰게 된 용기 등》.
˙**dis·perse**[dispə́:rs] *vi., vt.* 흩어지다, 흩뜨리다; 분산하다〔시키다〕. **-per·sal**[-əl], **-per·sion**[-pə́:rʃən, -ʒən] *n.* Ⓤ 산란, 산포; 분산; 소산(消散). **-pér·sive** *a.*
dis·pir·it[dispírit] *vt.* 낙담시키다.
˙**dis·place**[displéis] *vt.* 바꾸어 놓다, 이동시키다; 면직하다; (…의) 대신 들어서다, 대치하다; 〖海〗 배수하다. **~d *person*** (전쟁) 유민(流民), 난민. ***Displaced Persons Act*** 《美》 난민 보호법(1948). ˙**~·ment** *n.* Ⓤ 바꿔 놓음, 이동, 대체; 면직; 〖海〗 배수량(cf. tonnage); 〖機〗 배기량; 〖心〗 감정 전이(感情轉移).
:dis·play[displéi] *vt.* 보이다, 진열하다; (기 따위를) 올리다; 펼치다; 과시하다. — *n.* Ⓤ,Ⓒ 진열, 전시; 표시, 과시; 〖印〗 (돋보이게 하기 위한) 특별 조판; 〖컴〗 화면 표시기, 디스플레이. ***out of*** ~ 보란 듯이.
:dis·please[displí:z] *vt.* 불쾌하게 하다, 성나게 하다(offend). **-pléas·ing** *a.* 불쾌한, 싫은. ˙**-pleas·ure**[-pléʒər] *n.* Ⓤ 불쾌; 골.
dis·pos·a·ble[dispóuzəbəl] *a.* 처리할 수 있는, 마음대로 할〔쓸〕 수 있는; 사용 후 버릴 수 있는.
dispósable íncome 가처분 소득, (세금을 뺀) 실수입.
:dis·pos·al[dispóuzəl] *n.* Ⓤ ① 배치(arrangement). ② 처리, 처분; 양도. ***at*** 〔***in***〕 ***a person's*** ~ …의 마음대로(되는, 쓸 수 있는).
:dis·pose[dispóuz] *vt.* 배치하다(arrange); …할 마음이 내키게 하다(incline)(*for, to*). ~ ***of*** 처리〔처분〕하다, 결말짓다; 없애〔죽여〕버리다; 《口》 먹어치우다. — *vi.* 적당히 처치하다. ***Man proposes, God ~s.*** 《속담》 일은 사람이 꾸미되 성패는 하늘에 달렸다.
:dis·posed[-d] *a.* 하고 싶어하는; …한 기분〔성질〕의. ***be ~ to*** (do) 하고 싶은 마음이 들다. ***be well-*** 〔***ill-***〕 ~ 성품이 좋다〔나쁘다〕; 호의〔악의〕를 갖다.
:dis·po·si·tion[dìspəzíʃən] *n.* Ⓤ,Ⓒ ① 배치(arrangement); 처리(disposal). ② 성질, 성향.
dis·pos·sess[dìspəzés] *vt.* (…의) 소유권을 박탈하다, 빼앗다(*of*); 몰아내다. **-sés·sion** *n.*
dis·pro·por·tion [dìsprəpɔ́:rʃən] *n., vt.* Ⓤ 불균형(되게 하다), 어울리지 않음〔않게 하다〕.
dis·pro·por·tion·ate[-it] *a.* 불균형한. **~·ly** *ad.*
dis·prove[disprú:v] *vt.* 반증〔논박〕하다(refute).
dis·put·a·ble[dispjú:təbəl] *a.* 논의의 여지가 있는, 의심스러운.
dis·pu·ta·tion[dìspjutéiʃən] *n.* Ⓤ,Ⓒ 논쟁. **-tious**[-ʃəs], **dis·put·a·tive**[dispjú:tətiv] *a.* 의론〔논쟁〕을 좋아하는; 논쟁적인.
:dis·pute[dispjú:t] *vt., vi.* ① 의론〔논쟁〕하다(debate). ② 싸우다. ③ 반대〔반항〕하다(oppose). ④ 다투다, 겨루다. — *n.* Ⓤ,Ⓒ 논쟁, 분쟁. ***beyond*** 〔***out of, past***〕 ~ 의론의 여지 없이. ***in*** ~ 논쟁 중에(*a point in* ~ 논쟁점).
dis·qual·i·fy[diskwáləfài/-ɔ́-] *vt.* (…의) 자격을 빼앗다. ***be disqualified*** 실격하다(*from, for*). **-fi·ca·tion**[–ㅡ–fikéiʃən] *n.* Ⓤ 불합격, 실격; Ⓒ 그 이유〔조항〕.
dis·qui·et[diskwáiət] *n., vt.* Ⓤ 불안(하게 하다). **-e·tude**[-tjù:d] *n.* Ⓤ 불안(한 상태).
dis·qui·si·tion[dìskwəzíʃən] *n.* Ⓒ 논문, 논설(*on*).
˙**dis·re·gard**[dìsrigá:rd] *n., vt.* Ⓤ 무시(하다), 경시(*of, for*).
dis·re·pair[dìsripέər] *n.* Ⓤ 파손(상태).
dis·rep·u·ta·ble [disrépjətəbəl] *a.* 평판이 나쁜, 불명예스러운.
dis·re·pute[dìsripjú:t] *n.* Ⓤ 악평, 평판이 나쁨; 불명예.
dis·re·spect[dìsrispékt] *n.* Ⓤ,Ⓒ 실례, 무례(*to*). — *vt.* 경시하다. ~·

D

ful *a.* ~·**ful·ly** *ad.*
dis·robe [disróub] *vi., vt.* (…의) 옷〔제복〕을 벗(기)다.
˙**dis·rupt** [disrʌ́pt] *vi., vt.* 찢어 발기다; 분열하다〔시키다〕. ˙**-rúp·tion** *n.* Ⓤ,Ⓒ 분열; (특히 국가·제도의) 붕괴, 와해; 혼란. **-rúp·tive** *a.*
˙**dis·sat·is·fac·tion** [dissæ̀tisfǽkʃən] *n.* Ⓤ 불만; Ⓒ 불만의 원인.
:**dis·sat·is·fy** [dissǽtisfài] *vt.* (…에게) 불만을 주다, 만족시키지 않다. **-fied** [-d] *a.* 불만인.
˙**dis·sect** [disékt] *vt.* 해부〔분석〕하다. **-séc·tion** *n.*
dis·sem·ble [disémbəl] *vt.* (감정 따위를) 숨기다, 속이다(disguise); 《古》 무시하다(ignore). — *vi.* 시치미 떼다, 본심을 안 보이다. **∠r** *n.*
dis·sem·i·nate [disémənèit] *vt.* (씨를) 흩뿌리다; (사상 등을) 퍼뜨리다. **-na·tion** [-∸-néiʃən] *n.* Ⓤ 흩뿌림. **dis·sém·i·nà·tor** *n.* Ⓒ 파종자.
˙**dis·sen·sion** [disénʃən] *n.* Ⓤ,Ⓒ 의견의 차이〔충돌〕; 불화.
˙**dis·sent** [disént] *vi.* ① 의견을 달리하다, 이의를 말하다(*from*). ② 〖宗〗 영국 교회〔국교〕에 반대하다(*from*). — *n.* Ⓤ 이의; 국교 반대. ~·**er** *n.* Ⓒ 반대자; (보통 D-) 비국교도(Nonconformist). ~·**ing** *a.* 반대하는; 비국교파의.
dis·ser·ta·tion [dìsərtéiʃən] *n.* Ⓒ 논문(treatise); 학위 논문.
dis·serv·ice [dissə́ːrvis] *n.* Ⓤ 학대; 위해(危害).
dis·si·dent [dísədənt] *a., n.* Ⓒ 의견을 달리하는 (사람). **-dence** *n.* Ⓤ 불일치.
dis·sim·i·lar [dissímələr] *a.* 같지 않은. ~·**i·ty** [-∸-lǽrəti] *n.*
dis·sim·u·late [disímjəlèit] *vt., vi.* (감정 따위를) 숨기다; 시치미 떼다(dissemble). **-la·tion** [-∸-léiʃən] *n.* Ⓤ,Ⓒ (감정·의지 등의) 위장; 위선; 〖精神醫〗 위장《정신 이상자가 보통인을 위장하는 일》.
˙**dis·si·pate** [dísəpèit] *vt.* 흩뜨리다, (공포 따위를) 몰아내다; (돈·시간을) 낭비하다(waste). — *vi.* 사라지다; 방탕하다. **-pat·ed** [-id] *a.* 방탕한. **-pa·tion** [∸-péiʃən] *n.*
dis·so·ci·ate [disóuʃièit] *vt.* 분리하다(separate)(*from*); 분리해서 생각하다(opp. associate); 의식을 분열시키다. **-a·tion** [-∸-éiʃən] *n.*
dis·so·lute [dísəlùːt] *a.* 방탕한, 난봉 피우는.
˙**dis·so·lu·tion** [dìsəlúːʃən] *n.* Ⓤ ① 용해, 분해(dissolving). ② 해산, 해체, 붕괴, 사멸(死滅); 해소, 해약.
:**dis·solve** [dizɑ́lv/-ɔ́-] *vt., vi.* ① 녹이다, 녹다(liquefy), 용해시키다; 분해하다(decompose). ② (의회·회사를) 해산하다; 해소시키다, 취소하다. ③ (마력·주문(呪文)을) 풀다, 깨치다. ④ (*vi.*) 〖映·TV〗 용암(溶暗)으로 장면 전환을 하다(fade in and then out). ***be ~d in tears*** 하염없이 울다. ***~ itself into*** 자연히 녹아 …이 되다. **-sólv·a·ble** *a.* **-sol·vent** [-ənt] *a., n.* 용해력이 있는; Ⓒ 용해제.
dis·so·nance [dísənəns] *n.* Ⓤ,Ⓒ 부조화(discord); 불협화. **-nant** *a.*
dis·suade [diswéid] *vt.* 단념시키다 (*from*)(opp. persuade). **-sua·sion** [-ʒən] *n.* **-sua·sive** [-siv] *a.*
dis·taff [dístæf, -ɑː-] *n.* Ⓒ (실 자을 때의) 실 감는 막대; (물레의) 가락; (the ~) 여성.
†**dis·tance** [dístəns] *n.* Ⓤ,Ⓒ 거리, 간격; 사이; 먼 데. ***at a ~*** 다소 떨어져서. ***in the ~*** 먼 곳에, 멀리. ***keep a person at a ~*** (사람을) 멀리하다, 쌀쌀〔서먹서먹〕하게 대하다. ***keep one's ~*** 가까이 하지 않다, 거리를 두다. — *vt.* 사이를〔간격을〕 두다; 앞지르다; 능가하다.
†**dis·tant** [dístənt] *a.* 먼; 어렴풋한(faint); (태도가) 쌀쌀한; 에두르는(indirect). ***a ~ relative*** 먼 친척. ***in no ~ future*** 조만간, 멀지 않아. ~·**ly** *ad.* 멀리, 떨어져서; 냉담하게; 간헐적으로.
˙**dis·taste** [distéist] *n.* Ⓤ (음식물에 대한) 싫음, 혐오; Ⓒ 《一般》 싫증, 염증(dislike). ~·**ful** *a.*
dis·tem·per[1] [distémpər] *n.* Ⓤ 디스템퍼《개의 병》; 사회적 불안, 소동(tumult). — *vt.* 탈나게 하다, 어지럽히다(disturb).
dis·tem·per[2] *n., vt.* Ⓤ 디스템퍼

《끈끈한 채료》(로 그리다)(cf. tempera); Ⓒ 템페라 그림.
dis·tend[disténd] *vi., vt.* 부풀(리)다(expand). **-tén·sion, -tion** *n.*
˙**dis·til(l)**[distíl] *vt.* (**-ll-**) 증류하(여 만들)다; (…의) 정수(精粹)를 뽑다(extract)(*from*); (똑똑) 듣게 하다. — *vi.* 똑똑 듣다(trickle down). **-til·land**[dístəlæ̀nd] *n.* Ⓤ,Ⓒ 〖化〗 증류물. **~·er** *n.* Ⓒ 증류기; 증류주 제조업자. **~·er·y** *n.* Ⓒ 증류소; 증류주 제조장(cf. brewery).
:dis·tinct[distíŋkt] *a.* 명백[명확]한; 별개의, 다른(*from*). **:~·ly** *ad.* 명료[뚜렷]하게.
:dis·tinc·tion[-ʃən] *n.* ① Ⓤ 차별, 구별. ② Ⓤ 특질; 걸출, 탁월(superiority). ③ Ⓤ,Ⓒ 명예. ***a* ~ *without a difference*** 쓸데없는 구별짓기. ***gain* ~** 유명해지다. ***with* ~** 공훈을 세워서; 훌륭한 성적으로. ***without* ~** 차별없이.
˙**dis·tinc·tive**[distíŋktiv] *a.* 독특한, 특수한. ˙**~·ly** *ad.* 특수[독특]하게. **~·ness** *n.*
:dis·tin·guish[distíŋgwiʃ] *vt.* 분간하다, 구별하다(~ *A from B* / ~ *between A and B*); 분류하다(classify)(*into*); 두드러지게 하다. **~ *oneself*** 이름을 떨치다; 수훈을 세우다. **~·a·ble** *a.* 구별할 수 있는. **:~ed** [-t] *a.* 저명한; 고귀한 (신분의), 상류의; 수훈(殊勳)의.
˙**dis·tort**[distɔ́:*r*t] *vt.* (얼굴을) 찡그리다, 비틀다; 〖電〗 (전파·음파 따위를) 일그러뜨리다; (사실을) 왜곡하다(twist). **~·ed**[-id] *a.* 일그러진, 뒤틀린, 곱새긴. **-tór·tion** *n.* Ⓤ,Ⓒ 일그러짐, 왜곡, 억지맞춤.
˙**dis·tract**[distrǽkt] *vt.* (마음을) 딴 데로 돌리다, 흩뜨리다(divert); (마음을) 어지럽히다; 착란시키다(madden). **~·ed**[-id] *a.* 어수선한; 광란의. ˙**-trác·tion** *n.* Ⓤ 정신의 흩어짐, 주의 산만; Ⓒ 기분 전환, 오락; Ⓤ 광기. ***to distraction*** 미칠듯이.
dis·traught[distrɔ́:t] *a.* 몹시 고민한, 마음이 상한; 마음이 산란한, 정신이 돈.
:dis·tress[distrés] *n.* ① Ⓤ 심통(心痛), 고통, 고민(trouble); 비탄; Ⓒ 고민거리. ② Ⓤ 고난; 재난, (배의) 조난(***a ship in* ~** 난파선). ③ Ⓤ 빈궁; 피로. — *vt.* 괴롭히다; 피로하게 하다. **~ed**[-t] *a.* 궁핍한; 피로한. **~·ful** *a.* 고난 많은, 비참한, 고통스런. **~·ing** *a.* 괴롭히는; 비참한.
:dis·trib·ute[distríbju:t] *vt.* ① 분배[배급]하다(deal out)(*among, to*). ② 분류하다. ③ 분포[산포]하다; 널리 펴다. ④ 〖論〗 확충하다, 주연하다; 〖印〗 해판(解版)하다.
:dis·tri·bu·tion[dìstrəbjú:ʃən] *n.* Ⓤ,Ⓒ 분배, 배분; 〖經〗 (부의) 분배; Ⓤ (동식물·언어 따위의) 분포 (구역); 분류.
dis·trib·u·tive[distríbjutiv] *a.* 분배[배포]의; 〖文〗 배분적인. — *n.* Ⓒ 〖文〗 배분사(配分詞)《*each, every,* (*n*)*either* 따위》. **~·ly** *ad.* 분배하여; 따로따로. **~·ness** *n.*
˙**dis·trib·u·tor**[distríbjətə*r*] *n.* Ⓒ 분배[배급·판매]자.
:dis·trict[dístrikt] *n.* Ⓒ ① 지구, 구역, 지방. ② 《英》 (county를 나눈) 구. ***D- of Columbia*** (미국) 콜럼비아 특별 행정구《미국 수도의 소재지; 생략 D.C.》.
dístrict attórney [**cóurt**] 《美》 지방 검사[법원].
dístrict núrse 《英》 지구 간호사, 보건원.
˙**dis·trust**[distrʌ́st] *n., vt.* Ⓤ 불신, 의혹(을 품다), 의심하다. **~·ful** *a.* 신용치 않는, 의심 많은(*of*); 의심스러운(*of*). **~·ful·ly** *ad.*
:dis·turb[distə́:*r*b] *vt.* 어지럽히다, 소란하게 하다; 방해하다, 불안하게 하다. ***Don't* ~ *yourself.*** 그대로 계십시오. **:∠·ance** *n.* Ⓤ,Ⓒ 소동; 방해(물); 불안.
dis·u·nite[disju:náit] *vt., vi.* 분리[분열]하다[시키다](divide).
˙**dis·use**[disjú:z] *vt.* 사용을 그만두다. — [-jú:s] *n.* Ⓤ 쓰이지 않음.
:ditch [ditʃ] *n.* Ⓒ 도랑; (the D-) 《英空·軍俗》 영국 해협, 북해(北海); 《美口》 파나마 운하. ***die in the last* ~** 죽을 때까지 분전하다. — *vt., vi.* (…에) 도랑을 파다; 도랑에 빠뜨리다[빠지다]; 《美俗》 (…을) 버리다, (일을) 잘 회피하다; (육상 비

행기를) 해상에 불시착시키다[하다].

dith·er[díðər] *n., vi.* Ⓒ (공포나 흥분에 의한) 떨림; 몸을 떨다; 전율(하다); 《口》 착란 상태.

dit·to[dítou] *n.* (*pl.* **~s**), *a.* Ⓤ 동상(同上)《생략 do., d°》(의); 같은 것(*a suit of* **~s** 《英》 위 아래를 갖춘 옷). — *ad.* 같이, 마찬가지로. — *vt.* 복제[복사]하다; 되풀이하다.

dit·ty[díti] *n.* Ⓒ 소가곡, 소곡(小曲).

di·u·ret·ic[dàijuərétik] *a., n.* 【醫】 이뇨의; Ⓤ,Ⓒ 이뇨제.

di·ur·nal[daiə́:rnəl] *a.* 매일의; 낮[주간]의(opp. nocturnal).

div. divide(d); dividend; divine; division; divorced.

di·va[dí:və] *n.* (It.) Ⓒ (오페라의) 여성 제1 가수; 여성의 명오페라 가수.

di·van[daivǽn, divǽn] *n.* Ⓒ (벽가에 놓는) 긴 의자의 일종; (담배 가게에 딸린) 흡연실; (터키 등지의) 국정(國政) 회의(council), 법정.

:dive[daiv] *n.* Ⓒ 잠수; 다이빙; 【空】 급강하; 몰두, 탐구; 《美口》 하급 술집, 《英》 지하 식당. — *vi.* (**~d,** 《美口》 ***dove;*** **~d**) 잠수[잠입]하다, 뛰어들다; 급강하하다; 갑자기 없어지다; 손을 쑥 처넣다(*into*); 몰두[탐구]하다.

díve-bòmb *vt.* 급강하 폭격하다.

div·er[dáivər] *n.* Ⓒ 잠수부[함], 해녀, 잠수업자; 무자맥질하는 새(아비·농병아리 따위).

·di·verge[divə́:rdʒ, dai-] *vi.* 갈리다(cf. converge); 빗나가다, 벗어나다(deviate); (의견이) 차이지다. **-ver·gent**[-ənt] *a.* 갈리는. **-vér·gence** *n.*

·di·vers[dáivə:rz] *a.* 여러 가지의(various); 몇몇의, 약간의.

·di·verse[divə́:rs, dai-, dáivə:rs] *a.* 다른; 다양한(varied), 여러가지의. **~·ly** *ad.*

di·ver·si·fy[divə́:rsəfài, dai-] *vt.* 변화를 주다, 다양하게 하다.

·di·ver·sion[divə́:rʒən, dai-, -ʃən] *n.* Ⓤ 전환(diverting); Ⓒ 기분 전환, 오락; Ⓒ 【軍】 견제(작전). **~·ism**[-ìzəm] *n.* Ⓤ 편향.

·di·ver·si·ty[divə́:rsəti, dai-] *n.* Ⓤ 다름; Ⓤ,Ⓒ 다양성.

:di·vert[divə́:rt, dai-] *vt.* ① (딴데로) 돌리다, 전환하다. ② 기분을 전환시키다(distract); 즐겁게 하다. ③ 전용(轉用)하다. **~ *oneself in*** …으로 기분을 풀다.

di·vest[divést, dai-] *vt.* 옷을 벗(기)다(strip)(*of*); 빼앗다(deprive)(*of*) (…에게서) 제거하다.

†di·vide[diváid] *vt., vi.* ① 가르다, 갈라지다, 분할하다, 나누(이)다(*up*). ② 분리[구별]하다(*from*). ③ 분배하다(*among, between*). ④ (의견을) 대립시키다. ⑤ 표결하다. — *n.* Ⓒ 《美》 분수계. ***the Great D-*** (로키 산맥의) 대분수령; (운명의) 갈림길; 죽음.

·div·i·dend[dívidènd] *n.* Ⓒ (주식) 배당금; 【數】 피제수(被除數).

di·vid·er[diváidər] *n.* Ⓒ 분배자; 분할자[물]; (*pl.*) 양각기(兩脚器), 컴퍼스; 칸막이.

div·i·na·tion[dìvənéiʃən] *n.* Ⓤ 점; Ⓤ,Ⓒ (종종 *pl.*) 예언; 전조; 예감.

:di·vine[diváin] *a.* 신의, 신성(神性)의, 신성한(holy); 종교적인; 신수(神授)의; 신에게 바친; 비범한; 《口》 훌륭한(excellent). **~ *right of kings*** 【史】 왕권 신수(설). ***the D-Comedy*** (Dante의) 신곡. ***To err is human, to forgive ~.*** 허물은 인지상사요 용서는 신의 소업이다《Pope》. — *n.* Ⓒ 신학자; 성직자, 목사. — *vt., vi.* 점치다, (…으로) 예언하다, 알아채다(guess). **~·ly** *ad.* **-vín·er** *n.* Ⓒ 점장이, 예언자.

:div·ing[dáiviŋ] *a., n.* 잠수(용)의; Ⓤ 잠수(업); (수영의) 다이빙.

díving bòard 다이빙대.

·di·vin·i·ty[divínəti] *n.* ① Ⓤ 신성(神性), 신격. ② (the D-) 신. ③ Ⓤ 신학; (대학의) 신학부.

di·vis·i·ble[divízəbəl] *a.* 나누어지는; 분할[분류]할 수 있는.

:di·vi·sion[divíʒən] *n.* ① Ⓤ 분할, 분배. ② Ⓤ,Ⓒ 의견의 차이; 분열. ③ Ⓒ 구획, 눈금. ④ Ⓤ 나눗셈. ⑤ Ⓒ 구(區); 국(局), 부(部), 과; 학부. ⑥ Ⓒ 【軍】 사단; 【海軍】 분대. ⑦ Ⓤ,Ⓒ 【園藝】 포기나누기. **~ *of labor*** 분업. **~ *of powers*** 삼권 분립. **~·al** *a.* 구분을 나타내는; 부분적인.

di·vi·sive[diváisiv] *a.* 《특히》 의견의 불일치를〔분열을〕 일으키는, 분파적. **~·ness** *n.*
:di·vorce[divɔ́:rs] *n., vt.* U,C 이혼(하다); 별거; C 분리(하다).
di·vor·cée, -cee[divɔ:rséi, -sí:] *n.* (F.) C 이혼한 여성; 미혼자.
di·vulge[divʌ́ldʒ, dai-] *vt.* (비밀을) 누설하다, 폭로하다(disclose).
D.I.Y. 《英》 do-it-yourself.
·diz·zy[dízi] *a., vt.* 현기증 나는, 어질어질한; 당혹한〔게 하다〕; 현기증 나게 하다. **-zi·ly** *ad.* **-zi·ness** *n.*
D.J. disk jockey
D.Lit., D.Litt. Doctor of Literature 〔Letters〕.
DM Deutsche Mark.
DNA deoxyribonucleic acid.
†do[1][強 du:, 弱 du, də] *vt.* (***did; done***) ① 행하다, 하다; 수행하다, 실행하다. ② 처리〔학습·번역〕하다. ③ (문제를) 풀다. ④ (…의) 도움〔소용〕이 되다(serve). ⑤ (남을 위해) 해주다(*do a person a favor* 은혜를 베풀다). ⑥ 요리하다(cf. halfdone). ⑦ 매만져 가지런히 하다, 꾸미다, 손질하다. ⑧ 《口》 여행하다(*do twenty miles a day* 하루 20마일 여행하다); 《口》 구경〔방문〕하다(*do Paris* 〔*the sight*〕 파리〔명소〕구경을 하다). ⑨ 《俗》 속이다. ⑩ 《口》 지치게 하다(*I am done up.* 녹초가 됐다). ⑪ 《美俗》 (성행위를) 하다; (마약을) 사용하다. ── *vi.* ① 행하다, 일하다, 활동〔관계〕하다. ② 소용되다(*This will do.* 이만하면 됐다). ③ 잘 해나가다, 지내다, 건강하다(*How do you do?* (1) 안녕하십니까? (2) 처음뵙겠습니다《인사》. (3) 어떻게 지내십니까?). ④ 해치우다, 끝마치다. ***do away with*** …을 폐지하다; 없애다; 버리다. ***do … by*** (아무를) (좋게, 나쁘게) 대우하다. ***do a person down*** 《英口》 속이다, 꼭뒤지르다. ***do for*** 《口》 망쳐 놓다; 죽이다; 《英口》 …의 신변을 돌보다; …의 소용이 되다; …의 대신이 되다. ***do in*** 《俗》 죽이다; 속이다. ***do it*** 성공하다. ***do out*** 《口》 청소하다. ***do over*** 다시하다; 《口》 개조〔개장〕하다. ***do up*** 《口》 꾸리다; (단추를) 채우다; (끈을) 매다; 수선〔청소〕하다; 《p.p. 형으로》 지치게 하다. ***do with*** 처리〔희망〕하다, 참다. ***do without*** …없이 지내다. ***Have done!*** (1) 해치워라! (2) 그만! ***have done with*** …을 끝내다, 그만두다; …와 관계를 끊다, 떨어지다. HAVE ***to do with.*** ── *aux. v.* ① 《의문문·부정문을 만듦》 (*Do you like it? No, I* do*n't.*). ② 《긍정문에서 강조를 나타냄》 (*He* did *come.* 정말 왔다). ③ 《부사 선행에 의한 도치》 (*Never* did *I see such a thing.*). ── [du:] *n.* C 《英俗》 사기. **do·a·ble**[dú:əbəl] *a.* 할 수 있는.
do[2][dou] *n.* U,C 〖樂〗 (장음계의) 도.
do. ditto (It. = the same).
doc[dɑk/dɔk] *n.* 《美口》 = DOCTOR 《호칭》.
·doc·ile[dɑ́səl/dóusail] *a.* 유순한; 가르치기 쉬운. **do·cil·i·ty**[dousíləti, dɑ-] *n.*
:dock[1][dɑ́k/-ɔ-] *n.* C ① 선거(船渠), 독. ② 《美》 선창, 부두(wharf). ③ 〖空〗 격납고(hangar). ④ 〖劇〗 (무대밑) 무대 장치 창고. ***in dry ~*** 《口》 실직하여. ── *vt., vi.* ① dock에 넣다〔들어가다〕. ② (우주선이) 결합〔도킹〕하다〔시키다〕.
dock[2] *n.* (the ~) (법정의) 피고석.
dock[3] *n.* U,C 〖植〗 참소리쟁이속의 식물《수영 따위》.
dock[4] *n.* C (동물 꼬리의) 심. ── *vt.* 짧게 자르다.
dock·er[∠ər] *n.* C 부두 노동자.
dock·et[dɑ́kit/-ɔ́-] *n.* C 〖法〗 (미결) 소송 사건 일람표; 〖英法〗 판결 요록; 《美》 사무 예정표; (회의의) 협의 사항; 내용 적요(摘要); (화물의) 꼬리표. ── *vt.* 소송 사건표(따위)에 써넣다; 꼬리표를 달다.
dóck·yàrd *n.* C 조선소; 《英》 해군 공창(工廠)(《美》 navy yard).
†doc·tor[dɑ́ktər/-ɔ́-] *n.* C ① 의사; 박사; 《호칭으로》 선생. ② 《俗》 (배·야영의) 쿡, 주방장. ③ 《口》 수선하는 사람. ***be under the ~*** 의사의 치료를 받고 있다. ── *vt.* 치료하다; 《口》 수선하다. **~·al**[-tərəl] *a.* 박사의; 학위〔권위〕 있는. **~·ate**[-it] *n.*

D

Ⓒ 박사 학위.

doc·tri·naire[dɑ̀ktrənέər/-ɔ̀-] *n., a.* Ⓒ 공론가(空論家), 순이론가; 공론적인.

:**doc·trine**[dɑ́ktrin/-ɔ́-] *n.* U,C ① 교의, 교리. ② 주의, 학설. **doc·tri·nal**[dɑ́ktrənəl/dɔktrái-, dɔ́ktri-] *a.* 교의[교리]의; 학리상의.

:**doc·u·ment**[dɑ́kjəmənt/-ɔ́-] *n.* Ⓒ ① 문서, 서류; 증서; 기록, 문헌. ② 증거(가 되는 것). ***classified* ~s** 〖軍〗 기밀서류. ── [-mènt] *vt.* ① 문서로 증명하다, 문서[증서]를 교부하다. ② 증거를 제공하다.

:**doc·u·men·ta·ry**[dɑ̀kjəméntəri/dɔ̀k-] *a.* ① 문서[증서]의[에 의한]. ② 〖映·放〗 기록물의. ── *n.* Ⓒ 〖映·放〗 다큐멘터리, 기록물. ***a* ~ *bill*** 〖商〗 화환(貨換)어음.

doc·u·men·ta·tion [dɑ̀kjəmentéiʃən, -mən-/dɔ̀k-] *n.* Ⓤ ① 증서 교부; 문서 제시. ② 〖컴〗 문서화.

dod·der[dɑ́dər/-ɔ́-] *vi.* 흔들리다; (쇠약·노령으로) 비틀[비실]거리다.

˙**dodge**[dɑdʒ/-ɔ-] *vi.* ① 홱 몸을 피하다(*about*), 살짝 숨다. ② 속이다. ── *vt.* ① 날쌔게 피하다[비키다]. ② 말을 둘러대다; (질문을) 피하다 (evade). **~ *behind*** …뒤에 숨다. ── *n.* Ⓒ ① 몸을 돌려 피함. ② 《口》 속임수; 묘안. **dódg·er** *n.* Ⓒ ~하는 사람; 교활한 놈; 《美》 작은 전단; 《美南部》 corn bread의 일종.

dodg·em[dɑ́dʒəm/-ɔ́-] (＜*dodge them*) *n.* (the ~s) 꼬마 전기 자동차의 충돌(회피) 놀이.

dodg·y[dɑ́dʒi/dɔ́-] *a.* 교묘히 도망치는; 속임수가 능한, 교활한; 교묘한; 위험한.

do·do[dóudou] *n.* (*pl.* **~(*e*)*s***) Ⓒ 도도《지금은 멸종한 날지 못하는 큰 새》; 《俗》 구식 사람, 얼간이.

doe[dou] *n.* Ⓒ (사슴·토끼 따위의) 암컷(cf. buck[1]).

˙**do·er**[dú:ər] *n.* Ⓒ 행위자; 실행가.

†**does**[強 dʌz, 弱 dəz] *v.* do[1]의 3인칭·단수·직설법 현재.

†**does·n't**[dʌ́znt] does not의 단축형.

doff[dɑf, -ɔ:-/-ɔ-] (＜do[1]+off) *vt.* (모자 따위를) 벗다(take off)(opp. don[1]); (습관·태도 등을) 버리다.

†**dog**[dɔ:g/-ɔ-] *n.* Ⓒ ① 개; 수캐; (여우·이리 따위의) 수컷. ② (the D-) 〖天〗 개자리. ③ 《口》 망나니, 녀석(fellow). ④ 《口》 허세, 겉꾸밈, 과시. ⑤ (벽로의) 장작받침쇠. ***a* ~ *in the manger*** 심술꾸러기. ***a* ~'*s age*** 《美口》 장기간. ***a* ~'*s chance*** 거의 없는 가망. **~ *eat* ~** 동족 상잔, 함께 망함. **~'*s life*** 비참한 생활. **~*s of war*** 전쟁의 참화. ***Every* ~ *has his day.*** 《속담》 누구나 한 번은 때가 있다. ***Give a* ~ *an ill name, and hang him.*** 한 번 낙인 찍히면 마지막이다. ***go to the* ~*s*** 《口》 영락하다. ***keep a* ~ *and bark oneself*** 《口》 (남은 놀려 두고) 남이 할 일까지 전부 자기가 해치우다. ***put on the* ~** 《美口》 젠체하다. ***teach an old* ~ *new tricks*** 노인에게 새 방식을 가르치다. ***throw to the* ~*s*** 내버리다. ── *vt.* (**-gg-**) 미행하다, 뒤를 따르다 (follow).

dóg cóllar ① 개의 목걸이. ② 《口》 (목사 등의) 세운 칼라.

dóg dàys 삼복, 복중.

dóg·fight *n.* Ⓒ 개싸움; (치열한) 공중전; 난전, 난투.

dóg·fish *n.* Ⓒ 〖魚〗 돔발상어.

˙**dog·ged**[´id] *a.* 완고한. **~·ly** *ad.*

dog·ger·el[dɔ́:gərəl/-ɔ́-] *n.* Ⓤ 서투른 시. ── *a.* 빈약한, 서투른.

dog·gie, -gy[dɔ́:gi/-ɔ́-] *n., a.* Ⓒ 강아지; 멍멍(dog); 개의.

dóggie bàg 식당 등에서 손님이 먹고 남은 음식을 넣어주는 종이 봉지.

dog·go[dɔ́:gou] *ad.* 《俗》 몰래 숨어서, 남의 눈을 피하며(*lie* ~ 꼼짝 않고 있다, 숨어 있다).

dóg·hòuse *n.* Ⓒ 개집. ***in the* ~** 《俗》 인기를 잃고, 체면이 깎여.

dóg·lèg *a., n.* Ⓒ (개의 뒷다리처럼) 급각도로 휜 (것).

˙**dog·ma**[dɔ́:gmə, -ɑ́-/-ɔ́-] *n.* ① U,C 교의, 교조(敎條), 교리. ② Ⓒ 독단적 의견.

˙**dog·mat·ic** [dɔ:gmǽtik, dɑg-/dɔg-], **-i·cal**[-əl] *a.* ① 독단적인. ② 교의(敎義)의, 교리의.

˙**dog·ma·tism**[dɔ́:gmətìzəm, dɑ́g-/

dɔ́g-] *n.* Ⓤ 독단론; 교조주의. **-tist** *n.* Ⓒ 독단론자. **-tize**[-tàiz] *vi., vt.* 독단적으로 주장하다[말하다, 쓰다].

do-good·er[dú:gúdər] *n.* Ⓒ 《口》《蔑》(공상적) 사회 개량가. **-ism** [∸∸izəm] *n.*

dóg pàddle 개헤엄.

dóg-tíred *a.* 《口》 녹초가 된.

dóg·wòod *n.* Ⓒ 〖植〗 말채나무.

doi·ly[dɔ́ili] *n.* Ⓒ 도일리《꽃병 따위 받침용의 레이스 또는 종이 냅킨》.

˚**do·ing**[dú:iŋ] *n.* Ⓤ ① 행위, 실행. ② (*pl.*) 행실, 소행; 행동.

dó-it-yoursélf *a.* 《口》 (조립·수리 따위) 손수하는, 자작의. **~er** *n.* Ⓒ 자작 취미가 있는 사람.

dol·drums[dáldrəmz, dóul-/-ɔ́-] *n. pl.* (the ~) (적도 부근의) 무풍대; 의기소침, 침울.

˚**dole**[1][doul] *n.* ① Ⓒ (약간의) 시여(물). ② (the ~) 《英口》 실업 수당. ***be* [*go*] *on the* ~** 실업 수당을 받고 있다. ― *vt.* (조금씩) 베풀어[나누어] 주다(*out*).

dole[2] *n.* Ⓤ 《古》 비탄(sorrow, grief). ˚**∠·ful** *a.* 슬픔에 잠긴(sad); 음침한(dismal).

†**doll**[dal, dɔ:l/dɔl] *n.* Ⓒ 인형; (머리는 둔한) 인형 같은 미녀; 《俗》 (매력있는) 젊은 여자. ― *vt., vi.* 《俗》 차려입다; 멋내다(~ *oneself up*).

†**dol·lar**[dálər/-ɔ́-] *n.* Ⓒ 달러(지폐·은화)《생략 $》. ***bet one's bottom* ~** 《美口》 전재산을 걸다; 확신하다. ***earn an honest* ~** 정직하게 벌다.

dóllar diplòmacy 달러 외교.

dóll·hòuse *n.* Ⓒ 인형의 집; 장난감 같이 작은 집(《英》 doll's house).

˚**dol·ly**[dáli/dɔ́-] *n.* Ⓒ 《兒》 인형; 〖映·TV〗 이동식 촬영대.

dol·man[dálmən/-ɔ́-] *n.* (*pl.* ~**s**) Ⓒ 돌먼《소매가 케이프 같이 넓은 여성용 망토》; (터키 사람의) 긴 외투.

dol·or·ous[dálərəs, -óu-/-ɔ́-] *a.* 《詩·諧》 슬픈.

˚**dol·phin**[dálfin/-ɔ́-] *n.* Ⓒ 돌고래.

dolt[doult] *n.* Ⓒ 얼간이, 바보.

-dom[dəm] *suf.* '지위·세력·범위·…계·기질·상태' 등의 뜻 : free*dom*, king*dom*, official*dom*.

˚**do·main**[douméin] *n.* ① Ⓒ 영토, 영역(territory); 토지. ② Ⓒ (활동·연구 등의) 범위, 영역. ③ Ⓤ 〖法〗 토지소유권.

:**dome**[doum] *n.* Ⓒ ① 둥근 천장[지붕]; 둥근 꼭대기. ② 반구(半球)형의 것. ③ 《詩》 대가람. **~d**[-d] *a.*

:**do·mes·tic**[douméstik] *a.* ① 가정(내)의, 가사(家事)의. ② 가정에 충실한, 가정적인. ③ 국내[자국(自國)]의. ④ 국산의; 자가제의. ⑤ (사육되어) 길들여진. ― *n.* Ⓒ 하인, 하녀; (*pl.*) 국산품.

˚**do·mes·ti·cate**[douméstəkèit] *vt.* ① 길들이다(tame). ② (이민·식물 등을) 토지에 순화(順化)시키다. ③ 가정[가사]에 익숙하게 하다. **-ca·tion**[─∸─kéiʃən] *n.*

do·mes·tic·i·ty[dòumestísəti] *n.* Ⓤ 가정적임; 가정 생활(에의 애착); (보통 *pl.*) 가사(家事).

doméstic scíence 가정학.

dom·i·cile[dáməsàil, -səl/dɔ́m-] *n.* Ⓒ 주소; 주거; 〖商〗 어음 지급지.

˚**dom·i·nant**[dámənənt/dɔ́m-] *a.* 우세한(ascendant), 지배적인; 〖遺傳〗 우성한; 〖樂〗 딸림음의, 속음의. ― *n.* Ⓒ 〖遺傳〗 우성(형질); 〖樂〗 딸림음. **-nance** *n.* Ⓤ 우세, 우월; 지배; 〖遺傳〗 우성.

˚**dom·i·nate**[dámənèit/dɔ́m-] *vt.* ① 지배하다. ② (격정을) 억제하다(*over*). ③ (…위에) 우뚝 솟다, 우세하다. ― *vi.* ① 지배하다, 위압하다. ② 치솟다(tower). ˚**-na·tion**[∸─néiʃən] *n.*

Dom·i·ni·ca [dàməní:kə, dəmínəkə/dɔ̀miní:kə] *n.* 서인도 제도의 한 섬. **Do·min·i·can**[dəmínikən] *a., n.* Ⓒ St. Dominic의; 도미니크 교단의 (수도사); 도미니카 공화국의 (주민).

˚**do·min·ion**[dəmínjən] *n.* ① Ⓤ 통치권, 주권(sovereignty); 〖法〗 소유권. ② Ⓤ 통치, 지배(rule)(*over*). ③ Ⓒ 영토; (the D-)(영연방) 자치령(*the* ~ (*of Canada*) 캐나다).

dom·i·no[dámənòu/dɔ́m-] *n.* (*pl.* ~(**e**)**s**) Ⓒ 후드가 붙은 겉옷(을 입은 사람); 무도회용의 가면; 도미노패(牌), (*pl.*) 《단수 취급》 도미노 놀이; 《俗》 타도의 일격, 최종적 순간.

D

don[1] [dɑn/-ɔ-] (＜do[1]+on) *vt.* (**-nn-**) 걸치다, 입다(opp. doff).

don[2] *n.*(D-)스페인의 남자의 경칭; Ⓒ 명사; 《口》 명수, 능수꾼; 《口》 (영국 대학의) 학감(學監)(head)·지도교수(tutor)·특별 연구원(fellow).

do·nate[dóuneit, –⌐] *vt., vi.* 기증〔기부〕하다; 주다. ***do·ná·tion** *n.* Ⓤ 기증, 기부; Ⓒ 기부금, 기증품.

†**done**[dʌn] *v.* do[1]의 과거분사.

Don Ju·an[dɑ̀n dʒúːən, dɑ̀n wɑ́ːn/dɔ̀n-] 돈후안《전설상의 스페인의 방탕한 귀족》; 난봉꾼, 엽색꾼.

‡**don·key**[dɑ́ŋki/-ɔ́-] *n.* Ⓒ 당나귀(ass); 멍텅구리; 고집통이.

dónkey wòrk 단조롭고 고된 일.

do·nor [dóunər] *n.* Ⓒ 기증〔기부〕자(者)

†**don't**[dount] do not의 단축. ── *n.* Ⓒ (보통 *pl.*) 《口》 금지 조항서(cf. must[1]).

doo·dle[dúːdl] *n., vt., vi.* Ⓒ 낙서(하다)《생각 등에 잠겨》.

‡**doom**[duːm] *n.* Ⓤ ① (흔히, 나쁜) 운명. ② 파멸, 죽음. ③ (신이 내린) 최후의 심판. ***till the crack of ~*** 세상의 종말까지. ── *vt.* ① (…의) 운명을 정하다(*to*). ② 선고하다.

dooms·day[⌐zdèi] *n.* Ⓒ 세계의 종말; 최후의 심판일.

†**door**[dɔːr] *n.* Ⓒ ① 문, 문짝. ② 출입구, 문간. ③ 한 집. ***answer the ~*** 손님맞으러 나가다. ***in*** 〔***out of***〕 ***~s*** 집안〔집밖〕에서. ***lay ... at the ~ of a person*** …을 아무의 탓〔책임〕으로 돌리다. ***next ~ but one*** 한 집 건너 이웃. ***next ~ to*** …의 이웃에; 거의. ***show a person the ~*** 쫓아내다.

***dóor·bèll** *n.* Ⓒ (현관의) 초인종.

dóor·kèeper *n.* Ⓒ 문지기.

dóor·knòb *n.* Ⓒ 문의 손잡이.

dóor·màn *n.* Ⓒ (호텔·나이트 클럽 등의) 문 열어주는 사람.

dóor màt 신발 흙털개; 《口》 (억울해도) 잠자코 있는 사람.

dóor·nàil *n.* Ⓒ 문에 박는 대갈못 (***as dead as a ~*** 완전히 죽어).

***dóor·stèp** *n.* Ⓒ 현관 계단.

‡**dóor·wày** *n.* Ⓒ 문간, 입구.

dope[doup] *n.* Ⓤ 진한〔죽 모양의〕 액체; 도프 도료《비행기 날개 따위에 칠하는 도료》; 《俗》 마취약, (경마말에 먹이는) 흥분제; 《美俗》 경마 정보. ── *vt.* 도프를 바르다; 《俗》 (…에) 마약을〔흥분제를〕 먹이다.

dop·ey[dóupi] *a.* 《口》 마약에 마취된 것 같은; 멍한; 얼간이의.

dorm[dɔːrm] *n.* 《美口》 =DORMITORY.

dor·mant**[dɔ́ːrmənt] *a.* 잠자는; 휴지중인(inactive), 정지한. ***~ volcano 휴화산. **dór·man·cy** *n.* Ⓤ 휴면 상태.

dór·mer (wíndow) [dɔ́ːrmər(-)] *n.* Ⓒ 지붕창(의 돌출부).

‡**dor·mi·to·ry**[dɔ́ːrmətɔ̀ːri/-təri] *n.* Ⓒ ① 《美》 기숙사. ② 《英》 교외 택지(=~ town, bedroom suburb).

dor·mouse [dɔ́ːrmàus] *n.* (*pl.* ***-mice***[-màis]) Ⓒ 〚動〛 산쥐류(類).

dor·sal[dɔ́ːrsəl] *a.* 등의. ***~ fin*** 등지느러미.

dos·age[dóusidʒ] *n.* ① Ⓤ 투약, 조제; Ⓒ (약의) 복용량; (X선 방사 등의) 적용량. ② Ⓤ (포도주의 품질 개량을 위한) 당밀·브랜디 따위의 첨가〔섞음질〕.

***dose**[dous] *n., vt.* ① Ⓒ (약의) 1회분. ② (…에) 투약하다, 복용시키다; (…에게) 약을 지어주다.

dos·si·er[dɑ́sièi/-ɔ́-] *n.* (F.) Ⓒ (일건) 서류.

‡**dot**[dɑt/-ɔ-] *n., vt., vi.* (**-tt-**) ① Ⓒ 점(을 찍다). ② 점재(點在)시키다(*with*). ***~ the i's and cross the t's*** 세세한 데까지 (소홀히 않고) 분명하게 하다. ***off one's ~*** 《英俗》 얼이 빠져; 정신이 돌아. ***on the ~*** 《口》 제시간에. ***to a ~*** 《美》 정확히, 완전히.

dot·age[dóutidʒ] *n.* Ⓤ 노망; 익애(溺愛).

dote[dout] *vi.* 노망들다; 익애하다(on, upon). **dót·er** *n.* **dót·ing** *a.*

dót mátrix prìnter, dót prìnter 〚컴〛 점행렬 프린터《점을 짜맞추어 글자를 표현하는 인쇄 장치》.

dot·ted[dɑ́tid/-ɔ́-] *a.* 점이 있는, 점을 찍은; 점재한. ***~ line*** 점선. ***sign on the ~ line*** 무조건 승낙하다.

dot·ty[dɑ́ti/dɔ́-] *a.* ① 《口》 정신이

이상한, …에 열중한(*about*); 다리를 저는, 휘청휘청하는. ② 점이 많은, 접투성이의.

†**dou·ble**[dʌ́bəl] *a., ad.* ① 2배의〔로〕, 2중의〔으로〕. ② 짝〔쌍〕의 (coupled). ③ 〖植〗 겹꽃의, 중판의. ④ 표리가 있는, 거짓의. ⑤ 모호한. ***play*** ~ 쌍방에 내통하다. ***ride*** ~ (말에) 합승하다. ***see*** ~ (취해서) 물건이 둘로 뵈다. ***sleep*** ~ 동침하다 (lie with). ── *vt.* ① 2배 하다, 2중〔두겹〕으로 하다. ② 겹치다, 접다 (fold). ③ (주먹을) 쥐다. ④ 〖劇〗 (혼자서) (…의) 2역을 하다. ⑤ 〖海〗 (곶을) 회항하다. ── *vi.* ① 2배가〔2중이, 두 겹이〕 되다. ② 달리다. ③ 급히 몸을 돌리다〔돌다〕. ④ 일을 겸하다. ⑤ 〖野〗 2루타를 치다. ~ ***back*** 되돌리다; 몸을 홱 되돌려 달리다. ~ ***up*** 한 방을 쓰(게 하)다; 몸을 굽히다; 개키다, 접(히)다; 〖野〗 병살하다. ── *n.* ① Ⓤ,Ⓒ (두)배. ② Ⓒ 아주 비슷한 것〔사람〕; 〖劇〗 대역. ③ Ⓒ 되돌아 옴. ④ Ⓒ 속임수. ⑤ Ⓒ 접어 겹친 것; 주름. ⑥ Ⓒ 〖軍〗 구보. ⑦ Ⓒ 〖野〗 2루타. ⑧ (*pl.*) 복식 경기, 더블스. ⑨ Ⓒ 〖競馬〗 복식. ***be a person's*** ~ 아무를 꼭 닮다, 빼쏘다. ***on*** 〔***at***〕 ***the*** ~ 《口》 속보로. **∠·ness** *n.* **dóu·bly** *ad.* 2배로; 2중〔두겹〕으로.

dóuble ágent 이중 간첩.

dóuble-bárrel(l)ed *a.* 쌍총열의, 2연발의; 이중 목적의, 애매한.

dóuble báss = CONTRABASS.

dóuble bíll 〔**féature**〕 (영화·연극의) 2편 동시 상영.

dóuble-bréasted *a.* (상의가) 더블인.

dóuble chín 이중턱.

dóuble cróss 《口》 배반.

dóuble-cróss *vt.* 《口》 기만하다, 배반하다, 속이다.

dóuble-déaler *n.* Ⓒ 언행에 표리가 있는 사람, 협잡꾼.

dóuble-déaling *n.* Ⓤ 표리있는 언행; 사기. ── *a.* 표리있는, 불성실한.

dóuble-décker *n.* Ⓒ 2중 갑판의 배; 이층 버스〔전차〕.

dóuble Dútch 통 알아 들을 수 없는 말.

dóuble-édged *a.* 양날의; (의론 따위) 모호한.

dou·ble-en·ten·dre[dú:blɑ:ntɑ́:ndrə] *n.* (F.) Ⓒ 두 가지 뜻의 어구《그 한 쪽은 야비한 뜻》.

dóuble-fáced *a.* 양면의; (언행에) 표리가 있는, 위선적인.

dóuble-párk *vi., vt.* (보도에 대어 세운 차에) 나란히 주차하다〔시키다〕.

dóuble quíck 〖軍〗 구보.

dóuble stándard 이중 표준《여성보다 남성에게 관대하게 된 성(性)도덕률》; 〖經〗 복본위제(bimetallism).

dou·blet[dʌ́blit] *n.* Ⓒ (14-18세기의 꼭끼는) 남자용 상의; (짝의) 한 쪽; 이중어, 자매어《같은 어원의 말; *cattle* 과 *chattel, disk* 와 *dish* 따위》.

dóuble táke 《口》 (희극 배우가) 처음엔 무심히 듣다가 뒤늦게 깨닫고 깜짝 놀라는 체하는 짓.

dóuble tàlk 횡설수설; 조리가 안 서는 말.

†**doubt**[daut] *n.* Ⓤ,Ⓒ 의심, 의문. ── *vt., vi.* 의심하다. ***beyond*** 〔***no, out of, without***〕 ~ 의심할 여지없이. ***give*** (*a person*) ***the*** BENEFIT ***of the*** ~. ***in*** ~ 의심하여, 망설이고. ***make no*** ~ ***of*** …을 의심하지 않다. ***throw*** ~ ***on*** 〔***upon***〕 …에 의심을 품다. **∶∠·ful·ly** *ad.* **∶∠·less** *ad.* 확실히.

:doubt·ful[dáutfəl] *a.* 의심〔의혹〕을 품고 있는, 의심스러운; 의심쩍은 (uncertain)(*of*).

dóubting Thómas 의심 많은 사람.

˙**dough**[dou] *n.* ① Ⓤ 반죽; 굽지 않은 빵. ② 《俗》 = MONEY.

˙**dough·nut**[∠nʌ̀t] *n.* Ⓒ,Ⓤ 도넛.

dough·ty[dáuti] *a.* 《古·諧》 용감한, 굳센.

dour[duər, dauər] *a.* 뚱한, 부루퉁한.

:dove[1][dʌv] *n.* Ⓒ ① 비둘기. ② 온유〔순진〕한 사람; 비둘기파, 온건파 (cf. hawk).

dove[2][douv] *v.* 《美口·英方》 dive의 과거.

dóve·còte, dóve·còt *n.* Ⓒ 비둘기장, 비둘기집.

dóve·tàil *n., vt., vi.* Ⓒ 〖建〗 열장이음(으로 하다); 꼭 들어 맞(추)다; 긴밀히 들어 맞추다.

dow·a·ger[dáuədʒər] *n.* Ⓒ 귀족의 미망인; 기품 있는 노부인. ~

D

duchess 공작 미망인. ***an Empress D-*** 황태후. ***a Queen D-*** 태후, 대비(大妃).

dow·dy[dáudi] *a., n.* 초라한(shabby); Ⓒ 단정치 못한 (여자); 시대에 뒤진. **dów·di·ly** *ad.*

†**down**[1][daun] *ad.* ① 밑으로, 밑에; 아래쪽으로, 내려서; 아래층으로; 하류로, 바람 불어가는 쪽으로. ② 가라앉아; 넘어져. ③ (바람이) 자서; (기세가) 줄어서; (값이) 떨어져; 영락하여. 《口》 풀이 죽어서(*~ in the* MOUTH). ④ 마지막 가까이, 뒤쪽으로, 죽 계속하여(*hunt ~* 바짝 몰아대다/ *~ to date* 오늘날까지). ⑤ 그 자리에서, 즉석에서, 현금으로(*pay ~* 지불해 버리다, 현금으로 치르다/ *money ~* 맞돈). ⑥ 써어져(*take ~* 받아 쓰다). ⑦ (도시·대학에서) 떠나서, 떨어져서. ⑧ 완전히, 실제로, 정식으로. ⑨ 〖野〗 아웃되어(*one*〔*two*〕 *~* 1〔2〕사(死)). (***be, feel***) ***~ in spirits*** 슬퍼하여, 슬퍼하고 있다. ***be ~ on***〔***upon***〕 …에 불평을 말하다. ***~ and out*** 녹아웃되어; 영락하여. ***~ here***〔***there***〕 《口》 여기〔저기〕. ***~ the line*** 《口》 길을 내려가; 내내, 완전히. ***~ to the ground*** 아주, 철저히. ***D- with*** (*the tyrant; your money*) (폭군)을 타도하라; (가진 돈)을 내놔라. — ***prep.*** ① …을 내려가. ② …의 아래쪽에, 하류에. ③ …에〔을〕 따라서(*go ~ a street* 거리를 (따라)가다). ***~ the wind*** 바람 불어 가는 쪽으로. ***~ town*** 상가(에, 로), 상업 지구(에, 로). — ***a.*** ① 아래(쪽으)로의. ② 내려가는(*a ~ train* 하행 열차). ③ 풀이 죽은(*a ~ look* 침울한 얼굴). — ***vt., vi.*** ① 쓰러뜨리다, 쏘아 떨어뜨리다. ② 《英口》 삼키다, 마시다. ③ 《口》 내리다. ***~ tools*** 《口》 파업에 들어가다. — ***n.*** Ⓒ ① 내려감, 하강. ② (*pl.*) 불운, 역경(*the ups and ~s of life* 인생의 부침). ③ 《口》 원한(grudge), 증오(*have a ~ on* …을 미워하다). ④ 〖컴〗 고장, 다운.

down[2] *n.* Ⓤ (새의) 솜털; 배내털; (민들레 따위의) 관모(冠毛).

dówn-and-óut *a., n.* Ⓒ 영락한 (사람); 〖拳〗 다운당한 (선수).

down-at-(the-)heel(s) *a.* 허술한, 보잘 것 없는, 가난한. — *n.* Ⓒ 빈민.

dówn·bèat *n., a.* Ⓒ 〖樂〗 강박(強拍); 《美口》 우울한, 불행한.

˙**dówn·càst** *a.* 풀이 죽은; 눈을 내리뜬; 고개를 숙인.

˙**dówn·fàll** *n.* Ⓒ ① 낙하. ② 호우. ③ 몰락, 멸망.

dówn·gràde *n., a., ad., vt.* Ⓒ 내리받이(의, 가 되어); 좌천시키다.

dówn·héarted *a.* 낙담한.

˙**dówn·hìll** *n., a., ad.* Ⓒ ① 내리받이(의, 로). ② 쇠퇴(하는); 편한. ③ 비탈을 내려서(*go ~*).

Dówn·ing Strèet[dáuniŋ-] 다우닝가(街)《런던의 관청가》; 영국 정부〔내각〕.

dówn·lòad *vt.* 〖컴〗 올려받기하다 《상위의 컴퓨터에서 하위의 컴퓨터로 데이터를 전송하다》. — *n.* 〖컴〗 올려받기.

dówn·plày *vt.* 《美口》 얕보다, 가볍게 말하다.

dówn·pòur *n.* Ⓒ 억수, 호우.

˙**dówn·rìght** *a., ad.* ① 솔직한〔히〕, 명확한(definite); 철저히〔한〕. ② 완전한〔히〕; 아주.

Dówn's sýndrome 〖醫〗 다운 증후군(Mongolism).

:**down·stairs**[⌐stέərz] *ad., a.* 아래층에〔으로〕. — *n.* 《단수 취급》 아래층(방); 아래층에 사는 사람들.

˙**dówn·stréam** *ad., a.* 하류에〔의〕, 물줄기를 따라 내려가서.

dówn-to-éarth *a.* 실제적〔현실적〕인, 진실의; 철저한.

:**dówn·tówn** *n., ad., a.* Ⓒ 도심지(에, 의), 중심가〔상가〕(에서, 의).

dówn·tròdden *a.* 짓밟힌; 압박된; 유린된.

dówn·tùrn *n.* Ⓒ 하강; (경기 등의) 「내림세, 침체.

:**down·ward**[⌐wərd] *a.* ① 내려가는, 내리받이의; 아래쪽으로의. ② 저하하는, 내림세의. ③ 기원〔시조〕부터의. — *ad.* ① 아래쪽으로; 아래로 향해. ② 쇠퇴〔타락〕하여.

:**down·wards**[⌐wərdz] *ad.* =⇧.

˙**down·y**[dáuni] *a.* ① 솜털의, 솜털 같은〔로 덮인〕. ② 《俗》 교활한.

dow·ry[dáuəri] *n.* (신부의) 지참금.
doy·en[dɔ́iən] *n.* (*fem.* **doyenne** [dɔién]) (F.) Ⓒ (단체 등의) 고참, 장로.
˙**doze**[douz] *n., vi., vt.* (a ~) 졸기 (nap); 졸다, 졸며 (시간을) 보내다 (*away*). **~ off** 꾸벅꾸벅 졸다.
:**doz·en**[dʌ́zn] *n.* (*pl.* ~(**s**)) ① Ⓒ 1다스, 12개. ② (*pl.*) 다수(*of*). **a round** (**full**) **~** 에누리 없는 한 타. **~th** *a.*
D. Ph(**il**). Doctor of Philosophy.
†**Dr., Dr**[dáktər/dɔ́k-] Doctor.
drab[dræb] *n., a.* (**-bb-**) Ⓤ 담갈색(의); 단조(로운).
drach·ma[drǽkmə] *n.* (*pl.* **~s, -mae**[-miː]) Ⓒ 옛 그리스 은화(銀貨).
:**draft, draught**[dræft, -ɑː-] (draw의 명사형; cf. draw) *n.* 《주의: 역어의 ˙표는 영미 모두 흔히 **draught,** **:**표는 미국에서는 **draft,** 영국은 **draught,** 기타는 모두 **draft**》. ① Ⓒ 끌기, 견인(牽引)(*a beast of* ~ 짐수레 끄는 마소); 견인 중량; (짐수레·그물 따위를) 끌기. ② Ⓒ 한 그물(로 잡은 것)˙. ③ (the ~) 《美》 징병; Ⓤ 《집합적》 징집병; Ⓒ 분견대. ④ Ⓒ (한 번) 마심[들이쉼]; 그 양˙; (물약의) 1회분˙. ⑤ Ⓒ 〖商〗 지급 명령서, 환어음(bill of exchange). ⑥ Ⓒ 통기(通氣)**:**, 외풍**:**, 통풍(조절 장치)**:**. ⑦ Ⓤ 빼기, 뽑아냄. ⑧ (the ~)(스포츠에서) 드래프트제(制). ⑨ Ⓒ 도면(drawing), 설계도, 초안, 초고; 〖컴〗 초안. ⑩ Ⓤ,Ⓒ 흘수(吃水)˙. ⑪ (*pl.*) 드래프트 장기˙(checkers). **at a ~** 한입에, 단숨에. **~ on demand** 요구불 환어음. **make a ~ (up)on** (자금 등을) 찾아 내다; (우정을) 강요하다; (자산을) 줄이다. **telegraphic ~** 전신환. — *vt.* ① 선발하다; 분견하다. ② (…의) 기초[입안]하다; 밑그림을 그리다. **draft·ee**[dræftíː, drɑː-] *n.* Ⓒ 소집병. **dráft·er** *n.* Ⓒ 기초[입안]자; 복마(卜馬).
dráft dòdger 《美》 징병 기피자.
drafts·man[drǽftsmən, -ɑ́ː-] *n.* Ⓒ 기초[입안]자; 제도자. 「오는.
draft·y[ˊ-i] *a.* 외풍(draft)이 들어
:**drag**[dræg] *vi.* (**-gg-**) ① (질질) 끌리다. ② 발을 질질 끌며 걷다. ③ 느릿느릿 나아가다(*along, on*). ④ 물밑을 뒤져 훑다. — *vt.* ① 끌다, 당기다, 질질 끌다. ② 오래 끌게 하다. ③ (물밑을) 훑다(dredge). ④ 써레질하다. **~ down** (…을) 끌어내리다, (병 등이 사람을) 쇠약하게 하다; (사람을) 영락시키다. **~ one's feet** 발을 질질 끌며 걷다, 《口》 꾸물거리다. — *n.* ① Ⓤ,Ⓒ 질질 끌기; 〖컴〗 끌기《마우스를 버튼을 누른 채 끄는 것》. ② Ⓒ 질질 끄는[끌리는] 것; 써레(harrow); 저인망. ③ Ⓒ (수레의) 바퀴 멈추개. ④ Ⓒ 장애물. ⑤ Ⓤ 《俗》 사람을 움직이는 힘; 연고, 연줄, 줄(pull). ⑥ Ⓤ (항공기에 대하여 작용하는) 항력(抗力). ⑦ Ⓒ 《美俗》 도로, 가로. ⑧ Ⓒ 《美俗》 데이트 상대《여성》. ⑨ Ⓒ (자동차)의 스피드레이스. ⑩ Ⓤ 《俗》 (동성애의) 여장(女裝). ⑪ (a ~) 《俗》 (상대하기) 따분한 사람, 지루한 것.
:**drag·on**[drǽgən] *n.* ① Ⓒ 용. ② (D-) 〖天〗 용자리; 마왕(Satan). ③ Ⓒ 엄격한 샤프롱(stern chaperon) [감시인].
˙**drágon·flỳ** *n.* Ⓒ 잠자리.
dra·goon[drəgúːn] *n.* Ⓒ 〖史〗 용기병(龍騎兵)(cf. cavalier); 난폭한 사람.
:**drain**[drein] *vt.* ① (…에서) 배수하다(draw off); (물을) 빼내다(*away, off*); (배수하여) 말리다. ② 들이키다, 마시다, 비우다. ③ (조금씩) 다 써버리다. — *vi.* ① 흘러 없어지다; 뚝뚝 듣다, 비어 없어지다(*away, off*). ② 배수하다, 마르다. — *n.* ① Ⓤ 배수; Ⓒ 도랑; 하수관(sewer). ② Ⓒ (화폐의) 소모, 고갈; 부담(*on*). **put** (*something*) **down the ~** (물쓰듯) 낭비하다.
˙**drain·age**[ˊidʒ] *n.* Ⓤ ① 배수(설비). ② 배수(법). ③ 하수, 오수.
dráin·pìpe *n.* Ⓒ 하수[배수]관.
drake [dreik] *n.* Ⓒ 수오리(cf. duck[1]).
dram[dræm] *n.* Ⓒ 드램《보통 1/16 온스, 약량(藥量)은 1/8 온스》; 미량(微量); (술의) 한 잔.
:**dra·ma**[drɑ́ːmə, -ǽ-] *n.* ① Ⓤ (때

D

로 the ~) 극(문학), 연극; Ⓒ 희곡; 각본. ② Ⓒ 극적 사건.

:dra·mat·ic[drəmǽtik] *a.* (연)극의; 극적인(exciting). ***-i·cal·ly** *ad.*

dra·mat·ics[drəmǽtiks] *n.* ① Ⓤ 연기, 연출법. ② 《복수 취급》 소인극; 신파조의 몸짓.

dram·a·tis per·so·nae[drǽmətis pərsóuni:, drɑ́:mətis pə:sóunai, -ni] (L.) *pl.* 〖劇〗 등장 인물.

˙dram·a·tist[drǽmətist] *n.* Ⓒ 극작가(playwright). **˙-tize**[-tàiz] *vt.* 극화하다, 각색하다. **-ti·za·tion**[ˌ--tizéiʃən] *n.* Ⓤ,Ⓒ 각색, 극화.

†drank[dræŋk] *v.* drink의 과거.

˙drape[dreip] *vt.* 곱게 주름잡아 걸치다. — *n.* Ⓒ 주름잡아 드리운 천; (스커트·블라우스의) 드레이프.

drap·er[dréipər] *n.* Ⓒ 《英》 피륙상, 포목상(《美》 dry-goods store).

:dra·per·y[dréipəri] *n.* ① Ⓤ,Ⓒ (곱게 주름 잡은) 휘장, 커튼. ② Ⓤ,Ⓒ 포목, 피륙. ③ Ⓤ 〖美術〗 (회화·조각의) 착의(着衣).

:dras·tic[drǽstik] *a.* (수단 따위) 철저한, 과감한(*a ~ measure* 비상 수단). ***-ti·cal·ly** *ad.* 맹렬(철저)히.

˙draught [dræft, -ɑ:-] *n., v.* = DRAFT.

dráught hòrse 복마, 짐말.

draughts·man[ˊsmən] *n.* = DRAFTSMAN.

draught·y[ˊi] *a.* = DRAFTY.

†draw[drɔ:] *vt.* (***drew; drawn***) ① 끌다(pull, drag); (끌어)당기다, 이끌다; 자아내다; 이끌어 내다, 얻다. ② (칼을) 빼다, (권총을) 뽑아내다; (물을) 푸다. ③ (이익을) 가져오다. ④ (숨을) 쉬다. ⑤ (선을) 긋다, 줄을 그어 (도면·그림을) 그리다; (문장으로) 묘사하다; 기술하다. ⑥ (문서를) 작성하다. ⑦ (어음 등을) 발행〔취결〕하다. ⑧ (제비를) 뽑아 맞히다. ⑨ 끌어내다, 생기게 하다. ⑩ (결론을) 가져오다. ⑪ 흘수(吃水)가 …이다(displace)(*a ship ~ing 20 feet of water* 흘수 20 피트의 배). ⑫ (금속봉을 잡아 늘여서 철사를) 만들다. ⑬ (얼굴을) 찡그리다; 오므리다; 주름을 만들다. ⑭ (여우를) 끌어내다, 몰이해 내다. (피를) 흘리게 하다. ⑮ (…의) 내장〔속〕을 뽑아 내다. ⑯ (차를) 달여 내다(make). — *vi.* ① 끌다; 접근하다(*to, toward*); 끌리다, 빠지다. ② 움직이다, 모이다, 모여들다. ③ 그리다, 제도하다. ④ 칼을 뽑다; 권총을 빼다. ⑤ 어음을 발행하다, 청구하다; 강요하다; 의지하다(*on*). ⑥ 오그라들다(shrink), 주름이 잡히다. ⑦ 흘수가 …이다. ⑧ 무승부가 되다(cf. drawngame). ⑨ 인기를 끌다(cf. drawing card). ⑩ 제비를 뽑다. ⑪ (차가) 우러나다(steep)(*The tea is ~ing.* 차가 우러난다). ***~ a full house*** 초만원을 이루다. ***~ away*** (경쟁에서 상대를) 떼어놓다; 〖競馬〗 선두에 나서다. ***~ back*** 물러서다; 손을 떼다; 〖軍〗 철수하다. ***~ down*** 내리다; 초래하다. ***~ in*** 끌어 들이다; 꾀어 들이다; 들이켜다; 줄이다; (해가) 짧아지다, 저물다. ***~ it mild*** 〔***strong***〕 《주로 英》 온건하게〔과장하여〕 말하다. ***~ level*** (경주에서) 뒤따라 미치다; 대등하게 되다. ***~ near*** 접근하다. ***~ off*** 철퇴하다〔시키다〕; (물을) 빼내다; (주의를) 딴 데로 돌리다. ***~ on*** 다가오다; 몸에 걸치다, 신다, 입다; 끌어 들이다. ***~ oneself up*** 자세를 고치다; 정색을 하다. ***~ out*** 끄집어 〔뽑아〕 내다; 떼놓다, 늘이다, (대(隊)를) 정렬시키다; 《口》 (…로 하여금) 이야기하게 하다(induce to talk); (해가) 길어지다; 오래 끌다; (문서를) 작성하다; (예금을) 인출하다. ***~ up*** 끌어 올리다; 정렬시키다; 몸을 일으키다; (마차 따위를) 멈추(게 하)다. — *n.* Ⓒ ① 끌(어 내)기. ② 《口》 추첨. ③ 비기기. ④ 인기물, 히트. ***beat a person to the ~*** 아무를 앞지르다, 선수치다.

:dráw·bàck *n.* ① Ⓒ 결점, 약점; 장애(*to*); 핸디캡. ② Ⓤ,Ⓒ 환부(금)(還付(金)).

dráw·brìdge *n.* Ⓒ 도개교(跳開橋); 적교(吊橋).

:draw·er[drɔ́:ər] *n.* Ⓒ ① (어음) 발행인. ② 제도사(製圖士). ③ [drɔ:r] 서랍; (*pl.*) 장롱(*a chest of ~s*). ④ (*pl.*) [drɔ́:rz] 드로어즈, 속바지.

:draw·ing[drɔ́:iŋ] *n.* ① Ⓒ (연필·펜 등으로 그린) 그림, 소묘(素描), 데상;

Ⓤ (도안·회화의) 제도, 선묘(線描); 〖컴〗 그림 그리기. ② Ⓤ (문서의) 작성. ③ Ⓒ 추첨. ④ Ⓤ (어음의) 발행. ⑤ 《英》 (*pl.*) 매상고. ⑥ Ⓤ (차를) 달여내기. ***out of*** ~ 잘못 그려진; 조화가 안 된〔되어〕.

dráwing bòard 제도판, 그림판.

dráwing pìn 《英》 제도용 핀, 압정(《美》 thumbtack).

:dráwing ròom 응접실, 객실; 《英》 제도실(《美》 drafting room).

drawl[drɔːl] *vt., vi.* 느릿느릿〔점잔 빼며〕 말하다. — *n.* Ⓒ 느린 말투.

:drawn[drɔːn] *v.* draw의 과거분사. — *a.* ① 잡아뽑은, 빼낸. ② 팽팽히 잡아늘인; (얼굴 따위) 찡그린. ③ (새 따위) 속을 빼낸. ④ 비긴.

dray[drei] *n.* Ⓒ 큰 짐마차《낮은 차대, 울이 없음》; 화물 자동차.

:dread[dred] *vt., vi.* 두려워하다; 걱정하다. — *n.* Ⓤ 두려움, 공포(fear). **:∠·ful** *a.* 무서운(fearful); 지독한, 싫은. **∠·ful·ly** *ad.* 《口》 몹시; 지독하게.

†dream[driːm] *n., vi., vt.* (***dreamt, ~ed***[driːmd, dremt]) Ⓒ ① 꿈(꾸다, 에 보다). ② 몽상(하다), 공상(하다)(*about, of*)(*I little ~t of it.* 꿈에도 생각지 않았다). ~ ***a*** ~ 꿈을 꾸다. ~ ***away*** 꿈결같이 보내다. ~ ***up*** 《口》 퍼뜩 생각해내다. ***∠·er*** *n.* Ⓒ 꿈꾸는 사람; 몽상가.

dréam·lànd *n.* Ⓤ,Ⓒ 꿈나라, 이상향; 유토피아; Ⓒ 잠.

dréam·lìke *a.* 꿈(결) 같은; 어렴풋한, 덧 없는.

dréam·wòrld *n.* Ⓒ 꿈〔공상〕의 세계; ＝DREAMLAND.

·dream·y[dríːmi] *a.* 꿈(결) 같은, 어렴풋한(vague); 공상적인. **dréam·i·ly** *ad.* **dréam·i·ness** *n.*

:drear·y[dríəri] *a.* ① 황량한, 쓸쓸한, 처량한(dismal). ② 울적한, 음울한; 지루한(dull). **dréar·i·ly** *ad.* **dréar·i·ness** *n.*

dredge[1][dredʒ] *n., vt.* Ⓒ 준설기(로 치다)(*up*); 저인망(으로 훑어 잡다).

dredge[2] *vt.* (…에) 가루를 뿌리다.

dredg·er[dredʒər] *n.* Ⓒ 준설기〔선〕; 가루 뿌리는 기구.

dreg[dreg] *n.* Ⓒ (보통 *pl.*) 찌끼, 앙금; 지스러기; 미량(微量). ***drain*** 〔***drink***〕 ***to the*** ~ 남김 없이 다 마시다; (인생의) 쓴맛 단맛 다 보다.

:drench[drentʃ] *vt.* ① 흠뻑 적시다(soak). ② (소·말에) 물약을 먹이다. ***be ~ed to the skin*** 흠뻑 젖다.

†dress[dres] *vt.* (***~ed***[-t], 《古》 ***drest***) ① (옷을) 입히다; 치장하다; 정장시키다. ② 꾸미다(decorate). ③ 다듬다, (가죽을) 무두질하다, (머리를) 매만지다. ④ (상처를) 치료하다. ⑤ (대열을) 정렬시키다. ⑥ 조리하다(prepare). — *vi.* ① 옷을 입다; (야회복 따위를 입어) 정장하다. ② 정렬하다. ~ ***down*** 《口》 꾸짖다; 갈기다. ~ ***oneself*** (외출 따위의) 몸치장을 하다. ~ ***out*** (옷)치장하다, (상처를) 가료하다. ~ ***up***, or ***be ~ed up*** 성장(盛裝)하다, 한껏 차려 입다. — *n.* ① Ⓒ (원피스형의) 여성복, 드레스. ② Ⓤ 의복, 의상. ③ Ⓤ (남자의) 예복, 정장.

dréss círcle (극장의) 특등석.

:dress·er[drésər] *n.* Ⓒ ① 옷 입히는 사람; 의상 담당자; 장식하는 사람. ② 옷을 잘 입는 사람(*a smart* ~ 멋쟁이). ③ 《英》 (외과의) 조수. ④ 요리인〔대〕. ⑤ 찬장. ⑥ 《美》 경대.

·dress·ing[drésiŋ] *n.* ① Ⓤ,Ⓒ 마무리(재료), 장식. ② Ⓤ (몸)치장. ③ Ⓒ 치료용품《붕대 따위》. ④ Ⓤ 비료(fertilizer).

dréssing gòwn 화장옷, 실내복.

dréssing ròom (극장의) 분장실; (흔히, 침실 곁의) 화장실.

dréssing tàble 《英》 화장대, 경대.

·dréss·màker *n., a.* Ⓒ 양재사, 양장점; 여성복다운, 장식이 많은.

·dréss·màking *n.* Ⓤ 양재(업).

dréss rehéarsal 〖劇〗 (의상을 입고 하는) 마지막 총연습.

dress·y[drési] *a.* 《口》 옷차림에 마음을 쓰는; (옷이) 맵시 있는, 멋진(cf. sporty).

†drew[druː] *v.* draw의 과거.

drib·ble[dríbəl] *vi., vt.* 뚝뚝 떨어지다〔뜨리다〕; 군침을 흘리다(drivel); 〖球技〗 드리블하다. — *n.* Ⓒ 물방울; 가랑비; 드리블; 똑똑 떨어짐.

dríbs and drábs[dríbz-] 《口》

적은 양.

:dried [draid] *v.* dry의 과거(분사). — *a.* 건조한. ***a ~ fish*** 건어물.

·dri·er [dráiər] *n.* Ⓒ 말리는 사람; 건조기[제(劑)]. — *a.* dry의 비교급.

:drift [drift] *n.* ① U,C 흐름, 조류; 표류. ② Ⓒ 표류물, 휘몰아쳐 쌓인 것. ③ Ⓤ 취지, 요지. ④ U,C 동향, 경향; Ⓤ 추세에 맡기기. ⑤ U,C 〖空〗 편류(偏流). — *vt., vi.* 표류시키다[하다]; 휘몰아쳐[날리어] 쌓(이)다; (*vt.*) (악습 따위에) 부지중에 빠져들다. **~·age** [⌐idʒ] *n.* Ⓤ 표류; 표류[퇴적]물; (배의) 편류 거리; (탄알의) 편차. **⌐·er** *n.* Ⓒ 표류자[물]; 유망(流網) 어선.

dríft nèt 유망(流網).

dríft·wòod *n.* Ⓤ 유목(流木), 부목(浮木); 부랑민.

:drill [dril] *n.* ① U,C 훈련, 교련. ② Ⓒ 송곳, 천공기(穿孔機). — *vt., vi.* ① 훈련하다[받다]. ② (송곳으로) 구멍을 뚫다, 꿰뚫다.

·dri·ly [dráili] *ad.* = DRYLY.

†drink [driŋk] *vt.* (***drank; drunk***) ① 마시다. ② (…을 위해서) 축배를 들다(*~ a person's health*). ③ 빨아들이다, 흡수하다(*in, up*). ④ (돈·시간을) 술에 소비하다. ⑤ (경치 따위에) 도취되다(*in*). — *vi.* ① 마시다, 술마시다. ② 축배를 들다. ③ 취하다. ④ 마시면 …한 맛이 나다(*This beer ~s flat.* 이 맥주는 김이 빠졌다). **~ *away*** 술로 (재산을) 날리다, 마시며 (시간을) 보내다. **~ *deep*** 흠뻑 마시다. **~ *off*** 단숨에 들이켜다. **~ *oneself*** 술마시다. **~ *up*** 다 들이켜다; 빨아올리다. — *n.* ① U,C 음료. ② Ⓤ 술; 음주. ③ Ⓒ 한 잔(*of*). ***in ~*** 취하여. **⌐·a·ble** *a., n.* 마실 수 있는; (*pl.*) 음료. **·⌐·er** *n.* Ⓒ 마시는 사람; 술꾼.

:drink·ing [dríŋkiŋ] *a., n.* Ⓤ 마시기; 음주(의), 음용(飮用)의(*~ water*).

drínking fòuntain 음료 분수 (bubbler).

drínking wàter 음료수.

:drip [drip] *n., vi., vt.* (**~*ped, dript; -pp-***) ① 똑똑 떨어지다[뜨리다]. ② (*sing.*) 물방울(의 똑똑 떨어짐).

·dríp·ping *a., n.* 물방울이 떨어지는; Ⓤ 똑똑 떨어짐, 적하(滴下); Ⓒ (종종 *pl.*) 물방울; (《美》 *pl.,* 《英》 Ⓤ) (불고기의) 떨어지는 국물.

dríp-drý *vi., vt.* (나일론 따위) 짜지 않고 그냥 마르다[말리다]. — *a.* [⌐⌐] 속건성의 (천으로 만든).

†drive [draiv] *vt.* (***drove; driven***) ① 쫓다, 몰다, (새·짐승을) 몰이하다(chase[1]). ② 몰다, 부리다, 혹사하다; 운전[조종]하다. ③ 차로 나르다. ④ 영위하다, 하다. ⑤ (말뚝·못 등을) 쳐 박다; (굴·터널을) 파다. ⑥ 추진하다. ⑦ 강박[강제]하다, 억지로 …하게 하다(force)(*to, into*); …하게 하다(make). ⑧ 밀고 나아가다; (바람이 구름·비·눈을) 불어보내다. ⑨ 〖野〗 직구(直球)를 던지다; 〖테니스〗 드라이브를 걸다. ⑩ (시간적으로) 질질 끌다, 미루다. — *vi.* ① 차를 몰다, 차로 가다, 드라이브하다. ② 공을 치다; 투구(投球)하다. ③ 목적으로 하다, 노리다(aim)(*at*). ④ 돌진하다, 부딪치다(*against*). **~ *at*** 의도[뜻]하다, 노리다. **~ *away*** 몰아[쫓아]내다; 차를 몰아 가버리다; 열심히 (일)하다(*at*). **~ *in*** 몰아넣다; 때려박다. **~ *out*** 추방하다; 드라이브나가다. ***let ~ at*** …을 향해 던지다; …을 꾸짖다. — *n.* ① Ⓒ 드라이브; 마차[자동차] 여행. ② Ⓒ 몰이, 몰아대기[내기]. ③ Ⓒ (저택내의) 차도; 진격, 공세, 공격. ④ Ⓤ 추진력, 박력, 정력. ⑤ U,C (골프·테니스 따위에서) 장타(長打), 드라이브, 경향. ⑥ Ⓒ (대규모의) 선전, 모금 운동, 캠페인(campaign)(*a Red Cross* [*community chest*]) ~ 적십자[공동] 모금 운동. ⑦ U,C (자동차의) 구동 장치; 〖컴〗 돌리개. **:dri·ver** *n.* Ⓒ 조종자, 마부, 운전수, 기관사; 치는 사람[것]; 〖컴〗 돌리개, 드라이버《장치를 제어하기 위한 프로그램》.

·dríve-ìn *n.* Ⓒ 드라이브인《차 탄채로 들어갈 수 있는 상점·식당·영화관 등》. — *a.* 드라이브인의.

driv·el [drívəl] *n.* Ⓤ 군침; 허튼소리. — (《英》 ***-ll-***) *vi.* 군침을 흘리다[이 흐르다]; 철없는 소리를 하다. — *vt.* (시간을) 허비하다(*away*). **~·(l)er** *n.* Ⓒ 침흘리개; 바보.

D

:driv·en [drívən] *v.* drive 과거분사.
·dríve·wày *n.* Ⓒ 《美》 ① 드라이브 길, 차도. ② (대문에서 현관까지의) 차도.
:driv·ing [dráiviŋ] *a.* ① 추진하는, 동력 전달의. ② (남을) 혹사하는. ③ 정력적인. ── *n.* Ⓤ ① 운전. ② 몰기, 쫓기. ③ 두드려 박기.
·driz·zle [drízl] *n., vi.* Ⓤ 이슬비(가 내리다)(*It* ~*s.*). **dríz·zly** *a.*
droll [droul] *a., n.* Ⓒ 익살스러운 (사람). **∠·er·y** *n.* Ⓤ,Ⓒ 익살맞은 짓(이야기).
drom·e·dar·y [drámidèri, drʌ́midəri] *n.* Ⓒ (아라비아의) 단봉(單峰) 낙타.
·drone [droun] *n.* ① Ⓒ (꿀벌의) 수펄. ② Ⓒ 게으름뱅이(idler). ③ (*sing.*)(벌·비행기의) 윙윙(하는 소리). ④ Ⓒ (무선 조종의) 무인기. ── *vi.* ① 윙윙[붕붕]거리다(buzz). ② 단조로운 소리로 말하다. ③ 빈둥대다.
drool [dru:l] *n., vi.* 《주로 美》 =DRIVEL.
:droop [dru:p] *vi.* ① 처지다. ② 수그러지다(hang down); 눈을 내리깔다; 풀이 죽다; (기력이) 쇠하다. ── *n.* (*sing.*) ① 수그러짐. ② 고개 숙임, 풀이 죽음; (가지 따위의) 늘어짐.
†drop [drap/-ɔ-] *n.* ① Ⓒ 물방울; (*pl.*) 점적약(點滴藥); Ⓒ 소량(의 술); (a ~) 한방울, 소량(*of*). ② (보통 *sing.*) 낙하, 강하(fall). ③ Ⓒ 늘어뜨린 장식, 귀걸이. ④ Ⓒ 〖建〗 단대공(pendant). ⑤ Ⓒ 눈깔사탕, 드롭스. ⑥ (우체통의) 넣는 구멍. ── *vt., vi.* (**~ped, ~t; -pp-**) ① 듣(게 하)다; 뚝뚝 떨어지(게 하)다; 떨어지다(뜨리다). ② 낮아지다, 낮추다. ③ 내려(놓)다. ④ 쓰러지다(뜨리다). ⑤ 낙제하다(시키다). ⑥ (동물이) 태어나다, 새끼를 낳다. ⑦ 그치다, 그만두다(~ ***a case*** 소송을 취하하다). ⑧ 〖美蹴〗 드롭킥하다. ⑨ 목숨을 잃다(뺏다). ⑩ 《이하 *vi.*》 (바람이) 자다; 정지(靜止)하다; 사라지다. ⑪ (개가) 웅크리다. ⑫ 뒤처지다, 낙오하다(*behind*). ⑬ 《이하 *vt.*》 《俗》 (도박으로 돈을) 없애다. ⑭ 《美》 해고하다. ⑮ 무심코(얼결에) 말하다. ⑯ 버리다. ⑰ 제명하다. ⑱ 우체통에 넣다; 써서 부치다. ~ ***across*** …를 우연히 만나다; 꾸짖다. ~ ***asleep*** 어느결에 잠들다; 죽다. ~ ***away*** = ~ off. ~ ***in*** (*on*) (잠깐) 들르다; 우연히 만나다. ~ ***into*** 들르다; (습관에) 빠지다; (사람을) 꾸짖다. ***D- it!*** 그만둬! ~ ***off*** 하나 둘 가 버리다; 차차 줄어들다; 어느 결에 잠들다; (갑자기) 죽다. ~ ***on to*** …을 꾸짖다. ~ ***out*** 물러가다(withdraw); 은퇴하다; 없어지다; 쇠퇴하다. ~ ***through*** 아주 못쓰게 되다.
drop·let [∠lit] *n.* Ⓒ 작은 물방울.
dróp·òut *n.* Ⓒ 〖럭비〗 드롭아웃; 《口》 수업을 빼먹기, 또 그 학생; 낙제생, 중퇴생; 탈락자.
dróp·per *n.* Ⓒ (안약 따위의) 점적기(點滴器)(병).
dross [drɔ:s, dras/drɔs] *n.* Ⓤ (녹은 금속의) 쇠똥; 찌꺼기(refuse), 부스러기.
·drought [draut] (cf. dry) *n.* Ⓒ 가뭄, 한발. **∠·y** *a.*
†drove[1] [drouv] *v.* drive 과거.
drove[2] *n.* Ⓒ (몰려가는) 가축 떼; (움직이는) 인파. **dró·ver** *n.* Ⓒ 가축 떼를 시장까지 몰고 가는 사람; 가축 상인.
:drown [draun] *vt.* ① 물에 빠뜨리다. ② 흠뻑 젖게 하다. ③ 들리지 않게 하다(~ ***one's grief in wine*** 슬픔을 술로 달래다). ~ ***oneself*** 투신 자살하다. ── *vi.* ① 물에 빠지다; 익사하다. ② 달래다, 잊어버리다.
·drow·sy [∠i] *a.* ① 졸린. ② 졸리게 하는. **dróws·si·ly** *ad.* **dróws·si·ness** *n.*
drub [drʌb] *vt.* (**-bb-**) 몽둥이로 치다, 매질하다; (큰 차로) 패배시키다.
drudge [drʌdʒ] *vi., n.* Ⓒ (고되고 단조로운 일을) 꾸준히(뼈빠지게) 하다(하는 사람). **drudg·er·y** [∠əri] *n.* Ⓤ 단조롭고 고된 일.
:drug [drʌg] *n.* Ⓒ 약, 약제, 약품; 마약. ~ ***in*** (***on***) ***the market*** 안팔리는 물건. ── *vt.* (**-gg-**) ① (…에) (독)약을 넣다. ② 마취시키다. ③ 물리게 하다.
·drug·gist [drʌ́gist] *n.* Ⓒ 《美·Sc.》 약종상; 약제사(chemist).

D

:drug·store[drʌ́gstɔ̀ːr] *n.* Ⓒ《美》 약방《담배·화장품 등도 팔고 커피 등도 팖》.

Dru·id, d-[drúːid] *n.* Ⓒ (옛 켈트족의) 드루이드교 단원.

:drum[drʌm] *n.* Ⓒ ① 북(소리). ② 【機】 고동(鼓胴); 드럼통; 【解】 고실(鼓室), 고막. ③ 【컴】 MAGNETIC DRUM. — *vt.* (**-mm-**) ① (곡을) 북으로 연주하다. ② (북을 쳐서) 불러 모으다(*up*)〔몰아내다(*out of*)〕, 모집하다. ③ (학문·교훈을 머리에) 억지로 주입시키다. — *vi.* ① 북을 치다. ② 북을 치고 돌아다니다, 북을 치고 돌아다니며 모집하다(*for*). **~ *down*** (…을) 침묵시키다. **~ *out*** 선전하다. **~ *up*** 불러 모으다.

drúm·bèat *n.* Ⓒ 북소리.

drúm màjor (악대의) 고수장(鼓手長), 군악대장, 악장.

drúm majorètte (행진의 선두에서) 지휘봉을 휘두르는 소녀, 배턴걸.

·drúm·mer *n.* Ⓒ 고수, 드러머; 《美》 외판원.

drúm·stìck *n.* Ⓒ 북채; (요리한) 닭다리.

†drunk[drʌŋk] *v.* drink의 과거분사. — *a., n.* 술취한; Ⓒ《口》 주정뱅이. ***get* ~** 취하다.

·drunk·ard[ˊərd] *n.* Ⓒ 술고래.

·drunk·en[ˊən] *a.* 술취한; 술고래의. **·~·ness** *n.* Ⓤ 술취함, 명정(酩酊).

†dry[drai] *a.* ① 마른, 건조한; 바싹 마른. ② 비가 안 오는; 물이 말라 붙은; 젖이 안나오는. ③ 《美口》 금주법이 시행되는(*a* ~ *State* 금주주(禁酒州)). ④ 버터를 바르지 않는. ⑤ 울지 않는; 가래가 나오지 않는(*a* ~ *cough* 마른 기침). ⑥ 쌀쌀한, 냉담한. ⑦ 노골적인(plain). ⑧ 무미 건조한. ⑨ 무표정하게 말하는(*a* ~ *joker*). ⑩ 씁쓸한(~ *wine*)(opp. sweet). ⑪ 【軍】 실탄을 쓰지 않는, 연습의. **~ *behind the ears*** 《口》 (완전히) 성인이 된. — *vt., vi.* ① 말리다, 마르다, 널다. ② 고갈시키다〔되다〕. **~ *up*** 말리다, 널다; 바싹 마르다; 《口》 입 다물다. **ˊ·ly** *ad.* 냉담하게, 웃지도 않고, 무미 건조하게. **ˊ·ness** *n.*

drý cléaner 드라이클리닝 업자〔약품〕.

drý cléaning 드라이클리닝(법).

drý íce 드라이아이스.

drý lànd 건조 지역; 육지《바다에 대하여》.

drý làw 《美》 금주법.

drý-nùrse *vt.* 아이를 보다.

drý rót (목재의) 건식(乾蝕)(병).

drý rún 《俗》 예행 연습; 【軍】 공포 사격 연습; 시운전; 견본(見本).

drý wàll 《美》 건식 벽체(壁體)《회반죽을 쓰지 않은 벽》.

D.S.O. Distinguished Service Order. **D.T.'s, d.t.** DELIRIUM tremens.

·du·al[djúːəl] *a.* 둘의, 이중의(twofold); 이원적인. **~ *economy*** 이중경제. **~ *nationality*** 이중 국적. **~ *personality*** 이중 인격. **~·ism** [-ìzəm] *n.* Ⓤ 이원론. **~·ist** *n.* **~·is·tic**[djùːəlístik] *a.* 이원(론)적인, 이원론상의.

du·al·i·ty[djuːǽləti] *n.* Ⓤ 이원〔이중〕성(性).

dúal-púrpose *a.* 두 가지 목적〔용도〕의.

·du·bi·ous[djúːbiəs] *a.* ① 의심스러운, 수상한. ② 미정의, 불명한. ③ 불안한. **~·ly** *ad.* **~·ness** *n.* **du·bi·e·ty**[dju(ː)báiəti] *n.*

du·cal[djúːkəl] *a.* 공작(duke)의.

duch·ess[dʌ́tʃis] *n.* Ⓒ 공작 부인; 여공작.

duch·y[dʌ́tʃi] *n.* Ⓒ 공작령〔영지〕.

:duck[1][dʌk] *n.* ① Ⓒ (집)오리(류의 암컷)(cf. drake). ② Ⓤ (집)오리의 고기. ③ Ⓒ《英口》 귀여운 사람; 녀석, 놈. ***a wild* ~** 들오리. ***play* ~*s and drakes with money*** 돈을 물쓰듯하다.

duck[2] *vi., vt., n.* Ⓒ 물에 쑥 잠기게 하다〔잠김, 처박음〕; 홱 머리를 숙이다〔숙임〕; (타격·위험 등을) 피하다.

dúck·ing *n.* Ⓤ 오리 사냥; Ⓤ,Ⓒ 물에 처넣기; Ⓤ 【拳】 더킹《몸·머리를 홱 숙이는 짓》.

duck·ling[ˊliŋ] *n.* Ⓒ 집오리 새끼, 새끼 오리.

duct[dʌkt] *n.* Ⓒ 관, 도관(導管); 【解】 선(腺).

dud[dʌd] *n.* Ⓒ《口》 ① (보통 *pl.*)

옷, 의류. ② 결딴난 일, 버린 사람; 〖軍〗 불발탄.
dude[dju:d] *n.* Ⓒ 멋쟁이; 《俗》 (특히 미국 동부의) 도회지 사람; 《美西部》 (휴가로 서부 목장에 온) 동부인(人).
dudg·eon[dʌ́dʒən] *n.* Ⓤ 성냄, 분개. ***in high*** ~ 크게 노하여.
:due[dju:] *a.* ① 응당 치러야 할; 지불 기일이 된, 만기의. ② 응당 …에 돌려야 할, …에 의한(*to*). ③ …할 예정인, 도착하게 되어 있는. ④ 당연한, 정당한(proper); 적당한. ***become*** [***fall***] ~ (어음 따위가) 만기가 되다. ***in*** ~ ***form*** 정식으로. ***in*** ~ (***course of***) ***time*** 때가 오면, 머지않아, 불원. — *ad.* (방향이) 정확히, 정(正)…(*The wind is* ~ *north.* 바람은 정북풍이다). — *n.* Ⓒ ① 마땅히 줄[받을] 것, 당연한 몫, 정당한 권리. ② (보통 *pl.*) 세금, 조합비, 회비; 수수료. ***give a person his*** ~ 아무를 공평히 다루다[대우하다]. ***give the*** DEVIL ***his*** ~.
˙du·el[djú:əl] *n., vi.* ((《英》) **-ll-**) Ⓒ 결투(하다); (the ~) 결투의 규칙. ~ ***of wits*** 재치 겨루기. **~·(l)ing** *n.* **~·(l)ist** *n.*
˙du·et[djuét] *n.* Ⓒ 2중창, 2중주(곡).
dúffel bàg 〖軍〗 즈크 자루.
duff·er[dʌ́fər] *n.* Ⓒ 《口》 바보, 병신; 《俗》 가짜.
:dug[dʌg] *v.* dig의 과거(분사).
˙dúg·òut *n.* Ⓒ ① 마상이, 통나무배. ② (태고의) 땅굴집. ③ 대피[방공]호. ④ 〖野〗 더그아웃《야구장의 선수 대기소》.
˙duke[dju:k] *n.* Ⓒ ① 《英》 공작. ② (유럽의 공국(公國)·작은 나라의) 군주, …공(*the Grand D-* 대공). **∠·dom** *n.* Ⓒ 공령(公領), 공국.
dul·cet[dʌ́lsit] *a.* (음색이) 아름다운(sweet).
dul·ci·mer[dʌ́lsəmər] *n.* Ⓒ 금속현을 때려 소리내는 악기의 일종《피아노의 전신》.
:dull[dʌl] *a.* ① 둔한, 무딘(opp. sharp)(*a* ~ *pain* [*knife*]). ② 둔감한. ③ (빛·색이) 또렷하지 않은. ④ 활기 없는, 지루한(boring). ⑤ (시황(市況)이) 침체한. — *vt.* ① 무디게 하다. ② 흐리게 하다. ③ (아픔을) 누그러뜨리다. **∠·ish** *a.* 좀 무딘; 약간 둔한; 침체한 듯한. **˙∠·ness** *n.*
:du·ly[djú:li] *ad.* ① 정식으로, 바로; 당연히. ② 적당[충분]히. ③ 제시간에(punctually).
:dumb[dʌm] *a.* ① 벙어리의(mute); 말못하는. ② 말이 없는; 무언의. ③ (놀라거나 부끄러워) 말문이 막힌. ④ 《美俗》 우둔한. ***strike a person*** ~ 깜짝 놀라게 하다; 아연케 하다.
dúmb·bèll *n.* Ⓒ 아령; 《美俗》 얼간이.
dumb·found[dʌ̀mfáund] *vt.* 깜짝 놀라게 하다(amaze).
dúmb·strùck *a.* 놀라서 말도 못하는.
dúmb·wàiter *n.* Ⓒ 《美》 식품 전용 엘리베이터; 《英》 (식탁 위의) 회전 식품대.
˙dum·my[dʌ́mi] *n.* Ⓒ ① (양복점의) 모델 인형; (표적의) 짚인형. ② 《美口》 얼뜨기. ③ (실물의 대신이 되는) 견본, 모형, 모조품. ④ 바꿔친 것[사람], 〖映〗 대역(代役) 인형; (어린이의) 고무젖꼭지. ⑤ 꼭두각시, 앞잡이. ⑥ 〖製本〗 가제본. ⑦ 〖카드놀이〗 (네 사람 놀이를 셋이 할 때의) 빈 자리. ⑧ 〖컴〗 가상(假想), 더미. — ***a.*** 가짜의.
˙dump[1][dʌmp] *vt.* ① (차에서 쓰레기 따위를) 털썩 부리다. ② (외국 시장에 쓰레기라도 버리듯이) 덤핑하다. ③ 〖컴〗 떠붓다, 덤프하다. — *n.* Ⓒ ① 쓰레기 더미, 쓰레기 버리는 곳. ② 〖컴〗 퍼붓기, 덤프《기억장치의 내용을 출력장치에 전사(轉寫)하기》. **~·ing**[∠iŋ] *n.* Ⓤ (쓰레기 따위를) 내버림; 염가 수출, 덤핑.
dump[2] *n.* (*pl.*) 《口》 의기소침, 우울. (***down***) ***in the*** ~***s*** 맥없이, 울적[우울]하여.
dump·ling[dʌ́mpliŋ] *n.* Ⓤ,Ⓒ 고기[사과] 단자; Ⓒ 《口》 땅딸보.
dúmp trùck 덤프 트럭.
dump·y[dʌ́mpi] *a.* 땅딸막한.
dun *n., a., vt.* (**-nn-**) Ⓤ 암갈색(의, 으로 하다). 「바보.
˙dunce[dʌns] *n.* Ⓒ 열등생, 저능아;
dúnce('s) càp 게으르거나 공부 못

하는 학생에게 벌로써 씌우던 깔대기 모양의 종이 모자. 「덕

dune[djuːn] *n.* Ⓒ (해변의) 모래 언

dung[dʌŋ] *n., vt.* Ⓤ (동물의) 똥; 거름(을 주다)(manure).

dun·ga·ree[dʌ̀ŋgəríː] *n.* Ⓤ (인도산의) 거칠게 짠 무명; Ⓒ (*pl.*) (그 천의) 작업복, 노동복.

˙**dun·geon**[dʌ́ndʒən] *n.* Ⓒ 토굴 감옥.

dunk[dʌŋk] *vt., vi.* (먹으며) 적시다 (~ *bread into coffee, tea etc.*); 〖籠〗 덩크슛하다.

dun·no [dʌnóu] 《口》 =(I) don't know.

du·o [djúːou] *n.* (*pl.* ~**s**) Ⓒ ① 〖樂〗 2중창, 2중주(곡). ② (연예인의) 2인조; 한 쌍.

dupe[djuːp] *vt.* 속이다(deceive). — *n.* Ⓒ 잘 속는 사람.

du·plex[djúːpleks] *a.* 2중의, 2배의; 〖機〗 (구조가) 복식으로 된. — *n.* Ⓒ 〖樂〗 2중 음표; 〖컴〗 양방(兩方).

˙**du·pli·cate**[djúːpləkit/djúːplə-] *a.* ① 이중의; 복제의; 한쌍의. ② 부(副)의, 복사의. — *n.* Ⓒ ① 등본, 부본, 사본(cf. triplicate); 복제물. ② 물표, 전당표. ***made* [*done*] *in* ~** (정부(正副)) 두 통으로 작성된. — [-kèit] *vt.* 이중으로 하다; 〖컴〗 복사하다; 정부 두 통으로 하다. ˙**-ca·tion**[⌐–kéiʃən] *n.* Ⓤ 이중, 중복; 복제, 복사; Ⓒ 복제물. **-ca·tor**[⌐–kèitər] *n.* Ⓒ 복사기, 복제자.

du·plic·i·ty[djuːplísəti] *n.* Ⓤ 이심(二心), 표리 부동; 불성실.

˙**du·ra·ble**[djúərəbəl] *a.* 오래 견디는, 튼튼한; 지속[지탱]하는(lasting). ~ ***goods*** 〖經〗 (소비재 중의) 내구재(耐久財). ~**·ness** *n.* **-bly** *ad.* **-bil·i·ty**[⌐–bíləti] *n.* Ⓤ 지속력, 내구성; 영속성.

˙**du·ra·tion**[djuəréiʃən] *n.* Ⓤ 지속(기간), 존속(기간)(~ *of flight* 〖空〗 체공[항속] 시간). ***for the*** ~ 전쟁이 끝날 때까지, 전쟁 기간 중; (굉장히) 오랜 동안.

du·ress(e)[djuərés, djúəris] *n.* Ⓤ 속박, 감금; 〖法〗 강박, 강제.

†**dur·ing**[djúəriŋ] *prep.* …의 동안, …사이.

˙**dusk**[dʌsk] *n.* Ⓤ ① 땅거미, 황혼. ② 그늘(shade). ***at* ~** 해질 녘에. — *a.* 《詩》 어스레한.

˙**dusk·y**[⌐i] *a.* ① 어스레한; 거무스름한(darkish). ② 음울한(gloomy). **dúsk·i·ly** *ad.* **dúsk·i·ness** *n.*

:**dust**[dʌst] *n.* Ⓤ ① 먼지, 티끌. ② 가루, 분말, 화분(花粉); 사금(砂金). ③ 《英》 쓰레기. ④ 유해(遺骸)(*honored* ~ 명예의 유해); 인체; 인간, 흙, 무덤. ⑤ 《俗》 현금. BITE ***the*** ~. ***humbled in to the*** ~ 굴욕을 받고. ***in the*** ~ 죽어서; 굴욕을 당해. ***kick up* [*make, raise*] *a* ~** 소동을 일으키다. ***shake the* ~ *off one's feet*** 분연히 떠나다. ***throw* ~ *in a person's eyes*** 속이다(cheat). — *vt., vi.* 가루를 뿌리다(sprinkle); 먼지를 떨다. ˙**⌐·er** *n.* Ⓒ *n.* 먼지 터는 사람, 총채, 걸레; (후춧가루·소금을) 치는 기구; 《美》 DUST COAT; (여자의) 헐렁한 실내복. **⌐·less** *a.*

dústbìn 《英》 쓰레기통(《美》 ashcan).

dústcàrt 《英》 쓰레기차(《美》 ashcart).

dúst còver (쓰지 않는 가구 따위를 덮는) 먼지 방지용 커버.

dust·man[⌐mən] *n.* Ⓒ 《英》 쓰레기 청소부(《美》 garbage collector); 〖海〗 화부; 《口》 졸음(의 요정)(*The* ~ *is coming.* 졸린다).

dúst·pàn *n.* Ⓒ 쓰레받기.

dúst shèet《英》 = DUST COVER.

dúst·ùp *n.* Ⓒ 《俗》 치고받기, 싸움.

:**dust·y**[⌐i] *a.* ① 먼지투성이의. ② 가루의. ③ 먼지 빛의(grayish). ***not so*** ~ 《英口》 과히[아주] 나쁜 것도 아닌, 꽤 좋은. **dúst·i·ly** *ad.* **dúst·i·ness** *n.*

:**Dutch**[dʌtʃ] *a.* 네덜란드의; 네덜란드 사람[말]의. ***go*** ~ 《口》 각자부담으로 하다. — *n.* ① Ⓤ 네덜란드 말. ② (the ~) 《집합적》 네덜란드 사람. ***beat the*** ~ 《美口》 남을 깜짝 놀라게 하다. ***in*** ~ 기분을 상하게 하여; 면목을 잃어, 곤란해서.

Dútch cóurage 《口》 (술김에 내는) 용기, 객기.

du·ti·ful[djú:tifəl] *a.* 충실한; 본분을 지키는; 효성스러운. **～·ly** *ad.* **～·ness** *n.*

:**du·ty**[djú:ti] *n.* ① Ⓤ 의무, 본분, 책임. ② U,C (보통 *pl.*) 직무, 임무, 일. ③ Ⓤ 경의(respect). ④ 관세, 조세. ⑤ Ⓤ 〖機〗 효율. ⑥ Ⓤ 〖宗〗 종무(宗務). ***as in ～ bound*** 의무상. ***do ～ for*** …의 대용이 되다. ***off*** 〔***on***〕 ***～*** 비번〔당번〕으로. ***pay*** 〔***send***〕 ***one's ～ to*** …에 경의를 표하다.

dúty-frée *a.* 면세(免稅)의.

du·vet[dju:véi] *n.* (F.) Ⓒ (침구 대용)의 두꺼운 깃털 이불.

:**dwarf**[dwɔ:rf] *n., a.* ① Ⓒ 난쟁이. ② 왜소한, 작은. — *vt., vi.* ① 작게 하다〔보이다〕; 작아지다. ② 작게 〔지지러지게〕하다. **∠·ish** *a.* 난쟁이 같은; 지지러진, 작은.

:**dwell**[dwel] *vi.* (***dwelt, ～ed***) ① 살다, 거주하다(*at, in, on*). ② 곰곰이 생각하다(ponder), 길게 논하다〔얘기하다, 쓰다〕(*on, upon*). ③ (음계·말 따위를) 천천히 발음하다. ***～ on*** 〔***upon***〕 …을 곰곰히 생각하다; …을 강조하다; 꾸물거리다. ***∠·er*** *n.* Ⓒ 거주자.

·**dwin·dle**[dwíndl] *vi.* ① 점점 작아지다〔줄어들다〕, 줄다. ② 야위다; 타락하다.

:**dye**[dai] *n.* U,C ① 물감. ② 염색, 색조(tint). — *vi., vt.* (***dyed; dye-ing***) 물들(이)다. **∠·ing** *n.* Ⓤ 염색(법); 염색업.

dýed-in-the-wóol *a.* (사상 따위가) 철저한(thorough); (짜기 전에) 실을 물들인.

:**dy·ing**[dáiiŋ] *a.* ① 죽어 가는; 임종의. ② 꺼져〔망해〕가는; 《俗》 …하고 싶어 못견디는. — *n.* Ⓤ 죽음, 임종(death).

dyke[daik] *n., v.* = DIKE.

·**dy·nam·ic**[dainǽmik] *a.* ① 역학(상)의. ② 동력의, 동적인(opp. static). ③ 힘찬, 힘센. ④ 〖컴〗 동적인 (***～ memory*** 동적 기억 장치). ***～ economics*** 동태 경제학. — *n.* (*sing.*) 원동력. **-i·cal** *a.* 역학적인. **-i·cal·ly** *ad.*

dy·nam·ics [dainǽmiks] *n.* Ⓤ 〖物〗 역학; 《복수 취급》 원동력, 활동력.

dy·nam·ism[dáinəmìzəm] *n.* Ⓤ 〖哲〗 역본설(力本說).

·**dy·na·mite**[dáinəmàit] *n., vt.* Ⓤ 다이너마이트(로 폭발하다). **-mit·er** [-ər] *n.* Ⓒ 다이너마이트 사용자; 《美》 적극적인 야심가.

dy·na·mo[dáinəmòu] *n.* (*pl.* ***～s*** [-z]) Ⓒ 발전기; 《口》 정력가.

·**dy·nas·ty**[dáinəsti/dín-] *n.* Ⓒ 왕조; 명가, 명문.

dy·nas·tic[dainǽstik/di-] *a.* 왕조의, 왕가의.

dys·en·ter·y[dísəntèri] *n.* Ⓤ 이질. **-ter·ic**[dìsəntérik] *a.*

dys·lex·i·a[disléksiə] *n.* Ⓤ 〖醫〗 실독증(失讀證).

dys·pep·si·a[dispépʃə, -siə/-siə] *n.* Ⓤ 〖醫〗 소화 불량(증), 위약(胃弱).

dys·tro·phy[dístrəfi] *n.* Ⓤ 〖醫〗 영양 실조.

D

E

E, e[iː] *n.* (*pl.* ***E's, e's***[-z]) Ⓤ 〖樂〗 마음, 마조(調); 제 2 등급《영국 Lloyd 선박 협회의 선박 등록부에 의한 등급》; Ⓒ E자 모양(의 것). COMPOUND ***E.***

E, E. east; eastern. **E.** Earl; Earth; English. **E.A., EA** educational age.

†**each**[iːtʃ] *pron., a.* 각각(의), 제각기(의). ***~ and every*** 어느 것이나, 어느 누구도. ***~ other*** 서로. — *ad.* 각각에 (대해서).

:**ea·ger**[íːgər] *a.* 열심인(*in*); 열망하여(*for, about, after; to* do). ~ BEAVER[1]. **:~·ly** *ad.* **:~·ness** *n.*

:**ea·gle**[íːgəl] *n.* Ⓒ 수리; 수리표(의 기·금화); (the E-) 〖天〗 독수리자리.

éagle-èyed *a.* 눈이 날카로운.

ea·glet[íːglit] *n.* Ⓒ 새끼수리.

†**ear**[1][iər] *n.* Ⓒ ① 귀. ② 귀꼴의 물건《손잡이 등》. ③ 청각; 경청. ***about one's ~s*** 주위에. ***be all ~s*** 열심히 듣다. ***by the ~s*** 사이가 나빠. ***catch*** 〔***fall on***〕 ***one's ~s*** 귀에 들어오다, 들리다. ***fall on deaf ~s*** 무시당하다. ***gain the ~ of*** …에게 듣게 하다; …의 주목을 끌다. ***give*** 〔***lend an***〕 ***~ to*** …에 귀를 기울이다. ***have an ~ for*** (*music*) (음악을) 알다. ***have*** 〔***hold, keep***〕 ***an*** 〔***one's***〕 ***~ to the ground*** 여론에 귀를 기울이다. ***over head and ~s,*** or ***up to the ~s*** (사랑 따위에) 깊이 빠져, 몰두하여; (빚 때문에) 꼼짝 못하게 되어. PRICK ***up one's ~s. turn a deaf ~*** 들으려 하지 않다(*to*). ***Were your ~s burning last night?*** 어젯밤에 귀가 가렵지 않던가《네 이야기를 하였는데》.

˚**ear**[2] *n.* Ⓒ (보리 따위의) 이삭, (옥수수) 열매. ***in the ~*** 이삭이 패어서.

éar·àche *n.* Ⓤ,Ⓒ 귀앓이.

éar·dròp *n.* Ⓒ 귀고리.

éar·drùm *n.* Ⓒ 고막, 귀청.

˚**earl**[əːrl] *n.* Ⓒ 《英》 백작(伯爵)《영국 이외의 외국의 count에 해당》. **∠·dom** *n.* Ⓤ 백작의 신분.

†**ear·ly**[ə́ːrli] *a.* 이른; 초기의; (과일 따위) 올되는; 맏물의; 어릴 때의; 가까운 장래의. ***at an ~ date*** 금명간에, 머지 않아. ***keep ~ hours*** 일찍 자고 일찍 일어나다. — *ad.* 일찍; 이른 때〔시기〕에, 초기에. ***~ or late*** 조만간에(sooner or later).

éarly clósing 《英》 (일정한 요일의 오후에 실시하는) 조기 폐점(일).

éar·màrk *n., vt.* Ⓒ (소유자를 표시하는) 양(羊)의 귀표(를 하다); 페이지 모서리의 접힘(dog's-ear); (자금의 용도를) 지정하다.

éar·mùff *n.* Ⓒ (보통 *pl.*) 《美》 (방한·방음용) 귀싸개.

:**earn**[əːrn] *vt.* ① 벌다(***~ one's living*** 생계비를 벌다), 일하여 얻다. ② 손에 넣다, (명예 따위를) 차지하다, 받다, 얻다(get). ③ (감사 따위를) 받을 만하다. ˚**∠·ing** *n.* Ⓤ 벌이; (*pl.*) 소득, 수입.

:**ear·nest**[ə́ːrnist] *a.* ① 성실한, 진지한(serious); 열심인(ardent). ② 중대한, 엄숙한. — *n.* Ⓤ 성실, 진심, 진지, 정식. ***in ~*** 성실〔진지〕하게, 진심〔정식〕으로. **:~·ly** *ad.* ˚**~·ness** *n.*

˚**éar·phòne** *n.* Ⓒ 이어폰.

éar·pìece *n.* = EARPHONE.

éar·plùg *n.* Ⓒ 귀마개.

˚**ear·ring**[íərìŋ] *n.* Ⓒ 이어링, 귀고리.

éar·shòt *n.* Ⓤ (소리가) 들리는 거리.

éar-splìtting *a.* 귀청이 터질 듯한.

†**earth**[əːrθ] *n.* ① Ⓤ (the ~, the E-) 지구. ② Ⓤ 이 세상, 사바, 현세. ③ Ⓤ 육지; 대지, 땅; 지면. ④ Ⓤ,Ⓒ 흙. ⑤ Ⓤ,Ⓒ 《英》 (여우 따위의) 굴. ⑥ Ⓤ 〖電〗 어드, 접지(接地). ⑦ Ⓒ 〖化〗 토류(土類). ***come back to ~*** (꿈에서) 현실로 돌아오다, 제정신이 들다. ***down to ~*** 실제적인, 현

실적인; 《口》 아주, 철저하게. **on ~** 지구상의[에], 이 세상의; 《what, why, who 따위와 함께》 도대체; 《부정구문》 도무지, 조금도(*It's no use on ~!* 아무짝에도 쓸모 없다). **run to ~** (여우 따위) 굴 속으로 달아나다[몰아넣다]; 추궁하다; 규명해 내다. — *vt.* 흙 속에 파묻다; (뿌리 따위에) 흙을 덮다; 〖電〗 (…을) 접지(接地)하다.

éarth·bòund *a.* 땅에 고착한; 세속적인; 지구로 향하는.

·**earth·en**[ˊən] *a.* 흙의, 흙으로 만든; 오지로 만든. 「인(俗人).

earth·ling[ə́:rθliːŋ] *n.* Ⓒ 인간; 속

·**earth·ly**[ə́:rθli] *a.* ① 지구[지상]의; 이 세상의, 세속의(worldly). ② 《口》《부정·의문구문》 전혀(at all), 도대체(on earth).

:**earth·quake**[ˊkwèik] *n.* Ⓒ 지진; 대변동.

éarth scìence 지구과학.

éarth·wòrk *n.* ① Ⓒ 〖軍〗 방어용 흙둑. ② Ⓤ 토목 공사. ③ (*pl.*) 대지(大地) 예술《흙·돌·모래·얼음 등 자연물을 소재로 함》.

éarth·wòrm *n.* Ⓒ 지렁이.

earth·y[ˊi] *a.* 흙의, 흙 같은; 세속의; 야비한.

éar·wìg *n.* Ⓒ 집게벌레.

:**ease**[iːz] *n.* Ⓤ ① 편안, 안락. ② 쉬움. ③ 여유; 넉넉함. **at (one's) ~** 편안히, 마음놓고. **feel at ~** 안심하다. **ill at ~** 불안하여, 마음놓이지 않아, 긴장하여. **take one's ~** 편히 쉬다, 마음 푹 놓다. **well at ~** 안심하여, 편히. **with ~** 쉽게. — *vt., vi.* 마음을 편히 하다, 안심시키다, (고통을) 덜다(*off, up*); 쉽게 하다; (새끼·줄 따위를) 늦추다(loosen) (*off, up*). **ˊ·ment** *n.* ① Ⓤ,Ⓒ (고통 따위의) 완화. ② Ⓤ 〖法〗 지역권(地役權)《남의 땅을 통행하는 권리 등》.

·**ea·sel**[íːzəl] *n.* Ⓒ 화가(畫架).

:**eas·i·ly**[íːzəli] *ad.* 쉽게, 쉽사리; 편안히.

†**east**[íːst] *n.* ① (the ~) 동쪽, 동방, 동부(지방). ② (the E-) 동양(the Orient). ③ (the E-) 미국 동부의 여러 주. **down E-** 《美》 = NEW ENGLAND(의 동부). **~ by north [south]** 동미북[남](東微北[南]). **in [on, to] the ~ of** …의 동부에[동쪽에 접하여, 동쪽에 면하여]. **the Far E-** 극동. **the Middle E-** 중동《근동과 극동의 사이》. **the Near E-** 근동《터키·이란·발칸 등지》. — *a., ad.* 동쪽의; 동부의; 동쪽으로[에]. **:ˊ·ward** *n., a., ad.* (the ~) 동쪽; 동쪽의[으로]. **ˊ·wards** *ad.* 동(쪽)으로.

éast·bòund *a.* 동쪽으로 가는.

Éast Énd, the 이스트 엔드《London 동부의 하층민이 사는 상업 지구》.

†**East·er**[íːstər] *n.* Ⓤ 부활절《3월 21일 이후의 첫 만월 다음 일요일》.

Éaster ègg 부활절의 (선물용) 채색 달걀.

east·er·ly[íːstərli] *a., ad., n.* 동쪽에 치우친[치우쳐]; 동쪽에서 부는; Ⓒ 동풍.

:**east·ern**[íːstərn] *a.* ① 동(쪽)의. ② (E-) 미국 동부의; 동양의. **~·er** *n.* Ⓒ 《美》 (E-) 동부 지방 사람. **~·mòst** *a.* 가장 동쪽의.

†**eas·y**[íːzi] *a.* ① 쉬운. ② 안락한; 마음편한; 편안한. ③ 여유 있는; 넉넉한. ④ 안일(安逸)에 빠진, 게으른. ⑤ 부드러운, 관대한. ⑥ 다루기 쉬운, 말을 잘 듣는. ⑦ (문체가) 평이한(plain), 딱딱하지 않은. ⑧ 까다롭지 않은, 담박한. ⑨ (시장이) 한산한, (상품이) 수요가 적은, 놀고 있는. **feel ~** 안심하다(*about*). **in ~ circumstances,** or 《美俗》 **on ~ street** 유복하게, 넉넉하게 지내어. — *ad.* 《口》 쉽게, 편안히, 태평스럽게. **E- all!** 〖海〗 노젓기 그만! **Take it ~!** 천천히 하여라!; 걱정말라!; 침착하라!.

éasy chàir 안락 의자.

·**éasy·gòing** *a.* 태평한; 단정치 못한; (말의) 느린 걸음의.

†**eat**[iːt] *vt.* (**ate, eat**[et, iːt]; **eaten, eat**[et, iːt]) ① 먹다, (수프·국 따위를 숟가락으로) 떠먹다. ② 먹어 들어가다; (산(酸)따위가) 침식하다; 파괴하다. — *vi.* ① 식사하다. ② 《美口》 (…처럼) 먹을 수 있다; 먹으면 (…의) 맛이 있다(*This cake*

E

~s crisp. 먹으면 바삭 바삭한다). ~ **away** 먹어 없애다; 잠식〔부식〕하다. ~ **crow** 《美》 굴욕을 참다; 잘못을 시인하다. ~ **into** 먹어 들어가다, 부식하다. ~ **one's heart out** 슬픔에 잠기다. ~ **one's words** 앞에 한 말을 취소하다. ~ **out** 다 먹어 버리다, 침식하다; 《美》 외식하다 (dine out); 《俗》 호되게 꾸짖다. ~ **up** 다 먹어버리다; 모두 써버리다 (use up), 탕진하다; 열중케 하다. **I'll ~ my hat** 〔**hands, boots**〕 **if ...** 《口》 만일 …이라면 내 목을 내놓겠다. **∠·a·ble** *a., n.* 먹을 수 있는; (*pl.*) 식료품. **∠·er** *n.*

eat·er·y [íːtəri] *n.* Ⓒ 《口》 음식점.

eau de Co·logne [òu də kəlóun] 〖商標〗 오드콜론《향수》.

˙eaves [iːvz] *n. pl.* 처마, 차양.

éaves·dròp *vi.* (**-pp-**) 엿듣다. **~per** *n.* **~ping** *n.*

˙ebb [eb] *n.* ① (the ~) 간조; 썰물. ② Ⓤ 쇠퇴. ~ **and flow** 〔**flood**〕 썰물; 성쇠. — *vi.* (조수가) 써다; 기울다, 쇠해지다. ~ **back** 소생하다, 되찾다.

˙eb·on·y [ébəni] *n., a.* Ⓒ 흑단(黑檀)(의); Ⓤ 칠흑(의).

e·bul·lient [ibʌ́ljənt] *a.* 펄펄 끓는; 넘쳐 흐르는; 열광적인. **-lience** *n.*

EC European Community.

E.C. East Central (London의 동(東) 중앙 우편구(區)).

˙ec·cen·tric [ikséntrik, ek-] *a.* ① 〖數〗 편〔이〕심(偏〔離〕心)의(opp. concentric); 〖天〗 (궤도가) 편심적인. ② 별난, 괴짜의(odd). — *n.* Ⓒ 괴짜, 별난 사람; 〖機〗 편심륜(輪). **-tri·cal·ly** *ad.* ***-tric·i·ty** [èksentrísəti] *n.* ① Ⓤ (복장·행동 등의) 별남. ② Ⓒ 괴벽.

ec·cle·si·as·tic [iklìːziǽstik] *n., a.* Ⓒ 목사〔성직자〕(의). **:-ti·cal** *a.* 교회의, 성직의.

ECG electrocardiogram.

ech·e·lon [éʃəlàn/-lɔ̀n] *n., vi.* Ⓤ,Ⓒ 〖軍〗 사다리꼴 편대(가 되다).

:ech·o [ékou] *n.* (*pl.* **~es**) Ⓒ ① 메아리. ② 반향. ③ 흉내내기; 모방. ④ (E-) 〖그神〗 숲의 요정(妖精)《Narcissus에 대한 사랑을 이루지 못하여 말라 죽어서 소리만 남았음》. ⑤ 〖樂〗 에코; 〖無電〗 반사 전파. **find an ~ in a person's heart** 아무의 공명을 얻다. — *vt., vi.* 메아리치다, 반향하다; 그대로 되풀이하여 대답하다; 모방하다.

é·clair [eiklέər/∠–] *n.* (F.) Ⓒ 에클레어《가늘고 길쭉한 슈크림》.

é·clat [eiklάː, ∠–] *n.* (F.) Ⓤ 대성공; 대갈채.

ec·lec·tic [ekléktik] *a., n.* 취사선택적인; Ⓒ 절충주의의 (사람). **-ti·cism** [-təsìzəm] *n.*

˙e·clipse [iklíps] *n.* ① Ⓒ 〖天〗 (해·달의) 식(蝕). ② Ⓤ,Ⓒ (명성 따위의) 실추(失墜). ③ Ⓤ,Ⓒ 빛의 소멸. ***solar*** 〔***lunar***〕 ~ 일〔월〕식. — *vt.* (천체가 딴 천체를); 가리다; (…의) 명성을 빼앗다, 능가하다(outshine); 빛을 잃게 하다.

ec·o- [ékou, -kə, íːk-] '환경, 생태(학)'의 뜻의 결합사.

ec·o·log·i·cal [èkəlάdʒikəl/-lɔ́dʒ-] *a.* 생태학의.

e·col·o·gist [iːkάlədʒist/-ɔ́-] *n.* Ⓒ 생태학자; 환경 보전 운동가.

e·col·o·gy [iːkάlədʒi/-ɔ́-] *n.* Ⓤ 생태학; (통속적으로) 환경; 사회형태학; (생체와의 관계에 있어서의) 환경.

:ec·o·nom·ic [ìːkənάmik, èk-/-ɔ́-] *a.* ① 경제학상의. ② 경제〔재정〕상의. ③ 경제〔실리〕적인. ***E- and Social Council*** (국제 연합의) 경제 사회 이사회. ~ ***blockade*** 경제 봉쇄. ~ ***man*** 〖經〗 (이념으로서의) 경제인. ***~s** *n.* Ⓤ 경제학; (한 나라의) 경제 상태.

˙ec·o·nom·i·cal [ìːkənάmikəl, èkə-/-nɔ́m-] *a.* 절약하는, 검약한 (***of, in***); 실용〔경제〕적인; 경제상〔학〕의. **-i·cal·ly** *ad.*

˙e·con·o·mist [ikάnəmist/-ɔ́-] *n.* Ⓒ ① 경제학자. ② 《古》 검약가.

˙e·con·o·mize [-màiz] *vt., vi.* ① 경제적으로 사용하다. ② 절약하다.

:e·con·o·my [ikάnəmi/-kɔ́n-] *n.* ① Ⓤ 경제. ② Ⓤ 검약, 절약. ③ Ⓒ 유기적 조직; 제도. ***practice*** 〔***use***〕 ~ 절약하다. ***vegetable*** ~ 식물(체)의 조직.

éco·sỳstem *n.* Ⓒ 생태계.

:**ec·sta·sy**[ékstəsi] *n.* U,C ① 무아경, 황홀(trance); 법열(法悅). ② 의식 혼미 상태. **ec·stat·ic**[ekstǽtik, ik-] *a.* **-i·cal·ly** *ad.*
ec·to·plasm[-plæzəm] *n.* U (원생 동물의) 외질; 〖心靈術〗 영매체로부터의 발산 물질, 영기(靈氣).
ECU[eikú:, ì:sì:jú:] (〈European Currency Unit) *n.* C 유럽 통화 단위, 에큐.
ec·u·men·i·cal [èkjuménikəl/ì:k-] *a.* 전반[보편]적인; 전기독교(회)의.
ec·ze·ma [éksəmə, igzí:-] *n.* U 습진.
-ed[d, t, id] *suf.* 《형용사어미》 '…을 한' '…을 가진'의 뜻: curtain*ed*, greeney*ed*, shorttail*ed*.
˙**ed·dy**[édi] *n., vi.* C (작은) 소용돌이(치다)(whirl).
˙**E·den**[í:dn] *n.* 〖聖〗 에덴 동산; C 낙원(paradise).
˙**edge**[edʒ] *n.* C ① 날. ② 가장자리, 모. ③ 날카로움. ④ 《口》 거나하게 취함. ⑤ 《美口》 우세. ⑥ 〖컴〗 간선. ***give an ~ to*** …에 날을 세우다; (식욕 등을) 돋우다. ***have an ~ on*** …보다 우세하다; 얼근히 취하다. ***not to put too fine an ~ upon it*** 솔직히 말하면. ***set on ~*** 세로 놓다; 짜증나게 하다. ***set the teeth on ~*** 진저리나게 하다; 염증을 느끼게 하다. ***take the ~ off*** …의 기세를 꺾다; (날을) 무디게 하다. — *vt.* (…에) 날을 붙이다, 날카롭게 하다; 가장자리를 [가선을] 달다; 천천히 나아가게 하다. — *vi.* (배가) 비스듬히[옆으로] 나아가다; 천천히 움직이다(*along, away, off, out*). ~ ***up*** 한발 한발 다가가다. **~·ways, ~·wise** *ad.* (칼)날을 돌려 대고; 비스듬히; 옆에서; 언저리를 따라.
edg·ing[ˊ-iŋ] *n.* U 가선, 가(border); C 가장자리 장식(trimming).
˙**ed·i·ble**[édəbəl] *a., n.* 먹을 수 있는; C (보통 *pl.*) 식료품.
e·dict[í:dikt] *n.* C (옛날의) 칙령, 법령, 포고; 명령.
ed·i·fi·ca·tion[èdəfikéiʃən] *n.* U 교화.
˙**ed·i·fice**[édəfis] *n.* C ① (대규모의) 건물. ② 조직, 체계.
ed·i·fy[édəfài] *vt.* 교화하다, 개발[훈도]하다. **~·ing** *a.* 교훈이 되는, 유익한.
:**ed·it**[édit] *vt.* ① 편집하다. ② 《美》 삭제하다. — *n.* C 《口》 ① 필름 편집. ② 사설(社說).
:**e·di·tion**[idíʃən] *n.* C (서적·신문의) 판(版)(*the first* ~ 초판).
:**ed·i·tor**[édətər] *n.* C ① 편집자[장]. ② 〖컴〗 편집기. ***chief*** [***managing***] ~ 편집주간, 주필. **~·ship** [-ʃip] U 편집자의 지위[수완].
:**ed·i·to·ri·al**[èdətɔ́:riəl, èdi-] *n., a.* C 《美》 사설, 논설; 편집자[주필]의[에 의한]. ~ ***staff*** 편집진. **~·ize**[-àiz] *vt.* 《美》 (…을) 사설로 쓰다[취급하다]. **~·ly** *ad.* 사설로.
˙**ed·u·cate**[édʒukèit] *vt.* ① 교육[교화]하다; 양성[양육]하다. ② (동물을) 훈련하다. :**-cat·ed**[-id] *a.* ˙**-ca·tor** *n.*
:**ed·u·ca·tion**[èdʒukéiʃən] *n.* U 교육, 훈도; 양육. :**~·al** *a.* **~·al·ly** *ad.* **~·al·ist** *n.* C 교육가, 교육학자.
-ee[í:, ì:] *suf.* '…당하는 사람'의 뜻(employ*ee*, examin*ee*); 《稀》 '…하는 사람'의 뜻(refug*ee*).
EEC European Economic Community.
:**eel**[i:l] *n.* C 〖魚〗 뱀장어.
ee·rie, -ry[íəri] *a.* 무시무시한, 요기(妖氣) 있는(weird).
˙**ef·face**[iféis] *vt.* 지우다; 삭제하다; 존재를 희미하게 만들다. ~ ***oneself*** 눈에 띄지 않게 하다, 표면에서 물러나다. **~·ment** *n.* U 말소, 소멸.
:**ef·fect**[ifékt] *n.* ① U,C 결과; 영향. ② U,C 효과; 유효. ③ U,C 느낌, 인상; 〖美術〗 빛깔의 배합. ④ U 취지, 대의, 의미. ⑤ U,C 〖法〗 실시, 효력. ⑥ U 외관, 외양. ⑦ (*pl.*) 〖劇〗 효과《의음(擬音) 따위》. ⑧ (*pl.*) 동산, 재산. ***bring to*** [***carry into***] ~ 실행[수행]하다. ***come*** [***go***] ***into*** ~ 실시되다, 발효하다. ***for*** ~ 효과를 노려; 체재상. ***give ~ to*** …을 실시[실행]하다. ***in*** ~ 실제로; 요컨대; 실시되어. ***love of*** ~ 치레를[겉치장을] 좋아함. ***no ~s*** 예금없음《은

행에서 부도 수표에 N/E로 약기(略記)함》. **of no ~** 무효의, 무익한. **take ~** 효과가 있다; (법률이) 실시되다. **to no ~** 보람없이. **to the ~ that** …라는 의미〔취지〕의. — *vt.* (결과를) 가져오다, 낳다; (목적을) 이루다.

:ef·fec·tive[iféktiv] *a.* ① 유효한. ② 효과적인; 인상적인, 눈에 띄는. ③ 사실상의, 실제의. ④ (법률이) 효력 있는. ⑤ (군대가) 동원 가능한. — *n.* Ⓒ (보통 *pl.*) (동원할 수 있는) 병력, 실병력(*an army of two million* **~s** 병력 2백만의 육군). ***~·ly** *ad.* 유효하게; 실제상.

·ef·fec·tu·al[iféktʃuəl] *a.* 효과적인; 유효〔유력〕한. ***~·ly** *ad.*

·ef·fem·i·nate[ifémənit] *a.* 연약한, 여자 같은. **~·ly** *ad.* **-na·cy** *n.*

ef·fer·vesce[èfərvés] *vi.* 거품 일다(bubble), 비등(沸騰)하다; 들뜨다, 흥분하다. **-ves·cent** *a.* **-ves·cence** *n.*

ef·fete[efíːt, i-] *a.* 노쇠한; 생산력을 잃은(sterile); 무력해진. 「한.

ef·fi·ca·cious[èfəkéiʃəs] *a.* 유효

·ef·fi·ca·cy[éfəkəsi] *n.* Ⓤ 효력.

:ef·fi·cien·cy[ifíʃənsi] *n.* Ⓤ 능률; 능력; 효력; 효율. **~ wages** 능률급.

:ef·fi·cient[ifíʃənt] *a.* ① 효과 있는. ② 유능한. ③ 능률적인. ***~·ly** *ad.*

ef·fi·gy[éfədʒi] *n.* Ⓒ 상(像), 초상(image). **burn** 〔**hang**〕 (*a person*) **in ~** (아무의) 인형을 만들어서 화형〔교수형〕에 처하다《악인 따위에 대한 저주로》(cf. guy[2]).

ef·flu·ent[éfluənt] *a.* 유출(流出)하는. — *n.* =**éffluence** Ⓒ 유출물; Ⓤ (액체·광선·전기의) 유출, 방출.

:ef·fort[éfərt] *n.* ① Ⓤ,Ⓒ 노력, 수고. ② Ⓒ《口》노력의 성과, 역작(力作). ③ Ⓤ 〖機〗 작용력(作用力). ④ Ⓒ《주로 英》(모금 등의) 운동. **~·less** *a.*

ef·fron·ter·y[efrʌ́ntəri] *n.* Ⓤ,Ⓒ 뻔뻔스러움.

ef·fuse[ifjúːz, e-] *vt., vi.* 유출〔발산〕하다; (심정을) 토로하다. **ef·fu·sion**[-ʒən] *n.* Ⓤ (액체·빛·향기 따위의) 유출, 발산; (감정의) 토로, 발로.

ef·fu·sive[-siv] *a.* 넘치는, 넘칠 듯한; (감정을) 거창하게 나타내는(*She was effusive in her gratitude.* 그녀는 거창하게 과장해서 감사의 뜻을 표하였다).

EFL English as a foreign language 외국어로서의 영어.

EFTA, Efta [éftə] European Free Trade Association (Area).

e. g. [íːdʒíː, fərigzǽmpəl/-záːm-] *exempli gratia*(L. =for example).

e·gal·i·tar·i·an[igæ̀lətέəriən] *a.* 평등주의의. — *n.* Ⓒ 평등주의자. **~·ism**[-ìzəm] *n.* Ⓤ 평등주의.

†egg[1][eg] *n.* Ⓒ ① 알; 달걀; 난(卵)세포. ② 둥근 물건. ③《俗》폭탄. ④《俗》놈, 사람;《英·蔑》애송이. **as sure as ~s is** 〔**are**〕 **~s**《英》틀림없이. **bad ~** 썩은 알;《俗》불량배. **golden ~s** 큰벌이, 횡재. **have** 〔**put**〕 **all one's ~s in one basket** 전 재산을 한 사업에 걸다. **in the ~** 미연에, 초기에. **lay an ~**《俗》(농담·흥행이) 들어맞지 않다, 실패하다;《軍俗》폭탄을 던지다; 기뢰를 부설하다. 「(*on*).

egg[2] *vt.* 격려하다, 부추기다(urge)

égg·cùp *n.* Ⓒ 삶은 달걀 컵.

égg·hèad *n.* Ⓒ《美俗·蔑》인텔리, 지성인; 대머리.

égg·plànt *n.* Ⓒ 가지《열매》.

égg·shèll *n.* Ⓒ 알〔달걀〕껍질.

égg white (요리용의) 달걀 흰자위.

e·go[íːgou, é-] *n.* (*pl.* **~s**) Ⓤ,Ⓒ 자아;《口》자부심. **~·ism**[-ìzəm] *n.* Ⓤ 이기주의; 자부. **~·ist** *n.* **~·is·tic**[∽-ístik], **-ti·cal**[-əl] *a.* **~·tism**[íːgoutìzəm/ég-] *n.* Ⓤ 자기중심벽(癖)《회화·문장 중에 I, my, me를 연발하는 버릇》; 제멋대로; =EGOISM. **~·tist**[íːgoutist/ég-] *n.* **~·tis·ti·cal**[ìːgoutístikəl/èg-] *a.*

ègo·céntric *a.* 자기 중심의.

égo trìp《口》이기적인 행위, 자기 본위의 행동.

e·gre·gious[igríːdʒəs] *a.* 터무니없는, 지독한(flagrant); 엄청난, 엉터리 없는.

·**eh**[ei] *int.* 뭐!; 엣!; 그렇지!
éider·dòwn *n.* Ⓤ (아이더오리의) 솜털, Ⓒ 그 털로 만든 이불.
†**eight**[eit] *n., a.* ① Ⓤ,Ⓒ 8(의). ② Ⓒ (보트의) 에이트《노 젓는 8명》. **~·fold**[⌐fòuld] *a., ad.* 8배의[로].
†**eight·een**[èitíːn] *n., a.* Ⓤ,Ⓒ 18, 18의. **:~th** *n., a.* Ⓤ 제 18(의); Ⓒ 18분의 1(의).
:**eighth**[eitθ] *n., a.* Ⓤ 제 8(의); Ⓒ 8분의 1(의). ~ ***note*** 〖樂〗 8분 음표.
eight·i·eth[éitiiθ] *n., a.* Ⓤ 제 80(의); Ⓒ 80분의 1(의).
†**eight·y**[éiti] *n., a.* Ⓤ,Ⓒ ① 80(의). ② (*pl.*) 80(세)대; 80년대《1780-89, 1980-89 따위》.
eis·tedd·fod[eistéðvɑd/aistéðvɔd] *n.* Ⓒ 영국 Wales의 예술제.
†**ei·ther**[íːðər, áiðər] *a., pron.* (둘 중) 어느 것인가, 어느 것이든지. ***on ~ side*** 어느 쪽에도. — *ad., conj.* ① 《~ ... or ...의 꼴로》 …이든가 또는 …이든가. ② 《부정 구문으로》 …도 또한 (…하지 않다)(*I don't like it,* ~. 나도 또한 좋아하지 않는다)(cf. neither).
e·jac·u·late[idʒǽkjəlèit] *vt., vi.* 갑자기 소리지르다(exclaim); (액체를) 사출(射出)하다(eject). **-la·tion** [─⌐─léiʃən] *n.* Ⓤ,Ⓒ 절규; 사출; 사정(射精). **-la·to·ry**[─⌐─lətɔ̀ːri/-təri] *a.*
e·ject[idʒékt] *vt.* 분출[사출]하다(discharge); 토해내다(emit); 쫓아내다(expel). **~·ment** *n.* **e·jéc·tion** *n.*
ejéction sèat 〖空〗 (긴급 탈출용) 사출 좌석.
eke[iːk] *vt.* 보충하다(out); (생계를) 꾸려나가다.
EKG electrocardiogram 심전도.
:**e·lab·o·rate**[ilǽbərit] *a.* 공들인, 면밀[정교]한, 힘들인. — [-rèit] *vt.* 애써서 만들[어내]다; 퇴고(推敲)하다. ·**~·ly**[-ritli] *ad.* 정성들여, 면밀[정교]하게. **-ra·tion**[ilæ̀bəréiʃən] *n.* Ⓤ 면밀한 마무리; 퇴고; Ⓒ 역작. **-ra·tive**[-rèitiv, -rət-] *a.* 공들인.
é·lan[eilɑ́ːn, -lǽn] *n.* (F.) Ⓤ 열의(熱意); 예기(銳氣); 약진(dash). ~ ***vi·tal***[viːtɑ́l] 〖哲〗 생(生)의 약동《Bergson의 용어》.
e·land[íːlənd] *n.* Ⓒ (아프리카의) 큰 영양(羚羊).
·**e·lapse**[ilǽps] *vi.* (때가) 경과하다.
·**e·las·tic**[ilǽstik] *a.* ① 탄력 있는; 낭창한; (걸음걸이 따위가) 경쾌한. ② (기분이) 밝은, 쾌활한. ③ 융통성 있는. — *n.* Ⓤ 고무줄. **~·i·ty**[ilæstísəti, ìːlæs-] *n.*
e·late[iléit] *vt.* 기운을 북돋우다, 의기 양양하게 만들다(exalt). **e·lat·ed**[-id] *a.* 의기 양양한(in high spirits); 신명이 난. **e·lá·tion** *n.*
:**el·bow**[élbou] *n.* Ⓒ ① 팔꿈치; 팔꿈치 모양의 것. ② L자 모양의 굴곡, L자 모양의 파이프[이음새], 기역자관(管), (의자의) 팔걸이. ***out at ~s*** (의복의) 팔꿈치가 뚫어져; 가난하여. ***up to the ~s*** 몰두하여; 분주하여. — *vt., vi.* 팔꿈치로 찌르다[밀다, 밀어 제치고 나아가다].
élbow grèase 《口》 힘든 육체 노동.
élbow·ròom *n.* Ⓤ 팔꿈치를 자유롭게 놀릴 수 있는 여유; 활동의 여지.
:**eld·er**[1][éldər] *a.* ① 손위의, 연장의. ② 고참의. ③ 이전의, 옛날의(earlier). ~ ***brother*** [***sister***] 형[누이]. — *n.* Ⓒ ① 연장자. ② 고참; 손윗사람. ③ 장로; 〖史〗 원로《~ statesman이라고도 함》. ·**~·ly** *a.* 나이 지긋한, 중년의, 초로의. **~·ship** *n.* Ⓤ 연장자의 신분; (장로 교회의) 장로직.
el·der[2] *n.* Ⓒ 양딱총나무. **~·ber·ry**[-bèri] *n.* Ⓒ 양딱총나무의 열매.
:**eld·est**[éldist] *a.* 가장 나이 많은, 맏….
:**e·lect**[ilékt] *vt.* 뽑다(choose); 선거하다. — *a.* 뽑힌, 당선된. ***bride ~*** 약혼자(*fiancée*). ***president ~*** (아직 취임하지 않은) 당선 대통령.
:**e·lec·tion**[ilékʃən] *n.* Ⓤ,Ⓒ ① 선택, 선정(choice). ② 선거, 선임. **~·eer**[ilèkʃəníər] *vi., n.* 선거 운동을 하다; Ⓒ 선거 운동원.
e·lec·tive[iléktiv] *a., n.* 선거하는; (관직 따위) 선거에 의한, 선임의(opp. appointive); 《美》 (학과가) 선택의; Ⓒ 선택 과목. ~ ***affinity***

E

〖化〗(원소간의) (선택) 친화력.

e·lec·tor[iléktər] *n.* Ⓒ 선거인, 유권자; 《美》 정부통령 선거 위원; 〖獨史〗 선제후(選帝侯).

e·lec·tor·al[iléktərəl] *a.* 선거(인)의; 선제후의. 「위원회.

eléctoral cóllege 정부통령 선거

e·lec·tor·ate[iléktərit] *n.* Ⓒ 《집합적》 유권자 (전체), 선거민; 선제후령(領).

†**e·lec·tric**[iléktrik] *a.* ① 전기의, 전기 장치의. ② 두근거리는(thrilling). ~ ***brain*** 전자 두뇌《전자계산기 따위》. ~ ***discharge*** 방전. ~ ***fan*** 선풍기. ~ ***heater*** 전기 난로. ~ ***iron*** 전기 다리미. ~ ***lamp*** 전등〔구〕. ~ ***outlet*** 〖電〗 콘센트(power socket). ~ ***power*** 전력.

:**e·lec·tri·cal**[-əl] *a.* 전기의〔같은〕; 강렬한. **~·ly** *ad.*

eléctric cháir (사형용) 전기 의자; (the ~) 전기 사형.

eléctric fíeld 전계(電界).

e·lec·tri·cian [ilèktríʃən, ìːlek-] *n.* Ⓒ 《美》 전기 기술자〔학자〕.

†**e·lec·tric·i·ty**[ilèktrísəti, ìːlek-] *n.* Ⓤ ① 전기. ② 전류. ③ 극도의 긴장.

eléctric shóck 감전, 전격.

eléctric stórm 뇌우(雷雨).

˙**e·lec·tri·fy**[iléktrəfài] *vt.* ① 전기를 통하다, 감전시키다. ② 전화(電化)하다. ③ 놀라게 하다, 감동〔흥분〕시키다(thrill). **-fi·ca·tion**[–⌒–fikéiʃən] *n.*

e·lec·tro-[iléktrou, -rə] '전기의, 전기 같은'의 뜻의 결합사.

e·lec·tro·cute[iléktrəkjùːt] *vt.* 감전사시키다; 전기 사형에 처하다. **-cu·tion**[–⌒–kjúːʃən] *n.* Ⓤ 감전사; 전기 사형.

e·lec·trode[iléktroud] *n.* Ⓒ 전극.

e·lec·trol·y·sis[ilèktráləsis/-ɔ́-] *n.* Ⓤ 전해(電解).

e·lec·tro·lyte[iléktroulàit] *n.* Ⓒ 전해액; 전해질. **-lyze**[-làiz] *vt.* 전해하다.

elèctro·mágnet *n.* Ⓒ 전자석. **~·ism** *n.* Ⓤ 전자기(학). **-magnétic** *a.* 〖理〗 전자기의.

˙**e·lec·tron**[iléktran/-trɔn] *n.* Ⓒ 전자.

˙**e·lec·tron·ic**[ilèktránik/-ɔ́-] *n.* 전자의. ˙**~s** *n.* Ⓤ 전자 공학.

electrónic máil 〖컴〗 전자 우편.

eléctron mìcroscope 전자 현미경.

e·lec·tro·plate[iléktroupléit] *vt., n.* (…에) 전기 도금을 하다; Ⓒ 전기 도금 제품.

:**el·e·gant**[éligənt] *a.* ① 우미(優美)한, 우아한, 품위 있는. ② 《口》 훌륭한, 근사한. **~·ly** *ad.* ˙**-gance, -gan·cy** *n.* Ⓤ 우미, 우아, 단아(端雅), 고상함; (과학적인) 정밀성; Ⓒ 우아한 말씨〔태도〕.

el·e·gi·ac[èlədʒáiək, ilíːdʒiæ̀k] *a.* 만가(挽歌)의, 애가〔엘레지〕조(調)의, 슬픈(sad). — *n.* (*pl.*) 만가 형식의 시가(詩歌). 「엘레지.

˙**el·e·gy**[élədʒi] *n.* Ⓒ 만가, 애가,

:**el·e·ment**[éləmənt] *n.* ① Ⓒ 요소, 성분; 분자(***discontented*** ~***s*** 불평 분자); 〖化〗 원소; 〖컴〗 요소. ② (*pl.*) 자연력, 풍우. ③ Ⓒ 고유의 환경; 활동 영역《물고기라면 물》; (사람의) 본령, 천성. ④ (*pl.*) 기본, 초보. ⑤ (the E-) 〖宗〗 (성체 성사의) 빵과 포도주. ***in*** 〔***out of***〕 ***one's*** ~ 자기 실력을 충분히 발휘할 수 있는〔없는〕 처지에. ***strife*** 〔***war***〕 ***of the*** ~***s*** 폭풍우. ***the four*** ~***s*** 사대(四大)《흙·물·불·바람》.

˙**el·e·men·tal**[èləméntl] *a.* 원소〔요소〕의; 본질적인(essential); 원리의; 사대(四大)《흙·물·불·바람》의; 근원적인; 초보의.

:**el·e·men·ta·ry**[èləméntəri] *a.* 기본〔초보〕의; 본질의; 원소의.

eleméntary párticle 〖理〗 소립자.

eleméntary schòol 초등 학교.

:**el·e·phant**[éləfənt] *n.* (*pl.* ~***s,*** 《집합적》 ~) Ⓒ 코끼리《미국에서는 이것을 만화화하여 공화당을 상징함》. ***see the*** ~ 《美俗》 세상을 보다〔알다〕; 구경하다. ***white*** ~ 흰 코끼리; 주체스러운 물건.

el·e·phan·tine[èləfǽntiːn, -tain] *a.* 코끼리의, 코끼리와 같은; 거대한; 볼품 없는; 느린; 거친, 대범한.

:**el·e·vate**[éləvèit] *vt.* ① 올리다, 높이다. ② 승진시키다. ③ 기운을

북돋아주다; 향상시키다. (희망·정신·자부심을) 앙양하다. ④ 기분을 들뜨게 하다. ***-vat·ed**[-id] *a., n.* 높인, 높은; 고상한(lofty); 쾌활한, 《口》 거나한; 《美》 = **∠d ráilway** (시내) 고가 철도.

ˑ**el·e·va·tion**[èləvéiʃən] *n.* ① Ⓤ 올리는〔높이는〕 일. ② Ⓤ 승진, 향상; 기품, 고상. ③ Ⓒ 높은 곳, 고지; (an ~) 고도(高度); 해발. ④ Ⓒ 입면〔정면〕도.

†**el·e·va·tor** [éləvèitər] *n.* Ⓒ ① 《美》 승강기(《英》 lift). ② 《美》 (큰) 곡물 창고. ③ 〖空〗 승강타(舵).

†**e·lev·en**[ilévən] *n., a.* ① Ⓤ,Ⓒ 열하나(의); Ⓒ 열한 사람〔개〕. ② Ⓒ (크리켓·축구 따위의) 팀. ③ (the E-) (예수의 사도(使徒) 가운데 Judas를 제외한) 11사도. ④ (*pl.*) 《英口》 = ELEVENSES. †**~th** *n., a.* Ⓤ 열한째(의); Ⓒ 11분의 1(의). ***at the ~th hour*** 막판에.

eléven-plús (**examinátion**) *n.* (the ~) 《英》 (11-12세 학생에 대한) 진학 자격 인정 시험.

e·lev·ens·es [ilévənziz] *n. pl.* 《英口》 (오전 11시경의) 가벼운 점심.

ˑ**elf**[elf] *n.* (*pl.* ***elves***) Ⓒ ① 꼬마 요정(妖精). ② 난쟁이, 꼬마. ③ 개구쟁이. **∠·ish** *a.* **∠·like** *a.*

elf·in[élfin] *n., a.* Ⓒ 꼬마 요정(elf)(과 같은).

e·lic·it [ilísit] *vt.* (갈채·웃음·대답 따위를) 끌어내다(***from***). **-i·ta·tion** [ilìsətéiʃən] *n.* 「하다.

e·lide[iláid] *vt.* (모음·음절을) 생략

ˑ**el·i·gi·ble**[élidʒəbəl] *a., n.* ① 택해도 좋은, 뽑힐 자격 있는. ② 적임의, 바람직한. ③ Ⓒ 적격자. **-bil·i·ty** [èlidʒəbíləti] *n.*

:**e·lim·i·nate**[ilímənèit] *vt.* ① 제거하다(remove), 삭제하다(***from***); 무시하다; 생략하다. ② 〖數〗 소거하다. ③ 〖生〗 배설하다. ***-na·tion** [ilìmənéiʃən] *n.* Ⓤ,Ⓒ 제거; 배출; 예선(豫選); 〖數〗 소거. **e·lím·i·nà·tor** *n.* Ⓒ 제거하는 물건; 일리미네이터《교류에서 직류를 얻는 장치》; 〖라디오〗 교류 수신기.

e·li·sion[ilíʒən] *n.* Ⓤ,Ⓒ 〖音聲〗 모음〔음절〕의 생략(eliding).

e·lite, é·lite[eilíːt] *n.* (F.) Ⓒ 정예(精銳), 엘리트. ***the ~ of society*** 명사들.

e·lix·ir[ilíksər] *n.* Ⓒ (연금술의) 영액(靈液); 불로 장수의 영약; 만병 통치약(cureall); = **~ *vi·tae***[váitiː] (L.) = ***the ~ of life*** 불로 장생약.

:**E·liz·a·beth**[ilízəbəθ] *n.* ① ~ I (1533-1603) 영국 여왕(1558-1603) 《Henry Ⅷ와 Anne Boleyn의 딸》. ② ~ Ⅱ (1926-)현 영국 여왕 (1952-) 《George Ⅵ의 장녀》.

ˑ**E·liz·a·be·than** [ilìzəbíːθən, -béθ-] *a., n.* Ⓒ 엘리자베스 1세 시대의 (문인·정치가).

elk[elk] *n.* (*pl.* **~s,** 《집합적》 ~) Ⓒ 고라니, 큰사슴《아시아·북유럽산(産)》(cf. moose).

el·lipse[ilíps] *n.* Ⓒ 타원, 장원(長圓)형. **el·lip·soid**[-ɔid] *n.* Ⓒ 타원체.

ˑ**el·lip·sis**[ilípsis] *n.* (*pl.* ***-ses*** [-siːz]) ① Ⓤ,Ⓒ 〖文〗 생략. ② Ⓒ 〖印〗 생략 부호(—, ***, … 따위).

el·lip·tic[ilíptik], **-ti·cal**[-əl] *a.* 타원(ellipse)의; 생략의. 「목.

ˑ**elm**[elm] *n.* Ⓒ 느릅나무; Ⓤ 그 재

ˑ**el·o·cu·tion**[èləkjúːʃən] *n.* Ⓤ 웅변술, 화술; 낭독〔발성〕법. **~·ary** [-èri/-əri] *a.* **~·ist** *n.* Ⓒ 웅변가.

e·lon·gate [i(ː)lɔ́ːŋgeit/íːlɔŋgèit] *vt., vi.* 길게 하다, 길어지다, 연장하다. — *a.* 길어진, 가늘고 긴. **-ga·tion**[i(ː)lɔːŋgéiʃən] *n.* Ⓒ 연장(선); Ⓤ 신장(伸張).

e·lope[ilóup] *vi.* (남녀가) 눈맞아 달아나다(***with***); 가출하다; 도망하다. **~·ment** *n.*

:**el·o·quent**[éləkwənt] *a.* ① 웅변의. ② 표정이 풍부한; (…을) 잘 나타내는(***of***). **~·ly** *ad.* **:-quence** *n.* Ⓤ 웅변(술).

†**else**[els] *ad.* 달리, 그 밖에. — *conj.* 《보통 **or** ~의 형식으로》 그렇지 않으면.

:**else·where**[∠hwὲər] *ad.* 어딘가 딴 곳에.

e·lu·ci·date[ilúːsədèit] *vt.* 밝히다, 명료하게 하다; 설명하다. **-da·tion**[-∸-déiʃən] *n.*

ˑ**e·lude**[ilúːd] *vt.* (살짝 몸을 돌려)

E

피하다; 벗어나다(evade). **e·lu·sion** [ilúːʒən] *n.* Ⓤ 회피, 도피.

e·lu·sive [ilúːsiv] *a.* 용하게 빠져나가는; 포착하기 어려운, 알기 어려운. **~·ly** *ad.* **~·ness** *n.*

***elves** [elvz] *n.* elf의 복수.

'em [əm] (〈ME *hem*) *pron.* 《口》 = THEM.

em- [im, em] *pref.* ⇨EN-.

e·ma·ci·ate [iméiʃièit] *vt.* 쇠약하게 하다, 여위게 하다. **-at·ed** *a.* **-a·tion** [-∸-éiʃən] *n.*

E-mail, e-mail, e·mail [íːmèil] (〈*electronic mail*) *n.* 〖컴〗 전자우편, 전자 메일.

em·a·nate [émənèit] *vi.* (빛·열·소리 따위가) 발산〔방사〕하다(*from*). **-na·tion** [∸-néiʃən] *n.* Ⓤ 발산, 방사; Ⓒ 발산〔방사〕물; Ⓤ 〖化〗 에마나치온《방사성 기체》.

e·man·ci·pate [imǽnsəpèit] *vt.* 해방하다. ***-pa·tion** [-∸-péiʃən] *n.* Ⓤ 해방. **-pá·tion·ist** *n.* Ⓒ (노예) 해방론자. **e·mán·ci·pà·tor** *n.* Ⓒ 해방자.

e·mas·cu·late [imǽskjəlèit] *vt.* 불까다, 거세하다(castrate); 유약(柔弱)하게 하다. — [-lit] *a.* 불깐, 거세된; 유약한, 연약한(effeminate). **-la·tion** [imæ̀skjəléiʃən] *n.*

em·balm [imbáːm] *vt.* (시체에) 향유(balm)〔방부제〕를 발라서 보존하다; (이름을) 길이 기억에 남기다; 향기를 풍기다, 향료를 치다. **~·ment** *n.*

em·bank [imbǽŋk] *vt.* 둑으로 두르다, 둑을 쌓다. ***~·ment** *n.* Ⓒ 제방, 둑; 축제(築堤).

em·bar·go** [embáːrgou] *n.* (*pl.* **~es**) Ⓒ ① (선박의) 항내 출입 금지. ② 통상 금지. ③ (일반적으로) 금지. ***lay* 〔*lift*〕 *an* ~ *on 만내(灣內) 출입을 금지하다〔금지를 해제하다〕. — *vt.* (선박의) 출〔입〕항을 금지하다; (통상을) 금지하다; (배·상품을) 몰수하다.

em·bark** [embáːrk] *vi.* ① 배를 타다, 출범하다(*for*). ② (사업·생활을) 시작하다. ***~ on* 〔*in*〕 *matrimony 결혼 생활에 들어가다. — *vt.* ① 배에 태우다. ② 종사케 하다. ③ 투자하다. ***em·bar·ka·tion** [èmbaːrkéiʃən] *n.*

:em·bar·rass [embǽrəs] *vt.* ① 곤란케 하다, 당혹게 하다(confuse). ② (문제를) 분규케 하다; (…의 자유로운) 행동을 방해하다; 재정을 곤란케 하다. ***be* 〔*feel*〕 *~ed*** 거북하게〔어색하게〕 느끼다. **~·ing** *a.* 곤란한, 귀찮은. **:~·ment** *n.* Ⓤ 난처함, 당혹; Ⓒ 방해, 장애; (보통 *pl.*) (재정상의) 곤란.

:em·bas·sy [émbəsi] *n.* Ⓒ 대사관; 사절(단); 대사의 임무.

em·bat·tle [imbǽtl] *vt.* 진을 치다, 포진(布陣)하다. **~d** [-d] *a.*

em·bed [imbéd] *vt.* (**-dd-**) 묻다, 매장하다; (마음 속에) 깊이 간직하다.

em·bel·lish [imbéliʃ] *vt.* 장식하다(adorn). **~·ment** *n.*

:em·ber [émbər] *n.* Ⓒ (보통 *pl.*) 타다 남은 것, 여신(餘燼).

em·bez·zle [embézl] *vt.* (위탁금 따위를) 써버리다. **~·ment** *n.* Ⓤ (위탁금 따위의) 유용(流用), 착복.

em·bit·ter [embítər] *vt.* 쓰게 하다; 고되게〔비참하게〕 하다; (…의) 감정을 상하게 하다; 심하게 하다. **~·ment** *n.*

em·bla·zon [embléizən] *vt.* (방패를) 문장으로 장식하다; (화려하게) 장식하다; 찬양하다. **~·ment** *n.* Ⓤ 문장 장식. **~·ry** *n.* Ⓤ 문장 화법(畫法); 《집합적》 문장; 장식.

***em·blem** [émbləm] *n., vt.* Ⓒ 상징(하다); 기장(으로 나타내다). **~·at·ic** [èmblimǽtik], **-i·cal** [-əl] *a.* 상징의〔적인〕; (…을) 상징하는(*of*).

***em·bod·y** [imbádi/-ɔ́-] *vt.* ① 형체를 부여하다; 형체 있는 것으로 만들다, 구체화하다, 구체적으로 표현하다. ② 일체화하다; 통합하다; 포함하다. **em·bód·i·ment** *n.* Ⓤ 구체화, 구현; 화신(化身).

em·bold·en [imbóuldən] *vt.* 대담하게 하다, 용기를 주다(encourage).

em·boss** [embás, -bɔ́ːs/-bɔ́s] *vt.* 돋을새김(으로 장식)하다; (무늬를) 도드라지게〔도도록하게〕 하다. ***~ed printing (우표·고급 명함·초대장 등의) 돋을인쇄. **~·ment** *n.*

:em·brace [embréis] *vt.* ① 포옹하

다, 껴안다(hug). ② 『法』 (배심원 등을) 매수(포섭)하다. ③ 포함하다, 둘러싸다, 에워싸다. ④ (의견·종교 등을) 받아들이다; 채용하다, (기회를) 붙잡다. ⑤ 깨닫다, 간파하다(take in). — *vi.* 서로 껴안다. — *n.* Ⓒ 포옹. **~·a·ble** *a.* **~·ment** *n.* **em·brác·er·y** *n.* Ⓤ 『法』 매수.

em·bra·sure [embréiʒər] *n.* Ⓒ 『築城』 (밖을 향하여 쐐기 모양으로 열린) 총안.

em·bro·cate [émbrəkèit] *vt.* 『醫』 (…에) 약을 바르다; (…에) 찜질하다 (*with*). **-ca·tion** [∸-kéiʃən] *n.*

·**em·broi·der** [embrɔ́idər] *vt.* 자수하다, 수놓다; 윤색(潤色)하다; 과장하다. *~**y** *n.* Ⓤ 자수, 수(놓기); Ⓒ 자수품; Ⓤ 윤색, 과장.

em·broil [embrɔ́il] *vt.* 분규(紛糾)(혼란)시키다; (분쟁에) 휩쓸어 넣다 (*in*). **~·ment** *n.*

·**em·bry·o** [émbriòu] *n.* (*pl.* **~s**) Ⓒ 배(아)(胚芽); 태아; 움, 싹. ***in*** ~ 미발달의; 생각중에 있는. — *a.* 배(아)의, 태아의; 미발달의; 초기의. **-on·ic** [èmbriánik/-ɔ́-] *a.* 배(胚)의, 태아의; 미달발(초기)의.

em·bry·ol·o·gy [èmbriálədʒi/-ɔ́-] *n.* Ⓤ 발생(태생)학.

e·mend [iménd] *vt.* (문서 따위를) 교정하다(correct). **e·men·da·tion** [ì:mendéiʃən, èmən-] *n.* Ⓤ 교정.

·**em·er·ald** [émərəld] *n.* Ⓒ 녹옥(綠玉), 에메랄드; Ⓤ 에메랄드 빛깔. — *a.* 선녹색(鮮綠色)의.

Émerald Ísle, the 아일랜드의 미「칭.

:e·merge [imə́:rdʒ] *vi.* 나타나다; (문제가) 일어나다; (곤궁에서) 빠져나오다. **e·mer·gence** [-əns] *n.* Ⓤ 출현; 탈출.

:e·mer·gen·cy [-ənsi] *n.* Ⓤ,Ⓒ 비상 사태, 긴급(한 때), 위급 사태.

e·mer·gent [imə́:rdʒənt] *a.* 불시에 나타나는, 뜻밖의; 긴급한.

e·mer·i·tus [imérətəs] *a.* 명예 퇴직의. ~ ***professor*** = ***professor*** ~ 명예 교수.

em·er·y [éməri] *n.* Ⓤ 금강사(金剛砂).

émery bòard 손톱줄.

émery pàper (금강사로 만든) 사포(砂布), 속새.

e·met·ic [imétik] *a., n.* 토하게 하는; Ⓒ 토제(吐劑).

·**em·i·grant** [émәgrənt] *a., n.* Ⓒ (타국에) 이주하는 (사람), 이민(의) (cf. immigrant).

·**em·i·grate** [émәgrèit] *vi., vt.* (타국에) 이주하다(시키다)(*from*)(cf. immigrate). **-gra·tion** [∸-gréiʃən] *n.* Ⓤ,Ⓒ 이주.

é·mi·gré [émigrèi] *n.* (F.) Ⓒ 이민; 『프史』 망명한 왕당원(王黨員).

·**em·i·nence** [émənəns] *n.* ① Ⓒ 높은 곳, 언덕. ② Ⓤ (지위·신분 따위의) 고위, 고귀; 탁월; 저명; 현직(顯職). ③ (E-) 『가톨릭』 전하(殿下) 《cardinal의 존칭》. **:-nent** *a.* 우수한; 유명한; 현저한. **-nent·ly** *ad.*

e·mir [əmíər] *n.* Ⓒ (이슬람교국의) 토후(土侯), 수장(首長).

e·mir·ate [əmíərit] *n.* Ⓒ (이슬람교국의) 토후의 지위(신분·칭호); 토후국.

em·is·sar·y [éməsèri/-səri] *n.* Ⓒ 사자(使者); 밀사, 간첩.

·**e·mis·sion** [imíʃən] *n.* Ⓤ,Ⓒ 방사, 배출; Ⓒ 방사물, 배출물(질).

·**e·mit** [imít] *vt.* (**-tt-**) ① 내다, 발하다. ② (지폐를) 발행하다.

e·mol·li·ent [imáljənt/-ɔ́-] *a.* (피부·점막을) 부드럽게 하는; 완화하는. — *n.* Ⓤ,Ⓒ 연화제(軟化劑).

e·mol·u·ment [imáljəmənt/-ɔ́-] *n.* Ⓒ (보통 *pl.*) 급료; 보수.

e·mote [imóut] *vi.* 《美口》 과장된 행동을 하다; 정서를 보이다, 감정을 내다. **e·mó·tive** *a.*

:e·mo·tion [imóuʃən] *n.* Ⓤ,Ⓒ 정서, 감동. *~**al** [-ʃənəl] *a.* 감정의, 감정적인; 감동하기 쉬운, 정에 무른; 감동시키는. **~·al·ism** [-əlìzəm] *n.* Ⓤ 감격성; 감정에 호소함; 감정 노출 경향. *~**al·ly** *ad.*

em·pa·thy [émpəθi] *n.* Ⓤ 『心』 감정 이입(感情移入)《상대방의 감정의 완전한 이해》.

:em·per·or [émpərər] *n.* Ⓒ 황제 (cf. empire).

:em·pha·sis [émfəsis] *n.* (*pl.* **-ses** [-sì:z]) Ⓤ,Ⓒ ① 강조, 강세. ② 어세(語勢), 문세(文勢).

:em·pha·size [émfəsàiz] *vt.* 강조

E

〔역설〕하다.

·em·phat·ic[imfǽtik] *a.* ① 어세가 강한, 강조한. ② 단호한, 절대적인. ③ 두드러진. **·-i·cal·ly** *ad.*

:em·pire[émpaiər] *n.* Ⓒ 제국(帝國)(cf. emperor); Ⓤ 절대 지배권.

em·pir·ic[empírik] *n.* Ⓒ 경험에만 의존하는 사람; 경험주의자; 《古》 돌팔이 의사(quack). — *a.* 경험의, 경험적인; 돌팔이 의사 같은. **-i·cal** *a.* = EMPIRIC. ***-ical philosophy*** 경험철학. **-i·cism**[-rəsìzəm] *n.* Ⓤ 경험주의.

em·place·ment [empléismənt] *n.* Ⓤ 설치, 고정; 위치 (고정); Ⓒ 〖軍〗 포상(砲床).

:em·ploy[emplɔ́i] *vt.* 고용하다, 쓰다; (시간·정력 따위를) 소비하다. **~ *oneself*** (…에) 종사하다(*in*). — *n.* Ⓤ 사용, 고용. ***in the ~ of*** …에 고용되어서. ***out of ~*** 실직하여. **:~·er** *n.* Ⓒ 고용주. **:~·ment** *n.* Ⓤ 고용, 직(職), 일(***~ment agency*** 〔***office***〕 직업 소개소).

:em·ploy·ee [implɔ́iiː, èmplɔiíː], *n.* Ⓒ 고용인, 종업원.

em·po·ri·um[empɔ́ːriəm] *n.* (*pl.* **~s, -ria**[-riə]) Ⓒ 상업 중심지, 큰 시장; 큰 상점.

·em·pow·er[impáuər] *vt.* (…에게) 권한〔권력〕을 주다; …할 수 있도록 하다(enable).

:em·press[émpris] *n.* Ⓒ 여제(女帝); 황후.

†emp·ty[émpti] *a.* 빈, 비어 있는; 공허한, 무의미한; 《口》 배고픈; (…이) 없는, 결여된(*of*). — *vt., vi.* 비우다, 비다(**~ *a glass*** 잔을 비우다). **-ti·ness** *n.* 「의.

émpty-hánded *a.* 빈 손의, 맨손

émpty·héaded *a.* 머리가 텅 빈; 무식한.

EMS European Monetary System 유럽 통화 제도.

e·mu[íːmjuː] *n.* Ⓒ 에뮤《타조 비슷한 큰 새; 날지 못함》.

em·u·late[émjəlèit] *vt.* ① (…와 우열을) 다투다(strive to equal or excel). ② 〖컴〗 대리 실행〔대행〕하다. **-la·tion**[⌐–léiʃən] *n.* Ⓤ 〖컴〗 대리 실행, 대행《다른 컴퓨터의 기계어 명령어로 실행 가능》. **-la·tive** [-lə-, -lèi-] *a.* **-la·tor** *n.* Ⓒ 경쟁자; 〖컴〗 대행기. 「(乳劑).

e·mul·sion[imʌ́lʃən] *n.* Ⓤ,Ⓒ 유제

en-[in, en] *pref.* 《b, m, p 앞에서는 em-》 ① 명사에 붙여 '…속에 넣다, 위에 놓다' 의 뜻을 만듦: *en*gulf. ② 명사·형용사에 붙여 '…로 하다' 의 뜻을 만듦: *en*slave. ③ 동사에 붙여 '안에, 속에' 의 뜻을 더함: *en*fold.

:en·a·ble[enéibəl] *vt.* …할 수 있게 하다(make able); (…의) 권능〔가능성〕을 주다; 〖컴〗 (…을) 가능하게 하다.

·en·act[enǽkt] *vt.* 법률화하다; (법을) 제정하다; (…의) 역(役)을 하다(play). **~·ment** *n.* Ⓤ 제정, 설정; Ⓒ 법령(law).

·e·nam·el [inǽməl] *n., vt.* (《英》 **-ll-**) Ⓤ 에나멜(을 칠하다); (오지그릇의) 유약(釉藥)(을 입히다); 법랑(琺瑯); (이(齒)의) 법랑질, 사기질(cf. dentine).

en bloc[ɑn blɑ́k, en-/-blɔ́k] (F.) 일괄하여, 총괄적으로(all together). ***resign ~*** 총사직하다.

·en·camp[enkǽmp] *vt., vi* 진을 치(게 하)다; 야영(케)하다. **~·ment** *n.*

en·case[enkéis] *vt.* (상자·칼집에) 넣다; 싸다, 둘러싸다.

en·cash[enkǽʃ] *vt.* 《英》 (증권·어음 등을) 현금화하다; 현금으로 받다.

:en·chant[entʃǽnt, -ɑ́ː-] *vt.* ① …에게 마술을 걸다. ② 매혹〔뇌쇄〕하다. **~·er** *n.* **·~·ing** *a.* 매혹적인. **·~·ment** *n.* **~·ress** *n.* Ⓒ 여자 마법사; 매혹적인 여자.

·en·cir·cle[ensə́ːrkl] *vt.* 둘러〔에워〕싸다(surround); 일주하다. **~·ment** *n.* Ⓤ 일주; 포위; 〖政〗 고립화《적성 국가군(群)에 의한 포위》.

en·clave[énkleiv] *n.* (F.) Ⓒ (타국 내의) 고립된 영토.

:en·close[enklóuz] *vt.* ① 울타리를 두르다; 에워싸다. ② (그릇에) 넣다; (편지에) 동봉하다(***I ~ a check herewith.*** /***Enclosed please find the invoice.*** 〖商〗 송장(送狀)을 동봉하오니 받아주시오).

·en·clo·sure [enklóuʒər] *n.* ① Ⓤ,Ⓒ 울(두르기), 담, 울타리. ② Ⓤ

〖英史〗(15-18세기에 대지주가 교환 분합(交換分合)에 의하여 한 곳에 모은) 종획지(綜劃地). ③ Ⓒ 울안, 구내. ④ Ⓒ 동봉한 물건.

en·code[enkóud] *vt., vi.* ① (보통 글을) 암호로 고쳐 쓰다; 암호화하다. ② 〖컴〗 부호 매기다. **en·cód·er** *n.* Ⓒ 〖컴〗 부호기.

en·com·pass[enkʌ́mpəs] *vt.* 둘러싸다; 포함하다.

en·core[ɑ́ŋkɔːr/ɔŋkɔ́ːr] *int., n., vt.* Ⓒ 앙코르〔재청〕(하다).

:en·coun·ter[enkáuntər] *n., vi., vt.* Ⓒ 우연히 만남(만나다); 회전(會戰)(하다).

·en·cour·age [enkə́ːridʒ, -kʌ́r-] *vt.* ① (…의) 기운을 북돋아 주다, 격려하다. ② 조장〔지원〕하다(opp. discourage). **·~·ment** *n.* **-ag·ing** *a.*

en·croach[enkróutʃ] *vt.* 침입〔침해〕하다(intrude)(*on, upon*). **~·ment** *n.*

en·crust[enkrʌ́st] *vt.* 껍질로 덮다; (보석을 …에) 박아 넣다.

·en·cum·ber[enkʌ́mbər] *vt.* ① 거치적거리게 하다, 방해하다; (…으로 장소를) 막다(*with*); 번거롭게 하다. ② (빚을) 지게 하다.

en·cum·brance[-brəns] *n.* Ⓒ 방해, 장애(물); 골칫거리, (특히) 자식; 〖法〗 저당권 (따위).

:en·cy·clo·pae·di·a, -pe-[ensàikləpíːdiə] *n.* Ⓒ 백과 사전; (E-) (프랑스의 Diderot, d'Alembert 등이 공동 편집한) 백과 전서. ***E- Americana***[əmèrikɑ́ːnə] 미국 백과 사전. ***E- Britannica***[britǽnikə] 대영 백과 사전. **-dic** *a.* **-dist** *n.* Ⓒ 백과 사전 편집자.

†end[end] *n.* Ⓒ ① 끝, 마지막, 종말; 가, 말단; 최후, 죽음; 행위의 종말. ② 목적. ③ 결과. ④ 조각, 끄트러기, 파편(fragment). ⑤ 《美》 부분, 부문, 방편. ⑥ 〖美式蹴〗 전위(前衛) 양끝의 선수. ***at a loose ~*** 《口》 빈둥빈둥; 미해결로; 어찌할 바를 모르고, 무직으로. ***at loose ~s*** 산란하여. ***~ for ~*** 거꾸로. ***~ to ~*** 끝과 끝을 접하여. ***in the ~*** 마침내. ***make an ~ of*** …을 끝내다. ***make both ~s meet*** 수지를 맞추다. ***no ~*** 《口》 몹시. ***no ~ of*** 《口》 …을 한 없이, 얼마든지. ***on ~*** 세로, 똑바로; 계속하여. ***put an ~ to*** …을 그만두다; 죽이다. ***to the (bitter) ~*** 마지막까지, 어디까지나. ― *vt., vi.* 끝마치다; 끝나다; 그만두다, 그치다; 죽이다. ***~ in*** …(의 결과)로 끝나다. ***~ off*** 〔***up***〕 끝나다. **:∠·ing** *n.* Ⓒ 결말, 종결; 말미; 어미; 사망.

·en·dan·ger[endéindʒər] *vt.* 위태롭게 하다.

·en·dear[endíər] *vt.* 사랑스럽게 여기게 하다, 그리워지게 하다. **~·ing** [endíəriŋ] *a.* 사랑스러운. **~·ing·ly** *ad.* 귀엽게. **~·ment** *n.* Ⓤ 친애; Ⓒ 애무.

:en·deav·or, 《英》 **-our**[endévər] *n., vt., vi.* Ⓤ,Ⓒ 노력(하다)(*after; to do*), 시도(하다).

en·dem·ic[endémik] *a.* 한 지방 특유의, 풍토(병)의. ― *n.* Ⓒ 풍토〔지방〕병. **-i·cal·ly** *ad.*

en·dive[éndaiv/-div] *n.* Ⓤ 〖植〗 꽃상추《샐러드용》.

:end·less[éndlis] *a.* 끝없는; 무한한, 영원한; 〖機〗 순환의. **~·ly** *ad.* **~·ness** *n.*

·en·dorse, in- [endɔ́ːrs] *vt.* 배서(背書)하다; 보증하다. **~·ment** *n.* **en·dórs·er** *n.* Ⓒ 배서인. **en·dor·see**[endɔ̀ːrsíː, ∸-∠] *n.* Ⓒ 피(被)배서인, 양수인(讓受人).

:en·dow[endáu] *vt.* ① (공공 단체에) 기금을 기부하다. ② (자질·능력 따위를) 부여하다(furnish)(*with*). **·~·ment** *n.* Ⓤ 기부; Ⓒ 기금(基金); (보통 *pl.*) (천부의) 재능.

énd pròduct (연속 변화의) 최종 결과; 〖理〗 최종 생성물.

:en·dur·ance[endjúərəns] *n.* Ⓤ 인내; 내구성〔력〕.

:en·dure[endjúər] *vt.* 견디다, 참다; 겪다, 받다. ― *vi.* 인내하다; 지속하다, 지탱하다. **en·dúr·a·ble** *a.* **·en·dur·ing**[-djúəriŋ] *a.* 참는; 영속적인.

énd úser 〖컴〗 최종 사용자.

en·e·ma[énəmə] *n.* (*pl.* **~s, enemata**[enémətə]) Ⓒ 관장; 관장(灌腸)기〔제(劑)〕.

E

†**en·e·my** [énəmi] *n.* Ⓒ 적, 원수; 적군, 적함.
˙**en·er·get·ic** [ènərdʒétik] *a.* 정력적인, 원기 왕성한(vigorous). **-i·cal·ly** *ad.*
en·er·gize [énərdʒàiz] *vt.* 활기 띠게 하다, 격려하다.
:**en·er·gy** [énərdʒi] *n.* Ⓤ ① 정력, 활기, 원기(vigor). ② 에너지.
en·er·vate [énərvèit] *vt.* 약하게〔쇠하게〕 하다(weaken). **en·er·va·tion** [≒−véiʃən] *n.*
en·fant ter·ri·ble [ɑ̃ŋfɑ́:ŋ terí:bəl] (F.) (어른 빰칠) 깜찍한 아이.
en·fee·ble [enfí:bəl] *vt.* 약〔쇠〕하게 하다. **∼·ment** *n.* 「다.
en·fold [enfóuld] *vt.* 싸다; 끌어안
:**en·force** [enfɔ́:rs] *vt.* ① (법률 따위를) 실시〔시행〕하다. ② (…에게) 강요하다, 떠맡기다(*on*). **∼·a·ble** *a.* ˙**∼·ment** *n.* Ⓤ 실시, 시행.
en·fran·chise [enfrǽntʃaiz] *vt.* 해방〔석방〕하다(set free); (…에게) 공민권〔선거권〕을 부여하다. **∼·ment** [-tʃizmənt, -tʃaiz-] *n.*
Eng. England; English. **eng.** engine; engineer(ing).
:**en·gage** [engéidʒ] *vt.* ① 종사시키다. ② 당기다; (주의·흥미를) 끌다. ③ 속박〔약속〕하다; 보증하다; 약혼시키다(*to*). ④ (방 따위를) 예약하다(reserve); (사람을) 고용하다. (탈것을) 세내다. ⑤ (군대를) 교전시키다. (…와) 교전하다. ⑥ 〖機〗 걸다. (톱니바퀴를) 맞물리다(*with*). **∼ *one-self to*** (do)(…하겠다)고 서약하다. ── *vi.* ① 약속하다, 보증하다(*for; to* do; *that*). ② 종사〔관계〕하다(*in*). ③ 교전하다(*with*). ④ 〖機〗 (톱니바퀴 따위가) 걸리다, 맞물다. **∼ *oneself in*** …에 종사하다.
˙**en·gaged** [engéidʒd] *a.* 약속〔계약·예약〕된; 약혼 중인, 용무 중인, 바쁜, 고용된, (전화가) 통화 중인; 교전 중인.
:**en·gage·ment** [engéidʒmənt] *n.* ① Ⓒ 약속, 계약; 약혼. ② Ⓤ 용무, 볼일; 고용, 초빙, 직업. ③ (*pl.*) 채무; Ⓒ 교전; Ⓤ 〖機〗 (맞)물림. ***enter into*** 〔***make***〕 ***an ∼ with*** … 와 약속〔계약〕하다.
engágement rìng 약혼 반지.
en·gag·ing [engéidʒiŋ] *a.* 마음을 끄는, 매력 있는; 애교 있는. **∼·ly** *ad.* **∼·ness** *n.*
en·gen·der [endʒéndər] *vt., vi.* (상태 등을) 야기하다; 발생하다.
†**en·gine** [éndʒin] *n.* Ⓒ ① 기관, 엔진. ② 기관차. ③ 기계(장치), 기구. ④ 병기(∼s of war).
éngine drìver 《英》 (철도의) 기관사(《美》 (locomotive) engineer).
†**en·gi·neer** [èndʒiníər] *n.* Ⓒ ① 공학가, 기술자, 기사; (기계 따위의) 설계〔제작〕자. ② 《美》 (철도의) 기관사(《英》 engine driver). ③ (육군의) 공병; (해군의) 기관 장교. ── *vt.* 설계〔감독〕하다; 능란하게 처리〔타개〕하다(manage cleverly). **:∼·ing** [-níəriŋ] *n.* Ⓤ 공학, 기술; 기관술〔학〕; (토목) 공사.
†**Eng·lish** [íŋgliʃ] *a.* 잉글랜드의; 영국(인)의; 영어의. ── *n.* ① Ⓤ (넓은 뜻으로) 영어; (스코틀랜드 방언 따위와 구별하여) 잉글랜드의 말. ② (the ∼) 《집합적》 영국 사람. ③ (*or* e-) 《美》 〖撞〗 틀어치기. ***in plain ∼*** 분명히〔쉽게〕 말하자면. ***Middle ∼*** 중세 영어《1100-1500년경; 생략 ME》. ***Modern ∼*** 근대 영어《1500년 경 이후; 생략 ModE》. ***Old ∼*** 고대 영어《700-1100년 경; 생략 OE》. ***the King's*** 〔***Queen's***〕 **∼** 표준 영어. ── *vt.* (*or* e-) 영어로 번역하다; 《美》 〖撞〗 틀어치다. 「협.
Énglish Chánnel, the 영국 해
:**Eng·lish·man** [-mən] *n.* Ⓒ 잉글랜드 사람; 영국 사람.
˙**Énglish·wòman** *n.* 영국 여자; 잉글랜드 여자.
˙**en·grave** [engréiv] *vt.* 새기다(나무·돌 따위에), 조각하다(carve); (마음속에) 새겨넣다. **en·gráv·er** *n.* ˙**en·gráv·ing** *n.* Ⓤ 조각, 조판(彫版); Ⓒ 판화.
:**en·gross** [engróus] *vt.* ① 큰 글자로 쓰다; 정식으로 쓰다〔말하다〕, 정서하다. ② 독점하다; (마음을) 빼앗다, 몰두시키다, 열중케 하다(*in*). **∼·ing** *a.* 마음을 빼앗는, 몰두시키는. **∼·ment** *n.* Ⓤ 열중, 몰두; 큰 글자로 쓰기; Ⓒ 정서한 것; Ⓤ 독점.

E

en·gulf[engʌ́lf] *vt.* 휘말아 들이다, 삼키다.

˙**en·hance**[enhǽns, -ɑ́:-] *vt.* 높이다; 늘리다, 강화하다. **~·ment** *n.*

e·nig·ma [inígmə] *n.* Ⓒ 수수께끼(riddle); 수수께끼의 인물; 불가해한 사물. **en·ig·mat·ic**[ènigmǽtik], **-i·cal**[əl] *a.*

˙**en·join**[endʒɔ́in] *vt.* (…에게) 명령하다; 과(課)하다(*on*); 〖法〗 (…을) 금지하다(~ *a person from doing*).

†**en·joy**[endʒɔ́i] *vt.* ① 즐기다, 향락하다. ② (이익·특권 따위를) 누리다, 향유하다. ③ (건강·재산 따위를) 가지고 있다. ~ ***oneself*** 즐기다, 즐겁게 지내다[시간을 보내다]. **~·a·ble** *a.* 향유할[누릴] 수 있는; 즐거운. ˙**~·ment** *n.* ① Ⓤ,Ⓒ 즐거움, 쾌락. ② Ⓤ 향락; 향유.

:**en·large**[enlɑ́:rdʒ] *vt.* 확대하다; 증보하다; 〖寫〗 확대하다. — *vi.* 넓어지다, 퍼지다; 부연[상술]하다(*on*). ˙**~·ment** *n.* Ⓤ 확대; Ⓒ 증축. **en·lárg·er** *n.* Ⓒ 확대기.

:**en·light·en**[enláitn] *vt.* 교화하다, 계몽하다; (의미를) 명백하게 하다. **~ed**[-d] *a.* **~·ing** *a.* 계몽적인. ˙**~·ment** *n.*

˙**en·list**[enlíst] *vt.* ① 병적에 넣다(enrol); (사병을) 징모(徵募)하다. ② (…의) 지지[원조]를 얻다. — *vi.* 입대[참가]하다, 협력하다. **~·ment** *n.* Ⓒ 병적 편입(기간). ② Ⓤ 입대, 징모, 응모.

enlísted màn 《美》 사병; 지원[응모]병《생략 EM》.

˙**en·liv·en**[enláivən] *vt.* 활기를 띠게 하다, 기운을 돋게 하다.

en masse[en mǽs] *ad.* (F.) 함께, 한꺼번에, 통틀어서.

en·mesh[enméʃ] *vt.* (그물에) 얽히게[걸리게] 하다; 빠뜨리다(*in*).

˙**en·mi·ty**[énməti] *n.* Ⓤ,Ⓒ 적의; 증오. ***at ~ with*** …와 반목하여.

˙**en·no·ble**[enóubl] *vt.* 고귀[고상]하게 하다; 귀족으로 만들다.

en·nui[ɑ:nwí:, ⌐—] *n.* (F.) Ⓤ (cf. annoy) 권태, 앙뉘.

e·nor·mi·ty[inɔ́:rməti] *n.* Ⓤ 극악(*of*); Ⓒ 범죄 행위.

:**e·nor·mous**[inɔ́:rməs] *a.* 거대한 (huge), 막대한(immense); 흉악한. ˙**~·ly** *ad.* 터무니 없이, 매우, 막대하게. **~·ness** *n.*

†**e·nough**[inʌ́f] *a.* 충분한; (…에) 족한(*for; to* do). — *n., ad.* Ⓤ 충분(히), 많이, 참으로. ***be kind ~ to*** (do) 친절하게도 …하다. ***cannot*** (do) ~ 아무리 …하여도 부족하다. ~ ***and to spare*** 남을 만큼. ***sure ~*** 과연. ***well ~*** 상당히; 웬만하게; 충분히.

en pas·sant[ɑ̃:n pæsɑ́:ŋ] (F.) …하는 김에.

˙**en·quire**[enkwáiər], **&c.** = INQUIRE, &c.

˙**en·rage**[enréidʒ] *vt.* 격노하게 하다. ***be ~d at*** [***by, with***] …에 몹시 화내다.

en·rap·ture[enrǽptʃər] *vt.* 미칠 듯이 기쁘게 하다; 황홀하게 하다(entrance). ***be ~d with*** [***over***] …으로 기뻐서 어쩔 줄 모르다.

:**en·rich**[enrítʃ] *vt.* ① 부유[풍부]하게 하다, (땅을) 기름지게 하다. ② (색·맛 따위를) 짙게 하다, 농축하다 (*~ed uranium* 농축 우라늄); (음식물의) 영양가를 높이다. ③ 꾸미다, 장식하다. **~·ment** *n.*

˙**en·rol**(**l**)[enróul] *vt.* (**-ll-**) 등록하다, 명부에 올리다, 입회[입대]시키다. ˙**~·ment** *n.*

en route[ɑ̃:n rú:t] (F.) 도중(에) (*to, for*).

en·sconce[enskɑ́ns/-ɔ́-] *vt.* 몸을 편히 앉히다, 안치하다; 숨기다(hide). ~ ***oneself in*** (좌석 따위에) 자리잡고 앉다, 안정하다.

˙***en·sem·ble***[ɑ̃:nsɑ́:mbl] *n.* (F.) Ⓒ ① 총체; 전체적 효과(general effect). ② 전(全)합창[주], 합창[합주]단. ③ 앙상블《잘 조화된 한 벌의 여성복》. ④ 〖劇〗 공연자 (전원), 총출연.

en·shrine[enʃráin] *vt.* (…을) 사당에 모시다[안치하다]; (마음 속에) 간직하다(cherish). **~·ment** *n.*

en·shroud[enʃráud] *vt.* 수의(壽衣)를 입히다; 덮어가리다.

˙**en·sign**[énsain] *n.* Ⓒ ① (관위(官位)따위의) 표장(標章)(badge); 기, 군기, 국기(flag, banner). ② 《英》

E

기수. ③ [énsn] 《美》 해군 소위. ***national*** ~ 국기. ***red*** ~ 영국 상선기. ***white*** ~ 영국 군함기.

˙**en·slave**[ensléiv] *vt.* 노예로 만들다. ~·**ment** *n.* Ⓤ 노예 상태.

en·snare[ensnέər] *vt.* 올가미에 걸어 넣다; 유혹하다.

˙**en·sue**[ensú:] *vi.* 계속해서〔결과로서〕 일어나다(follow)(*from, on*). ***the ensuing year*** 그 이듬해.

en suite[ɑ̃:n swí:t] (F.) 연달아.

˙**en·sure**[enʃúər] *vt.* ① 안전하게 하다(*against, from*). ② 책임지다. 확실하게 하다; 확보하다(secure); 보증하다.

˙**en·tail**[entéil] *vt.* ① (부동산의) 상속권을 한정하다. ② (결과를) 남기다, 수반하다. ③ 필요로 하다; 과(課)하다. — *n.* Ⓤ 〖法〗 한정 상속; Ⓒ 세습 재산.

E

˙**en·tan·gle**[entǽŋgl] *vt.* ① 얽히게 하다(tangle); 휩쓸려〔말려〕들게 하다(involve)(*in*). ② 혼란시키다, 곤란케 하다(perplex). ***be*** 〔***get***〕 ~***d in*** …에 말려들다, 빠지다. ~·**ment** *n.*

en·tente[ɑ:ntɑ́:nt] *n.* (F.) Ⓒ (정부 간의) 협정, 협상; 《집합적》 협상국.

enténte cor·di·ale [-kɔ:rdjɑ́:l] 협정, 협상.

†**en·ter**[éntər] *vt.* ① (…에) 들어가다. ② (…에) 들다〔가입하다〕; 참가하다; 가입〔입회〕시키다. ③ 기입하다. ④ (항의를) 제기하다. ⑤ 시작하다, (직업에) 들어서다. ⑥ 〖컴〗 (정보·기록·자료를) 넣다, 입력하다. — *vi.* ① 들다, 들어가다. ② 참가〔입회〕하다. ③ 등장하다. ~ ***for*** …에 참가(를 신청)하다. ~ ***into*** …에 들어가다, 들어서다; (담화·교섭을) 시작하다; (관계·협정을) 맺다; (계획에) 참가하다; 논급하다; 헤아리다. ~ ***on*** 〔***upon***〕 소유권을 얻다; 시작하다; 논급하다. ~ ***up*** (정식으로) 기장(記帳)하다.

:**en·ter·prise** [éntərpràiz] *n.* ① Ⓒ 사업, 기업. ② Ⓒ 기획, (모험적인) 기도. ③ Ⓤ 기업〔모험〕심. ***man of*** ~ 진취성 있는 사람. ˚-**prìs·ing** *a.* 기업심이 왕성한; 모험적인.

:**en·ter·tain**[èntərtéin] *vt.* ① 즐겁게 하다(amuse). ② 대접〔환대〕하다, 접대하다. ③ (마음에) 품다(cherish); 고려하다. ˚~·**er** *n.* Ⓒ 접대하는 사람; 연예인, 요술사. ~·**ing** *a.* 유쾌한, 재미있는.

:**en·ter·tain·ment** [èntərtéinmənt] *n.* Ⓤ,Ⓒ 대접; Ⓒ 연회; 연예, 여흥; Ⓤ 오락; 마음에 품음. ***give*** ~***s to*** …을 대접〔환대〕하다.

en·thral(l)[enθrɔ́:l] *vt.* (*-ll-*) 매혹하다; 노예로 만들다(enslave). ~·**ment** *n.*

˙**en·throne**[enθróun] *vt.* 왕위에 앉히다. ~·**ment** *n.* Ⓤ,Ⓒ 즉위(식).

en·thuse[enθjú:z/-θjú:z] (〈⇩) *vt., vt.* 《口》 열광〔감격〕하다〔시키다〕.

:**en·thu·si·asm**[enθjú:ziæ̀zəm] *n.* Ⓤ 열심, 열중; 열광, 열의(熱意)(*for, about*). -**ast**[-æ̀st] *n.* Ⓒ 열심〔열성〕가, …광(狂)(*for*). :-**as·tic**[-⌐-æ̀stik] *a.* ˚-**ti·cal·ly** *ad.*

˙**en·tice**[entáis] *vt.* 유혹하다, 꾀다(allure)(*into, out of*). ~·**ment** *n.* Ⓤ 유혹; Ⓒ 유혹물, 미끼. **en·tíc·ing** *a.* 유혹적인.

:**en·tire**[entáiər] *a.* ① 전체의, 완전한, 온전한. ② (소·말 따위) 불까지 않은(not gelded). :~·**ly** *ad.* 전혀, 완전히, 전적으로. ~·**ty** *n.*

:**en·ti·tle**[entáitl] *vt.* ① (…에) 칭호를 주다; 제목을 붙이다. ② (…에게) 권리를〔자격을〕 주다. ***be*** ~***d to*** …에 대한 권리가〔자격이〕 있다.

en·ti·ty[éntiti] *n.* Ⓤ 실재, 존재; Ⓒ 실체, 본체; 실제물; 존재자.

en·tomb [entú:m] *vt.* 매장하다(bury). ~·**ment** *n.* Ⓤ 매장.

en·to·mol·o·gy[èntəmɑ́lədʒi/-ɔ́-] *n.* Ⓤ 곤충학. -**gist** *n.* **en·to·mo·lo·gic**[èntəmәlɑ́dʒik/-ɔ́-], -**i·cal** [-əl] *a.* 곤충학상의.

en·tou·rage[ɑ̀:nturɑ́:ʒ/ɔ̀n-] *n.* (F.) Ⓒ 《집합적》 주위 사람들, 측근.

en·trails[éntreilz, -trəlz] *n. pl.* 내장; 창자.

:**en·trance**[1][éntrəns] *n.* ① Ⓤ,Ⓒ 들어감, 입장, 등장; 입회, 입학, 입사. ② Ⓒ 입구. ③ Ⓤ,Ⓒ 취업, 취임. ④ Ⓤ,Ⓒ 입장료〔권〕. ⑤ 〖컴〗 어귀, 입구. ~ ***examination*** 입학 시험. ~ ***fee***

입장료, 입학〔입회〕금. ~ *free* 무료 입장. *force an ~ into* 밀고 들어가다. *No ~.* 입장 사절, 출입 금지.
en·trance[2][entrǽns, -ɑ́ː-] *vt.* 황홀하게 하다, 도취시키다(*with*); 실신시키다(put into a trance). **~·ment** *n.*
en·tranc·ing[entrǽnsiŋ, -ɑ́ː-] *a.* 황홀케 하는, 넋〔정신〕을 빼앗는.
en·trant[éntrənt] *n.* Ⓒ 신입자, 신규 가입자.
en·trap[entrǽp] *vt.* (**-pp-**) 올가미에 걸다; (함정에) 빠지게 하다.
:en·treat[entríːt] *vt.* 간절히 부탁하다, 탄원하다(implore). **~·ing·ly** *ad.* **:~·y** *n.* ⓊⒸ 간원(懇願).
en·trée[ɑ́ːntrei, ─ˊ] *n.* (F.) ⓊⒸ 입장(권(權)); Ⓒ 《英》 앙트레《생선과 고기 사이에 나오는 요리》; 《美》 (정찬의) 주요한 요리.
en·trench[entréntʃ] *vt.* 참호를 두르다〔로 지키다〕; 견고하게 지키다. *~ oneself* 자기의 입장을 지키다. — *vi.* 침해하다(trespass) (*on, upon*). **~·ment** *n.*
en·tre·pre·neur [ɑ̀ːntrəprənə́ːr] *n.* (F.) Ⓒ 기업가; 흥행주.
˙en·trust[entrʌ́st] *vt.* 맡기다, 위임하다(charge)(*~ him with my goods; ~ my goods to him*).
:en·try[éntri] *n.* ① ⓊⒸ 들어감, 입장, 참가; Ⓒ 입구(entrance). ② ⓊⒸ 기입, 등록(registry); Ⓒ (사전의) 표제어; 기입 사항. ③ ⓊⒸ 〖法〗 점거, 토지 점유, 가택 침입. ④ 〖컴〗 어귀, 입구.
en·twine[entwáin] *vt., vi.* 휘감기(게 하)다.
É nùmber 《英》 E 넘버《EU에서 인가된 식품 첨가물을 나타내는 코드 번호》(＜*E*uropean *number*).
˙e·nu·mer·ate[injúːmərèit] *vt.* 일일이 헤아리다, 열거하다; 세다. **-a·tive**[-rətiv, -rèi-] *a.* **-a·tion**[─ˋ─éiʃən] *n.*
e·nun·ci·ate[inʌ́nsièit, -ʃi-] *vt., vi.* 언명〔선언〕하다(announce); 발음하다. **-a·tion**[─ˋ─éiʃən] *n.* Ⓤ 발음(법); ⓊⒸ 언명, 선언.
˙en·vel·op[envéləp] *vt.* 싸다, 봉하다; 〖軍〗 포위하다. **~·ment** *n.* Ⓤ 쌈, 포위; Ⓒ 싸개, 포장지.
†en·ve·lope[énvəlòup] *n.* Ⓒ ① 봉투; 포장 재료. ② (기구·비행선의) 기낭(氣囊). ③ 〖컴〗 덧붙임.
en·vi·a·ble[énviəbəl] *a.* 부러운; 바람직한(desirable). **-bly** *ad.*
:en·vi·ous[énviəs] *a.* 부러워하는, 시기하는(*of*); 샘내는 듯한. **~·ly** *ad.*
:en·vi·ron·ment [inváiərənmənt] *n.* ① ⓊⒸ 둘러〔에워〕쌈. ② Ⓤ 환경, 주위, 둘레; 〖컴〗 환경《하드웨어나 소프트웨어의 구성·조작법》.
˙en·vi·ron·men·tal[invàiərənméntl] *a.* 환경의, 주위의; 환경 예술의. *~ pollution* 환경 오염. *~ resistance* (인간·생물의 증가에 미치는) 환경 저항《가뭄·자원 결핍·경쟁 등》. **~·ist** *n.* Ⓒ 환경 보호론자.
en·vi·rons[inváiərənz] *n. pl.* 부근, 근교.
en·vis·age[invízidʒ] *vt.* (…을) 마음 속에 그리다(visualize), 상상하다; 착상하다; 꾀하다.
˙en·voy *n.* Ⓒ 사절; 전권 공사. *~ extraordinary (and minister plenipotentiary)* 특명 (전권) 공사.
:en·vy[énvi] *vt.* 시기하다, 부러워하다. — *n.* Ⓤ 부러움, 질투; (the ~) 선망(의 대상). 「소.
en·zyme[énzaim] *n.* Ⓒ 〖生化〗 효
e·on[íːən] *n.* ＝AEON.
EP Extended Play (record).
E.P. electroplate. **EPA** 《美》 environmental Protection Agency.
ep·au·let(te)[épəlèt, -lit] *n.* Ⓒ (장교의) 견장(肩章).
e·phem·er·a[ifémərə] *n.* (*pl.* **~s, -rae**[-rìː]) Ⓒ 〖蟲〗 하루살이(May fly). **~l** *a.* 하루밖에 못 사는〔안가는〕; 단명한, 덧없는. **e·phém·er·id** *n.* ＝EPHEMERA.
˙ep·ic[épik] *n., a.* Ⓒ 서사시(의)(cf. lyric)
ep·i·cen·ter, 《英》 **-tre**[épisèntər] *n.* Ⓒ 〖地〗 진앙(震央).
ep·i·cure[épikjùər] *n.* Ⓒ 미식가(美食家)(gourmet); 쾌락주의자. **ep·i·cur·ism**[-ìzəm] *n.* Ⓤ 향락주의; 미식주의, 식도락.
ep·i·cu·re·an [èpikjuríːən, -kjú(ː)ri-] *a., n.* Ⓒ 향락주의〔식도

E

락]의 (사람); (E-) Epicurus의 (철학자). ~·**ism**[-ìzəm] *n.* Ⓤ 쾌락주의; (E-) Epicurus 주의.

˙**ep·i·dem·ic**[èpədémik] *n., a.* Ⓒ (질병·사상의) 유행; 유행병; 유행성의.

ep·i·der·mis[èpədə́ːrmis] *n.* Ⓤ,Ⓒ (몸의) 표피(表皮). **-mal** *a.*

ep·i·glot·tis[èpəglátis/-glɔ́t-] *n.* Ⓒ 〖解〗 회염(會厭) (연골), 후두개.

˙**ep·i·gram**[épigræ̀m] *n.* Ⓒ 경구(警句); 경구적 표현; (짤막한) 풍자시. ~·**mat·ic**[èpigrəmǽtik] *a.* 경구의, 풍자적인; 경구투의. ~·**ma·tize**[èpigrǽmətàiz] *vt., vi.* 경구[풍자시]로 만들다.

ep·i·graph[épigræ̀f, -grɑ̀ːf] *n.* Ⓒ 제명(題銘), 제사(題詞), 비문.

ep·i·lep·sy[épəlèpsi] *n.* Ⓤ 〖醫〗 지랄병, 간질. **ep·i·lep·tic**[èpəléptik] *a., n.* Ⓒ 간질병의 (환자).

˙**ep·i·log, -logue**[épəlɔ̀ːg, -làg/-lɔ̀g] *n.* Ⓒ ① (책의) 발문(跋文), 맺음말; 후기, 발시(跋詩). ② 〖劇〗 끝맺음말(cf. prologue).

E·piph·a·ny[ipífəni] *n.* 〖基〗 주현절(主顯節)《1월 6일》.

˙**e·pis·co·pal**[ipískəpəl] *a.* 감독(제도)의; (E-) 감독(파)의. **E·pis·co·pa·li·an**[ipìskəpéiliən, -jən] *a., n.* Ⓒ 감독파의 (사람).

:**ep·i·sode**[épəsòud, -zòud] *n.* Ⓒ ① 삽화, 에피소드. ② (사람의 일생·경험 중의) 사건. ~·**ic**[èpəsádik/-ɔ́-], **-i·cal**[-əl] *a.*

˙**e·pis·tle**[ipísl] *n.* Ⓒ 서간(書簡). ***the Epistles*** 〖新約〗 사도의 서간.

e·pis·to·lar·y[ipístəlèri/-ləri] *a.* 서간(체)의. 「비명(碑銘).

˙**ep·i·taph**[épətæ̀f, -tɑ̀ːf] *n.* Ⓒ (묘)

˙**ep·i·thet**[épəθèt] *n.* Ⓒ 형용사(辭); 별명, 통칭.

e·pit·o·me[ipítəmi] *n.* Ⓒ 대요(summary); 발췌; 대표적인 것. **-mize** [-màiz] *vt.* 요약하다.

:**ep·och**[épək/íːpɔk] *n.* Ⓒ 신기원, 신시대; (중대 사건이 있던) 시대. ~·**al** *a.*

˙**épоch-màking** *a.* 획기적인.

eq·ua·ble[ékwəbəl, íːk-] *a.* 한결같은, 균등한(uniform); 마음이 고요한. **-bil·i·ty**[∸-bíləti] *n.*

:**e·qual**[íːkwəl] *a.* ① 같은; 한결같은(equable). ② …에 지지 않는; 필적하는. ③ …에 견디어 낼 수 있는(*to*); 마음이 평온한. ~ ***mark*** [***sign***] 등호(等號)《=》. ~ ***to the occasion*** 일을 당하여 동하지 않는, 훌륭하게 처리할 수 있는. — *n.* Ⓒ 대등한 물건, 필적하는 자; 같은 또래. ***without*** (***an***) ~ 필적할 사람이 없는. — *vt.* (《英》 ***-ll-***) (…에) 필적하다, (…과) 똑같다(be ~ to). :~·**ly** *ad.*

˙**e·qual·i·ty**[i(ː)kwáliti/-ɔ́-] *n.* Ⓤ 동등, 평등; 대등.

e·qual·ize[íːkwəlàiz] *vt.* 똑같게 하다, 평등하게 하다. — *vi.* 같아지다, 평등해지다; (경기에서) 동점이 되다. **-za·tion**[ìːkwəlizéiʃən/-laiz-] *n.* Ⓤ 평등화(化). **-iz·er** *n.* Ⓒ 등화기(等化器); 평형 장치; 〖電〗 균압선(均壓線).

e·qua·nim·i·ty[ìːkwənímәti, èk-] *n.* Ⓤ (마음의) 평정(平靜), 침착, 냉정(composure).

e·quate[i(ː)kwéit] *vt.* (다른 수치와) 같다고 표시하다; 방정식을 세우다.

˙**e·qua·tion**[i(ː)kwéiʒən, -ʃən] *n.* ① Ⓤ,Ⓒ 같게 함, 균분(법). ② Ⓒ 방정식.

:**e·qua·tor**[i(ː)kwéitər] *n.* (the ~) 적도(赤道).

˙**e·qua·to·ri·al** [ìːkwətɔ́ːriəl, èk-] *a., n.* Ⓒ 적도(부근)의; 적도의(儀).

eq·uer·ry[ékwəri] *n.* Ⓒ (왕가·귀족의) 말 관리인, 주마관(主馬官); (영국 왕실의) 시종 무관.

e·ques·tri·an [ikwéstriən] *a., n.* 기마의, 말 탄; Ⓒ 승마자.

e·qui·dis·tant[ìːkwidístənt] *a.* 같은 거리의.

e·qui·lat·er·al[-lǽtərəl] *a., n.* 등변(等邊)의; Ⓒ 등변형.

˙**e·qui·lib·ri·um**[ìːkwəlíbriəm] *n.* Ⓤ ① 평형, 균형. ② (마음의) 평정(mental poise). 「은.

e·quine[íːkwain] *a.* 말의, 말과 같

˙**e·qui·nox**[íːkwənàks/-ɔ̀-] *n.* Ⓒ 주야 평분시, 낮과 밤이 똑같은 때. ***autumnal*** [***vernal***] ~ 추[춘]분.

:**e·quip**[ikwíp] *vt.* (***-pp-***) ① 갖추다, 준비하다(*for*). ② 꾸미다; 장비

하다(*with*).

:**e·quip·ment**[ikwípmənt] *n.* ① (종종 *pl.*)《집합적》 장비. ② Ⓤ 채비, 준비; 〖컴〗 장비, 설비. ③ Ⓤ (일에 필요한) 능력, 기술.

eq·ui·ta·ble[ékwətəbəl] *a.* 공평한(fair), 공정한(just); 〖法〗 형평법(衡平法)(equity)상의. **-bly** *ad.*

·**eq·ui·ty**[ékwəti] *n.* Ⓤ 공평, 공정; 형평법.

·**e·quiv·a·lent**[ikwívələnt] *a.* 동등의, (…에) 상당하는(*to*); 동등한 가치의; 등량(等量)의; 동의(同義)의(*to*). — *n.* Ⓒ 동등한 (가치의) 물건; 대등한 물건; 동의어. **-lence** *n.*

e·quiv·o·cal [ikwívəkəl] *a.* 두 가지 뜻으로 해석될 수 있는, 모호한; 의심스러운(questionable); 미결정의; 명백하지 않은. **~·ly** *ad.*

e·quiv·o·cate[ikwívəkèit] *vi.* 모호한 말을 쓰다; 속이다. **-ca·tion** [–ˌ–kéiʃən] *n.*

·**er**[ə:r] *int.* 에에, 저어《망설이거나 말이 막혔을 때 내는 소리》.

-er[ər] *suf.* ① '…을 하는 사람〔물건〕' '…에 사는 사람':creep*er*, farm*er*, hunt*er*, London*er*. ② 원말에 관계 있는 일〔물건〕: read*er* (독본), sleep*er*(=sleepingcar), fiv*er* (5달러지폐), teenag*er*. ③ 비교급을 만듦: free*r*, hott*er*, long*er*. ④ 속어를 만듦: rugg*er*, socc*er*. ⑤ 반복 동사를 만듦 : chatt*er*, glitt*er*, wand*er* (cf. -le).

:**e·ra**[íərə, érə] *n.* Ⓒ 기원, 연대, 시대; 〖地〗 대(代), 기(紀).

·**e·rad·i·cate**[irǽdəkèit] *vt.* 근절하다. **-ca·tion**[–ˌ–kéiʃən] *n.* **-ca·tor** *n.* Ⓒ 제초기; Ⓤ 얼룩빼는 약; 잉크 지우개.

·**e·rase**[iréis/iréiz] *vt.* ① 지워버리다, 말살하다(blot out). ② (마음에서) 없애다, 잊어버리다. ③《俗》 죽이다; 패배시키다. ④ 〖컴〗 (컴퓨터 기억 정보 등을) 지우다. :**e·rás·er** *n.* Ⓒ 칠판 지우개(duster); 고무지우개; 잉크지우개. **e·ra·sure**[-ʃər/-ʒə] *n.*Ⓤ 말살; Ⓒ 말살 부분.

ere[ɛər] *prep.*《詩·古》 …의 전(前)에(before). — *conj.* …이전에; …보다 차라리.

:**e·rect**[irékt] *a.* 꼿꼿이 선(upright). — *vt.* 꼿꼿이 세우다; 건립하다. **~·ly** *ad.* **~·ness** *n.*

·**e·rec·tion**[irékʃən] *n.* ① Ⓤ 직립, 건립, 설립; 〖生〗 발기. ② Ⓒ 건물.

er·go[ə́:rgou] *ad., conj.* (L.) = THEREFORE.

er·go·nom·ics[ə̀:rgənámiks/-ɔ́-] *n.* Ⓤ 생물 공학; 인간 공학.

er·mine[ə́:rmin] *n.* (*pl.* **~s,**《집합적》 ~) Ⓒ 〖動〗 흰담비(cf. stoat); Ⓤ 그 모피《옛날 법관이나 귀족의 가운용》.

e·rode[iróud] *vt.* 부식〔침식〕하다.

·**e·ro·sion**[iróuʒən] *n.* Ⓤ 부식, 침식. **-sive**[-siv] *a.* 부〔침〕식성의.

·**e·rot·ic** [irátik/-ɔ́-] *a.* 성애의, 애욕의. **-i·cism**[-təsìzəm] *n.* Ⓤ 색정적 경향, 호색; 〖精神分析〗 성적흥분.

e·rot·i·ca[irátikə/irɔ́t-] *n. pl.* 성애를 다룬 문학〔예술 작품〕.

:**err**[ə:r] (cf. error) *vi.* ① 잘못하다, 그르치다. ② 죄를 범하다(sin). ***To ~ is human, to forgive*** DIVINE.

:**er·rand** [érənd] *n.* Ⓒ 심부름(다니기); 볼일; 사명. ***go*** 〔***run***〕 ***~s*** 심부름 다니다. ***go on a fool's*** 〔***a gawk's***〕 ~ 헛걸음하다, 헛수고하다. ***go on an*** ~ 심부름 가다.

er·rant[érənt] *a.* (모험을 찾아) 편력(遍歷)하는(*a* KNIGHT-ERRANT); 잘못된. **~·ry** *n.* Ⓤ,Ⓒ 무사 수련(武士修鍊), 편력.

er·rat·ic[irǽtik] *a.* 변덕스러운, 일정치 않은, 불규칙한; 별난, 상궤(常軌)를 벗어난. **-i·cal·ly** *ad.*

er·ra·tum[erá:təm, iréi-] *n.* (*pl.* ***-ta***[-tə]) Ⓒ 오자, 오식; 잘못; (*pl.*) 정오표.

·**er·ro·ne·ous**[iróuniəs] *a.* 잘못된, 틀린(mistaken).

:**er·ror**[érər] *n.* ① Ⓒ 잘못, 틀림(mistake). ② Ⓤ 잘못 생각. ③ Ⓒ 과실, 실책(fault), 죄(sin); 〖野〗 에러; 〖數·理〗 오차; 〖法〗 오심. ④ Ⓒ 〖컴〗 오류《프로그램〔하드웨어〕상의 오류》. ***and no*** ~ 틀림없이. ***catch*** (***a person***) ***in*** ~ (아무의) 잘못을 찾아내다.

er·satz[érza:ts, -sa:ts] *a., n.* (G.) 대용의; Ⓒ 대용품.

E

erst·while [ə́:rsthwàil] *ad.* 《古》 이전에, 옛날에. — *a.* 이전의, 옛날의(former).

er·u·dite [érjudàit] *a., n.* [C] 박식한 (사람). **~·ly** *ad.*

er·u·di·tion [èrjudíʃən] *n.* [U] 박식, 해박(該博).

e·rupt [irʌ́pt] *vi., vt.* 분출하다[시키다]; 분화하다, 발진(發疹)하다. **:e·rúp·tion** *n.* [U,C] 폭발, 분출, 분화; 돌발; 발진. **e·rúp·tive** *a.* 폭발[돌발]적인, 발진성의.

-er·y [əri] *suf.* 《명사 어미》 '…업, 제조소' 따위의 뜻: brew*ery*, confection*ery*, hatch*ery*.

***es·ca·late** [éskəlèit] *vt., vi.* (군사 행동 따위를) 단계적으로 확대[강화]하다, 점증하다(opp. de-escalate).

es·ca·la·tion [èskəléiʃən] *n.* [U,C] (가격·임금·운임 등의) 에스컬레이터식 수정(cf. escalator clause).

:es·ca·la·tor [éskəlèitər] *n.* [C] 에스컬레이터, 자동 계단. — *a.* 〖經〗 에스컬레이터(방)식의.

es·ca·pade [éskəpèid, ⌐–⌐/⌐–⌐] *n.* [C] 멋대로 구는[엉뚱한] 짓, 탈선(행위); 장난(prank).

†es·cape [iskéip] *vi., vt.* ① (…에서) 달아나다, 탈출하다; 면하다. ② (기억에) 남지 않다(*His name ~s me.* 그의 이름은 곧 잊어버린다). ③ (가스 따위가) 새다; (말·한숨 등이) 무심결에 나오다(*A sigh of relief ~d his lips.* 안도의 한숨이 나왔다). **~ *one's memory*** 잊다, 생각해 내지 못하다. — *n.* [U,C] 탈출, 도망; (현실) 도피; [C] 누출; 〖컴〗 나옴, 탈출《명령을 중단하거나 프로그램의 어떤 부분에서 변경 기능에 사용》. ***make one's ~*** 달아나다. ***narrow ~*** 구사일생. — *a.* (현실) 도피의; 면책의. **~·ment** *n.* [C] 도피구(口); (시계 톱니바퀴의) 탈진(脫盡) 장치.

es·cap·ee [iskèipí:, èskei-] *n.* [C] 도피자; 탈옥자.

es·cap·ism [iskéipìzəm] *n.* [U] 현실도피(주의). **-ist** *n., a.*

es·carp·ment [iská:rpmənt] *n.* [C] 급사면(急斜面); 벼랑(cliff).

es·chew [istʃú:, es-] *vt.* 피하다(shun). **~·al** *n.*

:es·cort [éskɔ:rt] *n.* ① [C] 호위자[병·대]. ② [U] 호위, 호송. — [iskɔ́:rt] *vt.* 호위[호송]하다.

-ese [i:z] *suf.* '…의 국민(의), …의 주민(의), …어[말]'의 뜻: Chin*ese*, Milan*ese*.

:Es·ki·mo, -mau [éskəmòu] *n.* (*pl.* **~*s*, ~**), *a.* [C] 에스키모 사람(의); [U] 에스키모 말(의).

e·soph·a·gus [isáfəgəs/-sɔ́f-] *n.* (*pl.* **-*gi***[-dʒài/-gài]) [C] 식도(食道)(gullet).

es·o·ter·ic [èsoutérik] *a.* 소수의 고제(高弟)[학자]에게만 전수되는, 비전(秘傳)의, 비교(秘敎)의(opp. exoteric); 비밀의(secret).

E.S.P. extrasensory perception. **esp.** especially.

es·pal·ier [ispǽljər, es-] *n.* [C] 과수[나무]를 받치는 시렁(trellis).

:es·pe·cial [ispéʃəl, es-] *a.* 특별[각별]한(exceptional).

†es·pe·cial·ly [ispéʃəli] *ad.* 특히, 각별히, 특별히(*Be ~ watchful.*).

es·pi·o·nage [éspiənà:ʒ, -nidʒ/èspiəná:ʒ] *n.* (F.) [U] 탐색, 간첩 행위; 간첩을 씀.

es·pla·nade [èsplənéid] *n.* [C] (특히 바닷가·호숫가 따위의) 산책길(promenade); (요새와 시내 민가 사이를 격리하는) 공터.

es·pouse [ispáuz] *vt.* (…와) 결혼하다; 시집보내다(marry); 채용하다(adopt), (의견·학설 등을) 지지하다. **es·póus·al** *n.* [C] 약혼, (*pl.*) 혼례; [U,C] 채용, 지지, 옹호.

esprit de corps [-də kɔ́:r] (F.) 단체 정신, 단결심《애교심 따위》.

Esq. Esquire.

***es·quire** [iskwáiər] *n.* (E-) 《英》 (성명 다음에 붙여서) 님, 귀하(*John Smith, Esq*); 《古》 = SQUIRE.

-ess [is] *suf.* 여성 명사를 만듦(act*ress*, emp*ress*, tig*ress*, wait*ress*).

:es·say [ései] *n.* [C] ① 수필, (문예상의) 소론(小論), 시론(試論); 평론. ② [eséi] 시도(*at*). — [eséi] *vt., vi.* 시도하다; 시험하다. ***~·ist** *n.* [C] 수필가.

:es·sence [ésəns] *n.* ① [U] 본질, 정수; 〖哲〗 실체. ② [U,C] 에센스, 엑

스(extract), 정(精); 향수.

:es·sen·tial[isénʃəl] *a.* ① 본질적인, 실질의. ② 필수의(necessary). ③ 정수의, 에센스의, 기본의. ~ ***oil*** 정유. ~ ***proposition*** 〖論〗 본질적 명제. ── *n.* Ⓒ 본질; 요점, 요소. ~***s of life*** 생활 필수품.

˙es·sen·tial·ly[isénʃəli] *ad.* 본질적으로, 본질상, 본래.

-est[ist] *suf.* 최상급을 만듦(great*est*, hott*est*, seren*est*).

:es·tab·lish[istǽbliʃ, es-] *vt.* ① 설립〔확립〕하다, 제정하다. ② (사람의) 기반을 잡게 하다, (지위에) 앉히다; 개업시키다, 안정된 지위에 놓이게 하다. ③ 정하다; 인정하다; 입증〔확증〕하다; (교회를) 국교회로 만들다. ~ ***oneself*** 자리잡다, 정착〔정주〕하다, 취업(就業)하다, 개업하다. ~**ed**[-t] *a.*

:es·tab·lish·ment [istǽbliʃmənt] *n.* ① Ⓤ 설립, 설정, 설치; 확립. ② Ⓒ 설립물, (사회적) 시설; 세대, 가정. ③ Ⓤ (군대·관청 따위의) 상비 편성〔인원〕. ***Church E-,*** or ***the E-*** (영국) 국교(회).

:es·tate[istéit, es-] *n.* ① Ⓤ 재산, 유산; 소유〔재산〕권. ② Ⓒ 토지, 소유지. ③ Ⓒ (정치·사회적) 계급. ***personal*** 〔***real***〕 ~ 동〔부동〕산. ***the fourth*** ~ 《諧》 신문(기자들), 언론계 (the press). ***the third*** ~ 평민; (프랑스 혁명 전의) 중산 계급. ***the Three Estates*** (***of the Realm***) 〖史〗 귀족과 성직자와 평민; 《英》 성직자 상원 의원과 귀족 상원 의원 및 하원 의원.

estáte àgent 《英》 부동산 관리인 〔중개업자〕.

éstate càr 〔**wàg(g)on**〕 《英》 = STATION WAG(G)ON.

:es·teem [istíːm, es-] *vt.* ① 존경〔존중〕하다, 귀중히 여기다. ② (…이라고) 생각〔간주〕하다(consider). ── *n.* Ⓤ 존경, 존중(regard). ***hold in*** ~ 존경〔존중〕하다.

es·thete [ésθiːt/íːs-] *n.* = AESTHETE. **es·thet·ic**[esθétik/iːs-], **-i·cal**[-əl] *a.* **es·thét·ics** *n.* = AESTHETICS.

es·ti·ma·ble [éstəməbəl] *a.* (〈 esteem) 존경할 만한; (〈 estimate) 평가〔어림〕할 수 있는.

:es·ti·mate[éstəmèit, -ti-] *vt., vi.* 평가〔어림, 개산, 견적〕하다; 견적서를 작성하다. ── [-mit] *n.* Ⓒ 평가, 견적(서), 개산; 판단. ***the*** ~***s*** 《英》 (정부의) 예산.

:es·ti·ma·tion[èstəméiʃən, -ti-] *n.* Ⓤ ① 의견, 판단, 평가. ② 존중 (esteem).

es·trange[estréindʒ] *vt.* 소원하게 하다, 멀리하다. ~**·ment** *n.*

es·tu·ar·y[éstʃuèri/-əri] *n.* Ⓒ 강어귀, 내포(內浦).

et al. *et alibi*(L. = and elsewhere); *et alii*(L. = and others).

˙et cet·er·a[et sétərə/it sétrə] (L. = and the rest) 따위《생략 etc., &c.》.

etch[etʃ] *vt.* (…에) 에칭하다, (…을) 식각(蝕刻)하다. ── *vi.* 식각법을 행하다. **∠·er** *n.* **∠·ing** *n.* Ⓤ 식각법, 에칭; Ⓒ 부식 동판(화).

:e·ter·nal[itə́ːrnəl] *a.* ① 영원〔영구〕한(perpetual); 불멸의; 끝없는. ② 변함 없는, 평상시의, 예(例)의 (*Enough of your* ~ *joke!* 네 농담은 이제 그만). ***the E-*** 신(神). ***the*** ~ ***triangle*** (남녀의) 삼각 관계. ~**·ize**[-àiz] *vt.* = ETERNIZE. **:**~**·ly** *ad.* 영원히, 언제나; 끊임없이.

˙e·ter·ni·ty [itə́ːrnəti] *n.* Ⓤ ① 영원, 영구. ② 내세. ***the eternities*** (영구) 불변의 사물〔사실, 진리〕.

eth·a·nol[éθənɔ̀ːl] *n.* Ⓤ 〖化〗 에탄올《(에틸)알코올을 말함》.

˙e·ther[íːθər] *n.* Ⓤ 〖理·化〗 에테르; 정기(精氣); 하늘.

e·the·re·al, -ri·al[iθíːriəl] *a.* 공기 같은, 가벼운, 영기(靈氣)〔같은〕, 영묘(靈妙)한; 천상의, 상공의; 〖化〗 에테르 같은. ~**·ize**[-àiz] *vt.* 영화(靈化)하다; 에테르화〔기화〕하다.

eth·ic[éθik] *a.* = ETHICAL. ── *n.* 《稀》 = ETHICS.

˙eth·i·cal[-əl] *a.* 도덕(상)의, 윤리적인. ~ ***drug*** 처방약《의사의 처방전 없이는 시판을 허용치 않는 약제》. ~**·ly** *ad.*

˙eth·ics[-s] *n.* Ⓤ 윤리학; *pl.* 도덕 「(원리).

eth·nic[éθnik], **-ni·cal**[-əl] *a.*

E

인종의, 민족의; 인종학의; 이교의 (neither Christian nor jewish; pagan). ~ ***group*** 인종, 민족. **-cal·ly** *ad.*
eth·no·cen·tric[èθnouséntrik] *a.* 자민족 중심주의의.
eth·nog·ra·phy [eθnágrəfi/-ɔ́-] *n.* Ⓤ 민족지(民族誌); (특히 기술적) 민족지학. **eth·no·graph·ic**[èθnəgrǽfik]. **-i·cal**[-əl] *a.*
e·thos[í:θas/-θɔs] *n.* Ⓤ (시대·민족·사회·종교 단체 따위의, 독특한) 기풍; 민족 정신; (예술 작품의) 기품, 에토스(cf. pathos).
éthyl álcohol 에틸 알코올, 주정.
:et·i·quette[étikit, -kèt] *n.* Ⓤ 에티켓, 예의, 예법; 관례. ***medical*** ~ 의사들(사이)의 불문율.
-ette[et] *suf.* ① '작은'의 뜻: cigar*ette*, statu*ette*. ② '…여성'의 뜻: coqu*ette*, suffrag*ette*.
·et·y·mol·o·gy[ètəmálədʒi/-mɔ́l-] *n.* Ⓤ 어원학; Ⓒ 어원. **-gist** *n.* **et·y·mo·log·i·cal**(**·ly**) [ètəməládʒikəl(i)/-ɔ́-] *a.* (*ad.*)
eu·ca·lyp·tus[jù:kəlíptəs] *n.* (*pl.* ~***es***, ***-ti***[-tai]) Ⓒ 〖植〗 유칼립투스, 유칼리《높이 90 m, 오스트레일리아 원산의 교목》.
Eu·cha·rist[jú:kərist] *n.* (the ~) 성체성사(Holy Communion); 성체용의 빵과 포도주; (e-) 감사(의 기도).
eu·gen·ic [ju(:)dʒénik]. **-i·cal** [-əl] *a.* 우생(학)적인. **-i·cal·ly** *ad.*
eu·gén·ics *n.* Ⓤ 우생학.
eu·lo·gize [jú:lədʒàiz] *vt.* 칭찬하다.
eu·lo·gy[jú:lədʒi] *n.* Ⓤ 칭찬, 찬양; Ⓒ 찬사.
eu·nuch [jú:nək] *n.* Ⓒ 거세된 남자; 환관, 내시; 〖聖〗 독신자.
eu·phe·mism[jú:fəmìzəm] *n.* Ⓤ 〖修〗 완곡 어법(婉曲語法)《*pass away* (=die) 따위》. **-mis·tic**[ㅗ-místik] *a.* 완곡어법의, 완곡한.
eu·pho·ri·a [ju:fɔ́:riə] *n.* Ⓤ 〖心〗 행복감; 〖醫〗 건강; 《俗》 (마약에 의한) 도취감. **-phor·ic**[-rik] *a.*
eu·re·ka[juəríː(:)kə] *int.* (Gr.) 알았다!(I have found it!)《California 주의 표어》.
Eu·ro-[júərou, -rə] '유럽의'의 뜻의 결합사.
Eu·ro·crat[júərəkræ̀t] *n.* Ⓒ 유럽 공동체의 행정관.
†Eu·rope[júərəp] *n.* 유럽(주).
:Eu·ro·pe·an[jùərəpí:ən] *a., n.* 유럽의; Ⓒ 유럽 사람(의). **~·ism** [-ìzəm] *n.* Ⓤ 유럽주의(정신), 유럽풍(식). **~·ize**[-àiz] *vt.* 유럽풍(식)으로 하다. **~·i·za·tion**[-pì:ənizéiʃən/-nai-] *n.*
Européan Commúnity 유럽 공동체《생략 EC》.
eu·tha·na·si·a[jù:θənéiʒiə, -ziə] *n.* Ⓤ (편안한) 죽음; (불치의 병고로부터 구원하는) 안락사(술(術))(mercy killing).
·e·vac·u·ate[ivǽkjuèit] *vt.* ① 비우다; 배설하다; 명도하다. ② 철퇴(철병)하다; 퇴거시키다. ③ (공습·전재로부터) 피난(소개)시키다. — *vi.* 피난(소개)하다. **:-a·tion**[-ㅗ-éiʃən] *n.* Ⓤ,Ⓒ 비움, 배출; 배설(물), 피난, 소개, 철수.
e·vac·u·ee[ivæ̀kjuí:] *n.* Ⓒ 피난자, 소개자(疏開者).
·e·vade[ivéid] *vt.* ① 면하다, (…으로부터) 교묘하게 빠져 나가다(~ ***a tax*** 탈세하다). ② 둘러대어 모면하다.
·e·val·u·ate[ivǽljuèit] *vt.* 평가하다(appraise); 〖數〗 (…의) 값을 구하다. **:-a·tion**[-ㅗ-éiʃən] *n.* Ⓤ,Ⓒ 평가(액), 값을 구함.
ev·a·nesce[èvənés] *vi.* (점차로) 사라지다. **-nes·cent** *a.* 사라지는; 덧없는. **-nes·cence** *n.*
e·van·gel·ic[ì:vændʒélik]. **-i·cal** [-əl] *a., n.* 복음(전도)의; Ⓒ 복음주의자.
e·van·ge·lism[ivǽndʒəlìzəm] *n.* Ⓤ 복음전도(주의). **-list** *n.* Ⓒ (복음) 전도자; (E-) 신약 복음서의 저자.
e·van·ge·lis·tic [ivæ̀ndʒəlístik] *a.* 복음서 저자의; 복음 전도자의.
e·van·ge·lize [ivǽndʒəlàiz] *vt., vi.* 복음을 전하다, 전도하다.
·e·vap·o·rate[ivǽpərèit] *vi.* 증발하다; 김을 내다; 사라지다. — *vt.* 증발시키다. **-ra·tor** *n.* **·-ra·tion** [-ㅗ-réiʃən] *n.* Ⓤ 증발 (작용), (수분의) 발산.

e·váp·o·rat·ed mílk[-id-] 무당 연유, 농축 우유.
e·va·sion[ivéiʒən] *n.* U,C 도피, 회피, 둘러댐(evading).
e·va·sive[ivéisiv] *a.* 포착하기 어려운, 회피적인; 둘러대(기 잘 하)는 (elusive). **~·ly** *ad.*
:eve[iːv] *n.* C (종종 E-) 전야(제), 명절의 전날밤; (사건 등의) 직전; U 《詩》 저녁, 밤.
†e·ven[íːvən] *a.* ① 평평한(flat[1]), (…와) 수평의(*with*). ② 한결같은, 규칙적인, 평등한, 호각(互角)의; 우수리 없는, 정확한(*an ~ mile* 꼭 1 마일); 공평한. ③ 침착한, 평정한. ④ 빚 없는, (모욕 따위에 대하여) 앙갚음이 끝나(*I will be ~ with you for this scorn.* 이 모욕의 앙갚음은 꼭 하겠다). ⑤ (수가) 2등분할 수 있는; 우수〔짝수〕의(cf. odd). ***break ~*** 《口》 득실이 없게 되다. ***~*** CHANCE. ***get ~ with*** 앙갚음하다. ***of ~ date*** 같은 날짜의. — *ad.* ① …조차, …라도. ② 한층, 더욱. ③ 평등하게, 호각으로. ④ 《古》 꼭, 바로. ***~ if*** 〔***though***〕 비록 …일지라도. ***~ now*** 지금이라도; 《古》 바로 지금. — *vt.* 평평하게 하다, 고르게 하다; 평등하게 되다〔다루다〕. ***~ up*** 평등하게 하다; 《美》 보복하다(*on*). ***~·ly** *ad.*
éven·hánded *a.* 공평한.
†eve·ning[íːvniŋ] *n.* U,C ① 저녁, 해질녘, 밤. ② 만년; 쇠퇴기.
évening drèss 야회복, 이브닝드레스.
évening pàper 석간(지).
eve·nings[-z] *ad.* 《美》 매일 저녁.
éven·sòng *n.* U (종종 E-) (영국 국교회의) 만도(晩禱); 〖가톨릭〗 저녁 기도.
:e·vent[ivént] *n.* C ① 사건, 큰 사건. ② 경과(development), 결과. ③ 경우(case). ④ 〖競〗 종목, 시합. ⑤ 〖컴〗 사건. ***at all ~s*** 좌우간, 하여튼. ***in any ~*** 무슨 일이 있어도, 하여튼. ***in the ~ of*** …의 경우에는. **~·ful** *a.* 다사다난한, 파란 많은; 중대한. **~·ful·ly** *ad.*
:e·ven·tu·al[ivéntʃuəl] *a.* ① 종국의(final). ② (경우에 따라서는) 일어날 수도 있는, 있을 수 있는(possible). **:~·ly** *ad.* 결국(은), 필경(에는).
e·ven·tu·al·i·ty[-⌒-ǽləti] *n.* C 예측 못할 사건, 만일의 경우; U 우발성(possibility).
†ev·er[évər] *ad.* ① 언젠가, 일찍이. ② 언제나(always). ③ 《강조》 도대체, 적어도. ***as ... as ~*** 여전히. (***better***) ***than ~*** 지금까지보다 점점 더(잘). ***~ and*** ANON. ***~ since*** 그 후 줄곧. ***~ so*** 아무리 …(해도); =VERY. ***~ such*** 대단히. ***for ~*** (***and ~***) 영구〔영원〕히. ***hardly*** 〔***scarcely***〕 ***~*** 좀처럼 …않다. ***seldom, if ~*** (설사 있다 하더라도) 극히 드물게. ***yours ~*** 언제나 그대의 벗《편지의 끝맺음말》.
˙ev·er·green[évərgrìːn] *a., n.* ① 상록의(opp. deciduous). ② C 상록수.
:ev·er·last·ing [èvərlǽstiŋ/-áː-] *a.* ① 영구〔영원〕한; 끝없는. ② 변함없는, 지루한(tiresome). — *n.* ① U 영원, 영겁(eternity). ② (the E-) 신(神). **~·ly** *ad.*
ev·er·more [èvərmɔ́ːr] *ad.* 언제나, 항상; 《古·詩》 영구〔영원〕히. ***for ~*** 영구〔영원〕히.
†ev·e·ry[évriː] *a.* ① 모든, 일체의, 어느 …이나 다, 각 …마다(*~ man, day, &c*). ② 《수사와 함께 써서》 …마다(*~ five days,* or *~ fifth day* 닷새마다, 나흘 걸러 / *E- third man has a car.* 세 사람에 한 사람 꼴로 자동차를 가지고 있다). ***~ bit*** 어느 모로 보나, 아주. ***~ moment*** 〔***minute***〕 시시 각각(으로). ***~ now and then,*** or ***~ once in a while*** 때때로, 가끔. ***~ one*** 누구나 모두, 각자. ***~ other*** 〔***second***〕 ***day*** 하루 걸러. ***~ time*** 매번, …할 때마다.
†eve·ry·bod·y [-bàdi/-ɔ̀-] *pron.* 누구나, 각 사람 (모두).
:eve·ry·day[-dèi] *a.* 매일의, 일상의. ***~ clothes*** 평상복.
†eve·ry·one[-wʌ̀n, -wən] *pron.* = EVERYBODY.
:eve·ry·thing[-θìŋ] *pron.* 무엇이든지 모두, 만사; 가장 소중한 것(*to*).
†eve·ry·where[-*h*wὲər] *ad.* 어디에나, 도처에.

E

e·vict[ivíkt] *vt.* 퇴거시키다, 쫓아내다(expel); 되찾다. **e·víc·tion** *n.*

:**ev·i·dence**[évidəns] *n.* Ⓤ 증거(proof); 증언(testimony); Ⓤ,Ⓒ 징후, 형적(sign). **bear** 〔**give, show**〕 ~ **of** …의 형적을 보이다. **give** ~ 증언하다. **in** ~ 눈에 띄게. **turn the King's** 〔**Queen's, State's**〕 ~ (공범자가) 한패에게 불리한 증언하다. — *vt.* 증명〔증언〕하다.

:**ev·i·dent**[évidənt] *a.* 뚜렷한, 명백한(plain). **:~·ly** *ad.*

:**e·vil**[íːvəl] *a.* (**worse; worst**) ① 나쁜, 사악한. ② 해로운; 불운한; 불길한. ~ **eye** 재난의 눈, 흉안(凶眼)《재난을 준다는》. ~ **tongue** 독설. **the E- One** 악마(Devil). — *n.* ① Ⓤ 악; 악행(sin). ② Ⓒ 해악; 폐해. **king's** ~ 연주창(scrofula)《왕의 손이 닿으면 낫는다는 미신이 있음》. **the social** ~ 사회악; 매춘(賣春). **wish** *a person* ~ 아무의 불행을 기원하다. — *ad.* 《稀》 나쁘게, 사악하게, 해롭게(ill); 불행하게. **speak** ~ **of** …의 험담을 하다.

e·vince[ivíns] *vt.* (명백히) 나타내다(show).

e·vis·cer·ate[ivísərèit] *vt.* 창자를 끄집어 내다; 골자를 빼버리다.

˙**e·voke**[ivóuk] *vt.* (영·기억·감정 따위를) 불러일으키다, 환기하다(call forth). **ev·o·ca·tion**[èvəkéiʃən, ìːvou-] *n.*

:**ev·o·lu·tion**[èvəlúːʃən/ìːvə-] *n.* ① Ⓤ (생물의) 진화(evolving); (사건·의론 따위의) 전개, 발전. ② Ⓤ (빛·열 따위의) 발생, 방출(releasing). ③ Ⓤ 〖數〗 개방(開方). ④ Ⓒ (댄스·스케이트 따위의) 선회(旋回); 〖軍〗 기동 연습. **~·al,** ˙**~·ar·y**[-èri/-əri] *a.* 발달의, 진화의, 진화(론)적인. **~·ism**[-ìzəm] *n.* Ⓤ 진화론(theory of ~). **~·ist** *n.*

˙**e·volve**[iválv/-ɔ́-] *vi., vt.* ① 전개하다; 진화하다〔시키다〕; 발달〔발전〕하다〔시키다〕. ② (*vt.*)(빛·열 따위를) 발생〔방출〕하다.

ewe[juː] *n.* Ⓒ 암양(cf. ram).

ew·er[júːər] *n.* Ⓒ (주둥이가 넓은) 물병.

ex[eks] *prep.* (L.) …으로부터 (*ex ship* 〖商〗 본선 인도(引渡)); …때문에《성구는 각항 참조》.

ex-[eks] *pref.* '앞의'의 뜻: *ex*convict 전과자 / *ex*premier 전수상 / *ex*-husband 전남편.

ex·ac·er·bate [igzǽsərbèit, iksǽs-] *vt.* (고통 따위를) 악화시키다(aggravate); 분격시키다(exasperate). **-ba·tion**[–⌐–béiʃən] *n.*

:**ex·act**[igzǽkt] *a.* ① 정확한; 엄밀한, 정밀한. ② 꼼꼼한, 엄격한, 까다로운. **to be** ~ 자세히 말하면. — *vt.* (금전·노력·복종을) 엄하게 요구하다; 강요하다(demand)(*from, of*). **~·ing** *a.* 엄한, 가혹한, 힘드는, 쓰라린. **ex·ác·tion** *n.* Ⓤ 강요, 강제 징수; Ⓒ 강제 징수금, 중세. **:~·ly** *ad.* 정확하게, 엄밀히; 정확히 말해서; 틀림없이.

ex·act·i·tude[igzǽktət*j*ùːd/-tjùːd] *n.* Ⓤ 정확, 정밀; 엄격함, 꼼꼼함.

:**ex·ag·ger·ate**[igzǽdʒərèit] *vt.* 과장하다, 허풍떨다. ˙**-at·ed**[-id] *a.* 과장될; 비대한. ˙**-a·tion**[–⌐–éiʃən] *n.* Ⓤ 과장; Ⓒ 과장적 표현. **-a·tor** *n.*

ex·alt[igzɔ́ːlt] *vt.* (신분·관직·품위·명예 따위를) 높이다; 의기 양양하게 만들다(elate), 치살리다(extol); (빛깔을) 짙게 하다. ~ *a person* **to the skies** 아무를 극구 칭찬하다.

ex·al·ta·tion[ègzɔːltéiʃən] *n.* Ⓤ 높임; 승진; 찬양, 고귀(nobility); 우쭐함, 의기 양양; 〖冶〗 정련(精鍊).

˙**~·ed**[-id] *a.* 고귀〔존귀〕한, (신분이) 높은; 고원〔고상〕한; 우쭐한, 의기 양양한, 신바람난.

ex·am[igzǽm] *n.* 《口》 = ⇩.

:**ex·am·i·na·tion** [igzæ̀mənéiʃən, -mi-] *n.* Ⓒ 시험(*in*); Ⓤ,Ⓒ 검사; 조사, 심사(*of, into*); 〖法〗 심문, 심리. **medical** ~ 진찰. **on** ~ 조사해 보니; 조사한 뒤에. **physical** ~ 신체 검사. **sit for an** ~ 시험치르다. **under** ~ 조사〔검사〕중인.

:**ex·am·ine**[igzǽmin] *vt.* ① 조사하다, 검사〔음미〕하다; 검정〔심사〕하다; 시험하다(*in*). ② 〖法〗 심문하다. ③ 진찰하다. ~ **oneself** 내〔반〕성하다. — *vi.* 조사하다(*into*). ˙**-in·er** *n.* Ⓒ 시험관; 검사원, 심사관.

†**ex·am·ple**[igzǽmpl/-á:-] *n.* ① Ⓒ 실례, 보기. ② 견본, 표본(sample). ③ 모범, 본보기(model). ④ 본때, 훈계(warning). ***beyond*** ~ 전례 없는. ***for*** ~ 예를 들면. ***make an*** ~ ***of*** …을 본보기로 (징계)하다. ***set***〔***give***〕***an*** ~ ***to*** …에게 모범을 보이다. ***take*** ~ ***by a person*** 아무를 본보기로 하다. ***to cite an*** ~ 일례를 들면. ***without*** ~ 전례 없는.

·**ex·as·per·ate** [igzǽspərèit, -rit] *vt.* ① 격노케 하다; 감정을 자극하다. ② 악화시키다, 더하게 하다(intensify). **-at·ing** *a.* 화나는, 짜증나게 하는; 악화시키는. **-a·tion**[-ˊ-éiʃən] *n.* Ⓤ 격노; (병의) 악화.

ex·ca·vate[ékskəvèit] *vt.* 파다; 도려내다; 발굴하다. **-va·tor** *n.* **:-va·tion**[ˋ-véiʃən] *n.* Ⓤ 팜, 굴착; Ⓒ 구멍, 구덩이; 발굴물, 출토품.

:**ex·ceed**[iksí:d] *vt., vi.* (한도를) 넘다, 초과하다; (…보다) 낫다, 능가하다(excel). *~**·ing** *a.* 대단한, 지나친, 굉장한. **:~·ing·ly** *ad.* 대단히, 매우, 몹시.

:**ex·cel**[iksél] *vt., vi.* (**-ll-**) 능가하다(surpass)(*in*); 뛰어나다(*in*).

·**ex·cel·lence**[éksələns] *n.* ① Ⓤ 탁월, 우수. ② Ⓒ 장점, 미점(美點).

·**Ex·cel·len·cy** [-i] *n.* Ⓒ 각하《장관·대사 등에 대한 존칭》(*Good morning, your ~!* 각하, 안녕하십니까/*Do you know where His ~ is?* 각하께서 어디 계신지 아십니까).

:**ex·cel·lent**[éksələnt] *a.* 우수한, 탁월한(exceedingly good). ~**·ly** *ad.*

†**ex·cept** [iksépt] *vt.* 제외하다(*from*). — *vi.* 반대하다, 기피하다(object)(*against*). — *prep.* …을 제외하고(는), …이외에는(save). ~ ***for*** …이 없으면(but for); …이외에는. — *conj.* 《古》 = UNLESS. **:~·ing** *prep.* = EXCEPT.

:**ex·cep·tion**[iksépʃən] *n.* ① Ⓤ 예외로 함, 제외; Ⓒ 예외. ② Ⓤ 이의(異議)(objection). ***take*** ~ ***to***〔***against***〕…에 반대하다. ***with the*** ~ ***of*** …을 제외하고는(except). ~**·a·ble** *a.* 비난할 만한. *~**·al** *a.* 예외적인, 특별한, 보통이 아닌. ~***al child*** (심신장애로 인한) 비정상아. *~**·al·ly** *ad.*

:**ex·cerpt**[éksə:*r*pt] *n.* (*pl.* ~**s, -ta** [-tə]) Ⓒ 발췌, 인용(구); 초록(抄錄); 발췌 인쇄(물). — [eksə́:*r*pt] *vt.* 발췌하다(extract), 인용하다.

:**ex·cess**[iksés, ékses] *n.* ① Ⓤ 과다, 과잉; 과도; 초과; 초과량〔액〕. ② Ⓤ 부절제(*in*); Ⓒ (보통 *pl.*) 지나친 행위, 난폭, 폭음 폭식. ~ ***of imports over exports*** 수입 초과. ~ ***profits tax*** (전시) 초과 이득세. ***go***〔***run***〕***to*** ~ 지나치다, 극단으로 흐르다. ***in***〔***to***〕~ 너무나, 과도하게. ***in*** ~ ***of*** …을 초과하여, …이상으로.

:**ex·ces·sive**[-iv] *a.* 과도한, 극단적인, 터무니없는(too much). ~**·ly** *ad.* ~**·ness** *n.*

:**ex·change**[ikstʃéindʒ] *vt.* ① 교환하다(*for* a thing; *with* a person); 주고받다. ② 환전하다. ~ ***greetings*** 인사를 나누다. — *vi.* 환전할 수 있다(*for*); 교환하다. — *n.* ① Ⓤ,Ⓒ 교환; 주고받음. ② Ⓤ 환전, 환; (*pl.*) 어음 교환고(高). ③ Ⓒ 거래소, 전화 교환국. ***bill of*** ~ 환어음. ~ ***bank*** 외환은행. ***E-*** (***is***) ***no robbery.*** 교환은 강탈이 아니다《불공평한 교환을 강요할 때의 상투 문구》. ~ ***quotation*** 외환 시세표. ~ ***reaction*** 〖理〗 교환 반응. ***in*** ~ ***for*** …와 상환으로. ***make an*** ~ 교환하다. ***rate of*** ~ (외국)환 시세, 환율. ***stock*** ~ 증권 거래소. ~**·a·ble** *a.* 교환할 수 있는.

ex·cheq·uer[ikstʃékər, éks-] *n.* Ⓤ 국고(國庫); Ⓒ《口》(개인·회사 등) 재원, 재력; (the E-) Ⓒ《英》 재무성.

ex·cise[1][éksaiz] *n.* Ⓒ 물품세, 소비세. — [iksáiz] *vt.* 물품세를 부과하다; 엄청나게 받다〔청구하다〕.

ex·cise[2][iksáiz] *vt.* 잘라내다(cut out). **ex·ci·sion**[eksíʒən] *n.* Ⓤ 삭제, 절제.

:**ex·cit·a·ble**[iksáitəbəl] *a.* 흥분하기 쉬운; 흥분성의.

ex·ci·ta·tion[èksaitéiʃən/-si-] *n.* Ⓤ 자극; 흥분.

:**ex·cite**[iksáit] *vt.* ① 자극하다, 자극하여 일으키다; 흥분시키다. ② 격려하다; 설레게 하다; 선동하다(stir

up).
:**ex·cit·ed**[iksáitid] *a.* 흥분한; 〖理〗 들뜬 상태의(~ *atoms* 들뜬 원자); 활발한. **:~·ly**[-idli] *ad.*
:**ex·cite·ment**[-mənt] *n.* Ⓤ 자극, 격앙; 흥분; Ⓤ,Ⓒ 법석; 동요; Ⓒ 자극하는 것.
:**ex·cit·ing**[-iŋ] *a.* 자극적인, 흥분시키는, 가슴 죄게 하는(thrilling); 재미있는.
:**ex·claim**[ikskléim] *vi., vt.* ① (감탄적으로) 외치다; 큰 소리로 말하다. ② 비난하다(*against*).
:**ex·cla·ma·tion**[èkskləméiʃən] *n.* ① Ⓤ 외침, 절규, 감탄. ② Ⓒ 〖文〗 감탄사, 감탄 부호(~ mark)《!》.
:**ex·clude**[iksklú:d] *vt.* 몰아내다; 배척하다(reject); 제외하다; 추방하다(expel).
˙**ex·clu·sion**[iksklú:ʒən] *n.* Ⓤ 몰아냄, 제외, 배척(excluding). ***to the ~ of*** …을 제외하고. **~·ism** [-ìzəm] *n.* Ⓤ 배타주의. **~·ist** *n.*
:**ex·clu·sive**[-klú:siv] *a.* ① 배타〔배제〕적인. ② 독점적인; 독특한, 유일의. ③ 고급의, 일류의. ***~ of*** …을 제외하고. ˙**~·ly** *ad* 독점적으로, 오로지. **~·ness** *n.* **-siv·ism**[-ìzəm] *n.* Ⓤ 배타〔쇄국, 독점〕주의.
ex·com·mu·ni·cate[èkskəmjú:nəkèit] *vt.* 〖宗〗 파문하다; 제명하다. **-ca·tion**[⌐–⌐–kéiʃən] *n.*
ex·co·ri·ate[ikskɔ́:rièit] *vt.* (…의) 가죽을 벗기다, 껍질을 까다; 혹평하다; 심한 욕을 퍼붓다. **-a·tion** [–⌐–éiʃən] *n.*
「배설물.
ex·cre·ment [ékskrəmənt] *n.* Ⓤ
ex·cres·cence[ikskrésəns, eks-] *n.* Ⓒ 자연 발생물《손톱·발톱·머리털 따위》; 이상 발생물《혹·사마귀 따위》; 무용지물. **-cent**[-sənt] *a.* 군, 가외의(superfluous); 혹 같은.
ex·cre·ta[ikskrí:tə] *n. pl.* 배설〔분비〕물; 대변.
ex·crete [ikskrí:t] *vt.* 배설하다(discharge). **ex·cre·tion** *n.* Ⓤ 배설; Ⓤ,Ⓒ 배설물. **ex·cre·tive, ex·cre·to·ry** [ékskritɔ̀:ri/ekskrí:təri] *a.* 배설의.
ex·cru·ci·ate[ikskrú:ʃièit] *vt.* (…을) 고문하다(torture); 심한 고통을 주다, 몹시 괴롭히다(distress). **-at·ing** *a.* **-at·ing·ly** *ad.*
ex·cul·pate [ékskʌlpèit] *vt.* 무죄로 하다; (…의) 무죄를 증명하다. ***~ oneself*** 자기의 무죄를 입증하다(*from*). **-pa·tion**[⌐–péiʃən] *n.*
:**ex·cur·sion**[ikskə́:rʒən, -ʃən] *n.* Ⓒ ① 소풍, 수학〔유람〕 여행, 단체 여행. ② 관광단. ③ 일탈. ④ 《廢》 습격. ***go on for an ~*** 소풍가다.
†**ex·cuse**[ikskjú:z] *vt.* ① 변명하다. ② 용서하다, 너그러이 봐주다. ③ (의무 따위를) 면제하다(exempt). ***E-me!*** 실례합니다, 미안합니다. ***~ oneself*** 변명하다. ***~ oneself from*** 사퇴하다, 그만두고 싶다고 말하다(beg to be ~d). — [-s] *n.* Ⓤ,Ⓒ ① 변명, 사과. ② 발뺌, 구실, 핑계. ***thin ~*** 빤한 변명〔핑계〕.
:**ex·e·cute**[éksikjù:t] *vt.* ① 실행〔수행〕하다; 실시하다(enforce). ② (미술품을) 제작하다; (곡을) 연주하다(perform); ③ (유언을) 집행하다; (증서 따위에) 서명 날인하다. ④ (사형을) 집행하다. ⑤ 〖컴〗 실행하다. **-cut·a·ble** *a.* **-cut·er** *n.* = EXECUTOR.
˙**ex·e·cu·tion** [èksikjú:ʃən] *n.* ① Ⓤ 실행, 수행, 이행(achievement). ② Ⓤ,Ⓒ 사형 집행, 처형. ③ Ⓤ (증서의) 작성, 서명 날인. ④ Ⓤ (미술품의) 제작; 연주(하는 품). ⑤ Ⓤ 솜씨; 효과. ⑥ 〖컴〗 실행. ***carry*** 〔***put***〕 ***into ~*** 실행하다, 실시하다. ***do ~*** 주효하다, 위력을 발휘하다; (탄알이) 명중하다. ***writ of ~*** 집행 영장. **~·er** *n.* Ⓒ 실행〔집행〕자; 사형 집행인; 암살자.
:**ex·ec·u·tive**[igzékjətiv] *a.* ① 실행의; 실행력이 있는. ② 행정(상)의. — *n.* ① Ⓒ 행정부〔관〕. ② Ⓒ 간부, 간사; 지배인. ③ (the E-, *or* the Chief E-) 대통령, 주(州)지사.
ex·ec·u·tor[éksikjù:tər] *n.* Ⓒ ① 집행인. ② [igzékjətər] 〖法〗 지정 유언 집행자.
ex·e·ge·sis [èksədʒí:sis] *n.* (*pl.* ***-ses***[-si:z]) Ⓤ,Ⓒ (성서·경전의) 주석, 해석. **ex·e·get·ic** [-dʒétik], **-i·cal**[-əl] *a.* 주석(상)의.

ex·em·plar[igzémplər] *n.* Ⓒ 모범, 본보기(model), 견본.
ex·em·pla·ry[igzémpləri] *a.* 모범적인; 전형적인; 징계적인; 칭찬할 만한, 훌륭한.
˙**ex·em·pli·fy**[igzémpləfài] *vt.* ① 예증(예시)하다; (…의) 실례(보기)가 되다(이다). ② 〖法〗 인증 등본을 만들다. **-fi·ca·tion**[-ㅅ--kéiʃən] *n.* Ⓤ 예증, 예시; Ⓒ 〖法〗 인증 등본.
˙**ex·empt** [igzémpt] *vt.* 면제하다 (*from*). ── *a., n.* Ⓒ 면제된 (사람), 면세자. ˙**ex·émp·tion** *n.*
†**ex·er·cise** [éksərsàiz] *n.* ① Ⓤ (신체의) 운동; Ⓒ 체조. ② Ⓒ 연습. ③ Ⓤ (정신·신체를) 작용시킴; 실천. ④ Ⓒ 학과; 연습 문제. ⑤ (*pl.*) 의식, 예배; 교련. ***graduation ~s*** 졸업식. ***take ~*** 운동하다. ── *vt.* ① 훈련하다; 운동시키다. ② (정신·능력을) 활동시키다. ③ (권리를) 행사하다; (소임을) 다하다(perform). ④ 괴롭히다, 번거롭게 하다. ── *vi.* 연습(운동, 체조)하다. ***be ~d in*** … 에 숙달되어 있다. ***~ oneself*** 운동을 하다, 몸을 움직이다. ***~ oneself in*** …의 연습을 하다.
:**ex·ert** [igzə́:rt] *vt.* ① (힘·능력을) 발휘하다, 활동시키다(use actively). ② (영향을) 미치다, 끼치다(*on, upon*). ***~ oneself*** 노력하다. :**ex·ér·tion** *n.* Ⓤ,Ⓒ 노력; 진력; Ⓤ (위력의) 발휘.
ex·e·unt[éksiənt, -ʌnt] *vi.* (L. = They go out.) 〖劇〗 퇴장하다(cf. exit). ~ ***om·nes***[ámni:z/ɔ́-] 일동 퇴장.
ex·ha·la·tion[èks*h*əléiʃən, ègzəl-] *n.* ① Ⓤ 발산; 호기(呼氣), 날숨; 증기. ② Ⓒ 발산물.
˙**ex·hale**[eks*h*éil, igzéil] *vt., vi.* ① (공기 따위를) 내뿜다(opp. inhale). ② (냄새 따위를) 발산하다(emit); 증발하다(evaporate); 소산(消散)하다.
:**ex·haust**[igzɔ́:st] *vt.* ① (그릇 따위를) 비우다. ② 다 써 버리다, 없애다(use up). ③ 샅샅이 연구하다, 남김없이 논하다. ④ (체력을) 소모하다, 지쳐버리게(피폐케) 하다. ***be ~ed*** 다하다, 없어지다; 지쳐버리다.
── *vi.* 유출(배출)하다(discharge).
── *n.* Ⓤ,Ⓒ 배출; 배기(排氣)(장치).
˙**ex·haust·ed**[igzɔ́:stid] *a.* 다 써버린; 써서 다 낡은; 고갈된; 지쳐버린.
ex·haust·ing[igzɔ́:stiŋ] *a.* 소모적인; 심신을 피로케 할(하는)(정도의).
:**ex·haus·tion**[igzɔ́:stʃən] *n.* Ⓤ ① 소모; 고갈. ② 배출. ③ (극심한) 피로. ④ (문제의) 철저한 연구. :**-tive** [-tiv] *a.* 전부를 다 하는.
:**ex·hib·it**[igzíbit] *vt.* ① 출품(진열·공개)하다. ② 보이다, 나타내다. ③ 〖法〗 (문서를) 제시하다. ④ 〖醫〗 투약하다. ── *n.* Ⓒ 전시, 출품(물); 〖法〗 증거물(서류). ***on ~*** 전시(공개) 중이어서(중의). **~·er, -i·tor** *n.* Ⓒ 출품자; 영화 흥행주.
:**ex·hi·bi·tion**[èksəbíʃən] *n.* ① Ⓤ 공개, 전시, 과시. ② Ⓒ 출품물. ③ Ⓒ 전람회, 박람회. ④ Ⓤ,Ⓒ (증거 서류의) 제시. ⑤ Ⓒ 《英》 장학금(scholarship). ⑥ Ⓤ 시약(施藥). ***~ match*** 시범 경기(시합). ***make an ~ of oneself*** 웃음거리가 되다, 창피를 당하다. ***put something on ~*** 물건을 전람시키다. **~·er**[-ər, -si-] *n.* Ⓒ 《英》 장학생. **~·ism** [-ìzəm] *n.* Ⓤ 과시벽; 노출증. **~·ist** *n.*

ex·hil·a·rate[igzílərèit] *vt.* 기운을 북돋우다(enliven); 명랑하게 만들다. **-rat·ed** *a.* 기분이 들뜬, 명랑한 (merry). **-rat·ing** *a.* 유쾌하게 만드는; 유쾌한. **-ra·tion**[-ㅅ-réiʃən] *n.* Ⓤ 유쾌(하게 만듦).
˙**ex·hort**[igzɔ́:rt] *vt., vi.* (…에게) 열심히 권하다(타이르다)(urge strongly); 권고(훈계)하다(warn). **ex·hor·ta·tive**[-tətiv] *a.* **ex·hor·ta·tor·y**[-tɔ̀:ri/-təri] *a.*
:**ex·hor·ta·tion** [ègzɔ:rtéiʃən, èksɔ:r-] *n.* Ⓤ,Ⓒ 권고(의 말), 훈계.
ex·hume[igz*j*ú:m, iks-/eks*h*jú:m, igz-] *vt.* 발굴하다(dig out). **ex·hu·ma·tion**[èks*h*ju:méiʃən] *n.*
ex·i·gent [éksədʒənt] *a.* 긴급한; (…을) 요하는(*of*); 살아가기 힘든. **-gence, -gen·cy**[-dʒənsi] *n.* Ⓤ 긴급, 위급; Ⓒ (*pl.*) 위급한 사정, 급무.
ex·ig·u·ous[igzígjuəs] *a.* 미소한, 작은; 부족한. **ex·i·gu·i·ty**[èksə-

gjú:əti] *n.*

:ex·ile[égzail, éks-] *n.* ① Ⓤ 망명; 유형; 국외 추방. ② Ⓒ 망명[유랑]자; 유형자; 추방인. — *vt.* 추방하다, 유형에 처하다. ~ ***oneself*** 망명하다.

:ex·ist[igzíst] *vi.* 존재하다, 실재[실존]하다; 생존하다(live). **~·ing** *a.* 현존하는.

:ex·ist·ence[-əns] *n.* ① Ⓤ 존재, 실재; 생존, 생활. ② Ⓤ,Ⓒ 실재물. ***bring*** [***call***] ***into*** ~ 생기게 하다, 낳다; 성립시키다. ***come into*** ~ 생기다, 나다; 성립하다[되다]. ***go out of*** ~ 소멸하다, 없어지다. ***in*** ~ 존재[실재]하여, 실재의. **:-ent** *a.*

ex·is·ten·tial·ism [ègzisténʃəl-ìzəm] *n.* Ⓤ 【哲】 실존주의. **-ist** *n.*

:ex·it[égzit, éks-] *n.* Ⓒ ① 출구, 퇴출구. ② 나감, 퇴거; 【劇】 퇴장. — *vt.* (L.) 【劇】 퇴장하다(He [She] goes out.) (cf. *exeunt*). — *vi.* 【컴】 (시스템·프로그램에서) 나가다.

ex·o·dus[éksədəs] *n.* ① Ⓒ (많은 사람의) 출발, 출국. ② (the E-) 이스라엘인의 이집트 출국; (E-) 【舊約】 출애굽기.

ex of·fi·ci·o[èks əfíʃiòu] (L.) 직권에 의한[의하여].

ex·on·er·ate[igzánərèit/-ɔ́-] *vt.* (비난 따위로부터) 구하다(free from blame), (혐의를) 벗다, 풀다. **-er·a·tion** [-ˌ-éiʃən] *n.*

ex·or·bi·tant [igzɔ́:rbətənt] *a.* (욕망·요구 따위가) 터무니없는, 엄청난. **-tance, -tan·cy** *n.*

ex·or·cise, -cize[éksɔ:rsàiz] *vt.* (악마를) 내쫓다; 액막이하다(*of*). **-cism**[-sízəm] *n.* Ⓤ,Ⓒ 액막이(기도, 굿).

:ex·ot·ic [igzátik/-ɔ́-] *a.* ① 외국의, 외래의(foreign); 이국풍[식]의. ② 《口》 색다른, 희한한(rare). **-i·cism**[-əsìzəm] *n.*

:ex·pand[ikspǽnd] *vt., vi.* ① 넓히다, 넓어지다, 펴다, 퍼지다(spread out). ② 팽창시키다[하다](swell); 확장시키다[하다](extend). ③ 발전시키다[하다]. ④ 【數】 전개하다. **~·ing bullet** 산탄(散彈).

:ex·panse[ikspǽns] *n.* Ⓒ 넓음, 넓은 장소; 확장; 팽창. **ex·pán·si·ble** *a.* 팽창[전개]할 수 있는.

:ex·pan·sion[ikspǽnʃən] *n.* Ⓤ 확장, 확대; (사업의) 발전; Ⓒ 팽창(량·부). **~·ism**[-ìzəm] *n.* Ⓤ 팽창론; 영토 확장론. **~·ist** *n.* **-sive** *a.* 팽창력[발전력]있는; 광활한; 마음이 넓은; 【醫】 과대망상적인. **-sive·ly** *ad.*

ex·pa·ti·ate [ekspéiʃièit] *vi.* 상세히 설명하다, 부연하다(*on, upon*). **-a·tion**[-ˌ-éiʃən] *n.*

ex·pa·tri·ate[ekspéitrièit/-pǽt-, -péi-] *vt., n.* (국외로) 추방하다(exile); Ⓒ 추방자, 이주자. — [-trit, -trièit] *a.* 추방된(exiled). **ex·pat·ri·a·tion**[-ˌ-éiʃən] *n.*

†ex·pect[ikspékt] *vt.* ① 기대[예기]하다; 예상하다, 당연한 일로 여기다; 바라다. ② 《口》 …라고 생각하다. ***as might have been*** ~***ed*** 생각한 대로.

:ex·pect·ance[-əns], **:-an·cy** [-si] *n.* ① Ⓤ 예기, 기대. ② Ⓒ 기대 되는 것, 가망. ***life expectancy*** = EXPECTATION of life.

:ex·pect·ant[ikspéktənt] *a.* 예기하는, 기다리고 있는(expecting); 임신 중인; 【法】 추정(상속)의. ~ ***attitude*** 방관적인 태도. ***an*** ~ ***mother*** 임신부. — *n.* Ⓒ 기대하는 사람; 지망자. **~·ly** *ad.*

:ex·pec·ta·tion[èkspektéiʃən] *n.* ① Ⓤ 기대; 예기, 예상(anticipation); 가망성(prospect). ② (*pl.*) 유산 상속의 가망성. ***according to*** ~ 예상대로. ***beyond*** (***all***) ~(***s***) 예상 이상으로. ~ ***of life*** 【保險】 평균 여명.

ex·pec·to·rant[ikspéktərənt] *a., n.* 【藥】 가래 제거를 돕는; Ⓒ 거담제.

ex·pe·di·ence [ikspí:diəns], **-en·cy**[-si] *n.* ① Ⓤ 편의; 형편(좋음); 사리추구. ② Ⓒ 방편, 편법.

·ex·pe·di·ent[ikspí:diənt] *a.* ① 형편 좋은, 편리한, 편의한, 상책의, 시의를 얻은. ② 편의주의의; (자기에게) 유리한, 정략적인(politic); 공리적인. — *n.* Ⓒ 수단, 방편, 편법; 임기 응변의 조처. **~·ly** *ad.* 편의상; 형편 좋게, 마침.

ex·pe·dite[ékspədàit] *vt.* 촉진[재

축]하다, 재빨리 해치우다. **-dit·er** *n.* Ⓒ 원료(공급)계; 공보 (발표) 담당자; (공사) 촉진계.

:ex·pe·di·tion[èkspədíʃən] *n.* ① Ⓒ 원정(대); 탐험(대). ② Ⓤ 신속, 급속. **~·ar·y**[-èri/-əri] *a.*

ex·pe·di·tious[èkspədíʃəs] *a.* 신속한, 날쌘. **~·ly** *ad.* 척척, 신속히.

·ex·pel[ikspél] *vt.* (**-ll-**) 쫓아내다, 추방하다; 제명하다; 방출[발사]하다.

:ex·pend [ikspénd] *vt.* 소비하다; (시간·노력을) 들이다(use) (*on*). **:~·i·ture** *n.* Ⓤ,Ⓒ 지출, 소비, 경비 (*annual expenditure* 세출 / *current expenditure* 경상비 / *extraordinary expenditure* 임시비).

ex·pend·a·ble [ikspéndəbəl] *a.* 소비해도 좋은; 〖軍〗 소모용의, 버릴 수 있는, 희생시켜도 좋은. — *n.* (보통 *pl.*) 소모품; (작전상의) 희생물.

:ex·pense[ikspéns] *n.* ① Ⓤ 비용, 지출. ② (보통 *pl.*) 지출금. ③ Ⓤ,Ⓒ 손실, 희생(sacrifice). ***at the ~ of*** …을 희생시키고; …에게 폐를 끼치고. ***go to the ~ of*** 큰 돈을 들이다. ***put*** (*a person*) ***to ~*** 돈을 쓰게 하다.

expénse accòunt 〖簿〗 비용계정; 교세비.

:ex·pen·sive [ikspénsiv] *a.* 비싼; 사치스런(costly). **~·ly** *ad.* 비싸게 들여, 비싸게. **~·ness** *n.*

†ex·pe·ri·ence[ikspíəriəns] *n.* ① Ⓤ 경험, 체험; 경력. ② Ⓒ 경험담. — *vt.* 경험하다, 경험으로 알다. **·-enced**[-t] *a.* 경험이 풍부한, 노련한(expert).

:ex·per·i·ment [ikspérəmənt] *n.* Ⓒ 실험, 시험(*of*). — [-mènt] *vi.* 실험하다(*on, in, with*). **·-men·ta·tion**[-ˊ-mentéiʃən] *n.* Ⓤ 실험[법], 시험.

:ex·per·i·men·tal [ikspèrəméntl, -ri-] *a.* 실험적인, 실험상의; 경험상의. **~·ism**[-təlìzəm] *n.* Ⓤ 실험주의. **~·ly** *ad.*

:ex·pert[ékspəːrt] *n.* Ⓒ 숙련자, 노련가, 전문가(veteran)(*in, at*); 기사; 감정인. — [ikspə́ːrt] *a.* 숙달된, 노련한(*in, at, with*). **~·ly** *ad.*

ex·per·tise[èkspərtíːz] *n.* Ⓤ 전문적 의견[기술, 지식].

ex·pi·ate [ékspièit] *vt.* 속죄하다 (atone for). **-a·tion**[ˋ-éiʃən] *n.*

ex·pi·ra·tion [èkspəréiʃən] *n.* Ⓤ 종결, 만료, 만기; 날숨; 《古》 죽음.

·ex·pire[ikspáiər] *vi.* ① 끝나다, 만기가 되다. ② 숨을 내쉬다, 죽다. — *vt.* (숨을) 내쉬다, 뿜어 내다.

ex·pi·ry[ikspáiəri, ékspəri] *n.* Ⓤ 소멸; 종료, 만기.

†ex·plain[ikspléin] *vt., vi.* 설명하다, 해석하다(interpret); 변명하다 (account for). **~ *away*** (용하게) 발뺌하다, 잘 해명하다. **~ *oneself*** 변명하다; 심중을 털어놓다. **:ex·pla·na·tion**[èksplənéiʃən] *n.* **:ex·plan·a·to·ry**[iksplǽnətɔ̀ːri/-təri] *a.*

ex·ple·tive [éksplətiv] *a.* 부가적인, 가외의. — *n.* Ⓒ 군더더기, 덧붙이기; (거의 무의미한) 감탄사《*My word* nice! 근사하다!》; 욕설《This *bloody* dog! 이 개새끼! 따위》; 〖文〗 허사(虛辭)《one *fine* morning (어느날 아침)의 fine 따위》.

ex·pli·ca·ble[éksplikəbəl, iksplí-k-] *a.* 설명[납득]할 수 있는.

ex·pli·cate[éksplәkèit] *vt.* (원리 따위를) 차례로 풀이하다(unfold); 설명하다(explain). **-ca·tion**[èksplə-kéiʃən] *n.* **-ca·tive**[éksplikèitiv, iksplíkə-], **-ca·to·ry**[éksplikətɔ̀ː-ri, iksplíkətəri] *a.*

·ex·plic·it[iksplísit] *a.* 명백히 말한; 명백한(clear); 노골적인, 숨김없는(outspoken)(opp. implicit). **~·ly** *a.* **~·ness** *n.*

:ex·plode[iksplóud] *vt.* ① 폭발시키다. ② 타파[논파]하다. — *vi.* ① 폭발하다. ② (감정이) 격발하다. **~ *with laughter*** 웃음을 터뜨리다.

·ex·ploit[iksplɔ́it] *vt.* ① 개척[개발]하다, 채굴하다. ② 이용하다, 미끼삼다, 착취하다. — [éksplɔit] *n.* Ⓒ 위업(偉業), 공훈. **:ex·ploi·ta·tion** [èksplɔitéiʃən] *n.* Ⓤ,Ⓒ 개발; 이용; 착취.

:ex·plo·ra·tion [èkspləréiʃən] *n.* Ⓤ,Ⓒ 탐험; 탐구.

:ex·plore [iksplɔ́ːr] *vt., vi.* 탐험[탐구]하다.

E

:ex·plor·er[iksplɔ́:rər] *n.* Ⓒ ① 탐험가; 탐구자. ② (E-) 익스플로러 《미국의 인공 위성》(cf. Sputnik).
:ex·plo·sion [iksplóuʒən] *n.* Ⓤ,Ⓒ 폭발; 파열; 급증.
·ex·plo·sive [iksplóusiv] *a.* ① 폭발성의. ② 격정적인. ③ 〖音聲〗 파열음의. — *n.* Ⓒ 폭약; 〖音聲〗 파열음.
ex·po·nent[ikspóunənt] *n.* Ⓒ 대표적 인물, 대표물; 형(型); 설명자; 〖數〗 지수(指數); 〖컴〗 지수.
ex·po·nen·tial [èkspounénʃəl] *a.* 〖數〗 지수(指數)의. **~·ly** *ad.* 《통속적》 기하급수적으로(붇다).
:ex·port[ikspɔ́:rt, ∠–] *vt.* 수출하다. — [ékspɔ:rt] *n.* Ⓤ 수출; Ⓒ (보통 *pl.*) 수출품(액); 〖컴〗 보내기. **~·er** *n.* **-por·ta·tion** [ìkspɔ:rtéiʃən] *n.*
:ex·pose[ikspóuz] *vt.* ① (일광·비·바람 따위에) 쐬다. ② 〖寫〗 노출하다. ③ 폭로(적발)하다. ④ 진열하다(display). ⑤ (아이를) 집 밖에 내버리다. ***~d**[-d] *a.*
ex·po·sé[èkspouzéi] *n.* (F.) Ⓒ 들추어냄, 폭로.
·ex·po·si·tion [èkspəzíʃən] *n.* ① Ⓤ,Ⓒ 설명, 해설. ② Ⓒ 전람회; Ⓤ 제시. ③ Ⓤ (아이의) 유기(遺棄). ④ Ⓒ 〖樂〗 (소나타·푸가 등의) 제시부.
ex·pos·i·tive[ikspázətiv/-ɔ́-]. **-to·ry**[-zitɔ̀:ri/-zitəri] *a.* 해설적인.
ex·pos·tu·late [ikspástʃulèit/-pɔ́s-] *vi.* 간(諫)하다(*with*). **-la·tor** *n.* **-la·to·ry**[-lətɔ̀:ri/-təri] *a.* 충고의. **-la·tion**[–⌐–léiʃən] *n.* Ⓤ,Ⓒ 간(諫), 충고.
:ex·po·sure[ikspóuʒər] *n.* ① Ⓤ,Ⓒ (일광·바람·비·위협에) 버려 둠(exposing). ② Ⓤ (a ~) (집·방의) 향 (*a southern* ~ 남향). ③ Ⓤ 〖寫〗 노출. ④ Ⓤ 진열(display). ⑤ Ⓤ 폭로, 적발(reveal). ⑥ Ⓤ (어린애의) 유기.
·ex·pound[ikspáund] *vt.* 설명하다; 상술하다.
†ex·press[iksprés] *vt.* ① 표현하다, 나타내다. ② (기호 따위로) 표시하다. ③ (과즙 따위를) 짜내다(squeeze out). ④ 《美》 지급편으로 보내다. ~ ***oneself*** 생각하는 바를 말하다, 의중을 털어놓다(*on*). ~ ***one's sympathy*** 〔***regret***〕 동정〔유감〕의 뜻을 나타내다. — *a.* ① 명시된; 명백한, 정확한(exact). ② 특별한(special). ③ 급행의; 지급(편)의; 《美》 운송편의. ~ ***mail*** 속달 우편. ~ ***train*** 급행 열차. — *ad.* 특별히; 급행(열차편)으로; 속달로. — *n.* ① Ⓤ 지급〔속달〕편; 특별편. ② Ⓒ 급행 열차〔전차〕. ③ Ⓒ 《美》 운송 회사. ***by*** ~ 속달〔급행 열차〕로. **~·i·ble** *a.* 표현할 수 있는. **~·ly** *ad.* 명백히; 특(별)히.
:ex·pres·sion[ikspréʃən] *n.* ① Ⓤ,Ⓒ 표현(법); 말투; 표정. ② 〖컴〗 (수)식. ***beyond*** ~ 표현할 수 없는. **~·al** *a.* 표현상의; 표정의. **~·ism** [-ìzəm] *n.* Ⓤ 《美》 표현주의, 표현파. **~·less** *a.* 무표정한.
·ex·pres·sive[iksprésiv] *a.* 표현하는; 의미 심장한, 표정이 풍부한; 표현의〔에 관한〕. **~·ly** *ad.* **~·ness** *n.*
ex·press·way [ikspréswèi] *n.* Ⓒ 《美》 고속 도로.
ex·pro·pri·ate[ekspróuprièit] *vt.* (토지·재산 따위를) 몰수하다, 빼앗다 (~ *him from the land*). **-a·tion** [–⌐–éiʃən] *n.*
ex·pul·sion[ikspʌ́lʃən] *n.* Ⓤ,Ⓒ 추방, 제명(*from*). **-sive** *a.*
ex·punge[ikspʌ́ndʒ] *vt.* 지우다 (erase), 말살하다(*from*).
ex·pur·gate[ékspərgèit] *vt.* (책의 불온한 대목을) 삭제〔정정〕하다. **~*d edition*** 삭제판(版). **-ga·tion**[⌐–géiʃən] *n.*
:ex·qui·site[ékskwizit, ikskwí-] *a.* ① 절묘한, 우미한, 더할나위 없는. ② (즐거움이) 깊은. ③ 예민한(sensitive). ④ 정교한. ⑤ (취미·태도의) 우아한. — *n.* Ⓒ 멋쟁이 남자(dandy); 취미가 까다로운 사람. **~·ly** *ad.* **~·ness** *n.*
èx-sérviceman *n.* Ⓒ 《英》 퇴역 군인(《美》 veteran).
ex·tant[ekstǽnt, ékstənt] *a.* (기록 따위) 현존하는.
ex·tem·po·re[ikstémpəri] *a., ad.* 즉석의〔에서〕(offhand); 즉흥적(으로).
ex·tem·po·rize [ikstémpəràiz] *vt., vi.* 즉석에서 만들다〔연설하다,

노래하다, 연주하다].

:**ex·tend**[iksténd] *vt.* ① 뻗다, 늘이다; 넓히다; 확장[연장]하다. ② (동정·호의를) 베풀다; (구조의 손길을) 뻗치다. ③ (밧줄을) 건너 치다. ④ (속기를) 보통 글자로 옮겨 쓰다; 〖法〗 평가하다; (토지를) 압류하다. ⑤ 〖컴〗 확장하다. **ex·tén·si·ble** *a.* 뻗을 수 있는, 신장성(伸張性)의. **ex·ten·sile**[-səl/-sail] *a.* 〖動·解〗 넓어지는, 연장되는[될 수 있는].

:**ex·tend·ed**[iksténdid] *a.* ① 뻗친; 장기간에 걸친. ② 광범위한, 확장된; 증대한. ③ 〖印〗 평체인.

exténded fámily 확대 가족《핵가족과 근친으로 된》.

:**ex·ten·sion**[ikstén∫ən] *n.* ① Ⓤ 신장(伸張), 연장; 확장, 증축. ② Ⓒ (철도의) 연장선(線); (전화의) 내선(內線); 〖컴〗 확장. ③ Ⓤ (어구의) 부연. ④ Ⓤ 〖論〗 외연(外延) (opp. intension). **~ *lecture*** (대학의) 공개 강의. ***university* ~** 대학 공개 강좌.

:**ex·ten·sive**[iksténsiv] *a.* ① 넓은; 광범위에 걸친(opp. intensive); 대규모의. ② 〖農〗 조방(粗放)의(**~ *agriculture*** 조방 농법). **~ *reading*** 다독(多讀). ***~·ly** *ad.*

:**ex·tent** [ikstént] *n.* ① Ⓤ 넓이(space), 크기(size), 범위(range); 정도. ② Ⓒ 넓은 장소.

:**ex·te·ri·or**[ikstíəriər] *a.* 외부의(outer), 외면의(outward). — *n.* Ⓤ,Ⓒ 외부; 외면, 외관(opp. interior).

ex·ter·mi·nate[ikstə́:rmənèit] *vt.* 근절하다. **-na·tion**[–⌒–néi∫ən] *n.*

:**ex·ter·nal**[ikstə́:rnəl] *a.* ① 외부[외면]의(cf. internal); 외계의. ② 외면적인, 피상적인. ③ 대외적인. — *n.* Ⓤ 외부; 외면; (보통 *pl.*) 외관. **~·ism**[-ìzəm] *n.* Ⓤ 형식주의; 현상론(現象論). **~·ist** *n.* **~·ly** *ad.*

·**ex·tinct**[ikstíŋkt] *a.* ① 꺼진; 끊어진, 사멸한. ② 폐지된. ***-tínc·tion** *n.*

:**ex·tin·guish**[ikstíŋgwi∫] *vt.* ① 끄다(put out); (희망을) 잃게 하다, 꺾다. ② 절멸시키다. ③ (상대를) 침묵시키다(silence); 무색하게 하다(eclipse). ④ 〖法〗 (부채를) 상각하다. **~·a·ble** *a.* 끌 수 있는; 절멸[멸종]시킬 수 있는. **~·er** *n.* Ⓒ 소화기.

ex·tir·pate[ékstərpèit] *vt.* 근절[박멸]하다 (eradicate). **-pa·tion** [⌒–péi∫ən] *n.*

:**ex·tol(l)**[ikstóul] *vt.* (**-ll-**) 절찬[격찬]하다. **~·ment** *n.*

ex·tort[ikstɔ́:rt] *vt.* (약속·돈을) 강요하다, 갈취하다(*from*); (뜻을) 억지로 갖다붙이다.

ex·tor·tion[ikstɔ́:r∫ən] *n.* Ⓤ 빼앗음, 강요, 강탈; Ⓒ 강탈한 것; 강요[강탈]행위. **~·ar·y**[-èri/-əri], **~·ate**[-it] *a.* 강요적인, 착취적인. **~·er** *n.* Ⓒ 강탈자; 강요자; 착취자.

:**ex·tra**[ékstrə] *a., ad* 가외의[로]; 특별한[히], 임시의[로]. — *n.* Ⓒ 가외[특별한] 물건; 경품(景品); 호외; 〖映〗 엑스트라.

ex·tra-[ékstrə] *pref.* '…외의(outside)' 의 뜻.

:**ex·tract**[ikstrǽkt] *vt.* ① 끌어[뽑아, 빼어]내다(**~ *a tooth*** 이를 뽑다); 알아내다. ② 달여내다; 짜내다; (용매 사용 등으로 정(精)을) 추출하다. ③ 발췌하다(select). ④ (쾌락을) 얻다. — [ékstrækt] *n.* ① Ⓤ,Ⓒ 추출물, 진액. ② Ⓒ 인용구. **:ex·trác·tion** *n.* Ⓤ,Ⓒ 뽑아냄, 추출; 발췌, 인용; 추출물, 정(수)(精(髓))(essence), 진액; Ⓤ 혈통, 태생(descent). **-tor** *n.*

extráctor fàn 환풍기.

éxtra·currícular *a.* 과외의.

ex·tra·dite [ékstrədàit] *vt.* (당국·상대국에 도망 범인을) 인도하다(deliver); (…의) 인도(引渡)를 받다. **-di·tion**[⌒–dí∫ən] *n.*

èxtra·márital *a.* 혼외 성교의, 간통[불륜]의.

ex·tra·mur·al[èkstrəmjúərəl] *a.* 성(벽) 밖의, 교외(郊外)의; 대학 밖의, 교외(校外)의.

ex·tra·ne·ous[ekstréiniəs] *a.* 외부로부터의, 외래의, 질이 다른; 관계없는. **~·ly** *ad.* **~·ness** *n.*

:**ex·traor·di·nar·y**[ikstrɔ́:rdənèri/-nəri] *a.* 보통이 아닌, 비범한(exceptional); 엄청난; 특명의. ***ambassador* ~ *and plenipotenti-***

E

ary 특명 전권 대사. **:-nar·i·ly** *ad.*
ex·trap·o·late [ikstrǽpəlèit] *vt., vi.* 《統計》 외삽하다; (기지의 사실에서) 추정하다; 추정의 기초로 삼다. **-la·tion** [—ˊ—léiʃən] *n.*
èxtra·terréstrial *a.* 지구 밖의, 대기권외의.
˙ex·trav·a·gant [ikstrǽvəgənt] *a.* ① 낭비하는. ② 터무니 없는, 엄청난. **~·ly** *ad.* **˙-gance** *n.* U,C 낭비; 방종; 터무니 없음.
ex·trav·a·gan·za [ikstræ̀vəgǽnzə] *n.* C (문학·악극 등의) 광상적 작품; 광태(狂態).
:ex·treme [ikstrí:m] *a.* ① 극도의; 극단의, 과격한. ② 맨끝의; 최후의. — *n.* C 극단, 극도; (*pl.*) 양극단, 극단적인 수단. ***go to ~s*** 극단으로 흐르다. ***in the ~*** 극도로. **:~·ly** *ad.* 극도로.
ex·trem·ist [ikstrí:mist] *n.* C 극단론자, 과격파.
˙ex·trem·i·ty [ikstrémәti] *n.* ① C 끝(end), 말단, 선단; U 극단, 극한. ② (*sing.*) 곤경. ③ C (보통 *pl.*) 비상 수단. ④ (*pl.*) 수족(手足).
ex·tri·cate [ékstrəkèit] *vt.* 구해내다(set free)(*from*). **-ca·ble** [-kəbəl] *a.* **-ca·tion** [—ˊ—kéiʃən] *n.*
ex·trin·sic [ekstrínsik] *a.* 외부의, 외래적인; 비본질적인(opp. intrinsic). **-si·cal·ly** *ad.*
ex·tro·vert [ékstrouvə̀:rt] *n., a.* C 《心》 외향성의 (사람)(opp. introvert).
˙ex·trude [ikstrú:d] *vt.* 내밀다, 밀어내다. — *vi.* 돌출하다. **ex·tru·sion** [-ʒən] *n.*
ex·u·ber·ant [igzú:bərənt] *a.* 무성한; 풍부한; 원기 왕성한; (문체 따위) 화려한(florid). **~·ly** *ad.* **-ance, -an·cy** *n.*
ex·ude [igzú:d, iksú:d] *vi., vt.* 배어나오(게 하)다, 발산하다(시키다). **ex·u·da·tion** [èksədéiʃən, èksju-, ègzə-] *n.*
˙ex·ult [igzʌ́lt] *vi.* 무척 기뻐하다(rejoice greatly). **~·ant** *a.* **˙ex·ul·ta·tion** [ègzʌltéiʃən, èks-] *n.*
†eye [ai] *n.* C ① 눈. ② 눈매; 시력(eye-sight). ③ 주목. ④ 안식(眼識); 보는 눈, 견해(view). ⑤ 눈 모양의 것《바늘 구멍·감자싹 따위》. ⑥ 《美俗》 탐정; 레이더 수상기(受像機). ***an ~ for an ~*** (***and a tooth for a tooth***) 눈에는 눈 (이에는 이) 《동등한 보복》. ***be all ~s*** 정신차려 주시하다. ***catch a person's ~s*** 눈에 띄다. ***do a person in the ~*** 《俗》 속이다. ***have an ~ for*** …의 잘잘못을 알다, …을 보는 눈이 있다. ***have an ~ to,*** or ***have ... in one's ~*** 꾀하고 있다. ***in my ~s*** 내가 보는 바로는, 내 소견에는. ***in the ~ of the wind,*** or ***in the wind's ~*** 바람을 안고. ***make ~s at*** …에게 추파를 던지다. ***open a person's ~s*** 아무를 깨우치다(*to*). ***see ~ to ~ with ...*** …을 정면으로 마주 보다, …와 의견이 일치하다. ***shut one's ~s to*** …을 못 본 체하다. ***up to the ~s*** (일에) 몰두하여(*in*); (빚에) 빠져서(*in*). ***with an ~ to*** …을 목적으로 (노리고). ***with half an ~*** 언뜻 보아, 쉽게. — *vt.* 잘(자세히) 보다.
éye·bàll *n.* C 눈알, 안구.
˙éye·bròw *n.* C 눈썹.
eye·ful [áifùl] *n.* C 한껏 보고 싶은 것; 《俗》 미인.
éye·glàss *n.* C 안경알; (*pl.*) 안경.
éye·làsh *n.* C 속눈썹.
eye·let [ˊlit] *n.* C 작은 구멍, 끈 꿰는 구멍, (구두·서류 따위의 끈 꿰는 구멍에 달린) 작은 쇠고리.
˙eye·lid [ˊlìd] *n.* C 눈꺼풀, 눈두덩.
éye lìner 아이라이너《속눈썹을 그리는 화장품》.
éye-òpener *n.* C 깜짝 놀랄 말한 일(사건); 《美口》 아침 술.
éye·pìece *n.* C 접안(接眼) 렌즈.
éye shàdow 아이 섀도.
eye·sight [ˊsàit] *n.* U 시각, 시력.
éye·sòre *n.* C 눈에 거슬리는 것.
éye·stràin *n.* U 눈의 피로.
éye·tòoth *n.* (*pl.* **-teeth**) C 견치(犬齒), 송곳니.
éye·wàsh *n.* ① U,C 안약. ② C 속임, 사기.
éye·wìtness *n.* C 목격자.
ey·rie, ey·ry [ɛ́əri, íə-] *n.* = AERIE.

F

F, f [ef] *n.* (*pl.* ***F's, f's*** [-z]) Ⓒ F자 모양(의 것); Ⓤ 《樂》 바음, 바조(調). ***F number*** 《寫》 F수(數).

F Fahrenheit. ***F.** Fellow. ***f*** *forte.* **f.** female; feminine.

fa [fɑː] *n.* Ⓤ,Ⓒ 《樂》 파《장음계의 넷째 음》.

fab [fæb] *a.* 《口》 아주 훌륭한《fabulous의 단축형》.

:fa·ble [féibəl] *n., vt., vi.* ① Ⓒ 우화(寓話)(를 이야기하다); 꾸민 이야기(를 하다), 거짓말(하다). ② Ⓤ,Ⓒ 《집합적》 전설, 신화. **~d** [-d] *a.* 우화로 유명한; 전설적인; 가공(架空)의.

:fab·ric [fǽbrik] *n.* ① Ⓒ,Ⓤ 직물, 천바탕. ② (*sing.*) 조직, 구조; 《집합적》 (교회 따위의) 건물 외부《지붕·벽 따위》.

fab·ri·cate [fǽbrikèit] *vt.* 제작하다; 조립하다; (거짓말, 옛 이야기 등을) 꾸미다; 날조하다; (문서를) 위조하다. **-ca·tor** *n.* **-ca·tion** [fæ̀brikéiʃən] *n.*

***fab·u·lous** [fǽbjələs] *a.* ① 우화〔전설〕적인. ② 믿기 어려운. ③ 매우 훌륭한. **~·ly** *ad.* **~·ness** *n.*

fa·çade [fəsɑ́ːd] *n.* (F.) Ⓒ (건물의) 정면; (사물의) 외관.

†face [feis] *n.* ① Ⓒ 낯, 얼굴 (표정). ② Ⓤ 면목, 체면(dignity). ③ Ⓤ 《口》 넉살좋음, 뻔뻔스러움. ④ Ⓒ 외관; 겉치레; 표면, 정면; (기구 등의) 사용면, (활자의) 자면(字面). ⑤ Ⓒ 찡그린 얼굴. ⑥ Ⓒ 액면. ***~ to ~*** (***with***) …와 마주 보고. ***fly in the ~ of*** …에 정면으로 반대〔도전〕하다. ***have the ~ to*** (do) 뻔뻔스럽게도 …하다. ***have two ~s*** 표리가 부동하다. ***in the ~ of*** …의 면전에서; …에도 불구하고. ***look*** (*a person*) ***in the ~*** (아무의) 얼굴을 (거리낌없이 빤히) 보다, 바로 보다. ***lose ~*** 면목〔체면〕을 잃다. ***make*** 〔***pull***〕 ***~s*** 〔***a ~***〕 얼굴을 찡그려 보이다. ***on the ~ of it*** 언뜻보아. ***pull*** 〔***wear***〕 ***a long ~*** 음울한〔지르퉁한〕 얼굴을 하다. ***put*** 〔***set***〕 ***one's ~ against*** …에 반대하다. SAVE[1] ***one's ~. to a person's ~*** 아무와 얼굴을 맞대고. — *vt.* ① (…에) 면하다; 대항하다; 마주 대하다. ② 가장자리를 대다; (돌의) 면을 곱게 다듬다; (카드의) 거죽을 까놓다. — *vi.* 면하다; 《軍》 방향 전환하다. ***About ~!*** 뒤로 돌아! ***~ away*** 외면하다. ***~ up*** 맞서다, 대항하다(*to*).

fáce càrd 《美》 (카드의) 그림 패.

fáce crèam 화장용 크림.

face·less [⌐lis] *a.* 얼굴〔문자반 등〕이 없는; 익명〔무명〕의; 개성이 없는.

fáce lìfting 주름살 없애는 성형 수술; 신식화(化); 개장(改裝).

fáce-pàck *n.* Ⓒ 화장용 팩.

fac·et [fǽsit] *n.* Ⓒ (보석의) 작은 면; (사물의) 면. — *vt.* (《英》 ***-tt-***) (보석에) 작은 면을 내다〔깎다〕.

fa·ce·tious [fəsíːʃəs] *a.* 익살맞은, 우스운(waggish); 농담의. **~·ly** *ad.* **~·ness** *n.*

***fa·cial** [féiʃəl] *a., n.* 얼굴의; 얼굴에 사용하는; Ⓤ,Ⓒ 안면 마사지; 미안술.

fac·ile [fǽsil/-sail] *a.* 용이한, 쉬운; 경쾌하게 움직이는; 고분고분한, 붙임성 있는.

***fa·cil·i·tate** [fəsílətèit] *vt.* 쉽게 하다; 촉진하다. **-ta·tor** *n.* **-ta·tion** [–⌐–téiʃən] *n.* Ⓤ 촉진, 조장; 《生》 소통.

:fa·cil·i·ty [fəsíləti] *n.* Ⓤ,Ⓒ 용이함; 숙련; 재능; 온순; (*pl.*) 편의, 설비; 《컴》 설비.

***fac·ing** [féisiŋ] *n.* ① Ⓤ (건물의) 겉단장, 마무리 치장. ② Ⓤ (의복의) 가선두르기. ③ (*pl.*) 《軍》 방향 전환.

fac·sim·i·le [fæksíməli] *n., vt., vi.* Ⓒ 복사(하다); Ⓤ,Ⓒ 사진 전송〔팩시밀리〕(로 보내다)(fax). ***in ~*** 복사로, 원본대로. — *a.* 복사의.

F

†**fact**[fækt] *n.* Ⓒ 사실; Ⓤ 진상. ***after*** 〔***before***〕 ***the*** ～ 사후〔사전〕에. ***as a matter of*** ～, or ***in*** 〔***point of***〕 ～ 사실상. ***from the*** ～ ***that*** ... …라는 점에서.
fáct-finding *n., a.* Ⓤ 진상〔현지〕 조사(의).
˙**fac·tion**[fǽkʃən] *n.* Ⓒ 당내의 파, 파당; Ⓤ 당파심; 내분. ～**·al, fác·tious** *a.* 당파적인, 당파심이 강한.
fac·ti·tious[fæktíʃəs] *a.* 인위적인, 부자연한. ～**·ly** *ad.* ～**·ness** *n.*
:**fac·tor**[fǽktər] *n.* Ⓒ ① 요소, 요인. ② 〖數〗 인수. ③ 〖生〗 (유전) 인자. ④ 대리인; 중매인. ～ ***cost*** 생산비. ***prime*** ～ 소인수(素因數). ***principal*** ～ 주인(主因). ── *vt.* (…을) 인수로 분해하다. ～**·age** [-ridʒ] *n.* Ⓤ 대리업; 중개 수수료.
fac·to·ri·al[fæktɔ́:riəl] *a., n.* 대리점의; 〖數〗 인수〔계승(階乘)〕의; (수금) 대리업의; Ⓒ 계승.
:**fac·to·ry** [fǽktəri] *n.* Ⓒ ① 공장, 제작소. ② 대리점, 재외 지점. ③ ＝FACTORY SHIP.
fáctory fàrm 공장식 농장《공장처럼 기계 기술을 도입한 가축 사육장》.
fáctory shìp 공작선, 공모선(工母船)《수산물을 가공 처리하는》.
fac·to·tum[fæktóutəm] *n.* Ⓒ 잡역부.
:**fac·tu·al** [fǽktʃuəl] *a.* 사실상의, 실제의(autual). ～**·ly** *ad.*
:**fac·ul·ty**[fǽkəlti] *n.* Ⓒ ① (기관·정신의) 능력, 재능. ② (신체적·정신적) 기능. ③ 《美》《집합적》 교수단〔회〕; (대학) 학부.
:**fad**[fæd] *n.* Ⓒ 일시적인 열(craze) 〔유행〕; 변덕. **∠·dish, ∠·dy** *a.* 일시적으로 유행〔열중〕하는. **∠·dism** *n.* Ⓤ 일시적인 열중. **∠·dist** *n.*
:**fade**[feid] *vi.* 시들다; (색이) 바래다; 지다. ── *vt.* 색을 바래게 하다. ～ ***in*** 〔***out***〕 〖映·TV〗 용명(溶明)〔용암(溶暗)〕하다. **fad·ed**[∠id] *a.* 시든; 색이 바랜. **fad·er**[∠ər] *n.* Ⓒ 〖放送·錄音〗 음량 조절기. **∠·less** *a.* 시들지〔바래지〕 않는.
fáde-ìn〔**-òut**〕 *n.* Ⓤ 〖映·TV〗 용명(溶明)〔용암(溶暗)〕.
fae·ces[fí:si:z] *n. pl.* ＝FECES.

fag[fæg] *vi.* 《英口》 (**-gg-**) 열심히 일하다(*at*); (public school에서) 상급생의 잔심부름을 하다. ── *vt.* (일이) 지치게 하다(*out*); 《英口》 (하급생을) 부리다. ── *n.* Ⓒ 노역자; Ⓤ 노역; Ⓒ 《英口》 상급생의 시중드는 하급생.
fág énd (피륙의) 토끝; (밧줄 따위의) 풀어진 끝; (물건의) 말단; 남는 것.
fag·ot, 《英》 **fag·got**[fǽgət] *n.* ① 돼지간 요리의 일종. ② 나뭇단.
˙**Fahr·en·heit** [fǽrənhàit, fá:r-] *n., a* Ⓤ 화씨(의); Ⓒ 화씨 온도계(의)《생략 F》.
†**fail**[feil] *vi.* ① 실패하다(*in, of*); 낙제하다. ② 부족하다, 동나다. ③ (건강·기력 따위가) 쇠약해지다, 다하다. ④ 그르치다, …하지 않다(*to* do); 파산하다. ── *vt.* ① (…을) 실망시키다, 저버리다(～ *a friend in need* 곤궁한 친구를 저버리다). ② (…의) 소용에 닿지 않다(*My tongue* ～*ed me.* 말을 못 했다). ③ (약속 따위를) 태만히 하다(～ *to come* 오지 않다). ④ 낙제시키다. ***not*** ～ ***to*** (do) 반드시 …하다. ── *n.* ＝FAILURE《다음 구에만 쓰임》. ***without*** ～ 반드시, 틀림없이, 꼭. ˙**∠·ing** *n., prep* Ⓤ,Ⓒ 실패; 결점; …이 없는 경우에는; …이 없어서.
fáil-sàfe *a.* 자동 안전〔제어〕 장치의 (*a* ～ *system*).
:**fail·ure**[féiljər] *n.* ① Ⓤ 실패; Ⓒ 실패자; Ⓤ 낙제; Ⓒ 낙제자; 낙제점. ② Ⓤ,Ⓒ 태만, 불이행. ③ Ⓤ,Ⓒ 부족; 쇠약; 파산.
:**faint**[feint] *a.* ① 희미한; 연약한. ② 마음이 약한. ③ 현기증 나는, 어질어질한. ── *n., vi.* Ⓒ 기절(하다) (swoon)(*away*). :**∠·ly** *ad.* **∠·ness** *n.*
fáint-héarted *a.* 마음이 약한.
†**fair**[1][fɛər] *a.* ① 아름다운; 흰; 금발의. ② 깨끗한; 맑은, 갠. ③ 순조로운; 정중한; 《古》 장애 없는. ④ 정당한; 공평한. ⑤ 평평한; 꽤 좋은. ⑥ 치레말의. ⑦ 여성의(*a* ～ *reader*). ***be in a*** ～ ***way to*** (do) … 할 가망이 있다. ***by*** ～ ***means or foul*** 수단이 옳고 그름을 가리지 않고 (cf. by HOOK or by crook).

~ **and softly** 그렇게 (결론을) 서두르지 말고. ~ **words** 치레말, 입에 발린 말. — *ad.* ① 공정히; 정통으로. ② 순조롭게; 깨끗이. ③ 정중히. BID ~ **to.** ~ **and square** 《口》 공정히. — *n.* Ⓒ 《古》 여성; 애인. **∠·ish** *a.* 상당한, 어지간한. **:∠·ly** *ad.* 바르게, 공평하게; 바로; 상당히; 꽤; 똑똑히; 충분히; 완전히, 아주. **˙∠·ness** *n.* Ⓤ 공평함.

:fair² *n.* Ⓒ ① 정기시(장); 자선시(慈善市). ② 박람회, 공진회. ③ 설명회. **a day after the ~** 사후 약방문, 행차 후 나팔.

fáir·gròund *n.* Ⓒ (종종 *pl.*) 박람회 등이 열리는 장소.

fáir-háired *a.* 금발의.

fáir-mínded *a.* 공정한. **~ness** *n.*

˙fáir pláy 정정당당한 (경기) 태도.

fáir séx, the 《집합적》 여성.

fáir·wày *n.* Ⓒ 항로; 〖골프〗 tee와 putting green 사이의 잔디밭.

fáir-wèather *a.* 순조로운〔날씨가 좋은〕 때만의. ~ **friendship** 믿지 못할 우정.

:fair·y[fέəri] *n., a.* Ⓒ ① 요정(의, 같은); 아름다운. ② 《口》 동성애의 남자, '호모'.

fáiry lámp 〔**lìght**〕 (옥외 장식용의) 꼬마 램프.

:fáiry·lànd *n.* Ⓒ 요정〔동화〕의 나라.

fáiry tàle 〔**stòry**〕 동화; 지어낸 이야기, 거짓말.

fait ac·com·pli [féit əkɔ́mpli:] (F.) 기정 사실.

:faith[feiθ] *n.* ① Ⓤ 신뢰; 신념. ② Ⓤ 신앙; Ⓒ 교리. ③ Ⓤ 신의; 서약. ***bad*** ~ 배신, 불신. ***by my*** ~ 맹세코. ***give*** 〔***pledge, plight***〕 ***one's*** ~ 맹세하다. ***good*** ~ 성실. ***in*** ~ 실로, 참으로. ***on the*** ~ ***of*** …을 믿고; …의 보증으로.

fáith cùre 〔**hèaling**〕 신앙 요법.

:faith·ful[∠fəl] *a.* 성실한; 신뢰할 수 있는; 정확한. — *n.* (the ~) 신자들. **:~·ly** *ad.* ***Yours ~ly*** 여불비례(餘不備禮). **~·ness** *n.*

˙fáith·less *a.* 불성실한, 믿을 수 없는; 신심 없는. **~·ly** *ad.*

˙fake[feik] *vt., vi.* 날조하다(*up*); …인 체하다. — *n., a.* Ⓒ 위조의 (물건); 가짜(의); 사기꾼. **fák·er** *n.* Ⓒ 협잡꾼, 사기꾼(fraud); 노점 상인.

fa·kir[fəkíər, féikər], **-keer**[fəkíər] *n.* Ⓒ (이슬람교·브라만교의) 행자(行者).

˙fal·con[fǽlkən, fɔ́:l-, fɔ́:k-] *n.* Ⓒ 송골매; (매사냥에 쓰는) 매. **~·er** *n.* Ⓒ 매부리. **~·ry** *n.* Ⓤ 매사냥.

†fall[fɔ:l] *vi.* (**fell; fallen**) ① 떨어지다; 강하하다; (온도·값 따위가) 내리다. ② (머리털이) 늘어지다; (털이) 빠지다. ③ (눈이) 아래로 향하다. ④ 넘어지다; 함락하다; 쇠하다; 기울다. ⑤ (조수(潮水)가) 삐다; (기분이) 침울해지다; 타락하다. ⑥ …이 되다; 우연히 오다. ⑦ (악센트가 …에) 오다, 있다(*on*); (제비에서) 뽑히다. ⑧ 분류되다. ~ ***across*** 우연히 마주치다. ~ ***away*** 버리다; 쇠하다. ~ ***back*** 물러나다; 위약하다; 퇴각하다. ~ ***behind*** 늦어지다. ~ ***down*** 넘어지다; 엎드리다; 《口》 실패하다. ~ ***in*** 내려〔주저〕앉다; 정렬하다, 마주치다. ~ ***into*** (위치에) 서다; …에 빠지다; 시작하다. ~ ***in with*** 우연히 마주치다; 의견이 일치하다; 조화되다. ~ ***off*** (따로) 떨어지다; 줄다, 쇠하다. ~ ***on*** 〔***upon***〕 넘어지다; 마주치다; 공격하다; 몸에 닥치다. ~ ***out*** 사이가 틀어지다; 일어나다, 생기다; 〖軍〗 열을 벗어나다. 낙오되다. ~ ***over*** (담 따위가) 무너지다. ~ ***through*** 실패하다. ~ ***to*** (먹기) 시작하다; 싸움을 시작하다. ~ ***under*** (부류 따위에) 들다.
— *n.* ① Ⓒ 낙하; 강우〔강설〕량. ② (the ~) 도피; 쇠미, 함락. ③ Ⓒ 강하 (거리); 하락; 내리막. ④ (보통 *pl.*) 폭포. ⑤ Ⓒ 〖레슬링〗 '폴'; 한 경기, 한판 승부. ⑥ Ⓤ,Ⓒ 《美》 가을. ***the F-*** 인간의 타락《아담과 이브의 원죄》.

「린 생각; 사기성.

fal·la·cy[fǽləsi] *n.* Ⓤ,Ⓒ 오류; 틀

†fall·en[fɔ́:lən] *v.* fall의 과거 분사. — *a.* ① 떨어진, 쓰러진. ② 쓰러진, 죽은(***the*** ~ 전사자들). ③ 파멸한, 타락한. ~ ***angel*** (천국에서 쫓겨난) 타락한 천사.

fáll gùy 《美俗》 남의 죄를 뒤집어 쓰는 사람; 어수룩한 사람.

fal·li·ble[fǽləbəl] *a.* 속아 넘어가

F

기 쉬운; 틀리기 쉬운; 오류가 있는. **-bil·ity**[ˊ–bíləti] *n.*

fálling stár 별똥별, 유성.

Fal·ló·pi·an tùbe [fəlóupiən-] 수란관(輸卵管), 난관.

fáll·òut *n.* Ⓤ 방사성 낙진, 원자재 (~ *shelter* 방사성 낙진 대피소).

˙fal·low[fǽlou] *a., n., vt.* Ⓤ 묵히고 있는 (밭 따위); 유휴(遊休)(지); 유휴하다, 놀리다. ***lie*** ~ (밭 따위) 묵히고 있다.

:false[fɔːls] *a.* ① 틀린; 거짓의; 가짜의; 부정의. ② 가(假)의. ③ 〖樂〗 가락이 맞지 않는. ~ ***charge*** 무고. ~ ***colors*** 외국기; 가장. — *ad.* 잘못하여; 거짓으로; 불실(不實)하게. ***play*** (*a person*) ~ 《古·廢》 배신하다, 속이다. **˙~·hood**[ˊhùd] *n.* Ⓤ 잘못; 허위. **ˊ·ly** *ad.* **ˊ·ness** *n.*

fal·set·to[fɔːlsétou] *n.* (*pl.* **~s**). *a., ad.* Ⓤ,Ⓒ 〖樂〗 가성(假聲)(의, 으로).

fals·ie[fɔ́ːlsi] *n.* Ⓒ (보통 *pl.*) 《口》 여성용 가슴받이《유방을 풍만하게 보이기 위한》.

fal·si·fy[fɔ́ːlsəfài] *vt.* 속이다; (서류를) 위조하다; (…이) 거짓임[틀림]을 증명하다; (기대 따위를) 저버리다. **-fi·ca·tion**[ˊ–fəkéiʃən] *n.* Ⓤ,Ⓒ 허위; 위조; 곡해; 반증.

fal·si·ty[fɔ́ːlsəti] *n.* Ⓤ,Ⓒ 허위; 거짓말; 틀림.

˙fal·ter[fɔ́ːltər] *vi.* ① 비틀거리다. ② 말을 더듬다. ③ 머뭇거리다. — *vt.* 우물우물[더듬더듬] 말하다. — *n.* Ⓒ 비틀거림; 머뭇거림; 더듬음[는 말]. **~·ing·ly** *ad.* 비틀거리며, 머뭇거리며, 말을 더듬으며.

:fame[feim] *n.* Ⓤ 명성, 평판. ***earn*** ~ 명성을 얻다. — *vt.* 유명하게 만들다. **˙~d**[-d] *a.* 유명한(*for*).

:fa·mil·iar[fəmíljər] *a.* ① 잘 알려져 있는, 흔한. ② 잘 알고 있는, 친한(*with*); 버릇이 없는; 스스럼없는, 탁 터 놓은. ③ 뻔뻔스러운. ④ (짐승이) 길들여진. **~·ly** *ad.* **˙-i·ar·i·ty** [fəmìljǽrəti, -liǽr-/-liǽr-] *n.*

fa·mil·iar·ize[fəmíljəràiz] *vt.* 친[익숙]해지게 하다(*with*); 통속화하다. **-i·za·tion**[–ˋ–rizéiʃən] *n.*

:fam·i·ly[fǽməli] *n.* ① Ⓒ 《집합적》 가족, 식구. ② Ⓤ (한 집안의) 아이들. ③ Ⓒ 일족(clan). ④ Ⓒ 〖生〗 과(科)《order의 아래, genus의 위》. ***in the*** ~ ***way*** 임신하여.

fámily màn 가정을 가진 남자; 가정적인 남자.

:fámily náme 성(姓).

fámily plánning 가족 계획.

fámily trée 가계도(家系圖); 족보.

:fam·ine[fǽmin] *n.* Ⓤ,Ⓒ 기근; 대부족. ***house*** ~ 주택난. 「하)다.

˙fam·ish[fǽmiʃ] *vi., vt.* 굶주리(게

†fa·mous [féiməs] *a.* 유명한(*for*); 《口》 근사한(first-rate).

:fan[1] [fæn] *n.* Ⓒ ① 부채, 선풍기; 부채 모양의 것. ② 키. — *vt., vi.* (**-nn-**) ① 부채질하다; 키질하다; (부채 따위로) 쫓다. ② 부추기다. ③ 〖野〗 삼진당하다[시키다]. ④ 부채꼴로 펼치(어지)다.

:fan[2] *n.* Ⓒ 《口》 팬, 열광자(*fan*atic devotee)(*a baseball* ~ 야구 팬).

˙fa·nat·ic[fənǽtik] *a., n.* 열광적인; Ⓒ 열광[광신]자. **-i·cal** *a.* = FANATIC. **-i·cism**[-təsìzəm] *n.*

fan·ci·er[fǽnsiər] *n.* Ⓒ (꽃·개 등의) 애호가; 재배자, 사육자(*a tulip* ~ 튤립 재배가).

˙fan·ci·ful [fǽnsifəl] *a.* 변덕스런; 기발한; 공상의. **~·ly** *ad.* 공상적으로, 기발하게. **~·ness** *n.*

:fan·cy[fǽnsi] *n.* ① Ⓤ,Ⓒ 공상(력); 공상(의 산물). ② Ⓤ 취미, 도락. ③ (the ~) 《집합적》 (동식물 등의) 애호[사육·재배]가들. ***catch the*** ~ ***of*** …의 마음에 들다. ***have a*** ~ ***for*** …을 좋아하다, …을 갖고 싶다. ***take a*** ~ ***for*** [***to***] …을 좋아하다. ***to one's*** ~ 마음에 드는, 뜻에 맞는. — *a.* ① 공상의. ② 장식적인. ③ 극상품의. ④ 곡예의(~ *flying* 곡예 비행). ⑤ 변종의. ⑥ 터무니 없는. ***at a*** ~ ***price*** 터무니 없는 값으로. — *vt.* 공상하다; (어쩐지) …라고 생각하다; 좋아하다.

fáncy dréss 가장복.

fáncy-frée *a.* 연애를 모르는.

fan·fare[fǽnfɛ̀ər] *n.* Ⓒ 팡파르; Ⓤ 과시.

fang[fæŋ] *n.* Ⓒ 엄니; (뱀의) 독아(毒牙); (끌이나 찬칼 따위의) 슴베.

fán lètter 〔**màil**〕 팬레터.
fán·lìght *n.* Ⓒ (문이나 창 위 따위의) 부채꼴 창(窓).
fan·ny [fǽni] *n.* Ⓒ《英口·婉曲》궁둥이; 여성의 성기.
fan·ta·sia [fæntéiʒiə, -teiziə] *n.* Ⓒ 〖樂〗 환상곡; (명곡 멜로디를 이어 만든) 혼성곡(potopourri).
:fan·tas·tic [fæntǽstik], **-ti·cal** [-əl] *a.* ① 공상적인; 변덕스러운. ② 기묘한. ③ 상상상의. **~·ly** *ad.*
·fan·ta·sy [fǽntəsi, -zi] *n.* ① Ⓤ,Ⓒ 공상; 기상(奇想); 변덕; 백일몽. ② = FANTASIA.
†far [fɑːr] *a.* (**farther, further; farthest, furthest**) 먼; 저쪽의. ***a ~ cry*** 원거리(*from*). ***F- East(ern)*** 극동(의). ── *ad.* (시간·공간적으로) 멀리; 크게. ***as*** 〔***so***〕 ***~ as*** …까지, 하는 한. ***~ and away*** 훨씬. ***~ and near*** 〔***wide***〕 도처에. ***~ be it from me to*** (do) 단연코 … 않다. ***~ from*** …커녕. ***go ~*** 크게 효력이 있다. ***how ~*** 어디까지. ***in so ~ as*** …하는 한. ***so ~*** 이제까지. SO ***~ as. So ~ so good.*** 지금까지는 잘 돼 가고 있다. ── *n.* Ⓤ 먼 곳; 높은 정도. ***by ~*** 훨씬, 단연코. ***from ~ and near*** 원근에서, 도처에서.
·far·a·way [fɑ́ːrəwèi] *a.* (시간·거리·연고 등이) 먼; (눈이) 꿈꾸는 듯한.
·farce [fɑːrs] *n.* Ⓤ,Ⓒ 소극(笑劇), 익살극. ── *vt.* (문장·담화에) 익살미(味)를 가하다. **far·ci·cal** [⌐ikəl] *a.* 우스운, 익살맞은.
:fare [fɛər] *n.* ① Ⓒ (탈것의) 요금; 승객. ② Ⓤ 음식물. ── *vi.* 지내다; 일어나다(happen); 먹다, 대접받다; 《詩》 가다, 여행하다.
Fár Éast, the ⇨FAR (*a.*).
:fare·well [fɛ̀ərwél] *int., a., n.* Ⓤ,Ⓒ 안녕!; 작별의 (인사); 고별.
fár-fétched *a.* 견강부회의, 억지로 갖다대는. 「진.
fár-flúng *a.* 광범위에 걸친, 널리 퍼
fár-góne *a.* 먼; (병 따위가) 훨씬 악화된; 피로에 지친.
†farm [fɑ́ːrm] *n.* Ⓒ ① 농장, 농가; 사육장(*an oyster ~* 굴 양식장). ② 〖野〗 (대(大)리그 소속의) 선수 양성팀. ── *vt.* ① (토지를) 대차(貸借)하다; (땅을) 경작하다. ② (세금 징수 따위를) 도급맡다; (일정한 요금을 받고 어린아이 등을) 맡다. ── *vi.* 경작하다; 농장을 경영하다. **~ *out*** 도급맡기다; (어린애를) 맡기다; 〖野〗 양성팀에 맡기다. **†⌐·er** *n.* Ⓒ (농지를 가진) 농부〔농가〕(cf. peasant); 유아를 맡는 사람; (세금 등의) 징수도급인. **⌐·ing** *n.* Ⓤ 농업, 농사; 탁아소 경영; (세금의) 징수 도급.
fárm hànd 농장 노동자.
·farm·house [⌐hàus] *n.* Ⓒ 농가.
·fárm·lànd *n.* Ⓤ 농지. 「농장.
fárm·stèad *n.* Ⓒ (건물을 포함한)
fárm·yàrd *n.* Ⓒ 농가의 안뜰.
·fár-óff *a.* 아득히 먼.
far·ra·go [fəréigou, -ɑ́ː-] *n.* (*pl.* **~es**) Ⓒ 뒤범벅.
·fár-réaching *a.* 멀리까지 미치는, 광범위한; 원대한.
fár-síghted *a.* 원시(遠視)의. **~ness** *n.*
:far·ther [fɑ́ːrðər] 《far의 비교급》 *a., ad.* ① 더 먼〔멀리〕. ② 그 위에〔의〕, 더욱더, 좀 더《이런 의미로는 보통 further》. ***I'll see you ~*** (=FURTHER) ***first. wish*** (*a person, thing*) ***~*** 그 곳에 없으면 좋겠다고 생각하다. **~·most** [-mòust] *ad.* 가장 먼(farthest).
:far·thest [fɑ́ːrðist] 《far의 최상급》 *a., ad.* 가장 먼〔멀리〕. ***at*** (***the***) ***~*** 멀어도; 늦어도, 고작(at most).
:far·thing [fɑ́ːrðiŋ] *n.* Ⓒ 영국의 동전《1/4 penny》.
fas·ci·a, fa·ci·a [fǽʃiə, féiʃə] *n.* Ⓒ (머리 매는) 끈, 띠; 〖外科〗 붕대; 〖解〗 근막(筋膜).
:fas·ci·nate [fǽsənèit] *vt.* ① 매혹하다. ② (공포로) 움츠러지게 하다, 눈독들이다. ***·-nat·ing*** *a.* 매혹적인. **-na·tor** *n.*
·fas·ci·na·tion [fæ̀sənéiʃən] *n.* ① Ⓤ 매혹; 매력. ② Ⓒ 매력 있는 것. ③ Ⓤ (뱀 따위가) 노려봄.
Fas·cism [fǽʃizəm] *n.* Ⓤ (Mussolini 치하 이탈리아의) 파시즘; (f-) 《一般》 국가 사회주의. **Fás·cist, f-** *n.*
:fash·ion [fǽʃən] *n.* ① Ⓤ,Ⓒ 유행 (*~ book* 유행 복장 견본집/*~ show*

F

(*parade*) 패션 쇼); (보통 the ~) 상류 사회(의 풍습·사람들). ② Ⓤ 방법. ③ Ⓒ 형, 양식. ④ (the ~) 유행인[물]. ***after* (*in*) *a* ~** 이럭저럭. ***be in* (*the*) ~** 유행되고 있다. ***come into* ~** 유행되다. ***go out of* ~** 한물가다. ***in this* ~** 이렇게, 이런 식으로. — *vt.* 형성하다. **:~·a·ble** *a.* 유행의; 상류 사회의. **~·mon·ger**[-mʌ̀ŋgər] *n.* Ⓒ 유행 연구가; 유행을 쫓는 사람.

†fast[1][fæst/fɑːst] *a.* ① 빠른, 재빠른. ② 단단한; 고정된. ③ (색이) 바래지 않는. ④ (잠이) 깊은. ⑤ (시계가) 더가는. ⑥ 충실한. ⑦ 방탕한. ⑧ 빈틈 없는. ⑨ 피할 수 없는. ⑩ (필름이) 고감도의. ⑪ (특히 미생물이 약품 따위에) 저항력이 있는. ***make* ~** 죄다, 잇다. ***pull a* ~ *one on*** 《美俗》 …를 속임수로 이기다. — *ad.* 굳게; (잠 따위를) 푹; 빨리; 착착; 방탕하여. ***live* ~** 방탕하다. ***play* ~ *and loose*** 태도가 (흔들려) 믿을 수 없다. **∠·ish** *a.* 꽤 빠른; 방탕적인. **∠·ness** *n.* Ⓤ 견고; 고착; 신속; Ⓒ 요새.

˙fast[2] *vi., n.* 단식하다; Ⓒ 단식(기간·일). ***break one's* ~** 단식을 그만두다; 아침을 먹다. **∠·ing** *n.* Ⓤ 단식.

:fas·ten[fǽsn/-ɑ́ː-] *vt.* ① 단단히 고정시키다[죄다](*on*); 붙들어 매다(*to*). ② (눈을) 멈추다(*upon*). ③ (열쇠 따위로 문을) 잠그다. — *vi.* 고착하다, (문 등이) 잠기다; 딱 달라붙다(*on*). **~ *down*** (못으로) 박다. **~ *up*** 단단히 고착시키다; 붙박아놓다. **~·er** *n.* Ⓒ 죄는 사람[도구]; 지퍼. **~·ing** *n.* Ⓤ 죔; Ⓒ 죄는 것.

fást fóod 즉석 또는 가져가서 먹게 만든 요리《햄버거나 닭튀김 등》.

fas·tid·i·ous [fæstídiəs, fəs-] *a.* 꽤 까다로운, 가리는.

†fat[fæt] *a.* (**-tt-**) ① 살찐, 지방이 많은. ② 비옥한; 유복한; 풍부한. ③ 둔감한. ***a* ~ *chance*** 《俗》 많은 기회, 《反語》 가망이 희박함. ***a* ~ *lot*** 《俗》 많이, 듬뿍; 《反語》 조금도. ***cut it* (*too*) ~** 드러내어 자랑하다. ***cut up* ~** 많은 돈을 남기고 죽다. **~ *year*** 풍년. — *n.* ① Ⓤ,Ⓒ 지방; 기름기; 고기의 기름기가 많은 부분. ② (the ~) 제일 좋은 부분. ***chew the* ~** 《英俗》 불평하다, 꾸짖다; 《美俗》 지껄이다, (말을) 늘어놓다. ***eat* (*live on*) *the* ~ *of the land*** 사치스런 생활을 하다. — *vi., vt.* (**-tt-**) 살찌(게 하)다. **∠·tish** *a.* 좀 살이 찐. **∠·ty** *a.* 기름기의[많은].

:fa·tal[féitl] *a.* ① 치명[파멸]적인. ② 숙명적인; 결정적인. **~·ism** [-təlìzəm] *n.* Ⓤ 숙명론. **~·ist** [-təlist] *n.* **~·is·tic**[fèitəlístik] *a.* **˙~·i·ty**[feitǽləti, fə-] *n.* Ⓤ,Ⓒ 숙명; 재난; 죽음, 변사. **˙~·ly**[-təli] *ad.* 치명적으로.

fát cát 《美俗》 다액의 정치 헌금을 하는 부자; 특권을 가지는 부호.

:fate[feit] *n.* ① Ⓤ,Ⓒ 운명, 숙명; 운(運); 인연, 인과. ② Ⓒ 죽음; 파멸. ③ (the F-s) 〖그·로神〗 운명의 세 여신(女神). ***meet one's* ~** 비명에 죽다. **fat·ed**[∠id] *a.* 운명의; 운이 다한. **∠·ful** *a.* 숙명적인; 치명[파멸]적인; 중대한.

fát·hèad *n.* Ⓒ 《口》 얼간이, 바보.

†fa·ther[fɑ́ːðər] *n.* ① Ⓒ 아버지; 창시자, 시조; (보통 *pl.*) 선조. ② 〖宗〗 Ⓒ 신부. ③ Ⓒ (옛로마의) 원로원 의원. ④ (the F-) 하느님. ***be a* ~ *to*** …에 대해서 아버지처럼 행동하다. ***be gathered to one's* ~*s*** 죽다. SPIRITUAL ~. ***the Holy F-*** 로마 교황. ***The wish is* ~ *to the thought.*** 《속담》 바라고 있으면 정말인 것처럼 여기게 된다. — *vt.* (…의) 아버지이다; 아버지처럼 행동하다; 창시하다; (…의) 말이라고 일컫다(*The saying is ~ed on Pascal.* 그것은 파스칼의 말이라고 일컬어진다). **~·hood**[-hùd] *n.* Ⓤ 아버지임. **~·less** *a.* **~·ly** *a.* 아버지의[다운]; 자비깊은.

Fáther Chrístmas 《英》 = SANTA CLAUS.

fáther-in-làw *n.* (*pl.* **-s-in-law**) Ⓒ 시아버지; 장인.

fáther·lànd *n.* Ⓒ 조국.

Fáther's Dáy 《美》 아버지 날《6월 셋째 일요일》.

˙fath·om[fǽðəm] *n.* Ⓒ 〖海〗 길《6 feet, 약 1.8 m》. — *vt.* (수심을) 재다; 헤아리다, 추측하다. **~·a·ble**

a. 잴 수 있는; 추측할 수 있는. **~·less** *a.* 헤아릴 수 없는.

:fa·tigue [fətíːg] *n.* ① Ⓤ 피로. ② Ⓒ 노고; 〖軍〗 사역(使役); (*pl.*) 작업복. ③ Ⓤ (금속의) 약화. ― *vt.* 지치게 하다; (금속 등을) 약화시키다.

·fat·ten [fǽtn] *vt., vi.* 살찌우다, (땅을) 기름지게 하다; 살찌다.

fat·u·ous [fǽtʃuəs] *a.* 얼빠진; 분별없는; 철없는; 실체(實體)가 없는. **~ *fire*** 도깨비불. **fa·tu·i·ty** [fətjúːəti/-tjúː-] *n.*

fau·cet [fɔ́ːsit] *n.* Ⓒ 수도꼭지, 고「동.

:fault [fɔːlt] *n.* ① Ⓒ 과실. ② Ⓒ 결점. ③ Ⓤ 책임. ④ Ⓒ 〖테니스〗 폴트《서브 실패》. ⑤ Ⓒ 〖地〗 단층(斷層). ⑥ Ⓒ 〖컴〗 장애. ***at ~*** 잘못하여; 당황하여. ***find ~ with*** …의 흠을 잡다; …을 비난하다. ***in ~*** 잘못된, 나쁜. ***to a ~*** 과도히, 극단적으로. **˙∠·less** *a.* 더할 나위없는. **˙∠·y** *a.* 결점 있는, 불완전한.

fáult·finding *n.* Ⓤ 흠잡기.

faun [fɔːn] *n.* Ⓒ 〖로神〗 목축·농업을 맡은 반인(半人) 반염소의 신.

fau·na [fɔ́ːnə] *n.* Ⓤ,Ⓒ (한 시대·한 지역의) 동물상(相), 동물군; Ⓒ 동물지(誌)(cf. flora).

faux pas [fóu pάː] (F.) (*pl.* ~ [-pάːz]) 실례되는 말[행위]; 품행이 좋지 못함; (여성의) 문란한 행위.

†fa·vor, 《英》 **-vour** [féivər] *n.* ① Ⓤ 호의, 친절. ② Ⓤ 애고(愛顧); 총애; 편애. ③ Ⓒ 선물. ④ Ⓒ (여자가 몸을 허락하는) 동의(同意). ***ask a ~ of a person*** 아무에게 (무엇을) 부탁하다. ***by your ~*** 실례입니다만. ***do a person a ~*** 아무를 위해 힘쓰다. ***find ~ with a person*** 아무의 눈에 들다. ***in ~ of*** …에 찬성하여; …을 위해; …에게 지급될. ***out of ~ with*** …의 눈밖에 나서.

:fa·vo(u)r·a·ble [féivərəbəl] *a.* 호의를 보이는; 형편[계제] 좋은; 유리한; 유망한(promising). **-bly** *ad.*

:fa·vo(u)r·ite [féivərit] *n.* Ⓒ 마음에 드는 것; 인기 있는 사람; (경기·경마 따위의) 우승 후보. ― *a.* 맘에 드는, 좋아하는. **-it·ism** [-ìzəm] *n.* Ⓤ 편애; 정실, 편파.

fawn[1] [fɔːn] *n., a.* Ⓒ (한살 이하의) 새끼 사슴; Ⓤ 엷은 황갈색(의).

fawn[2] *vi.* 아첨하다, 해롱거리다(*on, upon*); (개가) 재롱떨다(*on, upon*).

fax [fæks] *n., vt.* Ⓤ,Ⓒ 전송 사진[팩스](으로[로] 보내다)《facsimile의 생략형》. ― *a.* 팩시밀리의, 복사의.

faze [feiz] *vt.* 《美口》 방해하다, (…의) 마음을 혼란케 하다.

FBI, F.B.I. 《美》 Federal Bureau of Investigation.

fe·al·ty [fíːəlti] *n.* Ⓤ (영주에 대한 신하의) 충성; 《一般》 성실.

†fear [fiər] *n.* Ⓤ ① 두려움, 공포, 걱정. ② (신에 대한) 경외(awe). ***for ~ of*** …을 두려워하여; …이 없도록. ***in ~ of*** …이 무서워서. ***without ~ or favo(u)r*** 공평하게. ― *vt., vi.* 무서워하다; 걱정하다; 경외하다. **:∠·less** *a.*

:fear·ful [∠fəl] *a.* 무서운; 두려워하여; 걱정하여(afraid)(*of*); 지독한. **˙~·ly** *ad.* **~·ness** *n.*

fear·some [∠səm] *a.* 무서운, 무시무시한; 겁많은.

·fea·si·ble [fíːzəbəl] *a.* 실행할 수 있는, 가능한; 있을 법한; 적당한. **-bil·i·ty** [∸-bíləti] *n.*

:feast [fiːst] *n.* Ⓒ 축제(일); 축연, 대접; 즐거움. **~ *of reason*** 명론탁설(名論卓說). ― *vt., vi.* 잔치를 베풀다, 대접을 받다; 즐기(게 하)다.

·feat [fiːt] *n.* Ⓒ 위업(偉業); 공적; 묘기(妙技).

†feath·er [féðər] *n.* Ⓒ 깃털(같이 가벼운 것). ***a ~ in one's cap*** [***hat***] 자랑거리, 명예. ***Birds of a ~ flock together.*** 《속담》 유유상종(類類相從). ***crop*** (***a person's***) ***~s*** (아무의) 콧대를 꺾어 주다. ***Fine ~s make fine birds.*** 《속담》 옷이 날개. ***in fine*** [***good, high***] ***~*** 의기양양하게, 힘차게. ***make the ~s fly*** 《口》 (상대를) 혼내주다; 큰 소동을 일으키다. ***not care a ~*** 조금도 개의치 않다. ***show the white ~*** 겁내다, 꽁무니를 빼다. ― *vt.* 깃으로 장식하다. ― *vi.* 깃털이 나다; 날개처럼 움직이다. ***~ one's nest*** 사복(私腹)을 채우다. **~ed** [-d] *a.* 깃이 있는; 깃으로 장식한; 깃 모양을 한. **~·y** *a.* 깃이 난, 깃으로 덮인;

F

깃털 같은; 가벼운.

féather·wèight *n.* Ⓒ 〖拳〗 페더급 선수《체중 118-126 파운드》.

:**fea·ture**[fíːtʃər] *n.* Ⓒ ① 얼굴의 일부《이마·눈·코·입 따위》; (*pl.*) 용모. ② 특징. ③ 〖映〗 장편(물); (라디오·신문의) 특집 기사, 특종; 〖컴〗 특징. ── *vt.* (…의) 특징을 이루다; 인기 거리로 내세우다. **~d**[-d] *a.* 인기 있는; (…의) 얼굴(모양)을 한. **~·less** *a.* 특징〔특색〕 없는.

Feb. February. 「제.

feb·ri·fuge[fébrifjùːdʒ] *n.* Ⓒ 해열

fe·brile[fíːbrəl, féb-/fíːbrail] *a.* 열병의(feverish); 발열의〔로 생기는〕.

†**Feb·ru·ar·y** [fébruèri, fébrju-/fébruəri] *n.* 2월.

fe·ces[fíːsiːz] *n. pl.* 배설물; 찌끼.

feck·less[féklis] (＜effectless) *a.* 쓸모없는; 약하디 약한.

fec·u·lence [fékjələns] *n.* Ⓤ 불결; 오물; 찌꺼기.

fe·cund[fíːkənd, fé-] *a.* 다산(多産)의, 비옥한.

fe·cun·di·ty [fikʌ́ndəti] *n.* Ⓤ 다산; 풍요; 생산력.

:**fed**[fed] *v.* feed의 과거(분사).

:**fed·er·al**[fédərəl] *a.* 동맹의; 연방(정부)의; (F-) 《美》 중앙 정부의; 〖美史〗 (남북 전쟁 당시의) 북부 연맹의(*the F- States*)(opp. Confederate). ***the F- Government*** 미국 연방 정부〔중앙 정부〕. **~·ism**[-ìzəm] *n.* Ⓤ 연방주의. **~·ist** *n.* **~·ize** [-àiz] *vt.* 연방으로 하다.

Féderal Búreau of Investigàtion, the 《美》 연방 수사국《생략 FBI》.

fed·er·ate[fédərèit] *vt., vi.* 연합시키다〔하다〕. ── [-rit] *a.* 연합한. ***-a·tion**[ˌ--éiʃən] *n.* Ⓤ 연합; Ⓒ 연방 정부; 연맹. **-a·tive**[fédərèitiv, -rə-] *a.* 연합의.

:**fee**[fiː] *n.* Ⓒ 보수; 요금; 수수료; Ⓤ (봉건 시대에 군주로부터 받은) 영지; 〖法〗 상속지〔권〕, 상속 재산. ***hold in* ~** 토지를 무조건으로 영유하다. ── *vt.* (***feed, fee'd***) 요금〔입회금(등)〕을 치르다.

:**fee·ble**[fíːbəl] *a.* 약한. ***fee·bly** *ad.* **~·ness** *n.*

féeble-mínded *a.* 의지가 약한; 저능한. **~ness** *n.* Ⓤ 정신 박약.

:**feed**[fiːd] *vt.* (***fed***) ① (…에게) 음식물을 주다. ② (원료를) 공급하다. ③ 만족시키다. ④ 기르다. ⑤ 〖劇〗 (연기자에) 대사의 실마리를 주다. ── *vi.* (가축이) 먹이를 먹다. ***be fed up*** 《口》 체하다, 물리다(*with, on*). **~ *a cold*** 감기 들렸을 때 많이 먹다 《치료법》. **~ *up*** (영양 불량아 등에게) 맛있는 것을 많이 먹이다; 살찌게 하다. ── *n.* Ⓤ 사료; Ⓒ (1회분의) 식사; (원료의) 공급(장치); Ⓤ 공급 재료; Ⓒ 〖劇〗 (연기자에) 대사 실마리를 주는 사람. ***∠·er** *n., a.* Ⓒ 사육자(飼育者); 먹는 사람〔짐승〕; 수유병(授乳甁); 지류(支流); 원료 공급 장치; 부차적; 하청(下請)의. **∠·ing** *n.* Ⓤ 급식(給食); 수유(授乳).

***féed·bàck** *n.* Ⓤ 〖電子·컴〗 피드백, 되먹임; 종합 작용, 반향. ── *a.* 피드백의, 재생의.

féeding bòttle 젖병.

†**feel**[fiːl] *vt.* (***felt***) 만지다, 만져 보다〔알아채다〕; 느끼다, 생각하다. ── *vi.* 느끼다; (…이라는) 느낌이 들다(*This cloth* ~*s rough.* 이 천은 꺼칠꺼칠하다); 동정하다(*for, with*). **~ *for*** 더듬어 찾다; …에 동정하다. **~ *like* do*ing*** …하고 싶은 마음이 들다. **~ *one's way*** 더듬어 나아가다. ── *n.* (*sing.*) 느낌, 촉감. ***to the* ~** 손으로 만져서. **∠·er** *n.* Ⓒ 만져 보는 사람; (상대방 의향을) 떠봄; 〖動〗 촉각(antenna).

:**feel·ing**[fíːliŋ] *n.* ① Ⓤ 감각, 촉감; 지각. ② (*sing.*) 느낌. ③ Ⓤ,Ⓒ 감정; (보통 *pl.*) 기분. ④ Ⓤ 흥분; 감수성. ── *a.* 느끼는, 감각이 있는, 다감한. **~·ly** *ad.* 감정을 넣어.

†**feet**[fiːt] *n.* Ⓤ foot의 복수.

fee-TV [fíːtìːvíː] *n.* Ⓤ 유료 TV (subscription television).

feign**[fein] *vt.* 겉으로 꾸미다; (구실 따위를) 만들어 내다. **~ *illness = **~ *to be ill*** 꾀병부리다. ── *vi.* 짐짓 …인 체하다.

feint[feint] *n., vt.* Ⓒ 거짓 꾸밈, 가장(假裝)(하다); (권투·배구 등에서) 치는 시늉〔페인트〕 (하다); 〖軍〗 양동작전(을 하다).

feist·y[fáisti] *a.* 《美口》 원기 왕성한; 공격적인; 성마른. **féist·i·ly** *ad.* **féist·i·ness** *n.*

feld·spar[féldspɑ̀:r] *n.* Ⓤ 〖鑛〗 장석(長石).

fe·lic·i·tate[filísətèit] *vt.* 축하하다. **-ta·tion**[–^–téiʃən] *n.* Ⓒ (보통 *pl.*) 축하; 축사.

fe·lic·i·tous[filísətəs] *a.* (행동·표현 등이) 적절한; 표현이 교묘한.

ˑ**fe·lic·i·ty**[filísəti] *n.* Ⓒ 경사; Ⓤ (더없는) 행복, 지복; (표현의) 교묘함; Ⓒ 적절한 표현.

fe·line[fí:lain] *a., n.* Ⓒ 고양잇과(科)의 (동물); 고양이의〔같은〕.

†**fell**[1][fel] *v.* fall의 과거.

fell[2] *n., vt.* Ⓒ 벌채(하다); (사람을) 쳐서 넘어뜨리다; (바느질에서) 공그리기(하다).

fell[3] *a.* 잔인한; 무서운; 치명적인.

fell[4] *n.* 《Sc. 北英》 Ⓒ 고원 지대, 구릉지대; (지명에서) …산(山).

fel·la·ti·o[fəlá:tiòu, -léiʃiòu, fe-] *n.* Ⓤ 펠라티오《구강으로 음경 자극》.

†**fel·low**[félou] *n.* Ⓒ ① 동무, 동지, 동료. ② 일원; (한 쌍의) 한 쪽. ③ 《口》 사람, 남자(man, boy); 《蔑》 놈, 자식. ④ 《口》 정부(情夫), 애인. ⑤ (대학의) 평의원, 특별 연구원; (F-) (학회의) 특별 회원. — *a.* 동지의, 동무의.

féllow féeling 동정(同情); 공감.

ˑ**fel·low·ship**[-ʃip] *n.* ① Ⓤ 친구〔동지〕임; 우정, 친교, 교우. ② Ⓤ 공동(共同). ③ Ⓒ (뜻이 같은 사람들의) 단체; (동업) 조합. ④ Ⓒ (대학의) 특별연구원의 지위〔급여〕.

fel·o·ny[féləni] *n.* Ⓤ,Ⓒ 〖法〗 중죄. **-ni·ous**[filóuniəs] *a.* 중죄의; 흉악한, 극악한.

†**felt**[1][felt] *v.* feel의 과거(분사).

ˑ**felt**[2] *n., a.* Ⓤ 펠트(의). ~ ***hat*** 펠트모자, 중절모.

fem. feminine.

:**fe·male** [fí:meil] *n., a.* (opp. male) Ⓒ 여성(의); 〖動·植〗 암(의).

ˑ**fem·i·nine**[fémənin, -mi-] *a.* 여성〔여자〕의, 여자다운; 〖文〗 여성의. **-nin·i·ty**[–^–nínəti] *n.* Ⓤ 여자다움; 계집애 같음; 《집합적》 여성.

fem·i·nism[fémənìzəm] *n.* Ⓤ 여권 신장론; 남녀 동권주의. **-nist** *n.*

fe·mur[fí:mər] *n.* (*pl.* **~s, femo·ra**[fémərə]) Ⓒ 〖解〗 대퇴골.

fen[fen] *n.* Ⓒ 《英》 소택지, 늪지대.

:**fence**[fens] *n.* ① Ⓤ 검술, 펜싱. ② Ⓒ 울타리, 담. ③ Ⓒ 장물 취득인〔소〕. ***come down on the right side of the*** ~ 이길듯한〔우세한〕 쪽에 붙다. ***mend*** 〔***look after***〕 ***one's ~s*** 화해하다; 《美》 선거구 지반 굳히기를 하다. ***on the other side of the*** ~ 반대당에 가담하여. ***sit*** 〔***stand***〕 ***on the*** ~ 기회주의적인 태도를 취하다, 형세를 관망하다. — *vi., vt.* (…에) 울타리를 하다; 방어하다; 검술을 하다; (질문을) 받아넘기다(*with*); (말이) 담을 뛰어넘다. ~ ***about*** 〔***up***〕 울타리를 두르다. **fénc·er** *n.* Ⓒ 검객. :**fénc·ing** *n.* Ⓤ 펜싱, 검술; 담(의 재료).

fend[fend] *vt., vi.* 막다; 저항하다. ~ ***for oneself*** 자활(自活)하다, 혼자 꾸려 나가다. ~ ***off*** 피하다, 받아넘기다.

fend·er[féndər] *n.* Ⓒ (각종의) 완충물(緩衝物)《난로울·배의 방현재(防舷材)·전차의 완충기 따위》.

fennel[fénəl] *n.* Ⓒ 〖植〗 회향풀.

fe·ral[fíərəl] *a.* 야성의; 흉포한.

ˑ**fer·ment**[fə́:rment] *n.* Ⓤ 효소; 발효; 흥분; 동란. — [fərmént] *vt., vi.* 발효시키다〔하다〕; 대소동을 벌이(게 하)다. ˑ**fer·men·ta·tion**[–^–téiʃən, -mən-] *n.* Ⓤ 발효 (작용); 흥분; 동란.

ˑ**fern**[fə:rn] *n.* Ⓒ,Ⓤ 〖植〗 양치(羊齒)(류). **∠·er·y** *n.* Ⓒ 양치 식물의 재배지〔원〕.

ˑ**fe·ro·cious** [fəróuʃəs] *a.* 사나운; 잔인〔흉악〕한.

ˑ**fe·roc·i·ty** [fərásəti/-ɔ́-] *n.* Ⓤ 잔인(성); Ⓒ 광포한 행동.

fer·ret [férit] *n.* Ⓒ 흰족제비《쥐잡기·토끼 사냥용》. — *vt., vi.* 흰족제비로 사냥을 하다; 찾아내다(*out*).

Fér·ris whèel[féris-] 페리스식 회전 관람차.

fer·rous[férəs] *a.* 철의〔을 포함한〕; 〖化〗 제1철의(cf. ferric).

fer·rule[férəl, -ru:l] *n.* Ⓒ (지팡이 따위의) 물미.

:**fer·ry**[féri] *n.* Ⓒ 나루터; 나룻배;

F

도선업(渡船業); 항공 수송(로). (신조 비행기의) 자력 현지 수송. — *vt.* 도선(渡船)[공수]하다.

·**férry·bòat** *n.* Ⓒ 나룻배, 연락선.

fer·ry·man [-mən] *n.* Ⓒ 나룻배 사공; 도선업자.

:**fer·tile** [fə́ːrtl/-tail] *a.* 비옥한; 다산하는, 풍부한; 〖生〗 번식력이 있는 (opp. sterile).

·**fer·til·i·ty** [fərtíləti] *n.* Ⓤ 비옥; 다산; 풍요.

·**fer·ti·lize** [fə́ːrtəlàiz/-ti-] *vt.* 비옥[풍부]하게 하다; 〖生〗 수정시키다. **-li·za·tion** [ˌ--lizéiʃən/-lai-] *n.* Ⓤ 비옥화(化); 수정(현상). ·**fér·ti·lìz·er** *n.* Ⓤ,Ⓒ 비료.

·**fer·vent** [fə́ːrvənt] *a.* 뜨거운; 타는 듯한; 강렬한; 열렬한. **~·ly** *ad.* **-ven·cy** *n.* Ⓤ 열렬.

·**fer·vor,** 《英》 **-vour** [fə́ːrvər] *n.* Ⓤ 열렬, 열정; 백열.

fes·ter [féstər] *vi., vt.* 곪다, 곪게 하다; 짓무르(게 하)다; 괴로워하다, 괴롭히다. — *n.* Ⓒ 화농 상태.

:**fes·ti·val** [féstəvəl] *n.* Ⓒ 축제(일); 축제 소동; (정기적인) 행사. — *a.* 축제의; 즐거운.

·**fes·tive** [féstiv] *a.* 경축의; 축제의; 즐거운; 명랑한. ·**fes·tív·i·ty** *n.* Ⓤ 축제; Ⓒ (보통 *pl.*) 축제 소동, 법석; 축하 행사.

fes·toon [festúːn] *n., vt.* Ⓒ 꽃줄(로 장식하다, 로 만들다).

:**fetch** [fetʃ] *vt.* ① (가서) 가져[데려]오다, 불러오다, 오게 하다. ② (눈물·피 등을) 자아내다; (탄식·신음 소리를) 내다. ③ (얼마)에 팔리다. ④ 《口》 (타격을) 가하다. ⑤ 《口》 매료하다, 호리다. ⑥ 〖海〗《方》 닿다. ⑦ 〖컴〗 (명령을) 꺼내다. — *vi.* 물건을 가져오다; 〖海〗 항진[도달]하다. **~ *and carry*** (소문을) 퍼뜨리고 다니다; 심부름 다니다. **~ *down*** 쏘아 떨어뜨리다; (시세를) 내리다. **~ *up*** 토하다; 생각해 내다; 회복시키다; …에 가 닿다; 기르다; (딱) 멈추다. **∠·ing** *a.* 《口》 매혹하는, 사람의 눈을 끄는.

fete, fête [feit] *n.* (F.) Ⓒ 축제(일); 축연. — *vt.* 잔치를 베풀어 축하하다, 환대하다.

fet·id [fétid] *a.* 악취를 풍기는.

fet·ish [fétiʃ, fíːtiʃ] *n.* Ⓒ 물신(物神) 《미개인이 숭배하는 나뭇 조각·돌 따위》. **~·ism** [-ìzəm] *n.* Ⓤ 물신 숭배; 〖心〗 페티시즘《이성의 몸의 일부나 의복 등에서 성적 만족을 얻는 변태 심리》.

fet·lock [fétlɑ̀k/-lɔ̀k] *n.* Ⓒ 거모(距毛)《말굽 뒤쪽 위의 텁수룩한 털》; 구절(球節)《말굽 뒤의 털이 난 곳》.

·**fet·ter** [fétər] *n., vt.* Ⓒ (보통 *pl.*) 차꼬(를 채우다); (*pl.*) 속박(하다). ***in* ~*s*** 잡혀 있는 몸으로.

fet·tle [fétl] *n.* Ⓤ (심신의) 상태. ***in fine* [*good*] ~** 원기 왕성하여.

fe·tus [fíːtəs] *n.* Ⓒ 태아(胎兒).

·**feud**[1] [fjuːd] *n.* Ⓤ,Ⓒ (집안·종족간의) 불화, 반목; 싸움. ***be at* ~ *with*** …와 반목하고 있다.

feud[2] *n.* Ⓒ 영지(cf. feudalism).

:**feu·dal** [fjúːdl] *a.* 영지(feud[2])의; 봉건 제도의. **~ *system*** 봉건 제도. **~ *times* [*age, days*]** 봉건 시대. ·**~·ism** [-ìzəm] *n.* Ⓤ 봉건 제도.

:**fe·ver** [fíːvər] *n.* Ⓤ 열; 열병; 열광. — *vt.* 발열시키다. :**~·ish, ~·ous** *a.* 열이 있는; 열병의; 열광적인. **~·ish·ly, ~·ous·ly** *ad.*

†**few** [fjuː] *n., a.* 《a를 붙이지 않는 경우》 적은, 별로 없는(He has ~ [very ~] books. 그는 책이 별로[거의] 없다); 《a를 붙이는 경우》 Ⓒ 다소(의). ***a* ~ *days*** 이삼 일. ***a good* ~; *quite a* ~** 《口》 상당한. **~ *and far between*** 아주 드물게. ***no* ~*er than*** …만큼(이나)(as many as). ***not a* ~** 적지 않은. ***the* ~** 소수.

fez [fez] *n.* (*pl.* **~(*z*)*es***) Ⓒ 터키 「모자.

ff. and the following (pages, verses, etc.); and what following; folio; fortissimo(It. = very loud).

fi·an·cé [fìːɑːnséi, fiɑ́ːnsei] *n.* (*fem.* ***-cée***) (F.) Ⓒ 약혼자.

fi·as·co [fiǽskou] *n.* (*pl.* **~(*e*)*s***) (It.) Ⓤ,Ⓒ 대실패.

Fi·at [fíːət, fíːæt] *n.* 피아트 회사《이탈리아 최대 자동차 생산업체》; 그 회사제 자동차.

fi·at [fáiət, -æt] *n.* Ⓒ 명령, 인가.

fib [fib] *n., vi.* (**-bb-**) Ⓒ (사소한)

거짓말(을 하다).

:fi·ber, 《英》 **-bre**[fáibər] *n.* Ⓤ 섬유(질); 단섬유; 성격; Ⓒ 〖植〗 수염뿌리.

Fíber·glàss *n.* Ⓒ 〖商標〗 섬유 유리《절연체·직물용》.

fíber óptics 《단수 취급》 섬유 광학《유리나 플라스틱 섬유관을 통하여 광상을 굴절시켜 전달하는 기술》.

fi·brous[fáibrəs] *a.* 섬유(질)의.

·fick·le [fíkəl] *a.* (기후·기분 등이) 변덕스러운.

:fic·tion[fíkʃən] *n.* ① Ⓤ 소설(novel). ② Ⓒ 꾸며낸 일, 허구. ③ Ⓒ 〖法〗 의제(擬制). **~·al** *a.*

fic·ti·tious[fiktíʃəs] *a.* 가공의, 거짓의; 〖法〗 의제의. ~ ***capital*** 의제 자본. ~ ***person*** 법인. **~·ly** *ad.*

·fid·dle[fídl] *n.* Ⓒ 《口》 바이올린; 사기, 사취. ***as*** FIT[1] ***as a ~.*** ***hang up one's ~ when one comes home*** 밖에서는 명랑하고 집에서는 침울하다. ***have a face as long as a ~*** 우울한 얼굴을 하고 있다. ***play first*** 〔***second***〕 ***~*** 주역〔단역〕을 맡다. — *vi., vt.* 바이올린을 켜다; 농락하다(toy)(*with*); (시간)을 헛되이 보내다. (*vi.*) 빈들빈들 보내다; 《俗》 속이다.

fíd·dler *n.* Ⓒ 바이올린 켜는 사람《특히 고용된》.

fid·dling[fídliŋ] *a.* 하찮은; 헛된; 사소한; 《口》 다루기 곤란한, 귀찮은.

:fi·del·i·ty[fidéləti, -li-, fai-] *n.* Ⓤ 충실; (약속의) 엄수; (묘사의) 정확함; 〖電子〗 (원음에의) 충실도. ***high ~*** 고충실도(cf. hi-fi). ***with ~*** 충실히; 원물(原物) 그대로.

fidg·et[fídʒit] *vi., vt.* 싱숭생숭하(게 하)다; 마음졸이(게 하)다. — *n.* Ⓒ 싱숭생숭함〔하는 사람〕. ***have the ~s*** 싱숭생숭하다. **~·y** *a.*

†field[fi:ld] *n.* Ⓒ ① (보통 *pl.*) 들, 벌판; 밭. ② 광장; (너른) 표면. ③ (보통 *pl.*) 산지(産地). ④ 싸움터; 싸움. ⑤ (보통 *pl.*)(트랙 안의) 경기장; 구장; 〖野〗 내〔외〕야; (the ~) 《집합적》 (야외) 경기. ⑥ (활동의) 분야. ⑦ 〖理〗 장(場), 계(界). ⑧ (기·화폐·문장·그림 따위의) 바탕. ⑨ 〖TV〗 영상면. ⑩ 〖컴〗 기록란, 필드. ***coal ~*** 탄전. ***fair ~ and no favor*** 공명정대한 (승부). ***~ of fire*** 〖軍〗 (유효) 사계(射界). ***hold the ~*** 진지를 지키다, 한발도 물러서지 않다. ***in the ~*** 전쟁터에서. ***play the ~*** 인기말이 아닌 말에 걸다; 《口》 차례로 상대로 바꾸어 교제하다. ***take the ~*** 전투〔경기〕를 개시하다. ***·∠·er*** *n.* 〖野〗 = OUTFIELDER; 〖크리켓〗 = FIELDSMAN.

fíeld dày 야외 연구〔연습〕일, 채집일; 특별한 행사가 있는 날.

fíeld evènt 필드 경기.

fíeld glàsses 쌍안경.

fíeld hòckey 필드 하키.

fíeld màrshal 육군 원수.

fields·man [∠zmən] *n.* Ⓒ 〖크리켓〗 야수(野手).

fíeld spòrts 야외 운동《사냥·낚시 등》; 필드 경기.

fíeld tèst 실지 시험. 「시험하다.

fíeld-tèst *vt.* (신제품 따위를) 실지

fíeld trìp 야외 수업, 실지 견학 (연구) 여행.

fíeld·wòrk *n.* Ⓤ 〖軍〗 (임시의) 야전 진지; 야외 작업〔연구〕. **~er** *n.* Ⓒ 야외 연구가; 실지 시찰원.

·fiend[fi:nd] *n.* Ⓒ 악마; 악령; 잔인한 사람; 《口》 …중독자, …광(狂), 팬; (the F-) = SATAN. **∠·ish** *a.*

:fierce[fiərs] *a.* ① 흉포한, 사나운. ② 맹렬〔열렬〕한. ③ 《口》 싫은, 지독한. **:∠·ly** *ad.* 맹렬히, 지독히. **·∠·ness** *n.*

·fi·er·y[fáiəri] *a.* ① 불의, 불 같은; 불빛의; 불타고 있는 (듯한); 작열하는. ② 열렬한; 격하기 쉬운. ③ 염증을 일으킨. 「(일); 휴일.

fi·es·ta [fiéstə] *n.* (Sp.) Ⓒ 축제

fife[faif] *n., vi., vt.* Ⓒ 저(를 불다).

†fif·teen[fíftí:n] *n., a.* Ⓤ,Ⓒ 15(의); (15인의) 럭비 팀; Ⓤ 〖테니스〗 15점. **·~th** *n., a.* Ⓤ (the ~) 열다섯째(의); Ⓒ 15분의 1(의).

†fifth[fifθ] *n., a.* Ⓤ (the ~) 제5(의); Ⓒ 5분의 1(의). **∠·ly** *ad.* 다섯 번째로.

fífth cólumn (적을 이롭게 하는) 제5열. **~ist** 제5열 대원.

†fif·ty[fífti] *n., a.* Ⓤ,Ⓒ 50(의). **·fíf·ti·eth**[-iθ] *a., n.* Ⓤ (보통 the ~)

F

50번째(의); Ⓒ 50분의 1(의).
fífty-fífty *ad., a.* 《口》 절반식(의), 반반으로.
˙**fig**[fig] *n.* Ⓒ 무화과《나무·열매》; 조금, 하찮은 것. ***A ~ for*** (*you, etc.*)*!* 시시하다!; (네)까짓 게 뭐야!
fig. figurative(ly); figure(s).
†**fight**[fait] *n.* Ⓒ 전투; 다툼; Ⓤ 전투력; 투지. ***give*** 〔***make***〕 ***a ~*** 일전을 벌이다. ***show ~*** 투지를 보이다, 저항하다. ― *vi.* (***fought***) 싸우다. ― *vt.* ① (…와) 싸우다; (싸움을) 벌이다(~ *a battle*). ② 싸워 얻다. ③ (투견 등을) 싸우게 하다. ④ 〖軍〗 지휘하다, 움직이다. ***~ one's way*** 혈로를 트다. ***~*** (***it***) ***out*** 끝까지 싸우다. ***~ shy of*** (…을) 피하다.
˙**fight·er**[fáitər] *n.* Ⓒ 싸우는 사람, 투사; 권투 선수; 전투기.
:**fight·ing**[fáitiŋ] *n.* Ⓤ 싸움, 전투.
fíg lèaf 무화과 잎; (조각 따위에서 국부를 가리는) 무화과 잎 모양의 것; 흉한 것을 감추는 것.
fig·ment[fígmənt] *n.* Ⓒ 꾸며낸 일〔이야기〕.
˙**fig·ur·a·tive**[fígjərətiv] *a.* 비유적인; (문장이) 수식적인; 상징적인; 조형의. ***~ arts*** 조형미술. ***~·ly*** *ad.* ***~·ness*** *n.*
†**fig·ure**[fígjər/-gər] *n.* Ⓒ ① 모양, 모습. ② 초상. ③ 외관; 풍채. ④ 인물. ⑤ 상징. ⑥ 도면; 도안; 도해. ⑦ (아라비아) 숫자; 자릿수(*three ~s* 세 자릿수); 합계액〔량〕; 값; (*pl.*) 산수, 셈. ⑧ 〖스케이트〗 피겨《빙상에 지쳐서 그리는 동형》. ⑨ 〖幾〗 도형. ⑩ 〖修〗 말의 멋. ⑪ 〖樂〗 선율 음형(音型). ⑫ 〖댄스〗 1선회, 1회전. ***cut*** 〔***make***〕 ***a*** (***brilliant***) ***~*** 이채를 띠다. ***cut a poor*** 〔***sorry***〕 ***~*** 초라하게 보이다. ***cut no ~*** 《美》 문제가 안 되다. ***~ of fun*** 우습게 생긴 사람. ***~ of speech*** 수사, 말의 표현; 《諧》 거짓말. ***go the whole ~*** 《美口》 철저히 하다. ***miss a ~*** 《美口》 그르치다, 틀리다. ― *vt.* 본을 뜨다; 도시〔표상·상상·계산〕하다; 무늬를 넣다; 비유로 나타내다; 《美口》 (…라고) 생각하다. ― *vi.* (…으로서) 나타나다; 두드러지다; 계산하다. ***~ on*** 《美》 (…을) 기대하다〔계산에 넣다〕. ***~ out*** 계산〔해결·양해〕하다. ***~ up*** 합계하다.
˙**~d**[-d] *a.* 모양으로 나타낸; 무늬 있는.
fígure·hèad *n.* Ⓒ 〖海〗 이물장식; 표면상의 명목, 명목상의 우두머리; 《諧》 (사람의) 얼굴.
fig·ur·ine[fìgjuríːn] *n.* Ⓒ 작은 조상(彫像), 주상(鑄像)(statuette).
˙**fil·a·ment**[fíləmənt] *n.* Ⓒ 섬유; 〖植〗 (수술의) 꽃실; 〖電〗 필라멘트.
filch[filtʃ] *vt., vi.* 좀도둑질하다. ***~·er*** *n.*
:**file**[1][fail] *n.* Ⓒ ① 서류철, (서류·신문 따위의) 철하기, 파일; 정리 카드. ② 〖軍〗 대오, 종렬(cf. rank[1]). ③ 목록, 명부. ④ 〖컴〗 파일《정보기록철》. ***on ~*** 철해져; 정리 보관되어. ― *vt.* 철하다; (서류·신청서 따위를) 제출하다. 종렬 행진시키다. 「다).
file[2] Ⓒ *n., vt.* 줄(질하다); 퇴고(하
˙**fil·i·al**[fíliəl, -ljəl] *a.* 자식(으로서)의. ***~ duty*** 〔***piety***〕 효도.
fil·i·bus·ter[fíləbʌ̀stər] *n.* Ⓒ (외국땅을 침입하는) 약탈병; 해적; Ⓤ,Ⓒ 《美》 의사(議事) 방해(자). ― *vi., vt.* 약탈〔침공〕하다; 해적 행위를 하다; 의사를 방해하다. ***~·er*** *n.*
fil·i·gree[fíləgrìː] *n.* Ⓤ (금은의) 가는 줄 세공; 섬세한 물건.
fil·ing *n.* Ⓤ,Ⓒ 줄로 다듬기, 줄질; (보통 *pl.*) 줄밥.
:**fill**[fil] *vt.* 채우다; (지위를) 차지하다; 보충하다. ― *vi.* 가득 차다. ***~ in*** 채우다; 적어넣다. ***~ out*** 부풀(게 하)다; 둥글게 하다〔되다〕; (문서의) 여백을 채우다. ***~ up*** 가득 채우다; (여백을) 메우다; 만원이 되다. ― *n.* Ⓒ 충분, 가득참. ***~·er*** *n.* Ⓒ 채우는 사람〔것〕; 충전물〔재(材)〕.
fill·er[fílər] *n.* Ⓒ 채우는 사람〔것〕; 〖컴〗 채움 문자.
˙**fil·let**[fílit] *n.* Ⓒ ① (머리털을 매는) 리본; 가는 띠. ②[fílei] 등심살, (생선의) 저민 고기. ― *vt.* 리본으로 매다〔장식하다〕; [fílei] 등심살〔필레〕 고기를 떼다, (생선을) 저미다.
˙**fill·ing** [fíliŋ] *n.* Ⓤ 충전; Ⓒ 충전물; Ⓤ 〖컴〗 채움, 채우기.
fílling stàtion (자동차의) 주유소.
fil·lip[fíləp] *vt., n.* Ⓒ 손가락으로

F

튀기다[튀기기]; 자극(을 주다), 원기를 북돋우다. 「량이.

fil·ly[fíli] *n.* Ⓒ 암망아지; 《口》 말괄

:film[film] *n.* ① Ⓤ 얇은 껍질[막]. ② Ⓤ,Ⓒ 필름. ③ Ⓒ 영화. ④ Ⓒ (거미줄 같은) 가는 실; 엷은 안개; (눈의) 흐림. — *vt., vi.* 얇은 껍질로 덮(이)다; 촬영하다; 영화화하다[에 알맞다]. **∠·y** *a.* 얇은 껍질의[같은]; 아주 얇은; 얇은 막으로 덮인.

·fil·ter[fíltər] *n.* Ⓒ 여과기; 여과재(材)《모래·종이·필터 따위》; 〖寫〗 필터; 〖컴〗 거르개. — *vt., vi.* 거르다, 여과하다(strain); (*vi.*) 스미다, 배다(*into*); (소문 따위가) 새다(*out, through*).

fílter tìp 필터 (담배).

·filth[filθ] *n.* Ⓤ ① 오물. ② 외설; 추잡(한 말). **·∠·y** *a.* 더러운, 추잡한. **∠·i·ly** *ad.*

fil·trate[fíltreit] *vt., vi., n.* 여과하다; [-trit] Ⓤ 여과액. **fil·trá·tion** *n.* Ⓤ 여과 (작용).

·fin[fin] *n.* Ⓒ 지느러미 (모양의 물건); 《俗》 팔, 손; 〖空〗 수직 안정판; 〖海〗 수평타(舵); (보통 *pl.*) (잠수부의) 발갈퀴.

:fi·nal[fáinəl] *a.* 최종의; 결정적인; 목적의[에 의한]. — *n.* Ⓒ 최후의 것; (*pl.*) 결승(전), (대학 따위의) 최종 시험. **~·ist** *n.* Ⓒ 결승전 출장 선수. **† ~·ly** *ad.* 최후로, 마침내.

·fi·na·le[finɑ́:li, -nǽli] *n.* (It.) Ⓒ 〖樂〗 종악곡; 종막, 피날레; 종국.

fi·nal·i·ty[fainǽləti, fi-] *n.* Ⓤ 종국; 최종적[결정적]인 것; Ⓒ 최후의 것[언행]. ***an air of ~*** 결정적 태도. ***with ~*** 딱 잘라서.

fi·nal·ize[fáinəlàiz] *vt.* 결말을 짓다; 끝마치다.

:fi·nance [finǽns, fáinæns/fainǽns, fi-] *n.* Ⓤ 재정; (*pl.*) 재원. ***Minister*** [***ministry***] ***of F-*** 재무부장관[재무부]. — *vt., vi.* 자금을 공급하다, 융자하다; 재정을 처리[관리]하다.

:fi·nan·cial[finǽnʃəl, fai-] *a.* 재정(상)의; 재계의; 금융상의. **·~·ly** *ad.* 재정적으로, 재정상(의 견지에서).

·fin·an·cier[fìnənsíər, fài-] *n.* Ⓒ 재정가; 금융업자; 자본가.

finch[fintʃ] *n.* Ⓒ 〖鳥〗 피리새류.

†find[faind] *vt.* (***found***) ① 찾아내다, 발견하다; 우연히 만나다. ② 알다; 깨닫다; 알아차리다. ③ 확인하다. ④ 쓰이게 하다; 이르다, 닿다. ⑤ 판결[판정]을 내리다. ⑥ 공급하다. — *vi.* 판결[판정]을 내리다. ***~ fault with*** …을 비난하다, 흠[트집] 잡다. ***~ oneself*** 자기 천분[능력]을 깨닫다[알다]; 의식(衣食)을 자변(自辨)하다; 기분이 …하다(*How do you ~ yourself today?* 오늘은 기분이 어떠십니까). ***~ out*** 발견하다; 문제를 풀다; 간파하다. — *n.* Ⓒ 발견(물). **∠·a·ble**[-əbəl] *a.* 발견할 수 있는, 찾아낼 수 있는. **·∠·ing** *n.* Ⓤ,Ⓒ 발견(물); (재판소·심판관 등의) 판정, (배심의) 평결; (*pl.*) 《美》 (직업에 따르는) 연장·재료 따위; 〖컴〗 찾기.

find·er[∠ər] *n.* Ⓒ 발견자; (카메라의) 파인더; 〖天〗 (대망원경 부속의) 조정 망원경. ***Finders, keepers.*** 《口》 먼저 발견한 사람의 차지, 빠른 놈이 장땡.

†fine[1][fain] *a.* ① 아름다운. ② 훌륭한. ③ 맑게 갠. ④ 품위 있는, 고상한. ⑤ 가는, 섬세한; (날이) 예리한. ⑥ 고운, 미세한. ⑦ (금·은이) 순도가 높은(*gold 24 carats ~*, 24금, 순금). ⑧ (얼굴이) 아리따운; 화려한. ***~ gold*** 순금. ***~ paper*** [***bill***] 일류 어음. ***~ rain*** 보슬비, 이슬비. ***not to put too ~ a point upon it*** 까놓고 말하면. ***one ~ day*** [***morning***] 어느 날[아침](‘fine’은 허사). ***one of these ~ days*** 조만간. ***rain or ~*** 비가 오건 개건. — *ad.* 훌륭히, 멋지게. ***cut*** [***run***] ***it*** (***too***) ***~*** 바싹 줄이다. ***say ~ things*** 발림말을 하다. ***talk ~*** 멋진 말을 하다. **·∠·ly** *ad.*

:fine[2] *n., vt.* Ⓒ 벌금(을 과하다). ***in ~*** 결국; 요컨대.

fíne árts 미술.

fin·er·y[fáinəri] *n.* Ⓤ 《집합적》 화려한 옷[장식], 장신구.

fi·nesse[finés] *n.* Ⓤ 수완; 술책.

fíne-tòothed cómb 가늘고 촘촘한 빗. ***go over with a ~*** 세밀하게 음미[조사]하다.

F

fíne·tùne *vt.* 미(微)조정하다.

†**fin·ger**[fíŋgər] *n.* Ⓒ 손가락(cf. toe); (장갑의) 손가락; 손가락 모양의 물건. ***burn one's ~s*** (선불리 참견하여) 혼(신물)나다. ***have a ~ in the pie*** (사건에) 관여하다; 쓸데없이 간섭하다. ***have ... at one's ~(s') ends*** …에 정통하고 있다. ***His ~s are all thumbs.*** 그는 손재주가 없다. ***lay*** [***put***] ***a ~ upon*** 손을 대다. ***put one's ~ on*** 딱 지적하다. ***twist*** [***turn***] ***a person round one's*** (***little***) ***~*** 아무를 마음대로 주무르다. — *vt., vi.* 손가락을 대다, 만지다; 〖樂〗 탄주, (지주(指奏)) 하다; 켜다. **~·ing** *n.* Ⓤ 손가락으로 만짐; 〖樂〗 운지법(運指法)(기호).

fínger·màrk *n.* Ⓒ (더럽혀진) 손가락 자국; 지문.

fínger·nàil *n.* Ⓒ 손톱.

fínger·prìnt *n.* Ⓒ 지문.

fínger·típ *n.* Ⓒ 손끝.

†**fin·ish**[fíniʃ] *vt.* ① 끝내다, 완성하다, 마무리하다. ② 마무리칠을 하다. ③ 해치우다; 죽이다. ④ (음식물을) 먹어치우다. — *vi.* 끝나다. ***~ off*** 마무리하다; 죽이다. ***~ up*** 마무르다; 먹어치우다(eat up). ***~ with*** 끝막음하다; 절교하다. — *n.* Ⓒ 끝; Ⓤ 끝손질 (재료). ***be in at the ~*** 끝판에 참가하다. ***put a fine ~*** 끝손질하다, 다듬다(*on*). ***to a ~*** 끝까지. **~·er** *n.* Ⓒ 끝손질하는 직공, 마무리 기계; 결정적인 일격.

fínishing schòol (여성의) 교양 완성 학교(일종의 신부 학교).

fínish lìne 결승선.

·**fi·nite** [fáinait] *a.* 유한의(opp. infinite); 〖文〗 정형(定形)의.

fiord[fjɔːrd] *n.* Ⓒ (노르웨이 등의) 협만(峽灣), 피오르드.

·**fir**[fəːr] *n.* Ⓒ 전나무; Ⓤ 그 재목.

†**fire**[faiər] *n.* ① Ⓤ 불. ② Ⓒ 화롯불, 모닥불. ③ Ⓤ,Ⓒ 화재. ④ (보석의) 광채. ⑤ Ⓤ 정열(*a kiss of ~*). ⑥ Ⓤ 열병, 염증. ⑦ Ⓒ 시련. ⑧ Ⓤ 발사, 점화; 포화. ***between two ~s*** 앞뒤로 포화를 받아. ***catch*** [***take***] ***~*** 불이 붙다. ***go through ~ and water*** 물불을 가리지 않다, 온갖 위험을 무릅쓰다. HANG ~. ***lay a ~*** (불을 피우기 위해서) 장작을 쌓다. ***miss ~*** 불발로 끝나다; 실패하다. ***on ~*** 불타서; 열중하여. ***open ~*** 포문을 열다. ***set ~ to ...*** or ***set ... on ~*** 불을 지르다; …을 흥분시키다, 북돋우다. ***set the Thames on ~*** 세상을 놀라게 하다. ***under ~*** 포화를 (비난·공격을) 받아. — *vt.* ① 불붙이다, 불태우다. ② 불지르다, 자극하다, 흥분시키다. ③ (벽돌을) 굽다. ④ 발포하다; 폭파하다. ⑤ 《口》 (돌 등을) 던지다. ⑥ 《美俗》 해고시키다. — *vi.* 불이 붙다; 빛나다; 발포하다; 흥분하다. ***~ away*** 《口》 시작하다; 《명령형으로》 척척 해라; (탄알을) 다 쏘아버리다. ***~ off*** 발포하다; 쏘다, 띄우다. ***~ out*** 《美俗》 해고하다. ***~ up*** 불을 지피다; 불끈하다.

fíre alàrm 화재 경보(기).

·**fíre·àrm** *n.* Ⓒ (보통 *pl.*) 화기, (특히 소총·단총 등의) 소화기.

fíre·bàll *n.* Ⓒ 수류탄; 대유성(大流星); 《美口》 정력가.

fíre bòmb 소이탄.

fíre·brànd *n.* Ⓒ 횃불; 선동자; 열렬한 정력가.

fíre brigàde 소방대; 《英》 소방서; 《美軍俗》 긴급 출동 부대.

fíre·cràcker *n.* Ⓒ 폭죽, 딱총.

fíre depàrtment 소방서.

fíre drìll 소방 연습.

:**fíre èngine** 소방 펌프; 소방차.

fíre escàpe 비상구(계단), 피난 사다리(따위).

fíre extìnguisher 소화기.

fíre fìghter 의용 소방사(cf. fireman).

·**fíre·flỳ** *n.* Ⓒ 개똥벌레.

fíre·guàrd *n.* Ⓒ 난로 울; 《英》 화재 감시인.

fíre·lìght *n.* Ⓤ (난로의) 불빛.

:**fíre·man**[fáiərmən] *n.* Ⓒ (직업적) 소방관; 화부, 보일러공; 《野俗》 구원투수.

:**fíre·plàce** *n.* Ⓒ 벽(난로).

fíre·pòwer *n.* Ⓤ 〖軍〗 화력.

·**fíre·pròof** *a.* 내화(耐火)의.

·**fíre·sìde** *n.* ① Ⓒ 난로가(의 모임). ② 가정(생활). ***~ chat*** 노변담화(F. D. Roosevelt의, 친근감을 주는 정견 발표 형식).

fíre stàtion 소방서.
·**fíre·wòod** *n.* Ⓤ 장작.
·**fíre·wórks** *n. pl.* 불꽃; 분노의 폭발; 기지 등의 번득임.
·**fir·ing**[fáiəriŋ] *n.* Ⓤ 발포; 점화; 불때기; 장작, 땔감.
fíring squàd 〖軍〗 (장례식의) 조총대(弔銃隊); 총살 집행대.
:**firm**[1][fəːrm] *a.* ① 굳은, 견고한. ② 고정된. ③ 강경한. ④ (가격이) 변동 없는. ***be ~ on one's legs*** 확고히 서 있다. ― *ad.* 단단히, 굳게. ― *vt., vi.* 굳게 하다, 굳어지다. :**∠·ly** *ad.* ·**∠·ness** *n.*
:**firm**[2] *n.* Ⓒ 합자 회사, 상사.
fir·ma·ment[fə́ːrməmənt] *n.* (보통 the ~) 《詩》 하늘, 창공.
†**first**[fəːrst] *a.* 첫(번)째의, 제1의, 주요한; 〖樂〗 수위의. ***at ~ hand*** 직접으로. ***at ~ sight*** 한눈에, 언뜻 보아서는. ***~ thing*** 《口》 우선 무엇보다도, 첫째로. ***for the ~ time*** 처음으로. ***in the ~ place*** 우선 첫째로. (***on***) ***the ~ fine day*** 날씨가 드는 대로. ― *n.* Ⓤ 제일; 일등, 일위; 최초; 초하루; 〖野〗 1루. ***at ~*** 처음에는. ***from ~ to last*** 처음부터 끝까지, 시종. ― *ad.* 첫째로; 최초로; 처음으로; 차라리, 오히려. ***~ and foremost*** 맨먼저. ***~ and last*** 전후를 통하여, 통틀어. ***First come, ~ served.*** 빠른 놈이 장땡. ***~ of all*** 우선 첫째로. **∠·ly** *ad.* 첫째로.
fírst áid 응급 치료.
fírst báse 〖野〗 일루(一壘)(수).
fírst-bórn *a., n.* Ⓒ 최초로 태어난 (자식).
·**fírst·clàss** *a., ad.* 일류의; (기차 따위) 일등의〔으로〕.
fírst-degrée *a.* (선·악 양면에서 정도가) 제1급인.
fírst fínger 집게 손가락.
fírst frúits 만물, 햇것; 첫 수확; 최초의 성과.
·**fírst-hánd** *a., ad.* 직접의〔으로〕.
fírst lády 대통령 부인.
·**fírst náme** =CHRISTIAN NAME.
fírst pérson 〖文〗 제1인칭.
fírst-ráte *a., ad.* 일류의; 훌륭한; 《口》 굉장히.

firth[fəːrθ] *n.* Ⓒ 후미, 강 어귀.
·**fis·cal**[fískəl] *a.* 국고의; 재정상의, 회계의.
físcal yéar 《美》 회계 연도, (기업의) 사업 연도(《英》 financial year).
†**fish**[fiʃ] *n.* (*pl.* ***~es,*** 《집합적》 ~) Ⓒ 물고기; 생선, 어육; 《口》 (별난) 사람, 놈. ***feed the ~es*** 익사하다; 배멀미하여 토하다. ***make ~ of one and flesh of another*** 차별 대우하다. ***neither ~, flesh, nor fowl*** 〔***good red herring***〕 정체를 알 수 없는. ***the Fishes*** 〖天〗 물고기자리; 쌍어궁(雙魚宮). ― *vt., vi.* 물고기를 잡다, 낚다; 찾다(*for*); (속에서) 끄집어내다; (*vt.*) (바다·강 등에서) 낚시질하다(~ *a stream*). ***~ for*** 찾다; 낚아내다, 캐어내다. ***~ in troubled waters*** 혼란을 틈타서 이득을 취하다. ***~ out*** 〔***up***〕 물고기를 몽땅 잡아 내다. 「선.
:**fisher·man**[-mən] *n.* Ⓒ 어부; 어
·**fish·er·y**[∠əri] *n.* Ⓤ 어업(권); 어장.
físh-èye lénse 어안(魚眼) 렌즈.
físh·hòok *n.* Ⓤ 낚시.
:**fish·ing**[∠iŋ] *n.* Ⓤ 낚시질, 어업; Ⓒ 어장, 낚시터.
físhing lìne 〔**ròd**〕 낚싯줄〔대〕.
físh·mònger *n.* Ⓒ 《英》 생선 장수.
fish·y[∠i] *a.* 물고기의〔같은, 많은〕; 비린; 《口》 의심스런; (눈이) 흐리 멍텅한. 「운; 분열성의.
fis·sile[físəl/-sail] *a.* 갈라지기 쉬
fis·sion [fíʃən] *n.* Ⓤ 열개(裂開); 〖生〗 분열; 〖理〗 (원자의) 핵분열(cf. fusion). **~·a·ble** *a.* 핵분열하는.
fis·sip·a·rous[fisípərəs] *a.* 〖生〗 분열생식의.
fis·sure[fíʃər] *n.* Ⓒ 금, 틈; 분할; 〖地〗 열하(裂罅)(암석 중의 갈라진 틈). ― *vt., vi.* 틈이 생기게 하다; 갈라지다.
:**fist**[fist] *n., vt.* Ⓒ 주먹(으로 치다); 《口》 손; 필적; 《印》 손가락표(☞). **∠·ic** *a.* 권투〔주먹질〕의.
fist·i·cuff[fístikʌ̀f] *n.* (*pl.*) 주먹다짐, 난투.
:**fit**[1][fit] *a.* (**-tt-**) (꼭)맞는, 적당〔지당〕한; 당장 …할 듯한; 《口》 건강한. ***as ~ as a fiddle*** 〔***flea***〕 극히 건강하여. ***fighting ~*** 더없이 컨

F

디션이 좋은. ***think*** 〔***see***〕 ***~ to*** (do) (하는 것이) 적당하다고 여기다; …하기로 작정하다. — *vt., vi.* (**-tt-**) (…에) 적합하다〔시키다〕; (사이즈 따위) 꼭 맞다; 준비시키다; 조달하다. ***~ in*** 적합하(게 하)다; 조화하다. ***~ like a glove*** 꼭 맞다. ***~ on*** …에 맞는지 입어보다; 잘 끼(우)다. ***~ out*** 장비〔채비〕하다. ***~ up*** 준비〔설비〕하다. — *n.* U,C 적합; (의복 따위의) 만듦새; C 몸에 맞는 옷. **∠·ly** *ad.* 적당히; 꼭; 알맞게. ***∠·ness** *n.* U 적당, 적합; 건강.

:fit[2] *n.* C (병의) 발작; 경련, 경풍; 일시적인 기분〔흥분〕, 변덕; (감정의) 격발. ***beat a person into ~s*** 아무를 여지없이 혼내주다. ***by ~s*** (***and starts***) 발작적으로, 이따금 생각난듯이. ***give a person a ~*** 《口》 깜짝 놀라게 하다; 노발대발하게 만들다. ***give a person ~s*** 여지없이 혼내주다; 호되게 꾸짖다; 성나게 만들다. ***when the ~ is on one*** 마음이 내키면. **∠·ful** *a.* 발작적인; 단속적인; 변덕스러운. **∠·ter** *n.* C (기계·비품 따위의) 설비〔정비〕공, (가봉한 것을) 입혀 맞추는 사람; 조립공.

·fit·ting[fítiŋ] *a.* 적당한, 어울리는. — *n.* C 가봉; (가봉한 것을) 입혀 보기; 설치; (*pl.*) 가구, 비품; 부속품. **~·ly** *ad.*

†five[faiv] *n., a.* U,C 다섯(의), 5(의). C 5개(의); 5살(의). **fív·er** *n.* C 《俗》 5달러〔파운드〕 지폐.

fíve·fòld *a., ad.* 5배의〔로〕; 5겹의〔으로〕, 5중의〔으로〕.

:fix[fiks] *vt.* ① 고정시키다. ② (의견 따위를) 고정〔결정〕하다. ③ (눈·주의 따위를) 집중시키다〔끌다〕. ④ (책임을) 지우다. ⑤ 염착(染着)시키다. ⑥ 〖寫〗 정착시키다. ⑦ (기계 등을) 수리〔조정〕하다. ⑧ 《美》 조리〔준비〕하다. ⑨ 매수하다. ⑩ 《口》 대갚음하(여 청산하)다, 대차를 청산하다. ⑪ 응고시키다. — *vi.* ① 고정하다. ② 응고하다. ③ 결정하다. ④ (눈이 …에) 머물다. ⑤ 《美口·方》 준비하다, (…할) 작정이다. ***~ on*** 〔***upon***〕 …으로 결정하다, …을 고르다. ***~ out*** 《美口》 의장(艤裝)하다. ***~ over*** 《美口》 (의복 따위를) 다시 고쳐짓다, 고치다. ***~ up*** 《美口》 준비하다; 수리〔정돈〕하다; 결정하다; 해결하다. — *n.* ① C (보통 a ~) 곤경. ② C (선박의) 위치(측정). ***be in a ~*** 곤란하여, 곤경에 빠져. ***get*** 〔***give***〕 ***a person a ~*** 《俗》 아무에게 마약 주사를 놓다. ***out of ~*** (기계가) 고장나, 상태가 나빠.

fix·a·tion[fikséiʃən] *n.* U,C 고정; 〖化〗 응고; 〖寫〗 정착; 색고착(色固着); 〖精神分析〗 병적 집착(에 의한 성숙의 조기(早期) 정지).

fix·a·tive [fíksətiv] *a., n.* 정착력 있는; U,C 정착제, 염착제(染着劑).

:fixed[fikst] *v.* fix의 과거(분사). — *a.* ① 고정된. ② 부동〔불변〕의. ③ 정돈된. ④ 《美俗》 부정하게 결정된, 짬짜미의. ⑤ 〖化〗 응고된. ***with a ~ look*** 뚫어지게 바라보며. **fix·ed·ly**[fíksidli] *ad.*

fix·i·ty [fíksəti] *n.* U 고정(정착); 영구〔불변〕성.

·fix·ture[fíkstʃər] *n.* C ① 정착물; 비품. ② (어떤 직책·자리 따위에) 오래 앉아 있는 사람. ③ 〖機〗 공작물 고정 장치. ④ 《英》 (경기의) 예정일.

fizz, fiz[fiz] *vi., n.* 부글부글(하다); U 발포성 음료. **fízz·y** *a.* 부글부글하는, 거품 이는.

fiz·zle[fízl] *vi., n.* (a ~) 희미하게 '쉬잇' 하는 소리(를 내다).

fjord[fjɔːrd] *n.* = FIORD.

flab·ber·gast[flǽbərgæ̀st/-àː-] *vt.* 《口》 깜짝 놀라게 하다(*at, by*).

flab·by[flǽbi] *a.* 흐늘흐늘하는; 기력 없는. **-bi·ly** *ad.* **-bi·ness** *n.*

flac·cid [flǽksid] *a.* (근육 등이) 흐늘흐늘한(limp); 맥없는. **~·ly** *ad.* **~·ness** *n.*

†flag[flæg] *n.* C 기; (*pl.*)(매·올빼미 따위의) 발의 긴 털; (새 날개의) 둘쨋줄 칼깃; 〖컴〗 깃발, 표시 문자. — *vt.* (**-gg-**) 기를 올리다; 기로 꾸미다〔신호하다〕.

Flág Dày 《美》 국기 제정 기념일《6월 14일》.

flag·el·late[flǽdʒəlèit] *vt.* 채찍질하다. — *a.* 〖生〗 편모(鞭毛)가 있는; 〖植〗 포복경이 있는. **-la·tion**[∠–léiʃən] *n.* U (특히 종교적·성적인) 채찍질.

F

flag·on[flǽgən] *n.* Ⓒ (손잡이·주둥이·뚜껑이 달린) 술병; 큰 병(약 2쿼터들이).
flág·pòle, -stàff *n.* Ⓒ 깃대.
fla·grant[fléigrənt] *a.* 극악한, 악명 높은. **-grance, -gran·cy** *n.*
flág·shìp *n.* Ⓒ 기함(旗艦).
flág·stòne *n.* Ⓒ 판석, 포석.
flail[fleil] *n., vt., vi.* Ⓒ 도리깨(질하다).
flair[flɛər] *n.* Ⓤ 예리한 안식(眼識), 육감(*for*), 천부의 재능(*for*).
flak[flæk] *n.* (G.) Ⓤ 〖軍〗 고사포(화).
:**flake**[fleik] *n., vi., vt.* Ⓒ 얇은 조각, 박편(薄片)(이 되(게 하)다, …이 되어 펄펄 날리다, …으로 덮이다). ***corn ~s*** 콘플레이크.
flák jàcket 〔**vèst**〕 《美》 방탄 조끼.
flak·y[fléiki] *a.* 박편의; 벗겨져 떨어지기 쉬운; 조각조각의.
flam·boy·ance[flæmbɔ́iəns] *n.* Ⓤ 현란함, 화려함.
flam·boy·ant[flæmbɔ́iənt] *a.* 타는 듯한; (사람·행동 등이) 화려한.
:**flame**[fleim] *n.* ① Ⓤ,Ⓒ 불길, 화염; 광휘, 정열. ② Ⓒ 《俗》 애인. ③ Ⓤ 불같은 색채. ***go up in ~s*** 타오르다; 꺼져 없어지다. — *vi.* 훨훨 타다; 빛나다; 정열을 드러내다; 발끈하다(*up, out*). ***~ out*** 갑자기 타오르다. ***°flám·ing** *a.*
fla·men·co[flɑːméŋkou] *n.* Ⓤ 플라멩코《스페인의 집시의 춤》; 그 기악(곡).
fla·min·go [fləmíŋgou] *n.* (*pl.* ~(*e*)*s*) Ⓒ 〖鳥〗 홍학(紅鶴).
flam·ma·ble [flǽməbəl] *a.* = INFLAMMABLE.
flange[flændʒ] *n., vt.* Ⓒ (수레바퀴 따위의) 테〔턱진 데〕(를 써우다).
:**flank**[flæŋk] *n.* Ⓒ ① 옆구리(살); 측면. ② 〖軍〗 부대의 측면, 익(翼). — *vt.* (…의) 측면에 서다〔을 우회하다〕; 측면을 지키다〔공격하다〕.
°**flan·nel** [flǽnl] *n.* ① Ⓤ 플란넬, 융의 일종. ② (*pl.*) 플란넬제 의류, 모직 속옷. **-nel·et(te)**[∸-ét] *n.* Ⓤ 목 플란넬, 융.
:**flap**[flæp] *vi., vt.* (**-gg-**) 펄럭거리(게 하)다; 날개를 퍼덕이다; 찰싹 때리다; 축 늘어지(게 하)다. — *n.* ① Ⓤ 펄럭임; 날개침; 찰싹. ② Ⓒ 늘어진 것, 〖空〗 보조익(翼). ③ (a ~) 《俗》 흥분, 설레임. **∠·per** *n.* Ⓒ 펄럭이는〔늘어지는〕 것; 말괄량이.
fláp·jàck *n.* Ⓒ 핫케이크(griddlecake); 《英》 (화장용) 콤팩트.
°**flare**[flɛər] *vi.* 너울너울 타오르다(*up*); 번쩍번쩍 빛나다; 발끈하다(*out, up*); (스커트가) 플레어가 되다. — *vt.* 너울너울 타오르게 하다; (스커트를) 플레어로 하다. — *n.* ① (*sing.*) 너울거리는 화염, 불길의 너울거림. ② Ⓒ 화염신호. ③ (a ~) (감정의) 격발. ④ Ⓤ,Ⓒ (스커트의) 플레어. 「로.
fláre pàth (비행장의) 조명 활주
fláre stàck 배출 가스 연소탑.
fláre-ùp *n.* Ⓒ 확 타오름; 격노.
:**flash**[flæʃ] *n.* ① Ⓒ 섬광; (재치 등의) 번득임; (번쩍이는) 순간. ② Ⓤ,Ⓒ 〖映〗 플래시(순간 장면); (신문의) 짧은 속보. ③ Ⓤ 허식. ④ Ⓤ (둑의) 방류수(放流水). ***in a ~*** 곧. — *vi.* 번쩍 빛나다; (기지가) 번득이다; 휙 지나가다〔스치다〕; 홱 나오다; 퍼뜩 생각나다. — *vt.* (빛을) 번쩍이다; 번개같이 전달하다; (전보·라디오로) 통신하다.

flásh·bàck *n.* Ⓤ,Ⓒ 플래시백(과거를 회상하는 장면 전환); (소설 등의) 회고법적 묘사.
flásh bùlb 〔**làmp**〕 〖寫〗 섬광 전구.
flásh càrd 플래시카드(시청각 교육에서 단어·숫자 등을 잠깐 보여 외게 하는 카드).
flásh·er *n.* Ⓒ 자동 점멸 장치; (교통 신호·자동차 등의) 점멸광.
flásh gùn 〖寫〗 섬광 발화 장치.
°**flash·light**[∠làit] *n.* Ⓒ ① 《美》 회중 전등. ② 〖寫〗 플래시. ③ (등대의) 명멸광; 회전〔섬광〕등.
flash·y[∠i] *a.* 야한, 번쩍거리는.
°**flask**[flæsk, -ɑː-] *n.* Ⓒ 플라스크; (호주머니용의) 작은 술병.
:**flat**[1][flæt] *a.* (**-tt-**) ① 편평한; 납작한; 납죽 엎드린. ② 공기가 빠진, 납작해진. ③ (맥주 등) 김빠진, (음식이) 맛없는; 불경기의. ④ 광택 없는; (색채·소리 등이) 단조로운. ⑤ 노골적인, (거절이) 단호한. ⑥ 〖樂〗 내림음의, 반음 낮은(opp. sharp). ⑦

〖音聲〗 평설(平舌)의《æ, ə따위》; 유성의; 〖文〗 접사(接辭)없는. **~ adverb** 무접사 부사《보기: She breathed *deep.*》. **~ infinitive.** 'to' 없는 부정사. ***That's ~.*** 바로 맞았어. — *ad.* 편평하게; 꼭(*ten seconds ~,* 10초 플랫); 아주; 단호히; 〖樂〗 반음 낮게. ***fall ~*** 푹 쓰러지다; 넙죽 엎드리다; 실패하다, 효과 없다. — *n.* Ⓒ 평면; 평평한 부분; 평지; 여울; 〖樂〗 내림표《♭》; 《口》 바람 빠진 타이어. — *vt., vi.* (**-tt-**) 평평하게 하다〔되다〕. **~ *out*** 《美口》 용두사미로 끝나다. ***∠·ly*** *ad.* **∠·ness** *n.*

·flat[2] Ⓒ ① 《英》 플랫식(같은 층의 여러 방을 한 가구가 전용하는 아파트 《美》 apartment). ② (*pl.*) 아파트식 공동주택.

flát-bóttomed *a.* (배의) 바닥이 편평한.

flát·càr *n.* Ⓒ 《美》 무개 화차, 목판차《지붕도 측면도 없는》.

flát·fish *n.* Ⓒ 가자미·넙치류.

flát·fóoted *a.* 편평족의; 《俗》 단호한(*a ~ refusal*).

·flat·ten[flǽtn] *vt., vi.* 평평〔납작〕하게 하다〔되다〕; 단조롭게 하다〔되다〕; 김이 빠지다, 맛없게〔싱겁게〕 하다〔되다〕; 반음 내리다. **~ *out*** 평평하게 하다; 〖空〗 수평 비행 자세로 돌아가(게 하)다.

:flat·ter[flǽtər] *vt.* ① (…에게) 아첨하다; 알랑거리다. ② 우쭐케 하다. ③ (사진·초상화 따위를) 실물보다 좋게 그리다〔찍다〕. ④ 기쁘게 하다. **~ *oneself that ...*** 우쭐하여 …이라고 생각하다. ***·∠·er*** *n.* Ⓒ 알랑쇠. ***·~·ing*** *a.* 빌붙기 잘하는. ***:~·y*** *n.* Ⓤ,Ⓒ 아첨(하는 말), 치레말.

flat·u·lence[flǽtʃuləns/-tju-] *n.* Ⓤ 뱃속에 가스가 참, 고창(鼓脹); 공허, 허세. **-lent** *a.* 고창(鼓脹)의; 젠체하는.

flaunt [flɔːnt] *vt.* (…에게) 과시하다, 자랑해 보이다. — *vi.* 허세부리다, 옷치장하다; (기가) 휘날리다. — *n.* Ⓤ 과시.

flau·tist[flɔ́ːtist] *n.* =FLUTIST.

:fla·vor, 《英》 -vour [fléivər] *n.* Ⓤ,Ⓒ 풍미(를 더하는 것); 풍취, 맛; 향기. — *vt.* (…에) 맛을 내다; 풍미를 곁들이다. **~·ing** *n.* Ⓤ,Ⓒ 조미(료).

·flaw[flɔː] *n.* Ⓒ 금, 흠; 결점. — *vt., vi.* (…에) 금가(게 하)다, 흠집을 내다. **∠·less** *a.* 흠없는; 흠잡을 데 없는.

·flax[flæks] *n.* Ⓤ 아마(亞麻), 아마실, 린네르. **~·en**[flǽsən] *a.* 아마(제)의; 아마색의, 엷은 황갈색의.

flay[flei] *vt.* (…의) 가죽〔껍질〕을 벗기다; 심하게 매질하다; 혹평하다.

:flea[fliː] *n.* Ⓒ 벼룩. **~ *in one's ear*** 빈정거림, (듣기) 싫은 소리.

fléa·bìte *n.* Ⓒ 벼룩에 물린 데; 물림; 약간의 상처; 사소한 일.

fléa màrket 〔**fàir**〕 고물〔벼룩·도떼기〕 시장.

fleck[flek] *n., vt.* Ⓒ (색·빛의) 반점(을 내다); 작은 조각(을 흩뿌리다).

:fled[fled] *v.* flee의 과거(분사).

fledge[fledʒ] *vt.* (날기까지) 새끼를 기르다; 깃털로 덮다. — *vi.* 깃털이 나다. **flédg·ling, 《英》 flédge·ling** *n.* Ⓒ 날기 시작한 새 새끼, 열쭝이; 풋내기(cf. greenhorn).

:flee[fliː] *vi.* (***fled***) 도망하다; 질주하다; 사라지다(vanish). — *vt.* (…에서) 도망하다. **flé·er** *n.* Ⓒ 도망자.

·fleece[fliːs] *n.* Ⓤ,Ⓒ ① 양털; 한 마리에서 한번 깎는 양털. ② 양털 모양의 것. ③ 보풀이 부드러운 피륙. — *vt.* (양의) 털을 깎다; (속여서 혹은 울러 메어) 빼앗다. **·fléec·y** *a.* 양털 모양〔제품〕의; 폭신폭신한.

:fleet[1][fliːt] *n.* Ⓒ 함대, 선대(船隊); (항공기의) 기단(氣團); (트럭 등의) 차량대열; (the ~)(한 나라의) 해군(력).

·fleet[2] *a., vi.* 《詩》 빠른; 빨리 지나가버리다. **∠·ing** *a.* 순식간의; (세월이) 덧없이 지나가 버리는.

fléet àdmiral 〖美海軍〗 해군 원수.

·fleet·ing[∠iŋ] *a.* 빨리 지나가는; 덧없는, 무상한.

Fléet Strèet 플리트가(街)《런던의 신문사 거리》; 《비유》(영국의) 신문계.

†flesh[fleʃ] *n.* Ⓤ 살; 살집; 식육, 고기; 과육; 살색; (the ~) 육체; 육욕; 인류; 생물; 친척. **~ *and blood*** (피가 통하는) 육체; 인간성; 육친. **~ *and fell*** 살도 가죽도, 전신; 《부사적》 전혀, 죄다. ***go the way of all ~*** 죽다. ***in the ~*** 이승의 몸

F

이 되어; 살아서. ***lose*** 〔***gain, put on***〕 ~ 살이 빠지다〔찌다〕. ***make a person's*** ~ ***creep*** 오싹하게 하다. **∠·ly** *a.* 육체의; 육감적인; 인간적인. **∠·y** *a.* 살〔고기〕의〔같은〕; 살집이 좋은; 〖植〗 다육질의.

flésh·pòt *n.* Ⓒ 고기 냄비; (흔히 *pl.*) 향락지, 환락가.

flésh wòund 얕은 상처, 경상.

fleur-de-lis[flə̀ːrdəlíː] *n.* Ⓒ 붓꽃; (프랑스 왕가의) 붓꽃 문장.

†**flew**[fluː] *v.* fly[2]의 과거.

flex[fleks] *vt.* 〖解〗 (관절·근육을) 구부리다.

˙**flex·i·ble** [fléksəbəl] *a.* 구부리기 쉬운; 어거하기 쉬운; 융통성 있는. ˙**-bil·i·ty**[⌐–bíləti] *n.*

flex·i·time[fléksətàim] *n.* Ⓤ 자유 근무 시간제.

flib·ber·ti·gib·bet[flìbərtidʒíbit] *n.* Ⓒ 수다스럽고 경박한 사람.

˙**flick**[1][flik] *n.* Ⓒ 가볍게 침; 탁(하는 소리); 튐. — *vt.* 가볍게 때리다〔털어 버리다〕; (총채 따위로) 떨다. — *vi.* 퍼덕이다; (뱀의 혀·꼬리가) 날름거리다, 파닥거리다.

flick[2] *n.* (〈⇩) Ⓒ 《俗》 영화 필름; (*pl.*) 영화. ***go to the ~s*** 영화보러 가다.

˙**flick·er**[flíkər] *vi.* (빛이) 가물거리다; 흔들거리다; 펄럭이다; 얼른거리다; 언뜻 보이다. — *n.* (*sing.*) ① 깜박이는 빛; 반짝임; 번득임. ② 〖컴〗 (표시 화면의) 흔들림.

flíck knìfe 《英》날이 자동적으로 튀어나오게 된 칼.

:**flight**[1][flait] *n.* ① Ⓤ,Ⓒ 날기, 비행. ② Ⓒ (나는 새의) 떼; Ⓒ 〖軍〗 비행편대〔소대〕. ③ Ⓤ (시간의) 경과. ④ Ⓒ 항공 여행, (로켓 등에 의한) 우주 여행. ⑤ Ⓒ (상상·야심의) 고양(高揚), 분방(奔放)(*of*). ⑥ Ⓤ 비행술〔법〕. ⑦ Ⓤ,Ⓒ 한번 나는 거리. ⑧ Ⓒ (계단의, 꺾이지 않은) 한 연속 (*two ~s of steps* 두 번 오르는 꺾인 계단). **∠·less** *a.* 날지 못하는.

˙**flight**[2] [flait] *n.* Ⓤ,Ⓒ 도주, 패주. ***put to*** ~ 패주시키다. ***take*** (***to***) ~ 도주하다.

flíght dèck (항공 모함의) 비행 갑판; (항공기의) 조종실.

flíght recòrder 〖空〗 (사고 해명에 필요한) 비행 기록 장치.

flíght sìmulator 〖컴·空〗 모의 비행 장치.

flight·y[∠i] *a.* 들뜬; 머리가 좀 돈.

flim·sy[flímzi] *a.* 무른, 취약한; (이유 등이) 천박한, 박약한. — *n.* Ⓒ 얇은 종이; (신문 기자의) 얇은 원고지.

flinch[flintʃ] *n., vi.* Ⓒ 주춤함〔하다〕, 꽁무니 뺌〔빼다〕.

:**fling**[fliŋ] *vt.* (***flung***[flʌŋ]) ① (내)던지다; (두 팔을) 갑자기 내뻗다, 태질치다, 메어치다(*off*). ② (돈을) 뿌리다. ③ (옥에) 처넣다. — *vi.* 돌진하다. ~ ***away*** 떨쳐버리다. ~ ***off*** 따버리다. ~ ***oneself into*** (사업 따위) 본격적으로 시작하다. ~ ***oneself on*** 〔***upon***〕 (*a person's mercy*) (아무의 인정에) 기대다. ~ ***out*** 내던지다; (말이) 날뛰다; 욕설을 퍼붓다. — *n.* Ⓒ (내)던짐; (말의) 발질; 방종; 욕; 스코틀랜드의 활발한 춤; 《口》 시험, 시도. ***at one*** ~ 단숨에. ***have a*** ~ ***at*** 해보다; 욕하다; 조롱하다. ***have one's*** ~ 하고 싶은 대로 하다, 멋대로 놀아나다.

˙**flint**[flint] *n.* ① Ⓤ,Ⓒ 부싯돌, 라이터 돌. ② Ⓒ 《비유》 아주 단단한 물건. **∠·y** *a.* 부싯돌 같은; 냉혹한; 아주 단단한; 고집 센.

flínt·lòck *n.* Ⓒ 부싯돌식 발화 장치; 화승총(火繩銃).

flip[1][flip] *vt., vi.* (**-pp-**), *n.* Ⓒ 손톱으로 튀기다〔튀김〕; 홱칫 움직이(게 하)다, 홱 움직임; 톡 치다〔침〕; 《口》 (비행기의) 한 번 날기.

flip[2] *a., n.* Ⓒ 《口》 건방진 (녀석).

flíp-flòp *n.* Ⓒ 공중제비; (의견 따위의) 급변; 〖電〗 플립플롭 회로《진공관 회로의 일종》.

flip·pant[flípənt] *a.* 주제넘은; 경박한. **-pan·cy** *n.*

:**flip·per**[flípər] *n.* Ⓒ (바다표범 따위의) 물갈퀴; (잠수용) 고무 물갈퀴.

flíp sìde 《美口》 레코드의 B면.

:**flirt**[fləːrt] *vt.* (활발히) 흔들어대다; 던지다. — *vi.* 깡총깡총〔홱칫홱칫〕 움직이다; (남녀가) 새롱거리다, 농탕치다(*with*); 가지고 놀다(*with*). — *n.* Ⓒ 바람둥이; 급속한 움직임; 휙 던짐. **flir·tá·tion** *n.* Ⓤ 농탕치

기, 무분별한 연애. **flir·tá·tious** *a.*
·**flit**[flit] *vi.* (**-tt-**), *n.* Ⓒ 훌쩍 날다(날기); 이리저리 날아다니다(다니기); (시간이) 지나가다(감).
:**float**[flout] *vi., vt.* 뜨다, 띄우다, 표류하다(시키다); (소문이) 퍼지다; 떨어져가다; (회사가) 서다(세워지다); (어음이) 유통되다; (물에) 잠기게 하다; (*vi.*) (공채를) 발행하다; (미장이가) 흙손으로 고르다. **～ between** …의 사이를 헤매다《마음·기분 등》. — *n.* Ⓒ 부낭(浮囊), 뗏목; (낚시의) 찌; (무대를 높이 띄운) 산디; (수상기의) 플로트, 부주(浮舟); (미장이의) 마무리흙손. **～·á·tion** *n.* 《英》 = FLOTATION. **∠·er** *n.* Ⓒ 뜨는 사람(것); 《美口》 집(직장)을 자꾸 옮기는 사람; 《美》 (여러 곳에서 투표하는) 부정 투표자.
·**float·ing**[∠iŋ] *a.* 떠 있는; 부동(유통)하는; 유동하는.
flóating vòte 부동표(票).
:**flock**[1][flɑk/-ɔ-] *n.* Ⓒ 《집합적》 ① (양·새의) 떼. ② 군중, 무리. ③ (같은 교회의) 신도. — *vi.* 떼(무리)짓다, 모이다; 떼지어 오다(가다).
flock[2] *n.* Ⓒ (양)털 뭉치; (침대 따위에 채워 넣는) 털솜 부스러기.
flog[flɑg, -ɔ:-/-ɔ-] *vt.* (**-gg-**) 세게 때리다; 매질(채찍질)하다.
:**flood**[flʌd] *n.* Ⓒ 홍수; 만조; (물건의) 범람, 쇄도; (the F-) 노아의 홍수; 《古·詩》 대해, 호수, 강. — *vt.* (…에) 넘쳐 흐르다; 관개하다; 다량의 물을 쏟다; (홍수처럼) 밀어닥치다. — *vi.* 범람하다; (조수가) 들어오다; 쇄도하다.
flóod·gàte *n.* Ⓒ 수문.
flood·ing[∠iŋ] *n.* Ⓤ,Ⓒ 범람; 큰물.
flóod·lìght *n., vt.* Ⓤ (조명 기구를 나타낼 때는 Ⓒ) 플러드라이트(를 비추다)《무대·건축물 따위에》.
flóod·plàin *n.* Ⓒ 〖地質〗 범람원.
flóod tìde 밀물.
†**floor**[flɔ:*r*] *n.* Ⓒ 마루; 층; (the ～) 의원석; (의원의) 발언권; Ⓒ (거래소의) 입회장; 바닥; 《美俗》 최저 가격. ***first*** (***second***) **～** 《美》 1(2)층; 《英》 2(3)층. ***get*** (***have***) ***the* ～** 발언권을 얻다(갖다). ***ground* ～** 《英》 1층. ***take the* ～** (발언하려고) 일어서다. — *vt.* (…에) 마루를 깔다; 마루에 때려 눕히다; (벌로 학생을) 마루(바닥)에 앉히다; 《口》 쳐부셔 이기다, 질리게 하다. **～ *a paper*** (***question***) 《英大學俗》 시험 문제를 전부 해 치우다.
flóor·bòard *n.* Ⓒ 마루청.
floor·ing[∠iŋ] *n.* Ⓤ 마루, 바닥, 바닥깔기; 마루까는 재료. 「쇼.
flóor shòw (나이트클럽의) 플로어
floo·zy, -zie[flú:zi] *n.* Ⓒ 《美俗》 품행이 나쁜 여자; 매춘부.
·**flop**[flɑp/-ɔ-] *vi.* (**-pp-**) 털썩 떨어지다(넘어지다, 앉다); 퍼덕거리다; 싹 변하다; 《口》 실패하다. — *vt.* 쿵 떨어뜨리다; 펄떡거리다. — *n.* Ⓒ 털썩 떨어짐(쓰러짐, 앉음); 그 소리; 실패; 《美俗》 여인숙. **∠·py** *a.* 《口》 펄럭거리는, 퍼덕이는; 홀게 늦은.
flóppy dísk 〖컴〗 무른(연성)(저장)판《플라스틱제의 자기 원판; 컴퓨터의 외부 기억용》.
flo·ra[flɔ́:rə] *n.* (*pl.* **～e**[-ri:]) ① Ⓤ 《집합적》 (한 시대·한 지역의) 식물상(相), 식물군(群). ② Ⓒ 식물지(誌) (cf. fauna). 「한.
·**flo·ral**[flɔ́:rəl] *a.* 꽃의(에 관한, 비슷
flo·ret[flɔ́:rit] *n.* Ⓒ 작은 꽃; (엉거시과 식물의) 작은 통상화(筒狀花).
flor·id[flɔ́:rid, -ɑ́-/-ɔ́-] *a.* 불그레한, 혈색이 좋은; 화려한, 현란한.
flor·in[flɔ́:rin, -ɑ́-/-ɔ́-] *n.* Ⓒ 영국의 2실링 은화.
flo·rist [flɔ́:rist, -ɑ́-/-ɔ́-] *n.* Ⓒ 화초 재배자; 꽃집.
floss[flɔ:s, -ɑ-/-ɔ-] *n.* Ⓤ (누에 고치의) 괴깔; 풀솜; 삶은 명주실. **∠·y** *a.* 풀솜 같은; 폭신폭신한.
flo·ta·tion[floutéiʃən] *n.* Ⓤ 뜸; (회사) 설립; (공채) 발행. **～ *of loan*** 기채(起債). 「대(艇隊).
flo·til·la[floutílə] *n.* Ⓒ 소함대, 정
flot·sam[flɑ́tsəm/-ɔ́-] *n.* Ⓤ (난파선의) 부하(浮荷), 표류 화물; 표류물; 《집합적》 부랑자. **～ *and jetsam*** 표류 화물; 잡동사니; 부랑자.
flounce[1][flauns] *n., vt.* Ⓒ (스커트의) 자락 주름 장식(을 달다).
flounce[2] *vt.* (물·진탕 따위 속에서) 허위적거리다; (몸이나 팔을 흔들며) 뛰어나가다. — *n.* Ⓒ 몸부림.

*****floun·der**[1] [fláundər] *vi., n.* Ⓒ 버둥(허위적)거리다(거림), 갈팡대다(거림). 「치류.

floun·der[2] *n.* Ⓒ 《집합적》 〖魚〗 넙

:**flour** [fláuər] *n.* Ⓤ 밀가루; 가루. — *vt.* 《美》 (…에) 가루를 뿌리다; 가루로 만들다. ~·**y** [fláuri/fláuəri] *a.* 가루(모양)의; 가루투성이의.

:**flour·ish** [flə́:riʃ, -ʌ́-] *vi.* ① 무성하다; 번영하다; (사람이) 활약하다. ② (칼·팔 따위를) 휘두르다. (낚싯대 등을) 휘두르다. ③ 자랑해 보이다. ④ 장식 문자로 쓰다; 화려하게 쓰다(말하다, 연주하다). — *vt.* 휘두르다; 자랑해 보이다; 장식 문자를 쓰다. — *n.* Ⓒ ① 세찬 휘두름. ② (서명 등의) 장식 문자. ③ 〖樂〗 장식 악구(樂句); (나팔의) 화려한 취주, '팡파르'. ***in full*** ~ 융성하여, 한창인. ***with a*** ~ 화려하게.

flout [flaut] *n., vt., vi.* Ⓒ 경멸(하다); 조롱(하다).

†**flow** [flou] *vi.* ① 흐르(듯이 나오)다. ② (머리칼이) 늘어지다; (바람에) 쏠리다. ③ (조수가) 밀다. ④ 많이 있다(*with*). — *vt.* 흐르게 하다; 범람시키다. — *n.* (*sing.*) 흐름; 유출(량); Ⓤ 밀물; 냇물. ~ ***of soul*** 격의 없는 담화, 환담(cf. FEAST of reason).

flów chàrt ① 생산 공정도(工程圖). ② 〖컴〗 흐름도, 순서도.

†**flow·er** [fláuər] *n.* ① Ⓒ 꽃, 화초 (cf. blossom). ② Ⓤ 만개, 개화. ③ (the ~) 정화(精華)(*of*); 전성기; (*pl.*) 《단수 취급》 〖化〗 화(華). ~***s of sulfur*** 유황화. ***in*** ~ 개화하여. — *vi.* 꽃이 피다; 번영하다. — *vt.* 꽃으로 꾸미다. ~**ed** [-d] *a.* 꽃을 단, 꽃으로 꾸민.

flówer bèd 꽃밭, 화단.

flówer chìldren 《美俗》 히피족.

flow·er·ing [-iŋ] *a.* 꽃이 피는.

flówer·pòt *n.* Ⓒ 화분. 「세력).

flówer pòwer 《美俗》 히피족(의

*****flow·er·y** [-i] *a.* 꽃이 많은; 꽃 같은; (문체가) 화려한(florid).

*****flown** [floun] *v.* fly[2]의 과거분사.

*****flu** [flu:] *n.* 《口》 = INFLUENZA.

fluc·tu·ate [flʌ́ktʃuèit] *vi.* 변동하다, 파동하다, 오르내리다. *****-a·tion** [⌐–éiʃən] *n.*

flue [flu:] *n.* Ⓒ (연통의) 연기 구멍; 송기관; = ⌐ **pipe** (파이프 오르간의) 순관(脣管).

:**flu·ent** [flú:ənt] *a.* 유창한; 능변의; 흐르는(듯한). **:~·ly** *ad.* *****-en·cy** *n.* Ⓤ 유창함.

fluff [flʌf] *n.* Ⓤ 괴깔, 솜털. — *vt., vi.* 괴깔이 일게 하다; 푸해지다. ⌐·**y** *a.* 괴깔의(로 덮인); 푸한.

:**flu·id** [flú:id] *n.* Ⓤ,Ⓒ 유체, 유동체《액체·기체의 총칭》. — *a.* 유동성의; 변하기 쉬운. **flu·íd·i·ty** *n.* Ⓤ 유동성.

fluke *n.* Ⓒ 요행수; 〖撞〗 플루크《요행으로 맞는 일》. **flúk·y** *a.* 《口》 요행수로 맞힌.

:**flung** [flʌŋ] *v.* fling의 과거(분사).

flunk [flʌŋk] *vi., vt.* 《美口》 (시험 따위에) 실패하다(시키다); 낙제점을 매기다; (*vi.*) 단념하다(give up). — *n.* Ⓒ 실패, 낙제.

flun·k(e)y [flʌ́ŋki] *n.* Ⓒ 《蔑》 (제복 입은) 하인; (하인처럼 구는) 아첨꾼.

flu·o·resce [flùərés] *vi.* 형광을 내다. **-res·cence** [-əns] *n.* Ⓤ 형광(성). **-rés·cent** *a.* 형광(성)의.

fluor·ide [flúəràid, flɔ́:r-] *n.* Ⓤ 〖化〗 불화물(弗化物).

fluor·ine [flúəri(:)n, flɔ́:r-], **-rin** [-rin] *n.* Ⓒ 〖化〗 불소《기호 F》.

flur·ry [flɔ́:ri/-ʌ́-] *n., vt.* Ⓒ 획 몰아치는 비(눈); 소동, 당황(케 하다). ***in a*** ~ 당황하여, 허둥지둥.

:**flush**[1] [flʌʃ] *vt.* (물을) 왈칵 흐르게 하다; (물을) 흘려서 씻다; (얼굴을) 붉히다; 득의 양양하게 하다. — *vi.* (물이) 왈칵 흐르다; (얼굴이) 붉어지다. — *n.* ① Ⓒ 왈칵 흐름. ② Ⓒ (얼굴의) 홍조; Ⓤ 홍분, 득의 양양. ③ Ⓤ (새 풀이 온통) 싹터 나옴. ④ Ⓤ 원기 발랄, 신선함. ⑤ Ⓤ (열의) 발작. — *a.* (물이) 넘칠 듯한; 풍부한; 원기 왕성한; (빰이) 불그레한; 같은 평면(높이)의. — *ad.* 평평하게; 바로, 정통으로.

flush[2] *vt., vi.* 〖獵〗 (새를) 날아가게 하다; (새가) 푸드득 날다. — *n.* Ⓒ 날아오른 새(의 떼).

flush[3] *n.* Ⓒ 〖카드〗 짝모으기.

flus·ter [flʌ́stər] *n., vi., vt.* Ⓒ 당황(하다, 하게 하다).

:flute [flu:t] *n., vi., vt.* Ⓒ 플루트, 피리(를 불다, 같은 소리를 내다); (옷감·기둥 따위의) 세로골(을 내다, 파다). **flút·ist** *n.* 《美》 피리 부는 사람; 플루트 주자. **flút·y** *a.* 피리〔플루트〕 같은; (목소리·소리가) 맑은.

:flut·ter [flʌ́tər] *vi.* ① 퍼덕거리다; 홰치다, 훨훨 날다; 나부끼다. ② (가슴이) 두근거리다, (맥박이) 빠르고 불규칙하게 뛰다; 동요하다. — *vt.* 날개치다; 펄럭이게 하다; 당황케 하다. — *n.* Ⓒ 홰치기, 펄럭임; (마음의) 동요; 큰 소동.

·flux [flʌks] *n.* ① Ⓒ 흐름; 유동(율). ② Ⓤ 밀물. ③ Ⓤ 연속적인 변화. ④ Ⓤ,Ⓒ 〖醫〗 이상(異常) 배출《출혈·설사 등》. ⑤ Ⓤ 용제(溶劑).

†fly[1] *vi.* (***flew; flown;*** '달아나다' 의 뜻으로는 p. & p.p. ***fled***) 비행하다; 날다; (나는 듯이) 달리다; 달아나다; (시간·돈이) 순식간에 없어지다; 펄럭이다; 〖野〗 플라이를 치다《p. & p.p. ***flied***》. — *vt.* 날리다; (기 따위를) 올리다; 나부끼게 하다; (비행기를) 조종하다; (…에서) 도망하다. ***be ~ing high*** 《俗》 굉장히 기뻐하다. ***~ about*** 날아다니다; 흩어지다. ***~ blind*** 계기비행을 하다. ***~ high*** 높이 날다; 대망을 품다. ***~ into*** (공항 등에) 착륙시키다〔하다〕. ***~ in the face of*** …에 반항하다. ***~ light*** 《美俗》 식사를 거르다. ***~ low*** 《口》 남의 눈을 기이다. ***~ off*** 날아가 버리다, 달아나다; 증발하다; 위약하다. ***let ~*** 쏘다, 날리다, 욕하다(*at*). ***make the money ~*** 돈을 낭비하다. ***send*** (*a person*) ***~ing*** 내쫓다, 해고하다. ***with flags ~ing*** 의기양양하여. — *n.* Ⓒ 비행; (양복의) 단추 가리개; (텐트 입구의) 자락 막; 〖野〗 플라이; (*pl.* **~s**) 경장(輕裝) 유람 마차. ***on the ~*** 비행중. **∠·er** *n.* = FLIER.

:fly[2] [flai] *n.* Ⓒ 파리; 〖낚시〗 제물낚시. ***a ~ in amber*** 호박(琥珀)속의 파리 화석; (고스란히 남아 있는) 보물. ***a ~ in the ointment*** 옥에 티. ***a ~ on the wheel*** 자만하는 사람. ***a ~ on the wall*** 몰래 사람을 감시하는 자. ***die like flies*** 픽픽 쓰러지다. ***Don't let flies stick to your heels.*** 꾸물대지 마라.

flý·blòwn *a.* 파리가 쉬를 슨; 더러워진.

flý·bỳ *n.* Ⓒ 의례〔분열〕 비행; (우주선의 천체에의) 근접 통과.

flý-by-nìght *a.* (금전적으로) 믿을 수 없는.

flý·fìsh *vi.* 제물낚시로〔파리를 미끼로〕 낚시질하다.

:fly·ing [fláiiŋ] *n.* Ⓤ 비행; 질주. — *a.* 나는, 급히 서두르는; 공중에 뜨는〔휘날리는〕; 나는 듯이 빠른. ***~ colors*** 승리, 성공(*come off with ~* COLORS.).

flýing búttress 〖建〗 부연 벽받이, 벽날개《조붓한 연결 아치》.

flýing dóctor 《濠》 먼 곳의 환자에 비행기로 왕진하는 의사.

flýing fish 날치.

flýing òfficer 공군 장교; 《英》 공군 중위.

flýing sáucer 〔**dísk**〕 비행 접시.

flýing squàd 기동 경찰대.

flý·lèaf *n.* Ⓒ (책의 앞뒤 표지 뒷면에 붙어 있는) 백지.

flý·pàper *n.* Ⓤ 파리잡이 끈끈이.

flý·pàst *n.* 《英》 = FLYBY.

flý shèet 광고지, 전단; 안내〔사용 설명〕서.

flý·wèight *n.* Ⓒ 〖拳〗 플라이급(선수)《체중 112파운드 이하》.

flý·whèel *n.* Ⓒ 〖機〗 플라이휠, 조속륜(調速輪).

FM, F.M. frequency modulation. **F.O.** Foreign Office.

foal [foul] *n., vt., vi.* Ⓒ 망아지〔당나귀 새끼〕(를 낳다).

:foam [foum] *n., vi., vt.* Ⓤ 거품(일다, 일게 하다); (말이) 거품을 내뿜다; 《詩》 바다. **∠·y** *a.* 거품의〔같은〕; 거품이 이는; 거품투성이의.

fob[1] [fɑb/-ɔ-] *n.* Ⓒ 바지의 시계 주머니; 《美》 fob에서 늘어진 시곗줄; 그 끝의 장식.

fob[2] *vt.* (**-bb-**) 《古》 속이다. ***~ something off on a person*** 아무에게 (가짜 따위를) 안기다. ***~ a person off with*** (*empty promises*) (빈 약속)으로 아무를 속이다.

·fo·cal [fóukəl] *a.* 초점의.

fócal dìstance 〔**lèngth**〕 초점거리.

:fo·cus [fóukəs] *n.* (*pl.* ***~es, foci***

[fóusai]) ① Ⓒ 초점, Ⓤ 초점 맞춤. ② Ⓤ (보통 the ~) 중심; 집중점; 〖地〗 진원(震源). **in** 〔**out of**〕 ~ 초점이 맞아〔벗어나〕, 뚜렷〔흐릿〕하여. ― *vt., vi.* (《英》 **-ss-**) 초점에 모으다〔모이다〕; 초점을 맞추다; 집중시키다〔하다〕.

fod·der[fádər/-ɔ́-] *n., vt.* Ⓤ 마초〔꼴〕(를 주다).

:foe[fou] *n.* Ⓒ 적, 원수; 적군; (경기 등의) 상대. **∠·man** *n.* Ⓒ 《詩》 적병.

foe·tus[fíːtəs] *n.* = FETUS.

:fog[fɔːg, -ɑ-/-ɔ-] *n.* Ⓤ,Ⓒ 안개; 혼미; 당혹(當惑); 〖寫〗 (인화·원판의) 흐림. ― *vt.* (**-gg-**) 안개로 덮다〔싸다〕; 당황케 하다; 〖寫〗 흐리게 하다. ***∠·gy** *a.* 안개가 낀, 안개가 짙은; 흐릿한; 당황한; 〖寫〗 흐린, (빛이 새어) 흐려진.

fóg·bòund *a.* 농무로 항행〔이륙〕이 불가능한.

fo·g(e)y[fóugi] *n.* Ⓒ 시대에 뒤진 사람, 구식 사람.

fóg·hòrn *n.* Ⓒ 무적(霧笛).

foi·ble[fɔ́ibəl] *n.* Ⓒ 약점, 결점.

·foil[1][fɔil] *n.* ① Ⓤ (금속의) 박(箔); (요리용) 알루미늄 박; (보석의 밑에 까는) 금속 조각; (거울 뒤의) 아말감. ② Ⓒ (다른 사람이나 물건을) 돋보이게 하는 것. ③ Ⓒ 〖建〗 판(瓣)《꽃잎 모양으로 파낸 무늬》. **serve as a** ~ 돋보이게 하는 역할을 하다. ― *vt.* (…에) 박을 입히다〔대다〕.

foil[2] *n.* Ⓒ (끝을 가죽으로 싼) 연습용 펜싱 칼.

foil[3] *vt.* (계략의) 허를 찌르다, 좌절시키다.

foist[fɔist] *vt.* (가짜를) 안기다(*off, on, upon*); (부정한 문구를) 슬그머니 삽입하다(*in, into*).

:fold[1][fould] *vt.* ① 접다, 개키다. ② (팔을) 끼다, (발을) 꼬다. ③ 안다; 끌어 안다. ④ 싸다. ― *vi.* 접히다, 개켜지다. ~ **up** 접(히)다; 무너지다, (장사에) 실패하다. ― *n.* Ⓒ 접음; 주름, 켜, 주름살, 접은 금〔자리〕; 〖地〗 습곡(褶曲).

fold[2] *n.* Ⓒ 양 우리; (the ~) (우리 안의) 양떼; 한 교회의 신자들; 같은 신앙〔가치관〕을 가진 집단.

-fold[fòuld] *suf.* '…배, …겹〔중(重)〕' 의 뜻 : six*fold.*

fold·er[fóuldər] *n.* Ⓒ 접는 사람〔기계〕; 접지기; 접책, 접이 팸플릿; 종이 끼우개.

·fo·li·age[fóuliidʒ] *n.* Ⓤ ① 《집합적》 (한 초목의) 잎. ② 잎 장식.

·fo·li·o[fóuliòu] *n.* (*pl.* **~s**) Ⓒ 이절지(二折紙)〔판(判)〕《최대의 판》. (cf. quarto); 높이 11인치 이상의 책; (책의) 페이지 수; (원고 등 겉에만 페이지를 매긴) 한 장. **in** ~ 이절(二折)의.

:folk[fouk] *n.* ① 《집합적; 복수 취급; 《美》에서는 흔히 *pl.*을 씀》 사람들; 민족. ② (*pl.*) 《口》 가족.

·fólk dànce 민속 무용(곡).

·fólk·lòre *n.* Ⓤ 민간 전승; 민속학.

·fólk sòng 민요.

fólk tàle 〔**stòry**〕 민간 설화, 전설.

†fol·low[fálou/-ɔ́-] *vt.* ① (…을) 따라가다, (…에) 계속하다. ② (…을) 좇다; (…에) 따르다. ③ (…의) 결과로 일어나다. ④ 뒤쫓다, 추적하다. ⑤ (…에) 종사하다. ⑥ 주목하다. ⑦ 이해하다. ― *vi.* 뒤따르다; 잇따라 일어나다; 당연히 …이 되다. **as ~s** 다음과 같이. ~ **out** 끝까지 해내다. ~ **suit** (카드놀이에서) 앞 사람과 같은 종류의 패를 내다; 선례에 따르다. ~ **the** SEA. ~ **through** 〖테니스·골프〗 공을 친 후 채를 충분히 휘두르다. ~ **up** 끝까지 추구〔추적〕하다; 끝까지 해내다; 속행하여 효과를 올리다. **:∠·er** *n.* Ⓒ 수행자, 종자(從者), 부하; 추적자; 신봉자; 애인.

†fol·low·ing[fálouiŋ/-ɔ́-] *a., n.* Ⓒ 다음(의); 〖海〗 순풍의; 《집합적》 종자, 문하; (the ~) 다음에 말하는 것〔일〕.

·fóllow-ùp *n., a.* Ⓤ 추적; 〖商〗 연속적인 (권유 편지).

:fol·ly[fáli/-ɔ́-] *n.* ① Ⓤ 어리석음. ② Ⓒ 어리석은 짓, 우론(愚論); 어리석게 돈만 많이 들인 물건〔사업·건물〕.

fo·ment[fouméent] *vt.* (환부에) 찜질하다; (반란 따위를) 조장〔선동〕하다. **fo·men·ta·tion**[∸məntéiʃən] *n.* Ⓤ 선동; 찜질; Ⓒ 찜질약.

†fond[fɑnd/-ɔ-] *a.* (…이) 좋아서 (*of*); 애정 있는, 다정한; 정에 무

른, 사랑에 빠진; 실없는; 《주로 方》 어리석은. ˈ∠·ly *ad.* ˈ∠·ness *n.*

fon·dant [fɑ́ndənt/-5-] *n.* (F.) Ⓒ,Ⓤ 퐁당《과자의 재료[장식]용으로 쓰이는 크림 모양의 당과》.

fon·dle [fɑ́ndl/-5-] *vt., vi.* 귀여워 「하다.

font[1] [fɑnt/-ɔ-] *n.* Ⓒ 세례[성수(聖水)]반(盤); 《古》 원천, 샘.

font[2] *n.* Ⓒ 〖印〗 동일형 활자의 한 벌; 〖컴〗 글자체, 폰트. ***a wrong*** ~ 고르지 않은 활자《생략 w.f.》.

†**food** [fu:d] *n.* Ⓤ,Ⓒ 식품, 식량; 자양분; Ⓤ (마음의) 양식.

fóod chàin 〖生態〗 먹이사슬; 식료품 연쇄점.

ˈ**fóod·stùff** *n.* Ⓒ (종종 *pl.*) 식료품; 식량; 영양소.

†**fool** [fu:l] *n.* Ⓒ 바보(취급받는 사람); 〖史〗 (왕후 귀족에게 고용된) 어릿광대. ***be a*** ~ ***to*** …와는 비교가 안 되다, 훨씬 못하다. ***make a*** ~ ***of*** 우롱하다. ***play the*** ~ 어리석은 짓을 하다. — *vt.* 우롱하다, 속이다. — *vi.* 어리석은 짓을 하다; 농담[희롱]하다. ~ ***about*** (***along,*** 《美》 ***around***) 빈들빈들 지내다. ~ ***away*** 낭비하다. ~ ***with*** 농락하다.

fool·har·dy [∠hɑ̀:rdi] *a.* 무모한.

†**fool·ish** [∠iʃ] *a.* 바보 같은, 미련한; 하찮은. ˈ~·**ly** *ad.* ˈ~·**ness** *n.*

fóol·pròof *a.* 바보라도 할 수 있을 (만큼 수월한).

fools·cap [∠zkæ̀p] *n.* Ⓒ 대판 양지 《13×17인치》.

fóol's páradise 가공의 행복; 헛된 기대.

†**foot** [fut] *n.* (*pl.* ***feet***) ① Ⓒ 발, 발부분(cf. leg). ② Ⓤ 《英》 《집합적》 보병. ③ Ⓤ (산)기슭; (페이지) 아랫부분; (물건의) (최)하부; 말석, 꼴찌. ④ Ⓒ 〖韻〗 운각(韻脚). ⑤ Ⓒ 피트(=12인치). ***carry a person off his feet*** (파도 등이) 아무의 발을 쓸어 가다; 아무를 열중케 하다. ***have one*** ~ ***in the grave*** 한 발을 관(棺)에 들여놓고 있다, 죽음이 임박해 있다. ***jump*** (***spring***) ***to one's feet*** 벌떡 일어서다. ***keep one's*** ~ (***feet***) 쓰러지지 않다. ***Pretty*** (***Rich***) ***my*** ~! 《口》 (저것이 미인이 [부자]라고?) 농담 좀 작작해! ***on*** ~ 도보로; 진행중, 착수되어. ***on one's feet*** 일어서서; 기운을 회복하여; 독립하여. ***put one's*** ~ ***in***(***to***) ***it*** 곤경에 빠지다, 실패하다. ***set*** ~ ***on*** 발을 들여 놓다. ***set*** (***put, have***) ***one's*** ~ ***on the neck of*** …을 완전히 정복하다. SHAKE ***a*** ~. ***with one's feet foremost*** 두 발을 앞으로 내뻗고; 시체가 되어. — *vt.* 걷다; 딛다; (양말에) 족부(足部)를 대다; 《口》 (셈을) 치르다. — *vi.* 걷다; 춤추다; 합계 …가 되다. ~ ***it*** 걷다, 걸어가다; 춤추다.

foot·age [fútidʒ] *n.* Ⓤ 피트 수.

†**foot·ball** [∠bɔ̀:l] *n.* Ⓤ 축구; Ⓒ 축구공.

fóot·brìdge *n.* Ⓒ 인도교.

fóot·fàll *n.* Ⓒ 발걸음, 발소리.

fóot·hìll *n.* Ⓒ (흔히 *pl.*) 산기슭의 작은 언덕.

ˈ**fóot·hòld** *n.* Ⓒ 발판; 거점.

:**foot·ing** [∠iŋ] *n.* Ⓤ 발밑, 발판; 입장; 확고한 지반; 지위; 관계; 합계; 〖舞〗 스텝 밟기; 〖軍〗 편제, 정원.

ˈ**fóot·lìghts** *n. pl.* 풋라이트, 각광; 무대; 배우 직업.

foot·ling [∠liŋ] *a.* 《口》 바보 같은, 시시한.

fóot-lòose *a.* 가고 싶은 곳에 갈 수 있는, 자유로운.

ˈ**foot·man** [–mən] *n.* Ⓒ (제복 입은) 종복.

ˈ**fóot·nòte** *n.* Ⓒ 각주(脚註).

fóot·pàth *n.* Ⓒ 작은 길.

ˈ**fóot·prìnt** *n.* Ⓒ 발자국.

fóot·rèst *n.* Ⓒ (이발소 의자 등의) 발판.

fóot·sòre *a.* 발병 난.

:**fóot·stèp** *n.* Ⓒ 걸음걸이; 발소리; 보폭(步幅); 발자국.

fóot·stòol *n.* Ⓒ 발판, 발받침.

fóot·wèar *n.* Ⓤ 신는 것《양말·신발·슬리퍼 따위》.

ˈ**fóot·wòrk** *n.* Ⓤ 발놀림; (기자 등의) 걸어다니는 취재.

fop [fɑp/-ɔ-] *n.* Ⓒ 멋쟁이 (남자). ∠·**per·y** *n.* Ⓤ,Ⓒ 멋(부림). ∠·**pish** *a.* 멋부린.

†**for** [強 fɔ:r, 弱 fər] *prep.* ① …대신, …을 대표하여; …을 향하여 (*start* ~ *London*). ② 《이익·목적》

…을 위해(*go* ~ *a walk*). ③ 《이유·원인》 …때문에, …로 인하여(*dance* ~ *joy*). ④ 《의도·용도》 …을 위한(*books* ~ *children*). ⑤ 《시간·거리》 …동안, 사이(~ *a long time*). ⑥ 《관련》 …의 점에서, …에 비해서(*clever* ~ *his age*). ⑦ …을 지지하여, …을 위해서(*vote* ~ *him*); …로서(*choose him* ~ *a leader*). ⑧ …에도 불구하고(~ *all his wealth*). ⑨ 매(每) …에(*ten dollars* ~ *a day*). ⑩ …을 추구하여(*desire* ~ *fame*). ⑪ …에 대해서, …의 분(分)으로서(*another plan* ~ *tomorrow*). ***as*** ~ ***me*** 나로서는. ~ ***all*** …에도 불구하고. ~ ***all I care*** 내가 알 바 아니다. ~ ***all I know*** 아마 …일 것이다. ~ ***good*** (***and all***) 영원히. ~ ***my part*** 나로서는. ~ ***once*** 이번만은. ~ ***oneself*** 자기를 위해서; 혼자 힘으로; 독립해서. ~ ***one thing*** 하나는; 일례를 들면. ***I***, ~ ***one*** 나(같은 사람)도. — *conj.* 까닭인즉〔왜냐하면〕 …이니까.

***for·age**[fɔ́ridʒ, -ɑ́-/-ɔ́-] *n.* Ⓤ 꼴; 마초 징발; 식량을 찾아 헤맴. — *vt., vi.* 식량을〔마초를〕 주다〔찾아다니다〕; 찾아다니다; 약탈하다.

for·ay[fɔ́:rei/fɔ́r-] *n., vt., vi.* Ⓒ 침략〔약탈〕(하다).

***for·bade**[fərbéid], **-bad**[-bǽd] *v.* forbid의 과거.

:for·bear[1][fɔ:rbέər] *vt., vi.* (***-bore; -borne***) (감정을) 억누르다; 참다. ***~·ance**[-bέərəns] *n.* Ⓤ 자제, 인내; 《法》 (권리 행사의) 보류.

for·bear[2][fɔ́:rbὲər] *n.* = FOREBEAR.

:for·bid[fərbíd] *vt.* (***-bad***(***e***)***; -bidden; -dd-***) 금하다; (사용을) 금지하다; (들어가는 것을) 허락하지 않다; 방해하다. ***God*** 〔***Heaven***〕 ~***!*** 당치도 않다, 단연코 아니다. **~·ding** *a.* 싫은; (장소·가격 등) 가까이하기 어려운; (인상 등이) 험상궂은.

:for·bid·den[-n] *v.* forbid의 과거분사. — *a.* 금지된, 금단의.

***for·bore**[fɔ:rbɔ́:r] *v.* forbear[1]의 과거.

***for·borne**[-n] *v.* forbear[1]의 과거분사.

†force[fɔ:rs] *n.* ① Ⓤ 힘. ② Ⓤ 완력, 폭력; 무력. ③ Ⓒ (종종 *pl.*) 경찰대; 군대. ④ Ⓤ 지배력; 압력; 효력. ⑤ Ⓤ (어구의) 참뜻. ⑥ Ⓒ (어떤) 그룹, 집단. ⑦ Ⓤ (법률·협정 등의) 실시, 시행. ⑧ Ⓤ 《理》 힘, 에너지(*centrifugal* ~ 원심력). ***by*** ~ ***of*** …에 의해서. ***come into*** ~ (법률이) 시행되다. ***in*** ~ 시행중; 대거(大擧). — *vt.* 폭력을 가하다; 억지로 …시키다; 강제로 내게 하다; 강탈하다; 무리로 열다〔통과하다〕; (미소 따위를) 억지로 짓다; 《카드》 으뜸패를 내게 하다, (어떤 패를) 떼어놓게 하다; 촉성 재배하다. **~·ful** [∠fəl] *a.* 힘 있는, 힘찬, 세찬. **∠·ful·ly** *ad.*

forced**[fɔ:rst] *a.* 강제의; 억지로 지은〔만든〕; 억지의. ~ ***smile 억지웃음. **forc·ed·ly**[fɔ́:rsidli] *ad.*

fórced lánding 불시착.

fórced márch 강행군.

fórce ma·jéure[-məʒɔ́:r] (강국의 약소국에 대한) 압력; 《法》 불가항력 《계약 불이행이 허용되는》.

fórce·mèat *n.* Ⓤ (소로 쓰이는) 양념한 다진 고기.

for·ceps[fɔ́:rsəps, -seps] *n. sing.* & *pl.* 핀셋(pinsette), 겸자(鉗子).

***for·ci·ble**[fɔ́:rsəbəl] *a.* 강제적인; 강력한; 유효한; 설득력 있는. ***-bly** *ad.*

ford[fɔ:rd] *n., vt.* Ⓒ 여울(을 걸어서 건너다).

fore**[fɔ:r] *a., ad.* 전방〔앞쪽〕의〔에〕. — *n.* (the ~) 전방, 앞쪽, 전면. ***to the ~ 전면에; 눈에 띄는 곳에; 곧 도움되어〔이용할 수 있는〕; 살아 있어.

fore-[fɔ:r] *pref.* before의 뜻: *fore*arm, *fore*father.

fóre·àrm[1] *n.* Ⓒ 팔뚝.

fòre·árm[2] *vt.* 미리 무장〔준비〕하다.

fóre·bèar *n.* Ⓒ (보통 *pl.*) 조상.

fore·bode[fɔ:rbóud] *vt.* 전조를 보이다; 예감이 들다. **-bód·ing** *n.* Ⓤ,Ⓒ 전조; 예감.

:fore·cast[fɔ́:rkæ̀st/-ɑ̀:-] *n., vt.* (~, ~***ed***) Ⓒ 예상〔예보·예정〕(하다).

fore·close[fɔ:rklóuz] *vt.* 못들어오게 하다, 방해하다; (저당권 설정자를) 배제하다. — *vi.* 유전(流典) 처분하다. **fore·clo·sure**[-klóuʒər]

F

n. U,C 저당물 환수권 상실, 유전.
fòre·dóom *vt.* 미리 운명을 정하다.
:**fóre·fàther** *n.* C (보통 *pl.*) 조상.
·**fóre·fìnger** *n.* C 집게손가락.
fóre·fòot *n.* (*pl.* **-feet**) C 앞발; 〖海〗 용골(龍骨)의 앞부분.
fóre·frònt *n.* (the ~) 맨 앞, 최전부(最前部); 최전방〔선〕.
fòre·gó *vt., vi.* (**-went; -gone**) 선행하다. *~**ing** *a.* 앞의; 전술한.
fóre·gòne *v.* forego의 과거분사. — *a.* 기왕의.
fóregone conclúsion 처음부터 알고 있는 결론; 필연의〔불가피한〕 결과.
·**fóre·gròund** *n.* (the ~) 전경(前景); 가장 두드러진 지위〔위치〕.
fóre·hànd *a., n.* C 〖테니스〗 정타(正打)(의); 최전부의; 선두의. ~**ed** *a.* 〖테니스〗 정타의; 장래에 대비한; 검약한; 유복한.
:**fore·head**[fɔ́:rid, fɔ́:*r*hèd/fɔ́rid, -red] *n.* C 이마; 앞부분, 전부(前部).
†**for·eign**[fɔ́(:)rin, -á-] *a.* 외국의; 외래의; 이질의; 관계 없는. :~·**er** *n.* C 외국인.
fóreign exchánge 외국환.
fòre·knówledge *n.* U 예지(豫知).
fóre·lèg *n.* C 앞다리.
fóre·lòck *n.* C 앞머리. ***take time*** (***opportunity***) ***by the*** ~ 기회를 잡다.
·**fore·man**[⌐mən] *n.* C (노동자의) 십장, 직공장; 배심장(陪審長).
:**fóre·mòst** *a., ad.* 맨앞의〔에〕; 일류의.
fo·ren·sic[fərénsik] *a.* 법정의; 토론의.
fòre·rún *vt.* (**-ran; -run; -nn-**) 앞장서다; 앞지르다; 예고하다. *~**ner** *n.* C 선구자; 전조; 선인; 선조.
:**fore·see** [-sí:] *vt., vi.* (**-saw; -seen**) 예견하다, 미리 알다. ~·**ing** *a.* 선견지명이 있는. ~·**ing·ly** *ad.*
fòre·shádow *vt.* 예시하다.
fóre·shòre *n.* (the ~) 물가《간조선과 만조선과의 사이》.
fòre·shórten *vt.* 원근법에 따라 그리다; (…을) 단축하다.
·**fóre·sìght** *n.* U 선견(지명); 심려(深慮); 전망. ~**ed** *a.* 선견지명이 있는.
fóre·skìn *n.* C 〖解〗 포피(包皮)(prepuce).
†**for·est**[fɔ́(:)rist, -á-] *n.* U,C 숲, 삼림(의 수목). — *vt.* 식림(植林)하다, 숲으로 만들다. ~·**er** *n.* C 산림 관리자, 산감독; 삼림 거주자. ~·**ry** *n.* U 임학; 임업; 산림 관리(법); 산림(지).
fòre·stáll *vt.* 앞지르다, 선수 쓰다; 매점(買占)하다.
:**fore·tell**[fɔ:*r*tél] *vt., vi.* (**-told**) 예고〔예언〕하다.
fóre·thòught *n.* U 사전의 고려, 심려(深慮).
·**fore·told**[fɔ:*r*tóuld] *v.* foretell의 과거(분사).
†**for·ev·er**[fərévə*r*] *ad.* 영원히, 언제나. ~·**more**[-⌐-mɔ́:*r*] *ad.* 앞으로 영원히.
fòre·wárn *vt.* 미리 경계〔경고〕하다.
fóre·wòrd *n.* C 머리말, 서문.
·**for·feit**[fɔ́:*r*fit] *n.* ① C 벌금; 몰수물. ② (*pl.*) 벌금놀이. — *vt., a.* 상실하다; 몰수되다〔된〕. **for·fei·ture**[-fətʃə*r*/-fi-] *n.* U 상실; 몰수; C 몰수물, 벌금.
·**for·gave**[fə*r*géiv] *v.* forgive의 과거.
·**forge**[1][fɔ:*r*dʒ] *n.* C 용광로; 제철소, 대장간. — *vt.* (쇠를) 불리다; (계획·허위 따위를 짜서) 꾸며내다; (문서·남의 서명을) 위조하다; (사기를 목적으로) 남의 이름을 서명하다.
fórg·er *n.* C 위조자. **fór·ger·y** *n.* U 위조; 문서 위조죄; C 위조물.
forge[2] *vt.* 서서히 나아가다.
†**for·get** [fə*r*gét] *vt.* (**-got,** 《古》 **-gat; -got**(**ten**); **-tt-**) (두고) 잊어버리다; 게을리하다. ~ ***oneself*** 몰두하다; 제분수를 잊다; 부주의한 짓〔말〕을 하다. *~·**ful** *a.* 잘 잊는; 잊고 (*of*). ~·**ful·ly** *ad.* *~·**ful·ness** *n.*
fórget-me-nòt *n.* C 물망초《Alaska의 주화(州花)》.
:**for·give**[fə*r*gív] *vt.* (**-gave; -given**) 용서하다; (빚을) 탕감하다, 삭치다. *~·**ness** *n.* U 용서, 면제, 관대(함). **for·gív·ing** *a.*
for·go[fɔ:*r*góu] *vt.* (**-went; -gone**) 없이 때우다(do without); 절제하

다; 삼가다; 끊다.

†**for·got**[fərgɑ́t/-ɔ́-] *v.* forget의 과거분사.

†**for·got·ten**[fərgɑ́tn/-ɔ́-] *v.* forget의 과거분사.

:**fork**[fɔːrk] *n.* Ⓒ 포크; 쇠스랑; (나무의) 아귀, 갈래; (도로·강의) 분기점. ― *vt.* 갈라지게 하다; (마른 풀 따위를) 쇠스랑으로 던지다〔떠 올리다〕. **~ed**[-t] *a.* 갈라진, 아귀진, 아귀 모양의.

·**for·lorn**[fərlɔ́ːrn] *a.* 버림받은, 고독한; 비참한, 절망적인.

†**form**[fɔːrm] *n.* ① Ⓒ,Ⓤ 모양; 외형; Ⓒ (사람의) 모습; (사람의) 몸매; (경기자 등의) 폼. ② Ⓒ,Ⓤ (일정한) 형식, 방식, 형; 〖컴〗 틀, 형식; Ⓒ 서식; (기입) 용지; 종류. ③ Ⓤ (문예 작품 등의) 표현 형식, 형식; 예식, 예절. ④ Ⓤ 〖哲〗 (내용에 대한) 형식. ⑤ Ⓤ 심신의 상태. ⑥ Ⓒ 〖文〗 형태, 어형; 《英》 (public school 따위의) 학급; 〖印〗 조판; 《英》 (등널 없는) 긴의자. ***for ~'s sake*** 형식상. ***good*** 〔***bad***〕 ~ 예의〔무례〕. ***in due*** ~ 정식으로. ― *vt.* 형성하다, 만들다; 설립〔조직〕하다; 생기게 하다; (습관을) 붙이다; 〖文〗 꾸미다; 〖軍〗 (대열을) 짓다(~ *a line,* 1줄로 서다/ ~ *fours,* 4열을 짓다). ― *vi.* 형성되다; 생기다; 대형이 되다. **∠·less** *a.* 모양이 없는, 무정형의.

:**for·mal**[fɔ́ːrməl] *a.* 모양의, 형식〔외형〕상의; 정식의; 의례적인; 딱딱한; 규칙 바른; 형식적인; 형식을 갖춘〔뿐인〕; 〖論〗 형식의; 〖哲〗 본질적인. ~ ***object*** 〔***subject***〕 〖文〗 형식 목적어〔주어〕. **~·ism**[-ìzəm] *n.* Ⓤ 형식주의. **~·ist** *n.* **~·ize** *vt.* 정식〔형식적〕으로 하다; 형식화하다. ***~·ly** *ad.*

form·al·de·hyde [fɔːrmǽldəhàid] *n.* Ⓤ 〖化〗 포름알데히드.

For·ma·lin[fɔ́ːrməlin] *n.* Ⓒ 〖商標〗 포르말린《살균·방부제》.

·**for·mal·i·ty**[fɔːrmǽləti/-li-] *n.* Ⓤ 형식 존중; 딱딱함; Ⓒ 형식적 행위; (*pl.*) 정식의 절차; 의식.

for·mat[fɔ́ːrmæt] *n.* Ⓒ (책의) 체재, 형, 판; (방송 프로의) 구성; 〖컴〗 틀잡기, 형식, 포맷. ― *vt.* (**-tt-**) 〖컴〗 포맷에 넣다.

:**for·ma·tion**[fɔːrméiʃən] *n.* ① Ⓤ 형성; 조직; 구조, 배치. ② Ⓤ,Ⓒ 〖軍〗 대형. ③ Ⓒ 형성물; 〖地〗 층.

form·a·tive[fɔ́ːrmətiv] *a.* 형성하는; 구성하는, 발달의; 〖文〗 말을 구성하는. ― *n.* Ⓒ (말의) 구성 요소《접두〔접미〕사 따위》.

†**for·mer**[fɔ́ːrmər] *a.* 앞의, 이전의. ***the*** ~ 전자(opp. the latter). **:~·ly** *ad.*

For·mi·ca [fɔːrmáikə] *n.* Ⓤ 〖商標〗 포마이커《가구 따위의 표면에 바르는 강화 합성 수지》.

·**for·mi·da·ble**[fɔ́ːrmidəbəl] *a.* 만만찮은, 무서운. **-bly** *ad.*

:**for·mu·la**[fɔ́ːrmjələ] *n.* (*pl.* **~s, *-lae***[-lìː]) Ⓒ 일정한 형식; 〖數·化〗 식, 공식; 법식; 처방; 상투어.

·**for·mu·late**[fɔ́ːrmjəlèit] *vt.* 공식으로 나타내다, 공식화하다. ***-la·tion** [∸–éiʃən] *n.*

for·ni·cate[fɔ́ːrnəkèit] *vi.* (미혼 자와) 간통하다(*with*). **-ca·tion**[∸–kéiʃən] *n.*

:**for·sake** [fərséik] *vt.* (***-sook; -saken***) (친구를) 저버리다; (습관·신앙을) 버리다.

for·swear, fore-[fɔːrswέər] *vt.* (***-swore; -sworn***) 맹세코 끊다〔부인하다〕. ~ ***oneself*** 거짓 맹세하다. ― *vi.* 거짓 맹세하다.

for·syth·i·a [fərsíθiə, fɔːr-, -sáiθiə] *n.* Ⓤ 〖植〗 개나리.

:**fort**[fɔːrt] *n.* Ⓒ 보루(堡壘), 성채.

forte[fɔːrt] *n.* Ⓒ 장점, 장기(長技).

for·te [fɔ́ːrtei, -ti] *a., ad.* (It.) 〖樂〗 강음의; 세게.

†**forth**[fɔːrθ] *ad.* 앞으로; 보이는 곳에, 밖으로; …이후. ***and so*** ~ … 등등. ***come*** ~ 나타나다. ***from this day*** ~ 오늘 이후. ***right*** ~ 즉시. ***so far*** ~ 거기까지는, 그만큼은.

·**forth·com·ing**[fɔ̀ːrθkʌ́miŋ] *a.* 곧 나오려고〔나타나려고〕 하는; 준비돼 있는.

·**fórth·right** *ad.* 솔직히; 똑바로.

forth·with[-wíθ, -wíð] *ad.* 당장, 즉시.

·**for·ti·eth**[fɔ́ːrtiiθ] *n., a.* Ⓤ 제

F

40(의); Ⓒ 40분이 1(의).

·**for·ti·fi·ca·tion** [fɔ̀:rtəfikéiʃən/-ti-] *n.* ① Ⓤ 방비; 축성(築城)(학). ② Ⓒ (보통 *pl.*) 방비 시설, 요새. ③ Ⓤ (음식 영양가의) 강화.

·**for·ti·fy** [fɔ́:rtəfài/-ti-] *vt.* 강[견고]하게 하다; 방어 공사를 하다; (영양가·알코올 성분을) 높이다(enrich); (설(說)을) 뒷받침하다. ~ ***oneself*** 몸을 지키다, 기운을 북돋다. **-fied** *a.* 방비된. ***fortified zone*** 요새 지대.

for·tis·si·mo [fɔ:rtísəmòu] *a., ad.* (It.) 〖樂〗 매우 센[세게].

·**for·ti·tude** [fɔ́:rtətjù:d] *n.* Ⓤ 용기, 불굴의 정신.

·**fort·night** [fɔ́:rtnàit] *n.* Ⓒ 《주로 英》 2주간, 14일. ~·**ly** *a., ad., n.* 2주간마다(의); Ⓒ 격주 간행물.

FORTRAN, For·tran [fɔ́:rtræn] *n.* Ⓤ 〖컴〗 포트란《과학 기술 계산 프로그램 용어》(＜*for*mula *tran*slation).

:**for·tress** [fɔ́:rtris] *n.* Ⓒ (대규모의) 요새(要塞); 《一般》 안전 지대.

for·tu·i·tous [fɔ:rtjú:ətəs] *a.* 우연(발생)의. ~·**ly** *ad.* **-ty** *n.* Ⓤ 우연(성); Ⓒ 우발 사건.

:**for·tu·nate** [fɔ́:rtʃənit] *a.* 행운의[을 갖다 주는]. :~·**ly** *ad.*

:**for·tune** [fɔ́:rtʃən] *n.* Ⓤ 운(명); 행운; 부, 재산; Ⓒ (재산으로 인한) 사회적 지위; (F-) 운명의 여신. ***have ~ on one's side*** 운이 트이다. ***seek one's ~*** 입신 출세의 길을 찾다. ***spend a small ~ on*** 《俗》 …에 큰돈을 들이다.

fórtune·tèller *n.* Ⓒ 점쟁이.

†**for·ty** [fɔ́:rti] *n., a.* Ⓤ,Ⓒ 40(의).

fórty wínks 《口》 낮잠.

·**fo·rum** [fɔ́:rəm] *n.* (*pl.* ~***s, -ra*** [-rə]) Ⓒ ① (고대 로마의) 공회(公會)의 광장. ② 법정. ③ (공개·TV 등의) 토론회.

†**for·ward** [fɔ́:rwərd] *ad.* 앞으로; 앞에. ***from this day ~*** 오늘 이후. — *a.* 전방의; 급진적인; 진보적인; 올된, 조숙한; 자진하여 …하는; 주제넘은; 〖商〗 선물(先物)의. — *n.* Ⓤ,Ⓒ (축구 따위의) 전위, 포워드; =∠ **páss** 〖蹴〗 포워드 패스. — *vt.* 촉진하다; (우편물을) 회송하다; 발송하다. ~**s** [-z] *ad.* = FORWARD. ~·**er** *n.* Ⓒ 운송업자. ~·**ing** *n.* Ⓤ,Ⓒ 추진; 회송. ~***ing agent*** 운송업자.

fórward-lòoking *a.* 앞을 향한; 적극[진보]적인. 「거.

for·went [fɔ:rwént] *v.* forgo의 과거.

·**fos·sil** [fásl/-ɔ́-] *n., a.* Ⓒ 화석(의); 《口》 시대에 뒤진 (사람). ~·**ize** [-səlàiz] *vt., vi.* 화석이 되(게 하)다; (*vt.*) 시대에 뒤지게 하다; (*vi.*) 화석 채집을 하다. ~·**i·za·tion** [fɑ̀səlizéiʃən/fɔ̀silai-] *n.* Ⓤ 화석화.

:**fos·ter** [fɔ́:stər, -ɑ́-/-ɔ́-] *vt.* 기르다, 양육하다; 돌보다, (생장·발달 따위를) 촉진하다; (희망·사상·증오 따위를) 마음속에 키우다[품다]. — *a.* (혈연이 아닌) 양육 관계의.

:**fought** [fɔ:t] *v.* fight의 과거(분사).

:**foul** [faul] *a.* 더러운; 악취 있는; 〖海〗 (닻줄이) 엉클어진; (검댕 따위가) 꽉 막힌; (날씨가) 나쁜, 궂은; 역풍의; 상스런, 야비한; 심히 불쾌한; (경기에서) 반칙의; 사악한; (배가 암석·다른 배 따위에) 부딪친; 〖野〗 파울의. — *ad.* 부정하게. ***fall*** [***go, run***] ~ ***of*** …와 충돌하다, 부딪다; 싸우다. — *n.* Ⓒ 〖海〗 가벼운 충돌; (경기의) 반칙; 〖野〗 파울. — *vt., vi.* 더럽히다, 더러워지다; 엉키(게 하)다; (…에) 충돌하다; 반칙하다. ∠·**ly** *ad.* ∠·**ness** *n.*

fóul-móuthed *a.* 입이 건.

fóul pláy (경기의) 반칙; 부정 행위.

†**found**[1] [faund] *v.* find의 과거(분사).

:**found**[2] *vt.* (…의) 기초를 두다; 창설하다; 근거로[의거] 하다(*on, upon*). :∠·**er** *n.* Ⓒ 창설자; 시조.

found[3] *vt.* 주조(鑄造)하다(cast). ∠·**er** *n.*

:**foun·da·tion** [faundéiʃən] *n.* ① Ⓒ 토대. ② Ⓒ,Ⓤ 기초; 근거. ③ Ⓤ 창설. ④ Ⓒ 기금; (기금에 의한) 설립물, 재단. ⑤ Ⓒ 코르셋류(類). ⑥ Ⓤ 기초 화장, 파운데이션. ~·**er** [-ər] *n.* Ⓒ 《英》 장학생.

foundátion stòne 주춧돌, 초석.

:**found·er**[1] [fáundər] *n.* ⇨FOUND[2,3].

found·er[2] *vi.* (둑·건물 따위가) 무

너지다; 넘어지다; (배가) 침수되어 침몰하다; (말이) 쓰러지다, 절름발이가 되다; 실패하다. — *vt.* 침몰시키다; (말을) 쓰러뜨리다.

found·ling [fáundliŋ] *n.* Ⓒ 기아(棄兒); 주운 아이. ~ ***hospital*** 기아 보호소, 고아원.

found·ry [fáundri] *n.* Ⓒ 주조장(鑄造場); Ⓤ 주조법.

fount[1] [faunt] *n.* Ⓒ 《雅》 샘(fountain); 원천.

fount[2] *n.* 《英》 = FONT[2].

:foun·tain [fáuntin] *n.* Ⓒ 샘; (음용) 분수; 원천; 【機】 기름통; 【印】 잉크 통.

fóuntain·hèad *n.* Ⓒ 수원; 근원.

:fóuntain pèn 만년필.

†four [fɔːr] *n., a.* Ⓤ,Ⓒ 4(의). ***on all ~s*** 네 발로 기어; 꼭 들어 맞아 (*with*).

fóur-èyed *a.* 네 눈의; 안경을 쓴.

fóur·fòld *a., ad.* 4중〔배〕의[(으)로].

fóur-lètter wórd 4글자 말《비속한 말》.

fóur·póster *n.* Ⓒ (커튼 달린) 4기둥의 대형 침대.

four·some [⌐səm] *n.* Ⓒ 【골프】 포섬《4인이 2조로 나뉨》; 그것을 하는 4사람; 4인조. 「한.

fóur·squáre *a.* 4각의; 솔직〔견고〕

†four·teen [fɔ́ːrtíːn] *n., a.* Ⓤ,Ⓒ 14(의), Ⓤ 14세(의), 14명. ***·-téenth*** *n., a.* Ⓤ 제14(의), 열넷째(의); Ⓒ 14분의 1(의).

†fourth [fɔːrθ] *n., a.* Ⓤ 제4〔넷째〕(의); Ⓒ 4분의 1(의). ***the F- of July*** 미국 독립 기념일《7월 4일》. **⌐·ly** *ad.* 넷째로.

fóurth diménsion, the 제4차원.

fóurth estáte, the 신문계, 언론계(the press), 저널리즘.

4WD four-wheeled drive 4륜 구동 방식.

:fowl [faul] *n.* (*pl.* **~s,** 《집합적》 ~) Ⓒ 닭; 가금(家禽); Ⓤ 닭〔새〕고기; Ⓒ 《古》 새. ***barn-door ~*** 닭. — *vi.* 들새를 잡다. **⌐·er** *n.* Ⓒ 들새 사냥꾼. **~·ing** [⌐iŋ] *n.* Ⓤ 들새 사냥, 새사냥.

:fox [faks/-ɔ-] *n.* (*pl.* **~es,** 《집합적》 ~) Ⓒ 여우; Ⓤ 여우 모피; Ⓒ 교활한 사람. — *vt., vi.* 속이다; 변색시키다〔하다〕. **⌐·y** *a.* 여우같은; 교활한; 여우털빛의; 변색한. 「용》.

fóx·glòve *n.* Ⓒ 【植】 디기탈리스《약

fóx·hòle *n.* Ⓒ 【軍】 (1인 내지 3인용의 작은) 참호.

fóx·hòund *n.* Ⓒ 여우 사냥개.

fóx·hùnt *n., vi.* Ⓒ 여우 사냥(을 하다).

fóx térrier 폭스테리어《애완견》.

fóx tròt 폭스트롯; 말의 걸음걸이의 일종《walk와 trot의 중간》.

foy·er [fɔ́iei, fɔ́iər] *n.* (F.) Ⓒ (극장·호텔 따위의) 휴게실; 현관의 홀.

Fr. Father; French.

fra·cas [fréikəs, frǽkaː] *n.* Ⓒ 싸움, 소동.

:frac·tion [frǽkʃən] *n.* Ⓒ 단편; 부분; 분수. ***complex*** 〔***common, vulgar***〕 ~ 번(繁)〔보통〕분수. **~·al** *a.* **~·al·ly** *ad.*

frac·tious [frǽkʃəs] *a.* 성마른; 다루기 힘든.

·frac·ture [frǽktʃər] *n.* ① Ⓤ 부숨, 파손. ② Ⓒ 갈라진 틈, 금; 【鑛】 단구(斷口). ③ Ⓒ 골절(骨折). — *vt., vi.* 부수다; 부러뜨리다; 골절하다.

·frag·ile [frǽdʒəl/-dʒail] *a.* (cf. frail) 부서지기 쉬운; (몸이) 약한. **fra·gil·i·ty** [frədʒíləti] *n.*

:frag·ment [frǽgmənt] *n.* Ⓒ 파편; 단편; 미완성 유고(遺稿). **·-men·tar·y** [-èri/-əri] *a.* 파편의; 단편적인, 조각조각난; 미완성의.

frag·men·ta·tion [frӕ̀gməntéiʃən] *n.* Ⓤ (폭탄·암석 등의) 파쇄; 분열, 붕괴; 【컴】 분편화(分片化). ~ ***bomb*** 파쇄 폭탄〔수류탄〕.

:fra·grant [fréigrənt] *a.* 냄새가 좋은; 상쾌한. **~·ly** *ad.* **·frá·grance, -gran·cy** *n.* Ⓤ 방향.

:frail [freil] *a.* (cf. fragile) (체질이) 허약한; 무른; (성격이) 약한, 유혹에 빠지기 쉬운. **⌐·ty** *n.* Ⓤ,Ⓒ 무름, 허약; (성격·의지의) 박약(에서 오는 과실).

:frame [freim] *n.* ① Ⓒ 구조; 조직; 기구; 뼈대. ② Ⓤ 모양; 체격. ③ Ⓒ 액자; 테, (온상의) 틀, 프레임. ④ Ⓒ 【映】 (필름의) 한 화면. ⑤ Ⓒ 【撞】 (공을 놓는) 삼각형틀; 【野·볼링】 게

임의 1회. ⑥ 〖컴〗 짜임, 프레임《스크린 등에 수시로 일정 시간 표시되는 정보[화상]; 컴퓨터 구성 단위》. ~ *of mind* 기분. — *vt.* ① 조립하다; (…의) 형태[뼈대]를 만들다. ② 고안하다. ③ 틀에 맞추다; (…의) 틀이 되다. ④ 《口》 없는 죄를 씌우다. (죄를) 조작하다(*up*).

fráme·ùp *n.* Ⓒ 《口》 (아무를 죄에 빠뜨리는) 계략, 음모; 조작된 죄.

·**fráme·wòrk** *n.* Ⓒ 틀, 뼈대; Ⓤ 구성, 구조, 체제.

franc[fræŋk] *n.* Ⓒ 프랑《프랑스·벨기에·스위스의 화폐 단위》; 1프랑 화폐.

·**fran·chise**[frǽntʃaiz] *n.* Ⓤ 선거권; Ⓒ 특권; 총판(總販)권.

Fran·co[frǽŋkou, frɑ́ːŋ-], **Francisco**(1892-1975) 스페인의 군인·총통.

fran·co·phone[frǽŋkoufòun] *n., a.* Ⓒ 프랑스어를 하는 (사람).

:**frank**[fræŋk] *a.* 솔직한; 숨김없는. *to be ~ with you* 솔직히 말하면, 사실은. — *vt.* (우편물을) 무료로 송달하다. — *n.* Ⓒ 〖英史〗 무료 배달의 서명[특전·우편물]. :**∠·ly** *ad.* ·**∠·ness** *n.*

·**frank·furt**(·**er**) [frǽŋkfərt(ər)] *n.* Ⓒ 프랑크푸르트 소시지《쇠고기·돼지고기를 혼합한 것》.

frank·in·cense[frǽŋkinsèns] *n.* Ⓤ 유향(乳香).

·**fran·tic**[frǽntik] *a.* 심히 흥분한; 《古》 미친. ·**fran·ti·cal·ly, fran·tic·ly** *ad.*

·**fra·ter·nal** [frətə́ːrnəl] *a.* 형제의; 우애의.

fratérnal twíns 이란성 쌍생아 (cf. identical twins).

·**fra·ter·ni·ty**[frətə́ːrnəti] *n.* ① Ⓤ 형제간(의 우애). ② Ⓒ 우애 조합; (the ~) 동업[동호]자들. ③ Ⓒ 《집합적》 《美》 (남자 대학생의) 친목회 (cf. sorority).

frat·er·nize[frǽtərnàiz] *vi.* 형제로 사귀다; (적국민과) 친하게 사귀다. -**ni·za·tion**[≻–nizéiʃən] *n.*

frat·ri·cide[frǽtrəsàid, fréi-] *n.* ① Ⓤ 형제 살해. ② Ⓒ 그 사람.

·**fraud**[frɔːd] *n.* ① Ⓤ 사기, 협잡. ② Ⓒ 부정 수단; 사기꾼; 가짜.

fraud·u·lent[frɔ́ːdʒulənt] *a.* 사기의; 사기적인; 속여서 손에 넣은. **~·ly** *ad.* -**lence, -len·cy** *n.*

·**fraught**[frɔːt] *a.* (cf. freight) …을 내포한, …으로 가득 차 있는; 《詩》 …을 가득 실은(*with*).

fray[1][frei] *n.* (the ~) 떠들썩한 싸움, 다툼.

·**fray**[2] *vt., vi.* 문지르다; 닳아 빠지(게 하)다; 풀(리)다; 해지(게 하)다.

fraz·zle[frǽzəl] *vt., vi.* 닳아 빠지(게 하)다; 지치(게 하)다. — *n.* Ⓒ 너덜너덜[휘주근]한 상태.

·**freak**[friːk] *n.* Ⓤ,Ⓒ 변덕; Ⓒ 기형, 괴물. **∠·ish** *a.*

·**freck·le**[frékl] *n., vt., vi.* Ⓒ 주근깨; 얼룩(이 생기(게 하)다). **fréck·ly** *a.* 주근깨투성이의.

†**free**[friː] *a.* ① 자유로운; 자주적인. ② 분방한; 솔직한. ③ 규칙에 구애되지 않는; 문자에 얽매이지 않는; 딱딱하지 않은. ④ 풍부한. ⑤ 한가한; (방 따위가) 비어 있는; 장애가 없는; 무료의; 세 없는; 개방된; 자유로 드나들 수 있는. ⑥ 참가 자유의. ⑦ 무조건의. ⑧ 고정되어 있지 않은. ⑨ 손이 큰; 아끼지 않는. ⑩ (…이) 없는, (…이) 면제된(*from*). ⑪ 〖化〗 유리된. *for ~* 《口》 무료로. *~ fight* 난투(亂鬪). *~ on board* 본선 인도(本船引渡). *get ~* 자유의 몸이 되다. *make a person ~ of* 아무에게 …을 마음대로 쓰게 하다. *make ~ with* 허물없이 굴다. *set ~* 해방하다. — *ad.* 자유로; 무료로. — *vt.* (**freed**) 자유롭게 하다, 해방하다; 면제하다(*of, from*).

free·bee, -bie[fríːbiː] *n.* Ⓒ 《美俗》 공짜의 것《무료 입장권 등》.

:**free·dom**[fríːdəm] *n.* Ⓤ,Ⓒ 자유; Ⓤ 자유 독립; (the ~)(시민·회원 등의) 특권; Ⓤ 해방; 면제; (the ~) 자유 사용권; Ⓤ 허물[스스럼]없음, 무람없음; Ⓤ (동작의) 자유 자재. *~ from care* 속편함, 태평. *~ of the press* 출판[언론]의 자유.

frée énterprise (정부의 간섭을 받지 않는) 자유 기업.

frée-for-àll *n.* Ⓒ 누구나 참가할 수 있는 경기; 난투.

frée·hànd *a.* (기구를 쓰지 않고)

손으로 그린. ~ ***drawing*** 자재화(自在畫).
frée·hòld *n.* ① Ⓤ (토지의) 자유 보유권. ② Ⓒ 자유 보유 부동산.
frée hòuse 《英》 (여러 가지 상표의 주류를 파는) 술집.
frée kíck 〖蹴〗 프리킥.
frée-lánce *vi.* 자유 계약으로〔프리랜서로〕 일하다.
frée-láncer *n.* Ⓒ 자유 계약자, 프리랜서.
:free·ly[fríːli] *ad.* 자유로이; 거리낌없이; 아낌없이; 무료료.
·free·man[∠mən] *n.* Ⓒ (노예가 아닌) 자유민; (시민권 등이 있는) 공민.
Free·ma·son[fríːmèisn] *n.* Ⓒ 프리메이슨단(團)《비밀 결사》의 회원.
Free·ma·son·ry[∠mèisnri] *n.* Ⓤ 프리메이슨단의 주의·강령; (f-) 자연적인 우정〔공감〕.
frée pórt 자유항. 「프리지어.
free·si·a[fríːziə, -ʒiə] *n.* Ⓒ 〖植〗
frée·style *n.* Ⓤ 〖水泳〗 자유형.
frée·thínker *n.* Ⓒ 자유 사상가.
frée tráde 자유 무역.
frée vérse 〖韻〗 자유시.
frée·wày *n.* Ⓒ (무료) 고속 도로.
frée wíll 자유 의사.
:freeze[friːz] *vi., vt.* (***froze; frozen***) 얼다(*It* ~*s.*); 얼게 하다; 얼(리)다; (추위로) 곱(게 하)다; 섬뜩〔오싹〕하(게 하)다; (자산을) 동결시키다. ~ ***out*** 《口》 (냉대하여) 못 배기게 하다. ~ 〔***be frozen***〕 ***to death*** 얼어 죽다. **·fréez·er** *n.* Ⓒ 냉동기, 냉장고. **·fréez·ing** *a., n.* 어는, 얼어 붙는; 몹시 추운; 냉동용의; (태도가) 쌀쌀한; Ⓤ,Ⓒ 냉동; 동결.
fréezing pòint 빙점.
:freight[freit] *n.* ① Ⓤ 화물 수송, 《英》 수상(水上)화물 수송. ② Ⓤ 운송 화물; 적하(積荷). ③ Ⓤ 운임. ④ Ⓒ 《美》 = ∠ **tràin** 화물 열차. — *vt.* (화물을) 싣다; 운송하다; 출하(出荷)하다. **∠·age** *n.* Ⓤ 화물 운송; 운임; 운송 화물. **∠·er** *n.* Ⓒ 화물선.
fréight càr 《美》 화차.
:French[frentʃ] *a.* 프랑스(인·어)의. ***take*** ~ ***leave*** 인사 없이 슬쩍 나가다. — *n.* ① Ⓤ 프랑스어. ② Ⓒ 《집합적》 프랑스인〔국민〕.
Frénch bèan 《주로 英》 강낭콩.
Frénch hórn 프렌치 호른《소리가 부드러운 금관 악기》.
:French·man[∠mən] *n.* (*pl.* ***-men*** [-mən]) Ⓒ 프랑스인.
Frénch wíndow 프랑스식 창《도어겸용의 좌우로 열게 된 큰 유리창》.
French·wom·an[∠wùmən] *n.* (*pl.* ***-women***[-wìmin]) Ⓒ 프랑스 여자.
fre·net·ic [frinétik] *a.* 열광적인. **-i·cal·ly** [-ikəli] *ad.*
·fren·zy[frénzi] *vt.* 격앙(激昂)〔광란〕시키다. — *n.* Ⓤ,Ⓒ 격앙, 열광, 광란. **-zied** *a.*
·fre·quen·cy [fríːkwənsi] *n.* Ⓤ,Ⓒ 자주 일어남, 빈발; 빈번; Ⓒ 빈도(수); Ⓒ 〖理〗 횟수(回數), 진동수, 주파수.
:fre·quent[fríːkwənt] *a.* 빈번한, 자주 일어나는; 상습적인; 수많은. — [fri(ː)kwént] *vt.* (…에) 자주 가다〔출입하다〕; 늘 모이다. **~·er** *n.* Ⓒ 자주 가는 사람, 단골 손님. **:~·ly** *ad.* 종종, 때때로, 빈번히.
fres·co[fréskou] *n.* (*pl.* ~(*e*)*s* [-z]), *vt.* Ⓒ,Ⓤ 프레스코화(풍)(으로 그리다). ***in*** ~ 프레스코 화법으로.
†fresh[freʃ] *a.* 새로운; 신선한; 원기〔안색〕 좋은, 젊디젊은; 상쾌한; 선명한; 갓 나온; 경험이 없는; 소금기 없는; (바람이) 센; 《美》 뻔뻔스러운, 건방진. — *ad.* 새로이, 새롭게. ***∠·ly** *ad.* 새로이; 신선하게. ***∠·ness** *n.*
fresh·en[∠ən] *vt., vi.* 새롭게 하다〔되다〕; 염분을 없애다〔이 없어지다〕. ~ ***up*** 기운 나다, 기운을 돋우다; (외출전 따위에) 몸치장하다.
fresh·er[∠ər] *n.* 《英俗》 = FRESHMAN.
·fresh·man[∠mən] *n.* Ⓒ (대학의) 신입생, 1년생.
frésh wàter 민물, 담수.
:fret[1] [fret] *vt., vi.* (***-tt-***) 초조하(게 하)다; 먹어 들어가다, 개개다; 부식〔침식〕하다; 물결치(게 하)다. ~ ***oneself*** 속태우다. — *n.* Ⓤ 속태움, 조바심, 고뇌. ***∠·ful** *a.* **∠·ful·ly** *ad.*
fret[2] *n., vt.* (***-tt-***) Ⓒ 뇌문(雷紋)〔격자모양〕(으로 장식하다).
fret[3] *n.* Ⓒ (현악기의) 기러기발.
frét sàw 실톱.

F

frét·wòrk *n.* Ⓒ 뇌문(雷紋)장식; Ⓤ 그 장식 세공.

Freud[frɔid], **Sigmund** (1856-1939) 오스트리아의 정신 분석학자. **∠·i·an** *a., n.* Ⓒ 프로이드(설)의 (학도).

·**Fri.** Friday.

fri·a·ble[fráiəbəl] *a.* 부서지기 쉬운; 가루가 되기 쉬운, 무른.

fri·ar[fráiər] *n.* Ⓒ 수사, 탁발승. **~·y** *n.* Ⓒ 수도원, 수도회.

fric·a·tive[fríkətiv] *a., n.* 〖音聲〗 마찰로 생기는; Ⓒ 마찰음(f, v, ʃ, ʒ 등).

·**fric·tion**[fríkʃən] *n.* Ⓤ 마찰; 불화. **~·al** *a.* **~·al·ly** *ad.*

†**Fri·day**[fráidei, -di] *n.* Ⓒ 《보통 무관사》 금요일.

fri(d)ge[fridʒ] *n.* 《英口》 = REFRIGERATOR.

·**fried**[fraid] *v.* fry[1]의 과거(분사). — *a.* 기름에 튀긴; 《俗》 술취한.

†**friend**[frend] *n.* Ⓒ 친구, 벗; 자기편, 지지자; 동지; (*pl.*) 근친; 《呼稱》 자네; (F-) 프렌드파의 사람, 퀘이커교도(Quaker). ***a ~ at* 〔*in*〕 *court*** 좋은 지위에 있는 친구, 좋은 연줄. ***keep* 〔*make*〕 *~s with*** …와 친하다, 친하게 하다, 화해하다. ***the Society of Friends*** 프렌드파(Quakers). ·**∠·less** *a.* †**~·ship**[∠ʃip] *n.* Ⓤ,Ⓒ 우정; 친교.

†**friend·ly**[fréndli] *a.* 친구의[다운]; 우정이 있는; 친한; 친절한, 붙임성 있는; 호의를 보이는; 형편 좋은. ·**-li·ness** *n.*

Fríendly Socíety 《英》 공제 조합.

fri·er[fráiər] *n.* = FRYER.

frieze[fri:z] *n.* Ⓒ 〖建〗 프리즈, 띠 모양의 장식(벽).

frig·ate[frígit] *n.* Ⓒ (옛날의 빠른) 세대박이 군함; (현대의) 프리깃함(艦).

:**fright**[frait] *n.* ① Ⓤ,Ⓒ 돌연한 공포. ② Ⓒ (몹시) 추악한[우스운] 사람[물건]. ***in a ~*** 흠칫[섬뜩]하여. ***take ~ at*** …에 놀라다. — *vt.* 《詩》 = ⇩.

:**fright·en**[∠n] *vt.* 놀라게 하다; 을러대어 …시키다. — *vi.* 겁내다. ***be ~ed at*** …에 놀라다, 섬뜩하다. **~·ing** *a.* 무서운, 놀라운. **~ed** *a.*

·**fright·ful**[∠fəl] *a.* 무서운; 추악한; 《口》 불쾌한; 대단한. ·**~·ly** *ad.* **~·ness** *n.*

:**frig·id**[frídʒid] *a.* 극한(極寒)의; 쌀쌀한; 형식적인, 딱딱한; (여성이) 불감증의. **~·ly** *ad.* **fri·gíd·i·ty** *n.* Ⓤ 냉담; 딱딱함; (여성의) 불감증.

·**frill**[fril] *n.* Ⓒ (가두리의) 주름 장식; (새나 짐승의) 목털; 필요없는 장식품; (*pl.*) 허식. — *vt.* (…에) 주름 장식을 달다. **∠·ing** *n.* Ⓒ 가장자리 주름 장식.

·**fringe**[frindʒ] *n.* Ⓒ 술장식; 가장자리, 가두리. — *vt.* (술을) 달다; (가를) 두르다.

frínge bènefit 부가 급부(給付), 특별 급여《노동자가 받는 연금·유급 휴가·의료 보험 따위》.

frip·per·y[frípəri] *n.* Ⓒ 싸고 야한 옷; Ⓤ 그 장식품; Ⓤ 허식; 과시.

Fris·bee[frízbi:] *n.* Ⓒ 〖商標〗 (원반던지기 놀이의) 플라스틱 원반.

frisk[frisk] *vi.* 깡충깡충 뛰어 돌아다니다, 까불다. — *vt.* 《俗》 (옷위를 더듬어 흉기·장물 따위를) 찾다; (옷위를 더듬어) 훔치다. **∠·y** *a.* 뛰어 돌아다니는, 장난치는, 쾌활한.

frit·ter[1][frítər] *vt.* 찔끔찔끔 낭비하다; 잘게 자르다[부수다]. — *n.* Ⓒ 잔 조각.

frit·ter[2] *n.* Ⓒ (과일을 넣은) 튀김.

:**friv·o·lous**[frívələs] *a.* 하찮은, 시시한; 경박한. **~·ly** *ad.* **~·ness** *n.*

fri·vol·i·ty[friválәti/-5-] *n.* Ⓤ 천박, 경박; Ⓒ 경박한 언동.

friz(z)[friz] *vt., vi.* 지지다; (직물의 표면을) 보풀보풀하게 만들다. — *n.* Ⓒ 고수머리.

:**fro**[frou] *ad.* 저쪽에[으로]《다음 성구로만 쓰임》. ***to and ~*** 이리저리, 앞뒤로.

:**frock**[frɑk/-ɔ-] *n.* Ⓒ (내리닫이) 부인[여아]복; 작업복; 성직자의 옷; = ∠ **còat** 프록코트.

†**frog**[frɔ:g, -ɑ-/-ɔ-] *n.* Ⓒ 개구리; 〖鐵〗 철차(轍叉). ***~ in the throat*** (목) 쉰 소리.

frog·man[∠mæ̀n, -mən] *n.* Ⓒ 잠수 공작원[병].

fróg-màrch *vt., n.* Ⓤ (날뛰는 죄수 등을 엎어 놓고) 넷이 팔다리를 붙들고 나르다[나르는 일].

·**frol·ic**[frálik/-ɔ́-] *n.* Ⓒ 장난, 까붊, 법석; Ⓤ 들떠 떠듦. — *vi.* (**-ck-**) 장난치다, 까불다. **~·some** *a.* 장난치는, 까부는.

†**from**[frʌm, -ɑ-, 弱 -ə-/-ɔ-, 弱 -ə-] *prep.* ①《동작의 기점》…에서(*rise ~ a sofa*). ②《시간·순서의 기점》…부터(*~ childhood*). ③《거리》…에서(*ten miles ~ Seoul*). ④《원인·이유》…때문에, …으로, 인해서(*die ~ fatigue/ suffer ~ cold*). ⑤《원료》…에서, …으로(*make wine ~ grapes*). ⑥《차이》…과 달라, 구별하여(*know a Ford ~ a Renault* 포드와 르노를 판별할 줄 알다). ⑦《분리·제거》…에서(*take six ~ ten*). ⑧《출처·유래》…에서(의)(*quote ~ Milton*).

frond[frand/-ɔ-] *n.* Ⓒ (양치 식물의) 잎; 엽상체(葉狀體).

†**front**[frʌnt] *n.* ① Ⓒ 앞쪽, 전면; 표면; (건물의) 정면; 앞부분에 붙이는 것《와이셔츠의 가슴판, 붙인 앞머리 등》. ② (the ~) (해안의) 산책길. ③ (the ~) 전선(前線), 싸움터(*at the ~* 출정 중의); 전선(戰線). ④ Ⓒ 〖氣〗 전선(前線). ⑤ Ⓤ 용모, 태도; 뻔뻔스러움; (지위·재산 따위) 있는 티. ⑥ Ⓒ《口》 간판(으로 내세운 명사)(front man). ***cold*** 〔***warm***〕 ***~*** 한랭〔온난〕전선. ***come to the ~*** 전면에 나서다〔나타나다〕, 유명해지다. ***in ~ of*** …의 앞에. ***the people's*** 〔***popular***〕 ***~*** 인민 전선. — *a.* 전면〔정면〕의; 〖音聲〗 앞혀의. — *vt., vi.* 면하다, 향하다, 맞서다.

front·age[∠idʒ] *n.* Ⓒ (건물의) 정면(의 방위); 가옥·토지의 정면의 폭; (길·강 따위에 면한) 빈터; 건물과 도로 사이의 공지.

fron·tal[frʌ́ntəl] *a., n.* Ⓒ 정〔전〕면(의); 〖解〗 앞이마의 (뼈).

frónt bénch, the 《英》 (의회의) 정면석《의장석에 가까운 장관 및 야당 간부의 자리》.

frónt béncher 《英》 (front bench에 앉는) 장관, 야당 간부.

:**fron·tier** [frʌntíər, -ɑ-/frʌ́ntiər, frɔn-] *n.* Ⓒ 국경 지방; 《美》 변경; 미지의 영역. — *a.* 국경 지방의; 《美》 변경의. ***new ~*** 《美》 '뉴프런티어' 《Kennedy 대통령의 정책인 외교상·내정상의 신개척면》.

fron·tiers·man[-zmən] *n.* Ⓒ 《美》 변경의 주민; 변경 개척자.

·**fron·tis·piece**[frʌ́ntispìːs] *n.* Ⓒ 권두(卷頭) 삽화; 〖建〗 정면; 입구 위쪽의 합각머리.

frónt màn (부정 단체 따위의) 간판(으로 내세운 명사).

frónt pàge (책의) 속 표지; (신문의) 제 1 면.

frónt-rúnner *n.* Ⓒ 선두를 달리는 선수; 남을 앞선 사람.

:**frost**[frɔːst/-ɔ-] *n.* ① Ⓤ 서리. ② Ⓤ,Ⓒ 빙결(氷結), 결상(結霜). ③ Ⓤ 빙점 이하의 온도; 추운 날씨. ④ Ⓤ 냉담. ⑤ Ⓒ《口》 (출판물·행사·연극 등의) 실패. — *vt.* 서리로 덮다; 서리를 맞아 시들게 하다, 서리 (피)해를 주다; (유리·금속의) 광택을 없애다; 설탕을 뿌리다. **∠·ing** *n.* Ⓤ 당의(糖衣); (유리·금속의) 광택을 지움. ·**∠·y** *a.* 서리가 내리는〔내린〕; 혹한의; 냉담한; (머리가) 반백인.

fróst·bite *n., vt.* (**-bit; -bitten**) Ⓤ 동상(에 걸리게 하다). **-bìtten** *a.*

·**froth**[frɔːθ/-ɔ-] *n.* Ⓤ 거품; 시시한 것; 쓸데 없는 얘기. — *vt., vi.* 거품을 일으키다; 거품으로 덮다; 거품을 뿜다. **∠·y** *a.* 거품의〔같은〕; 공허한.

:**frown**[fraun] *vt., vi., n.* Ⓒ 눈살을 찌푸리다〔찌푸림〕; 상을 찡그리다〔찡그림〕, 언짢은 얼굴(을 하다)(*on, upon*). ***~ down*** 무서운 얼굴을 하여 위압하다.

·**froze**[frouz] *v.* freeze의 과거.

:**fro·zen**[fróuzn] *v.* freeze의 과거분사. — *a.* 언; 냉동의; 극한(極寒)의; 동상에 걸린; 동사한; 얼음으로 덮인; 냉담한; (자산이) 동결된. ***a ~ man*** 미석방 포로. ***the ~ limit*** 인내의 한계. **~·ly** *ad.*

fruc·tose[frʌ́ktous] *n.* Ⓤ 〖化〗 과당(果糖).

·**fru·gal**[frúːgəl] *a.* 검소한, 알뜰한. **~·i·ty**[fruːgǽləti] *n.*

†**fruit**[fruːt] *n.* ① Ⓤ,Ⓒ 과실, 과일. ② (*pl.*) 생산물; Ⓒ 소산, 결과. ③ Ⓒ 《美俗》 동성연애하는 남자. ***bear ~*** 열매 맺다. — *vi., vt.* 열매를 맺(게 하)다. **~·age**[∠idʒ] *n.* Ⓤ 결

F

실; 《집합적》 과실; 결과. ***∠·less** *a.* 열매를 맺지 않는; 효과가 없는. **∠·y** *a.* 과일의 풍미가 있는.

frúit·càke *n.* U,C 프루트 케이크.

fruit·er·er [∠ərər] *n.* C 과일상(商).

:fruit·ful [∠fəl] *a.* 열매가 잘 열리는; 다산(多産)인; (토지가) 비옥한; 이익이 많은. **~·ly** *ad.* **~·ness** *n.*

fru·i·tion [fruːíʃən] *n.* U 결실; (목적의) 달성; 성과; 소유(의 기쁨).

frump [frʌmp] *n.* C 추레한 여자. **∠·ish, ∠·y** *a.*

·frus·trate [frʌ́streit] *vt.* (계획·노력 등을) 좌절시키다; 사람을 실망시키다. ***-tra·tion** [frʌstréiʃən] *n.* U,C 타파; 좌절, 실패; 〖心〗 욕구 불만.

†fry[1] [frai] *vt., vi., n.* 기름에 튀기다 〔튀겨지다〕; C 프라이(하다), 프라이로 되다; C 《美》 (옥외의) 프라이 회식. **~ *the fat out of ...*** (실업가 등)에게 헌금시키다, 돈을 짜내다. ***have other fish to* ~** 다른 더 중요한 일이 있다. **∠·er** *n.* C 프라이 요리사, 프라이용 식품.

fry[2] *n.* (*pl.* ~) C 치어(稚魚); 작은 물고기 떼; 동물의 새끼; 아이들. ***small* 〔*lesser, young*〕 ~** 잡어(雜魚); 아이들; 시시한 녀석들.

frýing pàn 프라이팬. ***jump* 〔*leap*〕 *out of the* ~ *into the fire*** 소난(小難)을 면하여 대난에 빠지다.

ft. feet; foot.

fuch·sia [fjúːʃə] *n.* C 〖植〗 퓨셔《바늘꽃과의 관상용 관목》.

fuck [fʌk] *vt., vi.* 《卑》 성교하다; 가혹한 취급을 하다; 실수하다. — *n.* (the ~) hell 따위 대신에 쓰이는 강의어(強意語).

fud·dle [fʌ́dl] *vt.* 취하게 하다; 혼란시키다.

fudge [fʌdʒ] *n.* U,C (설탕·밀크·버터를 넣은) 캔디의 일종; C 허튼 소리. — *int.* 당치 않은. — *vi.* 허튼 소리를 하다; 꾸며내다; 속이다.

:fu·el [fjúːəl] *n.* ① U,C 연료. ② U 감정을 불태우는 것. **~ *capacity*** 연료 적재력; 연료 저장량. **~(*l*)*ing station*** 연료 보급소. — *vt., vi.* (《英》 **-ll-**) 연료를 얻다〔공급하다, 적재하다〕.

·fu·gi·tive [fjúːdʒətiv] *a., n.* 도망친; C 도망자; 일시적인; 덧없는; (작품이) 일시적인 주제를 다룬.

fugue [fjuːg] *n.* C 〖樂〗 푸가, 둔주곡(遁走曲).

-ful *suf.* ① [fəl] '…이 가득 찬, …이 많은, …한 성질이 있는' 의 뜻의 형용사를 만듦: beauti*ful*, forget*ful*. ② [ful] '…에 하나 가득' 의 뜻의 명사를 만듦: hand*ful*, spoon*ful*.

ful·crum [fúlkrəm, fʌ́l-] *n.* (*pl.* **~s, -cra** [-krə]) C (지레의) 받침점; 지주.

:ful·fill, 《英》 **-fil** [fulfíl] *vt.* (**-ll-**) (약속·의무 따위를) 수행하다; (명령에) 따르다; (목적을) 달성하다; 완성하다; (조건을) 만족시키다. ***~·ment** *n.* U,C 수행, 실행, 달성.

†full [ful] *a.* 찬, 가득한, 충분한; 풍부한; 완전한; 최대한의; 불룩〔통통〕한; (의복이) 낙낙한; (성량이)풍부한. — *ad.* 충분히; 꼬박; 《詩》 완전히, 몹시. — *n.* U 전부; 충분; 한창. ***at* 〔*to*〕 *the* ~** 한창때에, 충분히. ***in* ~** 상세하게; 전액. ***∠·ness** *n.* U 충분, 풍족, 충만, 비만; (음색의) 풍부함.

fúll·bàck *n.* C,U 〖蹴〗 풀백, 후위.

fúll-blóoded *a.* 순종의; 혈기 왕성한.

fúll-blówn *a.* 만발한, 만개한.

fúll-bódied *a.* 내용이 충실한; (술 따위가) 진한 맛이 있는; (사람이) 살찐.

fúll-dréss *a.* 정장(正裝)의.

fúller's éarth 백토, 표토.

fúll-flédged *a.* 깃털이 다 난; 충분히 자격 있는.

fúll-grówn *a.* 충분히 자란.

fúll hánd 〖포커〗 동점의 패 두 장과 석 장을 갖춤.

fúll hóuse (극장 따위의) 만원; = FULL HAND.

fúll-léngth *a.* 등신대(等身大)의.

fúll móon 만월(滿月).

fúll-scále *a.* 실물대(實物大)의; 본격적인, 전면적인.

fúll stóp 종지부.

fúll tíme (일정 기간 내의) 기준 노동 시간; 풀 타임《시합 종료시》.

fúll-tíme *a.* 전(全)시간(제)의.
fúll-tímer *n.* Ⓒ 전(全)수업시간 출석 학생(cf. part-timer).
:ful·ly[⌐i] *ad.* 충분히, 완전히, 아주.
ful·mi·nate [fʌ́lmənèit] *vi., vt.* 번쩍하다, 천둥치다; 호통치다(*against*); 폭발하다[시키다], 맹렬한 비난을 받다[퍼붓다]. **-na·tion** [⌐–néiʃən] *n.*
ful·some[fúlsəm, fʌ́l-] *a.* 몹시 역겨운, 억척스런, 집요한. **~·ly** *ad.*
·fum·ble [fʌ́mbəl] *vi., vt.* 더듬다; 만지작[주물럭]거리다; 『野』(공을) 펌블하다. — *n.* Ⓒ 더듬질; 펌블《공을 잡았다 놓침》.
:fume[fju:m] *n.* (*pl.*) 연기, 증기; 향기; 홧홧한 기; (a ~) 노기, 흥분. — *vi., vt.* 연기가 나(게 하)다; 증발하다[시키다]; 불뚱이 내다.
fu·mi·gate[fjú:məgèit] *vt.* 그을리다; 훈증 소독하다; (향을) 피우다. **-ga·tor**[-gèitər] *n.* Ⓒ 훈증(소독)기[자]. **-ga·tion**[⌐–géiʃən] *n.*
†fun[fʌn] *n.* Ⓤ 장난; 재미. ***for*** [***in***] ***~*** 농담으로. ***make ~ of,*** or ***poke ~ at*** …을 놀리다. — *vi.* (**-nn-**) 《口》장난하다, 까불다.
:func·tion[fʌ́ŋkʃən] *n.* Ⓒ ① 기능, 작용. ② 임무; 직무. ③ 의식. ④ 『數』 함수. ⑤ 『컴』 기능《컴퓨터의 기본적 조작[명령]》. — *vi.* 작용하다; 직분을 다하다. **·~·al**[-ʃənəl] *a.* 기능의(*a ~al disease* 기능적 질환)(opp. organic); 직무상의; 여러 모로 유용한. **~·ar·y** *n., a.* Ⓒ 직원, 관리; 기능[직무]의.
func·tion·al·ism[fʌ́ŋkʃənəlìzəm] *n.* Ⓤ (건축 등의) 기능주의《일종의 실용주의》.
:fund[fʌnd] *n.* Ⓒ 기금; 적립금; (지식·기능의) 온축(蘊蓄); (*pl.*) 소지금, 돈; (국가의) 재원, 《英》 공채. ***in*** [***out of***] ***~s*** 돈을 가지고[돈이 떨어져서]. — *vt.* (단기 차입금을) 장기 공채로 바꾸다; (이자 지급을 위해) 자금을 준비하다.
:fun·da·men·tal [fʌ̀ndəméntl] *a.* 근본적인; 중요한; 『樂』 바탕음의. — *n.* (종종 *pl.*) 근본, 원리; 『樂』 바탕음; 『理』 기본파(波). **~·ism** [-ìzəm] *n.* Ⓤ 『宗』 기본주의《성서를 문자대로 믿고 진화론을 배격함》. **~·ist** *n.* **·~·ly** *ad.* 본질적[근본적]으로.
fúnd·ràiser *n.* Ⓒ 기금 조성자; 기금 조달을 위한 모임.
:fu·ner·al[fjú:nərəl] *n., a.* Ⓒ 장례식(의); 장례 행렬(의).
fu·ner·ar·y[fjú:nərèri/-rəri] *a.* 장례식의, 장례식 같은; 음울한.
fún fàir 《주로 英》 = AMUSEMENT park.
fun·gi·cide [fʌ́ndʒəsàid] *n.* Ⓤ,Ⓒ 살균제.
fun·goid[fʌ́ŋgɔid] *a.* 균 비슷한; 균성[질]의.
·fun·gus[fʌ́ŋgəs] *n.* (*pl.* **~es, -gi**) Ⓤ,Ⓒ 진균류(眞菌類)《곰팡이·버섯 따위》; 『醫』 균상종(菌狀腫).
fu·nic·u·lar [fju(:)níkjulər] *a.* 케이블의[로 움직이는].
funk[fʌŋk] *n.* (a ~) 《口》 공포; 공황; Ⓒ 겁쟁이. ***be in a ~*** 겁내고 있다. — *vt.* (…을) 겁내게 하다; 두려워하게 하다. — *vi.* 겁을 집어먹다, 움츠리다.
fun·ky *a.* 《俗》 ① 몹시 구린. ② 관능적인. ③ 『재즈』 펑키한《소박하고 정열적》.
:fun·nel[fʌ́nl] *n.* Ⓒ 깔때기; (깔때기 모양의) 통풍통(筒), 채광 구멍; (기관차·기선의) 굴뚝. — *vt., vi.* (《英》 **-ll-**) 깔때기로 흐르게 하다; 깔때기 꼴이 되(게 하)다; 집중하다.
†fun·ny[fʌ́ni] *a.* 우스운; 《口》 이상한; 《口》(몸의) 상태가 나쁜; 《口》 술 취한; 《美》 (신문의) 만화(란)의. ***~ column*** [***strips***] 만화란. — *n.* Ⓒ 《口》 농담; (*pl.*) 《美口》 연재 만화(란)(cf. comic strip). **fún·ni·ly** *ad.*
fúnny bòne (팔꿈치의) 척골(尺骨)의 끝《치면 짜릿한 곳》.
†fur[fəːr] *n.* ① Ⓤ 모피; 부드러운 털; (*pl.*) 모피 제품. ② Ⓤ 《집합적》 모피 동물. ③ Ⓤ 설태(舌苔); 물때. ***~ and feather*** 사냥 짐승과 사냥새. — *vt.* (**-rr-**) 모피로 덮다[안을 대다]; 설태[물때]를 끼게 하다.
:fu·ri·ous[fjúəriəs] *a.* 격노한; 미쳐 날뛰는; 맹렬한. **·~·ly** *ad.*
furl[fəːrl] *vt., vi.* (기·돛 따위를) 감다, 접다, 접히다. — *n.* (a ~) 감기; 접은 것.

F

fur·long [fə́:rlɔ:ŋ/-ɔ-] *n.* Ⓒ 펄롱 《거리의 단위; 1/8마일》.

fur·lough [fə́:rlou] *n., vt.* Ⓤ,Ⓒ 말미〔휴가〕(를 주다). ***on*** ~ 휴가 중에.

:fur·nace [fə́:rnis] *n.* Ⓒ 화덕; 용광로; 난방로; 작열하는 곳.

:fur·nish [fə́:rniʃ] *vt.* 공급하다; (가구 따위를) 설비하다. ***~ed** [-t] *a.* 가구 달린. **~·er** *n.* Ⓒ 가구상. ***~·ing** *n.* Ⓤ (가구의) 설비; (*pl.*) 비치된 가구; 《美》 복식품.

:fur·ni·ture [fə́:rnitʃər] *n.* Ⓤ 《집합적》 가구; 비품; 내용. ***the ~ of one's pocket*** 포켓 안에 든 것, 돈.

fu·ror [fjúrɔ:r, fjúrər] *n.* (a ~) 노도(怒濤)와 같은 감격〔흥분〕; 열광.

furred [fə:rd] *a.* 털가죽(제품)을 붙인, 모피로〔모피 제품으로〕 덮인, 모피제의; 설태〔물때〕가 낀.

fur·ri·er [fə́:riər/fʌ́r-] *n.* Ⓒ 모피상; 모피 장색(匠色). **~·y** *n.* Ⓤ,Ⓒ 모피류; 모피업.

·fur·row [fə́:rou/-ʌ́-] *n.* Ⓒ ① 고랑; 보습자리. ② 항적(航跡). ③ 주름살. — *vt.* (쟁기로) 갈다; 두둑〔고랑〕을 짓다; 주름살이 생기게 하다.

fur·ry [fə́:ri] *a.* 모피의, 모피 같은; 모피로 덮인; 설태(舌苔)〔물때〕가 낀.

†fur·ther [fə́:rðər] 《far의 비교급》 *a.* 더 먼; 그 이상의. — *ad.* 더 멀리; 더욱. ***I'll see you ~ first.*** 《口》 딱 질색이다. — *vt.* 나아가게 하다, 조장하다. **~·ance** *n.* Ⓤ 조장, 촉진. **:~·more** [-mɔ̀:r] *ad.* 더욱 더, 그 위에 더. **~·most** [-mòust] *a.* 가장 먼.

:fur·thest [fə́:rðist] 《far의 최상급》 *a., ad.* = FARTHEST.

fur·tive [fə́:rtiv] *a.* 은밀한, 남몰래 하는, (아무가) 남의 눈을 속이는. ***a ~ glance*** 슬쩍 엿봄. **~·ly** *ad.*

:fu·ry [fjúəri] *n.* ① Ⓤ 격노, 분격. ② Ⓤ 광포; 격렬. ③ Ⓒ 표독한 여자 (virago). ④ (F-) Ⓒ FURIES의 하나. ***like ~*** 《口》 맹렬하게.

·fuse[1] [fju:z] *vt., vi.* 녹(이)다; 융합시키다〔하다〕.

·fuse[2] *n.* Ⓒ 신관(信管), 도화선; 〖電〗 퓨즈.

fu·se·lage [fjú:səlà:ʒ, -lidʒ, -zə-/-zi-] *n.* Ⓒ (비행기의) 동체(胴體).

fu·sil·ier, -sil·eer [fjù:zəlíər] *n.* Ⓒ 수발총병(兵).

fu·sil·lade [fjú:səlèid, -zə-] *n.* Ⓒ (총포·질문 따위의) 일제 사격.

·fu·sion [fjú:ʒən] *n.* ① Ⓤ 융해; 〖理〗 핵융합(cf. fission). ② Ⓒ 융해물. ③ Ⓤ,Ⓒ (정당의) 합동. ***nuclear ~*** 핵융합. **~·ist** *n.* Ⓒ 합동론자.

:fuss [fʌs] *n.* ① Ⓤ (하찮은 일에 대한) 야단법석; 흥분, 안달복달. ② Ⓒ (하찮은 일에) 떠들어대는 사람. ③ (a ~) 싸움; 말다툼. ***get into a ~*** 마음 졸이다, 흥분하다. ***make a ~*** 야단법석하다. — *vt., vi.* (하찮은 일로) 법석떨(게 하)다, 속타(게 하)다. ***∠·y** *a.* (사소한 일에) 법석떠는; 성가신; (의복·문체 따위) 몹시 신경을 쓰는〔꼼꼼한〕(finical); 세밀한.

fus·tian [fʌ́stʃən] *n., a.* Ⓤ 퍼스티언(제(製)의)《면·마직의 거친 천, 코르덴식의 능직 무명》; 과장된 (말).

fus·ty [fʌ́sti] *a.* 곰팡내 나는; 낡아 빠진; 완고한.

:fu·tile [fjú:tl, -tail] *a.* 쓸데 없는; 하찮은(trifling). ***fu·til·i·ty** [fju:tílәti] *n.* Ⓤ 무용; Ⓒ 무익한 것.

†fu·ture [fjú:tʃər] *n., a.* Ⓤ 미래(의) (***the ~ life*** 내세); 장래; Ⓒ 전도; 〖文〗 미래 시제(의); (보통 *pl.*) 〖商〗 선물(先物). ***for the ~,*** or ***in (the) ~*** 장래엔, 금후는. ***in the near ~,*** or ***in no distant ~*** 머지 않아. **~·less** *a.* 미래가 없는, 장래성 없는.

fu·tur·ism [-rìzəm] *n.* Ⓤ (종종 F-) 미래파《전통의 포기를 주장하고 1910년경 이탈리아에서 일어난 예술상의 일파》. **-ist** *n.* Ⓒ 미래파 화가〔문학자·음악가〕(따위).

fu·tu·ri·ty [fju:tjúərəti] *n.* Ⓤ 미래(성); 후세; Ⓒ (종종 *pl.*) 미래의 상태〔일〕.

fuzz[1] [fʌz] *n.* Ⓤ 보풀, 잔털, 솜털. — *vi., vt.* 보풀이 일다; 보풀을 일으키다; 훌훌 흩어져 날다. **~·y** [fʌ́zi] *a.* 보풀의, 보풀〔괴깔〕 같은; 보풀이 일어난; 희미한.

fuzz[2] *n.* 《俗》 Ⓤ 《집합적》 경찰; Ⓒ 경찰관; 형사.

-fy [fài] *suf.* '…로 하다, …화 하다, …이 되다'란 뜻을 가진 동사를 만듦.

G

G, g[dʒiː] *n.* (*pl.* ***G's, g's***[-z]) Ⓤ 〖樂〗 사음(音), 사조(調); (로마수의) 400; Ⓒ 〖理〗 중력의 상수(常數); 《美俗》 천, 천 달러(grand).
g gram(me); gravity.
gab[gæb] *n., vi.* (**-bb-**) Ⓤ 《口》 수다 (떨다). ***gift of the*** ~ 능변.
gab·ar·dine, gab·er-[gǽbərdìːn, ˌ--́] *n.* Ⓤ 개버딘《레인코트감》.
·**gab·ble**[gǽbəl] *vi., vt., n.* (…을) 지껄이다; Ⓤ 지껄여대기. **-bler** *n.*
·**ga·ble**[géibəl] *n.* Ⓒ 〖建〗 박공.
gad[gæd] *vi.* (**-dd-**) 어슬렁거리다, 돌아다니다. — *n.* Ⓤ 나돌아다니기.
gád·flỳ *n.* Ⓒ 등에, 말파리, 쇠파리; 성가신 사람.
·**gadg·et**[gǽdʒit] *n.* Ⓒ (기계의) 부속품, 간단〔편리〕한 장치; 묘안.
Gael[geil] *n.* Ⓒ 게일 사람《스코틀랜드 고지·아일랜드 등지의 켈트 사람》. **∠·ic**[∠ik] *a., n.* 게일족〔어〕의; Ⓤ 게일어.
gaffe[gæf] *n.* Ⓒ 실수, 실책.
gaf·fer[gǽfər] *n.* Ⓒ 노인, 영감.
gag[1][gæg] *n.* Ⓒ 재갈; 언론 탄압; 〖英議會〗 토론 종결; 〖外〗 개구기(開口器). — *vt., vi.* (**-gg-**) (…에게) 재갈을 물리다; 언론을 탄압하다; 게우게 하다; 왝왝거리다.
·**gag**[2] *n.* Ⓒ ① 〖劇〗 개그《배우가 임기응변으로 하는 익살·농담》. ② 사기, 거짓말. — *vt., vi.* (**-gg-**) (…에게) 개그를 넣다; 속이다. **∠·màn** *n.* Ⓒ 개그 작가; 희극 배우.
ga·ga[gáːgàː] *a., n.* Ⓒ 《俗》 어수룩한 (영화팬)(*the ~s* 무비판한 족속들); 늙은, 망령들린; 열중한.
gage *n.* = GAUGE.
gag·gle[gǽgəl] *n., vi.* Ⓒ 거위떼(가 꽥꽥 울다); (여자들의) 무리; (시끄러운) 집단.
·**gai·e·ty**[géiəti] *n.* ① Ⓤ 유쾌, 쾌활. ② Ⓤ (의복 등의) 호사, 화려. ③ (*pl.*) 환락, 법석.
·**gai·ly**[géili] *ad.* 유쾌〔화려〕하게.
†**gain**[gein] *vt.* ① 얻다; 이기다. ② 획득하다. ③ (무게·힘 등이) 늘다; (시계가) 더 가다. — *vi.* ① 이익을 얻다. ② 나아지다; 잘 되다. ~ ***up***(***on***) …에 접근하다; (아무에게) 빌붙다; …에 침식하다. ~ ***over*** 설복시키다; (자기 편으로) 끌어들이다. ~ ***the*** EAR[1] ***of.*** ~ TIME. — *n.* Ⓤ 이익; Ⓒ 증가; 진보; (*pl.*) 이득, 벌이. **∠·er** *n.* Ⓒ 이득자; 승리자. **∠·ful** *a.* 유리한. **∠·ing** *n.* (*pl.*) 이득, 소득, 벌이.
gain·say[ˌséi] *vt.* (**-said**) 부정〔반박〕하다.
·**gait**[geit] *n.* (*sing.*) 걸음걸이; (말의) 보조(步調).
gait·er[géitər] *n.* Ⓒ 각반.
gal[gæl] *n.* 《俗》 = GIRL.
gal. gallon(s).
ga·la[géilə, gáː-, gǽlə] *n., a.* Ⓒ 축제(의), 제례(의). ~ ***dress*** 나들이 옷.
ga·lac·tic[gəlǽktik] *a.* 〖天〗 은하의; 젖의, 젖에서 얻은.
·**gal·ax·y**[gǽləksi-] *n.* ① (G-) 은하, 은하수; 〖天〗 은하계 (우주). ② Ⓒ (미인·재사 등의) 화려한 무리, 기라성처럼 늘어선 사람.
:**gale**[geil] *n.* Ⓒ ① 〖氣〗 강풍, 큰바람; 〖海〗 폭풍. ② 《詩》 실바람. ③ 《美》 폭소; 환희; 흥분 상태.
·**gall**[1][gɔːl] *n.* ① Ⓤ 담즙(bile). ② Ⓒ 담낭, 쓸개. ③ Ⓤ 쓴 것, 진절머리, 증오. ④ Ⓤ 《美俗》 뻔뻔스러움. ***dip one's pen in*** ~ 독필(毒筆)을 휘두르다《비평 따위에서》.
gall[2] *n.* Ⓒ 오배자, 몰식자(沒食子)《균·벌레 등이 잎·줄기에 만든 충영(蟲癭)》.
gall. gallon(s).
:**gal·lant**[gǽlənt] *a.* ① 훌륭한, 당당한. ② 화려한. ③ 용감한, 기사적인. ④ [gəlǽnt] 여성에게 친절한; 연

G

애의. ~ ***adventures*** 정사(情事). ── [gǽlənt, gəlǽnt] *n.* Ⓒ 용감한 사람; 여성에게 친절한 남자, 상냥한 남자. *~·**ly** *ad.* *~·**ry**[gǽləntri] *n.* Ⓤ 용감, 용기.

gáll blàdder 담낭, 쓸개.

gal·le·on[gǽliən] *n.* Ⓒ 〖史〗 스페인의 큰 돛배《상선·군함》.

:**gal·ler·y**[gǽləri] *n.* Ⓒ ① 화랑. ② (교회의) 특별석(의 사람들); 〖劇〗 맨위층 보통 관람석(의 관객), 맨 뒤의 입석. ③ 회랑, 진열장; 긴 방. ④ 〖鑛〗 갱도. ***play to the*** ~ 일반 관중의 취미에 맞춰 연기하다; 저속 취미에 영합하다. **gál·ler·ied** *a.* ~가 있는.

·**gal·ley**[gǽli] *n.* Ⓒ ① 〖史〗 갤리배《노예가 노를 젓는 돛배》. ② (고대 그리스·로마의) 군함; 대형 보트. ③ (선내의) 취사실. ④ 〖印〗 게라《스틱(composing stick)으로 부터 옮긴 활자를 담는 목판》; 게라쇄(刷), 교정쇄.

Gal·lic [gǽlik] *a.* 골(사람)의; 프랑스의.

gall·ing[gɔ́:liŋ] *a.* 울화치미는, 속타게 하는.

gal·li·vant[gǽləvæ̀nt/ˌ--ˊ] *vi.* 여성의 꽁무니를 좇아다니다; 건들건들 놀러 다니다.

·**gal·lon** [gǽlən] *n.* Ⓒ 갤런《=4 quarts; 영국에서는 약 4.5리터, 미국에서는 약 3.8리터》.

:**gal·lop**[gǽləp] *n.* 갤럽《말의 전속력 구보》; Ⓒ 급속도. ── *vi., vt.* (…에게) 갤럽으로 달리(게 하)다; 급속도로 나아가다.

·**gal·lows**[gǽlouz] *n.* (*pl.* ~(***es***)) Ⓒ 교수대; 교수형; (*pl.*) 《美俗》 바지멜빵.

gáll·stòne *n.* Ⓒ 〖病〗 담석(膽石).

Gál·lup pòll[gǽləp-] 《美》 (통계학자 G. H. Gallup 지도의) 갤럽 여론 조사.

ga·lore[gəlɔ́:*r*] *ad.* 풍부하게.

·**ga·losh**[gəlɑ́ʃ/-ɔ́-] *n.* =OVERSHOE.

gal·van·ic[gælvǽnik] *a.* 동(動)전기의; (웃음 따위가) 경련적인; 깜짝 놀라게 하는. -**i·cal·ly** *ad.*

gal·va·nize[gǽlvənàiz] *vt.* 동전기를 통하다; 활기 띠게 하다; 전기 도금하다. ~***d iron*** 함석. -**ni·za·tion** [ˌ--nizéiʃən] *n.*

gam·bit[gǽmbit] *n.* Ⓒ 〖체스〗 (졸 따위를 희생하고 두는) 첫 수; (거래 등의) 시작.

:**gam·ble**[gǽmbəl] *vi.* 도박(모험)하다. ~ ***in stocks*** 투기하다. ── *vt.* 도박으로 잃다(*away*). *-**bler** *n.* *-**bling** *n.*

gam·bol[gǽmbəl] *vi.* (《英》 **-ll-**), *n.* Ⓒ 깡충깡충 뛰놀다(뛰놀기).

†**game**[1][geim] *n.* ① Ⓒ 유희, 오락. ② Ⓤ 농담. ③ Ⓒ 경기, 한판. ④ Ⓒ 승부의 점수. ⑤ (*pl.*) 경기회(*the Olympic* ~*s*). ⑥ (종종 *pl.*) 책략(trick). ⑦ Ⓤ 《집합적》 엽수(獵獸)(조(鳥), 어(魚)), 잡은 사냥감(의 고기); (백조의) 무리; 목적물. ***be on*** (***off***) ***one's*** ~ (경기자의) 컨디션이 좋다(나쁘다). ***big*** ~ 〖獵〗 큰 짐승《범·곰 따위》. ***fair*** (***forbidden***) ~ (수렵법에서) 허가된(금지된) 사냥감. ***fly at high*** ~ 큰 짐승을 노리다; 대망(大望)을 품다. ~ ***and*** (***set***) 〖테니스〗 게임세트. ~ ***and*** ~ 1대 1(의 득점). ~ ***of chance*** 운에 맡기는 승부. ***have a*** ~ ***with*** …(의 눈)을 속이다. ***make*** ~ ***of*** (…을) 놀리다. ***play*** *a person's* ~, or ***play the*** ~ ***of*** *a person* 무의식적으로 아무의 이익이 될 일을 하다. ***play the*** ~ 《口》 (당당하게) 규칙에 따라 경기를 하다; 훌륭히 행동하다. ***The*** ~ ***is up.*** 짐승은 도망쳤다; 이제(만사) 다 틀렸다. ***The same old*** ~***!*** 또 그 수법이군. ***Two can play at that*** ~. = ***That's a*** ~ ***two people can play.*** 그 수법(수)에는 안 넘어간다; 이쪽도 수가 있다. ── *a.* 투지에 찬; 용감한; 자진해서 …하는(*for; to do*). ***die*** ~ 용감히 싸우고 죽다, 끝까지 버티다. ── *vt., vi.* (…와) 내기하다; 내기에서 잃다(*away*).

game[2] *a.* =LAME.

gáme bìrd 엽조(獵鳥).

gáme·kèeper *n.* Ⓒ 《英》 사냥터지기.

game·ly[géimli] *ad.* 용감히.

gáme presèrve 금렵구.

G

gáme wàrden 수렵 감시관.
gam·ing[géimiŋ] *n.* Ⓤ 도박, 내기.
gam·ma[gǽmə] *n.* Ⓤ,Ⓒ 그리스어 알파벳의 셋째 글자《Γ, γ; 영어의 G, g에 해당》.
gámma rày 〖理〗 감마선.
gam·mon[gǽmən] *n.* Ⓤ 베이컨의 허벅지 고기; 훈제(燻製)햄.
gam·ut[gǽmət] *n.* (*pl.*) 〖樂〗 온음정(音程); 전범위, 전역. ***run the ~ of*** (*expressions*) 온갖 (표현)을 해보다.
gam·y[géimi] *a.* 엽조〔엽수〕의 냄새가 나는; (고기가) 약간 상한(cf. high).
gan·der[gǽndər] *n.* Ⓒ goose의 수컷; 얼간이.
:gang[gæŋ] *n.* Ⓒ ① (노예·노동자 등의) 일단(一團), 패; (악한의) 일당. ②《俗》 놀이 친구, 한 동아리. ③ (조립식 도구의) 한 벌. — *vi.* 《美》 집단을 이루다(*up*).
gáng·lànd *n.* Ⓤ,Ⓒ 《美》 암흑가.
gan·gling[gǽŋgliŋ] *a.* (몸이) 후리후리한; 껑충한.
gan·gli·on[gǽŋgliən] *n.* (*pl.* **~s, -glia**) Ⓒ 신경절(神經節)《특히, 뇌·척수의》; (활동의) 중심.
gáng·plànk *n.* Ⓒ (배와 선창 사이에 걸쳐 놓는) 널판.
gan·grene[gǽŋgriːn, –́] *n., vi., vt.* Ⓤ 〖醫〗 괴저(壞疽)(가 되다, 되게 하다). **-gre·nous**[gǽŋgrənəs] *a.*
gang·ster[gǽŋstər] *n.* Ⓒ 《口》 갱의 한 사람, 악한. **~·ism**[-ìzəm] *n.*
gáng·wày *n., int.* Ⓒ 현문(舷門); = GANGPLANK; 〖劇〗 좌석의 통로; (G-!) 비켜라, 비켜!
gan·net[gǽnit] *n.* Ⓒ 북양가마우지《갈매기과의 바다새》.
gan·try[gǽntri] *n.* Ⓒ (이동 기중기의) 구대(構臺); 〖鐵〗 (신호기를 받치는) 구름다리.
·gaol[dʒeil] *n., vt.* 《英》 = JAIL. **·~·er** *n.* 《英》 = JAILER.
:gap[gæp] *n., vt.* (**-pp-**) Ⓒ ① 갈라진 틈(을 내다). ② 산이 끊어진 데; 협곡. ③ 결함; 간격; 차이.
:gape[geip] *n., vi.* Ⓒ ① 하품(하다), 딱 벌린 입; 입을 크게 벌리다. ② 입을 벌리고 (멍하니) 바라보다〔보기〕; (지각 등의) 갈라진 틈(이 생기다). ③ (the ~s) 《諧》 하품(의 연발); (닭 따위의) 부리를 헤벌리는 병.
:ga·rage[gərɑ́ːʒ/gǽrɑːʒ, -ridʒ] *n.* Ⓒ (자동차의) 차고; (비행기의) 격납고.
gárage sàle 《美》 (자기 집에서 하는 중고 가구·의류 등의) 투매.
·garb[gɑːrb] *n.* Ⓤ ① (직업·직위 등을 알 수 있는) 복장. ② (한 벌의) 옷. ③ 외관, 모양. — *vt.* (…에게) 복장을 입히다. **~ *oneself* (*as*)** (…의) 복장을 하다.
·gar·bage[gɑ́ːrbidʒ] *n.* Ⓤ ① (부엌의) 쓰레기. ② 고기찌끼; 찌꺼기. ③ 〖컴〗 가비지《기억 장치 속에 있는 불필요하게 된 데이터》.
gárbage càn (부엌의) 쓰레기통.
gar·ble[gɑ́ːrbəl] *vt.* (자료·원고 등을) 멋대로 고치다; (고의로) 오전(誤傳)하다.
†gar·den[gɑ́ːrdn] *n.* Ⓒ ① 정원, 뜰; 채원(菜園). ② (*pl.*) 유원(지). ③ 비옥한 땅. **:~·er** *n.* Ⓒ 정원사. **:~·ing** *n.* Ⓤ 뜰〔밭〕 가꾸기, 원예.
gárden cíty (종종 G- C-)(19세기 영국의) 전원 도시 (운동).
gar·de·ni·a[gɑːrdíːniə, -njə] *n.* Ⓒ 〖植〗 치자(꽃).
gárden pàrty 원유회, 가든 파티.
gárden súburb 《英》 전원 주택지.
gar·gle[gɑ́ːrgəl] *vt., vi., n.* (a ~) 양치질(하다); Ⓤ,Ⓒ 양치약.
gar·goyle[gɑ́ːrgɔil] *n.* Ⓒ 〖建〗 (괴물 모양으로 만든) 홈통주둥이, 낙수홈.
gar·ish[gɛ́əriʃ] *a.* 번쩍번쩍하는; 야한.
·gar·land[gɑ́ːrlənd] *n., vt.* Ⓒ 화환〔화관〕(으로 꾸미다).
gar·lic[gɑ́ːrlik] *n.* Ⓤ 〖植〗 마늘.
:gar·ment[gɑ́ːrmənt] *n.* Ⓒ 옷(한 가지)《skirt, coat, cloak 등》; (*pl.*) 의복.
gar·ner[gɑ́ːrnər] *n., vt.* Ⓒ 곡창, 저장소; 축적(하다)(store).
gar·net[gɑ́ːrnit] *n.* Ⓤ,Ⓒ 석류석(石榴石); Ⓤ 심홍색.
·gar·nish[gɑ́ːrniʃ] *n., vt.* Ⓒ 장식(을 달다); 문식(文飾)(하다); (음식에) 고명(을 얹다). **~·ment** *n.* Ⓤ,Ⓒ 장식;

G

〖法〗 압류 통고; 출정(出廷) 명령.

·**gar·ret**[gǽrət] *n.* Ⓒ 고미다락.

:**gar·ri·son**[gǽrəsən] *n., vt.* Ⓒ 수비대(를 두다). 요새지(로서 수비하다).

gar·rote[gərát, -róut/-rɔ́t], **gar·rotte**[gərát/-rɔ́t] *n., vt.* (Sp.) Ⓒ 교수형(구); 교수형에 처하다; 교살하고 소지품을 빼앗다.

gar·ru·lous[gǽrjələs] *a.* 잘 지껄이는. ~**·ly** *ad.* **-li·ty**[gərú:ləti] *n.*

:**gar·ter**[gá:rtər] *n., vt.* Ⓒ ① 양말대님(으로 동이다). ② (the G-) 《英》 가터 훈장〔훈위(勳位)〕.

†**gas**[gæs] *n.* ① U,C 기체; 가스. ② Ⓤ 웃음 가스(laughing gas). ③ Ⓤ 독가스. ④ Ⓤ 《美口》 가솔린. ⑤ Ⓤ 《俗》 허풍, 객적은 소리. ***step on the*** ~ 엑셀러레이터를 밟다, 가속하다; 서두르다. — *vt.* (**-ss-**) 가스를〔가솔린을〕 공급하다; 가스로 중독시키다; 독가스를 뿌리다. — *vi.* 가스를 내다; 《俗》 허풍떨다; 객담하다.

gás·bàg *n.* Ⓒ 가스 주머니; 《俗》 허풍선이, 수다쟁이.

gás chàmber 가스 처형실.

·**gas·e·ous**[gǽsiəs, -sjəs] *a.* 가스 모양의, 기체의; 공허한.

·**gash**[gæʃ] *n., vt.* Ⓒ 깊은 상처(를 주다); 깊이 갈라진 틈(을 내다).

gás·hòlder *n.* Ⓒ 가스 탱크.

gas·ket[gǽskit] *n.* Ⓒ 〖船〗 괄범삭(括帆索); 〖機〗 (고무·코르크 따위의) 틈메우개, 개스킷.

gás·màn *n.* Ⓒ 가스공(工); 가스 검침원; 〖鑛〗 가스 폭발 경계〔방지〕원.

gás màsk 방독면.

gás òil 경유(輕油).

:**gas·o·line, -lene**[gǽsəlì:n, ⌐–⌐] *n.* Ⓤ 《美》 가솔린(《英》 petrol).

gas·om·e·ter[gæsámitər/-ɔ́m-] *n.* Ⓒ 가스 계량기; 가스 탱크.

:**gasp**[gæsp, -a:-] *vi.* 헐떡거리다; (놀라) 숨이 막히다. ~ ***for*** 〔***after***〕 간절히 바라다. — *vt.* 헐떡거리며 말하다(*out*). — *n.* Ⓒ 헐떡임, 숨참. ***at the last*** ~ 임종시에.

gás stàtion 《美》 주유소.

gas·sy[gǽsi] *a.* 가스가 찬; 가스(모양)의; 기체(모양)의; 《口》 공허한; 허풍떠는.

gas·tric[gǽstrik] *a.* 위(胃)의.

gas·tri·tis[gæstráitis] *n.* Ⓤ 〖醫〗 위염(胃炎).

gàstro·enterítis *n.* Ⓤ 위장염.

gas·tron·o·my[gæstránəmi/-ɔ́-] *n.* Ⓤ 미식(美食)(학); 요리법.

gás·wòrks *n. pl.* 가스 제조〔공급〕소; 《英俗》 하원(下院).

†**gate**[geit] *n.* Ⓒ ① 문, 문짝; 수문; 출입구. ② (전람회·경기회 등의) 입장자 수, 입장권 매상 총액. ③ 〖컴〗 게이트《하나의 논리 기능》. ***get the*** ~ 《美俗》 내쫓기다, 해고되다. — *vt.* 《英》 (학생에게) 금족을 〔외출 금지를〕 명하다.

ga·teau [gɑtóu/gǽtou] *n.* (*pl.* ***-teaus, -teax***[-z]) (F.) U,C 대형 장식 케이크.

gáte-cràsher *n.* Ⓒ 《俗》(연회 등의) 불청객; 입장권 없이 입장한 자.

gáte·hòuse *n.* Ⓒ 수위실.

gáte·kèeper *n.* Ⓒ 문지기; 건널목지기.

gáte mòney 입장료 (수입).

gáte·pòst *n.* Ⓒ 문 기둥. ***between you and me and the*** ~ 이것은 비밀이지만.

:**gáte·wày** *n.* ① Ⓒ 출입구. ② (the ~) (…에 이르는) 길, 수단(*to*).

†**gath·er**[gǽðər] *vt.* ① 모으다; 채집하다. ② 증가〔증대〕하다; 점차 늘리다. ③ (눈살을) 찌푸리다; 〖裁縫〗 (…에) 주름을〔개더를〕 잡다. ④ 추측하다(*that*). ⑤ (힘·용기를) 내다, (지혜를) 짜내다; (몸을) 긴장시키다. — *vi.* ① 모이다; 증대하다, 점점 더해지다; 수축하다, 주름이 잡히다. ② (종기가) 곪다. ***be ~ed to one's fathers*** 죽다. ~ ***flesh*** 살찌다; 뚱뚱해지다. ~ ***head*** (종기가) 곪다; (폭풍 등의) 세력이 커지다. ~ ***oneself up*** 〔***together***〕 긴장하고 전신에 힘을 모으다《도약(跳躍)의 직전 따위》. ~ ***up*** 그러모으다; 한데 마무르다; (손발을) 움츠리다; 힘을 주다. ~ WAY[1]. — *n.* (*pl.*) 〖裁縫〗 개더, 주름. **:~·ing** *n.* Ⓒ 집합, 집회; Ⓤ 수금(收金); 거두어 들이기; 화농; Ⓒ (곪은) 종기; Ⓒ 개더, 주름. ~***ing ground*** 수원(水源)지대.

G

GATT [gæt] General Agreement on Tariffs and Trade 관세 및 무역에 관한 일반협정.

gauche [gouʃ] *a.* (F.) 재치 없는; 서투른.

gau·cho [gáutʃou] *n.* (*pl.* **~s**) (Sp.) Ⓒ 남아메리카의 목동(스페인 사람과 인디언의 혼혈).

·**gaud·y** [gɔ́:di] *a.* 번쩍번쩍 빛나는, 야한, 값싸고 번지르르한. **gáud·i·ly** *ad.* **gáud·i·ness** *n.*

·**gauge, gage** [geidʒ] *n.* Ⓒ ① 표준 치수[규격]. ② 자; 계기, 게이지. ③ (레일의) 궤간(軌間). ④ (평가·검사의) 표준, 방법. ⑤ 《영국에서는 보통 gage》〖海〗 흘수 범위; (바람과 딴 배에 대한) 위치 관계. ***broad*** [***narrow***] ~ 광궤(廣軌)[협궤]. ***take the ~ of*** …을 계측[평가]하다. — *vt.* 측정하다; 평가하다. **∠·a·ble** *a.* **gáug·er** *n.* Ⓒ 계량하는 사람; 계기(計器); 《Sc.》(술통의) 검사관, 수세리(收稅吏).

·**gaunt** [gɔ:nt] *a.* ① 수척한, 여윈. ② 무시무시한. **∠·ly** *ad.*

gaunt·let [gɔ́:ntlit] *n.* Ⓒ (기사·골키퍼 등의) 손가리개; 긴 장갑. ***fling*** [***throw***] ***down the*** ~ 도전하다. ***take*** [***pick***] ***up the*** ~ 도전에 응하다.

·**gauze** [gɔ:z] *n.* Ⓤ ① 성기고 얇은 천, 사(紗); 거즈. ② (가는) 철망. ③ 엷은 안개. **gáuz·y** *a.*

†**gave** [geiv] *v.* give의 과거.

gav·el [gǽvəl] *n.* Ⓒ 《美》 (의장 등이 쓰는) 의사봉(작은 망치).

ga·vot(te) [gəvát/-ɔ́-] *n.* Ⓒ 가보트(minuet식의 경쾌한 댄스(곡)).

gawk [gɔ:k] *n.* Ⓒ 아둔한[열통적은] 사람; 멍청이. — *vi.* 열통적은[얼빠진] 행동을 하다; 멍하니 쳐다보다(*at*). **∠·y** *a.*

:**gay** [gei] *a.* ① 쾌활한. ② 화려한. ③ 방탕한. ~ ***quarters*** 화류계. *∠·**ly** *ad.* = GAILY.

:**gaze** [geiz] *n., vi.* 응시(하다)(*at, on, upon*). ***stand at*** ~ 응시하고 있다. **gáz·er** *n.* Ⓒ 응시하는 사람.

ga·zelle [gəzél] *n.* Ⓒ 가젤(아프리카·아시아산 영양(羚羊)의 일종).

:**ga·zette** [gəzét] *n., vt.* Ⓒ 신문; 《英》 관보(로 공시하다).

gaz·et·teer [gæ̀zətíər] *n.* Ⓒ 지명(地名) 사전; 《古》 관보[신문] 기자.

G.B. Great Britain. **G.C.E.** 《英》 General Certificate of Education 보통 학력 증명서.

:**gear** [giər] *n.* ① Ⓒ 전동 장치(傳動裝置), 기어, 톱니바퀴. ② Ⓒ 장치; Ⓤ 장비, 도구(*a steering* ~ 조타기(操舵機)). ③ Ⓤ (기계의) 상태. ④ Ⓤ 《英口》 의복. ***be in*** [***out of***] ~ 기어가 잘[안] 든다, 컨디션이 좋다[나쁘다]. — *vt.* (…의) 운전 준비를 하다, (기계를) 걸[틀, 돌리]다; 마구를 달다(*up*); 준비하다; 적응시키다(*to*); (노력을) 기울이다. — *vi.* (톱니바퀴가) 맞물리다(*into*), (기계가) 걸리다(*with*), 돌아가다. **∠·ing** [gíəriŋ/gíər-] *n.* Ⓤ 《집합적》 전동장치.

géar·shìft *n.* Ⓒ 《美》 변속(變速) 장치.

geck·o [gékou] *n.* (*pl.* **~(e)s**) Ⓒ 도마뱀붙이.

gee [dʒi:] *int.* 이러!, 어디여!(마소부리는 소리); 《口》 에이 참!(실패·실망·화날 때의 소리).

:**geese** [gi:s] *n.* goose의 복수.

Géi·ger(-Mül·ler) cóunter [gáigər(mjú:lər)-] 가이거 계수관(計數管)(방사능 측정기).

gel [dʒəl] *n.* Ⓤ,Ⓒ 〖理·化〗 교화체(膠化體), 겔. — *vi.* (**-ll-**) 교화(膠化)하다; 굳어지다.

·**gel·a·tin** [dʒélətən], **-tine** [-tin/∠-tí:n] *n.* Ⓤ 젤라틴, 갖풀. **ge·lat·i·nous** [dʒəlǽtənəs] *a.*

geld [geld] *vt.* (**~ed, gelt**) 거세(去勢)하다. **∠·ing** *n.* Ⓒ 불깐 말.

gel·ig·nite [dʒélignàit] *n.* Ⓤ 젤리그나이트(폭파용 폭약의 일종).

:**gem** [dʒem] *n., vt.* (**-mm-**) Ⓒ 보석(을 박다); 소중한[아름다운] 것[사람].

Gem·i·ni [dʒémənài, -nì] *n. pl.* 〖天〗 쌍둥이자리; 쌍자궁(雙子宮); (미국의) 2인승 우주선.

gen [dʒen] *n.* (the ~) 《英俗》 정보(*on*).

Gen. General.

gen·darme [ʒá:nda:rm] *n.* (F.) Ⓒ 헌병; 〖登山〗 (산릉 위의) 뾰족한 바위 봉우리.

gen·der[dʒéndər] *n.* ⓊⒸ 〖文〗 성(性); 《口》 = SEX. **~·less** *a.* 〖文〗 성이 없는, 무성의.
gene[dʒi:n] *n.* Ⓒ 〖生〗 유전(인)자.
ge·ne·a·log·i·cal [dʒì:niəládʒikəl, dʒèn-/-ɔ́-] *a.* 계도(系圖)의.
ge·ne·al·o·gy[dʒì:niǽlədʒi, -ál-, dʒèn-] *n.* Ⓒ 계도; 가계(家系)(lineage); Ⓤ 계통학. **-gist** *n.*
gen·er·a[dʒénərə] *n.* genus의 복수.
†**gen·er·al**[dʒénərəl] *a.* ① 전반(보편)적인; 광범위에 걸친; 일반적인, 보통의; 개괄(총칭)적인. ② 최고위의, 주된. ***as a ~ rule*** 대체로. ***in a ~ way*** 일반적으로, 대체로. — *n.* ① (the ~) 일반, 총체. ② Ⓒ (육군) 대장, 장군; 전술가, 병법가. ③ Ⓒ 〖宗〗 (수도회의) 총회장. ***G- of the Army*** 《美》 육군 원수. ***in ~*** 전반적으로; 일반적으로(*people in ~* 일반 대중). ***in the ~*** 개괄적으로; 대체로. **~·ship**[-ʃìp] *n.* Ⓤ 대장의 직(신분·수완).
Géneral Assémbly (유엔) 총회; 《美》 주(州)의회.
géneral eléction 총선거.
géneral héadquarters 총사령부 《생략 G.H.Q., GHQ.》.
gen·er·al·is·si·mo [dʒènərəlísəmòu] *n.* (*pl.* **~s**) Ⓒ (영·미 이외 나라의) 대원수; 총통.
gen·er·al·ist[dʒénərəlist] *n.* Ⓒ 만능형 인간(opp. specialist).
gen·er·al·i·ty[dʒènərǽləti] *n.* Ⓤ 일반성, 보편성; Ⓒ 통칙(通則); (구체적이 아닌) 일반적 진술, 개설; (the ~) 대부분, 대다수.
·**gen·er·al·ize**[dʒénərəlàiz] *vt., vi.* 일반화하다; 개괄(종합)하다, 개괄적으로 말하다. ·**-i·za·tion**[ˌ-lizéiʃən/-lai-] *n.* Ⓤ 일반화; 개괄, 종합.
†**gen·er·al·ly**[dʒénərəli] *ad.* 일반적으로, 보통. ***~ speaking*** 대체로 말하자면, 일반적으로.
géneral practítioner (전문의가 아닌) 일반의(一般醫).
géneral públic 일반 대중.
géneral stáff ⇨STAFF.
·**gen·er·ate**[dʒénərèit] *vt.* ① 낳다, 산출하다. ② 일으키다, 생기게 하다. ③ 〖數〗 (점·선·면이 움직여 선·면·입체를) 이루다. ·**-a·tor** *n.* Ⓒ (가스 등의) 발생기; 발전기; 낳는 것; 〖컴〗 생성기, 발생기.
:**gen·er·a·tion**[dʒènəréiʃən] *n.* ① Ⓤ 출생; 생식; 산출; 발생. ② Ⓒ (일)대(代)《약 30년전》; 시대, 세대. ③ Ⓒ 《집합적》 동시대의 사람들. ④ Ⓒ 세대《같은 시기에 같은 형으로 만들어진 기구의 총칭》(*the fourth ~ of computers*). ALTERNATION ***of ~s, from ~ to ~,*** or ***~ after ~*** 대대로 계속해서. ***rising ~*** 청년(층), 젊은이들.
generátion gáp 세대차, 세대간의 단절.
gen·er·a·tive[dʒénərèitiv, -rə-] *a.* 생산(생식)의(하는).
ge·ner·ic[dʒənérik] *a.* 〖生〗 속(屬)(genus)의; 일반적인; 〖文〗 총칭적인. ***~ name*** 속명. **-i·cal·ly** *ad.*
·**gen·er·os·i·ty**[dʒènərásəti/-ɔ́s-] *n.* Ⓤ 관대; 도량이 큼, 활수함.
:**gen·er·ous**[dʒénərəs] *a.* ① 관대한, 마음이 넓은; 도량이 큰; 활수한. ② 풍부한. ③ (토지가) 비옥한. (술이) 감칠맛이 있는. ·**~·ly** *ad.*
·**gen·e·sis**[dʒénəsis, -ni-] *n.* (*pl.* **-ses**) Ⓒ 발단, 기원; (G-) 〖舊約〗 창세기.
ge·net·ic[dʒinétik] *a.* 기원의; 발생(학)(유전학)적인. **~s** *n.* Ⓤ 발생(유전)학.
genétic códe 〖生〗 유전 코드 《DNA 분자 중의 화학적 기초 물질의 배열》.
「유전학자.
ge·net·i·cist[dʒinétəsist] *n.* Ⓒ
·**gen·ial**[dʒí:njəl, -niəl] *a.* ① 온화한; 쾌적한, 온난한. ② 친절한; 다정한. **~·ly** *ad.*
ge·ni·al·i·ty[dʒì:niǽləti] *n.* Ⓤ 온화; 쾌적(快適); 친절.
ge·nie[dʒí:ni] *n.* (*pl.* **-nii, ~s**) Ⓒ 귀신.
gen·i·tal[dʒénətəl] *a., n.* 생식의; (*pl.*) 생식기.
gen·i·tive[dʒénətiv] 〖文〗 *a.* 속(屬)(소유)격의. — *n.* (the ~) 속격, 소유격.
:**gen·ius**[dʒí:njəs, -niəs] *n.* (*pl.* **~es**) ① ⓊⒸ 천재《능력·사람》. ②

Ⓤ 천성. (타고난) 자질. ③ Ⓤ 특질; 진수(眞髓); 사조, 경향; (고장의) 기풍. ④ Ⓒ (*pl.* **genii**)(날 때부터 사람에 붙어 다니는) 수호신, 귀신 (genie).

gen·o·cide[dʒénəsàid] *n.* Ⓤ《美》(인종·국민의 계획적) 몰살, 민족 섬멸.

gen·re [ʒɑ́ːnrə] *n.* (F. =kind; manner) Ⓒ 유형, 양식, 장르;《美》풍속화.

gent[dʒent] *n.* Ⓒ《口》신사, 사이비 신사.

·**gen·teel**[dʒentíːl] *a.* ① 지체 높은, 품위 있는, 우아한; 예의바른. ② 멋진, 현대적인. ③ 점잖은 체하는. **~·ism**[-izəm] *n.* Ⓒ 고상한[점잖은] 말. **~·ly** *ad.*

gen·tian[dʒénʃiən] *n.* Ⓤ 〖植〗 용담속(屬)의 식물.

·**gen·tile, G-**[dʒéntail] *n., a.* Ⓒ 〖聖〗 (유대인측에서 본) 이방인(의), 이교도(의).

gen·til·i·ty[dʒentíləti] *n.* Ⓤ 지체 높음; 품위, 예절바름; 점잔 빼기; 《집합적》 상류층 사람들.

†**gen·tle**[dʒéntl] *a.* ① 상냥한, 온화한, 얌전한. ② 지체 높은. ③ 품위 있는. *~ **and simple*** (상하) 귀천. ***the ~ sex*** 여성. — *n.* Ⓒ《古》양갓집 사람; (낚싯밥의) 구더기. — *vt.* (말 따위를) 길들이다. **:gén·tly** *ad.* ·**~·ness** *n.*

géntle·fòlk *n.*《집합적; 복수 취급》양가의[신분이 높은] 사람들.

†**gen·tle·man**[-mən] *n.* Ⓒ ① 신사; 지체 높은[점잖은] 사람. ② 남자, 남자분. ③ 종복(從僕). ④ 수입은 있지만 직업이 없는 남자, 유한 계급. ⑤ (*pl.*)《단수 취급》남자용 변소. ***~ at large*** 무직자. ***~ of fortune*** 해적; 모험가; 협잡꾼. ***my ~*** (지금 말한) 그치, 그 남자. **~·like, ~·ly** *a.* 신사적인.

gentleman's (**gentlemen's**) **agreement** 신사 협정[협약].

géntle·wòman *n.* Ⓒ 귀부인, 숙녀; 귀부인의 시녀.

·**gen·try**[dʒéntri] *n.* (보통 the ~) 《복수 취급》(영국에서는 귀족 다음 가는) 상류 계급; 《蔑》패거리. ***the*** ***light-fingered ~*** 소매치기들.

gen·u·flect[dʒénjuflèkt] *vi.* (특히 예배볼 때) 무릎을 굽히다; 무릎 꿇고 절하다. **-flec·tion,**《英》**-flex·ion** [∸–flékʃən] *n.*

:gen·u·ine[dʒénjuin] *a.* 순수한; 진실의, 진짜의; 성실한. ·**~·ly** *ad.*

·**ge·nus**[dʒíːnəs] *n.* (*pl.* ***genera*** [dʒénərə], **~*es***) Ⓒ ① 〖生〗 속(屬) 《보기: 고양이의 학명 *Felis catus*의 *Felis*》. ② 종류. ③ 〖論〗 유(類), 유개념.

ge·o-[dʒíːou, -dʒíːə] '지구, 토지'의 뜻의 결합사.

gèo·céntric *a.* 〖天〗 지구를 중심으로 하는[하여 측정한].

:ge·og·ra·phy[dʒiɑ́grəfi/dʒiɔ́g-] *n.* ① Ⓤ 지리학. ② (the ~) 지리; 지세(地勢) 지형. ③ Ⓒ 지지(地誌), 지리학 책. ·**-pher** *n.* ·**ge·o·graph·ic**[dʒìːəgrǽfik/dʒì(ː)ə-], **-i·cal**[-əl] *a.* **-i·cal·ly** *ad.*

:ge·ol·o·gy[dʒiɑ́lədʒi/dʒiɔ́l-] *n.* Ⓤ 지질학; 지질. ·**-gist** *n.* ·**ge·o·log·ic**[dʒìːəlɑ́dʒik/-lɔ́dʒ-], **-i·cal** [-əl] *a.* **-i·cal·ly** *ad.*

·**ge·o·met·ric**[dʒìːəmétrik], **-ri·cal**[-əl] *a.* 기하(학)적인. **-ri·cal·ly** *ad.*

geométric(**al**) **progréssion** (**séries**) 〖數〗 기하[등비] 급수.

:ge·om·e·try [dʒiɑ́mətri/-ɔ́m-] *n.* Ⓤ 기하학; Ⓒ 기하학 책. ***analytic ~*** 해석 기하학. ***Euclidean ~*** 유클리드 기하학. ***plane*** (***solid, spherical***) ***~*** 평면[입체, 구면] 기하학.

ge·o·phys·ics[dʒìːoufíziks] *n.* Ⓤ 지구 물리학. **-i·cal**[-kəl] *a.* 지구 물리학(상)의. **-i·cist** *n.*

gèo·pólitics (<G.) *n.* Ⓤ 지정학 (地政學).

ge·ra·ni·um[dʒəréiniəm, -njəm] *n.* Ⓒ 〖植〗 제라늄, 양아욱; Ⓤ 선홍색.

ger·i·at·ric[dʒèriǽtrik] *a.* 노인병의; 고연령(층)의, 노인의.

ger·i·at·rics[dʒèriǽtriks] *n.* Ⓤ 노인병학.

·**germ**[dʒəːrm] *n.* ① Ⓒ 배종(胚種), 어린 싹. ② Ⓒ 병원균, 세균. ③ (the ~) 싹틈, 근원. ***in ~*** 미발달

(상태)로. — *vi.* 발아하다.

†**Ger·man**[dʒə́ːrmən] *a., n.* 독일(사람·어)의; Ⓒ 독일 사람; Ⓤ 독일어. ***High*** ~ 고지 독일어《독일 표준어》. ***Low*** ~ 저지 독일어《네덜란드어 등을 포함한 북부 독일 방언》. ***Old High*** ~ 고대 고지 독일어《800-1100년 경의》.

ger·mane[dʒəːrméin] *a.* 밀접한 관계가 있는; 적절한(pertinent)(*to*).

Ger·man·ic[dʒəːrmǽnik] *a.* 독일(민족)의; 게르만〔튜턴〕(어)족의. — *n.* Ⓤ 게르만〔튜턴〕어. ***East*** ~ 동(東)게르만어《코트어(Gothic) 등》. ***North*** ~ 북게르만어《Scandinavia의 여러 말》. ***West*** ~ 서(西)게르만어《영·독·네덜란드·프리지아어 등》.

Gérman méasles 〖醫〗 풍진.

Gérman shépherd (**dòg**) 독일종 셰퍼드《경찰견》.

·**ger·mi·nate**[-nèit] *vi., vt.* 싹트다, 싹트게 하다, 발아하다〔시키다〕. **-nant** *a.* **-na·tion**[⌐—néiʃən] *n.*

gérm wárfare 세균전.

ger·on·tol·o·gy [dʒèrəntálədʒi/-ɔntɔ́l-] *n.* Ⓤ 노인병학, 장수학(長壽學). **-gist** *n.*

G

ger·ry·man·der[dʒérimæ̀ndər, gér-] *vt., n.* Ⓒ 《美》 (선거구를) 자당(自黨)에 유리하게 고치다〔고치기〕; 부정하게 손을 대어 고치다〔고치기〕.

:**ger·und**[dʒérənd] *n.* Ⓒ 〖文〗 동명사. **ge·run·di·al**[dʒərʌ́ndiəl] *a.*

Ge·stalt[gəʃtáːlt] *n.* (G.) Ⓒ 〖心〗 형태.

Ge·sta·po[gəstáːpou/ge-] *n.* (G.) (the ~) 《단·복수 취급》 (나치스의) 비밀 경찰. 「(기간).

ges·ta·tion[dʒestéiʃən] *n.* Ⓤ 임신

ges·tic·u·late[dʒestíkjəlèit] *vi., vt.* 손〔몸〕짓으로 나타내다. **-la·tion**[—⌐—léiʃən] *n.*

:**ges·ture**[dʒéstʃər] *n.* ① Ⓤ,Ⓒ 몸짓, 손짓. ② Ⓒ 태도, 거동《암시적 의사 표시가 포함된》; 선전적 행위, 제스처.

†**get**[get] *vt.* (**got,** 《古》 ***gat; got,*** 《美·古》 ***gotten; -tt-***) ① 얻다, 취하다; 잡다; (전화에) 불러 내다; 달하다; 손에 넣다, 사다; (병에) 걸리다. ② 가져오다〔가다〕; (식사의) 준비를 하다. ③ (동물이 새끼를) 낳다. ④ 때리다; 곤란케 하다; 해치우다, 《美口》 죽이다. ⑤ 《口》 이해하다. ⑥ 《口》 먹다. ⑦ (어떤 상태로) 만들다. ⑧ 《~ +O+p.p.의 형으로》 …시키다, …하게 하다, …하여지다. — *vi.* ① 도착하다. ② 벌다, 이익을 얻다. ③ 《~ +*a.*〔p.p.〕의 형으로》 …이 되다, …당하다. ④ …하기 시작하다; 《美》 그럭저럭 …하다. ~ ***about*** 돌아다니다; (완쾌되어) 기동하다; (소문이) 퍼지다. ~ ***across*** 건너다; 성공하다; 《口》 상대방에게 통하다〔이해되다〕. ~ ***ahead*** 나아가다, 진보하다; 출세하다. ~ ***along*** 지내다; 사이좋게 해나가다; 나아가다, 성공하다; 가다, 떠나다. ***G- along with you!*** 《口》 가버려라; 바보 소리 작작 해! ~ ***around*** 돌아다니다; (소문이) 퍼지다; 회피하다; 압도하다, (…에) 이기다; 속이다. ~ ***at*** 도달하다; 찾아내다; 《口》 매수하다; 《俗》 공격하다; 《口》 놀리다; 속이다; 양해하다. ~ ***away*** 떠나다, 나가다; (…을) 갖고 도망가다(*with*); 처치하다, 죽이다(*with*). ~ ***away with it*** (벌받지 않고) 잘 해내다. ~ ***back*** 되돌아오다; 되찾다; 《俗》 대갚음하다(*at, on*). ~ ***behind*** 남에게 뒤지다; 회피하다; …의 내막을 꿰뚫어 보다; 지지〔후원〕하다. ~ ***better*** (병 따위가) 나아가다. ~ ***by*** 통과하다; 《口》 무사히 빠져나가다. ~ ***down*** 내리다; 내려놓다; 마셔버리다; 《美》 점점 싫어지다(*on*). ~ EVEN[1] ***with.*** ~ ***in*** 들어가다, 타다; 도착하다; 거둬들이다; 징수하다; (씨를) 뿌리다; 당선하다; 《口》 (…와) 친해지다(*with*). ~ ***into*** …의 속에 들어가다〔넣다〕; …을 입다, 신다; (습관 따위)에 빠지다; (술이) 오르다; …을 연구하다; …을 조사하다. ~ ***it*** 《口》 벌을 받다, 꾸지람 듣다; 《口》 이해하다. ~ NOWHERE. ~ ***off*** (우편물을) 내다; 면하다; 구해내다; (말에서) 내리다; (농담 따위를) 하다; 외다; 출발하다; 벗다; 《주로 英》 연애 관계를 맺다(*with*). ~ ***on*** …에 타다; 나아가다(*with*); 성공하다; 지내다; 친하게 하다; 입다, 신다. ~ ***on in the*** WORLD. ~ ***out*** 내리다; 뽑아내다; 새다; 알려지다;

찾아내다; 도망치다; 구해내다; (…에서) 나오다, 나가다(*of*). **~ over** 넘다; 이겨내다; (병자가) 회복하다; 용서하다; 잘 알아듣게 말하다; 《俗》 꼭 뒤지르다; 《美俗》 성공하다. ~ READY. **~ round** 속이다, (용케) 면하다; 완쾌하다. **G- set!** (경주에서) 준비《신호총을 안 쓸 경우: *G- set, go!* 라고 구령함》. **~ there** 목적을 이루다. **~ through** 끝내다, (…을) 해내다, 완성하다(*with*); 통과하다; 목적지에 달하다; (시험에) 합격하다. **~ to** …에 닿다, …에 착수하다; …에 영향을 주다. **~ together** 모으다, 모이다; 타결하다. **~ under** 이겨내다, 누르다; 가라앉히다; 불을 잡다. **~ up** 일어나다; 일어서다; (불·바람·바다가) 거세어지다, 거칠어지다; 날아가다; 준비하다, 계획[기초]하다; 갖추다, 꾸미다(*~ oneself up*); 《명령형으로》 앞으로!《말에게》. ~ WELL². **have got** 《口》 갖고 있다. **have got to** (*go*) (가지) 않으면 안 되다. **— n.** Ⓒ (동물의) 새끼; (테니스 따위에서) 치기 어려운 공을 잘 받아 넘김.

gét·awày *n.* (*sing.*) 도망; 스타트, (경주의) 출발.

gét-togèther *n.* Ⓒ 《美口》 친목회, (비공식의) 회합.

gét·ùp *n.* Ⓒ 《口》 몸차림; (책의) 장정; Ⓤ 《美》 창의; 정력.

gét-ùp-and-gó *n.* Ⓤ 《口》 패기, 열의, 적극성.

gey·ser[gáizər, -s-] *n.* Ⓒ 간헐천(間歇泉), 분천(噴泉); [gí:zər] 《英》 자동 온수 장치.

Gha·na[gá:nə] *n.* 서아프리카의 공화국《수도 Accra》. **~·ian**[ga:néiən], **-ni·an**[gá:niən] *a., n.* 가나의; Ⓒ 가나 사람(의).

·**ghast·ly**[gǽstli, -á:-] *a., ad.* ① 핼쑥한[하게], 송장[유령] 같은[같이]; 파랗게 질린[질려]; 무시무시한[하게]. ② 지독한. **-li·ness** *n.*

gher·kin[gə́:rkin] *n.* Ⓒ 작은 오이.

ghet·to[gétou] *n.* (*pl.* **~s, -ti** [géti:]) (It.) Ⓒ 유대인 거리; (특정 사회 집단) 거주지; 《美》 빈민가.

ghétto blàster 《俗》 대형 휴대용 라디오, (스테레오) 라디오.

:**ghost**[goust] *n.* Ⓒ ① 유령; 망령. ② 환영, 환상. ③ 〖TV〗 = GHOST IMAGE. ④ 근소한 가능성. ⑤ 《美口》 = GHOSTWRITER. **give up the ~** 죽다. **have not the ~ of** (*chance*) 조금(의 가망)도 없다. **Holy G-** 성령. **The ~ walks.** 유령이 나온다; 《劇場俗》 급료(給料)가 나온다[나왔다]. **— vt., vi.** (…을) 따라 다니다; 《美口》 = GHOSTWRITE. **∠·like** *a.* 유령 같은, 무시무시한. ***∠·ly** *a.* 유령의[같은]; 영(靈)[종교]적인(*a ~ly father* 목사).

ghóst stòry 괴담; 꾸며낸 이야기.

ghóst tòwn 유령 도시《전쟁·기근·불경기 따위로 주민이 떠난 도시》.

ghóst·wrìte *vt., vi.* (**-wrote; -written**) 《美口》 대작(代作)을 하다. **-wrìter** *n.* Ⓒ 대작자.

ghoul[gu:l] *n.* Ⓒ (무덤 속의 시체를 먹는) 악귀.

G.H.Q. General Headquarters.

GI, G.I. [dʒí:ái] (< Government Issue, or General Issue) *a.* 관급의; 《口》 규정[표준형]의(*a ~ dress*); 군대식의(*the ~ cut* 군대식 이발). **— n.** (*pl.* **G.I.'s, GI's**) Ⓒ 《美口》 병(사). **~ Jane** [**Joan**] 《美俗》 여군 병사. **~ Joe** 《美俗》 미군 병사.

:**gi·ant**[dʒáiənt] *n., a.* Ⓒ 거인; 위인; 거대한.

gib·ber[dʒíbər, gíb-] *vi., n.* Ⓤ 횡설수설(하다).

gib·ber·ish[dʒíbəriʃ, gíb-] *n.* Ⓤ 횡설수설, 뭔지 알 수 없는 말.

gib·bet[dʒíbit] *n., vt.* Ⓒ (사형수의) 교수대; 교수형에 처하다; (공공연히) 망신 주다.

gib·bon[gíbən] *n.* Ⓒ 〖動〗 (인도의) 긴팔원숭이.

gibe[dʒaib] *n., vt., vi.* Ⓒ 조롱(하다)(*at*). **gib·er**[∠ər] *n.*

gib·let[dʒíblit] *n.* (*pl.*) (닭·거위 등의) 내장; 찌꺼기.

·**gid·dy**[gídi] *a.* 현기증 나는; 들뜬. **— vt.** 현기증 나게 하다. **-di·ly** *ad.* **-di·ness** *n.*

:**gift**[gift] *n.* Ⓒ ① 선물, 기증품. ② 천분, 재능. **— vt.** ① 선사하다. ② (재능을) 부여하다(*with*). ***~·ed** [∠id] *a.* 천부의 재주가 있는; 수재의.

gíft certìficate [**còupon**] 《美》 상품[경품]권.
gíft-wràp *vt.* (리본 따위로) 예쁘게 포장하다.
gig[gig] *n.* Ⓒ (한 필이 끄는) 2륜 마차; (돛이나 노를 쓰는) 가벼운 보트; (배에 실은) 소형 보트.
·**gi·gan·tic**[dʒaigǽntik] *a.* 거인 같은; 거대한.
·**gig·gle**[gígəl] *vi., n.* Ⓒ 낄낄거리다[거림], 킥킥 웃다[웃음].
gig·o·lo[dʒígəlòu, ʒíg-] *n.* (*pl.* **~s**) Ⓒ 남자 직업 댄서; 기둥 서방, (매춘부의) 정부(情夫).
·**gild**[gild] *vt.* (**~ed, gilt**) ① (…에) 금(박)을 입히다, 금도금하다; 금빛으로 물들이다. ② 실물보다 아름답게 꾸미다; 장식하다. **~ *the pill*** 환약을 금빛으로 칠하다; 싫은 것을 보기 좋게 만들다. **∠·ed** *a.* 금도금한; 부자의. **~*ed youth*** 귀공자. ***the Gilded Chamber*** 《英》 상원. **∠·ing** *n.* Ⓤ 금도금 (재료); 장식.
·**gill**[1][gil] *n.* Ⓒ (보통 *pl.*) (물고기의) 아가미.
gill[2][dʒil] *n.* Ⓒ 질《액량 단위: 1/4 파인트》.
gil·lie[gíli] *n.* Ⓒ 《Sc.》 시종; 하인.
·**gilt**[gilt] *v.* gild의 과거(분사). — *a., n.* 금도금한; Ⓤ 금박, 금분, 금니(金泥).
gílt-èdged *a.* 금테의; (어음·증권 따위) 확실한.
gim·crack[dʒímkræ̀k] *a., n.* Ⓒ 싸고 허울만 좋은 (물건).
gim·let[gímlit] *n., vt.* Ⓒ T자형 나사송곳(으로 구멍을 뚫다).
gim·mick[gímik] *n.* Ⓒ 《美俗》 (요술장이의) 비밀 장치, 트릭.
·**gin**[dʒin] *n.* Ⓤ,Ⓒ 진《증류주》.
·**gin·ger**[dʒíndʒər] *n.* Ⓤ ① 생강. ② 《口》 원기; 활력. ③ 고동색.
gínger ále [**bèer**] 생강을 넣은 청량 음료의 일종.
gínger·brèad *n., a.* Ⓤ,Ⓒ 생강이 든 빵; Ⓤ 싸구려, 값싼 (장식).
gínger gròup 《英》 (정당 따위 조직 내부의) 혁신파.
gin·ger·ly[-li] *a., ad.* 주의 깊은[깊게].
gin·ger·y[-ri] *a.* 생강의; 생강 같은; 얼얼한, 매운; 성마른.
ging·ham[gíŋəm] *n.* Ⓤ 깅엄《줄무늬 따위가 있는 무명》; Ⓒ 《英口》 = UMBRELLA.
gin·seng[dʒínseŋ] *n.* Ⓒ 인삼.
·**Gip·sy, g-**[dʒípsi] *n.* = GYPSY.
:**gi·raffe**[dʒərǽf/dʒirɑ́:f] *n.* Ⓒ 【動】 기린, 지라프.
·**gird**[gə:rd] *vt.* (**~ed, girt**) ① 허리띠로 졸라매다. ② (…을) 허리에 두르다, 몸에 붙이다, 허리에 차다. ③ (권력 따위를) 부여하다(*with*). ④ 둘러싸다. **~ *oneself,* or ~ (*up*) *one's loins*** 단단히 허리띠를 죄다[태세를 갖추다, 긴장하다, 준비하다].
gird·er[gə́:rdər] *n.* Ⓒ 【建】 도리; 대들보; 거더.
·**gir·dle**[gə́:rdl] *n., vt.* ① Ⓒ 띠(로 두르다, 감다); 거들《고무가 든 단단한 코르셋의 일종》; 두르는[싸는] 것. ② 둘러싸다; (…의) 나무껍질을 고리 모양으로 벗기다.
†**girl**[gə:rl] *n.* Ⓒ ① 계집아이. ② 소녀, (미혼의) 젊은 여자, 숫처녀. ③ 하녀. ④ 《口》 = SWEETHEART; 《口》 《一般》 여자. **∠·ish** *a.*
gírl Fríday (무엇이든 잘 처리해주는) 여사무원, 여비서.
:**gírlfrìend** 걸프렌드, 여자 친구.
·**girl·hood**[∠hùd] *n.* Ⓤ 소녀임, 소녀 시절; 《집합적》 소녀들.
girl·ie[∠i] *n.* Ⓒ 소녀, 아가씨.
Gírl Scòuts [《英》 **Gùides**] 소녀단.
gi·ro[dʒáirou/dʒáiər-] *n.* Ⓒ 《英》 은행[우편] 대체(對替) 제도.
girth[gə:rθ] *n.* Ⓒ (말의) 뱃대끈; 띠; Ⓤ,Ⓒ 둘레의 치수《가슴둘레 따위》. — *vt., vi.* 뱃대끈을[으로] 졸라매다; 치수가 …이다.
·**gist**[dʒist] *n.* (the ~) 요점, 본질, 골자; 【法】 주요 소인(訴因).
†**give**[giv] *vt.* (***gave; given***) ① 주다; 선사하다; 공급하다; 건네다, 맡기다; 치르다; 바치다, 몰두시키다. ② (말을) 전하다; (병을) 옮기다; 양보하다. ③ 산출하다, 내다, 발하다; ((목)소리를) 내다, 말하다. ④ (회를) 열다; (강연을) 하다; 진술하다; 묘사하다; (이유·예 따위를) 들다. ⑤ (손을) 내밀다. — *vi.* ① 자선[기부]하다; 굴복[양보]하다. ② (빛이)

바래다, 날다; 약해지다, 무너지다; (얼음이) 녹다. ③ (창·복도가) …쪽을 향〔면〕하다(*upon*), 통하다(*into, on*). ~ **about** 배포하다, (소문 따위를) 퍼뜨리다. ~ **again** 갚다, 돌려주다. ~ **and take** 서로 양보〔타협〕하다. ~ **away** 선사하다; (결혼식에서 신부를) 신랑에게 넘겨주다; 《俗》 (무심히) 비밀을 누설하다; 폭로하다(~ *oneself away* 정체를 보이다). ~ **back** 돌려주다, 돌려 보내다; 반향(反響)하다, 움츠리다. ~ **forth** (소리·냄새)를 내다; 퍼뜨리다. ~ **in** 건네어 주다, (서류를) 제출하다; 양보〔굴복〕하다(*to*). ~ **it** (*a person*) (**hot**) (아무를) 벌하다. ~ JOY. **Give me...** 내게는 차라리 …을 다오; …에게 연결 부탁합니다. ~ **off** 발(산)하다. ~ **oneself up to** …에게 바치다; 몰두〔열중〕하다. ~ **out** 발표하다; 퍼뜨리다; 분배하다; 할당하다; 발(산)하다; 부족하다, 다 되다; 끝나다. ~ **over** 그만두다, 중지하다, 버리다; 인도하다. ~ (*a person*) **to know** 〔**understand**〕 알게 하다. ~ **up** 내놓다, 포기하다; (죄인을) 인도하다; 그만두다, 단념하다; 헌신하다. ~ WAY[1]. ~ (*a person*) **what for** (아무를) 벌하다, 나무라다. ── *n.* Ⓤ 패임; 탄력성; (정신·성격의) 순응성, 유연성.

gíve-and-táke *n.* Ⓤ 공평한 교환; 상호 양보, 타협; 담화〔농담〕의 응수.

gíve·awày *n.* (a ~) 무심코 지껄여 버림; = ∠ **shòw** 〔**prògram**〕 (라디오 따위의) 청취자 참가 프로《상품 따위가 붙어 있는》. ── *a.* 손해를 각오하고 싸게 파는.

†**giv·en**[gívən] *v.* give의 과거분사. **be ~ to** …에 열중하다. ── *a.* 주어진; 이미 알고 있는, 일정〔특정〕한; 경향을 띠어, 탐닉하여.

·**gíven náme** (성(姓)에 대한) 이름.

giv·er[∠ər] *n.* Ⓒ 주는 사람.

giz·zard[gízərd] *n.* Ⓒ (새의) 모래주머니; 《口》 (사람의) 위(胃).

gla·cé[glæséi/∠─] *a.* (F.) (천·가죽 따위를) 반들반들하게 만든; 설탕(등)을 입힌〔바른〕(iced).

gla·cial[gléiʃəl/-sjəl] *a.* 얼음(모양)의; 빙하(기)의; 차가운.

gla·cier[gléiʃər, glǽsjər] *n.* Ⓒ 빙하.

†**glad**[glæd] *a.* (**-dd-**) ① 기쁜. ② (표정·소리 따위가) 기쁜 듯한; 유쾌한, (듣기만 해도) 기쁜. (**give**) **the ~ eye** 《俗》 추파(를 던지다). **:∠·ly** *ad.* **·∠·ness** *n.*

glad·den[glǽdn] *vt., vi.* 기쁘게 하다; 기뻐하다.

glad·i·a·tor[glǽdièitər] *n.* Ⓒ (옛 로마의) (직업적) 검투사(劍鬪士); 논객. **-to·ri·al**[⌐iətɔ́:riəl] *a.*

glad·i·o·lus [glæ̀dióuləs] *n.* (*pl.* **~es, -li**[-lai]) Ⓒ 〖植〗 글라디올러스.

glád ràgs 《俗》 나들이옷; 야회복.

glam·or·ize[glǽməràiz] *vt.* 매력을 갖추게 하다, 돋보이게 하다.

·**glam·o(u)r**[glǽmər] *n.* Ⓤ 마법, 마술; 마력; 매력. ── *vt.* 매혹하다.

glám·or·ous *a.*

:**glance**[glæns/-ɑ:-] *n.* Ⓒ ① 흘긋 봄, 별견(瞥見), 일견(*at, into, over*). ② 흘긋《눈짓》, 번쩍임, 번득임; 스침. **at a** 〔**the first**〕 ~ 일견하여, 잠깐 보아서. **cast** 〔**throw**〕 **a ~** 흘긋 보다(*at*). ── *vi.* ① 흘긋 보다, 일견하다, 훑어보다(*at, over*). ② 번쩍 빛나다. ③ (이야기가) 잠깐 언급〔시사〕되다; (이야기가) 옆길로 새다(*off, from*). ④ (탄환·창 따위가) 스치고 지나가다, 빗나가다(*aside, off*). ── *vt.* 잠깐 (훑어)보다; 흘긋 돌리다; 슬쩍 비꼬다.

·**gland**[glænd] *n.* Ⓒ 〖解〗 선(腺). **glan·du·lar**[glǽndʒulər], **glan·du·lous**[-ləs] *a.*

:**glare**[glɛər] *n.* ① Ⓤ 번쩍이는 빛, 눈부신 빛. ② Ⓤ 야함, 현란함. ③ Ⓒ 날카로운 눈씨. ── *vi., vt.* ① 번쩍번쩍〔눈부시게〕 빛나다〔비추다〕; 눈에 띄다. ② 노려〔흘겨〕보다.

·**glar·ing**[glɛ́əriŋ] *a.* ① 번쩍번쩍 빛나는; 눈부신. ② 야한; 눈에 띄는. ③ 명백한. ④ 흘겨보는.

†**glass**[glæs, -ɑ:-] *n.* ① Ⓤ 유리. ② Ⓤ,Ⓒ 유리 모양〔질〕의 물질. ③ Ⓒ 컵, 글라스; 한 컵의 양; 술. ④ Ⓒ 거울, 창유리, (시계의) 유리면(面); 렌즈; 망원경; 현미경; 온도계, 청우계; 모래 시계. ⑤ (*pl.*) 안경, 쌍안경. ⑥ Ⓤ 《집합적》 유리 제품. **under**

～ 온실에서 (재배한); 유리장에 (진열된). ― *vt.* ① (…에) 유리를 끼우다(로 덮다). ② 거울에 비추다. **∠·ful** *n.* Ⓒ 한 컵(잔) 가득.

gláss blòwer (**blòwing**) 유리 부는 직공(기술·작업).

gláss fiber (**fibre**) 유리 섬유.

gláss·hòuse *n.* Ⓒ 유리 공장, 유리 가게; 《英》 온실.

:gláss·wàre *n.* Ⓤ 《집합적》 유리 그릇(제품), 유리 기구류.

·glass·y[∠i] *a.* 유리질(모양)의; 매끄러운; (눈이) 흐린. **gláss·i·ly** *ad.* **gláss·i·ness** *n.*

glau·co·ma[glɔːkóumə] *n.* Ⓤ 〖醫〗 녹내장(綠內障).

·glaze[gleiz] *vt.* ① (…에) 판유리를 끼우다. ② (질그릇에) 유약을 칠하다; (종이·가죽에) 윤을 내다. ③ 〖料理〗 설탕 시럽 따위를 입히다. ― *vi.* 매끄럽게 되다, 윤이 나다; (눈이) 흐려지다. ― *n.* Ⓤ,Ⓒ ① 윤내는 약; (질그릇의) 유약. ② 〖料理〗 설탕시럽 입히기. ③ 《美》 〖氣〗 우빙(雨氷)《빗물이 땅 위에 얼어 붙는 현상》. **～d** *a.* 유약을 바른; 유리를 낀.

gla·zier[gléiʒər/-zjə] *n.* Ⓒ 유리 장수. ***Is your father a ～?*** 《諧》 앞이 보이지 않으니 비켜 주시오(너는 유리로 된 사람이냐).

:gleam[gliːm] *n.* Ⓒ ① 어렴풋한 빛, (새벽 등의) 미광; 번쩍임. ② 희미한 징조. ― *vi.* ① 희미하게 번쩍이다. ② (생각이) 번득이다.

·glean[gliːn] *vt., vi.* (이삭을) 줍다; (사실 따위를) 조금씩 모으다. **∠·er** *n.* Ⓒ 이삭 줍는 사람; (끈기 있는) 수집가. **∠·ing** *n.* Ⓤ 이삭 줍기; Ⓒ (주워 모은) 이삭; (보통 *pl.*) 습유(拾遺), 집록(集錄).

·glee[gliː] *n.* Ⓤ 환희, 유쾌; Ⓒ (무반주) 합창곡. **∠·ful, ∠·some** *a.* 유쾌한; 명랑한.

·glen[glen] *n.* Ⓒ 작은 골짜기; 협곡.

glib[glib] *a.* (**-bb-**) 유창한; 입담 좋은, 말솜씨가 훌륭한; 행동이 스마트한. **∠·ly** *ad.*

:glide[glaid] *vi.* ① 미끄러지(듯 나아가)다; 활주(활공)하다. ② (시간이) 나는 듯이 지나다(*by*). ― *vt.* 미끄러지게 하다. ― *n.* Ⓒ 미끄러짐, 활주(면); 활공; 《美》 =SLUR; 〖音聲〗 경과음. **:glíd·er** *n.* Ⓒ 미끄러지는 사람(물건); 글라이더, 활공기. **glíd·ing** *n., a.* Ⓤ 활주(하는).

·glim·mer[glímər] *vi.* 희미하게(반짝) 빛나다; 어렴풋이 보이다. ― *n.* Ⓒ 미광; 어렴풋함; 어렴풋한 인식, 막연한 생각. **·～·ing** *n., a.* Ⓒ 미광; 희미하게 빛나는; (어렴풋이) 알아차림, 생각나는 일.

:glimpse[glimps] *n.* Ⓒ 흘긋 봄(보임), 일견(一見). ***by ～s*** 흘긋흘긋. ***catch*** (***get, have***) ***a ～ of*** …을 흘긋 보다. ― *vt., vi.* 흘긋 보(이)다; 《古》 희미하게 보이다.

·glint[glint] *vi., vt., n.* 반짝 빛나다(빛나게 하다); Ⓒ 반짝임, 섬광.

·glis·ten[glísn] *vi., n.* (부드럽게) 반짝 빛나다; Ⓒ 빛남, 섬광.

:glit·ter[glítər] *vi., n.* 반짝반짝 빛나다; Ⓤ 반짝임; 광채; 화려. ***All is not gold that ～s.*** 《속담》 빛나는 것이 다 금은 아니다. **·～·ing** *a.*

glit·te·ra·ti[glìtərɑ́ːti] *n. pl.* (보통 the ～) 부유한 사교계의 사람들.

gloam·ing[glóumiŋ] *n.* (the ～) 《詩》 땅거미, 황혼.

gloat[glout] *vi.* 황홀한 듯이(만족한 듯이, 빤히) 바라보다(*over, on*).

·glob·al[glóubəl] *a.* (지)구상(球狀)의; 전세계의; 〖컴〗 전역의. **～·ism** [-ìzəm] *n.* Ⓤ 세계적 관여주의.

:globe[gloub] *n.* ① Ⓒ 공, 구체(球體). ② (the ～) 지구, 지구(천체)의(儀). ③ Ⓒ 공 모양의 물건《눈알·어항·유성(遊星) 따위》. ― *vt., vi.* 공 모양으로 하다(되다).

glóbe-tròtter *n.* Ⓒ 세계 관광 여행자.

glob·u·lar[glɑ́bjələr/-ɔ́-] *a.* 공 모양의; 작은 알로 된.

glock·en·spiel[glɑ́kənspìːl/-ɔ́-] *n.* Ⓒ 〖樂〗 철금(鐵琴); (한 벌의) 음계종(音階鐘).

:gloom[gluːm] *n.* Ⓤ ① 어둠, 암흑; 암영(暗影). ② 우울, 음울; 음울한 표정. ― *vi., vt.* 어두워(음울해)지(게 하)다; 어두운 얼굴을 하다.

:gloom·y [∠i] *a.* 어두운, 어둑어둑한; 우울한. **·glóom·i·ly** *ad.*

·glo·ri·fy[glɔ́ːrəfài] *vt.* ① (신을) 찬

G

미〔찬송〕하다; (사람을) 칭찬하다; 영광을 더하다. ② 꾸미다, 장식하다. **-fi·ca·tion**[ˌ–fikéiʃən] *n.*

:**glo·ri·ous**[glɔ́:riəs] *a.* ① 영광스러운, 빛나는, 장려한; 현란한. ② 유쾌한, 기분 좋은. ***~·ly** *ad.*

:**glo·ry**[glɔ́:ri] *n.* Ⓤ ① 영광, 명예; 찬미, 송영(頌榮); 하늘의 영광; 천국. ② 장관; 번영, 융성. ③ 득의 양양함; 큰 기쁨. ***go to ~*** 승천하다, 죽다. ***Old G-*** 《口》 미국 국기, 성조기. — *vi.* 기뻐하다; 뽐내다(*in*); 《廢》 자랑하다.

·**gloss**[1][glɑs, -ɔ:-/-ɔ-] *n.* ① Ⓤ 윤, 광택; Ⓒ 광택면. ② Ⓤ 허식, 겉치레. — *vt.* (…에) 윤〔광택〕을 내다; 겉치레하다. ***~ over*** 용케 숨기다, 속이다. ***∠·y** *a.*

gloss[2] *n.* Ⓒ (여백에 적는) 주석, 주해; 해석; 어휘; 그럴듯한 설명. — *vi., vt.* 주석〔해석〕하다; 그럴듯하게 해설하다.

·**glos·sa·ry**[glɑ́səri, -ɔ́:-/-ɔ́-] *n.* Ⓒ 어휘; (특수) 용어 해설; (주석서 권말의) 주요 용어집. **glos·sar·i·al** [-sέəriəl] *a.* 어휘의, 용어풀이의.

†**glove**[glʌv] *n.* Ⓒ 장갑; (야구·권투용) 글러브. ***fit like a ~*** 꼭 맞다. ***handle with ~s*** 친절히 다루다. ***take off the ~s*** 본격적으로 덤벼들다. ***throw down*** 〔***take up***〕 ***the ~*** 도전하다〔도전에 응하다〕. **glóv·er** *n.* Ⓒ 장갑 제조인; 장갑 장수.

:**glow**[glou] *vi.* ① 백열(白熱)빛을 내다; (개똥벌레 등이) 빛을 발하다. ② (눈이) 빛나다, (몸이) 달다; 열중하다, (감정이) 불붙다. — *n.* (*sing.*) ① 백열, 작열, 빛. ② (몸이) 닮; 만족감, 기쁨; 열중, 열정; 빛남, 붉어짐; 선명함. ***∠·ing** *a.* 백열의; 새빨간, 홍조된; 열렬한, 열심인.

glow·er[gláuər] *vi., n.* 노려보다, 주시하다; Ⓒ 노려봄; 무서운〔찡그린〕 얼굴(을 하다).

glów·wòrm *n.* Ⓒ 개똥벌레의 유충.

glu·cose[glú:kous, -z] *n.* Ⓤ 포도당.

·**glue**[glu:] *n., vt.* Ⓤ 아교(로 붙이다)(*to*). **∠·y** *a.* 아교의〔같은〕.

glum[glʌm] *a.* (**-mm-**) 음울한; 무뚝뚝한, 뚱한.

glut[glʌt] *n., vt.* (**-tt-**) Ⓒ 포식(시키다), 식상(食傷)(하게 하다); 공급 과잉(되게 하다).

glu·ten[glú:tən] *n.* Ⓤ 〖化〗 글루텐, 부질(麩質). **glú·te·nous** *a.*

glut·ton[glʌ́tn] *n.* Ⓒ 대식가; 지칠 줄 모르는 사람; 악착꾸러기, 끈덕진 사람. **~·ous** *a.* 많이 먹는. **~·y** *n.* Ⓤ 대식(大食).

·**glyc·er·in**[glísərin], **-ine**[-rin, -rì:n], **glyc·er·ol**[glísəròul, -ɔ̀:-/-ɔ̀-] *n.* Ⓤ 〖化〗 글리세린.

G.M.T. Greenwich Mean Time.

gnarl[nɑ:rl] *n.* Ⓒ (나무의) 마디, 옹이, 혹. — *vt.* (…에) 마디를〔혹을〕 만들다; 비틀다. — *vi.* (개 따위가) 으르렁거리다. **~ed**[-d], **∠·y** *a.* 마디〔옹이〕가 많은(knotty); 울퉁불퉁한; 비뚤어진, 비꼬인.

gnash[næʃ] *vi., vt.* 이를 악물다. ***~ one's teeth*** (노여워) 이를 갈다.

·**gnat**[næt] *n.* Ⓒ 각다귀; 《英》 모기. ***strain at a ~ and swallow a camel*** 작은 일에 구애되어 큰 일을 모르고 지나다.

·**gnaw**[nɔ:] *vt., vi.* (***~ed; ~ed, gnawn***) ① 물다, 쏠다; 부식하다. ② 괴롭히다, 애먹이다. **∠·er** *n.* Ⓒ 무는 사람; 부식시키는 것; 설치 동물.

gnome[1][noum] *n.* Ⓒ 땅속의 요정 《탄갱 등의 수호신》.

gnome[2] *n.* Ⓒ 격언. **gnó·mic** *a.* 격언의, 격언적인.

GNP gross national product.

gnu[nju:] *n.* (*pl.* **~s,** 《집합적》 ~) Ⓒ (남아프리카산) 암소 비슷한 영양.

†**go**[gou] *vi.* (**went; gone**) ① 가다, 나아가다; 지나가다; 떠나다; 죽다; 없어지다; 망치다; 못쓰게 되다; (불이) 꺼지다; 꺾이다, 항복하다. ② (…의 상태에) 있다(*go hungry* 늘 배를 곯고 있다); …라고 (씌어) 있다(*Thus goes the Bible.*); (…의 상태)가 되다(*go mad* 정신이 돌다/*go bad* 나빠지다, 썩다). ③ 움직이다, 운동하다, 일하다; (일이) 진전하다. ④ 놓이다, 들다, 속하다. ⑤ (종·총성이) 울리다; (시계가) 시간을 치다(*The clock went six.* 6시를 쳤다). ⑥ (화폐 따위가) 통용되다, (소문 따위가) 퍼지다; …의 손에 돌아가다;

뻗다. …에 달하다. …으로 되다. ⑦ 소비되다. 팔리다(*His house went cheap.* 싼 값으로 팔렸다). ⑧ …하기 쉽다(tend); 《口》 권위가 있다. (그대로) 통하다. — *vt.* 《口》 (내기를) 걸다(*I will go you a dollar.* 1달러를 걸겠다); 《口》 견디다, 참다. **as** [**so**] **far as it goes** 그것에 관한 한. **as people things go,** or **as the world goes** 세상 풍습으로는, 일반적으로는. **as the saying goes** 속담에도 있듯이. **be going on** …에 가까워지고 있다; 일어나고 있다. **be going to** do **...** (막, 바야흐로) …하려 하고 있다. **go about** 돌아다니다. 퍼지다; 침로를 바꾸다; …에 진력하다. 착수하다. **go across** 건너다. 넘다. **go after** 《口》 쫓다; 추구하다. 찾다. **go against** 반항하다; …에 불리하게 되다. **go along** 나아가다. **go a long way** 매우 쓸만하다(*toward*); 여러 가지를 살 수 있다; 크게 도움이 되다. **go and** do …하러 가다; 어리석게도 …하다(*I have gone and done it.*); 《명령형》 멋대로 …해라 (*Go and be miserable!* 멋대로 골탕 먹어봐라). **go around** 돌아다니다. 골고루 미치다. **go at** 《口》 공격[착수]하다. **go away** 떠나다; 갖고 도망가다(*with*). **go back** 되돌아가다; 거슬러 올라가다; 회고하다; 내리받이가 되다. **go behind** (사실의) 이면[진상]을 조사하다; 손해를 보다. **go between** 중재[매개]하다. **go by** (때가) 지나다; (표준)에 의하다; …에 지배되다; 《美》 방문하다, 들르다. **go down** 내려가다. 떨어지다; 가라앉다; 이해가 가다. 납득되다; 굴복하다(*before*); (후세에) 전해지다; 기억[기록]되다. **go for** 가지러[부르러] 가다; 지지[찬성]하다; 《口》 맹렬히 덤벼들다. **go forth** 발행[발포]되다. **go in** 들어가다; 참가하다. 관계하다. **go in for** 《口》 …에 찬성하다; …을 얻으려 노력하다. …하려고 마음먹다; …을 특히 좋아하다; …에 열중하다; 시험을 치다. (후보)로 나서다. **go into** …에 들다. 포함되다; 조사하다; 논하다. **go it** 《口》 급히 [부리나케] 가다; 척척 하다; 난봉부리다. **go off** 떠나가다; 죽다; (빛이) 날다; 잠자다; 발사되다. 폭발하다; 일어나다(happen); 팔리다; (일이) 진척되다(*well, badly*). **go on** 계속되다[하다]. 계속해 나가다(*Go on!* 계속해라; 《反語》 어리석은 소리 마라); 지내다; 거동하다; 《口》 욕설하다(*at*); 교대하다; (배우가) 무대에 나오다; (옷·신발이) 맞다; …에 접근하다(*for*). **go out** 나가다. 외출하다; (여자가 취직해서) 일하러 나가다; 물러가다; (불이) 꺼지다. 소멸하다[시키다]; 《俗》 죽다; 쇠퇴하다; 〖野〗 아웃되다; 출판되다; 파업을 하다; 동정하다(*to*). **go over** 건너다. 넘다; 다른 (종)파로 전향하다; 반복하(여 읽)다. 복습하다; 검사하다; 《口》 성공하다. **go round** 순력하다; 한 바퀴 돌다; (음식이) 모든 사람에게 돌아갈 만큼 있다; 《口》 잠깐 들르다. **go through** 통과[경험]하다; (끝까지) 해내다(*with*); 다 써버리다; 조사하다; (판을) 거듭하다. **go together** 같이 가다; 어울리다. 조화되다; 《口》 (애인끼리) 사이가 좋다. 마음이 변치 않다. **go under** 가라앉다; 굴복하다; 《美口》 파산하다; 《美口》 죽다. **go up** 오르다. 올라가다; 늘다; 등귀하다; 폭발하다. **go with** …와 함께 가다. …와 행동을 같이 하다; …에 동의하다; …와 조화하다. **go without** …없이 지내다[견디다]. ***It goes without saying that....*** …은 말할 것도 없다. **let go** 도망치게 하다. 놓아주다; 단념하다. 상태를 [컨디션을] 나쁘게 하다. **let oneself go** 자기의 감정[욕망]에 지다; (몸 따위의) 상태가 나빠지다. — *n.* (*pl.* **goes**) ① Ⓤ 가기. 진행. ② Ⓤ 기력. 정력. ③ Ⓒ 《口》 사태. (특수한) 상태; 난처[곤란]한 일(*Here's a go!* or *What a go!* 난처한데). ④ Ⓒ 《口》 유행(*all the go* 대유행); 시도(試圖). 기회; 《口》 성공(한 것). 호조(好調). ⑤ Ⓒ 한 잔(의 술); (음식의) 한 입. **near go** 《英口》 위기일발. 아슬아슬한 순간. **no go** 《口》 실패. 틀림(*It's no go.* 그것은 틀렸다). **on the go** 쉴새없이 활동하여. 내처 일하여; 《俗》 거나해서.

goad[goud] *n., vt.* Ⓒ (가축을 몰기

위한) 뾰족한 막대기(로 찌르다); 자극(을 주다), 격려(하다).
gó-ahèad *a., n.* 전진하는; Ⓒ 진취적인 (사람); Ⓤ 정력, 기력.
:**goal**[goul] *n.* Ⓒ 골, 결승점; 목적(지), 목표.
·**góal·kèeper** *n.* Ⓒ 골키퍼.
góal lìne 골 라인.
góal·pòst *n.* Ⓒ 골대.
:**goat**[gout] *n.* ① Ⓒ 염소; (the G-) 〖天〗 염소자리. ② Ⓒ 색골; 악인. ③ Ⓒ《口》놀림감, (남의) 희생, 제물. ***get a person's*** ~《美口》아무를 노하게 하다[괴롭히다].
goat·ee[goutí:] *n.* Ⓒ (사람의 턱에 난) 염소 수염.
góat·hèrd *n.* Ⓒ 염소지기.
góat·skìn *n.* Ⓤ 염소 가죽.
gob[1][gab/gɔb] *n.* Ⓒ《俗》(미국의) 수병(水兵).
gob[2], **gob·bet**[⌐it] *n.* Ⓒ 덩어리; (*pl.*) 많음.
gob·ble[1][gábəl/-ɔ́-] *vt., vi.* 게걸스레 먹다; 통째로 삼키다.
gob·ble[2] *vi., n.* Ⓒ (칠면조가) 골골 울다[우는 소리]. **góbbler** *n.* Ⓒ 칠면조의 수컷.
gob·ble·de·gook, -dy·gook [gábəldigùk/-ɔ́-] *n.* Ⓤ《美口》(공문서 따위의) 딱딱하고 꽤까다로운 표현[말투].
·**gob·let**[gáblit/-ɔ́-] *n.* Ⓒ 받침 달린 컵[잔].
·**gob·lin**[gáblin/-ɔ́-] *n.* Ⓒ 악귀, 도깨비.
†**God**[gad/gɔd] *n.* ① Ⓤ 〖基〗 신; 하느님, 조물주(the Creator). ② Ⓒ (g-)(초자연적인) 신, 우상, 중요한 사람. ③ (the gods) 삼등석의 관객. ***by (my)*** ~ 하느님께 맹세코, 꼭. ***for*** ~***'s sake*** 제발. ~ ***bless ...!*** …에게 행복이 있기를! ~ ***bless me (my life, my soul)!*** 하느님의 축복이 있기를! ~ ***damn you!*** 이 죽일 놈! ~ ***grant ...!*** 신이여 …하게 하소서! ~ ***knows*** 맹세코, 하느님만이 알고 있다, 아무도 모른다(*He went away* ~ *know where.* 어디론가 가버렸다). ~***'s acre*** (교회의) 묘지. ~***'s book*** 성서(聖書). ~***'s image*** 인체. ~ ***speed you!***《古》성공[안전]을 빈다; 안녕히《인사말》. ~ ***willing*** 사정이 허락하면. ***Good (my)*** ~***!*** 야단났는데, 큰일인데; 한심하군! ***sight for the*** ~***s*** 장관. ***Thank*** ~***!*** 고마워라, 됐다 됐어! — *vt.* (**-dd-**) (g-) 신격화하다, 숭배하다.
gód-áwful, G- *a.*《俗》정말 싫은; 지독한, 굉장한, 심한.
gód·chìld *n.* (*pl.* **-children**) Ⓒ 대자(代子)(cf. godfather).
gód·dàughter *n.* Ⓒ 대녀(代女).
:**god·dess**[gádis/-ɔ́-] *n.* Ⓒ 여신; (절세) 미인; 동경하는 여성.
·**gód·fàther** *n., vt.* Ⓒ 대부(代父)(가 되다); 후원 육성하다.
Gòd-féaring *a.* 신을 두려워하는; (g-) 믿음이 깊은.
gód·forsàken *a.* 신에게 버림받은; 타락한; 황량한, 쓸쓸한.
gód-gìven *a.* 하늘이 준, 하늘에서 부여받은; 고마운; 절호의.
gód·hèad *n.* Ⓤ (때로 G-) 신성, 신격; (the -) 신, 하느님.
gód·less *a.* 신이 없는; 무신론자의; 믿음이 없는. ~**·ly** *ad.* ~**·ness** *n.*
·**gód·lìke** *a.* 신과 같은, 거룩한; 신에게 합당한.
god·ly[⌐li] *a.* 신을 공경하는, 독실한, 경건한. **-li·ness** *n.* Ⓒ 신을 공경함, 믿음.
·**gód·mòther** *n.* Ⓒ 대모(代母).
go·down[goudáun/⌐⌐] *n.* Ⓒ (동남 아시아의) 창고.
gód·pàrent *n.* Ⓒ 대부, 대모.
gód·sènd *n.* Ⓒ 하늘이 준 것, 뜻밖의 행운.
gód·sòn *n.* Ⓒ 대자(代子).
go·er[góuər] *n.* Ⓒ 가는 사람[것].
go·fer[góufər] *n.* Ⓒ《美俗》잔심부름꾼.
gó-gétter *n.* Ⓒ《美口》(사업 따위의) 활동가, 수완가.
gog·gle[gágəl/-ɔ́-] *vi., vt., n.* Ⓒ (눈알을) 희번덕거리다[거리기], 눈알을 굴리다[굴리기]; 눈을 부릅뜨고 보다[보기], 부릅뜬 눈; (*pl.*) 방진용[잠수용] 보안경. — *a.* 퉁방울눈의, 희번덕거리는.
:**go·ing**[góuiŋ] *n.* Ⓤ 가기, 보행; 진행(속도), 출발; (도로의) 상태. — *a.* 진행[운전·활동] 중의(*She is* ~

(*on*) *ten.* 곧 10살이 된다); 현행의. ***in ~ order*** 고장 없이; 건전하게. ***keep ~*** …을 계속하다; 유지하다.
góing-òver *n.* Ⓒ 철저한 조사〔심문〕; 《俗》 호통; 때리기.
góings-ón *n. pl.* 《口》 행위, 행실.
goi·ter, 《英》 **-tre** [gɔ́itər] *n.* Ⓤ 〖醫〗 갑상선종(甲狀腺腫); 종기.
†**gold** [gould] *n.* ① Ⓤ 금, 황금; 금빛; 금화; 부; 금도금. ② Ⓒ (과녁의) 정곡(bull's-eye). ***as*** GOOD ***as ~. heart of ~*** 아름다운 마음(의 소유자). ***make a ~*** 과녁의 복판을 쏴 맞히다. ***old ~*** 낡은 금빛. ***worth one's weight in ~*** 천금의 가치가 있는, 매우 귀중한. — *a.* 금(빛)의, 금으로 만든.
góld dìgger 금광부(夫); 황금광(狂); 《俗》 남의 돈을 우려내는 여자.
góld dùst 사금(砂金).
†**gold·en** [∠ən] *a.* ① 금빛의; 《古》 금의. ② 귀중한, 굉장한, 절호의. ③ (시대 따위가) 융성한.
gólden áge 황금시대, 융성기.
gólden éagle 〖鳥〗 검둥수리.
gólden rúle 황금률《마태복음의 산상수훈 중의 말; '무엇이든지 남에게 대접을 받고자 하는 대로 너희도 남을 대접하라'》.
gólden wédding (결혼 후 50년을 축하하는) 금혼식(cf. jubilee).
góld·fìeld *n.* Ⓒ 채금지(採金地), 금광지.
góld·fínch *n.* Ⓒ 〖鳥〗 검은방울새의 일종; 《英俗》 1파운드 금화.
:**góld·físh** *n.* (*pl.* **~es,** 《집합적》 **~**) Ⓒ 금붕어.
góld fòil 금박(金箔).
góld médal 금메달.
góld mìne 금광; 보고(寶庫).
góld pláte 금으로 된 식기류; (전기) 금도금(하기).
góld rùsh 금광열(金鑛熱).
góld·smìth *n.* Ⓒ 금 세공인.
góld stàndard 〖經〗 금본위제.
:**golf** [gɑlf, -ɔː-/-ɔ-] *n., vi.* Ⓤ 골프(를 하다). **∠·er** *n.*
gólf clùb 골프채, 골프 클럽.
gólf còurse 〔**lìnks**〕 골프장, 골프 코스.
Go·li·ath [gəláiəθ] *n.* 〖聖〗 골리앗《다윗(David)에게 살해된 거인》; (g-) Ⓒ 이동 기중기.
gol·li·wog [gɑ́liwɑ̀g/gɔ́liwɔ̀g] *n.* Ⓒ 기괴한 얼굴의 인형.
gol·ly [gɑ́li/-ɔ́-] *int.* 《口》 저런, 어머나, 맹세코《놀람·맹세 등을 나타냄》.
go·losh [gəlɑ́ʃ/-ɔ́-] *n.* 방한〔방수〕용 덧신.
-gon [gɑn/gən] *suf.* '…각형(角形)'이란 뜻의 명사를 만듦 : hexa*gon*, penta*gon*.
go·nad [góunæd, -ɑ́-/-ɔ́-] *n.* Ⓒ 생식선(生殖腺).
·gon·do·la [gɑ́ndələ/-ɔ́-] *n.* Ⓒ 곤돌라; 《美》 너벅선; (기구(氣球) 따위의) 조롱(吊籠).
gon·do·lier [gɑ̀ndəlíər/-ɔ̀-] *n.* Ⓒ 곤돌라의 사공.
†**gone** [gɔːn, -ɑ-/-ɔ-] *v.* go의 과거분사. — *a.* ① 지나간. ② 가망 없는; 영락한. ③ 희미한. ④ 《美俗》 훌륭한, 일류의. ***far ~*** (훨씬) 앞선, 깊이 들어간〔개입된〕. ***~ on*** 《口》 …와 사랑하여. **gón·er** *n.* Ⓒ 《口》 죽은 사람, 가망 없는 사람.
·gong [gɑŋ, -ɔː-/-ɔ-] *n.* Ⓒ 징, 그 소리; 접시 모양의 종. — *vt.* (…에게) 징을 울려 신호하다. ***be ~ed*** (교통 위반으로) 정지 명령을 받다.
gon·na [góunə, gɔ́ː-/gɔ́-] 《美俗》 …할 예정인(going to).
gon·or·rhe·a, 《英》 **-rhoe·a** [gɑ̀nəríːə/-ɔ̀-] *n.* Ⓤ 〖醫〗 임질. **-al** *a.*
goo [guː] *n.* Ⓤ 《美口》 찐득거리는 것; 지나친 감상(感傷).
†**good** [gud] *a.* (**better; best**) ① 좋은, 잘된, 훌륭한; 아름다운. ② 행복한, 유쾌한, 즐거운. ③ 선량한, 예의바른; 현명한, 친절한, 관대한. ④ 능숙한(*be ~ at counting*); 유능한. ⑤ 참된, 거짓없는; 완전한; 깨끗한; 건전한; 틀림없는. ⑥ 유효한; 유익한; 적당한(*This is ~ to eat.* 먹을 수 있다); 충분한, 상당한. ***a ~*** MANY. ***a ~' un*** 그럴듯한〔솔깃한〕 이야기, 거짓말, 농담. ***as ~ as*** (*dead, &c*) (죽은 것)과 같은. ***as ~ as gold*** (어린이가) 매우 착한, 얌전한. ***be as ~ as one's word*** 약속을 지키다. ***Be ~ enough to ...,*** or ***Be so ~ as to...*** 아무쪼

G

록 …해 주십시오. ***G- day*** (***morning, afternoon, evening***)***!*** 안녕하십니까《낮(아침, 오후, 저녁) 인사》; 《'Good'에 stress를 붙이고, 끝을 올려 발음하여》 안녕. ~ ***for*** …에 유효(유익)한; …동안 유효; …의 지불이 가능한; …에 착수 가능한. ***G- for you!*** 《美》 잘한다!; 됐어! ***G- man!*** 잘한다!; 됐어! ***G- night*** 안녕!; 안녕히 주무십시오!; 《美卑》 기가 막히는군; 제기랄! ~ ***old*** 옛날의《good은 아주 가벼운 뜻》. ***G- show!*** 《俗》 훌륭하다!; 잘 했다! ***hold*** ~ 유효하다, …에도 해당되다. ***keep*** ~ 보존하다. ***make*** ~ 보상하다; 달성하다; (약속을) 이행하다; 실증하다; 수복(修復)하다; 확보하다. ***no*** ~ 틀렸다. ***Not so ~!*** 《俗》 어처구니 없는 실수(실패)다! ***the ~ people*** 요정(妖精)들. — ***n.*** ① Ⓤ 선, 선량함; 이익; 행복. ② (the ~) 선량한 사람들. ③ (*pl.*) 《英》 (철도)화물, 상품. ④ (*pl.*) 동산, 재산. ⑤(*pl.*) 《美》 천. ***come to*** ~ 좋은 열매를 맺다. ***come to no*** ~ 아무짝에도 쓸모 없다, 실패로 끝나다. DELIVER ***the ~s. do ~ to*** …에 친절을 다하다; …을 이롭게 하다; …에 유효하다. ***for*** ~ (***and all***) 영구히. ***get the ~s on*** (*the pickpocket*) 《英俗》 (소매치기의) 확실한 증거를 발견하다, …의 꼬리를 잡다. ***~s agent*** 운송업자. ***the ~s*** 《俗》 진짜; 필요한 물건(자격). ***to the ~*** 〖簿〗 대변(貸邊)에; 순이익으로. ***up to no ~*** 장난에 팔려서.

†**good-by,** 《英》 **good-bye**[gùdbái] ***int., n.*** 안녕히; Ⓒ 고별, 작별.

góod fáith 성실, 성의.

góod-for-nòthing ***n., a.*** Ⓒ 쓸모없는 (사람).

Góod Fríday 성(聖) 금요일《부활절 전의 금요일, 예수 수난을 기념함》.

góod-héarted ***a.*** 친절한, 마음씨가 고운, 관대한.

góod-húmo(u)red ***a.*** 기분 좋은, 명랑한; 싹싹한.

good·ish[´iʃ] ***a.*** 꽤 좋은; 《英》 상당히 큰, 상당한.

:**góod-lóoking** ***a.*** 잘 생긴, 핸섬한.

˙**good·ly**[´li] ***a.*** 훌륭한, 고급의; 잘생긴; 상당한, 꽤 많은.

:**góod-nátured** ***a.*** (마음씨가) 착한, 사람이 좋은, 온후한.

:**good·ness**[´nis] ***n.*** Ⓤ 좋음; 선량함; 미덕; 친절; 신(God). ***for ~' sake*** 제발, 부디. ***G-*** (***gracious***)***!*** 앗 저런!; (자) 큰일 났군!; 제기랄!

:**goods**[-z] ***n.*** ⇨GOOD (***n.***).

góod sénse 상식, 양식, 분별.

góods tràin 《英》 화물 열차(《美》 freight train).

góod-tèmpered ***a.*** 상냥한, 온순한.

:**góod·wíll** ***n.*** Ⓤ ① 호의, 동정. ② (상점의) 영업권, 단골.

good·y[´i] ***n.*** Ⓒ 《口》 맛있는 것, 과자, 봉봉. — ***a.*** = GOODY-GOODY. — ***int.*** 《兒》 좋아 좋아!

góody-gòody ***a., n.*** Ⓒ 《口》 독실한 체하는 (사람), 유달리 잘난 체하는 (사람).

goof[gu:f] ***n.*** Ⓒ 《美俗》 바보. — ***vi.*** 바보 짓을 하다; 빈둥거리다. — ***vt.*** 실수하다; (마취약 따위로) 멍청하게 만들다. **∠·y** ***a.***

goon[gu:n] ***n.*** Ⓒ 《美》 (고용된) 폭력단원; 《俗》 얼간이.

:**goose**[gu:s] ***n.*** (*pl.* ***geese***) ① Ⓒ 거위(의 암컷)(cf. gander). ② Ⓤ 거위고기. ③ (*pl.* ***~s***) Ⓒ 대형 다리미《손잡이가 거위목 비슷함》. ④ Ⓒ 바보, 얼간이. ***All his geese are swans.*** 저 사람은 자기의 거위가 모두 백조로 보인다; 제 자랑만 한다. ***sound on the ~*** 《美》 (생각·방침이) 온건하여; (주의 등에) 충실하여. ***The ~ hangs high.*** 《美口》 일이 잘 될 것 같다; 만사 호조(萬事好調).

goose·ber·ry [gú:sbèri, gú:z-, gúzbəri] ***n.*** Ⓒ 〖植〗 구즈베리.

góose flèsh (추위·공포에 의한) 소름, 소름 돋은 피부.

góose-stèp ***n., vi.*** (*sing.*) 〖軍〗 무릎을 굽히지 않고 발을 높이 들어 걷는 보조(로 행진하다).

GOP, G.O.P. Grand Old Party 《美》 공화당.

go·pher[góufər] ***n.*** Ⓒ 《美》 뒤쥐(류)(類)《북아메리카산》.

Gór·di·an knót[gɔ́:rdiən-] (the ~) 아주 어려운 일, 어려운 문제. ***cut the ~*** 용단으로 어려운 일을

G

해결하다《Alexander 대왕이 단단한 매듭을 풀지 않고 칼로 끊어버렸다는 이야기에서》. 「응혈(凝血).

˙gore[1] [gɔːr] *n.* Ⓤ (상처에서 나온)

gore[2] *vt.* (창·뿔 따위로) 찌르다, 꽂다.

:gorge[gɔːrdʒ] *n.* Ⓒ ① 골짜기. ② 식도, 목구멍. ③ 좁은 통로〔시내〕를 막는 물건. ***make a person's ~ rise*** …에게 구역질이 나게 하다, 혐오를 느끼게 하다. — *vt.* 게걸스레 먹다; 가득 채우다〔틀어넣다〕. **~ *oneself*** 게걸스레 먹다(*with*).

:gor·geous[gɔ́ːrdʒəs] *a.* 호화스러운; 《口》 멋진. **~·ly** *ad.*

Gor·gon[gɔ́ːrgən] *n.* 〖그神〗 고르곤 《보는 사람을 돌로 변하게 했다는 세 자매의 괴물: cf. Medusa》; (g-) Ⓒ 지독한 추녀(醜女), 무서운 여자.

˙go·ril·la[gəríla] *n.* Ⓒ 〖動〗 고릴라; 《俗》 폭한, 갱.

gorse[gɔːrs] *n.* Ⓤ 〖植〗 가시금작화 (furze)(덤불).

gor·y[gɔ́ːri] (＜gore[1]) *a.* 피투성이의.

˙gosh[gɑʃ/-ɔ-] *int.* 아이쿠; 큰일 났군; 기필코.

gos·ling[gázliŋ/-ɔ́-] *n.* Ⓒ 새끼 거위; 풋내기.

gó-slów *n.* Ⓒ 《英》 태업 전술, 사보타주(《美》 slowdown).

˙gos·pel[gáspəl/-ɔ́-] *n.* ① (the ~) (예수의) 복음; (기독교의) 교리; Ⓤ,Ⓒ 교의(敎義), 신조, 진리, 주의. ② Ⓒ (G-) 복음서.

gos·sa·mer[gásəmər/-ɔ́-] *n.* Ⓤ 작은 거미의 집〔줄〕; 섬세한 물건, 얇은 천; 《美》 얇은 방수포. — *a.* 섬세한, 가냘픈.

:gos·sip[gásip/-ɔ́-] *n.* Ⓤ,Ⓒ 잡담; 수다쟁이; Ⓤ 소문, 험담. — *vi.* 잡담〔세상 이야기, 한담〕(을 하다); (남의 일을) 수군거리다.

†got[gɑt/-ɔ-] *v.* get의 과거(분사).

˙Goth·ic[gáθik/-ɔ́-] *a.* 고딕 건축(양식)의; 고트족〔말〕의; 중세의; 야만적인. — *n.* Ⓤ 고딕 건축 양식; 고트말; 《美》 〖印〗 고딕 활자.

got·ta[gátə/-ɔ́-] 《口》 ＝(have) got to; ＝(have) got a. ⇨GET.

˙got·ten[gátn/-ɔ́-] *v.* 《美》 get의 과거 분사.

gou·ache[gwáːʃ, guáːʃ] *n.* (F.) ① Ⓤ 구아슈; 구아슈 수채화법. ② Ⓒ 구아슈 수채화.

Gou·da[gáudə] *n.* Ⓤ,Ⓒ 고다 치즈 《네덜란드 원산》.

gouge[gaudʒ] *n., vi.* Ⓒ 둥근 끌(로 파다); 후벼 내다(*out*); 《美口》 사기(꾼); 속이다.

gou·lash[gúːlɑːʃ, -læʃ] *n.* Ⓤ,Ⓒ (송아지) 고기와 야채의 (매운) 스튜요리.

gourd[gɔːrd, guərd] *n.* Ⓒ 호리병박(으로 만든 용기).

gour·mand[gúərmənd] *n.* Ⓒ 대식가; 미식가.

gour·met[gúərmei] *n.* (F.) Ⓒ 미식가, 식통(食通).

gout[gaut] *n.* ① Ⓤ 〖醫〗 통풍(痛風). ② Ⓒ 《古·詩》 (특히, 피의) 방울, 응혈. **∠·y** *a.* 통풍의〔에 걸린〕.

Gov., gov. government; governor.

:gov·ern[gʌ́vərn] *vt.* ① 통치〔지배〕하다; 관리하다. ② 제어〔억제〕하다. ③ 〖文〗 지배〔요구〕하다《격(case), 법(mood) 등을》. **~·a·ble** *a.*

gov·ern·ance[gʌ́vərnəns] *n.* Ⓤ 지배, 제어, 통치(법).

˙gov·ern·ess[gʌ́vərnis] *n.* Ⓒ ① 여자 가정 교사. ② 여성 지사. ③ 《古》 지사〔총독〕 부인.

†gov·ern·ment[gʌ́vərnmənt] *n.* ① Ⓤ 통치, 지배, 정치; 정체(政體). ② Ⓒ (*or* G-) 정부, 내각. ③ Ⓤ 〖文〗 지배. **˙-men·tal**[⌐—méntl] *a.*

:gov·er·nor[gʌ́vərnər] *n.* Ⓒ ① 통치〔지배〕자. ② 지사, 장관, 사령관. ③ 《英》 (은행·협회 등의) 회장, 총재. ④ 《英口》 두목, 주인어른(sir). ⑤ 〖機〗 (배기·속도 등의) 조절기. **~·ship**[-ʃip] *n.* Ⓤ governor의 직〔지위·임기〕.

góvernor-géneral *n.* Ⓒ 총독.

Govt., govt. government.

:gown[gaun] *n.* ① Ⓒ 가운, (여자의) 긴 겉옷, 야회복. ② Ⓒ 잠옷, 화장복. ③ Ⓒ 가운《법관·성직자·대학 교수·학생 등의 제복》. ④ Ⓤ 《집합적》 대학생. ***in wig and ~*** 법관의 정장으로. ***take the ~*** 성직자〔교수·변호사〕가 되다. TOWN ***and ~***. — *vt.* 가운을 입히다(*be ~ed*). **~ed**[-d] *a.* 가운을 입은.

G.P. general practitioner.
G.P.O. General Post Office.
˙**grab**[græb] *vt., vi.* (**-bb-**) 움켜잡[쥐]다(*at*); 잡아채다, 빼앗다. — *n.* Ⓒ ① 움켜잡[쥐]기, 잡아채기; 횡령. ②〖機〗집(어 올리)는 기계. *have the ~ on* 《俗》…보다 유리한 입장을 차지하다, …보다 낫다.
gráb bàg 《美口》 = LUCKY BAG.
:**grace**[greis] *n.* ① Ⓤ 우미, 우아, 얌전함; 고상함. ② Ⓤ 은혜, 은고, 편들기, 친절(*good ~s* 호의). ③ Ⓤ 천혜(天惠), (신의) 은총. ④ Ⓤ,Ⓒ (보통 *pl.*) 장점, 미덕; 애교; 매력. ⑤ Ⓤ 특사(特赦);〖法〗(지급) 유예, 연기. ⑥ Ⓤ,Ⓒ 식전[식후]의 감사 기도(*say ~*). ⑦ Ⓤ (G-)(archbishop, duke, duchess에 대하여) 각하 (부인). ACT *of ~*. *a fall from ~* 총애의 상실, 도덕적 타락. *be in a person's good ~s* 아무의 마음에 들다(cf. good BOOKS). *by the ~ of God* 신의 은총에 의하여《왕의 이름 밑에 기록하는 공문서 형식》. *days of ~* (어음 만기 후의) 지급 유예 기간. *fall from ~* 신의 은총을 잃다; 타락하다. *fall out of ~ with a person* 아무의 호의를 잃다. *have the ~ to* (do) …할 정도의 분별[아량]은 있다. *the* (*three*) *Graces*〖그神〗미의 세 여신. *the year of ~* (*1998*), 서력 기원(1998년). *with a good* [*bad, ill*] *~* 선뜻[마지 못해]. — *vt.* 아름답게[우아하게] 하다, 꾸미다; (…에게) 영광을[품위를] 더하다. **:∠·ful**(**·ly**) *a.* (*ad.*) 우미[우아]한[하게]. **∠·fulness** *n.* Ⓤ 우미, 단아(端雅)함. **∠·less**(**·ly**) *a.* (*ad.*) 무례한[하게], 상스러운[스럽게]. **∠·less·ness** *n.*
:**gra·cious**[gréiʃəs] *a.* ① 우아[고상]한, 우미한, 기품 있는. ② 친절[정중]한. ③ 자비로운, 관대한; 존귀한. *Good* [*My*] *G-!,* or *G- me!,* or *G- goodness!* 저런 어쩌면!; (이거) 큰 일이군! ˙**~·ly** *ad.* **~·ness** *n.*
:**gra·da·tion**[greidéiʃən, grə-/grə-] *n.* ① Ⓤ 등급 매기기. ② Ⓒ (보통 *pl.*) 순위, 단계, 순서. ③ Ⓤ,Ⓒ (단계적인) 변화. ④ Ⓤ (빛깔의) 바림, 농담법(濃淡法). ⑤ Ⓤ〖言〗모음 전환.
†**grade**[greid] *n.* ① Ⓒ 계급, 단계, 품등; 정도; 도수. ② Ⓒ 《美》(초등·중학교의) 학년; (*the ~s*) 초등학교. ③ Ⓒ 《美》 물매, 경사. ④ Ⓒ〖牧畜〗개량 잡종. *at ~* 《美》(교차점이) 동일 평면에서. *make the ~* 가파른 언덕을 올라가다; 어려움을 이겨내다. *on the down* [*up*] *~* 《美》 내리[치]받이에서, 쇠[성]하여. — *vt.* 등급을 정하다[매기다]; 《美》 경사를 완만하게 하다. — *vi.* (…의) 등급이다; 서서히 변화하다. **grád·er** *n.* Ⓒ 등급 매기는 사람; …학년생; 땅고르는 기계, 그레이더. **grád·ing** *n.* Ⓤ 등급 매기기; 정지(整地).
gráde cròssing 《美》 건널목.
gráde schòol 《美》 = ELEMENTARY SCHOOL.
˙**gra·di·ent**[gréidiənt] *n.* Ⓒ ① 《英》(통로 등의) 물매. ② 언덕, 경사진 곳. ③ (온도·기압 따위의) 변화율.
:**grad·u·al**[grǽdʒuəl] *a.* 점차[점진, 순차]적인, 서서히 하는. **:~·ly** *ad.* **~·ism**[-ìzəm] *n.* Ⓤ 점진주의[정책].
:**grad·u·ate**[grǽdʒuèit, -it] *vt.* ① 등급(grade)[눈금]을 매기다. ② 학위(degree)를 수여하다; (대학을) 졸업시키다(*He was ~d at Oxford.* 옥스퍼드 대학을 졸업했다). ③〖化〗농축(濃縮)하다. — *vi.* ① 《英》 학위를 받다, (대학을) 졸업하다(*at, from*); 《美》(학교 종류에 관계 없이) 졸업하다. ② 자격을 얻다(*as, in*). ③ 점차로 변한다[옮기다](*into, away*). — [-it] *n.* Ⓒ 《英》 학사; 《美》 졸업생. — [-it] *a.* 졸업한. **-a·tor** *n.* Ⓒ 눈금이 표시된 그릇; 각도기.
gráduate schòol 대학원.
:**grad·u·a·tion**[grædʒuéiʃən] *n.* ① Ⓤ 《美》 졸업; 《英》 학위 수여; Ⓒ 졸업식. ② Ⓒ 눈금; Ⓤ 등급 매기기.
Gráeco-Róman *a., n.* = GRECO-ROMAN.
graf·fi·to[grəfí:tou] *n.* (*pl.* **-ti**[-ti]) Ⓒ〖考〗(벽·기둥에 긁어 그린) 그림[글]; (보통 *pl.*) (변소 등의) 낙서.
graft[græft, -ɑ:-] *n., vt., vi.* Ⓒ 접목(하다), 눈접 (붙이다);〖外〗식피(植皮)[식육(植肉)](하다); Ⓤ 《口》

독직(瀆職)(하다). ∠·er *n.* Ⓒ《口》 수회자; 접붙이는 사람.

grail[greil] *n.* (the ~) 성배(= Holy ~)《예수가 최후의 만찬 때 쓴 잔; Arthur 왕의 원탁 기사들이 이것을 찾아 다녔음》.

:grain[grein] *n.* ① Ⓒ 낟알. ② Ⓤ 《집합적》 곡물, 곡식(《英》 corn). ③ Ⓒ (모래·사금 따위의) 알. ④ Ⓒ 미량(微量). ⑤ Ⓒ 그레인《형량 단위 = 0.0648g》. ⑥ Ⓤ 나뭇결, 돌결; (가죽의 털을 뽑은) 껄껄한 면. ⑦ Ⓤ (나뭇결에 비유한) 특성, 성미, 성질. ***against the ~*** 비위에 거슬려, 마음이 없이. ***dye in ~*** (짜기 전) 실에 물들이다. ***in ~*** 타고난, 본질적인. ***rub a person against the ~*** 아무를 화나게 하다. ***(take) with a ~ of salt*** 에누리하여 (듣다). ***without a ~ of*** …은 조금도 없이. — *vt.* (낟)알로 만들다; 나뭇결 모양으로 하다.

:gram[græm] *n.* Ⓒ 그램.

:gram·mar[grǽmər] *n.* ① Ⓤ 문법. ② Ⓒ 문법책, 문전(文典). ③ Ⓤ 초보, 원리. ④ 『컴』 문법. ***comparative*** 〔***descriptive***〕 ***~*** 비교〔기술〕 문법. ***~·i·an**[grəmέəriən] *n.* Ⓒ 문법가; 문법 교사.

grámmar schòol 《美》 (공립) 초급 중학; 《英》 대학 진학 예비 과정으로 public school에 준하는 중등 학교; 『史』 고전 문법 학교.

:gram·mat·i·cal [grəmǽtikəl] *a.* 문법(상)의. **~·ly**[-kəli] *ad.*

gramme[græm] *n.* 《英》 = GRAM.

:gram·o·phone [grǽməfòun] *n.* 《英》 축음기.

·gra·na·ry[grǽnəri, gréi-] *n.* Ⓒ 곡창(지대).

:grand[grænd] *a.* ① 웅대〔장려〕한, 장엄한. ② 위대〔훌륭〕한, 거룩한, 풍채가 당당한(*the ~ manner* (노인 등의) 관록이 있는 태도). ③ 거만한; 중대한, 큰, 주되는. ④ 전부의. ⑤ 《口》 굉장한, 멋진. ***do the ~*** 젠체하다. ***live in ~ style*** 호화롭게 살다. — *n.* = GRAND PIANO; Ⓒ 《美俗》 천 달러. ∠·**ly** *ad.* ∠·**ness** *n.*

gran·dad[grǽndæ̀d] *n.* 《口》 = GRANDDAD.

:gránd·chìld *n.* Ⓒ 손자, 손녀.

gránd·dàd *n.* Ⓒ 《口》 할아버지.

grand·daugh·ter[∠dɔ̀:tər] *n.* Ⓒ 손녀.

gránd dúke 대공; (제정 러시아의) 황태자.

gran·dee[grændí:] *n.* Ⓒ 대공(大公)《스페인·포르투갈의 최고 귀족》; 귀인, 고관.

·gran·deur[grǽndʒər] *n.* Ⓤ 웅대, 장엄, 화려, 성대; 장관; 위대; 고귀.

†grand·fa·ther[grǽndfɑ̀:ðər] *n.* Ⓒ 조부; 조상. **~·ly** *a.*

grándfather('s) clóck 큰 괘종시계《진자식》.

gran·dil·o·quence [grændíləkwəns] *n.* Ⓤ 호언 장담. **-quent** *a.* 과장의, 과대한.

gran·di·ose[grǽndiòus] *a.* 장대〔웅대〕한; 과장한, 어마어마한. **-os·i·ty**[∸diásəti/-ɔ́-] *n.*

gránd júry ⇨JURY.

:grand·ma[grǽndmɑ:], **-ma(m)·ma**[-mɑ̀:mə, -məmɑ̀:] *n.* Ⓒ 《口》 할머니.

†grand·moth·er[grǽndmʌ̀ðər] *n., vt.* Ⓒ 조모; 어하다. **~·ly** *a.* 할머니다운, 친절한, 지나치게 친절한.

gránd ópera 대가극《회화의 부분이 모두 가곡으로 꾸며진》.

:grand·pa [grǽndpɑ̀:, grǽm-], **-pa·pa**[-pɑ̀:pə/-pəpɑ̀:] *n.* Ⓒ 《口·兒》 할아버지.

:grand·par·ent[grǽndpέərənt] *n.* Ⓒ 조부〔모〕.

gránd piáno 그랜드 피아노.

Grand Prix[grɑ̃:ŋ prí:] (F. = great prize) 그랑프리, 대상(大賞); (파리의) 대경마; 장거리 자동차 경주.

:grand·son[grǽndsʌ̀n] *n.* Ⓒ 손자.

gránd·stànd *n.* Ⓒ (경마장·경기장 따위의) 정면 관람석.

gránd tótal 총계.

gránd tóur 대여행《영국 청년 귀족들이 하던 유럽 수학 여행》.

grange[greindʒ] *n.* Ⓒ (건물과) 농장, 《英》 농장의 집《헛간 등을 포함》; 호농의 저택; (G-) 《美》 (소비자와 직결하는) 농민 공제 조합(의 지부).

gráng·er *n.* Ⓒ 농민; (G-) 《美》 농민 공제 조합(지부)원.

:gran·ite[grǽnit] *n.* Ⓤ 쑥돌, 화강암. ***as hard as ~*** 몹시 단단한; 완고한. ***bite on ~*** 헛수고를 하다.
gran·ny, -nie[grǽni] *n.* 《口》 = GRANDMOTHER; = OLD WOMAN.
†grant[grænt, -ɑ:-] *vt.* ① 승낙[청허]하다, 허가하다. ② 수여하다. ③ 양도하다. ④ 하사(下賜)하다, 내리다; 인정하다; …라고 하다(admit). ***~ed*** [***~ing***] ***that …*** 설사 …이라고 하더라도. ***take … for ~ed*** …을 당연한 것으로 여기다. — *n.* ① Ⓤ 허가, 인가. ② Ⓤ 양도. ③ Ⓤ 하사, 교부. ④ Ⓒ 교부금. **gran·tée** *n.* Ⓒ 〖法〗 양수인. **gran·tor**[grǽntər, grɑ:ntɔ́:r] *n.* Ⓒ 〖法〗 양도인.
gran·ule[grǽnju:l] *n.* Ⓒ 미립(微粒), 고운 알. **-u·lar** *a.* 알(모양)의.
:grape[greip] *n.* Ⓤ,Ⓒ 포도; Ⓒ 포도나무. ***belt the ~*** 《美俗》 잔뜩 (퍼)마시다. ***sour ~s*** 오기(傲氣).
grápe·frùit *n.* Ⓤ,Ⓒ 그레이프프루트; Ⓒ 그 나무.
grápe·shòt *n.* Ⓤ 《古》 포도탄(彈).
grápe·vìne *n.* Ⓒ 포도 덩굴[나무]; (the ~) 《美口》 비밀 등을 전달하는 특수 경로, 정보망; 소문.
˙graph[græf, -ɑ:-] *n., vt.* Ⓒ 그래프[도표](로 나타내다).
˙graph·ic[grǽfik], **-i·cal**[-əl] *a.* 필사(筆寫)의, 문자[그림]의; 도표[그래프]로 나타낸; 생생한. **-i·cal·ly**
graph·ics[grǽfiks] *n.* Ⓤ 제도학; 〖컴〗 그래픽스.
graph·ite[grǽfait] *n.* Ⓤ 〖鑛〗 석묵(石墨); 흑연.
gráph pàper 방안지, 모눈종이, 그래프 용지(《英》 section paper).
grap·nel[grǽpnəl] *n.* Ⓒ (네 갈고리의) 소형 닻; (닻 모양의) 갈고리.
˙grap·ple[grǽpəl] *vt.* 꽉 쥐다[잡다], 붙잡다. — *vi.* (갈고리로) 고정하다; 맞붙어 싸우다(*with*); 접전하다(*with*). — *n.* Ⓒ 드잡이, 격투; = GRAPNEL.
:grasp[græsp, -ɑ:-] *vt.* ① 잡다, 쥐다. ② 이해하다. ***~ at*** 덤벼들다, 잡으려 하다, 달려들다. — *n.* (*sing.*) 쥠; 지배(력); 이해(력); 손잡이, 자루. **ˊ∠·ing** *a.* 탐욕스러운; 잡는, 쥐는; 구두쇠의.
†grass[græs, -ɑ:-] *n.* ① Ⓤ,Ⓒ 풀, 목초, 잔디; 목초지. ② Ⓒ 〖植〗 《집합적》 벼과의 식물; (*pl.*) 풀잎. ③ 《美俗》 = MARIJUANA. ④ Ⓒ 《美俗》 밀고자. ***at ~*** 방목되어; 일을 쉬고. ***be between ~ and hay*** 《美》 아직 어른이 못 되다. ***be in the ~*** 《美》 잡초에 파묻히다. ***go to ~*** (소·말이) 목장으로 가다; 《美口》 일을 쉬다; 《美俗》 얻어맞아 쓰러지다. ***Go to ~!*** 《美俗》 허튼 소리 마라. ***lay down in ~*** 잔디를 심다. ***let the ~ grow under one's feet*** 꾸물거리다가 기회를 놓치다. ***put*** [***send, turn***] ***out to ~*** 방목하다; 《口》 해고하다; 은퇴시키다; 《美口》 때려 눕히다. — *vt.* (…에) 풀로 덮다; 목초를 먹이다; 풀[지면] 위에 펴다; 《口》 때려 눕히다.
gráss hànd (한자의) 초서(草書); 《英》 〖印〗 임시 식자공.
:grass·hop·per [∠hὰpər/-ɔ̀-] *n.* Ⓒ ① 메뚜기, 여치, 황충 (따위). ② 《口》 〖軍〗 (비무장의) 소형 정찰기.
gráss·lànd *n.* Ⓤ 목초지.
gráss róots (보통 the ~) 일반 대중; 기초, 근원. ***get down to the ~*** 문제의 근본에 대해 논급하다.
gráss-róots *a.* 일반 대중의, 유권자들의.
gráss wídow 이혼한 여자; 별거중인 아내.
˙grass·y[grǽsi/grɑ́:si] *a.* 풀이 무성한, 풀 같은, 풀의.
˙grate[1][greit] *n.* Ⓒ (난로의) 쇠살판, 화상(火床); = GRATING[1].
˙grate[2] *vt.* ① (치즈 따위를 강판으로) 갈다; 으깨어 빻다. ② 삐걱거리게 하다. — *vi.* ① 서로 갈리다; 삐걱거리다(*against, on, upon*). ② 불쾌감을 주다. **grát·er** *n.* Ⓒ 문지르는[가는] 사람; 강판.
:grate·ful[∠fəl] *a.* 감사히 여기는; 고마운, 기쁜, 즐거운. ***˙~·ly*** *ad.*
˙grat·i·fi·ca·tion[grӕtəfikéiʃən] *n.* ① Ⓤ 만족(감), 기쁨. ② Ⓒ 만족시키는 것.
:grat·i·fy[grǽtəfài] *vt.* 만족시키다; 기쁘게 하다. **~·ing** *a.* 만족시키는, 기쁜.
grat·ing[1][gréitiŋ] *n.* Ⓒ 격자(문).

G

grat·ing[2] *a.* 삐걱거리는; 서로 갈리는; 귀에 거슬리는. **~·ly** *ad.*
gra·tis[gréitis, -ǽ-] *ad., a.* 무료로(의).
:**grat·i·tude**[grǽtətjù:d] *n.* Ⓤ 감사(하는 마음).
gra·tu·i·tous[grətjú:ətəs] *a.* 무료의; 공짜의; 필요 없는, 이유(까닭) 없는; 무상(無償)의. **~·ly** *ad.*
gra·tu·i·ty[grətjú:əti] *n.* Ⓒ 사례금, 팁(tip); 《英》 (제대하는 군인에의) 하사금.
†**grave**[1][greiv] *n.* Ⓒ 무덤; (the ~) 죽음. ***(as) secret (silent) as the ~*** 절대 비밀의(쥐죽은 듯 고요한). ***beyond the ~*** 저승에서. ***in one's ~*** 죽어서. ***make (a person) turn in his ~*** (아무로 하여금) 죽어서도 눈을 못 감게 하다. ***on this side of the ~*** 이승에서. ***Someone is walking over my ~.*** 찬바람이 돈다《공연히 몸이 떨릴 때 하는 말》.
:**grave**[2] *a.* 중대한, 예사롭지 않은; 장중한, 진지한; 충충한, 수수한. **:∠·ly** *ad.*
gráve·dìgger *n.* Ⓒ 무덤 파는 일꾼.
:**grav·el**[grǽvəl] *n., vt.* (《英》 **-ll-**) Ⓤ ① 《집합적》 자갈(을 깔다). ② 〖醫〗 결사(結砂). ③ 《口》 난처하게 하다, 괴롭히다. ***eat ~*** 땅에 쓰러지다. **~·ly** *a.* 자갈이 많은.
gráve·stòne *n.* Ⓒ 묘석.
˙**gráve·yàrd** *n.* Ⓒ 묘지.
grav·i·tate[grǽvətèit] *vt.* 인력에 끌리다; 침강(하강)하다; 끌리다(*to, toward*). ˙**-ta·tion**[∠-téiʃən] *n.* Ⓤ 인력 (작용), 중력.
:**grav·i·ty**[grǽvəti] *n.* Ⓤ ① 중력, 지구 인력. ② 중량. ③ 진심, 엄숙; 중대. ④ 〖樂〗 저음.
˙**gra·vy**[gréivi] *n.* ① Ⓤ,Ⓒ 고깃국물(소스). ② Ⓤ 《美俗》 부정 이득.
grávy tràin 《美俗》 놀고 먹을 수 있는 지위(수입).
†**gray,** 《英》 **grey**[grei] *n., a.* ① Ⓤ,Ⓒ 회색(의). ② (the ~) 박명(薄明), 황혼. ③ (얼굴이) 창백한. ④ 백발의. ⑤ 음침한. ⑥ 늙은; 원숙한. **∠·ish** *a.* 회색빛이 나(도)는.
:**graze**[1][greiz](<grass) *vi., vt.* 풀을 먹(이)다.
graze[2] *vt., vi., n.* 스치다; Ⓤ 스치기, (지나가면서) 약간 닿다(닿음); 스쳐벗기다(벗어지다); Ⓒ 찰과상(擦過傷).
gra·zier[gréiʒər](<graze[1]) *n.* Ⓒ 《英》 목축업자. **~·y** *n.* Ⓤ 목축업.
graz·ing[gréiziŋ] *n.* Ⓤ 방목, 목축; 목장, 목초지.
:**grease**[gri:s] *n.* Ⓤ ① (짐승의) 기름, 그리스. ② 《俗》 뇌물; 영향력. — [gri:z, -s] *vt.* (…에) 기름을 바르다(으로 더럽히다); 《俗》 (…에게) 뇌물을 주다. ***~ a person's palm*** 뇌물을 안기다.
gréase pàint 그리스 페인트, 도란《배우의 메이크업용》.
˙**greas·y**[grí:si, -zi] *a.* ① 기름을 바른(으로 더럽힌); 기름기 많은. ② 미끈미끈한; 진창의. ③ 알랑거리는.
gréasy spóon 《美俗》 싸구려 식당, 변두리의 스낵.
†**great**[greit] *a.* ① 큰. ② 훌륭한, 위대한. ③ 대단한(*my ~ friend* 아주 친한 사이). ④ 중대한. ⑤ 주된. ⑥ 고귀한, 마음이 넓은. ⑦ 《口》 근사한, 즐거운. ⑧ 《口》 잘 하는(*at*), 열심인(*on*). ⑨ 큼직한, 어마어마한. ⑩ 《古·方》 임신한. ***G- God (Scott)!*** 저런!; 아이 깜짝이야. ***the ~er (~est) part of*** …의 대부분. — *n.* Ⓒ 위대한 사람(것); (the ~) 《집합적》 훌륭한 사람들. **:∠·ly** *ad.* 크게, 대단히. **:∠·ness** *n.*
:**Gréat Brítain** 대브리튼(England, Scotland, Wales의 총칭).
gréat·còat *n.* Ⓒ 《英》 무거운 외투.
Gréat Dáne 덴마크종의 큰 개.
Gréat Wár, the (제1차) 세계 대전.
grebe[gri:b] *n.* Ⓒ 농병아리.
˙**Gre·cian**[grí:ʃən] *a., n.* (건축·얼굴 모습 따위가) 그리스식의; Ⓒ 그리스 사람(학자).
Gréco·Ròman *a., n.* 그리스와 로마의; Ⓤ 〖레슬링〗 그레코로만형(型)(의).
˙**greed**[gri:d] *n.* Ⓤ 탐욕, 욕심. **:∠·y** *a.* 탐욕스러운; 열망하는(*of, for*); 걸신들린, 게걸스러운. ˙**∠·i·ly** *ad.* **∠·i·ness** *n.*
:**Greek**[gri:k] *a., n.* ① 그리스의; Ⓒ 그리스 사람(의); Ⓤ 그리스어(의).

② Ⓒ 《俗》 사기꾼. ***It is* (*all*) *~ to me.*** 도무지 알 수 없다. ***When ~ meets ~, then comes the tug of war.*** 《속담》 두 영웅이 만나면 격렬한 싸움은 피할 수 없다.

†**green**[gri:n] *a.* ① 초록색의, 푸릇한. ② 안색이 나쁜(pale); (질투·공포 등으로) 얼굴이 창백한. ③ 푸른 풀[잎으]로 덮인. ④ (과실 등이) 익지 않은. ⑤ 풋내기의, 숫된; 속기 쉬운. ⑥ 신선한, 날것의. ⑦ 원기 있는. — *n.* ① Ⓤ,Ⓒ 녹색; Ⓤ 녹색 안료. ② Ⓒ 초원; 공유의 풀밭(*a village* ~). ③ Ⓤ 녹색의 물건[옷]. ④ (*pl.*) 야채; (*pl.*) 푸른 잎[가지]. ⑤ Ⓤ 청춘, 젊음, 원기; = PUTTING GREEN. ⑥ 골프장. ***in the ~*** 혈기 왕성하여. — *vt., vi.* 녹색으로 하다[되다]; (*vt.*) 속이다. **∠·ness** *n.*

gréen·bàck *n.* Ⓒ (뒷면이 녹색인) 미국 지폐.

gréen·bèlt *n.* Ⓒ (도시 주변의) 녹지대.

green·er·y [∠əri] *n.* Ⓤ 《집합적》 푸른 잎; 푸른 나무.

gréenflỳ *n.* Ⓒ 진디.

gréen·gàge *n.* Ⓒ 양자두의 일종.

gréen·grò̀cer(**grò̀cery**) *n.* Ⓒ 《英》 청과물상인[상점].

gréen·hòrn *n.* Ⓒ 《俗》 풋내기.

·**gréen·hòuse** *n.* Ⓒ 온실.

gréenhouse gàs 온실 효과 기체[가스]《지구 온난화의 원인이 되는 이산화탄소, 메탄, 이산화질소 따위》.

·**green·ish**[∠iʃ] *a.* 초록빛이 도는.

gréen líght 청[전진]신호; 《口》 (정식) 허가.

gréen manúre 녹비(綠肥).

Gréen Páper 《英》 녹서(綠書)《정부의 심의용 시안 문서》.

gréen pépper 양고추, 피망《조미료》.

gréen·ròom *n.* Ⓒ (극장의) 배우 휴게실. ***talk ~*** 내막 이야기를 하다.

gréen(s)·kèeper *n.* Ⓒ 골프장 관리인.

gréen téa 녹차(綠茶).

Gréenwich (**Méan**) **Tìme** 그리니치 표준시.

:**greet**[gri:t] *vt.* ① 인사하다, 맞이하다. ② (눈·귀 따위에) 들어오다, 보이다, 들리다.

:**greet·ing**[grí:tiŋ] *n.* ① Ⓒ 인사. ② (보통 *pl.*) 인사말; 인사장.

gre·gar·i·ous[grigέəriəs] *a.* 〖動·植〗 군거[집단]성(性)의; 사교적인. **~·ly** *ad.* **~·ness** *n.*

Gre·gó·ri·an cálendar, the [grigɔ́:riən-] 그레고리력(曆), 신력(新曆)《로마 교황 Gregory XIII 제정(1582)》.

grem·lin[grémlin] *n.* Ⓒ (비행기에 장난을 한다는) 작은 마귀.

gre·nade[grənéid] *n.* Ⓒ 수류탄; 소화탄; 최루탄.

gren·a·dier[grènədíər] *n.* Ⓒ 척탄병(擲彈兵); 키가 큰 (당당한) 보병; 《英》 근위(近衛) 보병 제1연대의 병사.

†**grew**[gru:] *v.* grow의 과거.

†**grey**[grei] *n., a.* 《英》 = GRAY.

·**gréy·hòund** *n.* Ⓒ 그레이하운드《몸·다리가 길고 빠른 사냥개》.

grid[grid] *n.* Ⓒ (쇠)격자; 석쇠(gridiron); 〖電·컴〗 그리드, 격자《다극(多極) 진공관내의 격자판》.

grid·dle[grídl] *n.* Ⓒ 과자 굽는 번철.

grid·i·ron[grídàiərn] *n.* Ⓒ (고기 등을 굽는) 석쇠; 격자 모양의 것; 도로망; 〖劇〗 무대 천장의 창살 모양의 대들보; 미식 축구장.

:**grief**[gri:f] *n.* Ⓤ 비탄; Ⓒ 슬픔의 씨앗; Ⓤ 《古》 재난, 불운. ***come to ~*** 재난을 당하다, 실패하다.

:**griev·ance**[grí:vəns] *n.* Ⓒ 불만, 불평의 씨, 불평(거리).

:**grieve**[gri:v] *vt., vi.* 슬퍼(하게)하다; 괴로워하다; 괴롭히다.

·**griev·ous**[grí:vəs] *a.* ① 괴로운, 쓰라린; 심한. ② 슬픈, 비통한, 애처로운.

grif·fin[grífin], **-fon**[-fən] *n.* Ⓒ 〖그神〗 독수리 머리와 날개에 사자 몸을 한 괴물.

·**grill**[gril] *n.* Ⓒ 석쇠(gridiron); 고기[생선]구이 요리; 그릴; 쇠격자. — *vt.* (…에) 굽다, 쬐다; 뜨거운 열로 괴롭히다; 《美口》 엄하게 심문하다. — *vi.* 구워지다, 쬐어지다.

grille[gril] *n.* Ⓒ (창 따위의) 쇠격자, 쇠창살.

:**grim**[grim] *a.* (*-mm-*) ① 엄한, 불굴의. ② (얼굴이) 무서운, 험상궂은. ③ 잔인한. ***hold on like ~ death***

단단히 달라붙어서 떨어지지 않다.

·grim·ace[grímәs, griméis] *n., vi.* Ⓒ 찡그린 얼굴(을 하다); 짐짓 (점잔을 빼며) 찌푸린 상을 하다.

grime[graim] *n., vt.* Ⓤ 때, 그을음, 검댕; 더럽히다, 때묻히다.

grim·y[gráimi] *a.* 때묻은.

:grin[grin] *vi.* (**-nn-**), *n.* Ⓒ ① 씩〔싱긋〕웃다〔웃음〕. ② (고통·노여움·웃음 따위로) 이빨을 드러내다〔드러냄〕. **~ and bear it** 억지로 웃으며 참다.

:grind [graind] *vt.* (**ground,** 《稀》 **~ed**) ① (맷돌로) 타다; 가루로 만들다; 분쇄하다. ② (맷돌·핸들 따위를) 돌리다. ③ 닦다, 갈다; 갈아서 닳게 하다. ④ 문지르다. ⑤ 착취하다, 학대하다. ⑥ 《口》 주입시키다. ⑦ 바드득거리다. — *vi.* 맷돌질하다; 가루를 타다; (가루로) 갈리다, 가루가 되다; 닦아〔갈아〕지다; 삐걱거리다; 《口》 부지런히 일하다, 끈기 있게 공부하다(*away, at*). — *n.* ① Ⓤ (맷돌로) 타기, 빻기, 으깨기. ② (*sing.*) 《口》 힘드는 일〔공부〕; Ⓒ 억척스럽게 공부하는 사람.

:grind·er[∠әr] *n.* Ⓒ ① (맷돌을) 가는 사람; (칼 따위를) 가는 사람. ② 어금니, 구치(臼齒). ③ 연마기, 그라인더. **take a ~** = cut a SNOOK.

·grind·ing[∠iŋ] *a.* ① (맷돌로) 타는, 가는; 삐걱거리는. ② 힘드는, 지루한. ③ 압제의; 매우 아픈. — *n.* Ⓤ ① 제분, 타기, 갈기. ② 《美口》 주입식 교수. **~·ly** *ad.* 부지런히.

:grínd·stòne *n.* Ⓒ 회전숫돌. ***have*** 〔***keep, put***〕 ***one's nose to the ~*** 꾸준히 일하다.

:grip[grip] *n.* ① Ⓒ (보통 *sing.*) 잡기; 악력(握力). ② Ⓒ 쥐는〔잡는〕 기계, 손잡이, 핸들. ③ (*sing.*) 통솔〔지배〕력. ④ 《美》 소형 여행 가방, 핸드백. ***come to ~s*** 드잡이하다. — *vt.* (**-pp-**) 잡다; (…의) 마음을 사로잡다; 이해하다. — *vi.* 고착하다.

gripe[graip] *vt.* 잡다; 쥐어짜다; 《흔히 수동태로》 가슴 아프게 하다; 배를 아프게 하다; 괴롭히다. — *vi.* 잡다; 배앓이로 고생하다; 《美口》 우는 소리〔불평〕하다. — *n.* (*pl.*) 심한 배앓이(colic); Ⓒ 불평.

gris·ly[grízli] *a.* 무서운, 무시무시한.

grist [grist] *n.* Ⓤ 제분용 곡식. ***bring ~ to one's*** 〔***the***〕 ***mill*** 돈벌이가 되다, 수지가 맞다.

gris·tle[grísl] *n.* Ⓤ 연골(軟骨) (cartilage).

grit[grit] *n.* Ⓤ (기계에 장애가 되는) 잔 모래; 《美》 용기. — *vi.* (**-tt-**) 중덜거리다, 이를 갈다. **∠·ty** *a.* 잔모래가 들어 있는; 《美口》 용감한.

grits[grits] *n. pl.* 거칠게 탄 곡식; 《美南部》 탄 옥수수 (가루).

griz·zle[grízәl] *vi.* 《英》 (어린이가) 칭얼거리다.

griz·zled[grízld] *a.* = GRIZZLY.

griz·zly[grízli] *a.* 회색의.

grízzly bèar (북미의) 큰 곰.

:groan[groun] *vi., n.* ① 으르렁거리다. ② 신음하다. Ⓒ 그 소리; 괴로워하다(*under*). ③ 열망하다(*for*). **~ inwardly** 남몰래 번민하다.

:gro·cer[gróusәr] *n.* Ⓒ 식료품상. **:~·y**[-ri] *n.* Ⓒ 《美》 식료품점; (*pl.*) 식료품류.

grog[grɑg, -ɔ-] *n.* Ⓤ,Ⓒ 물 탄 화주(火酒); 독한 술.

grog·gy[∠i] *a.* 《口》 비틀〔휘청〕거리는, 그로기가 된; 《古》 곤드레만드레 취한.

groin[grɔin] *n.* 【解】 Ⓒ 샅, 고간(股間); 【建】 그로인, 궁륭(穹稜)《아치형 선》.

·groom[gru(:)m] *n.* Ⓒ 마부; 신랑. — *vt.* (말에) 손질을 하다; 몸차림시키다; 《美》 (…에게) 입후보의 준비를 해주다.

·groove[gru:v] *n.* Ⓒ ① (나무·금속에 판) 가는 홈; (레코드의) 홈. ② 정해진 순서〔자리〕, 상궤(常軌). ***in the ~*** 【재즈】 신나는 연주로; 호조로, 최고조로.

groov·y[grú:vi] *a.* 홈이 있는; 틀에 박힌; 《美俗》 (연주 따위가) 멋진.

·grope[group] *vi., vt.* 더듬(어서 찾아)다, 암중모색하다, 찾다(*after, for*). ***~ one's way*** 손으로 더듬어 나아가다.

:gross[grous] *a.* ① 조악〔조잡〕한. ② (지나치게) 뚱뚱한. ③ 투박한, 거친. ④ 울창한; 짙은(dense). ⑤ 굉장한(~ *mistakes*). ⑥ 총량의(cf.

G

net[2]); 전체의. ~ ***proceeds*** 총매상고. — *n. sing.* & *pl.* 그로스《12다스》; 총체. ***in the*** ~ 총체적으로. ⌐**·ly** *ad.*

gróss nátional próduct 국민 총생산《생략 GNP》.

***gro·tesque**[groutésk] (＜grotto) *a.* 그로테스크 무늬의; 기괴한; 터무니없는, 우스운. — *n.* (the ~) (그림·조각 따위의) 괴기미(怪奇美); Ⓒ 그로테스크풍. ~**·ly** *ad.* ~**·ness** *n.*

grot·to[grátou/-ɔ́-] *n.* (*pl.* ~(**e**)**s**) Ⓒ 동굴, 암굴.

grouch[grautʃ] *n.* Ⓒ 《口》 (보통 *sing.*) 불평; 까다로운 사람. — *vi.* 《口》 토라지다, 불평을 말하다. ⌐**·y** *a.*

†**ground**[graund] *n.* ① Ⓤ 지면, 토지, 땅. ② Ⓤ 흙. ③ (종종 *pl.*) 지역, …장(場); 운동장. ④ (*pl.*) 마당, 정원; 구내(構內). ⑤ Ⓤ 물 밑, 바다 밑; 얕은 바다. ⑥ (*pl.*) (커피 따위의) 앙금, 찌끼. ⑦ (*pl.*) 기초, 근거; (그림의) 바탕(칠하기); (피륙의) 바탕빛. ⑧ Ⓤ 〖電〗 어스, 접지(接地). ⑨ Ⓤ 이유, 동기. ⑩ Ⓤ 입장, 의견. ***above*** ~ 지상에; 살아서. ***below*** ~ 지하에; 죽어서. ***break*** ~ 땅을 일구다; 땅을 갈다; 건축[일]을 시작하다. ***break fresh*** ~ 새로이 땅을 개간[간척]하다; 신국면을 개척하다, 신기축을 내다. ***come*** [***go***] ***to the*** ~ 지다; 멸망하다. ***down to the*** ~ 《口》 모든 점에서; 남김없이. ***gain*** ~ 전진하다, 진보하다; 세력을 더하다. ***give*** [***lose***] ~ 후퇴하다; 세력을 잃다. ***shift one's*** ~ 주장[입장]을 바꾸다. ***stand one's*** ~ 주장[입장]을 지키다. ***take*** ~ 좌초하다. ***touch*** ~ 물 밑바닥에 닿다; (이야기가) 구체적으로 되다. — *vt.* ① 세우다, 수립하다(establish); (주의(主義) 등을) 입각시키다, (…의) 기초를 두다(*on*). ② 초보[기초]를 가르치다. ③ (무기를) 땅에 놓다. ④ 〖電〗 접지[어스]하다. ⑤ 〖海〗 좌초시키다; 〖英空〗 비행을 허락지 않다. — *vi.* 좌초하다. ***be well*** [***ill***] **~*ed on*** …의 지식이 충분[불충분]하다.

gróund contròl 〖空〗 (비행장의) 지상 관제(관).

gróund crèw 〖軍〗 (비행장의) 지상 근무원[정비원].

gróund flóor 《英》 일층; 《美口》 유리한 입장.

ground·less[⌐lis] *a.* 근거 없는.

gróund·nùt *n.* Ⓒ 땅콩.

gróund plàn (건물의) 평면도; 기초계획, 원안.

gróund rènt 지대(地代).

gróund rùle 〖野〗 야구장에 따른 규칙; (사회 등의) 기본적인 규칙.

ground·sel[gráundsəl] *n.* Ⓒ 개쑥갓《약용》.

gróund stàff 《英》 = GROUND CREW.

gróund swèll (지진·폭풍우 따위로 인한) 큰 파도, 여파.

gróund·wòrk *n.* Ⓤ 기초, 토대; (자수·그림 등의) 바탕(색).

†**group**[gru:p] *n.* Ⓒ ① 무리, 그룹. ② 〖空〗《美》 비행 대대, 《英》 비행 연대. ③ 〖컴〗 집단, 그룹. — *vt., vi.* 모으[이]다; (*vt.*) 분류하다(*into*). ⌐**·er** *n.* Ⓒ (따뜻한 해안의) 농성어과(科)의 물고기. *⌐**·ing** *n.* (*sing.*) 모으는[모이는] 일; 배치; 그룹.

gróup càptain 《英》 공군 대령.

gróup thérapy 〖心〗 집단 요법.

grouse[1][graus] *n. sing.* & *pl.* 뇌조(雷鳥)(류).

grouse[2] *n., vi.* Ⓒ 《口》 불평(하다).

grout[graut] *n., vt.* Ⓤ 묽은 모르타르[시멘트](를 부어 넣다).

‡**grove**[grouv] *n.* Ⓒ 작은 숲.

grov·el[grávəl, -ʌ́-/-ɔ́-] *vi.* (《英》 *-ll-*) 기다, 엎드리다. ~ ***in the dust*** [***dirt***] 땅에 머리를 대다, 아첨하다. ~**·ler** *n.* Ⓒ 넙죽 엎드리는 사람, 비굴한 사람. ~**·(l)ing** *a.* 넙죽 엎드리는; 비굴한, 천박한.

†**grow**[grou] *vi.* (***grew; grown***) ① 성장하다, 자라다, 나다; 크다, 늘다(*in*), 강해지다. ② 점점 더해지다; 점차로 …하게 되다. — *vt.* 생장[성장]시키다, 자라게 하다, 재배하다. ~ ***on*** [***upon***] 점점 증대하다; 더해지다; 감당하기 어렵게 되다; 점점 알게 되다. ~ ***out of*** (성장해서) …을 버리다, …에서 탈피하다; (자라서) 옷이 입을 수 없게 되다. ~ ***together*** 하나로 되다, 아물다. ~ ***up*** 성장

G

하다, 어른이 되다; 발생하다. **∠·er** *n.* Ⓒ 재배자; 성장하는 것.

:grow·ing[∠iŋ] *a.* 성장하는; 증대하는. — *n.* Ⓤ 성장, 발육; 생성.

grówing pàins 성장기 신경통《청소년의 급격한 성장에 의한 수족 신경통》; (신계획·사업 등의) 발전도상의 곤란.

:growl[graul] *vi., n.* (맹수가) 짖다, 으르렁거리다, (천둥이) 울리다; 불평을 터뜨리다; Ⓒ 으르렁거리는(짖는) 소리; (천둥 따위의) 우르르 소리.

†grown[groun] *v.* grow의 과거분사.

:grown-up[∠λ̀p] *n., a.* Ⓒ 어른(이 된).

:growth[grouθ] *n.* ① Ⓤ 성장, 생장, 발육, 발달; 증대. ② Ⓤ 재배. ③ Ⓒ 생장(발생)물, 산물.

·grub[grʌb] *vt.* (**-bb-**) 파 일으키다; (그루터기를) 파내다; 애써서 찾아내다. — *n.* Ⓒ 구더기, 굼벵이; Ⓤ 《俗》 음식.

grub·by[∠i] *a.* 더러운; 벌레가 끓는.

·grudge[grʌdʒ] *vt.* ① 아까워하다, 주기 싫어하다. ② 샘내다, 싫어하다. — *n.* Ⓒ 원한, 유한. ***bear a ~ against*** …에 대해 원한을 품다.

grudg·ing[∠iŋ] *a.* 인색한, 마지못해서 하는. **~·ly** *ad.*

gru·el[grú:əl] *n.* Ⓤ 묽은 죽. ***get one's ~*** 《俗》 호된 벌을 받다.

grue·some[grú:səm] *a.* 무시무시한, 무서운, 소름이 끼치는 듯한.

·gruff[grʌf] *a.* ① 쉰 목소리의. ② 거친, 난폭한. **∠·ly** *ad.*

:grum·ble[grʌ́mbəl] *vi., vt.* ① 불평하다, 투덜거리다. ② (천둥이) 우르르 울리다. — *n.* Ⓒ 불평, 넋두리; (*sing.*; 보통 the ~)(우레 따위의) 울림.

grump·y[grʌ́mpi] *a.* 부루퉁한; 무뚝뚝한.

·grunt[grʌnt] *vi., n.* Ⓒ (돼지처럼) 꿀꿀거리다(거리는 소리), 불평의 소리.

gryph·on[grífən] *n.* = GRIFFIN.

G-string[dʒí:strìŋ] *n.* Ⓒ ① 둘보; (스트리퍼의) 버터플라이. ② 〖樂〗 (현악기의) G선.

GT great.

gua·no[gwɑ́:nou] *n.* (*pl.* **~s**) Ⓤ 구아노(바다새의 똥; 비료).

:guar·an·tee[gæ̀rəntí:] *n.* Ⓒ ① 보증; 보장(guaranty); 담보. ② 보증인; 〖法〗 피보증인. — *vt.* 보증하다.

guar·an·tor[gǽrəntɔ̀:r, -tər] *n.* Ⓒ 〖法〗 보증인.

†guard[gɑ:rd] *n.* ① Ⓤ 경계. ② Ⓒ 망꾼, 파수병, 보호(호위)자; 수위(대); (*pl.*) 근위대. ③ Ⓒ 방위물(용구); 보호물, (칼의) 날밑; (차의) 흙받기; 난로의 불어리, (총의) 방아쇠울. ④ Ⓒ (권투 등의) 방어 자세. ⑤ Ⓒ 《英》 차장. ***be on*** (***keep, mount***) ~ 파수보다, 보초를 서다(*over*). ***~ of honor*** 의장병. ***be on*** (***off***) ***one's ~*** 조심(방심)하다(*against*). — *vt.* ① 망보다, 감시하다. ② 지키다, 방위하다(*from, against*); 경계하다(*against*). ③ (언어 따위에) 주의(조심)하다.

guard·ed[∠id] *a.* 조심성 있는, 신중한.

guárd·hòuse *n.* Ⓒ 위병소; 영창.

:guard·i·an[gɑ́:rdiən] *n.* Ⓒ ① 보호자, 수호자, 관리인. ② 후견인. — *a.* 보호(수호)하는. **~·ship**[-ʃìp] *n.* Ⓤ 보호, 후견역.

guárdian ángel 수호 천사; (the G- A-s)(미국 등의 범죄 다발 도시의 민간자경(自警) 조직.

guárd·ràil *n.* Ⓒ 난간.

guárd·ròom *n.* = GUARDHOUSE.

gua·va[gwɑ́:və] *n.* Ⓒ 〖植〗 물레나물과의 과수(果樹)《열대 아메리카산》.

gu·ber·na·to·ri·al [gjù:bərnətɔ́:riəl] *a.* 《美》 지사(장관·총독 등)의.

gudg·eon[gʌ́dʒən] *n.* Ⓒ (유럽산(産)) 담수어의 일종《쉽게 잡히므로, 낚싯밥으로 쓰임》; 잘 속는 사람.

·gue(r)·ril·la[gərílə] *n., a.* Ⓒ 게릴라병(전)(의), 비정규병(의).

†guess[ges] *n., vi.* Ⓒ 추측(하다), 알아맞히다; 《美口》 생각하다.

·guéss·wòrk *n.* Ⓤ 어림 짐작.

†guest[gest] *n.* Ⓒ ① 손님, 빈객, 내방자. ② 숙박인. ***the ~ of honor*** 주빈. ***paying ~*** 하숙인.

guést·hòuse *n.* Ⓒ 영빈관; 고급 하숙집.

guf·faw[gʌfɔ́:] *n., vt.* Ⓒ 너털웃음(을 웃다).

:guid·ance[gáidns] *n.* Ⓤ 안내, 지

도; 지휘; (우주선·미사일 등의) 유도.
†**guide**[gaid] *n.* Ⓒ ① 안내자, 가이드; 지도자, 지휘자. ② (보통 G-) 소녀단. ③ 길잡이, 안내, 도표(道標). — *vt.* ① 안내하다. ② 이끌다, 지도[지배]하다. ③ 움직이다, 재촉하다.
guíded míssile 유도탄.
guíde dòg 맹도견(盲導犬).
˙**guild**[gild] *n.* Ⓒ 길드《중세의 동업 조합》, (오늘날의) 조합, 협회. 「은화.
guil·der [gíldər] *n.* Ⓒ 네덜란드의
guíld·hàll *n.* Ⓒ (보통 *sing.*) 《英》 길드회의소; 시청.
˙**guile**[gail] *n.* Ⓤ 교활, 간지(奸智); 배신; 간교한 책략. **∠·ful** *a.* 간사한, 교활한. **∠·less** *a.* 교활하지 않은, 정직한.
guil·le·mot[gíləmɑ̀t/-mɔ̀t] *n.* Ⓒ 바다오리류《auk의 무리》.
guil·lo·tine[gílətìːn, gíːjə-] *n.* (the ～) 길로틴, 단두대; (the ～) 〖英議會〗 토론 종결(gag). — *vt.* 길로틴으로 목을 자르다.
:**guilt**[gilt] *n.* Ⓤ 죄, 비행.
˙**guilt·less**[∠lis] *a.* 죄 없는; 모르는, 경험 없는(*of*); 갖지 않은. ***be ～ of*** (*wit*)(위트)가 없다.
:**guilt·y**[gílti] *a.* ① 죄가 있는, 죄를 범한(*of*). ② 죄에 해당하는; 죄가 있는 듯한. ③ 죄에 대한 가책[의식]을 느끼는. ***～ conscience*** 꺼림칙한 마음. ***plead ～*** 복죄(服罪)하다. ***plead not ～*** 무죄를 주장하다. **guílt·i·ly** *ad.* **guílt·i·ness** *n.*
˙**guin·ea** [gíni] *n.* Ⓒ 기니 금화(=21s).
guínea fówl 뿔닭.
guínea pìg 기니피그, 모르모트《속칭》; 실험 재료, 실험대.
˙**guise**[gaiz] *n.* Ⓒ ① 외관; 태도, 모습. ② 가면, 구실. ③ 《古》 옷차림, 복장. ***in*** 〔***under***〕 ***the ～ of*** … …으로 모습을 바꿔서, …을 가장하여, …을 구실 삼아.
†**gui·tar**[gitɑ́ːr] *n.* Ⓒ 기타. **～·ist** *n.*
gulch[gʌltʃ] *n.* Ⓒ 《美》 협곡(峽谷).
:**gulf**[gʌlf] *n.* Ⓒ ① 만(灣). ② 심연(深淵), 깊은 구멍, 소용돌이. ③ 큰 간격(*between*).
Gúlf Strèam 멕시코 만류.
˙**gull**[1][gʌl] *n.* Ⓒ 갈매기.
gull[2] *vt., n.* 속이다; Ⓒ 속기 쉬운 사람. **gúl·li·ble** *a.* 속기 쉬운.
gul·let[gʌ́lit] *n.* Ⓒ 식도(食道), 목구멍. 「랑, 배수구(溝).
gul·ly[gʌ́li] *n.* Ⓒ 작은 골짜기, 도
˙**gulp**[gʌlp] *vt., vi.* ① 꿀떡꿀떡 마시다, 꿀꺽 삼켜 버리다. ② 억제하다, 참다. — *n.* Ⓒ 꿀꺽 삼킴, 그 소리.
:**gum**[1][gʌm] *n.* ① Ⓤ 고무, 생고무; 탄성(彈性) 고무. ② Ⓒ 고무나무, 유칼리나무. ③ (*pl.*) 덧신, 고무 장화. ④ Ⓤ 고무풀, 《美》 껌. — *vt.* (**-mm-**) 고무를 바르다[로 굳히다]; 《美俗》 속이다. — *vi.* 고무를 분비하다; 고무질(質)이 되다; 달라붙다.
gum[2] *n.* Ⓒ (보통 *pl.*) 잇몸.
gum·bo[gʌ́mbou] *n.* (*pl.* **～s**) 오크라(okra)《나무·열매》; Ⓒ,Ⓤ 오크라 열매를 넣은 수프.
gúm bòots 《美》 고무 장화.
gum·my[gʌ́mi] *a.* 고무질의, 고무 같은; (나무가) 고무 수지를 내는.
gump·tion[gʌ́mpʃən] *n.* Ⓤ 《口》 진취의 기상, 적극성; 양식, 판단력, 빈틈 없음.
gúm trèe 고무나무, 유칼리나무.
:**gun**[gʌn] *n.* Ⓒ ① 대포, 소총; 평사포(平射砲); 《美口》 피스톨. ② 발포, 호포(號砲). ③ 직업적 살인자. ***blow great ～s*** (바람이) 세차게 불다.
gún·bòat *n.* Ⓒ 포함.
gúnboat diplómacy 포함 외교《약소국에 대한 무력 외교》.
gún·fire *n.* Ⓤ (대포의) 발사, 포화, 포격. 「열렬한.
gung-ho[gʌ́ŋhóu] *a.* 《美俗》 열심인,
˙**gun·man**[gʌ́nmən] *n.* Ⓒ 《美》 총잡이, 권총을 가진 악한.
gún mètal 포금(砲金).
˙**gun·ner**[gʌ́nər] *n.* Ⓒ 포수; 포술 장교; 총사냥꾼. **～·y** *n.* Ⓤ 포술.
gún·pòint *n.* Ⓒ 총부리. ***at ～*** 《美》 권총을 들이대고.
˙**gún·pòwder** *n.* Ⓤ 화약; 중국산 녹차(～ tea).
gún·shòt *n.* Ⓒ 포격; Ⓤ 착탄 거리.
gun·wale[gʌ́nl] *n.* Ⓒ 〖海〗 (갑판의) 현연(舷緣); (보트 등의) 뱃전.
˙**gur·gle**[gə́ːrgəl] *vi., n.* (*sing.*) ① 콸콸 흘러나오다; 그 소리. ② (새나 사람이) 까르륵 목을 울리다; 그 소리.
gu·ru[gu(ː)rúː, ∠–] *n.* Ⓒ 힌두교의

G

도사(導師); 정신적 지도자.

˙**gush**[gʌʃ] *vi., vt., n.* (*sing.*) ① 용솟음(치다); 분출하다[시키다]. ② (감정 따위의) 복받침. **∠·er** *n.* Ⓒ 분출하는 유정(油井); 감정가. **∠·ing, ∠·y** *a.* 분출하는; 감상적인.

gus·set[gʌ́sit] *n.* Ⓒ (옷의) 덧붙이는 천, 바대, 섶.

˙**gust**[gʌst] *n.* Ⓒ ① 일진(一陣)의 바람, 돌풍. ② (소리·불·감정 따위의) 돌발. **∠·y** *a.* 바람이 거센, 사납게 불어대는 바람의.

gus·to[gʌ́stou] *n.* Ⓤ 취미, 좋아함; 기호(嗜好); 마음으로부터의 기쁨.

gut[gʌt] *n.* Ⓒ,Ⓤ 장, 창자; (*pl.*) 내장, 내용; (*pl.*) 용기, 인내; Ⓤ (바이올린·라켓 따위의) 장선(腸線), 거트. — *vt.* (**-tt-**) (…의) 내장을[창자를] 끄집어내다; (집 따위) 안의 물건을 약탈하다.

:**gut·ter**[gʌ́tər] *n.* ① Ⓒ 홈통; (인도·차도 사이의) 얕은 도랑[배수구], 수로. ② (the ~) 빈민가. — *vt., vi.* 도랑을 만들다[이 되다]; (자국을 남기며) 흐르다; 촛농이 흘러내리다.

gútter prèss (선정적인) 저급 신문.

gut·ter·al[gʌ́tərəl] *a., n.* Ⓒ 목구멍의; 〖音聲〗 후음(喉音)(의)《k, g 따위》.

guy[1][gai] *n., vt.* Ⓒ 〖海〗 버팀 밧줄(로 안정시키다).

:**guy**[2] *n.* ① 《英》 (화약 사건(Gunpowder Plot)의 주모자) Guy Fawkes의 기괴한 상(像)《11월 5일이 상을 태우는 풍습이 있음》. ② Ⓒ 《英》 괴상한 옷차림을 한 사람. ③ Ⓒ 《口》 놈, 녀석, 친구. — *vt.* 놀리다, 괴롭히다.

guz·zle[gʌ́zəl] *vt., vi.* 폭음하다.

:**gym**[dʒim] *n.* =⇩.

:**gym·na·si·um** [dʒimnéiziəm] *n.* (*pl.* **~s, -sia**[-ziə]) Ⓒ ① 체육관, 체조장. ② (G-) (독일의) 고등 학교.

gym·nast[dʒímnæst] *n.* Ⓒ 체조[체육] 교사.

:**gym·nas·tic**[dʒimnǽstik] *a.* 체조의, 체육의. **:~s** *n.* Ⓤ (학과로서의) 체육; 《단·복수 취급》 체조; 훈련.

gy·n(a)e·col·o·gy [gàinəkάlədʒ, dʒìn-, dʒài-/-ɔ́-] *n.* Ⓤ 부인병학. **-gist** *n.*

gyp[dʒip] *vi., vt.* (**-pp-**) 《美口》 속이다, 속여서 빼앗다. — *n.* Ⓒ 사기꾼; 사기.

gyp·sum [dʒípsəm] *n.* Ⓤ 석고; 깁스.

˙**Gyp·sy**[dʒípsi] *n.* ① Ⓒ 집시《유랑 민족》. ② Ⓤ 집시어. ③ (g-) Ⓒ 집시 같은 사람, 방랑벽이 있는 사람, 바람끼 있는 여자.

gy·rate[dʒàiəréit] *vi.* 회전[선회]하다. **gy·rá·tion** *n.* **gy·ra·to·ry**[dʒáiərətɔ̀:ri/-təri] *a.*

gy·ro[dʒáiərou] *n.* (*pl.* **~s**) 《口》 = GYROSCOPE; 《口》 회전 나침반; (G-) (국제 봉사 단체의) 회원.

gy·ro·scope[dʒáiərəskòup] *n.* Ⓒ 회전의(回轉儀). **-scop·ic**[∸-skάpik/-ɔ́-] *a.*

G

H

H, h[eitʃ] *n.* (*pl.* ***H's, h's***[ˊiz]) Ⓒ H 모양의 것.

:**ha**[hɑː] *int.* 하아!; 허어!《놀람·기쁨·의심》.

ha. hectare(s). **H.A.** heavy artillery; Hockey Association; Horse Artillery. **h.a.** *hoc anno* (L. =in this year). **HAA** heavy anti-aircraft. **Hab.** 〖舊約〗 Habakkuk.

ha·be·as cor·pus[héibiəs kɔ́ːrpəs] (L.) 〖法〗 인신 보호 영장. ***H-C- Act*** 〖英史〗 인신 보호법《1679년 Charles Ⅱ 가 발포》.

hab·er·dash·er[hǽbərdæ̀ʃər] *n.* Ⓒ《주로 英》 방물 장수; 《美》 남자용 장신구 상인. **~·y** *n.* ① Ⓤ《주로 英》 방물; Ⓒ 방물 가게. ② Ⓤ《美》 남자용 장신구류; Ⓒ 그 가게.

†**ha·bit**[hǽbit] *n.* ① Ⓤ,Ⓒ 습관, 버릇. ② Ⓒ (동·식물의) 습성. ③ Ⓤ,Ⓒ 체질; 기질. ④ Ⓒ 복장; 여성 승마복. ***be in the*** (***a***) ***~ of*** (*doing*) (…하는) 버릇이 있다. ***fall*** (***get***) ***into a ~ of doing*** …하는 버릇이 들다. ***~ of body*** (***mind***) 체질(성질). — *vt.* ① (…에) 옷을 입히다. ② 《古》 (…에) 살다. **~·a·ble** *a.* 살기에 알맞은, 살 수 있는.

hab·i·tat[hǽbətæ̀t] *n.* Ⓒ (동식물의) 생육지(生育地), (원)산지; 주소; (해저 실험용) 수중 거주실.

˙**hab·i·ta·tion**[hæ̀bətéiʃən] *n.* ① Ⓤ 거주. ② Ⓒ 주소, 주택.

˙**ha·bit·u·al**[həbítʃuəl] *a.* 습관(상습)적인, 평소의; 습관상의. ˙**~·ly** [-əli] *ad.* 습관(상습)적으로.

ha·bit·u·ate [həbítʃuèit] *vt.* 익히다, 익숙하게 하다(*to*). **-a·tion**[-ˋ-éiʃən] *n.*

˙**hack**[1][hæk] *vt., vi.* 자르다. 쳐서 자르다, 난도질하다; 잘게 썰다; 파서 헤치다(부수다); (짤막한) 마른 기침을 하다; 〖컴〗 (프로그램을) 교묘히 개변(改變)하다. ***~ around***《美口》 빈둥거리며 시간을 보내다. ***How's ~ing?*** 어떻게 지내? — *n.* Ⓒ ① 벤(칼) 자국, 새긴 자국. ② (발로) 걷어찬(깐) 상처. ③ 도끼. ④ 마른 기침.

hack[2] *n.* Ⓒ《英》 삯말; 《美》 전세 마차; 《口》 택시(운전사); (보통의) 승용 말; 늙은(여윈) 말; 짐말; (저술가의) 일 거드는 사람; 3류 작가; (돈을 위해) 무엇이든 하는 사람. — *vt.* (말을) 승용으로 빌려 주다; 써서 낡게 하다. — *vi.* 삯말을 타다; 말 타고 가다(*along*); 남의 밑에서 고된 일을 하다. — *a.* 고용된; 써서 낡게 한.

hack·er[hǽkər] *n.* Ⓒ 〖컴〗 컴퓨터 마니아(침해자), 해커.

hack·ney[hǽkni] *n.* Ⓒ (보통의) 승용말, 전세 마차(hack[2]). — *vt.* (말·마차를) 빌려 주다; 써서 낡게 하다. **~ed**[-d] *a.* 낡아 빠진, 진부한. ***~ed phrase*** (케케 묵은) 상투구.

háckney còach (**càb, càrriage**) 전세 마차.

「톱.

háck·sàw *n.* Ⓒ (금속 절단용) 띠

†**had**[hæd, 弱 həd, əd] *v.* have의 과거(분사). ***had*** BETTER[1]. ***had*** LIKE[2] ***to. had*** RATHER.

had·dock[hǽdək] *n.* Ⓒ 〖魚〗 (북대서양의) 대구.

†**had·n't**[hǽdnt] had not의 단축.

hae·mo·glo·bin *n.* =HEMOGLOBIN.

hae·mo·phil·i·a *n.* =HEMOPHILIA.

haem·or·rhage *n.* =HEMORRHAGE.

「RHOIDS.

haem·or·rhoids *n.* =HEMOR-

hag[hæg] *n.* Ⓒ 버커리; 마귀 할멈, 마녀(witch).

˙**hag·gard**[hǽgərd] *a., n.* 여윈, 바싹 마른; (눈매가) 사나운; 독살스러운; Ⓒ 야생의 (매). **~·ly** *ad.*

hag·gis[hǽgis] *n.* Ⓒ,Ⓤ《Sc.》 양의

내장과 오트밀을 섞어 끓인 요리.

hag·gle[hǽgəl] *vi., vt.* (끈덕지게) 값을 깎다; 입씨름하다(*over, about*); 토막쳐 자르다(hack[1]). — *n.* Ⓒ 값을 깎기; 말다툼.

:hail[1][heil] *n., vi., vt.* ① Ⓤ 싸락눈〔우박〕(이 오다)(*It ~s.*). ② (…에) 빗발치듯 쏟아지다, 퍼붓다.

:hail[2] *vt., vi.* ① 큰 소리로 부르다. ② (…을) …이라 부르며 (환호로) 맞이하다(*They ~ed him* (*as*) *king*). ③ 인사하다. **~ from** (배가) …에서 오다; (아무가) …의 출신이다. — *n.* Ⓒ,Ⓤ 환호; 인사. **within** 〔**out of**〕 **~** 소리가 미치는〔미치지 않는〕 곳에. — *int.* 《詩》 어서 오십시오. **All ~!,** or **H- to you!** 어서 오십시오!; 만세!

háil·stòne *n.* Ⓒ 우박.

háil·stòrm *n.* Ⓒ 마구 쏟아지는 우박.

†hair[hɛər] *n.* ① Ⓤ 털, 머리털; Ⓒ (낱개의) 털(*She has gray ~*〔*~s*〕. 머리가 하얗다〔희끗희끗하다〕). ② Ⓒ 털 모양의 것; (a ~) 극히 약간의 물건〔거리·정도〕. **against the ~** = against the GRAIN. ***a ~ of the dog that bit*** (*a person*) 제독약(制毒藥), (숙취(宿醉)를 풀기 위한) 해장술《문 미친개의 털이 특효약이 된다고 생각한 데서》. ***blow a person's ~*** 《美俗》 두렵게〔오싹하게〕 하다. ***both of a ~*** 같은 정도. ***by the turn of a ~*** 위기 일발의 아슬아슬한 고비에서, 간신히. ***do one's ~*** 머리 치장을 하다. ***get a person by the short ~s*** 아무를 지배하다. ***get in*** 〔***out of***〕 ***a person's ~*** 아무의 방해가 되다〔되지 않다〕; 속상하게 하다〔하지 않다〕. ***hang by a ~*** 위기에 직면하다. ***keep one's ~ on*** 《俗》 (머리칼 하나 까딱하지 않고) 태연히 있다. ***let*** 〔***put***〕 ***down one's ~*** 머리를 풀다. ***let one's ~ down*** 《俗》 터놓고〔스스럼 없이〕 이야기하다. ***make a person's ~ stand on end*** 머리끝을 쭈뼛하게 하다. ***not turn a ~*** 까닥도 안 하다, 아주 태연하다. ***not worth a ~*** 한 푼의 값어치도 없는. ***put*** 〔***turn***〕 ***up one's ~*** (소녀가 어른이 되어서) 머리를 얹다. SPLIT **~s.** ***to*** (***the turn of***) ***a ~*** 조금도 틀림없이, 아주 꼭. ***without moving*** 〔***turning***〕 ***a ~*** 《俗》 냉정하게. **∠·less** *a.* 털〔머리칼〕이 없는. ***∠·y** *a.* 털〔머리칼〕의〔같은〕; 털이 많은.

háir·brùsh *n.* Ⓒ 머리솔.

háir·cùt *n.* Ⓒ 이발; 머리형.

háir·dò *n.* Ⓒ 머리형.

háir·drèsser *n.* Ⓒ 미용사; 《주로 英》 이발사.

háir drìer 〔**drỳer**〕 헤어드라이어.

háir·lìne *n.* Ⓒ 가는 선; 타락줄; (이마의) 머리털 난 언저리, 두발선.

háir·nèt *n.* Ⓒ 헤어네트.

háir·pìn *n.* Ⓒ 헤어핀, 머리 핀.

háir-ràising *a.* 머리 끝이 쭈뼛해지는; 소름이 끼치는.

háir's-brèadth *n., a.* (a ~) 좁은 틈; 위기 일발(의), 아슬아슬한.

háir·splìtting *a., n.* Ⓤ 사소한 일에 구애되는〔됨〕.

·hair·y[hɛ́əri] *a.* 털 많은; 《口》 곤란한; 섬뜩한; 불가해한.

hajj, hadj, haj[hædʒ] *n.* (*pl.* **~es**) Ⓒ (이슬람교도의) 메카 순례.

hake[heik] *n.* (*pl.* **~s,** 《집합적》 ~) Ⓒ 〖魚〗 대구류.

hal·cy·on[hǽlsiən] *n.* Ⓒ 《古·詩》 파도를 가라앉히는 새《물총새(kingfisher)의 이름》. — *a.* 잔잔한, 평온한, 평화스러운.

·hale[heil] *a.* (노인이) 정정한; 근력이 좋은. **~ and hearty** 원기 왕성한, 정정한.

†half[hæf, hɑːf] *n.* (*pl.* **halves**) Ⓒ,Ⓤ (절)반; 중간, 중도. ***... and a ~*** 《俗》 특별한, 아주 훌륭한(*That was a game and a ~.*). **by ~** 반쯤; 대단히(*She is too alert by ~.* 지나치게 영리하다). **by halves** 불완전하게, 중도에; 얼마간, 아무렇게나, 적당히. **cry halves** 절반의 분배를 요구하다. **go halves with** …와 반분하다. **to the halves** 절반까지, 불충분하게; 《美》 (이익 따위) 반분하여. — *a., ad.* (절)반(의) (*a ~ mile;* 《口》 *~ a mile*); 불충분한〔하게〕; 어지간히, 거의. **~ as many** 〔**much**〕 (**again**) **as** …의 (한 배) 반. **I ~ wish** …하고 싶은 듯한 생각도 있다. **not ~** 《口》 그다지〔조금

도] …않다(*Not* ~ *bad.* 꽤 좋다); 《卑》 몹시(*She didn't* ~ *cry.* 어지간히 울어댔다).

hálf-and-hálf *a., n., ad.* [U,C] 반반씩의 (혼합물); 이도 저도 아닌, 얼치기의; (백·흑인의) 트기; 반반으로.

hálf·bàck *n.* [C] 〖蹴〗 중위(中衛).

hálf-báked *a.* 설구워진; 불완전한, (경험이) 미숙한.

hálf-brèed *n., a.* [C] 혼혈아, 튀기(의); 〖生〗 잡종(의).

hálf bròther 배〔씨〕다른 형제.

hálf-càste *n.* [C] (특히, 유럽인 아버지와 인도인 어머니와의) 튀기; 신분이 다른 양친에서 난 아이.

hálf crówn 《英》 반 크라운 은화(銀貨)《1970년 폐지》.

hálf dóllar 《美·캐나다》 50센트 은화.

hálf-héarted *a.* 마음이 내키지 않는. **~ly** *ad.*

·hálf-hóur *n., a.* [C] 반 시간, 30분(의).

hálf lìfe 〖理〗 (방사능) 반감기(半減期); 《比》 쇠하기 시작 전의 번영기.

hálf-mást *n., vt.* [U] 반기(半旗)의 위치(에 걸다).

hálf móon 반달(형의 것).

hálf nòte 〖樂〗 2분 음표.

half·pence[héipəns] halfpenny의 복수.

half·pen·ny[héipəni] *n., a.* [C] 반페니(동전); 《英口》 잔돈; 하찮은(of little value); (신문이) 선정적인.

hálf sìster 배〔씨〕다른 자매.

hálf-tímbered *a.* 〖建〗 뼈대를 목조로 한.

hálf tìme 반일(半日) 노동, 반일급; 〖競〗 중간 휴식.

hálf·tòne *n., a.* [C] 〖印·寫〗 망판(網版)(화(畫))(의); 〖美術〗 간색(間色)(의); 〖樂〗 반음.

hálf-trùth *n.* [U,C] (속이거나 비난 회피를 위한) 일부의 진실.

:half·way[´wéi] *a., ad.* ① 중도의〔에〕, 어중된〔되게〕. ② 《口》 반쯤, 어느 정도. ***meet a person*** **~** 타협하다.

hálfway hòuse 두 마을 중간의 여인숙; 타협점.

hálf-wìt *n.* [C] 반편이, 얼뜨기.

hal·i·but[hǽləbət] *n.* (*pl.* **~s,** 《집합적》 ~) [C] 〖魚〗 핼리벗《큰 넙치》.

hal·i·to·sis[hæ̀lətóusis] *n.* [U] 구취(口臭).

†hall[hɔːl] *n.* [C] ① 현관; 복도. ② 넓은 방, 홀; (공)회당. ③ 《美》 (대학의) 교사(校舍). ④ 조합 본부; 사무소. ⑤ 《英》 (지주의) 저택. ⑥ 《英》 (대학의) 대식당. ***H- of Fame*** 명예의 전당(殿堂)《뉴욕 대학에 있는 위인·국가 유공자를 위한 기념관》. ***Students' H-*** 학생 회관〔집회소〕.

hal·le·lu·jah, -iah[hæ̀ləlúːjə] *int., n.* (Heb.) 할렐루야《'하느님을 찬송하라(Praise ye the Lord!)' 의 뜻》; [C] 찬송가.

háll·màrk *n., vt.* [C] (금·은의) 순분 인증 각인(純分認證刻印)(을 찍다); 보증 딱지(를 붙이다).

·hal·lo(a)[həlóu] *int., n.* [C] 여보세요〔여보, 이봐, 이런〕(하는 소리).

·hal·low[hǽlou] *vt.* ① 신성하게〔깨끗하게〕 하다; 하느님께 바치다. ② 숭배하다. ***~ed ground*** 영역(靈域).

:Hal·low·een, -e'en[hæ̀louíːn] *n.* 헬로윈《모든 성인 대축일(All Saints' Day)의 전야; 10월 31일 밤》.

hal·lu·ci·nate[həlúːsənèit] *vt.* 환각(증상)을 일으키게 하다.

hal·lu·ci·na·tion[həlùːsənéiʃən] *n.* [U,C] 환각(幻覺), 환시(幻視), 환청(幻聽); 환상(幻想).

hal·lu·ci·no·gen [həljúːsənədʒən] *n.* [C] 환각제.

háll·wày *n.* [C] 《美》 현관; 복도.

ha·lo[héilou] *n.* (*pl.* ~(**e**)**s**), *vt.* [C] (해·달의) 무리(를 씌우다); 후광(後光)(으로 두르다).

hal·o·gen [hǽlədʒən] *n.* [U] 〖化〗 할로겐.

:halt[hɔːlt] *vi., vt.* 정지〔휴식〕하다〔시키다〕. — *n.* ① (a ~)(멈추어) 섬; 〖컴〗 멈춤. ② [C] 《주로 英》 정류소. ***call a*** **~** 정지를 명하다, 정지시키다.

hal·ter[hɔ́ːltər] *n.* [C] (소·말을 끌거나 매어 두는) 고삐; 교수(絞首)(용 밧줄); (팔과 등이 드러나는) 여자용 운동 셔츠. 「감하다.

halve[hæv/hɑːv] *vt.* 등분하다; 반감하다.

·halves[hævz/-ɑː-] *n.* half의 복수.

hal·yard[hǽljərd] *n.* [C] (돛·기의) 고팻줄.

:ham[hæm] *n.* ① [U,C] 햄《소금에 절

여 훈제(燻製)한 돼지의 허벅다리 고기》. ② Ⓒ 오금; (종종 *pl.*) 허벅다리와 궁둥이. ③ Ⓒ《俗》(몸짓을 과장하는) 서투른 배우; Ⓤ 과장된 연기. ④ Ⓒ《口》햄《아마추어 무선 통신자》.

·**ham·burg·er**[ˊ-ˋ-ər] *n.* = **Hám-burg stèak** Ⓒ,Ⓤ 햄버거스테이크.

hám-físted, -hánded *a.*《英俗》솜씨 없는, 서투른.

ham·let *n.* Ⓒ 작은 마을.

:**ham·mer**[hǽmər] *n.* Ⓒ ① (쇠·나무) 망치, 해머. ② 〖競〗(투)해머. ③ (경매자의) 나무망치. ④ (총(銃)의) 공이치기. ***bring*** 〔***send***〕 ***to the*** ~ 경매에 부치다. ***come under*** 〔***go to***〕 ***the*** ~ 경매되다. ***drop the*** ~《CB俗》액셀러레이터를 밟다. ~ ***and tongs***《口》열심히, 맹렬히. ― *vt.* ① 망치로 두드리다; 두들겨〔쳐박아, 주입해〕 넣다. ② 연달아 때리다〔포격하다〕. ③《口》(상대방을) 호되게 해치우다. ④ 두드려서 만들다. ⑤ 생각해 내다. ― *vi.* ① 망치로 두드리다. ② 부지런히 일하다. ~ ***away*** 마구 두드리다; 부지런히 일하다(*at*). ~ ***out*** 두드려서 …으로 만들다; 애써서 생각해 내다.

·**ham·mock**[hǽmək] *n.* Ⓒ 해먹.

·**ham·per**[1] [hǽmpər] *vt.* 방해하다.

ham·per[2] *n.* Ⓒ (뚜껑 달린) 손바구니; 바스켓.

ham·ster[hǽmstər] *n.* Ⓒ 〖動〗일종의 큰 쥐《동유럽·아시아산》.

ham·string[hǽmstrìŋ] *n., vt.* (~***ed, -strung***) Ⓒ (사람·말의) 오금의 힘줄(을 잘라 절름발이로 만들다); 좌절시키다.

†**hand**[hænd] *n.* ① Ⓒ 손; (동물의) 앞발; (시계의) 바늘; 손 모양의 것《바나나 송이 따위》; 핸드《손바닥 폭을 기준으로 한 척도; 4 인치》(*a horse 14 ~s high* 어깨높이 14 핸드의 말). ② Ⓒ (종종 *pl.*) 소유; 지배. ③ Ⓒ 직공, 일꾼; 승무원(*all ~s* 전원). ④ Ⓒ 솜씨; 수완; (a ~) 필적, 필치(*write a good ~* 글씨를 잘 쓰다); (*one's* ~) 서명. ⑤ Ⓒ 쪽, 측(*the right ~* 오른쪽), 방면. ⑥ Ⓒ 〖카드〗 가진 패; 경기자; 한 판. ⑦ (*sing.*) (남자에게 손을 주어) 약혼(함). ⑧ (a ~) 박수 갈채. ***at first*** 〔***second***〕 ~ 직접〔간접〕으로. (*close, near*) ***at*** ~ 가까운 곳에, 가까운 장래에, 바짝 다가와. ***bear a*** ~ ***in*** …에 관계하다; …을 거들어 주다. ***by*** ~ 손으로; 손수. ***change ~s*** 임자〔소유주〕가 바뀌다. ***come to*** ~ 손에 들어오다; 발견되다. ***eat out of a person's*** ~ 지도〔지휘〕에 따르다, 온순하다. ***fight*** ~ ***to*** ~ 접전하다; 드잡이하다. ***from*** ~ ***to mouth*** 하루 벌어 하루 먹는, 그날그날 간신히 지내어; (저축심 없이) 버는 족족 써버리어. ***give one's*** ~ (계약 따위의) 실행을 다짐하다(*on*); (남자에게 손을 주어) 약혼하다(*to*). ~ ***and foot*** 손발을 모두, 완전히; 부지런히. ~ ***and*** 〔***in***〕 ***glove with*** …와 친밀하여. ~ ***in*** ~ 손에 손을 잡고; 제휴하여(*with*). ~ ***over*** ~ 두 손을 번갈아 당겨서; 척척 (돼나가다, 따위). ~***s down*** 손쉽게 (이기다, 따위). ***Hands off!*** 손대지 말 것; 손을 떼라, 관여 마라. ***Hands up!*** 손들어라《항복 또는 찬성하여》. ***have one's*** ~***s full*** 바쁘다. ***heavy on*** 〔***in***〕 ~ 힘에 겨워, 다루기 곤란하여, 주체 못하여. ***in*** ~ 손에 들고, 제어하여; 진행〔연구〕 중의. ***keep one's*** ~ ***in*** …에 종사하고 있다〔익숙하다〕, 끊임없이 연습하다. ***lay*** ~***s on*** 〔***upon***〕 …에 손을 대다, …을 (붙)잡다; 폭행하다(*He laid ~s on himself.* 자살했다); 〖宗〗(사람의 머리 위에 손을 얹고) 축복하다. ***make a*** ~ 이득을 보다, 성공하다. ***off*** ~ 즉석에서, 즉각. ***on*** 〔***off***〕 ***a person's*** ~***s*** (아무의) 책임〔부담〕으로〔없이〕. ***on*** ~ 가지고〔준비돼〕 있는; 가까이;《美》출석하여. ***on one's*** ~***s and knees*** 기어서. ***on the one*** ~ 한편으로는. ***on the other*** ~ 또 (다른) 한편으로는, 이에 반(反)하여. ***out of*** ~ 즉석에서, 즉석에; 끝나서; 힘에 겨워, 다루기 어려워. ***pass into other*** ~***s*** 남의 손으로 넘어가다. ***sit on one's*** ~***s*** 좀처럼 박수〔칭찬〕하지 않다. ***take in*** ~ 처리하다; 떠맡다, 돌보다. ***to one's*** ~***s*** 힘 안들이고 (아무가) 얻을 수 있도록(*be ready*

to his ~s 즉시 쓸 수 있다). ***turn one's ~ to*** …에 착수하다. ***wash one's ~s of*** …와 손을 끊다. ***with a high*** 〔***heavy***〕 ~ 고압적으로. — *vt.* ① 넘겨〔건네〕 주다; 전하다(*to*). ② 손으로 이끌다〔돕다〕. ③ 〖海〗(돛을) 접다. ~ ***down to*** (자손에게) 전하다. ~ ***in*** 건네다, 제출하다. ~ ***on*** 전하다; 다음으로 건네주다. ~ ***out*** 건네 주다; 분배하다; 《俗》 돈을 내다〔쓰다〕. ~ ***over*** 넘겨주다; 양도하다. ~ ***round*** (차례로) 돌리다, 도르다. ~ ***up*** (높은 곳에) 손으로 건네 주다, 주다. **:~·ful** [hǽndfùl] *n.* Ⓒ 손에 그득, 한 줌; 소량; 《口》 다루기 힘든 사람〔것〕.

hánd·bàg *n.* Ⓒ 핸드백.

hánd·bàll *n.* Ⓤ 벽에 던져 튀는 공을 상대가 받게 하는 공놀이; 〖競〗 핸드볼; Ⓒ 그 공.

hánd·bìll *n.* Ⓒ 삐라, 광고지.

·hánd·bòok *n.* Ⓒ 편람(便覽), 안내서, 교본.

hánd bràke (자동차 따위의) 수동〔핸드〕 브레이크.

hánd·càrt *n.* Ⓒ 손수레.

hánd·clàp *n.* Ⓒ 박수 갈채.

hánd·cùff *n., vt.* Ⓒ (보통 *pl.*) 수갑, 쇠고랑(을 채우다).

hánd grenàde 수류탄; 소화탄.

hánd·hòld *n.* Ⓒ 파악; 손잡을 〔(붙)잡을〕 데.

:hand·i·cap [hǽndikæ̀p] *n., vt.* (**-pp-**) Ⓒ ① 핸디캡(을 주다), 불리한 조건(을 붙이다). ② 핸디캡이 붙은 경주〔경마〕. ***the ~ped*** 신체〔정신〕 장애자.

hand·i·craft [hǽndikræ̀ft/ -krɑ̀:ft] *n.* ① Ⓒ (보통 *pl.*) 수세공(手細工), 수예(手藝). ② Ⓤ 손끝의 숙련.

hand·i·work [hǽndiwə̀:rk] *n.* ① Ⓤ 수세공. ② Ⓒ 수공품. ③ Ⓤ (특정인의) 짓, 소행.

:hand·ker·chief [hǽŋkərtʃif, -tʃì:f] *n.* (*pl.* **~s**) Ⓒ ① 손수건. ② 목도리, 네커치프.

:han·dle [hǽndl] *n.* Ⓒ ① 자루, 손잡이, 핸들. ② 구실; 기회. ③ 〖컴〗 다룸, 다루기, 핸들. ***fly off*** 〔***at***〕 ***the ~*** 《口》 욱하다. ***up to the ~*** 《美口》 극단으로; 철저히. — *vt.* ① (…에) 손으로 다루다, 조종하다, 손대다. ② 처리하다, 논하다. ③ 대우하다; (군대를) 지휘하다. ④ 장사하다. **hán·dler** *n.* Ⓒ 취급하는 사람; 〖拳〗 트레이너, 매니저, 세컨드.

hándle·bàr *n.* (자전거의) 핸들; 팔자(八字) 수염.

hand·ling [hǽndliŋ] *n.* Ⓤ 손에 대기〔잡기〕; 취급, 조종, 운용; 수법.

hánd·máde *a.* (기계가 아닌) 손으로 만든.

hánd·màid(en) *n.* Ⓒ 시녀; 하녀.

hánd-me-dòwn *a., n.* 《美》 만들어 놓은, 기성의; Ⓒ 기성복.

hánd·òut *n.* Ⓒ 《美俗》 거지에게 주는 음식〔돈·의류〕; (신문사에 돌리는) 공식 성명(서); 유인물.

hánd-pícked *a.* 정선(精選)된; (과일 따위) 손으로 딴.

hánd·ràil *n.* Ⓒ 난간.

hánd·sàw *n.* Ⓒ (한 손으로 켜는) 작은 톱. 「화기.

hánd·sèt *n.* Ⓒ (탁상 전화의) 송수

·hánd·shàke *n.* Ⓒ 악수. **-shàk·ing** *n.* Ⓤ 〖컴〗 주고받기.

hánds-óff *a.* 무간섭(주의)의.

hánds-ón *a.* 실제로 참가하는; 실제적인; 수동의.

:hand·some [hǽnsəm] *a.* ① (남자가) 단정하게 잘 생긴. ② (선물 따위) 활수(滑手)한; 상당한.

hánd·stànd *n.* Ⓒ 물구나무서기.

:hand·writ·ing [ˊràitiŋ] *n.* ① Ⓤ 육필(肉筆). ② Ⓤ,Ⓒ 필적. ③ Ⓒ 필사본. ***the ~ on the wall*** 흉조(兇兆).

:hand·y [hǽndi] *a.* ① 가까이 있는, 알맞은, 편리한. ② 솜씨좋은. COME ***in ~.***

hándy·màn *n.* Ⓒ 허드렛일꾼; 잔재주 있는 사람; 선원.

†hang [hæŋ] *vt., vi.* (**hung, ~ed**) ① 걸(리)다, 매달(리)다; 늘어뜨리다, 늘어지다. ② (벽지를) 벽에 바르다. ③ 교살(絞殺)하다(*Be ~ed!, H-it!, H- you!* 뒈질 놈아, 제기랄!), 목을 매달아 죽다. ~ ***about*** 어슬렁거리다; 붙어다니다. ~ ***back*** 주춤거리다. ~ ***fire*** (총이) 즉시 발사되지 않다; (일이) 시간이 걸리다. ~ ***in***

the balance 결정하지〔되지〕 않다. ~ ***on*** 〔***upon***〕 …에 달라붙다, 붙잡고 늘어지다; …나름이다; 속행하다, 인내하다; 미결이다; (병이) 낫지 않다. ~ ***oneself*** 목매어 죽다. ~ ***onto*** 〔***on to***〕 …을 움켜잡다, …에 매달리다; 계속 보관하다. ~ ***out*** 몸을 내밀다; 《俗》 거주하다; (기 따위를) 내걸다; 《俗》 드나들다. ~ ***over*** 위에 쑥 나오다〔걸리다〕; 닥쳐 오다. ~ ***together*** 협력〔단결〕하다; 조리가 서다. ~ ***up*** 걸다, 매달다; 중지하다; 지체시키다, 연기하다; 전화를 끊다; 《俗》 전당 잡히다. — ***n.*** Ⓤ (보통 the ~) ① 걸림새, 늘어진 모양. ② 《口》 사용법, 방식, 요령; 취지(idea). ③ 《口》 조금(도)(*I don't care a* ~.). ˚**∠·er** ***n.*** Ⓒ 거는 〔매다는〕 사람〔것〕, 옷걸이; 갈고리, 매단 광고; 단검《혁대에 차는》; = HANGMAN.

hang·ar[hǽŋər] ***n.*** Ⓒ 격납고, 곳집.

háng·dòg ***a.***, ***n.*** Ⓒ 비굴〔비열〕한 (사내).

hánger-ón ***n.*** (***pl.*** **-ers-on**) Ⓒ 식객, 추종자; 엽관 운동자.

háng glìder 행글라이더.

˚**hang·ing**[∠iŋ] ***n.*** ① Ⓤ,Ⓒ 교살, 교수형. ② (***pl.***) 걸린 것, 커튼. ③ Ⓒ,Ⓤ 내리막, 급경사. — ***a.*** ① 교수형에 처할. ② 매달린. ③ 급경사의. ④ 임박한.

hang·man[∠mən] ***n.*** Ⓒ 교수형 집행인.

háng·nàil ***n.*** Ⓒ 손거스러미.

háng·òut ***n.*** Ⓒ 《美口》 (주로 악한의) 소굴.

háng·òver ***n.*** Ⓒ 《美口》 잔존물; 유물, 남은 영향, 유습; 《美俗》 숙취(宿醉); (약의) 부작용.

háng-ùp ***n.*** Ⓒ 《口》 ① 정신적 장애, 고민. ② 【컴】 단절.

hank[hæŋk] ***n.*** Ⓒ (실) 한 다발, 타래.

han·ker[hǽŋkər] ***vi.*** 갈망〔동경〕하다(*for, after*).

han·kie, -ky[hǽŋki] ***n.*** Ⓒ 《口》 손수건(handkerchief).

han·ky-pan·ky[hǽŋkipǽŋki] ***n.*** Ⓤ 《英口》 협잡, 사기; 요술; Ⓒ 《美》 객쩍은 이야기〔것〕.

Han·sard[hǽnsərd] ***n.*** Ⓒ 영국 국회 의사록.

hán·som (**cáb**)[hǽnsəm-] ***n.*** Ⓒ (2인승의) 말 한 필이 끄는 2륜 마차.

hap·haz·ard[hæ̀phǽzərd/∠∠–] ***n.*** Ⓤ 우연(한 일). ***at*** 〔***by***〕 ~ 우연히; 아무렇게나. — ***a.***, ***ad.*** 우연의〔히〕; 되는대로(의).

†**hap·pen**[hǽpən] ***vi.*** ① 일어나다, 생기다. ② 우연히〔공교롭게도〕 …하다(*to* do, *that*). ***as it*** ~***s*** 우연히(도). ~ ***on*** 우연히〔뜻밖에〕 …을 만나다〔발견하다〕. ˚~**·ing** ***n.*** Ⓒ 우발사(偶發事), 사건; 《美俗》 해프닝《즉흥적인 행위나 행사》.

†**hap·pi·ness**[hǽpinis] ***n.*** Ⓤ ① 행복; 행운. ② 유쾌. ③ 교묘, (용어의) 적절.

†**hap·py**[hǽpi] ***a.*** ① 행복한, 행운의. ② 즐거운, 유쾌한. ③ (용어가) 적절한, 교묘한. **:-pi·ly** ***ad.***

hàppy-gó-lùcky ***a.*** 낙천적인, 태평스러운; 되는 대로의.

ha·rangue[hərǽŋ] ***n.***, ***vt.***, ***vi.*** Ⓒ (장황한) 열변(을 토하다), 장광설(을 늘어놓다).

˚**har·ass**[hǽrəs, hərǽs] ***vt.*** 괴롭히다.

har·bin·ger[há:rbindʒər] ***n.***, ***vi.*** Ⓒ 예고(하다); 선구자(forerunner).

:**har·bor,** 《英》 **-bour**[há:rbər] ***n.*** Ⓒ,Ⓤ ① 항구. ② 피난처, 은신처. — ***vt.*** ① 피난처를 제공하다, 숨기다. ② (원한·악의를) 품다. — ***vi.*** ① 숨다. ② 정박하다.

hárbo(u)r màster 항무관(港務官).

†**hard**[ha:rd] ***a.*** ① 딱딱한, 굳은, 단단한, 견고한. ② (…하기) 어려운. ③ (몸이) 튼튼한. ④ (시세가) 강세의. ⑤ 엄격한, 까다로운, 무정한(*on*). ⑥ 격렬한; 심한, 모진. ⑦ 고된, 괴로운. ⑧ (음식이) 조악한. ⑨ 부지런한, 근면한, 열심히 일하는. ⑩ 《美》 알코올 함유량이 많은. ⑪ 【化】 경질(硬質)의; (소리가) 새된, 금속성의. ⑫ 【音聲】 무성 자음의《k, t, p 따위》, 경음(硬音)의《gum의 [g]따위》. ⑬ 【理】 (X선의) 투과 능력이 큰. ~ ***and fast*** (규칙 따위) 엄중한; (배가) 좌초하여 움직이지 않는. ~ ***fact*** 엄연한 사실. ~ ***of hearing*** 귀

가 잘 안들리는. ***have a ~ time of it*** 몹시 혼나다〔고생하다〕. — *ad.* ① 굳게, 단단〔견고〕하게. ② 열심히; 격렬히, 몹시. ③ 간신히; 애써서. ④ 가까이. ⑤ 《美俗》 매우. ***be ~ at it*** 《俗》 매우 분주하다, 열심히 일하고 있다. ***be ~ put to it*** 곤경에 빠지다. ***go ~ with*** …을 혼나게 하다. ***~ by*** 바로 곁에. ***~ hit*** 심한 타격을 받고. ***~ on*** 〔***upon***〕 …에 바싹 다가서서. ***~ up*** (돈에) 궁하여; (…에) 곤란을 당하여(*for*). ***look ~ at*** 가만히 응시하다. — *n.* ① Ⓒ 《주로 英》 상륙〔양륙〕장. ② Ⓤ 《英俗》 징역; 중노동. ˙**∠·ness** *n.* Ⓤ 견고함; 굳기, 경도(硬度).

hárd·bàck *n.* Ⓒ 두꺼운 표지의 책.

hárd·bàll *n.* Ⓤ 경식 야구; Ⓒ (야구의) 경구(硬球).

hárd-bìtten *a.* 만만치 않은; 완고한; 산전수전 겪은.

hárd-bóiled *a.* (달걀 따위) 단단하게 삶은; 《口》 (소설 따위) 비정(非情)한, 감상적이 아닌; 현실적인; 완고한.

hárd cásh 〔**cúrrency**〕 경화(硬貨).

hárd cópy 〖컴〗 하드 카피.

hárd córe (단체·운동 등의) 핵심, 강경파.

hárd dísk 〖컴〗 하드 디스크.

hárd drúg 《美口》 습관성 마약.

hárd-éarned *a.* 고생하여 얻은〔번〕.

:hard·en[∠n] *vt., vi.* 굳어지다, 굳히다, 단단하게 하다〔되다〕, 경화(硬化)하다; 단련〔강화〕하다; 무정하게 하다〔되다〕.

hárd-fóught *a.* 격전(激戰)의 (결과 획득한).

hárd hát (공사장의) 안전모.

hárd-héaded *a.* (성질이) 냉정한, 실제적인, 완고한.

hárd-héarted *a.* 무정한.

hárd lábo(u)r (형벌로서의) 중노동.

hárd línes 강경 노선〔방침〕.

†hard·ly[∠li] *ad.* 거의 …않다, 간신히, 겨우, 아마 …아니다; 애써서, 고생하여; 엄하게, 가혹하게. ***~ ever*** 좀처럼 없다. ***~ … when*** 〔***before***〕 …하자마자, …하기가 무섭게.

hárd-préssed *a.* (일·돈에) 쫓기는; 곤경에 처한.

hárd séll 강압적인 판매 (방법)(cf. soft sell).

:hard·ship[∠ʃìp] *n.* Ⓤ,Ⓒ 고난, 고생; 학대.

hárd·tòp *n.* Ⓒ 덮개가 금속제이고 옆창에 중간 기둥이 없는 승용차.

:hard·ware[∠wὲər] *n.* Ⓤ ① 철물, 철기류. ② 《美俗》 무기류. ③ 〖컴〗 하드웨어《컴퓨터의 기계 설비》. ④ (우주 로켓·미사일 등의) 본체. **~·man**[-mən] *n.* Ⓒ 철물상(商).

hárd-wéaring *a.* (천 따위가) 오래가는, 질긴.

hárd·wòod *n.* Ⓤ 단단한 나무《떡갈나무·마호가니 등》.

˙hárd-wórking *a.* 근면한, 열심히 일〔공부〕하는.

:har·dy[há:rdi] *a.* ① 내구력이 있는, 고난〔학대〕에 견디는. ② 대담〔용감〕한; 무모한. ③ (식물 따위) 내한성(耐寒性)의. **-di·ly** *ad.* 고난을 견뎌; 대담하게; 뻔뻔스레. **-di·ness** *n.* Ⓤ 강장(強壯); 내구력; 대담; 철면피, 뻔뻔스럼.

:hare[hεər] *n.* Ⓒ 산토끼《rabbit보다 큼》. ***as mad as a March ~*** (교미기의 산토끼처럼) 미쳐 날뛰는. ***~ and hounds*** 산지(散紙) 술래잡기《토끼가 된 아이가 종이 조각(scents)을 뿌리며 달아나는 것을 사냥개가 된 아이가 쫓아 집에 닿기 전에 잡으면 이김》. ***~ and tortoise*** 토끼와 거북이(의 경주). ***run with the ~ and hunt with the hounds*** 어느 편에나 좋게 굴다.

háre·bèll *n.* Ⓒ 〖植〗 초롱꽃(류); = BLUEBELL.

háre·bráined *a.* 경솔한.

háre·lìp *n.* Ⓒ 언청이. **-lìpped** *a.* 언청이의.

har·em[hέərəm] *n.* Ⓒ (이슬람교국의) 도장방; 후궁(의 처첩들).

har·i·cot[hǽrikòu] *n.* (F.) Ⓤ 강낭콩이 든 양고기 스튜; = ∠ **bèan** 강낭콩.

˙hark[hɑ:rk] *vi.* 듣다; 경청하다《주로 명령문에》. ***Hark*** (***ye***)***!*** 들어 보아라! ***~ back*** 되돌아 오다〔가다〕.

har·le·quin[há:rlikwin, -kin] *n.* Ⓒ (*or* H-)(pantomime의)(가면)

H

어릿광대역(役); 어릿광대.

har·lot[hɑ́ːrlət] *n.* Ⓒ 매춘부. **~·ry** *n.* Ⓤ 매춘.

:harm[hɑːrm] *n., vt.* Ⓤ 해(치다); 손해(손상)(을 주다). ***come to ~*** 괴로움을 당하다; 된서리 맞다. ***do ~ to*** …을 해치다. ***out of ~'s way*** 안전(무사)하게. **:∠·ful** *a.* 해로운. **∠·ful·ly** *ad.* **∠·ful·ness** *n.* **:∠·less** *a.* 해없는; 악의 없는. **∠·less·ly** *ad.* **∠·less·ness** *n.*

har·mon·ic[hɑːrmánik/-ɔ́-] *n.* Ⓒ 〖樂〗 배음; (*pl.*) 〖無電〗 고조파(高調波). **—** *a.* 조화의(된); 화성(和聲)의. **~s** *n.* Ⓤ 〖樂〗 화성학.

har·mon·i·ca[hɑːrmánikə/-ɔ́-] *n.* Ⓒ 하모니카.

:har·mo·ni·ous[hɑːrmóuniəs] *a.* 가락이 맞는; 조화된, 균형잡힌; 화목한, 의좋은. **~·ly** *ad.*

har·mo·ni·um[hɑːrmóuniəm] *n.* Ⓒ 소형 오르간.

***har·mo·nize**[hɑ́ːrmənàiz] *vt., vi.* ① 조화(화합)시키다(되다). ② (선율에) 화음을 가하다.

:har·mo·ny[hɑ́ːrməni] *n.* Ⓤ 조화, 화합, 일치; Ⓤ,Ⓒ 〖樂〗 화성. **-nist** *n.* Ⓒ 화성 학자.

:har·ness[hɑ́ːrnis] *n.* Ⓤ,Ⓒ ① (마차말·짐말의) 마구(馬具). ② 《古》 갑옷. ③ (작업용의) 설비. ***in ~*** 나날의 일에 종사하여, 집무 중에. ***work in double ~*** 맞벌이하다. **—** *vt.* ① 마구를 채우다. ② (폭포 등 자연력을) 이용하다.

:harp[hɑːrp] *n.* ① Ⓒ 하프, 수금(竪琴). ② (H-) 〖天〗 거문고자리. **—** *vi.* ① 하프를 타다. ② (같은 이야기를) 몇번이고 되뇌다(*on, upon*). **∠·er, ∠·ist** *n.* Ⓒ 하프 연주자.

har·poon[hɑːrpúːn] *n., vt.* Ⓒ (고래잡이용) 작살(을 쳐(쏴)박다). **~·er** *n.*

harp·si·chord[hɑ́ːrpsikɔ̀ːrd] *n.* Ⓒ 하프시코드《16-18세기의 피아노 비슷한 악기》. **~·ist** *n.*

Har·py[hɑ́ːrpi] *n.* 〖그神〗 여자 얼굴에 새의 몸을 가진 괴물; Ⓒ (h-) 탐욕스런 사람.

har·ri·dan[hǽridən] *n.* Ⓒ 추악한 노파, 마귀 할멈.

har·ri·er[hǽriər] *n.* Ⓒ 해리어 개 《토끼 사냥용》; CROSS-COUNTRY race의 경주자; 〖鳥〗 개구리매; 약탈자; (H-) 해리어《영국이 개발한 V/STOL 공격기》.

har·row** *n.* Ⓒ 써레. ***under the ~ 괴로움(어려움)을 당하여. **—** *vt.* ① 써레질하다(*up*). ② 상하다; 괴롭히다. **~·ing** *a.* 마음아픈, 비참한.

***har·ry**[hǽri] *vt.* ① 침략(유린)하다, 약탈(노략)하다. ② 괴롭히다.

:harsh[hɑːrʃ] *a.* ① 거친, 껄껄한. ② 귀에 거슬리는. ③ (빛깔이) 야한. ④ 엄한, 호된, 가혹한. ***∠·ly** *ad.* **∠·ness** *n.*

hart[hɑːrt] *n.* Ⓒ (다섯 살 이상의) 고라니의 수컷.

:har·vest[hɑ́ːrvist] (cf. G. *Herbst* =autumn) *n.* ① Ⓒ,Ⓤ 수확, 추수. ② Ⓤ,Ⓒ 수확기. ③ Ⓒ 결과, 보수, 소득. **—** *vt., vi.* 거두어 들이다, 수확(추수)하다. **~·er** *n.* Ⓒ 수확자(기(機)). **~·ing** *n.* Ⓤ,Ⓒ 거두어 들임, 추수. **~·man**[-mən] *n.* Ⓒ 거두어들이는 사람; 긴발장님거미.

hárvest móon 추분경의 만월.

†has[強 hæz, 弱 həz, əz] *v.* have의 3인칭·단수·직설법 현재.

hás-bèen *n.* Ⓒ 《口》 (인기·영향력이 없어진) 과거의 사람; 시대에 뒤진 사람(것); (*pl.*) 《美俗》 옛날.

hash[hæʃ] *n.* Ⓤ 해시(잘게 썬) 고기 요리; 《美口》 식사; Ⓤ,Ⓒ 주워 모은 것; 고쳐 만듦; 〖컴〗 해시. ***make a ~ of*** 《口》 …을 망쳐놓다, …을 요절내다. ***settle a person's ~*** 《口》 (아무를) 끽소리 못하게 하다, 윽박지르다. **—** *vt.* 잘게 썰다(*up*); 엉망으로 만들다.

hash·ish, hash·eesh[hǽʃiːʃ] *n.* Ⓤ 인도 대마(大麻)의 말린 잎(따위) 《마취약용》.

†has·n't[hǽznt] has not의 단축.

hasp[hæsp/-ɑː-] *n.* Ⓒ 걸쇠, 고리(쇠); 실타래; 방추(紡錘).

has·sle[hǽsl] *n.* Ⓒ 《美口》 난투, 싸움.

has·sock[hǽsək] *n.* Ⓒ (무릎 꿇고 예배하기 위한) 무릎 방석; 풀숲.

:haste[heist] *n.* Ⓤ 서두름, 급속; 성급. ***H- makes waste.*** 《격언》 서

둘면 일을 그르친다. ***make* ~** 서두르다. ***More* ~, *less speed.*** 《격언》 급할수록 천천히. — ***vi.*** 《雅》 서두르다. — ***vt.*** 《雅》 재촉하다; 서두르게 하다.

:has·ten [héisn] ***vt., vi.*** 서두르[게 하]다, 재촉하다.

:hast·y [héisti] ***a.*** 급한; 성급한; 경솔한. **~ *conclusion*** 속단, 지레짐작. **:hast·i·ly** ***ad.*** **-i·ness** ***n.***

†hat [hæt] ***n., vt.*** (**-tt-**) Ⓒ (테가 있는) 모자(를 씌우다). ***hang up one's* ~** 오래 머무르다, 푹 쉬다; 은퇴하다. **~ *in hand*** 공손히. ***lift one's* ~** 모자를 좀 들어 인사하다. ***My* ~!** 《俗》 어마!; 저런! ***send* [*pass*] *round the* ~** (모자를 회중에게 돌려) 헌금을[기부를] 모으다. ***talk through one's* ~** 《口》 큰[흰] 소리치다.

hát·bànd ***n.*** Ⓒ 모자(에 두른) 리본.

:hatch[1] [hætʃ] ***vt.*** ① (알을) 까다. ② (음모를) 꾸미다(~ *a plot*). — ***vi.*** ① (알이) 깨다. ② (음모가) 꾸며지다. — ***n.*** Ⓒ 부화, 한 배(의 병아리); 한 배 새끼. ***~es, catches, matches and dispatches*** (신문의) 출생·약혼·결혼·사망란. **∠·er·y** ***n.*** Ⓒ (물고기·새의) 부화장.

:hatch[2] ***n.*** Ⓒ ① 〖海〗 (배의) 승강구, 창구(艙口) (뚜껑), 해치. ② (내리닫이의) 아래짝 문. ③ 수문. ***Down the* ~!** 《口》 건배! ***under* ~*es*** 갑판 밑에; 비번이어서; 영락하여; 매장되어, 죽어.

hátch·bàck ***n.*** Ⓒ 해치백《뒷부분에 위로 열리는 문이 있는 차; 그 부분》.

·hatch·et [hǽtʃit] ***n.*** Ⓒ 자귀. ***bury the* ~** 휴전하다, 화해하다. ***dig* [*take*] *the* ~** 싸움을 시작하다.

hátchet fàce 마르고 뾰족한 얼굴.

hátchet jòb 중상(中傷), 욕.

hátchet màn 《口》 살인 청부업자; 두목의 심복(cf. henchman); 비평가, 독설 기자.

hátch·wày ***n.*** Ⓒ 〖海〗 창구(艙口).

:hate [heit] ***vt.*** ① 미워하다, 몹시 싫어하다. ② (가벼운 뜻으로) 좋아하지 않다, 유감으로 생각하다. **~ *out*** 《美》 (미워서) 내쫓다, 따돌리다. ***I* ~ *to trouble you.*** 수고를[번거로움을] 끼쳐서 죄송합니다. — ***n.*** Ⓤ,Ⓒ 증오(의 대상). **:∠·ful** ***a.*** 가증한, 싫은. **∠·ful·ly** ***ad.***

:ha·tred [héitrid] ***n.*** Ⓤ 증오, 혐오.

hat·ter [hǽtər] ***n.*** Ⓒ 모자상(商).

:haugh·ty [hɔ́:ti] ***a.*** 오만한, 거만한. **·-ti·ly** ***ad.*** **-ti·ness** ***n.***

:haul [hɔ:l] ***vt.*** 잡아 끌다, 잡아[끌어] 당기다; 운반하다. — ***vi.*** ① 잡아당기다(*at, upon*). ② (배가 바람 불어오는 쪽으로) 침로를 바꾸다. **~ *down one's flag*** 항복하다. **~ *off*** 침로를 바꾸다; 물러서다; 《美口》 (때리려고) 팔을 뒤로 빼다. **~ *up*** 이물을 바람 불어 오는 쪽으로 돌리다. — ***n.*** Ⓒ ① 세게 당기기. ② 운반(물·거리). ③ (물고기의) 한 그물; 《口》 잡은 [번] 것. ***make a fine* ~** 풍어(豊漁)다. **~·age** [∠idʒ] ***n.*** Ⓤ haul하기; 견인(牽引)(력·량); 운임.

haunch [hɔ:ntʃ] ***n.*** Ⓒ 엉덩이(hip); (사슴·양 따위의) 다리와 허리의 고기.

:haunt [hɔ:nt] ***vt., vi.*** ① 자주 가다 [다니다]. ② (유령이) 나오다, 출몰하다. ③ 마음에 붙어 다니다. — ***n.*** Ⓒ 자주 가는[모이는] 장소, 소굴.

háunt·ed [-id] ***a.*** 도깨비가[유령이] 출몰하는; 고뇌에 시달린.

haute cou·ture [òut ku:túər] ***n.*** (F.) 고급 복식(점); 최신 유행복(점).

hau·teur [houtə́:r] ***n.*** (F.) Ⓤ 오만.

†have [hæv, 弱 həv, əv] ***vt.*** (p. & pp. ***had;*** 부록의 동사 변화표 참조) ① 가지다, 소유하다. ② 취하다, 얻다, 받다. ③ 마음속에 먹다, 품다(~ *a hope*). ④ 먹다, 마시다. ⑤ (자식을) 낳다, 얻다. ⑥ 하다, 경험하다(~ *a talk with her*). ⑦ 용납하다, 참다(*He won't* ~ *anyone whispering while giving a lecture.* 강의중에는 사담(私談)을 용서치 않는다). ⑧ 《부정사 또는 과거분사와 함께》 …시키다, 하게 하다, …당하다(*I had him do it.* 그에게 그것을 시켰다 / *I had my hair cut* [*pocket picked*]. 머리를 깎았다[지갑을 소매치기 당했다]). ⑨ 알고 있다, 알다(*He has no English.*). ⑩ 주장하다, …이라고 하다(*The rumor*

H

has it that ... …이라는 소문이다). ⑪ …이라는 용례(用例)가 있다(*Shakespeare has 'shoon' for 'shoes'.*). ⑫ 《俗》 속이다(*You've been had.* 자넨 속아 넘어 갔단 말야). ⑬ 《口》 이기다, 낫다(*You ~ him there.* 그 점은 네가 낫다). **be had up** 고소 당하다. **~ and hold** 〖法〗 보유하다. **~ at** 덤벼들다, 공격하다. **H- done!** ⇨DO[1]. **~ got** ⇨GET. **~ had it** 《口》 이제 틀렸다, 끝장이다《문맥에 따라 '죽다·지다·실패하다·지쳤다·질리다' 등의 나쁜 뜻을 나타냄》. **~ got to...** ⇨GET. **~** (*a person*) **in** 《口》 (아무를) 맞아들이다. **~ it** 이기다, 지우다; 《口》 꾸중 듣다; 《俗》 죽이다. **~ it in for** 《口》 …을 원망하다; …을 벼르다. **~ it on** 《美口》 …보다 낫다[우세하다]. **~ it out** 《口》 (논쟁·결투의) 결말을 맺다[짓다] (*with*); (이를) 뽑게 하다. **H- it your own way!** 마음대로 해라. **~ not to** ＝NEED not. **~ nothing on** (*a person*) 《美》 (아무) 보다 나은 것이 없다; 약속이 없다. **~ on** 입고[신고, 쓰고] 있다; 《英口》 골탕먹이다, 속이다. **~ one's eye on** …에 주의[주시]하다. **~** ONLY **to** (do). **~ to** [(자음 앞) hǽftə: (모음 앞) -tu, -tə] ＝MUST. **~ to do with** …와 관계가 있다. **~** (*a thing*) **to oneself** 독점하다. **~** (*a person*) **up** (아무를) 고소하다; 자극하다.

— *aux. v.* 《p.p.를 수반하여 (현재·과거·미래) 완료형을 만듦》.

— [hæv] *n.* ① (*pl.* 보통 the ~) 《口》 유산자(有産者); (부(富)·자원·핵무기를) 가진 나라(*the ~s and ~-nots* 가진 자와 못 가진 자). ② Ⓒ 《英俗》 사기.

ha·ven[héivən] *n.* Ⓒ 항구; 피난처 (refuge).

háve-nòt *n.* Ⓒ (보통 *pl.*) 《口》 무산자, (부(富)·자원·핵무기를) 갖지 못한 나라. 「축.

†**have·n't**[hǽvənt] have not의 단

hav·er·sack[hǽvərsæ̀k] *n.* Ⓒ (군인·여행자의) 잡낭.

***hav·oc**[hǽvək] *n.* Ⓤ 파괴, 황폐. **make ~ of,** or **play** [**work**] **~ with** [**among**] …을 크게 망쳐 놓다[파괴시키다].

haw[1][hɔː] *n.* Ⓒ 〖植〗 산사나무(hawthorn) (의 열매).

haw[2] *int., vi.* 에에, 저어(하다)《더듬을 때》; 저라(하다)《말·소를 왼쪽으로 돌릴 때》.

:hawk[1][hɔːk] *n.* Ⓒ ① 매. ② 탐욕한 사람. ③ 매파(派), 강경론자《국제관계에 대하여》. — *vi., vt.* 매를 부리다; 매사냥을 하다. **∠·er**[1] *n.* Ⓒ 매사냥꾼, 매부리.

hawk[2] *vt., vi.* 돌아다니며[외치며] 팔다; (뉴스를) 알리며 다니다. **∠·er**[2] *n.* Ⓒ 행상인.

háwk-èyed *a.* 눈이 날카로운, 방심 않는.

hawse[hɔːz] *n.* Ⓤ,Ⓒ (이물의) 닻줄 구멍이 있는 부근; ＝**∠·hòle** 닻줄 구멍. **háw·ser**[∠ər] *n.* Ⓒ 닻줄, 굵은 밧줄.

:haw·thorn[hɔ́ːθɔ̀ːrn] *n.* Ⓒ 〖植〗 산사 나무.

:hay[hei] *n.* Ⓤ 건초, 마초. **Make ~ while the sun shines.** 《속담》 좋은 기회를 놓치지 마라. **make ~ of** …을 뒤죽박죽 해 놓다. — *vt., vi.* 건초를 만들다[주다].

háy fèver 건초열《꽃가루에 의한 코·목 따위의 알레르기성 질환》.

háy·màking *n.* Ⓤ 건초 만들기.

háy·stàck *n.* Ⓒ (커다란) 건초더미.

háy·wìre *n., a.* Ⓤ 건초 다발을 동여매는 철사; 《口》 뒤엉킨, 난장판의, 혼란된, 미친.

***haz·ard**[hǽzərd] *n.* ① Ⓒ 위험, 모험. ② Ⓤ 우연, 운. ③ Ⓤ 주사위 놀이의 일종. **at all ~s** 만난을 무릅쓰고, 무슨 일이 있어도 꼭. **at ~** 운에 맡기고, 아무렇게나. — *vt.* ① 위태롭게 하다, 걸다. ② (운을 하늘에 맡기고) 해보다.

haz·ard·ous[-əs] *a.* 위험한, 모험적인; 운에 맡기는. **~·ly** *ad.*

***haze**[1][heiz] *n.* ① Ⓤ 아지랑이, 이내, 안개. ② (a ~) 흐림, 탁함; (정신의) 몽롱(상태).

haze[2] *vi.* (선원을) 혹사하다; 《美》 (신입생을) 못살게 굴다, 곯리다.

***ha·zel**[héizəl] *n., a.* Ⓒ 개암(나무); Ⓤ 담갈색(의).

H

házel·nùt *n.* Ⓒ 개암.

˙**ha·zy**[héizi] *a.* 안개 낀, 안개 짙은; 흐릿한, 몽롱한. **há·zi·ly** *ad.* **há·zi·ness** *n.*

Ḣ-bòmb *n.* Ⓒ 수소 폭탄.

†**he**[強 hiː, 弱 *hi*, iː] *pron.* (*pl.* ***they***) 그(는, 가); 사람, 자(者)(anyone)(*He who talks much errs much.* 《속담》 말이 헤프면 실언(失言)도 많은 법). ― *n.* Ⓒ 남자, 수컷.

H.E. His 〔Her〕 Excellency.

˙**head**[hed] *n.* Ⓒ ① 머리, 대가리. ② 두뇌, 지력. ③ 우두머리, 장(長), 주인; 장관; 교장. ④ 한 사람, 한 마리. ⑤ (*sing.*) (the ~) 정상부, 윗 부분. ⑥ (못·쇠망치 따위의) 대가리; (통의) 뚜껑; (북의) 가죽. ⑦ (맥주 등의 표면에 뜨는) 거품. ⑧ 선두, 수석; 상석(上席)(자)(cf. foot). ⑨ 이물; 곶. ⑩ 머리털; (보리 따위의) 이삭. ⑪ (*sing.*)(the ~) (강물의) 원천, 수원; (호수의) 물목《강물이 흘러 들어오는 곳》; 낙차(落差). ⑫ (종기의 터질 듯한) 뾰두라지. ⑬ 절정, 극점. ⑭ 위기, 결말. ⑮ (보통 *pl.*) (화폐의) 앞면(opp. tail[2]). ⑯ (신문의) 표제, 항목, 제목. ⑰ 《口》 (숙취의) 두통. ⑱ 《俗》 입. ***by the ~ and ears,*** or ***by ~ and shoulders*** 억지로. ***come*** 〔***draw, be brought***〕 ***to a ~*** (부스럼이) 곪다; (사건이) 위기에 직면하다. ***give a horse*** 〔*a person*〕 ***his ~*** 말의 고삐를 늦추어서 머리를 자유롭게 하다〔아무의 행동의 자유를 주다〕. ***go to one's ~*** 취기가 돌다, 현기증나게〔우쭐대게〕 하다. ***~ and shoulders*** 출중하여. ***~ first*** 〔***foremost***〕 곤두박이〔거꾸〕로; 무모하게. ***~ over heels*** 곤두박질쳐(*turn ~ over heels* 공중제비 하다); 허둥지둥; 완전히 깊이 빠져. ***in over*** 〔***above***〕 ***one's ~*** 《美俗》 어찌할 수 없이. ***keep one's ~*** 침착하다. ***keep one's ~ above water*** 물에 빠지지 않고 있다; 빚지지 않고 있다. ***lay ~s together*** 상의〔의논〕하다. ***lose one's ~*** 목 잘리다; 당황하다, …에 정신없다, 골몰〔열중〕하다. ***make neither ~ nor tail of ...*** (…의 정체를) 전혀 알 수 없다. ***off*** 〔***out of***〕 ***one's ~*** 《口》 정신이 돌아. ***old ~ on young shoulders*** (젊은) 나이에 어울리지 않는 지혜〔분별〕. ***on*** 〔***upon***〕 ***one's ~*** 물구나무서서; 책임이 있어. ***over one's ~*** 너무 어려운, 모르는; …을 앞질러; …에게 상의없이. ***over ~ and ears*** 쑥 빠져, 반하여; (빚으로) 옴쭉달싹 못하게 되어. ***put*** (*a thing*) ***into*** 〔***out of***〕 *a person's* ***~*** (아무에게) 생각나게〔잊게〕 하다. ***show one's ~*** 나타나다. ***talk*** *a person's* ***~ off*** 긴 이야기로 지루하게 하다. ***turn*** *a person's* ***~*** 흥분시키다, 현기증 나게 하다, 우쭐하게 하다. ― *vt.* ① (…을) 거느리다, (…의) 선두에 서다. ② 방해하다. ③ (…에) 머리를 붙이다〔향하다〕. ― *vi.* ① 향하다, 진행하다(*for*). ② 발생하다. ③ (양배추가) 결구(結球)하다. ④ (여드름이) 톡톡 비어지다. **~ *back*** 〔***off***〕 …의 앞으로 돌다, 가로막다, (싸움 따위를) 말리다.

:**head·ache**[hédèik] *n.* Ⓒ 두통; 《美口》 두통〔골칫〕거리. 「띠.

héad·bànd *n.* Ⓒ 헤어밴드, 머리

héad·chèese *n.* Ⓤ,Ⓒ 돼지 머리나 족을 잘게 썰어 삶은 치즈 모양의 식품, 돼지 족편.

héad cóunt 《口》 여론〔국세〕 조사.

héad·drèss *n.* Ⓒ 머리 장식, 쓰개.

héad·er *n.* Ⓒ 머리〔끝〕을 잘라내는 사람〔기계〕, 이삭 베는 기계; 《口》 (수영의) 거꾸로 뛰어들기, 다이빙; 우두머리, 수령; 〖컴〗 헤더, 머리말《각 데이터의 머리 표제 정보》.

héad·gèar *n.* Ⓤ 모자, 머리 장식.

héad·hùnt *n., vt., vi.* Ⓤ 《美俗》 간부 스카우트(를 하다).

˙**head·ing**[ˊiŋ] *n.* ① Ⓒ 제목, 표제; 연제(演題). ② 〖鑛〗 수평갱. ③ Ⓤ,Ⓒ 〖蹴〗 헤딩. ④ Ⓤ,Ⓒ (초목의) 순치기. ⑤ 〖空·海〗 비행〔항행〕방향. ⑥ = HEADER.

héad·lànd *n.* Ⓒ 곶, 갑(岬).

héad·less *a.* 머리 없는; 지도자 없는; 어리석은.

˙**héad·light** *n.* Ⓒ 헤드라이트.

˙**head·line**[ˊlàin] *n., vt.* Ⓒ (신문의) 표제(를 붙이다); (*pl.*) 〖放〗 (뉴스의) 주요한 제목.

H

:**head·long**[ˊlɔ̀:ŋ/-lɔ̀ŋ] *ad., a.* ① 거꾸로(의); 곧바로; 성급한. ② 무모하게[한].
héad·màn *n.* Ⓒ 수령; 직공장(長).
˙**héad·máster** *n.* (*fem.* **-mistress**) Ⓒ 《英》 (초등 학교·중학교) 교장; 《美》 (사립학교) 교장.
héad-ón *a.* 정면의. 「폰.
héad·phòne *n.* Ⓒ (보통 *pl.*) 헤드
:**head·quar·ters** [ˊkwɔ̀:rtərz, ˊˊ-] *n. pl.* 《종종 단수 취급》 본부, 사령부; 본사.
héad·sèt *n.* = HEADPHONE.
héad·shìp *n.* Ⓒ 수령[지도자]의 지위[권위].
héad·stòne *n.* Ⓒ (무덤의) 주석(主石), 묘석; 〖建〗 초석(礎石), (토대의) 귀돌.
héad·stròng *a.* 완고한.
héad·wàters *n. pl.* (강의) 원류(源流), 상류.
héad·wày *n.* Ⓤ 전진; 진척, 배의 속도; (아치·터널 따위의) 천정 높이.
héad·wìnd *n.* Ⓒ 〖海·空〗 맞바람.
head·y[ˊi] *a.* 무모한, 성급한; 머리에 오르는《술》; 분별있는, 기민한.
:**heal**[hi:l] *vt.* (병·상처를) 낫게 하다. 고치다. — *vi.* 낫다, 회복되다. ~ ***over*** [***up***] (상처가) 아물다, 낫다. **ˊ·er** *n.* Ⓒ 치료하는 사람, 약.

†**health**[helθ] *n.* ① Ⓤ 건강; (정신의) 건전; 건강 상태(*in good* [*poor*] ~). ② Ⓤ,Ⓒ 건강을 축복하는 축배. ~ RESORT. ˙**ˊ·ful** *a.* 건강에 좋은; 건강[건전]한. **ˊ·ful·ness** *n.*
héalth cèntre 《英》 보건소.
héalth fòod 건강 식품.
héalth sèrvice (국민) 건강 보험.
héalth vìsitor 《英》 (노인·환자를 정기적으로 회진하는) 보건관[원].
:**health·y**[hélθi] *a.* ① 건강한, 건전한. ② 건강에 좋은. **héalth·i·ly** *ad.* **héalth·i·ness** *n.*
:**heap**[hi:p] *n.* Ⓒ ① 더미, 퇴적, 쌓아 올린 것. ② (*pl.*) 《俗》 《부사적》 많이, 퍽(*This is ~s better.*). ***all of a*** ~ 《口》 깜짝 놀라; 느닷없이. ***be struck all of a*** ~ 《口》 압도되다, 기가 푹 꺾이다. — *vt.* 쌓다, 쌓아 올리다(*up, together*).
:**hear**[hiər] *vt.* (**heard**) ① 듣다; …이 들리다, (…을) 듣다. ② 들어 알다. ③ 방청하다; 청취하다. ④ 들어주다. ⑤ 재판[심문]하다. — *vi.* ① 들리다. ② 소문으로 듣다, …에 관해 들어 알고 있다(*of, about; that*). ③ 《美口》 승낙하다(*of*)《보통 부정구문》(*He will not ~ of it.* 듣지 않을 걸). ~ ***from*** …한테서 소식이 있다. ***H-! H-!*** 옳소!; 찬성! ~ ***a person out*** 끝까지 듣다. ~ ***tell*** [***say***] ***of*** 《口》 …의 소문을 듣다. ~ ***the grass grow*** 귀신같이 육감이 빠르다. ***I*** ~ (***that …***) …이라는 이야기다. ***You will ~ of this.*** 이 일에 관해서 어느 때건 말이 있을 것이다 [혼날 줄 알아라]. ˙**ˊ·er** *n.* :**ˊ·ing** [hí(:)riŋ/híər-] *n.* Ⓤ 청취; 청력(*be hard of ~ing* 귀가 먹었다); Ⓤ 가청(可聽)거리(*in* [*out of*] *their ~ing.* 그들이 들을 수 있는[못 듣는] 곳에서); Ⓒ 심문(審問), 공청회; Ⓤ,Ⓒ 들어줌(*Give us a fair ~ing.* 이쪽 말도 좀 들어 주기 바란다).
héaring àid 보청기(補聽器).
heark·en[há:rkən] *vi.* 귀를 기울이다, 경청하다(*to*).
héar·sày *n.* Ⓤ 소문.
hearse[həːrs] *n.* Ⓒ 영구차; 《古》 관가(棺架), 무덤; 〖가톨릭〗 대형 촉대.
†**heart**[hɑ:rt] *n.* ① Ⓒ 심장. ② Ⓒ 가슴(속), 마음(cf. mind). ③ Ⓤ 마음속, 본심. ④ Ⓤ 애정. ⑤ Ⓤ 용기, 기력, 원기. ⑥ Ⓒ 《좋은 뜻의 형용사와 함께》 사람(*my sweet ~* 애인/*a brave ~* 용사). ⑦ Ⓒ (the ~) 중심, 중앙; 핵심, 진수; 급소. ⑧ Ⓒ (카드의) 하트; (*pl.*) 카드놀이의 일종 《하트 패가 적은 사람이 이김》. ***after one's*** (***own***) ~ 마음에 드는[맞는]. ***at*** ~ 내심은. ***be of good*** ~ 건강하다. ***break a person's*** ~ 아무를 극도로 슬프게 하다. ***cross one's*** ~ 성호를 긋다, 진실을 맹세하다. EAT ***one's ~ out. find it in one's ~ to*** (do)… …할 마음이 나다, …하고자 하다. ***give one's ~ to*** …을 사랑하다. ***go to one's*** ~ 가슴을 찌르다. ***have*** (***a thing***) ***at*** ~ 깊이 마음 속에 두다. ***have one's ~ in one's mouth*** 간이 콩알만 해지다. ***have one's ~ in***

the right place 악의가 없다. ***H- alive!*** 어렵쇼!; 쳇! ***~ and soul*** 열심히, 몸과 마음을 다하여; 아주. ***~ of oak*** 용기; 용감한 사람. ***~'s blood*** 생피; 생명. ***in one's ~ (of ~s)*** 마음 속으로는, 본심은. ***lay (a thing) to ~*** 마음에 (새겨)두다, …을 깊이 생각하다. ***learn (say) by ~*** 암기하다, 외다. ***lose ~*** 낙담하다. ***lose one's ~ to (over)*** …에 마음을 빼기다, 사랑하다. ***near one's ~*** 그리운, 소중한. ***out of ~*** 기운없이; (땅이) 메말라서. ***set one's ~ on*** …에 희망을 걸다. ***take ~*** 용기를 내다. ***take (a thing) to ~*** 걱정하다; 슬퍼하다. ***wear one's ~ on one's sleeve*** 감정을 노골적으로 나타내다. ***with all one's ~,*** or ***with one's whole ~*** 진심으로 기뻐하여. ***with half a ~*** 마지 못해.

héart·àche *n.* Ⓤ 마음 아픔, 비탄.

héart attàck =HEART FAILURE.

héart·bèat *n.* Ⓤ,Ⓒ 고동; 정서.

héart·brèak *n.* Ⓤ 애끊는 마음. **~er** *n.* **~ing** *a.*

héart·bròken *n.* Ⓤ 비탄에 젖은.

héart·bùrn *n.* Ⓤ 가슴앓이; =**~·ing** 질투, 시기.

heart·en[´-n] *vt.* 용기를 북돋우다, 격려하다(*up*).

héart fàilure 심장 마비; 죽음.

héart·fèlt *a.* 마음으로부터의.

:hearth[hɑːrθ] *n.* Ⓒ ① 노(爐), 난로, 노변(爐邊). ② 〖冶〗 화상(火床). ③ 가정.

héarth·rùg *n.* Ⓒ 벽난로 앞의 깔개.

:heart·i·ly[hɑ́ːrtili] *a.* 마음으로부터, 진심으로, 정중히; 열의를 갖고; 매우; 배불리.

héart·lànd *n.* Ⓒ 심장지대《경제적·군사적으로 자급 자족하며, 공격에 대해 안전한 중핵(中核) 지구》.

heart·less[´-lis] *a.* 무정한. **~·ly** *ad.* **~·ness** *n.*

héart-rènding *a.* 가슴이 터질 듯한; 비통한.

héart·strìngs *n. pl.* 심금, 깊은 감정〔애정〕.

héart·thròb *n.* Ⓒ (심장의) 고동; (*pl.*) 《俗》 정열, 감상(感傷); 《口》 애인, 멋진 사람.

héart-to-héart *a.* 숨김 없는, 솔직한, 흉금을 터놓는.

:heart·y[´-i] *a.* ① 마음으로부터의, 친절한; 열심인. ② 튼튼〔건강〕한. ③ 배부른. ④ 풍부한, 충분한. HALE ***and ~.*** ― *n.* Ⓒ 원기왕성한 사람; 친구. **héart·i·ness** *n.*

†heat[hiːt] *n.* ① Ⓤ 열, 더위, 열기; 〖理〗 열. ② Ⓤ 달아 오름, 상기(上氣). ③ Ⓤ 열심; 가열; 한창 …하는 중, 한창, 클라이맥스; 격렬, 격노, 흥분. ④ Ⓒ (1회의) 노력, 단숨, 단번, (경기의) 1회. ⑤ Ⓤ (짐승의) 발정(기). ⑥ (후추의) 매운 맛. ***at a ~*** 단숨에. ***final ~*** 결승. ***trial ~s*** 예선. ― *vt., vi.* ① 뜨겁게 하다, 뜨거워지다, 따뜻이 하다, 따뜻해지다. ② 격하게 하다, 격해지다.

heat·ed[´-id] *a.* 뜨거워진; 격한, 흥분한. **~·ly** *ad.*

·heat·er[´-ər] *n.* Ⓒ ① 난방 장치, 히터. ② 《美俗》 권총.

·heath[hiːθ] *n.* Ⓤ,Ⓒ 히스《황야에 저절로 나는 소관목》; 《英》 히스가 무성한 들. ***one's native ~*** 고향.

·hea·then[híːðən] *n.* Ⓒ ① 이교도《기독교도·유대교도·이슬람교도 이외》. ② 불신자; 미개인. ― *a.* 이교(도)의(pagan); 미개한. ***the ~*** 이교도. **~·dom** *n.* Ⓤ 이교의 신앙; Ⓤ,Ⓒ 《집합적》 이교국; 이교도. **~·ish** *a.* **~·ism** *n.* Ⓤ 이교.

·heath·er [héðər] *n.* Ⓤ 히스(heath) 속(屬)의 소관목.

héat·stròke *n.* Ⓤ 일사병; 열사병.

héat wàve 열파(熱波).

:heave[hiːv] *vt.* (**~*d*, *hove***) ① (무거운 것을) 들어 올리다. ② (닻 따위를) 들어서 던져 넣다. ③ (가슴을) 펴다, 부풀리다, (바람이 파도를) 높이다. ④ (한숨을) 쉬다. ― *vi.* ① 오르다, 들리다. ② 높아지다, 부풀다, 기복하다, 굽이치다. ③ 허덕이다. ④ 토하다. ⑤ 〖海〗 끌다, 감다 (*at*), (배가) 움직이다, 나아가다. ***H- ho!*** 영차(닻감아라)! ***~ in sight*** (배가) 보이기 시작하다. ***~ to*** (배를) 멈추다; 정선(停船)하다. ― *n.* Ⓒ ① (들어) 올림. ② 융기; (파도의) 기복, 굽이침. ③ 〖地〗 수평 전위.

H

④ (*pl.*) 《단수 취급》 (말의) 천식.

†**heav·en** [hévən] *n.* Ⓤ ① 천국. ② (H-) 하느님. ③ (the ~s) 상공, 하늘. ***by H-*** 맹세코. ***Good*** 〔***Gracious, Great***〕 ***~s!*** 뭐라고!; 가엾어라!; 저런!; (그것) 큰 일〔야단〕났군! ***go to ~*** 죽다. ***move ~ and earth*** 온갖 수단을 다하다. ***Thank H-!*** 고마워라! ***the seventh ~*** 제 7 천국, 최고천(最高天). **~·ward** *ad., a.* 천국〔하늘〕을 향해서(의). **~·wards** *ad.* = HEAVENWARD (*ad.*)

:**heav·en·ly** [-li] *a.* ① 하늘의. ② 천국 같은, 거룩한. ③ 천부의, 타고난. ④ 《俗》 근사한, 훌륭한. **-li·ness** *n.* Ⓒ 거룩함; 《俗》 근사〔훌륭〕함.

†**heav·y** [hévi] *a.* ① 무거운; 묵직한 (~ *silk*). ② 대량의; 다액의. ③ 격렬한, 도가 강한. ④ 심한, 고된, 모진. ⑤ 질척거리는, 찐득찐득한. ⑥ (음식이) 소화되지 않는, (음료가) 진한; (빵이) 부풀지 않는. ⑦ 굵은. ⑧ (동작 따위가) 느린, 둔한, 서투른; 단조로운. ⑨ (날씨가) 흐린, 음울한. ⑩ 느른한. ⑪ 슬픈; 모진, 괴로운. ⑫ (포성 따위가) 크게 울리는, 진동하는. ⑬ 〖軍〗 중장비의. ⑭ 중대한; 〖劇〗 장중한. ⑮ 임신한. ***lie*** 〔***sit, weigh***〕 ***~ on*** 〔***upon, at***〕 (***a person***) (아무를) 괴롭히다. ***time hangs ~*** (***on one's hands***) 시간이 남아 주체 못하다. — *n.* Ⓒ 무거운 사람〔물건〕; 〖劇〗 악인역(役). :**héav·i·ly** *a.* ·**héav·i·ness** *n.*

héavy-hánded *a.* 서투른; 압제적인; 비정한.

héavy-héarted *a.* 우울한, 슬픈.

héavy índustry 중공업.

héavy métal 중금속; 훌륭〔유력〕한 사람; 《俗》 강적.

héavy·wèight *n.* Ⓒ 보통보다 체중이 무거운 사람; 〖拳·레슬링〗 헤비급 선수; 《美口》 유력자, 중진.

He·bra·ic [hi:bréiik] *a.* 헤브라이 사람〔말·문화의〕의.

·**He·brew** [hí:bru:] *n., a.* ① Ⓒ 헤브라이〔유대〕사람(의). ② Ⓤ (고대의) 헤브라이말, (현대의) 이스라엘말; 이해 못할 말.

heck [hek] *n.* Ⓤ 《俗》 지옥(hell의 완곡한 말). ***a ~ of a ...*** 《口》 대단한. — *int.* 《口》 염병할, 빌어먹을.

heck·le [hékəl] *vt.* 괴롭히다; 질문 공세를 취하다.

·**hec·tare** [héktɛər] *n.* Ⓒ 헥타르(= 100아르 =1만 평방 미터).

hec·tic [héktik] *a.* 소모열의, (열이) 소모성인, (병적으로) 얼굴이 붉그레한; 몹시 흥분한, 열광적인. — *n.* Ⓒ 결핵 환자; Ⓤ 소모열, 홍조.

hec·to- [héktou, -tə] '백'의 뜻의 결합사.

hec·tor [héktər] *vt., vi., n.* Ⓒ 허세를 부리다〔부리는 사람〕, 약한 자를 괴롭히다, 그런 사람; (H-) Homer의 *Iliad*에 나오는 용사.

†**he'd** [hi:d, 弱 i:d, *h*id] he had 〔would〕의 단축.

:**hedge** [hedʒ] *n.* Ⓒ ① (산)울타리; 장벽. ② 양다리 걸치기, 기회보기. ***be on the ~*** 애매한 태도를 취하다. ***dead ~*** 마른 나무 울타리, 바자울. ***quickset ~*** 산울타리. — *vt.* ① (산)울타리로 두르다. ② (…에) 장벽을 만들다; 막다. ③ 방해하다. — *vi.* ① (산)울타리를 만들다. ② (내기에서) 양쪽에 걸다. ③ 확언을 피하다. ***~ in*** 둘러싸다, 속박하다 (***with***). ***~ off*** 가로막다, 방해하다.

·**hedge·hog** [hédʒhàg, -hɔ̀:g/-hɔ̀g] *n.* Ⓒ 고슴도치; 《美》 호저(豪猪); 성질내는 심술쟁이; 〖軍〗 견고한 요새.

·**hédge·ròw** *n.* Ⓒ (산울타리의) 관목의 줄.

he·don·ism [hí:dənìzəm] *n.* Ⓤ 〖倫〗 쾌락주의; 향락주의. **-ist** *n.* **he·do·nis·tic** [ㅡ–nístik] *a.*

:**heed** [hi:d] *n.* Ⓤ 조심, 주의. ***give*** 〔***pay***〕 ***~ to*** …에 주의하다. ***take ~ to*** 〔***of***〕 …에 조심하다. — *vt., vi.* (…에) 조심〔주의〕하다. ·**∠·ful** *a.* ·**∠·less** *a.* 부주의한, 경솔한.

hee-haw [hí:hɔ̀:/∠∠] *n.* (a ~) 나귀의 울음소리; 바보 웃음.

:**heel** [hi:l] *n.* Ⓒ ① 뒤꿈치; (말 따위의) 뒷발, (뒷)굽. ② 《美口》 비열한 놈〔자식〕. ***at*** 〔***on***〕 ***a person's ~s*** 아무의 바로 뒤에 바싹 따라. ***come to ~*** 따르다, 추종하다. ***down at ~***(***s***) 뒤축이 닳은 신을 신고; 초라〔꾀죄죄〕한 모습으로, 단정치 못한〔못하게〕. ***have the ~s of***

…을 앞지르다, …을 이기다. HEAD ***over* ~*s*. *kick* 〔*cool*〕 *one's* ~*s*** 오래 기다리게 되다. ***lay* 〔*clap*〕 *a person by the* ~*s*** 투옥하다. ***out at* ~*s*** (터져서) 발뒤꿈치가 보이는 신을 신고, 영락하여. ***show a clean pair of* ~*s*,** or ***take to one's* ~*s*** 부리나케 뺑소니치다. ***to* ~** (개가) 바로 뒤따라서. ***turn on one's* ~*s*** 홱 돌아서다. ***with the* ~*s foremost*** 시체가 되어. — *vt.* ① (신발에) 뒤축을 대다. ② …의 바로 뒤를 따르다. — *vi.* ① (개가) 바로 뒤따르다. ② 뒤꿈치로 춤추다.

heft[heft] *n.* Ⓤ《英方》 무게, 중량; 영향, 대부분. — *vt.* 들(어서 무게를 달)다. **∠·y** *a.* 무거운; 근골(筋骨)이 늠름한.

he·gem·o·ny[hidʒéməni, hédʒəmòuni] *n.* Ⓤ 패권, 지배권.

heif·er[héfər] *n.* Ⓒ (아직 새끼를 낳지 않은 3살 미만의) 암소.

†**height**[hait] *n.* ① Ⓤ,Ⓒ 높이, 고도. ② Ⓒ (종종 *pl.*) 고지, 둔덕. ③ (the ~) 절정, 극치; 한창. ***at its* ~** …의 절정에, …이 한창이어서. ***in the* ~ (*of summer*)** 한(여름)에. ***~·en**[∠n] *vt., vi.* 높이다, 높아지다; 증가〔증대〕하다.

hei·nous[héinəs] *a.* 가증스런, 극악무도한, 악질의.

:**heir**[ɛər] *n.* Ⓒ ① 상속인, 법적 상속인, 사자(嗣子)(*to*). ② (특질·전통 등의) 계승자, 후계자. **~·dom** [∠dəm] *n.* Ⓤ 상속인임.

héir appárent 법정 추정 상속인.

***heir·ess**[ɛ́əris] *n.* Ⓒ 여자 상속인.

heir·loom[ɛ́ərlù:m] *n.* Ⓒ 조상 전래의 가보(家寶); 〖法〗 법정 상속 동산(動産).

heir presúmptive 추정 상속인.

†**held**[held] *v.* hold의 과거(분사).

hel·i·cal[hélikəl] *a.* 나선 모양의.

†**hel·i·cop·ter**[hélikɑ̀ptər/-kɔ̀p-] *n., vi., vt.* Ⓒ 헬리콥터(로 가다〔나르다〕).

he·li·o·trope[hí:liətròup/héljə-] *n.* Ⓒ 〖植〗 헬리오트로프, 쥐오줌풀; Ⓤ 그 향기, 엷은 자줏빛; 혈석(血石).

hel·i·port[héləpɔ̀:rt] *n.* 헬리콥터 발착장.

***he·li·um**[hí:liəm] *n.* Ⓤ 〖化〗 헬륨 《희(稀)가스 원소의 하나》.

he·lix[hí:liks] *n.* (*pl.* ~*es*, ***heli·ces***) Ⓒ 나선(spiral), 소용돌이 (장식); 〖解〗 귓바퀴.

:**hell**[hel] *n.* ① Ⓤ 지옥. ② Ⓒ,Ⓤ 지옥과 같은 상태〔장소〕, 마굴. ***a* ~ *of a*** 《美俗》 대단한. ***be* ~ *on*** 《美俗》 …에 해롭다. ***be the* ~ *for*** 《俗》 …에 열중하고 있다. ***give a person* ~** 아무를 흠씬 욕보이다〔혼내주다〕. ***Go to* ~*!*** 이 새끼!, 뒈져라! **~ *of*** 지옥 같은(*the ~ of a life* 생지옥). ***Hell's bells!*** (아아) 속탄다!, 제기랄! ***like* ~** 미친 듯이, 지독히. ***make one's life a* ~** 지옥과 같은 생활을 하다. ***to* ~ *and gone*** 《俗》 굉장히 멀리에. ***What* 〔*Who*〕 *the* ~ *…?*** 도대체 뭐냐〔누구냐〕. ***You can go to* ~*!*** (너 같은 건) 뒈져버려!

†**he'll**[hi:l] he will 〔shall〕의 단축.

héll-bènt *a.* 《美口》 꼭 하고야 말 기세의, 필사의.

Hel·lene[héli:n] *n.* Ⓒ 그리스 사람.

Hel·len·ic[helénik/-lí:-] *a.* 그리스(사람·말)의.

hell·ish[hélìʃ] *a.* 지옥 같은; 《口》 가증한; 소름끼치는.

†**hel·lo**[helóu, hə-, hélou] *int., n.* Ⓒ 어이, 여보, 어머(라고 외침); (전화로) 여보세요. — *vi.* 'hello!'라고 하다.

:**helm**[helm] *n., vt.* ① Ⓒ 키(자루), 키(를 잡다). ② (the ~) 지도(하다).

helms·man[∠zmən] *n.* Ⓒ 키잡이.

:**hel·met**[hélmit] *n.* Ⓒ 투구; 헬멧.

†**help**[help] *vt.* ① 돕다, 거들다. ② (음식을) 담다, 권하다. ③ 구(救)하다. ④ 고치다. ⑤ 《can, cannot과 더불어》 피하다, 억누르다, …을 안하다(*I can't ~ it., It cannot be ~ed.* 어쩔 도리가 없다/*Don't tell him more than you can ~.* 공연한 말은 하지 마라). — *vi.* ① 돕다; 도움이 되다, 유용하다. ② (식사) 시중을 들다. ***cannot* ~ (do)*ing*** = ***cannot* ~ *but*** (do) 《주로 美口》 …하지 않을 수 없다. ***God* ~ *him!*** 가엾어라! **~ *forward*** 조성하다. **~ *off*** 거들어서 벗겨주다〔차에서 내려주다〕. **~ *on*** 거들어서 입히다〔차에 태

우다)(*with*); 진척시키다, 조성하다. ~ **oneself to** …을 마음대로 집어먹다. ~ **out** 구해내다; 도와서 완성시키다. ~ **up** 도와 일으키다. **So ~ me (God)!** 신에게 맹세코, 정말. — *n.* ① Ⓤ 도움, 구조. ② Ⓒ 거드는 사람, 고용인, 하인(*a lady* ~ 가정부). ③ Ⓤ 구제책, 피할 길(*for*). ④ Ⓒ 《方》 (음식물의) 한 그릇. ⑤ 〖컴〗 도움말. **:ㄹ·er** *n.* Ⓒ 조력자; 조수; 구조자; 위안자. **ㄹ·ing** *n.* Ⓤ 구조, 조력; Ⓒ 한 그릇.

:help·ful [ㄹfəl] *a.* 도움이 되는, 유용한(*to*). **~·ly** *ad.* **~·ness** *n.*

:help·less [ㄹlis] *a.* 어찌할 도리 없는, 무력한, 의지할 데 없는. ***~·ly** *ad.* ***~·ness** *n.* Ⓤ 무력, 무능.

hel·ter-skel·ter [héltərskéltər] *n., ad., a.* Ⓒ 당황(하여, 한).

***hem**[1] [hem] *n.* Ⓒ ① (옷·손수건 따위의) 가선; 감침질. ② 경계. — *vt.* (**-mm-**) ① (…을) 감치다. ② 두르다, 에워싸다(*in, about, round*). ~ **out** 쫓아내다.

hem[2] [m̩m, hm] *int.* 에헴!, 헴!(헛기침 소리). — [hem] *n., vi.* (**-mm-**) Ⓒ 에헴, 헴(하다).

hé-màn *n.* Ⓒ 남자다운 남자.

:hem·i·sphere [hémisfìər] *n.* Ⓒ 반구(*the Eastern* ~ 동반구). **-spher·ic** [ㅗ-sférik], **-spher·i·cal** *a.*

***hem·lock** [hémlɑk/-lɔk] *n.* Ⓒ 《英》 독당근; Ⓤ 거기서 뽑은 독약; Ⓒ (북아메리카산의) 솔송나무(~ spruce).

he·mo- [hí:mou, hém-, -mə] '피'의 뜻의 결합사.

he·mo·glo·bin [hí:məglòubin, hèm-] *n.* Ⓤ 〖生化〗 헤모글로빈, 혈색소.

he·mo·phil·i·a [hì:məfíliə, hèm-] *n.* Ⓤ 〖醫〗 혈우병.

hem·or·rhage [hémərid3] *n.* Ⓤ 출혈(cerebral ~ 뇌출혈).

hem·or·rhoids [hémərɔ̀idz] *n. pl.* 치질, 치핵.

***hemp** [hemp] *n.* Ⓤ ① 삼, 대마(大麻). ② 《諧》 교수형용의 밧줄. **~·en** [ㄹən] *a.* 대마의, 대마로 만든.

†hen [hen] *n.* Ⓒ ① 암탉. ② 암컷(*a pea* ~ 공작의 암컷). **like a ~ with one chicken** 작은 일에 마음 졸여.

:hence [hens] *ad.* ① 그러므로, 그 결과. ② 이제부터 …후에(*a week* ~ 이제부터 일주일 후에). ③ 《古》 여기서부터, 사라져(*H- with him!* 끌어내라; (**Go**) **~!** 나가라!/*go* ~ 죽다). **:ㄹ·fórth, ㄹ·fórward** *ad.* 이제부터는, 이후, 차후.

hench·man [héntʃmən] *n.* Ⓒ 믿을 수 있는 부하; (갱 등의) 졸개.

hén·còop *n.* Ⓒ 닭장, 닭 둥우리.

***hén·hòuse** *n.* Ⓒ 닭장, 계사.

hen·na [hénə] *n.* Ⓤ 헤너《관목》; 헤너 머리 염색제《적갈색》.

hén pàrty 《口》 여자들만의 모임(cf. stag party).

hen·peck [hénpèk] *vt., n.* (남편을) 깔고 뭉개다; Ⓒ 공처가. **~ed** [-t] *a.* 여편네 손에 쥐인.

hep·a·ti·tis [hèpətáitis] *n.* Ⓤ 간염.

hep·ta·gon [héptəgɑ̀n/-gən] *n.* Ⓒ 7각형. **-tag·o·nal** [-tǽg-] *a.*

†her [強 hə:r, 弱 ə:r, hər] *pron.* 그 여자의[에게, 를].

:her·ald [hérəld] *n.* Ⓒ ① 전령관, 사자(使者). ② 문장관(紋章官), 의전관. ③ 고지자, 보도자; (**H-**) 신문의 이름. — *vt.* 전달[보고·예고]하다.

he·ral·dic [herǽldik] *a.* 전령(관)의; 문장(학)의.

her·ald·ry [hérəldri] *n.* Ⓤ 문장학; 으리으리함; herald의 직[임무]; Ⓒ 문장(blazonry).

***herb** [*h*ə:rb] *n.* Ⓒ (뿌리와 구별하여) 풀잎; 풀; 초본(草本)《작약·상치·양배추 따위를 포함하며, 식용·약용이 많음》(cf. grass).

her·ba·ceous [*h*ə:rbéiʃəs] *a.* 초본의, 줄기가 연한; 잎 모양의, 초록색의.

herb·age [*h*ə́:rbid3] *n.* Ⓤ 초본(草本)류; 목초; 〖英法〗 방목권(權).

herb·al [ㄹəl] *a., n.* 초본의; Ⓒ 본초서(本草書), 식물지(植物誌). **~·ist** [-bəlist] *n.* Ⓒ 본초학자; 약초상.

herb·i·cide [*h*ə́:rbəsàid] *n.* Ⓤ,Ⓒ 제초제.

her·biv·o·rous [*h*ə:rbívərəs] *a.* 초식(草食)의(cf. carnivorous, omnivorous).

Her·cu·le·an [hə̀:rkjəlí:ən, hə:rkjú:liən] *a.* Hercules와 같은; (h-) 큰 힘의[을 요하는], 지난(至難)한 (*a* ~ *task* 극히 어려운 일).

:**herd**[hə:rd] *n.* ① Ⓒ (소·말 따위의) 무리. ② (the ~)《蔑》하층민, 민중; Ⓒ 군집, 대세. ③《보통 복합어로》목자(cow*herd*, shep*herd*). — *vt.* (소·말을) 몰아 모으다, 지키다. — *vi.* 떼지어 모이다(*with, together*).

˙**herds·man**[ˊzmən] *n.* Ⓒ《주로 英》목자; (H-)〖天〗목동자리.

†**here**[hiər] *ad.* ① 여기에(서), 이리로. ② 이 점에서, 이 때에. ③ 이 세상에서. ***H-!*** 예!《호명의 대답》. ~ ***and now*** 지금 바로, 곧. ~ ***and there*** 여기저기에. ~ ***below*** 이 세상에서는. ***H- goes!***《口》자 시작한다!; 자! ***H- I am!*** 다녀왔습니다!, 자 다 왔다. ***H- it is.*** 옜다, 자 여기 있다. ***Here's to you*** [***your health***]***!*** 건강을 축하합니다. ***H- you are!***《口》(원하는 물건·돈 따위를 내놓으면서) 자 받아라. ***neither*** ~ ***nor there*** 요점을 벗어나, 무관계한. — *n.* Ⓤ 여기(*from* ~); 이 세상.

hére·abòut(s) *ad.* 이 근처에.

:**hére·áfter** *ad.* 앞으로, 금후, 내세(來世)에서.

˙**here·by**[hìərbái] *ad.* 이에 의하여, 이로 말미암아.

˙**he·red·i·tar·y** [hirédətèri/-təri] *a.* 유전의; 세습의, 대대의.

he·red·i·ty[hirédəti] *n.* Ⓤ 유전; 유전형질.

˙**hère·ín** *ad.* 이 속에, 여기에; 이런 까닭으로, 이 점에서.

hère·óf *ad.* 이것의, 이에 관해서.

˙**her·e·sy**[hérəsi] *n.* Ⓤ,Ⓒ 이교, 이단.

˙**her·e·tic**[hérətik] *n., a.* Ⓒ 이교도; 이단의. **he·ret·i·cal**[hərétikəl] *a.* 이교의, 이단의.

hère·tó *ad.* 여기까지; 이에 관하여.

˙**hére·to·fòre** *ad.* 지금까지, 이제까지.

:**hère·with** *ad.* 이와 함께; 이에 의하여, 여기에 (동봉하여); 이 기회에.

˙**her·it·age**[héritidʒ] *n.* Ⓤ ① 세습[상속] 재산. ② 유산(遺産); 전승(傳承); 유전. ***God's*** ~ 하느님의 선민; 이스라엘 사람; 그리스도 교도.

her·maph·ro·dite [hə:rmǽfrədàit] *n.* Ⓒ 양성(兩性) 동물, 어지자지; 양성화(花); 두 상반된 성질의 소유자[물]. — *a.* 양성(구유(具有))의, 자웅 동체의. **-dit·ic**[-ˊ-dítik] *a.* 양성의, 자웅 동체의.

her·met·ic[hə:rmétik], **-i·cal** [-əl] *a.* 밀봉한(airtight); 연금술(鍊金術)의. **-i·cal·ly** *ad.*

:**her·mit**[hə́:rmit] *n.* Ⓒ 은자(隱者).

her·mit·age[-idʒ] *n.* Ⓒ 은자의 집.

her·ni·a[hə́:rniə] *n.* Ⓤ,Ⓒ 탈장(脫腸), 헤르니아.

:**he·ro**[híərou] *n.* (*pl.* ~***es;*** *fem.* ***heroine***) Ⓒ ① 영웅, 용사. ② (이야기 따위의) 주인공. 「혜롯.

:**he·ro·ic**[hiróuik] *a.* ① 영웅적인, 용감한, 장렬한. ② (문제가) 웅대한. ③〖韻〗영웅시(격)의. ④〖美術〗(조상(彫像) 따위가) 실물보다 큰(~ *size*). — *n.* ① Ⓒ 영웅시(격). ② (*pl.*) 과장된 표현[감정·행위].

heróic vérse 영웅시(격)《영시에서는 약강 5보격; 그리스·라틴·프랑스 시에서는 6보격》. 「정)제.

her·o·in[hérouin] *n.* Ⓤ 모르핀(진

:**her·o·ine**[hérouin] *n.* Ⓒ ① 여장부, 여걸, 열부(烈婦). ② (이야기의) 여주인공.

˙**her·o·ism**[hérouìzəm] *n.* Ⓤ 영웅적 자질, 장렬; 영웅적 행위.

˙**her·on**[hérən] *n.* (*pl.* ~***s,***《집합적》~) Ⓒ〖鳥〗왜가리.

héro wòrship 영웅 숭배.

her·pes[hə́:rpi:z] *n.* Ⓤ〖醫〗포진(疱疹), 헤르페스.

Herr[hɛər] *n.* (G-)(*pl.* ***Herren*** [hérən]) 군, 씨《Mr.에 해당함》; Ⓒ 독일 신사.

˙**her·ring**[hériŋ] *n.* Ⓒ 청어. ***kippered*** [***red***] ~ = KIPPER.

hérring·bòne *n., a.* Ⓒ (피륙 등의) 오늬무늬(의), '헤링본'(의). — *vt.* 헤링본으로 꿰매다[짜다]. — *vi.* 〖스키〗다리를 벌리고 비탈을 오르다.

†**hers**[hə:rz] *pron.* 그 여자의 것.

†**her·self**[hə:rsélf, 弱 hərsélf] *pron.* (*pl.* ***themselves***) 그 여자 자신.

hertz[hə:rts] *n.* Ⓒ〖電〗헤르츠《생략 Hz》.

†**he's**[hi:z] he is [he has]의 단축.

H

hes·i·tant[hézətənt] *a.* 망설이는, 주춤거리는. **-tance, -tan·cy** *n.*

:hes·i·tate[hézətèit] *vi.* 망설이다, 주저하다. …할 마음이 나[내키]지 않다; (도중에서) 제자리 걸음하다, 멈춰 서다. **-tat·ing** *a.* **-tat·ing·ly** *ad.* **:-ta·tion**[≥–téiʃən] *n.* Ⓤ 망설임, 주저. **-ta·tive** *a.*

Hes·sian[héʃən] *a., n.* Ⓒ (독일 남서부의) Hesse의 (사람); 《美》 용병(傭兵); 돈만 주면 일하는 사람.

het[het] *a.* 흥분하여(~ *up* 흥분한).

het·er·o-[hétərou, -rə] '다른, 딴…'의 뜻의 결합사.

het·er·o·dox[hétərədɑ̀ks/-ɔ̀-] *a.* 이단의, 이설(異說)의(opp. orthodox). **~·y** *n.* Ⓤ,Ⓒ 이단, 이설(異說).

het·er·o·ge·ne·ous [hètərədʒíːniəs] *a.* 이종(異種)의, 이질의, 잡다한(opp. homogeneous). **-ne·i·ty** [-dʒəníːəti] *n.*

·**hew**[hjuː] *vt., vi.* (**~ed; hewn, ~ed**) ① (도끼 따위로) 자르다(*at, off*), 마구 베다, 토막 내다; 찍어 넘기다(*down*). ② (석재(石材) 따위를) 잘라서[깎아서, 새겨서] 만들다, 깎아 새기다. **~ *one's way*** 길을 개척하여 나아가다. **~·er**[≤ər] *n.* Ⓒ 자르는 사람, 채탄부.

hex(**·a**)**-**[héks(ə)] '6'의 뜻의 결합사 《모음 앞에서는 hex-》.

hex·a·gon[héksəgɑ̀n/-gən] *n.* Ⓒ 6각형. **hex·ag·o·nal**[-ǽgənl] *a.*

hex·am·e·ter[heksǽmitər] *n.* Ⓒ 〖韻〗 육보격(六步格)(의 시).

·**hey**[hei] *int.* 야아!; 어어; 이봐, 어이!《호칭·놀람·기쁨·주의·환기 따위의 외침》. ***H- for …!*** …잘한다!; …만세! ~ PRESTO.

héy·dày(＜high day) *n.* Ⓒ (*sing.*) 전성기.

·**hi**[hai] *int.* 야아(How are you?), 어이(Hello!).

hi·a·tus[haiéitəs] *n.* (*pl.* **~**(**es**)) Ⓒ 중절(中絶), 틈; 〖音〗 모음 접속《보기 : ide*a of*》.

hi·ber·nate[háibərnèit] *vi.* 겨울잠 자다, 동면하다. **-na·tion**[≥–néiʃən] *n.*

hi·bis·cus[hibískəs, hai-] *n.* Ⓒ 목부용속의 식물《목부용·무궁화 등》.

hic·cup, hic·cough[híkʌp] *n., vi., vt.* Ⓒ 딸꾹질(하다, 하며 말하다).

hick[hik] *n., a.* Ⓒ 《口》 농부(다운), 순박한 (사람).

hick·o·ry[híkəri] *n.* Ⓒ 호두과(科)의 나무; Ⓤ 그 재목《스키 용재(用材)》.

†**hide**[1][haid] *vt., vi.* (***hid; hidden, hid***) 숨(기)다; 덮어 가리다. **~ *oneself*** 숨다.

·**hide**[2] *n., vt.* Ⓤ,Ⓒ 짐승의 가죽(을 벗기다), 피혁; 《口》 때리다(beat).

híde-and-séek, híde-and-gò-séek *n.* Ⓤ 숨바꼭질.

híde·awày *n.* Ⓒ 은신처; 으슥한 음식점[오락장].

híde·bòund *a.* (가축이) 여윈; 완고[완미]한; (마음이) 편협한, 편벽된; (식물이) 껍질이 말라붙은.

·**hid·e·ous**[hídiəs] *a.* 끔찍한, 섬뜩한, 오싹해지는, 무서운. **~·ly** *ad.* 소름 끼칠 만큼. **~·ness** *n.*

híde·òut *n.* Ⓒ (범인의) 은신처.

hid·ing[≤iŋ] *n.* Ⓤ 은닉; Ⓒ 은신[은닉]처(~ place).

·**hi·er·ar·chy**[-i] *n.* ① Ⓤ,Ⓒ 위계(位階) 제도[조직]; 성직 정치; Ⓒ 성직자의 계급; (the ~) 《집합적》 성직자단. ② Ⓒ 천사의 계급; (the ~) 《집합적》 천사들. **-chic**[hàiərɑ́ːrkik], **-chi·cal**[-əl] *a.*

hi·er·o·glyph[háiərəglìf] *n.* Ⓒ 상형 문자.

hi·er·o·glyph·ic[hàiərəglífik] *a.* 상형 문자의. **—** *n.* (*pl.*) 상형 문자(표기법); 비밀 문자.

hi-fi[háifái] (＜*hi*gh-*fi*delity) *a., n.* Ⓤ 〖電子〗 고충실도(高忠實度) 음향; Ⓒ 그러한 음향 재생 장치; 하이파이의.

hig·gle·dy-pig·gle·dy[hígəldipígəldi] *n., a., ad.* Ⓤ 엉망진창(인, 으로).

†**high**[hai] *a.* ① 높은(cf. tall), …높이의. ② 높은 곳(으로부터)의; 고지의; 고귀[고상·숭고]한; 고원한; 고위의. ③ 고급의; 값비싼. ④ 격렬한, 극도의(~ *folly* 지극히 어리석은 짓); 과격한(*a* ~ *anarchist*). ⑤ 짙은(~ *crimson*); (소리가) 날카로운. ⑥ 거만한(*a* ~ *manner*). ⑦ (때가) 된, 한창인(*It is* ~ *time to go.*

이제 떠날 시간이다). ⑧ 〖料理〗(새나 짐승의 고기가 막 상하기 시작하여) 먹기에 알맞은(cf. gamy). ⑨ 《口》 거나하게 취한. ~ **and dry** (배가) 물가에 얹혀; 시대에 뒤져. ~ **and low** 상하 귀천을 막론하고(cf. high *ad.*). ~ **and mighty** 《古》 고위의; 거만한. **How is that for ~?** 《俗》 (그런데) 어때(놀랍지, 굉장하지). — *n.* ① Ⓤ 높은 곳; 천상(天上). ② Ⓒ 비싼 값. ③ Ⓤ (자동차의) 고속 기어. ④ Ⓒ 《口》 고등 학교. ⑤ Ⓒ 고기압권. ⑥ Ⓒ 《美俗》 마약·술로 기분 좋은 상태. **from on ~** 천상으로부터. **on ~** 공중 높이, 하늘에, 천상에. **the H-** =HIGH TABLE; 《英口》 =HIGH STREET. **the Most H-** 천주(God). — *ad.* 높이; 크게, 현저하게, 강하게. **bid ~** 비싸게 부르다. **fly ~** 희망에 가슴이 부풀어 있다. ~ **and low** 도처에. **live ~** 호화롭게 살다. **play ~** 큰 도박을 하다. **run ~** (바다의) 물살이 거칠어지다; 흥분하다; (값이) 오르다. **stand ~** 높은 위치를 차지하다.

hígh·bàll *n.* Ⓤ,Ⓒ 《美》 하이볼(위스키에 소다수 따위를 섞은 음료).

hígh-bòrn *a.* 집안이 좋은, 명문 출신의.

hígh·bòy *n.* Ⓒ 《美》 (높은 발이 달린) 옷장(《英》 tallboy).

hígh·bròw *n., a.* Ⓒ 인텔리; 인텔리인 체하는 사람; 인텔리를 위한[에 적합한].

hígh·chàir *n.* Ⓒ (식당·식탁의 다리가 높은) 어린이 의자.

Hígh Chúrch 고교회파(영국 교회파 중, 교회의 교의 및 의식을 존중하는 한 파).

hígh-clàss *a.* 고급의; 일류의.

hígh commíssioner (식민지의) 고등 판무관.

Hígh Cóurt (of Jústice) 《英》 고등 법원.

hígh explósive 고성능 폭약.

high·fa·lu·tin [∸fəlú:tin], **-ting** [-tiŋ] *a., n.* Ⓤ 《口》 과장된 (말).

hígh-fidélity *a.* 〖電子〗 고충실도의, 하이파이의(hi-fi).

hígh·flìer, -flỳer *n.* Ⓒ 높이 나는 새[비행가]; 야심가, 높은 소망을 가진 사람.

hígh-flòwn *a.* 엄청나게 희망이 큰; 과대한.

hígh-gráde *a.* 고급의.

hígh-hánded *a.* 고압적인.

hígh júmp (the ~) 높이뛰기.

˙**high·land** [∠lənd] *n.* ① Ⓒ (종종 *pl.*) 고지, 산지. ② (H-) 스코틀랜드 고지. **~·er** *n.* Ⓒ 고지인, (H-) 스코틀랜드 고지 사람.

hígh-lével *a.* 고관에 의한, 고관의; 높은 곳으로부터의.

hígh lìfe 상류 생활.

˙**hígh·lìght** *n., vt.* (**~ed**) Ⓒ (종종 *pl.*) ① 〖美術〗 (화면의) 하이라이트. ② 중요 부분; (뉴스 중의) 중요 사건, 화제거리. ③ 두드러지게 하다; 강조하다; 돋보이게 하다.

:**high·ly** [∠li] *ad.* 높이, 크게(*speak ~ of* …을 격찬하다).

Hígh Máss 〖가톨릭〗 장엄 미사.

hígh-mínded *a.* 고결한; 《稀》 거만한. **~ly** *ad.* **~ness** *n.*

˙**hígh·ness** *n.* ① Ⓤ 높음, 높이; 고위(高位), 고가(高價). ② (H-) 전하(殿下).

hígh-pítched *a.* 가락이 높은; 급경사의; 고상한; 몹시 긴장된.

hígh-pówered *a.* 정력적인; 고성능의; 강력한.

hígh-préssure *a., vt.* 고압의; 고압적인; 강요하는; (…에게) 고압적으로 나오다.

hígh-príced *a.* 값 비싼.

hígh príest 고위 성직자; (옛 유대의) 제사장.

hígh-ránking *a.* 고급[고관]의.

hígh-ríse *a., n.* Ⓒ 고층 건물(의); 높이 올린.

hígh·ròad *n.* Ⓒ 큰길, 대로; 쉬운 길.

:**hígh schòol** 고등 학교; 중등 학교.

hígh séa 높은 파도; (보통 the ~s) 공해(公海).

hígh-sóunding *a.* 과장된.

hígh-spéed *a.* 고속도의.

hígh spót 두드러진 특색[부분](*hit the ~s* 요점만 건드리다, 대강 말하다).

hígh strèet 《英》 큰 거리, 중심 「[번화]가(街).

hígh-strúng *a.* 과민한, 흥분하기 쉬운; 줄을 팽팽하게 한.

hígh táble 《英》 대학 학료(學寮)의

H

fellows·학장·교수 등의 식탁(the High).
hígh téa 《英》 오후 4-5시경의 고기 요리가 따르는 간단한 식사.
hígh-tèch *n., a.* Ⓤ (고도의) 첨단 기술(high technology)(의).
hígh tíde 고조(高潮); 한창때.
hígh tréason 대역(大逆), 대역죄.
hígh-úp *a., n.* Ⓒ 《口》 현직(顯職)의 (사람); 높은 지위의 (사람).
hígh wáter 고조(高潮), 만조, 사리.
hígh-wáter màrk 고조표(標), 최고 수위점(水位點); 최고 수준.
:**high·way**[háiwèi] *n.* Ⓒ ① 공도(公道); 간선 도로. ② 상도(常道).
high·way·man[-mən] *n.* Ⓒ 노상 강도.
hi·jack[háidʒæ̀k] *vt.* (배·비행기 등을) 약탈하다, 공중〔해상〕 납치하다; (수송 중인 물품 등을) 강탈하다. **~·er** *n.*
:**hike**[haik] *n., vi., vt.* Ⓒ ① 도보 여행〔하이킹〕(을 하다). ② 인상(하다). ***hík·er** *n.* ***hík·ing** *n.* Ⓤ 하이킹, 도보 여행.
hi·lar·i·ous[hiléəriəs, hai-] *a.* 매우 명랑한(very merry). **-i·ty** [hilǽrəti, hai-] *n.*
†**hill**[hil] *n.* Ⓒ ① 언덕, 작은 산, 야산. ② 흙무더기, 흙더미(*a mole* ~). ***go over the*** ~ 《美俗》 탈옥하다, 무단 이탈하다. ***over the*** ~ 위기를 벗어나서; 절정기를 지나서. ***the gentlemen on the*** ~ 《美》 국회의원들. — *vt.* 쌓아 올리다; 북주다.

hill·bil·ly[ˊbìli] *n.* Ⓒ 《美口》 (미국 남부의) 산지〔두메〕 사람; 시골뜨기.
hill·ock[ˊək] *n.* Ⓒ 작은 언덕; 봉토, 둑.
:**híll·sìde** *n.* Ⓒ 산중턱, 산허리.
***híll·tòp** *n.* Ⓒ 언덕〔야산〕의 꼭대기.
hilt**[hilt] *n.* Ⓒ (칼)자루. (up***) ***to the*** ~ 충분히, 완전히; 철저히.
†**him**[him, 弱 im] *pron.* 그를〔에게〕.
†**him·self**[himsélf, 弱 im-] *pron.* (*pl.* ***themselves***) 그 자신(*He did it* ~. 그 스스로가 했다). ***beside*** ~ 제정신을 잃고, 미쳐서. ***by*** ~ 혼자서, 혼자 힘으로. ***for*** ~ 자기용으로, 자기를 위해(*He bought it for* ~.); 자기 스스로, 혼자 힘으로.
:**hind**[1][haind] *a.* 뒤의, 뒤쪽의(rear).
hind[2] *n.* (*pl.* ~(***s***)) Ⓒ 암사슴.
Hin·di[híndi:] *a., n.* 북(北)인도의; Ⓤ 힌디어.
hínd·quàrter *n.* Ⓒ (쇠고기·양고기 등의) 뒷다리 및 볼기.
***hin·drance**[híndrəns] *n.* ① Ⓤ 방해, 장애. ② Ⓒ 방해물.
hínd·sìght *n.* ① Ⓤ 때 늦은 지혜(opp. foresight). ② Ⓒ (총의) 후부가늠자.
***Hin·du, -doo**[híndu:] *n.* Ⓒ 힌두 사람〔교도〕, (아리안계) 인도인. — *a.* 힌두(교·말)의. **~·ism**[-ìzəm] *n.* Ⓤ 힌두교.
hinge**[hindʒ] *n.* Ⓒ 경첩; 요점. ***off the ~s 탈〔고장〕이 나서; (질서가) 어지러워. — *vt., vi.* 경첩을 달다〔으로 움직이다〕; (…에) 달려 있다.
:**hint**[hint] *n., vt., vi.* Ⓒ 힌트, 암시(하다); 변죽울리기〔울리다〕(***at***). ***by ~s*** 넌지시. ***drop a*** ~ 넌지시 비추다, 힌트〔암시〕를 주다. ***take a*** ~ 깨닫다, 알아차리다.
hin·ter·land[híntərlæ̀nd] *n.* Ⓤ (해안·강안 등의) 배후지; 오지(奧地); 시골.
:**hip**[1][hip] *n.* Ⓒ 엉덩이; 허리. ***fall on one's ~s*** 엉덩방아를 찧다. ***on the*** ~ 불리한 조건〔입장〕에. — *vt.* (***-pp-***) (…의) 허리를 삐게 하다.
hip[2] *n.* Ⓒ (들)장미의 열매.
hip[3] *a.* 《美俗》 최신 유행의, 정보통의; 히피의.
hip[4] *int.* 갈채의 첫소리(*H-,* ~, *hurrah!*).
híp bàth 뒷물.
híp flàsk 포켓 위스키병; 《俗》 45 구경 권총.
hip·pie[hípi] *n.* Ⓒ 히피(족)《일체의 기성 제도·가치관을 부인, 야릇한 몸차림을 하고 다니는 젊은이》.
hip·po[hípou] *n.* (*pl.* ~***s***) 《口》 = HIPPOPOTAMUS.
híp-pòcket *n.* Ⓒ (바지) 뒷주머니.
hip·po·pot·a·mus**[hìpəpɑ́təməs/ -ɔ́-] *n.* (*pl.* ~es,*** ***-mi***[-mài]) Ⓒ 〖動〗 하마.
:**hire**[haiər] *vt.* 고용하다; (물건을) 세내다; 세놓다. ~ ***on*** (***as***) (…로서) 고용되다. ~ ***oneself out*** 고용되

다. ～ **out** 대출(貸出)하다. —— *n.* Ⓤ 임대(료), 임차(료)(賃借(料)); 고용. **for** ～ 세를 받고서. **on** ～ 임대(賃貸)의(로).

hire·ling[⌐liŋ] *a., n.* Ⓒ 고용되어 일하는 (사람); 삯 말; 《蔑》 돈이면 무엇이나 하는 (사람).

híre-púrchase *n., a.* Ⓤ 《英》 분할불(월부) 구입(의).

hir·sute[hə́:rsu:t, −⌐] *a.* 털 많은.

†**his**[hiz, 弱 iz] *pron.* 그의; 그의 것.

***hiss**[his] *vi., vt.* 쉿(쉬이) 소리를 내다(～ *his poor acting* 서투른 연극을 야유하다). ～ **off** (**away**) '쉬이' 소리를 내어 (무대에서) 물러나게 하다. —— *n.* Ⓒ 쉿하는 소리; 〖電子〗 고음역의 잡음.

his·ta·mine[hístəmì:n, -min] *n.* Ⓤ 〖生化〗 히스타민《혈압 강하·위액 촉진제》.

「가.

:**his·to·ri·an**[histɔ́:riən] *n.* Ⓒ 역사

:**his·tor·ic**[histɔ́:rik, -á-/-ɔ́-] *a.* 역사상 유명한, 역사에 남은(*the* ～ *scenes* 사적(史跡)).

:**his·tor·i·cal**[histɔ́:rikəl, -á-/-ɔ́-] *a.* 역사(상)의, 사적(史的)인. ～**·ly** *ad.*

histórical présent 〖文〗 역사적 현재.

†**his·to·ry**[hístəri] *n.* ① Ⓤ 역사, 사학; Ⓒ 사서(史書). ② Ⓒ 연혁, 경력. ③ Ⓒ 사극(史劇).

his·tri·on·ic[hìstriánik/-ɔ́-] *a.* 배우의, 연극의, 연극 같은. ～**s** Ⓤ 연극; 《복수 취급》 연극 같은 짓.

:**hit**[hit] *vt.* (**hit; -tt-**) ① 때리다, 치다, 맞히다, 적중하다. ② (…에) 공교롭게 부닥치다; 생각이 미치다. ③ 감정을 상하게 하다. ④ 꼭 맞다. ⑤ 의뢰(요구)하다. ⑥ 《美俗》 (마약을) 주사하다; 벌떡벌떡 들이켜다(～ *the bottle*). —— *vi.* ① 치다, 치고 덤비다(*at*). ② 부딪다(*against, on, upon*). ③ 우연히 발견하다(생각해 내다)(*on, upon*). ～ **a** LIKENESS. ～ **at** … 에게 치고 덤비다; …을 비평(조소)하다. ～ **it** 잘 알아맞히다. ～ **it off** 《口》 용케 (뜻이) 맞다(*with, together*). ～ **it up** 버티다; 황급히 나아가다. ～ **off** 즉석에서 잘 표현하다, 잘 묘사하다((시를) 짓다). ～ **on** (**upon**) …에 부딪치다, 만나다; 생각이 미치다. ～ **or miss** 맞든 안 맞든. ～ **out** 세게 치다(찌르다). ～ **up** 재촉하다, 박차를 가하게 하다. —— *n.* Ⓒ ① 타격; 명중(탄). ② 히트, 성공. ③ 명언(名言); 빗댐(*at*). ④ 〖野〗 안타, 히트(*a sacrifice* ～ 희생타(打)). ⑤ 〖컴〗 적중. **make a** ～ 히트치다, 호평을 받다, 성공하다.

hít-and-rún *a.* 〖野〗 히트앤드런의; 치어놓고 뺑소니치는(*a* ～ *driver*); (공격이) 전격전인.

***hitch**[hitʃ] *vt.* ① (소·말을) 매다; (밧줄·갈고리 따위로) 걸다. ② 와락 잡아당기다(끌어 당기다, 움직이다). ③ (이야기 속에) 끌어 넣다(*into*). —— *vi.* ① 와락 움직이다. ② 다리를 절다. ③ 걸리다(*on; on to*). ～ **horses** 일치(협조)하다. ～ **one's wag(g)on to a star** 자기의 힘 이상의 힘을 이용하려고 하다; 높은 뜻을 품다. —— *n.* Ⓒ ① 와락 움직임(끎); 급히 멈춤. ② 걸림, 뒤얽힘. ③ 고장, 지장. ④ 〖海〗 결삭(結索)(법)(cf. knot).

:**hitch·hike**[⌐hàik] *n., vi., vt.* Ⓒ 《美口》 히치하이크《지나가는 자동차에 편승해서 하는 무전 여행》(을 하다).

***hith·er**[híðər] *ad.* 여기로, 이리로 《지금은 보통 here》. —— *a.* 이쪽의. ～**·most**[-mòust] *a.* 가장 이쪽의.

:**hith·er·to**[hìðərtú:] *ad.* 지금까지(는).

hít paràde 히트퍼레이드《히트곡·베스트셀러 소설 등의 (순위) 공개》.

HIV human immunodeficiency virus 인류 면역 결핍 바이러스; AIDS 바이러스.

:**hive**[haiv] *n.* Ⓒ ① 꿀벌통; 벌집(모양의 것). ② (한 통의) 꿀벌 떼. ③ 와글와글하는 군중(장소). —— *vt.* 벌통에 넣다, 축적하다. —— *vi.* 벌통에 들어가다; 군거(群居)하다.

h'm[mm, hm] *int.* ＝HEM²; HUM.

H.M. His (*or* Her) Majesty;

H.M.S. His (*or* Her) Majesty's Ship.

***ho, hoa**[hou] *int.* 호; 어이; 저런; 허허!, 홍!; (말에게) 와!; 서!

***hoard**[hɔ:rd] *n.* Ⓒ ① 저장(물), 비장(秘藏). ② 축적. —— *vt., vi.* 저장하다, 사 모으다(*up*). ⌐**·er** *n.*

H

hoard·ing *n.* Ⓒ《英》 판장; 게시판.
hóar·fròst *n.* Ⓤ 흰서리.
˙**hoarse**[hɔːrs] *a.* 목이 쉰, 목쉰 소리의(cf. husky[1]). ˙ **∠·ly** *ad.*
˙**hoar·y**[hɔ́ːri] *a.* ① 회백색의, 백발의. ② 고색이 창연한, 나이 들어 점잖은; 오래된.
hoax[houks] *vt., n.* Ⓒ (장난으로) 속이다(속임), 골탕 먹이다(먹임); 장난.
hob[hab/-ɔ-] *n.* Ⓒ (난로 속의 안쪽 또는 측면의) 시렁; 톱니 내는 기계; (고리던지기 놀이(quoits)의) 표적 기둥.
˙**hob·ble**[hábəl/-ɔ́-] *vi., n.* Ⓒ ① 다리를 절다(절뚝거림). ② 쉬엄쉬엄 이야기하다; (시의) 운율이 고르지 않다. ③《稀》 곤경, 곤란. ── *vt.* 절뚝거리게 하다; (말의) 다리를 묶다.
:**hob·by**[hábi/-ɔ́-] *n.* Ⓒ ① 취미; 자랑삼는 것, 장기(長技). ② 목마(木馬). ***mount*** [***ride***] ***one's ~*** (듣기 싫을 정도로) 자랑을 늘어놓다.
hóbby·hòrse *n.* Ⓒ 목마; (말머리가 달린) 죽마《아이들이 타고 놂》.
hob·gob·lin[hábgàblin/hɔ́bgɔ̀b-] *n.* Ⓒ 도깨비; 작은 요괴.
hób·nàil *n.* Ⓒ (구둣바닥의) 징.
hob·nob [hábnàb/hɔ́bnɔ̀b] *vi.* (*-bb-*) 사이 좋게(허물없이) 지내다; 권커니 잣거니 하다. ── *n.* Ⓤ,Ⓒ 환담.

ho·bo[hóubou] *n.* (*pl.* ~(*e*)*s*) Ⓒ 《美》 부랑자; 뜨내기 노동자.
Hób·son's chóice[hábsnz-/-ɔ́-] ⇨ CHOICE.
hock[1][hak/-ɔ-] *n., vt.* Ⓒ (네발 짐승의 뒷발의) 과(踝)관절(의 건(腱)을 끊어 불구로 만들다).
hock[2] *n.* Ⓤ《英》 흰 포도주의 일종.
hock[3] *n., vt.* Ⓤ《俗》 전당(잡히다).
˙**hock·ey**[háki/-ɔ́-] *n.* Ⓤ 하키; Ⓒ 그 타구봉(~ stick).
ho·cus-po·cus[-póukəs] *n.* Ⓤ 요술; 마술사의 상투적 문구; 야바위. ── *vi., vt.* ((英) *-ss-*) 요술을 부리다; 감쪽같이 속이다.
hod[had/-ɔ-] *n.* Ⓒ 호드《벽돌·회반죽 나르는 그릇》; 《美》 석탄통. **~·man**[∠mən] *n.* Ⓒ 《英》 hod 운반인.
hodge·podge [hádʒpàdʒ/hɔ́dʒpɔ̀dʒ] *n.* Ⓤ 엉망진창, 뒤죽박죽.
˙**hoe**[hou] *n., vt.* Ⓒ 괭이(로 파다, 갈다).
:**hog**[hag, -ɔː-/-ɔ-] *n.* Ⓒ ① 돼지, (식용의) 불깐 수퇘지. ② 《口》 욕심쟁이, 더러운 사람. ***go the whole ~*** 《俗》 철저히 하다. ── *vt.* (*-gg-*) 《美俗》 탐내어 제몫 이상으로 갖다. **∠·gish** *a.* 돼지 같은; 주접스러운.
hóg·wàsh *n.* Ⓤ 돼지먹이《부엌 찌꺼기》; 너절한 것.
hoi pol·loi[hɔ́i pəlɔ́i] (Gk.) (the ~) 민중.
˙**hoist**[hɔist] *vt.* (기 따위를) 내걸다, 올리다; 들어 올리다. ── *n.* Ⓒ 끌어(감아) 올리기; 기중기.
hoi·ty-toi·ty[hɔ́itìtɔ́iti] *int.* 거참!, 아니 이거!; 어이없군!《놀람·분노·경멸 등의 탄성》. ── *a.* 거만한; 《주로 英》 경박한, 까불어대는.
ho·kum[hóukəm] *n.* Ⓤ (영화·연극·연설 따위에서) 되는 대로의 저속한 대사(연기).
†**hold**[hould] *vt.* (***held***) ① (손에) 갖고 있다, 쥐다, 잡다(grasp); 안다, 품다. ② 소유(보유)하다; 차지하다. ③ (붙잡고) 놓지 않다; 보전(유지)하다, 보류하다. ④ (주의를) 끌다. ⑤ 수용하다. ⑥ (분노 따위를) 억누르다, 억제하다. ⑦ 〖레슬링〗 상대방을 꽉 붙잡다. ⑧ (약속을) 지키게 하다, (의무·책임을) 지우다. ⑨ …이라고 생각하다(여기다). ⑩ 주장하다. ⑪ 거행하다, 개최하다, 열다. ── *vi.* ① 쥐고 있다. ② 유지(보존)하다, 지탱하다, 견디다. ③ 버티다. ④ 나아가다. ⑤ 효력이 있다. ⑥ (토지·재산·권리를) 보유하다(*of, from*). ***H-!*** 멈춰!; 기다려! ***~ back*** (*vt.*) 제지하다; 억제하다; (*vi.*) 삼가다, 망설이다(*from*). ***~ by*** 굳게 지키다. ***~*** (*a person*) ***cheap*** (아무를) 깔보다. ***~ down*** 억누르다; 《美口》 (지위·직(職)을) 유지하다. ***~ forth*** 내밀다, 제공하다; 말하다, 설교하다. ***~ good*** [***true***] 유효하다; 적용되다. ***~ in*** 억제하다, 참다. ***~ off*** (*vt.*) 멀리하다, 가까이 못 오게 하다; (*vi.*) 떨어져 있다, 지체하다. ***~ on*** …을 계속해 나가다; 지속하다, 붙잡고 늘어지다(*to*); 지탱하다; 《명령형으로》 멈춰!; 기다려! ***~ one's hand*** 보류

하다. ~ ***one's own*** 〔***ground***〕 자기의 위치를 〔입장을〕 지키다; 뒤지지 않다. ~ ***on one's way*** 발을 옮기다. ~ ***out*** (*vt.*) 제출〔제공〕하다; (손을) 내밀다; 주장하다; (*vi.*) 지탱하다, 견디다. ~ ***over*** 연기하다; 사임 후에도 그 자리에 머물러 있다. ~ ***to*** 굳게 지키다. ~ ***together*** 결합하다, 통일을 유지하다. ~ ***up*** 들다, 받치다; 지지하다; 명시〔제시〕하다; (아무를 모범으로서) 보이다; (본때로서) 여러 사람에게 보이다; 막다, 방해하다; 《美口》 (사람·은행 따위를) 권총으로 위협하여 돈을 강탈하다〔정지를 명하다〕; 지탱하다; (좋은 날씨가) 계속되다, 오래가다; (속도를 늦추지 않고) 빨리 가다. ~ WATER. ~ ***with*** …에 편들다, …에 찬성하다.

— ***n.*** ① Ⓤ,Ⓒ 파악, 파지(把持), 유지, 버팀. ② Ⓒ 지지, 손〔발〕붙일 곳, 잡을 데; 자루, 손잡이. ③ Ⓒ 『레슬링』 꽉 붙잡는 수; Ⓤ 누름, 제압, 지배(*on*). ④ 『樂』 늘임표(⌢). ⑤ Ⓒ 형무소; 《古》 요새(要塞). ***catch*** 〔***get, lay, take***〕 ~ ***of*** …을 움켜잡다〔쥐다〕, 잡다. ***have a*** ~ ***on*** …의 급소를 쥐고 있다, …을 제압하는 위세가 있다. ***lose*** ~ ***of*** 손〔발〕붙일 곳을 잃다.

hóld·àll ***n.*** Ⓒ 여행용 옷가방〔자루〕; 잡낭.

:hold·er[´-ər] ***n.*** Ⓒ 소유자; hold하는 물건(*a pen* ~).

·hold·ing[´-iŋ] ***n.*** ① Ⓤ 보유, 유지, 소유. ② Ⓤ 토지. ③ (*pl.*) 소유주, 지주(持株). ④ Ⓤ 『競』(축구 등의) 홀딩.

hólding còmpany 『經』 지주 회사, 모회사(母會社).

hóld·ùp ***n.*** Ⓒ 《美口》 (노상) 강도(짓); (교통 기관 등의) 정체.

†hole[houl] ***n.*** Ⓒ ① 구멍; (짐승의) 소굴; 틈; 토굴 감옥(과 같은 장소). ② 결점. ③ 궁지(窮地). ④ 『골프』 구멍, 홀; tee에서 putting green까지의 구역; 득점. ***a*** ~ ***in the wall*** 지저분한〔비좁은〕 장소. ***burn a*** ~ ***in one's pocket*** (돈이) 몸에 붙지 않다. ***every*** ~ ***and corner*** 구석구석, 샅샅이. ***in*** (***no end of***) ***a*** ~ 《口》 (밑빠진) 구멍에 빠져, 궁지에 빠져. ***make a*** ~ ***in*** …에 큰 구멍을 뚫다, 크게 축내다. ***pick*** ~***s in*** …의 흠을 잡다. — ***vt., vi.*** 구멍을 뚫다〔에 들어가다〕. ~ ***up*** 동면하다; 《俗》 숨다, 몸을 숨기다.

†hol·i·day[hálədèi/hɔ́lədèi] ***n.*** Ⓒ ① (공)휴일, 축일(祝日). ② (보통 *pl.*) 《英》 휴가. ~ ***clothes*** 〔***attire***〕 나들이 옷.

hóliday·màker ***n.*** Ⓒ 휴일을 즐기는 사람; 시끄럽고 저속한 유람객.

ho·li·er-than-thou [hóuliərðən-ðái] ***a., n.*** 《美》 경건한 체하는; Ⓒ 독선적인 (사람); 군자연하는 (자식).

·ho·li·ness[hóulinis] ***n.*** Ⓤ 신성. ***His*** 〔***Your***〕 ***H-*** 성하(聖下)《교황의 존칭》.

hol·ler[hálər/-ɔ́-] ***vi., vt.*** 《口》 큰 소리로 부르다, 외치다.

:hol·low[hálou/-ɔ́-] ***n.*** Ⓒ ① 구멍; 움푹 들어간 곳, 우묵한 곳. ② 골짜기. — ***vi., vt.*** 우묵 들어가(게 하)다; 도려〔후벼〕내다(*out*). — ***a.*** ① 우묵 들어간; 속이 텅 빈. ② 굴 속에서 울리는 (듯한), (목소리가) 힘없는. ③ 거짓의; 공허한; 실속 없는, 싱거운. ~ ***praise*** 입에 발린 말. ~ ***race*** 〔***victory***〕 싱거운 경주〔승리〕. — ***ad.*** 《口》 완전히. ***beat*** (***a person***) ~ (아무를) 여지없이 해내다. ~**·ly** ***ad.*** ~**·ness** ***n.***

·hol·ly[háli/-ɔ́-] ***n.*** Ⓒ 호랑가시나무; Ⓤ 그 가지《크리스마스 장식용》.

hólly·hòck ***n.*** Ⓒ 『植』 접시꽃.

hol·o·caust[háləkɔ̀ːst/hɔ́l-] ***n.*** Ⓒ (유대인 등이 짐승을 통째로 구워서 신에게 바치는) 희생; 대희생, 대학살.

hol·ster[hóulstər] ***n.*** Ⓒ (가죽제) 권총 케이스.

:ho·ly[hóuli] ***a.*** ① 신성한, 거룩한. ② 성인 같은. — ***n.*** Ⓒ 신성한 장소〔것〕. ~ ***of holies*** (유대 신전의) 지성소(至聖所).

Hóly Cíty, the 성도(聖都)《Jerusalem, Mecca 따위》.

Hóly Commúnion 성찬식; 『가톨릭』 영성체(領聖體).

Hóly Fáther, the 『가톨릭』 로마 교황《존칭》.

Hóly Ghóst, the 성령《Trinity의

제3위》(Holy Spirit).
Hóly Gráil, the ⇨GRAIL.
Hóly Lànd, the 성지(聖地)《Palestine》; (비(非)기독권의) 성지.
hóly órders 성직(聖職).
Hóly Sée, the ⇨SEE[2].
Hóly Spírit = HOLY GHOST.
Hóly Wèek 부활절의 전주(前週).
Hóly Wrít 성서.
*__hom·age__[hámidʒ/hɔ́m-] *n.* Ⓤ 존경; 복종; 신종(臣從)의 예(禮). ***do*** 〔***pay***〕 ***~ to*** …에게 경의를 표하다; 신하로서의 예를 다하다.
†**home**[houm] *n.* ① Ⓤ,Ⓒ 집, 가정, 자택; 주거. ② Ⓤ 본국, 고향. ③ (the ~) 원산지, 본고장; 발상지. ④ Ⓤ,Ⓒ 안식처. ⑤ Ⓒ 수용소, 요양소. ⑥ Ⓤ 결승점; 〖野〗 본루(本壘). ***at ~*** 집에 있어; 면회일이어서; 고향〔본국〕에; 편히; 정통하여, 환하여, 숙달하여(*in, with*). (***a***) ***~*** (《美》 ***away***) ***from ~*** 제 집과 같은 안식처 《가정적인 하숙》. ***from ~*** 부재하여, 본국을 떠나. ***~, sweet home*** 그리운 내 집. ***last*** 〔***long***〕 ***~*** 무덤. (***Please***) ***make yourself at ~.*** (부디) 스스럼 없이 편하게 하십시오. ── *a.* ① 가정의, 자택(부근)의. ② 자기 나라의, 본토의, 국내의. ③ 중심을〔급소를〕 찌르는, 통렬한. ── *ad.* ① 내〔우리〕 집으로, 고향〔본국〕으로. ② 급소를 찔러서, 따끔하게. ***be on one's*** 〔***the***〕 ***way ~*** 귀로에 있다. ***bring ~ to*** 통절〔절실〕히 느끼게 하다. ***come*** 〔***go***〕 ***~*** 귀가〔귀국〕하다; 가슴에 찔리다(*to*). ***get ~*** 집으로 돌아가다〔오다〕; 회복하다. ***see a person ~*** 집까지 바래다 주다. ── *vi., vt.* ① 귀가하다〔시키다〕; (비둘기가) 보금자리로 돌아오다〔가다〕. ② (비행기·미사일 따위가) 유도되다, (미사일 따위를) 자동 제어로 유도하다. ③ 가정을 갖다, 집을 주다.
hóme económics 가정학.
hóme-grówn *a.* 본토〔본국〕산의.
hóme·lànd *n.* Ⓒ 고국, 본국.
*__home·less__[⌐lis] *a.* 집 없는.
:__home·ly__[⌐li] *a.* ① 가정의, 가정적인. ② 검소한, 수수한, 꾸밈 없는, 평범한. ③ 《美》 (얼굴이) 못생긴. **-li·ness** *n.*
:__hóme·máde__ *a.* ① 손으로 만든; 집에서 만든. ② 국산의.
ho·me·op·a·thy [hòumiápəθi/-ɔ́-] *n.* Ⓤ 동종 요법(同種療法)(opp. allopathy). **ho·me·o·path·ic**[⌐–əpǽθik] *a.*
hóme rúle 지방 자치.
:__hóme rún__ 〖野〗 홈런.
Hóme Sécretàry 《英》 내상.
:__hóme·sìck__ *a.* 회향병의, 홈식에 걸린. **~ness** *n.* Ⓒ 향수.
*__hóme·spùn__ *a., n.* ① 손으로 짠. ② 평범한, 조야한. ③ Ⓤ 손으로 짠 직물, 홈스펀.
*__hóme·stèad__ *n.* Ⓒ ① (농가의) 집과 부속지《밭을 포함해》. ② 《美·캐나다》 (이민에게 분양되는) 자작 농장.
hóme·strétch *n.* Ⓒ (결승점 앞의) 직선 코스; 마지막 부분.
hóme trúth 결점, 약점.
*__home·ward__[⌐wərd] *a., ad.* 귀로의; 집〔본국〕으로(향해서)의. **~s** *ad.* = HOMEWARD.
†**hóme·wòrk** *n.* Ⓤ ① 숙제, (집에서 하는) 예습, 복습. ② 집안 일, 가내 공업. ③ (회의 등을 위한) 사전 조사. ***do one's ~*** 《口》 사전 조사를 하다.
home·y[⌐i] *a.* 가정적인, 아늑한.
hom·i·cide[háməsàid/-ɔ́-] *n.* Ⓤ 살인; Ⓒ 살인자. **-cid·al**[⌐–sáidl] *a.*
hom·i·ly[háməli/hɔ́m-] *n.* Ⓒ 설교; 훈계, 장황한 꾸지람.
hom·ing[hóumiŋ] *a.* 귀소성(歸巢性)의; 집에 돌아오〔가〕는. ── *n.* Ⓤ 귀환, 회귀; 귀소성.
ho·mo-[hóumou, -mə] '같은, 동일' 의 뜻의 결합사.
ho·moe·op·a·thy [hòumiápəθi/-ɔ́-] *n.* = HOMEOPATHY.
ho·mo·ge·ne·ous [hòumədʒí:niəs/hɔ̀m-] *a.* 동종〔동질·동성〕의 (opp. heterogeneous). **-ne·i·ty** [-dʒəní:əti] *n.*
ho·mog·e·nize [həmádʒənàiz/həmɔ́dʒ-] *vt.* 균질화(均質化)하다. ***~d milk*** 균질 우유.
hom·o·graph [háməgræ̀f/hɔ́məgrà:f] *n.* Ⓒ 동형 이의어(同形異義語)

《보기 : seal[1,2]》.

hom·o·nym[hámənìm/-ɔ́-] *n.* Ⓒ 동음 이의어(同音異義語) 《*here*와 *hear; pen*[1]과 *pen*[2](울타리) 따위》(cf. ⇩).

hom·o·phone[háməfòun/-ɔ́-] *n.* Ⓒ 동음 이자(同音異字)《*since*의 *s, c*나 *cake*의 *c, k*》; 동음 이철어(同音異綴語)《*here*와 *hear* 따위》(cf. ⇧).

Ho·mo sa·pi·ens[hóumou séipiənz] (L. =wise man) 인류.

ho·mo·sex·u·al[hòuməsékʃuəl] *a., n.* Ⓒ 동성애(同性愛)의 (사람). **-i·ty**[⌐—⌐—ǽləti] *n.*

hom·y[hóumi] *a.* =HOMEY.

Hon., hon. Hono(u)rable; Honorary.

hone[houn] *n., vt.* Ⓒ (면도 따위의) 숫돌(로 갈다).

†**hon·est**[ánist/ɔ́n-] *a.* ① 정직한, 성실한. ② (술·우유 따위) 진짜의, 섞지 않은. ③ (돈 따위) 떳떳이 번. ***be ~ with*** …에게 정직하게 말하다; …와 올바르게 교제하다. ***earn*** [***turn***] ***an ~ penny*** 정당한 수단으로 돈을 벌다. ***make an ~ woman of***《口》…을 정식 아내로 삼다. ***to be ~ with you*** (너에게) 정직하게 말하면. **:~·ly** *ad.*

:**hon·es·ty**[ánisti/ɔ́n-] *n.* Ⓤ 정직, 성실, 솔직.

:**hon·ey**[hʌ́ni] *n.* ① Ⓤ (벌)꿀; 화밀(花蜜). ② =DARLING. — *a.* 감미로운; 귀여운. — *vi.* 정다운[달콤한] 말을 하다; 《口》 발림말하다.

˙**hóney·cómb** *n., vt., vi.* ① Ⓒ 꿀벌의 집. ② 벌집 모양으로 만들다; 구멍 투성이로 만들다. ③ (악폐가) 침식하다, 위태롭게 하다.

hóney·dèw *n.* Ⓤ (나무 껍질, 진디 따위의) 분비물, 감로(甘露); =ㅅ **mèlon** 감로 멜론.

˙**hon·ey·moon**[-mù:n] *n., vi.* Ⓒ ① 밀월《결혼 후의 1개월》(을 보내다); 신혼 여행(을 하다). ② 이상하게 친밀한 기간; 협조 관계.

˙**hon·ey·suck·le**[hʌ́nisʌ̀kl] *n.* Ⓤ,Ⓒ 〖植〗 인동덩굴(의 무리).

honk[hɔ:ŋk, haŋk/-ɔ-] *vi.* (기러기가) 울다; 경적을 울리다. — *n.* Ⓒ 기러기의 우는 소리; 경적을 울리는 소리.

honk·y-tonk[háŋkitàŋk, hɔ́:ŋkitɔ̀:ŋk/hɔ́ŋkitɔ̀ŋk] *n., a.* ① Ⓒ 《美口》 저속한 카바레[댄스홀, 나이트클럽]. ② Ⓤ 저속한 (음악).

†**hon·or,** 《英》 **-our**[ánər/ɔ́-] *n.* ① Ⓤ 명예; 명성; 면목, 체면. ② Ⓤ 자존심, 염치심, 정절. ③ Ⓤ 경의. ④ (an ~) 명예[자랑]스러운 것[사람] (*to*); (H-) 각하(*His* [*Her, Your*] *H-*). ⑤ Ⓒ (보통 *pl.*) 예우(禮遇), 작위(爵位); 훈장; 서훈; 의례(儀禮). ⑥ Ⓤ 영광, 특권. ⑦ (*pl.*) (대학의) 우등(***graduate with ~s*** 우등으로 졸업하다). ⑧ (*pl.*) (카드놀이의) 주요(主要) 패《에이스 및 그림패》. ***be on one's ~ to*** (do), or ***be*** (***in***) ***~ bound to*** (do) 명예를 위해서도 …하지 않으면 안 되다. ***do ~ to*** …을 존경하다; …의 명예가 되다. ***do the ~s*** 주인 노릇을 하다(*of*). ***do*** [***render***] ***the last ~s*** 장례식을 행하다. ***give one's*** (***word of***) ***~*** 맹세하다. ***~ bright***《口》 맹세코, 기어코, 확실히. ***~s of war*** (투항군(投降軍)에 대한) 무인(武人)의 예(禮)《무장을 허용하는 따위》. ***in ~ of*** …에게 경의[축의]를 표하여, …을 기념하여. ***military ~s*** 군장(軍葬)의 예. ***point of ~*** 체면 문제. ***upon my ~*** 명예를 걸고[위해서], 맹세코. — *vt.* ① 존경하다. ② (…에게) 명예[영예]를 주다, (관위(官位)에) 서(敍)하다(*with*). ③ 〖商〗 (어음을) 인수하고 지불하다(cf. dishonor).

:**hon·or·a·ble,** 《英》 **-our**-[ánərəbl/ɔ́n-] *a.* ① 존경할 만한, 명예로운; 수치를 아는, 훌륭한. ② 고귀한; (H-) (영국에서는 각료·재판관 등, 미국에서는 의원(議員) 등의) 인명에 붙이는 존칭. ***Most H-*** 후작(侯爵) (Marquis)의 존칭. ***Right H-*** 백작 이하의 귀족·런던 시장·추밀 고문관의 존칭. ˙**-bly** *ad.*

hon·o·rar·i·um[ànərέəriəm/ɔ̀nərέər-] *n.* Ⓒ 사례금.

hon·or·ar·y [ánərèri/ɔ́nərəri] *a.* 명예상(上)의, 명예직의. ***~ degree*** [***member, secretary***] 명예 학위[회원, 간사].

hon·or·if·ic [ὰnərífik/ɔ̀n-] *a.* 존경〔경칭〕의. ── *n.* Ⓒ 경칭《Dr., Prof., Hon. 따위》; (한국 말 등의) 경어.
hons. hono(u)rs.
hooch [hu:tʃ] *n.* ① Ⓤ,Ⓒ 《美俗》 주류, 밀주(密酒). ② Ⓒ (오두막) 집.
:hood [hud] *n., vt.* Ⓒ ① 두건(으로 가리다). ② 덮개〔포장〕(을 씌우다); 뚜껑(을 하다); 〖寫〗 (렌즈의) 후드. **~·ed** [∠id] *a.* 두건을 쓴; 포장을 씌운; 두건 모양의.
-hood [hud] *suf.* 《명사 어미》 상태·인격 따위를 나타냄: child*hood*, likeli*hood*, man*hood*. 「깡.
hood·lum [hú:dləm] *n.* Ⓒ 불량자,
hoo·doo [hú:du:] *n.* (*pl.* **~s**) Ⓒ 불운(不運); 불길한 물건〔사람〕; =VOODOO.
hóod·wìnk *vt.* (말·사람의) 눈을 가리다; 속이다.
hoo·ey [hú:i] *n., int.* Ⓤ 《美口》 허튼 소리〔짓〕; 바보 같은!
:hoof [hu:f, huf] *n.* (*pl.* **~s, hooves**) Ⓒ (발)굽. ***get the ~*** 《俗》 쫓겨나다, 해고되다. ***on the ~*** (소·말이) 살아서. ***under the ~*** 짓밟혀. ── *vt.* 발굽으로 차다; (걸어서) 차다; 내쫓다. **~ed** [-t] *a.* 발굽 있는.
hoo-ha [hú:hὰ:] *n.* Ⓤ 《英口》 흥분, 소란, 시끄러움. ── *int.* 와아《떠드는 소리》.

:hook [huk] *n.* Ⓒ ① 갈고리, 훅; 걸쇠. ② 낚시, 코바늘. ③ 갈고리 모양의 곳, (하천의) 굴곡부. ④ 〖拳〗 훅; 〖野〗 곡구(曲球). ⑤ 〖樂〗 음표 꼬리《8분 음표 따위의 대에 붙은 것》. ***by ~ or by crook*** 무슨 수를 써서라도, 수단을 가리지 않고. ***drop off the ~s*** 《英俗》 죽다. ***get one's ~s into*** 〔***on***〕 《口》 (남자)의 마음을 끌다. ***get the ~*** 《俗》 해고되다. ***~ and eye*** 훅단추. ***on one's own ~*** 《口》 독립하여, 혼자 힘으로. ── *vt.* ① (갈고리처럼) 구부리다. ② 갈고리로 걸다(*on, up*); 훅으로 채우다. ③ 〖拳〗 훅을 먹이다. ④ 낚다, (아무를) 올가미로 호리다. ⑤ 《俗》 훔치다. ── *vi.* 갈고리에 걸리다; 갈고리처럼 휘다. ***~ in*** 갈고리로 당기다; 갈고리로 고정시키다. ***~ it*** 도망치다. ***~ up*** 갈고리로 걸다, 훅으로 채우다〔고정시키다〕; 〖라디오·電話〗 중계〔접속〕하다; 관계하다(*with*); 〖野〗 대항 경기를 하다(*with*).
hook·a(h) [húkə] *n.* Ⓒ 수연통《물을 통해 담배를 빨게 된 장치》.
·hooked [hukt] *a.* ① 갈고리 모양의; 훅이 달린. ② 《俗》 마약 중독의.
hook·er *n.* Ⓒ 《俗》 도둑, 사기꾼; 독한 술; 매춘부; 〖럭비〗 후커.
hóok·nòse *n.* Ⓒ 매부리코; 《美俗·蔑》 유대인.
hóok·ùp *n.* Ⓒ 배선〔접속〕(도); (방송) 중계; 《口》 제휴, 친선.
hóok·wòrm *n.* Ⓒ 십이지장충.
hook·y [húki] *a.* 갈고리의, 갈고리 같은〔많은〕. ── *n.* Ⓤ 《美》 학교를 빼먹음. ***play ~*** 학교를 빼먹다.
hoo·li·gan [hú:ligən] *n.* Ⓒ 깡패, 불량자.
·hoop [hu:p] *n.* Ⓒ ① 테, 굴렁쇠. ② (스커트 폭을 벌어지게 하는) 버팀테. ③ (체조용의) 후프. ④ (croquet의) 기둥문. ⑤ (농구에서 망을 드리우는) 쇠테. ***go through the ~(s)*** 《口》 고생하다. ── *vt.* (…에) 테를 메다〔두르다〕; 둘러싸다. **∠·er** *n.* Ⓒ 통(메)장이.
hoop·la [hú:plɑ:] *n.* Ⓤ 고리던지기 놀이; 《口》 대소동; 과대 선전.
hoo·ray [hu(:)réi] *int., n., v.* =HURRAH.
·hoot [hu:t] *vt., vi.* ① 야유하다. ② (올빼미가) 부엉부엉 울다. ③ 《주로 英》 (기적·나팔 따위가) 울리다. ── *n.* Ⓒ ① 야유하는 소리. ② 올빼미가 우는 소리. ③ (기적·나팔 등이) 울리는 소리. ④ 《口》 《부정문에서》 조금. **∠·er** *n.*
Hoo·ver [hú:vər] *n., vt.* Ⓒ 《英口》 진공 청소기《상표명》; (h-) 진공 청소기(로 청소하다).
:hop[1] [hɑp/-ɔ-] *vi.* (**-pp-**) ① 뛰다(*about, along*). ② 《口》 춤추다. ③ 이륙하다(*off*). ── *n.* Ⓒ ① 앙감질. ② 도약. ③ 《口》 무도(회). ***~, step*** 〔***skip***〕 ***and jump*** 세단뛰기.
hop[2] *n.* ① Ⓒ 〖植〗 홉. ② (*pl.*) 그 열매《맥주에 쓴 맛을 냄》. ③ Ⓤ 《俗》 마약, 아편. ── *vt., vi.* (**-pp-**) 홉 열매를 따다; 홉으로 맛을 내다.

†**hope**[houp] *n.* ① U,C 희망, 기대. ② C 유망한 사람[것], 호프. — *vt., vi.* 희망[기대]하다. ~ ***against*** ~ 요행을 바라다. ~ ***for the best*** 낙관하다. ***I*** ~ ***not.*** 아니라고 생각한다.
:**hope·ful**[⌐fəl] *a.* 유망한, 희망찬. ***young*** ~ 장래가 촉망되는 청년;《反語》싹수가 노란 젊은이. *~**·ly** *ad.* ~**·ness** *n.*
:**hope·less**[⌐lis] *a.* 희망[가망] 없는; 절망의. *~**·ly** *ad.* ~**·ness** *n.*
hop·per[hápər/-ɔ́-] *n.* C (껑충) 뛰는 사람[벌레]; (제분기 따위의) 큰 깔대기 모양의 투입구;《濠》캥거루.
hóp·scòtch *n.* U 돌차기 놀이.
*•***horde**[hɔːrd] *n.* C ① 유목민의 무리. ② 군중, 큰 무리[떼].
:**ho·ri·zon**[həráizən] *n.* C ① 수평선, 지평선. ② 한계, 범위, 시계(視界), 시야. ***enlarge one's*** ~ 안목[식견]을 넓히다. ***on the*** ~ 수평선 위에; (사건 등이) 임박한; 분명해지고 있는.
:**hor·i·zon·tal** [hɔ̀rəzántl/hɔ̀rəzɔ́n-] *a.* 지평선의; 수평의; 가로의 (opp. vertical); 평면의; 평평한. — *n.* C 지평선, 수평선, 수평 위치. ~**·ly** *ad.*
:**hor·mone**[hɔ́ːrmoun] *n.* C 〖生化〗 호르몬.
:**horn**[hɔːrn] *n.* ① C 뿔(모양의 것); U (물질로서의) 뿔. ② C 〖動〗 촉각, 촉수. ③ C 뿔제품; 각적(角笛); 호른, 경적. ④ (the H-) =**Càpe Hórn** 남아메리카의 남단. ***draw*** [***pull***] ***in one's*** ~***s*** 움츠리다. (으쓱거리던 사람이) 슬그머니 기죽은 소리를 하다, 조심하다. ~ ***of plenty*** =CORNUCOPIA. ***on the*** ~***s of dilemma*** 딜레마[진퇴유곡]에 빠져서. — *vt., vi.* ① 뿔로 받다. ② 뿔이 나다[돋치다]. ③《美口》주제넘게 나서다(*in*).
hórn·bèam *n.* C 〖植〗 서나무.
horned [hɔːrnd, (詩) hɔ̀ːrnid] *a.* 뿔이 있는.
hor·net[hɔ́ːrnit] *n.* C 〖蟲〗 말벌의 일종; 귀찮은 사람. ***bring a*** ~***s' nest about one's ears*** 큰 소동을 일으키다; 많은 원수를 만들다.
horn·y[hɔ́ːrni] *a.* 뿔의, 뿔 있는, 각질(角質)의, 단단[딱딱]한;《俗》호색(好色)의.
hor·o·scope[hɔ́ːrəskòup/hɔ́r-] *n.* C 점성(占星); (점성용) 천궁도(天宮圖), 12궁도.
hor·ren·dous[hɔːréndəs/hɔr-] *a.* 무서운.
:**hor·ri·ble**[hɔ́ːrəbəl, -á-/-ɔ́-] *a.* ① 무서운. ② 심한, 지겨운. *-**bly** *ad.*
*•***hor·rid**[hɔ́ːrid, -á-/-ɔ́-] *a.* =⇧.
*•***hor·ri·fy**[hɔ́ːrəfài, -á-/-ɔ́-] *vt.* 무섭게 하다, 소름 끼치게 하다. -**fi·ca·tion**[hɔ̀ːrəfikéiʃən/-ɔ̀-] *n.* ~**·ing** *a.* 소름 끼치는; 어이없는.
:**hor·ror**[hɔ́ːrər, -á-/-ɔ́-] *n.* ① U 공포. ② (a ~) 혐오. ③ C 무서운 것[사람·사건]; 형편 없는 것, 열등품. — *a.* (소설·영화 등) 소름끼치게 하는; 전율적인.
hórror-strìcken, -strùck *a.* 공포에 질린.
hors d'oeu·vre[ɔːr dɔ́ːrv] (F.) 〖料理〗 오르되브르, 전채(前菜).
†**horse**[hɔːrs] *n.* ① C 말; 수말(cf. mare), 씨말. ② U《집합적》기병(cf. foot). ③ C 〖體操〗 목마, 안마; (보통 *pl.*) 다리가 있는 물건걸이, 발판. ④ C《美俗》자습서(crib). ***entire*** ~ 씨말. ***light*** ~ 경기병(輕騎兵). ***look a gift*** ~ ***in the mouth*** 받은 선물의 트집을 잡다《말은 그 이로 나이를 판단하는 데서》. ***mount*** [***ride***] ***the high*** ~ 으스대다. ***play*** ~ (아이가) 말로 알고 타다(*with*). ***play*** ~ ***with*** …을 무례하게 대하다, 무시하다. ***pull the dead*** ~ 선불받은 임금 때문에 일하다. (***straight***) ***from the*** ~***'s mouth***《俗》(뉴스·속보(速報)가) 확실한[믿을 만한] 소식통에서 (직접). ***take*** ~ 말을 타다, 말을 빌리다; (암말이) 교미하다. ***talk*** ~ 허풍떨다. ***To*** ~***!***《구령》승마! — *vt.* (수레에) 말을 달다; 말에 태우다; 혹사하다. — *vi.* 승마하다; (말이) 암내내다.

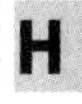

:**hórse·bàck** *n.* U 말의 등(*on* ~ 말을 타고).
hórse bòx 말 운반용 화차.
hórse chéstnut 〖植〗 마로니에.
hórse·flèsh *n.* U 말고기;《집합적》말.
hórse flý 〖蟲〗 등에, 말파리.
hórse·hàir *n.* U 말총《갈기 및 꼬

리》; 마소직(馬巢織).

:**horse·man** [ˊmən] *n.* Ⓒ ① 승마자, 기수. ② 기병. ③ 마술가(馬術家). ～·**ship** [-ʃip] *n.* Ⓤ 마술.

hórse·plày *n.* Ⓤ 야단법석. ～**er** *n.* Ⓒ 경마광.

·**hórse·pòwer** *n. sing. & pl.* 마력(馬力)《1초에 75kg을 1m 올리는 일률의 단위》.

·**hórse ràce** 경마. 「냉이.

hórse·ràdish *n.* Ⓒ,Ⓤ 【植】 양고추

hórse sènse 《口》 (어설픈) 상식.

·**hórse·shòe** *n., vt.* Ⓒ 편자(를 박다); 【動】 =ˊ **cráb** 참게.

hórse-tràding *n.* Ⓤ 사기.

hórse·whìp *n., vt.* (**-pp-**) Ⓒ 말채찍(으로 치다); 징계하다.

hórse·wòman *n.* Ⓒ 여기수.

hors·(e)y [ˊi] *a.* 말의, 말 같은; 말을[경마를] 좋아하는; 기수 같은.

hor·ti·cul·ture [hɔ́ːrtəkʌ̀ltʃər/-ti-] *n.* Ⓤ 원예(술). **-tur·al** [ˋ-ˊtʃərəl] *a.* 원예(상)의. **-tur·ist** [ˋ-ˊtʃərist] *n.* Ⓒ 원예가.

·**hose** [houz] *n.* (*pl.* ～, 《古》 ～**n**) ① 《집합적》 긴 양말. ② Ⓤ,Ⓒ (*pl.* ～, ～**s**) 호스. — *vt.* 긴 양말을 신기다; 호스로 물을 끼얹다.

ho·sier [hóuʒər] *n.* Ⓒ (메리야스·양말 등의) 양품상(商)《사람》. ～·**y** [-ri] *n.* Ⓤ 《집합적》 양품류; 양품업.

hos·pice [háspis/-ɔ́-] *n.* Ⓒ (종교단체 등이 경영하는) 숙박소.

·**hos·pi·ta·ble** [háspitəbəl/-ɔ́-] *a.* ① 극진한, 따뜻하게 대접하는. ② (새로운 사상 따위를) 기꺼이 받아들이는 (*to*). **-bly** *ad.*

†**hos·pi·tal** [háspitl/-ɔ́-] *n.* Ⓒ 병원. ***be in*** (***the***) ～ 입원해 있다. ***be out of the*** ～ 퇴원해 있다. ***go into*** ～ 입원하다. ***leave*** ～ 퇴원하다. ～·**ize** [-àiz] *vt.* 입원시키다.

:**hos·pi·tal·i·ty** [hàspətǽləti/hɔ̀s-pi-] *n.* Ⓤ 친절한 대접, 환대, 후대.

:**host**[1] [houst] *n.* Ⓒ ① (손님에 대하여) 주인; (여관의) (남자) 주인. ② 【生】 (기생 생물의) 숙주(宿主). ***reckon*** [***count***] ***without one's*** ～ 제멋대로 처부[판단]하다.

:**host**[2] *n.* Ⓒ ① 많은 떼, 많은 사람, 다수. ② 《古》 군세(軍勢). ***heavenly*** ～***s,*** or ～(***s***) ***of heaven*** 하늘의 별; 천사의 떼.

·**hos·tage** [hástidʒ/-ɔ́-] *n.* Ⓒ 볼모; 저당. ～ ***to fortune*** 언제 잃을지 모르는 (덧없는) 것《처자·재산 따위》.

:**hos·tel** [hástəl/-ɔ́-] *n.* Ⓒ ① 호스텔《여행하는 청년들을 위한 숙박소》; 《英》 (대학의) 기숙사. ② 《古》 여관.

hos·tel·ry [hástəlri/hɔ́s-] *n.* 《古·雅》 Ⓒ 여관.

:**host·ess** [hóustis] *n.* Ⓒ ① 여주인, (연회석 따위의) 주부역《host[1]의 여성》. ② 스튜어디스; 여급. ③ (여관의) 여주인.

:**hos·tile** [hástil/hɔ́stail] *a.* ① 적의. ② 적의 있는, 적대하는.

:**hos·til·i·ty** [hastíləti/hɔs-] *n.* ① Ⓤ 적의, 적대, 저항; 전쟁 상태. ② (*pl.*) 전쟁 행위(*open* [*suspend*] *hostilities* 전쟁을 시작하다[휴전하다]).

†**hot** [hat/-ɔ-] *a.* (**-tt-**) ① 뜨거운; 더운. ② 매운; (빛깔이) 강렬한. ③ 열렬한, 열심인(*on*); 격한; 격렬한. ④ 호색적인; 스릴에 찬, 흥분시키는. ⑤ (뉴스 따위) 최신의, 아주 새로운. ⑥ (요리가) 갓 만든. ⑦ 《美俗》 (연기·경기가) 훌륭한. ⑧ 《俗》 갓 훔친(～ *goods* 갓 훔친 물건). ⑨ 【재즈】 열광적인《즉흥적으로 변주한》. ⑩ (고압) 전류의[가 통하는]; 방사능을 띤(～ *wire* 고압선). BLOW[1] ～ ***and cold. get it*** ～ 호되게 야단 맞다. ***give it*** ～ 몹시 꾸짖다. ～ ***and heavy*** [***strong***] 몹시, 호되게. ～ ***and*** ～ 갓 만든, 따끈따끈한. ～ ***under the collar*** 《俗》 노하여. ***in*** ～ ***blood*** (열화같이) 노하여. ～ ***with anger*** 격하여, 몹시 노하여. ***make it too*** ～ ***for*** (*a person*) = ***make*** *a place* ***too*** ～ ***for*** *a person* (아무를 방해하거나 지분거려) 못견디게 만들다. — *vt., vi.* (**-tt-**) 《英口》 (식은 음식물을) 데우다(*up*); 격화하다; (배·자동차의) 속도를 더 내다(*up*). ·ˊ·**ly** *ad.* ˊ·**ness** *n.*

hót áir 《俗》 잡담; 허풍.

hót·bèd *n.* Ⓒ 온상(溫床).

hót-blóoded *a.* 노하기[흥분하기] 쉬운; 앞뒤를 돌보지 않는, 무모한; 정열적인; (가축이) 혈통이 좋은.

hót càke 핫케이크. ***sell*** [***go***] ***off***

H

like **~s** 날개 돋치듯 팔리다.
hotch·potch [hátʃpàtʃ/hɔ́tʃpɔ̀tʃ] *n.* Ⓤ 잡탕찜; 《英》 뒤범벅.
hót cròss bún 십자가가 그려 있는 빵《Good Friday에 먹음》.
hót dòg 핫 도그《뜨거운 소시지를 끼운 빵》.
:ho·tel [houtél] *n.* Ⓒ 호텔, 여관.
hót·fòot *ad., vi.* 《口》 부리나케 (가다).
hót·hèad *n.* Ⓒ 성급한 사람.
hót·hèaded *a.* 성급한, 격하기 쉬운. **~ly** *ad.* **~ness** *n.*
hót·hòuse *n.* Ⓒ 온실; 온상.
hót lìne 긴급 직통 전화선; (the ~) 미소 수뇌간의 직통 전용 텔레타이프선.
hót plàte 요리용 철판; 전기[가스] 풍로; 음식용 보온기; 전열기.
hót pòt 《주로 英》 쇠고기•양고기와 감자를 찐 요리.
hót potáto 《英》 껍질채 구운 감자; 《美口》 난처[불쾌]한 상태[문제].
hót sèat 《美俗》 전기 의자; 곤란한 입장.
hót·shòt *n.* Ⓒ 《俗•反語》 수완가; 소방사; 급행 화물 열차.
hót spòt 분쟁 지역; 환락가.
˙hót spríng 온천.
hót stúff 《俗》 정열가, 정력가; 대단한 것[사람].
hót-témpered *a.* 성미급한, 성마른.
hót-wáter bàg [**bòttle**] 탕파(湯婆).
:hound [haund] *n.* Ⓒ ① 사냥개; 개. ② 비열한 자. ③ 《口》 (무엇인가에) 열중하는 사람. ***follow the ~s,*** or ***ride to ~s*** 사냥개를 앞세워 말 타고 사냥하다. — *vt.* ① 사냥개로 사냥하다. ② 맹렬히 쫓다. ③ (부)추기다, 격려하다(*on*).
†hour [auər] *n.* Ⓒ ① 한 시간(의 노정•거리). ② 시각, 시. ③ (*pl.*) 영업[집무•기도] 시간(*after ~s*). ***after ~s*** 정규 업무시간 후에. ***at all ~s*** 언제든지. ***by the ~*** 시간제로. ***every ~ on the ~*** 매 정시《1시, 2시, 3시…》. ***in an evil ~*** 나쁜 때에. ***in the ~ of need*** 정말 필요할 때에. ***keep bad*** [***late***] ***~s*** 밤샘하고 늦잠 자다. ***keep good*** [***early***] ***~*** 일찍 자고 일찍 일어나다. ***of the ~*** 목하[현재]의(*a man of the ~* 당대의 인물). ***out of ~s*** 근무 시간 외에. ***take ~s over*** (…에) 몇 시간이나 걸리다. ***the small ~s*** 자정부터 오전 3•4시경까지, 야밤중. ***till*** [***to***] ***all ~s*** 밤늦게까지. ***to an ~*** 제 시각에. ***What is the ~?*** = What time is it? **˙∠·ly** *a., ad.* 한 시간마다(의); 빈번한[히].
hóur·glàss *n.* Ⓒ 각루(刻漏)《모래[물]시계 따위》.
hóur hànd 시침(時針).
†house [haus] *n.* (*pl.* ***houses***[háuziz]) Ⓒ ① 집, 가옥; 집안, …가(家) (*the H- of Windsor* 윈저가(家)《지금의 영국 왕가》). ② 건물, 상점, 회사. ③ 회관; 극장; 《집합적》 관객, 청중. ④ 의사당, (H-) 의회. ⑤ (the H-) 《英口》 증권 거래소. ⑥ 〖天〗 궁(宮), 성수(星宿). ⑦ 《英》 = HOUSEY-HOUSEY. ***a ~ of call*** 단골집. ***bring down the*** (***whole***) ***~*** 《口》 만장의 대갈채를 받다. ***clean ~*** 집을 정리하다; 숙청하다. ***empty ~*** (극장의) 입장자가 적음. ***from ~ to ~*** 집집이. ***full ~*** 대만원. ***~ and home*** 가정. ***~ of cards*** (어린이가) 카드로 지은 집; 위태로운 계획. ***~ of correction*** (경범) 교정원. ***~ of God*** 교회, 예배당. ***~ of ill fame*** 청루(青樓), 갈봇집. ***Houses of Parliament*** 《英》 의사당. ***keep a good ~*** 호화로운 생활을 하다. ***keep ~*** 가정을 갖다, 살림살이를 맡다. ***keep the ~*** 집에 들어박히다. ***like a ~ on fire*** 《俗》 맹렬히, 빨리. ***on the ~*** 사업주가 부담하는, 무료의. ***play at ~***(***s***) 소꿉장난하다. ***the H- of*** COMMONS [LORDS, REPRESENTATIVES]. — [hauz] *vt.* ① 집에 들이다, 숙박시키다, 수용하다. ② 덮다. ③ 〖建〗 끼우다, 박다. — *vi.* ① 안전한 곳에 들다. ② 묵다, 살다.
hóuse arrèst 자택 감금, 연금.
hóuse·bòat *n.* Ⓒ (살림하는) 집배, (숙박 설비가 된) 요트.
hóuse·brèak *vi.* (***-broke, -broken***) (대낮에) 침입 강도짓을 하다. **~er** *n.* Ⓒ (가택) 침입 강도. **~ing** *n.* Ⓤ 가택 침입, 침입 강도질[죄].

hóuse·bròken, -bròke *a.* 집안에서 길러 길이 든.
hóuse·fùl *n.* Ⓒ 집안에 가득함.
:**hóuse·hòld** *n., a.* ① Ⓒ 《집합적》 가족(의); (고용인도 포함한) 온 집안 사람. ② 가사의, 가정의. ③ (the H-) 《英》 왕실.
hóuse·hòlder *n.* Ⓒ 호주, 세대주.
household wórd 흔히 잘 쓰이는 말〔속담, 이름〕.
:**hóuse·kèeper** *n.* Ⓒ 주부; 가정부; 하녀 우두머리.
·**hóuse·kèeping** *n.* Ⓤ 가계.
hóuse·màid *n.* Ⓒ 가정부.
hóuse·màster *n.* Ⓒ (남자 기숙사의) 사감.
hóuse pàrty (별장 따위에서의, 수일에 걸친) 접대 연회; 그 체재객들.
hóuse·ròom *n.* Ⓤ 집〔가옥〕의 수용력; 숙박.
hóuse-to-hóuse *a.* 집집마다의, 「호별의.
·**hóuse·tòp** *n.* Ⓒ 지붕. ***proclaim from the ~s*** 널리 알리다〔선전하다〕.
hóuse·wàrming *n.* Ⓒ 집들이.
:**hóuse·wìfe** *n.* Ⓒ ① 주부. ② [hʌ́zif] (*pl.* **~s, -wives**[-ivz]) 반짇고리. **~ly** *a.* 주부다운; 알뜰한.
·**hóuse·wòrk** *n.* Ⓤ 가사, 집안일.
·**hous·ing**[1][háuziŋ] *n.* ① Ⓤ 주택 공급(계획). ② Ⓤ 《집합적》 집, 주택. ③ Ⓒ 〖機〗 가구(架構).
hous·ing[2] *n.* Ⓒ (종종 *pl.*) 마의(馬衣), 말의 장식.

hóusing devèlopment 〔《英》 **estàte**〕 집단 주택(용지), 단지(團地), 계획 주택〔아파트〕군(群).
hove[houv] *v.* heave의 과거(분사).
hov·el[hʌ́vəl, hɑ́v-] *n.* Ⓒ 오두막집, 광, 헛간. ― *vt.* (**-ll-**) 《廢》 오두막집에 넣다.
:**hov·er**[hʌ́vər, hɑ́v-] *vi.* ① 하늘을 날다(*about, over*). ② 배회〔방황〕하다, 어정거리다; 주저하다.
Hov·er·craft[-kræ̀ft, -krɑ̀ːft] *n.* Ⓒ 〖商標〗 호버크라프트《고압 공기를 분출하여 기체를 띄워 달리는 탈것》 (ground effect machine).
†**how**[hau] *ad.* ① 《수단·방법》 어떤 식〔모양〕으로, 어떻게 하여, 어떻게. ② 《정도》 얼마만큼; 얼마나. ③ 《감탄문으로》 참으로(*H- hot it is!*). ④ 《상태》 (건강·날씨 따위가) 어떤 상태로(*H- is she* 〔*the weather*〕*?*). ⑤ …하다는 것(that)(*I taught the boy ~ it was wrong to tell a lie.* 《주의》 이것은 'that'보다도 impressive 한 용법; 그러나 howclause 중에 *a., ad.*를 포함하고 있지 않은 때에는 옛날 용법; *She told me ~ she had read about it in the papers.*). ⑥ 《관계 부사로서》 …만큼, …정도로. ***and ~*** 《口》 대단히. ***H-!*** 《美》 뭐라고요? 한번만 더 말씀해 주세요(《英》 What?). ***H- about ...?*** …에 관해서 어떻습니까. ***H- are you?*** 안녕하십니까《인사말》. ***H- do you do?*** 안녕하십니까; 《초면의 인사로서》 처음 뵙겠습니다. ***H- do*** 〔***did***〕 ***you like it?*** 감상은 어떠하십니까, 느끼신 감상은? ***H- much is it?*** (값은) 얼마입니까. ***H- now*** 〔***then***〕***?*** 이는 어찌된 일일까. ***H- say you?*** 자네의 의견은? ***H- so?*** 어째서 그런가. ― *n.* (the ~) 방법. ***the ~ and the why of it*** 그 방법과 그 이유.
†**how·ev·er**[hauévər] *ad.* ① 아무리 …일지라도. ② 도대체 어떻게 해서(*H- did you do it?*). ― *conj.* 그렇지만. 「사포.
how·itz·er[háuitsər] *n.* Ⓒ 〖軍〗 곡
:**howl**[haul] *vi.* ① Ⓒ (개·늑대 따위가 소리를 길게 빼어) 짖다, 멀리서 짖다. ② (사람이) 크게 울부짖다, 큰 소리를 내다. ③ (바람이) 윙윙 휘몰아치다. ― *vt.* ① 울부짖으며 말하다(*out, away*). ② 호통쳐서 침묵시키다(*down*). ― *n.* Ⓒ (개·늑대 따위가) 짖는 소리; 신음소리; 불평, 반대. **∠·er** *n.* Ⓒ 짖는 짐승; 〖動〗 짖는 원숭이; 큰 소리를 내는 것《사람·라디오 따위》; 큰 실수. **∠·ing** *a.* 울부짖는; 쓸쓸한; 《口》 터무니 없는, 대단한.
H.P. 《俗》 hire-purchase. **H.P., HP, hp, h.p.** horsepower. **HQ, H.Q., hq., h.q.** headquarters. **hr.** hour(s). **H.R.H.** His 〔*or* Her〕 Royal Highness.
hub[hʌb] *n.* Ⓒ 바퀴통《수레바퀴의

중심》: 중심(부); 〖컴〗 허브《몇 개의 장치가 접속된 장치》; (the H-) Boston 시의 별칭.

hub·bub[hʌ́bʌb] *n.* (보통 a ~) 왁자지껄, 소란.

hub·by[hʌ́bi] *n.* 《口》 = HUSBAND.

huck·ster[hʌ́kstər] *n.* Ⓒ 소상인, 행상인; (돈에 다라운) 상인; 《美口》 선전[광고]업자. — *vi., vt.* 자그마하게 장사하다, 외치며 팔다, 도부치다; 값을 깎다. **~·ism**[-ìzəm] *n.* Ⓤ 판매 제1주의.

·**hud·dle**[hʌ́dl] *vt.* ① 뒤죽박죽 섞어 모으다[처넣다, 쌓아 올리다](*together, into*). ② 되는 대로 해치우다(*up, through*). ③ 급히 입다(*on*). — *vi.* 붐비다, 떼지어 모이다(*together*). **~ oneself up,** or **be ~d up** 몸을 움츠리다[곱송그리다]. — *n.* Ⓒ ① 혼잡, 난잡. ② 군중. ③ 밀담. ④ 〖美式蹴〗 (다음 작전 지시를 위한) 선수의 집합. **go into a ~** 밀담하다.

:**hue**[1][hju:] *n.* ① Ⓤ,Ⓒ 빛깔, 색채; 색조. ② Ⓒ 특색.

hue[2] *n.* Ⓒ 고함, 외침(소리)(out-cry). **a ~ and cry** 추적[공격]의 함성; 비난[탄핵]의 소리.

huff[hʌf] *vt.* 못살게 굴다, 을러대다; 성나게 하다; (checker에서) 상대의 말을 잡다. — *vi.* 성내다; 뽐내다. — *n.* (*sing.*) 분개, 화. **take ~** 성내다. **∠·ish, ∠·y** *a.* 성난; 뻐기는; 성마른.

:**hug**[hʌg] *vt.* (*-gg-*) ① (꼭) 껴안다. ② (편견 따위를) 고집하다. ③ (…에) 접근하여 지나다. — *n.* Ⓒ 꼭 껴안음; 〖레슬링〗 끌어안기.

:**huge**[hju:dʒ] *a.* 거대한; 막대한. **∠·ly** *ad.* 거대하세, 대단히.

huh[hʌ] *int.* 하아, 흥, 허어, 뭐라고《놀람·경멸·의문 따위를 나타냄》.

hulk[hʌlk] *n.* Ⓒ 노후선, 폐함《창고·옥사(獄舍)로 쓰던》; 멋없이 큰 배[거인·하물]. **∠·ing** *a.* 부피 큰; 멋없는, 볼품 없는.

·**hull**[1][hʌl] *n., vt.* Ⓒ ① 껍데기[껍질·깍지](를 제거하다). ② 덮개(를 벗기다).

hull[2] *n.* Ⓒ 선체《마스트나 돛은 포함하지 않음》; (비행정의) 정체(艇體). **~ down** (돛대만 보이고) 선체가 수평선 밑에 보이지 않을 정도로 멀리. — *vt.* (탄알로) 선체를 꿰뚫다.

hul·la·ba·loo[hʌ́ləbəlù:, ∸−−∠] *n.* Ⓒ 왁자지껄함, 떠들썩함, 시끄러움; 큰 소란.

hul·lo(a)[həlóu, hʌ́lóu] *int., n.* 《주로 英》 = HELLO.

:**hum**[hʌm] *vi.* (*-mm-*) ① (벌·팽이가) 윙윙하다, 윙 울리다. ② 우물우물 말하다. ③ 콧노래를 부르다, 허밍으로 노래하다. ④ (불만스런 듯이) 흥하다. ⑤ (사업이) 경기가 좋다. **~** (*a baby*) **to sleep** 콧노래를 불러 (아기를) 잠들게 하다. **~ and ha**[**haw**] (대답에 궁하여) 말을 우물쭈물하다; 머뭇거리다. **make things ~** 경기[활기]를 띠게 하다. — *n.* ① (*sing.*) 붕, 윙윙; 멀리서 들려오는 소음. ② Ⓒ (라디오의) 험; 음(하는 소리)《망설일 때의》. — [m:, m̩ m:] *int.* 흥, 흠《당혹·놀람·의혹의 기분으로》.

†**hu·man**[*h*jú:mən] *a.* ① 사람의, 인간적인. ② 인간에게 있기 쉬운(*To err is ~, to forgive* DIVINE.). **~ affairs** 인간사. **~ being** 인간. **less than ~** 인도를 벗어나서. **more than ~** 초인적이어서. — *n.* Ⓒ 사람.

:**hu·mane**[*h*ju(:)méin] *a.* ① 인정 있는, 친절한. ② 사람을 고상하게 만드는; 우아한. **~ studies** 인문 과학. **~·ly** *ad.* **~·ness** *n.*

·**hu·man·ism**[*h*jú:mənìzəm] *n.* Ⓤ ① 인문[인본]주의. ② 인문학《14-16세기의 그리스·로마의 고전 연구》. ③ 인도주의. ***-ist** *n.* **-is·tic**[∸−ístik] *a.* 인문[인도]주의적인.

hu·man·i·tar·i·an [*h*ju:mæ̀nətέəriən] *a.* 인도주의의, 박애의. — *n.* Ⓒ 인도[박애]주의자. **~·ism** [-ìzəm] *n.*

:**hu·man·i·ty**[*h*ju:mǽnəti] *n.* ① Ⓤ 인간성. ② Ⓤ 《집합적》 인류, 인간. ③ (*pl.*) 사람의 속성. ④ Ⓤ 인간애, 자비. ⑤ Ⓒ 자선 행위. **the humanities** 그리스·라틴 문학; 인문 과학《어학·문학·철학·예술 따위》.

hu·man·ize[*h*jú:mənàiz] *vt., vi.* 인간답게 하다[되다]; 교화하다[되다],

H

인정 있게 만들다〔되다〕.

húman·kìnd *n.* Ⓤ《집합적》 인류.

hu·man·ly[*h*jú:mənli] *ad.* 인간답게; 인력으로써; 인간의 판단으로. ***be* ~ *possible*** 인간의 힘으로 할 수 있다.

hu·man·oid[*h*jú:mənɔ̀id] *a.* 인간에 근사한. — *n.* Ⓒ 원인(原人); (SF 소설에서) 인간에 유사한 우주인.

:hum·ble[*h*ʌ́mbl] *a.* ① (신분이) 비천한; (스스로를) 낮추는, 겸손한. ② (식사 따위) 검소한. ***eat* ~ *pie*** 굴욕을 참다. — *vt.* (품위·지위 따위를) 천하게〔떨어지게〕 하다, 욕을 보이다, 창피를 주다. ~ ***oneself*** 스스로를 낮추다. ***-bly** *ad.* (스스로를) 낮추고, 겸손히. **~·ness** *n.*

hum·bug[hʌ́mbʌ̀g] *n.* ① Ⓤ 협잡, 속임수; 야바위. ② Ⓒ 사기꾼, 협잡꾼. — *vt.* (**-gg-**) 속이다, 협잡하다. — *vi.* 속임수를 쓰다. — *int.* 엉터리!; 시시하다! **ˊ~·ger·y** *n.* Ⓤ 속임(수), 협잡, 사기.

hum·drum[hʌ́mdrʌ̀m] *n., a.* ① Ⓤ 평범(한), 단조(로운). ② Ⓒ 지루한 (이야기·일 따위).

hu·mer·us [hjú:mərəs] *n.* (*pl.* **-meri**[-merài]) Ⓒ 〖解·動〗 상완골.

·hu·mid[*h*jú:mid] *a.* 습기 있는, 눅눅한. **~·i·fy**[-ˊəfài] *vt.* (실내 따위에 적당한) 습도를 주다. ***~·i·ty** [-ˊəti] *n.* Ⓤ 습기, 습도.

·hu·mil·i·ate[*h*ju:mílièit] *vt.* 욕보이다, 굴욕을〔창피를〕 주다. **-at·ing** *a.* 굴욕적인. ***-a·tion**[–ˋ–éiʃən] *n.* Ⓤ,Ⓒ 부끄러움(을 줌), 창피(를 줌), 굴욕. 「겸허.

:hu·mil·i·ty[*h*ju:míləti] *n.* Ⓤ 겸손,

húmming·bìrd *n.* Ⓒ 〖鳥〗 벌새.

hum·mock[hʌ́mək] *n.* Ⓒ 작은 언덕.

:hu·mor·ous, 《英》 **-mour-**[*h*jú:mərəs] *a.* 해학적인, 익살맞은, 유머러스한, 우스운, 희롱하는. **~·ly** *ad.* **~·ness** *n.*

·hump[hʌmp] *n., vt.* ① Ⓒ (등의) 혹, 육봉(肉峰). ② (the ~)《英俗》 우울, 화가 남. ③ (등을) 둥그렇게 하다(*up*). ***get the* ~** 화를 내다. ~ ***oneself***《美口》 노력하다, 열심히 하다. **ˊ~·y** *a.* 혹 모양의, 혹이 있는.

hu·mus[hjú:məs] *n.* (L.) Ⓤ 부식토.

·hunch[hʌntʃ] *n.* Ⓒ ① 육봉(肉峰), 혹. ② 두꺼운 조각, 덩어리. ③《美口》 예감, 육감. — *vt.* (등 따위를) 구부리다(*out, up*).

húnch·bàck *n.* Ⓒ 곱사등(이).

†hun·dred[hʌ́ndrəd] *a.* 백(사람·개)의, 많은. ***a* ~ *and one*** 많은. — *n.* ① Ⓒ 백, 백 사람〔개〕; (~s) 다수, 많음. ② (the ~) 백야드 경주; Ⓒ《美口》 백 달러;《英口》 백 파운드. ***by* ~*s*** 몇 백이고, 많이. ***a great* 〔*long*〕 ~** 백 이십. **~*s and thousands*** 몇 십만, 무수; 굵은 설탕. ***like a* ~ *of bricks***《口》 대단한 무게〔기세〕로. **~·fold**[-fòuld] *a., ad.* 백 배의〔로〕. ***~th** *n., a.* Ⓒ (보통 the ~) 제(第) 100(의), 100번째의; Ⓒ 100분의 1(의).

húndred·wèight *n.* Ⓒ 무게의 단위《美 = 110 lb., 英 = 112 lb.; 생략 cwt》.

:hung[hʌŋ] *v.* hang의 과거(분사).

:hun·ger[hʌ́ŋgər] *n.* ① Ⓒ 굶주림, 공복. ② (a ~) 갈망(*for, after*). ***die of* ~** 굶어 죽다. — *vi., vt.* ① 굶주리(게 하)다. ② 갈망하다(*for, after*).

húnger màrch《英》 기아 행진《실업자의 데모 행진》.

húnger strìke 단식 투쟁.

†hun·gry[hʌ́ŋgri] *a.* ① 굶주린, 공복의, 배고픈. ② 갈망하는(*after, for*). ③ (토지가) 메마른. **hún·gri·ly** *ad.* 굶주린 듯이, 게걸스럽게.

hunk[hʌŋk] *n.* Ⓒ《口》(빵 따위의) 두꺼운 조각;《美俗》 훌륭한 사람.

:hunt[hʌnt] *vt.* ① 사냥하다; (개·말을) 사냥에 쓰다. ② 몰이하다, 찾다(*up, out*). ③ 추적하다; 쫓아 버리다(*out, away*). ④ 괴롭히다, 박해하다. — *vi.* ① 사냥을 하다. ② 찾다(*after, for*). ~ ***down*** (궁지 따위에) 몰아넣다. ~ ***up*** 찾아내다. — *n.* Ⓒ 사냥; 수렵대(隊)〔회·지(地)〕; 탐색.

:hunt·er[hʌ́ntər] *n.* Ⓒ ① 사냥꾼, 사냥개. ② 탐구자(*a fortune* ~ 재산을 노리고 구혼하는 사람). ③ 양(兩)딱지 회중 시계.

:hunt·ing[hʌ́ntiŋ] *n.* Ⓤ ① 사냥. ② 탐색, 추구.
húnting gròund 사냥터.
húnts·man[-smən] *n.* (*pl.* **-men**) Ⓒ 사냥꾼; 사냥개지기.
·hur·dle[hə́:rdl] *n.* Ⓒ ① (울타리 대용의) 바자. ② (장애물 경주의) 허들; (the ~s) 장애물 경주. ③ 장애. ***high*** [***low***] **~*s*** 고[저] 장애물 경주. — *vt.* (장애·곤란을) 뛰어 넘다. **hur·dler** *n.* Ⓒ 허들 선수.
hur·dy-gur·dy [hə́:rdigə̀:rdi] *n.* Ⓒ 손잡이를 돌려서 타는 오르간.
:hurl[hə:rl] *vt., n.* Ⓒ ① (…에게)(내)던지다, 내던짐. ② (욕을) 퍼붓다[퍼부음]. **∠·ing** *n.* Ⓤ 던짐; 헐링《아일랜드식 하키》.
hur·ly-bur·ly[hə́:rlibə̀:rli] *n.* Ⓤ 혼란, 혼잡, 소동.
:hur·rah[hərá:, -rɔ́:/hurá:], **hur·ray**[huréi] *int., vi., n.* Ⓒ 만세!(하고 외치다[외치는 소리]). — *vt.* 환호하여[환호성으로] 맞이하다.
·hur·ri·cane[hə́:rəkèin/hʌ́rikən] *n.* Ⓒ ① 폭풍, 허리케인; (열대의) 구풍(颶風). ② (감정의) 폭발. ③ (H-)《英》〖軍〗 허리케인 전투기.
húrricane làmp [**làntern**] 강풍용 램프.
:hur·ried[hə́:rid, hʌ́rid] *a.* 매우 급한; 재촉 받은; 허둥대는. **:∠·ly** *ad.* 매우 급히.
†hur·ry[hə́:ri, hʌ́ri] *n.* Ⓤ (매우) 급함[서두름]. ***in a*** **~** 급히, 서둘러서, 허둥대어; 《부정문에서》 쉽사리; 《부정문에서》 자진하여, 기꺼이. — *vi., vt.* (…에게) 서두르(게 하)다. ***H- up!*** 서둘러라!; 꾸물거리지 마라!
†hurt[hə:rt] *n., vt.* (***hurt***) Ⓤ,Ⓒ ① (…에게) 상처(를 입히다), 부상(을 입히다), 다치다. ② (…에게) 고통(을 주다). — *vi.* 아프다. ***feel*** **~** 불쾌하게 생각하다, 감정을 상하다. **~ *oneself*** 다치다. **∠·ful** *a.* 해로운. **∠·ful·ly** *ad.* **∠·ful·ness** *n.*
hur·tle[hə́:rtl] *vi.* (돌·화살 따위가) 부딪치다.
†hus·band [hʌ́zbənd] *n.* Ⓒ 남편; 《古》 절약가. ***good*** **~** 검약가. — *vt.* ① 절약하다. ② 《古》 …의 남편이 되다. **~·man** *n.* Ⓒ 농부. **˙~·ry** *n.* Ⓤ 농업; 절약(***bad ~ry*** 규모 없는 살림살이).
:hush[hʌʃ] *n., vi., vt.* Ⓤ,Ⓒ 침묵(하다, 시키다), 고요(해지다, 하게 하다). **~ *up*** 입다물게 하다, (소문을) 쉬쉬해버리다; (*vi.*) 입 밖에 내지 않다. — *int.* 쉿!
húsh-húsh *a.* 내밀(의), 극비(의).
húsh mòney 입막음 돈.
·husk[hʌsk] *n., vt.* Ⓒ ① (과실·옥수수 따위의) 껍질(을 벗기다). ② (일반적으로) 쓸 데 없는 외피.
·husk·y[1][hʌ́ski] *a.* ① 깍지의[와 같은, 가 많은]. ② 쉰 목소리의; (재즈 싱어의 목소리가) 허스키(husky voice)인. ③ 《美口》 억센, 실팍진. — *n.* Ⓒ 《美口》 실팍한 사람. **húsk·i·ly** *ad.* 쉰 목소리로; 허스키(보이스)로. **húsk·i·ness** *n.*
husk·y[2] *n.* Ⓒ 에스키모 개; (H-) 에스키모 사람.
hus·sar[huzá:r] *n.* Ⓒ 경기병(輕騎兵).
hus·sy[hʌ́si, -z-] *n.* Ⓒ 말괄량이.
hus·tings[hʌ́stiŋz] *n. sing. & pl.* 《英》 (국회의원 선거의) 연단(演壇).
·hus·tle[hʌ́səl] *vi., vt.* ① 힘차게 밀다[서로 떠밀다]. ② 서두르다. ③ (*vi.*)《美口》 맹렬히[정력적으로] 일하다. — *n.* Ⓤ,Ⓒ 서로 떠밀기; 서두름; 《口》 정력. **hús·tler** *n.* Ⓒ 세게 미는 사람; Ⓒ 《美口》 적극적인 활동가; (H-) 《美》〖로켓〗 추진 엔진.
:hut[hʌt] *n., vt., vi.* (**-tt-**) Ⓒ ① 오두막(집)(에 살(게 하)다). ② 임시 병사(兵舍)(에 머무르(게 하)다).
hutch[hʌtʃ] *n.* Ⓒ (작은 동물용) 우릿간, 우리; 오두막(hut).
:hy·a·cinth[háiəsìnθ] *n.* ① Ⓒ〖植〗 히아신스. ② Ⓤ 보라색. ③ Ⓤ,Ⓒ 〖鑛〗 풍신자석(風信子石).
hy·ae·na[haií:nə] *n.* = HYENA.
:hy·brid[háibrid] *n., a.* Ⓒ ① 잡종(의); 혼성(混成)(의). ② 혼성어[물]. **~·ism**[-ìzəm] *n.* Ⓤ 잡종성(hybridity); 교배, 혼성. **~·ize**[-àiz] *vt., vi.* (…와) 교배시키다; (…의) 잡종을 낳다; 혼성어를 만들다. **~·i·za·tion**[∸–izéiʃən] *n.*
hy·dran·gea[haidréindʒiə] *n.* Ⓒ 〖植〗 수국(속(屬)).

hy·drant[háidrənt] *n.* Ⓒ 급수전(給水栓), 소화전(消化栓).
hy·drate[háidreit] *n.* ⓊⒸ 《化》 수화물(水化物). **hy·dra·tion**[haidréiʃən] *n.* Ⓤ 수화(水化)(작용).
hy·drau·lic[haidrɔ́:lik] *a.* 수력〔수압〕의; 유체(流體)의〔에 관한〕. **~s** *n.* Ⓤ 수력학(水力學).
hy·dro-[háidrou, -drə] '물·수소'의 뜻의 결합사.
hỳdro·cárbon *n.* Ⓒ 《化》 탄화수소.
hy·dro·chló·ric ácid [hàidrouklɔ́:rik-/-klɔ́(:)-] 염산.
˙**hỳdro·eléctric** *a.* 수력 전기의. ˙**-electrícity** *n.* Ⓤ 수력 전기.
hy·dro·foil[háidroufɔ̀il] *n.* Ⓒ (잠수함·비행정 등의) 수중익(水中翼); 수중익선(船).
:hy·dro·gen [háidrədʒən] *n.* Ⓤ 《化》 수소《기호 H》.
hýdrogen bòmb 수소 폭탄.
hýdrogen peróxide 과산화수소.
hy·dro·pon·ic[hàidrəpánik/-ɔ́-] *a.* 수경법(水耕法)의. **~s** *n.* Ⓤ 수경법, 물재배(栽培).
hy·dro·ther·a·peu·tics[hàidrouθèrəpjú:tiks], **-ther·a·py**[-θérəpi] *n.* Ⓤ 물요법(療法).
hy·e·na[haií:nə] *n.* Ⓒ 《動》 하이에나; 욕심꾸러기.
˙**hy·giene**[háidʒi:n] *n.* Ⓤ 위생학, 섭생법. **hý·gi·en·ist** *n.*
hy·gi·en·ic [hàidʒiénik, haidʒí:n-], **-i·cal**[-əl] *a.* 위생(학)의. **~s** *n.* Ⓤ 위생학.
Hy·men[háimən/-men] *n.* 《그神》 결혼의 신; (h-) Ⓒ 《解》 처녀막. **hy·me·ne·al**[hàiməní:əl/-me-] *a., n.* Ⓒ 결혼의 (노래).
:hymn[him] *n.* Ⓒ 찬송가. — *vt.* 찬송〔찬미〕하다. **hym·nal**[hímnəl] *a., n.* 찬송가의; Ⓒ 찬송가집(集).
hype[haip] *n.* 《美俗》 = HYPODERMIC; Ⓒ 마약 중독(자); Ⓤ 사기, 과대 광고. — *vt.* 《美俗》 (마약을 주사하여) 흥분시키다, 자극하다; 속이다, 과대 선전하다.
hy·per-[háipər] *pref.* '과도·초(超)…'의 뜻.
hy·per·bo·le[-bəli] *n.* ⓊⒸ 《修》 과장(법). **-bol·ic**[hàipərbálik/-ɔ́-], **-i·cal**[-əl] *a.* 과장(법)의; 쌍곡선의.
hỳper·inflátion *n.* Ⓒ 초(超)인플레이션.
hỳper·sénsitive *a.* 과민증의.
hỳper·ténsion *n.* Ⓤ 고혈압. **-ténsive** *a., n.* Ⓒ 고혈압의 (환자).
:hy·phen[háifən] *n., vt.* Ⓒ 하이픈(으로 연결하다, 끊다). **~·ate**[háifənèit] *vt.* = HYPHEN.
hyp·no·sis[hipnóusis] *n.* Ⓤ 최면(술); 최면 상태. **hyp·not·ic**[-nátik/-ɔ́-] *a., n.* 최면(술)의; Ⓤ 최면제; Ⓒ 최면술에 걸린〔걸리기 쉬운〕 사람.
hyp·no·tism[hípnətìzəm] *n.* Ⓤ 최면(술), 최면 상태. **-tist** *n.* **-tize**[-tàiz] *vt.* (…에게) 최면술을 걸다; 매혹(魅惑)하다(charm).
hy·p(o)-[háipou, -pə] *pref.* '밑에, 밑의, 이하, 가벼운'의 뜻.
hy·po·chon·dri·a[hàipəkándriə/-ɔ́-] *n.* Ⓤ 우울증, 히포콘드리. **-dri·ac**[-driæ̀k] *a., n.* Ⓒ 우울증의 (환자).
:hy·poc·ri·sy[hipákrəsi/-ɔ́-] *n.* Ⓤ 위선; Ⓒ 위선적 행위.
˙**hyp·o·crite**[hípəkrit] *n.* Ⓒ 위선자. **-crit·i·cal**[⌐–krítikəl] *a.*
hy·po·der·mic[hàipədə́:rmik] *a., n.* 피하의; Ⓒ 피하 주사(액).
hy·pot·e·nuse [haipátənjù:s/-pɔ́tənjù:s] *n.* Ⓒ 《數》 (직각 삼각형의) 빗변.
hy·po·ther·mi·a[hàipəθə́:rmiə] *n.* Ⓤ 《醫》 (심장 수술을 용이하게 하기 위한) 인공적 체온 저하(법).
˙**hy·poth·e·sis**[haipáθəsis/-ɔ́-] *n.* (*pl.* **-ses**[-sì:z]) Ⓒ 가설; 가정. **-size**[-sàiz] *vi., vt.* (…의) 가설을 세우다; 가정하다. **hy·po·thet·ic**[hàipəθétik], **-i·cal**[-əl] *a.* 가설〔가정〕의. **-i·cal·ly** *ad.*
hys·ter·ec·to·my[hìstəréktəmi] *n.* ⓊⒸ 《醫》 자궁 절제(술).
hys·te·ri·a[histíəriə] *n.* Ⓤ 《醫》 히스테리(증); 병적 흥분.
hys·ter·ic[histérik] *a.* = HYSTERICAL. — *n.* Ⓒ (보통 *pl.*) 히스테리의 발작. ˙**-i·cal** *a.* 히스테리의〔적인〕; 병적으로 흥분한. **-i·cal·ly** *ad.*
Hz, hz hertz.

H

I

I, i[ai] *n.* (*pl.* ***I's, i's***[-z]) Ⓤ 로마 숫자의 1; Ⓒ I자형의 것.

†**I**[ai] *pron.* (*pl.* ***we***) 나는, 내가.

i·am·bic[aiǽmbik] *n.* Ⓒ 〖韻〗 약강격; (보통 *pl.*) 약강격의 시.

i·bex[áibeks] *n.* (*pl.* **~*es*, *ibi·ces***[íbəsìːz, ái-], 《집합적》 ~) Ⓒ (알프스 산중의) 야생 염소.

·**ibid.** ibidem.

i·bi·dem[ibáidəm] *ad.* (L.) 같은 장소〔책·장·페이지〕에《생략 ib., 또는 ibid.》.

-i·ble[əbl] *suf.* '…할〔될〕 수 있는' 의 뜻의 형용사를 만듦: permiss*ible*, sens*ible*.

IBM International Business Machines《미국 컴퓨터 제작 회사명》.

IC integrated circuit 〖電·컴〗 집적(集積)회로.

-ic(al)[ik(əl)] *suf.* '…의, …의 성질' 등의 형용사를 만듦: hero*ic*, chem*ical*, econom*ic*(*al*).

†**ice**[ais] *n.* ① Ⓤ 얼음; 얼음판의 얼음. ② Ⓒ 얼음 과자, 아이스크림. ③ Ⓤ 당의(糖依). ④ Ⓤ,Ⓒ 《美俗》 다이아몬드. ***break the ~*** 착수하다; 말을 꺼내다; 터놓고 대하다. ***cut no ~*** 《美口》 효과가 없다. ***on ~*** 《美俗》 장차에 대비하여; 옥에 갇혀. ***on thin ~*** 위험한 상태로. — *vt.* ① 얼리다; 얼음으로 채우다〔덮다〕. ② (과자에) 당의를 입히다.

íce àge 빙하 시대.

íce àx(e) (등산용의) 얼음 깨는 도끼, 등산용 피켈.

·**ice·berg**[⌐bə̀ːrg] *n.* Ⓒ 빙산(cf. calf[2]); 냉담한 사람; 빙산의 일각.

íce·bòund *a.* 얼음에 갇힌.

íce·bòx *n.* Ⓒ 냉장고.

íce·brèaker *n.* Ⓒ 쇄빙선〔기〕.

íce·càp *n.* Ⓒ (높은 산의) 만년설.

íce-cóld *a.* 얼음처럼 찬; 냉담한.

:**íce créam** 아이스크림.

íce cùbe (냉장고에서 만들어지는) 각빙(角氷).

íced[aist] *a.* 얼음에 채운; 당의를 「입힌(*glacé*).

íce fìeld (극지방의) 빙원.

íce hòckey 아이스하키.

íce·lòlly *n.* Ⓒ 《英》 아이스캔디.

íce pàck 부빙군(浮氷群); 얼음 주머니.

íce pìck 얼음 깨는 송곳.

íce rìnk (옥내) 스케이트장.

íce-skàte *vi.* 스케이트 타다.

íce skàting *n.* Ⓤ 빙상 스케이트.

íce wàter 《美》 얼음으로 차게 한 물; 얼음이 녹은 찬 물.

i·ci·cle[áisikəl] *n.* Ⓒ 고드름.

ic·ing[áisiŋ] *n.* Ⓤ (과자에) 입힌 설탕, 당의(糖依); 〖空〗 비행기 날개에 생기는 착빙(着氷).

i·con[áikɑn/-ɔ-] *n.* (*pl.* **~s, -*nes***[-nìːz]) Ⓒ 〖그正敎〗 성상(聖像), 화상; 초상; 〖컴〗 아이콘《컴퓨터의 각종 기능·메시지를 나타내는 그림 문자》.

i·con·o·clasm [aikɑ́nəklæ̀zəm/-ɔ́-] *n.* Ⓤ 성상(聖像) 파괴, 우상 파괴; 인습 타파. **-clast**[-klæ̀st] *n.* Ⓒ 우상 파괴자; 인습 타파주의자. **-clas·tic**[-⌐-klǽstik] *a.*

ICU intensive care unit.

:**i·cy**[áisi] *a.* ① 얼음의, 얼음 같은; 얼음이 많은; 얼음으로 덮인. ② 얼음같이 찬; 냉담한. **í·ci·ly** *ad.* **í·ci·ness** *n.*

id[id] *n.* (the ~) 〖精神分析〗 이드《본능적 충동의 근원》.

†**I'd**[aid] I had 〔would, should, had〕의 단축.

ID càrd[áidíː-] 신분 증명서(identity card).

†**i·de·a**[aidíːə] *n.* Ⓒ ① 개념, 관념; 생각, 사상. ② 견해, 신념. ③ 계획; 상상. ④ 〖哲〗 개념, 이념. ***The ~!*** 이런 지독하군〔어이없군〕.

·**i·de·al**[aidíːəl] *a.* ① 이상적인, 완전한. ② 상상의; 관념적인, 가공적

인. — *n.* Ⓒ 이상, 전형(典型). ˚~·**ism**[-ìzəm] *n.* Ⓤ 이상주의; 〖哲〗 관념론, 유심론; 〖藝〗 관념주의. ~·**ist** *n.* Ⓒ 이상주의자; 공상가; 관념론자, 관념주의자. ~·**is·tic**[-ˊ-ístik] *a.* 이상주의의; 몽상가의; 관념론의. ~·**ly** *ad.*

i·de·al·ize[aidíːəlàiz] *vt., vi.* 이상화하다; (…의) 이상을 그리다. **-i·za·tion**[-ˊ-izéiʃən] *n.*

:**i·den·ti·cal**[aidéntikəl] *a.* 동일한; 같은(*with*).

idéntical twín 일란성 쌍생아(cf. fraternal twin).

˚**i·den·ti·fi·ca·tion**[aidèntəfikéiʃən] *n.* Ⓤ,Ⓒ ① 동일하다는〔동일인·동일물이라는〕 증명. ② 신분 증명(이 되는 것).

identificátion paràde 범인 확인을 위해 늘어세운 피의자들(의 줄).

:**i·den·ti·fy**[aidéntəfài] *vi.* ① 동일하다고〔동일인·동일물임을〕 인정하다. ② 동일시하다. ③ …이 무엇이〔누구〕라는 것을 확인하다. ~ ***oneself with*** …와 제휴하다. **-fi·a·ble**[-fàiəbəl] *a.* 동일함을 증명할 수 있는.

I·den·ti·kit[aidéntəkìt] *n.* Ⓒ 〖商標〗 몽타주식 얼굴 사진 합성 장치; (i-) 몽타주 사진.

˚**i·den·ti·ty**[aidéntəti] *n.* ① Ⓤ 동일한 사람〔것〕임, 동일성. ② Ⓤ,Ⓒ 자기 자신〔그것 자체〕임; 신원.

id·e·o·gram[ídiəgrǽm, áidiə-], **-graph**[-grǽf, -grɑ̀ːf] *n.* Ⓒ 표의(表意) 문자.

˚**i·de·ol·o·gy**[àidiálədʒi, ìd-/-ɔ́-] *n.* ① Ⓤ,Ⓒ 이데올로기, 관념 형태. ② Ⓤ 관념학; 공리 공론(空理空論). **-o·log·i·cal**[ˋ-əládʒikəl/-ɔ́-] *a.*

id·i·o·cy[ídiəsi] *n.* ① Ⓤ 백치. ② Ⓒ 백치 같은 언동.

:**id·i·om**[ídiəm] *n.* ① Ⓒ 이디엄, 관용구, 숙어. ② Ⓤ,Ⓒ (어떤 언어의 정해진) 어법; (어떤 민족의) 언어; 방언. ③ Ⓤ (화가·음악가 등의) 독특한 맛, 특색, 특징.

˚**id·i·o·mat·ic**[ìdiəmǽtik], **-i·cal**[-əl] *a.* 관용구적인, 관용어법적인. **-i·cal·ly** *ad.*

id·i·o·syn·cra·sy, -cy[ìdiəsíŋkrəsi] *n.* Ⓒ 특질, 특이성; (특이한) 성벽(eccentricity); 〖醫〗 (알레르기 따위의) 특이 체질.

˚**id·i·ot**[ídiət] *n.* Ⓒ 바보; 〖心〗 백치《지능 지수 0-25 (최저도)의 정신 박약자; imbecile, moron》. ~·**ic**[ìdiátik/-ɔ́-] *a.*

:**i·dle**[áidl] *a.* ① 태만한, 게으름뱅이의. ② 일이 없는, 한가한. ③ 활용되지 않고 있는; 무용의; 쓸모 없는. ④ (공포·근심 따위) 까닭〔근거〕 없는. ***money lying*** ~ 유휴금. — *vi.* ① 게으름피우다; 빈둥거리다, 빈둥빈둥 놀고 지내다. ② 〖機〗 헛돌다, 공전(空轉)하다. — *vt.* 빈둥거리며 지내다, 낭비하다. **:**~·**ness** *n.* Ⓤ 태만; 무위. **í·dler** *n.* Ⓒ 게으름뱅이. ˚**í·dly** *ad.*

:**i·dol**[áidl] *n.* Ⓒ ① 우상. ② 〖聖〗 사신(邪神). ③ 숭배받는 것〔사람〕, 인기 있는 사람. ④ 선입적 유견(謬見) (fallacy). ~·**ize**[áidəlàiz] *vt.* 우상화〔숭배〕하다. ~·**i·za·tion**[àidəlizéiʃən/-lai-] *n.*

i·dol·a·ter[aidálətər/-ɔ́-] *n.* Ⓒ 우상 숭배자.

˚**i·dol·a·try**[-ətri] *n.* Ⓤ 우상 숭배; 맹목적 숭배. **-a·trous** *a.* 우상 숭배의, 우상 숭배적인.

i·dyl(l)[áidl] *n.* Ⓒ 목가(牧歌), 전원시; (한가한) 전원 풍경. **i·dyl·lic**[aidílik] *a.* 목가적인.

-ie[iː] *suf.* aunt*ie*, bird*ie*. ⇨-Y.

˚**i.e.**[áiíː, ðǽtíz] *id est* (L. = that is) 즉, 이를테면.

†**if**[if] *conj.* ① 만약…이라면. ② 비록 …일지라도(even if). ③ …인지 어떤지(whether)(*Let me know if he will come.* 올 것인지 안 올 것인지 알려 주십시오). ***if only*** …이〔하〕기만 하다면(*If only I knew!* or *If I only knew!* 알기만 한다면 좋으련만!). ***if it were not*** 〔***had not been***〕 ***for*** 만약…이 없(었)〔아니었〕다면. — *n.* Ⓒ 가정. 「운.

if·fy[ífi] *a.* 《口》 불확실한; 의심스러

-i·fy[əfài] *suf.* ⇨-FY.

ig·loo[íglu:] *n.* Ⓒ (에스키모 사람의) 눈으로 만든 작은 집.

ig·nite[ignáit] *vt.* (…에) 점화하다; 〖化〗 높은 온도로 가열하다. — *vi.*

발화하다. **ig·nit·er, -ni·tor**[-ər] *n.* Ⓒ 점화자[장치]; 〖電子〗 점고자(點孤子).

ig·ni·tion[igníʃən] *n.* ① Ⓤ 점화, 발화. ② Ⓒ (내연 기관의) 점화 장치 (*an* ~ *plug* 점화 플러그/*an* ~ *point* 발화점).

ig·no·ble[ignóubl] *a.* 천한; 시시한; 불명예스러운; 《古》 (태생이) 비천한(opp. noble).

ig·no·min·i·ous[ìgnəmíniəs] *a.* 수치[불명예]스런; 비열한. **~·ly** *ad.*

ig·no·min·y[ígnəmìni] *n.* ① Ⓤ 치욕, 불명예. ② Ⓒ 수치스러운 행위, 추행.

ig·no·ra·mus[ìgnəréiməs] *n.* Ⓒ 무지몽매[무식]한 사람.

:ig·no·rance[ígnərəns] *n.* Ⓤ ① 무지, 무식. ② 모르고 있음. ***in* ~ *of*** …을 알지 못하고. ***I- is bliss.*** 《속담》 모르는 것이 약이다.

:ig·no·rant[ígnərənt] *a.* ① 무지몽매[무식]한. ② …을 모르는(*of*). **~·ly** *ad.*

:ig·nore[ignɔ́ːr] *vt.* 무시하다; 〖法〗 기각하다.

i·gua·na[igwɑ́ːnə] *n.* Ⓒ 〖動〗 이구아나《열대 아메리카의 큰 도마뱀》.

i·kon[áikɑn/-ɔ-] *n.* = ICON.

il-[il] *pref.* ⇨ IN.

ilk[ilk] *a.* (Sc.) 같은. — *n.* (*pl.*) 가족; 같은 종류. ***of that* ~** 같은 곳[이름·무리]의.

†ill[il] *a.* (***worse; worst***) ① 건강이 나쁜; 병든. ② 나쁜; 해로운. ③ 형편이 나쁜; 불길한. ④ 불친절한; 서투른. ***fall*** [***be taken***] **~** 병에 걸리다. ***I- news runs apace.*** 《속담》 악사천리(惡事千里). ***It is an* ~ *wind* (*that*) *blows nobody good.*** 《속담》 갑의 손해는 을의 이득. ***meet with* ~ *success*** 실패로 끝나다. — *n.* ① Ⓤ 악(惡), 해(害). ② Ⓒ (종종 *pl.*) 불행, 고난, 병. — *ad.* ① 나쁘게, 서투르게. ② 운[형편]나쁘게. ③ 불친절하게. ④ 간신히, 거의 …않게(scarcely) (*We can* ~ *afford of waste time.* 시간을 낭비할 수 없다). ***be* ~ *at*** (counting) (계산이) 서투르다. ***be* ~ *at ease*** 마음이 놓이지 않다, 불안하다. ***I- got,* ~ *spent.*** 《속담》 나쁜 짓 하여 번 돈 오래 가지 않는다(cf. illspent). ***take ...* ~** …을 나쁘게 여기다, 성내다.

†I'll[ail] I will, I shall의 단축.

íll-advísed *a.* 무분별한.

íll-bréd *a.* 가정 교육이 나쁜, 버릇없는, 본데 없는.

íll-consídered *a.* 생각을 잘못한.

íll-dispósed *a.* 악의를 품은, 불친절한, 비우호적인.

:il·le·gal[ilíːgəl] *a.* 불법의. **~·ly** *ad.* **~·i·ty**[ìligǽləti] *n.* Ⓤ 비합법, 불법; Ⓒ 불법 행위, 부정.

il·leg·i·ble[iléd͡ʒəbəl] *a.* 읽기 어려운. **-bil·i·ty**[-ˌ-ˈbílə-] *n.*

·il·le·git·i·mate[ìlədʒítəmit] *a.* ① 불법의. ② 사생[서출]의. ③ 비논리적인. **~·ly** *ad.* **-ma·cy** *n.*

íll-fáted *a.* 불운한.

íll-fóunded *a.* 근거가 박약한.

íll-gótten *a.* 부정 수단으로 얻은.

il·lib·er·al[ilíbərəl] *a.* 인색한; 옹졸한; 교양 없는. **~·ness** *n.* **~·i·ty** [-ˌərǽləti] *n.*

·il·lic·it[ilísit] *a.* 불법의(illegal). **~·ly** *ad.*

íll-júdged *a.* 무분별한.

il·lit·er·a·cy[ilítərəsi] *n.* ① Ⓤ 문맹, 무식. ② Ⓒ (무식해서) 틀리게 씀.

·il·lit·er·ate[ilítərit] *a., n.* Ⓒ 무식한 (사람), 문맹인 (사람).

íll-mánnered *a.* 버릇[교양] 없는.

:ill·ness[ílnis] *n.* Ⓤ,Ⓒ 병.

il·log·i·cal[ilɑ́dʒikəl/-ɔ́-] *a.* 비논리적인, 불합리한. **~·ly** *ad.* **~·ness** *n.* Ⓤ 불합리.

il·log·i·cal·i·ty[-ˌ-ˈkǽləti] *n.* ① Ⓤ 불합리. ② Ⓒ 불합리한 것.

íll-stárred *a.* 불운한.

íll-témpered *a.* 심술궂은, 성마른, 꾀까다로운.

íll-tímed *a.* 기회가 나쁜.

íll-tréat *vt.* 학대[냉대]하다. **~·ment** *n.* Ⓤ 학대.

:il·lu·mi·nate[-ənèit] *vt.* ① 비추다. ② 《주로 英》 전식(電飾)을 달다. ③ 분명히 하다. ④ 계몽하다(enlighten). ⑤ (사본 따위를) 색무늬나 금박 문자로 장식하다. ⑥ 명성

을 높이다. **-na·tive**[-nèitiv] *a.* **-na·tor** *n.*

:il·lu·mi·na·tion[ilù:mənéiʃən] *n.* ① Ⓤ 조명; 조명도. ② Ⓒ 전식(電飾). ③ Ⓤ 해명, 계몽. ④ Ⓒ (보통 *pl.*) (사본의) 채색.

:il·lu·sion[ilú:ʒən] *n.* ① Ⓤ,Ⓒ 환영; 환상. ② Ⓒ 착각. **il·lu·sive**[-siv], ***-so·ry**[-səri] *a.* 환영적인; 사람을 속이는.

:il·lus·trate[íləstrèit, ilʌ́streit] *vt.* ① (실례 따위로) 설명하다. ② (설명·장식을 위한) 삽화를 넣다. ***-tra·tor** *n.* Ⓒ 삽화가.

:il·lus·tra·tion[ìləstréiʃən] *n.* ① Ⓒ 실례, 삽화; 도해. ② Ⓤ (실례·그림 따위에 의한) 설명. ***by way of*** ~ 실례로서. ***in* ~ *of*** …의 예증으로서.

·il·lus·tra·tive[íləstrèitiv, ilʌ́strə-] *a.* 실례가 되는, 설명적인(*of*). **~·ly** *ad.*

il·lus·tri·ous[ilʌ́striəs] *a.* 유명한; 현저한, (공훈 따위) 찬란한. **~·ly** *ad.*

ILO, I.L.O. International Labor Organization (Office).

im-[im] *pref.* ⇨ IN.

†I'm[aim] I am의 단축.

:im·age[ímidʒ] *n.* Ⓒ ① 상(像), 초상, 화상, 조상(彫像). ② 영상; 형상. ③ 꼭 닮음. ④ 전형. ⑤ 〖理〗 영상(映像); 〖心〗 심상(心像); 〖修〗 비유. ⑥ 〖컴〗 영상, 이미지. — *vt.* ① (…의) 상을 만들다. ② 그림자를 비추다. ③ 상상하다; 상징하다.

im·age·ry[ímidʒəri] *n.* Ⓤ 《집합적》 상, 초상, 화상, 조상; 심상; 〖文學〗 심상(心像), 사상(寫像); 비유.

·im·ag·i·na·ble[imǽdʒənəbəl] *a.* 상상할 수 있는 (한의).

:im·ag·i·nar·y [imǽdʒənèri/-dʒənə-] *a.* 상상의; 허(虛)의. ~ ***number*** 〖數〗 허수.

†im·ag·i·na·tion [imæ̀dʒənéiʃən] *n.* ① Ⓤ,Ⓒ 상상력; 창작력. ② Ⓤ 상상(의 소산), 공상.

·im·ag·i·na·tive [imǽdʒənèitiv, -nə-] *a.* ① 상상의; 상상[공상]적인. ② 상상력이 풍부한, 공상에 잠기는.

†im·ag·ine[imǽdʒin] *vt., vi.* ① 상상[추상]하다. ② 생각하다.

i·ma(u)m[imɑ́:m] *n.* Ⓒ 이맘《이슬람의 도사(導師)》; (종종 I-) 종교적[정치적] 지도자.

im·bal·ance[imbǽləns] *n.* = UNBALANCE.

im·be·cile[ímbəsil, -sàil/-sì:l] *n., a.* 저능한; 우둔한; Ⓒ 저능자, 〖心〗 치우(癡愚)《지능지수 25-50》 (cf. idiot). **-cil·i·ty**[ìmbəsíləti] *n.* ① Ⓤ 저능. ② Ⓒ 어리석은 언동.

im·bibe[imbáib] *vt.* (술 등을) 마시다; (공기·연기 등을) 흡수하다; (사상 따위를) 받아들이다.

im·bro·glio[imbróuljou] *n.* (*pl.* ~***s***) Ⓒ 분규; 분쟁.

im·bue[imbjú:] *vt.* (…에게) 침투시키다, 배게 하다; (사상·양심 따위를) 불어 넣다, 고취하다(inspire) (*with*).

IMF International Monetary Fund.

:im·i·tate[ímitèit] *vt.* ① 모방하다, 흉내내다. ② 모조하다; 위조하다. ③ 모범으로 삼다. **im·i·ta·ble**[ímətəbəl] *a.* 모방할 수 있는. **-ta·tive** [ímətèitiv, -tə-] *a.* 모방의; 흉내 잘 내는; 모조의. ***be imitative of*** …의 모방이다. **-ta·tor**[ímətèitər] *n.* Ⓒ 모방자.

:im·i·ta·tion[ìmitéiʃən] *n.* ① Ⓤ 모방. ② Ⓒ 모조품.

·im·mac·u·late[imǽkjəlit] *a.* 때묻지 않은; 죄없는; 깨끗한; 결점없는.

im·ma·te·ri·al[ìmətíəriəl] *a.* 비물질적인; 영적인; 중요하지 않은.

·im·ma·ture[ìmətjúər] *a.* 미숙한; 미성년의, 미완성의; 침식이 초기인. **-tu·ri·ty**[-tjúərəti] *n.*

·im·meas·ur·a·ble [iméʒərəbəl] *a.* 측정할 수 없는, 끝없는. **-bly** *ad.*

im·me·di·a·cy[imí:diəsi] *n.* Ⓤ 직접성; (보통 *pl.*) 밀접한 것.

:im·me·di·ate[imí:diit] *a.* ① 직접의, 바로 옆의. ② 즉시의; 당면한; 가까운.

·im·me·di·ate·ly[imí:diitli] *ad.* 즉시; 직접; 가까이에. — *conj.* …하자마자.

·**im·me·mo·ri·al** [ìmimɔ́ːriəl] *a.* 기억에 없는, 옛적의, 태고의. ***from time*** ~ 아득한 옛날부터.

·**im·mense** [iméns] *a.* ① 거대한(huge). ② 〖俗〗 훌륭한. *~·**ly** *ad.*

im·men·si·ty [iménsəti] *n.* Ⓤ 광대; 무한한 공간〔존재〕; 《복수형》 막대한 양.

·**im·merse** [imə́ːrs] *vt.* ① 잠그다, 담그다. ② 〖宗〗 침례를 베풀다. ③ 몰두하게〔빠지게〕하다(*in*). **im·mer·sion** [-ʃən] *n.* Ⓤ 침수.

immérsion hèater 침수식 물끓이개《코드 끝의 발열체를 속에 넣어 우유·홍차 등을 데움》.

·**im·mi·grant** [ímigrənt] *n., a.* Ⓒ (외국으로부터의) 이민(cf. emigrant); 이주하여 오는.

·**im·mi·gra·tion** [⌐–gréiʃən] *n.* Ⓤ,Ⓒ (외국으로부터의) 이주; 이민; 《집합적》 이민자.

·**im·mi·nent** [ímənənt] *a.* 절박한(impending); 《古》 톡 튀어나와 있는. ~·**ly** *ad.* **-nence, -nen·cy** *n.* Ⓤ 절박; Ⓒ 촉박한 위험〔사정〕.

im·mo·bile [imóubəl, -biːl] *a.* 움직일 수 없는, 고정된; 움직이지 않는; 부동의. **-bi·lize** [-bəlàiz] *vt.* 고정하다, 움직이지 않게 하다. **-bil·i·ty** [⌐–bíləti] *n.*

im·mod·er·ate [imɑ́dərit/-ɔ́-] *a.* 절도 없는; 극단적인. ~·**ly** *ad.*

im·mod·est [imɑ́dist/-ɔ́-] *a.* 조심성 없는; 거리낌 없는, 주제넘은(forward). ~·**ly** *ad.* **-es·ty** *n.*

·**im·mor·al** [imɔ́ːrəl/imɔ́r-] *a.* 부도덕한, 품행이 나쁜. ~·**ly** *ad.*

im·mo·ral·i·ty [ìmərǽləti] *n.* Ⓤ 부도덕, 품행 나쁨; Ⓒ 부도덕 행위, 추행.

:**im·mor·tal** [imɔ́ːrtl] *a.* ① 불사의; 영원한; 불후의. ② 신의. — *n.* Ⓒ 죽지 않는 사람; 불후의 명성이 있는 사람; (*pl.*) 〖그·로神〗 신화의 신들. ~·**ize** [-təlàiz] *vt.* 불멸〔불후〕하게 하다. *~·**i·ty** [⌐–tǽləti] *n.* Ⓤ 불후(의 명성).

·**im·mov·a·ble** [imúːvəbəl] *a.* ① 움직일 수 없는; 움직이지 않는. ② 확고한; 감정에 좌우되지 않는. — *n.* (*pl.*) 〖法〗 부동산. **-bil·i·ty** [-⌐– bíləti] *n.* Ⓤ 부동〔고정〕성.

im·mune [imjúːn] *a.* 면제된(*from*); 면역이 된(*from, against*). ·**im·mú·ni·ty** *n.* Ⓤ 면역(성); 면제.

im·mu·nize [ímjənàiz] *vt.* 면역되게 하다, 면역성을 주다. **-ni·za·tion** [⌐–nizéiʃən] *n.*

im·mu·no·bi·ol·o·gy [ìmjənəbaiɑ́lədʒi/-ɔ́-] *n.* Ⓤ 면역 생물학.

im·mure [imjúər] *vt.* 가두다, 유폐하다. ~·**ment** *n.*

im·mu·ta·ble [imjúːtəbəl] *a.* 불변의. **-bil·i·ty** [-⌐–bíləti] *n.* Ⓤ 불변성.

·**imp** [imp] *n.* Ⓒ ① 악마의 새끼; 꼬마 악마. ② 개구쟁이. ∠·**ish** *a.* 장난스런, 개구쟁이의.

·**im·pact** [ímpækt] *n.* ① Ⓤ 충돌(*on, upon*). ② Ⓒ 영향, 효과. — [–∠] *vt.* ① (…에) 밀어넣다. ② (…에) 충격을 가하다; (…와) 충돌하다. ③ (…에) 몰려들다, (…에) 밀어닥치다. — *vi.* 충돌하다, 접촉하다.

·**im·pair** [impέər] *vt., vi.* 해치다; (가치 등을) 감하다. ~·**ment** *n.* Ⓤ 손상.

im·pale [impéil] *vt.* (찔러) 꽂다; 꿰찌르는 형에 처하다. ~·**ment** *n.*

im·pal·pa·ble [impǽlpəbəl] *a.* 만져도 모르는; 이해할 수 없는.

·**im·part** [impɑ́ːrt] *vt.* ① (나눠) 주다; 곁들이다. ② (소식을) 전하다, 말해버리다. **im·par·ta·tion** [⌐–téiʃən] *n.* Ⓤ,Ⓒ 나누어 줌; 통지.

·**im·par·tial** [impɑ́ːrʃəl] *a.* 치우치지 않는; 공평한. **-ti·al·i·ty** [–⌐ʃiǽləti] *n.* Ⓤ 공평.

im·pass·a·ble [impǽsəbəl, -pɑ́ː-] *a.* 통행할〔지나갈〕 수 없는.

im·passe [ímpæs, –∠] *n.* (F.) Ⓒ 막다른 골목(*cul-de-sac*); 난국.

im·pas·sioned [impǽʃənd] *a.* 감격한; 열렬한.

im·pas·sive [impǽsiv] *a.* 둔감한, 태연한; 냉정한. **-siv·i·ty** [⌐–sívəti] *n.*

:**im·pa·tience** [impéiʃəns] *n.* Ⓤ ① 성급. ② 조바심, 초조. ③ (고통·냉대·기다림 등에) 견딜 수 없음.

:**im·pa·tient** [impéiʃənt] *a.* ① 성마른. ② 참을 수 없는(*of*). ③ (…하고

싫어) 못 견디는, 안절부절 못 하는 (*for, to* do). **be ~ for** …이 탐나서 못 견디다; …을 안타깝게 기다리다. **be ~ of** …을 못견디다. ˚**~·ly** *ad.*

˚**im·peach**[impíːtʃ] *vt.* ① 문제삼다. ② (…의 허물로) 책하다, 비난하다(*of, with*). ③ (공무원을) 탄핵하다. **~·a·ble** *a.* **~·ment** *n.*

im·pec·ca·ble[impékəbəl] *a.* 죄를 범하지 않는; 결점 없는. **-bly** *ad.* **-bil·i·ty**[-^-bíləti] *n.*

im·pe·cu·ni·ous [ìmpikjúːniəs] *a.* 돈없는, 가난한. **-os·i·ty**[ìmpikjùːniásəti/-5-] *n.*

im·ped·ance[impíːdəns] *n.* Ⓤ 〖電〗 임피던스《교류에서 전압의 전류에 대한 비》.

˚**im·pede**[impíːd] *vt.* 방해하다.

˚**im·ped·i·ment**[impédəmənt] *n.* Ⓒ ① 고장, 장애(물). ② 언어 장애, 말더듬이.

im·ped·i·men·ta[impèdəméntə] *n. pl.* (여행용) 수하물; 〖軍〗 병참, 보급품.

˚**im·pel**[impél] *vt.* (**-ll-**) 추진하다; 재촉하다, 억지로 …시키다(force) (*to*). **~·lent** *a., n.* Ⓒ 추진하는 (힘).

im·pend[impénd] *vi.* 《古》 (위에) 걸리다(*over*); 임박하다. ˚**~·ing** *a.* 절박한, 곧 일어날 것 같은.

im·pen·e·tra·ble[impénətrəbəl] *a.* 꿰뚫을[뚫고 들어갈] 수 없는; 헤아릴 수 없는, 불가해한; (새 사상에) 동요되지 않는, 물들지 않는, 둔한. **-bly** *ad.* **-bil·i·ty**[-^--bíləti] *n.*

˚**im·per·a·tive**[impérətiv] *a.* 명령적인, 엄연한; 피할 수 없는, 긴급한; 〖文〗 명령법의. **—** *n.* Ⓒ 명령; 〖文〗 명령법(의 동사)(cf. indicative, subjunctive). **~ mood** 〖文〗 명령법. **~·ly** *ad.*

im·per·cep·ti·ble[ìmpərséptəbəl] *a.* 관찰[감지(感知)]할 수 없는; 근소한; 점차적인(gradual). **-bly** *ad.*

:**im·per·fect**[impə́ːrfikt] *a.* 불완전한, 미완성의; 미완료의. *ad.* **-fec·tion**[^-fékʃən] *n.* Ⓤ 불완전 (상태); Ⓒ 결점.

:**im·pe·ri·al**[impíəriəl] *a.* ① 제국의; 대영 제국의. ② 황제[황후]의; 제권(帝權)의; 지상의; 당당한; 오만한(imperious). ③ (상품이) 특대[고급]의; (도량형이) 영국 법정 규준의. **~ gallon** 영국 갤런《4.546리터, 미국 갤런의 약 1.2배》. ***I- Household*** 황실, 왕실. **—** *n.* Ⓒ 황제 수염《아랫 입술 밑에 기른 뾰족한 수염》; (종이의) 임페리얼판(判)(《美》 23×31 인치, 《英》 22×30 인치). **~·ism** [-ìzəm] *n.* Ⓤ 제국주의; 제정. **~·ist** *n.* Ⓒ 제국[제정]주의자. **~·is·tic** [-^--ístik] *a.* 제국주의적인.

im·per·il[impéril] *vt.* (《英》 **-ll-**) (생명·재산 따위를) 위태롭게 하다.

˚**im·pe·ri·ous**[impíəriəs] *a.* 전제적인, 건방진; 긴급한. **~·ness** *n.*

im·per·ish·a·ble[impériʃəbəl] *a.* 불멸의, 영원한.

im·per·ma·nent [impə́ːrmənənt] *a.* 일시적인.

˚**im·per·son·al**[impə́ːrsənəl] *a.* (특정한) 개인에 관계 없는, 비개인적인; 비인격적인; 〖文〗 비인칭의. **~·ly** *ad.* **-al·i·ty**[-^-ǽləti] *n.*

im·per·son·ate [impə́ːrsənèit] *vt.* 《稀》 인격화[체현(體現)]하다; 대표하다; 흉내내다; …의 역(役)을 맡아하다. **-a·tion**[-^-éiʃən] *n.* **-a·tor** *n.* Ⓒ 배우, 분장자; 성대 모사자.

˚**im·per·ti·nent**[impə́ːrtənənt] *a.* 건방진, 무례한; 부적당한, 당치 않은. **~·ly** *ad.* **-nence, -nen·cy** *n.*

im·per·turb·a·ble [ìmpərtə́ːrbəbəl] *a.* 침착한, 동요하지 않는; 냉정한.

im·per·vi·ous[impə́ːrviəs] *a.* (공기·물·광선 등을) 통하지 않는; (마음이 …을) 받아들이지 않는(*to*).

˚**im·pet·u·ous**[impétʃuəs] *a.* (기세·속도가) 격렬한, 맹렬한; 성급한, 충동적인. **~·ly** *ad.* **-u·os·i·ty**[-^-ásəti/-5-] *n.*

˚**im·pe·tus**[ímpətəs] *n.* ① Ⓤ (움직이고 있는 물체의) 힘, 운동량, 관성. ② Ⓒ (정신적인) 기동력, 자극.

im·pi·e·ty[impáiəti] *n.* ① Ⓤ 불경, 불신. ② Ⓒ 신앙심이 없는 행위.

im·pinge[impíndʒ] *vi.* 치다(hit), 충돌하다(*on, upon, against*); 침범

하다(encroach) (*on, upon*). **~·ment** *n.*

im·pi·ous[ímpiəs] *a.* 신앙심이 없는; 경건치 않은, 불경〔불효〕한(opp. pious); 사악한; 불효한.

imp·ish[ímpiʃ] *a.* ⇨IMP.

im·plac·a·ble [implǽkəbəl, -pléi-] *a.* 달랠 수 없는; 집요한(inexorable).

im·plant[implǽnt, -ɑ́:-] *vt.* (마음에) 뿌리 박히게 하다; 심다; 〖醫〗 (조직을) 이식하다. — *n.* Ⓒ 〖醫〗 이식된 조직; (암의 환부에 꽂아 넣는) 라듐판. **im·plan·ta·tion**[ˌ-–téiʃən] *n.*

:**im·ple·ment**[ímpləmənt] *n.* Ⓒ (끝마무리를 위한) 도구, 용구. — [-mènt] *vt.* (끝마무리하기 위해) 도구를 공급하다; 수행하다, (복수 따위를) 실행하다; (법률·조약 따위를) 실시〔이행〕하다. **-men·ta·tion**[ìmpləmentéiʃən] *n.* Ⓤ 수행, 이행, 실시; 〖컴〗 임플러먼테이션《어떤 컴퓨터 언어를 특정 기종의 컴퓨터에 적합게 함》.

im·pli·cate[ímpləkèit] *vt.* 얽히게 하다(entangle); 관계시키다, 휩쓸려 들게 하다; 함축하다.

·**im·pli·ca·tion**[ìmpləkéiʃən] *n.* Ⓒ 연루(連累); Ⓤ,Ⓒ 내포, 함축, 언외의 의미; 암시(*by* ~ 은연 중에); (흔히 ~s) (…에 대한) 밀접한 관계.

·**im·plic·it**[implísit] *a.* ① 암암리의, 묵계적인(implied) (opp. explicit). ② 절대의; 필연적으로 포함되어 있는. ***give ~ consent*** 묵낙(默諾)을 하다. ***~ obedience*** 절대 복종. **~·ly** *ad.*

:**im·plore**[implɔ́:r] *vt.* 간청〔애원〕하다. **im·plór·ing** *a.* 애원하는. **im·plór·ing·ly** *ad.* 애원적으로.

:**im·ply**[implái] *vt.* 함축하다; (…의) 뜻을 포함하다; 뜻〔암시〕하다.

·**im·po·lite**[ìmpəláit] *a.* 무례한, 버릇 없는. **~·ly** *ad.* **~·ness** *n.*

im·pol·i·tic[impɑ́litik/-ɔ́-] *a.* 생각 없는, 어리석은, 졸렬한.

im·pon·der·a·ble[impɑ́ndərəbəl/-ɔ́-] *a.* 무게가 없는; 아주 가벼운; 평가할 수 없는. — *n.* Ⓒ 불가량물(不可量物)《열·빛 따위》.

:**im·port**[impɔ́:rt] *vt.* ① 수입하다; 끌어들이다. ② 《古》 의미하다. ③ (…에) 크게 영향하다. ***It ~s us*** (*to know*...)(…을 아는 것)은 중요하다. — *vi.* 중요하다. ***It ~s little.*** 그다지 중요치 않다. — [ˊ-] *n.* ① Ⓤ 수입; (보통 *pl.*) 수입품. ② Ⓤ 의미, 중요성. ③ 〖컴〗 가져오기. **~·er** *n.* **im·por·ta·tion**[ˌ-–téiʃən] *n.* Ⓤ 수입; Ⓒ 수입품.

:**im·por·tance**[impɔ́:rtəns] *n.* Ⓤ 중요(성); 중요한 지위; 오만(한 태도).

†**im·por·tant**[-tənt] *a.* ① 중요한; 유력한. ② 거만한. ***assume an ~ air*** 젠체하다. ***a very ~ person*** 중요인물《생략 VIP》. **~·ly** *ad.*

im·por·tu·nate[impɔ́:rtʃənit] *a.* 끈덕진, 귀찮은.

im·por·tune[ìmpɔ:rtjú:n, impɔ́:rtʃən] *vt., vi.* 조르다. **-tu·ni·ty**[ˌ-–tjú:nəti] *n.* ① Ⓤ,Ⓒ 끈질기게 조름. ② (*pl.*) 끈덕진 재촉.

:**im·pose**[impóuz] *vt.* ① (의무·세금 따위를) 과하다. ② 강요하다; 떠맡기다. ③ (가짜 등을) 안기다(*on, upon*); 〖印〗 정판하다. — *vi.* (남의 약점 따위에) 편승하다, 속이다(*on, upon*). ***im·pós·ing** *a.* 당당한, 위압하는.

im·po·si·tion[ìmpəzíʃən] *n.* ① Ⓤ 부과. ② Ⓒ 세금; 부담; 사람좋음을 기화로 이용하기; 사기.

:**im·pos·si·ble** [impɑ́səbəl/-ɔ́-] *a.* ① 불가능한, 있을 수 없는; 어림도 없는(*I-!* 설마!). ② 어려운; 참을〔견딜〕 수 없는, 지독한. **-bly** *ad.* ***-bil·i·ty**[–ˌ-bíləti] *n.* ① Ⓤ 불가능(성). ② Ⓒ 불가능한 일.

im·pos·tor[impɑ́stər/-ɔ́-] *n.* Ⓒ 남의 이름을 사칭하는 자; 사기꾼.

im·po·tent[ímpətənt] *a.* 무(기)력한, 노쇠한; 음위(陰萎)의(cf. frigid). **-tence, -ten·cy** *n.* Ⓤ 무(기)력; 〖醫〗 음위.

im·pound[impáund] *vt.* (가축을) 울 안에 넣다; (물건을) 거두어 넣다; (아무를) 가두다, 구치하다; 〖法〗 압류〔몰수〕하다.

·**im·pov·er·ish**[impɑ́vəriʃ/-ɔ́-] *vt.* ① 가난하게 만들다. ② (토지를) 메

마르게 하다. ~·**ment** *n.*

·**im·prac·ti·ca·ble**[imprǽtikəbəl] *a.* ① 실행 불가능한; 《稀》 처치 곤란한, 다루기 힘든. ② (도로가) 통행할 수 없는. -**bil·i·ty**[–ˌ–ˊ–bíləti] *n.*

·**im·prac·ti·cal** [imprǽktikəl] *a.* 실제적인 아닌, 실행할 수 없는; 비실용적인.

im·pre·cate[ímprikèit] *vt.* (재앙 있기를) 빌다(call down)(*on, upon*). -**ca·tion**[ˌ–kéiʃən] *n.* Ⓒ 저주; Ⓤ 방자.

im·preg·na·ble[imprégnəbəl] *a.* 난공 불락의; 확고한; 굴치않는. -**bil·i·ty**[–ˌ–ˊ–bíləti] *n.*

im·preg·nate[imprégnèit, ˊ–ˌ–] *vt.* (…에게) 임신시키다; 수정시키다; 충만시키다(*with*); (마음에) 심어넣다; 불어넣다(imbue)(*with*). — [-nit] *a.* 임신하고 있는; 스며든; 포화한. -**na·tion**[ˌ–néiʃən] *n.*

im·pre·sa·ri·o[ìmprəsá:riòu] *n.* (*pl.* ~**s**, -**sari**[-sá:ri:]) (It.) Ⓒ (가극·음악회 따위의) 흥행주.

:**im·press**[imprés] *vt.* ① (도장을) 찍다(imprint). ② (…에게) 인상을 주다(*on, upon*); 감동시키다(*with*). ***be favorably*** 〔***unfavorably***〕 ***~ed*** 좋은〔나쁜〕 인상을 받다. — [ˊ–] *n.* Ⓒ 날인; 흔적; 특징. ~·**i·ble** *a.* 감수성이 강한.

:**im·pres·sion**[impréʃən] *n.* Ⓒ ① 인상; 느낌, 생각. ② 흔적; 날인; (책의) 쇄(刷)(*the third ~ of the fifth edition* 제 5판의 제 3쇄). ***make an ~ on*** …에게 인상을 주다, …을 감동시키다. ·~·**a·ble** *a.* 감수성이 강한. ~·**ism**[-ìzəm] *n.* Ⓤ 〖美術·樂〗 인상주의. ~·**ist** *n.* Ⓒ 인상주의자; 인상파의 예술가(Manet, Monet, Pissarro, Sisley, Degas, Renoir; Rodin; Debussy 등). ~·**is·tic**[–ˌ–ístik] *a.* 「인.

:**im·pres·sive**[imprésiv] *a.* 인상적

im·pri·ma·tur [ìmprimeítər, -má:-] *n.* (L.) Ⓒ 〖가톨릭〗 출판 인가; 《一般》 인가.

·**im·print**[imprínt] *vt.* (도장을) 찍다; 명기(銘記)하다(*on, in*). — [ˊ–] *n.* Ⓒ ① 날인; 흔적. ② (책의 안표지나 판권장에 인쇄한) 발행자의 주소·설명·출판 연월일 (따위).

:**im·pris·on**[imprízən] *vt.* 투옥하다; 감금〔구속〕하다. ·~·**ment** *n.* Ⓤ 투옥; 감금, 구금.

·**im·prob·a·ble**[imprábəbəl/-ɔ́-] *a.* 일어날〔있을〕 법하지 않은; 참말같지 않은(unlikely). -**bly** *ad.* -**bil·i·ty**[–ˌ–ˊ–bíləti] *n.*

im·promp·tu [imprámptju:/-ɔ́-] *ad., a.* 즉석에서〔의〕; 즉흥적으로〔인〕. — *n.* Ⓒ 즉흥곡〔시〕; 즉석의 연설 (따위).

·**im·prop·er**[imprápər/-ɔ́-] *a.* 부적당한; 그른; 온당치 못한, 버릇없는. ~·**ly** *ad.*

im·pro·pri·e·ty[ìmprəpráiəti] *n.* Ⓤ,Ⓒ 부적당; 버릇 없음; 행실 나쁨.

:**im·prove**[imprú:v] *vt.* ① 개선〔개량〕하다; 진보시키다. ② 이용하다. ③ (토지·부동산의) 가치를 올리다. — *vi.* 좋아지다. ~ ***on*** 〔***upon***〕 …을 개선하다. ~ ***oneself*** 진보하다.

im·próv·a·ble *a.* 개선할 수 있는.

:**im·prove·ment**[imprú:vmənt] *n.* ① Ⓤ,Ⓒ 개선〔개량〕; 진보, 향상; Ⓤ 이용. ② Ⓒ 개량 공사; 개선점; 개량된 것.

im·prov·i·dent[imprávədənt/-ɔ́-] *a.* 선견지명 없는, 준비성 없는; 절약심 없는(not thrifty). -**dence** *n.*

·**im·pro·vise** [ímprəvàiz] *vt., vi.* (시·음악을) 즉석에서 만들다(extemporize); 임시변통으로 만들다. **im·prov·i·sa·tion** [imprɑ̀vəzéiʃən/ìmprəvə-] *n.* ① Ⓤ 즉석에서 하기. ② Ⓒ 즉흥적 작품.

·**im·pru·dent**[imprú:dənt] *a.* 경솔한, 무분별한. ·-**dence** *n.*

:**im·pu·dent**[ímpjədənt] *a.* 뻔뻔스러운; 건방진. ·-**dence** *n.*

im·pugn[ìmpjú:n] *vt.* 논박하다.

:**im·pulse**[ímpʌls] *n.* ① Ⓒ 추진(력), 충격; 자극. ② Ⓤ,Ⓒ (마음의) 충동, 순간적 기분. ***on the ~*** 일시적 기분으로. ***on the ~ of the moment*** 그 때의 순간적 기분으로.

ímpulse bùying 충동 구매(衝動購買).

im·pul·sive[impʌ́lsiv] *a.* 충동적인; 추진적인; 감정에 흐른. ~·**ly** *ad.* 감정에 끌려.

I

·**im·pu·ni·ty**[impjú:nəti] *n.* Ⓤ 처벌되지 않음. **with ~** 벌받지 않고, 무사[무난]히.

·**im·pure**[impjúər] *a.* 더러운; 불순한; 섞인 것이 있는; 부도덕한; 다른 색이 섞인. ·**im·pu·ri·ty**[impjúərəti] *n.* ① Ⓤ 불결; 불순; 음란. ② (*pl.*) 불순물.

·**im·pute**[impjú:t] *vt.* (주로 나쁜 뜻으로) (…의) 탓으로 하다(*to*). **im·pút·a·ble** *a.* 돌릴 수 있는. **im·pu·ta·tion**[⌐–téiʃən] *n.* ① Ⓤ 돌아감. ② Ⓒ 비난.

†**in**[in] *prep.* ① 《장소·위치·방향》 …의 속에[에서, 의]. ② 《시간》 …의 안에, …의 동안, …중; …뒤에, …이 경과하여(*in a week* 일주일 후에). ③ 《상태》 …한 상태로[의](*in good health*). ④ 《착용》 …을 입고, …을 착용하고(*a woman in white* 백의의 여자/*in spectacles* 안경을 쓰고). ⑤ 《소속》 …에 속하는. ⑥ 《범위》 …의 점에서(는)(*blind in one eye*). ⑦ 《재료·방법》 …으로(써)(of, made of)(*a dress in silk/write in ink/in this way*). ⑧ 《전체와의 관계》 …가운데서, …에 대하여(out of)(*one in a hundred*). ⑨ 《목적》 …을 위하여(for) (*speak in reply*). ⑩ 《동작의 방향》 …의 속으로(into). **in that** 《古》 …한 이유로. — *ad.* 속으로[에]; 집에 있어; 도착하여; 정권을 잡아; 유행하여. **be in for** 피할 수 없다; (시험을) 치르기로 되어 있다; 굽도젖도 할 수 없다. **be in with** …와 친하다; …와 한패이다. **in and out** 들락날락; 출몰(出沒)하여; 안팎 모두; 완전히. **In for a penny, in for a pound.** 《속담》 1페니 지불하니 곧 1파운드 또 쓰게 된다; 사물은 갈 때까지 가게 마련; 시작했으면 끝까지 하라. — *a.* 내부의. — *n.* (*pl.*)(정부) 여당. **ins and outs** 여당과 야당; (강의) 굴곡; 구석 구석; 자세한 내용.

In 〖化〗 indium. **in.** inch(es).

in-[in] *pref.* 《l앞에서는 il-로, b, m, p앞에서는 im-으로, r앞에서는 ir-로 바뀜》 'in, into, not, without, un-' 따위의 뜻: *im*brute, *in*close, *ir*rational.

·**in·a·bil·i·ty**[ìnəbíləti] *n.* Ⓤ 무능, 무력; …할 수 없음.

·**in·ac·ces·si·ble**[ìnəksésəbəl] *a.* 접근[도달]하기 어려운, 얻기 힘든. **-bil·i·ty**[⌐–⌐–bíləti] *n.*

in·ac·cu·rate[inǽkjərit] *a.* 부정확한; 잘못이 있는. **~·ly** *ad.* **-ra·cy** *n.* 「나태.

in·ac·tion[inǽkʃən] *n.* Ⓤ 불활동;

·**in·ac·tive**[inǽktiv] *a.* 불활동의, 활발치 않은; 나태한; 〖軍〗 현역이 아닌; 〖理〗 비선광성(非旋光性)의. **~·ly** *ad.* **-ti·vate** *vt.* 불활발하게 하다. **-tiv·i·ty**[⌐–tívəti] *n.*

:**in·ad·e·quate**[inǽdikwit] *a.* 부적당한, 불충분한. **~·ly** *ad.* **-qua·cy** *n.*

in·ad·mis·si·ble [ìnədmísəbəl] *a.* 허용할 수 없는, 승인하기 어려운.

in·ad·vert·ent[ìnədvə́:rtənt] *a.* 부주의한; 나태한; (행위가) 부주의에 의한; 무심결에 한. **~·ly** *ad.* **-ence, -en·cy** *n.* Ⓤ 부주의; Ⓒ 실수.

in·ad·vis·a·ble[ìnədváizəbəl] *a.* 권할 수 없는; 어리석은.

in·al·ien·a·ble[inéiljənəbəl] *a.* 양도[탈취]할 수 없는.

in·ane[inéin] *a.* 공허한; 어리석은. **the ~** 허공, 공간.

·**in·an·i·mate**[inǽnəmit] *a.* 생명[활기] 없는.

in·an·i·ty[inǽnəti] *n.* ① Ⓤ 공허; 어리석음. ② Ⓒ 시시한 것[짓·말].

in·ap·pli·ca·ble[inǽplikəbəl] *a.* 응용[적용]할 수 없는; 부적당한. **-bil·i·ty**[–⌐––bíləti] *n.*

in·ap·pro·pri·ate[ìnəpróupriit] *a.* 부적당한. **~·ly** *ad.*

in·apt[inǽpt] *a.* 부적당한; 서투른. **~·ly** *ad.* **in·ap·ti·tude**[-tətjù:d] *n.*

in·ar·tic·u·late[ìnɑ:rtíkjəlit] *a.* 발음이 분명치 않은; 혀가 잘 돌지 않는, 말 못하는; 모호한; 〖解·動〗 관절 없는.

in·as·much[ìnəzmʌ́tʃ] *ad.* **~ as** …이므로, …때문에; 《稀》 …인 한은 (insofar as).

in·at·ten·tion[ìnəténʃən] *n.* Ⓤ 부주의; 태만(negligence); 무뚝뚝함, 실례. **-tive(·ly)** *a.* (*ad.*)

I

in·au·di·ble[inɔ́:dəbəl] *a.* 알아들을 수 없는, 들리지 않는. **-bly** *ad.* **～·ness, -bil·i·ty**[-ˌ-bíləti] *n.*

˙**in·au·gu·ral**[inɔ́:gjərəl] *a.* 취임(식)의, 개회의. ── *n.* Ⓒ 취임식; 《美》 = ～ **àddress** 취임 연설.

˙**in·au·gu·rate**[-rèit] *vt.* 취임식을 올리다, 취임시키다(install); (공공물의) 개시식(開始式)을 행하다; 시작〔개시〕하다. ˙**-ra·tion**[-ˌ-réi-] *n.* Ⓤ,Ⓒ 취임(식); 개시(식).

in·aus·pi·cious[ìnɔ:spíʃəs] *a.* 불길〔불운〕한.

in·board[ínbɔ̀:rd] *a., ad.* 〖海·空〗 선내(船內)의〔에〕, 기내(機內)의〔에〕.

˙**in·born**[ínbɔ̀:rn] *a.* 타고난.

in·bred[ìnbréd] *a.* 타고난, 생래의; 동계(同系)〔근친〕 번식의.

in·breed[ìnbrí:d] *vt.* 동계(同系) 번식시키다; 《稀》 (…을) 내부에 발생시키다. **～·ing** *n.* Ⓤ 동계 번식.

˙**Inc.** Incorporated. **inc.** inclosure; including; inclusive; income; increase.

in·cal·cu·la·ble [inkǽlkjələbəl] *a.* 셀 수 없는; 예상할 수 없는; 기대할 수 없는. **-bly** *ad.* 무수히.

in·can·desce[ìnkændés] *vi., vt.* 백열화하(게 하)다. **-des·cent** [ìnkəndésənt] *a.* 백열(광)의; 번쩍이는. **-dés·cence** *n.*

in·can·ta·tion[ìnkæntéiʃən] *n.* Ⓤ,Ⓒ 주문(呪文)(을 욈); 마법, 요술.

:**in·ca·pa·ble**[inkéipəbəl] *a.* ① 무능한; (…을) 못 하는(*of* do*ing*). ② (…에) 견딜 수 없는(*of*); 자격 없는(*of*).

in·ca·pac·i·tate [ìnkəpǽsətèit] *vt.* 무능력하게 하다; 감당 못 하게 하다; 〖法〗 자격을 박탈하다. **-ty** *n.*

in·car·cer·ate[inkɑ́:rsərèit] *vt.* 감금하다. **-a·tion**[-ˌ-éiʃən] *n.*

in·car·nate[inkɑ́:rnit] *a.* 육체를 갖춘; 사람 모습을 한, 화신의. ── [-neit] *vt.* 육체를 부여하다, 구체화하다(embody); 실현하다; (…의) 화신이〔권화가〕 되다. **-na·tion**[ˌ-néiʃən] *n.* Ⓤ,Ⓒ 화신, 권화, 구체화. ***the Incarnation*** 강생《신이 예수로서 지상에 태어남》.

in·cau·tious[inkɔ́:ʃəs] *a.* 부주의한; 무모한.

in·cen·di·ar·y[inséndièri] *a.* 방화의; 불을 붙이는; 선동적인. ── *n.* Ⓒ 방화 범인; 선동자; 소이탄. **～ *bomb*** 소이탄. **-a·rism**[-ərìzəm] *n.* Ⓤ 방화; 선동, 교사(敎唆).

˙**in·cense**[1][ínsens] *n.* Ⓤ 향(연기·냄새). ── *vt., vi.* (…에) 향을 피우다, 분향하다. 「게 하다.

in·cense[2][inséns] *vt.* (몹시) 노하

˙**in·cen·tive**[inséntiv] *a., n.* 자극적인, 유발적인; 장려적인; Ⓤ,Ⓒ 자극; 유인. **～ *pay*** 〔***wage***〕 장려급(給)〔임금〕.

in·cep·tion[insépʃən] *n.* Ⓤ 개시(beginning). **-tive** *a.* 개시의, 처음의.

:**in·ces·sant**[insésənt] *a.* 끊임없는(unceasing). ˙**～·ly** *ad.*

in·cest[ínsest] *n.* Ⓤ 근친 상간(죄). **in·ces·tu·ous**[-séstʃuəs] *a.*

†**inch**[intʃ] *n.* Ⓒ 인치《1/12 피트》; 강우〔강설〕량 단위; 소량; (*pl.*) 신장, 키. ***by ～es,*** or **～ *by*** **～** 조금씩, 점차. ***every*** **～** 어디까지나, 완전히. ***within an*** **～ *of*** 거의 …할 정도까지. ── *vt., vi.* 조금씩 움직이다.

in·cho·ate[inkóuit/ínkouèit] *a.* 막 시작한; 불완전한. **-a·tive** *a.* 발단의; 〖文〗 기동상(起動相)의.

in·ci·dence[ínsidəns] *n.* Ⓤ,Ⓒ (보통 *sing.*) 낙하; 떨어지는 모양; 세력 또는 영향이 미치는 범위; 발생률; (세금 따위의) 궁극의 부담; Ⓤ 〖理〗 입사(入射), 투사(投射).

:**in·ci·dent**[-dənt] *a.* ① 일어나기 쉬운(liable to happen)(*to*). ② 부수하는(*to*). ③ 투사하는(*upon*). ── *n.* Ⓒ ① 부대 사건; 사건; 사변. ② (소설·극·시 속의) 삽화(挿話).

˙**in·ci·den·tal**[ìnsidéntl] *a.* ① 곧잘 일어나는; 부수하는(*to*). ② 주요하지 않은. ③ 우연의. **～ *expenses*** 임시비, 잡비. **～ *music*** (극·영화 따위의) 반주 음악. ── *n.* Ⓒ 부수적 사건. ˙**～·ly**[-təli] *ad.* 하는 김에, 부수적으로; 우연히.

in·cin·er·ate[insínərèit] *vt.* 태워서 재가 되게 하다. **-a·tion**[-ˌ-éiʃən] *n.* Ⓤ 소각. **-a·tor** *n.* Ⓒ (쓰레기 등의) 소각로.

in·cip·i·ent[insípiənt] *a.* 시작의, 초기의. **-ence, -en·cy** *n.*
in·cise[insáiz] *vt.* 베다; 새기다, 조각하다. **in·ci·sion**[insíʒən] *n.* Ⓤ 벰; Ⓒ 벤 자리; Ⓤ,Ⓒ 〖醫〗 절개.
in·ci·sive[insáisiv] *a.* 예민한; 통렬한. **~·ly** *ad.*
in·ci·sor[insáizər] *n.* Ⓒ 〖解〗 앞니, 문치(門齒).
·in·cite[insáit] *vt.* 자극하다; 격려하다; 선동하다(*to* an action, *to* do). **~·ment, in·ci·ta·tion**[ˌ-téiʃən] *n.* Ⓤ 자극; 격려; 선동; Ⓒ 자극물; 유인(誘因).
in·ci·vil·i·ty[ìnsivíləti] *n.* Ⓤ 버릇 없음, 무례; Ⓒ 무례한 짓〔말〕.
incl. inclosure; including; inclusive(ly).
in·clem·ent[inklémənt] *a.* (기후가) 혹독한; (날씨가) 험악한; (성격이) 냉혹한. **-en·cy** *n.*
:in·cli·na·tion [ìnklənéiʃən] *n.* Ⓤ,Ⓒ 경향(*to*); 기호(preference)(*for*); (*sing.*) 경사, 기울; Ⓒ 사면(斜面).
:in·cline[inkláin] *vt.* 기울이다; 굽히다; (마음을) 내키게 하다(*to*). — *vi.* 기울다; 마음이 내키다(*to*). ***be* ~*d to*** …의 경향이 있다. — [ˊ-] *n.* Ⓒ 경사(면). **:~d**[-d] *a.* (…에) 마음이 내키는, (…의) 경향이 있는; 경사진; 경각을 이루는.
·in·close[inklóuz] *vt.* = ENCLOSE.
in·clo·sure[inklóuʒər] *n.* = ENCLOSURE.
:in·clude[inklú:d] *vt.* 포함하다; 셈에 넣다, 포함시키다.
in·clud·ing[-iŋ] *prep.* …을 포함하여, …을 넣어서.
·in·clu·sion[inklú:ʒən] *n.* Ⓤ 포함, 함유, 산입; Ⓒ 함유물.
·in·clu·sive[inklú:siv] *a.* (…을) 포함하여(*of*)(opp. exclusive); 일체를 포함한. **~·ly** *ad.*
in·cog·ni·to[-nitòu] *a., ad.* 변명(變名)의〔으로〕, 미복잠행(微服潛行)의〔으로〕, 신분을 숨기고. — *n.* (*pl.* **~s**) Ⓒ 익명(자); 미행자.
in·co·her·ent[ìnkouhíərənt] *a.* 조리가 맞지 않는; 지리 멸렬의; (분노·슬픔으로) 자제를 잃은; 결합력 없는. **~·ly** *ad.* **-ence, -en·cy** *n.*
:in·come[ínkʌm] *n.* Ⓤ,Ⓒ 수입, 소득.
income tàx 소득세.
in·com·ing[ínkʌmiŋ] *n.* Ⓤ 들어옴; (*pl.*) 수입. — *a.* 들어오는; 후임의.
in·com·men·su·ra·ble [ìnkəménʃərəbəl] *a.* 같은 표준으로 잴 수 없는, 비교할 수 없는; 〖數〗 약분할 수 없는(*with*).
in·com·men·su·rate[ìnkəménʃərit] *a.* 어울리지 않는, 걸맞지 않는(*with, to*); = ⇧.
in·com·mode[ìnkəmóud] *vt.* 난처하게 하다; 방해하다.
in·com·mu·ni·ca·do[ìnkəmjù:nəká:dou] *a.* (Sp.) 《美》 (포로 등이) 외부와의 연락이 끊어진.
·in·com·pa·ra·ble[inkámpərəbəl/-ɔ́-] *a.* 견줄 나위 없는; 비교할 수 없는(*with, to*). **-bly** *ad.*
·in·com·pat·i·ble[ìnkəmpǽtəbəl] *a.* 상반되는, 사이가 나쁜; 양립하지 않는; 조화되지 않는; 모순되는(*with*); (컴퓨터 등이) 호환성이 없는. **-bil·i·ty**[ˌ-ˌ-bíləti] *n.*
·in·com·pe·tent [inkámpətənt/-kɔ́m-] *a.* 무능한; 〖法〗 무능력〔무자격〕의. **-tence, -ten·cy** *n.*
·in·com·plete[ìnkəmplí:t] *a.* 불완전한, 미완성의. **~·ly** *ad.* **~·ness** *n.*
·in·com·pre·hen·si·ble [ìnkamprihénsəbəl, inkàm-/-kɔ̀m-] *a., n.* 불가해한; Ⓒ 《古》 무한한 (것). ***the three* ~*s*** 성부와 성자와 성령. **-bil·i·ty** [-hènsəbíləti] *n.*
·in·con·ceiv·a·ble[ìnkənsí:vəbəl] *a.* 상상도 할 수 없는; 믿어지지 않는. **-bly** *ad.*
in·con·clu·sive[ìnkənklú:siv] *a.* 결론이 나지 않는, 결정적이 아닌.
in·con·gru·ous[inkáŋgruəs/-ɔ́-] *a.* 조화되지 않는(*with*); 부적당한. **-gru·i·ty**[ˌ-grú:əti] *n.* Ⓤ 부적당; 불일치; Ⓒ 부적당한 것; 불일치점.
in·con·se·quen·tial [inkànsikwénʃəl/-ɔ̀-] *a.* 하찮은, 논리에 맞지 않는.
in·con·sid·er·a·ble[ìnkənsídər-

əbəl] *a.* 사소한, 중요치 않은.

in·con·sid·er·ate [ìnkənsídərit] *a.* 동정심 없는(*of*); 무분별한. **~·ly** *ad.* **~·ness** *n.*

˙**in·con·sist·ent** [ìnkənsístənt] *a.* 조화되지 않는; 양립하지 않는(*with*); 주견이 없는. **~·ly** *ad.* ˙**-en·cy** *n.* Ⓤ 불일치; 모순; 무정견(無定見); Ⓒ 모순된 것[언행].

in·con·sol·a·ble [ìnkənsóuləbəl] *a.* 위로할[달랠] 길 없는. **-bly** *ad.*

in·con·spic·u·ous [ìnkənspíkjuəs] *a.* 두드러지지 않은.

in·con·stant [inkánstənt/-ɔ́-] *a.* 변덕스러운(fickle). **-stan·cy** *n.*

in·con·test·a·ble [ìnkəntéstəbəl] *a.* 논쟁의 여지가 없는. **-bly** *ad.*

in·con·ti·nent [inkántənənt/-kɔ́n-] *a.* 자제심이 없는; 절제(節制) 없는; 음란한. **~·ly** *ad.* **-nence** *n.*

in·con·tro·vert·i·ble [ìnkantrəvə́:rtəbəl/-kɔn-] *a.* 논쟁[다툼]의 여지가 없는. **-bly** *ad.*

:**in·con·ven·ience** [ìnkənví:njəns] *n.* Ⓤ 불편, 부자유; 폐; Ⓒ 불편한 것; 폐가 되는 것. — *vt.* 불편을 주다, 폐를 끼치다. **:-ient** *a.* 불편[부자유]한; 형편이 나쁜, 폐가 되는. **-ient·ly** *ad.*

:**in·cor·po·rate** [inkɔ́:rpərèit] *vt.* ① 합동시키다, 합병하다(combine). ② 법인 조직으로 하다; 《美》 주식 회사로 하다, 유한 책임 회사로 만들다. ③ 채용하다; 구체화하다. — *vi.* 합동하다. — [-rit] *a.* 합동한; 법인 조직의. ˙**-rat·ed** [-rèitid] *a.* 법인 조직의; 합동한; 《美》 주식 회사의, 유한 책임의《생략 Inc.》. **-ra·tion** [-ˊ-réiʃən] *n.* Ⓤ 합동; Ⓒ 법인 조직, (주식) 회사.

in·cor·po·re·al [ìnkɔ:rpɔ́:riəl] *a.* 무형의; 영적인. **~·ly** *ad.*

:**in·cor·rect** [ìnkərékt] *a.* 부정확한, 틀린; 타당치 않은. **~·ly** *ad.* **~·ness** *n.*

in·cor·ri·gi·ble [inkɔ́:ridʒəbəl] *a.* 교정할 수 없는; 어거하기 어려운; 완고한. **-bly** *ad.*

in·cor·rupt·i·ble [ìnkərʌ́ptəbəl] *a.* 썩지 않는; 매수되지 않는. **-bil·i·ty** [ˋ-ˋ-bíləti] *n.*

†**in·crease** [ínkri:s, -ˊ] (opp. decrease) *n.* Ⓤ,Ⓒ 증가; 증대, 증식; Ⓒ 증가액[량]. ***on the* ~** 증가 일로의. — [-ˊ] *vt., vi.* 늘(리)다, 확대하다, 증강시키다[하다]. **in·créas·ing** *a.* 증가하는. ˙**in·créas·ing·ly** *ad.* 점점.

:**in·cred·i·ble** [inkrédəbəl] *a.* 믿기 어려운; 거짓말 같은. **-bly** *ad.* 믿을 수 없을 만큼. **-bil·i·ty** [-ˋ-bíləti] *n.*

˙**in·cred·u·lous** [inkrédʒələs] *a.* 쉽게 믿지 않는, 의심 많은. **-cre·du·li·ty** [ìnkridjú:ləti] *n.*

in·cre·ment [ínkrəmənt] *n.* Ⓤ 증가; Ⓒ 증가량.

in·crim·i·nate [inkrímənèit] *vt.* 죄를 씌우다(accuse of a crime).

in·crus·ta·tion [ìnkrʌstéiʃən] *n.* Ⓤ 외피로 덮(이)기; Ⓒ 외피; Ⓤ 상감(象嵌).

in·cu·bate [íŋkjəbèit, ínk-] *vt.* (새가 알을) 품다, 까다; 꾀하다. — *vi.* 알을 품다, (알이) 깨다; 숙고하다. **-ba·tor** *n.* Ⓒ 부화기; 조산아 보육기; 세균 배양기. **-ba·tion** [ˋ-béiʃən] *n.* Ⓤ 알을 품음, 부화; 〖醫〗 잠복(기).

in·cu·bus [íŋkjəbəs, ínk-] *n.* (*pl.* **~es, -bi** [-bài]) Ⓒ 가위(눌림), 몽마(夢魔); 압박하는 것, (마음의) 부담.

in·cul·cate [inkʌ́lkeit, ˊ-ˋ] *vt.* 가르쳐 주입시키다(instil)(*on, upon*). **-ca·tion** [ˋ-kéiʃən] *n.*

in·cum·bent [inkʌ́mbənt] *a.* 기대는, 의무로서 지워지는, 의무인(*on, upon*). — *n.* Ⓒ (영국 교회의) 재직 목사; 재직자. **-ben·cy** *n.* Ⓒ 재직 목사의 지위[임기].

:**in·cur** [inkɔ́:r] *vt.* (**-rr-**) ① (…에) 부딪치다, (…에) 빠지다. ② (손해 등을) 초래하다. **~ *debts*** 빚지다.

in·cur·a·ble [inkjúərəbəl] *a., n.* Ⓒ 불치의 (병자). **-bly** *ad.* 나을[고칠] 수 없을 만큼.

in·cu·ri·ous [inkúəriəs] *a.* 호기심 없는, 알려고 하지 않는; 흥미 없는.

in·cur·sion [inkɔ́:rʒən, -ʃən] *n.* Ⓒ 침입; 습격. **-sive** [-siv] *a.*

*in·debt·ed [indétid] *a.* ① 빚이 있는(*to*). ② 은혜를 입은(*to*). ~·ness *n.* Ⓤ 부채(액); 은혜.

in·de·cent [indíːsnt] *a.* 꼴사나운; 천한, 상스러운, 외설한. **-cen·cy** *n.* Ⓤ 예절 없음, 꼴사나움; 외설; Ⓒ 추잡한 행위[말].

indécent expósure 공연(公然) 음란죄.

in·de·ci·pher·a·ble [ìndisáifərəbəl] *a.* 판독(判讀)할 수 없는.

in·de·ci·sion [ìndisíʒən] *n.* Ⓤ 우유 부단.

in·de·ci·sive [indisáisiv] *a.* 결정적이 아닌; 우유 부단한. ~·**ly** *ad.*

in·dec·o·rous [indékərəs] *a.* 버릇 없는.

†**in·deed** [indíːd] *ad.* ① 실로, 참으로; 과연. ② 《양보》 과연, 하긴(*He is clever* ~, *but…*). ③ 《상대의 질문을 되받아 동의 또는 빈정거려》 정말로, …하다니 어이없군 (*'Who wrote this?' 'Who wrote this,* ~*!'* 이것은 누가 썼을까? 정말 누가 썼을까? 《비꼬아》 새삼스레 누가 썼느냐고 묻다니 기가 막히는군!). ④ 《접속사적》 더구나, 그리고 또한; 그렇기는커녕(*He is not honest. I-, he is a great liar.*). — [∠∠] *int.* 흥, 설마! (*She is a singer,* ~*!* 저것이 가수라고, 흥!).

in·de·fat·i·ga·ble [ìndifǽtigəbəl] *a.* 지칠 줄 모르는, 끈기 있는. **-bly** *ad.*

in·de·fen·si·ble [ìndifénsəbəl] *a.* 방어[변호]할 수 없는.

in·de·fin·a·ble [ìndifáinəbəl] *a.* 정의(定義)[설명]할 수 없는.

:**in·def·i·nite** [indéfənit] *a.* 불명료한; 한계 없는; 일정하지 않은; 〖文〗 부정(不定)의. * ~·**ly** *ad.*

:**indéfinite árticle** 〖文〗 부정관사 《a, an》.

in·del·i·ble [indéləbəl] (cf. dele) *a.* 지울[잊을] 수 없는. **-bly** *ad.*

in·del·i·cate [indélikit] *a.* 상스러운; 외설한. **-ca·cy** *n.* Ⓤ 상스러움; 외설; Ⓒ 상스러운 언행.

in·dem·ni·fy [indémnəfài] *vt.* (손해 없도록) 보장하다(*from, against*); 변상하다(*for*). **-fi·ca·tion** [–∸–fi-kéiʃən] *n.*

in·dem·ni·ty [indémnəti] *n.* Ⓤ 손해 배상; 형벌의 면제; Ⓒ 배상금.

*in·dent[1] [indént] *vi.* ① (가장자리에) 톱니 자국을 내다; (증서를 지그재그 선에 따라 떼어) 정부(正副) 2통으로 만들다. ② 만입시키다, 움푹 들어가게 하다; (원고의 새로 시작되는 행의 처음을) 한 칸 들이켜 시작하다. — [∠–, –∠] *n.* Ⓒ 톱니 모양의 자국; 두장 잇달린 계약서. ~·**ed** [-id] *a.* 톱니 자국이 있는, 들쭉날쭉한.

in·dén·tion *n.* Ⓤ 〖印〗 (새 행의) 한 칸 들이킴; Ⓒ (한 칸 들이킨) 빈 곳; = INDENTATION.

in·dent[2] *vt.* 홈을 만들다; (도장을) 「찍다.

in·den·ta·tion [indentéiʃən] *n.* Ⓤ 톱니 자국을 냄; Ⓒ 톱니 자국; (해안선의) 만입(灣入); 〖印〗 = INDENTION; 〖컴〗 들여쓰기.

:**in·de·pend·ence** [ìndipéndəns] *n.* Ⓤ 독립, 자립. **-en·cy** *n.* Ⓤ 독립(심); Ⓒ 독립국.

Indepéndence Dày (미국) 독립 기념일《7월 4일》.

:**in·de·pend·ent** [-dənt] *a.* ① 독립[자립]의; 남의 영향을 받지 않는, 독자의(*of*); (재산이) 일하지 않아도 살아갈 수 있는; 독립심이 있는. ② 무소속의; 멋대로의. ③ (I-) 〖宗〗 조합 교회파의(Congregational). — *n.* Ⓒ 독립자; 무소속 의원; (I-) 〖宗〗 조합 교회파의 사람. * ~·**ly** *ad.*

*in·de·scrib·a·ble [ìndiskráibəbəl] *a.* 형언할 수 없는, 막연한.

in·de·struct·i·ble [ìndistrʌ́ktəbəl] *a.* 파괴할 수 없는, 불멸의.

in·de·ter·mi·na·ble [ìnditə́ːrmənəbəl] *a.* 결정하기 어려운; 확인할 수 없는.

:**in·dex** [índeks] *n.* (*pl.* ~*es*, *-dices*) Ⓒ ① 색인; 〖컴〗 찾아보기, 색인; 지표; 지침; 집게손가락; 지수; 손(가락)표 《☞》. ② (the I-) 〖가톨릭〗 금서(禁書) 목록. — *vt.* (책에) 색인을 붙이다; 색인에 넣다.

índex fìnger 집게손가락.

†**In·di·an** [índiən] *a.* 인도(사람)의; (아메리카) 인디언의. — *n.* Ⓒ 인도 사람; (아메리카) 인디언; Ⓤ 인디언의 언어. ***Red*** ~ 아메리카 토인.

Índian súmmer 《본디 美》 늦가을의 맑고 따뜻한 날씨가 계속되는 시기.

Índia rúbber (종종 **i-**) 탄성 고무; 지우개.

:in·di·cate[índikèit] *vt.* ① 지적하다; 보이다; 나타내다; 암시하다; 말하다. ② (증상이 어떤 요법의) 필요성을 나타내다. **˙-ca·tion**[ˆ–kéiʃən] *n.* Ⓤ,Ⓒ 지시; 징후; Ⓒ (계기의) 시도(示度), 지시 도수. **˙ín·di·ca·tor** *n.* Ⓒ 지시하는 사람(것); 표시기; (계기의) 지침; 〖化〗 지시약.

˙in·dic·a·tive [indíkətiv] *a.* ① 〖文〗 직설법의. ② 표시하는(*of*). — *n.* Ⓒ 직설법(동사) 《I *am* a student.의 *am;* if it *rains*...의 *rains*... 따위》(cf. imperative, subjunctive).

in·di·ces[índisì:z] *n.* index의 복수.

in·dict[indáit] *vt.* 〖法〗 기소(고발)하다. **~·a·ble** *a.* **˙~·ment** *n.* Ⓤ 기소; Ⓒ 기소장.

:in·dif·fer·ent[indífərənt] *a.* ① 무관심한; 냉담한. ② 공평한; 좋지도 나쁘지도 않은; 대수롭지 않은, 아무래도 좋은. ③ 시원치 않은(rather bad). ④ 〖理〗 중성의. ***be ~ to*** …에 무관심하다; …에게는 아무래도 좋다(*She was ~ to him.* 그 여자는 그에게 무관심했다; 그 여자 따위는 그에게는 아무래도 좋았다). **˙~·ly** *ad.* 무관심하게; 좋지도 나쁘지 않게, 중 정도로; 상당히; 시원치 않게, 서투르게. **:-ence, -en·cy** *n.*

in·dig·e·nous[indídʒənəs] *a.* 토착의(*to*); 타고난(*to*).

in·di·gent[índidʒənt] *a.* 가난한. **-gence** *n.*

˙in·di·gest·i·ble [ìndidʒéstəbəl, -dai-] *a.* 소화 안 되는; 이해하기 힘든. **-ges·tive**[-tiv] *a.*

˙in·dig·nant[indígnənt] *a.* (부정 따위에 대해) 분개한(*at* it; *with* him). **˙~·ly** *ad.* 분연히.

:in·dig·na·tion[ìndignéiʃən] *n.* Ⓤ (불의 따위에 대한) 분개, 의분.

˙in·dig·ni·ty[indígnəti] *n.* Ⓤ 모욕, 경멸; Ⓒ 모욕적인 언동.

˙in·di·go[índigòu] *n.* (*pl.* ~(**e**)**s**). *a.* Ⓤ 쪽, 인디고《물감》; 남(쪽)빛(의); Ⓒ 〖植〗 인도쪽.

:in·di·rect[ìndirékt, -dai-] *a.* 간접의; 2차적인(secondary); 우회하는; 에두른; 부정한. **˙~·ly** *ad.* **-rec·tion** *n.* Ⓤ 에두름, 우회; 부정직.

indirect óbject 〖文〗 간접 목적어.

indirect táx 간접세.

In·dis·cern·i·ble[ìndisə́:rnəbəl, -zə́:r-] *a.* 식별할 수 없는.

˙in·dis·creet[ìndiskrí:t] *a.* 분별(지각) 없는, 경솔한. **~·ly** *ad.* **˙-cre·tion**[-kréʃən] *n.* Ⓤ 무분별; Ⓒ 무분별한 행위.

in·dis·crim·i·nate[ìndiskrímənit] *a.* 무차별의; 난잡한. **~·ly** *ad.* **-na·tion**[ˆ–ˆ–néiʃən] *n.*

in·dis·pen·sa·ble[ìndispénsəbəl] *a., n.* Ⓒ 절대 필요한 (것); (의무 따위가) 피할 수 없는. **-bil·i·ty**[ˆ–ˆ–bíləti] *n.*

in·dis·pose[ìndispóuz] *vt.* 싫증나게 하다(*to*); 부적당(불능)하게 하다(*for*); (가벼운) 병에 걸리게 하다. **~d**[-d] *a.* 기분이 나쁜; …할 마음이 내키지 않는(*to* do).

in·dis·po·si·tion[ìndispəzíʃən] *n.* Ⓤ,Ⓒ 기분이 언짢음; (가벼운) 병; Ⓤ 마음이 내키지 않음, 싫증.

in·dis·pu·ta·ble[ìndispjú:təbəl, indíspju-] *a.* 논의의 여지가 없는; 명백한.

in·dis·sol·u·ble[ìndisáljəbəl/-ɔ́-] *a.* 분해(분리)할 수 없는; 확고한; 영구적인.

in·dis·tinct[ìndistíŋkt] *a.* 불명료한. **~·ly** *ad.*

in·dis·tin·guish·a·ble[-tíŋgwiʃəbəl] *a.* 구별할 수 없는. **-bly** *ad.*

:in·di·vid·u·al[ìndəvídʒuəl] *a.* (opp. universal) 개인의, 개개의, 단일한; 독특한. — *n.* Ⓒ 개인, 개체; 사람. **˙~·ism** [-ìzəm] *n.* Ⓤ 개인주의; 개성; = EGOISM. **˙~·ist** *n.* Ⓒ 개인주의자; = EGOIST. **~·is·tic** [ˆ–ˆ–ˆ–ístik] *a.* 개인주의적인; = EGOISTIC. **˙~·ly** *ad.* 하나하나, 개별적으로; 개인적으로.

˙in·di·vid·u·al·i·ty[ìndəvìdʒuǽlə-

ti] *n.* Ⓤ 개성; Ⓒ 개체, 개인; (*pl.*) 개인적 특징.
in·di·vid·u·al·ize[ìndəvídʒuəlàiz] *vt.* 낱낱이 구별하다; 개성을 부여[개성화]하다; 특기하다(specify).
in·di·vis·i·ble[ìndivízəbəl] *a.* 분할할 수 없는; 〖數〗 나뉘어 떨어지지 않는. **-bil·i·ty**[∸–∸–bíləti] *n.*
In·do-[índou, -də] '인도 (사람)'의 뜻의 결합사. **∠-Chína** *n.* 인도차이나《넓은 뜻으로 Burma, Thailand, Malay를 포함하는 경우와, 옛 프랑스령 인도차이나를 가리키는 경우가 있음》. **∠-Chinése** *a., n.* Ⓒ 인도차이나의 (사람). **∠-Européan** [**-Germánic**] *n., a.* 〖言〗 Ⓤ 인도 유럽[게르만]어족(의), 인구(印歐) 어족(의).
in·doc·tri·nate[indáktrənèit/-ɔ́-] *vt.* (교의 따위를) 주입하다; 가르치다. **-na·tion**[–∸–néiʃən] *n.*
*__in·do·lent__ [índələnt] *a.* 게으른; 〖醫〗 무통(성)의. **~·ly** *ad.* **-lence** *n.*
*__in·dom·i·ta·ble__[indámətəbəl/-ɔ́-] *a.* 굴복하지 않는. **-bly** *ad.*
*__in·door__[índɔ̀ːr] *a.* 옥내의, 실내의.
:**in·doors**[índɔ́ːrz] *ad.* 옥내에(서).
ín·dràwn *a.* 마음을 터놓지 않는; 내성적인; 숨을 들이마신.
in·du·bi·ta·ble[indjúːbətəbəl] *a.* 의심할 여지 없는, 확실한.
:**in·duce**[indjúːs] *vt.* ① 설득하여 …시키다, 권유하다. ② 일으키다, 야기하다(cause); 귀납하다(opp. deduce); 〖電〗 유도하다. **~d *current*** 유도 전류. ***~·ment** *n.* Ⓤ,Ⓒ 유인; 자극; 동기.
in·duct[indʌ́kt] *vt.* (자리에) 인도하다; 취임시키다; 초보를 가르치다(initiate); 《美》 군에 입대시키다. **~·ance** *n.* Ⓤ,Ⓒ 〖電〗 자기(自己) 유도(계수).
*__in·duc·tion__[indʌ́kʃən] *n.* ① Ⓤ 유도, 도입. Ⓤ,Ⓒ 귀납(법), 귀납 추리 (opp. deduction). ② Ⓤ 〖電〗 유도, 감응. ③ Ⓤ,Ⓒ 취임식. **-tive** *a.* **-tiv·i·ty**[∸–tívəti] *n.* Ⓤ 유도성. **-tor·i·ty** Ⓒ 〖電〗 유도자(誘導子).
indúction còurse (신입 사원 등의) 연수.
:**in·dulge**[indʌ́ldʒ] *vt.* ① 어하다, 멋대로 하게 하다(~ *a child*). ② (욕망 따위를) 만족시키다; 즐기게 하다. — *vi.* 빠지다(*in*); 실컷 마시다. ***~ oneself in*** …에 빠지다.
*__in·dul·gence__[indʌ́ldʒəns], **-gen·cy**[-i] *n.* ① Ⓤ 멋대로 함; 탐닉(*in*); 응석을 받음, 관대; 은혜. ② Ⓤ 〖가톨릭〗 사면; Ⓒ 면죄부.
*__in·dul·gent__[-dʒənt] *a.* 멋대로 하게 하는, 어하는, 관대한.
:**in·dus·tri·al**[indʌ́striəl] *a.* ① 산업[공업]의. ② 산업에 종사하는; (산업) 노동자의. **~·ism**[-ìzəm] *n.* Ⓤ 산업주의. **~·ist** *n.* Ⓒ 산업 경영자; 공업가; 산업 노동자. **~·ly** *ad.*
indústrial áction 《英》 파업, 스트라이크.
indústrial archaeólogy 산업 고고학《초기의 공장·기계 따위를 연구함》.
indústrial árts 공예.
indústrial estáte 산업 지구.
*__in·dus·tri·al·ize__[-àiz] *vt.* 산업[공업]화하다; 산업주의를 고취하다. **-i·za·tion**[–∸––izéiʃən] *n.*
indústrial relátions 노사 관계; 산업과 지역 사회와의 관계(의 조정).
Indústrial Revolútion, the 〖英史〗 (18세기 말부터 19기 초에 걸친) 산업 혁명.
:**in·dus·tri·ous**[indʌ́striəs] *a.* 부지런한.
†**in·dus·try**[índəstri] *n.* Ⓤ 근면; 노동; 산업, 공업; 공업 경영.
in·e·bri·ate[iníːbrièit] *vt.* (술·흥분에) 취하게 하다(*the cups that cheer but not* ~ 기분을 상쾌하게 하나 취하지 않는 음료《차를 일컬음; Cowper의 시에서》). — [-briit] *a., n.* Ⓒ 취한 (사람), 고주망태. **-a·tion**[–∸–éiʃən] *n.*
in·ed·i·ble[inédəbəl] *a.* 먹을 수 없는.
in·ef·fa·ble[inéfəbəl] *a.* 말로 표현할 수 없는; 말해서는 안 될.
in·ef·fec·tive[ìniféktiv] *a.* 효과 없는; 효과적이 아닌; 쓸모 없는; 감명을 주지 않는. **~·ly** *ad.*
in·ef·fec·tu·al[ìniféktʃuəl] *a.* 효과 없는. **~·ly** *ad.*

in·ef·fi·cient[ìnifíʃənt] *a.* 무능한; 쓸모 없는. **-cien·cy** *n.*

in·el·e·gant[inéləgənt] *a.* 우아하지 않은, 조잡한. **-gance, -gan·cy** *n.* ① Ⓤ 무풍류(無風流); 아치 없음. ② Ⓒ 아치 없는 언행〔문체〕.

in·el·i·gi·ble[inélidʒəbəl] *a.* (뽑힐) 자격이 없는, 부적당한.

in·e·luc·ta·ble[ìnilʌ́ktəbəl] *a.* 불가항력의, 불가피한.

in·ept[inépt] *a.* 바보 같은; 부적당한. **~·i·tude**[-ətjù:d] *n.* Ⓤ 어리석음; 부적당; Ⓒ 바보 같은 짓〔말〕.

˙**in·e·qual·i·ty** [ìni(:)kwɑ́ləti/-ɔ́-] *n.* ① Ⓤ 부동(不同); 불평등. ② Ⓤ (표면의) 거침; (*pl.*) 기복(起伏). ③ Ⓒ 〖數〗 부등식; Ⓤ 부적당.

in·eq·ui·ta·ble[inékwətəbəl] *a.* 불공평한; 불공정한.

in·eq·ui·ty[inékwəti] *n.* Ⓤ 불공평; 불공정.

in·e·rad·i·ca·ble[ìnirǽdikəbəl] *a.* 근절할 수 없는. **-bly** *ad.*

˙**in·ert**[inə́:rt] *a.* 활발치 못한, 둔한; 〖理〗 자동력이 없는; 〖化〗 활성이 없는, 화학 변화를 일으키지 않는. ~ ***gases*** 불활성 기체. **~·ly** *ad.* **~·ness** *n.*

in·er·tia[inə́:rʃiə] *n.* Ⓤ 활발치 못함; 둔함; 〖理〗 관성, 타력(惰力).

in·er·tial[inə́:rʃiəl] *a.* 활발치 못한; 타력의. ~ ***guidance*** 〔***navigation***〕 (유도탄 따위의) 타력 비행.

˙**in·es·cap·a·ble**[ìneskéipəbəl] *a.* 달아날 수 없는, 불가피한.

in·es·sen·tial [ìnisénʃəl] *a., n.* Ⓒ 긴요하지 않은 (것).

˙**in·es·ti·ma·ble**[inéstəməbəl] *a.* 평가할 수 없는; (가치 등) 측량할 수 없을 정도의. **-bly** *ad.*

:**in·ev·i·ta·ble**[inévitəbəl] *a.* 피할 수 없는, 필연적인. ***the*** ~ 필연적인 일. ˙**-bly** *ad.* **-bil·i·ty**[–ˋ––bíləti] *n.* Ⓤ 불가피, 불가항력.

in·ex·act[ìnigzǽkt] *a.* 부정확한. **~·i·tude**[-itjù:d] *n.*

in·ex·cus·a·ble [ìnikskjú:zəbəl] *a.* 변명이 서지 않는; 용서할 수 없는. **-bly** *ad.*

˙**in·ex·haust·i·ble**[ìnigzɔ́:stəbəl] *a.* 다 쓸 수 없는, 무진장의; 피로를 모르는. **-bly** *ad.*

˙**in·ex·o·ra·ble**[inéksərəbəl] *a.* 무정한, 용서 없는, 냉혹한.

˙**in·ex·pen·sive**[ìnikspénsiv] *a.* 비용이 들지 않는, 싼. **~·ly** *ad.*

in·ex·pe·ri·ence[ìnikspíəriəns] *n.* Ⓤ 무경험, 미숙. ˙**~d**[-t] *a.* 경험이 없는; 숙련되지 않은; 세상 물정을 모르는.

in·ex·pert [inékspə:rt, ìnikspə́:rt] *a.* 서투른.

˙**in·ex·pli·ca·ble**[ìniksplíkəbəl, inéksplі-] *a.* 설명〔이해〕할 수 없는, 불가해한. **-bly** *ad.*

in·ex·press·i·ble[ìniksprésəbəl] *a.* 말로 표현할 수 없는. — *n.* (*pl.*) 《諧·古》 바지. **-bly** *ad.*

in·ex·pres·sive[ìnikspresiv] *a.* 무표정한.

in·ex·tin·guish·a·ble[ìnikstíŋgwiʃəbəl] *a.* (불 따위) 끌 수 없는; (감정 등) 억제할 수 없는.

in·ex·tri·ca·ble[inékstrikəbəl] *a.* 해결〔탈출〕할 수 없는.

˙**in·fal·li·ble**[infǽləbəl] *a.* ① (판단 따위가) 전혀 잘못이 없는. ② 절대 확실한. ③ 〖가톨릭〗 (교황이) 오류가 없는. **-bly** *ad.* **-bil·i·ty**[–ˋ–bíləti] *n.* Ⓤ 과오가 없음; (교황의) 무류성(無謬性).

˙**in·fa·mous**[ínfəməs] *a.* 악명 높은(notorious); 수치스런, 파렴치한.

˙**in·fa·my**[ínfəmi] *n.* ① Ⓤ 악평, 오명; 불명예. ② Ⓒ 파렴치한 행위.

:**in·fan·cy**[ínfənsi] *n.* Ⓤ,Ⓒ 유년(시대); 〖法〗 미성년; 초기.

:**in·fant**[ínfənt] *n.* Ⓒ 유아《7세 미만》; 〖法〗 미성년자 《21세 미만》; 초심자. — *a.* 유아의; 유치한; 초기의.

in·fan·tile[ínfəntàil, -til] *a.* 유아의; 유아 같은(childlike); 유치한(childish); 초기의.

in·fan·ti·lism[infǽntəlìzəm] *n.* Ⓤ 〖醫〗 (성인의) 유치증, 발육 부전.

˙**in·fan·try**[ínfəntri] *n.* Ⓤ 《집합적》 보병(대). **~·man**[-mən] *n.* Ⓒ (개개의) 보병.

in·fat·u·ate[infǽtʃuèit] *vt.* 얼빠지게 만들다; (어리석은 일·여자 등에) 열중케 하다. (***be***) **~*d with*** …에 열중하여 (있다). **-at·ed**[-id] *a.* (…

I

에) 열중한, (여자 등에) 미친. **-a·tion**[–⌐–éiʃən] *n.* ① U 홀림, (여자에) 미침. ② C 열중케 하는 것.

:in·fect[infékt] *vt.* ① (…에) 감염시키다; 병독으로 오염하다; (나쁜 풍조에) 물들게 하다. ② (…에) 영향을 미치다, 감화하다. ***be ~ed with*** …에 감염돼〔물들어〕 있다.

:in·fec·tion[infékʃən] *n.* ① U 감염; (나쁜) 영향; 감화. ② C 전염병.

˙in·fec·tious[infékʃəs] *a.* 전염하는; 접촉 감염성의; (영향이) 옮기 쉬운.

˙in·fer[infə́:r] *vt., vi.* (**-rr-**) 추론〔추리, 추단〕하다; (결론으로서) 의미하다. **~·a·ble**[infə́:rəbəl, ínfər-] *a.* 추론할 수 있는.

˙in·fer·ence[ínfərəns] *n.* U 추론, 추리; 〖컴〗 추론. ② C 추정, 결론. **-en·tial**[ìnfərénʃəl] *a.*

:in·fe·ri·or [infíəriər] *a.* 하위의, (…보다) 못한(*to*). — *n.* C 하급자; 하급품.

˙in·fe·ri·or·i·ty[infìərió(:)rəti, -ár-] *n.* U 열등; 하급.

inferiórity còmplex 〖精神分析〗 열등 복합, 《一般》 열등감.

˙in·fer·nal[infə́:rnl] *a.* 지옥의; 명부(冥府)의(of Hades); 악마 같은, 무도한(hellish); 《口》 지독한. **~·ly** *ad.*

in·fer·no[infə́:rnou] *n.* (*pl.* **~s**) (the ~) 지옥; C 지옥 같은 곳〔광경〕.

in·fer·tile[infə́:rtəl/-tail] *a.* 기름지지 않은, 불모의(sterile).

˙in·fest[infést] *vt.* (해충·해적 따위가) 들끓다, 엄습하다, 노략질하다; 해치다. **in·fes·ta·tion**[⌐–téiʃən] *n.* U,C 떼지어 엄습함; 횡행.

in·fi·del[ínfədl] *n.* C 믿음이 없는 사람; 이교도; 기독교를 믿지 않는 사람. — *a.* 신앙심이 없는; 이교도의.

in·fi·del·i·ty[ìnfədéləti] *n.* ① U 신앙심이 없음《특히 기독교의》, 불신심. ② U,C (부부간의) 부정(행위), 불의.

in·fight·ing[-iŋ] *n.* U 〖拳〗 접근전; 대항 의식; 난투.

in·fil·ing[ínfiliŋ] *n.* U 〖建〗 내부 건재《기둥·지붕 이외의 건재》.

in·fil·trate[infíltreit, ⌐–⌐] *vt., vi.* 침투〔침윤〕시키다〔하다〕; (…에) 침입시키다. ***be ~d with*** …이 침투해 있다. **-tra·tion**[⌐–tréiʃən] *n.* U 침투; 〖醫〗 (폐)침윤; 〖軍〗 잠입.

:in·fi·nite[ínfənit] *a.* 무한의; 막대한. — *n.* 무한(한 것); (the I-) 신. **˙~·ly** *ad.*

in·fin·i·tes·i·mal[infìnitésəməl] *a.* 극소의; 〖數〗 미분(微分)의.

:in·fin·i·tive[infínətiv] *n., a.* 〖文〗 U,C 부정사(의). **-ti·val**[⌐––táivəl] *a.*

in·fin·i·ty[infínəti] *n.* U,C 무한(대); 무수.

in·firm[infə́:rm] *a.* 허약한; (의지 따위가) 약한; (이유 따위) 박약한.

in·fir·ma·ry[infə́:rməri] *n.* C 병원; (학교·공장 따위의) 부속 진료소.

˙in·fir·mi·ty[infə́:rməti] *n.* ① U 허약, 병약. ② C 병; (도덕적) 결함, 약점.

:in·flame[inflèim] *vt.* (…에) 불을 붙이다; 노하게 하다(*with*); 충혈시키다, 염증을 일으키게 하다. — *vi.* 불붙다; 노하다; 염증을 일으키다.

˙in·flam·ma·ble [inflǽməbəl] *a.* 불타기〔노하기〕 쉬운. **-bil·i·ty**[⌐–bíl-] *n.*

in·flam·ma·tion[ìnfləméiʃən] *n.* U 발화; 연소; U,C 염증.

in·flam·ma·to·ry [inflǽmətɔ̀:ri/-təri] *a.* 선동적인; 염증성의.

˙in·flate[infléit] *vt.* (공기·가스 따위로) 부풀리다; (통화를) 팽창시키다; 우쭐하게 만들다. **-flat·ed**[-id] *a.* 팽창된; 과장된, 우쭐한. **in·flát·er, -tor** *n.* C (타이어의) 공기 펌프.

:in·fla·tion[infléiʃən] *n.* U,C 팽창; 통화 팽창, 인플레이션; (물가의) 폭등; 득의(得意). **~·ar·y**[-èri/-əri] *a.* 인플레이션의, 인플레이션을 초래하는. **~·ist** *n.* C 인플레(정책)논자.

in·flect[inflékt] *vt.* 구부리다; 〖文〗 (어미를) 변화시키다; (음성을) 조절하다. — *vi.* 어미변화하다.

˙in·flec·tion[inflékʃən] *n.* ① U 굴절. ② U,C 굴곡. ③ U 〖文〗 어미변화; 음절의 조절, 억양. **~·al** *a.*

in·flex·i·ble[infléksəbəl] *a.* 구부

리지 않는, 구부릴 수 없는; 불굴의; 확고한; 불변의. **-bil·i·ty** [-ᅩ-bíl-əti] *n.* **-bly** *ad.* ⌈INFLECTION.

in·flex·ion [inflékʃən] *n.* 《英》 = INFLECTION.

:in·flict [inflíkt] *vi.* (고통 따위를) 주다(*on, upon*); (벌을) 과하다. **in·flíc·tion** *n.* ① Ⓤ (벌을) 과함. ② Ⓒ (과해진) 처벌.

in·flow [ínflòu] *n.* Ⓤ 유입; Ⓒ 유입물.

:in·flu·ence [ínfluəns] *n.* ① Ⓤ,Ⓒ 영향; 감화력. ② Ⓤ 세력. ③ Ⓒ 영향을 미치는 사람(것). ④ Ⓤ 〖電〗 감응. ***under the*** ~ …의 영향으로. — *vt.* (…에) 영향을 미치다; 좌우하다; 매수하다. ~ ***peddler*** (직함 따위를 이용하여) 얼굴이 잘 통하는 사람.

·in·flu·en·tial [ìnfluénʃəl] *a.* 영향을 미치는; 유력한.

:in·flu·en·za [-énzə] *n.* (It. = influence) Ⓤ 〖醫〗 인플루엔자, 유행성 감기, 독감.

in·flux [ínflʌ̀ks] *n.* Ⓤ 유입(流入); Ⓒ 강어귀. ⌈TION.

in·fo [ínfou] *n.* 《口》 = INFORMA-

in·fold [infóuld] *vt.* 싸다; 끌어안다.

:in·form [infɔ́ːrm] *vt.* (…에게) 알리다(*of*); (감정 따위를) 불어넣다, 고무하다(*with*). — *vi.* 밀고하다(*against*). **~ed** [-d] *a.* 지식이 있는; 사정에 밝은. ***~ed public*** 지식층. **~·er** *n.* Ⓒ 통지자; 밀고자.

:in·for·mal [infɔ́ːrməl] *a.* ① 비공식의, 약식의; 격식을 차리지 않는. ② 구어의. **~·ly** *ad.* **·~·i·ty** [ᅩ-mǽl-əti] *n.* Ⓤ,Ⓒ 비공식 (처분).

·in·form·ant [infɔ́ːrmənt] *n.* Ⓒ 통지자; 밀고자; 〖言〗 (지역적 언어 조사의) 피(被)조사자, 자료 제공자.

†in·for·ma·tion [ìnfərméiʃən] *n.* Ⓤ ① 통지; 정보, 보도; 지식. ② (호텔·역 등의) 안내(접수)계. ③ 〖法〗 고발. ④ 〖컴〗 정보(량). ***ask for*** ~ 문의(조회)하다. ***I-, please.*** 미국의 라디오 퀴즈 프로의 하나. **~·al** *a.*

·in·form·a·tive [infɔ́ːrmətiv] *a.* 정보의, 지식을 주는; 유익한.

in·fra- [ínfrə] *pref.* '밑에, 하부에'의 뜻: *infra*costal.

in·frac·tion [infrǽkʃən] *n.* ① Ⓤ 위반, 반칙. ② Ⓒ 위반 행위.

in·fra dig [ínfrə díg] (〈L. *infra dignitatem* = beneath one's dignity) 《口》 체면에 관계되는.

in·fra·red [ìnfrəréd] *a.* 적외(선)의 (cf. ultraviolet). — *n.* Ⓤ (스펙트럼의) 적외부.

in·fra·struc·ture [ínfrəstrʌ̀ktʃər] *n.* Ⓤ,Ⓒ 〖政〗 하부 조직(구조), (경제) 기반; 영구 군사 시설.

in·fre·quent [infríːkwənt] *a.* 드문, 좀처럼 일어나지 않는. **~·ly** *ad.* **-quence, -quen·cy** *n.*

·in·fringe [infríndʒ] *vt., vi.* 어기다, 범하다; 침해하다(*on, upon*). **~·ment** *n.* Ⓤ (법규) 위반.

·in·fu·ri·ate [infjúərièit] *vt.* 격노시키다. **-at·ed** [-id] *a.* 격노한.

·in·fuse [infjúːz] *vt.* ① 붓다; 불어넣다, 고취하다(instil)(*with*). ② (뜨거운 물에 약초 따위를) 우려내다 (~ *tea* 차를 달이다). **in·fú·sion** [-ʒən] *n.* ① Ⓤ 주입, 고취. ② Ⓒ 주입물; 우려낸 즙, 달인 물.

:in·gen·ious [indʒíːnjəs] *a.* (발명의) 재주가 있는, 재간 있는; 교묘한. **~·ly** *ad.*

in·gé·nue [ǽndʒənjùː] *n.* (F.) (*pl.* **~s**) Ⓒ 〖劇〗 천진한 소녀(역의 여배우).

·in·ge·nu·i·ty [ìndʒənjúːəti] *n.* Ⓤ 재주; 교묘; 발명의 재간.

·in·gen·u·ous [indʒénjuːəs] *a.* 솔직한, 정직한; 꾸밈없는; 순진한. **~·ly** *ad.* ⌈하다.

in·gest [indʒést] *vt.* (음식을) 섭취

in·gle·nook [íŋɡəlnùk] *n.* Ⓒ 벽난로 구석(가).

in·glo·ri·ous [inglɔ́ːriəs] *a.* 불명예스러운; 《古》 무명의.

in·got [íŋɡət] *n.* Ⓒ 〖冶〗 주괴(鑄塊), '잉곳'. ~ ***steel*** 용제강(鎔製鋼).

in·grain [ingréin] *vt.* 짜기 전에 염색하다; 원료 염색해다; (습관 따위) 깊이 뿌리박히게 하다. — [ᅩᅩ] *a.* 짜기 전에 염색한, 원료 염색의; 깊이 배어든. — *n.* Ⓒ 짜기 전에 염색한 융단, 원료 염색한 털실. **~ed** [-d] *a.* = INGRAIN.

in·gra·ti·ate [ingréiʃièit] *vt.* 환심을 사다. ~ ***oneself with*** …에게

알랑거리다, …의 비위를 맞추다.

:in·grat·i·tude[ingrǽtətjùːd] *n.* Ⓤ 배은 망덕.

·in·gre·di·ent[ingríːdiənt] *n.* Ⓒ (혼합물의) 성분, (요리의) 재료.

in·gress[íngres] *n.* ① Ⓤ 들어감, 입장. ② Ⓒ 입장권(權); 입구.

in·group[íngrùːp] *n.* Ⓒ 〖社〗 내집단(內集團)(we-group)(opp. out-group).

in·grow·ing[íngròuiŋ] *a.* 안쪽으로 성장하는; (손톱이) 살 속에 파고 드는. **ín·grown** *a.*

:in·hab·it[inhǽbit] *vt.* (…에) 살다; (…에) 존재하다. **·~·ed**[-id] *a.* 사람이 살고 있는.

:in·hab·it·ant[-bətənt] *n.* Ⓒ 주민, 거주자; 서식 동물.

in·ha·la·tion[ìnhəléiʃən] *n.* Ⓤ 흡입; Ⓒ 흡입제.

·in·hale[inhéil] *vt.* (공기 따위를) 흡입하다(opp. exhale); (담배 연기를) 빨다. **in·hál·er** *n.* Ⓒ 흡입자[기].

in·har·mo·ni·ous[ìnhɑːrmóuniəs] *a.* 부조화의; 〖樂〗 불협화(음)의.

:in·her·ent[inhíərənt] *a.* 고유의, 타고난. **~·ly** *ad.* **-ence, -en·cy** *n.*

:in·her·it[inhérit] *vt.* 상속하다; 유전하다. — *vi.* 상속하다; 《一般》 계승하다(*from*). **~·a·ble** *a.* 상속할[상속시킬]수 있는. **in·hér·i·tor** *n.* Ⓒ 상속인.

:in·her·it·ance[inhéritəns] *n.* ① Ⓤ 상속(권). ② Ⓒ 유산; 유전.

·in·hib·it[inhíbit] *vt.* 금하다(*from doing*); 제지하다.

·in·hi·bi·tion[ìnhəbíʃən] *n.* Ⓤ,Ⓒ 금지; 억제. **in·hib·i·to·ry**[inhíbətɔ̀ːri/-təri] *a.*

·in·hos·pi·ta·ble [inhɑ́spitəbəl/-ɔ́-] *a.* ① 대접이 나쁜, 불친절한. ② (토지가) 살기 어려운, 살풍경한; 불모의(barren).

·in·hu·man[inhjúːmən] *a.* 몰인정한; 잔인한, 비인간적인. **~·i·ty**[ㅅ-mǽnəti] *n.* ① Ⓤ 몰인정; 냉혹; 잔학. ② Ⓒ 잔학 행위.

in·hu·mane[ìnhu(ː)méin] *a.* 몰인정[잔인]한.

in·im·i·cal[inímikəl] *a.* 적의(敵意) 있는(hostile)(*to*); 해로운(*to*).

in·im·i·ta·ble[inímətəbəl] *a.* 흉내낼 수 없는; 다시 없는(unique).

in·iq·ui·tous[iníkwitəs] *a.* 부정[악독]한.

·in·iq·ui·ty[iníkwəti] *n.* Ⓤ (대단한) 부정, 죄악; Ⓒ 부정[불법] 행위.

·in·i·tial[iníʃəl] *a.* 최초의; 어두(語頭)의. — *n.* ① Ⓒ 첫글자, 어두의 문자. ② (*pl.*) (이름의) 첫자, 이니셜. — *vt.* (《英》 **-ll-**) (…에) 첫자로 서명하다; 가조인하다. **~·ly** *ad.* 처음에.

:in·i·ti·ate[iníʃièit] *vt.* ① 시작하다. ② 입문시키다, 초보를 가르치다; 비전(秘傳)을 전하다(*into*). ③ (정식으로) 가입시키다(*into*). — [iníʃiit] *a., n.* Ⓒ 비전을 전수 받은 (사람); (비밀 결사 따위에) 새로 입회한 (사람). **in·í·ti·a·tor** *n.* Ⓒ 창시[전수(傳授)]자.

·in·i·ti·a·tion[inìʃiéiʃən] *n.* ① Ⓤ 개시; 초보풀이; 비전 전수; 입회, 입당, 입문, 가입. ② Ⓒ 입회[입당·입문]식.

:in·i·ti·a·tive[iníʃiətiv] *a.* 처음의. — *n.* Ⓤ ① 발의; 솔선, 선도(先導). ② 창의, 진취의 기상; 독창력; 개시. ③ 솔선권; (the ~) 〖政〗 발의권, (일반 국민의) 의안 제출권. ***on one's own*** ~ 솔선하여. ***take the*** ~ 선수를 치다, 주도권을 잡다.

·in·ject[indʒékt] *vt.* 주사하다; (의견 따위를) 삽입하다.

·in·jec·tion[indʒékʃən] *n.* ① Ⓤ 주사; Ⓒ 주사액. ② Ⓤ 〖地·鑛〗 관입(貫入). ③ Ⓤ,Ⓒ 〖宇宙〗 투입, 인젝션. **in·jéc·tor** *n.* Ⓒ 주사기.

in·ju·di·cious[ìndʒu(ː)díʃəs] *a.* 분별 없는. **~·ly** *ad.*

·in·junc·tion[indʒʌ́ŋkʃən] *n.* Ⓒ 명령; 〖法〗 금지 명령.

:in·jure[índʒər] *vt.* 상처를 입히다; (감정 따위를) 해치다, 손상하다. **·~d**[-d] *a.* 부상한(*the ~d* 부상자); 감정을 상한.

·in·ju·ri·ous[indʒúəriəs] *a.* ① 해로운(*to*). ② (행위가) 부당한; (말이 아무를) 중상하는, 모욕적인. **~·ly** *ad.*

:in·ju·ry[índʒəri] *n.* Ⓤ,Ⓒ 손해; 상

해; 모욕; 부당.

:in·jus·tice [indʒʌ́stis] *n.* ① Ⓤ 불공평; 부정. ② Ⓒ 부정 행위.

†ink [iŋk] *n.*, Ⓤ 잉크. ***(as) black as ~*** 새까만. ***write in ~*** 잉크로 쓰다. — *vt.* 잉크로 쓰다; (…에) 잉크를 칠하다; 잉크로 더럽히다. ***~ in*** 〔***over***〕(연필로 그린 밑그림 따위를) 잉크로 칠하다. ***~ up*** (인쇄기에) 잉크를 넣다.

ink·ling [íŋkliŋ] *n.* Ⓤ (어렴풋이) 눈치챔(vague notion); 암시. ***get*** 〔***give***〕 ***an ~ of*** …을 알아채다〔넌지시 알리다〕.

ínk·wèll *n.* Ⓒ (책상에 박혀 있는) 잉크병.

ink·y [íŋki] *a.* 잉크의, 잉크 같은; 잉크로 표를 한; 잉크 묻은; 새까만.

˙in·laid [inléid, ⌐⌐] *v.* inlay의 과거(분사). — *a.* 상감(象嵌)의.

:in·land [ínlənd] *n., a.* Ⓒ 내륙(의). 오지(奧地)(의); 국내(의). ***~ revenue*** 《英》 내국세 수입. — [ínlæ̀nd, -lənd/inlǽnd] *ad.* 내륙으로, 오지로 향하여, 국내에.

ín-làw *n.* Ⓒ (보통 *pl.*) 《口》 인척.

in·lay [ìnléi, ⌐⌐] *vt.* (***-laid***) 박아 넣다, 상감하다(*with*). — [⌐⌐] *n.* Ⓤ,Ⓒ 상감 (세공).

˙in·let [ínlet] *n.* Ⓒ 후미, 내해; 입구; 삽입물, 상감(물).

˙in·mate [ínmèit] *n.* Ⓒ 입원자; (양로원·감옥 따위의) 수용자; 《古》 동거인, 동숙인.

in me·mo·ri·am [ìn mimɔ́:riəm, -æ̀m] (L.) (고인의) 기념으로(서).

in·most [ínmòust] *a.* 맨 안쪽의, 가장 깊은; 마음 깊이 간직한.

:inn [in] *n.* Ⓒ 여관, 여인숙, 선술집 (tavern). ***Inns of Court*** (영국의) 법학 협회〔회관〕.

˙in·nate [inéit, ⌐–] *a.* 타고난, 내재적인, 고유의.

˙in·ner [ínər] *a.* 안의, 내부의(opp. outer); 정신의, 영적인; 비밀의. ***the ~ man*** 마음, 영혼; 《諧》 위, 밥통; 식욕. **˙~·most** [-mòust] *a., n.* 맨 안쪽의; Ⓒ 가장 깊숙한 곳.

ínner cíty 《美》 대도시 중심의 저소득층이 사는 지역.

˙in·ning [íniŋ] *n.* ① Ⓒ 〖野〗 이닝, …회; 칠 차례. ② 《英》 《*pl.*로 단수 취급》 정권 장악 기간; (개인의) 활약기.

˙ínn·kèeper *n.* Ⓒ 여관 주인.

:in·no·cence [ínəsns], **-cen·cy** [-i] *n.* ① Ⓤ 무죄, 결백; 깨끗함; 천진난만; 숫됨. ② Ⓒ 천진난만〔순진〕한 사람.

:in·no·cent [-snt] *a.* 죄 없는, 결백한(*of*); 깨끗한; 순진〔단순〕한, 무식한; 무해한; 《口》 (…이) 없는(*of*). — *n.* Ⓒ 결백한 사람; 천진난만한 사람, 호인. **˙~·ly** *ad.*

in·noc·u·ous [inákjuəs/-ɔ́-] *a.* 해가 없는.

in·no·vate [ínouvèit] *vi., vt.* 혁신〔쇄신〕하다(*in, on, upon*). **˙in·no·va·tion** [⌐–véi-] *n.* **ín·no·va·tor** *n.*

in·nu·en·do [ìnjuéndou] *n.* (*pl.* ***~es***) Ⓤ,Ⓒ 암시, 빗댐.

:in·nu·mer·a·ble [injú:mərəbəl] *a.* 이루 셀 수 없는, 무수한. **-bly** *ad.*

in·oc·u·late [inákjəlèit/-ɔ́-] *vt.* 〖醫〗 (예방) 접종을 하다(*against*); (사상 따위를) 주입하다; (세균 등을) 접종하다. **-la·tion** [–⌐–léiʃən] *n.*

in·of·fen·sive [ìnəfénsiv] *a.* 해롭지 않은; 불쾌감을 주지 않는.

in·op·er·a·ble [inápərəbəl/-ɔ́-] *a.* 수술할 수 없는; 실시할 수 없는.

in·op·er·a·tive [inápərətiv, -ápərèi-/-ɔ́pərə-] *a.* 무효의.

in·op·por·tune [inàpərtjú:n/-ɔ̀p-] *a.* 시기를 놓친, 형편이 나쁜.

in·or·di·nate [inɔ́:rdənət] *a.* 과도한, 지나친; 무절제한. **~·ly** *ad.*

˙in·or·gan·ic [ìnɔ:rgǽnik] *a.* 〖化〗 ① 생활 기능이 없는; 무생물의. ② 무기(無機)(물)의.

inorgánic chémistry 무기 화학.

in·pa·tient [ínpèiʃənt] *n.* Ⓒ 입원 환자(cf. outpatient).

˙in·put [ínpùt] *n.* Ⓤ,Ⓒ 〖經〗 투입(량); 〖機·電〗 입력(入力); 〖컴〗 입력(신호). — *vt., vi.* 〖컴〗 (정보 따위를) 입력하다.

in·quest [ínkwest] *n.* Ⓒ 〖法〗 (배심원의) 심리; 검시(檢屍).

:in·quire [inkwáiər] *vt., vi.* 묻다, 문의하다(*of*); 조사하다. ***~ after*** …의 안부를 묻다. ***~ into*** (사건 등

을) 조사하다. ***in·quír·er*** *n.* **in·quir·ing**[-kwáiəriŋ] *a.* 알고 싶은 듯이, 의심쩍은 듯이.

:in·quir·y[inkwáiəri, ínkwəri] *n.* Ⓒ,Ⓤ 문의, 질문, 조회; 조사; 연구; 〖컴〗 물어보기.

·in·qui·si·tion[ìnkwəzíʃən] *n.* ① Ⓤ 조사. ② Ⓤ 〖法〗 심문, 심리. ③ (the I-) 〖가톨릭〗 종교 재판(소).

·in·quis·i·tive[inkwízətiv] *a.* 호기심이 많은, 물어보고 싶어하는, 알고자 하는, 캐묻기 좋아하는(prying).

in·quis·i·tor[inkwízətər] *n.* Ⓒ 조사〔심문〕관; (I-) 〖가톨릭〗 종교 재판관.

in·quis·i·to·ri·al[inkwìzətɔ́:riəl] *a.* 종교 재판관의〔같은〕; 엄하게 심문하는.

ín·ròad *n.* Ⓒ 침입, 침략; 침해; (시간·저축 등의) 먹어 들어감.

ín·rùsh *n.* Ⓒ 돌입, 침입, 쇄도.

:in·sane[inséin] *a.* 발광한; 미친 (사람 같은); 광폭한. ~ ***asylum*** 정신병원.

in·san·i·tar·y[insǽnətèri/-təri] *a.* 비위생적인.

·in·san·i·ty[insǽnəti] *n.* ① Ⓤ 광기, 정신 이상. ② Ⓒ 미친 짓.

in·sa·tia·ble[inséiʃiəbəl] *a.* 물릴 줄 모르는, 탐욕한.

·in·scribe[inskráib] *vt.* ① (종이·금속·돌 따위에 어구를) 쓰다, 새기다. ② (헌정사(獻呈辭)를 적어 정식으로 책을) 헌정하다. ③ 명기(銘記)하다; (공식 명부 따위에) 기입하다. ④ 〖幾〗 내접(內接)시키다.

:in·scrip·tion[inskrípʃən] *n.* Ⓒ 명(銘); (책의) 제명(題銘); 비문; (책의) 헌정사.

in·scru·ta·ble[inskrú:təbəl] *a.* 알 수 없는, 불가사의한. **-bil·i·ty** [-∸-bíləti] *n.*

:in·sect[ínsekt] (L. 〈 *insectum* = divided (*in* three *sec*tions)의 뜻) *n.* Ⓒ 곤충, 벌레(cf. worm).

in·sec·ti·cide[inséktəsàid] *n.* Ⓤ,Ⓒ 살충제.

in·sec·tiv·o·rous[ìnsektívərəs] *a.* 벌레를 먹는, 식충의. ~ ***plants*** 식충 식물.

in·se·cure[ìnsikjúər] *a.* 안전하지 않은; 위태로운. **in·se·cú·ri·ty** *n.* Ⓤ 불안전, 불안정; 근심; Ⓒ 걱정거리.

in·sem·i·nate[insémənèit] *vt.* (씨를) 뿌리다, 심다; 잉태시키다.

in·sem·i·na·tion [insèmənéiʃən] *n.* Ⓤ 파종; 수태, 수정. ***artificial*** ~ 인공수정.

·in·sen·si·ble[insénsəbəl] *a.* 무감각한; 무신경의(*of, to*); 인사 불성의; 알아채지 못할 정도로, 아주 적은. **-bly** *ad.* 알아차리지 못할 만큼. **·-bil·ity**[insènsəbíləti] *n.* Ⓤ 무감각; 태연.

in·sen·si·tive[insénsətiv] *a.* 무감각한, 둔감한(*to*).

·in·sep·a·ra·ble[insépərəbəl] *a.* 분리할 수 없는(*from*). **-bly** *ad.*

:in·sert[insə́:rt] *vt.* 끼워넣다, 삽입하다(*in, into*). — [∸-] *n.* Ⓒ 삽입물; 삽입 페이지〔광고〕; 〖映·TV〗 삽입자막; 〖컴〗 끼워넣기, 삽입.

·in·ser·tion[insə́:rʃən] *n.* ① Ⓤ 삽입; Ⓒ 삽입물; 삽입어구; 게재 기사; (신문 따위에) 끼워넣은 광고. ② Ⓤ,Ⓒ (레이스 따위의) 바탕을 파서 꿰매 붙이기.

in·set[insét] *vt.* (~(***ted***); ***-tt-***) 끼워넣다. — [∸∸] *n.* Ⓒ 삽입물; 삽입페이지; (큰 지도〔도표〕 속의) 삽입 지도〔도표〕; 유입(流入)(influx).

ín·shóre *a., ad.* 해안에 가까운〔가깝게〕; 해안으로 향하는〔여〕.

†in·side[ínsáid, ∸∸] *n.* (보통 the ~) 안쪽, 내부; 내면; (보통 *pl.*) 《口》 속, 배; (the ~) 내정, 내막. ***on the*** ~ 내막을 알 수 있는 입장에서; 마음속으로는. ***the*** ~ ***of a week*** 《英口》 주중(週中). — *a.* 내부의, 안쪽의; 속사정을 잘 아는, 내부 사람이 한(*The theft was an* ~ *job.* 도둑질은 내부 사람이 한 짓이었다); 간첩질하는. — *ad., prep.* (…의) 내부〔집안〕에. ***get*** ~ 집안으로 들어가다; (조직) 내부로 들어가다. ~ ***of*** …의 안에서, 이내에. ~ ***out*** 뒤집어. **in·síd·er** *n.* Ⓒ 내부 사람; 《口》 내막을 알고 있는 사람.

in·sid·i·ous[insídiəs] *a.* 교활한; 음흉한; 잠행성의, (병이) 모르는 사이에 진행하는.

·in·sight[ínsàit] *n.* Ⓤ,Ⓒ 통찰(력); 「간파(하는 힘).

I

in·sig·ni·a [insígniə] *n.* (*sing.* **-signe**[-ni:]) *pl.* 기장, 훈장.

:**in·sig·nif·i·cant** [ìnsignífikənt] *a.* 대수롭지 않은, 하찮은, 무의미한. **~·ly** *ad.* **-cance, -can·cy** *n.*

˙**in·sin·cere** [ìnsinsíər] *a.* 성의 없는. **-cer·i·ty** [∸–sérəti] *n.*

˙**in·sin·u·ate** [insínjuèit] *vt.* 은근히 심어주다, 서서히 파고 들다; 교묘하게 환심사다(*oneself into*); 슬쩍 보이다〔내밀다〕; 넌지시 비추다(hint). **-at·ing**(**·ly**) *a.* (*ad.*) **-a·tion** [–∸–éiʃən] *n.*

in·sip·id [insípid] *a.* 맛없는; 김빠진; 재미 없는(opp. sapid). **in·si·pid·i·ty** [∸–pídəti] *n.*

:**in·sist** [insíst] *vi., vt.* 우기다; 강요하다, 억지로 하게 하다; 주장하다(*on, upon, that*). ˙**~·ent** [-ənt] *a.* 강요〔주장〕하는; 주의를 끄는. ˙**~·ence, ~·en·cy** *n.*

ín·sòle *n.* Ⓒ (구두의) 속창; 안창.

˙**in·so·lence** [ínsələns] *n.* Ⓤ 오만; Ⓒ 무례(한 언행).

˙**in·so·lent** [ínsələnt] *a.* 거만한, 안하무인의, 무례한. **~·ly** *ad.*

˙**in·sol·u·ble** [insáljubəl/-ɔ́-], **in·solv·a·ble** [insálvəbəl/-ɔ́-] *a.* 녹지않는; 해결할 수 없는.

in·sol·vent [insálvənt/-sɔ́l-] *a., n.* Ⓒ 〖法〗 지급 불능의〔파산한〕 (사람). **-ven·cy** *n.*

in·som·ni·a [insámniə/-ɔ́-] *n.* Ⓤ 불면(증). **-ac** [-niæ̀k] *a., n.* Ⓒ 불면증의 (환자).

in·sou·ci·ant [insú:siənt] *a.* (F.) 무심한; 태평한. ***-ance*** *n.*

:**in·spect** [inspékt] *vt.* 조사〔검사〕하다; (관권으로) 검열하다.

:**in·spec·tion** [inspékʃən] *n.* Ⓤ,Ⓒ 검사, 조사; (서류의) 열람, 시찰, 점검, 검열.

:**in·spec·tor** [inspéktər] *n.* Ⓒ 검사관, 감독; 경위(警衛). ***police*** **~** 경위. ***school*** **~** 장학사.

:**in·spi·ra·tion** [ìnspəréiʃən] *n.* ① Ⓤ 숨 쉼(inhaling), 들숨; (인간에 대한 신의) 감화력; Ⓒ 영감에 의한 착상. ② Ⓤ 인스피레이션, 영감. ③ Ⓤ 고무, 감화; 시사(示唆).

:**in·spire** [inspáiər] *vt.* 숨을 들이쉬다; 영감을 주다; (사상·감정을) 불어넣다(instil); 감격시키다; 고무하다(animate); 시사하다; (보도 따위의) 지시를 주다. **~d** [-d] *a.* 영감을 받은; (어떤 권력자·소식통의) 뜻을 받든, 견해를 반영한.

in·sta·bil·i·ty [ìnstəbíləti] *n.* Ⓤ 불안정; 변덕.

:**in·stall** [instɔ́:l] *vt.* 취임시키다; 자리에 앉히다(settle); (장치를) 설치하다. ˙**in·stal·la·tion** [ìnstəléiʃən] *n.* Ⓤ 취임; 임명; Ⓒ 설비, 장치.

:**in·stal**(**l**)**·ment** [instɔ́:lmənt] *n.* Ⓒ 분할 불입(금); (총서·전집 따위의) 일회분; = INSTALLATION.

instal(**l**)**ment plàn** 《美》 분할불 판매법.

:**in·stance** [ínstəns] *n.* (cf. instant) Ⓒ ① 요구; 권고; 시사. ② 〖法〗 소송(절차). ③ 실례. ④ 경우. ***at the* ~ *of*** …의 의뢰로. ***for* ~** 예컨대. ***in the first*** 〔***last***〕 **~** 제1심〔종심(終審)〕에서; 우선 첫째로〔마지막으로〕. — *vt.* 보기로 들다, 예증하다(exemplify).

:**in·stant** [ínstənt] *a.* 즉석의; 절박한; (날짜와 함께) 이 달의《생략 inst.》; (커피·코코아 따위) 즉석식의; 인스턴트의. — *n.* Ⓒ 즉각; 순간; Ⓤ《口》 인스턴트 식품. ***in an*** 〔***on the***〕 **~** 즉시. ***the* ~** 하자마자. **:~·ly** *ad.* 즉시; 《古》 자꾸만.

˙**in·stan·ta·ne·ous** [ìnstəntéiniəs] *a.* 즉석의, 순간의; 동시에 일어나는. **~·ly** *ad.*

:**in·stead** [instéd] *ad.* (…의) 대신에. **~ *of*** …의 대신에.

ín·stèp *n.* Ⓒ ① 발등. ② 구두〔양말〕의 발등 부분.

in·sti·gate [ínstəgèit] *vt.* 선동하다. **-ga·tor** *n.* Ⓒ 선동자. **-ga·tion** [∸–géiʃən] *n.*

in·stil(**l**) [instíl] *vt.* (한 방울씩) 떨어뜨리다; (감정 따위를) 스며들게 하다. **in·stil·la·tion** [∸–léiʃən] *n.*

:**in·stinct** [ínstiŋkt] *n.* Ⓤ,Ⓒ 〖心〗 본능; 천성. — [–∸] *a.* 차서 넘치는, 가득 찬(*with*).

˙**in·stinc·tive** [instíŋktiv] *a.* 본능적인; 천성의. ˙**~·ly** *ad.*

:**in·sti·tute** [ínstətjù:t] *vt.* 설립〔제

정]하다; (조사·소송을) 시작하다; 〖宗〗 (성직에) 임명하다(install). ── *n.* Ⓒ 협회, 학회; 회관; 원칙, 규칙, 습관.
:in·sti·tu·tion[ìnstətjúːʃən] *n.* ① Ⓤ 설립, 개시. ② Ⓒ 〖社〗 관례, 제도. ③ Ⓒ 공공 기관[건축물]《학교·교회·병원 등》; 협회, 학회; …단원, 소, 사. ④ Ⓒ 《口》 잘 알려진 사람, 명물. **˚~·al** *a.* 제도(상)의; (공고가 회사·상점의) 명성을 올려 신용을 높이기 위한. **~·al·ize**[-əlàiz] *vt.* 공공 단체로 하다, 제도화하다; 《口》 (시설 등에) 수용하다.
:in·struct[instrʌ́kt] *vt.* 가르치다 (*in*); 지시하다(*to* do); 알리다 (*that*); 〖컴〗 명령하다. **:in·strúc·tive** *a.* 교육적인, 유익한. **:in·strúc·tor** *n.* Ⓒ 교사; 《美》 (전임) 강사.
:in·struc·tion[instrʌ́kʃən] *n.* ① Ⓤ 교수, 교육; (배운) 지식. ② Ⓒ (보통 *pl.*) 지시; 〖컴〗 명령어.
in·struc·tion·al[instrʌ́kʃənəl] *a.* 교육상의, 교육적인. **~ *film*** 교육[과학] 영화.
:in·stru·ment[ínstrəmənt] *n.* Ⓒ (주로 실험·정밀 작업용의) 기계, 기구; 악기; (남의) 앞잡이; 수단, 방편; 〖法〗 증서.
˚in·stru·men·tal[ìnstrəméntl] *a.* 기계의[에 의한]; 악기의, 악기를 위한, 악기에 의한; 수단이 되는, 쓸모있는. **~·ist** *n.* Ⓒ 기악가. **~·i·ty** [ˋ-ˊ-tǽləti] *n.* Ⓤ 수단, 도움.
in·stru·men·ta·tion[ìnstrəmentéiʃən] *n.* Ⓤ 기계 사용; 〖樂〗 기악 편성법, 연주법.
in·sub·or·di·nate[ìnsəbɔ́ːrdənit] *a.* 복종하지 않는, 반항적인. **-na·tion**[ˋ-ˋ-dənéi-] *n.*
in·sub·stan·tial[ìnsəbstǽnʃəl] *a.* 미약한, 무른; 실체 없는, 공허한, 실질이 없는; 비현실적인.
in·suf·fer·a·ble[insʌ́fərəbəl] *a.* 참을 수 없는.
:in·suf·fi·cient[ìnsəfíʃənt] *a.* 불충분한. **~·ly** *ad.* **-cien·cy** *n.*
˚in·su·lar[ínsələr, -sjə-] *a.* 섬(나라)의; 섬 사람의; 섬 모양의; 섬나라 근성의, 편협한. **~·ism**[-ìzəm] *n.* Ⓤ 섬나라 근성, 편협. **~·i·ty** [ˋ-lǽrəti] *n.* Ⓤ 섬(나라)임; 편협.
in·su·late[ínsjəlèit, -sə-] *vt.* 격리시키다, 고립시키다; 〖電〗 절연하다; 섬으로 만들다. **-la·tor** *n.* Ⓒ 〖電〗 절연체, 애자, 뚱딴지. **-la·tion** [ˋ-léiʃən] *n.* Ⓤ 격리, 고립; 〖電〗 절연(물).
in·su·lin[ínsjəlin, -sə-] *n.* Ⓤ 인슐린《췌장 호르몬, 당뇨병의 약》.
˚in·sult[insʌ́lt] *vt.* 모욕하다. ── [ˊ-] *n.* Ⓤ 모욕; Ⓒ 모욕적 언동. **~·ing** *a.* 모욕적인. **~·ing·ly** *a.*
in·su·per·a·ble[insúːpərəbəl] *a.* 이겨낼 수 없는. **-bly** *ad.* **-bil·i·ty** [-ˋ-bíləti] *n.*
in·sup·port·a·ble[ìnsəpɔ́ːrtəbəl] *a.* 견딜 수 없는(intolerable).
:in·sur·ance[inʃúərəns] *n.* Ⓤ ① 보험; 보험 계약[증서]. ② 보험금(액); 보험료.
:in·sure[inʃúər] *vt.* (보험업자가) 보험을 맡다(*against*); 보험을 걸다(*for, against*); 보증하다; 확실하게 하다. ── *vi.* 보험 증서를 발행하다. ***the* ~*d*** 피보험자. **in·sur·er**[-ʃúərər] *n.* Ⓒ 보험(업)자; 보증인.
in·sur·gent[insɔ́ːrdʒənt] *a.* 폭동을 일으킨. ── *n.* Ⓒ 폭도; 《美》 (당내의) 반대 분자. **-gence, -gen·cy** *n.* Ⓤ,Ⓒ 폭동, 반란.
in·sur·mount·a·ble[ìnsərmáuntəbəl] *a.* 극복할 수 없는.
˚in·sur·rec·tion[ìnsərékʃən] *n.* Ⓤ,Ⓒ 폭동, 반란.
in·tact[intǽkt] *a.* 본래대로의, 손대지 않은, 완전한.
ín·tàke *n.* ① Ⓒ (물·공기 등의) 끌어 들이는 입구. ② (*sing.*) 섭취(량). ③ Ⓒ 《英》 초년병, 신병.
˚in·tan·gi·ble[intǽndʒəbəl] *a.* 만질 수 없는, 만져서 알 수 없는; 무형의; 막연한. **-bly** *ad.*
in·te·ger[íntidʒər] *n.* Ⓒ 〖數〗 정수(整數)(cf. fraction); 완전체.
˚in·te·gral[íntigrəl] *a.* (전체를 이루는 데) 필수적인; 빠뜨릴 수 없는; 완전한; 〖數〗 정수의. ── *n.* Ⓒ 전체; 〖數〗 정수, 적분.
in·te·grate[íntəgrèit] *vt.* (각 부분을) 전체에 통합하다; 완전하게 하다, 완성하다, (온도·면적 등의) 합계

(평균치)를 나타내다; 〖數〗 적분하다; 통합하다(co-ordinate). ***-gra·tion** [ìntəgréiʃən] *n.* Ⓤ 통합; 완성; 집성(集成); 《美》 인종적 무차별 대우; 〖數〗 적분.

in·te·grat·ed[íntəgrèitid] *a.* 인종 차별을 하지 않는; 통합된; 원만한.

íntegrated círcuit 〖電〗 집적 회로《생략 IC》.

·in·teg·ri·ty[intégrəti] *n.* Ⓤ 정직; 완전; 원상(대로의 상태). ***territorial* ~** 영토 보전.

:in·tel·lect[íntəlèkt] *n.* ① Ⓤ 지력; 이지, 예지, 지성(cf. intelligence). ② Ⓒ 식자, 지식인.

:in·tel·lec·tu·al[ìntəléktʃuəl] *a.* 지력의, 지력 있는, 지력을 요하는; 이지적인. — *n.* Ⓒ 지식인, 식자. **~·ist** *n.* ***~·ly** *ad.* 지적으로. ***~·i·ty**[ㅅ—ㅅ—ǽləti] *n.* Ⓤ 지성, 지력.

:in·tel·li·gence[intélədʒəns] *n.* ① Ⓤ 지성, 지능, 지혜(*Dogs have ~, but they have not intellect.* 개는 지혜는 있으나 지성은 없다); 이해(력). ② Ⓤ 총명. ③ 정보; 《집합적》 정보 기관; 정보부원. ④ Ⓒ (종종 I-) 지성적 존재, 영(靈). **-genc·er** *n.* Ⓒ 통보자; 스파이.

intélligence tèst 〖心〗 지능 검사.

:in·tel·li·gent[intélədʒənt] *a.* 지적인; 영리한, 이해력이 좋은, 현명한; 〖컴〗 지적인, 정보 처리 기능이 있는. ***~·ly** *ad.*

in·tel·li·gent·si·a, -zi·a[intèlədʒéntsiə, -gén-] (Russ. 〈L.) *n.* Ⓤ (보통 the ~) 《집합적》 인텔리겐치아, 지식 계급.

·in·tel·li·gi·ble[intélədʒəbəl] *a.* 알기 쉬운, 명료한. **-bly** *ad.*

·in·tem·per·ate[intémpərit] *a.* 무절제한; 폭음하는; (추위·더위가) 혹독한. **-per·ance** *n.*

:in·tend[inténd] *vt.* …할 작정이다(*to* do); 꾀하다; 의도하다; 예정하다(*for*); 뜻하다.

·in·tend·ed[inténdid] *a.* 계획된, 고의의; 미래의. — *n.* (one's ~) 《口》 미래의 남편〔아내〕, 약혼자.

:in·tense[inténs] *a.* 격렬한, 열심인, 노력적인; 열정적인. ***~·ly** *ad.*

·in·ten·si·fy[inténsəfài] *vt., vi.* 격렬하게 하다; 격렬해지다; 강하게 하다; 강해지다. **-fi·ca·tion**[—ㅅ—fikéiʃən] *n.*

:in·ten·si·ty[inténsəti] *n.* Ⓤ (성질·감정 등의) 강렬함; 엄함; 강도.

·in·ten·sive[inténsiv] *a.* ① 강한, 격렬한. ② 집중적인. ③ 〖文〗 강조의; 〖農〗 집약적인. — *n.* Ⓒ 강하게 하는 것; 〖文〗 강의어(強意語). **~ *agriculture*** 집약 농업. **~ *reading*** 정독. **~·ly** *ad.*

:in·tent[intént] *n.* ① Ⓤ 의지, 목적(intention). ② Ⓤ,Ⓒ 《廢》 의미. ***to all ~s and purpose*** 실제상, 사실상. — *a.* 여념이 없는(*on, upon*), (눈·마음이) 집중되어 있는(eager); 진심의. ***~·ly** *ad.*

:in·ten·tion [inténʃən] *n.* (⇨ INTEND) ① Ⓤ,Ⓒ 의지, 목적; 의미, 취지. ② (*pl.*) 《口》 결혼할 의사. ***by ~*** 고의로. ***have no ~ of*** do***ing*** …하려고 하는 의지가 없다. ***with good ~s*** 선의로. ***without ~*** 무심히. ***~·al** *a.* 고의의, 계획적인. **~·al·ly** *ad.*

in·ter[intə́ːr] *vt.* (**-rr-**) (시체를) 매장하다, 묻다.

in·ter-[íntər] *pref.* '중(간)에, … 사이의, 상호(의)' 등의 뜻: *inter*collegiate.

in·ter·act[ìntərǽkt] *vi.* 상호 작용하다, 서로 영향을 주다. **-ác·tion** *n.* Ⓤ,Ⓒ 상호 작용.

in·ter·ac·tive[intərǽtiv] *a.* 상호 작용하는; 〖컴〗 대화식의.

in·ter a·li·a[íntər éiliə] (L. = among others) 그 중에서도.

ìnter·bréed *vt., vi.* (***-bred***) 이종 교배시키다; 잡종을 낳다.

in·ter·cede[ìntərsíːd] *vi.* 중재하다, 조정하다(*with*).

·in·ter·cept[-sépt] *vt.* (편지 등을) 도중에서 가로채다〔빼앗다〕; (무전을) 방수(傍受)하다; (빛·물의 통로를) 가로 막다; 방해〔저지〕하다; 〖數〗 두 점〔선〕에 의해서 잘라내다; 〖競〗 (방어측이) 패스를 끊다. **-cép·tion** *n.* **-cép·tor** *n.* Ⓒ 방해자, 방해물; (무전) 방수자; 〖軍〗 요격기.

in·ter·ces·sion[-séʃən] *n.* Ⓤ 중재, 조정. **-cés·sor** *n.* Ⓒ 중재자.

*__in·ter·change__[-tʃéindʒ] *vt.* 교환하다; 교대시키다; 번갈아 일어나게 하다(alternate). — *vi.* 번갈아 들다; 교대하다. — [ㅗㅡㅅ/ㅗㅡㅗ] *n.* ① U,C 교환, 교체, 교대. ② C 《美》 (고속 도로의) 입체 교차점. **~·a·ble** [-əbəl] *a.* 교환〔교대〕할 수 있는.

inter·collégiate *a.* 대학간의, 대학 대항의(cf. intramural).

in·ter·com[íntərkàm/-ɔ-] *n.* C 《口》 (비행기·전차 내의) 통화 장치(cf. interphone).

inter·commúnicate *vi.* 서로 통신하다; 서로 왕래하다; (방 등이) 서로 통하다. **-communicátion** *n.* U 상호 교통, 연락, 교제.

inter·connéct *vt., vi.* 서로 연락〔연결〕시키다〔하다〕; (여러 대의 전화를) 한 선에 연결하다.

inter·continéntal *a.* 대륙간의. **~ *ballistic missile*** 대륙간 탄도 미사일《생략 ICBM》.

:**in·ter·course**[íntərkɔ̀:rs] *n.* U ① 교제; 교통; 의사〔감정〕의 교환. ② 영교(靈交). ③ 성교.

inter·denominátional *a.* 종파간의.

inter·departméntal *a.* (대학의) 각 학부간의; 각부처〔성, 국〕간의.

inter·dépendent *a.* 상호 의존의. **-dépendence, -dépendency** *n.*

in·ter·dict[-díkt] *vt.* 금지〔제지〕하다; 『가톨릭』 (장소·사람에 대하여 의식의 집행 또는 관여를) 금지하다; (계속 폭격으로) (적을) 괴롭히다. — [ㅗㅡㅅ] *n.* C 금지(명령); 『가톨릭』 성사수여〔예배 따위〕의 금지. **-díc·tion** *n.* U,C 금지, 정지; 『法』 금치산 선고; 통상 금지; 계속 폭격.

†**in·ter·est**[íntərist] *n.* ① U,C 흥미, 관심, 호기심. ② C 관심사, 취미. ③ U 중요성, 간요(肝要). ④ C 소유권, 이권, 주. ⑤ C 이해 관계, 이익. ⑥ U 이자, 이율. ⑦ U 세력, 지배력. ⑧ U 사리, 사권. ***in the ~(s) of*** …을 위하여. ***take an ~ in*** …에 흥미를 가지다. ***with ~*** 흥미를 가지고; 이자를 붙여서. — [íntərèst] *vt.* (…에) 흥미를 갖게 하다; 관계시키다(*in*). ***be ~ed in*** …에 흥미가 있다. ***be ~ed to* do** …하고 싶다; …하여 재미있다.

:**in·ter·est·ed**[íntəristid, -rèstid] *a.* 흥미를 가진; 이해 관계 있는; 편견을 가진. **~ *parties*** 이해 관계자.

†**in·ter·est·ing**[íntəristiŋ, -rèst-] *a.* 재미있는. ***in an ~ condition* 〔*situation*〕** 임신하여.

ínter·fàce *n.* C 중간면〔층〕; 공유 영역; 『컴』 접속.

:**in·ter·fere**[ìntərfíər] *vt.* (이해 따위가) 충돌하다(clash)(*with*); 간섭하다(*in*); 방해하다(*with*); 조정하다; 《美》 『球技』 (불법) 방해하다.

*__in·ter·fer·ence__[-fíərəns] *n.* U 충돌; 간섭; 방해; 『野』 방해; 『無電』 혼신 (전파); 《美》 『球技』 (불법) 방해.

in·ter·fer·on[-fíərən] *n.* U,C 『生』 인터페론《바이러스 증식 억제 물질》.

*__in·ter·im__[íntərim] *n.* (the ~) 동안; 잠깐 동안; 가협정. — *a.* 중간의; 임시의(temporary). **~ *report*** 중간 보고.

:**in·te·ri·or**[intíəriər] *a.* 내부의; 내륙의; 국내의; 비밀의. — *n.* (the ~) 내부; 실내; 실내도〔사진〕; 실내 세트; 내륙; 내무. ***the Department* 〔*Secretary*〕 *of the I-*** 《美》 내무부〔장관〕.

in·ter·ject[ìntərdʒékt] *vt.* (말을) 불쑥 던지다, 사이에 끼워 넣다.

:**in·ter·jec·tion**[-dʒékʃən] *n.* ① U,C 불의의 투입〔삽입〕. ② C 『文』 감탄사. ③ U,C 감탄(의 소리).

in·ter·lace[-léis] *vt., vi.* 섞어 짜다; 섞이다; 짜 맞추다; 교착하다.

inter·léave *vt.* (**~d**) (책 따위에 메모용의) 백지를 끼우다.

inter·línk *vt.* 연결하다.

inter·lóck *vt., vi.* 맞물리(게 하)다; 연동되다〔하다〕. — [ㅗㅡㅅ] *n.* C 맞물린 상태; 연동 장치; 『映』 촬영과 녹음을 연동시키는 장치; 『컴』 인터로크《진행중인 동작이 끝날 때까지 다음 동작을 보류시키는 일》.

in·ter·loc·u·tor [-lákjətər/-ɔ́-] *n.* C 대화자; 《美》 흑인의 MINSTREL show의 사회자《보통 MIDDLEMAN이 되며, END MAN을 상대로 만담을 함》. **-to·ry**[-tɔ̀:ri/-təri] *a.* 대화의; 『法』 중간의.

I

ínter·lòper *n.* Ⓒ 침입자; 남의 일에 참견하는 사람; 무허가 상인.
·**in·ter·lude**[íntərlù:d] *n.* Ⓒ 막간, 동안(interval); 막간의 주악; 막간극[연예]; 간주곡.
ìnter·márriage *n.* Ⓤ 잡혼(雜婚); 혈족 결혼. **-márry** *vi.* 잡혼[혈족 결혼] 하다.
in·ter·me·di·ar·y[ìntərmí:dièri] *a.* 중개의; 중간의. ― *n.* Ⓒ 매개자[물]; 중간체.
·**in·ter·me·di·ate**[ìntərmí:diit] *a.* 중간의. ― *n.* Ⓒ 중간물; 중개자.
in·ter·ment[intə́:rmənt] *n.* U,C 매장.
·**in·ter·mi·na·ble**[intə́:rmənəbəl] *a.* 끝없는, 지루하게 긴. **-bly** *ad.*
ìnter·míngle *vt., vi.* 섞(이)다.
·**in·ter·mis·sion**[ìntərmíʃən] *n.* Ⓤ 중지, 중절; Ⓒ 막간; 휴게 시간.
in·ter·mit[-mít] *vt., vi.* (*-tt-*) 중절[단절]하다. **～·tent** *a.* 단속[간헐]적인. **～·tent·ly** *ad.*
in·tern[1][intə́:rn] *vt., n.* (일정 구역 내에) 억류하다; Ⓒ 피억류자.
in·tern[2][íntə:rn] *n., vi.* Ⓒ (의대 부속 병원의) 인턴(으로 근무하다).
:**in·ter·nal**[intə́:rnl] *a.* ① 내부의, 체내의. ② 내재적인. ③ 내정의, 국내의(domestic). ④ 마음의, 정신적인. ― *n.* (*pl.*) (사물의) 본질; (*pl.*) 내장. **～·ly** *ad.*
intérnal-combústion *a.* (엔진이) 내연(식)의.
Intérnal Révenue Sèrvice, the 《美》 국세청《생략 IRS》.
†**in·ter·na·tion·al**[ìntərnǽʃənəl] *a.* 국제(간)의, 국제적인; 만국(萬國)의. ― *n.* Ⓒ (I-) 인터내셔널, 국제 노동자 연맹. **～·ly** *ad.* 국제적으로.
in·ter·na·tion·al·ism[-ʃənəlìzəm] *n.* Ⓤ 국제주의; 국제성.
in·ter·na·tion·al·ize [ìntərnǽʃənəlàiz] *vt.* 국제적으로 하다; (영토 따위를) 국제 관리하에 두다.
in·ter·ne·cine [ìntərní:sin, -sain] *a.* 서로 죽이는; 서로 쓰러지는; 치명[파괴]적인.
in·tern·ee[ìntə:rní:] *n.* Ⓒ 피억류자, 피수용자.
in·tern·ment[intə́:rnmənt] *n.* Ⓤ 수용, 억류.
ìnter·pénetrate *vt. vi.* (…로) 스며들다; 서로 관통[침투]하다.
ínter·phòne *n.* Ⓒ (건물·비행기의) 내부 전화(cf. intercom), 인터폰.
ínter·plày *n.* U,C 상호 작용.
In·ter·pol[íntərpàl/-pɔ̀l] *n.* 인터폴, 국제 형사 경찰 기구(〈 *Inter*national Criminal *Pol*ice Organization).
In·ter·po·late [intə́:rpəlèit] *vt.* (책·서류 등에 어구를) 써 넣(어 고치)다; 〖數〗 급수에 (중항(中項)을) 넣다. **-la·tion**[-∸-léiʃən] *n.*
·**in·ter·pose**[ìntərpóuz] *vt.* (…의) 사이에 끼우다(insert); (이의를) 제기하다. ― *vi.* 사이에 들어가다; 중재에 나서다; 말참견하다. **-po·si·tion** [∸-pəzíʃən] *n.*
:**in·ter·pret**[intə́:rprit] *vt.* ① (…의) 뜻을 설명하다, 해석하다. ② 통역하다. ③ (자기 해석에 따라) 연주[연출]하다. ④ 〖컴〗 (데이터 등을) 해석하다. ― *vi.* 통역하다.
:**in·ter·pre·ta·tion**[intə̀:rprətéiʃən] *n.* U,C (말이나 곡의) 해석; 통역; (자기 해석에 의한) 연출, 연주.
in·ter·pre·ta·tive[intə́:rprətèitiv/-tə-] *a.* 해석[통역]의[을 위한].
:**in·ter·pret·er**[intə́:rprətər] *n.* Ⓒ 통역자; 해석[설명]자; 〖컴〗 해석기.
ìnter·rácial *a.* 인종간의.
in·ter·reg·num[ìntərégnəm] *n.* (*pl.* **～s, -na**[-nə]) Ⓒ (왕위의) 궐위 기간[시대]; 중절 기간.
ìnter·reláte *vt.* 상호 관계를 맺다. **-látion** *n.* U,C 상호 관계.
in·ter·ro·gate[intérəgèit] *vt., vi.* (…에게) 질문[심문]하다. **-ga·tor** *n.*
:**in·ter·ro·ga·tion**[intèrəgéiʃən] *n.* U,C 질문; 심문.
:**in·ter·rog·a·tive**[ìntərágətiv/-ɔ́-] *a.* 의문의; 미심쩍어 하는. ― *n.* Ⓒ 〖文〗 의문사; 의문문.
:**in·ter·rupt**[ìntərʌ́pt] *vt., vi.* 가로 막다; 방해하다; 중단하다(*May I ～ you?* 말씀하시는데 실례입니다만); 〖컴〗 가로채기 하다. ― *n.* Ⓒ 〖컴〗 가로채기; 일시 정지. ·**～·ed** *a.* 중단된, 가로막힌; 단속적인. **～·er** *n.* Ⓒ 방해자[물]; 〖電〗 단속기. **:-rúp-**

tion *n.* U,C 가로 막음; 방해.

·**in·ter·sect**[ìntərsékt] *vt.* 가로지르다. — *vi.* 교차하다. *·**-séc·tion** *n.* U 횡단, 교차; C 〖數〗 교점(交點), 교선(交線).

in·ter·sperse[ìntərspə́:rs] *vt.* 흩뿌리다, 산재(散在)시키다; 군데군데를 장식하다.

·**ìnter·státe** *a.* 각 주(州) 사이의.

ìnter·stéllar *a.* 별 사이의.

in·ter·stice[intə́:rstis] *n.* C 틈새기, 갈라진 틈. 「다.

ìnter·twíne *vt., vi.* 뒤얽히(게 하)

:**in·ter·val**[íntərvəl] *n.* C ① (시간·장소의) 간격. ② (연극의) 휴게시간. ③ 휴지(休止) 기간. ④ 〖樂〗 음정. ***at ~s*** 때때로; 여기저기.

:**in·ter·vene**[ìntərví:n] *vi.* 사이에 들어가다; 사이에 일어나(서 방해하)다; 중재하다; 간섭하다(***in, between***). *·**-vén·tion** *n.* **-vén·tion·ist** *n.* C (타국 내정에 대한) 간섭주의자. — *a.* (내정) 간섭주의의.

:**in·ter·view**[íntərvjù:] *n.* C 회견; (공식) 회담; (신문 기자의) 회견(기). — *vt.* (…와) 회견[회담]하다. **~·er** *n.* C 회견(기)자. 「의.

ìnter·wár *a.* (제1·2차) 양대전간

in·ter·weave[ìntərwí:v] *vt., vi.* (***-wove, ~d; -woven, -wove, ~d***) 섞(어 짜)다, 섞이다.

in·tes·tate[intésteit] *a., n.* C 유언을 남기지 않은 (사망자). 「의.

in·tes·ti·nal[intéstənəl] *a.* 장(腸)

·**in·tes·tine**[intéstin] *n.* C (보통 *pl.*) 장, 창자. ***large*** 〔***small***〕 ~ 대〔소〕장. — *a.* 내부의; 국내의. ~ ***strife*** 내분.

·**in·ti·ma·cy**[íntəməsi] *n.* U 친밀, 친교; 불의, 밀통(密通).

:**in·ti·mate**[1][íntəmit] *a.* 친밀한; (사정 등에) 상세한(close); 내심의; 사사로운, 개인적인; 불의의. — *n.* C 친구. *·~·**ly** *ad.*

in·ti·mate[2][-mèit] *vt.* 암시하다; 넌지시 알리다. **-ma·tion**[⌐-méi-] *n.* U,C 암시.

in·tim·i·date[intímədèit] (cf. timid) *vt.* 위협하다, 협박하다. **-da·tion**[-⌐-déiʃən] *n.*

†**in·to**[íntu, (문장 끝) -tu:, (자음 앞) -tə] *prep.* ① …의 속에[으로]. ② 《변화》 …에, …으로.

·**in·tol·er·a·ble**[intálərəbəl/-5-] *a.* 견딜 수 없는(unbearable); 《口》 애타는. **-bly** *ad.*

in·tol·er·ant[intálərənt/-5-] *a.* 편협한, 아량이 없는; (종교가가) 이설에 대하여 관용치 않는; 견딜 수 없는(*of*). **-ance** *n.*

:**in·to·na·tion**[ìntənéiʃən, -tou-] *n.* U (찬송가·기도문을) 읊음, 영창(詠唱); U,C 〖音聲〗 인토네이션, 억양; U 〖樂〗 발성법.

in·tone[intóun] *vt., vi.* (찬송가·기도문을) 읊다, 영창하다; (목소리에) 억양을 붙이다.

in to·to[in tóutou] (L. =in the whole) 전체로서, 전부, 몽땅.

in·tox·i·cant[intáksikənt/-5-] *a., n.* C 취하게 하는 (것), 술; 알코올 음료; 마취제.

·**in·tox·i·cate**[intáksikèit] *vt.* 취하게 하다; 흥분〔도취〕시키다. **-ca·tion**[-⌐-kéiʃən] *n.* U 취(하게)함; 흥분, 열중; 〖醫〗 중독. 「결합사.

in·tra-[íntrə] '안에, 내부의' 뜻의

in·trac·ta·ble[intrǽktəbəl] *a.* 고집센; 다루기 힘든.

ìntra·múral *a.* (성)벽내의; (경기 따위) 교내(대항)의(opp. intercollegiate).

in·tran·si·gent [intrǽnsədʒənt] *a., n.* C 타협하지 않는 (사람). **-gence, -gen·cy** *n.*

:**in·tran·si·tive** [intrǽnsətiv] *a.* 〖文〗 자동(사)의. — *n.* C 〖文〗 자동사. **~·ly** *ad.*

ìntra·úterine *a.* 자궁내의.

ìntra·vénous *a.* 정맥(靜脈)내의《생략 IV》. 「tray).

ín-tràу *n.* C 미결 서류함(cf. out-

in·trep·id[intrépid] *a.* 무서움을 모르는; 대담한(dauntless), 용맹스러운. **in·tre·píd·i·ty** *n.*

·**in·tri·cate**[íntrəkit] *a.* 뒤섞인, 복잡한. **-ca·cy**[-kəsi] *n.*

·**in·trigue**[intrí:g] *vi.* 음모를 꾸미다(plot)(*against*); 밀통하다(*with*). — *vt.* (…의) 흥미를〔호기심을〕 돋우다. — [⌐-] *n.* U,C 음모; C 밀통.

·**in·trin·sic**[intrínsik], **-si·cal**

[-əl] *a.* 본질적인, 내재하는; 실제의. **-si·cal·ly** *ad.*

in·tro[íntrou] *n.* 《口》 = INTRODUCTION.

†**in·tro·duce**[ìntrədjúːs] *vt.* ① 인도〔안내〕하다. ② 소개하다. ③ 처음으로 경험시키다. ④ 도입하다; 제출하다. ⑤ 끼워넣다.

:**in·tro·duc·tion**[ìntrədʌ́kʃən] *n.* ① Ⓤ 받아들임, 전래, 수입; 도입. ② Ⓤ,Ⓒ 소개, 피로(披露). ③ Ⓒ 서편(序編); 서곡(序曲). ④ Ⓒ 입문(서). **-tive** *a.*

·**in·tro·duc·to·ry**[ìntrədʌ́ktəri] *a.* 소개의; 서두의; 예비의.

in·tro·spec·tion[ìntrəspékʃən] *n.* Ⓤ 내성, 자기 반성. **-tive** *a.*

in·tro·vert[ìntrəvə̀ːrt, ∸–∠] *vt.* (마음·생각을) 안으로 향하게 하다; 〖動〗 안으로 굽다. — [∠–∸] *a., n.* Ⓒ 내향〔내성〕적인 (사람)(opp. extrovert).

:**in·trude**[intrúːd] *vt.* 처넣다(*into*); 강제〔강요〕하다(*on, upon*); 〖地〗 관입(貫入)시키다. — *vi.* 밀고 들어가다, 침입하다(*into*); 방해하다(*upon*). ·**in·trúd·er** *n.* Ⓒ 침입자; (적군의 기지를 공습하는) 비행기(의 조종사). ·**in·tru·sion**[-ʒən] *n.* **in·tru·sive** [-siv] *a.* 침입하는; 방해하는.

·**in·tu·i·tion**[ìntjuíʃən/-tju(ː)-] *n.* Ⓤ,Ⓒ 직각(적 지식), 직관(적 통찰). **~·al** *a.*

in·tu·i·tive[intjúːitiv] *a.* 직각〔직관〕의〔에 의해 얻은〕, 직관력이 있는 《사람》. **~·ly** *ad.*

in·un·date[ínəndèit, -nʌn-] *vt.* 침수〔범람〕시키다; (강물이) 침수하다; 그득하게 하다, 충만시키다. **-da·tion** [∸–déiʃən] *n.* Ⓒ 홍수.

in·ure[injúər] *vt.* 익히다(*to*); 공고히 하다. — *vi.* 효력을 발생하다, 유효하게 쓰이다.

:**in·vade**[invéid] *vt.* (…에) 침입〔침략〕하다; (손님 등이) 밀어닥치다; 엄습하다; (권리 등을) 침해하다. :**in·vád·er** *n.*

:**in·va·lid**[1][ínvəlid/-lìːd] *n.* Ⓒ 병자, 병약자. — *a.* 병약한; 환자용의. — [ínvəlid/ìnvəlíːd] *vt.* 병약하게 하다; 상병(傷病)으로 현역에서 제대시키다. **~·ism**[-ìzəm] *n.* Ⓤ 병약.

in·val·id[2][invǽlid] *a.* 가치 없는; (법적으로) 무효의. **-i·date**[-vǽlədèit] *vt.* 무효로 하다. **in·va·lid·i·ty**[ìnvəlídəti] *n.*

·**in·val·u·a·ble**[invǽljuəbəl] *a.* 귀중한; 값을 헤아릴 수 없는.

in·var·i·a·ble[invέəriəbəl] *a.* 변화하지 않는. :**-bly**[-bli] *ad.* 변화없이; 항상.

·**in·va·sion**[invéiʒən] *n.* Ⓤ,Ⓒ 침입, 침략; (권리 등의) 침해. **-sive** [-siv] *a.* 침략적인.

in·vec·tive[invéktiv] *n., a.* Ⓤ 욕설(의), 독설(의).

in·veigh[invéi] *vi.* 통렬하게 비난하다, 독설을 퍼붓다(*against*).

in·vei·gle[inví:gəl, -véi-] *vt.* 꼬드기다(*into*).

†**in·vent**[invént] *vt.* 발명하다; (구실 따위를) 만들다, 날조하다.

:**in·ven·tion**[invénʃən] *n.* ① Ⓤ 발명; Ⓒ 발명품. ② Ⓤ 발명의 재능. ③ Ⓒ,Ⓤ 허구, 꾸며낸 이야기.

·**in·ven·tive**[invéntiv] *a.* 발명의 (재능이 있는); 창의력이 풍부한.

:**in·ven·tor**[invéntər] *n.* Ⓒ 발명자, 창안자.

in·ven·to·ry[ínvəntɔ̀ːri/-təri] *n.* Ⓒ (상품의) 명세 목록; 재산 목록; 재고품; Ⓤ 《美》 재고 조사. — *vt.* (상품의) 목록을 만들다; 《美》 (…의) 재고 조사를 하다.

in·verse[invə́ːrs, ∠–] *n., a.* (the ~) 역(逆)(의), 반대(의); Ⓒ 반대의 것; 〖數〗 역함수. **~·ly** *ad.* 반대로, 거꾸로.

·**in·ver·sion**[invə́ːrʒən, -ʃən] *n.* Ⓤ,Ⓒ ① 반대, 역(으로 된 것). ② 〖文〗 도치법(倒置法).

·**in·vert**[invə́ːrt] *vt.* 역으로〔거꾸로〕하다; 〖樂〗 전회(轉回)하다. — *n.* Ⓒ 〖建〗 역아치; 〖컴〗 뒤바꿈. **~·ed** [-id] *a.* 역으로〔거꾸로〕 한.

in·ver·te·brate [invə́ːrtəbrit, -brèit] *a., n.* Ⓒ 〖動〗 척추 없는; 무척추 동물(의).

invérted cómmas 《英》 인용부「《 ' ' 》.

:**in·vest**[invést] *vt.* ① 투자하다. ② (…에게) 입히다, (훈장 등을) 달

게 하다(*with, in*). ③ 수여하다; 서임하다. ④ 싸다. ⑤ 〖軍〗 포위하다. ⑥ (권력 등을) 주다(*with*). — *vi.* 자본을 투입하다; 투자하다. **:∼·ment** *n.* Ⓤ,Ⓒ 투자; 투입; Ⓒ 투자 대상; 투자 자본; 포위; 서임. ***in·vés·tor** *n.* Ⓒ 투자가.

:in·ves·ti·gate[invéstəgèit] *vt.* 조사[연구]하다. **-ga·tor** *n.* **:-ga·tion**[–ˌ–géiʃən] *n.*

in·ves·ti·ture[invéstətʃər] *n.* Ⓤ 서임; Ⓒ 서임식.

in·vid·i·ous[invídiəs] *a.* 비위에 거슬리는; 불공평한.

in·vig·or·ate[invígərèit] *vt.* (…에게) 기운나게 하다. **-at·ing** *a.* 기운나게 하는; (공기가) 상쾌한.

in·vin·ci·ble**[invínsəbəl] *a.* 정복할 수 없는, 무적의. ***the I- Armada ⇨ARMADA.

in·vi·o·la·ble[inváiələbəl] *a.* 범할 수 없는; 신성한.

in·vi·o·late[inváiəlit] *a.* 침범되지 않은; 더럽혀지지 않은.

***in·vis·i·ble**[invízəbəl] *a.* 눈에 보이지 않는; 숨은. **-bly** *ad.* **-bil·i·ty** [–ˌ–bíləti] *n.*

:in·vi·ta·tion[ìnvətéiʃən] *n.* Ⓤ 초대; Ⓒ 초대장; Ⓤ,Ⓒ 유혹, 유인.

:in·vite[inváit] *vt.* 초대[권유]하다; 간청하다; (일을) 야기시키다; 끌다. — [ˊ–] *n.* Ⓒ《口》초대(장). **in·vít·ing** *a.* 마음을 끄는, 유혹적인. **in·vít·ing·ly** *ad.*

in·vo·ca·tion[ìnvəkéiʃən] *n.* Ⓤ,Ⓒ (신의 구원을 비는) 기도, 기원.

***in·voice**[ínvɔis] *n., vt.* Ⓒ 〖商〗 (…의) 송장(送狀)(을 작성하다).

***in·voke**[invóuk] *vt.* ① (구원을 신에게) 빌다, 기원하다. ② (법률에) 호소하다; 간청하다. ③ (마법으로 영혼을) 불러내다.

in·vol·un·tar·y** [inválənteri/-vɔ́ləntəri] *a.* 무의식적인; 의사에 반한, 본의 아닌; 〖生〗 불수의(不隨意)의. ∼ ***homicide 과실 치사. ∼ ***muscles*** 불수의근(筋). **-tar·i·ly** [-rili] *ad.* 저도 모르게; 본의 아니면서, 마지못해.

:in·volve[inválv/-ɔ́-] *vt.* ① (…을) 포함하다, 수반하다. ② 연좌[관련]시키다(*in*); 복잡하게 만들다. ③ 열중시키다; 싸다. ***∼·ment** *n.*

***in·volved**[inválvd/-ɔ́-] *a.* 복잡한, 뒤얽힌, 혼란한; (재정이) 곤란한.

in·vul·ner·a·ble [invʌ́lnərəbəl] *a.* 상처를 입지 않는, 불사신의; 공격에 견디는, 반박할 수 없는.

:in·ward[ínwərd] *a.* 내부(로)의; 내륙 지방의; 내적인, 마음의. — *ad.* 안으로, 내부에; 내심에. — *n.* (*pl.*) 창자, 내장. ***∼·ly** *ad.* 내부에, 안으로; 마음 속으로; 작은 소리로. **∼·ness** *n.* Ⓤ 내심; 진의; 열의; 본질. **∼s** *ad.* = INWARD.

i·o·dine[áiədàin, -dì:n], **-din** [-din] *n.* Ⓤ 〖化〗 요오드, 옥소.

i·on[áiən, -ɑn/-ɔn] *n.* Ⓒ 〖理·化〗 이온. **∼·ize**[-àiz] *vt.* 이온화하다.

i·on·o·sphere [aiánəsfìər/-ɔ́-] *n.* (the ∼) 〖理〗 전리층.

i·o·ta[aióutə] *n.* Ⓤ,Ⓒ 그리스어 알파벳의 아홉째 글자(Ι, ι; 영어의 I, i에 해당); (an ∼) 근소.

IOU, I.O.U. I owe you. 차용「증서.

IPA International Phonetic Alphabet.

ip·so fac·to[ípsou fǽktou] (L. = by the fact itself) 바로 그 사실에 의하여; 사실상.

IQ, I.Q. intelligence quotient.

ir-[i] *pref.* ⇨IN.

IRA Irish Republican Army.

I·ra·qi[irɑ́:ki] *a., n.* 이라크의; Ⓒ 이라크 사람(의).

i·ras·ci·ble[irǽsəbəl, ai-] *a.* 성마른. **-bil·i·ty**[–ˌ–bíləti] *n.*

i·rate[áireit, –ˊ] *a.* 성난, 노한.

ire[aiər] *n.* Ⓤ《詩》분노. **ˊ·ful** *a.*《詩》분노한.

ir·i·des·cence[ìrədésəns] *n.* Ⓤ 무지개 빛, 진주 광택. **-cent** *a.*

i·rid·i·um [airídiəm, ir-] *n.* Ⓤ 〖化〗 이리듐.

***i·ris**[áiris] *n.* (*pl.* **∼es, irides** [-rədì:z, írə-]) Ⓒ 〖解〗 (눈의) 홍채(虹彩); 〖植〗 붓꽃속의 식물; 무지개; (I-) 〖그神〗 무지개의 여신.

:I·rish[áiriʃ] *a.* 아일랜드(사람·말)의. — *n.* Ⓒ 아일랜드 사람; Ⓤ 아일랜드말. **∼·man**[-mən] *n.* Ⓒ 아일랜드 사람. **∼·wom·an**[-wùmən]

n.
irk[əːrk] *vt.* (…에게) 지치게 하다; 지루하게〔난처하게〕 만들다.
irk·some[ə́ːrksəm] *a.* 지루한, 성가신, 진력나는, 넌더리나는. **∠·ly** *ad.* **∠·ness** *n.*
:i·ron[áiərn] *n.* ① Ⓤ 쇠, 철. ② Ⓒ 철제 기구, 철기; Ⓒ 다리미, 아이론. ③ (*pl.*) 수갑, 차꼬. ④ Ⓒ 〖골프〗 쇠머리 골프채. ⑤ Ⓤ 굳기, 견고. ***have (too) many ~s in the fire*** 단번에 너무 많은 일에 손을 대다. ***in ~s*** 잡힌 몸이 되어. ***rule with a rod of ~*** 학정(虐政)을 행하다. ***Strike while the ~ is hot.*** 《속담》 쇠는 달았을 때 쳐라. ***will of ~*** 철석 같은 의지. ── *a.* 쇠의, 쇠 같은; 철제의; 견고한, 냉혹한. ── *vt.* (…에) 다림질하다; 수갑을〔차꼬를〕 채우다; 쇠로 덮어싸다; 장갑(裝甲)하다.
Iron Age, the 철기 시대.
íron cúrtain, the 철의 장막.
íron gráy〔**gréy**〕 철회색의.
˙i·ron·ic[airánik/-ɔ́-], **-i·cal**[-əl] *a.* 비꼬는, 반어적인. **-i·cal·ly** *ad.*
íron·ing *n.* Ⓤ 다림질.
íroning bòard 다림질판.
íron·mònger *n.* Ⓒ 《英》 철물상.
íron ràtion(**s**) 비상 휴대 식량《통조림》.
íron·stòne *n.* Ⓤ 철광석.
íron·wòrk *n.* Ⓤ 철제품.
íron·wòrks *n. pl.* & *sing.* 철공소, 제철소.
:i·ro·ny[áirəni] *n.* Ⓤ 반어; 비꼼.
ir·ra·di·ate[iréidièit] *vt.* 비추다, 빛나다; (얼굴 따위를) 밝게 하다; (빛 따위를) 방사(放射)하다(radiate); (자외선 따위를) 쬐다. ── *vi.* 빛나다. **-a·tion**[-ˌ-éiʃən] *n.*
˙ir·ra·tion·al[irǽʃənəl] *a.* 불합리한; 이성이 없는; 〖數〗 무리수(無理數)의. ── *n.* Ⓒ 〖數〗 무리수. **~·ly** *ad.* **~·i·ty**[-ˌ--ǽləti] *n.*
ir·rec·on·cil·a·ble[irékənsàiləbəl] *a.* 화해할 수 없는; 조화되지 않는, 대립〔모순〕된(*to, with*). ── *n.* Ⓒ 비타협적인 사람.
ir·re·cov·er·a·ble[ìrikʌ́vərəbəl] *a.* 돌이킬〔회복할〕 수 없는. **-bly** *ad.*
ir·re·deem·a·ble[ìridíːməbəl] *a.* 되살 수 없는; (공채가) 무상환(無償還)의; (지폐가) 불환(不換)의; (병이) 불치의. **-bly** *ad.*
ir·re·duc·i·ble[ìridjúːsəbəl] *a.* 줄일〔감할〕 수 없는.
ir·ref·u·ta·ble[iréfjutəbəl, ìrifjúː-] *a.* 반박〔논파〕할 수 없는.
:ir·reg·u·lar[irégjələr] *a.* 불규칙한; 불법의; 규율 없는; 고르지 않은, 요철(凹凸)이 있는; 〖軍〗 부정규의; 〖文〗 불규칙 변화의. **~ verb** 불규칙 동사. ── *n.* Ⓒ 불규칙한 사람〔것〕; (보통 *pl.*) 부정규병. **~·ly** *ad.* ***~·i·ty**[-ˌ-lǽrəti] *n.*
ir·rel·e·vant[iréləvənt] *a.* 부적절한; 무관계한. **-vance, -van·cy** *n.*
ir·re·li·gion[ìrilídʒən] *n.* Ⓤ 무종교; 불신앙. **-gious** *a.*
ir·re·me·di·a·ble[ìrimíːdiəbəl] *a.* 치료할 수 없는; 돌이킬 수 없는.
ir·rep·a·ra·ble[irépərəbəl] *a.* 수선〔회복〕할 수 없는; 돌이킬 수 없는. **-bly**[-li] *ad.*
ir·re·place·a·ble[ìripléisəbəl] *a.* 바꾸어 놓을〔대체할〕 수 없는.
ir·re·press·i·ble[ìriplésəbəl] *a.* 억제할 수 없는.
ir·re·proach·a·ble[ìripróutʃəbəl] *a.* 비난할 수 없는, 결점없는, 탓할 나위 없는.
˙ir·re·sist·i·ble[ìrizístəbəl] *a.* 저항할 수 없는; 제어할 수 없는; 불문곡직의. **-bly**[-li] *ad.*
˙ir·res·o·lute[irézəlùːt] *a.* 결단력 없는, 우유부단한. **-lu·tion**[-ˌ-lúːʃən] *n.*
ir·re·spec·tive[ìrispéktiv] *a.* …에 관계〔상관〕없는(*of*). **~·ly** *ad.*
˙ir·re·spon·si·ble[ìrispánsəbəl/-ɔ́-] *a.* 책임을 지지 않는; 무책임한.
ir·re·triev·a·ble[ìritríːvəbəl] *a.* 돌이킬〔회복할〕 수 없는. **-bly** *ad.*
ir·rev·er·ent[irévərənt] *a.* 불경한, 비례(非禮)의. **-ence** *n.*
ir·re·vers·i·ble[ìrivə́ːrsəbəl] *a.* 거꾸로 할 수 없는; 취소할 수 없는.
ir·rev·o·ca·ble[irévəkəbəl] *a.* 되부를 수 없는; 취소할 수 없는; 변경할 수 없는. **-bly** *ad.*
˙ir·ri·gate[írəgèit] *vt.* (…에) 관개

하다; 〖醫〗 관주(灌注)하다. **-ga·tor** [-tər] *n.* Ⓒ 〖醫〗 관주기, 이리게이터. ***-ga·tion** [∸–géiʃən] *n.*

***ir·ri·ta·ble** [írətəbəl] *a.* 성 잘 내는, 성마른; (자극에) 과민한; 〖病〗 염증(炎症)을 잘 일으키는; 〖生〗 자극 반응력이 있는. **-bly** *ad.* **-bil·i·ty** [∸––bíləti] *n.* Ⓤ 성마름; 과민성; 〖生〗 자극 반응.

ir·ri·tant [írətənt] *a.* 자극하는. — *n.* Ⓒ 자극제〔물〕.

:ir·ri·tate [írətèit] *vt.* 초조하게 만들다; 노하게 하다; 염증을 일으키게 하다; 〖病·生〗 (기관·조직을) 자극하다; 〖法〗 무효로 하다. **-tat·ing** *a.* ***-ta·tion** [∸–téiʃən] *n.* Ⓤ 성남, 성나게 함; Ⓒ 화냄; Ⓤ 자극.

ir·rup·tion [irʌ́pʃən] *n.* Ⓤ,Ⓒ 침입, 침략.

†is [強 iz, 弱 z, s] *v.* be의 3인칭·단수·직설법 현재.

Is. island; isle.

I.S.B.N. International Standard Book Number 국제 표준 도서 번호.

-ish [iʃ] *suf.* ① '…다운' '…한 성질의' '약간 …'의 뜻의 형용사를 만듦: book*ish*, child*ish*, whit*ish*. ② 지명의 형용사를 만듦: Brit*ish*, Engl*ish*, Pol*ish*, Swed*ish*.

Is·lam [islɑ́:m, ísləm/ízlɑ:m] *n.* Ⓤ 이슬람교, 마호메트교; Ⓒ 이슬람교도〔국〕. **~·ism** [ísləmìzəm, íz-] *n.* Ⓤ 이슬람교. **~·ite** [-àit] *n.* Ⓒ 이슬람교도. **~·ic** [islǽmik/iz-] *a.*

†is·land [áilənd] *n.* Ⓒ ① 섬; 섬 비슷한 것. ② (가로상의) 안전 지대. ③ (배의) 상부 구조. ④ (항공 모함 따위의) 사령탑, '아일란드'《굴뚝·기중기 따위가 있음》. ⑤ 〖解〗 (세포의) 섬. **~·er** *n.* Ⓒ 섬사람.

:isle [ail] *n.* Ⓒ 섬, 작은 섬.

***is·let** [áilit] *n.* Ⓒ 작은 섬.

ism [ízəm] *n.* Ⓒ 이즘, 주의, 학설.

†isn't [íznt] is not의 단축.

i·so·bar [áisəbɑ̀:r] *n.* Ⓒ 〖氣〗 등압선; 〖理·化〗 동중핵(同重核).

:i·so·late [áisəlèit] *vt.* ① 고립시키다. ② 〖電〗 절연하다; 〖化〗 단리(單離)시키다; 〖醫〗 격리시키다. ***-lat·ed** [-id] *a.* 고립〔격리〕된.

:i·so·la·tion [àisəléiʃən] *n.* Ⓤ 고립; 절연; 유리; 격리. **~ *hospital*** 격리 병원. **~·ism** [-ìzəm] *n.* Ⓤ (특히 미국의) 고립주의. **~·ist** *n.*

i·so·met·ric [àisəmétrik], **-ri·cal** [-əl] *a.* 크기가 같은, 같은 용적의.

i·sos·ce·les [aisɑ́səlì:z/-ɔ́-] *a.* 이등변의《삼각형 따위》.

i·so·tope [áisətòup] *n.* Ⓒ 〖化〗 동위체.

:is·sue [íʃu:] *n.* ① Ⓤ 발행, 발포, 발간. ② Ⓒ 발행물〔부수〕; Ⓒ (출판물의) 제 …판〔호〕. ③ Ⓒ 출구, 강어귀. ④ Ⓤ 유출; Ⓒ 유출물. ⑤ Ⓒ 논쟁(점); (계쟁) 문제. ⑥ Ⓤ 자손. ⑦ Ⓤ,Ⓒ 〖軍〗 지급(품). ***at* ~** 논쟁중의; 미해결의. ***in the* ~** 결국은. ***join* ~ *with*** …와 논쟁하다. ***make an* ~ *of*** …을 문제삼다. ***take* ~ *with*** …에 반대하다. — *vi.* ① (흘러) 나오다, 나타나다. ② 유래하다; 태어나다; 생기다(*from*). ③ 《古》 결과가 …이 되다(*in*). — *vt.* ① (…에) 내다; 발포하다(send forth); 출판하다. ② (식량 따위를 군인·시민에게) 배급하다.

-ist [ist] *suf.* '사람'을 나타내는 명사를 만듦: chem*ist*, dramat*ist*.

***isth·mus** [ísməs] *n.* (*pl.* **~es, -mi** [-mai]) Ⓒ 지협(地峽); (the I-) Panama 지협.

†it [it] *pron.* (*pl.* ***they; them***) 그것(은, 이, 에, 을). CATCH ***it.*** FOOT ***it.*** LORD ***it over.*** — *n.* Ⓒ (술래잡기 따위의) 술래; Ⓤ 《俗》 성적 매력.

i·tal·ic** [itǽlik] *a.* 〖印〗 이탤릭체〔사체〕의. — *n.* Ⓤ (보통 *pl.*) 이탤릭체. ***Author's* ~s** 원저자에 의한 사체《각주(脚注)의 일러두기》. ***The* ~s *are mine. 사체로 한 것은(원저자가 아니고) 필자.

i·tal·i·cize [itǽləsàiz] *vt., vi.* (…을) 이탤릭체로 인쇄하다〔를 사용하다〕; 이탤릭체를 표시하기 위하여 밑줄을 치다.

***itch** [itʃ] *n.* ① (an ~) 가려움. ② (the ~) 〖病〗 옴. ③ (*sing.*) 열망. — *vi.* 가렵다; …하고 싶어서 좀이 쑤시다. **∠·y** *a.* 가려운; 옴오른.

***i·tem** [áitəm, -tem] *n.* Ⓒ ① 조목, 세목. ② 신문 기사(의 한 항목).

— [-tem] *ad.* (항목 처음에 써서) 마찬가지로, 또. ~·**ize**[-àiz] *vt.* 《美》 조목별로 쓰다.

˙**i·tin·er·ant**[aitínərənt, it-] *a., n.* 순회하는; Ⓒ 순회(설교)자; Ⓒ 행상인. **-an·cy** *n.*

i·tin·er·ar·y[aitínərèri, it-/-rəri] *n.* Ⓒ 여행 안내; 여행기; 여행 일정; 여정(旅程). — *a.* 순회하는; 여행의, 여정의.

-i·tis[àitis] *suf.* '염증'의 뜻을 만듦: appendic*itis*, tonsill*itis*.

†**its**[its] *pron.* 그것의《it의 소유격》.

†**it's**[its] it is[has]의 단축.

†**it·self**[itsélf] *pron.* (*pl.* ***themselves***) 그 자신, 그것 자체. ***by*** ~ 자동적으로. ***for*** ~ 단독으로, 혼자 힘으로. ***in*** ~ 본래, 본질적으로. ***of*** ~ 자연히, 저절로.

IUD intrauterine device.

-ive[iv] *suf.* '경향·성질·기능' 따위를 나타내는 형용사·명사를 만듦: act*ive*, destruct*ive*, pass*ive*; execut*ive*.

†**I've**[aiv] I have의 단축.

:**i·vo·ry**[áivəri] *n.* ① Ⓤ 상아; 상아 유사품. ② (*pl.*) 상아 제품. ③ Ⓒ 《俗》 주사위, 피아노의 건(鍵). ④ Ⓤ 상아색.

ívory tówer 상아탑《실사회를 떠난 사색의 세계》; 세상에서 격리된 장소.

˙**i·vy**[áivi] *n.* Ⓤ 〖植〗 담쟁이덩굴.

Ívy léague 《형용사 취급》 (Harvard, Yale, Columbia 등) 미국 동북부의 유서깊은 대학의[에 속하는].

-ize[aiz] *suf.* '…으로 하다, …화하다, …이 되다, …화 하게 하다'의 뜻의 동사를 만듦: American*ize*, western*ize*.

I

J

J, j[dʒei] *n.* (*pl.* ***J's, j's***[-z]) Ⓒ J자 모양(의 것).
jab[dʒæb] *n., vt., vi.* (**-bb-**) Ⓒ 콱 찌르기〔찌르다〕(*into*); 〖拳〗 잽(을 먹이다).
jab·ber [dʒǽbər] *n., vi., vt.* Ⓤ 재잘거림; 재잘거리다.
˙**jack**[dʒæk] *n.* Ⓒ ① (*or* J-) 《口》 사나이, 젊은이, 소년; 놈. ② (*or* J-) 뱃사람, 선원. ③ (트럼프의) 잭. ④ 〖機〗 잭《밀어 올리는 기계》. ⑤ 〖海〗 (국적을 나타내는) 선수기(船首旗). ⑥ (당나귀나 토끼의) 수컷(cf. jenny). ⑦ 플러그 (꽂는) 구멍. ⑧ 〖海〗 제일 큰 마스트〔돛대〕 꼭대기의 가로쇠. ⑨ (*pl.*) 공기놀이; 공깃돌의 일종《돌·쇠》(jackstones). ***before you could* 〔*can*〕 *say J- Robinson*** 느닷없이, 갑자기. ***every man ~*** 《俗》 누구나다. ***J- and Gill* 〔*Jill*〕** (한 쌍의) 젊은 남녀. — *vt.* (잭으로) 들어 올리다. **~ *up*** (잭으로) 밀어 올리다; (임금·값을) 올리다. (일·계획 등을) 포기하다.
jack·al[dʒǽkɔːl] *n., vi.* Ⓒ 〖動〗 자칼; 앞잡이 (노릇하다).
jáck·àss *n.* Ⓒ 수탕나귀; 멍텅구리, 바보.
jáck·bòot *n.* Ⓒ 긴 장화.
jáck·dàw *n.* Ⓒ 〖鳥〗 (영국 등의) 갈가마귀. ***a ~ with borrowed plumes*** 뱁새 황새 따라가기.
:**jack·et**[dʒǽkit] *n.* Ⓒ ① (양복) 상의, 재킷. ② (책의) 커버. ③ (감자) 껍질. ④ 모피, 외피.
Jáck Fróst 《의인》 서리.
jáck-in-a〔**the**〕**-bòx** *n.* Ⓒ 꽃불의 일종; 도깨비 상자; 〖機〗 차동 장치(差動裝置).
jáck·knìfe *n.* Ⓒ 대형 접칼; 〖水泳〗 잭나이프《다이빙형의 하나》.
jáck·pòt *n.* Ⓒ (포커놀이의) 적립한 판돈; 《口》 (뜻밖의) 대성공, 히트. ***hit the ~*** 《俗》 크게 한몫 보다.
Jac·o·be·an [dʒæ̀kəbíːən] *a., n.* Ⓒ 〖英史〗 James Ⅰ 세 시대(1603-25)의 (사람).
jade[1][dʒeid] *n.* Ⓤ 옥(玉), 비취(빛).
jade[2] *n.* Ⓒ 야윈〔못쓰게 된〕 말; 닳아빠진 계집. — *vt., vi.* 피로케 하다; 지치다. **jad·ed**[⌐id] *a.* 몹시 지친; 물린; (여자가) 닳아빠진.
jag[dʒæg] *n., vt.* (**-gg-**) Ⓒ (바위의) 뾰족한 끝; (톱날 모양의) 깔쭉깔쭉함; 깔쭉깔쭉하게 하다. **~·ged**[⌐id] *a.*
JAG, J.A.G. Judge Advocate General.
jag·uar [dʒǽgwɑːr/-gjuər] *n.* Ⓒ 〖動〗 아메리카표범.
:**jail**[dʒeil] *n.* Ⓒ 구치소(cf. prison); 《一般》 교도소. — *vt.* (…에) 투옥하다. **⌐·er, ⌐·or** *n.* Ⓒ 간수.
jáil·bìrd *n.* Ⓒ 《口》 죄수; 전과자;
ja·lop·y[dʒəlɑ́pi/-ɔ́-] *n.* Ⓒ 《口》 구식의 낡은 자동차〔비행기〕.
:**jam**[1][dʒæm] *n.* Ⓤ ① 붐빔, 혼잡, 잔뜩 채움〔넣음〕. ② 《美口》 곤경(困境), 궁지. ③ 〖컴〗 엉킴, 잼. — *vt.* (**-mm-**) ① 으깨다; 쑤셔넣다. ② 막다; 〖無電〗 (비슷한 주파수의 전파로) 방해하다. — *vi.* (기계 따위가 걸려서) 움직이지 않게 되다; 〖재즈〗 즉흥적으로 연주하다.
:**jam**[2] *n.* Ⓤ 잼.
jamb(**e**)[dʒæm] *n.* Ⓒ 〖建〗 문설주.
jam·bo·ree [dʒæ̀mbəríː] *n.* Ⓒ 《口》 흥겨운 잔치; 소년단의 대회, 잼버리.
jám-pácked *a.* 빈틈없이 꽉 채운.
jám sèssion (친구들끼리 기분을 내기 위해 하는) 즉흥 재즈 연주회(cf. jam[1]).
˙**Jan.** January.
jan·gle[dʒǽŋgəl] *n., vt., vi.* (*sing.*) 시끄러운 소리(를 내다); 짤랑짤랑(울리다, 울다); 싸움〔말다툼〕(하다).
:**jan·i·tor**[dʒǽnətər] (〈 Janus) *n.*

J

Ⓒ 수위, 문지기; (빌딩 등의) 관리인.

†**Jan·u·ar·y**[dʒǽnjuèri/-əri] *n.* 1월 《생략 Jan.》.

jape[dʒeip] *n., vi.* Ⓒ 농담(하다); 장난(하다).

ja·pon·i·ca [dʒəpɑ́nikə/-ɔ́-] *n.* Ⓒ 《植》 동백나무; 모과나무.

:**jar**[1] [dʒɑːr] *n.* Ⓒ 단지, 아가리 넓은 병; 항아리, 독.

·**jar**[2] *n.* (*sing.*) ① 삐걱거리는 소리; 신경에 거슬리는 것〔일〕. ② 충격, 충돌; 부조화; 싸움. ― *vi., vt.* (**-rr-**) 삐거삐걱하다, 갈리(게 하)다; (신경에) 거슬리(게 하)다(*upon*); 진동하다〔시키다〕; (의견 따위가) 맞지 않다. **∠·ring** *n., a.* Ⓤ,Ⓒ 진동(하는), 삐걱거림〔거리는〕; 불화(한), 부조화(한), 귀에 거슬리는.

jar·gon[dʒɑ́ːrgən, -gɑn] *n., vi.* Ⓤ 뜻을 알 수 없는 말(을 쓰다), 횡설수설(하다); Ⓤ,Ⓒ (특수한 직업·집단의) 변말〔전문어〕(을 쓰다).

jas·min(e)[dʒǽzmin, -s-] *n.* Ⓤ,Ⓒ 《植》 재스민; Ⓤ 재스민 향수.

jaun·dice[dʒɔ́ːndis, -ɑ́ː-] *n.* Ⓤ 황달(黃疸); 편견, 빙퉁그러짐. **~d**[-t] *a.* 황달의; 빙퉁그러진, 질투에 불타는. **~d view** 편견, 비뚤어진 견해.

jaunt[dʒɔːnt, -ɑː-] *n., vi.* Ⓒ 소풍〔산책〕(가다).

jaun·ty[dʒɔ́ːnti, -ɑ́ː-] *a.* 쾌활〔명랑〕한; 젠체하는. **-ti·ly** *ad.*

·**jave·lin**[dʒǽvəlin] *n.* Ⓒ (던지는) 창; (the ~) 그 경기.

:**jaw**[dʒɔː] *n.* ① Ⓒ 턱(cf. chin). ② (*pl.*) 입 부분; (골짜기·산길 등의) 어귀. ③ Ⓤ,Ⓒ 《俗》 수다; 잔소리. ***Hold your ~s!*** (입) 닥쳐. ― *vt., vi.* 《俗》 (…에게) 잔소리하다, 군소리하다.

jáw·bòne *n.* Ⓒ 턱뼈, (특히) 아래턱뼈; 《俗》 신용. 「간이.

·**jay**[dʒei] *n.* Ⓒ 《鳥》 어치; 《口》 얼

jáy·wàlk *vi.* 《美口》 (교통 규칙을〔신호를〕 무시하고) 길을 횡단하다. **~·er** *n.*

:**jazz**[dʒæz] *n.* Ⓤ ① 재즈 (댄스). ② 《美俗》 활기; 열광, 소동. ③ 《美俗》 과장; 허튼소리. ― *a.* 재즈(조)의. ― *vi., vt.* 재즈를 연주하다, 재즈식으로 하다; 《美俗》 활발하게 하다; 법석떨다.

:**jeal·ous**[dʒéləs] *a.* ① 질투 많은, 샘내는(*of*). ② (신이) 불신앙〔불충성〕을 용서치 않는. ③ 경계심이 강한; (잃지 않으려고) 조심하는, 소중히 지키는(*of*). **:~·ly** *ad.* **:~·y** *n.* Ⓤ,Ⓒ 질투, 샘; Ⓤ 경계심.

·**jean**[dʒiːn/dʒein] *n.* Ⓤ 진《튼튼한 능직(綾織) 무명》; (*pl.*) 그 천의 작업복, 바지.

jeep[dʒiːp] *n.* Ⓒ 《美》 지프(차); (J-) 그 상표명. ― *vi., vt.* 지프로 가다〔나르다〕.

·**jeer**[dʒiər] *n., vi., vt.* Ⓒ 조소(하다), 조롱(하다)(*at*).

·**Je·ho·vah**[dʒihóuvə] *n.* 《聖》 여호와《이스라엘 사람들의 신》.

je·june[dʒidʒúːn] *a.* 영양분이 없는; 무미건조한; (땅이) 메마른.

Je·kyll[dʒíːkəl, -é-] *n.* 지킬 박사 《R. L. Stevenson 작품 중의 의사》. **(*Dr.*) ~ *and* (*Mr.*) *Hyde*** 이중 인격자.

jell[dʒel] *n., vt., vi.* = JELLY; (계획 등이) 구체화하다〔되다〕, 굳어지다.

:**jel·ly**[dʒéli] *n.* Ⓒ,Ⓤ 젤리; Ⓤ 젤리 잼; 젤리 모양의 것. ***beat to* 〔*into*〕 *a* ~** 늘씬하게 두들겨패다. ― *vi., vt.* 젤리처럼 되(게 하)다.

·**jélly·fish** *n.* Ⓒ 해파리; 《口》 의지가 약한 사람.

jem·my [dʒémi] *n.* = JIMMY; Ⓒ 《俗》 외투; 양(羊)의 머리《요리용》.

jeop·ard·ize[dʒépərdàiz] *vt.* 위험에 빠뜨리다, 위태롭게 하다.

jeop·ard·y[dʒépərdi] *n.* Ⓤ 위험 (cf. danger).

:**jerk**[dʒəːrk] *vt., vi., n.* ① Ⓒ 홱 당기다〔당김〕, 쿡 찌르다〔찌름〕, 갑자기 밀다〔밀기〕, 싹 비틀다〔비틀기〕, 휙 던지다〔던지기〕. ② 내뱉듯이 말하다. ③ Ⓒ 경련(을 일으키다); 《俗》 바보. ***the ~s*** (종교적 감동에 의한 손·발·안면의 발작적) 경련.

jer·kin[dʒə́ːrkin] *n.* Ⓒ (16-17세기 남자의) 가죽 조끼; (여성용) 조끼.

jerk·y[∠i] *a.* 갑자기 움직이는, 움찔하는, 경련적인; 《俗》 바보 같은.

jérry-bùilder *n.* Ⓒ 서투른 목수. **-bùilding** *n.* Ⓒ 날림 건축. **-bùilt** *a.* 날림으로 지은.

Jer·sey [dʒə́:rzi] *n.* 영국 해협의 섬; Ⓒ 저지종의 젖소; =NEW JERSEY; (j-) Ⓒ 자라목 스웨터, 여자용 메리야스 속옷; Ⓤ (j-) 저지《옷감》.
Jerúsalem árticho̱ke 【植】 뚱딴지.
:jest [dʒest] *n.* Ⓒ 농담; 희롱; 웃음거리. **in ~** 농담으로. ― *vi.* 까불다(*with*), 농담을 하다; 우롱하다, 놀리다(*at*). **∠·er** *n.* Ⓒ 익살꾼; 조방꾸니.
Jes·u·it [dʒéʒuit, -zu-/-zju-] *n.* 【가톨릭】 (LOYOLA가 창설한) 예수회의 수사; (j-) 《蔑》 책략가; 궤변가.
:Jé·sus (**Chríst**) [dʒí:zəs(-)] *n.* 예수(그리스도).
jet[1] [dʒet] *n.* Ⓤ 【寶石】 흑옥(黑玉).
:jet[2] *n., vi., vt.* (**-tt-**) Ⓒ 분출[분사](하다, 시키다), 사출(射出); 분출구; 제트기; 제트 엔진.
jét-bláck *a.* 칠흑의, 새까만.
jét éngine 제트 엔진.
jét-propélled *a.* 분사 추진식의.
jét propúlsion 분사 추진.
jet·sam [∠səm] *n.* Ⓤ 【海保】 (해난 때 배를 가볍게 하기 위한) 투하.
jét sèt 《口》 《집합적》 제트족(族) 《제트기 따위로 유람하는 부유층》.
jet·ti·son [dʒétəsən] *n.* 【海保】 =JETSAM. ― *vt.* (바다로 짐을) 던지다.
jet·ty *n.* Ⓒ 방파제, 둑; 잔교(棧橋).
:Jew [dʒu:] *n.* Ⓒ 유대인. **∠·ess** *n.* Ⓒ 유대 여자. ***∠·ish** *a.*
:jew·el [dʒú:əl] *n.* Ⓒ 보석(박은 장식품); (귀중한) 보배. **~(l)ed** [-d] *a.* 보석박은[으로 꾸민]. ***∠·(l)er** *n.* Ⓒ 보석 세공인; 보석상. ***~·ry,** 《英》 **~·ler·y** [-ri] *n.* Ⓤ 보석류(類).
jib[1] [dʒib] *n.* Ⓒ 뱃머리의 삼각돛. ― *vi., vt.* (**-bb-**) (풍향에 따라) 돛이[활대가] 회전하다[을 회전시키다]. **the cut of one's ~** 《口》 풍채, 몸차림.
jib[2] *vi.* (**-bb-**) 《英》 (말 따위가) 앞으로 나아가기 싫어하다, 갑자기 서다; (사람이) 망설이다, 주저하다.
jibe[1] [dʒaib] *v.* =JIB[1].
jibe[2] *v., n.* =GIBE.
jibe[3] *vi.* 《美口》 일치[조화]하다.
jiff [dʒif], **jif·fy** [dʒífi] *n.* 《口》 (a ~) 순간. **in a ~** 바로, 곧.
jig[1] [dʒig] *n., vi., vt.* (**-gg-**) Ⓒ 지그 《3박자의 경쾌한 댄스(곡)의 일종》(춤을 추다); 상하[전후]로 움직이다. **The ~ is up.** 《俗》 끝장이다.
jig[2] *n., vi.* (**-gg-**) Ⓒ 낚싯봉 달린 낚시(로 낚시질하다); 【採】 체(로 선광(選鑛)하다).
jig·gle [dʒígəl] *vt.* 가볍게 흔들다[당기다]. ― *n.* Ⓒ 가볍게 흔듦[당김].
jíg·sàw *n.* Ⓒ 실톱(의 일종).
ji·had [dʒihá:d] *n.* Ⓒ (회교 옹호의) 성전(聖戰); (주의·신앙의) 옹호[박멸 등의] 운동.
jilt [dʒilt] *vt., n.* Ⓒ (남자를) 차버리다[차버리는 여자]; 탕녀.
jim·my [dʒími] *n., vt.* Ⓒ (강도가 쓰는) 쇠지렛대(로 비집어 열다).
·jin·gle [dʒíŋgəl] *n., vi., vt.* Ⓒ ① 짤랑짤랑, 따르릉(울리다). ② 방울·종 따위가 울리는 악곡. ③ 같은 음의 반복이 많은 시구(詩句).
jin·go [dʒíŋgou] *n.* (*pl.* **~es**), *a.* Ⓒ 주전론자[적인]; 강경 외교론자. **By ~!** 천만의 말씀! **~·ism** [-ìzəm] *n.* Ⓤ 주전론. **~·ist** *n.* **~·is·tic** [∸–ístik] *a.*
jinx [dʒiŋks] *n.* Ⓒ 《美口》 재수 없는 것[사람]. **break** [**smash**] **the ~** 징크스를 깨다; 연패 후에 승리하다. ― *vt.* (…에게) 불행을 가져오다.
jit·ter [dʒítər] *vi.* 《美俗》 조바심하다, 초조해하다. ― *n.* (*pl.*) 신경과민. **~·y** *a.*
jive [dʒaiv] *n., vi.* Ⓤ 스윙곡(曲)(을 연주하다); (재즈계·마약 상용자 등의) 은어, 변말.
Jnr., jnr. junior. 【聖】 욥《구약 욥기(記)(the Book of Job)의 인내심 강한 주인공》.
†job [dʒab/-ɔ-] *n.* Ⓒ ① 일, 삯일. ② 일자리, 직업(*out of a* ~ 실직하여). ③ 《주로 英》 일, 사건; 문제; (공직을 이용한) 부정 행위, 독직 (*a bad* ~ 난처한 일). ④ 제품, 물건. ⑤ 《俗》 도둑질, 강도. ⑥ 【컴】 작업. **by the ~** 품삯을 정하여, 도급으로. **do a ~ on a** *person*, or **do a** *person* **~** 해치우다. **odd ~s** 허드렛일. **on the ~** 열심히 일하여; 일하는 중(에); 방심하지 않고.

J

— *vi.* (**-bb-**) 삯일을 하다; (주식·상품을) 거간하다; (공익 사업으로) 사복을 채우다. — *vt.* (일을 몇사람에게) 청부케 하다; (말·마차를) 임대〔임차〕하다; 거간하다; 독직(瀆職)하다. **∠·less** *a.*

jób lòt (다량구입하는) 염가품. 한 무더기 얼마로 파는 싸구려.

˙**jock·ey**[dʒáki/-5-] *n., vt., vi.* ① Ⓒ 경마의 기수(로 일하다); 《口》 운전수, 조종사(로서 일하다). ② 속이다, 속여서 …하게 하다. ③ 유리한 위치를 얻으려 하다.

jo·cose[dʒoukóus] *a.* 익살맞은, 우스운(facetious). **~·ly** *ad.* **jo·cos·i·ty**[-kásəti/-5-] *n.*

joc·u·lar[dʒákjələr/-5-] *a.* 우스운, 익살맞은. **~·i·ty**[∸–lǽrəti] *n.*

jodh·purs[dʒádpərz/dʒ5dpuərz] *n. pl.* 승마 바지.

˙**jog**[dʒag/-ɔ-] *vt.* (**-gg-**). *n.* Ⓒ 살짝 밀다〔당기다〕, 콱 밀기〔찌르기〕. (살짝 찔러서) 알리다〔알리기〕; (기억을) 불러 일으키다〔일으키는 것〕. — *vi.* 터벅터벅 걷다; 천천히 달리다.

jog·ging[dʒágiŋ/-5-] *n.* Ⓤ 조깅《천천히 달리기》.

jog·gle[dʒágəl/-5-] *vt., vi., n.* Ⓒ 가볍게 흔들(리)다〔흔들림, 흔듦〕.

Jóhn Búll 《집합적》 (전형적) 영국인.

†**join**[dʒɔin] *vt.* ① 연결하다; 잇다. ② 합병하다; 협력하다〔시키다〕; 한패가 되다. ③ 입회〔입대〕하다. ④ (배에) 타다; (부대·배에) (되)돌아오다. ⑤ 함께 되다〔합치다〕. — *vi.* ① 결합하다, 합하다, 만나다. ② 맺다; 한 패거리로 되다. ③ 인접하다. **~ *hands with*** …와 제휴하다. **~ *the colors*** 입대하다. — *n.* Ⓒ 접합점〔선, 면〕; 솔기; 〖컴〗 골라잇기.

join·er[∠ər] *n.* Ⓒ 결합자〔물〕; 소목장이; 《美口》 여러 단체 모임에 관계하고 있는 사람. **~·y** *n.* Ⓤ 소목장이 일; 소목 세공, 가구류(類).

:**joint**[dʒɔint] *a.* 공동〔합동, 연합〕의; 연대(連帶)의. **~ *communiqué*** 공동 코뮈니케. — *n.* Ⓒ ① 마디, 관절; 이음매, 맞춘 자리. ② (마디마다 토막낸) 뼈 붙은 큰 살점. ③ 《美口》 비밀 술집; 마리화나 담배. ***out of* ~** 탈구(脫臼)되어; 문란해(져)서, 뒤죽박죽이 되어. **~ *resolution*** 《美》 (양원의) 공동결의. — *vt.* 결합〔접합〕하다, 메지를 바르다. **∠·less** *a.* ˙**∠·ly** *ad.*

Jóint Chíefs of Stáff 《美》 합동참모 본부〔회의〕《생략 JCS》.

joist[dʒɔist] *n.* Ⓒ 〖建〗 장선; 도리. — *vt.* (…에) 무엇을 달다.

†**joke**[dʒouk] *n., vi., vt.* Ⓒ 농담(하다), 익살(부리다); 장난(치다), 놀리다. ***for a* ~** 농담 삼아서. ***in* ~** 농담으로. ***joking apart*** 농담은 그만하고. ***practical* ~** (행동도 따르는) 몹쓸 장난. ***take a* ~** 놀려도 화내지 않다.

˙**jok·er**[∠ər] *n.* Ⓒ ① 농담하는 사람, 익살꾼. ② 〖카드〗 조커. ③ 《美》 (정관·법안의 효력을 근본적으로 약화시키기 위해 슬쩍 삽입한) 사기 조항; 사기, 책략.

jok·ing[∠iŋ] *a.* 농담하는, 장난치는. **~·ly** *ad.*

jol·li·fi·ca·tion[dʒɑ̀ləfikéiʃən/-ɔ̀-] *n.* Ⓤ 흥겨워 떠들기; Ⓒ 잔치 소동.

jol·li·ty[dʒáləti/-5-] *n.* ① Ⓤ 즐거움, 명랑. ② Ⓒ (보통 *pl.*) 《英》 흥겨워 떠들기.

:**jol·ly**[dʒáli/-5-] *a.* ① 유쾌한, 즐거운; 얼근한 기분의. ② 《英口》 대단한, 엄청난. — *ad.* 《英口》 대단히. — *vt.* 《口》 치살려서 기쁘게 하다; 놀리다(kid).

˙**jolt**[dʒoult] *vi., vt.* 덜컹거리(게 하)다; (마차 따위가) 덜컹거리며 나아가다, 흔들리다. — *n.* Ⓒ (정신적) 동요; 충격; 덜컹거림. **∠·y** *a.*

josh[dʒaʃ/-ɔ-] 《美口》 *n., vt., vi.* Ⓒ (악의 없는) 농담(을 하다), 놀리다.

jóss stìck (중국 사원의) 선향(線香).

˙**jos·tle**[dʒásl/-5-] *vt.* 밀다, 찌르다(*away, from*). — *vi.* 서로 밀다; 부딪치다(*against*); 다투다. — *n.* Ⓒ 서로 밀치기; 충돌.

˙**jot**[dʒat/-ɔ-] *n.* (a ~) 미소(微少), 소량. ***not a* ~** 조금도 …않다. — *vt.* (**-tt-**) 대강 적어 두다(*down*). **∠·ting** *n.* Ⓒ (보통 *pl.*) 메모, 약기.

joule[dʒu:l, dʒaul] *n.* Ⓒ 〖理〗 줄《에너지의 절대 단위》.

J

:jour·nal[dʒə́:rnəl] *n.* Ⓒ ① 일지; 항해 일지. ② 〖簿〗 분개장. ③ (일간) 신문; (정기 간행) 잡지. ④ 〖機〗 굴대의 목. ***the Journals*** 《英》 국회 의사록. **~·ese**[dʒə̀:rnəlí:z] *n.* Ⓤ 신문 용어, 신문의 문체〔말씨〕.

:jour·nal·ism[-ìzəm] *n.* Ⓤ ① 저널리즘, 신문〔잡지〕(기자)업. ② 《집합적》 신문, 잡지. ③ 신문〔잡지〕기사투의 문체(文體). **:-ist** *n.* Ⓒ 저널리스트, 신문〔잡지〕업자〔기자·기고자〕. ***-is·tic**[∸-ístik] *a.* 신문 잡지(업)의.

:jour·ney[dʒə́:rni] *n.* Ⓒ (육상의) 여행; 여정. ***break one's ~*** 여행을 중단하다; 도중하차 하다. ***make*** 〔***take***〕 ***a ~*** 여행하다. — *vi.* 여행하다.

jour·ney·man[-mən] *n.* Ⓒ (숙달된) 직공; 《古》 날품팔이.

joust[dʒaust] *n., vi.* Ⓒ 마상 창시합(馬上槍試合)(을 하다).

Jove[dʒouv] *n.* =JUPITER. ***by ~!*** 맹세코; 천만에.

jo·vi·al[dʒóuviəl, -vjəl] *a.* 쾌활〔유쾌〕한, 즐거운. **~·i·ty**[∸-ǽləti] *n.*

jowl[dʒaul, dʒoul] *n.* Ⓒ (보통 *pl.*) (특히) 아래턱(jaw); 뺨(cheek). CHEEK ***by ~.***

†joy[dʒɔi] *n.* ① Ⓤ 기쁨. ② Ⓒ 기쁨거리, 즐거움. ***give ~*** 축하〔치하〕하다. ***Give you ~!*** or ***I wish you ~!*** 축하합니다. — *vi., vt.* 기뻐하다; 기쁘게 하다. **:∠·ful** *a.* ***∠·ful·ly** *ad.* ***∠·ful·ness** *n.* **∠·less** *a.* ***∠·ous** *a.* =JOYFUL. **∠·ous·ly** *ad.*

jóy rìde 《美口》 (남의 차를 무단히 몰고 다니는) 드라이브.

jóy stìck 《俗》 (비행기의) 조종간(桿); 음경; 〖컴〗 (수동) 제어 장치.

J.P. Justice of the Peace. **Jr., jr.** junior.

ju·bi·lant[dʒú:bələnt] *a.* 기쁨에 넘친; 환성을 울리는. **-lance** *n.* **-late** [∠-lèit] *vi.* 환희하다. **-la·tion**[∸-léiʃən] *n.* ① Ⓤ 환희. ② Ⓒ 축제.

ju·bi·lee**[dʒú:bəlì:] *n.* ① Ⓒ 50년제(祭); 축제. ② Ⓤ 환희. ***diamond 〔***silver***〕 ***~*** 60〔25〕년제.

Ju·da·ic[dʒu(:)déiik] *a.* 유대인〔민족·문화〕의(Jewish).

Ju·da·ism[dʒú:diìzəm, -dei-] *n.* Ⓤ 유대교〔주의〕; 유대풍(風).

Ju·das[dʒú:dəs] *n.* 〖聖〗 (은전 30냥으로 예수를 판)(가룟) 유다; Ⓒ 배반자; (j-) (문·벽의) 엿보는 구멍.

†judge[dʒʌdʒ] *n.* ① Ⓒ 재판관, 판사; 심판〔감정〕자. ② Ⓒ 〖유대史〗 사사(士師)《왕의 통치 전 이스라엘의 지배자》. ③ (Judges) 《단수취급》 〖舊約〗 사사기(士師記). — *vt., vi.* 판결을 내리다, 재판하다; 판단〔감정〕하다; 비판〔비난〕하다. **~·ship**[∠ʃìp] *n.* Ⓤ judge의 지위〔임기·직(권)〕.

:judg·ment, 《英》 **judge-**[∠mənt] *n.* ① Ⓤ 재판; Ⓤ,Ⓒ 판결; Ⓒ 천벌(*on*); Ⓤ 심판, 감정; 비판. ② Ⓤ 판단(력); 견식, 분별. ***sit in ~*** 재판〔비판〕하다. ***the Last J-*** 〖聖〗 최후의 심판.

Júdgment Dày 최후의 심판일.

ju·di·ca·ture[dʒú:dikèitʃər] *n.* Ⓤ 사법권; (the ~) 《집합적》 사법 기관.

ju·di·cial**[dʒu:díʃəl] *a.* ① 사법(상)의, 재판소의. ② 판단력이 있는; 공평한; 비판적인. ***~ precedent 판례(判例).

ju·di·ci·ar·y[dʒu:díʃièri, -ʃəri] *a.* 사법(상)의; 재판(소)의. — *n.* ① (the ~) 사법부(judicature). ② 《집합적》 재판관.

ju·di·cious[dʒu:díʃəs] *a.* 사려〔분별〕있는, 현명한. **~·ly** *ad.* **~·ness** *n.*

ju·do[dʒú:dou] *n.* Ⓤ 유도.

:jug[dʒʌg] *n.* ① Ⓒ (손잡이가 달린) 항아리; (주둥이가 넓은) 주전자, 조끼(한 잔). ② Ⓤ 《俗》 교도소(jail). — *vt.* (**-gg-**) (고기를) 항아리에 넣고 삶다; 《俗》 감옥에 처넣다.

jug·ful[dʒʌ́gfùl] *n.* Ⓒ 한 주전자〔조끼〕의 하나 가득(한 양).

Jug·ger·naut[dʒʌ́gərnɔ̀:t] *n.* 〖印度神話〗 Krishna 신의 우상《이 우상을 실은 차에 치어 죽으면 극락에 갈 수 있다 했음》; Ⓒ (j-) 희생이 따르는 미신〔제도, 풍습〕; 불가항력.

***jug·gle**[dʒʌ́gəl] *n., vi.* Ⓒ 요술〔기술〕(을 부리다, 로 속이다); 사기(하다). — *vt.* 속이다, 속여서 빼앗다.

jug·gler[-ər] *n.* Ⓒ 요술쟁이; 사기꾼. **~·y** *n.* Ⓤ 요술; 사기.

jug·u·lar[dʒʌ́gjələr] *a., n.* Ⓒ 〖解〗

J

인후의, 목의; 경정맥(頸靜脈)(의); = **∠ véin** 경정맥; (the ~) 최대의 약점, 급소.

:juice[dʒu:s] ***n.*** ① U,C 즙, 액(液), 주스. ② U 《美俗》 전기; 가솔린. — ***vt., vi.*** (…의) 액을 짜내다; 《俗》 마약 주사를 놓다. ~ ***up*** 《美》 …을 가속(加速)하다. ~***ed up*** 《美俗》 술 취한. ***˚júic·y*** ***a.*** 즙[수분]이 많은; 재미[생기]있는, 윤기 도는.

júke·bòx ***n.*** C 주크박스《동전 투입식 자동 전축》.

˚Jul. July.

†Ju·ly[dʒu:lái] (<Julius) ***n.*** 7월.

˚jum·ble[dʒʌ́mbəl] ***n., vi., vt.*** ① (a ~) 뒤죽박죽(이 되다, 을 만들다) (*up, together*); 혼란; 동요. ② U 쓸모없는 잡동사니.

júmble sàle 《주로 英》 (자선 바자 따위의) 잡화 특매[염매].

jum·bo[dʒʌ́mbou] ***a., n.*** (*pl.* ~***s***) C 《口》 엄청나게 큰 (것); 점보제트기.

†jump[dʒʌmp] ***vi.*** ① 뛰다, 뛰[튀]어오르다; 움찔하다; 뛰어 옮기다; 비약하다. ② 폭등하다. ③ 일치하다 (*together*). ***Great wits will*** ~. 《속담》 지자(知者)의 생각은 일치하는 것《간담상조(肝膽相照)》. — ***vt.*** ① 뛰어 넘(게 하)다; 뛰어 오르게 하다. ② (물가를) 급등시키다. ③ (…에서) 벗어나다(~ ***the track*** 탈선하다). ④ 생략하다, 건너뛰다. ⑤ (어린애를) 달래[어르]다. ⑥ 흠칫하게 하다; (사냥감을) 날아오르게[뛰어 나오게] 하다. ⑦ (체커에서 상대의 말을) 건너 뛰어서 잡다. ⑧ 《美俗》 (…에서) 도망치다. ~ ***about*** 뛰어 돌아다니다; 조급해 있다. ~ ***a claim*** 토지·광업권(등)을 가로채다. ~ ***bail*** 보석 중에 도망치다. ~ ***down a person's throat*** 《口》 난폭한 말대꾸를 하다; (논쟁에서) 꼼짝 못하게 하다. ~ ***in*** [***into***] (…속에) 뛰어들다. ~ ***off*** 행동을 (개시)하다. ~ ***on*** 덤벼[달려]들다; 야단[호통]치다, 비난하다. ~ ***the queue*** 차례로 선 줄을 무시하고 앞으로 나가다. ~ ***to the eyes*** 곧 눈에 띄다. ~ ***up*** 급히 일어서다; (가격 등이) 급등하다. — ***n.*** C ① 도약(跳躍), 한번뛰기[뛴 길이]; 《競》 점프. ② 장애물. ③ (물가의) 폭등. ④ 흠칫(하기). ⑤ (체커에서의) 건너뛰(어 잡)기. ⑥ (의론의) 비약, 급전(急轉). ⑦ 낙하산 강하. ⑧ (the ~s) 《俗》 (알코올 중독에 의한) 경련(D.T.). ⑨ 【컴】 건너뜀《프로그램 제어의 전환》. ***all of a*** ~ 《口》 흠칫흠칫하여. ***broad*** [***high***] ~ 넓이[높이] 뛰기. ***have the ~s*** 깜짝 놀라다. ***˚∠·er***[1] ***n.***

˚jump·er[2][∠ər] ***n.*** C 점퍼, 잠바; 잠바 드레스《여자·어린이용의 소매 없는 원피스》; 《英》 (블라우스 겉에 입는) 헐거운 여자용 상의; (*pl.*) = ROMPERS.

júmping-óff plàce [**pòint**] ① 문명 세계의 끝. ② 한계. ③ 출발점.

júmp ròpe 줄넘기 줄. 「트기.

júmp jèt 《英口》 단거리 이착륙 제

júmp·sùit ***n.*** C 《美》 낙하산 강하복; 그와 비슷한 상하가 붙은 작업복; 그 비슷한 여성복.

˚jump·y[∠i] ***a.*** ① 튀어 오르는. ② 변동하는. ③ 실룩거리는, 신경질적인.

Jun. June. **jun.** junior.

˚junc·tion[dʒʌ́ŋkʃən] ***n.*** ① U 연합, 접합, 연접; 접착; 접속. ② C 접합점, 접속역, (강의) 합류점. ③ U,C 【文】 수식관계《***the barking dog*** 나 ***a man who sings***와 같은 수식·피수식 관계의 어군(語群)》(cf. nexus).

˚junc·ture[dʒʌ́ŋktʃər] ***n.*** ① U 경우; C 위기. ② C 이음매; U 접합; 연결.

†June[dʒu:n] ***n.*** 6월.

:jun·gle[dʒʌ́ŋgli] ***n.*** U,C ① 정글, 밀림(지대). ② 《美俗》 부랑자 소굴.

†jun·ior[dʒú:njər] (cf. senior) ***a.*** 손아래의; 후배의, 하위[하급]의; 동생[자식](쪽)의《생략 jun., Jr.》(*John Jones, Jr.*)(cf. *fils*). — ***n.*** (one's ~) 손아랫사람, 연소자; 후배; C 【美大學·高校】 (4년제의) 3학년생, (3년제의) 2학년생.

júnior cóllege 《美》 2년제 대학.

júnior hígh schòol 《美》 중학교.

júnior schòol 《英》 (7-11세 아동의) 초등학교.

ju·ni·per[dʒú:nəpər] ***n.*** U,C 【植】 노간주나무(의 무리).

˚junk[1][dʒʌŋk] ***n.*** U ① 《口》 쓰레기.

고철, 헌신문. ② 낡은 밧줄. ③ 〖海〗 소금에 절인 고기. ④ 허튼말, 넌센스. ⑤ 《口》 마약. — *vt.* 《口》 쓰레기〔폐물〕로 버리다. **~·man** [ˊ-mæ̀n] *n.* Ⓒ 《美》 고물〔폐품〕장수.

junk[2] *n.* Ⓒ 정크《중국 연안의 너벅선 돛배》.

jun·ket[dʒʌ́ŋkit] *n., vi.* Ⓤ,Ⓒ 응유(凝乳) 식품의 일종; Ⓒ 연회(를 베풀다), 피크닉(가다); 《美》 관비 여행(官費旅行).

júnk màil 잡동사니 우편물《쓰레기 취급받는 광고물·팸플릿 등》.

jun·ta[dʒʌ́ntə, hú(ː)ntə] *n.* (*pl.* **~s**) Ⓒ (쿠데타 직후의) 군사 정부; (스페인·남아메리카 등지의) 의회.

:**Ju·pi·ter**[dʒúːpətər] *n.* ① 〖로神〗 주피터《〖그神〗의 Zeus》. ② 〖天〗 목성.

ju·rid·i·cal[dʒuərídikəl] *a.* 재판〔사법·법률〕상의; 재판소의. **~ days** (재판) 개정일. **~ person** 법인.

˙**ju·ris·dic·tion**[dʒùərisdíkʃən] *n.* ① Ⓤ 재판〔사법〕권; 지배권. ② Ⓤ (사법상의) 관할권. ③ Ⓒ 관할 지역.

ju·ris·pru·dence [dʒùərisprúːdəns] *n.* Ⓤ 법(리)학; 법제, 법조직〔체계〕. **medical ~** 법의학(法醫學). **-dent** *a., n.* 법률에 정통한; Ⓒ 법률〔법리〕학자.

˙**ju·rist**[dʒúərist] *n.* Ⓒ 법(리)학자; 《英》 법학도; 《美》 변호사. **ju·ris·tic** [dʒuərístik], **-ti·cal**[-əl] *a.*

ju·ror[dʒúərər] *n.* Ⓒ (개개의) 배심원; (콩쿠르 등의) 심사원.

˙**ju·ry**[dʒúəri] *n.* Ⓒ ① 〖法〗 배심. ② 《집합적》 배심원《보통 12명》(cf. verdict); (콩쿠르 대회 따위의) 심사원(들). **grand ~** 대배심《12-13명으로 구성되며, 'trial jury'로 보내기 전에 기소장을 심리함》. **trial** 〔**petty, common**〕 **~** 소배심《12명》. **~·man** *n.* Ⓒ 배심원(juror).

†**just**[dʒʌst] *a.* ① 올바른, 공정한. ② 당연한, 정당한. ③ 무리 없는, 지당한. ④ 정확한. ⑤ 에누리 없는. — [dʒʌst, dʒəst] *ad.* ① 바르게, 에누리 없이, 꼭. ② 겨우, 간신히. ③ 방금. ④ 다만, 불과, 아주, 전혀. ⑤ 《명령법과 함께 쓰여서》 (자) 좀(*J- fancy!* 자 좀 생각해 보렴); 《반어로서》 (…이다뿐인가) 아주(*'Did he swear?' 'Didn't he, ~!'* 그 사람 노했던가 - 노했다뿐인가(아주 대단한 기세세). **~ now** 바로 지금; 이제 막; 이윽고(곧). ˙**ˊ·ly** *ad.* 바르게, 공정하게, 정당하게. ˙**ˊ·ness** *n.*

:**jus·tice**[dʒʌ́stis] *n.* ① Ⓤ 정의; 공정; 공평, 정당, 타당; 적법(성). ② Ⓤ 법의 시행(施行), 재판. ③ Ⓤ 당연한 응보, 처벌. ④ Ⓒ 재판관, 치안 판사. ⑤ (J-) 정의의 여신. **bring** *a person* **to ~** 아무를 법대로 처벌하다. **court of ~** 재판소. **do ~ to** (*a person* or *thing*), or **do** (*a person* or *thing*) **~** …을 공평〔정당〕하게 다루다; 정확히 처리하다. **do oneself ~** 자기 능력을 충분히 발휘하다. **~ of the peace** 〖法〗 치안 판사. **~·ship**[-ʃip] *n.* Ⓤ 재판관의 신분〔직분·임기〕.

jus·ti·fi·a·ble[dʒʌ́stəfàiəbəl] *a.* 정당한, 정당하다고 인정할 수 있는.

˙**jus·ti·fi·ca·tion** [dʒʌ̀stəfikéiʃən] *n.* Ⓤ ① 정당화, 옹호, 변호, 변명. ② 〖神〗 의롭다고 인정됨. ③ 〖印〗 정판(整版); 〖컴〗 조정.

:**jus·ti·fy**[dʒʌ́stəfài] *vt.* ① 정당화하다, 정당함을 나타내다. ② 비난에 대하여 변명하다; (…의) 이유가 되다〔서다〕. ③ 〖印〗 (행간을) 고르게 하다. ④ 〖컴〗 자리맞춤을 하다. **~ oneself** 자기의 주장을 변명하다.

jus·tle[dʒʌ́sl] *v., n.* =JOSTLE.

jut[dʒʌt] *n., vi.* (**-tt-**) Ⓒ 돌출부, 불룩내민 곳; 돌출(하다).

jute[dʒuːt] *n.* Ⓤ (인도원산의) 황마(黃麻)《돛·밧줄 따위의 재료》.

˙**ju·ve·nile**[dʒúːvənəl, -nàil] *a.* 젊은, 소년〔소녀〕(용)의; 어린애 같은. — *n.* Ⓒ 청소년; 어린이; 아동책〔읽을거리〕; 〖劇〗 어린이역의 소년〔소녀〕. **-nil·i·ty**[dʒùːvəníləti] *n.* Ⓤ 연소, 젊음; 《집합적》 소년 소녀.

júvenile cóurt 소년 재판소.

júvenile delínquency 소년 범죄.

júvenile delínquent 비행 소년.

ju·ve·nil·i·a[dʒùːvəníliə] *n. pl.* (어떤 작가)의 젊었을 때의 작품(집).

jux·ta·pose[dʒʌ̀kstəpóuz, ˊ-ˋ] *vt.* (…을) 나란히 놓다. **-po·si·tion** [ˋ-pəzíʃən] *n.* Ⓤ,Ⓒ 병렬(竝列).

J

K

K, k[kei] *n.* (*pl.* ***K's, k's***[-z]). **K** kelvin.

kale[keil] *n.* Ⓤ,Ⓒ 양배추의 일종《결구(結球)하지 않음》; 양배추 수프; Ⓤ《美俗》돈, 현금.

ka·lei·do·scope [kəláidəskòup] *n.* Ⓒ 만화경(萬華鏡). **-scop·ic**[-⌒-skάp-/-ɔ́-] *a.* 만화경 같은, 변전(變轉) 무쌍한.

·**kan·ga·roo**[kæ̀ŋgərúː] *n.* (*pl.* **~s,** 《집합적》 **~**) Ⓒ 캥거루.

Kangaróo cóurt 인민 재판, 린치.

ka·o·lin(e)[kéiəlin] *n.* Ⓤ 고령토.

ka·pok[kéipɑk/-pɔk] *n.* Ⓤ 케이폭《이불용 풀솜》.

kar·at[kǽrət] *n.* = CARAT.

kar·ma[kάːrmə] *n.* (Skt. = action) Ⓤ 〖힌두敎·佛〗 갈마(羯磨), 업(業), 인연; 《一般》 운명.

kay·ak[káiæk] *n.* Ⓒ 카약《에스키모인의 작은 가죽배》.

K.C. King's Counsel.

·**keel**[kiːl] *n.* Ⓒ (배·비행선의) 용골; 《詩》 배. ***on an even* ~** 수평으로 되어. ── *vt., vi.* 〖海〗 (…을) 전복시키다[하다]. **~ *over*** 전복하다; 졸도하다.

:keen[1][kiːn] *a.* ① 날카로운, 예리한; 예민한. ② 살을 에는 듯한, 모진; 신랄한; 강렬한. ③ 격렬한, 강한. ④ 열심인(*on, to* do). ***⌒·ly** *ad.* **⌒·ness** *n.*

keen[2] *n., vi., vt.* 《Ir.》 Ⓒ (죽은이를 애도하는) 곡성(을 내다), 통곡(하다); 장례식 노래.

†**keep**[kiːp] *vt.* (***kept***) ① 간직하다, 갖고 있다; 보존하다; 맡다. ② 망보다, 지키다. ③ (약속·비밀을) 지키다. ④ (어떤 동작을) 계속하다. ⑤ (의식을) 올리다; 축하하다. ⑥ 부양하다, 기르다, 돌보다. ⑦ 고용해 두다; 경영하다. ⑧ (상품을) 갖춰놓다. ⑨ (일기·장부에) 써넣다. ⑩ (사람을) 붙들다[만류하다]; (집에) 가두다. ⑪ (어떤 위치·상태로) 하여 놓[두]다, (…을) 유지하다. ⑫ 알리지 않다; 허락지 않다; 방해하다(*from*). ***You may* ~ *it.*** 너에게 준다. ── *vi.* ① (어떤 위치·상태에) 있다. ② (…을) 계속하다. ③ 머무르다. ④ (음식물이 썩지 않고) 견디다. ⑤《口》(수업을) 하고 있다. **~ *away*** 가까이 못하게 하다; 가까이 하지 않다. **~ *back*** 삼가다; 억제하다; 감추다. **~ *down*** 진압하다; (감정을) 누르다. **~ *in*** 붙들어 두다; (감정을) 누르다; 가두다, 틀어 박히다. **~ *in with***《口》…와 사이좋게 지내다. **~ *off*** 막다; 가까이 못하게 하다; 떨어져 있다. **~ *on*** (…을) 입은 채로 있다; 계속해서 하다. **~ *out*** 배척하다; 억제하다; 참여하지[끼지] 않다. **~ *to*** (규칙 등을) 굳게 지키다(*K- to the right.* 우측 통행). **~ *to oneself*** (*vi.*) 교제하지 않다, 혼자 있다; (*vt.*) (사실을) 남에게 감추다. **~ *under*** 누르다; 복종시키다. **~ *up*** 버티다; 유지[계속]하다; (밤에) 잠을 못자게 하다; (곤란·병에) 굽히지 않다. **~ *up with*** (사람·시세에) 뒤지지 않다. ── *n.* ① Ⓤ 보양; 음식물; 생활비. ② Ⓒ 아성(牙城). ③ Ⓤ 보존, 유지. ***for* ~s**《口》(내기에서) 딴 물건은 돌려주지 않는다는 약속으로; 영구히. **:⌒·er** *n.* Ⓒ 지키는 사람, 파수꾼, …지기; 보호자; 관리인; 임자; 사육자; (경기의) 수비자.

:kéep·ing *n.* Ⓤ ① 보존; 보관, 관리; 유지. ② 부양. ③ 일치, 조화(*with*). ④ 축하, (제전(祭典)의) 거행. ***in* [*out of*] ~ *with*** …과 조화하여[되지 않아].

·**kéep·sàke** *n.* Ⓒ 유품(遺品) (memento); 기념품.

keg[keg] *n.* Ⓒ 작은 나무통《보통 10갤런 이하》; (못) 100파운드.

kelp[kelp] *n.* Ⓤ 켈프《요오드를 함유하는 거대한 해초》; 해초회(灰).

kel·vin[kélvin] *n.* Ⓒ 〖理〗 켈빈《절

대 온도 단위》. — *a.* 〖理〗 켈빈〔절대〕 온도의.

·**ken**[ken] *n.* Ⓤ 시계(視界); 지식〔인식〕 범위.

·**ken·nel**[kénəl] *n., vt., vi.* (《英》 *-ll-*) Ⓒ 개집(에 넣다; 들어가다, 살다); (*pl.*) 개의 사육장; Ⓒ 사냥개의 떼; 오두막.

†**kept**[kept] *v.* keep의 과거(분사).

ker·chief[kə́ːrtʃif] *n.* Ⓒ 목도리(neckerchief); 손수건.

·**ker·nel**[kə́ːrnəl] *n.* Ⓒ (과실의) 인(仁); 낟알; 핵심, 골수; 〖컴〗 핵심, 알맹이. 「등유(燈油).

·**ker·o·sene**[kérəsìːn, ⌐-⌐] *n.* Ⓤ

kes·trel[késtrəl] *n.* Ⓒ 〖鳥〗 황조롱이《유럽산》. 「일종.

ketch[ketʃ] *n.* Ⓒ 두대박이 (범선)의

·**ketch·up**[kétʃəp] *n.* Ⓤ 케첩.

:**ket·tle**[kétl] *n.* Ⓒ 솥; 주전자, 탕관. ***a* (*nice, fine, pretty*) ~ *of fish*** 대혼란, 곤란한 지경.

kéttle·drùm *n.* (*pl.*) =TIMPANI.

:**key**[kiː] *n.* Ⓒ ① 열쇠. ② (국면을 지배하는, 해결의) 실마리, 열쇠; 해답(서). ③ (기계 장치의) 핀, 볼트. ④ 중요 지점, 요충지, 중요한 사람〔물건〕. ⑤ (피아노·타이프라이터 등의) 키, 건(鍵). ⑥ 〖樂〗 조(調)(~ *of C sharp minor* 올림 다단조(短調)); (목소리 등의) 가락; 색조; (문체 따위의) 기조(基調). ⑦ 〖電〗 회로 개폐기; 전건(電鍵). ⑧ 〖廣告〗 (광고 효과를 알기 위한) 반응 측정 문구. ⑨ 〖컴〗 글쇠, 쇠. ***out of ~ with*** …와 조화를 이루지 못하고. — *a.* 주요한(*the ~ industries* 기간 산업). — *vt.* ① 열쇠를 채우다; 열쇠〔나사마개〕로 잠그다(*in, on*). ② 가락을 맞추다; 〖樂〗정조(整調)하다. ***~ up*** 가락을 올리다; 고무하다.

keyed[-d] *a.* 건(鍵)이 있는.

·**kéy·bòard** *n.* Ⓒ (피아노·타이프라이터 따위의) 건반; 〖컴〗 자판.

kéy·hòle *n.* Ⓒ 열쇠 구멍.

·**kéy·nòte** *n.* Ⓒ 〖樂〗 주조음, 으뜸음; (정책 등의) 기조(基調).

kéy·stòne *n.* Ⓒ (아치의) 마룻돌; 중추, 요지(要旨).

kg., kg kilogram(s).

·**khak·i**[káːki, kǽki] *n., a.* Ⓤ 카키색(의) (옷·옷감).

kHz kilohertz.

kib·butz[kibúːts] *n.* Ⓒ 키부츠《이스라엘의 집단 공장》.

ki·bosh[káibɑʃ/-bɔʃ] *n.* Ⓤ 《口》 실없는 소리. ***put the ~ on*** 해치우다, 끝장짓다.

:**kick**[kik] *vt.* ① (걷어) 차다; (총이 사수의 어깨를) 반동으로 치다(등의). ② 《美方》 (구혼자 따위를) 퇴짜놓다; 〖蹴〗 골에 공을 차넣다. — *vi.* ① 차다(*off*); 총이 반동으로 튀다. ② 《口》 반항하다, 불평을 말하다. ***~ back*** 《口》 갑자기 되튀다; (훔친 금품 따위를) 주인에게 되돌려주다; 《美俗》 수입 수수료로서 반환하다. ***~ in*** 《俗》 죽다; 헌금하다; 돈을 갚다. ***~ it*** 《美俗》 도망가다. ***~ off*** 〖蹴〗 킥오프하다; 《口》 시작하다; 《俗》 죽다. ***~ out*** 《口》 걷어차 쫓아내다; 해고하다. ***~ up*** (…을) 차올리다; (소동 따위를) 일으키다. — *n.* ① Ⓒ 차기; 한번 차기; (총의) 반동. ② Ⓒ 《口》 반항, 거절, 불평. ③ (the ~) 해고. ④ Ⓒ 《口》 흥분, 스릴. ⑤ Ⓒ 〖蹴〗 킥; 차는 사람. ⑥ Ⓤ 《口》 (위스키 등의) 자극성. ⑦ (병 밑의) 불쑥 올라온 바닥. ***get* 〔*give*〕 *the ~*** 해고당하다〔시키다〕.

kíck·bàck *n.* Ⓤ,Ⓒ 《美口》 (급격한) 반동, 반발; 부당한 수입의 상납; (급료의 일부를) 떼어내기.

kíck·òff *n.* Ⓒ 〖蹴〗 킥오프.

:**kid**[1][kid] *n.* ① Ⓒ 새끼염소. ② Ⓤ 그 가죽〔고기〕, 키드 가죽. ③ (*pl.*) 키드 장갑〔구두〕. ④ Ⓒ 《口》 어린애.

kid[2] *vt., vi.* (*-dd-*) 《口》 놀리다; 속이다. ***No ~ding!*** 《美口》 농담 마라.

·**kid·nap**[kídnæ̀p] *vt.* (《英》 *-pp-*) (어린애를) 채가다, 유괴하다. **~·er,** 《英》 **~·per** *n.* Ⓒ 유괴자. **~·ing,** 《英》 **~·ping** *n.* Ⓤ 유괴.

·**kid·ney**[kídni] *n.* ① Ⓒ 신장(腎臟), 콩팥. ② (*sing.*) 성질, 종류. ***contracted ~*** 〖醫〗 위축신(萎縮腎).

kídney bèan 강낭콩.

kídney machìne 인공 신장.

†**kill**[kil] *vt.* ① 죽이다; 말라 죽게하다. ② (병·바람의) 기세를 꺾다. ③ (시간을) 보내다. ④ (소리를) 죽이다. ⑤ 엷게 하다; 약하게 하다. ⑥

K

(의안 따위를) 부결하다; 〖電〗 (회로를) 끊다. ⑦ 지치게하다; 뇌쇄(惱殺)하다. **dressed** 〔**got up**〕 **to** ~ 홀딱 반할 몸차림으로. ~ **by inches** 애태우며〔괴롭히며〕 천천히 죽이다. ~ **oneself** 자살하다. ~ **or cure** 운을 하늘에 걸고. ~ **with kindness** 친절이 지나쳐 도리어 화가 미치게 하다. ── *n.* Ⓒ 살생; (사냥의) 잡은 것; Ⓤ 〖컴〗 없앰. ***∠·er** *n.* Ⓒ 죽이는 사람〔동물·것〕; 살인자; = **∠·er whàle** 범고래. ***∠·ing** *a., n.* 죽이는; 힘겨운; 뇌쇄적인; 《美》 우스워 죽을 지경인; Ⓤ,Ⓒ 죽이는 일, 도살; Ⓒ 사냥에서 잡은 것; (a ~) 《口》 큰 벌이〔수지〕.

kíll·jòy *n.* Ⓒ 흥을 깨뜨리는 사람 (cf. wet blanket).

kiln [kil*n*] *n.* Ⓒ 가마(oven), 노(爐).

kil·o [kí(ː)lo/kíːlou] *n.* (*pl.* **~s**) Ⓒ 킬로(그램, 미터, 리터 따위).

ki·lo- [kílou, -lə] *pref.* '천'의 뜻. **∠·càlorie** *n.* Ⓒ 킬로칼로리《천칼로리》. **∠·cỳcle** *n.* = KILOHERTZ. **∠·eléctron vólt** 〖電〗 킬로일렉트론볼트《생략 kev》. ***∠·gràm,** 《英》 **∠·gràmme** *n.* Ⓒ 킬로그램《생략 kg》. **∠·gràmmeter,** 《英》 **∠·gràmmetre** *n.* Ⓒ 킬로그램미터《 1kg의 물건을 1m 올리는 일의 양》. ***∠·hèrtz** *n.* Ⓒ 킬로헤르츠《주파수의 단위》. ***∠·lìter,** 《英》 **∠·lìtre** *n.* Ⓒ 킬로리터. ***∠·mèter,** 《英》 **∠·mètre** *n.* Ⓒ 킬로미터. **∠·tòn** *n.* Ⓒ 1000톤, (원·수폭의) TNT 1000톤 상당의 폭파력. ***∠·wàtt** *n.* Ⓒ 킬로와트《전력 단위, 1000와트》. **∠·watthóur** *n.* Ⓒ 킬로와트 시(時)《1시간 1킬로와트의 전력》.

kilt [kilt] *n.* Ⓒ 킬트《스코틀랜드 고지 지방의 남자용 짧은 치마》. ── *vt.* 접어〔걷어〕 올리다(tuck up); (…에) 주름을 잡다. **~·ed** [∠id] *a.* 킬트를 입은; 세로 주름이 있는.

ki·mo·no [kimóunə] *n.* (Jap.) Ⓒ 일본 옷; 여성용 느슨한 화장옷.

***kin** [kin] *n.* Ⓤ 친척; 혈족 관계. **near** 〔**next**〕 **of** ~ (최)근친인. **of** ~ 친척인; 같은 종류인. **~·ship** [∠ʃip] *n.* Ⓤ 혈족 관계; (a ~) 유사(類似).

†**kind**¹ [kaind] *a.* 친절한; 상냥한. **:∠·ness** *n.* Ⓤ,Ⓒ 친절(한 태도·행위), 상냥함; 우정.

†**kind**² *n.* ① Ⓒ 종류; 종족, 부류. ② Ⓤ 성질. **in** ~ (돈 아닌) 물품으로(*payment in* ~ 현물 급여〔지급〕); 같은 (종류의) 물건으로; 본질적으로. ~ **of** 《口》 거의; 오히려; (…과) 같은. **of a** ~ 같은 종류의; 이름〔명색〕뿐인, 엉터리의.

***kin·der·gar·ten** [kíndərgàːrtn] *n.* (G.) Ⓒ 유치원. **~·er, -gart·ner** *n.* Ⓒ (유치원의) 원아; 보모.

:kin·dle [kíndl] *vt.* ① (…에) 불을 붙이다; 점화하다. ② 밝게 하다. ③ (정열 따위를) 타오르게 하다. ── *vi.* 불이 붙다; 빛나다; 흥분하다.

kin·dling [kíndliŋ] *n.* Ⓤ (보통 *pl.*) 불쏘시개.

:kind·ly [káindli] *a.* ① 친절한, 상냥한. ② (기후가) 온화한. ── *ad.* ① 친절히, 상냥하게. ② 기꺼이, 쾌히. **take** (*it*) ~ (그것을) 선의로 해석하다; 쾌히 받아들이다. **take** ~ **to** …을 좋아하다. ***kínd·li·ness** *n.*

:kin·dred [kíndrid] *n., a.* Ⓤ ① 혈족(의), 일가 권속(의). ② 친척 관계(의); 유사(類似)(한).

ki·net·ic [kinétik, kai-] *a.* 〖理〗 운동의〔에 의한〕; 활동력이 있는. **~s** *n.* Ⓤ 동역학(動力學).

†**king** [kiŋ] *n.* ① Ⓒ 왕, 국왕. ② (K-) 신, 그리스도. ③ Ⓒ 《口》 왕에 비기는 것; 최상급의 종류. ④ Ⓒ (카드의) 킹, (체스의) 왕. ⑤ (Kings) 〖舊約〗 열왕기(列王記)《상·하 2부》. ~ **of beasts** 백수(百獸)의 왕 (lion). ~ **of birds** = EAGLE. **K- of Kings** 천제(天帝), 황제; 예수.

***king·ly** [kíŋli] *a., ad.* 왕의; 왕다운〔답게〕; 위엄 있는.

:king·dom [∠dəm] *n.* Ⓒ ① 왕국. ② 〖生〗 …계(界). ③ (연구의) 분야. **the animal** 〔**vegetable, mineral**〕 ~ 동물〔식물, 광물〕계.

kíng·fìsher *n.* Ⓒ 〖鳥〗 물총새.

kíng·pìn *n.* Ⓒ (볼링의) 전면〔중앙의〕 기둥; 《口》 중요 인물, 우두머리; 〖機〗 중심볼트.

king·ship [kíŋʃip] *n.* Ⓤ 왕의 신분〔자리·권리〕; 왕권, 왕위.

kíng-sìze(d) *a.* 《口》 특대형의.
kink[kiŋk] *n.* Ⓒ 엉클어짐, 꼬임; 비틀림(twist); 근육의 경련; 성질의 빙퉁그러짐; 괴팍한 성질; 옹고집, 변덕; 결함. — *vi., vt.* 엉클어지(게 하)다. **~·y**[kíŋki] *a.* 비꼬인; 꼬이기 쉬운.
·**kins·man**[kínzmən] *n.* Ⓒ 남자 친척.
ki·osk[kíːɑsk/kí(ː)ɔsk] *n.* Ⓒ (터키 등지의) 정자; (역의) 매점; (지하철의) 입구; (재즈 등의) 연주대(臺).
kip[kip] *n.* Ⓤ 작은[어린] 짐승의 가죽; Ⓒ 그 가죽의 묶음.
kip·per[kípər] *n.* ① Ⓤ,Ⓒ 말린[훈제(燻製)의] 청어[연어]. ② Ⓒ 산란기 중[후]의 연어 수컷. — *vt.* 건물(乾物)[훈제]로 하다.
kirk[kəːrk] *n.* 《Sc.》 = CHURCH.
†**kiss**[kis] *n., vt., vi.* Ⓒ ① 키스[입맞춤](하다). ② 가볍게 스치다[스치기]. ③ 당과(糖菓)의 일종. **~ *and be friends*** 키스하여 화해하다. ***blow a* ~** (손시늉으로) 키스를 보내다. **~ *away*** (눈물을) 키스로 닦아주다. **~ *one's hand to*** …에게 키스를 던지다. **~ *the Bible*** [***Book***] 성서에 입맞추고 선서하다. **~ *the dust*** 굴복하다. **~ *the ground*** 넙죽 엎드리다; 굴욕을 당하다.
·**kit**[kit] *n.* ① Ⓒ 《英》 나무통[주머니], 통. ② Ⓤ,Ⓒ 《주로 英》 장구(裝具), 장비, 복장 일습. ③ Ⓒ (장색의) 연장[용구] 그릇, 용구 상자. ④ Ⓒ 연장[용구] 일습. ⑤ = KITBAG. ⑥ 〖컴〗 짝맞춤.
kít·bàg *n.* Ⓒ 〖軍〗 잡낭(雜囊); (아가리가 큰) 여행 가방.
†**kitch·en**[kítʃən] *n.* Ⓒ 부엌, 주방.
kitch·en·et(te)[kìtʃənét] *n.* Ⓒ (아파트 따위의) 간이 부엌. 「園).
kítchen gàrden 남새밭, 채원(菜
kítchen·wàre *n.* Ⓤ 취사 도구, 부엌 세간.
·**kite**[kait] *n.* Ⓒ ① 솔개. ② 연. ③ 사기꾼. ④ 〖商〗 융통어음. ***fly a* ~** 연을 날리다; 여론을 살피다. — *vi.* 《口》 솔개처럼 날다; 빠르게 움직이다. — *vt.* 〖商〗 융통 어음으로 바꾸다.
kith[kiθ] *n.* 《다음 용법으로만》. **~ *and kin*** 친척(연고자), 일가 친척.
kitsch[kitʃ] *n.* Ⓤ 통속 문학(의 재료); 저속한 허식성.
:**kit·ten**[kítn] *n.* Ⓒ ① 새끼 고양이. ② 말괄량이. ***have*** (***a litter of***) **~*s*** 《美俗》 안절부절 못하다; 잔뜩 화내다. **~·ish** *a.* 새끼 고양이 같은; 해롱거리는; 요염한.
·**kit·ty**[1][kíti] *n.* Ⓒ 새끼 고양이(kitten). 「금.
kit·ty[2] *n.* Ⓒ (포커의) 판돈; 공동 자
ki·wi[kíːwi(ː)] *n.* Ⓒ 키위《뉴질랜드산의 날개 없는 새》; 《口》 뉴질랜드 사람; 《英空俗》 (공군의) 지상 근무원.
Klax·on[klǽksən] *n.* 〖商標〗 클랙슨《자동차의 전기 경적》.
Kleen·ex [klíːneks] *n.* Ⓤ 〖商標〗 클리넥스《tissue paper의 일종》.
klep·to·ma·ni·a [klèptəméiniə, -njə] *n.* Ⓤ (병적) 도벽(盜癖). **-ac** [-niæ̀k] *n.* Ⓒ 절도광.
km, km. kilometer(s).
K-mes·on[kéimézɑn, -míːsɑn] *n.* Ⓒ 〖理〗 K 중간자(kaon).
·**knack**[næk] *n.* (*sing.*) ① 숙련된 기술; 요령. ② 버릇.
·**knap·sack**[nǽpsæ̀k] *n.* Ⓒ 배낭.
:**knave**[neiv] *n.* Ⓒ ① 악한, 무뢰한, 악당. ② 〖카드〗 잭.
·**knead**[niːd] *vt.* 반죽하다; 안마하다.
†**knee**[niː] *n.* Ⓒ ① 무릎; 무릎 모양의 것. ② (옷의) 무릎 (부분). ***bring*** (***a person***) ***to one's* ~*s*** 굴복시키다. ***fall*** [***go down***] ***on one's* ~*s*** 무릎을 꿇다. ***on hands and* ~*s*** 기어서. ***on the* ~*s of the gods*** 인력(人力)이 미치지 않는; 미정의. — *vt.* 무릎으로 치다[밀다].
knée·càp *n.* Ⓒ 슬개골, 종지뼈, 무릎 받이.
knée-déep *a.* 무릎 깊이의.
knée-hígh *a.* (신발 따위) 무릎 높이의. **~ *to a grasshopper*** 《口》 아주 작은.
knée jèrk 〖醫〗 무릎[슬개] 반사.
:**kneel**[niːl] *vi.* (***knelt, ~ed***) 무릎을 꿇다(*before, down, to*). **~ *to*** …앞에 무릎 꿇다; …을 간원하다. **~ *up*** 무릎을 짚고 일어서다.
·**knell**[nel] *n.* Ⓒ 조종(弔鐘) 소리; 불길한 징조. — *vt., vi.* (조종을

K

(이]) 울리다; 슬픈 소리를 내다; 궂은 일을 알리다.

†**knew**[nju:] *v.* know의 과거.

Knick·er·bock·er [níkərbὰkər/-bɔ̀-] *n.* Ⓒ (네덜란드계(系)) 뉴욕 사람; (k-)(*pl.*) =**knickers** 무릎 아래에서 졸라매는 낙낙한 반바지.

knick·knack[níknæ̀k] *n.* Ⓒ 자질구레한 장식품; (장식용) 골동품.

†**knife**[naif] *n.* (*pl.* ***knives***) Ⓒ 나이프, 식칼; 메스. ***a ~ and fork*** 식탁용 나이프와 포크; 식사. ***before you can say ~*** 《口》 순식간에. ***cut like a ~*** (바람 따위가) 살을 에는 듯하다. ***play a good*** 〔***capital***〕 ***~ and fork*** 배불리 먹다. ***under the ~*** 외과 수술을 받아. — *vt.* 나이프로 베다; 단도로 찌르다〔찔러 죽이다〕; 비겁한 수법으로 해치우려 하다.

knífe-pòint *n.* Ⓒ 나이프의 칼끝. ***at ~*** 나이프로 위협받고.

:**knight**[nait] *n.* Ⓒ ① (중세기) 기사. ② 《英》 나이트작(爵)의 사람 (baronet의 아래로 Sir의 칭호가 허용됨). ③ 〖체스〗 나이트. ***Knights of columbus*** 미국 가톨릭 자선회 (1882 창립). ***Kinghts of the Round Table*** (Arthur 왕의) 원탁(圓卓) 기사단. — *vt.* (…에게) 나이트작(爵)을 주다. **∠·hòod** *n.* Ⓤ 기사의 신분, 기사도, 기사 기질; 《집합적》 기사단. ***∠·ly** *a., ad.* 기사의; 기사다운〔답게〕, 용감한.

knìght-érrant *n.* (*pl.* ***knights-errant***) Ⓒ 무사 수행자(修行者). **~ry** *n.* Ⓤ 무사 수행.

:**knit**[nit] *vt.* (***~ted, knit; -tt-***) ① 뜨다, 짜다. ② 밀착시키다. ③ (눈살을) 찌푸리다. — *vi.* 편물〔뜨개질〕하다; 접합하다. ***~ goods*** 메리야스류. ***~ up*** 짜깁다; 결합하다. ***well-~ (frame)*** 꽉 째인(체격), 튼튼한.

knít·ting[nítiŋ] *n.* Ⓤ,Ⓒ 뜨개질, 편물, 뜨개질 세공.

knítting nèedle 뜨개 바늘.

knít·wèar *n.* Ⓤ 니트웨어, 편물(류).

knob**[nɑb/-ɔ-] *n.* Ⓒ 마디, 혹; (문·서랍 등의) 손잡이; 《美》 작고 둥근 언덕. ***with ~s on 《俗》 게다가, 설상가상으로. **∠·by** *a.* 마디〔혹〕 많은, 마디〔혹〕같은.

†**knock**[nɑk/-ɔ-] *vt.* ① 치다; (문을) 두드리다; 부딪치다. ② 《俗》 깜짝 놀라게 하다. ③ 《美口》 깎아내리다, 헐뜯다. — *vi.* ① 치다; (문을) 두드리다; 부딪다. ② (엔진이) 덜거덕거리다; 《美口》 험담하다. ***~ about*** (남을) 학대하다; 두들겨 패다; 《口》 배회하다. ***~ against*** 충돌하다; (공교롭게) 만나다. ***~ away*** 두들겨서 떼다〔벗기다〕. ***~ back*** 《俗》 (술을) 단숨에 들이켜다. ***~ cold*** 때려 기절시키다; = ~ out. ***~ down*** 때려 눕히다; 분해하다; (경매에서) 경락(競落)시키다(*to*); 《俗》 (급료를) 타다, 벌다. ***~ for a goal*** = ~ for a loop. ***~ for a loop*** 《美俗》 완전히 해치우다, 재빨리 처치〔처리〕하다, 아연하게 만들다. ***~ in*** 두들겨 넣다, 처박다. ***~ into a cocked hat*** 쳐부수다, 엉망을 만들다. ***K- it off!*** 《美俗》 (이야기·농담을) 그만둬라! ***~ off*** 두드려 떨어버리다; (일을) 중지하다; 《口》 제꺽제꺽 해치우다; 《美俗》 …을 죽이다. ***~ out*** 두들겨 보내다; 〖拳〗 녹아웃시키다. ***~ over*** 쳐서 쓰러뜨리다. ***~ together*** 충돌시키다〔하다〕; 벼락치기로 만들다, 급조하다. ***~ under*** 항복하다 (*to*). ***~ up*** 두들겨 일으키다; 쳐 올리다; 《英口》 녹초가 되(게 하)다; 벼락치기로 만들다. — *n.* Ⓒ 치기; (문을) 두드림; 그 소리; 노크; (엔진의) 노킹(소리). — *a.* 시끄러운; (노동복 등이) 튼튼한. ***∠·er** *n.* Ⓒ 두들기는 사람〔것〕; 문에 달린 노크하는 쇠. **∠·ing** *n.* (엔진의) 노킹.

knóck·abòut *n.* Ⓒ 〖海〗 소형 돛배의 일종.

***knóck·dòwn** *a.* ① 타도하는, 압도적인. ② (가구 등이) 조립식인. ③ 최저 가격의. — *n.* Ⓒ ① 때려 눕힘, 압도적인 것. ② 조립식 가구(따위). ③ 할인. ④ 치고받음.

knóck-knèed *a.* 안짱다리의.

knóck·òn *a.* (소립자 등이) 충격에 의해 방출되는.

***knóck·òut** *n.* Ⓒ ① 〖拳〗 녹아웃; 큰 타격. ② 《口》 굉장한 것〔사람〕.

knoll[noul] *n.* Ⓒ 작은 둔덕〔산〕.

:**knot**[nɑt/-ɔ-] *n.* Ⓒ ① 매듭; 나비

매듭. ② 혹; (나무의) 마디. ③ 무리, 떼. ④ 곤란, 난국; 분규. ⑤ 〖海〗 노트, 해리(海里). **cut the (Gordian)** ~ 어려운 일을 과감하게 처리하다. **in ~s** 삼삼오오. ― *vt.* (**-tt-**) 매다; 매듭을 짓다. ― *vi.* 매어[맺어]지다. **~·ted**[∠id]. **∠·ty** *a.* 매듭 있는; 어려운.

†**know**[nou] *vt., vi.* (**knew; ~n**) ① 알(고 있)다; 이해[체험]하고 있다. ② 인지하다; 분간[식별]하다. **all one ~s** 《口》 전력을 다해. **~ a thing or two** 《口》 빈틈이 없다, 세상 물정에 밝다. **~ for certain** 확실히 알고 있다. **~ of** …에 관하여 알고 있다. **~ what's what** 만사(萬事)를 잘 알고 있다. **you ~** 아시다시피. ― *n.* 《다음의 용법뿐》 **be in the ~** 《口》 사정[내막]을 잘 알고 있다. **∠·a·ble** *a.* 알 수 있는.

knów-hòw *n.* Ⓤ (어떤 일을 하는 데의) 지식, 요령.

:**know·ing**[nóuiŋ] *a.* ① 알고 있는; 빈틈 없는. ② 아는 체하는. ③ 《口》 멋진. **~·ly** *ad.* 아는 체하고; 약삭빠르게; 알면서, 일부러.

knów-it-àll *a., n.* Ⓒ 《口》 (무엇이나) 아는 체하는 (사람).

†**knowl·edge**[nálidʒ/-5-] *n.* Ⓤ ① 지식; 이해. ② 학식, 학문. **come to one's ~** 알게 되다. **not to my ~** 내가 아는 바로는 그렇지 않다(not so far as I know). **~·a·ble** *a.* 지식이 있는; 교활한, 아는 체하는.

†**known**[noun] *v.* know의 과거 분사. ― *a.* 알려진; 이미 알고 있는. **make ~** 공표[발표]하다.

˙**knuck·le**[nʌ́kəl] *n.* Ⓒ ① 손가락 관절《특히 손가락 뿌리의》. ② (소·돼지 따위의) 무릎 고기. ③ (*pl.*) 주먹. **near the ~** 《口》 아슬아슬한 (농담 등)(risky). ― *vi.* (구슬치기(marbles)할 때) 손가락 마디를 땅에 대다. **~ down** 항복하다(*to*); 열심히 하다. **~ under** 항복하다(*to*).

knúckle-dùster *n.* Ⓒ (금속) 가락지(knuckles)《격투할 때 무기로 씀》.

KO, K.O., k.o. knockout.

ko·a·la[kouá:lə] *n.* Ⓒ 〖動〗 코알라.

kohl·ra·bi[kòulrá:bi, ∠∠–/∠∠–] *n.* Ⓒ 〖植〗 구경(球莖) 양배추.

kook[ku:k] *n., a.* Ⓒ 머리가 돈 (사람).

ko·peck, -pek[kóupek] *n.* Ⓒ (러시아) 코페이카 (동전)《1/100 루블》.

Ko·ran [kərǽn, -rá:n, kou-/kɔrá:n] *n.* (the ~) 코란《이슬람교 경전》.

:**ko·re·a**[kərí:ə, kɔ:-/kəríə] *n.* (<고려(高麗)) *n.* 한국. ˚**~n**[kərí:ən, kɔ:-/kəríən] *a., n.* 한국(인)의; Ⓒ 한국인; Ⓤ 한국어.

ko·sher[kóuʃər] *a.* 〖유대教〗 (음식·식기가) 규정에 맞는; 정결한; 《俗》 정당한, 순수한, 좋은. ― *vt., n.* Ⓒ (음식을) 규정[법도]에 따라 요리하다[하는 식당]; 정결한 요리.

kow·tow[káutàu, ∠∠] *n., vi.* Ⓒ (Chin.) 고두(叩頭)(하다).

k.p.h kilometer(s) per hour.

Kraut[kraut] *n.* Ⓒ 《俗》 독일 사람[병사].

Krem·lin [krémlin] *n.* (the ~) (Moscow에 있는) 크렘린 궁전; 러시아 정부.

kro·na [króunə] *n.* (*pl.* **-nor** [-nɔ:r]) Ⓒ 크로나《아이슬란드의 화폐 단위》.

kro·ne[króunə] *n.* (*pl.* **-ner** [-nər]) Ⓒ 크로네《덴마크·노르웨이의 화폐 단위》; (*pl.* **-nen**[-nən]) 크로네《옛독일의 10마르크 금화; 오스트리아의 은화》.

kryp·ton[kríptan/-ɔ-] *n.* Ⓤ 〖化〗 크립톤《희가스 원소; 기호 Kr》.

ku·dos[kjú:das/kjú:dɔs] *n.* (Gk.) Ⓤ 《口》 영예, 명성.

Ku Klux (Klan)[kjú: klʌ̀ks (klǽn), kjú:-] 《美》 큐클럭스클랜, 3K단《남북 전쟁 후 남부 백인의 흑인 박해 비밀 결사; 또 그 재현이라고 칭하는 1915년 조직의 비밀 결사》.

kum·quat [kʌ́mkwàt/-ɔ̀t] *n.* Ⓒ 〖植〗 금귤.

kung fu[kʌ́ŋ fù:] (Chin.) 쿵후《중국의 권법(拳法)》.

kW., kw. kilowatt.

kwash·i·or·kor [kwà:ʃiɔ́:rkɔ:r] *n.* Ⓤ,Ⓒ 〖醫〗 (열대 지방의) 소아 영양 장애 질환.

L

L, l [el] *n.* (*pl.* ***L's, l's***[-z]) Ⓒ L자 모양의 것; 〖機〗 L자관(管); (the L) 《美口》 고가 철도(*an L station*); (로마숫자의) 50(*LXX* = 70; *CL* = 150).

l. left; line; liter(s).

L.A. Los Angeles.

*__la__ [lɑː] *n.* Ⓤ,Ⓒ 〖樂〗 (음계의) 라.

lab [læb] *n.* 《口》 = LABORATORY.

Lab. Labor; Labourite; Labrador.

:**la·bel** [léibəl] *n., vt.* (《英》 ***-ll-***) Ⓒ 라벨(을 붙이다), 꼬리표(를 달다); 레테르〔부전〕(를〔을〕 붙이다); 이름을 붙이다, …라고 부르다; 〖컴〗 이름표〔라벨〕(를〔을〕 붙히다).

la·bi·al [léibiəl, -jəl] *a.* 입술(모양)의; 〖音聲〗 순음(脣音)의. — *n.* Ⓒ 순음(p, b, m, v 따위).

†**la·bor,** 《英》 **-bour** [léibər] *n.* ① Ⓤ 노동, 근로, 노력(勞力); 수고, 노고. ② Ⓒ (구체적인 개개의) 일. ③ Ⓤ (자본·경영에 대한) 노동, 노동자 계급; 《집합적》 노동자. ④ (L-) 《英》 노동당(의원들). ⑤ Ⓤ 산고, 진통, 분만. ***hard*** ~ 중노동, 고역. ***in*** ~ 분만 중에. ~ ***and capital*** 노사(勞使) ~ ***of love*** 좋아서 하는 일. — *vi., vt.* 일하다〔시키다〕; 애써 만들다; (이하 *vi.*) 괴로워하다, 고생하다(*under*); 진통으로 괴로워하다; (배가) 몹시 흔들리다; 난항(難航)하다. ~ ***under*** …에 괴로워하다. :~**·er** *n.* Ⓒ 노동자. ~**·ing** *a.* 노동하는(~*ing classes* 노동자 계급).

:**lab·o·ra·to·ry** [lǽbərətɔ̀ːri/ləbɔ́rətəri] *n.* Ⓒ 실험실, 연구실〔소〕; 제약실; 실험 (시간).

Lábor Dày 《美》 노동절《9월 첫째 월요일, 미국·캐나다 이외에서는 5월 1일》.

la·bored [léibərd] *a.* 애쓴; (동작·호흡 따위가) 곤란한; 부자연한.

lábor fòrce 노동력; 노동 인구.

lábor-intènsive *a.* 노동 집약형의.

*__la·bo·ri·ous__ [ləbɔ́ːriəs] *a.* 힘드는; 부지런한; 공들인. ~**·ly** *ad.*

lábor-sàving *a.* 노동 절약의〔이 되는〕.

lábor ùnion 《美》 노동 조합.

†**la·bour** [léibər] ⇨LABOR.

Lábour Pàrty, the 《英》 노동당.

la·bur·num [ləbə́ːrnəm] *n.* Ⓤ,Ⓒ 〖植〗 콩과의 낙엽 교목의 하나《부활절의 장식용》.

*__lab·y·rinth__ [lǽbərìnθ] *n.* ① (the L-) 〖그神〗 Daedalus가 설계한 미궁(迷宮). ② Ⓒ 미궁, 미로; 복잡한 관계. ③ (the ~) 〖解〗 내이(內耳). **-rin·thine** [læ̀bərínθi(ː)n/-θain] *a.* 미궁의〔과 같은〕.

:**lace** [leis] *n.* Ⓒ 끈, 꼰 끈; Ⓤ 레이스《가슴 장식, 테이블보, 커튼 등에 씀》; 몰; Ⓤ (커피 등에 탄) 소량의 브랜디〔진 따위〕. ***gold*** ~ 금몰. ~ ***boots*** 편상화. — *vt.* 끈으로 죄다〔장식하다〕; (…에) 끈을 꿰다; 줄무늬로 하다; (소량을) 가미하다; 《口》 후려갈기다, 매질하다. — *vi.* 끈으로 매다〔죄어지다〕; 매질하다, 비난하다(*into*). ~ ***up one's shoes*** 구두끈으로 매다.

lac·er·ate [lǽsərèit] *vt.* (고기 따위를) 찢어 발기다; (마음을) 괴롭히다. **-a·tion** [~-éiʃən] *n.* ① Ⓤ 잡아찢음, 고뇌. ② Ⓒ 열상(裂傷).

lach·ry·mose [lǽkrəmòus] *a.* 눈물 잘 흘리는; 비통한, 슬픈, 슬픔을 자아내는.

:**lack** [læk] *n.* ① Ⓤ 결핍, 부족. ② Ⓒ 필요한 것. ***by*** 〔***for, from, through***〕 ~ ***of*** …의 결핍 때문에. ***have*** 〔***there is***〕 ***no*** ~ ***of*** …에 부족함이 없다. — *vi.* (…이) 결핍하다, 모자라다(*in*). — *vt.* (…이) 결핍되다. *∠**·ing** *a., prep.* …이 결핍된; =WITHOUT.

lack·a·dai·si·cal [læ̀kədéizikəl]

L

a. 생각〔시름〕에 잠긴, 감상적인. **~·ly** *ad.*
lack·ey[lǽki] *n.* Ⓒ 종자(從者), 하인; 종; 추종자. — *vt., vi.* (…에) 따르다; 빌붙다.
láck·lùster, 《英》 **-tre** *n., a.* Ⓤ 광택 없음; (눈·보석 등) 흐리터분한.
la·con·ic[ləkɑ́nik/-ɔ́-], **-i·cal** [-əl] *a.* 간결한(concise). **-i·cal·ly** *ad.* **-i·cism**[-nəsìzəm] *n.* = LACONISM.
lac·o·nism[lǽkənìzəm] *n.* Ⓤ (표현의) 간결함; Ⓒ 간결한 어구〔문장〕, 경구〔警句〕.
ˑ**lac·quer**[lǽkər] *n., vt.* Ⓤ,Ⓒ 래커〔옻〕(를〔을〕 칠하다); Ⓤ 《집합적》 칠기(漆器).
la·crosse[ləkrɔ́(ː)s, -rɑ́s] *n.* Ⓤ 라크로스《하키 비슷한 구기의 일종》.
lac·tate[lǽkteit] *vt.* 유화(乳化)하다. — *vi.* 젖을 내다; 젖을 빨리다〔먹이다〕. **lac·tá·tion** *n.*
láctic ácid 젖산.
lac·tose[lǽktous] *n.* Ⓤ 〖化〗 락토오스, 젖당.
la·cu·na [ləkjúːnə] *n.* (*pl.* **~s, -nae**[-niː]) Ⓒ 탈루, 탈문(脫文)(*in*); 공백, 결함(gap); 작은 구멍, 우묵 팬 곳; 〖解〗 (뼈 따위의) 소와(小窩).
lac·y[léisi] *a.* lace 같은.
:lad [læd] *n.* Ⓒ 소년, 젊은이(opp. lass); 《口》 (친근감을 주어) 녀석.
:lad·der[lǽdər] *n.* Ⓒ 사닥다리; (출세의) 연줄; 《英》 (양말의) '전선(傳線)'(《美》run). ***get one's foot on the ~*** 착수〔시작〕하다. ***kick down*** 〔***away***〕 ***the ~*** 출세의 발판이었던 친구를〔직업을〕 차버리다. ***the*** (***social***) ***~*** 사회 계층.
lad·die[lǽdi] *n.* 《Sc.》 = LAD.
ˑ**lad·en** [léidn] *v.* lade의 과거분사. — *a.* (무거운 짐이) 실린.
la·dle[léidl] *n., vt.* Ⓒ 국자(로 푸다, 퍼내다)(*out*). **~·ful**[-fùl] *n.* Ⓒ 한 국자 가득(한 양).
†**la·dy**[léidi] *n.* Ⓒ 숙녀, 귀부인; (신분에 관계 없이) 기품있는 여성; (L-) 《英》 (성명에 붙여) …부인《'Lord' 또는 'Sir'로 호칭되는 이의 부인》; …양《백작 이상의 딸에 대한 경칭》; (L.) 성모마리아; 《一般》 여성에 대한 경칭 또는 호칭; (L-) (*pl.*) 여자 변소. ***my ~*** 《호칭》 마님, 부인, 아(가)씨; 집사람(my wife). ***Our L-*** 성모 마리아. ***the first ~*** 대통령〔주지사〕부인.
lády·bìrd〔**·bùg**〕 *n.* Ⓒ 무당벌레.
lády-in-wáiting *n.* Ⓒ 시녀, 궁녀.
lády-kìller *n.* Ⓒ 《俗》 색한(色漢), 탕아; 호남자.
lády·lìke *a.* 귀부인다운〔같은〕, 우아한, 부드럽고 온화한.
lády·shìp *n.* Ⓒ (Lady 칭호가 있는 이에 대한 경칭으로) 영부인, 영양(令孃)(*your* 〔*her*〕 *L-*); Ⓤ 부인〔귀부인〕임.
ˑ**lag**[læg] *vi.* (**-gg-**) 뒤떨어지다; 느릿느릿 걷다; 늦다. — *n.* Ⓒ 뒤떨어짐, 늦음; 시간의 차오, 지연. ***cultural ~*** 문화의 후진. ***time ~*** 시간의 지체.
lá·ger (**béer**)[lɑ́ːgər(-)] *n.* Ⓤ 저장 맥주《일종의 약한 맥주》.
lag·gard[lǽgərd] (＜lag) *a., n.* 늦은, 느린; Ⓒ 느림보.
ˑ**la·goon** [ləgúːn] *n.* Ⓒ 개펄, 석호(潟湖)《바다에 접근한 호소(湖沼)》; 함수(鹹水)호, 염호; 초호(礁湖).
†**laid** [leid] *v.* lay[1]의 과거(분사). — *a.* 가로놓인, 눕혀진. ***~ up*** 저장의; 집에 틀어박힌; 몸져 누워 있는; 〖船〗 (배를) 독(dock)에 넣은.
:lain[lein] *v.* lie[2]의 과거 분사.
lair[lɛər] *n.* Ⓒ 야수의 (소)굴; 숨는 장소; 《英》 쉬는 장소, 침상.
laird[lɛərd] *n.* Ⓒ 《Sc.》 (대)지주, 영주(領主).
lais·sez 〔***lais·ser***〕 ***faire*** [lèseifɛ́ər/léis-] (F.) 자유 방임주의; (상공업에 대한 정부의) 무간섭주의.
la·i·ty[léiəti] *n.* (the ~) 《집합적》 (성직에 대해서) 속인; 풋내기.
†**lake**[leik] *n.* Ⓒ 호수; 못.
láke·sìde *n.* (the ~) 호반.
:lamb[læm] *n.* ① Ⓒ 새끼〔어린〕양. ② Ⓤ 새끼양 고기. ③ Ⓒ 순한〔천진한〕 사람; 풋내기 투기꾼. ***a wolf*** 〔***fox***〕 ***in ~'s skin*** 양의 탈을 쓴 이리〔여우〕, 위선자. ***like a ~*** 순하게, 겁을 집어먹고; 잘 속아 넘어가는. ***the L-*** (***of God***) 예수. — *vt., vi.* (새

L

끼양을) 낳다.

lam·baste[læmbéist] *vt.* 《口》 후려 갈기다; 몹시 꾸짖다.

:lame[leim] *a.* 절름발이의; (논설·변명 따위가) 불충분한, 앞뒤가 맞지 않는; (시의) 운율이 고르지 못한. ***go* 〔*walk*〕 ～** 발을 절다. ── *vt.* 절름발이〔불구〕로 만들다. **∠·ly** *ad.* **∠·ness** *n.*

láme dúck 《口》 불구자; 파산자; 《美口》 잔여 임기중에 있는 재선 낙선 의원; 부서진 비행기.

:la·ment[ləmént] *vt., vi.* 슬퍼하다, 한탄하다(*over, for*). ***the ～ed*** 고인. ── *n.* Ⓒ 비탄; 비가(悲歌).

:lam·en·ta·ble[lǽməntəbəl] *a.* 슬픈; 통탄할. **-bly** *ad.*

·lam·en·ta·tion [læ̀məntéiʃən] *n.* Ⓤ 슬픔, 비탄; (the L-s) 〖舊約〗 예레미아의 애가(哀歌).

lam·i·nate[lǽmənèit] *vt., vi.* 얇은 판자로 만들다〔가 되다〕. ── [-nit] *a., n.* 얇은 판자 모양의; Ⓤ,Ⓒ 엽상(葉狀) 플라스틱; 합판 제품. **-na·tion** [∸néiʃən] *n.*

†lamp[læmp] *n.* Ⓒ 램프, 등불, (불)빛. (*These books*) ***smell of the ～.*** (이 책들은) 애써 쓴 형적이 뚜렷하다.

lámp·lìght *n.* Ⓤ 등불.

lam·poon[læmpúːn] *n.* Ⓒ 풍자문, 풍자시. ── *vt.* 풍자하다.

lámp·pòst *n.* Ⓒ 가로등 기둥.

lámp·shàde 램프의 갓.

LAN 〖컴〗 local area network (근거리 통신망).

:lance[læns, -ɑː-] *n., vt.* Ⓒ 창(으로 찌르다); (*pl.*) 창기병(槍騎兵); 〖外〗 랜싯(lancet)(으로 절개하다).

lánce córporal 〖英軍〗 병장.

lan·cet[lǽnsit, -ɑ́ː-] *n.* Ⓒ 〖外〗 랜싯, 피침(披針), 바소.

†land[lænd] *n.* ① Ⓤ 뭍, 육지, 지면, 토지. ② Ⓤ 땅, 소유지. ③ Ⓒ 국토, 국가. ***by ～*** 육로로. ***go on the ～*** 농부가 되다, 귀농하다. ***in the ～ of the living*** 이 세상에서. ***see how the ～ lies*** 사태를 미리 조사하다; 사정을 살피다. ***the L- of Enchantment*** 《美》 New Mexico 주의 별칭. ***the L- of Nod*** 졸음(의 나라). ***the L- of Promise*** 〖聖〗 약속의 땅《하느님이 Abraham에게 약속한 Canaan 땅》; 천국; (the l- of p-) 희망의 땅. ── *vt.* 상륙〔양륙〕시키다; 하차〔하선·착륙〕시키다; 《口》 (상·일자리 등을) 얻다; (타격을) 가하다; (…에) 빠지게 하다. ── *vi.* 상륙〔착륙·하차〕하다(*at*); 빠지다. **～ *all over*** 《口》 …을 몹시 꾸짖다. **˙～·ed**[∠id] *a.* 토지를 갖고 있는, 소유지의. **∠·er** *n.* Ⓒ 상륙〔양륙〕자; 〖宇宙〗 착륙선.

lánd àgent 《美》 토지 매매 중개업자; 《英》 토지 관리인.

lánd·fàll *n.* Ⓒ 〖海〗 육지 접근; 육지가 처음으로 보임; 처음으로 보인 육지; 산 사태, 사태; 〖空〗 착륙.

lánd·fill *n.* Ⓤ (쓰레기) 매립; Ⓒ (쓰레기) 매립지.

lánd·hòlding *n., a.* Ⓤ 토지 보유(의).

:land·ing[∠iŋ] *n.* ① Ⓤ,Ⓒ 상륙, 착륙, 하차; 하선, 양륙(揚陸). ② Ⓒ 층계참(platfrom).

lánding cràft 〖美海軍〗 상륙용 주정.

lánding gèar 〖空〗 착륙〔착수〕 장치.

lánding stàge 잔교(棧橋).

lánding strìp (가설) 활주로.

:land·la·dy[lǽndlèidi] *n.* Ⓒ ① 여자 지주〔집주인〕. ② 여관〔하숙〕의 여〔안〕주인(cf. landlord).

lánd·lòcked *a.* 육지로 둘러싸인; 〖魚〗 육봉형(堉封形)의.

:land·lord[lǽndlɔ̀ːrd] *n.* Ⓒ ① 지주; 집주인. ② (여관·하숙의) 주인, 바깥 주인(cf. landlady).

:land·mark[lǽndmɑ̀ːrk] *n.* Ⓒ 경계표; (토지의) 표지(標識), 목표; 획기적 사건.

lánd·màss *n.* Ⓒ 광대한 토지, 대륙.

lánd mìne 지뢰.

·lánd·òwner *n.* Ⓒ 지주.

:land·scape [lǽndskèip] *n., vt., vi.* Ⓒ 풍경(화); 조망; 〖컴〗 가로 방향; 정원을 꾸미다.

lándscape árchitecture 〔**gàrdening**〕 조경술.

·lánd·slìde *n.* Ⓒ 사태; 산사태;

L

《美》(선거에서의) 압도적 승리; 《一般》 대승리.
land·ward[ˊwərd] *ad., a.* 육지 쪽으로(의). **~s** *ad.* =LANDWARD.
:lane[lein] *n.* Ⓒ 작은 길, 시골길; 골목길; 차선(車線); (선박·항공기의) 규정항로.
†lan·guage[lǽŋgwidʒ] *n.* ① Ⓤ (넓은 뜻으로) 언어. ② Ⓒ 국어. ③ Ⓤ 말씨; 어법; 말. ④ Ⓤ 어학, 언어학. ⑤ Ⓤ 《英俗》 나쁜 말, 욕. ⑥ 〖컴〗 언어. ***speak*** (***talk***) ***a person's*** (***the same***) **~** 아무와 생각이나 태도(취미)가 같다. ***use*** **~** ***to*** …에게 욕하다.
lánguage láboratory (**màster**) 어학 실습실(교사).
·lan·guid[lǽŋgwid] *a.* ① 느른한; 귀찮은; 무기력한. ② 불경기의; 침체한. **~·ly** *ad.*
·lan·guish[lǽŋgwiʃ] *vi.* (쇠)약해지다, 시들다; 그리워하다; 고생하다; 번민하다. **~·ing** *a.* 쇠약해 가는; 번민하는, 감상적인; 계속되는, 꼬리를 끄는(lingering). **~·ment** *n.*
lan·guor[lǽŋgər] *n.* Ⓤ 무기력, 나른함; 울적함; 우울; 시름. **~·ous** *a.*
lank[læŋk] *a.* 호리호리한, 야윈; (털·풀잎 등이) 곱슬곱슬하지 않은. **ˊ·y** *a.* 몹시 홀쭉한.
lan·o·lin(**e**)[lǽnəli(ː)n] *n.* Ⓤ 라놀린, 양털 기름, 양모지(脂).
:lan·tern[lǽntərn] *n.* Ⓒ ① 초롱, 각등(角燈), 칸델라, 제등. ② (등대 꼭대기의) 등화실(燈火室). ③ 〖建〗 (채광을 위한) 정탑(頂塔). ④ 환등.
lan·yard[lǽnjərd] *n.* Ⓒ 〖海〗 (선구(船具)의) 죔줄; (수부가 주머니칼을 목에 늘이는) 끈; 〖軍〗 (대포의) 방아줄.
:lap[1][læp] *n.* Ⓒ ① (앉았을 때의) 무릎; (스커트 등의) 무릎 부분; (옷의) 처진 부분, 아랫자락. ② 산골짜기; (산의) 우묵한 곳. ③ 〖競〗 (경주로의) 한 바퀴; (실의) 한 번 감기; 겹침. ***in Fortune's*** **~** 운이 좋아. ***in the*** **~** ***of luxury*** 온갖 사치를 다하여. ― *vt., vi.* (**-pp-**) 접어 겹치(어지)다(*over*); 싸다; (*vt.*) 소중히 하다; 한 바퀴 돌다. **~·ful**[ˊful] *n.* Ⓒ 무릎(앞치마)에 가득.
lap[2] *vt.* (**-pp-**)(할짝할짝) 핥다; (the ~) (파도가) 기슭을 치다. **~ *up*** 날름 핥다; (남의 말이나 아첨 따위를) 곧이듣다, 기꺼이 듣다. ― *n.* Ⓒ 핥음, 핥는 소리; (파도가 기슭을) 치는 소리; Ⓤ (개의) 유동식.
láp dòg 애완견《발바리, 스피츠, 스파니엘 따위》.
la·pel[ləpél] *n.* Ⓒ (저고리의) 접어 젖힌 옷깃.
lap·i·dar·y[lǽpədèri/-dəri] *n.* Ⓒ 보석(연마)공.
lap·is laz·u·li [lǽpis lǽzjulài/ ˌ-ˌ-ˊ-ˌ] 〖鑛〗 유리(瑠璃)(빛).
:lapse[læps] (〈L. *lapsus*) *n.* Ⓒ ① (때의) 추이(推移), 경과; 변천. ② (혀·붓끝의) 실수, 잘못. ③ (권리의) 상실; 폐지. ***moral*** **~** 도덕상의 과오, 타락. ― *vi.* 모르는 사이에 빠지다(타락하다)(~ *into sin*); (재산·권리가) 옮겨지다, 소멸하다; 경과하다.
láp·tòp *n.* Ⓒ 〖컴〗 무릎에 놓을 크기의 퍼스널 컴퓨터.
lap·wing[lǽpwìŋ] *n.* Ⓒ 〖鳥〗 댕기물떼새.
lar·ce·ny[láːrsəni] *n.* ① 〖法〗 Ⓤ 절도죄. ② Ⓒ 절도(행위).
larch[laːrtʃ] *n.* Ⓒ 낙엽송.
·lard[laːrd] *n.* Ⓤ 라드, 돼지 기름. ― *vt.* (…에) 라드를 바르다; (기름기 적은 고기에) 베이컨 따위를 끼우다; (얘기·문장 따위를) 윤색하다.
lard·er[ˊər] *n.* ① Ⓒ 식료 저장실. ② Ⓤ 저장 식품.
†large[laːrdʒ] *a.* 큰, 커다란; 넓은; 다수의; 도량이 넓은, 관대한; (문장 등) 호방한. ***as*** **~** ***as life*** 실물 크기의; 《諧》 (다름아닌) 실물 그 자체가. ***be*** **~** ***of limb*** 손발이 큰. ***on the*** **~** ***side*** 어느쪽이냐 하면 큰 쪽(의). ― *n.* 《다음 성구뿐》 ***at*** **~** 상세히, 충분히; (범인이) 잡히지 않고; 널리, 일반적으로, 전체로서; 《美》 전주(州)를 대표한; 막연히, 허청대고, 제멋대로; 무임소의(*ambassador at* ~ 무임소 대사/*the nation at* ~ 국민 일반). ***in*** (***the***) **~** 대규모로; (축소 않은) 큰 그대로. ― *ad.* 크게(*write* ~); 대대적으로; 자세히; 과대(誇大)하게(*talk* ~ 큰소리

L

치다). BY[1] **and ~.** **:∠·ly** *ad.* 크게; 주로; 풍부하게; 아낌없이; 너그러이; 커다랗게, 대규모로. **∠·ness** *n.*

lárge-scále *a.* 대규모의; (지도 따위) 비율이 큰.

lar·gess(e) [lɑːrdʒés, ∠–] *n.* [U,C] (푸짐한) 부조, 선물; [U] 아낌없이 줌.

larg·ish [lɑ́ːrdʒiʃ] *a.* 좀 큰〔넓은〕, 큼직한.

:lark[1] [lɑːrk] *n.* [C] 종다리(skylark).

lark[2] *n., vi.* [C] 희롱(거리다); 농담(하다), 장난(치다). 「(屬).

lárk·spùr *n.* [C] 〖植〗 참제비고깔속

·lar·va [lɑ́ːrvə] *n.* (*pl.* **-vae**[-viː]) [C] 〖動〗 유충; 〖動〗 유생(幼生)《tadpole, axolotl 따위》. **~l** *a.*

lar·ynx [lǽriŋks] *n.* (*pl.* **~es, larynges** [ləríndʒiːz]) [C] 후두.

las·civ·i·ous [ləsíviəs] *a.* 음탕한; 선정적인. **~·ly** *ad.*

la·ser [léizər] *n.* [C] 레이저《빛의 증폭장치》. **~ beam** 레이저 광선. **~ communication system** 레이저 통신 방식. **~ guided bomb** 레이저 유도 폭탄. **~ rifle** 레이저 총.

láser prìnter 〖컴〗 레이저 인쇄기.

:lash [læʃ] *n.* [C] ① 챗열; 채찍질; (파도의) 충격. ② 비꼼, 빈정댐; 비난; 혹평. ③ 속눈썹(eyelash). — *vt., vi.* ① 채찍질하다; (바람·파도가) 부딪치다. ② 빈정대다, 욕설을 퍼붓다. ③ 성나게〔노하게〕 만들다. ④ (*vt.*) 세차게 움직이다, 흔들다. ⑤ 묶다, 매다. **~ out** (말이) 걷어차다; 폭언을 퍼붓다; 지랄〔난폭한 짓〕을 시작하다; 《英方》 (돈을) 낭비하다. **~·ing**[1] [lǽʃiŋ] *n.* [U,C] 채찍질; 질책; 묶음; 밧줄.

lash·ing[2] *n.* [U] 묶음; [C] 끈.

:lass [læs] *n.* [C] 젊은 여자, 소녀 (opp. lad); 애인. **las·sie** [∠i] *n.* [C] 소녀; 애인.

las·si·tude [lǽsitjùːd] *n.* [U] 무기력, 느른함.

las·so [lǽsou] *n.* (*pl.* **~(e)s**), *vt.* [C] (던지는) 올가미(로 잡다).

†last[1] [læst, -ɑː-] *a.* ① 최후〔최종〕의; 지난 번의, 지난… (*~ night, week, month, year, &c.*). ② 최근의; 최신 유행의. ③ 결코 …할 것 같지 않은(*He is the ~ man to tell a lie.* 거짓말 따위 할 사람이 아니다). ④ 최상의, 궁극의(*This is of the ~ importance.* 이것이 가장 중요하다). **for the ~ time** 그것을 마지막으로. **~ but one** 〔**two**〕 끝에서 둘〔세〕째. **the ~ day** 최후의 심판 날. **the ~ days** 〔**times**〕 (사람의) 죽을 시기; 세상의 종말. **the L- J**UDG(E)MENT. **the ~ offices** 장례(식); 죽은 사람을 위한 기도. **the ~** STRAW. **the L-** SUPPER. **the ~ word** 마지막 말; 《口》 최근의 것, 최신의 스타일. **to the ~ man** 마지막 한 사람까지. — *ad.* 최후에〔로〕(lastly); 요전, 지난 번; 최근. **~ but not least** 마지막으로 중요한 것을 말하지만. **~ of all** 마지막으로. — *n.* (the ~) 최후, 죽음; 최후〔최근〕의 것. **at ~** 드디어, 결국. **at long ~** 간신히, 겨우. **breathe one's ~** 숨을 거두다, 죽다. **hear** 〔**see**〕 **the ~ of** (…을) 마지막으로 듣다〔보다〕. **look one's ~** 마지막으로 보다. **till to the ~** 최후까지, 죽을 때까지. **·∠·ly** *ad.* 최후에〔로〕.

:last[2] *vi., vt.* 지속하다; 계속되다, 상하지 않고) 견더내다, 오래 가다 (*These shoes will ~ me three years.* 이 구두는 3년쯤 신을 수 있겠다). **~ out** 지탱〔유지〕하다. — *n.* [U] 지속력, 끈기. **:∠·ing** *a.* 영속하는; 오래 가는.

last[3] *n.* [C] 구두 골. **stick to one's ~** 본분을 지키다, 쓸데 없는 일에 참견하지 않다.

·lást nàme 성(姓)(cf. first name).

·latch [lætʃ] *n., vt.* [C] 고리쇠〔걸쇠〕(를 걸다). **~ on to** (…에) 꼭 달라 붙다; (…을) 손에 넣다. **on the ~** (자물쇠를 채우지 않고) 걸쇠만 걸고.

†late [leit] *a.* ① 늦은, 더딘(*be ~ for school* 학교에 지각하다). ② 요전의, 지난 번의(*the ~ king* 전왕). ③ 후기의. ④ 작고한, 고(故)…(*the ~ Dr. Einstein*). **keep ~ hours** 밤 늦게 자고 아침 늦게 일어나다. **~** LATIN. **of ~** (**years**) 요즈음, 근년. — *ad.* 늦게, 뒤늦게; 저물어, 밤늦도록; 최근, 요즈음.

L

Better ~ than never. 《속담》 늦을망정 안 하느니보다는 낫다. ***early and ~*** 아침부터 밤까지. ***sit up* 〔*till*〕 *~*** 밤 늦게까지 일어나 있다. **:∠·ly** *ad.* 요즈음, 최근. ⇨LATER, LATEST. **∠·ness** *n.*

·la·tent[léitənt] *a.* 숨은, 보이지 않는, 잠열적인. ~ ***period*** (병의) 잠복기. **~·ly** *ad.*

:lat·er[léitər] 《late의 비교급》 *a.* 더 늦은, 더 이후의. ― *ad.* 나중에. ~ ***on*** 나중에, 추후에. SOON***er or ~.***

·lat·er·al[lǽtərəl] *a.* 옆의, 가로의, 측면(에서, 으로)의; 〖音聲〗 측음(側音)의. ― *n.* Ⓒ 옆쪽, 측면부; 가로장; 〖音聲〗 측음《[l] 음》; 〖蹴〗 = ∠ **páss** 래터럴 패스《골라인과 평행으로 패스하기》. **~·ly** *ad.*

láteral thínking 수평 사고《기존 사고 방식에서 탈피하여 새로운 해결법을 찾음》.

la·tex[léiteks] *n.* (*pl.* **~es, lat·ices**[lǽtəsì:z]) Ⓤ 〖植〗 (고무나무 따위의) 유액(乳液).

lath [læθ, -ɑ:-] *n.* (*pl.* **~s** [-s, -ðz]) Ⓤ,Ⓒ 욋가지. ***as thin as a ~*** 말라 빠져. **~·er**[1][∠ər] *n.* Ⓒ 외(椳) 만드는 사람. **∠·ing** *n.* Ⓤ 외(엮기).

lathe[leið] *n.* Ⓒ 〖機〗 선반(旋盤).

lath·er[2][lǽðər, -ɑ́:-] *n., vt., vi.* Ⓤ 비누 거품(을 칠하다); (말의) 거품같은 땀; 거품 일다, (말이) 땀투성이가 되다; 《口》 갈기다.

:La·tin[lǽtin] *a.* 라틴어(계통)의; Latium(사람)의; 로마 가톨릭교의. ― *n.* Ⓤ 라틴어; Ⓒ Latium〔고대 로마〕 사람. ***classical ~*** 75 B.C.-A.D. 175경까지의 라틴어. ***late ~*** 2-6 세기의 라틴어. ***low* 〔*vulgar*〕 *~*** A.D. 175경 이후의 민간 라틴어. ***medieval* 〔*middle*〕 *~*** 7-15세기의 라틴어. ***modern ~*** 16세기 이후의 라틴어. ***thieves' ~*** 도둑의 은어. **~·ism**[-ìzəm] *n.* Ⓤ,Ⓒ 라틴어풍(風)〔법〕. **~·ist** *n.* Ⓒ 라틴어 학자. **~·ize**[lǽtənàiz] *vt., vi.* 라틴어로 번역하다〔풍으로 만들다〕.

:Látin América 라틴 아메리카《중남미, 멕시코, 서인도 제도 등》.

Látin Chúrch (가톨릭의) 라틴교회.

La·ti·no[lətí:nou] *n.* (*pl.* **~s**) Ⓒ 《美》 미국의 라틴 아메리카계 주민.

:lat·i·tude[lǽtətjù:d] *n.* Ⓤ 위도; 지역, 지대; (활동) 범위, (행동·해석의) 자유; 〖寫〗 관용도. ***cold ~s*** 한지(寒地), 한대 지방. ***out of one's ~*** 격에 맞지 않게. **-tu·di·nal**[∸-∠ənəl] *a.* 위도의.

la·trine[lətrí:n] *n.* Ⓒ (공장·병사(兵舍) 등의) 변소.

:lat·ter [lǽtər] *a.* 뒤(쪽)의, 끝의 (***the ~ half*** 후반); (the ~) 후자의(opp. the former), 《대명사적으로》 후자; 근자의. ***in these ~ day*** 요즈음은. ***one's ~ end*** 죽음. **~·ly** *ad.* 요즈음(lately).

látter-dày *a.* 근대〔근래〕의.

:lat·tice[lǽtis] *n., vt.* Ⓒ (창문의) 격자(를 붙이다); (원자로 속 핵물질의) 격자형 배열. **~d**[-t] *a.* 격자를 붙인.

láttice·wòrk *n.* Ⓤ 격자 만들기〔세공〕.

laud[lɔ:d] *n., vt.* Ⓤ 찬미(하다), 칭찬(하다); Ⓒ 〖宗〗 찬가; (*pl.*) (새벽의) 첫 기도, 찬과(讚課). **∠·a·ble** *a.* 칭찬할 만한. **∠·a·bly** *ad.* **lau·dá·tion** *n.* Ⓤ 칭찬, 찬미.

lau·da·num[lɔ́:dənəm/lɔ́dnəm] *n.* Ⓤ 아편 정기(丁幾).

laud·a·to·ry [lɔ́:dətɔ̀:ri/-təri], **-tive**[-tiv] *a.* 칭찬의.

:laugh[læf, -ɑ:-] *n.* Ⓒ 웃음(소리). ***get* 〔*have*〕 *the ~ of*** (…을) (도리어) 되웃어 주다. ***have the ~ on one's side*** (이번에는) 이 쪽이 웃을 차례가 되다. ***raise a ~*** (사람을) 웃기다. ― *vi.* (소리내어) 웃다; 흥겨워하다; 조소〔무시〕하다(*at*). ― *vt.* 웃으며 …하다(~ *a reply*). ***He ~s best who ~s last.*** 《속담》 지레 좋아하지 말라. ***L- and grow fat.*** 《속담》 웃는 집에 복이 온다. ***~ away*** 일소에 부치다; (시간을) 웃으며 보내다. ***~ down*** 웃어대어 중지〔침묵〕시키다. ***~ in a person's face*** 아무를 맞대놓고 조롱하다. ***~ in* 〔*up*〕 *one's*** SLEEVE. ***~ off*** 웃음으로 얼버무리다. ***~ on the other* 〔*wrong*〕 *side of one's mouth*** 웃다가 갑자기 울상이

L

되다〔풀이 죽다〕. **~ out** 웃음을 터뜨리다. **~·a·ble**[ˊəbl] *a.* 우스운, 어리석은. **ˊ·a·bly** *ad.* **ˊ·ness** *n.*

·laugh·ing[ˊiŋ] *a.* 웃는; 기쁜 듯한; 우스운, 웃을(*It is no ~ matter*). **the L- Philosopher** 그리스의 철인 Democritus의 별명. ── *n.* Ⓤ 웃음, 웃는 일. **~·ly** *ad.*

láughing gàs 웃음 가스, 일산화질소《마취용》.

láughing·stòck *n.* Ⓒ 웃음거리.

:laugh·ter[lǽftər, lɑ́:f-] *n.* Ⓤ 웃음; 웃음소리.

:launch[lɔ:ntʃ, -ɑ:-] *vt.* 진수(進水)시키다, (보트를) 물에 띄우다; (아무를 세상에) 내보내다; 착수〔시작〕하다; 발사하다; 내던지다. ── *vi.* 배를 타고 나아가다; 시작하다(*forth, (out) into*). ── *n.* Ⓒ 진수(대(臺)); 런치《함재 대형 보트》; 기정(汽艇). **ˊ·er** *n.* Ⓒ (유도탄 등의) 발사대〔장치〕.

láunch(ing) pàd 미사일〔로켓〕 발사대.

laun·der[lɔ́:ndər, -ɑ́:-] *vt., vi.* 세탁하다, 세탁하여 다림질하다. **láun·dress** *n.* Ⓒ 세탁부(婦).

laun·der·ette [lɔ̀:ndərét, lɑ̀:n-], **-dro·mat**[lɔ́:ndrəmæ̀t, lɑ́:n-] *n.* Ⓒ 동전 투입식 세탁기, 빨래방.

laun·dress [lɔ́:ndris, lɑ́:n-] *n.* 세탁부(婦).

:laun·dry [lɔ́:ndri, -ɑ́:-] *n.* Ⓒ 세탁장〔물〕; 세탁소. **~·man** *n.* Ⓒ 세탁부(夫). **~·woman** *n.* =LAUNDRESS.

·lau·re·ate[lɔ́:riit] *a.* (영예의) 월계관을 쓴〔받을 만한〕. **poet ~** 계관〔桂冠〕시인. ── *n.* Ⓒ 계관 시인. **~·ship**[-ʃìp] *n.* Ⓤ 계관 시인의 지위〔임기〕.

:lau·rel [lɔ́:rəl, -ɑ́-/-ɔ́-] *n.* ① Ⓤ,Ⓒ 월계수; 《美》 미국석남화. ② (*pl.*) 월계관, 명예, 승리. **look to one's ~s** 명예를 잃지 않도록 조심하다. **rest on one's ~s** 소성(小成)에 만족하다. **win** 〔**gain**〕 **~s** 〔**the ~**〕 영관(榮冠)을 차지하다. **-(l)ed**[-d] *a.* 월계관을 쓴, 영예를 짊어진.

·la·va[lɑ́:və, -ǽ-] *n.* ① Ⓤ 용암. ② Ⓒ 화산암층.

·lav·a·to·ry[lǽvətɔ̀:ri/-təri] *n.* Ⓒ 세면소; 세면대(臺); 변소.

·lav·en·der [lǽvəndər] *n., a.* Ⓒ 〖植〗 라벤더《향수·제충제(劑) 원료》; Ⓤ 연보라색(의).

·lav·ish [lǽviʃ] *vt.* 아낌없이 주다(*on*); 낭비하다. ── *a.* 손이 큰, 활수한; 낭비적인, 사치스러운; 풍부한. **~·er** *n.* **·~·ly** *ad.* **~·ment** *n.* Ⓤ 낭비. **~·ness** *n.*

†law[lɔ:] *n.* ① Ⓒ,Ⓤ 법률, 국법; 보통법. ② Ⓤ 규칙, 관례. ③ Ⓤ 법칙; 원리(principle). ④ Ⓤ 법(률)학. ⑤ Ⓤ 소송. ⑥ (the ~) 변호사업. ⑦ Ⓤ 〖競〗 (규정에 의한)선진(先進)거리. ⑧ (the L-) (구약 성서 중의) 모세의 율법. **be a ~ (un)to oneself** 관습(등)을 무시하다. **give the ~ to** (…을) 마음대로 부리다. **go to ~** (*with* 〔*against*〕 *a person*) 고소하다. **lay down the ~** 명령적으로 말하다; 꾸짖다. **read** 〔**go in for**〕 **~** 법률을 연구하다. **take the ~ into one's own hands** 사적 제재를 가하다.

láw-abìding *a.* 법률을 지키는.

láw·brèaker *n.* Ⓒ 법률 위반자.

·láw còurt 법정.

:law·ful[ˊfəl] *a.* 합법〔적법〕의; 법정의, 정당한(*~ money* 법화/*a ~ age* 성년(成年)). **~·ly** *ad.* **~·ness** *n.*

·law·less[ˊlis] *a.* ① 법률 없는, 법을 지키지 않는. ② 무법의; (감정·욕망 등) 누를 수 없는.

láw·màker *n.* Ⓒ 입법자.

:lawn[1][lɔ:n] *n.* Ⓒ 잔디(밭). **ˊ·y** *a.*

lawn[2] *n.* Ⓤ 론《한랭사(寒冷紗) 비슷한 얇은 아마포〔무명〕; 영국 국교의 bishop의 소매로 쓰임》.

láwn mòwer 잔디 깎는 기계.

láwn tènnis 론 테니스.

láw·sùit *n.* Ⓒ 소송, 고소.

:law·yer[lɔ́:jər] *n.* Ⓒ 법률가; 변호사; 법률 학자.

lax[læks] *a.* 느슨한, 느즈러진; 모호한; 단정치 못한; 설사하는. **ˊ·i·ty** *n.*

lax·a·tive[ˊətiv] *a., n.* 대변이 나오게 하는; Ⓒ 하제(下劑).

†lay[1][lei] *vt.* (*laid*) ① 누이다, 놓다; 가로〔뉘어〕놓다; 고정시키다, 늘어놓다, 쌓다; 깔다. ② (평평하게) 칠하다, 바르다. ③ (올가미 등을) 장치하

L

다. 만들어 놓다; (식탁을) 차리다. ④ (알을) 낳다. ⑤ (무거운 세금·책임을) 지우다, 과하다, 돌리다; (내기에) 걸다. ⑥ (티끌·먼지를) 가라앉히다; (망령 등을) 진정시키다. ⑦ 때려눕히다, 넘어뜨리다; 평평하게 하다. ⑧ 궁리하다, (계획을) 세우다; 신청하다. ⑨ 주장하다; (손해)액을 어림잡다[정하다](*at*). ⑩ (실·밧줄을) 꼬다, (가지를) 엮다. ⑪ (총을) 조준하다. ⑫ (어떤 상태로) 만들다. — *vi.* 알을 낳다; 내기하다(*on, to*); 진력하다. ~ ***about*** 맹렬히 강타하다, 분투하다. ~ ***aside*** [***away, by***] 떼어 두다, 저장하다. ~ ***at*** 《方》 …에 덤벼들다. ~ ***bare*** 벌거벗기다; 누설하다, 입밖에 내다. ~ ***down*** 내리다, 놓다; 부설하다, 깔다, 건설하다; (계획을) 세우다; (포도주를) 저장하다; 주장[단정]하다; 결정하다; 버리다, 사임하다; 지불하다; (내기에) 걸다; 적다. ~ ***fast*** 감금하다(confine). ~ ***for*** 준비하다; 《美口》 숨어 기다리다. ~ ***hold of*** [***on***] 체포하다; (붙)잡다. ~ ***in*** 사들이다, 저장하다; 《俗》 게걸스레 먹다. ~ ***into*** 《俗》 후려 갈기다. ~ ***it on*** 바가지 씌우다; 너무 야단치다; 무턱대고 칭찬하다(~ *it on thick*); 때려눕히다. ~ ***off*** 떼어두다; (일을) 중지하다; (잠시) 해고하다; 구분하다; 《美》 (…을) 피하다. ~ ***on*** (타격을) 가하다; 칠하다; (가스·수도를) 끌어 들이다, 놓다; 과하다; (명령을) 내리다; 준비하다. ~ ***open*** 가린 것을 벗기다, 벌거벗기다; 드러내다, 폭로하다; 절개(切開)하다. ~ ***out*** 펼치다; 설계하다; 토지를 구분하다; 입관(入棺) 준비를 하다; 《俗》 때려 눕히다, 죽이다; 투자[소비]하다; 폭로하다. ~ ***over*** 칠하다; 연기하다; 《美》 도중 하차하다. ~ ***to*** 〖海〗 (일시) 정선(停船)하다[시키다]. ~ ***to one's work*** 일에 전념하다. ~ ***up*** 저장하다; 쓰지 않고 두다; 병이 사람을 틀어박히게 하다. 〖海〗 계선(繫船)하다. ***You may ~ to that*** …이라는 것은 절대로 틀림없다. — ***n.*** Ⓤ (종종 the ~) 위치, 지형(*of*); 상태, 형세, 정세, 사태.

lay[2] *a.* 속인의, 평신도의(opp. clerical); 전문가가 아닌.

lay[3] *n.* Ⓒ 노래; 민요; 시《짧은 이야기체의 시》; (새의) 지저귐.

:lay[4] *v.* lie[2]의 과거.

láy·abòut *n.* Ⓒ 부랑자.

láy-bỳ *n.* Ⓒ 《英》 (도로의) 대피소; (철도의) 대피선.

:lay·er[⌐ər] *n.* Ⓒ ① 놓는[까는, 쌓는] 사람; (돈을) 거는 사람; 알 낳는 닭(*a bad* ~ 알을 잘 안 낳는 닭). ② 층; 켜, (한 번) 칠함. ③ 〖園藝〗 휘묻이(로 불린 나무).

lay·ette[leiét] *n.* (F.) Ⓒ 갓난아이 용품 일습《배내옷·침구 등》.

:lay·man[léimən] *n.* Ⓒ (성직자에 대하여) 속인, 평신도.

láy·òff *n.* Ⓒ 일시적 해고[휴직, 귀휴](기간).

˙láy·òut *n.* Ⓤ,Ⓒ 설계, 지면 배치; 〖컴〗 레이아웃, 판짜기《책·신문의 지면 배열》. ② (도구 등의) 한 벌.

laze[leiz] (<⇩) *vi.* 게으름 피우다 (*away*).

:la·zy[léizi] *a.* 게으른; 느린. **lá·zi·ly** *ad.* **lá·zi·ness** *n.*

lázy·bònes *n.* (*pl.* ~) Ⓒ 《口》 게으름뱅이.

Lázy Súsan (식탁 중앙의) 회전 쟁반.

˙lb. (*pl.* ***lbs.***) *libra.* (L. = pound).

LCD liquid crystal display 액정 디스플레이[표시].

leach[liːtʃ] *vt., vi.* 거르다; 걸러 내다[나오다]. — *n.* Ⓒ 여과(기); Ⓤ 잿물. **⌐·y** *a.* 다공질(多孔質)의《흙 따위》.

:lead[1][led] *n.* ① Ⓤ 납; Ⓒ 납제품. ② Ⓤ,Ⓒ (연필의) 심; Ⓒ 측연(測鉛). ③ (*pl.*) 함석 지붕. ④ Ⓒ 〖印〗 인테르. ***heave the*** ~ 수심을 재다. — *vt.* (…에) 납을 씌우다[채워 메우다]; 〖印〗 인테르를 끼우다.

†lead[2][liːd] *vt.* (***led***[led]) ① 인도[안내]하다; 데리고 가다; 거느리다; 지도하다. ② (클라스의) 수석을 차지하다. ③ 꾀다; 시작하다, 앞장서서 하다. ④ (수도 따위를) 끌다. ⑤ 지내다, (생활·일생을) 보내다. — *vi.* 안내하다; (길이) 통하다, 이르다(*to*); 귀착하다; 솔선[리드]하다; 끌려가다; 〖카드〗 맨먼저 패를 내다; 〖拳〗 치고 공세를 취하다. ~ ***away*** 데리가 가다, 꾀다; 맹종시키다. ~ ***by the***

nose 맹종시키다, 마음대로 부리다. **~ *off*** 시작하다, 솔선하다. **~ *on*** 꾀다, 꾀어 들이다. **~ *out*** 시작하다; 꾀다. **~ *out of*** (…으로) 이끌다, …하도록 만들다. (…으로) 화제를 돌리다. — ***n.*** ① (*sing.*) 선도, 솔선, 지휘; 통솔(력); Ⓒ 지침, 모범; 조언(助言), 실마리. ② (a ~) 우세; Ⓒ 〖劇〗 주역(배우); 〖카드〗 선수(先手). ③ Ⓒ (물을 끌어들이는) 도랑; 〖電〗 도선(導線); 개(를 끄는) 줄(leash); 광맥(鑛脈)(lode). ④ Ⓒ 〖新聞〗 허두(의 일정); 〖放〗 톱 뉴스. ***follow the ~ of*** …의 예에 따르다. ***give a person a ~*** 모범을 보이다. ***take the ~ in*** (…을) 솔선하여 하다.

lead·en[lédn] ***a.*** 납(빛)의; 답답한; (눈이) 정기 없는; (날이) 무딘; 활기 없는.

†**lead·er**[lí:dər] ***n.*** Ⓒ ① 지도자, 솔선자, 주장; 〖樂〗 지휘자; 제1주자. ② (신문의) 사설. ③ (4두 마차의) 선두 말. ④ (손님을 끄는) 특가품; 유도 신문. ⑤ (낚시의) 목줄; (필름의) 양쪽 선단부. ⑥ (*pl.*) 〖印〗 점선. **:~·ship**[-ʃip] ***n.***

lead·in[lí:dìn] ***n., a.*** Ⓒ 〖電〗 도입선; 끌어들이는; 〖放〗 (커머셜《광고의 말》을 이끄는) 도입 부분.

:lead·ing[lí:diŋ] ***n.*** Ⓤ 지도, 지표, 통솔(력). — ***a.*** 이끄는, 지휘하는; 주역의; 주요한, 일류인, 훌륭한; 선도하는; 세력 있는.

léading árticle[lí:diŋ-] 사설; (정기 간행물의) 주요 기사.

léading lády 〔**mán**〕 주연 여우〔남우〕.

léading quéstion (호의적인) 유도 신문(leader).

†**leaf**[li:f] ***n.*** (*pl.* ***leaves***) ① Ⓤ,Ⓒ (한 장의, 또는 집합적으로) 잎(사귀). ② Ⓒ (책 따위의 종이) 한 장. ③ Ⓒ 꽃잎. ④ Ⓒ 얇은 판자, 박(箔). ⑤ Ⓒ (접는 문의) 문짝, (경첩 따위의) 한 장. ***come into ~*** 잎이 나오다. ***gold ~*** 금박(金箔). ***in ~*** (푸른) 잎이 나와. ***the fall of the ~*** 낙엽이 질 때, 가을. ***turn over a new ~*** 생활을 일신하다. — ***vi.*** 잎이 나오다. — ***vt.*** (급히 책) 페이지를 넘기다. ***´~·less*** ***a.*** 잎 없는.

leaf·let**[´lit] ***n. Ⓒ 작은 잎; 광고지.

léaf mòld 〔《英》 **mòuld**〕 부엽토「(腐葉土).

leaf·y**[lí:fi] ***a. ① 잎이 우거진, 잎이 많은. ② 잎으로 된. ③ 잎 모양의.

:league[1][li:g] ***n.*** Ⓒ 동맹, 연맹; 리그; 맹약; (the L-) 〖史〗 신성 동맹; (the L-) = (***the***) ***L- of Nations*** 국제 연맹(1919-46). ***in ~ with*** …와 맹어. — ***vi., vt.*** 동맹〔연맹〕하다〔시키다〕.

league[2] ***n.*** Ⓒ 리그《거리의 단위, 약 「3마일》.

leak**[li:k] ***n. Ⓒ 샘, 새는 곳〔구멍〕; 〖電〗 누전. ***spring*** 〔***start***〕 ***a ~*** 새는 곳〔구멍〕이 생기다, 새기 시작하다. — ***vi., vt.*** 새(어 나오)다, 새는 구멍이 있다; 새게 하다.

leak·age[´idʒ] ***n.*** Ⓤ 누출; Ⓒ 누출량; Ⓤ 샘, 누설, 드러남; Ⓒ 〖商〗 누손(漏損).

leak·y[´i] ***a.*** 새는 구멍 있는, 새기 쉬운; 오줌을 지리는; 비밀을 지킬 수 없는(*He is a ~ vessel.* 그 친구에게 말하면 곧장 새어 버린다).

:lean[1][li:n] ***a.*** ① 야윈. ② 살코기의, 지방 없는. ③ (식사·영양가·강의 따위가) 빈약한, 수확이 적은. — ***n.*** Ⓤ 살코기; Ⓒ 야윈〔가는〕 부분.

:lean[2] ***vi.*** (**~*ed***[li:nd/lent, li:nd], 《英》 ***leant***) 기대다(*against, on, over*); (…의) 경향이 있다(*to, toward*). — ***vt.*** 기대게 하다; 기울이다; 구부리다. **~ *against*** …에 대해 비우호적이다. **~ *back*** 뒤로 젖혀지다. **~ *over backward*** 지금까지와는 반대(의 태도)로 나오다. **~ *toward mercy*** 조금 자비심을 내다. — ***n.*** Ⓤ 기울, 경사. ***´~·ing*** ***n.*** Ⓤ 경사; Ⓒ 경향, 기호(嗜好).

léan-tò ***n.*** Ⓒ 의지간; 달개지붕.

:leap[li:p] ***vi.*** (**~*t***, **~*ed***[lept, li:pt]) 뛰다, 도약하다; 약동하다(~ *for joy*). — [승마할 때는 lep] ***vt.*** 뛰어 넘(게 하)다. **~ *out*** …의 눈에 띄다. **~ *to one's feet*** (기뻐서, 놀라서) 뛰어 오르다. **~ *to the eye*** 곧 눈에 띄다. ***Look before you ~.*** 《속담》 실행 전에 잘 생각하라. — ***n.*** Ⓒ (한 번) 뛰기; 그 거리. ***a ~***

L

in the dark 난폭[무모]한 행동. ***by ~s and bounds*** 급속히, 일사천리로.
léap·fròg *n., vi.* (**-gg-**) Ⓤ 개구리 뜀(을 하다)(*over*). **~ging** *n.* Ⓤ 〖經〗(물가와 임금과의) 악순환.
léap yèar 윤년.
†**learn**[ləːrn] *vt., vi.* (**~ed**[-t, -d], **~t**) 배우다, 익히다; 외다; (들어서) 알다(*from, of*); 《古·俗·諧》 가르치다. **~ *a lesson*** 학과를 공부하다; (경험으로) 교훈을 얻다. **~ *by heart*** [***rote***] 암기하다. **:∠·er** *n.* †**∠·ing** *n.* Ⓤ 학문; 박식. ***man of ~ing*** 학식 있는 사람.
:learn·ed *a.* ① [lə́ːrnid] 학식 있는; 학구적인; 학자의. ② [lə́ːrnd, -t] 학습에 의해 터득한, 후천적인. ***the ~*** 학자들.
·**lease**[liːs] *vt.* (토지를) 임대[임차]하다, 빌(리)다. **~*d territory*** 조차지(租借地). — *n.* Ⓤ,Ⓒ (토지·건물의) 임대차 계약(권·기간); Ⓒ 그 계약서; (목숨 등) 정해진 기간. ***by*** [***on***] **~** 임대로; 임차로. ***take a new ~ of life*** (완쾌되어) 수명이 늘다.
léase·hòld *n.* Ⓤ,Ⓒ 차지. **~er** *n.* Ⓒ 차지인.
leash[liːʃ] *n.* Ⓒ (개 따위를 매는) 가죽끈; (개·토끼·여우·사슴 따위의) 세 마리; Ⓤ 속박. ***hold in ~*** 속박[지배]하다. — *vt.* 가죽끈으로 매다.
†**least**[liːst] 《little의 최상급》 *n., a.* (보통 the ~) 최소(의)(*There isn't the ~ danger.* 위험은 전혀 없다/ *There is not*[nát/-ɔ́-] *the ~ danger.* 적지 않은 위험이 있다). ***at*** (***the***) **~** 적어도; 하다 못해. ***not in the ~*** 조금도 …않다. ***the ~ common multiple*** 최소 공배수. ***to say the ~ of it*** 줄잡아 말하더라도. — *ad.* 가장 적게. **~ *of all*** 가장 … 않다(*I like arrogance ~ of all.* 오만이 무엇보다도 싫다). **∠·wise, ∠·ways** *ad.* 《口》 적어도, 하다 못해; 하여튼.
:leath·er[léðər] *n.* ① Ⓤ (무두질한) 가죽. ② Ⓒ 가죽 제품; 가죽 끈; 공. ③ Ⓤ 《俗》 피부. **~ *and prunella*** [pru(ː)nélə] 아무래도 괜찮은 일, 보잘것 없는 것《Alexander Pope의 Essay on Man에서》. — *vt.* (…에) 가죽을 씌우다[대다]; 가죽 끈으로 때리다. **~·y**[-i] *a.*
leath·er·ette[lèðərét] *n.* Ⓤ 〖商標〗 레더, 인조 피혁.
†**leave**[1][liːv] *vt.* (**left**) 남기다; 놓고 가다, 둔 채 잊다; (유산 등을) 남기고 죽다; (뒤에 남기고) 떠나다(*~ Seoul for Paris*); (…에서) 물러나다; 지나가다; …케 하다(*His words left me angry.* 그의 말에 화가 났다); …인 채로 두다; 맡기다, 위탁하다(*to, with*); 그만두다(cease). — *vi.* 떠나다, 출발하다. ***be nicely left*** 속다. ***Better ~ it unsaid.*** 말 않는 편이 낫다. ***get left*** 버림받다; 지다. **~ *alone*** 간섭하지 않다(*Please ~ me alone.* 나를 상관 말고 내버려 두세요). **~ *behind*** (뒤에) 남기다; 놓아 둔 채 잊다; 앞지르다. **~ *hold of*** (잡은 것을) 놓아버리다. **~ *much*** [***nothing***] ***to be desired*** 유감스러운 점이 많다[더할 나위 없다]. **~ *off*** 그만두다, 그치다; 벗다, 버리다. **~ *out*** 빠뜨리다, 생략하다; 잊다; 무시하다. **~ *over*** 남기다; 연기하다. **~ *a person to himself*** 방임하다.
:leave[2] *n.* ① Ⓤ 허가. ② Ⓤ,Ⓒ 휴가(기간); 말미. ③ Ⓤ 고별, 작별. ***by your ~*** 실례입니다만. ***have*** [***go on***] **~** 휴가를 얻다. **~ *of absence*** 말미, 휴가(기간). ***on ~*** 휴가로. ***take French ~*** 무단히[아무 말 없이] 자리를 뜨다. ***take ~ of one's senses*** 미치다. ***take one's ~ of*** …에게 작별 인사를 하다. ***without ~*** 무단히.
·**leav·en**[lévən] *n.* ① Ⓤ 효모, 누룩(yeast). ② Ⓤ,Ⓒ 영향을[감화를] 주는 것; 기미(氣味)(tinge), 기운. ***the old ~*** 묵은 누룩; 구폐(舊弊). — *vt.* 발효시키다; 영향을 주다; …기미를 띠게 하다.
†**leaves**[liːvz] *n.* leaf의 복수.
léave-tàking *n.* Ⓤ 작별, 고별.
lech·er·ous [létʃərəs] *a.* 음탕한(lewd). **-y** *n.* Ⓤ 호색, 음란.
lec·tern[léktərn] *n.* Ⓒ (교회의) 성서대(臺); 연사용 탁자.
:lec·ture[léktʃər] *n., vt., vi.* Ⓒ 강의

L

〔강화·강연〕(하다)(*on*); 훈계(하다)(*on*). **~·ship**[-ʃip] *n.* Ⓤ 강사직(의 지위). **:léc·tur·er** *n.* Ⓒ 강사; 강연자.

:led[led] *v.* lead²의 과거(분사).

:ledge[ledʒ] *n.* Ⓒ 좁은 선반; (암벽(岩壁) 측면의) 바위 선반; (해안 부근의) 암초; 광맥.

ledg·er[lédʒər] *n.* Ⓒ 〖簿〗 원장(元帳); (무덤의) 대석(臺石).

:lee¹[liː] *n., a.* Ⓤ (the ~) 바람이 불어가는 방향(의); 바람을 등진 쪽(의); 가려진 곳(shelter); 보호, 비호.

「앙금.

lee² *n.* (보통 *pl.*) (술 종류의) 찌기,

:leech[liːtʃ] *n.* Ⓒ ① 거머리《특히 의료용의》. ② 흡혈귀, 고리 대금업자. ③ 《古》 의사.

leek[liːk] *n.* Ⓒ 〖植〗 리크, 서양부추파; 회색〔청색〕을 띤 녹색.

leer[liər] *n., vi., vt.* Ⓒ 추파(를 던지다), 곁눈질(하다), 짓궂은 눈매(를 하다). **~·y**[líəri] *a.* 곁눈질하는; 《俗》 교활한; 《俗》 의심이 많은(*of*).

lees[liːz] *n. pl.* ⇨LEE².

lee·ward[líːwərd, 《海》 lúːərd] *n., a., ad.* Ⓤ 바람 불어가는 쪽(의, 으로).

lée·wày *n.* ① Ⓤ 〖海〗 풍압(風壓)《바람 불어가는 쪽으로 밀려 내려감》. ② Ⓒ 풍압차(風壓差). ③ Ⓤ,Ⓒ 시간〔돈〕의 여유; 활동의 여지; 시간적 손실. ***make up*** ~ 뒤진 것을 만회하다; 곤경을 벗어나다.

†left¹[left] *a.* 좌측의, 왼쪽의, 좌익의. ***marry with the ~ hand*** 지체 낮은 여자와 결혼하다. — *ad.* 왼쪽에. ***Eyes ~!*** 좌로 나란히! ***L- turn!*** 좌향좌. — *n.* Ⓤ (the ~) 왼쪽; (the L-) 좌익; Ⓤ 좌파, 혁신파. ***over the ~*** 거꾸로 말하면. **∠·ish** *a.* 좌익적인. **∠·ism** *n.* Ⓤ 좌익주의〔사상〕. **∠·ist** *a., n.* Ⓒ 좌익의 (사람), 좌파(의). **∠·y** *n.* Ⓒ 《口》 왼손잡이; 〖野〗 왼손잡이 투수; 좌익《사람》; 왼손잡이용 도구.

left² *v.* leave의 과거(분사).

léft-hánd *a.* 왼손의, 왼쪽의. **~ed** *a.* 왼손잡이의; 왼손으로 한; 왼손용의; 왼쪽으로 도는〔감는〕; 음험한; 불성실한, 말뿐인(*~ed compliment*).

léft·òver *n., a.* Ⓒ (보통 ~s) 나머지(의), 남은 것.

léft·ward *a.* 왼쪽의, 좌측의.

léft wíng 좌익, 좌파, 혁신파.

léft-wíng *a.* 좌익의, 좌파의. **~er** *n.* Ⓒ 좌파〔좌익〕의 사람.

†leg[leg] *n.* Ⓒ ① 다리(부분), 정강이; (가구 따위의) 다리. ② 지주, 버팀대; (삼각형의 밑변 이외의) 변. ③ (옷)자락. ④ (여정·주정(走程)의) 구분, 한구간; (갈지자로 나아가는 범선의) 한진행 구간〔거리〕. ⑤ 《英》 사기꾼. ***as fast as one's ~s would*** 〔***will***〕 ***carry one*** 전속력으로. ***feel*** 〔***find***〕 ***one's ~s*** (갓난아이가) 걸을 수 있게 되다. ***get on one's ~s*** 일어서다. ***give a person a ~ up*** 부축하여 태워 주다, 도와서 어려움을 헤어나게 하다. ***have ~s*** 빠르다(는 평판이다). ***have not a ~ to stand on*** 거론(擧論)〔변명〕의 근거가 없다. ***have the ~s of*** …보다 빠르다. ***keep one's ~s*** 쓰러지지 않다. ***on one's last ~s*** 다 죽게 되어, 막다른 골목에 이르러. ***pull*** 〔***draw***〕 ***a person's ~*** 《口》 속이다, 놀리다. ***shake a ~*** 춤추다. ***stretch one's ~s*** 산책하다. ***take to one's ~s*** 도망치다. ***walk*** 〔***run***〕 ***a person off his ~s*** 지치도록 걷게〔달리게〕 하다. — *vi.* (**-gg-**) 걷다, 달리다. ~ ***it*** 《口》 걷다, 달리다.

:leg·a·cy[légəsi] *n.* Ⓒ 유산; 전승물(傳承物).

:le·gal[líːgəl] *a.* 법률(상)의; 합법적인; 법정(法定)의. **~·ism**[-ìzəm] *n.* Ⓤ (극단적인) 법률 존중주의, 형식주의. **~·ist** *n.* **˚~·ly** *ad.*

légal áid 《英》 법률 구조《재력이 없는 이의 소송비를 정부가 지불하는 일》.

le·gal·i·ty[liːgǽləti] *n.* Ⓤ 적법성; 법률 준수.

le·gal·ize[líːgəlàiz] *vt.* 합법으로 인정하다; 합법화하다; 공인하다. **-i·za·tion**[∸-izéiʃən/-lai-] *n.*

légal ténder 법화(法貨).

leg·ate[légit] *n.* Ⓒ 로마 교황 사절.

le·ga·tion[ligéiʃən] *n.* Ⓒ 공사관; 《집합적》 공사관원.

L

le·ga·to[ligáːtou] *a., ad.* (It.) 〖樂〗 부드러운, 부드럽게.

:leg·end[lédʒənd] *n.* Ⓒ 전설; 성도전(聖徒傳); (화폐·메달 등의) 명(銘); (도표 등의) 설명문, 일러두기. **˙~·ar·y**[-èri/-əri] *a.* 전설의, 전설적인.

˙leg·ging[légiŋ] *n.* Ⓒ 각반; (*pl.*) 레깅스《어린이용 보온(保溫) 바지》.

leg·gy[légi] *a.* 다리가 가늘고 긴〔미끈한〕.

leg·i·ble[lédʒəbəl] *a.* 읽을 수 있는, 읽기 쉬운; 명백한. **-bly** *ad.* **~·ness** *n.* **-bil·i·ty**[⌐–bíləti] *n.*

˙le·gion[líːdʒən] *n.* Ⓒ (고대 로마의) 군단《보병 3000-6000명》; 군세(軍勢); 다수. ***L- of Honor*** (Napoleon 이래의) 레지옹 도뇌르 훈장〔훈위(勳位)〕. **~·ar·y**[-èri/-əri] *a., n.* Ⓒ 군단의 (병사). **~·naire**[lìːdʒənɛ́ər] *n.* Ⓒ 군단의 병사; 미국 재향 군인회 회원.

leg·is·late[lédʒislèit] *vi., vt.* 법률을〔로〕 정하다. **:-la·tion**[⌐––léi-] *n.* Ⓤ 입법; Ⓒ 법률. **˙-la·tive**[-lèit-, -lət-] *a.* 입법의. **˙-la·tor** *n.* Ⓒ 입법자. **˙-la·ture**[-lèitʃər] *n.* Ⓒ (국가의) 입법부.

le·git [lidʒít] *a., n.* 《俗》 = LEGITIMATE (drama).

le·git·i·ma·cy[lidʒítəməsi] *n.* Ⓤ 합법, 정당; 적출(嫡出).

˙le·git·i·mate[lidʒítəmit] *a.* 합법〔적법〕의; 정당한; 적출의; 논리적인. ***~ drama*** 〔***stage***〕 (소극(笑劇) 등에 대하여) 정극(正劇); (영화에 대하여) 무대극. —— [-mèit] *vt.* 합법이라고 하다; 적출로 (인정)하다. **~·ly** *ad.*

le·git·i·mize[-màiz] *vt.* = LEGITIMATE.

leg·ume[légjuːm, ligjúːm], **le·gu·men**[ligjúːmən] *n.* Ⓒ 콩과 식물(의 꼬투리).

lég·wòrk *n.* Ⓤ 돌아다님; 취재 활동.

:lei·sure[líːʒər, lé-] *n., a.* Ⓤ 여가(의); 안일. ***at ~*** 한가하여; 천천히. ***at one's ~*** 한가할〔형편 좋을〕 때에. **~d**[-d] *a.* 한가한. **:~·ly** *ad.*

leit·mo·tif, -tiv[láitmoutìːf] *n.* (G.) Ⓒ (Wagner의 악극(樂劇)의) 시도동기(示導動機); 주목적.

lem·ming[lémiŋ] *n.* Ⓒ 〖動〗 나그네쥐《북극산》.

:lem·on[lémən] *n., a.* Ⓒ 레몬《나무·열매》; Ⓤ 레몬 빛(의), 레몬이 든. **~·y** *a.* 레몬 맛이〔향기가〕 있는.

˙lem·on·ade[lèmənéid] *n.* Ⓤ 레몬수, 레모네이드.

le·mur[líːmər] *n.* Ⓒ 여우원숭이《Madagascar산》.

†lend[lend] *vt.* (***lent***) 빌려주다; (효과 따위를) 증대시키다, 더하다, 첨가하다, (도움을) 주다. ***~ a*** (***helping***) ***hand*** 돕다, 손〔힘〕을 빌리다. ***~ itself*** 〔***oneself***〕 ***to*** …의 소용에 닿다; (나쁜 짓, 비열한 짓 등을) 굳이 하다; 받아 들이다. **⌐·er** *n.* **⌐·ing** *n.* Ⓤ 대여; Ⓒ 대여물; (*pl.*) 빌려 입은 옷.

†length[leŋkθ] *n.* Ⓤ 길이, 기장, 세로; 기간; Ⓒ (보트·경마의) 1정신(艇身), 1마신(馬身). ***at full ~*** 길게; 네 활개를 펴고; 상세히. ***at ~*** 드디어, 겨우; 최대한의 길이로, 상세히. ***go all ~s,*** or ***go to great*** 〔***any***〕 ***~*** 어떤 일이라도 해치우다. ***go the ~ of*** (***doing***) …까지도 하다. ***go the whole ~*** 끝까지 하다, 하고 싶은 말을 모두 하다. ***know*** 〔***find, get, have***〕 ***the ~ of*** …의 성질을〔급소를〕 간파하다. **:~·en**[⌐ən] *vi., vt.* 길게 하다〔되다〕, 늘이다, 늘어나다. **~·ways**[⌐wèiz] *ad.* 세로로. **˙~·wise**[⌐wàiz] *ad., a.* 세로로(의). **˙⌐·y** *a.* 긴; (연설·글이) 장황한.

le·ni·ent[líːniənt, -jənt] *a.* 관대한; 온화한. **~·ly** *ad.* **-ence, -en·cy** *n.*

:lens[lenz] *n.* Ⓒ 렌즈; (눈알의) 수정체.

Lent[lent] *n.* 사순절(四旬節)《Ash Wednesday부터 Easter까지의 40일간; 이 동안에 단식·회개를 함》.

†lent[lent] *v.* lend의 과거(분사).

len·til[léntil] *n.* Ⓒ 〖植〗 렌즈콩, 편두(扁豆).

Le·o[líːou] *n.* 〖天〗 사자자리(the Lion); (황도의) 사자궁(宮).

le·o·nine [líːənàin] *a.* 사자의〔같은〕; (L-) 교황 Leo의.

L

·leop·ard [lépərd] *n.* Ⓒ 〖動〗 표범. ***American*** **~** = JAGUAR. **~·ess** *n.* Ⓒ 암표범.

lep·er [lépər] *n.* Ⓒ ① 나병 환자, 문둥이. ② 세상으로부터 배척당한 사람.

lep·re·chaun [léprəkɔ̀:n] *n.* Ⓒ 《Ir.》 난장이 노인 모습의 요귀(妖鬼).

lep·ro·sy [léprəsi] *n.* Ⓤ 나병. **lép·rous** *a.* 나병의〔같은〕; 비늘 모양의.

les·bi·an [lézbiən] *a., n.* Ⓒ 동성애의 (여자). **~·ism** [-ìzəm] *n.* Ⓤ 여성의 동성애.

le·sion [lí:zən] *n.* Ⓒ 상해(傷害); 〖醫〗 (조직·기능의) 장애, 병소(病巢).

†less [les] 《little의 비교급》 *a.* 보다 적은〔작은〕, 보다 이하의〔못한〕. ***little ~ than*** …와 같은 정도. ***no ~ than*** 꼭 …만큼, 적어도 …만큼; 다름 아닌 바로 그 …. ***nothing ~ than*** 꼭 …만큼, 적어도 …만큼, 바로 그것. — *ad.* 보다 적게. MUCH **~.** ***no*** 〔***none the,*** or ***not the***〕 **~** 역시, 그래도 역시. STILL[1] **~.** — *prep.* = MINUS(*a month ~ two days* 이틀 모자라는 한 달). — *n.* Ⓤ 보다 적은 수량〔액〕. ***in ~ than no time*** 《諧》 곧, 이내.

-less [ləs, lis] *suf.* 명사에 붙여서 '…이 없는', 동사에 붙여서 '…할 수 없는'의 뜻의 형용사를 만듦: care*less*, wire*less*, count*less*.

les·see [lesí:] *n.* Ⓒ 〖法〗 차지〔차가〕인(借地〔借家〕人).

:less·en [lésn] *vt., vi.* 적게〔작게〕 하다〔되다〕; 줄(이)다.

·less·er [lésər] 《little의 비교급》 *a.* 보다 작은〔적은〕.

less·ness [lésnis] *n.* Ⓤ 한층 적음, 열등.

†les·son [lésn] *n.* Ⓒ 학과, 과업; (*pl.*) 수업, 공부, 연습; 교훈; 훈계; (성서의) 일과. ***give*** 〔***have, take***〕 **~*s in*** (*chemistry*) (화학을) 가르치다〔배우다〕. ***read*** 〔***teach***〕 ***a person a ~*** 호되게 야단치다. ***take*** 〔***give, have***〕 **~*s in*** (Latin) (라틴어)를 배우다.

les·sor [lesɔ́:r, ∠–] *n.* Ⓒ (토지·가옥 등을) 빌려 주는 사람, 집주인.

:lest [lest] *conj.* 《문어적》 …하지 않도록; …하면 안 되므로, …을 두려워하여.

†let [let] *vt.* (***let; -tt-***) ① …시키다; 하게 하다, 허가하다. ② 빌려 주다. ③ (액체·음성·공기를) 내다, 새어 나오게 하다, (눈물을) 흘리다. ④ (문 등에 사람을) 통과시키다. — *aux., v.* '권유·명령·허가·가정'의 뜻(*Let's take a rest.* 좀 쉬자). **~ *alone*** 내버려 두다; 《명령적》 …은 그만두고, …은 말할 것도 없고(*He knows Latin, ~ alone French.* 프랑스 말은 물론 라틴 말도 한다). **~ *be*** 내버려 두다; 그만두다. **~ *down*** 내리다, 낙심케 하다; 부끄럽게 하다. **~ *fall*** 떨어뜨리다. **~ *fly*** 날리다. **~ *go*** (쥔 것을) 놓다, 놓아 주다. **~ *in*** 들이다(*Let me in!* 들여 보내 주세요). **~ *into*** 속에 넣다; 알리다; 공격하다, 해내다. **~ *loose*** 놓아 주다. **~ *me see*** (저) 글쎄. **~ *off*** (총을) 쏘다; 농담을 하다; 석방하다; 내다, 새게 하다. **~ *on*** 《口》 새게 하다, 폭로하다; 《口》 …체 하다. **~ *out*** (*vt.*) 흘러나오게 하다, 새게 하다; 넓히다, 크게 하다, 빌려 주다; (*vi.*) 《美》 (모임·학교 등이) 파하다; 후려 갈기다, (발로) 차다; 욕지거리하다(*at*). **~ *pass*** 눈감아 주다. **~ *up*** 그만두다(*on*); 느즈러지다, 바람이 자다.

-let [lət, lit] *suf.* '작은…'의 뜻: stream*let*.

lét·dòwn *n.* Ⓒ 감소, 이완(弛緩); 환멸, 실망; 〖空〗 (착륙을 위한) 감속(減速).

le·thal [lí:θəl] *a.* 치명〔치사〕적인.

le·thar·gic [liθá:rdʒik], **-gi·cal** [-əl] *a.* (몹시) 졸린, 노곤한; 혼수상태의. **-gi·cal·ly** *ad.*

leth·ar·gy [léθərdʒi] *n.* Ⓤ 혼수; 활발치 못함.

†let's [lets] let us의 단축.

†let·ter [létər] *n.* Ⓒ 문자, 글자; 편지; (*pl.*) 문학, 학문, 문필업(*a man of ~s* 학자, 문인); (보통 *pl.*) 증서, …장(狀). **~ *of attorney*** 위임장. **~ *of credit*** 신용장《생략 L/C, l/c, l.c.》. **~*s of marque*** (***and reprisal***) (정부 발행의) 적 상선 나포(敵商船拿捕)허가장. **~*s patent*** 특

L

허장. **to the ~** 문자(그)대로.
létter bòmb 우편 폭탄《우편물에 폭탄을 장치한 것》.
létter bòx 《주로 英》 우편함(《美》 mail box).
létter·hèad *n.* Ⓒ 편지지 위쪽의 인쇄문구《회사 이름·소재지·전화번호 따위》; Ⓤ 그것이 인쇄된 편지지.
let·ter·ing [-iŋ] *n.* Ⓤ 자체(字體), 글자배치; 쓴〔새긴〕 글씨.
·**let·tuce** [létis] *n.* Ⓒ,Ⓤ 상추, 양상추.
lét·ùp *n.* Ⓤ,Ⓒ 《口》 정지; 완화.
leu·ke·mi·a, -kae- [luːkíːmiə] *n.* Ⓤ 백혈(구 과다)증.
lev·ee *n.* Ⓒ (강의) 제방, 둑; 부두.
:**lev·el** [lévəl] *n.* ① Ⓤ,Ⓒ 수평(면). ② Ⓒ 평지. ③ Ⓒ 높이; 수준; 수준기(器). ***bring a surface to a ~*** 어떤 면을 수평하게 하다. ***find one's* 〔*its*〕 ~** 실력에 맞는 지위를 얻다. ***on a ~ with*** …과 동등하게. ***on the ~*** 《俗》 공평한, 정직하게 (말하면). — *a.* 수평의; 평평한; 동일 수준의; 서로 우열이 없는; 한결같은; 분별있는. ***do one's ~ best*** 전력을 다하다. — (《英》 **-ll-**) *vt.* 수평으로 만들다, 고르다; 동일 수준으로 만들다, 한결같게 하다; (건물을) 쓰러뜨리다; 겨누다(*at*); (날카로운 풍자를) 퍼붓다, (의도를) 돌리다(*at, against*). — *vi.* 겨누다, 조준하다. **~ down** 〔**up**〕 (…의 표준을) 낮추다〔올리다〕, 균일하게 하다. **lév·eled,** 《英》 **-elled** [-d] *a.* 〖文〗 등격(等格)의; (악센트가) 등고(等高)의. **lév·el·er,** 《英》 **-el·ler** *n.* Ⓒ 수평하게 만드는 것; 평등주의자, 수평 운동자.
lével cróssing 《英》 =GRADE CROSSING.
lével-héaded *a.* 냉정한, 온건한.
·**lev·er** [lívər, lévər] *n., vi., vt.* Ⓒ 지레〔레버〕(로 움직이다, 비집어 열다). **~·age** [-idʒ] *n.* Ⓤ 지레의 힘〔작용〕; (이용의) 수단; 세력.
le·vi·a·than [liváiəθən] *n.* ① (종종 L-) 〖聖〗 거대한 바다짐승. ② Ⓒ 큰 배; 거대한 물건; 거인.
lev·i·tate [lévətèit] *vi., vt.* (강신술(降神術) 등에서) 공중에 뜨(게 하)다.
lev·i·ty [lévəti] *n.* Ⓤ 경솔, 부박(浮薄); Ⓒ 경솔한 짓.
·**lev·y** [lévi] *vt.* (세금 따위를) 과하다, 거두어 들이다; (장정을) 징집하다. — *vi.* 징세〔과세〕하다. **~ *taxes* 〔*blackmail*〕 *upon*** …에 과세하다〔공갈치다〕. **~ *war on*** …에 전쟁을 걸다. — *n.* Ⓒ 징세, 징집; 징집병원(兵員).
:**lewd** [luːd] *a.* 음탕한, 호색의; 외설한. **~·ly** *ad.* **~·ness** *n.*
lex·i·cal [léksikəl] *a.* 사전(상에서)의.
lex·i·cog·ra·phy [lèksəkágrəfi/-5-] *n.* Ⓤ 사전 편집. **-ra·pher** [-rəfər] *n.* **-co·graph·i·cal** [-sikougrǽfikəl] *a.*
lex·i·con [léksəkən] *n.* Ⓒ 사전《특히 고전어의》.
·**li·a·bil·i·ty** [làiəbíləti] *n.* ① Ⓤ 책임 (있음); 부담; 의무; 경향(*to*). ② Ⓒ 불리한 일〔조항〕. ③ (*pl.*) 빚. ***limited ~*** 유한 책임.
:**li·a·ble** [láiəbəl] *a.* ① 책임 있는 (*for*); (벌·부담·손해 등) 면할 수 없는. ② 빠지기 쉬운; (병에) 걸리기 쉬운; …하기 쉬운.
·**li·ai·son** [líːəzàn, liːéizan/liːéizɔːŋ] *n.* (F.) ① Ⓤ 〖軍〗 연락. ② Ⓒ 〖音聲〗 (프랑스 말 등의) 연결 발음. ③ Ⓒ 간통, 밀통.
:**li·ar** [láiər] (＜lie[1]) *n.* Ⓒ 거짓말쟁이.
lib [lib] *n., a.* Ⓤ 해방 운동(의).
li·ba·tion [laibéiʃən] *n.* Ⓒ 헌주(獻酒)《술을 마시거나 땅 위에 부어서 신(神)을 제사하기》; 신주(神酒); 《諧》 술; 음주.
li·bel [láibəl] *n.* Ⓒ 중상문(서); Ⓤ 〖法〗 명예 훼손죄; Ⓒ 《口》 모욕이 되는 것(*This portrait is a ~ on me.* 망측한 초상화다). — *vt.* (《英》 **-ll-**) 중상하다; 고소하다. **~·er,** 《英》 **~·ler** *n.* **~·ous,** 《英》 **~·lous** *a.*
:**lib·er·al** [líbərəl] *a.* ① 자유주의의. ② 활수한, 대범한; 관대한. ③ 풍부한. ④ 자유로운. ⑤ 자유인〔신사〕에 어울리는, 교양적인. — *n.* Ⓒ 자유주의자; (L-) 자유당원. **~·ism** [-ìzəm] *n.* Ⓤ 자유주의. **~·ist** *n.* **~·is·tic** [⌐--ístik] *a.* **~·i·ty** [⌐-ǽləti] *n.* **~·ly** *ad.*
lib·er·al·ize [-àiz] *vt., vi.* 자유주의의

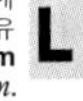

화하다 ; 관대하게 하다〔되다〕. **-i·za·tion**[ㅗ--izéiʃən/-laiz-] *n.*

·**lib·er·ate**[líbərèit] *vt.* ① 해방하다, 자유롭게 하다, (노예 따위를) 석방하다(*from*). ② 〖化〗 유리시키다.

lib·er·a·tion[lìbəréiʃən] *n.* Ⓤ 해방, 석방 ; 〖化〗 유리 ; (무역 따위의) 자유화, (권리·지위의) 평등화. **-a·tor** *n.* Ⓒ 해방자, 석방자.

lib·er·tine[líbərtì:n] *n.* Ⓒ 방탕자, 난봉꾼 ; 〖宗〗 자유 사상가. **-tin·ism**[-tinìzəm] *n.* Ⓤ 방탕, 난봉 ; 〖宗〗 자유 사상.

:**lib·er·ty**[líbərti] *n.* ① Ⓤ 자유 ; 해방. ② Ⓒ 멋대로 함, 방자, 무람〔스스럼〕 없음. ③ (*pl.*) 특권. ***at ~*** 자유로, 마음대로 ; 할일 없어 ; (물건이) 쓰이지 않고. ***be guilty of a ~*** 마음대로 행동하다. ***~ of conscience*** 〔***press***〕 신교(信敎)〔출판〕의 자유. ***take liberties with*** …에게 무람없이 굴다 ; (명예)를 손상하다 ; 멋대로 변경하다, (사실)을 굽히다. ***take the ~*** (*of* do*ing, to* do) 실례를 무릅쓰고 …하다.

li·bid·i·nous [libídənəs] *a.* 호색의 ; 〖精神分析〗 애욕(愛慾)의. **~·ly** *ad.*

li·bi·do [libí:dou] *n.* Ⓤ,Ⓒ 〖精神分析〗 애욕, 리비도.

li·bra[láibrə] *n.* (*pl.* ***-brae***[-bri:]) Ⓒ (무게의) 파운드《생략 lb, lb.》 ; [lí:brə] 파운드(화)《생략 £》 ; (L-) 〖天〗 저울자리, (황도의) 천칭궁(宮).

·**li·brar·i·an**[laibrέəriən] *n.* Ⓒ 도서관원, 사서(司書).

†**li·brar·y**[láibrəri, -rèri] *n.* Ⓒ ① 도서관〔실〕. ② 장서 ; 서재 ; 총서(叢書). ③ 〖컴〗 라이브러리. ***a walking ~*** 박물 군자.

li·bret·to[librétou] *n.* (*pl.* ***~s, -ti***[-ti]) Ⓒ (가극 따위의) 가사, 대본.

lice[lais] *n.* louse의 복수.

:**li·cense, -cence**[láisəns] *n.* ① Ⓤ,Ⓒ 면허, 인가 ; Ⓒ 허가증, 면허장〔증〕, 감찰. ② Ⓤ 방종, 방자, 멋대로 함. ③ Ⓤ (기교상의) 파격(破格). ***under ~*** 면허를 받고서. — *vt.* (…에게) 면허하다. **li·cen·see, -cee**[làisənsí:] *n.* Ⓒ 면허 받은 사람 ; 공인 주류 판매인. **lí·cens·er, -cen·sor** *n.* Ⓒ 인가〔허가〕자 ; 검열관.

lícense plàte (공식 인가를 표시하는) 감찰, (자동차의) 번호판.

li·cen·tious[laisénʃəs] *a.* 방자한, 방탕한 ; 음탕한 ; 반항적인, 《稀》 파격적인《문체》. **~·ly** *ad.* **~·ness** *n.*

·**li·chen**[láikən, -kin] *n.* Ⓤ 〖植〗 지의류(地衣類) ; 이끼 ; 〖醫〗 태선(苔癬).

:**lick**[lik] *vt.* ① 핥다 ; (물결이) 넘실거리다, (불길이) 널름거리다. ② 때리다. ③ 해내다. ④ 《口》 (…에) 이기다, (…보다) 낫다. — *vi.* ① (불길 따위가) 급속히 번지다 ; 너울거리다. ② 서두르다. ③ 《口》 이기다. ***~ into shape*** 《口》 제 구실 할 만큼 길러내다. ***~ one's chops*** 〔***lips***〕 입맛 다시다. ***~*** (*a person's*) ***shoes*** 〔***boots, spittle***〕 (아무에게) 아첨하다. ***~ the dust*** 쓰러지다, 지다. ***~ up*** 다 핥아 먹다. ***This ~s me.*** 도무지 모르겠다. — *n.* ① Ⓒ 핥음, 한 번 핥기. ② (a ~) 조금(*of*). ③ Ⓒ 《口》 일격. ④ Ⓤ 《口》 속력. ***give a ~ and a promise*** (청소·일 등) 되는 대로 하다. **∠·ing** *n.* ① Ⓤ,Ⓒ 핥음. ② Ⓒ 《口》 때림, 지게 함.

lic·o·rice[líkəris] *n.* Ⓤ 〖植〗 감초(甘草) ; 그 말린 뿌리.

:**lid** [lid] *n.* Ⓒ ① 뚜껑 ; 눈꺼풀. ② 《俗》 모자. ***flip one's ~*** 《俗》 마음껏 웃다.

li·do[lí:dou] *n.* Ⓒ 《英》 해변 휴양지 ; 옥외 수영 풀.

†**lie**[1][lai] *vi.* (***lay; lain; lying***) ① (사람·동물이) 누워〔자고〕 있다 ; 눕다 ; 기대다(*against*) ; (지하에) 잠들고 있다. ② 놓여 있다 ; (어떤 상태에) 있다(*~ motionless* 가만히 있다) ; (어떤 장소 또는 위치에) 있다, 위치하다 ; (원인·이유 등이 …에) 있다 ; (지형이) 펼쳐〔전개되어〕 있다 ; (길이) 통해 있다. ③ (군대 등이) 숙영〔야영〕하다 ; (배가) 정박하다(*~ at anchor* 정박하고 있다). ④ (사냥새가) 웅그리다, 움츠리다. ⑤ 〖法〗 (소송 등이) 이유가 서다, 성립되다, 인정할 수 있다. ***as far as in me ~s*** 내 힘이 미치는 한은. ***~ along*** (배가) 옆바람을 받고 기울다 ; 쓰러지다 ; 녹초가 되다. ***~ along the land*** 〔***shore***〕 〖海〗 (배가) 해안을 끼

L

고 항행하다. ~ **asleep** 드러누워 자고 있다. ~ **back against** …에 기대다. ~ **by** 휴식하다, 곁에 있다, 쓰여지지 않고 있다, …에 보관되어 있다. ~ **close** 숨어 있다; 한데 모이다. ~ **down** 눕다; 굴복하다. ~ **down on the job** 《口》(일을) 되는 대로 날리다, 게으름 피우다. ~ **down under** (모욕을) 달게 받다. ~ **heavy on** …을 괴롭히다. ~ **in** 산욕(産褥)에 누워 있다; …에 있다. ~ **in the way** 방해가 되다. ~ **off** 잠깐 일을 쉬다; 은퇴하다; 〖海〗(배가 육지나 다른 배로부터) 조금 떨어져 있다. ~ **on** 〔**upon**〕 …의 의무〔책임〕이다; …여하에 달리다; …의 힘겨운 부담이 되다. ~ **on** (*a person's*) **head** (아무개의) 책임이다. ~ **on one's back** 벌떡 드러눕다. ~ **out of** (*a person's*) **money** (아무에게서) 지불을 받지 않고 있다. ~ **over** 기울다, 연기되다, (기한이 지나도) 지불을 받지 못하고 있다. ~ **to** 정선(停船)하려 하다; …에 전력을 기울이다. ~ **under** …을 받다, …에 몰리다. ~ **up** 병상에 눕다, 휴양하다, (집에) 들어박히다, (겨울을 나기 위해서 배가) 독에 매어지다. ~ **with** …와 함께 자다〔묵다〕; …의 소임〔의무〕이다. — *n.* ① Ⓤ (사물이 존재하는) 위치; 방향, 향; 상태, 형세, 모양. ② Ⓒ (동물의) 소굴. ③ Ⓒ 〖골프〗 공의 위치. **the ~ of the land** 지세(地勢).

†**lie**[2] *n.* Ⓒ 거짓말, 허언; 사기; 허위. **give** *a person* **the ~,** or **give the ~ to** …의 거짓말을 비난하다; …을 거짓(말)이라고 증명하다. **white ~** 악의 없는 거짓말. — *vt., vi.* (**~d; lying**) 거짓말하다, 속이다. ~ *a person* **into** 〔**out of**〕 …을 속여서 …에 빠뜨리다〔…을 우려내다〕.

lied[li:t, li:d] *n.* (*pl.* **~er**[lí:dər]) (G.) Ⓒ 리트, 가곡(歌曲).

líe detèctor 거짓말 탐지기.

líe-dòwn *n.* Ⓒ 《주로 英》 선잠.

liege[li:dʒ] *n.* Ⓒ 군주; 가신; (the ~s) 신하. — *a.* 군주〔가신〕인; 충성스러운. ~ **lord** 군주. **∠·man** *n.* Ⓒ 〖史〗 가신.

lien[li:n, lí:ən] *n.* Ⓒ 〖法〗 유치권, 선취 특권(*on*).

lieu[lu:] *n.* 《다음 성구로》 **in ~ of** …의 대신으로.

Lieut. lieutenant.

:**lieu·ten·ant** [lu:ténənt/(육군) leftén-, (해군) lətén-] *n.* Ⓒ ① 상관 대리, 부관. ② 〖陸軍〗 중〔소〕위; 《英》 중위; 〖海軍〗 대〔중〕위; 《英》 대위. **first** 〔**second**〕 ~ 《美》 육군 중위〔소위〕. ~ **senior** 〔**junior**〕 **grade** 《美》 해군 대〔중〕위. **-an·cy** *n.* Ⓤ lieutenant의 직〔직위·임기〕.

†**life**[laif] *n.* (*pl.* **lives**[laivz]) ① Ⓤ,Ⓒ 생명, 목숨. ② Ⓒ 생애, 일생. ③ Ⓤ 인생; 《집합적》 생물. ④ Ⓒ,Ⓤ 생활, 생계. ⑤ Ⓤ 생기; 활력. ⑥ Ⓒ 전기(傳記). ⑦ Ⓤ 실물; 실물 크기. **all one's ~** 평생. **as large** 〔**big**〕 **as ~** 실물 크기의; 《諧》 틀림없이, 장본인이어서. **come** 〔**bring**〕 **to ~** 소생하다〔시키다〕. **for ~** 종신의. **for dear** 〔**very**〕 **~,** or **for one's ~** 기를 쓰고, 필사적으로; 아무리 해도. **for the ~ of me** 아무리 해도(생각나지 않다 따위). **from** (**the**) **~** 실물에서, 실물을 모델로 하여. **give ~ to** …에게 생기를 불어 넣다. **good** 〔**bad**〕 ~ 〖保險〗 장수할 가망이 있는〔없는〕 사람. **have the time of one's ~** 《口》 난생 처음으로 재미있는 일을 경험하다. **in ~** 이 세상에서, 살아 있는 동안에. **matter of ~ and death** 사활 문제. **not on your ~** 《口》 결코 … 않다. **on** 〔**upon**〕 **my ~** 목숨을 걸고, 맹세코; 이거 놀랐는데! **see ~** 사람들과 널리 사귀다, 세상을 알다(*I've seen something of ~*. 다소 세상이라는 것을 알게 되었다). **take ~** 죽이다. **take one's ~ in one's hands** 그런 줄 알면서 죽음의 위험을 무릅쓰다. **take one's own ~** 자살하다. **this ~** 이 세상. **to the ~** 실물대로, 정확하게; 완전히. **upon** 〔**on**〕 **one's ~** 목숨을 걸고, 맹세코; 어렵쇼. 「의.

lífe-and-déath *a.* 죽느냐 사느냐

lífe bèlt 구명대(救命帶).

lífe·blòod *n.* Ⓤ (생)피; 활력(소); 《英俗》 (눈꺼풀 따위의) 경련.

˙**lífe·bòat** *n.* Ⓒ 구명정(救命艇), 구조선; 《美俗》 은사, 특사.
life bùoy 구명 부낭(浮囊).
life cỳcle 〖生〗 생활사(史), 라이프 사이클; 〖컴〗 생명 주기.
life expèctancy 평균 예상 수명.
life-gìving *a.* 생명을〔생기를〕 주는.
lífe·guàrd *n.* Ⓒ 호위병, 경호원, 친위대; 《英》 구명기(器); 《美》 (수영장 따위의) 구조원.
life hístory 일생, 생애; 〖生〗 (개체의 발생에서 죽음까지의) 생활사.
life insùrance 《美》 생명 보험(의 보험금·보험료).
life jàcket 구명(救命) 자켓.
˙**life·less**[⌐lis] *a.* 생명 없는; 죽은. ② (술·연극 따위) 김빠진. **~·ly** *ad.*
lífe·lìke *a.* 살아 있는 것 같은, 실물과 아주 비슷한.
life lìne 구명삭(索); 생명선(線); (잠수부의) 생명줄.
˙**lífe·lòng** *a.* 일생의, 종신의, 평생의.
life péer (영국의) 일대(一代) 귀족.
life presèrver (수중) 구명대(帶); 호신용 단장.
lif·er[láifər] *n.* Ⓒ 《俗》 종신수(囚).
life·sàver *n.* Ⓒ 구조자; 《口》 구원의 손길.
life scìences 생명 과학《생물학·생화학·의학·심리학 따위》.
life sèntence 종신형, 무기 징역.
life-size(d) *a.* 등신대(等身大)의.
life spàn (생물체의) 수명.
life·stỳle *n.* Ⓒ 《美口》 (개인에게 맞는) 생활 양식.
life-support sýstem 생명 유지 장치《우주·해저 탐험용》.
:**life·tìme** *n., a.* Ⓒ 평생(의).
life·wòrk *n.* Ⓤ 필생의 사업.
†**lift**[lift] *vt.* ① 들어〔안아〕 올리다(*up, off, out*), 올리다; 높이다, 향상시키다, 승급시키다. ② 제거하다. ③ 《美》 (잡힌 물건을) 찾아오다; 《俗》 훔치다, 표절하다; 캐〔파〕내다. ④ (성형 수술로) 주름을 없애다. ── *vi.* ① 높아지다, 올라가다; (구름이) 걷히다; (깔개 따위가) 부풀어 오르다. ② 《美》 잡힌 것을 찾아오다. ***have one's face ~ed*** (미장원 등에서) 얼굴의 주름살을 펴다. ***~ a hand*** 약간의 수고를 하다; 맞서다(*against*). ***~ one's hat*** 모자를 약간 들어 인사하다. ***~ up the hand*** (손을 들고) 선서하다. ── *n.* ① Ⓒ (들어)올림; 위로 향함; 승진, 출세; 상승; (a ~) 정신의 앙양. ② Ⓒ 거들어 줌; 차에 태움. ③ Ⓒ 들어올린 거리; Ⓤ 상승력, 부력(浮力). ④ Ⓒ 《英》 승강기(《美》 elevator); =SKI LIFT; 수송; 공수(空輸). **⌐·er** *n.* **⌐·man** *n.* Ⓒ 승강기 운전사.
lift-òff *n.* Ⓒ (헬리콥터·로켓 따위의) 이륙, 떠오름.
lig·a·ment[lígəmənt] *n.* Ⓒ 〖解〗 인대(靭帶).
lig·a·ture [lígətʃùər, -tʃər] *n.* Ⓒ 〖外〗 결찰사(結紮絲); 〖樂〗 =SLUR; 〖印〗 합자(合字)(Æ, æ 따위). ── *vt.* 동이다, 매다.
†**light**[1][lait] *n.* ① Ⓤ 빛, 광선; 일광, 햇빛; 조명; 새벽; 밝기. ② Ⓒ 등불; 채광창(採光窓); (성냥 등의) 불, 성냥(*a box of ~s*); (*pl.*) 《俗》 눈. ③ Ⓒ 견지; 형세. ④ Ⓤ,Ⓒ (문제 해결의) 단서; Ⓒ 모범이 되는 사람; 그 방면의 대가. ⑤ Ⓤ (정신적인) 광명; 계몽, 교화; 승인(*the ~ of the king's countenance* 왕의 재가·원조). ***according to one's ~s*** 그 식견에 따라서. ***before the ~s*** 무대에 나서서. ***between the ~s*** 저녁때. ***bring*** 〔***come***〕 ***to ~*** 폭로하다〔되다〕. ***by the ~ of nature*** 직각(直覺)으로, 자연히. ***get in a person's ~*** 아무의 빛을 가로막아 서다; 아무의 방해가 되다. ***in the ~ of*** …에 비추어. ***~ and shade*** 명암(明暗); 큰 차이. ***place in a good*** 〔***bad***〕 ***~*** 좋게〔나쁘게〕 보이도록 하다. ***see the ~*** (***of day***) 태어나다; 출판되다; 이해하다; 《美》 개종하다. ***stand in a person's ~*** (출세를) 방해하다. ***strike a ~*** (성냥 따위로) 불을 켜다. ── *vt.* (***lit, ~ed***) (…에) 불을 켜다〔붙이다〕; 비추다; 활기띠게 하다; 불을 켜고 길 안내하다. ── *vi.* 불이 켜지다〔붙다〕; 밝아지다. ── *a.* 빛나는, 반짝이는, 밝은; (색이) 엷은. **~·ed** [⌐id] *a.* 불이 켜진. ˙**⌐·ing** *n.* Ⓤ 조명. **⌐·ness**[1] *n.* Ⓤ 밝기; 광량(光量).

L

:light[2] *a.* ① 가벼운; 간편한; 사소한. ② 경쾌한, 쾌활한; 기민한; 경솔한; 들뜬. ③ 경장비의, 가벼운 몸차림의. ④ (흙이) 흐슬부슬한. ⑤ (소리·술 등이) 약한; (잠이) 깊지 않은. ***be ~ of heart*** 쾌활하다. ***have a ~ hand*** [***touch***] 손재주가 있다, 민완이다. ***~ in the head*** 현기증이 나서; 머리가 돈, 경솔하여. ***~ of foot*** 발이 빠른. ***make ~ of*** …을 얕보다. — *ad.* 가볍게, 경쾌하게, 쉽게. ***L- come, ~ go.*** 《속담》 얻기 쉬운 것은 잃기도 쉽다. **:∠·ly** *ad.* **∠·ness**[2] *n.*

:light·en[1] [láitn] *vt.* ① 비추다, 밝게 하다; 밝히다; (…에게) 광명을 주다. ② (얼굴을) 환하게 하다. ③ 빛깔을 엷게 하다. — *vi.* 빛나다, 번쩍이다; 밝아지다, 환해지다. ***It ~s.*** 번개가 친다.

:light·en[2] *vt., vi.* 가볍게 하다[되다], 경감[완화]하다; 기쁘게 하다; 마음 편해지다.

·light·er[1] [láitər] *n.* Ⓒ ① 불켜는 사람, 점등부(點燈夫). ② 점화기(點火器); 라이터.

light·er[2] *n., vt.* Ⓒ 거룻배(로 운송하다). **~·age** [-idʒ] *n.* Ⓤ 거룻배 운반(삯).

líght-fíngered *a.* 손버릇이 나쁜; (손끝이) 잰.

líght-héaded *a.* 경솔한; 머리가 돈.

líght-héarted *a.* 마음이 쾌활한, 「마음 편한.

líght héavywèight 〖拳·레슬링·力技〗 라이트헤비급 선수.

:líght·hòuse *n.* Ⓒ 등대.

líght índustry 경공업.

:light·ning [láitniŋ] *n.* Ⓤ 번개, 번갯불.

líghtning arrèster [**condùctor, ròd**] 피뢰침.

líght pèn 〖컴〗 광펜《브라운관 위에 신호를 그려 컴퓨터에 입력함》.

líght·shìp *n.* Ⓒ 항로 표지등선(標識燈船), 등대선(船).

líght·wèight *n.* Ⓒ 〖拳·레슬링·力技〗 라이트급 선수; 《口》 하찮은 사람; 표준 무게 이상의 사람.

líght-yèar *n.* Ⓒ 〖天〗 광년(光年).

lig·nite [lígnait] *n.* Ⓤ 갈탄, 아탄(亞炭).

†like[1] [laik] *vt.* 좋아하다; 바라다, …하고 싶다(*to* do; do*ing*). — *vi.* 하고 싶다고 생각하다. ***I ~ that.*** 《反語》 이것봐라(건방진 것 같으니). ***if you ~*** 좋으시다면; …라고도 말할 수 있다(*I am shy if you ~.* 그렇습니다, 숫기가 없다고도 할 수 있겠죠《사람을 싫어하는 건 아니지만》). ***I should*** [***would***] ***~ to*** do …하고 싶습니다. — *n.* (*pl.*) 기호(嗜好), 좋아함. ***~s and dislikes*** 가리는 것.

†like[2] *a.* ① …닮은, …같은; 비슷한. ② …에 어울리는; …의 특징을 나타내는, (과연) …다운; 똑같은(*~ sum* 같은 액수). ③ …이 될 것 같은(*It looks ~ rain.* 비가 올 듯하다); 《古·俗》 거의 …할 것 같아[할 뻔하여](*I was* [《方》 *had*] *~ to have lost it.* 하마터면 잃어버릴 뻔했다). ***feel ~*** do*ing* …하고 싶은 생각이 들다. ***L- master ~ man.*** 《속담》 그 주인에 그 머슴. ***~ nothing on earth*** 드문. ***nothing ~*** …보다 나은 것은 없다(*There is nothing ~ home.* 내집보다 나은 곳은 없다); 조금도 …같지[답지] 않다. ***nothing ~ as good*** 견줄 것이 없을 만큼. ***something ~*** …같은[다운] 것; 대략; 근사한(*something ~ a day* 쾌청(快晴)/*This is something ~!* 이거 근사[굉장]한데). — *ad.* …와 똑같이; 아마; 《俗》 마치 …같이(*He seemed angry, ~.* 마치 성난 것 같았다). ***as ~ as not*** 《口》 아마. — *prep.* …처럼. ***~ anything,*** or 《口》 ***~ blazes*** [***fun, mad***] 맹렬히. ***very ~,*** or ***~ enough*** 아마. — *conj.* 《口》 …와 같이, …처럼(as). — *n.* Ⓤ,Ⓒ 비슷한 것[사람]; 필적하는 것, 마찬가지. ***and the ~*** …같은 것, …따위[등등]. ***L- cures ~.*** 《속담》 이독제독(以毒制毒). ***L- draws to ~.*** 유유상종(類類相從). ***or the ~*** …따위. ***the ~ of it*** 그와 같은 것. ***the ~s of me*** 《낮추어》 나같은 것. **:∠·wise** [-wàiz] *ad.* 똑같이, 마찬가지로; 게다가 또.

-like [laik] *suf.* 《형용사 어미》 '…같은, …와 같은'의 뜻: child*like*.

lik(e)·a·ble [láikəbəl] *a.* 마음에 드

L

는; 호감이 가는.

·**like·li·hood**[láiklihùd] *n.* Ⓤ 있음직한 일, 가능성. ***in all*** ~ 십중팔구.

:**like·ly**[láikli] *a.* ① 있음직한, …할 듯한(*to* do); 유망한, 믿음직한. ② 적당한. ③ 《美》 예쁜. ***A ~ story!*** 있을 법한 이야기다!; 《反語》 설마! — *ad.* 아마. ***as ~ as not*** 아마. ***~ enough*** 아마. ***most ~*** 아마.

líke-mínded *a.* 한마음[동지]의; 같은 취미의.

lik·en[láikən] *vt.* (…에) 비유하다, 비기다.

:**like·ness**[láiknis] *n.* ① Ⓤ 비슷함, 상사(相似)(성). ② Ⓒ 비슷한 것[사람]; 초상. ③ Ⓤ 겉보임, 외관. ***hit a ~*** 매우 닮다[비슷하다].

·**lik·ing** [láikiŋ] *n.* Ⓤ 좋아함, 기호(嗜好)(*for*). ***to one's ~*** 마음에 드는.

·**li·lac**[láilək] *n., a.* Ⓒ 〖植〗 라일락; Ⓤ 연보라색(의), 엷은 자색(의).

Lil·li·put [lílipʌ̀t] *n.* (*Gulliver's Travels*중의) 난쟁이 나라. **-pu·tian** [ㅅ-pjúːʃən] *a., n.* Ⓒ Lilliput의 (사람); 작은.

lilt[lilt] *vt., vi., n.* 경쾌하게 노래 부르다; Ⓒ 그 노래; (a ~) 경쾌하게 움직이다[움직임].

†**lil·y**[líli] *n., a.* Ⓒ ① 백합(같은), 흰, 순결한, 사랑스러운. ② (the lilies) 프랑스 (국민)(⇨FLEUR-DE-LIS). ***the lilies and roses*** 《比》 백합과 장미처럼 아름다운 빛, 미모.

líly-lívered *a.* 겁많은.

líly of the válley 은방울꽃.

:**limb**[lim] *n.* Ⓒ ① 수족, 팔, 다리, 날개; 큰 가지. ② 앞잡이, 졸개. ***be*** LARGE ***of ~. ~ from ~*** 갈기갈기《찢다, 따위》. ***~ of the law*** 사직의 손《재판관, 경관 등》. ***out on a ~*** 《美口》 위태로운 입장에. — *vt.* (…의) 가지를[손발을] 자르다.

lim·ber[1][límbər] *a., vt.* 유연[경쾌]한[하게 하다].

lim·ber[2] *n., vt.* Ⓒ 〖軍〗 전차(前車)(를 연결하다)《포차(砲車)에》.

lim·bo[1][límbou] *n.* Ⓤ ① (천국과 지옥의 중간에 있다는) 림보, 지옥의 변방(邊方). ② 잊혀진[버림받은] 상태; 망각.

lim·bo[2] *n.* (*pl.* **~s**) Ⓒ 림보(댄스).

:**lime**[1][laim] *n., vt.* Ⓤ 석회(로 처리하다, 를 뿌리다); 끈끈이[감탕](를 바르다); =LIMELIGHT. ***~ and water*** 석회수.

lime[2] *n.* Ⓒ 〖植〗 보리수, 참피나무 (linden)(의 열매).

lime[3] *n.* Ⓒ 레몬 비슷한 과실.

líme jùice 라임 과즙《청량 음료》.

líme·lìght *n.* Ⓤ (옛날, 무대 조명에 쓴) 석회광등(石灰光燈); (the ~) 주목의 대상. ***be fond of the ~*** 남의 앞에 서기를 좋아하다. ***in the ~*** 화려한 무대에 서서, 세상의 각광을 받고; 유명해져서.

lim·er·ick[límərik] *n.* Ⓒ 오행 희시(五行戱詩).

·**líme·stòne** *n.* Ⓤ 석회석.

líme trèe 〖植〗 보리수.

:**lim·it**[límit] *n.* ① Ⓒ 한계, 한도, 제한; (종종 *pl.*) 경계. ② (the ~) 〖商〗 지정 가격; (내기의 한 번에 거는) 최대액. ③ (the ~) 참을 수 없는 일[것](*That's the ~!* 더는 못 참겠다!). ***go to any ~*** 무슨 일이든 하다. ***set ~s*** [***a ~***] ***to*** …을 제한하다. ***The sky is the ~.*** 《俗》 무제한이다, 기회는 얼마든지 있다. ***to the ~*** 《美》 극단적으로. ***within the ~s of*** …의 범위내에. — *vt.* 한정[제한]하다. **~·less** *a.*

:**lim·i·ta·tion** [lìmətéiʃən] *n.* ① Ⓤ,Ⓒ 제한, 한정. ② Ⓒ (보통 *pl.*) (지력·능력 등의) 한계, 한도. ③ Ⓤ,Ⓒ 〖法〗 제소(提訴) 기한.

:**lim·it·ed**[-id] *a.* ① 유한의; 제한된, 얼마 안 되는. ② 좁은. ***a ~ war*** 국지전.

límited edítion 한정판.

límited liabílity cómpany 유한 책임 회사, 주식 회사《생략 Ltd》.

lim·o[límou] *n.* Ⓒ 《口》 ① 리무진 (limousine). ② 《一般》 대형 고급 승용차.

lim·ou·sine[líməziːn, ㅅ-ㅅ́] *n.* Ⓒ 리무진《운전석과 객석의 사이에 유리 칸막이가 있는 대형 자동차》; 호화로운 대형 승용차; (공항의) 여객 수송용 소형 버스.

:**limp**[1][limp] *vt., n.* 절뚝거리다; (a ~) 절뚝거림; 서투름.

L

limp[2] *a.* 유연한, 나긋나긋한, 잘 휘는; 흐늘흐늘한; 약한, 힘[풀] 없는.

lim·pet [límpit] *n.* Ⓒ 〖貝〗 꽃양산 조개; = ∠ **mìne** 배밑 밀착식 수뢰.

lim·pid[límpid] *a.* 맑은; 투명한. ~·**ly** *ad.* ~·**ness** *n.* **lim·píd·i·ty** *n.*

linch·pin [líntʃpìn] *n.* Ⓒ (바퀴 굴대의) 비녀장.

·**lin·den**[líndən] *n.* Ⓒ 〖植〗 린덴《참피나무·보리수 따위》.

†**line**[1][lain] *n.* ① Ⓒ 선, 줄, 끈; 주름살; 철사; 전화선(*Hold the* ~, *please.* 잠깐만 기다리십시오); 실, 낚싯줄; 《美》 고삐. ② Ⓒ 노선, 항로, 궤도. ③ Ⓒ 행렬, 열; (the ~) 정규군; (종종 *pl.*) 전열(戰列); 횡대(cf. column); (*pl.*) 참호, 보루(堡壘)(선). ④ Ⓒ 솔기. ⑤ Ⓒ 가계(家系). ⑥ Ⓒ 경계(선). ⑦ Ⓒ (종종 one's ~) 전문(분야), 능한 방면(*Drawing is in* 〔*out of*〕 *my* ~. 그림은 잘[못] 그린다); 장사; 직업; 매입품(買入品); (상품의) 품목, 재고품. ⑧ Ⓒ (종종 *pl.*) 형상, 윤곽(*a yacht of fine* ~*s* 모양 좋은 요트). ⑨ Ⓒ (종종 the ~) 진로(進路); (종종 *pl.*) 방침, 방법, 주의; (*pl.*) 운명(의 길), 처지. ⑩ Ⓒ (글자의) 행, 몇 자[줄]; 단신(短信)(*Drop* 〔*Send*〕 *me a* ~. 엽서를 띄워주세요); (시의) 한 행; (*pl.*) (학생에게 라틴 시 등을 베끼게 하는) 벌(*You have a hundred* ~*s.* 백 줄 베껴라); (*pl.*) (연극의) 대사. ⑪ (*pl.*) 결혼 허가증. ⑫ Ⓒ 직선; (오선지의) 선; (the ~) 적도; 라인《1인치의 12분의 1: 길이의 단위》. ⑬ Ⓒ 〖컴〗 (프로그램의) 행(行). ***all along the*** ~ 도처에. ***bring into*** ~ 일렬로 하다; 동의[협력]시키다. ***by*** 〔***rule and***〕 ~ 정확히, 정밀히. ***come into*** ~ 한 줄로 서다; 동의[협력]하다(*with*). ***direct*** ~ 직계. ***do a*** ~ ***with*** …에게 사랑을 호소하다, 구혼하다. ***down the*** ~ 도심(都心)을 향하여. ***draw the*** ~ (…에) 한계를 두다(*at*); (…을) 구별하다(*between*). ***draw up in*** 〔***into***〕 ~ (군대를) 횡대로 정렬시키다. ***get a*** ~ ***on*** 《美口》 …에 관해서는 아는 바가 있다. ***hard*** ~***s*** 불운(不運). ***in*** ~ ***with*** …와 일직선으로; 《美》 …와 일치[조화]하여. ***in*** 〔***out of***〕 ***one's*** ~ 성미에 맞아[안맞아]; 장기(長技)인[능하지 못한]. ~ ***of battle*** 전선(戰線). ~ ***of beauty,*** S자 모양의 곡선. ~ ***of fire*** 탄도(彈道). ~ ***of force*** 〖理〗 자력선(磁力線). ~ ***of fortune*** (손금의) 운명선. ~ ***of life*** (손금의) 생명선. ***on a*** ~ 평균하여. ***on the*** ~ 꼭 눈높이에《그림 따위》; 이도 저도 아닌, 어중되어, 분류가 곤란하여. ***out of*** ~ 일렬이 아닌; 일치되지 않은; 《俗》 주제넘은. ***read between the*** ~***s*** 언외(言外)의 뜻을 알아내다. ***shoot a*** ~ 《俗》 자랑하다. ***throw a good*** ~ 낚시질을 잘 하다. — *vt.* 선을 긋다; 주름살을 짓다; 한줄로[줄지어] 세우다[놓다]; 소묘(素描)하다. — *vi.* 나란히[줄지어] 서다. ~ ***out*** (설계도·그림 등의) 대략을 그리다; …에 선으로 표시하다. ~ ***through*** 줄을 그어서 지우다. ~ ***up*** (기계를) 정돈하다; 정렬시키다[하다]; 전원 정렬해 서다. ~ ***up behind*** …의 뒤에 줄지어 서다.

·**line**[2] *vt.* ① (의복·내벽 따위에) 안(감)을 대다. ② (배·주머니를) 채우다. 「통; 가문.

lin·e·age [líniidʒ] *n.* Ⓤ 혈통, 계

lin·e·al[líniəl] *a.* 직계의, 동족의; 선(모양)의. ~ ***ascendant*** 〔***descendant***〕 직계 존속[비속].

lin·e·a·ment [líniəmənt] *n.* Ⓒ (보통 *pl.*) 용모, 얼굴 생김새.

·**lin·e·ar**[líniər] *a.* ① 직(선)의[으로 이루어진]. ② 〖컴〗 선형(線形)의, 리니어.

líne dràwing 선화(線畫), 데상.

line·man[láinmən] *n.* Ⓒ 가선공(架線工), 보선공(保線工); 〖測〗 측선수(測線手); 〖美蹴〗 전위(前衛).

:**lin·en**[línin] *n.* ① Ⓤ 아마포, 아마실, 린네르. ② (*pl.*) 린네르류. ③ Ⓤ 《집합적》 린네르 제품《시트·셔츠 따위》. ***wash one's dirty*** ~ ***at home*** 〔***in public***〕 집안의 수치를 감추다[드러내다]. — *a.* 린네르제의; 린네르처럼 흰.

líne prìnter 〖컴〗 라인 프린터.

·**lin·er**[láinər] *n.* Ⓒ ① 정기 항로선

L

〔항공기〕. ② 〖野〗 수평으로 친 공. ③ 안을 대는〔붙이는〕 사람, 안(감). ④ 깔쇠, 덧쇠.

lines·man [láinzmən] *n.* Ⓒ 〖蹴·테니스〗 선심(線審); = LINEMAN.

líne·ùp *n.* Ⓒ (보통 *sing.*) 〖野·蹴〗 진용, 라인업; (내각 따위의) 구성.

-ling [liŋ] *suf.* ① 지소사(指小辭)를 만듦(duck*ling*, gos*ling*). ② 경멸적인 뜻을 나타냄(hire*ling*, lord*ling*).

:lin·ger [líŋgər] *vi.* ① (우물쭈물) 오래 머무르다, 꾸물거리다. ② (추위·감정 등이) 쉬이 사라지지〔물러가지〕 않다, 나중에까지 남다, (병이) 오래 끌다. ③ 어정거리다(*about*). — *vt.* 질질 끌다; (시간을) 우물쭈물 보내다. **~ on** (*a subject*) (한 가지 일을 가지고) 언제까지나 끙끙 앓다. **~·ing** *a.* 오래 끄는, 머뭇거리는; 미련이 있는; 못내 아쉬운. **~·ing·ly** [-iŋli] *ad.*

lin·ge·rie [lɑ̀:ndʒəréi, lǽnʒərì:] *n.* (F.) Ⓤ 여자의 속옷류, 란제리《여자용 린네르 속옷붙이》.

lin·go [líŋgou] *n.* (*pl.* **~(e)s**) Ⓒ 《諧》 외국어; 술어, 전문어.

lin·gua fran·ca [líŋgwə frǽŋkə] (It. = Frankish tongue) 프랑크 말 《Levant 지방에서 쓰이는 이탈리아·프랑스·그리스·스페인 말의 혼합어》; 《一般》 혼합어.

·lin·guist [líŋgwist] *n.* Ⓒ 언어학자; = POLYGLOT.

·lin·guis·tic [liŋgwístik], **-ti·cal** [-əl] *a.* 언어학(상)의. **-tics** *n.* Ⓤ 언어학.

lin·i·ment [línəmənt] *n.* Ⓤ,Ⓒ 바르는 약, 도찰제(塗擦劑).

·lin·ing [láiniŋ] *n.* ① Ⓤ 안대기, 안붙이기. ② Ⓤ,Ⓒ 안, 안감(*the* ~ *of a stove* 스토브의 안쪽).

:link [liŋk] *n.* Ⓒ ① (사슬의) 고리; 연쇄(連鎖), 연결(부). ② (편물의) 코. ③ 〖컴〗 연결, 연결로. — *vt., vi.* 연접〔연속〕하다(*together, to, with*); 이어지다(*on, into*). **~·age** [ˊidʒ] *n.* Ⓤ,Ⓒ 연쇄, 연합.

links [liŋks] (link와 관계 없음) *n. pl.* 《단수 취급할 때도 있음》 골프장.

línk·ùp *n.* Ⓒ 연결; (우주선의) 도킹; 결합(연결)점.

lin·net [línit] *n.* Ⓒ 홍방울새《유럽·아시아·아프리카산》.

·li·no·le·um [linóuliəm] *n.* Ⓤ (마룻바닥에 까는) 리놀륨.

línseed òil 아마인유(亞麻仁油).

lint [lint] *n.* Ⓤ 린트 천《린네르의 한 면을 보풀 일게 하여 부드럽게 한 것》; 실보무라지; 조면(繰綿).

lin·tel [líntl] *n.* Ⓒ 〖建〗 상인방(上引枋)《창·입구 따위의 위에 댄 가로대》.

†li·on [láiən] *n.* ① Ⓒ 라이온, 사자. ② Ⓒ 인기물, 인기의 중심, 명사; 용사; (*pl.*) 명물, 명소. ③ (L-) 〖天〗 사자자리〔궁〕. **~ *in the way*** 〔***path***〕 앞길에 가로놓인 난관. **~'s *share*** 가장 큰〔좋은〕 몫, 단물. ***make a* ~ *of*** …을 치켜 세우다. ***the British L-*** 영국(민). ***twist the* ~'s *tail*** (미국의 기자 등이) 영국에 관해서 나쁘게 말하다〔쓰다〕. **~·ess** *n.* Ⓒ 암사자.

li·on·ize [láiənàiz] *vt.* 치켜 세우다; 《英》 (…의) 명소를 구경하다.

†lip [lip] *n.* ① Ⓒ 입술; (*pl.*) 입; (물병 따위의) 귀때. ② Ⓤ 《俗》 수다(떨기), 건방진 말. ***carry*** 〔***keep***〕 ***a stiff upper* ~** 굴하지 않다; 끝끝내 고집을 세우다. ***curl one's* ~** (경멸의 표정으로) 입을 비쭉하다. ***escape one's* ~*s*** (말이) 입에서 새다. ***hang on a person's* ~*s*** 감탄하여 듣다, 경청하다. ***hang one's* ~** 입을 비쭉거리다, 울상을 하다. ***hang on the* ~*s of*** (*a person*) (아무의) 말에 귀를 기울이다. ***lick*** 〔***smack***〕 ***one's* ~*s*** (맛이 있어) 입술을 핥다; 군침을 삼키다. ***make*** (***up***) ***a* ~** (울려고) 입을 비쭉 내밀다, 뾰로통해지다. ***None of your* ~!** 입닥쳐! — *vt., vi.* (**-pp-**) (…에) 입술을 대다; (피리 따위에) 입술을 쓰다; 중얼거리다; (파도가 물가를) 찰싹찰싹 치다. — *a.* 표면〔말〕만의.

líp-rèad *vt., vi.* 시화(視話)하다; 독순술(讀脣術)로 이해하다.

líp sèrvice 입에 발린 아첨, 말뿐인 친절.

·líp·stìck *n.* Ⓤ,Ⓒ 입술연지, 립스틱.

liq·ue·fy [líkwifài] *vt., vi.* 액화하다.

L

li·queur[likə́ːr/-kjúər] *n.* Ⓤ,Ⓒ 리큐어술.

:liq·uid[líkwid] *n.* ① Ⓤ,Ⓒ 액체; 유동체. ② Ⓒ 〖音聲〗 유음(流音)《l, r; 때로는 m, n도 가리킴》. ── *a.* ① 액체〔유동체〕의; ② (작은 새 소리·하늘 빛 등이) 맑은; 유창한; 유음의. ③ (공채 등) 돈으로 바꿀 수 있는.

liq·ui·date[líkwidèit] *vt.* (빚을) 갚다; (회사를) 청산〔정리〕하다; (사회악 등을) 일소하다, 전멸시키다; 죽이다. **-da·tor** *n.* Ⓒ 청산인. **-da·tion** [⌐–déiʃən] *n.* Ⓤ 변제(辨濟); 청산; (파산자의) 정리; 일소; 살해. ***go into liquidation*** (회사가) 청산하다; 파산하다.

líquid crýstal 액정(液晶).

li·quid·i·ty[likwídəti] *n.* Ⓤ 유동성; 유창함.

:liq·uor[líkər] *n.* ① Ⓤ,Ⓒ 알코올 음료, 술《특히, 브랜디·진·럼·위스키》. ② Ⓤ 액(液). ***in* ~, *or* (*the*) *worse for* ~** 취해서. ── *vt., vi.* 《口》 (…에게) 술을 많이 먹이다〔마시다〕.

liq·uo·rice[líkəris] *n.* Ⓒ 《英》 〖植〗 감초(licorice).

li·ra[líːrə] *n.* (*pl.* **~s, lire**[-rei]) Ⓒ 리라《이탈리아의 은화》.

lisp[lisp] *vt., vi.* (s를 θ, z를 ð처럼) 불완전하게 발음하다; 혀짤배기 소리로 말하다, 혀가 잘 돌지 않다. ── *n.* (a ~) 혀짤배기 소리, 또렷하지 못한 말.

lis·som(**e**)[lísəm] *a.* 나긋나긋한; 재빠른, 기민한.

:list[1][list] *n.* Ⓒ ① 목록, (일람)표, 명부. ② 명세서. ③ 〖컴〗 목록, 죽보이기. ***draw up a* ~** 목록을 만들다. ***on the sick* ~** 병으로, 앓고. ── *vt.* 명부〔목록〕에 올리다〔싣다〕. ── *vi.* 명부에 오르다(*at*).

list[2] *n., vi.* (a ~) 〖海〗 경사(지다).

†lis·ten[lísən] *vi.* ① 경청하다, 듣다(*to*). ② (충고 따위에) 따르다(*to*); 귀를 기울이다(*for*). **~ *in*** (라디오를) 청취하다; (전화 따위를) 도청하다. **:~·er** *n.* Ⓒ 경청〔청취〕자. ***~·ing** *n.* Ⓤ 경청; 〖軍〗 청음; (정보 등의) 청취.

list·ing [lístiŋ] *n.* Ⓤ 표에 올림; 〖컴〗 목록 작성, 죽보(이)기.

list·less *a.* 께느른한, 열의〔시름〕 없는; 무관심〔냉담〕한. **~·ly** *ad.* **~·ness** *n.*

list príce 표시 가격.

lit[lit] *v.* light[1]의 과거(분사).

lit·a·ny[lítəni] *n.* Ⓒ 〖宗〗 호칭 기도; 용장한 말.

***li·ter,** 《英》 **-tre**[líːtər] *n.* Ⓒ 리터 《약 5홉 5작》. 「는 능력; 교양.

***lit·er·a·cy**[lítərəsi] *n.* Ⓤ 읽고 쓰

lit·er·al**[lítərəl] *a.* ① 문자(그대로)의; 정확한. ② (과장·수식 따위를 이해 못 하고) 문자 그대로 생각하는, 실제가(實際家) 기질의. ③ 〖컴〗 문숫자의, 리터럴. **~ *translation 축어역(逐語譯). **~·ism**[-ìzəm] *n.* Ⓤ (엄밀한) 직역주의; 〖美術·文學〗 직사(直寫)주의. **~·ist** *n.* **:~·ly** *ad.*

:lit·er·ar·y[lítərèri/-əri] *a.* ① 문학〔문예〕의; 문학에 소양이 깊은. ② 문어의. **~ *property*** 판권. **~ *style*** 문어체. **~ *works* (*writings*)** 문학작품. **-ar·i·ly**[-rèrəli/-rəri-] *ad.*

lit·er·ate[lítərit] *a., n.* Ⓒ 글을 아는 (사람)(cf. illiterate); 교양 있는.

lit·e·ra·ti[lìtərάːti, -réitai] *n. pl.* (L.) 문인〔학자〕들, 문학자들.

:lit·er·a·ture[lítərətʃər, -tʃùər] *n.* Ⓤ ① 문학, 문예. ② 문헌(***the* ~ *of mathematics*** 수학의 문헌). ③ 저술(업); 인쇄물《광고 등》.

lithe[laið], **lithe·some**[⌐səm] *a.* 나긋나긋한, 유연한.

lith·i·um[líθiəm] *n.* Ⓤ 〖化〗 리튬.

lith·o·graph[líθəgræ̀f/-grὰːf] *n.* Ⓒ 석판 인쇄, 석판화. ── *vi.* 석판으로 인쇄하다. **li·thog·ra·pher** [liθάgrəfər/-θɔ́g-] *n.*

li·thog·ra·phy[liθάgrəfi/-θɔ́g-] *n.* Ⓤ 석판 인쇄술. **lith·o·graph·ic** [lìθəgrǽfik], **-i·cal**[-əl] *a.*

lit·i·gant[lítigənt] *a., n.* 소송하는; Ⓒ 소송 관계자.

lit·i·gate[lítigèit] *vt., vi.* 법정에 들고 나오다, 법정에서 다투다. **lit·i·ga·tion**[⌐–géiʃən] *n.*

li·ti·gious[litídʒəs] *a.* 소송의〔을 좋아하는〕; 소송해야 할.

lit·mus[lítmus] *n.* Ⓤ 리트머스《리트머스 이끼에서 얻는 청색 색소》.

L

·**li·tre**[líːtər] *n.* 《英》 = LITER.

·**lit·ter**[lítər] *n.* ① Ⓒ 들것, 가마. ② Ⓤ (짐승의) 깔짚, 깃. ③ Ⓤ《집합적》 어수선하게 흩어진 물건, 잡동사니; (a ~) 난잡. ④ Ⓒ《집합적》 (돼지의) 한 배 새끼. ***in a ~*** 어지럽게 흩어져. — *vt.* (…에) 깃을 깔다; 난잡하게 어지르다(*with*); (돼지가 새끼를) 낳다. — *vi.* (가축이) 새끼를 낳다.

lítter·bùg *n.* Ⓒ (길거리 따위에) 쓰레기를 함부로 버리는 사람.

lítter·lòut *n.* 《英口》 = ⇧.

†**lit·tle**[lítl] *a.* (***less, lesser; least;*** 《口》 ***~r; ~st***) ① 작은. ②《부정적》 적은, 조금밖에 없는(*There is ~ ink in it.* 잉크는 조금밖에 없다). ③ (a ~)《긍정적》 얼마간, 조금은(*There is a ~ ink in it.* 잉크가 조금은 있다). ④ 어린애 같은, 하찮은, 비천한. ***but ~*** 극히 조금의, 거의 없는. ***~ one(s)*** 아이(들). ***~ or no*** 거의 없는. ***(my) ~ man*** 《호칭》 악아. ***the ~*** 얼마 안 되는 (것), 대수롭지 않은 사람. — *n., pron.* 조금; 잠깐. ***for a ~*** 잠깐. ***~ by ~*** 조금씩. ***in ~*** 소규모로. ***make ~ of*** 얕보다. ***not a ~*** 적지 않게, 크게. ***quite a ~*** 《美口》 다량, 많이. — *ad.* ① (a ~) 조금은(*I know it a ~.*). ② (관사 없이)《부정적》 거의 …않다; 전혀 …않다(*You ~ know ...* 너는 …을 전혀 모른다). ***~ better*** 〔***more***〕 ***than*** …나 매한가지. ***~ less than*** 거의 …와 같은. ***~ short of*** …에 가까운, 거의 …와 마찬가지인. ***think ~ of*** 경시하다; …망설이지 않다. **~·ness** *n.*

líttle fínger 새끼손가락.

lit·to·ral[lítərəl] *a., n.* 바닷가의, 바닷가에서 나는; Ⓒ 연해지(沿海地).

lit·ur·gy[lítərdʒi] *n.* Ⓒ 예배식; (그리스정교의) 성찬식; (the ~) (영국 국교회의) 기도서. **li·túr·gic, -gi·cal** *a.*

liv·a·ble[lívəbəl] *a.* 살기에 알맞은; 사는 보람이 있는; 함께 지낼 수 있는, 무간한(*with*).

†**live**[1][liv] *vi.* ① 살(고 있)다; 살아 있다, 생존하다, 생활하다, 재미있게 살다. ② 존속하다, (기억에) 남다. ③ (…을) 상식(常食)으로 하다(*on*), (…으로) 생계를 이어가다(*on, by*). ④ (배가) 가라앉지 않고 있다. ⑤ 〖野〗 아웃이 안 되다. — *vt.* 보내다, 지내다; (이상 따위를) 실행〔실현〕하다. ***~ a lie*** 거짓에 가득 찬 생활을 보내다. ***~ and learn*** 오래 살고 볼일 《놀랐을 적에 말함》. ***L- and let ~.*** 공존 공영(共存共榮); 세상은 서로 도와가며 사는 것. ***~ down*** (오명을) 씻다; (슬픔 따위를) 잊게 되다. ***~ it up*** 호화롭게 살다. ***~ on*** 〔***upon***〕 …을 먹고 살다; …으로 생활하다. ***~ on air*** 아무 것도 먹지 않고 살고 있다. ***~ off*** …에 의존하여 생활하다, …의 신세를 지다(eat off). ***~ out*** 〔***through***〕 …을 넘겨 목숨을 부지하다〔살(아 남)다〕; …을 헤어나다. ***~ to oneself*** 고독하게〔이기적으로〕 살다. ***~ up to*** …에 따라 생활하다; 주의〔주장〕대로 살다, …에 맞는 생활을 하다. ***~ well*** 잘 먹고 살다; 경건한 생활을 하다. ***where one ~s*** 《美俗》 급소를〔에〕.

:**live**[2][laiv] *a.* ① 살아 있는. ② (불) 타고 있는(*~ coals*). ③ 전류가 통하고 있는. ④ 《口》 활기 있는; 활동적인. ⑤ 장탄돼 있는. ⑥ 〖放〗 (녹음·녹화 아닌) 생방송의.

live·a·ble[lívəbəl] *a.* = LIVABLE.

:**live·li·hood**[láivlihùd] *n.* Ⓒ (보통 *sing.*) 생계.

líve·lòng *a.* 《詩》 오랜(동안의); … 내내, 온, 꼬박.

:**live·ly**[láivli] *a.* ① 활기 있는, 쾌활한, 명랑한. ② (공·마루 등이) 잘 튀는. ③ 선명한, 실감을 주는; 《諧》 아슬아슬한. — *ad.* 활발〔쾌활〕하게. ***make it ~ for*** …을 곤란케 하다. **-li·ly** *ad.* **-li·ness** *n.*

liv·en[láivən] *vt., vi.* 활기 띠(게 하)다(*up*).

:**liv·er** *n.* ① Ⓒ 간장(肝臟). ② Ⓤ 간 (고기). ③ Ⓤ 적갈색.

líver sàusage = LIVERWURST.

liv·er·wurst[-wəːrst] *n.* Ⓤ,Ⓒ 《美》 간(肝)고기 소시지.

·**liv·er·y**[lívəri] *n.* ① Ⓤ,Ⓒ 일정한 옷, (하인의) 정복(正服); (직업상의) 제복. ② Ⓤ (말의) 정식량(定食糧).

③ Ⓤ 말[마차] 세놓는 업; =LIVERY STABLE. ***in*** 〔***out of***〕 ~ 제복[평복]을 입고. ~ ***of grief*** 상복.

lívery stàble 말[마차] 세놓는 집.

:lives[laivz] *n.* life의 복수.

·líve·stòck[láiv-] *n.* Ⓤ 《집합적; 복수 취급》 가축.

liv·id[lívid] *a.* 납빛의, 창백한; 퍼렇게 멍든; 격노하여.

:liv·ing[líviŋ] *a.* ① 살아 있는, 현대의, 현존의. ② 활기 있는; 흐르고〔불타고〕 있는. ③ 자연 그대로의. ④ 생활에 관한, 생계의. ~ ***death*** 생지옥, 비참한 생활. ***within ~ memory*** 현재 세상 사람들의 기억에 생생한. — *n.* ① Ⓤ 생활; Ⓒ (보통 *sing.*) 생계(*earn one's* ~), 살림. ② Ⓒ 목사[교회]의 수입.

†líving ròom 거실(居室), 거처방.

líving wáge (최저의) 생활 임금.

·liz·ard [lízərd] *n.* Ⓒ ① 도마뱀. ② 《英俗》 (유흥가의) 건달.

lla·ma[lá:mə] *n.* Ⓒ 야마《남아메리카산의 육봉 없는 낙타》; Ⓤ 야마털.

lo[lou] *int.* 《古》 보라(behold)!

:load[loud] *n.* Ⓒ ① 짐, 적하(積荷); 적재량. ② (정신적인) 무거운 짐, 부담, 근심, 걱정. ③ 〖理〗 하중(荷重); 〖電〗 부하(負荷); (화약의) 장전. ④ (*pl.*) 《口》 많음(*of*). ***a ~ of hay*** 《美俗》 장발의 머리. ***carry the ~*** 책임을 다하고 있다. ***get a ~ off one's chest*** 털어놓고 마음의 짐을 덜다. ***take a ~ off*** (***one's feet***) 《口》 걸터앉다, 드러눕다. — *vt.* ① 싣다, 적재하다; 마구 처넣다[주다]. ② (주사위에 납을 박아) 무겁게 하다; (술에) 섞음질을 하여 독하게 만들다. ③ (질문에) 비꼬는 뜻(따위)을 함축시키다. ④ (탄알을) 재다; 필름을 넣다. ⑤ 〖컴〗 (프로그램·데이터를) 보조[외부] 기억 장치에서 주기억 장치로 놓다, 올리다. — *vi.* 짐 싣다; 총에 장전하다; 《口》 잔뜩 채워 넣다. **∠·er** *n.* Ⓒ 짐을 싣는 사람; 〖컴〗 올리개.

load·ed[∠id] *a.* 짐 실은; 탄알을 잰; 필름을 넣은; 납을 박은; 화약을 잰; 돈 많은; 섞음질을 한; 취한; (질문이) 비꼬는 뜻을[악의를] 내포한, 의미 심장한; 감정적이 된.

:loaf[1][louf] *n.* (*pl.* ***loaves***[louvz]) ① Ⓒ (일정한 모양으로 구워낸 빵의) 덩어리, 빵 한 덩어리; (설탕 등의) 원뿔꼴의 한 덩이. ② Ⓤ,Ⓒ (식빵 모양의) 찜구이 요리. ③ Ⓒ 《英俗》 머리(loaf of bread). ***loaves and fishes*** 제 잇속. ***use one's ~*** (***of bread***) 《英俗》 머리를 쓰다.

loaf[2] *vi., vt.* 놀고 지내다; 빈둥거리다; 어정거리다. **∠·er** *n.* Ⓒ게으름뱅이; 간편화(靴)의 일종.

loam[loum] *n.* Ⓤ 양토; 비옥한 흙토; 롬《모래·점토·짚이 섞인 비옥토》. **∠·y** *a.* 롬(질)의.

:loan[loun] *n.* ① Ⓤ 대부, 대차. ② Ⓒ 공채, 차관; 대부금, 대차물. ③ Ⓒ 외래어. ***get*** 〔***have***〕 ***the ~ of*** …을 빌리다[꾸다]. ***on ~*** 대부하고; 차입하고, 빌어서. ***public ~*** 공[국]채. — *vt., vi.* 《주로 美》 빌려주다(*out*).

·loath[louθ] *pred. a.* 싫어하여, 꺼려서(*to* do; *that*). ***nothing ~*** 기꺼이.

·loathe[louð] *vt., vi.* 몹시 싫어하다.

lóath·ing *n.* Ⓤ 몹시 싫어함, 혐오.

·loath·some[lóuðsəm] *a.* 지긋지긋한, 구역질 나는. **~·ly** *ad.*

·loaves[louvz] *n.* loaf[1]의 복수.

lob[lɑb/-ɔ-] *vt., vi.* (**-bb-**), *n.* Ⓒ 〖테니스〗 높게 상대방의 뒤쪽으로 가게 치다[친 공].

:lob·by[lábi/-5-] *n.* Ⓒ ① (호텔·극장 등의) 로비, 현관의 홀, 복도. ② 원내(院內) 대기실. ③ 《美》 원외단(院外團) 압력 단체. — *vi., vt.* 《美》 (의회 로비에서) 의원에게 압력을 가하다. **~·ing, ~·ism**[-ìzəm] *n.* Ⓤ (의원에 대한) 원외로부터의 운동; 의안 통과[반대] 운동. **~·ist** *n.* Ⓒ 《美》 원외 운동자; 의회 출입 기자.

lobe[loub] *n.* Ⓒ 귓불; 잎사귀; 〖解〗 엽(葉)《폐엽 따위》. ***small ~*** 소열편(小裂片); 소엽(小葉).

lo·bel·ia[loubí:ljə] *n.* Ⓒ 〖植〗로벨리아《숫잔대속(屬)》.

lo·bot·o·my[loubátəmi/-5-] *n.* Ⓤ,Ⓒ 〖醫〗 뇌엽 절제(腦葉切除)(술).

·lob·ster[lábstər/l5b-] *n.* Ⓒ 바닷가재, 대하(大蝦).

:lo·cal[lóukəl] *a.* ① 지방의, 지방적

L

인; 국부적인. ② 공간의, 장소의; 시내 배달의; 〖數〗 궤적(軌跡)(locus)의. ③ 역마다 정거하는, 소구간(小區間)의; (엘리베이터가) 각층마다 멈추는, 완행의. ④ 〖컴〗 울안의. — *n.* Ⓒ 지방 주민, 구간 열차; (신문의) 지방 기사; 《英口》 근처의 선술집. ~·**ism**[-kəlìzəm] *n.* ① Ⓤ 지방 근성; 지방색; 향토 편애, 편협성. ② Ⓒ 지방 사투리. ~·**ly** *ad.* 지방[국부]적으로.

lócal cólo(u)r 지방색, 향토색.

lo·cale[loukǽl/-kɑ́:l] *n.* Ⓒ 현장.

lócal góvernment 지방 자치; 《美》 지방 자치체(의 행정관들).

·lo·cal·i·ty[loukǽləti] *n.* ① Ⓤ 위치, 방향성, 장소. ② Ⓒ (사건의) 현장; 산지(産地).

lo·cal·ize[lóukəlàiz] *vt.* 국한하다; 위치를 밝혀내다; 지방화하다; 집중하다(*upon*). ~**d**[-d] *a.* 지방[국부]적인. **-i·za·tion**[⏑-izéi-/-lai-] *n.*

lócal tíme 지방시(地方時), 현지 시간.

:lo·cate[lóukeit, –⏑] *vt.* (관청·건물 따위의) 위치를 정하다; (…에) 두다; 소재를 밝혀내다. ***be ~d*** 위치하다, 있다. — *vi.* 거주하다(*in*).

:lo·ca·tion[loukéiʃən] *n.* ① Ⓒ 위치, 배치, 소재. ② Ⓒ 〖映〗 야외 촬영지; 로케이션. Ⓤ 야외 촬용(*on location* 로케 중에). ③ Ⓒ 〖컴〗 기억 장치의 배당 장소. ④ Ⓤ 위치 선정.

loch [lɑk, lɑx/lɔk, lɔx] *n.* Ⓒ 《Sc.》 호수; 후미.

lo·ci[lóusai] *n.* locus의 복수.

:lock[1][lɑk/-ɔ-] *n.* Ⓒ ① 자물쇠; (운하·선거(船渠)의) 수문(水門). ② 총기(銃機)《총의 발사 장치》; 제륜(制輪)장치. ③ (차량의) 혼잡. ④ 〖레슬링〗 조르기(cf. hold). ⑤ 〖컴〗 잠금. ***~, stock, and barrel*** 전부, 완전히. ***on*** 〔***off***〕 ***the ~*** 자물쇠로 잠그고[잠그지 않고]. ***under ~ and key*** 자물쇠를 채우고; 투옥되어. — *vt.* ① (…에) 자물쇠를 채우다. ② 챙겨 넣다, 가두다; 끌어안다. ③ 고착[고정]시키다, 제동하다. ④ 수문을 통과시키다. — *vi.* ① 자물쇠가 채워지다[잠기다], 닫히다. ② 서로 맞붙다. ③ 수문을 지나다. ***~ in*** 〔***out***〕 가두다[내쫓다]. ***~ up*** 자물쇠로 잠그다; 감금[폐쇄]하다; 집어[챙겨] 넣다; (자본을) 고정하다.

lock[2] *n.* Ⓒ 한 줌의 털; (머리·양털 따위의) 타래, 타래진 머리털; (*pl.*) 두발.

·lock·er[lɑ́kər/-ɔ́-] *n.* Ⓒ 로커, 자물쇠 달린 장; 자물쇠를 채우는 사람[것]. ***have not a shot in the ~*** 빈털터리이다; 조금도 가망이 없다.

lock·et[lɑ́kit/-ɔ́-] *n.* Ⓒ 로켓《사진이나 머리카락 등을 넣어 목걸이에 거는 조그만 금합》.

lóck·jàw *n.* Ⓤ 파상풍(tetanus).

lóck·kèeper *n.* 수문지기.

lóck·òut *n.* Ⓒ (경영자측의) 공장 폐쇄(opp. strike); 내쫓음.

lóck·smìth *n.* Ⓒ 자물쇠 제조공[장수].

lóck·ùp *n.* =JAIL.

lo·co[1][lóukou] *n.* (*pl.* **~s**) 《口》 = LOCOMOTIVE engine.

lo·co[2] *n.* (*pl.* ~(**e**)**s**) Ⓒ 〖植〗 로코초(草)《콩과 식물; 가축에 유독(有毒)함》; Ⓤ 로코병. — *a.* 《俗》 정신이 돈, 머리가 이상한.

lo·co·mo·tion[lòukəmóuʃən] *n.* Ⓤ 운동(력), 이동(력); 여행; 교통 기관.

:lo·co·mo·tive[lòukəmóutiv] *a.* 이동하는, 이동력 있는. — *n.* Ⓒ 기관차. ***~ engine*** 기관차. ***~ organs*** 발, 다리(따위).

lo·cum[lóukəm] *n.* Ⓒ 《英口》 대리인, 대리 목사; 대진(代診).

lo·cus[lóukəs] *n.* (*pl.* **-ci**[-sai]) (L.) Ⓒ 장소, 소재지; 〖數〗 자취.

:lo·cust[lóukəst] *n.* Ⓒ ① 메뚜기; 《美》 매미. ② 대식가; 탐욕한 사람. ③ 쥐엄나무 비슷한 상록 교목《나무·열매》; 아카시아.

lo·cu·tion[loukjú:ʃən] *n.* Ⓤ 화법(話法); 어법(語法); Ⓒ 어구, 관용어법.

lode[loud] *n.* Ⓒ 광맥(vein).

lóde·stàr *n.* (the ~) 북극성; Ⓒ 지침; 지도 원리.

lóde·stòne *n.* Ⓤ,Ⓒ 천연 자석; Ⓒ 사람을 이끄는 것.

:lodge[lɑdʒ/-ɔ-] *n.* Ⓒ ① 파수막; 수위실; 오두막집. ② (비밀 결사의)

L

지부〔집합소〕. ③ 해리(海狸)〔수달〕 따위의 굴. — **vi.** ① 묵다, 투숙하다 (*at*), (…댁에) 하숙하다〔셋방들다〕 (*with*). ② (화살 따위가) 꽂히다, 박히다, (탄알이) 들어가다. ③ (바람에) 쓰러지다. — **vt.** ① 투숙시키다. ② 맡기다, 위탁하다. ③ (화살 따위를) 꽂다, (탄알을) 박아 넣다. ④ 넘어〔쓰러〕뜨리다; (서류·소장(訴狀) 따위를) 제출하다. **lódg·er** **n.** Ⓒ 숙박인, 하숙인, 동거인.

:lodg·ing[´-iŋ] **n.** Ⓤ 하숙, 숙박; Ⓒ 숙소; (*pl.*) 셋방, 하숙집. ***take*** (***up***) ***one's ~s*** 하숙하다.

lódging hòuse 하숙집.

˙loft[lɔːft/lɔft] **n., vt.** Ⓒ ① 고미다락; (교회·강당 등의) 위층 (관람석). ② 〖골프〗 올려치기(하다); (우주선을) 쏘아 올리다.

:loft·y[´-i] **a.** ① 대단히 높은, 치솟은. ② 숭고한, 당당한; 고상한. ③ 거만한, 거드럭거리는. **-i·ly** ***ad.*** **-i·ness** **n.**

:log[lɔ(ː)g, lɑg] **n.** Ⓒ ① 통나무(*in the ~* 통나무 그대로). ② 〖海〗 측정기(測程器). ③ = ∠ **bòok** 항해〔항공〕 일지. ④ 〖컴〗 기록, 로그《오퍼레이션 또는 입출력 데이터의 기록》. — **vt.** (**-gg-**) (나무를) 베어 내다; 항해 일지에 적다.

lo·gan·ber·ry [lóugənbèri/-bəri] **n.** Ⓒ 로건베리《blackberry와 raspberry의 잡종》; 그 열매.

log·a·rithm [lɔ́ːgərìðəm, -θəm, lɑ́g-/lɔ́g-] **n.** Ⓒ 대수(對數). **-rith·mic, -mi·cal** **a.**

lóg·bòok **n.** Ⓒ 항해 일지, 항공 일지; 여행 일지; 업무 기록.

lóg càbin 통나무집.

lógger·hèad **n.** Ⓒ 《古》 얼간이, 바보. ***at ~s*** 다투어(*with*).

log·gia [lɑ́dʒə/lɔ́-] **n.** (*pl.* ***~s, -gie***[-dʒe]) (It.) Ⓒ 〖建〗 로지아《한쪽에 벽이 없는 복도 모양의 방》.

log·ging[lɔ́ːgiŋ, lɑ́g-/lɔ́g-] **n.** Ⓤ 통나무 벌채(량).

:log·ic[lɑ́dʒik/-ɔ́-] **n.** ① Ⓤ 논리학; 논리, 조리; Ⓒ 논리학 서적. ② Ⓤ 〖컴〗 논리 조작. ***formal*** 〔***symbolic***〕 ~ 형식〔기호〕 논리학.

:lo·gi·cal[lɑ́dʒikəl/-ɔ́-] **a.** 논리적인; 논리학상의; 필연의; 〖컴〗 논리의. **˙~·ly** ***ad.***

lo·gi·cian[loudʒíʃən] **n.** Ⓒ 논리학자, 논법가.

lo·gis·tic[loudʒístik] **a.** 병참술(兵站術)의. — **n.** Ⓤ 기호 논리학. **~s** **n.** Ⓤ 병참술.

lóg·jàm **n.** Ⓒ 강으로 떠내려가서 한 곳에 몰린 통나무; 《美》 정체.

lóg lìne 〖海〗 측정(測程)줄.

lo·go[lɔ́ːgou, lɑ́g-/lɔ́g-] **n.** Ⓒ 《口》 (상품명·회사명 따위의) 의장(意匠) 문자, 로고(logotype).

-lo·gy[lədʒi] ***suf.*** '…학〔론〕'의 뜻(zoo*logy*); '말함, 이야기, 담화'의 뜻(eu*logy*).

˙loin[lɔin] **n.** ① (*pl.*) 허리. ② Ⓤ (소 등의) 허리 고기. GIRD[1] (***up***) ***one's ~s.***

lóin·clòth **n.** Ⓒ 허리에 두르는 간단한 옷.

:loi·ter[lɔ́itər] **vi., vt.** 어슬렁어슬렁 거닐다; 빈들빈들 지내다〔시간을 보내다〕(*away*). **~·er** **n.** **~·ing** **a.** **~·ing·ly** ***ad.*** 빈들빈들.

loll[lɑl/-ɔ-] **vi., vt.** 척 기대(게 하)다(*on*); (혀 따위) 축 늘어지다〔늘어뜨리다〕 (*out*); (*vi.*) 빈둥거리다 (*about*).

lol·li·pop, lol·ly- [lɑ́lipɑ̀p/lɔ́lipɔ̀p] **n.** Ⓒ (보통 꼬챙이 끝에 붙인) 사탕; 《英》 (아동 교통 정리원이 드는) 교통 지시판.

lol·lop[lɑ́ləp/-ɔ́-] **vi.** 《英方》 터벅터벅 걷다; 비실비실 걷다.

lol·ly[lɑ́li/-ɔ́-] **n.** Ⓒ 캔디; 《英口》 = MONEY.

:lone[loun] **a.** 《詩》 = LONELY.

:lone·ly[lóunli] **a.** 외로운, 쓸쓸한; 고립한, 외톨의. **˙-li·ness** **n.**

lónely hèarts (친구·배우자를 구하는) 고독한 사람들.

:lone·some[´-səm] **a.** (장소·사람 등이) 쓸쓸한, 고독의, 외로운.

†long[1][lɔːŋ/-ɔ-] **a.** ① 긴; 길다란; 길이가 …인. ② 오래 걸리는; 지루한 (tedious); 〖音聲〗 장음(長音)의. ③ 키다리의. ④ 〖商〗 강세(强勢)의. ⑤ …이상; 다량의, 다수의. ***a ~ way off*** 먼(*from*). ***Don't be ~!*** 꾸물거리지 마라. ***in the ~ run*** 결국,

L

마침내. ***L- time no see!*** 《口》 야아, 오래간만이 아닌가. ***make a ~ arm*** 손을 뻗치다. ***take ~ views*** (***of life***) 먼 장래의 일을 생각하다. — *ad.* 길게; 오랫동안, 전부터; …줄곧. ***all day ~*** 종일. ***any ~er*** 벌써, 이 이상. ***at*** (***the***) ***~est*** 길어야, 기껏해야. ***~ after*** …의 훨씬 후에. ***no ~er*** 이미 …아니다[않다]. ***so ~*** 《口》 = GOODBY(E). ***so*** [***as***] ***~ as …*** …하는 한은, …이면. — *n.* Ⓤ 오랫동안(*It will not take ~.* 오래는 걸리지 않을 것이다); (the ~) 《英口》 하기 휴가; (*pl.*) 〖商〗 시세가 오를 것을 예상하여 사들이는 방침을 취하는 패들; Ⓒ 장모음[음절]. ***before*** [***ere***] ***~*** 머지 않아. ***for ~*** 오랫동안. ***take ~*** 장시간을 요하다. ***The ~ and the short of it is that …*** 간단히 말하자면, 결국은.

:long[2] *vi.* 간절히 바라다(*for; to* do); 사모하다(*for*). **:∠·ing** *a., n.* Ⓤ,Ⓒ 동경, 열망; 동경하는.

lóng·bòw *n.* Ⓒ 긴 활. ***draw the ~*** 크게 허풍 떨다.

lóng-dístance *a., ad.* 《美》 먼 곳의, 장거리 전화의[로]. — *vt.* (…에게) 장거리 전화를 걸다.

lóng-dràwn(**-óut**) *a.* 길게 뺀[늘인], 길다란.

·lon·gev·i·ty [landʒévəti/lɔ-] *n.* Ⓤ 장수; 수명; 장기 근속.

lóng·hànd *n.* Ⓤ (속기에 대해) 보통의 필기법(cf. shorthand).

·lon·gi·tude [lándʒətjù:d/lɔ́n-] *n.* 경도(經度)(cf. latitude); 〖天〗 황경; 세로 길이. **-tu·di·nal** [∸–∠dinəl] *a.* 경도의; 세로의.

lóng jòhns (손목·발목까지 덮는) 긴 속옷.

lóng jùmp 멀리뛰기.

long-lived [∠láivd, ∠lívd] *a.* 명이 긴, 장수의; 영속하는.

lóng-ránge *a.* 장거리의[에 달하는]; 원대한(*~ plans*).

lóng rùn 장기 흥행, 롱런.

lóng-síghted *a.* 먼 데를 볼 수 있는; 선견지명이 있는.

lóng-stánding *a.* 여러 해에 걸친.

lóng-súffering *n., a.* Ⓤ 참을성(있는), 인내심 (강한).

lóng-térm *a.* 장기의.

lóng·wàys, -wìse *ad.* = LENGTHWISE.

lóng-wínded *a.* 숨이 긴; 길다란.

loo [lu:] *n.* Ⓤ 카드놀이의 일종; Ⓒ 《英俗》 변소. 「미의.

loo·fah [lú:fə/-fɑ:] *n.* Ⓒ 〖植〗 수세

†look [luk] *vi.* ① 보다, 바라보다(*at*); 눈을 돌리다(*He ~ed but saw nothing.* 쳐다보았지만 아무 것도 보이지 않았다). ② …하게 보이다, …의 얼굴[모양]을 하다, …처럼 보이다; …인 듯하다. ③ (집이 …에) 면하다(*into, on, toward*); (정세가 …으로) 기울다(*toward*). ④ 조심하다; 조사하다, 찾다. ⑤ 기대하다. — *vt.* ① 눈(짓)으로 나타내다[…하게 하다](*He ~ed them into silence.* 눈을 흘겨 침묵시켰다). ② 눈여겨 들여다보다(*He ~ed me in the face.* 내 얼굴을 자세히 들여다 보았다). ③ 확인하다, 조사하다. ***~ about*** 둘러보다; 망보다; 구하다 (*for*). ***~ after*** 보살피다, 보호하다; 찾다; 배웅하다. ***~ ahead*** 장래 일을 생각하다. ***L-*** ALIVE ! ***~ at*** 보다, 바라보다, 조사하다; 《부정적으로 써서》 상대하다, 문제삼다(*I will not ~ at such a question.* 이런 문제는 상대하지 않는다). ***~ back*** 뒤돌아(다)보다; 회고하다(*on*); 마음이 내키지 않다; 진보하지 않다. ***L- before you*** LEAP. ***~ down*** 아래를 보다[향하다]; (물가가) 내리다; 내려다 보다; 경멸하다(*upon*). ***~ forward to*** …을 기대하다. ***L- here!*** 어이!; 이봐!《주의를 환기하여》. ***~ in*** 엿보다; 잠깐 들르다. ***~ into*** 들여다보다; 조사하다. ***~ like*** …처럼 보이다; …할 것같이 보이다(*It ~s like snow.* 눈이 올 것 같다). ***~ off*** …으로부터 눈을 돌리다[떼다]. ***~ on*** (…으로) 간주하다(*as*); 방관[구경]하다; …에[로] 향해 있다. ***~ one's age*** 제 나이에 걸맞아 보이다. ***~ oneself*** 여느 때와 다름 없다. ***~ out*** 주의하다; 기대하다(*for*); 밖을 보다, 조망하다(*on, over*). ***~ over*** 대충 훑어보다; 조사하다; 눈감아주다. ***~ round*** 둘러보다; (사전에) 고려해 보다. ***~ through*** 간파하다;

훑어보다. **~ to** 기대[의지]하다(*for*); …의 뒤를 보살피다; 조심하다. **~ up** 우러러 보다, 위를 향하다; 향상하다; (경기 등이) 좋아지다; (사전 따위를) 찾아보다; …을 방문하다; 존경하다(*to*). — *n.* ① Ⓒ 표정, 눈매; (보통 *pl.*) 용모(*good ~s* 미모); (전체의) 모양. ② Ⓤ 외관; 기색. ③ Ⓒ 일견; 조사. **have** [**give, take**] **a ~ at** …을 (얼핏) 보다. **have a ~ of** …와 비슷하다. **∠·er** *n.* Ⓒ 보는 사람; 《美俗》 미녀.

lóoker-ín *n.* (*pl.* **-ers-in**) Ⓒ 텔레비전 시청자.

lóoking glàss 거울.

·look·out[∠àut] *n.* ① Ⓤ 감시, 경계, 망; Ⓒ 망보는 사람, 망루. ② Ⓒ 전망, 전도(의 형세). ③ Ⓒ 《口》 관심사, 일(*That's his ~.* 내 알 바 아니다!). **on the ~** 경계하여(*for, to* do).

·loom[1][lu:m] *n.* Ⓒ 베틀, 직기(織機).

loom[2] *vi., n.* (a ~) 어렴풋이 보이다[보임]; 섬찍지근하게 나타나다[나타남].

loon·y[lú:ni] (< lunatic) *n., a.* Ⓒ 미치광이(의).

lóony bìn 《俗》 정신 병원.

:loop[lu:p] *n.* Ⓒ ① (실·철사 등의) 고리; 고리 모양의 물건[장식]. ② 〖空〗 공중 회전. ③ 〖컴〗 프로그램 중에서 일련의 명령을 반복 실행하기; 반복 실행되는 일련의 명령. — *vt., vi.* 고리 모양으로 만들다[되다]; (*vt.*) 죄다, 동이다(*up*). **~ the ~** 〖空〗 공중제비하다. **∠·er** *n.* Ⓒ 자벌레. **∠·y** *a.* 《口》 정신이 (좀) 이상한.

looped [lu:pt] *a.* 고리로 된; 《美俗》 술 취한.

·lóop·hòle *n.* Ⓒ (성벽의) 총안; (법망 등에서) 빠져 나갈 구멍.

:loose[lu:s] *a.* ① 매지 않은, 풀린, 느즈러진, 엉성한, 헐거운; (개 따위) 풀어 놓은, 자유로운; (의복 따위) 낙낙한, 헐렁헐렁한. ② (종이 따위) 흐트러진; (문·이·못·말뚝 따위) 흔들흔들하는; (흙 따위) 부슬부슬한. ③ 포장이 나쁜; 상자에 넣지 않은, 통[병]조림이 아닌, 포장되어 있지 않고 달아 파는(*~ coffee*). ④ 설사하는. ⑤ 칠칠치 못한, 몸가짐이 헤픈. ⑥ (글이) 소루[산만]한. **at a ~ END. at ~ ENDs. break ~** 탈출하다. **cast ~** 풀다. **come ~** 풀리다, 빠져 나오다. **cut ~** 끊어 버리다; 관계를 끊다; 도망치다; 《口》 법썩을 떨다. **get ~** 도망치다. **let** [**set, turn**] **~** 놓아주다, 해방시키다. **give** (**a**) **~ to** (감정 따위를) 쏠리는 대로 내맡기다. **on the ~** 자유로워, 속박을 받지 않고; 《口》 흥겹게 떠들어. — *vt.* 놓(아 주)다, 풀(어 주)다; (화살·탄환을) 쏘다. — *vi.* 《古》 헐거워지다; 총포를 쏘다. **·∠·ly** *ad.* **∠·ness** *n.*

lóose-léaf *a.* (장부 등의 페이지를) 마음대로 바꾸어 꽂을 수 있는, 루스리프식의.

:loos·en[lú:sən] *vi., vt.* 느즈러지(게 하)다, 늦추다; 풀(리)다; 흩어지(게 하)다; 놓(아 주)다.

loot[lu:t] *n.* Ⓤ 약탈물; 전리품; 부정 이득; 《俗》 돈. — *vt., vi.* 약탈하다, 부정 이득을 취하다. **∠·er** *n.* Ⓒ 약탈자. **∠·ing** *n.* Ⓒ 약탈; 부정이득.

lop *vt.* (**-pp-**) (가지 따위를) 자르다, 치다(*off, away*).

lope[loup] *vi., vt., n.* (a ~) (말·토끼 따위가) 가볍게 달리다[달림].

lop·síded *a.* 한 쪽으로 기울어진.

lo·qua·cious[loukwéiʃəs] *a.* 말 많은; (새·물 따위가) 시끄러운. **lo·quac·i·ty**[-kwǽsəti] *n.*

:lord[lɔ:rd] *n.* ① Ⓒ 군주, 영주; 수장(首長), 주인; 권력자. ② (the L-) 천주, 하느님, 신; (the *or* our L-) 예수. ③ Ⓒ 《英》 귀족; 상원 의원; (L-) 《英》 경(卿)《후작 이하의 귀족의 경칭》. **drunk as a ~** 곤드레만드레 취하여. (**Good**) **L-!** or **L- bless me** [**my soul, us, you**]**!** or **L- have mercy** (**upon us**)**!** 허, 어머(놀랐다)! **live like a ~** 사치스럽게 지내다. **~ and master** 《諧》 남편. **L- of hosts** 만군의 주(Jehova). **the L- of Lords** = CHRIST. **L- only knows.** 오직 하느님만이 아신다《아무도 모른다》. **~s of creation** 인간; 《諧》 남자. **my L-** [milɔ́:rd] 각하, 예하(猊下)《후작 이하의 귀족, 시장, 고등 법원 판사, 주교 등을 부를 때의 경칭》.

the* (House *of*) *Lords 《英》 상원. ***the Lord's Day*** 주일《일요일》. ***the Lord's Prayer*** 주기도문《마태복음 6:9-13》. ***the Lord's Supper*** (***table***) 성찬식(대). — *vi., vt.* 주인인 체하다, 뻐기다(*I will not be ~ed over.* 위압당할 수야 없지); 귀족으로 만들다. **~ *it over*** …에 군림하다. **∠·ling** *n.* Ⓒ 소귀족. ***∠·ly*** *a., ad.* 왕후(王侯)와 같은(같이), 귀족다운(답게), 당당한(히); 교만한(하게). **∠·li·ness** *n.* ***~·ship***[∠ʃìp] *n.* Ⓤ 귀족(군주)임; 주권; 지배(*over*); Ⓒ 영지; Ⓤ 《英》 《호칭》 각하(*your* (*his*) *~ship*).

˙lore[lɔːr] *n.* Ⓤ (특수한 일에 관한) 지식; 학문; (민간) 전승. ***ghost ~*** 유령 전설.

lor·gnette[lɔːrnjét] *n.* Ⓒ 자루 달린 안경; (자루 달린) 오페라 글라스.

˙lor·ry[lɔ́ːri, -ɑ́-/-ɔ́-] *n.* Ⓒ 《英》 (대형) 화물 자동차, 트럭; 목판차.

†lose[luːz] *vt.* (***lost***) ① 잃다; 허비하다. ② (상 따위를) 놓치다; (차에) 늦어서 못 타다; 못 보고(듣고) 빠뜨리다. ③ 지다, 패하다. ④ (시계가) 늦다(opp. gain). ⑤ 벗어나다(*I've lost my cold.* 감기가 떨어졌다). ⑥ (…에게 …을) 잃게 하다(*His insolence has lost him his popularity.* 교만해서 인기가 떨어졌다). — *vi.* ① 줄다, 쇠하다. ② 손해 보다. ③ 실패하다; 패하다. ④ (시계가) 늦다. ***be lost upon*** …에 효과가 없다. ***~ oneself*** 길을 잃다; 정신 팔리다(*in*); 보이지 않게 되다(*in*). ***~ one's way*** 길을 잃다. ***~ way*** 〖海〗 속도가 줄다. ***˙lós·er*** *n.* Ⓒ 손실(유실)자; 패자(*He is a good loser.* 깨끗이 졌다). **lós·ing** *n., a.* Ⓤ 패배(의), 승산 없는; 실패(의); (*pl.*) 손실.

†loss[lɔ(ː)s, lɑs] *n.* ① Ⓤ,Ⓒ 상실. ② Ⓒ 손실(액), 손해. ③ Ⓤ 감손(*in*); 소모, 낭비. ④ Ⓤ 실패, 패배. ***at a ~*** 곤란하여, 어쩔 줄 몰라서 (*for; to* do); 손해를 보고.

†lost[lɔ(ː)st, lɑst] *v.* lose의 과거(분사). — *a.* ① 잃은; 놓친; 진; 허비한; 길 잃은. ② (명예·건강 등을) 해친. ③ 정신 팔린(*in*). ④ 헛되어 (*on*). ⑤ 죽은, 파멸된. ***be ~ in*** …에 잠겨(빠져) 있다. ***give up for ~*** 가망 없는 것으로 치고 단념하다. ***be ~ to*** …을 느끼지 않다(*He is ~ to pity.* 인정 머리가 없다); …에 속하지 않다(*He is ~ to the world.* 세상을 버린 사람이다). ***~ child*** 미아(迷兒). ***~ sheep*** 길잃은 양《인생의 바른 길을 벗어난 사람》. ***~ souls*** 지옥에 떨어진 영혼. ***~ world*** 유사 이전의 세계. ***the ~ and found*** 유실물 취급소.

lóst cáuse 실패한(성공할 가망이 없는) 운동(주의).

lóst próperty 《집합적》 유실물.

†lot[lɑt/-ɔ-] *n.* ① Ⓒ 운(명). ② Ⓒ 제비; 당첨; Ⓤ 추첨. ③ Ⓒ 몫; 한 입 (무더기). ④ Ⓒ 《口》 놈. ⑤ Ⓒ 한 구획의 토지. ***a ~ of,*** or ***~s of*** 《口》 많은(*~s of ink*). ***cast*** (***cut, draw***) ***~s*** 제비를 뽑다. ***sell by*** (***in***) ***~s*** 분매(分賣)하다. ***the ~*** 《口》 전부. ***throw*** (***cast***) ***in one's ~ with*** …와 운명을 함께 하다. — *vt., vi.* (**-tt-**) 구분하다.

loth[louθ] *pred. a.* = LOATH.

˙lo·tion[lóuʃən] *n.* Ⓤ,Ⓒ 바르는 물약; 세제(洗劑); 화장수.

˙lot·ter·y[lɑ́təri/lɔ́-] *n.* Ⓒ 복권(뽑기); 추첨; (a ~) 운.

lot·to[lɑ́tou/lɔ́-] *n.* Ⓤ (다섯 장) 숫자맞추기《카드놀이》.

˙lo·tus, -tos[lóutəs] *n.* Ⓒ 연(꽃); Ⓤ 〖그神〗 로터스, 망우수(忘憂樹)(의 열매)《먹으면 이 세상의 괴로움을 잊음》.

lótus posìtion (요가의) 연화좌(蓮花座)《양발끝을 각기 반대쪽 무릎 위에 올려놓고 앉는 명상의 자세》.

†loud[laud] *a.* ① (목)소리가 큰; 떠들썩한. ② (빛깔·복장 따위가) 화려한. ③ (요구 따위가) 극성스러운; 주제넘은; 야비한. — *ad.* 큰 소리로; 야(천)하게; 불쾌히. **∠·ish** *a.* 좀 소리가 높은; 좀 지나치게 화려한. **:∠·ly** *ad.* ˙**∠·ness** *n.*

˙lóud-spéaker *n.* Ⓒ 확성기; 《美俗》 시끄러운 여자. 「미.

lough[lɑk/-ɔ-] *n.* Ⓒ 《Ir.》 호수, 후

˙lounge[laundʒ] *n.* (a ~) 만보(漫步); Ⓒ (호텔·기선 등의) 휴게(오락)

실; = SOFA. — *vi., vt.* 한가롭게 거닐다(*about*); 축 늘어져[한가로이] 기대다(*on*); 빈둥빈둥 지내다(*away*).

lour [láuər] *vi.* 얼굴을 찌푸리다, 이맛살을 찌푸리다(*at, upon*); (날씨가)나빠지다. **~·ing** *a.* 기분이 좋지 않은, 잔뜩 찌푸린; (날씨가) 험악한.

louse [laus] *n.* (*pl.* **lice**) Ⓒ 〖蟲〗 이. — [-s, -z] *vt.* (…의) 이를 잡다. ~ **up** 결딴내다.

lous·y [láuzi] *a.* 이투성이의; 《口》 불결한; 지독한, 인색한; 많은(*with*).

lout [laut] *n.* Ⓒ 무작한 자, 촌놈. **∠·ish** *a.*

lou·ver [lú:vər] *n.* Ⓒ 미늘창(窓); (*pl.*) = ∠ **bòards** 미늘살.

˙**lov·a·ble** [lʌ́vəbəl] *a.* 사랑스러운, 귀여운. **-bly** *ad.* **~·ness** *n.*

†**love** [lʌv] *n.* ① Ⓤ 사랑, 애정; 애호(*for, of, to, toward*). ② Ⓤ (신의) 자애; (신에 대한) 경모(敬慕). ③ Ⓤ 동정; 연애; 색정. ④ Ⓒ 애인, 사랑하는 자(darling); (L-) = VENUS; (L-) = CUPID; 《口》 즐거운[귀여운] 것(*Isn't she a little ~ of a child?* 참 귀여운 애로구나). ⑤ Ⓤ 〖테니스〗 제로(*L- all!* 영 대 영). ***fall in ~ with*** …을 사랑하다, …에게 반하다. ***for ~*** 좋아서; 거저; 아무 것도 내기를 걸지 않고. ***for ~ or money*** 아무리 하여도. ***for the ~ of*** …때문에, …한 까닭에. ***for the ~ of Heaven*** 제발. ***give*** [***send***] ***one's ~ to*** …에게 안부 전하다. ***in ~*** 사랑하여. ***make ~*** (…에) 구애(求愛)하다(*to*). ***out of ~*** 사랑하는 마음에서. ***out of ~ with*** …이 싫어서. ***There is no ~ lost between them.*** 본래 피차 산 눈곱만큼의 애정도 없다. — *vt., vi.* 사랑하다; 좋아하다; 즐기다; 그리워하다. ***Lord ~ you!*** 맙소사!; 기가 막혀라! **~d** [-d] *a.* 사랑을 받고 있는.

lóve affàir 연애, 정사(情事).

lóve chìld 사생아.

love·less [∠lis] *a.* 사랑하지 않는; 사랑을 못 받는.

lóve lètter 연애 편지.

lóve·lòrn *a.* 사랑[실연]에 고민하는.

†**love·ly** [∠li] *a., n.* ① Ⓒ 사랑스러운[아름다운, 귀여운] (처녀); 《口》 (쇼 등에 나오는) 매력적인 여자; 아름다운 것. ② 《口》 멋진, 즐거운. ˙**love·li·ness** *n.* Ⓤ 사랑스러움, 귀염성; 멋짐.

lóve màtch 연애 결혼.

˸**lov·er** [∠ər] *n.* Ⓒ ① 연인, 애인《남자》; (*pl.*) 애인 사이. ② 애호자; 찬미자(*of*).

lóve·sìck *a.* 사랑에 고민하는. **~·ness** *n.* Ⓤ 상사병.

˸**lov·ing** [∠iŋ] *a.* 애정을 품고 있는, 사랑하는; 친애하는. **~·ly** *ad.*

low[1] [lou] *vi., vt.* (소 따위가) 음매하고 울다; 굵은 목소리로 말하다(*forth*). — *n.* Ⓒ 소의 울음 소리.

†**low**[2] *a.* ① 낮은; 저지(低地)의; 저급한; 야비한, 천한. ② 침울한; 약한. ③ 값싼; (수가) 적은; (돈주머니가) 빈; (음식물이) 담박[산뜻]한, (식사가) 검소한. ④ (시대가) 비교적 근대의. ⑤ 저조[저음]의; 〖音聲〗 혀의 위치가 낮은. ⑥ (옷의) 깃을 깊이 판. ***be in ~ water*** 돈에 궁하다. ***bring ~*** 쇠퇴케 하다; 줄이다. ***fall ~*** 타락하다. ***feel ~*** 기분이 안 나다, 소침하다. ***lay ~*** 쓰러뜨리다; 죽이다; 매장하다. ***lie ~*** 웅크리다; 나가떨어져[죽어] 있다; 《俗》 가만히 죽치고 있다. ***run ~*** 결핍하다. ***The glass is ~.*** 온도계가 낮다. — *ad.* ① 낮게, 낮은 곳에; 야비[천]하게; 싸게; 작은 소리로. ② 검소한 음식으로. ③ 적도(赤道) 가까이. ④ 최근(*We find it as ~ as the 19th century.*). ***~ down*** 훨씬 아래에. ***play it ~*** (***down***) ***upon*** …을 냉대하다(*They are playing it ~* (*down*) *upon him.* 괄시한다). ***play ~*** 소액의 내기를 하다. — *n.* ① Ⓤ (차의) 저속 기어. ② Ⓒ 〖氣〗 저기압. ③ Ⓒ 최저 수준[기록].

lów·bròw *a., n.* Ⓒ 《口》 교양 없는 (사람); (영화·소설 등) 저급한.

lów-dòwn *n., a.* (the ~) 《俗》 실정, 진상(*give the ~ on* …의 내막을 알리다); 《俗》 비열한, 시시한.

˸**low·er**[1] [lóuər] *vi.* (끌어) 내리다; 낮추다; (기운을) 꺾다, 누르다. — *vi.* 내려가다, 낮아지다; 싸지다; 보

L

트를〔돛을〕 내리다. ── 《low²의 비교급》 *a., ad.* 더 낮은〔게〕; 하급〔하층〕의; 열등한. ~**·ing** *a.* 내려가는; 비천〔비열〕한; 저하시키는.
low·er²[láuər] *vi.* = LOUR.
lówer cáse[lóuər-] 〖印〗 소문자용 케이스.
Lówer Chámber = LOWER HOUSE.
Lower House 하원.
lówer·mòst *a.* 최하〔최저〕의, 맨 밑바닥의.
lówest cómmon denóminator 최소 공분모《생략 L.C.D.》.
low·land**[lóulənd, -lǽnd] *n.* Ⓒ (종종 *pl.*) 저지(低地). ***the Lowlands 스코틀랜드 중남부 저지 지방. ~**·er** *n.* Ⓒ 저지 사람; (L-) 스코틀랜드 저지 사람.
***low·ly**[lóuli] *a., ad.* 신분이 낮은, 비천한; 천하게; 초라한; 겸손한〔하여〕. **-li·ness** *n.*
lów-lỳing *a.* (땅이) 낮은.
lów-pítched *a.* 저조한; 경사가 뜬.
lów séason 《英》 (장사·행락 따위의) 한산기, 시즌 오프.
lów tíde 간조, 썰물.
lów-wáter màrk 간조표(標); 최저점, 최악 상태.
:loy·al[lɔ́iəl] *a.* 충의의, 충성스러운, 충실한. ~**·ism**[-ìzəm] *n.* Ⓤ 충성, 충절. ~**·ist** *n.* ~**·ly** *ad.* **:** ~**·ty**[-ti] *n.* Ⓤ 충절, 충성; 충실.
loz·enge[lázindʒ/-ɔ́-] *n.* Ⓒ 마름모꼴(의 것·무늬); 〖醫〗 정제《입 안에서 녹이는》; (보석의) 마름모꼴의 면.
LP[élpí:] *n.* (＜ *l*ong-*p*laying) Ⓒ 〖商標〗 (레코드의) 엘피판(cf. EP).
LSD lysergic acid diethylamide 〖藥〗 결정상(結晶狀)의 환각제의 일종 (LSD-25). **Lt.** Lieutenant. **Ltd.** Limited.
lu·bri·cant[lú:brikənt] *a., n.* 매끄럽게 하는; Ⓤ,Ⓒ 윤활제(劑)〔유〕.
lu·bri·cate[-kèit] *vt., vi.* 기름을〔윤활제를〕 바르다; 매끄럽게 하다; 《俗》 뇌물을 주다; 술을 권하다, 취하다. **-ca·tion**[ㅗ-kéiʃən] *n.* **-ca·tive** *a.* **-ca·tor** *n.* Ⓒ 기름 치는 기구〔사람〕.
lu·bri·cious [lu:bríʃəs], **lu·bri·cous**[lú:brəkəs] *a.* 매끄러운, 불잡기 곤란한; 불안정한; 교활한; 음탕한.
lu·cern(e)[lu:sɔ́:rn] *n.* Ⓤ 〖植〗 《英》 자주개자리.
lu·cid[lú:sid] *a.* 명백한; 맑은, 투명한; 〖醫〗 본〔제〕정신의; 《詩》 빛나는, 맑은. ~**·ly** *ad.* ~**·ness** *n.* **lu·cíd·i·ty** *n.*
:luck[lʌk] *n.* Ⓤ 운; 행운. ***as ~ would have it*** 다행히; 불행히도, 운 나쁘게. ***bad***〔***ill***〕 ~ 불행, 불운. ***Bad ~ to*** …에게 천벌이 있기를! ***down on one's ~*** = UNLUCKY. ***for ~*** 운이 좋도록. ***good ~*** 행운. ***Good ~ to you.*** 행운을 빕니다. ***in***〔***out of, off***〕 ~ 운이 틔어서〔나빠서〕. ***Just my ~!*** 아아 또구나《실패했을 때, 운이 나빠서》. ***try one's ~*** 운을 시험해 보다. ***with one's ~*** 운이 좋아서〔나빠서〕. ***worse ~*** 운수 사납게, 재수없게, 공교롭게. *** ∠·less(·ly)** *a.* (*ad.*)
†luck·y[lʌ́ki] *a.* 행운의, 운이 좋은; 상서로운. ~ ***beggar***〔***dog***〕 행운아, 재수 좋은 사람. ~ ***guess***〔***hit***〕 소경 문고리 잡기. **:lúck·i·ly** *ad.* **-i·ness** *n.*
lúcky díp 《英》 (바자회 등에서 뽑는) 복주머니.
lu·cra·tive [lú:krətiv] *a.* 이익 있는, 돈벌이가 되는. ~**·ness** *n.*
lu·cre[lú:kər] *n.* Ⓤ 이익; 돈; 부(riches). ***filthy ~*** 부정(不淨)한 돈.
***lu·di·crous**[lú:dəkrəs] *a.* 익살맞은, 우스운, 바보 같은, 시시한. ~**·ly** *ad.*
lug[lʌg] *vi., vt.* (**-gg-**), *n.* 세게 끌다〔잡아당기다〕, Ⓒ 힘껏 끎〔잡아당김〕; (*pl.*) 《美俗》 젠체하는 태도(***put on ~s*** 뽐내다); 《俗》 정치 헌금의 강요; = **∠·wòrm** 갯지렁이.
:lug·gage[lʌ́gidʒ] *n.* Ⓤ 《英》《집합적》 수(手)하물(《美》 baggage); 여행 가방.
lúggage vàn 《英》 = BAGGAGE CAR.
lu·gu·bri·ous[lu:gjú:briəs] *a.* 슬픈 듯한, 애처로운, 가엾은.
luke·warm[∠wɔ́:rm] *a.* 미지근한; 미적지근한; 열의 없는. ~**·ly** *ad.* ~**·ness** *n.* Ⓤ 미적지근함; 열의 없

음.

:lull [lʌl] *vt.* (어린애를) 달래다, 어르다; (바람·병세·노염 등을) 가라앉히다, 진정시키다. ― *vi.* 자다, 가라앉다. ― *n.* (a ~) (폭풍우 따위의) 잠잠함, 뜸함; (병세의) 소강 상태; (교통·회화의) 두절, 잠깐 쉼.

·lull·a·by [lʌ́ləbài] *n.* Ⓒ 자장가.

lum·ba·go [lʌmbéigou] *n.* Ⓤ 〖病〗 요통, 산기(疝氣).

lum·bar [lʌ́mbər] *a.* 〖解〗 허리(부「분)의.

:lum·ber[1] [lʌ́mbər] *n.* Ⓤ ① 《美·Can.》 재목(《英》 timber). ② (낡은 가구 따위의) 잡동사니. ― *vt.* 난잡하게 쌓아올리다; 목재로 장소를 막아버리다. ― *vi.* 목재를 베어 내다. **~·er** *n.*

lum·ber[2] *vi.* 쿵쿵 걷다; 무겁게 움직이다(*along, past, by*). 「목꾼.

lúmber·jàck *n.* Ⓒ 《美·Can.》 벌

lúmber·yàrd *n.* Ⓒ 《美·Can.》 재목 두는 곳.

lu·mi·nar·y [lú:mənèri/-nəri] *n.* Ⓒ 발광체 《태양, 달》; 지도자; 명사.

:lu·mi·nous [lú:mənəs] *a.* ① (스스로, 또는 반사로) 빛나는; 밝은. ② 명쾌한, 계몽적인. **~·ness, -nos·i·ty** [⌒-násəti/-ɔ́-] *n.*

:lump[1] [lʌmp] *n.* ① Ⓒ 덩어리(*a ~ of sugar* 각설탕 한 개). ② Ⓒ 돌기, 혹. ③ (a ~) 《俗》 많음(*of*). ④ Ⓒ 《口》 멍청이. ***a ~ in one's*** [***the***] ***throat*** (감격으로) 목이 메는[가슴이 벅찬] 느낌. ***in*** [***by***] ***the ~*** (대충) 통틀어, 총체로. ― *vt., vi.* ① 덩어리로 만들다, 덩어리지다, 한 묶음으로[총괄]되다[하다] (*together, with*). ② 어슬렁어슬렁 걷다(*along*). ③ 털썩 주저앉다(*down*). **∠·ish** *a.* 덩이져서 묵직한; 작달막한; 멍텅구리의. **∠·y** *a.* 혹투성이의; (바다가) 파도가 일고 있는; 투미한; 모양 없는.

lump[2] *vt.* 《口》 참다, 견디다.

lúmp súm (대충 잡은) 총액.

lu·na·cy [-si] *n.* Ⓤ 정신 이상; Ⓒ 미친[어리석은] 짓(folly).

·lu·nar [lú:nər] *a.* 달의[과 같은]; 초승달 모양의. ~ CALENDAR.

lúnar mónth 태음월(太陰月)《약 29 ½일》.

·lu·na·tic [lú:nətik] *a., n.* 미친; Ⓒ 미친 사람.

lúnatic asýlum 정신 병원.

†lunch [lʌntʃ] *n., vi., vt.* Ⓤ,Ⓒ 점심[가벼운 식사](을 먹다).

:lunch·eon [∠ən] *n.* Ⓤ,Ⓒ (정식의) 오찬; 점심. **~·ette** [lʌ̀ntʃənét] *n.* Ⓒ 간이 식당.

lúncheon vòucher 《英》 식권《회사 따위에서 종업원에 지급되는》.

lúnch·tìme *n.* Ⓤ 점심 시간.

:lung [lʌŋ] *n.* Ⓒ 폐. ***have good ~s*** 목소리가 크다.

lunge [lʌndʒ] *n., vi.* Ⓒ 찌르기, 찌르다(*at*); 돌진(하다)(*at, out*); (말이) 차다. ― *vt.* (칼을) 불쑥 내밀다.

lu·pin(e) [lú:pin] *n.* Ⓒ 루핀콩(의 씨).

lurch[1] [ləːrtʃ] *n.* 《다음 성구로》 ***leave a person in the ~*** (친구 따위가) 곤경에 빠져 있는 것을 모른 체하다.

lurch[2] *n., vi.* Ⓒ 경사(지다); 비틀거림; 경향.

:lure [luər] *n., vi., vt.* (*sing.*) 매력; 미끼(로 꾀어들이다); 유혹(하다).

lu·rid [lú:rid] *a.* (하늘 따위가) 섬쩍지근하게[타는 듯이] 붉은; 창백한(wan); 무시무시한, 무서운. ***cast a ~ light on*** …을 무시무시하게 보이게 하다.

:lurk [ləːrk] *vi.* 숨다, 잠복하다.

lus·cious [lʌ́ʃəs] *a.* 맛있는, 감미로운; 보기[듣기]에 즐거운, 촉감이 좋은; 《古》 지루한.

lush [lʌʃ] *a.* (풀이) 파릇파릇하게 우거진; 풍부한; 유리한.

:lust [lʌst] *n., vi.* Ⓤ,Ⓒ ① (종종 *pl.*) 육욕(이 있다). ② 열망(하다) (*after, for*). **∠·ful** *a.* 음탕한, 색골의.

:lus·ter, 《英》 **-tre** [lʌ́stər] *n.* Ⓤ ① (은은한) 광택(*the ~ of pearls*); 광채; 빛남, 밝기. ② 명성. ③ 광택 있는 모직물. ― *vt.* 광택을 내다.

:lus·tre [lʌ́stər] *n.* ⇨LUSTER.

lus·trous [lʌ́strəs] *a.* 광택 있는. **~·ly** *ad.*

·lust·y [lʌ́sti] *a.* 튼튼한; 원기 왕성한. **lúst·i·ly** *ad.* **lúst·i·ness** *n.*

lute [lu:t] *n.* Ⓒ (15-17세기의) 기타 비슷한 악기.

L

luv[lʌv] *n.* 여보, 당신(love)《호칭》.

:lux·u·ri·ant[lʌgʒúəriənt, lʌkʃúər-] *a.* ① 무성한, 다산(多産)의. ② (문체가) 화려한. **~·ly** *ad.* **-ance** *n.* **-ate**[-èit] *vi.* 무성하다, 호사하다; 즐기다, 탐닉하다(*in*).

:lux·u·ri·ous[-əs] *a.* 사치[호화]스런; 사치를 좋아하는; 매우 쾌적한. **~·ly** *ad.* **~·ness** *n.*

:lux·u·ry[lʌ́kʃəri] *n.* ① Ⓤ 사치; 호화. ② Ⓒ 사치품, 비싼 물건. ③ Ⓤ 쾌락, 만족.

-ly[li] *suf.* ① 부사 어미: real*ly*, kind*ly*, month*ly*. ② '…과 같은' 의 뜻의 형용사 어미: kind*ly*, love*ly*.

ly·cée[liːséi/ˊ–] *n.* (F.) Ⓒ (프랑스의) 국립 고등 학교.

·ly·ing[1] [láiiŋ] *a.* 거짓(말)의; 거짓말쟁이의.

:ly·ing[2] *a., n.* Ⓤ 드러누워 있는[있음].

lymph[limf] *n.* Ⓤ 〖醫〗 두묘(痘苗)액; 혈청; 〖解·生〗 림프액; 《詩》 청수(淸水), 깨끗한 물. **lym·phat·ic** [limfǽtik] *a., n.* 림프액의(*the lymphatic gland* 림프샘); 연약한; (성질이) 굼뜬; Ⓒ 〖解〗 림프샘[관].

·lynch[lintʃ] *vt.* 사형(私刑)을[린치를] 가하다.

lynx[liŋks] *n.* (*pl.* **~*es***, ~) Ⓒ 살쾡이; Ⓤ 그 가죽; (the L-) 〖天〗 살쾡이자리.

lyre[láiər] *n.* Ⓒ 리라《손에 들고 타는 옛날의 작은 수금(竪琴)》; (the L-) 〖天〗 거문고 자리.

·lyr·ic[lírik] (<lyre) *n., a.* Ⓒ 서정시(의, 적인)(cf. epic). **·-i·cal** *a.* 서정시조(調)의. **-i·cal·ly** *ad.*

lyr·i·cism[lírəsìzəm] *n.* Ⓤ 서정시체[풍].

lyr·i·cist[lírəsist] *n.* Ⓒ 서정 시인.

L

M

M, m[em] (*pl.* ***M's, m's***[-z]) ① Ⓤ,Ⓒ 알파벳의 열 셋째 글자. ② Ⓒ M자 모양의 것.
M 《로마 숫자》 ***mille*** (L. = 1,000).
m. male; medium. **m., m** meter.
:**ma**[mɑː] *n.* Ⓒ 《口》 엄마; 아줌마.
M.A. *Magister Artium* (L. = Master of Arts); mental age; Military Academy.
:**ma'am** *n.* Ⓒ ① [məm, m] 《口》 부인, 마님《호칭》, (여)선생 등 웃사람에 대한 호칭. ② [mæm, -ɑː-] 《英》 여왕·공주에 대한 호칭《madam의 단축》.
Mac[mæk] *n.* Ⓒ 《諧》 스코틀랜드 사람, 아일랜드 사람; 《俗》 낯선 사람에 대한 호칭.
ma·ca·bre [məkɑ́ːbrə], **-ber** [-bər] *a.* 죽음의 무도의; 섬뜩한.
mac·ad·am[məkǽdəm] *n.* Ⓤ 〖土〗 쇄석(碎石); 쇄석 포도(鋪道). **~·ize** [-àiz] *vt.* (…에) 밤자갈을 깔다.
:**mac·a·ro·ni**[mæ̀kəróuni] *n.* (*pl.* **~(*e*)*s***) ① Ⓤ 마카로니《이탈리아식 국수》. ② Ⓒ 18세기 영국에서 이탈리아를 숭상하던 멋쟁이. ③ Ⓒ 《俗》 이탈리아 사람.
mac·a·roon[mæ̀kərúːn] *n.* Ⓒ 마카롱《달걀 흰자·편도·설탕으로 만든 과자》.
ma·caw[məkɔ́ː] *n.* Ⓒ 〖動〗 마코앵무새; 〖植〗 야자의 일종.
mace[1][meis] *n.* Ⓒ 갈고리 철퇴《중세의 무기》; 권표(權標), 직장(職杖)《시장·대학 학장 등의 앞에 세운 직권의 상징》; (구식) 당구봉; (M-) 《美》 지대지 핵 유도탄; (M-) 불능 화학제(不能化學劑), 최루 신경 가스.
mace[2] *n.* Ⓤ 육두구 껍질을 말린 향료.
Mach, m-[mɑːk, mæk] *n.* Ⓒ 〖理〗 마하《고속도의 단위; ~ one은 20°C에서의 음속 770 마일/시에 상당》.
ma·chet·e[mətʃéti, -tʃé-] *n.* Ⓒ (중남미 원주민의) 날이 넓은 큰 칼.
Mach·i·a·vel·li [mæ̀kiəvéli], (1469-1527) 책략 정치를 주장한 이탈리아의 정치가. **~·an**[-véliən] *a.* 권모 정치를 예사로 하는. **-vél·lism** *n.* Ⓤ 마키아벨리주의《목적을 위해서는 수단을 가리지 않음》.
mach·i·nate[mǽkənèit] *vt., vi.* (음모를) 꾸미다. **-na·tion**[⌐—néiʃən] *n.* Ⓒ 책동; 음모. **-na·tor** *n.* Ⓒ 책사(策士).
†**ma·chine**[məʃíːn] *n.* Ⓒ ① 기계, 기구. ② 자동차, 비행기, 자전거, 재봉틀, 타이프라이터, 인쇄 기계, 기계적으로 일하는 사람. ③ 기구(機構) (***the military*** ~ 군부/***the social*** ~ 사회 기구); (정당의) 지도부.
machíne còde 〖컴〗 기계 코드.
machíne gùn 기관총.
machíne-màde *a.* 기계로 만든.
machíne-réadable *a.* 〖컴〗 (전산기가) 처리할 수 있는, 반응할 수 있는 꼴의.
:**ma·chin·er·y**[məʃíːnəri] *n.* Ⓤ ① 《집합적》 기계, 기계 장치. ② (정부 따위의) 기관, 기구; 조직. ③ (극 따위의) 꾸밈; (극 따위) 초자연적 사건. ***government*** ~ 정치 기구.
machíne tòol 공작 기계.
ma·chin·ist[məʃíːnist] *n.* Ⓒ 기계공.
ma·chis·mo[mɑːtʃíːzmou] *n.* Ⓤ 남자의 긍지; 남자다움.
ma·cho[mɑ́ːtʃou] *a., n.* (Sp.) Ⓒ 사내다운〔늠름한〕 (사나이).
mack·er·el [mǽkərəl] *n.* (*pl.* **~*s***, 《집합적》 ~) Ⓒ 〖魚〗 고등어.
mack·in·tosh[mǽkintɑ̀ʃ/-tɔ̀ʃ] *n.* Ⓤ 고무 입힌 방수포; Ⓒ 방수 외투.
mac·ro-[mǽkrou, -rə] *pref.* '긴, 큰' 이란 뜻의 결합사.
màcro·biótic *a.* 장수(長壽)의, 장수식(食)의.

M

mac·ro·cosm [mǽkrəkàzəm/-kɔ̀z-] *n.* (the ~) 대우주(opp. microcosm).

màcro·económic *a.* 거시 경제의. **~s** *n.* Ⓤ 거시 경제학.

:mad [mæd] *a.* (**-dd-**) ① 미친. ② 무모한(wild). ③ 열중한(*after, about, for, on*)(*He is ~ about her.* 그 여자에 미쳐 있다). ④ 《口》 성난(angry)(*at*). **drive** (*a person*) ~ 미치게 하다. **go** [**run**] ~ 미치다. **like** ~ 미친 듯이, 맹렬히. **˙∠·ly** *ad.* 미쳐서, 미친듯이, 몹시, 극단으로. **:∠·ness** *n.*

:mad·am [mǽdəm] *n.* Ⓒ 부인, 아씨《미혼·기혼에 관계 없이 여성에게 대한 정중한 호칭》(cf. ma'am).

˙*mad·ame* [mǽdəm, mədǽm, mədɑ́:m] *n.* (F.) Ⓒ 아씨, 마님, …부인《생략 MRS.》.

mád·càp *a., n.* Ⓒ 무모한 (사람).

mád-cow disèase 광우병(狂牛病).

˙mad·den [mǽdn] *vt., vi.* 미치게 하다, 미치다. **~·ing** *a.* 미칠 듯한.

†made [meid] *v.* make의 과거(분사). ── *a.* ① 만든; 그러모은; 만들어진. ② 성공이 확실한. ~ **dish** 모듬요리. ~ ***man*** 성공자.

˙*mad·e·moi·selle* [mæ̀dəmwəzél] *n.* (F.) =MISS《생략 Mlle.; (*pl.*) Mlles》.

máde-úp *a.* 만든, 만들어낸, 메이크업한; 꾸며낸; 결심한; (스타일 따위) 지나치게 꾸민, 부자연한.

mád·hòuse *n.* Ⓒ 정신병원.

˙mád·màn *n.* Ⓒ 미친 사람.

˙Ma·don·na [mədɑ́nə/-ɔ́-] (It. =my lady) *n.* (the ~) 성모 마리아; Ⓒ 그 (초)상.

mad·ri·gal [mǽdrigəl] *n.* Ⓒ 사랑의 소곡; 합창곡(cf. motet).

mael·strom [méilstrəm/-ròum] *n.* Ⓒ 큰 소용돌이; 혼란; (the M-) 노르웨이 북서 해안의 큰 소용돌이.

ma·es·tro [máistrou/mɑ:és-] *n.* (It.)(*pl.* **~s, *-tri***[-tri:]) Ⓒ 대음악가; 거장(巨匠).

Ma(f)·fi·a [mɑ́:fi:ə, mǽfiə] *n.* (It.) Ⓒ 마피아단《법률과 질서를 무시한 시칠리아 섬의 폭력단》; (미국 등의) 범죄 비밀 결사.

ma·fi·o·so [mɑ̀:fi:óusou] *n.* (*pl.* **-si** [-si:]) Ⓒ 마피아의 일원.

†mag·a·zine [mæ̀gəzí:n, ∠-∠] *n.* Ⓒ ① 잡지. ② (탄약·식량 따위의) 창고. ③ (연발총의) 탄창. ④ 【寫】 필름 감는 틀.

ma·gen·ta [mədʒéntə] *n.* Ⓤ 빨간 아닐린 물감; 그 색《진홍색》.

mag·got [mǽgət] *n.* Ⓒ 구더기; 변덕. ~ ***in one's head*** 변덕. **~·y** *a.* 구더기 천지의; 변덕스러운.

Ma·gi [méidʒai] *n. pl.* (*sing.* **-gus** [-gəs]) 【聖】 동방 박사《마태 복음 2:1》; 마기 승족(僧族)《고대 페르시아의》; 마술사. **~·an** [méidʒiən] *a., n.* Ⓒ 마기 승족의; 마술의; 마기승(僧); 마술사.

:mag·ic [mǽdʒik] *a.* ① 마법의(cf. Magi); 기술(奇術)의. ② 불가사의한. ── *n.* Ⓤ ① 마법, 기술. ② 불가사의한 힘. **black** ~ 악마의 힘에 의한 마술. **natural** ~ 자연력 응용의 마술. **white** ~ 착한 요정(妖精)의 힘에 의한 마술. **˙mág·i·cal** *a.* **-i·cal·ly** *ad.*

mágic cárpet (전설상의) 마법의 양탄자.

mágic éye (라디오·텔레비전 따위의) 매직아이《동조(同調) 지시 진공관》; (M- E-) 그 상표명.

:ma·gi·cian [mədʒíʃən] *n.* Ⓒ 마법사; 요술쟁이.

mag·is·te·ri·al [mæ̀dʒəstíəriəl] *a.* magistrate의; 위엄에 찬; 고압적인.

:mag·is·trate [mǽdʒistrèit, -trit] *n.* Ⓒ (사법권을 가진) 행정 장관; 치안 판사(justice of the peace). **-tra·cy** *n.* Ⓤ magistrate의 직[임기·관구]; 《집합적》 행정 기관.

mag·ma [mǽgmə] *n.* (*pl.* **-mas, *-mata***[-mətə]) Ⓤ 【地】 마그마, 암장(岩漿).

mag·nan·i·mous [mægnǽniməs] *a.* 도량이 넓은, 아량 있는. **mag·na·nim·i·ty** [∸-níməti] *n.* Ⓤ 도량이 넓음, 아량; Ⓒ 관대한 행위.

mag·nate [mǽgneit] *n.* Ⓒ 거물, 유력자(*an oil* ~ 석유왕).

mag·ne·sia [mægní:ʃə, -ʒə] *n.* Ⓤ 【化】 산화마그네슘. **-sian** *a.*

mag·ne·si·um [mæɡníːziəm, -ʒəm] *n.* Ⓤ 〖化〗 마그네슘《금속 원소; 기호 Mg》.

:mag·net[mǽɡnit] *n.* Ⓒ 자석; 사람을 끄는 것. ***bar*** ~ 막대 자석. ***horseshoe*** ~ 말굽 자석. ***natural*** ~ 천연 자석.

·mag·net·ic[mæɡnétik] *a.* 자기성이 있는; 매력 있는. **~s** *n.* Ⓤ 자기학(磁氣學). **-i·cal·ly** *ad.*

magnétic cómpass 자기 컴퍼스 〔나침의〕.

magnétic fíeld 자장, 자계.

magnétic nórth, the 자북(磁北).

magnétic tápe (recòrder) 자기 테이프 (리코더).

·mag·net·ism[mǽɡnətìzəm] *n.* Ⓤ 자기, 자력.

mag·net·ize[mǽɡnətàiz] *vt.* 자력을 띠게 하다; (사람을) 끌어 당기다, (사람 마음을) 움직이다. — *vi.* 자력을 띠다. **-i·za·tion**[∸–izéiʃən] *n.* Ⓤ 〖컴〗 자기화(化).

mag·ne·to[mæɡníːtou] *n.* (*pl.* **~s**) Ⓒ 〖電〗 자석 발전기.

mag·ni·fi·ca·tion [mæ̀ɡnəfikéiʃən] *n.* Ⓤ 확대; 과장; 찬미; 〖光〗 배율(倍率); Ⓒ 확대도.

:mag·nif·i·cent[mæɡnífəsənt] *a.* 장려한; 장엄한; 웅대한; 훌륭한. **~ly** *ad.* **·-cence** *n.*

mag·ni·fi·er[mǽɡnəfàiər] *n.* Ⓒ 확대기, 확대경.

:mag·ni·fy[mǽɡnəfài] *vt.* ① 확대하다, 확대하여 보다; 과장하다. ② 《古》 칭찬하다.

mágnifying glàss 확대경, 돋보기.

·mag·ni·tude[mǽɡnətjùːd] *n.* ① Ⓤ 크기. ② Ⓤ 중요도. ③ Ⓒ 〖天〗 광도(光度); 진도(震度).

mag·no·li·a[mæɡnóuliə, -ljə] *n.* Ⓒ 〖植〗 태산목(泰山木), 목련; 그 꽃.

mag·num[mǽɡnəm] *n.* (L.) Ⓒ 2 쿼트들이의 큰 술병; 그 양.

mágnum ó·pus[-óupəs] (L.) (문예·예술상의) 대작, 대표작; 주요 작품.

mag·pie[mǽɡpài] *n.* Ⓒ 〖鳥〗 까치; 비둘기의 일종; 수다쟁이.

ma·ha·ra·ja(h) [mɑ̀ːhərɑ́ːdʒə] *n.* (Hind.) Ⓒ (인도의) 대왕, 인도 토후국의 왕. **-ra·nee**[-rɑ́ːni] *n.* Ⓒ maharaja(h)의 부인.

·ma·hog·a·ny[məhɑ́ɡəni/-hɔ́-] *n.* ① Ⓒ 마호가니; Ⓤ 그 목재. ② Ⓤ 적갈색. ③ (the ~) 식탁. ***be under the*** ~ 식탁 밑에 취해 곤드라지다. ***with one's knees under the*** ~ 식탁에 앉아.

:maid[meid] *n.* Ⓒ ① 소녀, 아가씨; 미혼녀; 《古》 처녀. ② 하녀. ~ ***of hono(u)r*** 시녀; 《美》 신부의 들러리 《미혼녀》. ~ ***of work*** 가사 일반을 맡아 보는 하녀. ***old*** ~ 노처녀; 잔소리꾼; (트럼프의) 조커 빼기.

:maid·en[méidn] *n.* Ⓒ ① 아가씨, 미혼녀. ② 〖史〗 단두대. — *a.* 미혼의, 처음의, 처녀…(*a* ~ *speech* 처녀 연설/*a* ~ *voyage* 처녀 항해).

máiden·hàir *n.* Ⓤ 〖植〗 공작고사리 속(屬)의 속칭.

máiden·hèad *n.* Ⓤ = MAIDENHOOD; Ⓒ 처녀막.

máiden·hòod *n.* Ⓤ 처녀성, 처녀 시대.

máiden náme (여자의) 구성(舊姓).

mail[1] [meil] *n.* ① Ⓒ 우편낭. ② Ⓤ 《美》 우편(제도)(*air* ~ 항공 우편/*firstclass* ~ 제1종 우편). ③ Ⓤ 《집합적》 우편물. ***by*** ~ 우편으로. — *vt.* 우송하다.

†mail[2] *n.* Ⓤ 사슬미늘 갑옷. **~ed**[-d] *a.* 사슬미늘 갑옷을 입은.

máil·bàg *n.* Ⓒ 우편낭.

·máil·bòx *n.* Ⓒ 우편함; 우체통; 〖컴〗 편지상자《전자 우편을 일시 기억해 두는 컴퓨터 내의 기억 영역》.

máil·ing lìst 우편물 수취인 명부.

:máil·màn *n.* Ⓒ 우편 집배원.

máil òrder 〖商〗 통신 주문, 통신 판매.

·maim[meim] *vt.* 불구자로 만들다.

:main[mein] *n.* ① Ⓤ 힘, 체력. ② Ⓒ 주된 것; 중요 부분. ③ (the ~) 《詩》 대해《main sea의 생략》(cf. mainland)(*over land and* ~ 육지와 바다에). ④ Ⓒ (수도 따위의) 본관(本管), 간선. ***in the*** ~ 주로;

M

대체로. ***with might and*** ~ 전력을 다하여. ― ***a.*** ① 전력〔온 힘〕을 다하는. ② 주요한, 세일의. ***by*** ~ ***force*** 전력을 다하여. **:∠·ly** *ad.* 주로, 대개.

máin cláuse 〖文法〗 주절(主節).

máin·fràme *n.* Ⓒ 〖컴〗 컴퓨터의 본체(cf. peripheral); 대형 고속 컴퓨터.

·main·land [∠læ̀nd, -lənd] *n.* Ⓒ 본토《부근의 섬·반도에 대한》. **~·er** *n.* Ⓒ 본토 주민.

máin lìne 간선, 본선.

main·sail [∠sèil, 《海》 -səl] *n.* Ⓒ 주범(主帆)《mainmast의 돛》.

máin·sprìng *n.* Ⓒ (시계 등의) 큰 태엽; 주요 동기.

máin·stày *n.* Ⓒ 큰 돛대의 버팀줄; 대들보.

:main·tain [meintéin, mən-] *vt.* ① 유지하다. ② 지속〔계속〕하다. ③ 부양하다, (한 집안을) 지탱하다. ④ 간수하다, 건사하다. ⑤ 주장하다 (*that*); 지지하다. ~ ***oneself*** 자활하다.

·main·te·nance [méintənəns] *n.* Ⓤ 유지, 보존; 지속, 부양(료), 생계; 주장.

mai·son·(n)ette [mèizounét] *n.* (F.) Ⓒ 《英》 작은 집; (종종, 이층 건물의) 아파트, 셋방.

maize [meiz] *n.* Ⓒ 옥수수; 그 열매; Ⓤ 담황색.

Maj. Major.

:ma·jes·tic [mədʒéstik], **-ti·cal** [-əl] *a.* 위엄 있는, 당당한. **-ti·cal·ly** *ad.*

:maj·es·ty [mǽdʒisti] *n.* ① Ⓤ 위엄, 장엄. ② Ⓤ 주권. ③ Ⓒ (M-) 폐하. ④ Ⓒ 《美》 후광에 둘러싸인 신〔예수〕의 상(像). ***His*** 〔***Her, Your***〕 ~ 폐하.

:ma·jor [méidʒər] *a.* (opp. minor) ① (둘 중에서) 큰 쪽의, 대부분의. ② 주요한. ③ 〖樂〗 장조(長調)의. ④ 성년의. ⑤ (M-) (같은 성(姓)에서) 연장의(*Brown* ~ 큰 브라운). ― ***n.*** Ⓒ ① 육군〔해·공군〕 소령; 《軍俗》 (특무) 상사. ② 〖法〗 성년자. ③ 《古》 〖論〗 대전제; 〖樂〗 장조 (*A* ~ 가장조); 장음계. ④ 《美》 (대학의) 전공 과목. ― *vi.* 《美》 전공하다(*in*).

májor géneral 소장《육군·해병·공군의》.

:ma·jor·i·ty [mədʒɔ́(ː)rəti, -dʒár-] *n.* ① Ⓤ 대다수; Ⓤ,Ⓒ 과반수; 다수파; Ⓒ (득표)차. ② Ⓤ 〖法〗 성년. ③ Ⓤ 소령의 지위. ***attain one's*** ~ 성년이 되다. (*win*) ***by a*** ~ ***of*** …의 차로 (이기다). ***join the*** ~ 죽다. ***the*** ~ 죽은 사람.

májor léague 《美》 직업 야구 대리그《National League 혹은 American League》.

†make [meik] *vt.* (***made***) ① 만들다, 제조하다, 건설하다. ② (시나 글을) 창작하다, 마련하다(arrange) (~ *a bed* 잠자리를 마련하다). ③ (…으로) 만들다. ④ (…이) 되게 하다(*into*); (…을) …으로 하다(~ *a man of him* 그를 당당한 사나이로 만들다). ⑤ (…을) …으로 보다(~ *him a fool* 우롱하다); 판단하다(~ MUCH 〔LITTLE〕 *of*). ⑥ (법률 따위를) 제정하다; 구성하다(*Oxygen and hydrogen* ~ *water.* 산소와 수소로 물이 된다). ⑦ 도합 (…이) 되다; (…에) 충분하다(*One swallow does not* ~ *a summer.*); (…이) 되다(*She will* ~ *a good wife.* 좋은 아내가 될 것이다). ⑧ 얻다; (돈을) 벌다. ⑨ 하다, 행하다(~ *a bow* 절을 하다). ⑩ 가다, 나아가다, 답파하다(~ *one's way* 나아가다/~ *ten miles an hour* 한 시간에 10마일 나아가다). ⑪ 눈으로 확인하다(~ *land* 육지가 보이다); …이 보이는 데까지 가다; 도착하다(*The ship made port.* 배는 입항했다); 《口》 시간에 대다(*I've made it!* 됐다!). ⑫ 말하다(~ *a joke* 농담하다). ⑬ (트럼프에서) 이기다. ⑭ (…을) …으로 하다(~ *her happy*); (…을) …으로 어림하다(*I* ~ *the distance 5 miles.* 그 거리는 5마일로 생각된다). ⑮ (…에게) …하게 하다(~ *him go*). ― *vi.* 나아가다; 행동하다(~ *bold*); 조수가 차다. ~ ***after*** 《古》 …을 뒤쫓다. ~ ***against*** …에 불리해지다; …을 방해하다. ~ ***away*** 도망치다. ~ ***away***

with 처치하다, 죽이다, 탕진하다. ~ ***for*** …로 향하여 나아가다; …에 기여하다. ~ (*a thing*) ***from*** …을 재료로 하여 (물건을) 만들다. ~ ***it*** 《美口》 잘 해내다; 성공하다; 시간에 대다; 《美俗》 성교하다. ~ ***it up with*** …와 화해하다. ~ ***off*** 급히 떠나다. ~ ***off with*** …을 가지고 달아나다. ~ ***or mar*** 〔***break***〕 (되든 안 되든) 성패를 가리다. ~ ***out*** (서류를) 작성하다; 입증하다; 이해하다; …와 같이 말하다; 암시하다; 《美俗》 애무하다, 성교하다. ~ ***over*** 양도하다. ~ ***up*** 벌충〔보충〕하다, 메우다; 조합(調合)하다; 편성하다; 이야기를 조작하다; 화장〔메이크업〕하다, 분장하다; 결정짓다; 화해하다. ~ ***up one's*** MIND ***to.*** ~ ***up to*** 구애(求愛)하다, …의 환심을 사다. — *n.* U,C ① 만듦새, 구조, 체격, 꼴, 형(型). ② 성질. ③ …제(製) (*American* ~); 제조(량). ④ 〖電〗 접속(*at* ~ 회로의 접속점에서). ***on the*** ~ 《口》 (성공·승진·이익 등을 얻으려고) 열중하여.

máke-belìeve *n.* U 거짓, 겉꾸밈, 가장.

:**mak·er**[ˊ-ər] *n.* C 제조업자; (M-) 조물주, 하느님.

máke·shìft *n., a.* C 임시 변통(의) 둘러맞춤.

·**máke-ùp** *n.* ① U,C 메이크업, 배우의 얼굴 분장; 《집합적》 화장품. ② C 꾸밈(새); 조립; 〖印〗 (게라쇄(刷)의) 종합 배열〔대판 짜기〕; 구조.

máke·wèight *n.* C 부족한 중량을 채우는 물건; 무가치한 사람〔물건〕; 균형을 잡게 하는 것.

·**mak·ing**[ˊ-iŋ] *n.* ① U 만들기, 제조, 제작; 형성, 발달 과정, C 제작품; 1회의 제작량. ② (the ~) (성공·발달의) 수단〔원인〕. ③ (*pl.*) 소질. ④ (*pl.*) 이익; 벌이. ***be the ~ of*** …의 성공의 원인이 되다. ***in the*** ~ 제작 과정 중의, 완성 전의.

mal-[mæl] *pref.* '악(惡), 비(非)' 따위의 뜻.

mal·a·chite[mǽləkàit] *n.* U 〖鑛〗 공작석.

màl·adjústed *a.* 잘 조절되지 않은; 환경에 적응 안 되는.

màl·adjústment *n.* U,C 부적응, 조절 불량.

màl·administrátion *n.* U 실정(失政), 악정.

mal·a·droit[mæ̀lədrɔ́it] *a.* 서투른, 졸렬한. ~·**ly** *ad.* ~·**ness** *n.*

·**mal·a·dy**[mǽlədi] *n.* C 병; 병폐.

ma·laise[mæléiz] *n.* (F.) U,C 불쾌, 불안.

·**ma·lar·i·a**[məlɛ́əriə/-lɛ́ər-] *n.* U ① 말라리아. ② 늪의 독기. ~**l,** ~**n, -i·ous** *a.*

mal·con·tent[mǽlkəntènt] *a.* 불평불만의. — *n.* C 불평 분자.

:**male**[meil] *n., a.* C 남성(의), 수컷(의)(opp. female).

mále cháuvinism 남성 우월〔중심〕주의.

mále cháuvinist 남성 우월〔중심〕주의자.

mal·e·fac·tor[mǽləfæ̀ktər] *n.* C 범인; 악인(opp. benefactor).

ma·lev·o·lent[məlévələnt] *a.* 악의 있는, 심술궂은. ~·**ly** *ad.* **-lence** *n.* U 악의.

màl·formátion *n.* U,C 불구, 기형. 「의.

mál·fórmed *a.* 볼꼴 사나운; 기형

màl·fúnction *vi.* 고장나다, 기능 부전을 일으키다. — *n.* U,C 기능 부전, 고장; 〖컴〗 기능 불량.

:**mal·ice**[mǽlis] *n.* U 악의, 해칠 마음; 〖法〗 범의(犯意). ~ AFORETHOUGHT 〔PREPENSE〕.

·**ma·li·cious**[məlíʃəs] *a.* 악의 있는, 속검은. ~·**ly** *ad.* ~·**ness** *n.*

ma·lign[məláin] *a.* 유해한; 〖醫〗 악성〔악질〕의(opp. benign); 악의 있는. — *vt.* 헐뜯다, 중상하다.

:**ma·lig·nant**[məlígnənt] *a.* 유해한; 악성의; 악의를 품은. — *n.* C 〖英史〗 Charles I 시대의 왕당원. ~·**ly** *ad.* **-nan·cy** *n.*

ma·lin·ger[məlíŋgər] *vi.* (특히 병사·하인 등이) 꾀병을 부리다.

mall[mɔːl/mæl] *n.* C 나무 그늘진 산책길; (the M-) 런던의 St. James's Park의 산책길; U 펠멜 구기(球技)(PALL MALL); C 펠멜용의 망치.

mal·lard[mǽlərd] *n.* C 〖鳥〗 물오

M

M

리; Ⓤ 물오리 고기.
mal·le·a·ble [mǽliəbəl] *a.* (금속이) 전성(展性)이 있는; 순응성이 있는. **-bil·i·ty** [ㅗ-–bíləti] *n.*
mal·let [mǽlit] *n.* Ⓒ 나무메; (croquet나 polo의) 공 치는 방망이.
mal·low [mǽlou] *n.* Ⓒ 【植】 당아욱속(屬).
màl·nutrítion *n.* Ⓤ 영양 장애(실조), 영양 부족.
màl·ódorous *a.* 악취 나는.
màl·práctice *n.* Ⓤ,Ⓒ (의사의) 부당 치료; 직책상의 비행.
˙**malt** [mɔːlt] *n.* Ⓤ 맥아(麥芽), 엿기름. — *vt., vi.* 엿기름을 만들다, 엿기름이 되다.
málted (mílk) 맥아 분유(를 넣은 우유).
màl·tréat *vt.* 학대(혹사)하다. **~·ment** *n.* Ⓤ 학대, 혹사, 냉대.
mam [mæm] *n.* 《英口·兒》 = ⇩.
˙**ma·ma** [mɑ́ːmə, məmɑ́ː] *n.* 《口》 = MAMMA.
:mam·ma [mɑ́ːmə, məmɑ́ː] *n.* Ⓒ 《口》 엄마.
:mam·mal [mǽməl] *n.* Ⓒ 포유 동물.
mam·ma·li·a [mæméiliə, -ljə] *n. pl.* 【動】 포유류. **~n** *n., a.*
mam·ma·ry [mǽməri] *a.* 【生】 유방의. ***the ~ gland*** 젖샘.
mam·mon [mǽmən] *n.* Ⓤ 【聖】 (악덕으로서의) 부(富), 배금(拜金)《마태복음 6:24》. **~·ism** [-ìzəm] *n.* Ⓤ 배금주의. **~·ist** *n.*
˙**mam·moth** [mǽməθ] *n.* Ⓒ 매머드. — *a.* 거대한.
˙**mam·my** [mǽmi] *n.* Ⓒ 《口》 = MAMMA; 《美南部》 (아이 보는) 흑인 할멈.
†**man** [mæn] *n.* (*pl.* ***men***) ① Ⓒ 인간, 사람(이라는 것). ② Ⓤ 남자, 사내다운 남자. ③ Ⓒ 남편. ④ Ⓒ 하인(opp. master); 부하; 직공; 인부; (*pl.*) 졸병(opp. officer). ⑤ 《호칭》 어이, 여보게. ⑥ (the *or* one's ~) 적격자; 상대; (체스의) 말. ***as one ~*** 이구 동성으로. ***be a ~,*** or ***play the ~*** 사내답게 행동하다. ***be one's own ~*** 독립하고 있다, 남의 지배를 안 받다; 자유로이 행동하다. ***between ~ and ~*** 사내들 사이에, 남자 대 남자로서. ***~ and wife*** 부부. ***~ of letters*** 문인. ***~ of the world*** 세상 물정에 밝은 사람; 속물(俗物). ***old ~*** 《口》 영감《아버지·남편·주인·선장 등》. ***the ~ in the street*** (전문가에 대한) 세상의 일반 사람. ***to a ~,*** or ***to the last ~*** 모조리, 마지막 한 사람까지. — *vt.* (***-nn-***) 사람을 배치하다; 태우다; 격려하다. ***~ up*** 인력을 공급하다.
man·a·cle [mǽnəkl] *n.* Ⓒ (보통 *pl.*) 쇠고랑; 속박. — *vt.* 고랑을 채우다.
:man·age [mǽnidʒ] *vt.* ① (도구 따위를 손으로) 다루다; 조종하다. ② (말을) 어거하다; 조교(調敎)하다. ③ (업무를) 취급하다; 처리하다. ④ (사업을) 경영하다; 관리하다. ⑤ 먹다. ⑥ 이럭저럭해서 …하다(*to* do). ⑦ 《종종 비꼬는 투로》 잘 …하다(*He ~d to make a mess of it.* 엉망으로 만들어 버렸다). — *vi.* 처리하다, 헤쳐나가다. **~·a·ble** *a.* 다루기 쉬운. **:~·ment** *n.* Ⓤ,Ⓒ 취급, 관리, 경영; 《집합적》 경영자측; 술책.
man·ag·ing *a.* 처리(관리)하는; 잘 꾸려 나가는; 간섭 잘 하는, 인색한.
managing director 전무 (이사).
:man·ag·er [mǽnidʒər] *n.* Ⓒ 지배인, 경영자; 수완가; 관리인; 처리자; (영국 양원의) 교섭 위원. ***good ~*** 살림을 잘 꾸려 나가는 주부, 경영을 잘 하는 사람, 두름성 좋은 사람.
man·da·rin [mǽndərin] *n.* Ⓒ (중국의) 관리; (중국 옷차림의) 머리 흔드는 인형; (M-) Ⓤ 중국 관화(官話); Ⓒ (귤빛이 중국 관리의 옷 빛깔과 비슷했던 데서) 중국 귤; Ⓤ 귤빛(의 물감).
mándarin dúck 원앙새.
man·da·tar·y [mǽndətèri/-təri] *n.* Ⓒ 수탁자, 수탁국; 위임 통치국.
˙**man·date** [mǽndeit, -dit] *n.* Ⓒ (보통 *sing.*) ① 명령, 훈령. ② 위임, 위임 통치령. ③ (교황으로부터의) 성직 수임(授任) 명령. ④ (선거구민이 의원에게 내는) 요구. — [-deit] *vt.* 위임 통치령으로 하다; (…에게) 권한을 위양하다; 명령하다.

man·da·to·ry[mǽndətɔ̀ːri/-təri] *a.* 명령의, 위임의. — *n.* = MANDATARY.
man·di·ble[mǽndəbəl] *n.* Ⓒ (포유 동물·물고기의) 아래턱(뼈); 새의 부리.
man·drake[mǽndreik] *n.* Ⓒ 〖植〗 흰독말풀《그 뿌리는 마약제》.
˙**mane**[mein] *n.* Ⓒ (사자 따위의) 갈기; (갈기 같은) 머리털. 「종.
mán-eàter *n.* Ⓒ 식인 동물; 식인
:**ma·neu·ver**[mənúːvər] *n.* Ⓒ ① 전략적 행동; 기동 연습. ② 책략, 책동; 교묘한 조치. — *vi.* 연습하다; 술책을 부리다. — *vt.* 군대를 움직이다; 책략으로 움직이다(*away, into, out of*).
man·ful[mǽnfəl] *a.* 남자다운, 용감한. ~**·ly** *ad.*
man·ga·nese[mǽŋgəniːz, -niːs] *n.* Ⓤ 〖化〗 망간.
mange [meindʒ] *n.* Ⓤ (개·소의) 옴.
˙**man·ger**[méindʒər] *n.* Ⓒ 여물통, 구유. ***dog in the*** ~ (버릴 것이라도 남은 못 쓰게 하는) 짓궂은 사람.
man·gle[1][mǽŋgl] *n., vt.* Ⓒ 세탁 마무리용의 압착 롤러(로 다리다).
˙**man·gle**[2] *vt.* 토막토막 자르다; 형편없이 만들다.
man·go[mǽŋgou] *n.* (*pl.* ~(**e**)**s**) Ⓒ 〖植〗 망고; Ⓤ,Ⓒ 망고열매.
man·grove[mǽŋgrouv] *n.* Ⓒ 〖植〗 홍수림(紅樹林)《열대성 상록수》.
man·gy[méindʒi] *a.* 옴이 오른, 더러운.
mán·hàndle *vt.* 인력으로 움직이다; 거칠게 다루다.
˙**mán·hòle** *n.* Ⓒ 맨홀《하수도·도랑 따위에 사람이 드나들도록 만든 구멍》.
:**man·hood**[mǽnhùd] *n.* Ⓤ ① 인간임, 인격. ② 남자임; 성년; 남자다움; 《집합적》 (한 나라의) 성년 남자 전체. ③ (남성의) 성적 매력, 정력.
mán-hóur *n.* Ⓒ 인시(人時)《한 사람의 한 시간 작업량》.
mán·hùnt *n.* Ⓒ 《美》 범인 수사.
˙**ma·ni·a**[méiniə, -njə] *n.* ① Ⓤ 〖醫〗 조병(躁病). ② Ⓒ 열광; …열, …광(*for, of*).
ma·ni·ac[méiniæ̀k] *a., n.* 미친; Ⓒ 미치광이. **-a·cal**[mənáiəkəl] *a.* = MANIAC.
man·ic[mǽnik, méi-] *a.* 〖醫〗 조병(躁病)의.
mánic-dépressive *a., n.* Ⓒ 〖醫〗 조울병의 (환자).
˙**man·i·cure**[mǽnəkjùər] *n., vt.* Ⓤ 매니큐어(하다). **-cur·ist** *n.* Ⓒ 손톱 미용사.
:**man·i·fest**[mǽnəfèst] *a.* 명백한. — *vt.* ① 명시하다; (감정을) 나타내다; 입증하다. ② 〖商〗 적하 목록(積荷目錄)에 기재하다. — *vi.* 나타나다; 의견을 발표하다. ~ ***oneself*** (유령·징후가) 나타나다. — *n.* Ⓒ 〖商〗 적하 목록. ~**·ly** *ad.* ˚**-fes·ta·tion**[⌐–-téiʃən] *n.* Ⓤ,Ⓒ 표명, 명시, 정견 발표.
man·i·fes·to[mæ̀nəféstou] *n.* (*pl.* ~(**e**)**s**) Ⓒ 선언(서), 성명서.
˙**man·i·fold**[mǽnəfòuld] *a.* 다양한, 여러 가지의, 다방면의. — *vt.* 복사를 뜨다.
Ma·nil·a, -nil·la[mənílə] *n.* 필리핀의 수도; (*or* m-). Ⓤ 마닐라삼; 마닐라 여송연.
˙**ma·nip·u·late**[mənípjəlèit] *vt.* ① (손으로) 다루다; 조종하다. ② 잔재주를 부리다, 교묘히 조종하다. ˚**-la·tion**[-⌐-léiʃən] *n.* Ⓤ,Ⓒ 교묘히 다루기, 조작, 속임; 촉진(觸診); 〖컴〗 조작《문제 해결을 위해 자료를 변화하는 과정》. **-la·tor** *n.* Ⓒ 조종하는 사람; 속이는 사람.
:**man·kind**[mæ̀nkáind] *n.* Ⓤ 인류, 인간; [⌐⌐] 남성.
:**man·ly**[⌐li] *a.* 사내다운; 남자 같은. **mán·li·ly** *ad.* **mán·li·ness** *n.*
mán-máde *a.* 인공의, 인조의. ~ ***moon*** (***satellite***) 인공위성.
man·na[mǽnə] *n.* Ⓤ 〖聖〗 만나《옛날 이스라엘 사람이 황야에서 신으로부터 받은 음식》; 마음의 양식; 맛 좋은 것.
manned[mænd] *a.* (우주선 등이) 사람이 탄, 유인의(cf. unmanned).
man·ne·quin[mǽnikin] *n.* Ⓒ 마네킹(걸); 모델 인형.
†**man·ner**[mǽnər] *n.* ① Ⓒ (보통 *sing.*) 방법; 방식. ② (*sing.*) 태도.

M

③ (*pl.*) 예절. ④ (*pl.*) 풍습; 생활 양식. ⑤ (*sing.*) (문학·미술의) 양식; 작풍(作風). ⑥ (*sing.*) 종류. **all ~ of** 모든 종류의. **have no ~s** 예의범절을 모르다. **in a ~** 얼마간, 다소. **in like ~** 《古》 마찬가지로. **to the ~ born** 나면서부터 적합한, 타고난. **~·less** *a.* 버릇 없는. **~·ly** *a.* 예절 바른, 정중한.

man·nered [mǽnərd] *a.* 틀에 박힌; 버릇이 있는.

man·ner·ism [mǽnərìzəm] *n.* Ⓤ 매너리즘《문체·태도·말투 따위가 틀에 박힌 것》; 버릇. **-ist** *n.* Ⓒ 틀에 박힌 사람.

man·nish [mǽniʃ] *a.* (여자가) 남자 같은.

˙**ma·noeu·vre** [mənúːvər] *v., n.* 《英》 = MANEUVER.

mán-of-wár *n.* (*pl.* **men-**) Ⓒ 군함.

˙**man·or** [mǽnər] *n.* Ⓒ 영지(領地), 장원(莊園). **ma·no·ri·al** [mənɔ́ːriəl] *a.* 장원의.

mán pòwer 인적 자원; 인력.

man·sard [mǽnsɑːrd] *n.* Ⓒ 2단 경사 지붕.

manse [mæns] *n.* Ⓒ 목사관(館).

mán·sèrvant *n.* (*pl.* **menser-vants**) Ⓒ 하인, 종복.

:**man·sion** [mǽnʃən] *n.* Ⓒ 대저택; 〖天〗 성수(星宿).

mán·size(d) *a.* 《口》 어른형[용]의; 특대의; (일이) 힘드는.

mán·slàughter *n.* Ⓤ 살인(죄); 〖法〗 고살(故殺)죄.

˙**mántel·pièce** *n.* Ⓒ 벽로의 앞장식.

man·tis [mǽntis] *n.* (*pl.* **~es, -tes** [-tiːz]) Ⓒ 〖蟲〗 사마귀, 버마재비.

:**man·tle** [mæntl] *n., vt.* Ⓒ 망토; 여자의 소매 없는 외투; 덮개; (가스등의) 맨틀; 덮다.

˙**man·u·al** [mǽnjuəl] *a.* 손의, 손으로 만든. — *n.* Ⓒ ① 편람, 안내서. ② 〖컴〗 안내서.

:**man·u·fac·ture** [mæ̀njəfǽktʃər] *vt.* ① 제조하다. ② (문예 작품을) 남작(濫作)하다. ③ 날조하다. — *n.* ① Ⓤ 제작, 제조업. ② Ⓒ 제품. **:-tur·er** *n.* Ⓒ 제조업자, 생산자. **-tur·ing** *n., a.* Ⓤ 제조 (공업); 제조하는.

˙**ma·nure** [mənjúər] *n., vt.* Ⓤ 비료(를 주다).

:**man·u·script** [mǽnjəskrìpt] *a., n.* 손으로 쓴, 필사한; Ⓒ (인쇄용) 원고 《생략 MS; (*pl.*) MSS》.

Manx [mæŋks] *a., n.* 맨 섬 (the Isle of Man)의; Ⓒ 맨 섬 사람(의); Ⓤ 맨 섬 말(의). **~·man** [∠mən] *n.* 맨 섬 사람.

Mánx cát (맨 섬산의) 꼬리 없는 「고양이.

†**man·y** [méni] *a.* (*more; most*) (수)많은. **a good ~** 꽤 많은. **a great ~** 아주 많은. **as ~** 같은 수의. **how ~?** 얼마?, 몇 개? **~ times,** or **~ a time** 몇 번이고. **one too ~ for** …보다 한수 위인, …의 힘에 겨운[벅찬]. **the ~** 대중. — *n., pron.* (the ~) 《복수 취급》 다수.

Mao·ri [máuri] *n., a.* Ⓒ 마오리 사람《New Zealand 원주민》; Ⓤ 마오리 말(의).

†**map** [mæp] *n.* Ⓒ ① 지도. ② 〖컴〗 도표《기억장치의 각 부분이 어떻게 사용되는지를 보여주는》. — *vt.* (**-pp-**) 지도를 만들다. **~ out** 자세히 계획하다. **off the ~** 문제 안되는.

:**ma·ple** [méipl] *n.* 〖植〗 Ⓒ 단풍; Ⓤ 단풍나무 재목.

máple sýrup 단풍 시럽.

˙**mar** [mɑːr] *vt.* (**-rr-**) 손상시키다, 흠내다, 망쳐놓다.

Mar. March.

˙**Mar·a·thon** [mǽrəθɑ̀n, -θən] *n.* Athens 북동방의 옛 싸움터; (*or* m-) = **márathon ràce** 마라톤 경주. **már·a·thòn·er** *n.* Ⓒ 마라톤 선수.

ma·raud [mərɔ́ːd] *vt.* 약탈하다. **~·er** *n.*

:**mar·ble** [mɑ́ːrbəl] *n.* ① Ⓤ 대리석. ② (*pl.*) 조각물. ③ Ⓒ 공깃돌. **heart of ~** 냉혹[무정]한 마음. — *vt.* 대리석 무늬를 넣다《책 가장자리 따위에》. **~d** *a.* 대리석 무늬의.

†**March** [mɑːrtʃ] *n.* 3월《생략 Mar.》.

march¹ [mɑːrtʃ] *n.* Ⓒ (보통 *pl.*) 국경 지대; 경계(境界).

†**march**² *n.* ① Ⓤ 행진, 행군. ② (the ~) 사건의 진전. ③ Ⓒ 〖樂〗 행진곡. ④ (*pl.*) 데모 행진. **dead** [**funeral**] **~** 장송 행진곡. **double**

～ 구보(驅步). ～ **past** 분열식. **steal a ～ on** 〔**upon**〕 …을 앞지르다, 기습하다. ── *vi., vt.* 행진하다〔시키다〕; 진전하다; 끌고 가다(*off, on*). **～ing order** 군장(軍裝). **～ing orders** 출발 명령. **～ off** 출발하다. **～ on** …에 밀려 들다. **～ past** 분열 행진하다.

mar·chion·ess [má:rʃənis] *n.* Ⓒ 후작(侯爵) 부인(cf. marquis).

***mare** [mɛər] *n.* Ⓒ 암말.

mar·ga·rine [má:rdʒərin, ⌐–rí:n] *n.* Ⓤ 마가린《인조 버터》.

‡**mar·gin** [má:rdʒin] *n.* Ⓒ ① 가장자리, 변두리. ② 한계. ③ 난외(欄外). ④ 여지; 여유. ⑤ 판매 수익, 이문; (주식의) 증거금. ⑥ 〖컴〗 한계《신호가 일그러져도 바른 정보로 인식할 수 있는 신호의 변형 한계》. **go near the ～** (도덕상의) 불장난을 하다. ── *vt.* (…에) 방주(旁註)를 달다; (…의) 증거금을 걸다.

***mar·gin·al** [-əl] *a.* 언저리의, 가의; 한계에 가까운; 난외의.

mar·gue·rite [mà:rgəri:t] *n.* Ⓒ 〖植〗 마거리트《데이지의 일종》.

mar·i·gold [mǽrəgòuld] *n.* Ⓒ 금잔화.

ma·ri·hua·na, -jua- [mæ̀rəhwá:nə, mà:r-] *n.* Ⓤ 삼《인도산》; 마리화나《그 잎과 꽃에서 뽑은 마약; 담배로 피움》.

ma·rim·ba [mərímbə] *n.* Ⓒ 목금(木琴)의 일종.

ma·ri·na [mərí:nə] *n.* Ⓒ (해안의) 산책길; 《美》 요트·모터보트의 정박소.

mar·i·nade [mæ̀rənéid] *n.* Ⓤ,Ⓒ 마리네이드《와인·초·기름·약초 및 향미료를 섞은 양념 국물》; 마리네이드에 담근 생선〔고기〕. ── *vt.* 마리네이드에 담그다.

mar·i·nate [mǽrənèit] *vt.* =⇧.

‡**ma·rine** [mərí:n] *a.* ① 바다의; 바다에 사는. ② 해상의; 선박(용)의. ── *n.* Ⓒ ① 《집합적》 (일국의) 선박; 함대. ② (the M-s) 《美》 해병대 (《英》 the Royal Marines). **Tell that to the** (**horse**) **～s.** 《口》 거짓말도 작작 해라! **the mercantile ～** 상선대, 해운력. ***mar·i·ner** [mǽrənər] *n.* Ⓒ 선원, 수부; (M-) 《美》 화성·금성 탐사용의 우주선.

mar·i·on·ette [mæ̀riənét] *n.* Ⓒ 꼭두각시, 마리오네트.

ma·ri·tal [mǽrətl] *a.* 남편의; 혼인의, 부부간의.

***mar·i·time** [mǽrətàim] *a.* 바다의, 해상의(～ *power* 제해권/～ *law* 해상법); 해변의; 바다에 사는.

mar·jo·ram [má:rdʒərəm] *n.* Ⓤ 〖植〗 마요라나《약용·요리용》.

†**mark**[1] [ma:rk] *n.* ① Ⓒ 과녁, 목표. ② (the ～) 표준; 한계(*touch the* 1,000 *dollar ～* 천 달러대가 되다). ③ Ⓒ 표, 자국, 흔적; 표지. ④ Ⓒ 특징. ⑤ Ⓤ 중요성; 명성. ⑥ Ⓒ 부호, 기호; Ⓒ 〖英軍〗 (종종 the ～) (무기·장비 등의) 형. ⑦ Ⓒ 점수; 주목; 현저. ⑧ (종종 the ～) 〖競〗 출발선. ⑨ Ⓒ 〖컴〗 마크. **below the ～** 표준 이하로. **beside the ～** 과녁에서 빗나간, 적절하지 않은. **full ～(s)** 만점. **get off the ～** (주자(走者)가) 스타트하다. (**God**) **save bless the ～.** 어이쿠 실례했소《실언했을 때의 사과》; 어허 참!, 하느님 맙소사!《냉소·경멸》. **good ～** 선행점(善行點). **hit the ～** 적중하다. **make one's ～** 저명해지다. **man of ～** 명사(名士). **miss the ～** 적중하지 않다. **On your ～s!** 〖競走〗 제자리에! **short of the ～** 과녁에 미치지 못하고. **toe the ～** 〖競走〗 발가락을 출발점에 대다. **up to the ～** 표준에 달하여, 기대에 부응하여. **within the ～** 예상이 어긋나지 않은. ── *vt.* ① (…에) 표를 하다; 흔적을 남기다; 드러나게 하다. ② 점수를 매기다; 정찰을 붙이다. ③ (어떤 목적·운명을 위해) 골라내다; 운명지우다. ④ 명시하다; 주시하다. ⑤ (짐승의) 숨은 곳을 알아두다. ⑥ 〖競〗 마크하다. **～ out** 구획하다, 설계하다, 예정하다. **∠·er** *n.* Ⓒ (게임의) 득점 기록원〔장치〕; 서표(書標); 묘비; 이정표; 《英》 조명탄.

mark[2] *n.* Ⓒ 마르크《독일의 화폐단위》. 「하액.

márk·dòwn *n.* Ⓒ (값의) 인하; 인하액.

***marked** [ma:rkt] *a.* 기호가 붙은; 현저한, 눈에 띄는, 명료한; 저명한.

M

†**mar·ket**[mɑ́ːrkit] *n.* ① Ⓒ 장, 저자, 시장. ② Ⓒ 시장에 모인 사람들. ③ Ⓤ (또는 a ~) 판로, 수요, 팔리는 곳; 거래선. ④ Ⓒ 시가; 상황(商況). ⑤ 상기(商機). ***be in ~*** 매매되고 있다. ***be in the ~*** 매물로 나와 있다. ***black ~*** 암시장. ***bring one's eggs*** 〔***hogs***〕 ***to a bad*** 〔***the wrong***〕 ***~*** 예상이 어긋나다. ***come into*** 〔***put on***〕 ***the ~*** 매물로 내어지다〔내놓다〕. ***corner the ~*** 시장을 매점하다, 증권〔상품〕을 매점하여 등귀시키다. ***go to ~*** (시장에) 장보러 가다; 일을 꾀하다. ***hold the ~*** 시장을 좌우하다. ***lose one's ~*** 매매의 기회를 잃다. ***make a ~ of*** (…을) 이용하다, (…을) 써서 돈을 벌다. ***The ~ fell.*** 시세〔시가〕가 떨어졌다. — *vt., vi.* 시장에서 매매하다, 물건을 시장에서 팔다. **~·a·ble** *a.* 팔릴, 판로가 좋은, 시장성이 있는.

márket dày 장날.

mar·ket·eer[mɑ̀ːrkitíər] *n.* Ⓒ 시장상인; 《英》 영국의 유럽 공동시장 참가 지지자. ***black ~*** 암상인, 잠상(潛商).

márket gàrden (시장에 내기 위한) 야채 재배 농원.

márket gàrdening 〔**gàrdener**〕 시장 공급용 야채 재배〔재배업자〕.

˙**mar·ket·ing**[mɑ́ːrkitiŋ] *n.* Ⓤ (시장에서의) 매매; 〖經〗 마케팅《제조에서 판매까지의 전과정》.

˙**márket·plàce** *n.* Ⓒ 장터.

márket prìce 〔**vàlue**〕 시장 가격.

márket resèarch 시장 조사《어떤 상품의 수요를 위한 사전 조사》.

márk·ing *n.* Ⓤ 표하기; Ⓒ 표, 점; Ⓒ (새의 깃이나 짐승 가죽의) 반문(斑紋).

marks·man[mɑ́ːrksmən] *n.* Ⓒ (명)사수; 저격병.

márksman·shìp *n.* Ⓤ 사격술.

márk·ùp *n.* Ⓒ 가격 인상; 인상 가격; 《美》 법안의 최종 절충.

marl[mɑːrl] *n.* Ⓤ 이회토(泥灰土)《비료·시멘트용》. **∠·y** *a.*

mar·ma·lade[mɑ́ːrməlèid] *n.* Ⓤ 마멀레이드《오렌지·레몬 따위의 잼》.

mar·mo·set [mɑ́ːrməzèt] *n.* Ⓒ 〖動〗 명주원숭이《라틴 아메리카산》.

mar·mot[mɑ́ːrmət] *n.* Ⓒ 〖動〗 마멋《다람쥐의 일종; 모르모트와는 다름》.

ma·roon[1][mərúːn] *n., a.* Ⓤ 밤색(의); Ⓒ 《주로 英》 불꽃의 일종.

ma·roon[2] *n.* Ⓒ 탈주 흑인(의 자손)《서인도 제도·Guiana 산 중에 삶》; 무인도에 버려진 사람. — *vt.* 무인도에 버리다, 고립시키다. — *vi.* 빈둥거리다; 《美》 캠프 여행을 하다. **~·er** *n.* Ⓒ 해적.

mar·quee[mɑːrkíː] *n.* Ⓒ 《주로 英》 큰 천막; (클럽·호텔 따위의 정문 앞 보도 위에 친) 텐트, 큰 차양.

mar·que·try, -te·rie[mɑ́ːrkətri] *n.* Ⓤ 상감(象嵌) 세공, (가구 장식의) 쪽매붙임 세공.

˙**mar·quis,** 《英》 **-quess** [mɑ́ːrkwis] *n.* (*fem.* ***marchioness***) Ⓒ 후작《duke의 아래》.

mar·ram[mǽrəm] *n.* Ⓒ (해변에 나는 사방용(砂防用)의) 벗과 식물.

:**mar·riage**[mǽridʒ] *n.* ① Ⓤ,Ⓒ 결혼; 결혼 생활. ② Ⓒ 결혼식. ③ Ⓤ,Ⓒ 밀접한 결합. ***civil ~*** (종교 의식에 의하지 않는) 신고 결혼. ***communal ~*** 잡혼(雜婚). ***give*** 〔***take***〕 ***in ~*** 며느리 또는 사위로 주다〔삼다〕. ***left-handed ~*** 신분이 다른 사람끼리의 결혼. ***take a person in ~*** 아무를 아내로〔남편으로〕 삼다〔맞다〕.

mar·riage·a·ble[-əbəl] *a.* 결혼할 수 있는, 혼기가 된. ***~ age*** 혼기.

marriage license 결혼허가(증).

:**mar·ried**[mǽrid] *a.* 결혼한, 기혼의; 부부의.

˙**mar·row**[mǽrou] *n.* ① Ⓤ 〖解〗 뼈골, 골수; 정수(精髓), 알짜. ② Ⓒ 《英》 서양 호박의 일종. ***to the ~*** 뼈속까지; 순수한.

†**mar·ry**[mǽri] *vt.* (…와) 결혼하다; 결혼시키다(one *to* another); 굳게 결합시키다. — *vi.* 결혼하다. ***a ~ing man*** 결혼을 희망하는 남자. ***be married*** 결혼하(고 있)다. ***get married*** 결혼하다. ***~ beneath oneself*** 지체가 낮은 상대와 결혼하다. ***~ for love*** 연애 결혼하다.

˙**Mars**[mɑːrz] *n.* ① 〖로神〗 (로마 군

신(軍神)) 마르스. ② 화성.

:**marsh** [mɑːrʃ] *n.* U,C 소택(沼澤); 습지. **:∠·y** *a.* 늪의; 소택이 많은; 늪 같은.

:**mar·shal** [máːrʃəl] *n.* C ① (프랑스 등지의) 육군 원수. ② 《英》 의전(儀典)관. ③ 《英》 사법 비서관; 《美》 연방 재판소의 집행관, 경찰서장. ***M- of the Royal Air Force*** 《英》 공군 원수. ── *vi., vt.* (《英》 **-ll-**) 정렬하다〔시키다〕; (*vt.*) (의식을 차리며) 안내하다.

már·shal·(l)ing yàrd [máːrʃəliŋ-] 〖鐵〗 조차장(操車場).

mar·su·pi·al [mɑːrsúːpiəl/-sjúː-] *a.* 〖動〗 유대류(有袋類)의; 주머니의, 주머니 모양의. ── *n.* C 유대 동물.

ˑ**mart** [mɑːrt] *n.* C 시장(市場).

mar·ten [máːrtən] *n.* C 〖動〗 담비; U 담비의 모피.

mar·tial [máːrʃəl] *a.* 전쟁의; 무용(武勇)의; 호전적인; (M-) 군신(軍神) Mars의. **~·ly** *ad.* 용감하게.

mártial láw 계엄령.

Mar·tian [máːrʃən] *a.* 군신(軍神) Mars의; 화성의. ── *n.* C 화성인.

mar·tin [máːrtən] *n.* C 흰털발제비.

mar·ti·net [màːrtənét, ∠-∠] *n.* C 규율에 엄격한 사람《특히 군인·공무원 등》, 몹시 까다로운 사람.

mar·ti·ni [mɑːrtíːni] *n.* U,C 마티니《진과 베르무트의 칵테일》.

ˑ**mar·tyr** [máːrtər] *n.* C 순교자; (…으로) 괴로워하는 사람(*to*). ***make a ~ of oneself*** 순교자연하다. ***~ to*** (gout)(통풍)으로 괴로워하는 사람. ── *vt.* (신앙·주의·고집을 이유로) 죽이다; 박해하다. **~·dom** *n.* U,C 순교; 순사(殉死); 고난, 고뇌, 고통.

:**mar·vel** [máːrvəl] *n.* C 경이, 놀라운 것, 경탄. ── *vi.* (《英》 **-ll-**) 경탄하다(*at; that*); 괴이쩍게 여기다(*why, how*).

:**mar·vel·ous,** 《英》 **-vel·lous** [máːrvələs] *a.* 불가사의한, 놀라운; 기적적인; 괴이쩍은; 《口》 훌륭한. ***~·ly** *ad.*

Marx·i·an [máːrksiən] *a.* 마르크스(주의)의. **-ism** *n.* U 마르크스주의. **-ist** *n.* C 마르크스주의자.

mar·zi·pan [máːrzəpæ̀n] *n.* U 설탕·달걀·밀가루·호두와 으깬 아몬드를 섞어 만든 과자.

mas·car·a [mæskǽrə, -áː-] *n.* U 마스카라《눈썹에 칠하는 물감》.

mas·cot(te) [mǽskət] *n.* C 마스코트, 행운의 부적, 행운을 가져오는 사람〔물건, 동물〕.

:**mas·cu·line** [mǽskjəlin, máːs-] *a., n.* C 남자(의); 남자다운; 남자 같은; 〖文〗 남성(어). **-lin·i·ty** [∸-línəti] *n.*

mash [mæʃ] *n.* U ① 짓이긴 것. ② 엿기름물《양조용》. ③ 곡분(穀粉)이나 밀기울 따위를 더운 물에 갠 사료. ④ 《英俗》 (감자의) 매시. ***all to a ~*** 아주 곤죽이 될 때까지. ── *vt.* 으깨서 뭉개다; (엿기름에) 더운 물을 섞다; 반하게 하다. **∠·er** *n.*

†**mask** [mæsk, -ɑː-] *n.* C ① (춤·연극용의) 가면; (방호용) 복면, 마스크; (가제의) 마스크; 탈. ② 가장한 사람. ③ 구실, 핑계. ④ 〖컴〗 본, 마스크《어떤 문자 패턴의 1부분의 보존·소거의 제어에 쓰이는 문자 패턴》. ***throw off the ~*** 가면을 벗다; 정체를 드러내다. ── *vt.* (…에게) 가면을 씌우다; 차폐(遮蔽)하다; (사격 따위를) 방해하다. ── *vi.* 가면을 쓰다; 변장하다. **~ed** [-t] *a.* 가면을 쓴, 숨긴. **∠·er** *n.* C 가면〔가장〕무도자.

másked báll 가면〔가장〕 무도회.

mas·och·ism [mǽsəkìzəm, mǽz-] *n.* U 피학대 음란증(被虐待淫亂症), 마조히즘(opp. sadism). **-ist** *n.*

:**ma·son** [méisn] *n.* C ① 석수, 벽돌공. ② (M-) 프리메이슨《우애·공제를 목적으로 한 비밀 결사》(의 일원(一員)). ── *vt.* 돌〔벽돌〕을 쌓다. **~·ic** [məsánik/-ɔ́-] *a.* 석공의; (M-) 프리메이슨의. ***~·ry** *n.* U 석수직(職), 석조 건축; (M-) 프리메이슨 조합.

mas·que [mæsk/-ɑː-] *n.* C (16-17세기 영국의) 가면극 (각본); 가장 무도회.

ˑ**mas·quer·ade** [mæ̀skəréid] *n.* C 가장 무도회; 가장; 구실. ── *vi.* 가장 무도를 하다; 가장하다; 체하다(*as*). **-ád·er** *n.* C 가장 무도자.

M

·mass[1], **M-**[mæs] *n.* Ⓤ 미사(가톨릭교의 성체성사); 미사곡. ***High M-*** (분향·주악이 있는) 대미사.

:mass[2] *n.* ① Ⓒ 덩어리; 집단; (a ~) 다수, 다량(*He is a ~ of bruises.* 전신 상처 투성이다). ② (the ~) 대부분. ③ Ⓤ 〖理〗 질량. ***in the ~*** 통틀어. ***the (great) ~ of*** …의 대부분. ***the ~es*** 대중(大衆). ― *vt., vi.* 한 덩어리로 하다[되다]; 집중시키다[하다].

·mas·sa·cre[mǽsəkər] *n.* Ⓒ 대학살. ― *vt.* 학살하다.

·mas·sage [məsɑ́ːʒ/mǽsɑːʒ] *n.* Ⓤ,Ⓒ 마사지, 안마. ― *vt.* 마사지[안마]하다. **-ság·ist** *n.* Ⓒ 안마사.

máss communicátion 대중 전달, 매스커뮤니케이션.

mas·seur[mæsə́ːr] *n.* (F.) (*fem.* **-seuse**[-sə́ːz]) Ⓒ 마사지사, 안마사.

:mas·sive[mǽsiv] *a.* ① 크고 무거운; 묵직한, 육중한. ② 실팍한. ③ 덩어리 모양의. **~·ly** *ad.*

máss média (*sing.* ***mass medium***) 대중 전달 기관(방송·신문 등).

máss prodúction 대량 생산.

:mast[mæst, -ɑː-] *n.* Ⓒ 돛대, 마스트, 기둥. ***before the ~*** 돛대 앞에, 평수부로서(수부는 앞돛대 앞의 수부실에 있으므로).

mas·tec·to·my[mæstéktəmi] *n.* Ⓤ,Ⓒ 〖醫〗 유방 절제(술).

†mas·ter[mǽstər, -ɑ́ː-] *n.* Ⓒ ① 주인(opp. man); 소유주(主); 임자. ② 장(長), 우두머리; 가장; 선장; 교장. ③ (주로 英) 선생; 명인, 대가. ④ 도련님. ⑤ 석사. ⑥ 승자. ⑦ (the M-) 예수. ***be ~ of*** …을 갖고 있다, …에 통달해 있다; …을 마음대로 할 수 있다. ***be one's own ~*** 자유로이 행동할 수 있다. ***make oneself ~ of*** …에 숙달하다. ***M- of Arts*** 문학 석사. ***~ of ceremonies*** (식·여흥의) 사회자(생략 M.C.); (英) 의전관. ***pass ~*** 급제해서 석사가 되다. ***the old ~s*** 문예 부흥기의 명(名)화가들(의 작품). ― *vt.* ① 지배하다, 정복하다; (정열을) 억제하다. ② 숙달하다. **~·ful** *a.* 주인티를 내는; 거만한. **~·ly** *a.* 대가다운, 교묘한.

máster kèy 결쇠; 해결의 열쇠.

máster·mìnd *vt., n.* Ⓒ 배후에서 조종하다[조종하는 사람], (어떤 계획의) 흑막, 지도자.

:mas·ter·piece [mǽstərpìːs, mɑ́ːs-] *n.* Ⓒ 걸작.

máster plán 종합 기본 계획.

máster·stròke *n.* Ⓒ 훌륭한 수완.

máster·wòrk *n.* Ⓒ 대작, 걸작.

·mas·ter·y[mǽstəri, -ɑ́ː-] *n.* Ⓤ ① 지배, 통어(統御)(*the ~ of the seas* 〔*air*〕 제해[제공]권). ② 우위, 승리. ③ 숙달.

mást·hèad *n.* Ⓒ 돛대 머리.

mas·ti·cate[mǽstəkèit] *vt.* 씹다. **-ca·tion**[ㅗ–kéiʃən] *n.*

mas·tiff[mǽstif] *n.* Ⓒ (큰) 맹견의 일종.

「유선염(乳腺炎).

mas·ti·tis[mæstáitis] *n.* Ⓤ 〖醫〗

mas·tur·ba·tion[mæ̀stərbéiʃən] *n.* Ⓤ 수음(手淫).

:mat[1][mæt] *n.* Ⓒ ① 매트, 멍석; 신바닥 문지르는 깔개; (식기의) 깔개. ② 엉킨 물건. ***leave a person on the ~*** 아무를 문전에서 쫓아 버리다. ― *vt.* (**-tt-**) (…에) 매트를[멍석을] 깔다; 얽히게 하다. ― *vi.* 엉키다. **~*ted hair*** 헝클어진 머리.

mat[2] *a.* 광택이 없는. ― *n.* Ⓒ (그림의) 대지(臺紙).

mat·a·dor[mǽtədɔ̀ːr] *n.* Ⓒ 투우사; (카드놀이의) 으뜸패의 일종; (M-) (美) 지대지 미사일.

:match[1][mætʃ] *n.* Ⓒ 상대, 적수(敵手), 짝지움; 한쌍 중의 한쪽; 필적하는 것; 맞붙음; (주로 英) 시합; 배우자; 혼인. ***be a ~ 〔no ~〕 for*** 필적(匹敵)하다[하지 못하다], …의 호적수다[…에겐 못당하다]. ***be more than a ~ for*** 맞설 수 없다, 상대가 안 되다. ***make a ~ of it*** 결혼하다. ― *vt.* (…에) 필적하다; 결혼시키다(*with*); 맞붙게 하다(*against*); 어울리게 하다(*with*). ― *vi.* 어울리다; 걸맞다. **ˊ∠·less** *a.* 무적의, 무비(無比)의.

:match[2] *n.* Ⓒ 성냥; 도화선.

mátch·bòx *n.* Ⓒ 성냥통.

mátch·màker *n.* Ⓒ 중매인; 경기의 대진 계획을 짜는 사람.

mátch·wòod *n.* Ⓤ 성냥개비.
:mate[1][meit] *n.* Ⓒ ① 한패, 동료. ② (한쌍의 새의) 한편. ③ 〖海〗 항해사《선장의 대리도 함》; 조수. ***first*** **~,** 1등 항해사. — *vt.* (…와) 짝지우다, 결혼시키다(*with*). — *vi.* 짝짓다; 한패가 되다.
mate[2] *n., v.* 〖체스〗 = CHECKMATE.
†ma·te·ri·al[mətíəriəl] *a.* ① 물질적인; 실질적인(opp. formal). ② 육체적인. ③ 중요한(*be* ~ *to*). ~ ***evidence*** 물적 증거. — *n.* ① ⓊⒸ 재료, 원료; 감. ② Ⓤ 자료; 요소; 제재(題材). ③ (*pl.*) 용구(用具)(*writing* ~*s*). ***printed*** ~ 인쇄물. ***row*** ~ 원료. **~·ism**[-ìzəm] *n.* Ⓤ 유물론, 유물주의. **~·ist** *n.* **~·is·tic** [-ˈ-əlístik] *a.* 유물론의. **˙~·ís·ti·cal·ly** *ad.* 크게, 물질적으로.
ma·te·ri·al·ize[mətíəriəlàiz] *vt.* (…에) 형체를 부여하다; 구체화하다, 구현하다, 유형으로 하다; 〖降神術〗 (영혼을) 물질화하다. ~ ***a spirit*** (강신술로) 영혼을 물질화하여 눈앞에 나타내다. — *vi.* 나타나다, 유형으로 되다, 실현되다. **-i·za·tion**[-ˈ---izéiʃən] *n.*
˙ma·ter·nal[mətə́ːrnl] *a.* 어머니의; 어머니다운(opp. paternal).
ma·ter·ni·ty[mətə́ːrnəti] *n.* Ⓤ 어머니임, 모성, 어머니다움.
:math·e·mat·ic [mæ̀θəmǽtik], **-i·cal**[-əl] *a.* 수학의, 수리적인; 정확한. **-i·cal·ly** *ad.*
†math·e·mat·ics[mæ̀θəmǽtiks] *n.* Ⓤ 수학. **˙-ma·ti·cian**[-mətíʃən] *n.* Ⓒ 수학자.
˙*mat·i·née,* **mat·i·nee**[mæ̀tənéi/mǽtənèi] *n.* (F.) Ⓒ (연극 등의) 낮 흥행, 마티네.
ma·tri·arch[méitriɑ̀ːrk] *n.* Ⓒ 여자 가장; 가장의 아내.
ma·tri·ces[méitrisìːz, mǽt-] *n.* matrix의 복수.
mat·ri·cide [méitrəsàid, mǽt-] *n.* ⓊⒸ 모친 살해(자). **-cid·al**[ˈ-sáidl] *a.* 어머니 살해(자)의.
ma·tric·u·late[mətríkjəlèit] *vt., vi.* 대학 입학(을 허가)하다. **-la·tion** [-ˈ-léiʃən] *n.* ⓊⒸ 대학 입학 허가, 입학.
˙mat·ri·mo·ny[mǽtrəmòuni] *n.* ⓊⒸ 결혼; 결혼 생활; 〖카드〗 으뜸패 King과 Queen을 짝짓는 놀이. **-ni·al**[ˈ-móuniəl] *a.*
ma·trix[méitriks, mǽt-] *n.* (*pl.* ***-trices,*** **~*es***) Ⓒ 자궁; 모체; 〖生〗 세포 간질(間質); 〖印〗 자모; 지형(紙型); 〖컴〗 행렬(行列)《입력 도선과 출력 도선의 회로망》.
˙ma·tron[méitrən] *n.* Ⓒ ① (나이 지긋한) 기혼 부인. ② 간호부장; 학교 여자 사감(舍監). **~·ly** *a.* matron다운; 침착하고 품위 있는.
matt[mæt] *a.* = MAT[2].
†mat·ter[mǽtər] *n.* ① Ⓤ 물질 (opp. spirit, mind); 실질, 본질. ② Ⓤ 〖哲〗 질료(質料); 〖論〗 명제의 본질(opp. form). ③ Ⓤ 내용, 자료; 재료; 〖美術〗 재질(材質), 마티에르. ④ (the ~) 사건, 일, 문제. ⑤ Ⓤ 중요(함). ⑥ Ⓤ …물(物)(*postal* ~ 우편물/*printed* ~ 인쇄물). ⑦ Ⓤ 〖醫〗 고름. ⑧ (*pl.*) 사태. ***a*** ~ ***of*** 약(*a* ~ *of 10 years* 약 10년간). ***as a*** ~ ***of fact*** 실제는, 실제에 있어서. ***as*** **~*s*** ***stand,*** or ***as the*** ~ ***stands*** 현상태로는. ***for that*** ~ 그 일에 대해서는. ***in the*** ~ ***of*** …에 대해서는. ~ ***of course*** 당연히 예기되는 일. ~ ***of fact*** (의견이 아니라) 사실 문제. ***no*** ~ 대단한 일이 아니다. ***no*** ~ ***how*** 〔***what, when, where, who***〕 비록 어떻게〔무엇을, 언제, 어디에서, 누가〕 …한다 하더라도. ***what is the*** ~ (***with***)***?*** (…은) 어찌된 일인가. ***What*** ~***?,*** or ***No*** ~***.*** 상관 없지 않은가. — *vi.* 중요〔중대〕하다; (상처 따위가) 곪다. ***It does not*** ~ (***if …***) (…이라도) 괜찮다. ***What does it*** ~***?*** 상관 없지 않은가.
mátter-of-fáct *a.* 사실의; 사무적인, 멋없는.
mat·ting[mǽtiŋ] *n.* 《집합적》 멍석, 매트, 돗자리; Ⓤ 그 재료.
˙mat·tress[mǽtris] *n.* Ⓒ (짚·솜 따위를 둔) 매트리스, 침대요; 〖土〗 침상(沈床).
mat·u·rate[mǽtʃərèit] *vi., vt.* 익다; 〖醫〗 화농(케)하다. **-ra·tion** [ˈ-réiʃən] *n.* Ⓤ 화농; (과일 따위의)

M

익음; (재능의) 원숙.

:ma·ture[mət*j*úər, -tʃú-] *a.* ① 익은, 성숙한; (심신이) 충분히 발달한. ② 만기가 된. ③ 신중한. ― *vt., vi.* 익(히)다, 성숙시키다[하다]; 완성시키다; 만기가 되다.

·ma·tu·ri·ty [mət*j*úərəti, -tʃú:-/-tjúərə-] *n.* Ⓤ 성숙; 완성; 만기; 화농. **come to** ~ 성숙하다.

mat·zo[má:tsə, -tsou] *n.* (*pl.* ~*s*, ~*th*[-θ]) Ⓤ Passover에 유대인이 먹는 밀가루만으로 된 빵.

maud·lin[mɔ́:dlin] *a.* 걸핏하면 우는; 취하면 우는; 감상적인. ― *n.* Ⓤ 눈물 잘 흘림, 감상벽(感傷癖).

maul[mɔ:l] *n.* Ⓒ 큰 나무 망치, 메. ― *vt.* 큰 메로 치다, 쳐서 부수다; 거칠게 다루다; 혹평하다.

maun·der[mɔ́:ndər] *vi.* 종작[두서]없이 지껄이다; 방황하다.

Máundy Thúrsday 세족 목요일 《부활절 전의 목요일》.

mau·so·le·um [mɔ̀:səlí:əm] *n.* (*pl.* ~*s*, **-lea**[-lí:ə]) Ⓒ 장려한 무덤, 영묘(靈廟), 능.

mauve[mouv] *n., a.* Ⓤ 연보라(의).

maw[mɔ:] *n.* Ⓒ 동물의 위(胃).

mawk·ish[mɔ́:kiʃ] *a.* 구역질나는; 연약하고 감상적인.

max. maximum.

·max·im[mǽksim] *n.* Ⓒ 격언, 금언.

max·i·mal[mǽksəməl] *a.* 최대한의, 최고의.

max·i·mize[mǽksəmàiz] *vt.* 최대한으로 증가하다.

:max·i·mum [mǽksəməm] *n.* (*pl.* ~*s*, **-ma**[-mə]) Ⓒ 최대 한도; 〖數〗 극대(opp. minimum). ― *a.* 최대[최고]의.

†May[mei] *n.* ① 5월. ② Ⓤ 청춘. ③ (m-) Ⓒ 《英》 〖植〗 산사나무.

†may[mei] *aux. v.* (**might**[mait]) ① 《가능성(부정은 may not)》 …일지도 모른다(*It* ~ *be true.* 사실일지도 모른다/*It* ~ *not be true.* 사실이 아닐지도 모른다). ② 《허가(부정은 must not, cannot)》 …해도 좋다(*You* ~ *go./You must not* 〔*cannot*〕 *go.*) 《정중한 금지에는 다음 말씨가 있음: *No* tape or sticker *may* be attached. (스카치)테이프나 종이를 붙이지 마십시오(항공우편의 주의서)》. ③ 《용인(부정은 cannot)》 …하여도 상관 없다; …하는 것도 당연하다(*You* ~ *call him a great man, but you cannot call him a good man.*); 하여도 괜찮을 텐데(*You might offer to help.* 도와 주겠다는 말쯤 해줘도 좋을 것 아닌가). ④ 《목적을 나타내는 부사절 속에서》 …하기 위하여, …할 수 있도록(*We worked hard* (*so*) *that we might succeed.*). ⑤ 《양보》 비록 … 일지라도(*come what* ~ 무엇이 닥쳐오든). ⑥ 《능력》 …할 수 있다(*as best one* ~ 될 수 있는 대로; 이럭저럭). ⑦ 《희망·기원》 원컨대 …이기를(*M- you be happy!* 행복을 빕니다). ⑧ 《희망적 명령》 …을 바라다(*You* ~ *imagine.* 바라건대 헤아려 주십시오). **be that as it** ~ 그것은 어떻든. ~ **as well** …하는 편이 좋다.

†may·be[méibi:] *ad.* 아마, 어쩌면.

·Máy Dày 오월제《5월 1일 Maypole 춤을 춤》; 노동절, 메이데이.

May·day, m-[méidèi] *n.* (＜F. *m'aidez* = help me) Ⓒ 메이데이 《국제 구조 신호》.

máy flỳ 〖蟲〗 하루살이.

may·hem[méihem, méiəm] *n.* Ⓤ 〖法〗 신체 상해(죄); 《一般》 파괴, 난동; 혼란.

mayn't[meint] may not의 단축.

·may·on·naise[mèiənéiz, ∠-∠] *n.* Ⓤ 마요네즈.

:may·or[mɛər, méiər] *n.* Ⓒ 시장. **Lord** ~ 런던시(기타 대도시)의 시장. ~**·al·ty** *n.* Ⓤ 시장의 직.

may·or·ess[mɛ́əris, méiər-] *n.* Ⓒ 여시장; 《英》 시장 부인.

may·pole[méipòul] *n.* Ⓒ 오월제에 세우는 기둥《이 둘레에서 춤을 춤》.

·maze[meiz] *n.* Ⓒ 미로(迷路); (a ~) 당혹, 곤혹. ― *vt.* 《주로 方》 얼떨떨하게[쩔쩔매게] 하다.

ma·zur·ka, -zour- [məzə́:rkə, -zúər-] *n.* Ⓒ (폴란드의) 마주르카춤(곡).

M.B. *medicinae baccalaureus* (L. = Bachelor of Medicine). **MBA**

Master of Business Administration. **M.C.** Master of Ceremonies; Member of Congress; 《英》 Military Cross.
Mc·Coy[məkɔ́i] *n., a.* (the ~) 《美俗》 진짜(= the real ~); 본인; 훌륭한, 인류의.
M.D. *Medicinae Doctor* (L. = Doctor of Medicine).
†**me**[強 miː, 弱 mi] *pron.* 《I의 목적격》 나를, 나에게. ***Dear me!*** 어머! 《보통, 여자의 말》.
mead[miːd] *n.* Ⓤ 꿀술.
:**mead·ow**[médou] *n.* Ⓤ,Ⓒ 목초지; Ⓒ 강변의 낮은 풀밭. **~·y** *a.* 목초지의.
:**mea·ger,** 《英》 **-gre**[míːgər] *a.* 야윈, 불충분한; 빈약한; 무미건조한. **~·ly** *ad.* **~·ness** *n.*
:**meal**[1][miːl] *n.* Ⓤ (옥수수 따위의) 거칠게 간 곡식; 굵은 가루. ***make a ~ of*** …을 (음식으로서) 먹다; (일 따위를) 소중하게 다루다[생각하다]. — *vt.* 갈다, 타다.
†**meal**[2] *n.* Ⓒ 식사(시간).
méal·tìme *n.* Ⓤ,Ⓒ 식사 시간.
méaly-móuthed[-máuðd, -θt] *a.* 말솜씨 좋은.
:**mean**[1][miːn] *n.* Ⓒ ① 중간, 중위. ② 〖數〗 평균값, 내항(內項); 〖倫〗 중용(中庸); 〖論〗 매사(媒辭)《중간에 서는 것, 중개자의 뜻에서》. ③ (*pl.*) 《보통 단수 취급》 수단, 방법. ④ (*pl.*) 자산(資産), 부(富). ***by all*** (***manner of***) **~s** 반드시; 《口》 좋고 말고요《대답》. ***by any ~s*** 어떻게 해서든지. ***by fair ~s or foul*** 수단을 안 가리고. ***by ~s of*** …수단에 의하여. ***by no ~s*** 결코 …아니다. ***by some ~s*** 어떻게든 해서. ***by some ~s or other*** 이럭저럭. ***happy*** (***golden***) **~** 중용, 중도. ***man of ~s*** 부자. ***~s of living*** 생활 방도. ***~s test*** (실업 수당 받는 자의) 가계 조사. ***within*** (***beyond***) ***one's ~s*** 분수에 알맞게[지나치게]. — *a.* 중정도의, 중등의, 보통의; 평균의(~ *access time* 〖컴〗 평균 접근 시간). ***in the ~ time*** = MEANTIME. **~ *temperature*** 평균 온도.
:**mean**[2] *a.* ① (태생이) 비천한; 초라한; 열등한. ② 인색한; 가치 없는, 비열한. ***no ~*** 훌륭한. **ˊ·ly** *ad.* **ˊ·ness** *n.*
†**mean**[3] *vt., vi.* (**meant**[ment]) ① 꾀하다; …할 셈이다. ② 예정하다. ③ 의미하다(*What do you ~ by that?* 그건 무슨 뜻이냐); …의 뜻으로 말하다(*You don't ~ to say so!* 설마). ***be meant for*** …맞게 돼 있다, …이 될 예정이다; …을 예정하다. ***I ~ what I say.*** 농담이 아니다, 진정이다. **~** BUSINESS. ***~ well by*** (***to***) …에게 호의를 갖다.
me·an·der[miǽndər] *n.* (보통 *pl.*) Ⓒ ① 강의 굽이침; 꼬부랑길. ② 산책, 우회(迂廻)하는 여행. — *vi.* 굽이쳐 흐르다; 정처 없이 거닐다; 만담하다. **~·ing**[-iŋ] *n., a.* (*pl.*) 꼬부랑길; 산책로; 만담; 두서 없는.
mean·ie[míːni] *n.* Ⓒ 《美口》 치사한 놈; 불공평한 비평가; 독설가; (극, 소설의) 악역.
:**mean·ing**[míːniŋ] *n.* Ⓤ,Ⓒ 의미, 의의; 목적; 저의(底意). ***with ~*** 뜻있는 듯이. ***~·ful** *a.* 의미 심장한, 의의 있는. ***~·less** *a.* 무의미한. **~·ly** *ad.* 의미 있는 듯이, 일부러.
:**means**[miːnz] ⇨MEAN[1] (*n.*).
méans tèst 《英》 (실업 구제를 받을 사람의) 수업[가계]조사. 「사).
:**meant**[ment] *v.* mean[3]의 과거(분
:**mean·time**[míːntàim] *ad.* 이럭저럭하는 동안에. — *n.* (the ~) 그 동안. ***in the ~*** 이럭저럭 하는 사이에, 이야기는 바뀌어 (한편).
:**mean·while**[ˊhwàil] *ad., n.* = ⇧.
˙**mea·sles**[míːzəlz] *n.* Ⓤ 〖醫〗 홍역. **mea·sly**[míːzli] *a.* 홍역에 걸린, 홍역의; (고기에) 촌충(寸蟲)이 붙은; 《口》 빈약한, 지질한.
˙**meas·ur·a·ble**[méʒərəbəl] *a.* 잴 수 있는; 알맞은. **-bly** *ad.* 잴 수 있을 정도로, 다소.
:**meas·ure**[méʒər] *n.* ① Ⓤ 측정, 측량; Ⓒ 측정의 단위; 계량기. ② Ⓤ (측정된) 크기; 양; 치수; 무게. ③ Ⓤ 정도. ④ Ⓒ 기준, 표준, 척도. ⑤ Ⓤ 한도, 제한(limit); 적도(適度). ⑥ Ⓤ 운율; 〖樂〗 박자, 가락; Ⓒ 마디. ⑦ Ⓒ (종종 *pl.*) 수단

M

(step). 조처. ⑧ Ⓒ 법안(bill). **above** [**beyond**] ~ 엄청나게, 엄청난. **common** ~ 공약수. **cubic** ~ 부피, 용량. **dry** [**liquid**] ~ 건(乾)[액(液)]량. **for good** ~ 덤으로. **full** [**short**] ~ 듬뿍[중량 부족]. **give full** ~ 듬뿍 주다. **in a great** ~ 크게. **in a** ~ 다소. **know no** ~ 한 없다. (*clothes*) **made to** ~ 치수에 맞추어 지은 (옷). ~ **for** ~ (동등한) 보복, 대갚음. **set** ~**s to** …을 제한하다. **take** *a person's* ~ 아무의 치수를 재다; 인물을 보다. **take** ~**s** …을 측정하다(*of*); 수단을 강구하다. **take the** ~ **of** *a person's* **foot** 아무의 인물[역량]을 평가하다. **to** ~ 치수에 맞추어서. **waist** ~ 허리둘레. **within** ~ 알맞게. **without** [**out of**] ~ 엄청나게. — *vt., vi.* ① 측정하다, (…의) 치수를 재다. ② 평가하다. ③ 길이[폭·높이]가 …이다. ④ 견주다, 경주시키다(*with*). ⑤ 구분하다(*off*). ⑥ 분배하다(*out*). ⑦ 적응시키다. ⑧ 《詩》 건다, 나아가다. ~ **back** 후퇴하다. ~ **oneself against** …와 힘을 겨루다. ~ **one's length** 푹 쓰러지다. ~**d**[-d] *a.* 잰; 신중한; 운율이 고른; 리드미컬한. ~**·less** *a.* 헤아릴 수 없는. **:**~**·ment** *n.* Ⓤ 측정, 측량; Ⓒ 용량, 치수.

†meat[miːt] *n.* Ⓤ ① (식용의) 고기. ② 《古》 음식, 식사. **as full of … as an egg is full of** ~ 가득히. **green** ~ 야채. ~ **and drink** 만족스러움(*to*). ~ **safe** 《英》 쥐막이 찬장; 냉장고. **One man's** ~ **is another man's poison.** 《속담》 갑의 약은 을에게 독. **∠·y** *a.* 고기가 많은; 내용이 풍부한.

méat·bàll *n.* Ⓒ 고기 완자; 《美俗》 얼간이; 지겨운 사람.

·Mec·ca[mékə] *n.* 메카《Arabia의 도시; Muhammed의 탄생지》; (종종 m-) Ⓒ 동경의 땅; 발상지.

me·chan·ic[məkǽnik] *n.* Ⓒ 기계공. **·**~**s** *n.* Ⓤ 기계학, 역학.

·me·chan·i·cal[-əl] *a.* 기계의, 기계에 의한; 기계학의, 물리적인(opp. chemical); 기계적인, 창의성 없는. **·**~**·ly** *ad.* 기계적으로.

:mech·a·nism[mékənìzəm] *n.* ① Ⓒ 기계 (장치); 기구, 조직. ② Ⓤ,Ⓒ 기교. ③ Ⓤ 〖哲〗 우주 기계론.

mech·a·nis·tic[mèkənístik] *a.* 기계학[기계론]적인.

mech·a·nize[mékənàiz] *vt.* 기계화하다. ~**d unit** 기계화 부대. **-ni·za·tion**[∸–nizéiʃən] *n.*

:med·al[médl] *n.* Ⓒ 메달, 상패, 기장, 훈장. **war** ~ 종군 기장. ~**(l)ist**[médəlist] *n.* Ⓒ 메달 수상자; 메달 제작가.

me·dal·lion[mədǽljən] *n.* Ⓒ 큰 메달; 《古》 원형 양각(陽刻).

:med·dle[médl] *vi.* 쓸데없이 참견[간섭]하다(*in, with*); 《古》 주물럭거리다(*with*). **-dler** *n.* Ⓒ 쓸데없이 참견하는 사람. ~**·some** *a.* 참견하기 좋아하는.

me·di·a[míːdiə] *n.* medium의 복수; = MASS MEDIA; 〖컴〗 매체.

:me·di·ae·val[mìːdiíːvəl, mèd-], ~**·ism, &c.** = MEDIEVAL, ~ISM, &c.

me·di·an[míːdiən] *a.* 중간에 위치한. — *n.* Ⓒ 〖解〗 정중 동맥[정맥]; 〖數〗 메디안《중앙값》; 중점(中點), 중선(中線).

me·di·ate[míːdiət] *a.* 중간의, 중개의. — [-èit] *vi.* 개재하다. — *vt.* 조정하다; 중간에 서다, 중재하다. ~**·ly** *ad.* 간접으로. **-a·tion**[mìːdiéiʃən] *n.* **mé·di·a·tor** *n.* Ⓒ 조정자.

med·ic[médik] *n.* Ⓒ 《俗》 의사; 의학도; 위생병.

Med·i·caid, m-[médikèid] *n.* Ⓤ 《美》 저소득자 의료 보조.

:med·i·cal[médikəl] *a.* 의학의; 의료의; 내과적인(opp. surgical). — *n.* Ⓒ 《口》 의사. ~**·ly** *ad.*

médical exáminer 검시관(檢屍官); (공장 등의) 전속 의사.

médical ófficer 보건소원.

me·dic·a·ment[medíkəmənt] *n.* Ⓒ 의약, 약제, 약물.

Med·i·care, m-[médikὲər] *n.* Ⓤ 《美·캐나다》 국민 의료 보장.

med·i·cate[médəkèit] *vt.* 약으로 치료하다; 약을 섞다.

me·dic·i·nal[mədísənəl] *a.* 의약

의, 약효가 있는. ～ ***plant*** 약초(cf. simple). ～**·ly** *ad.* 의약으로.
:med·i·cine [médəsən] *n.* ① Ⓤ,Ⓒ 약, 약물, 내복약. ② Ⓤ 의술, 의학. ③ Ⓤ 마술, 주문. ***take one's*** ～ 벌을 감수하다. — *vt.* 투약하다.
médicine màn (북아메리카 토인의) 마법사.
med·i·co [médikòu] *n.* (*pl.* ～***s***) Ⓒ《口》의사, 의학도.
:me·di·e·val [mìːdiíːvəl, mèd-] *a.* 중세(풍)의. ***M- History*** 중세사《서로마 제국의 멸망부터 동로마 제국의 멸망까지(476-1453)》. ～**·ism** [-ìzəm] *n.* Ⓤ 중세풍, 중세 정신〔존중〕. ～**·ist** *n.* Ⓒ 중세 연구〔존중〕가.
me·di·o·cre [mìːdióukər, ⌐-⌐-] *a.* 보통의, 평범한, 별것이 아닌.
·me·di·oc·ri·ty [mìːdiákrəti/-ɔ́-] *n.* Ⓤ 범용(凡庸); Ⓒ 평범한 사람.
:med·i·tate [médətèit] *vi., vt.* 숙고〔묵상〕하다(*on, upon*); 꾀하다. ～ ***revenge*** 복수를 꾀하다. **:-ta·tion** [mèdətéiʃən] *n.* **·-ta·tive** [médətèitiv] *a.* 명상적인. **-ta·tor** [-tèitər] *n.* Ⓒ 명상에 잠기는 사람, 사색가.
:Med·i·ter·ra·ne·an [mèdətəréiniən] *a.* 지중해의. ***the*** ～ ***Sea*** 지중해. — *n.* (the ～) 지중해.
:me·di·um [míːdiəm] *n.* (*pl.* ～***s, -dia***) Ⓒ ① 중간; 중용. ② 매개(물), 매질, 매체. ③〖細菌〗배양기; 환경; 생활 조건. ④ 수단, 방법. ⑤ (그림물감의) 용제(溶劑); 영매(靈媒). ～ ***of circulation*** 통화. — *a.* 중정도의, 보통의. ～ ***range ballistic missile*** 중거리 탄도탄《생략 MRBM》.
médium wáve〖通信〗중파(中波).
·med·ley [médli] *n.* Ⓒ ① 잡동사니, 혼합; 잡다한 집단; 잡색천. ② 접속〔혼선〕곡. — *a.* 그러모은, 혼합의.
:meek [miːk] *a.* 온순한, 유화한; 겸손한. ***as*** ～ ***as a lamb*** 양처럼 온순한. **·⌐·ly** *ad.* **⌐·ness** *n.*
†meet [miːt] *vt., vi.* (***met***) ① 만나다; 마주치다. ② 마중하다, (약속하고) 면회하다. ③ (정식 소개로) 아는 사이가 되다; (…에) 직면하다. ④ (…와) 서로 만나보다. ⑤ (…와) 싸우다; (희망·요구에) 응하다, 만족시키다. ⑥ 지불하(기에 충분하)다. ⑦ (선·길 따위가) (…와) 합치다. ⑧ (띠·옷 따위가) 맞다. ***I'm very glad to*** ～ ***you.*** 처음 뵙겠습니다. ～ ***one's ear*** 〔***eye***〕 들리다〔눈에 들어오다〕. ～ ***expenses*** 비용을 치르다. ～ (*a person*) ***halfway*** 타협하다. ～ ***objections*** 반대를 반박하다. ～ ***with*** …와 우연히 만나다; (사건에) 조우하다, 경험하다; 우연히 발견하다. ***Well met!*** 마침 잘 만났다. — *n.* Ⓒ 회합, 모임; 《英》사냥 전의 회합.
:meet·ing [míːtiŋ] *n.* Ⓒ ① 모임, 집회; 회합, 회견. ② 결투, 회전(會戰). ③ 합류점. ④ 예배회. ***call a*** ～ 회의를 소집하다. ***hold a*** ～ 회합을 갖다〔개최하다〕.
méeting hòuse 교회당.
méeting plàce 집회소, 회장.
meg·a- [mégə] '대(大), 백만(배)'의 뜻의 결합사.
méga·bỳte *n.* Ⓒ〖컴〗메가바이트《100만 바이트 = 800만 비트》.
méga·hèrtz *n.* Ⓒ 메가헤르츠, 100만 헤르츠.
meg·a·lith [mégəlìθ] *n.* Ⓒ〖考〗거석(巨石).
meg·a·lo·ma·ni·a [mègəlouméiniə] *n.* Ⓤ 과대 망상광(狂). **-ac** [-niæ̀k] *a.*
:meg·a·phone [mégəfòun] *n.* Ⓒ 메가폰, 확성기.
méga·tòn *n.* Ⓒ 100만 톤; 메가톤《핵무기 폭발력의 계량 단위》.
mel·a·mine [méləmìːn] *n.* Ⓤ 멜라민 (수지).
mel·an·cho·li·a [mèlənkóuliə] *n.* Ⓤ〖醫〗우울증. **-chol·ic** [⌐-kálik/-ɔ́-] *a.* 우울한, 우울증의.
:mel·an·chol·y [mélənkàli/-kɔ̀li] *n.* Ⓤ (습관적·체질적인) 우울(증). — *a.* 우울한, 생각에 잠긴; 침울한, 서글픈.
mé·lange [meiláːnʒ] *n.* (F.) Ⓒ 혼합(물).
mel·a·nin [mélənin] *n.* Ⓤ 멜라닌, 검은 색소.
meld [meld] *vt., vi.* 《美》섞다; 섞이다.
me·lee, mêl·ée [méilei, -⌐/

M

mélei] *n.* (F.) Ⓒ 치고받기, 난투, 혼전.

mel·lif·lu·ous[məlífluəs] *a.* 꿀같이 감미로운; 유창한.

:mel·low[mélou] *a.* ① (과일이) 익어 달콤한, 익은; 향기 높은. ② 비옥한. ③ 원숙한. ④ 풍부하고 아름다운《음색·빛 따위》. ⑤ 기분 좋은. — *vt., vi.* 연하고 달게 익(히)다; 원숙하게 하다, 원숙해지다. **~·ly** *ad.* **~·ness** *n.*

me·lod·ic [milάdik/-ɔ́-] *a.* 선율의; 선율적인; 선율이 아름다운. **~ *minor scale*** 〖樂〗 선율적 단음계. **-i·cal·ly** *ad.*

:me·lo·di·ous[məlóudiəs] *a.* 선율이 고운. **~·ly** *ad.* **~·ness** *n.*

:mel·o·dra·ma[mélədrὰ:mə, -ræ̀-] *n.* Ⓒ 통속극; 권선징악의 통속극, 멜로드라마. **-mat·ic**[mèloudrəmǽtik] *a.* **~·tist**[mèlədrǽmətist] *n.* Ⓒ 멜로드라마 작가.

:mel·o·dy[mélədi] *n.* Ⓒ 선율, 멜로디; 곡; Ⓤ 아름다운 음악(성), 즐거운 가락.

˙mel·on[mélən] *n.* Ⓒ 〖植〗 멜론, 참외류. ***water* ~** 수박.

:melt[melt] *vi.* (**~*ed*; ~*ed*, *molten***) ① 녹다. ② 녹아 없어지다. ③ (마음이) 풀리다, 가엾은 생각이 나다; (색이) 녹아 섞이다. ④ 《口》 몸이 녹을 정도로 더위를 느끼다. — *vt.* ① 녹이다. ② 흐트리다. ③ 풀리게 하다. ④ 《英俗》 낭비하다. **~ *away*** 녹아 없어지다. **~ *into*** 녹아서 …이 되다, 마음이 풀려서 …하기 시작하다(~ *into tears*).

mélt·dòwn *n.* Ⓤ,Ⓒ (원자로의) 노심(爐心) 융해《냉각 장치 등의 고장에 의한》.

mélting pòint 융해점.

mélting pòt 도가니; 온갖 인종이 융합해서 사는 곳《흔히 미국을 가리킴》.

˙mem·ber[mémbər] *n.* Ⓒ ① (단체의) 일원, 구성원. ② 수족, 신체의 일부, 기관; 부분. ③ 〖文〗 절, 구; 〖數〗 변, 항. ④ 〖컴〗 원소, 멤버. ***M- of Congress*** 《美》 국회의원, 하원의원《생략 M.C.》. ***M- of Parliament*** 《英》 하원 의원《생략 M.P.》.

:~·ship[-ʃìp] *n.* Ⓤ 일원임; 회원 자격; Ⓒ 회원수.

˙mem·brane[mémbrein] *n.* ① Ⓒ 〖解〗 얇은 막, 막피(膜皮). ② Ⓤ 양피지, 문서의 한 장. **-bra·nous** [-brənəs] *a.* 막 모양의.

me·men·to [miméntou] *n.* (*pl.* **~(*e*)*s***) Ⓒ 기념물, (추억이 되는) 유품.

mem·o[mémou] *n.* (*pl.* **~*s***) 《口》 = MEMORANDUM.

˙mem·oir[mémwɑ:r, -wɔ:r] *n.* Ⓒ 회상록, 실록; 전기; 연구 논문.

˙mem·o·ra·ble [mémərəbəl] *a.* 잊지 못할; 유명한.

˙mem·o·ran·dum [mèmərǽndəm] *n.* (*pl.* **~*s*, -*da***[-də]) Ⓒ 메모, 각서, 비망록; 〖法〗 정관(定款); 매매 각서; (서명 없는) 비공식 서한.

:me·mo·ri·al[mimɔ́:riəl] *a.* 기념하는, 추도의; 기억의. — *n.* Ⓒ 기념품; (*pl.*) 연대기, 기록; 각서; 청원서. **~·ize**[-àiz] *vt.* 기념하다, 추도 연설을 하다.

Memórial (**Decorátion**) **Dày, the** 《美》 현충일《대부분의 주에서는 5월 30일》.

:mem·o·rize[méməràiz] *vt.* 암기하다, 기억하다; 명심하다.

:mem·o·ry[méməri] *n.* ① Ⓤ 기억; Ⓒ (개인의) 기억력. ② Ⓒ 추억. ③ Ⓤ 죽은 뒤의 명성; Ⓒ (고인의) 영(靈). ④ Ⓤ 기억을 더듬을 수 있는 연한(*beyond* ~). ⑤ Ⓒ 기념. ⑥ Ⓒ 〖컴〗 기억, 메모리(~ *capacity* 기억 용량/ ~ *density* 기억 밀도/ ~ *management* 기억 관리). ***in* ~ *of*** …을 위해서, …을 기념하여. (***King George***) ***of blessed*** (***happy***) **~** 고(故)(조지왕)《죽은 왕·성인 등의 이름에 붙임》. ***within living* ~** 아직도 사람들의 기억에 살아 있는.

†men[men] *n.* man의 복수.

:men·ace[ménəs] *n.* Ⓤ,Ⓒ 협박. — *vt.* 협박하다. **-ac·ing·ly** *ad.* 협박적으로.

***mé·nage*, me-**[meinά:ʒ] *n.* (F.) Ⓤ 가정(家政), 가사; Ⓒ 가족.

me·nag·er·ie[minǽdʒəri] *n.* Ⓒ (이동) 동물원; 구경거리의 동물.

:mend[mend] *vt.* ① 고치다, 수선하

다(repair). ② 정정하다(correct). ③ (행실을) 고치다(improve). ④ (사태를) 개선하다(~ *matters*). ⑤ 걸음을 빠르게 하다(quicken). — *vi.* 고쳐지다; 나아지다. **Least said soonest ~ed.** 《속담》 말은 적을수록 좋다. **~ the fire** 꺼져 가는 불을 살리다; 불에 나무를 지피다. **~ one's ways** 소행을 고치다. — *n.* Ⓒ 수선한 부분. **be on the ~** 나아져 가고 있다. **~·a·ble**[∠əbəl] *a.* 고칠 수 있는. **∠·er** *n.* Ⓒ 수선인.

men·da·cious[mendéiʃəs] *a.* 허위의, 거짓말하는.

men·dac·i·ty[mendǽsəti] *n.* Ⓒ 허위; Ⓤ 거짓말하는 버릇.

men·di·cant[méndikənt] *a.* 구걸하는; 탁발하는. — *n.* Ⓒ 거지; 탁발 수사(修士). **-can·cy, -dic·i·ty**[mendísəti] *n.* Ⓤ 거지 생활.

mén·fòlk(s) *n.* (보통 the ~)《복수 취급》 남자들《특히 가족의》.

me·ni·al[míːniəl, -njəl] *a.* (비)천한; 하인의. — *n.* Ⓒ 하인.

men·in·gi·tis[mènindʒáitis] *n.* Ⓤ 〖醫〗 뇌막염.

men·o·pause[ménəpɔ̀ːz] *n.* (the ~) 폐경기(閉經期), 갱년기.

men·ses[ménsiːz] *n. pl.* (보통 the ~) 월경.

men·stru·al [ménstruəl] *a.* 월경의; 다달의(monthly).

men·stru·a·tion [mènstruéiʃən] *n.* Ⓤ,Ⓒ 월경 (기간).

méns·wèar *n.* Ⓤ 신사용품, 신사복, 남성용 의류.

-ment[mənt] *suf.* 결과·수단·상태 따위를 나타내는 명사 어미(achieve*ment*, develop*ment*, enjoy*ment*).

:men·tal[méntl] *a.* ① 마음의, 정신의. ② 지적인. ③ 마음으로 하는, 암산의. ④ 정신병의.

méntal áge 정신〔지능〕 연령《생략 M.A.》.

méntal aríthmetic 암산.

·men·tal·i·ty[mentǽləti] *n.* ① Ⓤ 정신 활동, 심성. ② Ⓒ 심적 상태. ③ Ⓤ 정신 (능력), 지능.

·men·tal·ly[méntəli] *ad.* 마음으로, 정신적으로; 지력〔기질〕상으로.

men·thol [ménθɔ(ː)l, -θal] *n.* Ⓤ 〖化〗 멘톨, 박하뇌(薄荷腦).

†men·tion[ménʃən] *vt.* 언급하다, 이름을 들다, 진술하다. **Don't ~ it.** 천만의 말씀입니다. **not to ~** …은 말할 것도 없고. — *n.* Ⓤ 언급, 진술, 기재. **honorable ~** (상품이 없는) 등외 상장. **make ~ of** …에 관해서 말하다, …에 언급하다.

men·tor[méntər, -tɔːr] *n.* Ⓒ 경험·신용 있는 조언자(助言者).

·men·u[ménjuː, méi-] *n.* Ⓒ ① 식단, 메뉴. ② 〖컴〗 메뉴《프로그램의 기능 등이 일람표로 표시된 것》.

mer·can·tile[mə́ːrkəntàil, -tìːl] *a.* 상업의; 무역의; 돈에 눈이 어두운. **-til·ism**[-ìzəm] *n.* Ⓤ 중상(重商)주의. **-til·ist** *n.*

·mer·ce·nar·y[mə́ːrsənèri] *a.* 돈을 목적으로 일하는; 고용된. — *n.* Ⓒ 용병(傭兵).

:mer·chan·dise[mə́ːrtʃəndàiz] *n.* Ⓤ 《집합적》 상품.

†mer·chant[mə́ːrtʃənt] *n.* Ⓒ 상인; 《英》 도매 상인; 무역 상인; 《美》 소매 상인. — *a.* 상인의, 상선의. **~·a·ble** *a.* 팔 수 있는, 수요가 있는.

:mer·ci·ful[mə́ːrsifəl] *a.* 자비로운. **~·ly** *ad.* **~·ness** *n.*

·mer·ci·less[mə́ːrsilis] *a* 무자비한, 용서없는. **~·ly** *ad.*

mer·cu·ri·al[məːrkjúəriəl] *a.* 기민한; 쾌활한; 마음이 변하기 쉬운; 수은의; (M-) 수성(水星)의. — *n.* Ⓒ 수은제. **~·ism**[-ìzəm] *n.* Ⓤ 〖醫〗 수은 중독(증).

:mer·cu·ry[mə́ːrkjəri] *n.* ① (M-) 〖로神〗 (여러 신의 심부름꾼) 머큐리신《상업·웅변·숙련·도둑의 수호신》. ② (M-) 〖天〗 수성. ③ Ⓒ 사자(使者). ④ Ⓤ 수은. ⑤ Ⓒ 온도계, 청우계. ⑥ Ⓤ 원기. ⑦ Ⓒ (M-) 《美》 1인승 우주선. **The ~ is rising.** 온도가 올라가고 있다; 형세가 좋아져 간다; 점점 흥분해 간다.

:mer·cy[mə́ːrsi] *n.* Ⓤ 자비, 연민; Ⓒ 고마움, 행운. **at the ~ 〔mercies〕 of** …에 내맡기어. **for ~('s sake)** 부디, 제발 비노니. **left to the tender ~ of** …로부터 가혹한 취급을 받고. **~ flight 〔mission〕** 구조 비행. **~ killing** 안락사

M

M

(安樂死)(술)(euthanasia). ***M- on us!*** 어허!; 아뿔싸! ***What a ~ that ... !*** …이라니 고마워라.
:mere[1][miər] *a.* 단순한, 명색뿐인, …에 지나지 않는(*the ~st folly* 아주 어리석은 짓). **:∠·ly** *ad.* 단지, 다만, 그저.
mere[2] *n.* Ⓒ《주로 英方》 호수, 못.
mer·e·tri·cious[mèrətríʃəs] *a.* 야한; 매춘부 같은.
˙merge[məːrdʒ] *vt.* ① 몰입(沒入)하게 하다. ② 합병하다(*in*). — *vi.* ① 몰입하다. ② 합병되다; 융합하다.
merg·er[mə́ːrdʒər] *n.* Ⓒ (회사 등의) 합병; 합동.
˙me·rid·i·an[mərídiən] *n.* Ⓒ ① 자오선. ②《古》 특성, 장소, 환경. ③《古》 정오. ④ 정점, 전성기. — *a.* 정오의; 절정의. ***calculated for the ~ of*** …의 취미〔특성〕에 알맞은. ***first ~*** 본초(本初) 자오선.
me·ringue[məræ̃ŋ] *n.* Ⓤ 머랭《설탕과 달걀 흰자위로 만든 푸딩의 거죽》; Ⓒ 그것을 입힌 과자.
me·ri·no[məríːnou] *n.* (*pl.* **~s**) Ⓒ 메리노양; Ⓤ 메리노 나사.
:mer·it[mérit] *n.* ① Ⓤ 뛰어남, 가치. ② Ⓒ 장점, 취할 점. ③ Ⓤ,Ⓒ 공적, 공로. ④ (*pl.*) 공죄. ***make a ~ of*** …을 제 공로인 양하다. ***on one's own ~*** 진가에 의하여; 실력으로. ***the Order of M-***《英》 공로훈장. — *vt.* (…을) 받을 만하다. ***~ attention*** 주목할 만하다.
mer·i·toc·ra·cy[mèritákrəsi/-5-] *n.* Ⓤ,Ⓒ 수재 교육제; Ⓒ 실력 사회; 엘리트 지배층.
mer·i·to·ri·ous[mèritɔ́ːriəs] *a.* 공적 있는; 가치 있는; 칭찬할 만한.
˙mer·maid[mə́ːrmèid] *n.* Ⓒ 인어《여성》;《美》 여자 수영 선수.
:mer·ri·ly[mérəli] *ad.* 즐겁게, 명랑하게, 흥겹게.
˙mer·ri·ment[mérimənt] *n.* Ⓤ 흥겹게 떠들기, 유쾌, 웃고 즐기기, 환락.
†mer·ry[méri] *a.* ① 명랑한, 흥겨운, 유쾌한. ② 거나한. ③《古》 즐거운. ***make ~*** 흥겨워하다. ***The more, the merrier.***《속담》 동행이 많으면 즐거움도 많다. **mér·ri·ness** *n.* Ⓤ 유쾌, 명랑.
˙mérry-go-ròund *n.* Ⓒ 회전 목마.
mérry·màking *n.* Ⓤ 흥겹게 떠들기.
me·sa[méisə] *n.* (Sp. =table) Ⓒ (평원에 우뚝 솟은) 대지(臺地), 봉우리가 평평한 산.
mes·ca·line [méskəlìːn] *n.* Ⓤ 〖藥〗 메스칼린《메스칼로 만든 환각제》.
˙mesh[meʃ] *n.* Ⓒ 그물코; (*pl.*) 그물, 올가미; Ⓤ (톱니바퀴의) 맞물림. ***in ~*** 톱니바퀴가 맞물려서. — *vt., vi.* 그물로 잡다; 그물에 걸리다; 맞물리다; 맞물다.
mes·mer·ic[mezmérik, mes-] *a.* 최면(술)의.
mes·mer·ize[mézməràiz, més-] *vt.* (…에게) 최면술을 걸다; 홀리게 하다, 매혹시키다.
:mess[mes] *n.* ① Ⓤ 잡탕, 혼합식. ② Ⓒ (군대의) 회식 동료; Ⓤ 회식. ③ Ⓒ 한끼분. ④ Ⓤ 혼란, 북새. ⑤ Ⓤ 실책. ***at ~*** 식사중. ***get into a ~*** 난처해지다. ***in a ~*** 더럽혀져서; 혼란하여; 당혹하여. ***make a ~ of*** …을 망치다. ***~ of pottage***〖聖〗 한 그릇의 국《고귀한 희생으로 얻은 물질적 쾌락》. — *vt.* 망치다, 혼란케 하다. — *vi.* 더럽히다; 회식하다. ***~ about*** 〔***around***〕《口》: 주물럭거리다;《俗》 빈둥거리다;《俗》 (나쁜 목적으로) 사귀다.
†mes·sage[mésidʒ] *n.* Ⓒ ① 전하는 말; 소식, 통신. ② 신탁(神託). ③《美》 대통령 교서. ④〖컴〗 메시지. ***get the ~***《口》 (암시 따위의) 의미를 파악하다, 이해하다. ***go on a ~*** 심부름가다. — *vt.* (…와) 통신하다; (…에게) 신호를 보내다; 편지하여 교제를 요구하다.
:mes·sen·ger[mésəndʒər] *n.* Ⓒ ① 사자(使者), 심부름꾼. ②《古》 전조, 선구(先驅). ③ 연줄에 달아 바람에 울게 하는 종이. ④ 닻줄을 인양하는 밧줄.
Mes·si·ah[misáiə] *n.* (the ~) 메시아, 구세주, 예수. **-an·ic** [mèsiǽnik] *a.* Messiah의.
˙Messrs.[mésərz] *n. pl. messieurs*의 생략; Mr.의 복수.
mess·y[mési] *a.* 어질러진, 더러운.

M

†**met** [met] *v.* meet의 과거(분사).
met. meteorological; metropolitan.
me·tab·o·lism [mətǽbəlìzəm] *n.* Ⓤ 〖生〗 (세포의 물질) 대사 작용; 신진 대사. **met·a·bol·ic** [mètəbálik/-ɔ́-] *a.*
:**met·al** [métl] *n.* Ⓤ,Ⓒ 금속; Ⓒ 《英》 밤자갈; (*pl.*) 《英》 레일; 《비유》 소질. — *vt.* ((《英》 *-ll-*) (…에) 금속을 입히다. ~·(**l**)**ed** *a.* 자갈을 깐.
méta·lànguage *n.* Ⓤ,Ⓒ 〖言〗 언어 분석용 언어, 실험용 언어; 〖컴〗 메타 언어.
·**me·tal·lic** [mitǽlik] *a.* 금속(질)의; 엄한; 냉철한.
met·al·lur·gy [métələ̀ːrdʒi/metǽlərdʒi] *n.* Ⓤ 야금학, 야금술. **-gi·cal** [mètələ́ːrdʒikəl] *a.*
métal·wòrk *n.* Ⓤ 《집합적》 금속 세공(물). ~**er** *n.* Ⓒ 금속 세공인. ~**ing** *n.* Ⓤ 금속 가공(업).
met·a·mor·phose [-mɔ́ːrfouz, -s] *vt.* 변형시키다, 변질시키다. **-pho·sis** [-fəsis] *n.* Ⓤ,Ⓒ 변형, 변태.
·**met·a·phor** [métəfər, -fɔ̀ːr] *n.* Ⓤ,Ⓒ 〖修〗 은유(隱喩)《보기 : *a heart of stone*(이것을 a heart like stone으로 하면 SIMILE이 됨)》. ~·**i·cal** [∸-fɔ́ːrikəl, -á-/-ɔ́-] *a.* **-i·cal·ly** *ad.*
·**met·a·phys·i·cal** [mètəfízikəl] *a.* 형이상학의; 공론의; 추상적인. ~**ly** *ad.* **-phy·si·cian** [-fizíʃən] *n.* Ⓒ 형이상학자. ·**-ics** [-fíziks] *n.* Ⓤ 형이상학; 추상론; 심리학.
mete [miːt] *vt.* 할당하다(*out*); 《古》 재다.
·**me·te·or** [míːtiər, -tiɔ̀ːr] *n.* Ⓒ 유성(流星). ~·**ic** [mìːtiɔ́ːrik, -ár-] *a.*
·**me·te·or·ite** [míːtiəràit], **me·te·or·o·lite** [mìːtiɔ́ːrəlàit] *n.* Ⓒ 운석(隕石).
me·te·or·ol·o·gy [mìːtiərálədʒi/-ɔ́-] *n.* Ⓤ 기상학; 기상. **-o·log·ic** [-rəládʒik/-ɔ́-], **-i·cal** [-əl] *a.* 기상학(상)의(*meteorological satellite* 기상 위성). **-gist** *n.* Ⓒ 기상학자.
:**me·ter,** 《英》 **-tre** [míːtər] *n.* ① Ⓒ 미터《미터법에서 길이의 단위》. ② Ⓒ 계량기; 미터《가스·수도 따위의》. ③ Ⓤ 운율; 박자; Ⓒ 보격(步格).
-me·ter [mətər] *suf.* '계기, 미터' 또는 운율학의 '각수(脚數)'의 뜻: baro*meter;* kilo*meter;* penta*meter.*
meth·a·done [méθədòun], **-don** [-dàn/-dɔ̀n] *n.* Ⓤ 〖藥〗 메타돈《진통제·헤로인 중독 치료제》.
meth·ane [méθein] *n.* Ⓤ 〖化〗 메탄.
:**meth·od** [méθəd] *n.* ① Ⓒ 방법, 방식. ② Ⓤ (규칙 바른) 순서, 질서. ***deductive*** 〔***inductive***〕 ~ 연역〔귀납〕법. **me·thod·i·cal** [miθádikəl/-ɔ́-] *a.* 조직적인, 규율 바른. **-i·cal·ly** *ad.*
·**Meth·od·ist** [méθədist] *n.* Ⓒ ① 감리교도《기독교 신교의 일파》. ② (m-) 엄격한 종교관을 가진 사람. ③ 《蔑》 격식 위주의 융통성이 없는 사람; 까다로운 사람. **-ic** [-ik], **-i·cal** [-əl] *a.* 감리교파의. **-ism** [-ìzəm] *n.*
meth·od·ol·o·gy [mèθədálədʒi/-ɔ́-] *n.* Ⓤ,Ⓒ 방법론.
meths [meθs] *n.* Ⓤ 변성 알코올 (methylated spirits).
meth·yl·ate [méθəlèit] *vt.* (…에) 메틸을 섞다. **~d *spirit*(*s*)** 변성(變性) 알코올.
me·tic·u·lous [mətíkjələs] *a.* 옹졸한; 지나치게 세심한. ~·**ly** *ad.*
mé·tier [méitjei, ─∸] *n.* (F.) Ⓒ 직업; 전문; 장기(長技); (작가의) 수법, (화가의) '메티에'.
:**me·tre** [míːtər] *n.* 《英》 = METER.
·**met·ric** [métrik] *a.* 미터법의; 계량의.
met·ri·cal [métrikəl] *a.* 운율의; 측량(용)의, 측량법의.
métric sỳstem 미터법.
métric tón ⇨ TON.
Met·ro [métrou] *n.* (the ~) (특히 파리의) 지하철; (m-) Ⓒ 《一般》 지하철.
met·ro·nome [métrənòum] *n.* Ⓒ 〖樂〗 박절기(拍節器), 메트로놈.
:**me·trop·o·lis** [mitrápəlis/-ɔ́-] *n.* Ⓒ (일국의) 주요 도시; 수도(capital); 중심지.
:**met·ro·pol·i·tan** [mètrəpálitən/

M

-5-] *a.* 수도의; 대주교[대감독] 교구의. — *n.* Ⓒ 수도의 주민; 대주교.
metropólitan políce 수도 경찰.
met·tle[métl] *n.* Ⓤ 기질, 성질; 용기; 정열. ***on one's*** ~ 분발하여. **~d**[-d], **~·some**[-səm] *a.* 위세 좋은.
mew[mju:] *n.* Ⓒ 야옹하는 소리. — *vi.* 야옹울다《고양이가》.
mews [mju:z] *n. pl.* 《단수 취급》《英》(빈터 주위의) 마구간.
mez·za·nine[mézənì:n] *n.* Ⓒ 중이층(中二層); 무대 밑.
mézzo-sopráno *n.* (*pl.* **~s, -prani**[-prǽni:, -ά:-]) Ⓤ 메조소프라노; Ⓒ 메조소프라노 가수.
mg, mg. milligram(s). **Mgr.** *monseigneur.* **MHz, Mhz** megahertz.
˙**mi**[mi:] *n.* Ⓤ,Ⓒ 〖樂〗 미《장음계의 제 3음》.
mi. mile; mill.
mi·aow[miáu, mjau] *n., vi.* Ⓒ (고양이가) 야옹(울다).
mi·as·ma[maiǽzmə, mi-] *n.* Ⓒ (늪에서 나오는) 독기; 말라리아 병독.
mi·ca[máikə] *n.* Ⓤ 운모(雲母), 돌비늘. **∠·ceous**[maikéiʃəs] *a.* 운모(모양)의.
:**mice**[mais] *n.* mouse의 복수.
Mich·ael·mas[míkəlməs] *n.* 미가엘 축일《9월 29일, 영국에서는 청산일(quarter days)의 하나》.
mi·cro[máikrou] *n., a.* Ⓒ 매우 작은 (것); 마이크로스커트.
mi·cro-[máikrou, -krə] '소(小), 미(微), 100만 분의 1'의 뜻의 결합사.
mi·crobe[máikroub] *n.* Ⓒ 미생물, 세균.
mìcro·biólgoy *n.* Ⓤ 미생물학.
mìcro·compúter *n.* Ⓒ 〖컴〗 마이크로 컴퓨터.
mi·cro·cosm [-kὰzəm/-kɔ̀-] *n.* Ⓒ (cf. macrocosm) 소우주; (우주의 축도로서의) 인간. **-cos·mic**[∠—kάzmik/-kɔ́z-] *a.*
mi·cro·fiche[máikrəfì:ʃ] *n.* Ⓤ,Ⓒ 마이크로피시《여러 장의 마이크로 필름을 수록한 시트 모양의 것》.
mícro·film *n., vt., vi.* Ⓤ,Ⓒ 마이크로필름(에 찍다, 찍히다).
mi·cron[máikrαn/-krɔn] *n.* (*pl.* **~s, -cra**[-krə]) Ⓒ 미크론《1밀리미터의 천분의 1; 부호 *μ*》. **~·ize**[máikrənàiz] *vt.* (미크론 정도로) 미소(微小)화하다.
:**mi·cro·phone**[máikrəfòun] *n.* Ⓒ 마이크(로폰).
mìcro·prócessor *n.* Ⓒ 마이크로프로세서.
:**mi·cro·scope**[máikrəskòup] *n.* Ⓒ 현미경.
˙**mi·cro·scop·ic** [màikrəskάpik/-5-], **-i·cal**[-əl] *a.* 현미경의; 극히 미세(微細)한.
mi·cro·wave[máikrouwèiv] *n.* Ⓒ 극(極)초단파《파장 1m-1cm》; = MICROWAVE OVEN.
microwave òven 전자 레인지.
˙**mid**[mid] *a.* 중앙의, 중간의, 중부의. ***in ~ air*** 공중에, 허공에.
Mi·das[máidəs] *n.* 〖그神〗 미다스《손에 닿는 모든 것을 황금으로 변하게 하는 힘을 부여받았던 프리지아의 왕》; Ⓒ 큰 부자; 《美》 조기 경보용 위성.
˙**mid·day**[∠dèi, ∠∠] *n., a.* Ⓤ 정오(의), 한낮(의).
†**mid·dle**[mídl] *n., a.* Ⓤ (the ~) 중앙(의), 중간(의), 중부(의); Ⓒ 〖論〗 중명사(中名辭); (the ~, one's ~) (사람의) 몸통, 허리. ***at the ~ of*** …의 중간에. ***in the ~ of*** …의 한가운데에; …에 몰두하여.
míddle áge 중년《40-60세》.
˙**míddle-áged** *a.* 중년의.
Míddle Áges, the 중세(기).
Míddle América 중앙 아메리카, 미국의 중서부.
míddle cláss(es) 중산 계급, 중류 사회.
míddle dístance (그림의) 중경(中景)(middle ground); 중거리(경주).
Míddle Éast, the 중동《Far East와 Near East와의 중간》.
míddle fínger 가운뎃손가락.
míddle·màn *n.* Ⓒ 중매인, 매개자; 《美》 MINSTREL show의 중앙에 있는 사람(⇨INTERLOCUTOR).
˙**míddle nàme** 중간 이름(보기: Lyndon Baines Johnson의

Baines).
míddle-of-the-róad *a.* 중용의, 중도(中道)의. **~er** *n.*
míddle·wèight *n.* Ⓒ (권투·레슬링의) 미들급 선수.
Míddle Wést, the 미국 중서부 (Midwest).
mid·dling [mídliŋ] *a.* 중등의, 보통의. — *n.* (*pl.*) 중등품, 2급품. — *ad.* 중 정도로, 웬만큼(~ *good*), 꽤, 상당히.
míd·field *n., a.* Ⓤ (경기장의) 중앙부, 필드 중앙부(의). 「꼬마.
midge [midʒ] *n.* Ⓒ 모기, 파리매;
mid·get [mídʒit] *n., a.* Ⓒ 난쟁이; 꼬마; 극소형의 (물건); 아주 작은.
mid·land [mídlənd] *a.* (나라의) 중부의; 내지의; (M-) 영국 중부 지방의; 육지로 둘러싸인. — *n.* (the ~) (나라의) 중부; (M-) 영국 중부 지방 방언. ***the Midlands*** 잉글랜드의 중부 여러 주.
:mid·night [mídnàit] *n., a.* Ⓤ 자정(의), 한밤중(의). ***burn the ~ oil*** 밤 늦게까지 공부하다[일하다].
míd·rìff *n.* Ⓒ 횡경막; 몸통.
mídship·man [-mən] *n.* Ⓒ 《英》 해군 소위 후보생; 《美》 (Annapolis) 해군 사관 학교 생도.
·midst [midst] *n.* Ⓤ 중앙, 한가운데. ***in our* [*your, their*] *~*** 우리들[당신들, 그 사람들] 가운데[사이]에서. ***in the ~ of*** …의 한 가운데에서. — *ad.* 중간에, 한가운데에. ***first, ~, and last*** 시종일관해서. — *prep.* 《詩》 …의 (한)가운데에.
míd·strèam *n.* Ⓤ 중류(中流).
·míd·súmmer *n.* Ⓤ 한여름《하지(夏至) 무렵》.
Mídsummer Dáy 세례자 요한 축일《6월 24일(영국에서는 quarter days의 하나)》.
míd·tèrm *a.* 《美》 (학기, 대통령 임기 등의) 중간의(~ *election* 중간 선거). — *n.* Ⓤ (종종 *pl.*) 《美口》 중간 시험.
·míd·wáy *a., ad.* 중도의(에). — [스스] *n.* Ⓒ 중도; 《美》 (박람회 따위의) 중앙로; 복도. 「WEST.
Míd·wést *n.* 《美》 = MIDDLE
mid·wife [mídwàif] *n.* (*pl.* ***-wives***) Ⓒ 조산원, 산파. **~·ry** [-wàifəri, -wìf-] *n.* Ⓤ 조산술, 조산학.
·mid·winter *n.* Ⓤ 한겨울.
mien [mi:n] *n.* Ⓤ 《雅》 풍채, 태도.
miff [mif] *n.* (*sing.*) 《口》 부질없는 싸움; 분개. — *vt., vi.* 《口》 불끈(하게)하다.
:might[1] [mait] *n.* Ⓤ 힘《정신적·육체적》; 우세. ***with ~ and main,*** or ***with all one's ~*** 전력을 다하여.
†might[2] may의 과거. ① 《might + 동사의 원형》《가능성》 *It ~ happen sometime.* 혹은 언젠가 일어날는지도 모른다《may 보다 가능성이 적음》; 《허가》 *M- I use your car?* 차를 빌려 주시겠습니까《may보다 공손》; 《명령》 *You ~ imagine.* 좀 생각해 주세요《may보다 공손》; 《소망》 *You ~ help me.* 도와 주어도 좋으련만. ② 《~ have + 과거분사》 *They ~ have helped me.* 도와줄 수 있었던 것을. ***as ~ be* [*have been*] *expected ...*** 예기했던 대로 …이다. ***~ as well*** …함이 좋을 것이다. ***~ as well ... as*** …할 정도라면 …하는 편이 낫다(*You ~ as well do anything as do that.* 딴 일은 몰라도 그것만은 그만두시오).
:might·y [máiti] *a., ad.* ① 힘센, 강대한. ② 위대한, 굉장한. ③ 거대한. ④ 《口》 몹시. ***high and ~*** 교만한. **míght·i·ly** *ad.* 힘차게.
mi·graine [máigrein/mí:-] *n.* (F.) Ⓤ,Ⓒ 〖醫〗 편두통.
mi·grant [máigrənt] *a.* 이주(移住)하는. — *n.* Ⓒ 이주민; 철새.
:mi·grate [máigreit, ⌐⌐] *vi.* ① 이주하다. ② (새·물고기가 정기적으로) 이동하다.
:mi·gra·tion [maigréiʃən] *n.* ① Ⓤ,Ⓒ 이주, 이전; Ⓒ 이주자[동물](의 떼). ② Ⓤ 〖化〗 (분자 내의) 원자 이동.
mi·gra·to·ry [máigrətɔ̀:ri/-təri] *a.* 이주하는.
·mike *n.* Ⓒ 《口》 마이크(로폰).
:mild [maild] *a.* ① (태도가) 유순한, 온화한. ② (맛이) 순한, 달콤한 (opp. bitter). ③ (기후가) 온화한 (cf. moderate). ④ (병이) 가벼운 (opp. serious). DRAW ***it ~.*** ~

M

case 경증(輕症). ~ **steel** 연강(軟鋼). **∠·en** *vt., vi.* ~하게 하다(되다). *~**∠·ly** *ad.* **∠·ness** *n.*

mil·dew[míldjùː] *n.* Ⓤ 곰팡이, 백분병균(白粉病菌). — *vt., vi.* 곰팡나(게 하)다. **~·y** *a.*

†**mile**[mail] *n.* Ⓒ 마일《1,760야드, 1,609km》. **not** 100 **~s from** … 의 부근에《소재를 모호하게 말할 때》.

*****mile·age**[∠idʒ] *n.* Ⓤ ① 마일수(에 의한 운임). ② (마일수 계산에 의한) 여비 수당.

*****míle·stòne** *n.* Ⓒ ① 이정표. ② 획기적 사건.

mi·lieu [miːljú/míːljəː] *n.* (*pl.* **~s, ~x**[-z]) (F.) Ⓒ 주위, 환경.

*****mil·i·tant**[mílitənt] *a., n.* 싸우고 있는; 투쟁적인; Ⓒ 호전적인 (사람); 투사. **the church ~** 신전(神戰)의 교회《지상에서 악마나 사악과 싸우고 있는 기독교회》. **-tan·cy** *n.* Ⓤ 투지; 교전 상태.

*****mil·i·ta·rism**[mílitərìzəm] *n.* Ⓤ 군국주의. **-rist** *n.*

mil·i·ta·rize[mílitəràiz] *vt.* 군국화하다; 전시 체제로 하다.

:**mil·i·tar·y**[mílitèri/-təri] *a.* ① 군(인)의, 군인다운, 군용의. ② 군인의 경력이 있는; 군인의 특징이 있는. — *n.* (the ~) 《집합적》 군인, 군부.

military sérvice 병역.

mil·i·tate[mílitèit] *vi.* 작용하다, 크게 힘이 되다(*against; in favor of*).

*****mi·li·tia**[milíʃə] *n.* Ⓒ 의용군; 《美》 국민군.

†**milk**[milk] *n.* Ⓤ 젖; 우유; 젖 모양의 액체; 유제(乳劑). **cry over spilt ~** 돌이킬 수 없는 일을 후회하다. **~ and honey** 풍요(豊饒). **~ and water** 물 탄 우유; 시시한 감상(담화). **~ for babies** (서적·교리의) 어린이 상대의 것(opp. STRONG meat). **~ of human kindness** 따뜻한 인정《Sh., *Macb.*》. **separated** 〔**skim**〕 **~** 탈지유(脫脂乳). **whole ~** 전유(全乳). — *vt.* (…의) 젖을 짜다; 착취하다, 밥으로 삼다; 즙을 짜내다; 도청하다. **~ the bull** 〔**ram**〕 가망 없는 일을 하다.

mílk-flòat *n.* Ⓒ 《英》 우유 배달차.

*****mílk·màid** *n.* Ⓒ 젖 짜는 여자.

milk·man[∠mæ̀n, -mən] *n.* Ⓒ 우유 배달부.

mílk·sòp *n.* Ⓒ 유약한 사람.

mílk tòoth 젖니.

*****milk·y**[mílki] *a.* ① 젖의, 젖 같은. ② 무기력한. **the M- Way** 은하(銀河).

:**mill**[mil] *n.* Ⓒ ① 물방앗간; 제분소. ② 제분기, 분쇄기; 공장. ③ 《俗》 권투 경기, 치고 받기. **go** 〔**put**〕 **through the ~** 수련을 쌓다(쌓게 하다). **The ~s of God grind slowly, yet they grind exceeding small.** 《속담》 하늘의 응보는 때로 늦기는 해도 언젠가는 반드시 온다. — *vt.* (곡물 등을) 갈아서 가루로 만들다; 분쇄하다; (나사 따위를) 융단으로 만들다; (화폐에) 깔쭉이를 내다, 주먹으로 때리다; (초콜릿 따위를) 저어 거품을 일게 하다. — *vi.* 물방아를 쓰다; 《俗》 서로 치고받다; (가축 따위가) 떼를 지어 빙빙 돌다.

mil·len·ni·um[miléniəm] *n.* (*pl.* **~s, -nia**[-niə]) Ⓒ 천년의 기간; (the ~) 지복 천년《예수가 재림해서 지상을 지배하는》.

:**mill·er**[mílər] *n.* Ⓒ ① 물방앗간 주인; 제분업자; 공장주. ② (흰 점이 있는) 나방의 일종. **drown the ~** (화주·반죽에) 물을 타다.

mil·let[mílit] *n.* Ⓤ 【植】 기장.

mil·li-[mílə, -li] *pref.* '천분의 1'의 뜻 : ***milli***bar; ***milli***gram(me); ***milli***liter; ***milli***litre; ***milli***meter; ***milli***metre.

mil·li·bar [míləbɑ̀ːr] *n.* Ⓒ 밀리바《기압의 단위》.

mílli·gràm(me) *n.* Ⓒ 밀리그램《생략 mg》.

mílli·lìter, 《英》 **-tre** *n.* Ⓒ 밀리 리터《생략 ml》. 「미터《생략 mm》.

*****mílli·mèter,** 《英》 **-tre** *n.* Ⓒ 밀리

mil·li·ner[mílənər] *n.* Ⓒ 부인 모자 제조인(판매인).

mil·li·ner·y[-nèri/-nəri] *n.* Ⓤ 부인용 모자류(장신구류); Ⓒ 그 판매업.

†**mil·lion**[míljən] *n.* Ⓒ 백만; 무수; 백만 달러; (the ~) 대중. — *a.* 백

만의. **a ~ to one** 전혀 불가능한 것 같은. **~th** *n., a.* Ⓒ (the ~) 백만번째(의); 백만분의 1(의).

:mil·lion·(n)aire[∸-έər] *n.* Ⓒ 백만 장자(cf. billionaire).

míll·pònd *n.* Ⓒ 물방아용 저수지.

míll·stòne** *n.* Ⓒ 맷돌. ***between the upper and the nether ~(s) 진퇴유곡에 빠져.

míll whèel 물방아 바퀴.

mime[maim] *n.* Ⓤ,Ⓒ (고대 그리스·로마의) 몸짓 익살극; Ⓒ 그 배우. — *vt.* 몸짓으로 연극을 하다.

mi·met·ic[mimétik, mai-] *a.* 모방의; 의태의; 〖醫〗 의사(疑似)의.

***mim·ic**[mímik] *a.* 흉내내는, 모방의; 가짜의. — *n.* Ⓒ 흉내내는 사람. — *vt.* (**-ck-**) 흉내 내(어 조롱하)다; 모사(模寫)하다.

***mim·ic·ry**[mímikri] *n.* Ⓤ 흉내; Ⓒ 모조품; Ⓤ 의태.

mi·mo·sa[mimóuzə, -sə] *n.* Ⓤ,Ⓒ 〖植〗 함수초(의 무리)《자귀나무 따위》.

min. minimum; minute(s).

min·a·ret[mínərèt, ∸-∸] *n.* Ⓒ (회교 교당의) 뾰족탑.

min·a·to·ry[mínətɔ̀:ri/-təri] *a.* 위협[협박]적인.

mince**[mins] *vt.* (고기 따위를) 잘게 다지다; 조심스레 말하다. — *vi.* 맵시를 내며 종종걸음으로 걷다, 점잔빼며 말하다. — *n.* = **∠·mèat** 잘게 썬 고기. ***make ~ meat of …을 난도질하다; …을 철저하게 해내다. **~ *pie*** 민스미트[잘게 썬 고기]를 넣은 파이. **mínc·ing** *a., n.* 점잔빼는; Ⓤ 점잔뺌(*Let us have no mincing of matters* 〔*words*〕. 까놓고 말하자).

†mind[maind] *n.* ① Ⓤ 마음, 정신. ② Ⓤ 기억(력). ③ Ⓤ,Ⓒ 의견, 생각; 의지. ④ Ⓤ 지력, 이성. ⑤ Ⓤ,Ⓒ 기질, 기분. ⑥ Ⓒ (마음의 소유자로서의) 사람. ***bear* 〔*keep*〕 *in ~*** 유념하다. ***be in two ~s*** 결심을 못하다. ***be of a person's ~*** …와 같은 의견이다. ***be out of one's ~*** 잊고 있다; 미치다. ***bring* 〔*call*〕 *to ~*** 상기하다. ***come to one's ~*** 머리에 떠오르다. ***give one's ~ to*** …에 전념하다. ***have a great ~ to*** 몹시 …하고 싶어 하다. ***have half a ~ to*** …할까 생각하고 있다. ***know one's own ~*** 결심이 되어 있다. ***make up one's ~*** 결심하다(resolve)(*to* do). **~'s *eye*** 심안(心眼), 상상력. ***of a ~*** 마음을 같이하여. ***Out of sight, out of ~.***《속담》 헤어져있다면 마음도 멀어진다. ***put a person in ~*** 생각나게 하다, 연상시키다. ***say* 〔*tell*〕 *one's ~*** 흉중을 털어 놓다; 직언하다. ***time out of ~*** 태고적, 옛날. ***to my ~*** 나의 생각으로는.
— *vt.* ① (…에) 주의를 기울이다; 마음에 두다, 주의하다, 조심하다(~ *the step* 발 밑을 조심하다). ② 전념하다(*M- your own business.* 웬 참견이냐(너 할일이나 하라)). ③ 《의문·부정문에서》 신경 쓰다, 염려하다, 싫어하다(*'Should you ~ my telling him?' 'No, not at all.'* '그에게 이야기해도 괜찮습니까' '예, 괜찮고 말고요' / *Would you ~ shutting the door?* 문을 좀 닫아 주실까요?). ④ (주의해서) 돌보다. ⑤ 《古·方》 잊지 않고 있다. — *vi.* 정신차리다; 꺼리다; 걱정[조심]하다. ***if you don't ~*** 괜찮으시다면. **~ *you!*** 《삽입구》 알겠지, 잘 듣게. ***M- your eye!*** 정신차려! ***Never ~!*** 걱정마라; 네가 알바 아니다. **~·er**[∠ər] *n.* Ⓒ 《주로 英》 지키는 사람. ***∠·ful** *a.* 주의 깊은, 마음에 두는(*of*). **∠·less** *a.* 분별없는, 부주의한. **(-)mind·ed** [∠id] *a.* 할 마음이 있는.

mínd rèading 독심술(讀心術).

†mine¹[main] *pron.* 《I의 소유대명사》 나의 것; 《詩·古》 (모음 또는 h 자 앞에서) 나의(my). ***me and ~*** 나와 나의 가족.

:mine² *n.* Ⓒ ① 광산; 광갱(鑛坑). ② 《비유》 보고(寶庫); 철광. ③ 〖軍〗 갱도(坑道). ④ 기뢰, 지뢰. ***charge a ~*** 지뢰를 장치하다. ***lay a ~*** 지뢰[기뢰]를 부설하다; 전복을 기도하다(*for*). ***spring a ~ on*** …을 기습하다. — *vt.* 채굴하다; 갱도를 파다; 기뢰를 부설하다; 음모로 전복시키다(undermine).

míne·field 지[기]뢰원(原); 광석매장지.

M

:min·er[máinər] *n.* Ⓒ 갱부; 지뢰공병.

:min·er·al[mínərəl] *n.* ① Ⓒ 광물; 〖化〗 무기물. ② (*pl.*)《英》 광천(鑛泉); 탄산수. ── *a.* 광물의(을 포함한); 무기의.

min·er·al·o·gy [mìnərǽlədʒi] *n.* Ⓤ 광물학. **-og·i·cal** [mìnərəládʒikəl/-ɔ́-] *a.* **-gist**[mìnərəládʒist] *n.* Ⓒ 광물학자.

míneral wàter 광천수. 《英口》 탄산수.

míne swèeper 소해정(掃海艇).

:min·gle[míŋgəl] *vt., vi.* ① 섞(이)다. ② 사귀다, 어울리다. ~ ***their tears*** 따라 울다.

min·gy[míndʒi] *a.* 인색한. 「(것).

min·i[míni] *a., n.* Ⓒ 《口》 (썩) 작은

:min·i·a·ture[míniətʃər, -tʃùər] *n.* ① Ⓒ (작은) 모형; 축소화; 축도. ② Ⓤ 미세(微細)화법. ***in*** ~ 소규모로; 축도의. ── *a.* 축도의; 소형의. ── *vt.* 미세화로 그리다; 축사(縮寫)하다. **-tur·ist** *n.* Ⓒ 세밀 화가, 미니어처 화가.

míni·bùs *n.* Ⓒ 마이크로버스.

míni·càb *n.* Ⓒ 《英》 소형 콜택시.

mìni·compúter *n.* Ⓒ 〖컴〗 미니컴퓨터.

min·im[mínəm] *n.* Ⓒ 〖樂〗 2분음표; 미세한 물건; 액량의 최소 단위 《1 dram의 1/60; 생략 min.》.

min·i·mal[mínəməl] *a.* 최소량(수)의, 극소의.

min·i·mize[mínəmàiz] *vt.* 최소로 하다; 최저로 어림잡다; 경시하다.

:min·i·mum [mínəməm] *n.* (*pl.* ~***s***, ***-ma***[-mə]) Ⓒ 최소량; 〖數〗 극소(opp. maximum). ── *a.* 최소 한도의, 최저의.

mínimum wáge 최저 임금.

˙min·ing[máiniŋ] *n.* Ⓤ 채광, 광업. ── *a.* 채광의, 광산의(~ *industry* 광업).

min·ion[mínjən] *n.* Ⓒ 《蔑》 총애받는 사람《아이·여자·하인 등》; 앞잡이, 부하. ~ ***of fortune*** 행운아.

míni·skìrt *n.* Ⓒ 미니스커트.

:min·is·ter[mínistər] *n.* Ⓒ ① 성직자. ② 장관, 대신, 각료. ③ 공사(公使). ④ 대리인; 하인. ***the prime*** ~ 국무총리, 수상. ***vice-*** ~ 차관. ── *vi.* 힘을 빌리다; 공헌하다(*to*); 쓸모가 있다; 봉사하다. ── *vt.* (제사를) 올리다; 공급하다.

min·is·te·ri·al[mìnəstíəriəl] *a.* 대리의, 대행의; 장관(각료)의, 정부측의, 공사의; 목사의; 종속적인. ***the*** ~ ***party*** 여당.

min·is·tra·tion[mìnəstréiʃən] *n.* Ⓤ (목사의) 직무; Ⓤ,Ⓒ 봉사; 보조.

:min·is·try[mínistri] *n.* ① (the ~) 성직(聖職). ② Ⓒ (M-) (장관 관할의) 부(部), 성(省); (영국·유럽의) 내각. ③ 《집합적》 목사들, 각료(閣僚). ④ Ⓤ,Ⓒ 직무, 봉사. ***M- of Defense*** 국방부.

˙mink[miŋk] *n.* Ⓒ 〖動〗 밍크《족제비류》; Ⓤ 그 모피.

min·now[mínou] *n.* Ⓒ 황어(黃魚), 피라미; 작은 물고기. ***throw out a*** ~ ***to catch a whale*** 새우로 고래를 낚다; 큰 이익을 위해 작은 이익을 버리다.

:mi·nor[máinər] *a.* ① 작은 쪽의(opp. major). ② 중요하지 않은, 2류의; 〖樂〗 단음계의. ③ 손아래의 (*Jones* ~)《학교에서 같은 성이 두 사람 있을 때》. ④ 《美》 부전공 과목의. ── *n.* Ⓒ ① 미성년자. ② 〖論〗 소명사(小名辭); 소전제; 〖樂〗 단조. ③ (M-) 프란체스코회의 수사. ④ 《美》 부전공 과목. ***in a*** ~ ***key*** 〖樂〗 단조로, 음울한 곡조로.

:mi·nor·i·ty[minɔ́:riti, mai-] *n.* ① Ⓤ 미성년(기). ② Ⓒ 소수(파); 소수당(opp. majority).

min·ster[mínstər] *n.* Ⓒ 《英》 수도원 부속 교회당; 대성당.

˙min·strel[mínstrəl] *n.* Ⓒ ① (중세의) 음유(吟遊) 시인; 가수, 시인. ② (*pl.*) =∠ **shòw** (흑인으로 분장한) 가극단. ~**·sy** *n.* Ⓤ 음유 시인의 연예; 음유 시인들.

˙mint[1][mint] *n.* Ⓤ 〖植〗 박하(薄荷); Ⓒ 박하사탕.

mint[2] *n.* Ⓒ 조폐국; (*a* ~) 거액(*a* ~ *of money* 거액의 돈); (발명·음모 등의) 근원. ── *vt.* (화폐를) 주조하다; (신어를) 만들어 내다; 발명하다. ~**·age**[∠idʒ] *n.* Ⓤ 조폐; 주조 화폐.

min·u·et[mìnjuét] *n.* Ⓒ 미뉴에트 《3박자의 느린 춤》; 그 곡.
:mi·nus[máinəs] *prep.* ① 〖數〗 마이너스한, …을 뺀(7 ~ 4 *is* (*equal to*) 3. 7-4=3). ② 《口》 …을 잃고 (*He came back ~ his arm.* 한 쪽 팔을 잃고 돌아왔다). — *a.* 마이너스의, 음(陰)의. — *n.* Ⓒ 음수(陰數); 마이너스 부호(-).
mi·nus·cule[mínʌskjù:l, –⌐–] *a.* (글자가) 소문자의; 작은.
†min·ute[1][mínit] *n.* Ⓒ ① 분《시간·각도의 단위》; 잠시. ② 간단한 메모. ③ (~s) 의사록. ***any ~*** 지금 당장에라도. ***in a ~*** 곧. ***not for a*** (***one***) ***~*** 조금도 …않는. ***the ~*** (***that***) …하자마자(*The ~* (*that*) *he saw me, he ran away.*). ***this ~*** 지금 곧. ***to the ~*** 정확히(그 시간에). ***up to the ~*** 최신 유행의. — *vt.* (…의) 시간을 정밀히 재다; 의사초안을 만들다; 기록하다. **~·ly**[1] *a., ad.* 일분마다(의).
:mi·nute[2][mainjú:t, mi-] *a.* 자디잔, 미소한. ② 정밀한. **~·ly**[2] *ad.* 세세하게, 상세하게. **~·ness** *n.*
mínute hànd (시계의) 분침.
mi·nu·ti·a[minjú:ʃiə, mai-] *n.* (*pl.* ***-tiae***[-ʃiì:]) (L.) Ⓒ (보통 *pl.*) 상세(한 사정), 세목.
minx[miŋks] *n.* Ⓒ 말괄량이, 왈가닥, 바람난 처녀.
:mir·a·cle[mírəkəl] *n.* Ⓒ ① 기적. ② 불가사의한 물건(사람·일). ***to a ~*** 기적적으로, 신기할 정도로 훌륭히. ***work*** (***do***) ***a ~*** 기적을 행하다.
míracle plày (중세의) 기적극.
·mi·rac·u·lous [mirǽkjələs] *a.* 기적적인, 놀랄 만한, 불가사의한. **~·ly** *ad.* 기적적으로.
mi·rage[mirá:ʒ/⌐–] *n.* (F.) Ⓒ 신기루; 망상(妄想).
·mire[maiər] *n.* Ⓤ ① 진흙; 진창; 습지; 수렁. ② 궁지. ***drag a person's name through the ~*** 아무의 이름을 더럽히다. ***stick*** (***find oneself***) ***in the ~*** 궁지에 빠지다. — *vt.* 진창에 몰아 넣다; 곤경에 빠뜨리다; 진흙 투성이로 만들다; 더럽히다. — *vi.* 진창(곤경)에 빠지다.
:mir·ror[mírər] *n.* Ⓒ ① 거울(looking glass). ② 모범, 전형(典型). ③ 있는 그대로 비추는 것. — *vt.* 비추다; 반사하다, 반영하다.
:mirth[mə:rθ] *n.* Ⓤ 환락, 유쾌, 명랑. **⌐·less** *a.* 즐겁지 않은, 서글픈.
mis-[mis] *pref.* '잘못하여, 나쁘게, 불리하게' 따위의 뜻.
mìs·advénture *n.* Ⓤ 불운; Ⓒ 재난. ***by ~*** 잘못하여(*homicide by ~* 〖法〗 과실 치사).
mis·an·thrope [mísənθròup, míz-], **-thro·pist**[misǽnθrəpist, miz-] *n.* Ⓒ 사람이 싫은 사람, 염세가.
mis·an·throp·ic[mìsənθrápik, mìz-/-θrɔ́-] *a.* 사람 싫어하는, 염세적인.
mis·an·thro·py [misǽnθrəpi, miz-] *n.* Ⓤ 사람을 싫어함, 인간 불신.
mìs·applicátion *n.* Ⓤ,Ⓒ 오용, 남용, 악용.
mìs·applý *vt.* 오용(악용)하다. **-applíed** *a.* 악용된.
mìs·apprehénd *vt.* 오해하다. **-apprehénsion** *n.* Ⓤ 오해.
mìs·apprópriate *vt.* (남의 돈을) 악용하다; 횡령하다.
mìs·appropriátion *n.* Ⓤ 악용, 남용; 〖法〗 횡령.
mìs·beháve *vi.* 무례한 짓을 하다; 방정치 못한 짓을 하다. **-behávior,** 《英》 **-háviour** *n.* Ⓤ 비행(非行).
mìs·cálculate *vt., vi.* 오산하다; 잘못 예측하다. **-calculátion** *n.*
mìs·cárriage *n.* Ⓤ,Ⓒ (편지의) 불착; 유산(流産); 실패.
mìs·cárry *vi.* 실패하다; 유산(조산)하다; 편지가 도착하지 않다, 잘못 배달되다.
mìs·cást *vt.* (아무에게) 부적당한 임무를 맡기다; (배우에게) 배역(配役)을 잘못하다.
·mis·cel·la·ne·ous[mìsəléiniəs] *a.* 잡다한; 가지가지의(*~ goods* 잡화). **~·ly** *ad.*
mis·cel·la·ny[mísəlèini, misélǝni] *n.* Ⓒ 잡록, 논문집; 잡동사니.
mìs·chánce *n.* Ⓤ,Ⓒ 불행, 재난.
:mis·chief[místʃif] *n.* ① Ⓤ (정신 도덕적인) 해; Ⓤ,Ⓒ (물질적인) 손해,

M

위해(危害). ② Ⓒ 재난의 씨; 고장. ③ Ⓤ 장난, 익살. **come to ~** 폐가 되다. **do a person a ~** 아무에게 해를 가(加)하다. **eyes full of ~** 장난기 가득 찬 눈. **like the ~** 《口》 몹시, 매우. **make ~ between** …의 사이를 떼어놓다, …을 이간시키다. **mean ~** 악의를 품다. **play the ~ with** 해치다; 엉망으로 하다.

˙**mis·chie·vous** [místʃivəs] *a.* 유해한; 장난치는. **~·ly** *ad.* **~·ness** *n.*

mis·con·ceive [mìskənsí:v] *vt., vi.* 오해하다, 오인하다, 잘못 생각하다(*of*). **-cep·tion** [≤–sépʃən] *n.* Ⓤ,Ⓒ 잘못된 생각, 오인.

mis·con·duct [miskándʌkt/-kɔ́n-] *n.* Ⓤ 품행 불량, 간통. — [mìskəndʌ́kt] *vt.* 실수하다. **~ oneself** 방정치 못한 행동을 하다, 품행이 나쁘다.

mìs·constrúction *n.* Ⓤ,Ⓒ 그릇된 조립〔구문〕; 오해, 곡해.

mìs·construe *vt.* 뜻을 잘못 해석하다, 오해하다, 그릇 읽다.

mìs·cóunt *n., vt., vi.* Ⓒ 오산(하다), 계산 착오(하다).

mis·cre·ant [mískriənt] *a.* 극악무도한; 이단의. — *n.* Ⓒ 이단자, 극악 무도한 사람.

mìs·déed *n.* Ⓒ 범죄; 못된 짓.

mis·de·mean·or, 《英》 **-our** [mìsdimí:nər] *n.* Ⓒ 비행, 행실이 나쁨; 〖法〗 경범죄.

mìs·diréct *vt.* 그릇 지시하다; 잘못 겨냥하다; (편지의) 수취인 주소를 잘못 쓰다.

mise en scène [mì:z ɑ:n séin] (F.) 무대 장치; 연출.

:**mi·ser** [màizər] *n.* Ⓒ 구두쇠, 수전노. **~·ly** *a.*

:**mis·er·a·ble** [mízərəbəl] *a.* 비참한, 불쌍한; 초라한. ˙**-bly** *ad.*

:**mis·er·y** [mízəri] *n.* Ⓤ,Ⓒ 불행, 비참; 비참한 신세, 빈곤.

mìs·fíre *n., vi.* Ⓒ (총 따위가) 불발(하다); 목적하는 효과를 못 내다.

mís·fit *n.* Ⓒ 맞지 않는 것《옷·신 따위》. — [–≤] *vt., vi.* 잘못 맞추다; 잘 맞지 않다.

:**mis·for·tune** [misfɔ́:rtʃən] *n.* Ⓤ 불운, 불행; Ⓒ 재난. ***have the ~ to*** (do) 불행하게도 …하다.

˙**mis·giv·ing** [-gíviŋ] *n.* Ⓤ,Ⓒ 걱정, 불안, 의심. **have ~s about** …에 불안을 품다.

mìs·guíde *vt.* 잘못 지도하다, 잘못 생각하게 하다. **-gúided** *a.* 오도된.

mìs·hándle *vt.* 심하게 다루다, 학대하다.

˙**mis·hap** [≤hæp, –≤] *n.* Ⓒ 재난, 불행한 사고; Ⓤ 불운, 불행.

mish·mash [míʃmæ̀ʃ] *n.* (a ~) 뒤범벅.

mìs·infórm *vt.* 오보하다; 오해시키다(mislead). **-informátion** *n.*

mìs·intérpret *vt.* 그릇 해석하다. **-interpretátion** *n.* Ⓤ 오해; 오역.

mìs·júdge *vt., vi.* 그릇 판단하다, 오해하다. **~ment** *n.*

mìs·láy *vt.* (***-laid***) 놓고 잊어버리다; 잘못 놓다.

˙**mis·lead** [-lí:d] *vt.* (***-led*** [-léd]) 그릇 인도하다; 잘못하게 하다, 현혹시키다.

˙**mis·lead·ing** [mislí:diŋ] *a.* 오도하는, 오해하게 하는, 현혹시키는.

mìs·mánage *vt.* 잘못 관리〔취급〕하다, 잘못 처리하다. **~ment** *n.*

mìs·mátch *vt.* 짝을 잘못 짓다.

mìs·náme *vt.* 이름을 잘못 부르다.

mis·no·mer [-nóumər] *n.* Ⓒ 잘못된 이름, 명칭의 오용, 잘못 부름.

mi·sog·y·ny [misádʒəni, mai-/-sɔ́dʒ-] *n.* Ⓤ 여자를 싫어함. **-nist** *n.* Ⓒ 여자를 싫어하는 사람.

mìs·pláce *vt.* 잘못 놓다; (애정·신용을) 부당한 사람에게 주다; 때와 장소를 틀리다. **~d** *a.* **~ment** *n.* Ⓤ 잘못 두기.

mís·prìnt *n.* Ⓒ 오식(誤植). — [–≤] *vt.* 오식하다.

mìs·pronóunce *vt., vi.* 잘못 발음하다. **-pronunciátion** *n.* Ⓤ,Ⓒ 틀린 발음.

mìs·quóte *vt.* 잘못 인용하다. **-quotátion** *n.* Ⓤ 잘못된 인용; Ⓒ 잘못된 인용구.

mìs·réad *vt.* (***-read*** [-réd]) 오독하다, 그릇 해석하다.

mìs·represént *vt.* 잘못 전하다; 바르게 나타내지 않다. **-representátion** *n.* Ⓤ,Ⓒ 왜곡한 진술; 오전(誤

傳).
mìs·rúle *n., vi.* Ⓤ 악정(을 하다). ***the Lord of M-*** 〖英史〗 크리스마스 연회의 사회자.
†**miss**[1][mis] *n.* Ⓒ ① (M-) …양, …씨. ② 아가씨《하녀·점원 등이 부르는 호칭》; 처녀.
‡**miss**[2] *vt.* ① (과녁 따위에) 못 맞히다, 잘못하다. ② (기회를) 놓치다; 길을 잃다; (기차 따위에) 타지 못하다; 빠뜨리고 듣다[말하다, 쓰다]. ③ 만나지 못하다; 없[있지 않]음을 깨닫다 (*You were ~ed yesterday.* 어제는 없었지). ④ 없[있지 않]음을 서운하게 생각하다(*The child ~ed his mother very much.*); 없어서 부자유를 느끼다(*I ~ it very much.*); 그리워하다. ⑤ 모면하다(escape) (*~ being killed* 피살을 면하다). — *vi.* ① 과녁을 빗나가다; 실패하다. ② 보이지 않게 되다; 행방 불명이 되다; 잡지 못하다(*of, in*). ***~ fire*** 불발로 끝나다(cf. misfire); 목적을 이루지 못하다. ***~ one's step*** 실족(失足)하다; 실패하다. ***~ out*** 생략하다. ***~ the point*** (이야기의) 요점을 모르다[빠뜨리다]. — *n.* Ⓒ 못맞힘; 못잡음; 실수; 탈락; 회피.
mis·sal[mísəl] *n.* Ⓒ 〖가톨릭〗 미사 전서(典書).
mis·shap·en[misʃéipən] *a.* 보기 흉한; 기형의.
‡**mis·sile**[mísəl/-sail] *n., a.* Ⓒ 날아 가는 무기《팔매돌·화살·탄환 따위》(로서 쓰이는); 미사일(의)(cf. guided missile).
míssing línk, the 〖動〗 잃어버린 고리《유인원과 사람 사이에 존재했다고 가상되는 동물》.
‡**mis·sion**[míʃən] *n.* Ⓒ ① 사절(단), 전도(단). ② (사절의) 임무, 직무. ③ 사명, 천직. ④ 《美》 해외 대[공]사관. ⑤ 〖軍〗 (작전상의) 비행 임무; 우주 비행 계획.
‡**mis·sion·ar·y**[-èri/-əri] *a., n.* 전도의; Ⓒ 선교사.
mis·sis[mísiz, -is] *n.* Ⓒ ① 마님《하녀 등의 용어》. ② (the ~) (자기의) 아내, 마누라; (일가의) 주부.
mis·sive[mísiv] *n.* Ⓒ 공식 서한; 편지.
mìs·spéll *vt.* (*~ed* [-t, -d], *-spelt*) (…의) 철자를 틀리다.
‡**mist**[mist] *n.* Ⓤ,Ⓒ 안개. — *vi., vt.* 안개가 끼다, 흐리게 하다. ***∠·i·ly*** *ad.* ***∠·i·ness*** *n.*
†**mis·take**[mistéik] *vt., vi.* (*-took; -taken*) 틀리다, 잘못 생각하다. ***~ A for B,*** A를 B로 잘못 생각하다. — *n.* Ⓒ 잘못, 잘못 생각함; 실책; 〖컴〗 실수《원치 않는 결과를 초래하는 사람의 조작 실수》. ***and no ~*** 《앞의 말을 강조하여》 그것은 틀림없다. ***by ~*** 잘못하여. ***make a ~*** 실수하다, 잘못 생각하다. ***make no ~*** 《口》 틀림없이, 분명히.
‡**mis·tak·en**[mistéikən] *v.* mistake의 과거분사. — *a.* 틀린, 잘못 생각한(*I'm sorry I was ~.* 나의 잘못이었다). ***~ identity*** 사람을 잘못 봄. ***~·ly*** *ad.*
***mis·ter**[místər] *n.* Ⓒ ① (M-) 군, 씨, 귀하, 님《생략 Mr.》. ② 《美口》 선생님, 나리, 여보시오, 형씨《호칭》.
mìs·tíme *vt.* 부적당한 때에 행하다[말하다], 시기를 놓치다.
***mis·tle·toe**[mísltòu, -zl-] *n.* Ⓤ 〖植〗 겨우살이, 기생목(寄生木).
‡**mis·took**[mistúk] *v.* mistake의 과거.
mìs·tréat *vt.* 학대하다. ***~ment*** *n.* Ⓤ 학대.
‡**mis·tress**[místris] *n.* Ⓒ ① 여주인, 주부. ② (M-) …부인《보통 Mrs. [mísiz]로 생략함》. ③ 여교사; 애인; 정부; 여지배자(*She is her own ~.* 그 여자는 자유의 몸이다). ***~ of the situation*** 형세를 좌우하는 것.
mìs·tríal *n.* Ⓒ 〖法〗 오판(誤判), 무효 심리《절차상 과오에 의한》.
mis·trust**[mistrʌ́st] *vt.* 신용하지 않다, 의심하다. — *n.* Ⓤ 불신, 의혹. ***~ful *a.* 의심 많은.
***mist·y**[místi] *a.* 안개낀; 희미한; 애매한.
‡**mis·un·der·stand** [mìsʌndərstǽnd] *vt.* (*-stood*) 오해하다. ****~·ing*** *n.* Ⓤ,Ⓒ 오해; 불화(不和).
***mis·un·der·stood** [-ʌndərstúd] *vt.* misunderstand의 과거(분사). — *a.* 오해받은; 가치를 인정할 수

M

M

없는.

'mis·use[-jú:z] *vt.* ① 오용하다《어구를》. ② 학대하다. — [-s] *n.* ⓊⒸ 오용. **-ús·age** *n.* ⓊⒸ 오용; 학대, 혹사(illtreatment).

mite[1][mait] *n.* Ⓒ 어린 아이; (보통 *sing.*) 적으나 갸륵한 기부; (a ~) 소량. **not a ~** 조금도 …아니다. **widow's ~** 가난한 과부의 한 푼《마가복음 XII:42》.

mite[2] *n.* Ⓒ 진드기.

mi·ter, 《英》 **-tre**[máitər] *n.* Ⓒ (bishop의) 주교관(主敎冠). — *vt.* 주교(bishop)로 임명하다. **mí-tered,** 《英》 **-tred** *a.* 주교관을 쓴. **mí·tral** *a.* 주교관 모양의.

'mit·i·gate[mítəgèit] *vt.* 누그러뜨리다, 완화〔경감〕하다. **-ga·tion**[≻–géiʃən] *n.* ⓊⒸ 완화〔제〕.

†mitt[mit] *n.* Ⓒ ① (여성용) 손가락 없는 긴 장갑. ② (야구의) 미트. ③ = MITTEN.

'mit·ten[mítn] *n.* Ⓒ ① 벙어리장갑. ② (*pl.*) 《俗》 권투 글러브. **give 〔get〕 the ~** 애인을 차다〔에게 채이다〕.

†mix[miks] *vt.* 섞다, 혼합하다; 사귀게하다. — *vi.* 섞이다(*in, with*); 교제하다(*with*). **be ~ed up** 뒤섞여서 혼란하다; (부정·나쁜 친구 따위에) 걸려들다. **~ in** 잘 섞다; 갑자기 싸움을 벌이다. **~ it with** …와 싸우다. **≺·er** *n.* Ⓒ 교제가(*a good ~er*); (주방용·콘크리트 등의) 믹서, 혼합기; 〖라디오·TV〗 음량 등의 조정 기술자〔장치〕.

:mixed[mikst] *a.* 섞인; 남녀 혼합의. **míxed dóubles** 〖테니스〗 남녀 혼합 복식.

míxed ecónomy (자본주의·사회주의 병존의) 혼합 경제《영국에서 볼 수 있음》.

míxed fárming (목축을 겸한) 혼합 농업.

míxed márriage (다른 종족·종교 간의) 잡혼.

:mix·ture[míkstʃər] *n.* ① ⓊⒸ 혼합물〔약〕; (감정의) 교차. ② ⓊⒸ 혼합. ③ ⒸⓊ 첨가물. ④ Ⓒ 혼방 직물.

míx-ùp *n.* Ⓒ 혼란; 《口》 난투.

mk. mark. **ml, ml.** milliliter(s).

mm, mm. millimeter(s).

mne·mon·ic[ni:mánik/-ɔ́-] *a.* 기억을 돕는; 기억(술)의. **a ~ code** 〖컴〗 연상 기호 코드. — *n.* Ⓒ〖컴〗 연상기호. **~s** *n.* Ⓤ 기억술.

MO, M.O. Medical Officer.

:moan[moun] *vi., vt.* 신음하다; 끙끙거리다; 한탄하다. — *n.* Ⓒ 신음소리. **≺·ful** *a.* Ⓒ 신음하는, 슬픈듯한, 구슬픈.

'moat[mout] *n., vt.* Ⓒ (성 둘레에) 해자(垓字)(를 두르다).

:mob[mab/-ɔ-] *n.* Ⓒ 군중, 폭도(暴徒), 오합지졸. — *vt., vi.* (**-bb-**) 떼지어 습격하다.

'mo·bile[móubəl, -bi:l/-bail] *a.* 자유로 움직이는, 변하기 쉬운. — *n.* Ⓒ 가동물(可動物); 《美俗》 자동차; 〖美術〗 모빌 작품.

móbile hóme 트레일러 주택, 이동식 주택.

'mo·bil·i·ty[moubíləti] *n.* Ⓤ 가동성, 기동성; 감격성.

mo·bi·lize[móubəlàiz] *vt.* 동원하다; 가동성을 부여하다; 유통시키다. **-li·za·tion**[≻bilәzéiʃən] *n.* Ⓤ 동원; 유통시킴.

mob·ster[mábstər/-ɔ́-] *n.* Ⓒ 갱의 한 사람(gangster).

moc·ca·sin [mákəsin, -zən/mɔ́-kəsin] *n.* Ⓒ 북아메리카 토인의 신발; 독사의 일종.

mo·cha[móukə] *n.* Ⓤ 모카 (커피).

:mock[mɑk, -ɔ:-/-ɔ-] *vt., vi.* ① 조소하다(*at*); 흉내내어 우롱하다. ② 무시하다. — *n.* Ⓒ 조소(의 대상); 우롱; 모방; 모조품. — *a.* 모조의 (~ *diamond*); 거짓의(*with ~ gravity* 진지한 체하고서). **≺·er** *n.* Ⓒ 조소하는 사람.

'mock·er·y[mákəri, -ɔ́:-/-ɔ́-] *n.* ① Ⓤ 조롱. ② Ⓒ 조소의 대상; 흉내; 헛수고. **make a ~ of** 우롱하다, 놀리다.

mock·ing·bird [mákiŋbə̀:rd/mɔ́(:)k-] *n.* Ⓒ (북아메리카 남부와 서인도 일대에 있는) 입내새; 지빠귀류의 새.

móck-ùp *n.* Ⓒ 실물 크기의 모형. **~ stage** 실험 단계.

mod[mɑd/-ɔ-] *n.* Gael 사람들의 시와 음악의 집회.

mod·al[móudl] *a.* 형태〔형식〕상의; 〖文〗 법(mood)의; 〖論〗 양식의. **~·ly** *ad.* **mo·dal·i·ty**[moudǽləti] *n.* [U,C] 형태, 양식; 〖論〗 (판단의) 양식; (의무·재산 처리의) 실행 방법.

:mode[moud] *n.* ① [C] 양식, 하는 식; 식. ② [U] 유행. ③ [C] 〖樂〗 선법(旋法), 음계(*major* ~ 장음계). ④ [C] 〖컴〗 방식, 모드, 모형. ***out of* ~** 유행에 뒤떨어져, 한물 지나고.

†mod·el[mádl/-ó-] *n.* [C] ① 모형, 원형, 본, 설계도. ② (화가 등의) 모델; 마네킨. ③ 모범. ④ 〖컴〗 모형. — *a.* 모범적인, 모형의. — *vt.* (《英》 **-ll-**) 모양〔모형〕을 만들다; (점토 따위를 어떤 형으로) 뜨다, 설계하다. (…을) 본뜨다(*after, on, upon*). ~ ***school*** 시범학교. **~·(l)ing** *n.* [U] 모형 제작; 〖美術〗 살 붙이는 기법; 〖컴〗 (어떤 현상의) 모형화. **~(*l*)*ing clay*** 소상용(塑像用) 점토.

mo·dem[móudèm] *n.* 〖컴〗 변복조(變復調) 장치.

:mod·er·ate[mádərət/-ó-] *a.* ① 온건한, 온화한. ② (양·정도가) 알맞은, 웬만한, 보통의; 절제하는. ③ (병세가) 중간 정도의(*a* ~ *case*) (《*'mild'*와 *'serious'*의 중간》). — *n.* [C] 온건한 사람; (M-) 〖政〗 온건파의 사람. — [-dərèit] *vt., vi.* 삼가다, 완화하다, 알맞게 하다; 누그러지다; 중재인 노릇을 하다, 사회(司會)하다. ***~·ly** *ad.* 적당하게, 중간 정도로.

·mod·er·a·tion[màdəréiʃən] *n.* [U] 적당, 중용; 완화, 절제. ***in* ~** 정도에 맞게.

mod·er·a·tor[mádərèitər/-ó-] *n.* [C] 조정자; 조절기; 사회자, 의장; (Oxford 대학의) B. A. 시험 위원; 〖理〗 (원자로의) 감속재(減速材).

:mod·ern[mádərn/-ó-] *a.* 현대의; 근대적인, 당세풍의, 모던한.

mod·ern·ism[-ìzəm] *n.* [U] 현대식, 현대 사상; 근대 어법; 〖宗〗 근대주의. **-ist** *n.* [C] 현대주의자.

·mod·ern·ize[mádərnàiz/-ó-] *vt., vi.* 근〔현〕대화하다. **-i·za·tion**[ˌ--izéiʃən/-nai-] *n.* [U] 근〔현〕대화.

:mod·est[mádist/-ó-] *a.* ① 조신(操身)하는, 겸손한. ② 수줍은; 수수한. ***~·ly** *ad.* **:mód·es·ty** *n.* [U] 조심스러움; 수줍음; 겸양; 정숙.

mod·i·cum[mádikəm] *n.* (a ~) 소량, 소액.

:mod·i·fy[mádəfài/-ó-] *vt.* ① 가감하다, 완화하다. ② 수정하다, 제한하다. ③ 〖文〗 수식하다. ④ 〖컴〗 (명령의 일부를) 변경하다. ***-fi·ca·tion** [ˌ--fikéiʃən] *n.* [U,C] 가감; 수정; 수식. **:-fi·er** *n.* [C] ① 수정자; 〖文〗 수식어. ② 〖컴〗 변경자.

mod·ish[móudiʃ] *a.* 유행의, 멋쟁이의.

mod·u·late[mádʒəlèit/mó-] *vt.* 조절〔조정〕하다, 음조(音調)를 바꾸다; 〖無電〗 변조하다. **-la·tion**[ˌ--léiʃən] *n.* [U,C] 조절, 억양; 〖無電〗 변조; 〖컴〗 변조. **-la·tor**[ˊ--ˌtər] *n.* [C] 〖컴〗 변조기.

mod·ule[mádʒu:l/módju:l] *n.* [C] (도량·치수의) 단위, 기준; 〖建〗 (각 부분의) 산출 기준; 모듈, …선(船) (《우주선의 구성 단위》)(*a lunar* ~ 달 착륙선); 〖컴〗 모듈.

mo·dus o·pe·ran·di[móudəs àpərǽndai/módəs òpərǽndi:] [C] (L.) 활동방식, 운용법; (범인의) 수법; (일의) 작용 방법.

mo·dus vi·ven·di [-vivéndi:, -dai] (L.) 생활 양식; 잠정 협정.

Mo·gul[móugʌl, -ˊ] *n.* [C] 무굴 사람《인도를 정복한 몽골 사람》; 거물. ***the Great*** 〔***Grand***〕 **~** 무굴 황제.

mo·hair[móuhɛər] *n.* [U] 모헤어《앙골라 염소의 털》; [U,C] 모헤어천.

Mo·ham·med[mouhǽmid, -med] *n.* (570?-632) 마호메트《이슬람교의 개조》.

:moist[mɔist] *a.* ① 습한, 눅눅한. ② 비가 많은. ***~·en**[mɔ́isn] *vt.* 습하게 하다, 적시다.

:mois·ture[mɔ́istʃər] *n.* [U] 습기, 수분.

mo·lar[móulər] *n., a.* [C] 어금니(의).

mo·las·ses[məlǽsiz] *n.* [U] 당밀(糖蜜).

:mold, 《英》 **mould**[mould] *n.* [C] ① 형(型), 거푸집. ② 《비유》 모양, 모습. ③ (*sing.*) 특성, 성격. — *vt.* 거푸집에 넣어 만들다; 연마하다. **ˊ·ing** *n.* [U] 주조; [C] 주조물; 〖建〗

M

장식 쇠시리.

mold·y, 《英》 **mould·y**[móuldi] *a.* 곰팡난; 진부한.

mole[1][moul] *n.* Ⓒ 사마귀.

˚**mole**[2] *n.* Ⓒ 〖動〗 두더지. ***blind as a*** ~ 눈이 아주 먼.

˚**mo·lec·u·lar**[məlékjələr] *a.* 분자의, 분자로 된.

˚**mol·e·cule**[málikjùːl/-5-] *n.* Ⓒ 〖理〗 분자.

móle·hìll *n.* Ⓒ 두더지가 파올린 흙.

˚**mo·lest**[məlést] *vt.* ① 괴롭히다, 지분거리다. ② 방해(간섭)하다. **mo·les·ta·tion**[mòulestéiʃən] *n.* Ⓤ 훼방, 방해.

mol·li·fy[máləfài/-5-] *vt.* 누그러지게 하다, 달래다. **-fi·ca·tion**[∸–fikéiʃən] *n.* Ⓤ,Ⓒ 완화, 진통.

mol·lusc, -lusk[máləsk/-5-] *n.* Ⓒ 연체 동물. **mol·lus·coid**[məlʌ́skɔid/mɔl-] *n., a.* Ⓒ 의(擬)연체 동물(의).

mol·ly·cod·dle[málikàdl/mɔ́likɔ̀dl] *vt.* 응석받이로 기르다. — *n.* Ⓒ 뱅충맞이.

Mól·o·tov cócktail[málətàf-/mɔ́lətɔ̀f-] 화염병(火焰瓶).

molt[moult] *vt., vi.* (동물이) 탈피하다, 털을 갈(게 하)다. — *n.* Ⓤ,Ⓒ 탈피, 털갈이, 그 시기.

˚**mol·ten**[móultn] *v.* melt의 과거분사. — *a.* 녹은; 주조된.

mom[mam/-ɔ-] *n.* 《口》 = MUMMY[2].

†**mo·ment**[móumənt] *n.* ① Ⓒ 순간; 때, 현재. ② Ⓤ 중요성. ③ Ⓒ 〖哲〗 계기, 요소. ④ Ⓤ 〖機〗 (축(軸) 둘레의) 운동률, 모멘트, 역률(力率). ***at any*** ~ 언제라도. ***at the*** ~ 당시. ***for the*** ~ 당장. ***in a*** ~ 곧. ***Just a*** ~., or ***One*** ~., or ***Half a*** ~., or ***Wait a*** ~. 잠깐 (기다려 주시오). ***man of the*** ~ 시대의 각광을 받는 인물, 요인. ***of no*** ~ 중요치 않은, 시시한. ***the*** (***very***) ~ ***that*** ... …할 찰나. ***this*** ~ 지금 곧. ***to the*** ~ 제시각에, 일각도 어김없이.

:**mo·men·tar·y**[móuməntèri/-təri] *a.* 순간의, 찰나의. **-tar·i·ly** *ad.* 잠깐, 시시 각각.

˚**mo·men·tous**[mouméntəs] *a.* 중대한, 중요한. ~**·ly** *ad.*

˚**mo·men·tum**[mouméntəm] *n.* (*pl.* ~**s, -ta**[-tə]) Ⓤ,Ⓒ (물체의) 타성(惰性), 여세; Ⓤ 〖機〗 운동량.

mom·ma[mámə/-5-] *n.* 《美口·小兒》 = MOTHER.

mom·my [mámi/mɔ́mi] *n.* 《美·兒》 = MOM.

˚**Mon.** Monastery; Monday.

:**mon·arch**[mánərk/-5-] *n.* Ⓒ 군주. **mo·nar·chal**[məná:rkəl] *a.* 군주의, 군주다운.

mo·nar·chic[məná:rkik], **-chi·cal**[-əl] *a.* 군주(정치, 국)의.

mon·ar·chism[mánərkìzəm/-5-] *n.* Ⓤ 군주주의. **-chist** *n.* Ⓒ 군주제 주의자.

˚**mon·ar·chy**[mánərki/-5-] *n.* Ⓤ 군주 정치 (정체); Ⓒ 군주국.

˚**mon·as·ter·y**[mánəstèri/mɔ́nəstəri] *n.* Ⓒ 수도원.

˚**mo·nas·tic**[mənǽstik] *a.* 수도원의; 수도사의; 금욕(은둔)적인. **-ti·cism**[-təsìzəm] *n.* Ⓤ 수도원 생활(제도).

†**Mon·day**[mʌ́ndei, -di] *n.* Ⓒ 《보통 무관사》 월요일. ~**·ish** *a.* 느른한《일요일 다음이라》.

monde[mɔ̃:nd] *n.* (F.) Ⓒ 세상, 사회, 사교계.

˚**mon·e·tar·y**[mánətèri/mʌ́nitəri] *a.* 화폐의, 금전상의.

†**mon·ey**[mʌ́ni] *n.* Ⓤ 돈. ***coin*** ~ 《口》 돈을 많이 벌다. ***for*** ~ 돈으로; 돈을 위해. ***hard*** ~ 경화(硬化); 정금(正金). ***lucky*** ~ 행운이 온다고 몸에 지니고 다니는 돈. ***make*** ~ 돈을 벌다. ~ ***for jam*** 《英俗》 거저 번 돈. ***M- makes the mare to go.*** 《속담》 돈이면 귀신도 부린다. ~ ***on*** (***at***) ***call*** = CALL ~. ~***'s worth*** 돈에 상당하는 물건, 돈만큼의 가치. ***paper*** ~ 지폐. ***raise*** ~ ***on*** …을 저당하여 돈을 마련하다. ***ready*** ~ 맞돈, 현금. ***small*** ~ 잔돈. ***soft*** ~ 지폐. ***standard*** ~ 본위(本位) 화폐.

móney·bàg *n.* Ⓒ 지갑; (*pl.*) 부자; 부(富).

móney·lènder *n.* Ⓒ 대금업자.

móney·màking *n.* Ⓤ 돈벌이.

móney màrket 금융 시장.
móney òrder (송금)환.
Mon·gol[mάŋgəl, -goul/mɔ́ŋgɔl] *n., a.* Ⓒ 몽골 사람(의). **~·ism**[-ìzəm] *n.* Ⓤ 〖醫〗 몽골증(症)《선천적 치매증의 일종》.
mon·goose[mάŋguːs, mάn-/-ɔ́-] *n.* (*pl.* **~s**) Ⓒ 몽구스《인도산 족제비 비슷한 육식 동물. 독사를 먹음》.
mon·grel[mʌ́ŋgrəl, -ά-] *n., a.* Ⓒ 잡종(의)《주로 개》.
mon·i·tor[mάnitər/mɔ́n-] *n.* Ⓒ ① 권고자, 경고자; 경고가 되는 것. ② 학급 위원. ③ 〖軍〗 (회전 포탑이 있는) 저현(低舷) 장갑함. ④ 〖動〗 큰 도마뱀의 일종《열대산; 악어의 존재를 알린다 함》. ⑤ (펌프 등의) 자유 회전 통구(筒口). ⑥ 외국방송 청취원, 외전(外電) 방수(傍受)자. ⑦ 〖放送〗 모니터 장치《음질·영상을 조절하는; ~ screen이라고도 함》; 모니터《방송에 대한 의견을 방송국에 보고하는 사람》. ⑧ (원자력 공장의 위험탐지용) 방사능 탐지기. ⑨ 〖컴〗 모니터(~ *mode* 모니터 방식). — *vt., vi.* ① (…을) 감시하다, 감독하다; (…을 데이터로) 추적하다. ② 〖放送〗 (…을) 모니터(장치)로 감시〔조정〕하다; (방송을) 모니터하다; (…을) 방수하다; 외국방송을 청취하다. ③ (방사능의 강도를) 검사하다. **-to·ri·al**[ㅗ-tɔ́ːriəl] *a.* 경고의, 감시의.
:monk[mʌŋk] *n.* Ⓒ 수도사, 중. **ㄹ·ish** *a.* 수도사 티가 나는, 중 냄새 나는《나쁜 의미로》.
†mon·key[mʌ́ŋki] *n.* Ⓒ ① 원숭이. ② 장난 꾸러기; 흉내를 내는 아이, 젊은 것; (말뚝 박는 기계의) 쇠달구. ③ 《英俗》 500파운드. ***get*** 〔***put***〕 ***one's ~ up*** 성내다〔성내게 하다〕. ***~ business*** 〔***tricks***〕 《俗》 장난, 기만. ***suck the ~*** (병 따위에) 입을 대고 마시다. ***young ~*** 젊은 것. — *vi.* 《口》 장난치다, 놀려대다 (*with*). — *vt.* 흉내내다, 놀려대다. **~·ish** *a.* 원숭이 같은, 장난 좋아하는.
mónkey bùsiness 《口》 ① 기만, 사기. ② 장난, 짓궂은 짓.
mónkey wrènch 자재(自在) 스패너.
mon·o-[mάnou, -nə/mɔ́n-] '일(一), 단(單)'의 뜻의 결합사.
mon·o·chrome[mάnəkròum/-ɔ́-] *n.* Ⓒ 단색(화); Ⓤ 그 화법 〖컴〗 단색(~ *display* 단색 화면 표시기/~ *monitor* 단색 모니터). **-chro·mati·c**[ㅅ--mǽtik] *a.*
mon·o·cle[mάnəkəl/mɔ́-] *n.* Ⓒ 단안경(單眼鏡).
mo·nog·a·my[mənάgəmi/mənɔ́-] *n.* Ⓤ 일부 일처제〔주의〕(opp. polygamy). **-mist** *n.* Ⓒ 일부 일처주의자. **-mous** *a.*
mon·o·gram [mάnəgræ̀m/mɔ́n-] *n.* Ⓒ 짜맞춘 글자《도형화한 머리 글자 등》.
mon·o·graph [mάnəgræ̀f/mɔ́nəgrὰːf] *n., vt.* Ⓒ (특정 테마에 대한) 전공 논문(을 쓰다).
mon·o·lith[mάnəlìθ/-ɔ́-] *n.* Ⓒ 돌 하나로 된 비석·기둥(따위); 통바위, 단암(單岩). **~·ic**[ㅅ-líθik] *a.* 단암(單岩)의; (사상·정책이) 일관된, 흔란이 없는.
mon·o·logue, 《美》 **-log**[mάnəlɔ̀ːg, -ὰ-/mɔ́nəlɔ̀g] *n.* Ⓒ 독백(극); 이야기의 독차지.
mon·o·plane[mάnəplèin/-ɔ́-] *n.* Ⓒ 단엽 비행기.
mo·nop·o·list[mənάpəlist/-ɔ́-] *n.* Ⓒ 전매(론)자; 독점(론)자. **-lis·tic**[-ㅅ-lístik] *a.* 독점적인; 전매의.
˙mo·nop·o·lize[-làiz] *vt.* 독점하다, 전매권을 얻다. **-li·za·tion**[-ㅅ-lizéiʃən/-lai-] *n.* Ⓤ 독점, 전매.
:mo·nop·o·ly[mənάpəli/-ɔ́-] *n.* ① Ⓤ,Ⓒ 독점(권), 전매(권). ② Ⓒ 독점물, 전매품; 전매 회사, 독점자.
mon·o·rail[mάnərèil/-ɔ́-] *n.* Ⓒ 단궤(單軌) 철도, 모노레일.
mon·o·syl·la·ble [mάnəsìləbəl/-ɔ́-] *n.* Ⓒ 단음절어. ***speak*** 〔***answer***〕 ***in ~*** 퉁명스럽게 말〔대답〕하다. **-lab·ic**[ㅅ--lǽbik] *a.*
mon·o·the·ism[mάnəθiːìzəm/-ɔ́-] *n.* Ⓤ 일신교, 일신론. **-is·tic**[ㅅ--ístik] *a.* 일신론〔교〕의.
mon·o·tone[mάnətòun/-ɔ́-] *n.* (a ~) 단조(음). — *vt.* 단조롭게 이야기하다.
:mo·not·o·nous[mənάtənəs/-ɔ́-]

M

a. 단조로운, 변화가 없어 지루한. **~·ly** *ad.* **~·ness** *n.* **·-ny** *n.* Ⓒ 단음(單音); 단조; Ⓤ 단조로움.

·mon·sieur[məsjə́ːr] *n.* (*pl.* **mes·sieurs** [mesjə́ːr]) (F.) 씨, 귀하, 님 《생략 M. = Mr.》.

mon·soon[mɑnsúːn/-ɔ-] *n.* (the ~) (인도양·남아시아의) 계절풍.

:mon·ster[mɑ́nstər/-ɔ́-] *n.* Ⓒ ① 괴물, 도깨비; 거수(巨獸). ② 악독한 사람. — *a.* 거대한.

mon·stros·i·ty [mɑnstrɑ́səti/ mɔnstrɔ́s-] *n.* Ⓤ 기형(畸形); 괴물; 지독한 행위.

·mon·strous[mɑ́nstrəs/-ɔ́-] *a.* ① 거대한; 괴물 같은; 기괴한. ② 어처구니 없는; 극악 무도한. **~·ly** *ad.* **~·ness** *n.*

mon·tage[mɑntɑ́ːʒ/mɔn-] *n.* (F.) Ⓤ,Ⓒ 혼성화; 합성〔몽타주〕사진. 〖映〗 몽타주《작은 화면의 급속한 연속에 의한 구성》; 필름 편집.

†month[mʌnθ] *n.* Ⓒ 월, 달. ***a ~ of Sundays*** 《口》 오랫동안. ***a ~'s mind*** 〖가톨릭〗 사후 1개월째 되는 날의 연(煉) 미사. ***last ~*** 전달. ***~ by ~*** 다달이. ***this day ~***내달〔전달〕의 오늘. ***this ~*** 이달.

:month·ly[∠li] *a.* 매달의; 월 1회의. — *n.* Ⓒ 월간 잡지; (*pl.*) 《口》 월경.

:mon·u·ment[mɑ́njəmənt/-ɔ́-] *n.* Ⓒ ① 기념비, 기념상, 기념문, 기념관 (따위); 기념물. ② 문서, 기록. ***the M-*** 1666년 런던 대화재 기념탑.

·mon·u·men·tal[mɑ̀njəméntl/-ɔ̀-] *a.* ① 기념(물)의, 기념되는. ② 불멸의. ③ 거대한; 《口》 어처구니 없는. ④ 〖美術〗 실물보다 큰. ***~ mason*** 묘석 제조인. **~·ly**[-təli] *ad.*

moo[muː] *vi.* (소가) 음매 울다. — *n.* Ⓒ 그 우는 소리.

mooch[muːtʃ] *vi., vt.* 《俗》 건들건들〔살금살금〕 거닐다, 배회하다; 훔치다, 우려내다. **∠·er** *n.*

:mood[1][muːd] *n.* Ⓒ 마음(의 상태), 기분. ***a man of ~s*** 변덕쟁이. ***be in no ~*** (***for***) …할 마음이 없다. ***in the ~*** …할 마음이 나서.

·mood[2] *n.* Ⓤ,Ⓒ ① 〖文〗 법(cf. indicative, imperative, subjunctive). ② 〖論〗 논식(論式). ③ 〖樂〗 선법(mode), 음계법.

·mood·y[múːdi] *a.* 까다로운; 우울한. **móod·i·ly** *ad.* **-i·ness** *n.*

†moon[muːn] *n.* (보통 the ~) 달; Ⓒ 위성; (보통 *pl.*) 《詩》 월(month). ***below the ~*** 이 세상의. ***cry for the ~*** 실현 불가능한 것을 바라다. ***full ~*** 만월. ***shoot the ~*** 《俗》 야반 도주하다. — *vi. vt.* 멍하니 바라보다〔거닐다〕; 멍하니 시간을 보내다(*away*).

móon·bèam *n.* Ⓒ 달빛.

:móon·lìght *n., a.* Ⓤ 달빛(의). — *vi.* 《口》 아르바이트하다.

·móon·lìt *a.* 달빛에 비친, 달빛어린.

·móon·shìne *n.* Ⓤ ① 달빛. ② 부질없는 생각. ③ 《美口》 밀주, 밀수입주. **-shìner** *n.* Ⓒ 《美口》 주류 밀조자〔밀수입자〕.

móon·strùck *a.* 실성한《광기(狂氣)와 달빛과는 상관 관계가 있다고 여겨 왔음》.

Moor[muər] *n.* Ⓒ 무어 사람《아프리카 북서부에 사는 회교도》. **~·ish** [múəriʃ] *a.* 무어 사람〔식〕의.

:moor[1][muər] *n.* Ⓤ,Ⓒ (heath가 무성한) 황야, 사냥터.

·moor[2] *vt.* (배를) 계류하다, 정박시키다.

moor·ing[múəriŋ] *n.* Ⓒ (보통 *pl.*) 계류 기구; (*pl.*) 계선장, 정박장; Ⓤ 계류, 계선.

moor·land[∠læ̀nd, -lənd] *n.* Ⓤ 《英》 (heath가 무성한) 황야.

·moose[muːs] *n.* (*pl.* ~) Ⓒ 〖動〗 큰사슴.

moot[muːt] *n., a., vt.* (a ~) 집회; 모의 재판; 논의의 여지가 있는; 토의하다.

·mop[mɑp/-ɔ-] *n.* Ⓒ 자루걸레. ***a ~ of hair*** 더벅머리. — *vt.* (**-pp-**) 자루걸레로 닦다; 훔쳐 내다(*up*); (이익을) 빨아 먹다.

mope[moup] *vi., vt.* 침울해지다, 침울하게 하다; 풀이 죽다, 풀죽게 하다. — *n.* Ⓒ 침울한 사람; (*pl.*) 우울. **móp·ish** *a.* 침울한.

mo·raine[mouréin, mɔː-/mɔ-] *n.* Ⓒ 〖地〗 빙퇴석(氷堆石).

:mor·al[mɔ́(ː)rəl, -ɑ́-] *a.* ① 도덕상

의; 윤리적인. ② 교훈적인; 도덕적인, 품행 방정한. ③ 정신적인《지지·의미 따위의》; 개연적인. — *n.* Ⓒ (우화·사건 등의) 교훈; (*pl.*) 수신; 도덕, 윤리(학); 예절, 몸가짐. ***point a* ～** 보기를 들어 교훈하다. ***∸·ly*** *ad.* 도덕적으로; 실제로, 진실로.

˙**mo·rale**[mouræ̃l/mɔrɑ́:l] *n.* Ⓤ 사기, 풍기(*the ～ of soldiers*).

˙**mor·al·ist**[mɔ́(:)rəlist, -ɑ́-] *n.* Ⓒ 도학자, 도덕가, 윤리학자; 덕육가. **-is·tic**[∸-ístik] *a.* 도학〔교훈〕적인.

˙**mo·ral·i·ty**[mɔ(:)rǽləti, mɑ-] *n.* ① Ⓤ 도덕성; 윤리학; 도덕률; 도의; 덕성. ② Ⓒ 교훈적인 말, 훈화. ③ = ∸ **plày** (16세기경의) 교훈극.

mor·al·ize[mɔ́(:)rəlàiz, -ɑ́-] *vt., vi.* 도를〔도덕을〕 설교하다; 도덕적으로 해석하다; 설교하다. **-iz·er** *n.* Ⓒ 도를 설교하는 사람.

móral víctory 정신적 승리《지고도 사기가 왕성해지는 경우》.

mo·rass[məræ̃s] *n.* Ⓒ 소지(沼地); 늪.

mor·a·to·ri·um [mɔ̀(:)rətɔ́:riəm, mɑ̀r-] *n.* (*pl.* **～s, -ria**[-riə]) Ⓒ 〖法〗 일시적 정지(령), 지급 유예(령), 지급 유예 기간.

˙**mor·bid**[mɔ́:rbid] *a.* ① 병적인, 불건전한; 병의. ② 섬뜩한. **-i·ty** *n.* Ⓤ 병적인 상태, 불건전. **～·ly** *ad.*

mor·dant[mɔ́:rdənt] *a.* 비꼬는, 부식성(腐蝕性)의; 매염(媒染)의; 색을 정착시키는.

†**more**[mɔ:r] *a.* 《many 또는 much 의 비교급》 ① 더 많은; 더 큰. ② 그 이외의. **(*and*) *what is* ～** 더욱이 (중요한 것은). — *n., pron.* 더 많은 수〔양, 정도〕; 그 이상의 것. — *ad.* 《much의 비교급》 더욱 (많이); 더 일층. ***all the* ～** 더욱 더. ***and no* ～** …에 불과하다. ***be no* ～** 이미 없다, 죽었다. **～ *and* ～** 점점 더. **～ *or less*** 다소, 얼마간. **～ *than ever*** 더욱 더. ***much* 〔*still*〕 ～** 하물며. ***no* ～** 이미 …하지 않다. ***no* ～ *than*** 겨우, 단지. ***no* ～ *... than*** …이 아닌 것과 마찬가지로 …이 아니다(*I am no ～ mad than you are.* 네가 미치지 않았다면 나 또한 마찬가지이다). ***the* ～ *... the* ～** …하면 할수록 …하다.

:**more·o·ver**[mɔ:róuvər] *ad.* 더욱이.

mo·res[mɔ́:ri:z, -reiz] *n. pl.* 관습, 습관.

morgue[mɔ:rg] *n.* (F.) Ⓒ 시체 공시소; 《美》 (신문사의) 자료부, 자료집.

mor·i·bund[mɔ́(:)rəbʌ̀nd, mɑ́r-] *a.* 《雅》 다 죽어가는, 소멸해가는.

Mor·mon[mɔ́:rmən] *n.* Ⓒ 모르몬 교도. **～·ism**[-ìzəm] *n.* Ⓤ 모르몬교.

˙**morn**[mɔ:rn] *n.* Ⓒ 《詩》 아침.

†**morn·ing**[mɔ́:rniŋ] *n.* ① Ⓤ,Ⓒ 아침, 오전; 주간. ② Ⓤ 여명. ***in the* ～** 오전중. ***of a* ～** 언제나 아침나절에.

mórning-áfter pìll (성교 후에 먹는) 경구 피임약.

mórning còat 모닝 코트.

mórning drèss 여성용 실내복; (남자의) 보통 예복《morning coat, frock coat 따위》.

mórning sìckness 입덧.

Mo·roc·co[mərɑ́kou/-ɔ́-] *n.* 아프리카 북서안의 회교국; (m-) Ⓤ 모로코 가죽.

mo·ron[mɔ́:rɑn/-rɔn] *n.* Ⓒ 〖心〗 정신박약자《지능지수 50-69이고 정신 연령 8-12세인 성인》; 《口》 저능자.

˙**mo·rose**[məróus] *a.* 까다로운, 시무룩한, 부질없는.

mor·pheme[mɔ́:rfi:m] *n.* Ⓒ 〖言〗 형태소(形態素)《syntactical한 관계를 나타내는 요소; 예컨대 *Is* Tom*'s* sister sing*ing?*의 이탤릭 부분과 이 글을 발음할 때의 (rising) intonation 따위》(cf. semanteme, phoneme).

mor·phi·a[mɔ́:rfiə], **-phine**[-fi:n] *n.* Ⓤ 〖化〗 모르핀. **mor·phin·ism**[∸-ìzəm] *n.* Ⓤ 〖醫〗 모르핀 중독. **mor·phi·(n)o·ma·ni·ac**[∸-(n)əméiniæ̀k] *n.* Ⓒ 모르핀 중독자.

mor·phol·o·gy[mɔ:rfɑ́lədʒi/-ɔ́-] *n.* Ⓤ 〖生〗 형태학; 〖言〗 어형론, 형태론(accidence) (cf. syntax).

mór·ris dánce[mɔ́(:)ris-, mɑ́-] Ⓒ 《英》 모리스춤《주로 May Day에 가지는 가장 무도》.

M

M

***mor·row**[mɔ́(:)rou, -ɑ́-] *n.* (the ~) 《雅》 ① 이튿날. ② (사건) 직후.
Mórse códe〔**álphabet**〕[mɔ́:rs-] 모스 (전신) 부호.
***mor·sel**[mɔ́:rsəl] *n.* Ⓒ (음식의) 한 입, 한 조각; (a ~) 소량.
:mor·tal[mɔ́:rtl] *a.* ① 죽어야 할. ② 인간의. ③ 치명적인; 불치의. ④ 불구대천의《적 따위》. ⑤ 《口》 대단한. ⑥ 《口》 길고 긴, 지루한. ⑦ 《口》 생각할 수 있는, 가능한. ***be of no ~ use*** 아무짝에도 쓸 데 없다. ***in a ~ hurry*** 몹시 서둘러. ***~ wound*** 치명상. — *n.* Ⓒ 죽어야 할 것; 인간; 《諧》 사람, 놈. **~·ly** *ad.* 치명적으로; 굉장히.
***mor·tal·i·ty**[mɔ:rtǽləti] *n.* Ⓤ 죽음을 면할 수 없음; 죽어야 할 운명; 사망수, 사망률.
mor·tar[1][mɔ́:rtər] *n.* Ⓤ 모르타르, 회반죽. — *vt.* 모르타르로 굳히다.
***mor·tar**[2] *n., vt.* Ⓒ 절확, 절구, 유발; 박격포(로 사격하다).
mórtar·bòard *n.* Ⓒ (모르타르용) 흙손; (대학의) 사각 모자.
mort·gage**[mɔ́:rgidʒ] *n.* Ⓤ,Ⓒ 【法】 저당(권), 저당잡히기. ***on ~ 저당잡아. — *vt.* 저당잡히다. **mort·ga·gee**[mɔ̀:rgədʒí:] *n.* Ⓒ 저당권자. **mort·ga·gor**[mɔ́:rgidʒər, mɔ̀:rgedʒɔ́:r] *n.* Ⓒ 저당권 설정자.
mor·ti·cian[mɔ:rtíʃən] *n.* Ⓒ 《美》 장의사(葬儀社)(undertaker).
***mor·ti·fy**[mɔ́:rtəfài] *vt.* ① (고통·욕정을) 억제〔극복〕하다. ② 굴욕을 느끼게 하다; (기분을) 상하게 하다. — *vi.* 탈저(脫疽)에 걸리다. ***-fi·ca·tion**[∸–fikéiʃən] *n.* Ⓤ 【宗】 고행, 금욕; 굴욕, 억울함; 탈저. **~·ing** *a.* 분한; 고행의.
mor·tise, -tice[mɔ́:rtis] *n.* Ⓒ 【建】 장붓구멍. — *vt.* 장부촉 이음으로 잇다.
mor·tu·ar·y[mɔ́:rtʃuèri/-tjuəri] *n.* Ⓒ 시체 임시 안치소. — *a.* 죽음의, 매장의.
***mo·sa·ic** *n., a.* Ⓤ 모자이크(의), 쪽매붙임 세공(의), 모자이크식의.
***Mo·ses**[móuziz] *n.* 【聖】 모세《헤브라이의 입법자》.
mosque[mɑsk/-ɔ-] *n.* Ⓒ 이슬람교 교당.
:mos·qui·to[məskí:tou] *n.* (*pl.* ~(*e*)*s*) Ⓒ 【蟲】 모기.
mosquíto cùrtain〔**nèt**〕 모기장.
:moss[mɔ:s, -ɑ-] *n.* Ⓤ,Ⓒ 이끼. — *vt.* 이끼로 덮다.
***moss·y**[∸i] *a.* 이끼 낀, 이끼 같은; 케케 묵은.
†most [moust] *a.* 《many 또는 much의 최상급》 ① 가장 큰〔많은〕. ② 대부분의. — *n., pron.* 가장 많은 것, 대부분, 대개의 것; 최고의 정도. ***at*** (***the***) ***~*** 많아야, 기껏해서. ***for the ~ part*** 주로, 보통. ***make the ~ of*** …을 충분히 이용하다; …을 크게 소중히 여기다, 한껏 좋게〔나쁘게〕 말하다. — *ad.* 《much의 최상급》 가장, 가장 많이; 매우. **:∠·ly** *ad.* 대개.
M.O.T. 《英》 Ministry of Transport 운수성.
mote[mout] *n.* Ⓒ (한 조각의) 티끌; 아주 작은 조각〔결점〕. ***~ and beam*** 티와 들보; 남의 작은 과실과 자기의 큰 과실. ***~ in another's eye*** 남의 사소한 결점《마태복음 7:3》.
mo·tel[moutél] (〈 *mo*torists' ho*tel*) *n.* Ⓒ 모텔《자동차 여행자 숙박소》.
mo·tet[moutét] *n.* Ⓒ 【樂】 경문가(經文歌), 모테트.
:moth[mɔ(:)θ, mɑθ] *n.* Ⓒ 【蟲】 나방; 좀벌레; 《비유》 유혹의 포로.
móth·bàll *n.* Ⓒ 좀약《나프탈렌 따위》. ***in ~s*** 퇴장(退藏)하여.
móth-èaten *a.* 좀먹은; 시대에 뒤진, 구식의.
†moth·er[mʌ́ðər] *n.* ① Ⓒ 어머니. ② Ⓒ 수녀원장. ③ (the ~) 《비유》 근원, 원인. ***artificial ~*** (병아리의) 인공 사육기. ***every ~'s son*** 누구나 다. — *vt.* ① (…의) 어머니가 되다; 낳다. ② 어머니로서 돌보다; (…의) 어머니라고 나서다. ***~·hood**[-hùd] *n.* Ⓤ 어머니임, 모성(애). ***~·ly** *a.* 어머니의, 어머니 같은.
móther cóuntry 본국, 모국.
***móther-in-làw** *n.* Ⓒ 장모, 시어머니.

móther·lànd *n.* Ⓒ 모국, 조국.
móther·less *a.* 어머니가 없는.
Móther Náture 어머니 같은 자연; (m- n-) 《美俗》 마리화나.
móther-of-péarl *n.* Ⓤ 진주층(層), 진주모(母), 자개.
Móther's Dày 《美》 어머니 날《5월의 둘째 일요일》(cf. Father's Day).
móther supérior 수녀원장.
móther-to-bé *n.* Ⓒ 임신부.
móther tóngue 모국어.
˙mo·tif[moutí:f] *n.* (F.) Ⓒ (예술 작품의) 주제; 주선율; 레이스 장식.
:mo·tion[móuʃən] *n.* ① Ⓤ,Ⓒ 움직임, 운동. ② Ⓒ 동작, 몸짓. ③ Ⓒ (의회 등에서의) 동의. ④ Ⓒ 〖法〗 신청; 변통(便通). ***in* ~** 움직여, 활동하여. ***on the* ~ *of*** …의 동의로. ***put* 〔*set*〕 *in* ~** 움직이게 하다. ― *vi., vt.* 몸짓으로 신호하다(*to, toward, away; to* do). **: ~·less** *a.* 움직이지 않는, 정지한.
:mótion pícture 《美》 영화.
˙mo·ti·vate[móutəvèit] *vt.* 용기를 주다, 자극하다, 꼬드기다. **˙-va·tion**[ㅅ-véiʃən] *n.* Ⓤ,Ⓒ 동기를 줌.
:mo·tive[móutiv] *a.* 운동을 일으키는, 동기가 되는. ― *n.* Ⓒ 동기, 동인(動因). ― *vt.* =MOTIVATE. **~-less** *a.* 동기〔이유〕 없는.
mot·ley[mátli/-ɔ́-] *a.* 잡색의; 잡다한. ― *n.* Ⓤ 뒤범벅; 어릿광대의 얼룩덜룩한 옷. ***wear* ~** 광대역을 하다(cf. wear RUSSET).
:mo·tor[móutər] *n.* Ⓒ ① 원동력. ② 발동기, 전동기, 모터, 내연 기관. ③ 〖解〗 운동 근육〔신경〕. ― *a.* 움직이게 하는, 원동의. ― *vt., vi.* 자동차로 가다〔수송하다〕.
mótor·bìke *n.* Ⓒ 《口》 모터 달린 자전거; 소형 오토바이.
mótor·bòat *n.* Ⓒ 모터보트, 발동기선.
「행렬.
mo·tor·cade[-kèid] *n.* Ⓒ 자동차
:mótor·càr *n.* Ⓒ 자동차.
˙mótor·cỳcle *n.* Ⓒ 오토바이.
˙mo·tor·ist[móutərist] *n.* Ⓒ 자동차 운전〔여행〕자.
mo·tor·ize[móutəràiz] *vt.* (…에) 동력설비를 하다; 자동차화하다. ***~d unit*** 자동차 부대. **-i·za·tion**[ㅅ-izéiʃən] *n.*
mótor scòoter 스쿠터.
mótor·wày *n.* Ⓒ 《英》 고속도로.
mot·tled[mátld/-ɔ́-] *a.* 얼룩진, 잡색의.
:mot·to[mátou/-ɔ́-] *n.* (*pl.* **~(e)s**) Ⓒ ① (방패 등에 새긴) 명(銘). ② 금언; 표어, 모토. ③ (논문 등의 첫머리에 인용한) 제구(題句). ④ 〖樂〗 반복 악구.
moult[moult] *v., n.* 《英》 =MOLT.
:mound[maund] *n.* Ⓒ ① 흙무덤, 작은 언덕, 석가산(石假山). ② 〖野〗 투수판(*take the* ~ 투수가 되다).
:mount[1][maunt] *vi., vt.* 오르다, (말에) 타다; 앉히다; (보석을) 박다; (대지(臺紙)에) 붙이다; 무대에 올리다, (물가가) 오르다. ***~ guard over*** …을 지키다. ― *n.* Ⓒ (승용) 말; 대지(臺紙); (보석의) 대좌(臺座); 포가(砲架).
mount[2] *n.* Ⓒ 산, 언덕; (M-) …산 《생략 Mt》.
˙moun·tain[màuntin] *n.* Ⓒ 산. ***a* ~ *of*** 산더미 같은, 엄청난. ***make a* ~ (*out*) *of a molehill*** 침소봉대하다. **~ *high*** (파도 따위가) 산더미 같은〔같이〕. ***remove ~s*** 기적을 행하다. ***the* ~ *in labor*** 태산명동 서일필; 애만 쓰고 보람 없음.
˙moun·tain·eer[màuntəníər] *n.* Ⓒ 등산가; 산악 지대 주민. ― *vi.* 등산하다. **˙~·ing** *n.* Ⓤ 등산.
:moun·tain·ous[máuntənəs] *a.* ① 산이 많은. ② (파도 따위) 산더미 같은.
móuntain·sìde *n.* (the ~) 산허리.
˙mount·ed[máuntid] *a.* ① 말 탄, 기마의. ② 〖軍〗 기동력이 있는. ③ (보석이) 박힌; 붙박이한.
:mourn[mɔːrn] *vi., vt.* 슬퍼하다(*for, over*); 애도하다, 몽상〔거상〕하다. **˙ㅅ·er** *n.* Ⓒ 애도자, 상중(喪中)의 사람, 회장자(會葬者).
:mourn·ful[mɔ́ːrnfəl] *a.* 슬픔에 잠긴, 슬픈; 애처로운. **~·ly** *ad.*
:mourn·ing[mɔ́ːrniŋ] *n.* Ⓤ ① 슬픔, 애도. ② 상(喪); 《집합적》 상복. ***go into* 〔*take to, put on*〕 ~** 거상하다; 상복을 입다. ***half***

M

〔**second**〕 ~ 약식 상복. **in** ~ 상중인; 상복을 입고. **leave off** 〔**get out of**〕 ~ 탈상하다.

†**mouse**[maus] *n.* (*pl.* **mice**) Ⓒ ① 새앙쥐. ② 《俗》 얻어맞은 눈두덩이의 멍. ③ 〖컴〗 다람쥐, 마우스(~ *button* 마우스 단추/~ *cursor* 마우스 깜박이/~ *driver* 다람쥐 돌리개/~ *pad* 다람쥐〔마우스〕판). (**as**) **poor as a chruch** ~ 매우 가난한, 찰가난의. **like a drowned** ~ 비참한 몰골로. ~ **and man** 모든 생물. ── [mauz] *vt.* (고양이가) 쥐를 잡다; 찾아 헤매다.

móuse·tràp *n.* Ⓒ 쥐덫.

˙**mous·tache**[mʌ́stæʃ, məstǽʃ] *n.* 《주로 英》 = MUSTACHE.

†**mouth**[mauθ] *n.* Ⓒ ① 입. ② 부양가족, 식구. ③ 출입구. ④ 찡그린 얼굴. ⑤ 건방진 말투. **by word of** ~ 구두로. **down in the** ~ 《口》 낙심하여. **from hand to** ~ 하루살이 생활의. **have a foul** ~ 입정이 사납다. **in the** ~ **of** …에 말하게 한다면, …의 말에 의하면. **laugh on the wrong side of one's** ~ 울면서 웃다, 갑자기 울상을 짓다. **make a** ~, or **make** ~**s** (입을 삐죽 내밀고) 얼굴을 찡그리다(cf. make FACES). **make** ***a person's*** ~ **water** (먹고 싶어) 군침을 흘리게 하다. **open one's** ~ **too wide** 지나친 요구를 하다. **put words into** ***a person's*** ~ 할 말을 가르쳐 주다; 하지도 않은 말을 했다고 하다. **take the words out of another's** ~ 남이 말하려는 것을 앞질러 말하다. **useless** ~ 밥벌레, 식충이. **with one** ~ 이구동성으로. ˙~·**ful** [⌐fùl] *n.* Ⓒ 한 입(의 양), 입 가득, 소량.

móuth òrgan 하모니카.

˙**móuth·pìece** *n.* Ⓒ ① 빨대 구멍; (악기의) 부는 구멍. ② 〖拳〗 마우스피스; 재갈. ③ 대변자.

móuth-to-móuth *a.* (인공 호흡이) 입으로 불어넣는 식의.

móuth·wàsh *n.* Ⓤ,Ⓒ 양치질 약.

móuth-wàtering *a.* 군침을 흘리게 하는, 맛있어 보이는.

˙**mov·a·ble**[múːvəbəl] *a.* 움직일 수 있는, 이동할 수 있는. ~ **feast** 해에 따라 날짜가 달라지는 축제일 《Easter 따위》. ── *n.* Ⓒ 가재, 가구; (*pl.*) 동산. **-bil·i·ty**[⌐─bíləti] *n.* Ⓤ 가동성.

†**move**[muːv] *vt.* ① 움직이다, 이동시키다; (정신적으로) 움직이다, 감동시키다. ② (동의를) 제출하다, 호소하다. ③ (창자의) 배설을 순하게 하다. ── *vi.* ① 움직이다, 이전하다; 흔들리다; 나아가다. ② 활약하다, 행동하다; (사건이) 진전하다. ③ 제안〔신청〕하다. ④ (창자의) 변이 통하다. **feel** ~**d to** do (…하고) 싶은 마음이 들다. ~ **about** 몸을 움직이다; 돌아다니다; 이리저리 거처를 옮기다. ~ **for** …의 동의를 내다. ~ **heaven and earth to** do 온갖 노력을 다하여 …하다. ~ **in** …로 이사하다. **M- on!** 빨리 가라《교통 순경의 명령》. ~ **out** 물러나다; 이사하다. ~ ***a person*** **to anger** 〔**tears**〕 아무의 감정을 자극하여 성내게 하다〔울리다〕. ── *n.* Ⓒ ① 움직임, 운동, 이전. ② 행동, 조처; 진행, 추이(推移). ③ 〖체스〗 말의 움직임. ④ 〖컴〗 옮김. **be up to every** ~ **on the board,** or **be up to** 〔**know**〕 **a** ~ **or two** 민첩하다, 빈틈 없다. **get a** ~ **on** 《口》 전진하다, 서두르다, 출발하다. **make a** ~ 움직이다, 떠나다; 행동을 취하다; 이사하다; 〖체스〗 말을 움직이다. **on the** ~ 이리저리 움직여; 진행〔활동〕중. **móv·er** *n.*

†**move·ment**[⌐mənt] *n.* ① Ⓤ,Ⓒ 움직임, 운동. ② Ⓒ 동작; 동정. ③ Ⓒ (시계 톱니바퀴 따위의) 기계 장치. ④ Ⓒ (사회적·정치적) 운동. ⑤ Ⓤ (소설 따위의) 줄거리의 진전. ⑥ Ⓒ 〖樂〗 악장; 리듬. ⑦ Ⓤ,Ⓒ (시대 따위의) 동향; (시장·주가의) 활황, 변동. ⑧ Ⓒ 변통(便通). **in the** ~ 풍조를 타고.

†**mov·ie** [múːvi] *n.* Ⓒ 《口》 영화; (흔히 the ~) 영화관. **go to the** ~**s** 영화 구경 가다.

móvie·gòer *n.* Ⓒ 《口》 자주 영화 구경 가는 사람.

:**mov·ing**[múːviŋ] *a.* ① 움직이는. ② 감동시키는; 동기가 되는; 원동력

의. ~·**ly** *ad.* 감동적으로.

***mow**[mou] *vt.* (~*ed;* ~*ed,* *mown*) ① (풀을) 깎다, 베다. ② 쓰러뜨리다. *~**·er** *n.* Ⓒ 풀 깎는 기계; 풀 베는 사람.

***M.P.** Military Police. **mpg, m.p.g.** miles per gallon. **mph, m.p.h.** miles per hour.

†**Mr.** [místər] *n.* (*pl.* ***Messrs*** [mésərz]) 씨, 귀하, 님, 군《= mister. 남자의 성(명)·직업 따위의 앞에 붙임》(*Mr. Smith; Mr. Ambassador, Mr. Mayor, &c.*).

†**Mrs.**[mísiz] *n.* (*pl.* ***Mmes***[meidáim]) …부인, 님, 여사.

Ms.[miz] *n.* (*pl.* ***Mses, Ms's Mss*** [-iz]) Miss와 Mrs.를 합친 여성에의 경칭.

MS (*pl.* ***MSS***) manuscript. **M.S(c).** Master of Science.

†**Mt.**[maunt] Mount[2].

†**much**[mʌtʃ] *a.* (***more; most***) 다량의, 다액의, 많은. — *n., pron.* Ⓤ 다량. ***make*** [***think***] ~ ***of*** …을 중히 여기다; …을 떠받들다. ~ ***of*** 상당한, 대단한《언제나 부정으로》(*He is not* ~ *of a scholar.* 대단한 학자는 아니다). ***so*** ~ 같은 양의; 그만큼의. ***so*** ~ ***for*** …은 이만, …의 이야기는 이것으로 끝. ***this*** ~ 이것만은, 여기까지는. ***too*** ~ ***for***(***me***) 힘에 겨운. ***too*** ~ ***of a good thing*** 좋은 일도 지나치면 귀찮은 것. — *ad.* 크게; 《비교급·최상급에 붙여서》 훨씬; 대략. ***as*** ~ ***as*** (…와 같은) 정도. ***as*** ~ ***as to say*** …이라는 듯이. ~ ***less*** 하물며 …않다. ~ ***more*** 더구나 …이다. ~ ***the same*** 거의 같은. ***not so*** ~ ***... as*** …라기보다는 오히려. ***... not so*** ~ ***as*** …조차 하지 않다. ***without so*** ~ ***as*** …조차 아니하고.

much·ness[mʌ́tʃnis] *n.* Ⓤ 《古》 많음. ***much of a*** ~ 《口》 거의 같은, 대동 소이한.

muck[mʌk] *n.* Ⓤ 퇴비; 오물; (a ~) 불결한 상태.

múcous mémbrane 점막(粘膜).

mu·cus[mjú:kəs] *n.* Ⓤ 점액; 진(*nasal* ~ 콧물).

:**mud**[mʌd] *n.* Ⓤ 진흙, 진창. ***stick in the*** ~ 궁지에 빠지다; 보수적이다, 발전이 없다. ***throw*** [***fling***] ~ ***at*** …을 헐뜯다.

mud·dle**[mʌ́dl] *vt.* ① 혼합하다, 뒤섞다; 엉망으로 만들다. ② 얼근히 취하게 하다; 어리둥절하게 하다. — *vi.* 갈피를 못잡다. ~ ***away 낭비하다. ~ ***on*** 얼렁뚱땅 해나가다. ~ ***through*** 이럭저럭 헤어나다. — *n.* Ⓒ (보통 a ~) 혼잡, 혼란.

múddle·hèaded *a.* 당황한, 얼빠진, 멍청한, 멍텅구리의.

:**mud·dy**[mʌ́di] *a.* ① 진흙의, 진흙투성이의, 질퍽거리는. ② 충충한《색》; 혼란한; 흐린. — *vt.* 진흙투성이로 만들다; 흐리게 하다. **múd·di·ly** *ad.* **múd·di·ness** *n.*

múd flàt (썰물 때의) 개펄.

múd·guàrd *n.* Ⓒ (차의) 흙받기.

mu·ez·zin[mju(:)ézin] *n.* Ⓒ 회교 교당에서 기도 시각을 알리는 사람.

muff[1] [mʌf] *n.* Ⓒ 머프《여자용, 모피로 만든 외짝 토시》.

muff[2] *n.* Ⓒ 얼뜨기; 스포츠에 서툰 사람. — *vt.* 실수하다; 공을 (못받고) 놓치다.

***muf·fin**[mʌ́fin] *n.* Ⓒ 머핀《살짝 구운 빵, 버터를 발라 먹음》.

muf·fle[mʌ́fəl] *vt.* 덮어 싸다; 따뜻하게 하기 위하여 싸다; 소리를 죽이(려고 싸)다; 누르다. ~**d** *a.* (뒤덮여) 잘 들리지 않는. ~***d curse*** 무언(無言)의 저주.

***muf·fler**[mʌ́flər] *n.* Ⓒ ① 머플러, 목도리. ② 벙어리 장갑; 권투 장갑. ③ 소음(消音) 장치.

muf·ti[mʌ́fti] *n.* ① Ⓤ 평복, 사복, 신사복. ② Ⓒ 회교 법전 설명관. ***in*** ~ 평복으로.

***mug**[1] [mʌg] *n.* Ⓒ 원통형 찻잔, 머그《손잡이 있는 컵》.

***mug**[2] *vt., vi.* (**-gg-**) 《英口》 벼락 공부하다. — *n.* Ⓒ 《英口》 벼락 공부하는 사람.

mug·gy[mʌ́gi] *a.* 무더운.

múg shòt 《美俗》 얼굴 사진.

mu·lat·to[mju(:)lǽtou, mə-] *n.* (*pl.* ~***es***) Ⓒ 백인과 흑인과의 혼혈아. — *a.* 황갈색의.

***mul·ber·ry**[mʌ́lbèri/-bəri] *n.* ① Ⓒ 뽕나무; 오디. ② Ⓤ 짙은 자주

M

색.
mulch [mʌltʃ] *n., vt.* Ⓤ (이식한 식물의) 뿌리 덮개(를 하다).
˙**mule** [mjuːl] *n.* Ⓒ ① 〖動〗 노새《수나귀와 암말과의 잡종》. ② 얼간이, 고집쟁이. ③ 잡종. ④ (실내용) 슬리퍼. **múl·ish** *a.* 노새 같은, 고집 센, 외고집의.
mul·lah [mʌ́lə, múː(ː)-] *n.* Ⓒ 물라《고승·학자에 대한 회교도의 경칭》; 회교의 신학자.
mul·let [mʌ́lit] *n.* (*pl.* **~s,** 《집합적》 ~) Ⓒ 〖魚〗 숭어과의 물고기.
mul·li·ga·taw·ny [mʌ̀ligətɔ́ːni] *n.* Ⓤ (동인도의) 카레가 든 수프.
mul·lion [mʌ́ljən, -liən] *n.* Ⓒ 〖建〗 창의 세로 창살, 장살대.
mul·ti- [mʌ́lti, -tə] '많은(many)'의 뜻의 결합사.
mul·ti·far·i·ous [mʌ̀ltəfɛ́əriəs] *a.* 가지 가지의, 각양 각색의.
mùlti·láteral *a.* 다변(형)의; 여러 나라가 참가한. ~ ***trade*** 다변적 무역.
mùlti·média *n.* (*pl.*) 《단수취급》 〖컴〗 다중 매체.
mùlti·nátional *a., n.* 다국적의; Ⓒ 다국적 기업(의).
˙**mul·ti·ple** [mʌ́ltəpəl] *a.* ① 복합의; 다양한. ② 배수의. — *n.* Ⓒ 배수, 배량(倍量). ***least common*** ~ 최소공배수.
múltiple-chóice *a.* 다항식 선택의.
mul·ti·plex [mʌ́ltəplèks] *a., n.* 다양[복합]의; Ⓤ 〖컴〗 다중(多重)(의); 다중 송신(의). **~·er** *n.* Ⓒ 〖컴〗 다중화기. **~·ing** *n.* Ⓤ 〖컴〗 다중화.
˙**mul·ti·pli·ca·tion** [mʌ̀ltəplikéiʃən] *n.* ① Ⓤ,Ⓒ 곱셈. ② Ⓤ 증가, 배가(倍加), 증식.
multiplicátion tàble (곱셈) 구구표《12×12까지 있음》.
mul·ti·plic·i·ty [mʌ̀ltəplísəti] *n.* Ⓤ (종종 a ~) 중복; 다양성. ***a*** [***the***] ~ ***of*** 많은.
:**mul·ti·ply** [mʌ́ltəplài] *vt., vi., n.* 늘리다; 붇다, 번식시키다, 번식하다; 곱하다; Ⓤ,Ⓒ 〖컴〗 곱하기(하다). **-pli·er** *n.* Ⓒ 〖數〗 승수(乘數); 〖電·磁〗 증폭기(增幅器), 배율기(倍率器); 〖컴〗 곱함수.
:**mul·ti·tude** [mʌ́ltətjùːd] *n.* ① Ⓒ,Ⓤ 다수. ② (the ~(s)) 군중. ***a*** ~ ***of*** 다수의. ***the*** ~ 대중. **-tu·di·nous** [mʌ̀ltətjúːdənəs] *a.* 수많은.
mum[1] [mʌm] *int., a.* 쉿!; 말 마라!; 무언의. ***Mum's the word!*** 남에게 말 마라. — *vi.* (**-mm-**) 무언극을 하다.
mum[2] *n.* Ⓒ 《兒》 엄마(mummy).
˙**mum·ble** [mʌ́mbəl] *vi., vt.* ① 중얼거리다. ② (이가 없는 입으로) 우물우물 먹다. — *n.* Ⓒ 중얼거리는 말.
mum·bo jum·bo [mʌ́mbou dʒʌ́mbou] 무의미한 의식; 알아 들을 수 없는 말; 우상(偶像).
mum·mer [mʌ́mər] *n.* Ⓒ 무언극 배우; 배우.
mum·mi·fy [mʌ́mifài] *vt.* 미라로 만들다; 바싹 말리다.
˙**mum·my**[1] [mʌ́mi] *n.* ① Ⓒ 미라. ② Ⓤ 갈색 안료(顔料)의 일종.
mum·my[2] [mʌ́mi] *n.* Ⓒ 《兒》 엄마.
mumps [mʌmps] *n. pl.* ① 《단수취급》 〖醫〗 이하선염(耳下腺炎), 항아리 손님. ② 부루퉁한[성난] 얼굴.
˙**munch** [mʌntʃ] *vt., vi.* 우적우적 먹다, 으드득으드득 깨물다.
mun·dane [mʌ́ndein, ─́] *a.* 현세의, 속세(俗世)의, 우주의.
:**mu·nic·i·pal** [mjuːnísəpəl] *a.* 지방자치제의, 시(市)의. ~ ***government*** 시당국. ~ ***law*** 국내법. ~ ***office*** 시청.
˙**mu·nic·i·pal·i·ty** [mjuːnìsəpǽləti] *n.* Ⓒ 자치체《시·읍 등》; 《집합적》 자치체 당국.
mu·nif·i·cent [mjuːnífəsənt] *a.* 아낌 없이 주는, 손이 큰(opp. niggardly). **-cence** *n.*
˙**mu·ni·tion** [mjuːníʃən] *n.* Ⓒ (보통 *pl.*) 군수품; 필수품, 자금(*for*). — *vt.* (…에) 군수품을 공급하다.
mu·ral [mjúərəl] *a.* 벽의, 벽에 걸린. ~ ***painting*** 벽화.
:**mur·der** [mə́ːrdər] *n.* Ⓤ 살인(*M-!* 사람 살려!); 〖法〗 모살(謀殺), 고살(故殺). ***like*** BLUE ~. ***M- will out.*** 《속담》 나쁜 짓은 드러나게 마련이다. — *vt.* 살해하다; (곡을 서투르게 불러서[연주하여]) 망치다. :~·

er *n.* Ⓒ 살인자.

***mur·der·ous** [mə́ːrdərəs] *a.* 살인의, 흉악한; 살인적인; 지독한《더위 따위》.

murk·y [mə́ːrki] *a.* 어두운; 음울한.

:mur·mur [mə́ːrmər] *vi., vt.* 웅성대다, 졸졸 소리내다, 속삭이다; 투덜거리다(*at, against*). — *n.* Ⓒ 중얼거림, 불평; (시내의) 졸졸거리는 소리, (파도의) 출렁거리는 소리, 속삭임.

:mus·cle [mʌ́səl] *n.* ① Ⓤ,Ⓒ 근육, 힘. ② Ⓤ 완력; 영향력. ③ Ⓤ 《口》 힘, 압력. ***flex one's ~s*** 《口》 비교적 쉬운 일로 힘을 시험해 보다. ***not move a ~*** 까딱도 않다. — *vi.* 《口》 완력을 휘두르다.

múscle-bòund *a.* (운동과다로) 근육이 굳어버린.

***mus·cu·lar** [mʌ́skjələr] *a.* 근육의; 근육이 늠름한. **~·i·ty** [≃–lǽrəti] *n.* Ⓤ 근육이 억셈, 힘셈.

Muse [mjuːz] *n.* Ⓒ 【그神】 뮤즈신《시·음악·그 밖의 학예를 주관하는 9여신 중의 하나》; (보통 one's ~; the ~) 시적 영감, 시심(詩心); (m-) 시인. ***the Muses*** 뮤즈의 9여신.

:muse [mjuːz] *vi.* ① 심사 묵고하다, 명상에 잠기다(*on, upon*). ② 골똘히 바라보다. **mús·ing** *a.* 생각에 잠긴.

†mu·se·um [mjuːzíːəm/-zíəm] *n.* Ⓒ 박물관, 미술관.

muséum pìece 박물관의 진열품; 박물관 진열감, 진품(珍品).

mush [mʌʃ] *n.* Ⓤ 《美》 옥수수 죽; 죽 모양의 것; 《口》 값싼 감상(感傷).

:mush·room [mʌ́ʃru(ː)m] *n.* Ⓒ ① 버섯, 버섯 모양의 것. ② 《古》 벼락출세자. ③ 《俗》 여자용 밀짚 모자의 하나. ④ =⇩. — *vi.* 버섯을 따다; (탄알 끝이) 납작해지다.

múshroom clòud (핵폭발에 의한) 버섯 구름.

mush·y [mʌ́ʃi] *a.* 죽 모양의, 걸쭉한; 《口》 감상적인, 푸념 많은.

†mu·sic [mjúːzik] *n.* ① Ⓤ 음악, 악곡; 악보; 음악적인 음향. ② Ⓤ,Ⓒ 듣기 좋은 소리, 묘음(妙音). ***face the ~*** 태연히 난국에 당하다; 당당하게 비판을 받다. ***~ to one's ears*** (들어) 기분 좋은 것. ***rough ~*** (야유하는) 환성(喚聲). ***set*** (*a poem*) ***to ~*** (시에) 곡을 달다.

:mu·si·cal [mjúːzikəl] *a.* 음악의; 음악적인; 음악을 좋아하는; 음악이 따르는. — *n.* Ⓒ 희가극, 뮤지컬. **~·ly** *ad.* 음악적으로.

músical cháirs (음악이 따르는) 의자 빼앗기 놀이.

músical ínstrument 악기.

músic bòx 《美》 주크 박스(jukebox) (《英》 musical box).

músic hàll 《英》 연예관(演藝館); 음악당.

:mu·si·cian [mju(ː)zíʃən] *n.* Ⓒ 음악가, 악사, 작곡가; 음악을 잘 하는 사람.

músic stànd 악보대.

musk [mʌsk] *n.* Ⓤ 사향(의 냄새); Ⓒ 【動】 사향 노루.

***mus·ket** [mʌ́skət] *n.* Ⓒ 머스켓 총《구식 소총》.

mus·ket·eer [mʌ̀skətíər] *n.* Ⓒ musket를 가진 병사.

mus·ket·ry [mʌ́skətri] *n.* Ⓤ 《집합적》 소총; 소총 부대; 소총 사격술.

músk·ràt *n.* Ⓒ 사향쥐.

musk·y [mʌ́ski] *a.* 사향내 나는; 사향의; 사향 비슷한.

Mus·lim, -lem [mʌ́zləm, múz-, mús-] *n.* (*pl.* ~(**s**)), *a.* Ⓒ 이슬람교〔회교〕도(의). **~·ism** [-ìzəm] *n.* Ⓤ 이슬람교.

***mus·lin** [mʌ́zlin] *n.* Ⓤ 모슬린《부인복·커튼용 면직물의 일종》.

mus·sel [mʌ́səl] *n.* Ⓒ 【貝】 홍합, 마합.

†must[1] [強 mʌst, 弱 məst] *aux. v.* ① 《필요·의무·책임·명령》 …하지 않으면 안 된다《부정은 need not; 과거·미래·완료형 따위는 have to의 변화형을 사용함, must not는 '…해서는 안 된다'의 뜻》(*I ~ work.* 나는 일해야 한다). ② 《필연성·분명한 추정》 …임에 틀림없다(*It ~ be true.* 그것은 정말임에 틀림없다/*He ~ have written it.* 그가 그것을 썼음에 틀림없다). ③ 《주장》 (*You ~ know.* 네가 알아 주기 바란다). ④ 《과거시제로서, 그러나 지금은 간접화법에 쓰임》 …하지 않으면 안 되었다. ⑤ 《과거 또는 역사적 현재로서》 운나쁘게 …했다(*Just as I was busiest,*

M

he ~ *come worrying.* 하필이면 가장 바쁠 때 와서 훼방놓다니). — *a.* 절대 필요한(*a* ~ *book* 필독서/ ~ *bills* 중요 의안). — *n.* Ⓒ 필요한 일〔것〕(*English is a* ~. 영어는 필수 과목이다).

must[2] *n.* Ⓤ 곰팡이. **∠·y** *a.* 곰팡내 나는; 케케묵은; 무기력한.

˙**mus·tache**[mʌ́stæʃ, məstǽʃ] *n.* Ⓒ 콧수염; (고양이 따위의) 수염.

mus·tang[mʌ́stæŋ] *n.* Ⓒ 반야생의 말《소형, 미국 평원 지대산》.

˙**mus·tard**[mʌ́stərd] *n.* Ⓤ 겨자; 갓. ***as keen as*** ~ 《口》 아주 열심인; 열망하여. ***grain of*** ~ ***seed*** 작지만 발전성이 있는 것《마태복음 13:31》. ***French*** ~ 초넣은 겨자.

˙**mus·ter**[mʌ́stər] *n.* Ⓒ 소집, 점호, 검열. ***pass*** ~ 합격하다. — *vt.* ① 소집하다, 점호하다. ② (용기를) 분발시키다(*up*). ~ ***in*** 〔***out***〕 입대〔제대〕시키다.

mu·ta·ble[mjúːtəbəl] *a.* 변하기 쉬운, 변덕의. **-bil·i·ty**[∸-bíləti] *n.* Ⓤ 변하기 쉬움, 부정(不定); 변덕. **-bly** *ad.*

mu·tant[mjúːtənt] *n.* Ⓒ 〖生〗 변종(變種), 돌연 변이체(體).

mu·ta·tion[mjuːtéiʃən] *n.* ① Ⓤ,Ⓒ 변화. ② Ⓒ 〖生〗 돌연 변이, 변종. ③ Ⓤ,Ⓒ 〖言〗 모음 변화.

:**mute**[mjuːt] *a.* ① 벙어리의, 무언의. ② 〖音聲〗 폐쇄음의; 묵자(默字)의《*k*now의 *k*따위》. — *n.* Ⓒ ① 벙어리, 말 않는 배우, (동양의) 벙어리 하인. ② (고용된) 회장(會葬)꾼. ③ 〖樂〗 약음기(弱音器). — *vt.* (…의) 소리를 죽이다; (…에) 약음기를 달다.

˙**mu·ti·late**[mjúːtəlèit] *vt.* ① (수족을) 절단하다, 병신을 만들다. ② (책의 일부를 삭제하여) 불완전하게 하다.

mu·ti·la·tion [mjùːtəléiʃən] *n.* Ⓤ,Ⓒ 절단, 훼손(毁損).

mu·ti·neer[mjùːtəníər] *n.* Ⓒ 폭도, 반항자.

mu·ti·nous[mjúːtənəs] *a.* 폭동의; 반항적인.

˙**mu·ti·ny**[mjúːtəni] *n.* Ⓤ,Ⓒ 반란, 폭동, 반항. — *vt.* 반란을 일으키다, 반항하다. 「개, 바보.

mutt[mʌt] *n.* Ⓒ 《俗》 잡종개, 똥

:**mut·ter**[mʌ́tər] *vi., vt.* 중얼거리다; 투덜거리다. — *n.* (*sing.*) 중얼거림; 불평.

:**mut·ton** [mʌ́tn] *n.* Ⓤ 양고기. ***dead as*** ~ 아주 죽어서.

:**mu·tu·al**[mjúːtʃuəl] *a.* 상호의; 공통의(common). ~ ***aid*** 상호 부조. ~ ***aid association*** 공제 조합. ~ ***friend*** 공통의 친구. ~ ***insurance*** 상호 보험. ˚~**·ly** *ad.* 서로.

mu·tu·al·i·ty[mjùːtʃuǽləti] *n.* Ⓤ 상호 관계, 상관.

Mu·zak[mjúːzæk] *n.* Ⓤ 〖商標〗 전화나 무선으로 식당·상점·공장에 음악을 보내주는 시스템.

˙**muz·zle**[mʌ́zəl] *n.* Ⓒ ① (동물의) 코·입부분. ② 총구(銃口). ③ 입마개, 부리망, 재갈. — *vt.* ① (개 따위에) 부리망을 씌우다. ② (언론을) 탄압하다, 말 못하게 하다.

M.V. motor vessel.

†**my**[強 mai, 弱 mi] *pron.* 《I의 소유격》 나의. ***My!,*** or ***Oh, my!,*** or ***My eye!*** 아이고!, 저런!

my·col·o·gy[maikɑ́lədʒi/-ɔ́-] *n.* Ⓤ 균학(菌學). **-gist** *n.* Ⓒ 균학자.

my·o·pi·a[maióupiə], **-py**[máiəpi] *n.* Ⓤ 〖醫〗 근시안, 근시. **my·ope** [máioup] *n.* Ⓒ 근시안인 사람 (short-sighted person). **my·op·ic**[-ɑ́p-/-ɔ́-] *a.* 근시의.

˙**myr·i·ad**[míriəd] *n., a.* Ⓒ 만(萬)(의), 무수(한).

myrrh[məːr] *n.* Ⓤ 몰약(沒藥)《향료·약제로 쓰이는 열대 수지》.

˙**myr·tle**[mə́ːrtl] *n.* Ⓤ,Ⓒ 〖植〗 도금양(桃金孃); 《美》 = PERIWINKLE[1].

†**my·self**[maisélf, 弱 mə-] *pron.* (*pl.* ***ourselves***) 나 자신. ***by*** ~ 혼자서. ***for*** ~ 나 자신을 위해서; 남의 부림을 받지 않고, 자력으로. ***I am not*** ~. 몸〔머리〕 상태가 아무래도 이상하다.

:**mys·te·ri·ous**[mistíəriəs] *a.* 신비한; 불가사의한; 이상한. ~**·ly** *ad.* ~**·ness** *n.*

:**mys·ter·y**[místəri] *n.* ① Ⓤ 신비, Ⓒ 불가사의한 것〔사람〕; 비밀. ② Ⓒ 비결, 비전(秘傳). ③ (*pl.*) 성체; 비

의(秘儀); 비밀 의식. ④ Ⓒ 중세 종교극. ⑤ Ⓒ 괴기[추리] 소설. ***be wrapped in*** **~** 비밀[수수께끼]에 싸여 있다, 전혀 모르다. ***make a*** **~** ***of*** …을 비밀로 하다, …을 신비화하다.

mýstery plày = MYSTERY ④.

***mýs·tic**[místik] *a.* ① 신비한, 비법의. ② 비교(秘敎)의. ── *n.* Ⓒ 신비주의자《명상·자기 포기로 신과의 합일을 구하는 자》. ***mýs·ti·cal** *a.* 신비의, 비법의. **mýs·ti·cal·ly** *ad.* 신비적으로.

mys·ti·cism[místəsìzəm] *n.* Ⓤ 비교(秘敎), 신비주의.

mys·ti·fy[místəfài] *vt.* 신비화하다; 어리둥절하게 하다, 속이다. **-fi·ca·tion**[ˋ–fikéiʃən] *n.* Ⓤ 신비화; 당혹시킴; Ⓒ 속이기.

mys·tique[mistíːk] *n.* Ⓒ (보통 *sing.*) 신비(적인 분위기); 비법.

:myth[miθ] *n.* ① Ⓒ,Ⓤ 신화(*the solar* ~ 태양 신화/*the Greek* ~*s* 그리스 신화). ② Ⓤ,Ⓒ 꾸민 이야기. ③ Ⓒ 가공의 사람[물건].

myth·ic[míθik], **-i·cal**[-əl] *a.* 신화[가공]의.

myth·o·log·i·cal [mìθəlάdʒikəl/-ɔ́-] *a.* 신화의, 신화학(神話學)의, 가공의. **~·ly**[-kəli] *ad.*

***my·thol·o·gy**[miθάlədʒi/-ɔ́-] *n.* Ⓤ 신화학; Ⓤ 《집합적》 신화; Ⓒ 신화집. **-gist** *n.* Ⓒ 신화학자, 신화 작자[편집자].

M

N

N

N, n [en] *n.* (*pl.* ***N's, n's***[-z]) Ⓒ N자 모양(의 것); 〖數〗 부정 정수(不定整數).

N 〖電〗 neutral. **N, N., n.** north (-ern). **n.** noun.

NAAFI 《英》 Navy, Army and Air Force Institute(s).

nab [næb] *vt.* (**-bb-**) 《口》 (갑자기) 붙잡다; 잡아채다; 체포하다.

na·dir [néidər, -diər] *n.* (the ~) 〖天〗 천저(天底) (opp. zenith); 《비유》 밑바닥; 침체기.

nag[1] [næg] *vt., vi.* (**-gg-**) 성가시게 잔소리하(여 괴롭히)다(*at*).

nag[2] *n.* Ⓒ (승용의) 조랑말(pony); 늙은 말.

:nail [neil] *n.* Ⓒ ① 손톱, 발톱. ② 못. BITE ***one's ~s. hit the*** (***right***) ***~ on the head*** 바로 맞히다; 정곡을 찌르다. ***on the ~*** 즉석에서. — *vt.* ① 못을 박다, 못박아 놓다(*on, to*). ② 《口》 체포하다; (부정을) 찾아내다(detect). **∠·less** *a.* 손톱[발톱]이 없는; 못이 필요 없는.

náil-bìting *n.* Ⓤ 손톱을 깨무는 버릇《불안 초조에서》; 《口》 욕구 불만. — *a.* 《口》 초조하게 하는.

náil·brùsh *n.* Ⓒ (매니큐어용의) 손톱솔.

náil file 손톱 다듬는 줄.

náil scìssors 손톱 깎는 가위.

na·ïve, na·ive [nɑːíːv] *a.* (F.) 순진한, 천진난만한. **~·ly** *ad.*

na·ive·ty [nɑːíːvəti] *n.* Ⓤ 순진; 천진난만; Ⓒ 순진한 말[행동].

:na·ked [néikid] *a.* ① 벌거벗은. ② 드러난. ③ 있는 그대로의. ***~ eyes*** 육안. ***~ truth*** 있는 그대로의 사실. **~·ly** *ad.* **~·ness** *n.*

nam·by-pam·by [nǽmbipǽmbi] *a., n.* Ⓒ 지나치게 감상적인 (글·이야기); 유약한[여자 같은] (사람·태도).

†name [neim] *n.* ① Ⓒ 이름; 명칭. ② (a ~) 평판, 명성; 허명(虛名). ③ Ⓒ 명사(名士). ④ 〖컴〗 이름《(기록)철 이름, 프로그램 이름 등》. ***bad*** [***ill***] ***~*** 악명, 악평. ***by ~*** 이름은. ***by*** [***of***] ***the ~ of*** …라는 이름의. ***call a person ~s,*** or 《稀》 ***say ~s to a person*** (아무의) 욕을 하다, (큰소리로) 꾸짖다. ***full ~*** (생략하지 않은) 성명. ***in God's ~*** 신에 맹세코; 도대체; 제발 (부탁이니). ***in ~*** (***only***) 명의상. ***in the ~ of*** …의 이름을 걸고; …에 대신하여. ***make*** [***win***] ***a ~*** 이름을 떨치다. ***to one's ~*** 자기 소유의. — *vt.* ① 명명하다; 이름을 부르다. ② 지명[지정]하다; 임명하다. ***~ after*** …의 이름을 따서 명명하다. — *a.* 주지의, 잘 알려진. ***∠·less*** *a.* 이름 없는; 익명의; 세상에 알려지지 않은; 서출(庶出)의(bastard); 말로 표현할 수 없는; 언어 도단의. **:∠·ly** *ad.* 즉.

náme·dròp *vi.* 유명한 사람의 이름을 아는 사람인 양 함부로 들먹이다. **~per** *n.* **~ping** *n.*

náme·sàke *n.* Ⓒ 같은 이름의 사람 《특히, 남의 이름을 따서 명명된 사람》.

nan·ny [nǽni] *n.* Ⓒ ① 유모; 아주머니. ② = ∠ **gòat** 암염소.

:nap[1] [næp] *n., vi.* (**-pp-**) Ⓒ 걸잠(들다), 깜빡 졸다. ***catch a person ~ping*** 아무의 방심을 틈타다. **∠·per**[1] *n.*

nap[2] *n., vt.* (**-pp-**) Ⓤ (직물 따위의) 보풀(을 일게 하다). **∠·less** *a.* **∠·per**[2] *n.* Ⓒ 보풀 세우는 사람[기계].

na·palm [néipɑːm] *n.* 〖軍〗 Ⓤ 네이팜《가솔린의 젤리화제(化劑)》; Ⓒ 네이팜탄(napalm bomb).

nape [neip] *n.* Ⓒ 목덜미.

:nap·kin [nǽpkin] *n.* Ⓒ 냅킨; 손수건; 《주로 英》 기저귀.

nap·py *n.* Ⓒ 《주로 英》 기저귀.

nar·cis·sism [ná:rsisìzəm] *n.* Ⓤ 〖心〗 자기 도취(cf. Narcissus).
˙**nar·cis·sus** [na:rsísəs] *n.* (*pl.* **~es, -si** [-sai]) ① Ⓒ 수선화. ② (N-) 〖그神〗 물에 비친 자기 모습을 연모하여 빠져 죽어서 수선화가 된 미소년(cf. narcissism).
˙**nar·cot·ic** [na:rkátik/-ɔ́-] *a.* 마취성의; 마약(중독자)의. ── *n.* Ⓒ 마약 (중독자).
nark [na:rk] *n.* Ⓒ 《英俗》 (경찰의) 끄나풀, 경찰에 밀고하는 사람; 《주로 濠俗》 귀찮은 사람. ── *vt.* 괴롭히다, 짜증나게 하다. ***N- it!*** 《英俗》 집어치워; 조용히 해.
nar·rate [næréit, ∠-] *vt., vi.* 말하다, 이야기하다. ˙**nar·rát·er, -rá·tor** *n.* Ⓒ 이야기하는 사람.
:**nar·ra·tion** [næréiʃən, nə-] *n.* ① Ⓤ 서술, 이야기하기. ② Ⓒ 이야기. ③ Ⓤ 〖文〗 화법(speech). ***direct* 〔*indirect*〕 ~** 직접〔간접〕 화법.
:**nar·ra·tive** [nǽrətiv] *n., a.* Ⓒ 이야기(의); Ⓤ 이야기체(의).
†**nar·row** [nǽrou] *a.* ① 좁은, 가는. ② 제한된. ③ 마음이 좁은. ④ 가까스로의, 아슬아슬한(close)(*We had a ~ escape.* 구사 일생했다). ⑤ (시험 따위) 엄밀한. ⑥ 〖音聲〗 (모음이) 긴장음의 (tense)《i, u에 대한 iː, uː 따위》. ***the ~ bed* 〔*house*〕** 무덤. ── *n.* Ⓒ 협로(狹路); 산협; (*pl.*) 《단수 취급》 (좁은) 해협; 하협(河峽). ── *vt., vi.* 좁히(어지)다; 제한하다. ˙**~·ly** *ad.*
˙**nárrow-mínded** *a.* 옹졸한. **~·ness** *n.*
nar·w(h)al [ná:rhwəl] *n.* Ⓒ 일각과(一角科)의 고래.
NASA National Aeronautics and Space Administration 미국 항공 우주국.
˙**na·sal** [néizəl] *a., n.* ① 코의; 콧소리의. ② Ⓒ 〖音聲〗 비음(鼻音)(의). **~·ize** [-àiz] *vi., vt.* 콧소리로 말하다; 비음화하다. **~·i·za·tion** [∸-izéiʃən] *n.* Ⓤ 비음화.
nas·cent [nǽsənt] *a.* 발생〔발전·성장〕하고 있는; 초기의; 〖化〗 발생 상태의. **nás·cen·cy** *n.*
na·stur·tium [nəstə́:rʃəm, næs-] *n.* Ⓒ 〖植〗 한련.
:**nas·ty** [nǽsti, -á:-] *n.* ① 더러운. ② 불쾌한. ③ 외설한, 천한. ④ (바다·날씨가) 험악한, 거친; 심한. ⑤ 심술궂은, 기분이 언짢은. ***a ~ one*** 거절, 타박. **nas·ti·ly** *ad.* **nas·ti·ness** *n.*
†**na·tion** [néiʃən] *n.* Ⓒ 국민, 국가; 민족.
†**na·tion·al** [nǽʃənəl] *a.* ① 전국민의, 국가 (특유)의. ② 국립의. ③ 애국적인. ***a ~ enterprise*** 국영 기업. ***the ~ flag*** 국기. ***~ government*** 거국 내각. ***a ~ park*** 국립공원. ── *n.* Ⓒ (특히 외국에 거주하는) 동포. **~·ly** *ad.* 국가적으로; 거국 일치로.
nátional ánthem 국가(國歌).
Nátional Convéntion, the 〖프史〗 국민 의회; (n- c-) 《美》 (4 년마다 행하는 정당의) 전국 대회.
nátional débt, the 국채.
nátional grìd 《英》 주요 발전소간의 고압선 회로망; 《英》 영국 제도(諸島)의 지도에 쓰이는 국정 좌표.
Nátional Gúard, the 《美》 주(州) 방위군《연방 정부 직할의》.
Nátional Héalth Sèrvice, the 《英》 국민 건강 보험.
Nátional Insúrance 《英》 국가 보험 제도.
˙**na·tion·al·ism** [nǽʃənəlìzəm] *n.* Ⓤ ① 애국심; 국가주의. ② 국민성; 산업 국유주의. ˙**-ist** *n.* Ⓒ 국가〔민족〕주의자; (N-) 국민〔국수(國粹)〕당원. **-is·tic** *a.*
:**na·tion·al·i·ty** [næ̀ʃənǽləti] *n.* ① Ⓤ 국민성. ② Ⓤ,Ⓒ 국적. ③ Ⓒ 국민; 국가. ④ Ⓤ 애국심; 국민적 감정.
na·tion·al·ize [nǽʃənəlàiz] *vt.* 국가적으로 하다; 귀화시키다; 국유〔국영〕화하다. **-i·za·tion** [∸--izéi-/-laiz-] *n.* Ⓤ 국민화, 국유화.
nátional sérvice 《英》 국민 병역 의무.
nátion-státe *n.* Ⓒ 민족 국가.
nátion·wíde *a.* 전국적인.
:**na·tive** [néitiv] *a.* ① 출생의, 자기 나라의. ② 토착의, 토착민의. ③ 국산의. ④ 타고난; 자연 그대로의; 소박한. ***go ~*** 《口》 (백인이 미개지에

N

서) 토착민과 같은 생활을 하다. **~ land** 모국, 본국. **~ place** 고향. — *n.* Ⓒ ① 토착민, …태생의 사람(*of*). ② 원주민. ③ 토착 동물[식물].

Nátive Américan 아메리카(북미) 인디언.

na·tiv·i·ty[nətívəti] *n.* ① Ⓤ 출생. ② (the N-) 예수 탄생; 크리스마스; (N-) Ⓒ 예수 탄생의 그림. ③ Ⓒ 〖占星〗 천궁도(天宮圖).

NATO, Na·to [néitou] (＜*N*orth *A*tlantic *T*reaty *O*rganization) *n.* 나토《북대서양 조약 기구(1949)》.

nat·ter[nǽtər] *vi.* 《濠》 재잘거리다; 《英》 투덜거리다. — *n.* (a ~) 《주로 英》 잡담.

nat·ty[nǽti] *a.* 정연한; (복장 따위가) 말쑥한.

†**nat·u·ral**[nǽtʃərəl] *a.* ① 자연(천연)의, 자연계의. ② 미개의. ③ 타고난; 본능적인; 본래의; 보통의. ④ 꼭 닮은; 사생의. ⑤ 〖樂〗 본위(제자리)의. **one's ~ life** 수명. — *n.* Ⓒ ① 자연의 사물. ② 선천적인 백치. ③ 〖樂〗 제자리(음)표(♮); (피아노의) 흰 건반. ④ 《口》 타고난 재사(才士); 성공이 확실한 사람(일). **:~·ly** *ad.* 자연히; 날 때부터; 있는 그대로; 당연히. **~·ness** *n.*

nátural gás 천연 가스.

nátural hístory 박물학.

:nat·u·ral·ism[nǽtʃərəlìzəm] *n.* Ⓤ 자연의 본능에 따른 행동; 〖哲·文藝〗 자연주의, 사실(寫實)주의. ***-ist** *n.* Ⓒ 박물학자; 자연주의자.

nat·u·ral·is·tic[nætʃərəlístik] *a.* 자연의; 자연주의의; 박물학(자)의.

nat·u·ral·ize[nǽtʃərəlàiz] *vt., vi.* 귀화시키다(하다), 토착화하다; (외국어를) 받아들이다; 이식하다. **-i·za·tion**[ㅗ--izéiʃən/-lai-] *n.* Ⓤ 귀화; 토착화.

nátural scíence 자연 과학.

nátural seléction 자연 도태(선택).

†**na·ture** [néitʃər] *n.* ① Ⓤ 자연(계). ② Ⓤ,Ⓒ 천성, 성질; Ⓒ …한 성질을 지닌 사람. ③ Ⓤ 원시 상태. ④ (*sing.*) 종류. ⑤ Ⓤ 체력; 생활 기능. ⑥ Ⓤ,Ⓒ 본질. **against ~** 부자연한(하게). **by ~** 타고난. **draw from ~** 사생하다. **ease ~** 대변(소변)보다. **go the way of ~** 죽다. **in a** (**the**) **state of ~** 자연 그대로; 벌거숭이로. **in** (**of**) **the ~ of** …의 성질을 지닌, …을 닮은. **in** (**by, from**) **the ~ of things** (**the case**) 사물의 본질상, 필연적으로. **pay one's debt to ~** 죽다.

náture stùdy (초등 교육의) 자연 연구(관찰).

na·tur·ism [néitʃərìzəm] *n.* = NATURALISM; Ⓤ 《英》 나체주의.

:naught[nɔːt] *n.* ① Ⓤ 무(nothing). ② Ⓒ 영, 제로. **all for ~** 무익하게. **bring** (**come**) **to ~** 무효로 하다(되다). **set ... at ~** 무시하다.

:naugh·ty[ㅗi] *a.* ① 장난스러운; 버릇(본데) 없는. ② 《廢》 못된, 사악한. **-ti·ly** *ad.* **-ti·ness** *n.*

nau·se·a[nɔ́ːziə, -ʃə, -siə] *n.* Ⓤ 욕지기, 메스꺼움; 뱃멀미; 혐오.

nau·se·ate [-zièit, -ʃi-, -si-] *vt., vi.* 메스껍(게 하)다; 구역질나(게 하)다(*at*).

nau·seous[nɔ́ːʃəs, -ziəs] *a.* 구역질나는, 싫은. 「의; 선원의.

nau·ti·cal[nɔ́ːtikəl] *a.* 항해의; 배

náutical míle 해리(海里).

:na·val[néivəl] *a.* 해군의; 군함의.

***nave**[neiv] *n.* Ⓒ (교회당의) 본당.

na·vel[néivəl] *n.* Ⓒ 배꼽; (the ~) 중심, 중앙.

***nav·i·ga·ble**[nǽvigəbəl] *a.* ① 항행할 수 있는. ② 항해에 견디는. **-bil·i·ty** [ㅗ--bíləti] *n.*

***nav·i·gate**[nǽvəgèit] *vt.* ① 항행하다; (배·비행기를) 조종(운전)하다. ② (교섭 따위를) 진행시키다. — *vi.* 항행(조종)하다. **:-ga·tion** [ㅗ--géiʃən] *n.* Ⓤ 항해(항공)(술). ***-ga·tor** *n.* Ⓒ 항해자, 항해장(長); 해양 탐험가; 《英》 = NAVVY.

nav·vy[nǽvi] *n.* Ⓒ 《英口》 (운하·도로 공사의) 인부; (토목 공사용) 굴착기.

:na·vy[néivi] *n.* ① Ⓒ 해군; 해군 장병. ② Ⓒ 《古》 선대(船隊). ③ = NAVY BLUE.

návy blúe 감색《영국 해군 제복의

빛깔).
·nay[nei] *ad.* ① 《古》 아니(no). ② 그뿐만 아니라. — *n.* ① Ⓤ 아님; 거절. ② Ⓒ 반대, 반대 투표(자).
Na·zi[ná:tsi, -ǽ-] *n.* (G.) Ⓒ 나치 당원《독일의 국가 사회당 당원》; (기타 국가의) 국수주의자(國粹主義者). ***the ~s*** 나치당. — *a.* 나치당의. **~·ism**[-ìzəm] *n.* Ⓤ 국가 사회주의. **~·fy** *vt.* 나치화하다. **~·fi·ca·tion** [≥–fikéiʃən] *n.* Ⓤ 나치화(opp. denazification).
N.B., n.b. *nota bene.* **NBC** National Broadcasting Company.
N.C.O. noncommissioned officer. **NE, N.E.** northeast.
Ne·án·der·thal màn[niǽndərtɑ̀:l-, -θɔ̀:l-] 〖人類學〗 네안데르탈인《구석기 시대 유럽에 살던 원시 인류》.
néap tìde 소조(小潮).
†near[niər] *ad.* ① 가까이, 접근하여(closely). ② 거의(nearly). ③ 인색하게. ***~ at hand*** (장소가) 가까이에; (때가) 멀지 않아 곧. ***~ by*** 가까이에. ***~ upon*** 거의 …무렵. — *a.* ① 가까운; 근친의; 친밀한. ② 아주 닮은. ③ (마차 따위의) 왼쪽의(*the ~ ox, wheel, &c.*) (opp. off). ④ 인색한. ⑤ 아슬아슬한. ⑥ 모조의, 진짜에 가까운(*~ silk*). ***~ and dear*** 친밀한. ***~ race*** 백중[엎치락뒤치락]의 경쟁. ***~ work*** 세밀 작업. — *prep.* …의 가까이에. ***come*** [***go***] ***~ doing*** 거의 …할 뻔하다. — *vt., vi.* 가까이 가다; 절박하다, 닥치다. **†∠·ly** *ad.* 거의; 겨우; 밀접하게; 친하게. ***not ~ly*** (…에는) 어림도 없다. **∠·ness** *n.*
·near·by[níərbái] *a., ad.* 가까운; 가까이에서.
Néar Éast, the 근동(近東)《영국에서는 발칸 제국, 미국에서는 발칸과 서남 아시아를 가리킴》.
néar míss 근접 폭격, 지근탄(至近彈); (항공기의) 이상(異常) 접근.
néar·sìde *a.* 《英》 왼쪽의, (차에서) 도로가에 가까운 쪽의.
·néar-síghted *a.* 근시의; 《비유》 소견이 좁은.
:neat[ni:t] *a.* ① 산뜻한; 단정한; 모양 좋은. ② 적절한; 교묘한. ③ 섞인 것이 없는; 정미(正味)의(net[2]). **·∠·ly** *ad.*
·neb·u·la[nébjələ] *n.* (*pl.* **~, -lae** [-lì:]) Ⓒ 〖天〗 성운(星雲). **-lar** *a.* 성운(모양)의(*the nebular hypothesis* 성운설(說)).
neb·u·lous[nébjələs] *a.* 운무(雲霧)와 같은; 흐린, 희미한; 성운(모양)의. **-los·i·ty**[≥–lɑ́səti/-ɔ́-] *n.* Ⓤ 성운; 막연.
†nec·es·sar·y [nésəsèri/-sisəri] *a.* 필요한; 필연적인. — *n.* (*pl.*) 필요물; 〖法〗 생활 필수품. **:-sar·i·ly** [nèsəsérəli, nésisəri-] *ad.* 필연적으로; 부득이; 《부정어를 수반하여》 반드시 …(는 아니다).
·ne·ces·si·tate [nisésətèit] *vt.* 필요로 하다; 부득이 …하게 하다.
:ne·ces·si·ty[nisésəti] *n.* ① Ⓤ,Ⓒ 필요, 필연. ② Ⓒ 필요물, 필수품. ③ Ⓤ 궁핍. ***make a virtue of ~*** 당연한 일을 하고도 잘한 체하다; 부득이한 일을 군소리 없이 하다. ***of ~*** 필연적으로; 부득이.
†neck[nek] *n.* ① Ⓒ 목, 옷깃; Ⓤ,Ⓒ (양 따위의) 목덜미살. ② Ⓒ (병·바이올린 따위의) 목. ③ Ⓒ 지협, 해협. ***a stiff ~*** 완고(한 사람). ***bend the ~*** 굴복하다. ***break the ~ of*** 《口》 (일의) 고비를 넘기다. ***harden the ~*** 완고하게 저항하다. ***~ and ~*** 나란히; (경기에서) 비등비등하게. ***~ or nothing*** 필사적으로. ***risk one's ~*** 목숨을 걸고 하다. ***save one's ~*** 교수형[책임]을 모면하다, 목숨을 건지다. ***win by a ~*** (경마에서) 목길이만큼의 차로 이기다; 간신히 이기다. — *vt., vi.* 《美口》 (목을) 껴안다, 네킹하다.
·neck·lace[∠lis] *n.* Ⓒ 목걸이.
néck·lìne *n.* Ⓒ 네크라인《여자 드레스의 목 둘레에 판 선》.
·neck·tie[∠tài] *n.* Ⓒ 넥타이; 《美俗》 교수형 밧줄.
nec·ro·man·cy[nékrəmæ̀nsi] *n.* Ⓤ 마술, 강신술(降神術). **-man·cer** *n.* Ⓒ 마술사, 강신술자. **-man·tic** [≥–mǽntik] *a.*
ne·crop·o·lis[nekrɑ́pəlis/-ɔ́-] *n.* Ⓒ (큰) 묘지(cemetery).

nec·tar[néktər] *n.* Ⓤ 넥타, 감로(甘露); 꽃의 꿀; 〖그神〗 신들의 술. **~·e·ous**[nektέəriəs] *a.* nectar의 〔같은〕.

nec·tar·ine[nèktəríːn/néktərin] *n.* Ⓒ 승도복숭아.

***née,* nee**[nei] *a.* (F. =born) 구성(舊姓)은《기혼 부인 이름 뒤에 붙여 결혼 전의 성을 나타냄》.

N

†**need**[niːd] *n.* ① Ⓤ,Ⓒ 필요(성); 결핍, 빈곤. ② (보통 *pl.*) 필요한 것, 요구물. ③ Ⓤ 다급할 때. ***a friend in ~*** 어려울 때의 친구. ***be*** 〔***stand***〕 ***in ~ of*** …을 필요로 하다. ***had ~ to*** …하지 않으면 안되다. ***have ~ of*** 〔***for***〕 …을 필요로 하다. ***if ~ be were*** 필요하다면. ***serve the ~*** 소용에 닿다. — *vt.* ① 필요로 하다. ② …할 필요가 있다; …하여야 한다. — *vi.* 궁하다, 어렵다. **~ *not***《조동사 취급》(…할) 필요가 없다. **:∠·less** *a.* 불필요한. ***~less to say*** 〔***add***〕 말할〔덧붙일〕 필요도 없이. **∠·less·ly** *ad.* 불필요하게.

***need·ful**[níːdfəl] *a.* 필요한; 《古》 가난한.

:nee·dle[níːdl] *n.* Ⓒ ① 바늘, 바느질 바늘, 뜨개바늘. ② 자침(磁針); 축음기〔주사기〕 바늘. ③ 침엽(針葉). ***look for a ~ in a bottle*** 〔***bundle***〕 ***of hay*** 헛고생하다.

néedle·wòman *n.* Ⓒ 재봉사, 침모, 바느질하는 여자.

***néedle·wòrk** *n.* Ⓤ 바느질, 자수.

:need·n't[níːdnt] need not의 단축.

***need·y**[níːdi] *a.* 가난한. **néed·i·ness** *n.* Ⓤ 곤궁.

né'er-do-wèll *n., a.* Ⓒ 쓸모 없는 사람(의); 무능한.

ne·far·i·ous[nifέəriəs] *a.* 악독한, 사악한. **~·ly** *ad.*

ne·gate[nigéit] *vt.* 부정하다, 취소하다; 〖컴〗 부정하다《부동의 작동을 하다》. **ne·gá·tion** *n.* Ⓤ 부정; 취소; 거절; 존재치 않음, 무.

:neg·a·tive[négətiv] *a.* ① 부정의 (~ *sentence* 부정문); 반대의; 소극적인. ② 음전기의. ③ 〖數〗 마이너스의; 〖寫〗 음화의; 〖生〗 반작용적인; 〖醫〗 음성의. — *n.* Ⓒ ① 부정어; 부정〔반대〕의 설. ② 반대측. ③ 소극성; 《古》 거부권. ④ 음전기, (전지의) 음극판. ⑤ 〖數〗 음수; 음화. ***in the ~*** 부정적으로(*He answered in the ~.* '아니'라고 대답했다). — *vt.* ① 거부하다; 부결하다. ② 반증하다. ③ 무효로 하다. **~·ly** *ad.* **-tiv·ism**[-ìzəm] *n.* Ⓤ 부정론.

:ne·glect[niglékt] *vt.* ① 게을리하다, 소홀히하다. ② 무시하다. ③ 하지않고 두다(omit). — *n.* Ⓤ 태만; 소홀; 무시. **~·ed**[-id] *a.* 소홀하게 다룬; 무시된; 세인에게 인정 못받는. **~·ful** *a.* 태만한; 부주의한.

neg·li·gee, *nég·li·gé*[néglizèi, ⌐—⌐] *n.* Ⓒ (부인용의 낙낙한) 실내복, 네글리제; Ⓤ 약복(略服), 평상복. — *a.* 소탈한, 터놓은.

neg·li·gent[néglidʒənt] *a.* 태만한; 부주의한; 무관심〔소홀〕한; 내버려둔. ***-gence** *n.*

***neg·li·gi·ble**[néglidʒəbl] *a.* 하찮은; 무시해도 좋은; 극히 적은, 사소한. **-bly** *ad.*

ne·go·ti·a·ble[nigóuʃiəbəl] *a.* 협정〔협상〕할 수 있는; 양도〔유통〕할 수 있는; 통행할 수 있는.

***ne·go·ti·ate**[nigóuʃièit] *vt.* ① 상의하다, 협상〔협정〕하다. ② 양도하다; 매도하다. ③ 통과하다; 뚫고 나가다; 뛰어넘다. **-a·tor** *n.* Ⓒ 교섭자, 양도인.

:ne·go·ti·a·tion[—⌐—éiʃən] *n.* ① Ⓤ,Ⓒ 협상. ② Ⓤ (증권 따위의) 양도. ③ Ⓤ (장애·곤란의) 극복.

Ne·gress [níːgris] *n.* Ⓒ (*or* n-) 《보통 蔑》 흑인 여자.

:Ne·gro [níːgrou] *n.* (*pl.* **~es**) Ⓒ ① 니그로, 흑인. ② (흑인 피를 받은) 검은 피부의 사람.

Ne·groid[níːgrɔid] *a.* 흑인의, 흑인같은; 흑인 계통의. — *n.* Ⓒ 흑인.

***neigh**[nei] *n.* Ⓒ (말의) 울음 소리. — *vi.* (말이) 울다.

†**neigh·bor,** 《英》 **-bour**[néibər] *n.* Ⓒ 이웃 사람; 이웃 나라 사람; 근처의 것. — *a.* 이웃의. — *vt., vi.* (…에) 이웃하다; 접근하다(*on, upon, with*). **:~·ing** *a.* 근처의, 인접한; 가까이 있는. **~·ly** *a.* 이웃다운; 친절한. **~·li·ness** *n.*

N

:neigh·bo(u)r·hood[-hùd]（〈 ⇧）*n.* ① (*sing.*) 근처. ② 《수식어와 함께》 지방. ③ (*sing.*) 《집합적》 이웃 사람들. ④ Ⓤ 《古》 이웃의 정분. ***in the ~ of*** 《口》 …의 근처에; 대략.

†nei·ther[níːðər, nái-] *ad.* 《~ … nor …의 형태로》 …도 아니고 …도 아니다; …도 또한 …이 아니다. ***~ more nor less than …*** …와 아주 같은. ***'Tis ~ here nor there.*** 그것은 관계없는 일이다. — *conj.* 《古》 또한 …도 않다(“*I am not tired.*” “*N- am I.*” '나는 피곤하지 않다' '나도 그렇다'). — *a.* 어느쪽의 …도 …아닌. — *pron.* 어느쪽도 …아니다.

Nem·e·sis[néməsis] *n.* ① 〖그神〗 복수의 여신. ② (n-) Ⓤ 천벌; Ⓒ 천벌주는 자.

ne·o-[níːou-] *pref.* '신(新)'의 뜻. **~·clássic**[nìːou-], **-sical** *a.* 신고전주의. **~·colónialism** *n.* Ⓤ 신식민주의. **~-Dáda** *n.* Ⓤ 네오다다이즘, 반예술. **~-Dárwinism** *n.* Ⓤ 신다윈설. **~-Hegélian** *a., n.* Ⓒ 신헤겔 철학(파)의 (철학자). **~-Impréssionism** *n.* Ⓤ 신인상주의. **~-Kántianism** *n.* Ⓤ 신칸트파 철학. **~-Malthúsianism** *n.* Ⓤ 신맬서스주의. **~·plá·tonism** *n.* Ⓤ 신플라톤파 철학. **~·román·ticism** *n.* Ⓤ 신낭만주의. **~·trópical** *a.* (생물 지리학에서) 신열대의《중·남아프리카 및 서인도 제도》.

ne·o·lith·ic[nìːoulíθik] *a.* 신석기 시대의(*the ~ Age*).

ne·ol·o·gism[niːálədʒìzəm/-ɔ́-], **-gy**[-dʒi] *n.* ① Ⓒ 신어(新語). ② Ⓤ 신어 사용. **-gist** *n.* Ⓒ 신어 창조자〔사용자〕.

·ne·on[níːɑn/-ən, -ɔn] *n.* Ⓤ 〖化〗 네온《희가스류 원소의 하나; 기호 Ne》.

:neph·ew[néfjuː/-v-, -f-] *n.* Ⓒ 조카.

nep·o·tism[népətìzəm] *n.* Ⓤ (임용 등에서의) 연고자 편중, 동족 등용.

·Nep·tune [néptjuːn, -tʃuːn/-tjuːn-] *n.* 〖로神〗 바다의 신(cf. Poseidon); 〖天〗 해왕성.

:nerve[nəːrv] *n.* ① Ⓒ 신경. ② Ⓒ 근(筋), 건(腱). ③ Ⓤ 기력, 용기; 침착; 체력, 정력, 원기. ④ Ⓤ 《口》 뻔뻔스러움. ⑤ (*pl.*) 신경 과민, 소심. ⑥ Ⓒ 〖植〗 잎맥; 〖蟲〗 시맥. ***a bundle of ~s*** 신경이 과민한 사람. ***get on one's ~s*** 《口》 …의 신경을 건드리다. ***have no ~s*** 태연하다. ***strain every ~*** 전력을 다하다. — *vt.* 힘을 북돋우다.

nérve cèll 신경 세포.

nérve cènter 〔**cèntre**〕 신경 중추.

nérve gàs 〖軍〗 신경 가스.

nérve·less *a.* 힘없는; 기력〔용기〕없는; 신경〔잎맥, 시맥〕이 없는. **~·ly** *ad.*

nérve-ràcking *a.* 몹시 신경을 건드리는.

:nerv·ous[nə́ːrvəs] *a.* ① 신경의, 신경이 있는. ② 신경질인; 침착하지 못한; 소심한(timid). ③ (문체 따위가) 힘찬. **·~·ly** *ad.* **~·ness** *n.*

nérvous bréakdown 〔**prostrátion**〕 신경 쇠약.

nérvous sýstem 신경 계통.

nerv·y[nə́ːrvi] *a.* 《口》 뻔뻔스러운; 힘센, 원기 있는; 용기가 필요한; 《주로 英》 신경에 거슬리는 것 같은.

†nest[nest] *n.* Ⓒ ① 둥지, 보금자리; 안식처. ② (악한 등의) 소굴. ③ (새·벌레 등의) 떼; (둥지 속의) 새끼, 알(따위). ④ (차례로 끼워 맞춘 물건의) 한 벌; 찬합. ***feather*** 〔***line***〕 ***one's ~*** 《口》 돈을 모으다, (부정하게) 사복을 채우다. ***foul one's own ~*** 자기 집〔편〕을 헐뜯다. — *vi.* ① 둥지를 만들다; 깃들이다. ② 새의 둥지를 찾다(cf. bird's-nesting).

nést ègg 밑알; (저금 따위의) 밑돈.

·nes·tle[nésəl] *vi.* ① 아늑하게〔편하게〕 자리잡다〔앉다〕(*in, into*). ② 어른거리다(*among*). ③ 바싹 다가 붙다. — *vt.* 바싹 다가 붙이다.

nest·ling[néstliŋ] *n.* Ⓒ 둥지를 떠나기 전의 새끼; 젖먹이, 어린애.

†net¹[net] *n.* Ⓒ ① 그물, 네트. ② 망(網)레이스. ③ 올가미, 함정. ***a ~ fish*** 그물로 잡은 물고기. ***cast*** 〔***throw***〕 ***a ~*** 그물을 던지다. — *vt.* (**-tt-**) 그물로 잡다〔덮다〕; (…에) 그물을 치다.

·net² *a.* (〈 neat) 정량(正量)의(10

ozs. ~, 정량 10온스)(cf. gross). ~ ***price*** 정가(正價). ~ ***profit*** 순이익. — *n.* Ⓒ 정량(正量); 순이익; 정가(따위). — *vt.* (**-tt-**) (…의) 순이익을 얻다.

neth·er[néðər] *a.* 아래의(cf. the Netherlands). ***the*** ~ ***world*** 〔***region***〕 지옥, 하계(下界). ~**·most** [-mòust] *a.* 최하의.

net·ting[nétiŋ] *n.* Ⓤ 그물 세공; 그물질.

net·tle[nétl] *n.* Ⓒ 〖植〗 쐐기풀. — *vt.* 초조하게 하다; 노하게 하다.

:net·work[nétwə̀ːrk] *n.* Ⓒ ① 그물 세공. ② 망상(網狀)조직. ③ 방송망. ④ 〖컴〗 네트워크; 망.

neu·ral[njúərəl] *a.* ① 〖解〗 신경(계)의. ② 〖컴〗 신경의(~ ***net*** 신경망).

neu·ral·gia[njuərǽldʒə] *n.* Ⓤ 신경통. **-gic** *a.*

neu·ri·tis[njuəráitis] *n.* Ⓤ 신경염(炎).

neu·ro-[njúərou, -rə/njúər-] '신경' 의 뜻의 결합사.

neu·rol·o·gy[njuərálədʒi/-rɔ́l-] *n.* Ⓤ 신경학. **-gist** *n.* Ⓒ 신경학자.

·neu·ro·sis [njuəróusis] *n.* (*pl.* **-ses**[-siːz]) ⓊⒸ 신경증, 노이로제.

·neu·rot·ic[njuərátik/-rɔ́t-] *a.* 신경증의; 노이로제의. — *n.* Ⓒ 신경증환자.

neu·ter [njúːtər] *a.* 〖文〗 중성의; 〖生〗 무성의; 중립의. — *n.* ① (the ~) 〖文〗 중성(어)《*tree, it* 따위》. ② Ⓒ 무성 동물〔식물〕.

:neu·tral [njúːtrəl] *a.* ① 중립(국)의. ② 공평한. ③ 어느 편도 아닌, 어느 쪽에도 속하지 않은. ④ 〖生〗 무성의. — *n.* Ⓒ 중립자〔국〕; Ⓤ (톱니바퀴의) 동력을 전동(傳動)하지 않을 때의 위치. ~**·ism**[-ìzəm] *n.* Ⓤ (엄정) 중립주의. ~**·i·ty**[-trǽləti] *n.* Ⓤ 중립(상태); 중립 정책; 〖化〗 중성.

·neu·tral·ize[njúːtrəlàiz] *vt.* ① 중립시키다. ② 〖化〗 중화하다; 〖電〗 중성으로 하다. ③ 무효로 하다. **-iz·er** *n.* **-i·za·tion**[ˌ--izéiʃən/-lai-] *n.* Ⓤ 중립화(상태 · 선언).

neu·tron [njúːtran/njúːtrɔn] *n.* Ⓒ 〖理〗 중성자.

†nev·er[névər] *ad.* 결코〔일찍이, 조금도〕 …않다. ~ ***again*** 두 번 다시 …않다. ~ ***ever*** 결코 …않다. ***Well, I*** ~***!*** 설마!

néver-énding *a.* 끝없는.

nèver·móre *ad.* 두번 다시 …않다.

:nev·er·the·less[nèvərðəlés] *ad.* 그럼에도 불구하고, 그래도 역시.

†new[njuː/njuː] *a.* ① 새로운; 처음 보는〔듣는〕. ② 처음 사용하는, 처음의; 일신된; 신임의. ③ 최근의. ④ 익숙하지 않은; 풋내기의. ⑤ 그 이상의. — *ad.* 새로이; 다시. ˊ~**·ness** *n.*

Néw Áge 뉴에이지(의)《환경·의학·사상 등 광범위한 분야에 대하여 전체론적인 접근을 특징으로 함》.

·néw·bórn *a.* 갓난; 재생한.

·néw·còmer *n.* Ⓒ 신참자.

Néw Déal, the (미국의 F.D. Roosevelt 대통령이 주장한) 뉴딜 정책; 루스벨트 정권.

néw·el pòst[njúːəl-/njúː-] (나선 계단의) 어미기둥.

new·fan·gled[ˊfǽŋgəld] *a.* 신기한; 신기한 것을 좋아하는.

:new·ly[njúːli] *ad.* 최근, 요즈음; 새로이.

néwly·wèd *n.* Ⓒ 신혼의 사람; (*pl.*) 신혼 부부.

néw móon 초승달.

†news[njuːz/njuːz] *n.* Ⓤ 뉴스, 보도; 색다른 사건; 소식. ***break the*** ~ (흔히 나쁜) 소식을 알리다. ***No*** ~ ***is good*** ~. 《속담》 무소식이 희소식.

néws àgency 통신사.

néws·àgent *n.* Ⓒ 《英》 신문 판매인〔점〕.

néws·càst *n.* Ⓒ 뉴스 방송. ~**er** *n.* Ⓒ 뉴스 방송자〔해설자〕.

néws·dèaler *n.* 《美》 = NEWSAGENT.

néws·lètter *n.* Ⓒ 주간 뉴스, 주보《17세기의 편지식 주간 신문, 현대 신문의 전신》; 속보(***a market*** ~).

†néws·pàper *n.* ① Ⓒ 신문(지). ② Ⓒ 신문사. ③ Ⓤ 신문용지.

néwspaper·màn *n.* Ⓒ 신문인, 신문 기자.

néws·prìnt *n.* Ⓤ 신문용지.
néws-rèader *n.* = NEWSCASTER.
néws·rèel *n.* Ⓒ 뉴스 영화.
néws·ròom *n.* Ⓒ 《英》 신문 열람실; 뉴스 편집실.
néws·shèet *n.* Ⓒ (간단한) 한 장짜리 신문.
néws·stànd *n.* Ⓒ (역 따위의) 신문·잡지 매점.
néws·wòrthy *a.* 보도 가치가 있는.
news·y[←i] *a., n.* 《口》 뉴스가 많은; 이야기 좋아하는; 신문 배달원, 신문팔이.
newt[n*j*u:t/nju:t] *n.* Ⓒ 〖動〗 영원.
·**Néw Téstament, the** 신약 성서.
:**Néw Wórld, the** 신세계.
:**néw yéar** 새해; (N- Y-, N- Year's) 정월 초하루, 정초의 수일간.
Néw Yèar's Dáy 〔**Éve**〕 정월 초하루〔섣달 그믐〕.
†**next**[nekst] *a.* 다음의, 가장 가까운. ***in the ~ place*** 다음에; 둘째로. ***~ best*** 차선(次善)의, 그 다음으로 가장 좋은. ***~ door to*** 이웃집에; 거의 …에 가까운. ***~ of kin*** 〖法〗 최근친(最近親). ***~ to*** …의 다음에, 거의. — *ad.* 다음에, 그리고 나서. — *n.* Ⓒ 다음 사람〔것〕. — *prep.* …의 이웃〔다음〕에.
néxt-bèst *a., n.* Ⓒ 둘째로 좋은 (것), 제2위의(것).
·**néxt-dòor** *a., ad.* 이웃의〔에〕.
nex·us[néksəs] *n.* (*pl.* ~(**es**)) Ⓤ,Ⓒ 이음, 연접, 연쇄(link); 연쇄적 계열; 〖文〗 넥서스《Jespersen의 용어로 주어와 술어의 관계; *Dogs bark.* 나 I don't like *them barking.* 의 이탤릭 부분; cf. junction》.
N.H.S. National Health Service.
nib[nib] *n., vt.* (**-bb-**) Ⓒ 펜촉(을 끼우다); (새의) 부리; 끝.
·**nib·ble**[níbəl] *vt., vi., n.* Ⓒ 조금씩 갉아먹다〔갉아먹음〕; (물고기의) 입질(하다); 한번 물어 뜯기〔뜯다〕.
nibs[nibz] *n.* 《俗》 (his 〔her〕 ~) 거드름쟁이, 나으리《멸칭》.
†**nice**[nais] *a.* ① 좋은, 훌륭한; 유쾌한(pleasing). ② 《口》 친절한(*to*). ③ 적당한. ④ 까다로운(*She is ~ in her eating*). ⑤ 엄한. ⑥ 미묘한 (subtle); 정밀한(exact); 감상〔식별〕력 있는(*He has a ~ eye for china*). ⑦ 꼼꼼한; 민감한, 교양이 있는〔엿보이는〕. ⑧ 《口·反語》 곤란한, 싫은. ***~ and*** (*warm*)(따뜻하여) 더할 나위 없는. :**∠·ly** *ad.* **∠·ness** *n.*
ni·ce·ty[náisəti] *n.* Ⓤ 정밀; 미묘, 섬세; 까다로움; Ⓒ 우아한 것; 미세한 구별; (보통 *pl.*) 상세. ***to a ~*** 정확히, 꼭 알맞게.
niche[nitʃ] *n.* Ⓒ 벽감(壁龕)《조상(彫像)·꽃병 따위를 놓는》; 적소(適所). — *vt.* 《보통 과거분사형으로》 벽감에 놓다; (제 자리에) 앉히다.
·**nick** *n.* Ⓒ 새김눈. ***in the*** (***very***) ***~*** (***of time***) 아슬아슬한 때에, 꼭 알맞게. — *vt.* ① 새김눈을 내다; (칼로) 상처를 내다. ② 알아맞히다; 제시간에 꼭 대다. ③ 속이다(trick).
:**nick·el**[níkəl] *n.* ① Ⓤ 〖化〗 니켈. ② Ⓒ 《美·캐나다》 5센트 백통화. — *vt.* (《英》 **-ll-**) 니켈 도금하다.
nick·nack [níknæ̀k] *n.* = KNICK-KNACK.
:**nick·name**[níknèim] *n., vt.* Ⓒ 별명(을 붙이다).
nic·o·tine[níkətì:n], **-tin**[-tin] *n.* Ⓤ 니코틴. **-tin·ism**[-ìzəm] *n.* Ⓤ 니코틴 중독.
:**niece**[ni:s] *n.* Ⓒ 조카딸, 질녀.
nif·ty[nífti] *a.* 《俗》 멋진(stylish).
nig·gard[nígərd] *n.* Ⓒ 인색한 사람. **~·ly** *a., ad.* 인색한〔하게〕.
nig·ger[nígər] *n.* 《蔑》 = NEGRO. ***~ minstrels*** 흑인으로 분장한 백인 희극단.
nig·gle[nígəl] *vi.* 하찮은 일에 안달하다〔시간을 낭비하다〕. **níg·gling** *a., n.*
nigh[nai] *ad., a., prep., v.* 《古·方》 = NEAR.
†**night**[nait] *n.* ① Ⓤ,Ⓒ 야간, 밤; 해질녘, 일몰. ② Ⓤ (밤의) 어둠. ③ Ⓤ 무지; 망각; 죽음. ***by ~*** 밤에는. ***have*** 〔***pass***〕 ***a good*** 〔***bad***〕 ***~*** 편히 자다〔자지 못하다〕. ***make a ~ of it*** 놀며〔술마시며〕 밤을 새우다. ***~ after*** 〔***by***〕 ***~*** 매일 밤. ***a ~ out*** 밖에서 놀이로 새우는 밤; (하녀 등의) 외출이 자유로운 밤.

N

níght·càp *n.* Ⓒ 잠잘 때 쓰는 모자, 나이트 캡; 《口》 잘 때 마시는 술; 《口》 〖野〗 더블헤더의 제 2경기, 당일 최후의 경기.
níght clùb 나이트 클럽.
níght·drèss *n.* Ⓒ 잠옷.
***níght·fàll** *n.* Ⓤ 해질녘.
***níght·gòwn** *n.* = NIGHTDRESS.
***night·in·gale**[náitiŋgèil, -tiŋ-] *n.* Ⓒ ① 나이팅게일《유럽산 지빠귓과의 새, 밤에 욺》. ② 목청이 고운 가수.
níght·jàr *n.* Ⓒ 〖鳥〗 쏙독새.
níght lìfe (밤의) 환락.
níght·lòng *a.* 밤을 새우는, 철야의.
***night·ly**[∠li] *a., ad.* 밤의[에], 밤마다의; 밤마다.
***night·mare**[∠mὲər] *n.* Ⓒ 몽마(夢魔); 악몽(같은 경험·일); 가위눌림. **-mar·ish**[-mὲəriʃ] *a.* 악몽 같은.
nights[naits] *ad.* 매일 밤, (거의) 밤마다.
níght sàfe (은행 따위의) 야간[시간외] 예금 창구, 야간 금고.
níght schòol 야간 학교.
níght·shìrt *n.* Ⓒ (남자의) 긴 잠옷.
***níght·tìme** *n.* Ⓤ 야간, 밤.
níght wátchman 야경꾼.
ni·hil·ism[náiəlìzəm, ní:ə-] *n.* Ⓤ 허무주의, 니힐리즘. **-ist** *n.* **-is·tic** [∸-ístik] *a.*
nil[nil] *n.* Ⓤ 무(nothing); 〖컴〗 없음(~ *pointer* 없음 알리개). **~ *admirari***[ædmirέərai] (L. = to wonder at nothing) 무감동(한 태도).
***nim·ble**[nímbəl] *a.* ① 재빠른. ② 영리한, 현명한. **~·ness** *n.* **-bly** *ad.*
nim·bus[nímbəs] *n.* (*pl.* **~es, -bi** [-bai]) Ⓒ 후광(halo); 〖氣〗 비구름.
nim·by, NIM·BY[nímbi] (＜ *not in my back yard*) *n.* Ⓒ 주변에 꺼림칙한 건축물 설치를 반대하는 주민.
nin·com·poop [nínkəmpù:p, níŋ-] *n.* Ⓒ 바보.
†**nine**[nain] *n., a.* ① Ⓤ,Ⓒ 아홉(의). ② Ⓒ 9명[개]의 1조, 야구 팀. ③ (the N-) 뮤즈의 아홉 여신. ***a ~ day's wonder*** 한 때의 소문, 남의 말도 사흘. **~ *times*[*in ~ cases*] *out of ten*** 십중팔구. **(*up*) *to the ~s*** 완전히.
níne·pìn *n.* ① (~s) 《단수 취급》 9주희(柱戲). ② Ⓒ 9주희에 쓰는 핀.
†**nine·teen** [naintí:n, ∠-] *n., a.* Ⓤ,Ⓒ 19(의). ***talk ~ to the dozen*** 쉴새 없이 지껄이다. **:~th** *n., a.* Ⓤ 제19(의); Ⓒ 19분의 1(의).
†**nine·ty**[náinti] *n., a.* Ⓤ,Ⓒ 90(의). **níne·ti·eth** *n., a.* Ⓤ 제90(의); Ⓒ 90분의 1(의).
nin·ny[níni] *n.* Ⓒ 바보.
†**ninth**[nainθ] *n., a.* Ⓤ 제 9(의); Ⓒ 9분의 1(의).
nip**[1][nip] *vt.* (**-pp-**) ① (집게발 따위가) 집다; 물다, 꼬집다. ② 잘라내다, 따내다(*off*). ③ 상하게 하다; 해치다; 이울게 하다. ④ (찬바람 따위가 손·귀를) 얼게 하다. — *vi.* ① 집다; 물다. ② (추위가) 살을 에다; 《俗》 날쌔게 움직이다, 뛰다 (*along, away, off*). **~ *in*[*out*]** 《口》 급히 뛰어들다[나가다]. **~ *in the bud 봉오리 때에 따다; 미연에 방지하다. — *n.* (a ~) ① 한 번 물기[집음]. ② 상해(霜害); 모진 추위. ③ 한 조각. **~ *and tuck*** 《美口》 (경기 따위에서) 막상막하로, 호각(互角)으로. **∠·ping** *a.* (바람 따위) 살을 에는 듯한; 신랄한.
nip[2] *n.* Ⓒ (술 따위의) 한 모금. — *vi., vt.* (**-pp-**) 홀짝홀짝 마시다.
nip·per[nípər] *n.* ① Ⓒ 집는[무는] 사람[것]. ② (*pl.*) (게의) 집게발; 집게, 족집게, 못뽑이. ③ Ⓒ 《英》 소년, (노점의) 사동.
nip·ple[nípəl] *n.* Ⓒ 젖꼭지 (모양의 것); (젖병의) 고무 젖꼭지.
nip·py[nípi] *a.* (바람 따위) 살을 에는 듯한; 날카로운, 《英口》 기민한.
nir·va·na, N-[nə:rvá:nə, niər-, -vǽnə] *n.* (Skt.) Ⓤ 〖佛〗 열반(涅槃).
nit[nit] *n.* Ⓒ (이 따위의) 알, 유충.
nít-pìcking *n., a.* 《美口》 Ⓤ 흠을 들추는 (일).
ni·trate[náitrit, -treit] *n.* Ⓤ,Ⓒ 질산염; 질산칼륨[나트륨]. **~ *of silver*** 질산은. — *vt.* 질산(염)으로 처리하다; 니트로화(化)하다.
nítric ácid 질산.
:ni·tro·gen[náitrədʒən] *n.* Ⓤ 〖化〗 질소. **ni·trog·e·nous**[naitrá-/-ɔ́-] *a.*

nìtro·glýcerin, -glýcerine *n.* Ⓤ 〖化〗 니트로 글리세린.
nítrous óxide 〖化〗 아산화 질소, 소기(笑氣).
nit·ty-grit·ty[nítigríti] *n.* (the ~) 《美俗》 냉엄한 현실; (문제의) 핵심.
nit·wit[nítwìt] *n.* Ⓒ 《口》 바보, 멍텅구리.
†**no**[nou] *ad.* 아니오; …이 아니다; 조금도 …이 아니다. ***No can do.*** 《口》 그런 일은 못한다. — *n.* (*pl.* **~es**) Ⓤ,Ⓒ '아니'라는 말; 부정, 거절; Ⓒ (보통 *pl.*) 반대 투표(자). ***no man's land*** 소유자가 없는 경계(境界) 지구; 〖軍〗 적과 아군 최전선의 중간지; 《美軍俗》 여군 숙영지. ***no*** SHOW. — *a.* ① 없는; 아무 것도 없는. ② 결코 …아닌〔않는〕. ***There is no*** (do)***ing.*** (…하는) 것은 도저히 불가능하다.
:**No.**[nʌ́mbər] 제…번(番)(number). ***No. 1*** 제1〔일류, 최대〕(의 것). ***No. 1 Dress*** 제1호 군복《예복 대신이 되는 군복》.
No., no. north; northern; *numero*(L. = by number).
nob[nab/-ɔ-] *n.* Ⓒ 《俗》 머리.
nob·ble[nábəl/-5-] *vt.* 《英俗》 (약품 투여 등으로 말을) 경마에서 못 이기게 하다; 속임수를 쓰다; (범인을) 잡다.
:**no·bil·i·ty**[noubíləti, -li-] *n.* Ⓤ ① 숭고함, 고상함. ② 고귀한 태생〔신분〕; (the ~) 귀족 (계급).
:**no·ble**[nóubəl] *a.* ① 고귀한; 고상한. ② 훌륭한; 귀중한. — *n.* Ⓒ 귀족. **~·ness** *n.* ***no·bly** *ad.* 훌륭하게, 고결하게, 고귀하게, 귀족답게.
***noble·man**[-mən] *n.* Ⓒ 귀족.
nóble-mínded *a.* (마음이) 숭고한, 넓은, 고결한.
no·blesse o·blige [noublés oublí:ʒ] (F.) 높은 신분에는 의무가 따른다.
nóble·wòman *n.* Ⓒ 귀부인.
†**no·bod·y**[nóubàdi, -bədi/-bɔ̀di] *pron.* 아무도 …않다. — *n.* Ⓒ 《口》 하찮은 사람.
***noc·tur·nal** [naktə́:rnl/nɔk-] *a.* 밤의(opp. diurnal); 〖動〗 밤에 활동하는; 〖植〗 밤에 피는.
noc·turne [náktə:rn/-5-] *n.* Ⓒ 〖樂〗 야상곡; 〖美術〗 야경화(night piece).
:**nod**[nad/-ɔ-] *vi.* (**-dd-**) ① 끄덕이다; 끄덕하고 인사하다. ② 졸다; 방심〔실수〕하다. ③ (꽃 따위가) 흔들거리다. ***Even Homer sometimes ~s.*** 《속담》 원숭이도 나무에서 떨어질 때가 있다. ***~ding acquaintance*** 만나면 인사나 할 정도의 사이. — *vt.* (머리를) 끄덕이다; 끄덕여 표시하다; 굽히다. — *n.* Ⓒ 끄덕임《동의·인사 따위》; 졺; (사람을 턱으로 부리는) 지배력. ***be at a person's ~*** 아무의 지배하에 있다. ***the land of N-*** 〖聖〗 잠의 나라; 수면.
nod·al[nóudl] *a.* node의〔같은〕.
node[noud] *n.* Ⓒ 마디, 혹; 〖植〗 마디《잎이 나는 곳》; 〖理〗 마디《진동체의 정지점〔선·면〕》; (조직의) 중심점; 〖컴〗 마디, 노드《네트워크의 분기점이나 단말 장치의 접속점》.
nod·ule[nádʒu:l/nɔ́dj-] *n.* Ⓒ 작은 혹〔마디〕; 작은 덩이. **nód·u·lar** *a.*
no·el[nouél] *n.* Ⓒ 크리스마스의 축가; Ⓤ (N-) 크리스마스.
nó-fàult *n., a.* Ⓤ 《美》 (자동차 보험에서) 무과실 보험《과실 유무에 관계없이 피해자 자신의 보험에서 지불되는 방식》(의).
nog·gin[nágin/-5-] *n.* Ⓒ 작은 잔; 액량 단위《1/4 pint》; 《美口》 머리.
nó-gó *a.* 《俗》 진행 준비가 돼 있지 않은; 《英》 출입 금지의.
†**noise**[nɔiz] *n.* ① Ⓤ,Ⓒ 소음; 소리, 시끄러운 목소리, 법석. ② Ⓤ (TV·라디오의) 잡음; 〖컴〗 잡음《회선의 난조로 생기는 자료의 착오》. ***make a ~*** 떠들다. ***make a ~ in the world*** 평판이 나다, 유명해지다. — *vt.* 소문을 퍼뜨리다. ***be ~d abroad that*** …이라는 말이 퍼지다. — *vi.* 떠들다. ***∠·less** *a.* 소리 안 나는, 조용한. **∠·less·ly** *ad.*
noi·some[nɔ́isəm] *a.* 해로운; 싫은; 악취 나는. **~·ly** *ad.* **~·ness** *n.*
:**nois·y**[nɔ́izi] *a.* 시끄러운; 와글거리는. ***nóis·i·ly** *ad.* **nóis·i·ness** *n.*
***no·mad**[nóumæd, -məd, nɔ́mæd] *n.* Ⓒ 유목민; 방랑자. — *a.* 유목의; 방랑의. **~·ic**[noumǽdik] *a.* 유목

N

민의; 방랑의. ∼·ism[-ìzəm] *n.* Ⓤ 유목〔방랑〕 생활.

nó màn's lànd ⇨NO.

no·men·cla·ture [nóumənklèitʃər, nouménklə-] *n.* Ⓤ,Ⓒ (전문어의) 명명법; Ⓤ《집합적》 전문어, 학술 용어. (분류학적) 학명.

·nom·i·nal[námənl/-ɔ́-] *a.* ① 이름의; 이름뿐인, 근소한. ② 〖文〗명사의. ∼·ism [-ìzəm] *n.* Ⓤ 〖哲〗 유명론(唯名論), 명목론. ∼·ly *ad.*

:nom·i·nate[námənèit/nɔ́mi-] *vt.* 임명하다; (후보자로) 지명하다. **:-na·tion** [∸-néiʃən] *n.* Ⓤ,Ⓒ 임명〔지명〕(권). **nóm·i·na·tor** *n.*

·nom·i·na·tive [námənətiv/-ɔ́-] *n., a.* Ⓒ 〖文〗 주격(의), 주어; 지명에 의한; (증권 따위가) 기명식의.

nom·i·nee [nàməní:/-ɔ̀-] *n.* Ⓒ 임명〔지명〕된 사람.

non-[nɑn/nɔn] *pref.* '비, 불, 무' 따위의 뜻. **∼·abstáiner** *n.* Ⓒ 음주가. **∼·accéptance** *n.* Ⓤ 불승낙; 〖商〗 (어음) 인수 거절. **∼·admíssion** *n.* Ⓤ 입장 불허. **∼·aggréssion** *n.* Ⓤ 불침략. **∼·appéarance** *n.* Ⓤ 〖法〗 (법정에의) 불출두. **∼·atténdance** *n.* Ⓤ 결석. **∼·bellígerent** *n., a.* 비교전의; Ⓒ 비교전국(의). **∼·cértifiable** *a.* 《英》 정신병이라고 증명할 수 없는; 《諧》 제정신의. **∸·com**[nánkàm/nɔ́nkɔ̀m] *n.* 《口》 = NON COMMISSIONED officer. **∼·combátant** *n., a.* Ⓒ 〖軍〗 비전투원(의); (전시의) 일반 시민(의). **∼·commíssioned** *a.* 위임장이 없는; (장교로) 임명되지 않은(*a* ∼*commissioned officer*). **∼·commíttal** *a.* 언질을 주지 않는; (태도 등이) 애매한. **∼·complíance** *n.* Ⓤ 불순종. **∼·condúcting** *a.* 〖理〗 부전도(不傳導). **∼·condúctor** *n.* Ⓒ 〖理〗 부도체. **∼·cónfidence** *n.* Ⓤ 불신임. **∼·confórmance** *n.* Ⓤ 순응하지 않음; 불일치. **∼·convértible** *a.* (지폐가) 불환의. **∼·cooperátion** *n.* Ⓤ 비협력; (Gandhi 파의) 비협력 정책. **∼·delívery** *n.* Ⓤ 인도 불능; 배달 불능. **∼·esséntial** *a.* 긴요하지 않은. **∼·exístence** *n.* Ⓤ,Ⓒ 비존재. **∼·exístent** *a.* 존재하지 않는. **∼·féasance** *n.* Ⓤ 〖法〗 의무 불이행. **∼·férrous** *a.* 쇠를 함유하지 않은, 비철의(∼*ferrous metals* 비철금속《금·은·구리·납 따위》). ***∼·fíction** *n.* Ⓤ 논픽션《소설 이외의 산문 문학》. **∼·fulfíllment** *n.* Ⓤ 불이행. **∼·intervéntion** *n.* Ⓤ (외교·내정상의) 불간섭. **∼·júror** *n.* Ⓒ 선서 거부자; (N-) 〖英史〗 (1688년의 혁명 후, William Ⅲ와 Mary에 대한) 충성 선서 거부자《국교(國敎) 성직자》. **∸·línear** *a.* 직선이 아닌, 비선형(非線形)의. **∼·métal** *n.* Ⓒ 〖化〗 비금속 원소. **∼·metállic** *a.* 〖化〗 비금속의. **∼·móral** *a.* 도덕과는 관계 없는(cf. immoral). **∼·núclear** *a.* 비핵(非核)의. **∼·objéctive** *a.* 〖美術〗 비객관적인, 추상적인. **∼·pártisan** *a.* 초당파의; 무소속의; 객관적인(objective). **∼·prodúctive** *a.* 비생산적인; 직접 생산에 관여하지 않는. **∼·prófit** *a.* 비영리적인; 이익이 없는. **∼·proliferátion** *n.* Ⓤ 비증식(非增殖), (핵무기 등의) 확산 방지. **∼·prós** *vt.* (**-ss-**) 〖法〗 (원고를 법정 결석의 이유로) 패소시키다. **∸·réader** *n.* Ⓒ 독서하지 않는〔할 수 없는〕 사람; 읽는 법을 늦게 깨우치는 아이. **∼·representátional** *a.* 〖美術〗 비묘사적인. **∼·résident** *a., n.* Ⓒ 어떤 장소〔임지〕에 거주하지 않는 (사람). **∼·resístant** *a., n.* 무저항의, 맹종적인; Ⓒ 무저항(주의)자. **∼·restríctive** *a.* 〖文〗 (수식 어구가) 비제한적인. **∼·schéduled áirline(s)** 부정기 항공《항공 수송을 주로 하지만 임시로 여객 수송도 하는 것; 생략 nonsked》. **∼·sectárian** *a.* 어느 종파에도 관계하지 않은. **∸·sélf** *n.* Ⓒ 비(非)자기《면역계에 의한 공격성을 유발하는 외래성 항원 물질》. **∼·skéd** *n.* 《口》 = NONSCHEDULED AIRLINE(S). **∼·skíd** *a.* (타이어가) 미끄러지지 않는. **∼·stíck** *a.* (특히 음식이) 눌어 붙지 않는《냄비 따위》. **∼·stóp** *a., ad.* 도중 무착륙의〔으로〕, 도중 무정차의〔로〕. **∼·suppórt** *n.* Ⓤ 지지가 없음; 〖法〗 부양 의무 불이행. **∼·ténured** *a.* (대학 교수가) 종신 재직권이 없는. **∼·únion** *a.* 노동 조합에 속하지 않는〔을 인정치 않는〕.

˙~·víolence *n.* Ⓤ 비폭력(주의). ~·vóter *n.* Ⓒ (투표) 기권자.

nonce [nɑns/-ɔ-] *n.* 《다음 구로만 쓰임》 ***for the ~*** 당분간, 목하. — *a.* 임시의. ~ ***use*** 〔***word***〕 임시 용법(用法)〔어〕.

non·cha·lant [nɑ̀nʃəlɑ́:nt, nɑ́nʃələnt/nɔ́nʃələnt] *a.* 무관심한, 냉담한. ~·**ly** *ad.* -**lance** *n.*

non com·pos men·tis [nɑn kɑ́mpəs mèntis/nɔn kɔ́mpɔs-] (L. =not of sound mind) 정신이 건전치 못한, 정신 이상의.

nòn·confórming *a.* 복종치 않는; 《英》 국교를 신봉치 않는. -**confórmist** *n.* Ⓒ 비동조자; (N-) 《英》 비국교도. -**confórmity** *n.* Ⓤ 비동조; 부조화; (N-) 《英》 비국교주의.

non·de·script [nɑ̀ndiskrípt/nɔ́n ⌐⌐] *a., n.* Ⓒ 정체 모를 (사람·것).

†**none** [nʌn] *pron.* ① 아무도 …않다〔아니다〕. ② 아무 것도〔조금도〕 …않다〔아니다〕(*It is ~ of your business.* 쓸데 없는 참견이다). — *ad.* 조금도 …하지 않다. ~ ***the less*** 그런데도 불구하고.

non·éntity *n.* Ⓤ 실재하지 않음; Ⓒ 하찮은 사람〔것〕.

non·pa·reil [nɑ̀npərél/nɔ́npərəl] *a., n.* Ⓒ 비길 데 없는 (사람·것); 〖印〗 논파렐 활자《6포인트》.

non·plus [nɑ̀nplʌ́s/nɔ̀n-] *n., vt.* 당혹(當惑)(시키다). ***put*** 〔***reduce***〕 ***... to a ~*** …을 난처하게 하다. ***stand at a ~*** 진퇴 양난이다.

:**non·sense** [nɑ́nsens/nɔ́nsəns, -sens] *n.* Ⓤ 어리석은 말〔생각·짓〕, 넌센스. ***N-!*** 바보 같은 소리! **non·sén·si·cal** *a.* 무의미한, 엉터리 없는.

non se·qui·tur [nɑn sékwitər/nɔn-] (L. =it does not follow) (전제와 관계 없는) 불합리한 추론〔결론〕.

non-U [nɑ̀njú:/nɔ̀n-] *a.* 《口》 (특히 영국의) 상류 계급에 걸맞지 않는.

noo·dle [nú:dl] *n.* Ⓒ (흔히 *pl.*) 누들《달걀과 밀가루로 만든 국수》.

˙**nook** [nuk] *n.* Ⓒ (아늑한) 구석; 피난처.

†**noon** [nu:n] *n.* Ⓤ 정오; 《주로 雅》 야반; (the ~) 전성기. — *a.* 정오의. ˙∠·**dày** *n., a.* Ⓤ 정오(의). ***as clear*** 〔***plain***〕 ***as ~day*** 아주 명백한.

˙**no one, no-one** [nóuwʌ̀n] *pron.* =NOBODY.

nóon·tìme, -tìde *n.* =NOON.

noose [nu:s] *n., vt.* Ⓒ 올가미(에 걸다, 로 잡다)(cf. lasso); 속박하는 것.

†**nor**[1] [nɔ:r, 弱 nər] *conj.* (and not; or not).

nor', nor[2] [nɔ:r] *n., a., ad.* = NORTH.

Nor·dic [nɔ́:rdik] *n., a.* Ⓒ 〖人類〗 북유럽인(의); 〖스키〗 노르딕 경기의.

˙**norm** [nɔ:rm] *n.* Ⓒ 규준; 규범; 노르마《노동 기준량》; 〖컴〗 기준.

:**nor·mal** [nɔ́:rməl] *a.* ① 정상의 (regular); 보통의; 표준의; 전형적인. ② 〖數〗 수직의, 직각을 이루는. ③ 〖化〗 규정(規定)의; (실험 따위의) 처치를 받지 않은《동물 따위》. — *n.* Ⓤ 상태; 표준; 〖컴〗 성규; Ⓒ 〖數〗 수직선〔면〕. ~·**cy,** ~·**i·ty** [nɔ:rmǽləti] *n.* Ⓤ 정상. ~·**ize** [-àiz] *vt.* 정상으로 하다. ~·**i·za·tion** [⌐-izéiʃən/-laiz-] *n.* Ⓤ 정상화. ˙~·**ly** *ad.* 순리로; 정규적으로; 순리로 나가면, 본래 같으면.

˙**Nor·man** [nɔ́:rmən] *a.* 노르만 사람의. — *n.* Ⓒ 노르만 사람.

nor·ma·tive [nɔ́:rmətiv] *a.* 표준〔규준〕의, 규범이 되는, 규준이 있는. ~ ***grammar*** 〖文〗 규범 문법.

†**north** [nɔ:rθ] *n.* ① (the ~) 북; 북방; (*or* N-) (한 나라의) 북부 지방. ② (N-) 《美》 미국 북부《Maryland, Ohio 및 Missouri 주 이북》. ③ Ⓒ 《詩》북풍. ***in*** 〔***on, to***〕 ***the ~ of*** …의 북부에〔북쪽에 접하여, 북쪽에 위치하여〕. ~ ***by east*** 〔***west***〕 북미(微)동〔서〕. — *a.* 북쪽의, 북향의; 북쪽에 있는; 북쪽으로부터의. — *ad.* 북쪽에, 북쪽으로. ∠·**ward** *n., a., ad.* (the ~) 북방; 북방(으로)의; 북방으로, 북방에. ∠·**ward·ly** *ad., a.* 북방으로(의); 북방으로부터(의). ∠·**wards** *ad.* =NORTHWARD.

Nórth Cóuntry, the 영국 북부 지방; 《美》 알래스카와 캐나다의 Yucon 지방을 포함하는 지역.

N

:north·east[nɔ̀:rθí:st; (海) nɔ̀:r-í:st] *n.* (the ~) 북동(지방). ~ ***by east*** 〔***north***〕 북동미동〔북〕. — *a.* 북동(향)의; 북동쪽에 있는; 북동쪽으로부터의. — *ad.* 북동으로〔에〕, 북동으로부터. ~**·ward** *n., a., ad.* (the ~) 북동(의); 북동으로(의). ~**·ward·ly** *ad., a.* 북동으로(의); 북동으로부터(의). ~**·wards** *ad.* = NORTHEASTWARD.

north·east·er[-ər] *n.* Ⓒ 북동풍; 북동의 폭풍. ~**·ly** *ad., a.* 북동으로(의); 북동으로부터(의).

·north·east·ern[-ərn] *a.* 북동의; 북동으로의; 북동으로부터의.

north·er[nɔ́:rðər] *n.* Ⓒ 북풍; 북쪽으로부터의 찬바람. ~**·ly** *ad., a.* 북으로(의); 북쪽으로부터(의).

:north·ern[-n] *a.* ① 북의, 북에 있는; 북으로(부터)의. ② (N-) 《美》 북부 여러 주의. ~**·er** *n.* Ⓒ 북국인; (N-) 《美》 북부 제주(諸州)의 사람.

nórthern·mòst *a.* 가장 북쪽의, 최북단의, 극북의.

Nórth Póle, the 북극.

:north·west[nɔ̀:rθwést; (海) nɔ̀:r-wést] *n.* ① (the ~) 북서(지방). ② (N-) 《美》 북서지방《워싱턴·오리건·아이다호의 3주》. ~ ***by west*** 〔***north***〕 북서미서〔북〕. — *a.* 북서의; 북서에 있는; 북서로부터의. — *ad.* 북서쪽으로〔에〕, 북서쪽으로부터. ~**·ward** *n., ad., a.* (the ~) 북서쪽(의); 북서쪽으로(의). ~**·ward·ly** *ad., a.* 북서쪽으로(의); 북서쪽으로부터(의). ~**·wards** *ad.* = NORTHWESTWARD.

north·west·er[nɔ̀:rθwéstər; (海) nɔ̀:rwéstər] *n.* Ⓒ 북서풍; 북서의 강풍(nor'wester). ~**·ly** *ad., a.* 북서로(의); 북서로부터(의).

·north·west·ern[-n] *a.* ① 북서의; 북서로의; 북서로부터의. ② (N-) 《美》 미국 또는 캐나다 북서 지방의.

†nose[nouz] *n.* ① Ⓒ 코. ② (a ~) 후각(기관); 직감력(直感力)(*for*). ③ Ⓒ 돌출부; 뱃머리, 기수(機首); 원통(圓筒)〔대롱〕의 끝; 총부리. ***count*** 〔***tell***〕 ~***s*** 찬성〔출석〕자의 수를 세다. ***cut off one's ~ to spite one's face*** 홧김에 자기에게 손해되는 일을 해〔말해〕버리다. ***follow one's ~*** 곧바로 가다; 본능대로 행동하다. ***lead a person by the ~*** (아무를) 마음대로 부리다; (아무를) 뜻대로 다루다. ~ ***to*** ~ 얼굴을 맞대고. ***pay through the ~*** 엄청난 값을 치르다. ***put*** 〔***poke, thrust***〕 ***one's ~ into*** …에 쓸데없이 참견하다. ***put a person's ~ out of joint*** 아무의 기선을 제하다. ***turn up one's ~ at*** …을 경멸하다. ***under a person's ~*** 아무의 코밑〔면전〕에서; 상대방의 기분에 개의하지 않고. — *vt.* ① 냄새를 맡다; 냄새를 맡아 내다, 낌새채다(*out*). ② 코를 비벼대다. ③ (배가) 전진하다. — *vi.* ① 냄새맡다(*at, about*). ② 찾다(*after, for*). ③ 캐내다(pry)(*into*). ④ (배가) 전진하다. ~ ***down*** 〖空〗 기수를 아래로 하다. ~ ***out*** (은밀히) 찾아내다. ~ ***over*** 〖空〗 (착륙시 기수를 밑으로) 꺾다.

nóse bàg (말 목에 거는) 꼴망태.

nóse·blèed *n.* Ⓤ 코피, 비(鼻)출혈.

nóse dìve 〖空〗 급강하; (가격의) 폭락.

nóse·gày *n.* Ⓒ (향기가 좋은) 꽃다발.

nóse rìng (소의) 코뚜레, (야만인의) 코고리.

nos·ey[nóuzi] *a.* = NOSY.

nosh[nɑʃ/nɔʃ] *n.* Ⓒ 《口》 가벼운 식사, 간식; 음식. — *vi., vt.* 가벼운 식사를 하다, 간식하다, 먹다.

nó-shów *n.* Ⓒ 《美口》 (좌석을 예약하고도) 출발할 때까지 나타나지 않는 손님.

·nos·tal·gi·a[nɑstǽldʒiə/nɔs-] *n.* Ⓤ 향수, 회향병(homesickness); 회고의 정. **-gic** *a.* 향수적인; 회고적인.

·nos·tril[nɑ́stril/-ɔ́-] *n.* Ⓒ 콧구멍.

nos·trum[nɑ́strəm/-ɔ́-] *n.* Ⓒ 엉터리약; 매약; (문제 해결의) 묘안.

nosy[nóuzi:] *a.* 《口》 시시콜콜하게 캐기 좋아하는.

Nósy Párker 《口》 참견 잘하는 사람.

†not[強 nɑt/-ɔ-; 弱 nt] *ad.* …이 아니다, …않다.

:no·ta·ble[nóutəbəl] *a.* ① 주목할 만한; 현저한(striking); 저명한. ②

《古》(주부가) 살림 잘하는. — *n.* Ⓒ (보통 *pl.*) 명사. *-**bly** *ad.* 현저히; 특히. -**bil·i·ty**[⌐-bílə-] *n.* Ⓤ 저명; Ⓒ (보통 *pl.*) 명사.

nó·ta·ry (públic)[nóutəri(-)] *n.* Ⓒ 공증인.

no·ta·tion[noutéiʃən] *n.* Ⓤ 기호법; 〖數〗 기수(記數)법; 〖樂〗 기보(記譜)법; Ⓒ (수·양 따위의) 한조의 기호; 《美》 메모; 기록(record); 써놓음; 〖컴〗 표기법. ***decimal*** ~ 10진법.

***notch**[natʃ/-ɔ-] *n.* Ⓒ ① (V자형의) 새김눈. ② 《美》 (깊고 좁은) 산길. ③ 《口》 단(段), 급(級). — *vt.* (…에) 금〔새김눈〕을 내다(*into*); 금을 그어 기록하다(*up, down*).

†**note**[nout] *n.* ① Ⓒ 표; 기호. ② Ⓒ 메모; 주(註), 주석. ③ Ⓒ 짧은 편지. ④ Ⓒ (외교상의) 통첩, (간단한) 성명〔보고〕서; 초고. ⑤ Ⓒ 어음, 지폐. ⑥ Ⓒ 〖神〗 진정(眞正)이라는 증거. ⑦ Ⓒ 〖樂〗 음표, (전용되어서) 가락, 선율, 노래; 어조(語調). ⑧ Ⓒ (새의) 울음소리; (악기·목소리 등의) 소리. ⑨ Ⓒ (피아노 따위의) 건. ⑩ (보통 *sing.*) 특징; Ⓤ 주의, 주목 (notice). ⑪ Ⓤ 저명, 중요(*a man of* ~ 명사). ***compare*** **~*s*** 의견을 교환하다. ***make a*** ~ 〔***take*** **~*s***〕 ***of*** …을 필기하다. ***take*** ~ ***of*** …에 주의하다. — *vt.* 적어두다(*down*); 주목〔주의〕하다; 주(註)를 달다; (글 속에서) 특히 언급하다; 지시하다, 의미하다. *__not·ed__[⌐id] *a.* 유명한 (*for*).

†**note·book**[⌐bùk] *n.* Ⓒ 공책, 노트; 어음장.

nótebook compùter 〖컴〗 노트북 컴퓨터.

nóte pàper 편지지.

:**nóte·wòrthy** *a.* 주목할만한, 현저한.

†**noth·ing**[nʌ́θiŋ] *pron.* 아무 일〔것〕도 …아님. — *n.* ① Ⓤ 무, 영; 존재하지 않는 것. ② Ⓒ 시시한 사람〔것〕. ***come to*** ~ 실패로 끝나다. ***for*** ~ 무료로; 무익하게; 이유없이. ***have*** ~ ***to do with*** …에 조금도 관계가 없다. ***make*** ~ ***of*** 대수롭게 보지 않다, …을 우습게 여기다; 이해할 수 없다. ~ ***but*** = ONLY. ***think*** ~ …을 경시하다〔얕보다〕. — *ad.* 조금도 …이 아니다〔…않다〕. ~·**ness** *n.* Ⓤ 무, 공; 존재하지 않음; 무가치; Ⓒ 시시한 것; Ⓤ 인사 불성, 죽음.

†**no·tice**[nóutis] *n.* ① Ⓤ 주의, 주목. ② Ⓤ 통지, 신고. ③ Ⓤ 예고, 경고. ④ Ⓒ 공고, 게시; 소개, 비평. ⑤ Ⓤ 애고(愛顧). ***at a moment's*** ~ 곧, 즉각. ***at short*** ~ 갑자기. ***bring to*** 〔***under***〕 ***a person's*** ~ 아무의 주의를 환기시키다. ***come into*** 〔***under***〕 ***a person's*** ~ 아무의 눈에 띄다. ***give*** ~ 통지하다; 예고하다. ***take*** ~ 주의하다, 보다(*take no* ~ *of* …에 주의하지 않다). ***until further*** ~ 추후에 통지가 있을 때까지. ***without*** ~ 무단히, 통고 없이. — *vt.* ① 알게 되다, 인식하다; 주의하다. ② 통지하다; 언급하다; 평하다. * ~·**a·ble** *a.* 눈에 띄는; 주목할 만한. ~·**a·bly** *ad.*

nótice bòard 《주로 英》 게시판.

:**no·ti·fy**[nóutəfài] *vt.* (…에게) 통지〔통고〕하다; 공고하다; 신고하다. -**fi·a·ble** *a.* (전염병 따위가) 신고해야 할. -**fi·ca·tion**[⌐-fikéiʃən] *n.* Ⓤ 통지; Ⓒ 통지서, 신고서.

:**no·tion**[nóuʃən] *n.* Ⓒ ① 생각, 의견; 신념; 개념; 견해; 의지. ② 어리석은 생각〔의견〕; (*pl.*) 《美》 방물 (*a* ~ *store*). ~·**al** *a.* 개념적인; 비현실적인; 공상적인; 《美》 변덕스러운.

no·to·ri·e·ty[nòutəráiəti] *n.* Ⓤ (보통, 나쁜 뜻의) 평판, 악명; Ⓒ 《주로 英》 화제의 인물.

***no·to·ri·ous**[noutɔ́:riəs] *a.* (보통, 나쁜 의미로) 유명한, 악명 높은.

:**not·with·stand·ing** [nàtwiðstǽndiŋ, -wiθ-/nɔ̀t-] *prep.* …에도 불구하고. — *ad.* 그런데도 불구하고. — *conj.* …에도 불구하고, …한데. 「《당과》.

***nou·gat**[nú:gət, -ga:] *n.* Ⓤ,Ⓒ 누가

nought[nɔ:t] *n.* = NAUGHT. — *ad.* 《古》 조금도 …않다.

:**noun**[naun] *n., a.* Ⓒ 〖文〗 명사(용법의).

:**nour·ish**[nə́:riʃ, nʌ́r-] *vt.* ① (…에) 영양분을 주다; 기르다; 살찌게〔기름지게〕 하다; 육성하다(foster).

N

② (희망 따위를) 품다. ***~·ing** *a.* 영양분이 되는〔많은〕. ***~·ment** *n.* Ⓤ 영양물, 음식물.
nou·veau riche [nú:vou rí:ʃ] (F.) (*pl.* ***nouveaux riches***) 벼락 부자.
***Nov.** November.
no·va [nóuvə] *n.* (*pl.* **-vae** [-vi:], **~s**) Ⓒ 〖天〗 신성(新星).
:nov·el [návəl/-ɔ́-] *a.* 신기한. — *n.* Ⓒ (장편) 소설. **~·ette** [≻–ét] *n.* Ⓒ 단편 소설; 〖樂〗 피아노 소곡. ***~·ist** *n.* Ⓒ 소설가. **:~·ty** *n.* Ⓤ 새로움; Ⓒ 새로운〔색다른〕 일〔것〕; (*pl.*) 작은 신안물(新案物)《장난감, 값싼 보석 따위》.
no·vel·la [nouvélə] *n.* (It.) (*pl.* **~s, -le** [-lei]) Ⓒ 중편 소설, 소품(小品). 「월.
†No·vem·ber [nouvémbər] *n.* 11
***nov·ice** [návis/-ɔ́-] *n.* Ⓒ ① 수련자《수사와 수녀》; 수련 수사〔수녀〕; (기독교에의) 새 귀의자. ② 초심〔미숙〕자.
†now [nau] *ad.* ① 지금, 지금은; 지금 사정으로는. ② 곧; 방금. ③ 그리고는(then); 다음에; 《명령·감탄사적》 자, 그런데. — *a.* 《美俗》 유행의, 최신 감각의. **~ *and then* 〔*again*〕** 때때로. **~ ... ~** 혹은 … 혹은, …하다가도 …하고(~ *cloudy*, ~ *fine* 흐렸다 개였다). **~ *that*** … 이기 때문에. **~ *then*** 자 그러면; 《호칭》 애 애! — *conj.* …이니까, …인 이상은(now that). — *n.* Ⓤ 지금, 현재.
:now·a·days [náuədèiz] *n., ad.* Ⓤ 지금(은).
:no·where [nóuhwɛ̀ər] *ad.* 어디에도 …없다. ***get* ~** 얻는 바가 없다; 아무 쓸모〔효과〕 없다. 「독〕한.
nox·ious [nákʃəs/-ɔ́-] *a.* 유해〔유
***noz·zle** [názəl/-ɔ́-] *n.* Ⓤ (대통·파이프 등의) 주둥이, 노즐; 《俗》 코.
N.S.P.C.C. National Society for the Prevention of Cruelty to Children.
nth [enθ] *a.* 〖數〗 n번째의. ***to the* ~ *degree* 〔*power*〕** n차(次)〔n승(乘)〕까지; 어디까지든지; 극도로.
nu·ance [njú:ɑ:ns, –≻] *n.* Ⓒ (어조·의미·감정 등의) 미묘한 차이, 색조(色調), 뉘앙스.
nub [nʌb] *n.* Ⓒ 혹, 매듭; 작은 덩이; (the ~) 《口》 (이야기의) 핵심.
nu·bile [njú:bil, njú:bail] *a.* (여자가) 혼기의.
:nu·cle·ar [njú:kliər] *a.* 〖生〗 (세포) 핵의〔을 이루는〕; 〖理〗 원자핵의, 핵무기의, 핵보유의.
núclear énergy 원자력, 핵 에너지.
núclear fámily 핵가족.
núclear-frée zòne 비핵(무장) 지대.
núclear pówer ① 원자력. ② 핵(무기) 보유국.
nu·clé·ic ácid [nju:klí:ik-, -kléi-] 〖生化〗 핵산(核酸).
***nu·cle·us** [njú:kliəs] *n.* (*pl.* **-clei** [-kliài]) Ⓒ ① 핵, 심(心); 중심. ② 〖理〗 원자핵; 〖氣〗 원자단(團); 〖生〗 세포핵; 〖天〗 혜성핵(彗星核).
***nude** [nju:d] *a.* 발가벗은; 드러내 놓은. — *n.* Ⓒ 〖美術〗 나체화〔상〕, 누드. ***in the* ~** 나체로; 노골적으로. **núd·ism** *n.* Ⓤ (건강·미용 따위를 위한) 나체주의. **nú·di·ty** *n.* Ⓤ 벌거벗음; Ⓒ 나체의 것, 그림, 상.
nudge [nʌdʒ] *vt., n.* Ⓒ (주의를 끌려고) 팔꿈치로 가볍게 찌르다〔찌름〕.
nu·ga·to·ry [njú:gətɔ̀:ri/-təri] *a.* 하찮은, 무가치한; 쓸모없는.
nug·get [nʌ́git] *n.* Ⓒ 덩어리; 천연 금괴; 《美俗》 귀중한 것; (*pl.*) = MONEY.
:nui·sance [njú:səns] *n.* Ⓒ ① 폐, 귀찮은 일; 성가신 사람. ② 〖法〗 불법 방해(*a public* 〔*private*〕 ~). ***Commit no* ~.** 소변 금지《게시》.
null [nʌl] *a.* 무효의; 무가치한; 아무것도 없는; 영의; 〖數〗 공집합(空集合)의; 〖컴〗 빈《정보의 부재》(~ *character* 빈문자/~ *string* 빈문자열). **~ *and void*** 〖法〗 무효의.
nul·li·fy [nʌ́ləfài] *vt.* (법적으로) 무효로 하다, 파기하다, 취소하다; 쓸모없게 만들다. **-fi·ca·tion** [≻–fikéiʃən] *n.*
nul·li·ty [nʌ́ləti] *n.* Ⓤ 무효; Ⓒ 〖法〗 무효한 일〔것〕; Ⓤ 전무(全無); Ⓒ 시시한 사람〔것〕. **~ *suit*** 혼인 무효 소송.
***numb** [nʌm] *a.* 저린, 마비된; 무감각하게 된. — *vt.* 감각을 잃게 하

다; 마비시키다. ∠·**ly** *ad.* ∠·**ness** *n.*

†**num·ber**[nʌ́mbər] *n.* ① Ⓒ 수; Ⓤ,Ⓒ 총수. ② Ⓒ 숫자. ③ Ⓒ 번호, 넘버, 제(몇)호, (잡지의) 호(*the Coronation ~ of 'The Listener'* '리스너' 지(誌) 대관식(戴冠式)호). ④ Ⓒ 동료. ⑤ Ⓒ 〖文〗 수《단수·복수의》; 〖컴〗 수, 숫자. ⑥ (*pl.*) 《廢》 산수. ⑦ (*pl.*) 다수. ⑧ (*pl.*) 수의 우세. ⑨ (*pl.*) 시(verse), 운율(韻律). ⑩ Ⓒ 〖樂〗 박자; 악보. ⑪ Ⓒ 《美俗》 (특별히 선발된) 사람, 물건 (*This is our most popular ~.* 이 물건이 저희 가게에서 제일 잘 나갑니다). ⑫ (Numbers) 〖舊約〗 민수기. ***a great*** 〔***large***〕 ***~ of*** 대단히 많은, 굉장한. ***a ~ of*** 다소의; 많은. ***get*** 〔***have***〕 ***a person's ~*** 아무의 본성을 간파하다. ***in ~s*** 분책(分冊)하여. OPPOSITE ~. ***without ~*** 무수한. — *vt.* (…에) 번호를 달다[붙이다]; 세다; (…의 속에) 넣다, 산입하다; 총계 …이 되다; (…의) 수를 정하다. *~·**less** *a.* 무수한; 번호가 없는.

númber crùncher 《口》 (복잡한 계산을 하는) 대형 컴퓨터.

númber plàte (자동차의) 번호판, (가옥의) 번지 표시판.

:**nu·mer·al**[njúːmərəl] *n.* Ⓒ 숫자; 〖文〗 수사(數詞). — *a.* 수의; 수를 나타내는.

nu·mer·ate[njúːmərèit] *vt., vi.* (…을) 세다, 계정하다; (숫자를) 읽다. — [-rit] *a.* 기본적인 계산 능력을 갖는.

nu·mer·a·cy[njúːmərəsi/njúː-] *n.* Ⓤ 수량적 사고 능력, 기본적 계산력.

nu·mer·a·tor [njúːmərèitər] *n.* Ⓒ 〖數〗 (분수의) 분자(cf. denominator); 계산하는 사람, 계산기.

nu·mer·ic[njuːmérik], ***-i·cal** [-əl] *a.* 수의, 수를 나타내는, 수에 의한; 숫자로 나타낸; 〖컴〗 숫자(적). **-i·cal·ly** *ad.*

:**nu·mer·ous**[njúːmərəs] *a.* 다수의, 많은.

nu·mis·mat·ic[njùːməzmǽtik] *a.* 화폐(연구)의, 메달의. **~s** *n.* Ⓤ 화폐〔메달〕 연구, 고전학(古錢學).

***nun**[nʌn] *n.* Ⓒ 수녀.

nun·ci·o[nʌ́nʃiòu] *n.* (*pl.* **~s**) Ⓒ 로마 교황 사절(使節); 《廢》 사절.

nun·ner·y[nʌ́nəri] *n.* Ⓒ 수녀원.

***nup·tial**[nʌ́pʃəl] *a.* 결혼(식)의. — *n.* (보통 *pl.*) 결혼(식).

†**nurse**[nəːrs] *n.* Ⓒ ① 유모(wet nurse); (젖을 먹이지 않는) 보모(dry nurse). ② 간호인, 간호사. ③ 양육〔보호〕자. ***put out to ~*** 수양 아이로 주다. — *vt.* ① 젖을 먹이다; 어린애를 보다. ② 간호하다; 열심히 치료하다. ③ 양육하다; 보호하다; 위로하다. — *vi.* 젖을 먹이다; 젖을 먹다; 간호사로 일하다, 간호하다.

núrse·màid *n.* Ⓒ 애 보는 여자.

:**nurs·er·y**[nə́ːrsəri] *n.* Ⓒ ① 육아실, 아이방. ② 묘상(苗床); 양어장. ③ 양성소, (악의) 온상(hot bed). ***day ~*** 탁아소.

núrsery·màn *n.* Ⓒ 종묘원(種苗園) 주인.

núrsery rhỳme 동요, 자장가.

núrsery schòol 보육원.

***nurs·ing**[nə́ːrsiŋ] *a.* 양육〔보육〕하는. — *n.* Ⓤ (직업으로서의) 육아.

núrsing hòme (사립의) 요양소.

***nur·ture** [nə́ːrtʃər] *vt.* 양육하다; 가르치다, 길들이다; 영양물을 주다. — *n.* Ⓤ 양육; 교육; 영양물.

†**nut**[nʌt] *n.* Ⓒ ① 견과(堅果)《호두·밤 따위》. ② 난문제; 까다로운 사람. ③ 〖機〗 너트, 암나사. ④ 《俗》 머리, 대가리. ⑤ 괴짜, 미치광이. ⑥ (*pl.*) 불알. ***be ~s to*** 〔***for***〕 …이 가장 좋아하는 것이다. ***be*** 〔***dead***〕 ***~s on*** 《俗》 …을 썩 잘 하다; …을 아주 좋아하다. ***for ~s*** 《俗》《부정문에서》 조금도. ***a hard ~ to crack*** 난문제; 만만찮은 사람. ***off one's ~*** 《俗》 미쳐서(cf. off one's HEAD). — *vi.* (***-tt-***) 나무 열매를 줍다[찾다].

nút-brówn *n., a.* Ⓤ 밤색(의).

nút·càse *n.* Ⓒ 《俗》 머리가 돈 사람.

nút·cràcker *n.* Ⓒ (보통 *pl.*) 호두 까는 기구; 〖鳥〗 산갈가마귀.

nút hòuse 《俗》 정신 병원.

nut·meg[∠mèg] *n.* Ⓒ 〖植〗 육두구

(나무·열매), 육두구의 인(仁)《약용·조미료》.

nu·tri·ent[njú:triənt] *a., n.* 영양이 되는; Ⓒ 영양물.

˙**nu·tri·tion**[nju:tríʃən] *n.* Ⓤ ① 영양(섭취, 상태). ② 영양물, 음식물. ③ 영양학. ~**·al** *a.* ~**·ist** *n.* Ⓒ 영양학자; 영양사(士).

nu·tri·tious[nju:tríʃəs] *a.* 영양이 되는〔많은〕.

nu·tri·tive[njú:trətiv] *a.* 영양의; 영양이 되는〔있는〕.

nút·shèll *n.* Ⓒ 견과(堅果)의 껍질. (***to say***) ***in a*** ~ 간단히〔한 마디로〕 (말하면).

nut·ty[⌐i] *a.* 견과(堅果)가 든; 견과 같은 (맛의); 《俗》 미친(crazy).

nuz·zle[nʌ́zəl] *vt.* (돼지가) 코로 파헤치다〔비비다〕, 코를 들이 밀다; 끌어 안다. — *vi.* 코로 구멍을 파다; 코로 밀어〔비비〕대다(*into, against*); 바싹 붙어 자다.

NW, N.W., n.w. northwest(ern). ˙**N.Y.** New York. **N.Y.C.** New York City.

:**ny·lon**[náilɑn/-lən, -lɔn] *n.* Ⓤ 나일론; (*pl.*) 나일론 양말, 《특히》 스타킹.

:**nymph**[nimf] *n.* Ⓒ ① 〖神話〗 님프《바다·강·샘·숲 따위에 사는 요정(妖精)》; 아름다운 소녀. ② (유충과 성충 중간의) 어린 벌레; 번데기. ~ ***pink*** 적자색(赤紫色). ⌐**·ish** *a.* 님프의, 님프 같은.

nymph·et[nímfit] *n.* Ⓒ 성에 눈뜬 10대 초의 소녀.

nym·pho·ma·ni·a[nìmfəméiniə] *n.* Ⓤ 〖病〗 (여자의) 성욕 이상 항진증, 색정광(色情狂). **-ni·ac**[-niæ̀k] *a., n.* Ⓒ 색정증의 (여자).

N.Z., N.Zeal. New Zealand.

O

O[1], **o**[ou] *n.* (*pl.* ***O's, o's***[-z]) Ⓒ O자형의 것.
:O[2] *int.* 오!; 저런!; 아!
oaf[ouf] *n.* Ⓒ 기형아; 백치(아(兒)), 천치, 뒤틈바리.
:oak[ouk] *n.* Ⓒ 떡갈나무〔졸참나무〕(비슷한 관목); Ⓤ 그 재목.
˚oak·en[⌐ən] *a.* 떡갈나무〔졸참나무〕제(製)의.
O.A.P. 《英》 old-age pension(-er).
˚oar[ɔːr] *n.* Ⓒ 노; 노 젓는 사람. ***be chained to the*** ~ (노예선의 노예처럼) 고역을 강제당하다. ***have an*** ~ ***in every man's boat*** 누구의 일에나 말참견하다. ***put*** 〔***thrust***〕 ***in one's*** ~ 쓸데 없는 참견을 하다 《in은 문장 끝에 와도 무방함》. — *vt., vi.* 노젓다.
óar·lòck *n.* Ⓒ 노받이.
óars·man[-zmən] *n.* Ⓒ 노 젓는 사람(rower).
O.A.S. on active service; (F.) *Organization de l'Armée secrète* 비밀 군사 조직; Organization of American States 아메리카주(洲) 기구.
˚o·a·sis[ouéisis] *n.* (*pl.* ***-ses***[-siːz]) Ⓒ 오아시스; 위안의 장소.
:oat[out] *n.* Ⓒ (보통 *pl.*) 귀리《특히 말의 주식》; 《古》 보리피리, 목가(牧歌). ***feel one's*** ~***s*** 《口》 원기 왕성하다; 《口》 (마음이) 들뜨다; 잘난 체하다. ***sow one's wild*** ~***s*** 젊은 혈기로 방탕을 하다. ***wild*** ~ 귀리 비슷한 잡초; (*pl.*) 젊은 혈기의 도락.
:oath[ouθ] *n.* (*pl.* ~***s***[-ðz, -θs]) Ⓒ ① 맹세, 선서. ② (강조·분노를 표시할 때의) 신명 남용(神名濫用). ③ 저주, 욕설. ***make*** 〔***take, swear***〕 ***an*** ~ 선서하다. ***on*** 〔***upon***〕 ~ 맹세코.
˚oat·meal [óutmiːl] *n.* Ⓤ 오트밀(죽), 곱게 빻은 귀리.
OAU Organization of African Unity.
ob·du·rate[ábdjurit/ɔ́b-] *a.* 완고한, 냉혹한. ~**·ly** *ad.* **-ra·cy** *n.*
O.B.E. Officer of the British Empire.
:o·be·di·ence[oubíːdiəns] *n.* Ⓤ (권위·법률에 대한) 복종; 〚가톨릭〛 귀의(歸依), (교회의) 권위, 지배. ***in*** ~ ***to*** …에 복종하여.
:o·be·di·ent[oubíːdiənt] *a.* 순종하는, 유순한(*to*). ***Your*** (***most***) ~ ***servant*** 근백(謹白)《공문서의 끝맺음말》. ~**·ly** *ad.* ***Yours*** ~***ly*** 근백(謹白)《공문서 등에서 끝맺음말》.
o·bei·sance[oubéisəns, -bíː-] *n.* Ⓒ (존경을 표시하는 정중한) 인사; Ⓤ 존경, 복종. ***do*** 〔***make, pay***〕 ~ ***to*** …에게 경의를 표하다. ***make*** (***an***) ~ ***to*** …에게 경례하다.
˚ob·e·lisk[ábəlìsk/ɔ́b-] *n.* Ⓒ 방첨탑(方尖搭); 〚印〛 단검표(dagger) 《†》.
o·bese[oubíːs] *a.* 뚱뚱한. **o·be·si·ty** [-bíːsəti] *n.* Ⓤ 비만, 비대.
:o·bey[oubéi] *vt., vi.* 복종하다; (*vt.*) …(이 시키는) 대로 움직이다.
ob·fus·cate [ɑbfʌ́skeit, ⌐–⌐/ɔ́bfʌskèit] *vt.* (마음을) 어둡게 하다; 어리둥절하게 하다; 멍하게 하다. **-ca·tion**[⌐–kéiʃən] *n.*
o·bit·u·ar·y[oubítʃuèri] *n., a.* Ⓒ (약력을 붙인) 사망 기사; 사망의; 사망을 기록한.
†ob·ject[ábdʒikt/ɔ́-] *n.* Ⓒ ① 물체, 물건. ② 대상(*of, for*); 목적(물). ③ 〚哲〛 객관, 대상, 객체. ④ 〚文〛 목적어. ⑤ 불쌍한〔우스운, 어리석은, 싫은〕 사람〔것〕. ⑥ 〚컴〛 목적, 객체《정보의 세트와 그 사용 설명》. — [əbdʒékt] *vi.* 반대〔불복〕하다(*to*). — *vt.* 반대 이유로 들다, 반대하다. ~**·less** *a.* 목적 없는. **ob·jéc·tor** *n.* Ⓒ 반대자.
:ob·jec·tion[əbdʒékʃən] *n.* ① Ⓤ,Ⓒ

반대, 이의(異議); 혐오. ② Ⓒ 반대 이유; 난점; 장애. *~·a·ble *a.* 이의 있는; 싫은.

:ob·jec·tive[əbdʒéktiv] *a.* ① 객관적인; 편견이 없는. ② 실재의; 외적(外的)인. ③ 목표의; 〖文〗 목적(격)의. ── *n.* Ⓒ ① 목표, 목적(물); 실재물. ② 〖文〗 목적격[어]. ③ 대물 렌즈. *~·ly *ad.* 객관적으로. **-tiv·ism**[-təvìzəm] *n.* Ⓤ 〖哲〗 객관주의[성]. **-tiv·i·ty**[⌐--tívəti] *n.* Ⓤ 객관성.

O

óbject lèsson 실물(實物) 수업.

ob·jet d'art [ɔ̀bʒɛdáːr] (F.) (*pl.* ***objets d'art***) 작은 미술품.

ob·li·gate[ábləgèit/ɔ́b-] *vt.* (도덕·법률상의) 의무를 지우다; 강제하다.

:ob·li·ga·tion[àbləgéiʃən/ɔ̀blə-] *n.* ① Ⓒ 계약서. ② Ⓤ,Ⓒ 의무; 책임. ③ Ⓒ 채무; 증서. ④ Ⓤ,Ⓒ 은혜. ***be*** [***lie***] ***under an ~ to*** …해야 할 의무[의리]가 있다. ***put under an ~*** (아무에게) 은혜를 베풀다.

ob·lig·a·to·ry[əblígətɔ̀ːri, ábligə-/ɔblígətəri] *a.* (도덕·법률상의) 의무로서 지게 되는(*on, upon*); 필수의.

:o·blige[əbláidʒ] *vt.* ① …할 의무를 지우다; 별수 없이 …하게 하다(*to* do); 강제하다. ② (…에게) 은혜를 베풀다; 고맙게 여기도록 하다. ***be ~d*** 감사하다(*I am much ~d* (*to you*). 참으로 고맙습니다). ***~*** (*a person*) ***by*** do***ing*** (아무에게) …하여 주다. **o·blíg·ing** *a.* 친절한.

***ob·lique**[əblíːk] *a.* 비스듬한; 부정한; 간접의, 완곡한; 〖文〗 사격(斜格)의. ── *vi.* 비스듬히 되다. **~·ly** *ad.* **-líq·ui·ty**[əblíkwəti] *n.* Ⓤ 경사; 부정(행위).

***ob·lit·er·ate**[əblítərèit] *vt.* 지우다, 말살하다; 흔적을 없애다. **-a·tion** [-⌐-éiʃən] *n.*

ob·liv·i·on**[əblíviən] *n.* Ⓤ 망각; 잊기 쉬움. ***fall [***sink, pass***] ***into ~*** 세상에서 잊혀지다.

***ob·liv·i·ous**[əblíviəs] *a.* 잊기 쉬운. (…을) 잊고(*of*); 관심 없는(unmindful). **~·ly** *ad.* **~·ness** *n.*

***ob·long**[áblɔːŋ/ɔ́blɔŋ] *n., a.* Ⓒ 장방형(長方形)(의).

ob·lo·quy[ábləkwi/ɔ́b-] *n.* Ⓤ (항간의) 욕; 비난; 오명; 불명예.

ob·nox·ious[əbnákʃəs/-ɔ́-] *a.* 불쾌한; 밉살스러운. **~·ly** *ad.*

o·boe[óubou] *n.* Ⓒ 오보에《목관악기》. **ó·bo·ist** *n.* Ⓒ 오보에 취주자.

ob·scene[əbsíːn] *a.* 외설한; 추잡한. **~·ly** *ad.* **ob·scen·i·ty**[-sénəti, -síːn-] *a.*

ob·scur·ant(**·ist**) [əbskjúərənt(-ist)/ɔbskjúər-] *n.* Ⓒ 비교화(非教化)주의자. **-ant·ism**[-ìzəm] *n.* Ⓤ 비교화주의.

:ob·scure[əbskjúər] *a.* 어두운; 불명료한; 모호한; 세상에 알려지지 않은; 눈에 띄지 않는, 숨은; 미천한. ── *vt.* 어둡게 하다; 덮어 감추다; (주제 따위를) 불명료하게 하다; (남의 명성 따위의) 빛을 잃게 하다. **ob·scu·ra·tion**[àbskjuəréiʃən/ɔ̀b-] *n.*

ob·scu·ri·ty**[əbskjúərəti] *n.* ① Ⓤ 어두컴컴함; 불명료; Ⓒ 난해한 곳. ② Ⓒ 무명인[장소]. ③ Ⓤ 미천. ***retire into ~ 은퇴하다. ***sink into ~*** 세상에 묻히다.

ob·se·quies[ábsəkwiz/ɔ́b-] *n. pl.* (장중(莊重)한) 장례식. **-qui·al**[absíːkwiəl/ɔb-] *a.*

ob·se·qui·ous[əbsíːkwiəs] *a.* 추종적인.

ob·serv·a·ble[əbzə́ːrvəbəl] *a.* 관찰할 수 있는, 주목할 만한; 주목해야 할; 지켜져 있는; 지켜야 할. **-bly** *ad.* 눈에 띄게.

:ob·serv·ance[əbzə́ːrvəns] *n.* ① Ⓤ (법률·관례의) 준수(*of*). ② Ⓒ (지켜야 할) 의식; 습관; (수도회의) 규율.

***ob·serv·ant**[əbzə́ːrvənt] *a.* ① 주의 깊은(*of*); 관찰력이 예리한. ② (법률을) 준수하는(*of*). **~·ly** *ad.*

:ob·ser·va·tion [àbzərvéiʃən/ɔ̀-] *n.* ① Ⓤ,Ⓒ 관찰(력), 주목; 감시. ② Ⓤ,Ⓒ (과학상의) 관찰; 〖海〗 천측(天測). ③ Ⓒ 관찰 결과; (*pl.*) 관측 보고. ④ Ⓒ (관찰한) 소견, 언설(言說). **~·al** *a.*

***ob·serv·a·to·ry** [əbzə́ːrvətɔ̀ːri/-təri] *n.* Ⓒ ① 천문[기상]대; 관측소. ② 전망대; 감시소.

:ob·serve[əbzə́ːrv] *vt.* ① 주시[주목]하다; 관찰[관측]하다; 연구하다.

② 지키다; (제례·의식을 규정대로) 거행하다, 축하하다. ③ 말하다. — *vi.* 관찰하다; 소견을 말하다(*on, upon*).
:**ob·serv·er**[-ər] *n.* Ⓒ ① 관찰[관측]자. ② (회의의) 옵서버. ③ 준수자.
ob·sess[əbsés] *vt.* (악마·망상 등이) 들리다(haunt); 붙어 다니다. **ob·sés·sion** *n.* Ⓤ 들러붙음; Ⓒ 강박 관념, 망상.
ob·so·les·cent[àbsəlésənt/ɔ̀b-] *a.* 쓸모 없이 되고 있는. **-cence** *n.*
˙**ob·so·lete**[ábsəlìːt/-ɔ́-] *a.* 쓸모없이 된, 안 쓰는; 구식의. 「애(물).
:**ob·sta·cle**[ábstəkəl/-ɔ́-] *n.* Ⓒ 장
ob·stet·ric[əbstétrik/ɔb-], **-ri·cal** [-əl] *a.* 산과(産科)의. **-rics** *n.* Ⓤ 산과학.
ob·ste·tri·cian [àbstetrí∫ən/ɔ̀b-] *n.* Ⓒ 산과의사.
:**ob·sti·nate**[ábstənit/ɔ́bstə-] *a.* ① 완고한, 억지센, 끈질긴. ② (저항따위) 완강한. ③ (병 따위) 난치의. **:~·ly** *ad.* ˙**-na·cy** *n.* Ⓤ 완고; 난치; Ⓒ 완고한 언행.
ob·strep·er·ous[əbstrépərəs] *a.* 소란한; 날뛰는; 다루기 힘든. **~·ly** *ad.*
˙**ob·struct**[əbstrʌ́kt] *vt., vi.* (통로 등을) 막다; (통행 등을) 가로막다; (사물의 진행이나 사람의 활동을) 방해하다. ˙**ob·strúc·tion** *n.* Ⓤ 장애; 방해; Ⓒ 장애[방해]물. **ob·strúc·tive** *a.* 방해하는.
†**ob·tain**[əbtéin] *vt.* (노력의 결과를) 손에 넣다; 획득하다. — *vi.* (풍습 따위가) 행해지다. ˙**~·a·ble** *a.* 얻을[획득할] 수 있는.
ob·trude[əbtrúːd] *vt.* 떠맡기다, 불쑥 내밀다. — *vi.* 주제넘게 나서다. ~ ***oneself*** 주제넘게 나서다(*upon, into*). **ob·tru·sion**[-ʒən] *n.* Ⓤ 무리한 강요(*on*); 주제넘은 참견. **ob·trú·sive** *a.* 강요하는 듯한; 중뿔나게 참견하는, 주제넘은.
ob·tuse[əbtjúːs] *a.* 둔한; 〖數〗 둔각(鈍角)의; 머리가 둔한, 둔감한. ~ ***angle*** 〖數〗 둔각. ~ ***triangle*** 둔각 삼각형. **~·ly** *ad.*
ob·verse[ábvəːrs/ɔ́b-] *n.* (the ~) (화폐·메달 등의) 표면(opp. reverse); 거죽; (사실의) 이면. — [ɑbvə́ːrs, ⌐–/ɔ́bvəːrs] *a.* 표면의; 상대하는.
ob·vi·ate[ábvièit/ɔ́-] *vt.* (위험 등을) 제거하다, 미연에 방지하다.
:**ob·vi·ous**[ábviəs/ɔ́-] *a.* 명백한. **:~·ly** *ad.* **~·ness** *n.*
:**oc·ca·sion**[əkéiʒən] *n.* ① Ⓒ (특수한) 경우, 기회. ② (*sing.*) (행동·사건이 일어날) 호기(好機). ③ Ⓤ 원인, 이유; 근거. ④ Ⓒ 특별한 행사, 축전(祝典). ***give ~ to*** …을 일으키다. ***improve the ~*** 기회를 이용하다. ***on*** [***upon***] ***~*** 이따금. ***rise to the ~*** 난국에 잘 대처하다. — *vt.* 일으키다.
:**oc·ca·sion·al**[əkéiʒənəl] *a.* 이따금의, 때때로의; 특별한 기회에 만든[쓰는]; 임시로 쓰는. **~·ism**[-ìzəm] *n.* Ⓤ 〖哲〗 우인론(偶因論). **:~·ly** *ad.* 때때로(now and then).
˙**Oc·ci·dent**[áksədənt/ɔ́-] *n.* (the ~) 서양, 구미(歐美); 서반구(西半球); (the o-) 서방(西方).
˙**Oc·ci·den·tal**[àksədéntl/ɔ̀-] *a., n.* 서양의; Ⓒ 서양 사람. **~·ism** [-təlìzəm] *n.* Ⓤ 서양풍, 서양 문화. **~·ist** *n.* Ⓒ 서양 숭배자.
oc·cult[əkʌ́lt, ákʌlt/ɔkʌ́lt] *a.* 신비[초자연·마술]적인, 불가사의의. **~·ism** *n.* Ⓤ 신비학(學). **oc·cul·ta·tion**[⌐–téi∫ən] *n.* Ⓤ,Ⓒ 은폐; 〖天〗 엄폐(掩蔽).
oc·cu·pan·cy[ákjəpənsi/ɔ́-] *n.* Ⓤ (토지·가옥의) 점유, 거주; Ⓒ 점유 기간.
˙**oc·cu·pant**[ákjəpənt/ɔ́-] *n.* Ⓒ (토지·가옥의) 점유[거주]자.
:**oc·cu·pa·tion**[àkjəpéi∫ən/ɔ̀-] *n.* ① Ⓤ 점유, 점령; 거주. ② Ⓒ 직업, 업무.
˙**oc·cu·pa·tion·al**[-əl] *a.* 직업의. **occupátional thérapy** 〖醫〗 작업 요법.
:**oc·cu·py**[ákjəpài/ɔ́-] *vt.* ① 점령[거주]하다; 사용하다; (장소를) 잡다. ② (지위를) 차지하다. ③ (마음을) 사로잡다. ④ 종사시키다. **-pi·er** *n.* Ⓒ 점유[거주]자, 점령자, 차지인(借地人), 차가인(借家人).

O

O

:**oc·cur**[əkə́ːr] *vi.* (-*rr*-) 일어나다, 마음에 떠오르다; 나타나다, 존재하다 (exist). ***It ~red to me that...*** …라는 생각이 머리에 떠올랐다.
˙**oc·cur·rence**[əkə́ːrəns, əkʌ́r-] *n.* Ⓤ 발생(happening); Ⓒ 사건.
†**o·cean**[óuʃən] *n.* ① Ⓤ (the ~) 대양; …양. ② (an ~) 끝없이 넓음; (*pl.*) 《口》 막대한 양. ***~s of*** 많은 ….
o·ce·an·ic[òuʃiǽnik] *a.* 대양산(大洋産)의, 대양에 사는; (O-) 대양주의. **-ics** *n.* Ⓤ 해양공학.
o·cea·nog·ra·phy [òuʃiənágrəfi/-nɔ́g-] *n.* Ⓤ 해양학. **-pher** *n.* Ⓒ 해양학자.
o·ce·lot[óusəlɑ̀t, ás-/óusilɔ̀t] *n.* Ⓒ (라틴 아메리카산) 표범 비슷한 스라소니.
o·cher, 《英》 **o·chre**[óukər] *n.* Ⓤ 황토(색); 《俗》 금화.
†**o'clock**[əklák/-ɔ́k] *ad.* …시(時).
˙**Oct.** October.
oct(a)-[ákt(ə)/ɔ́k-] '8' 의 뜻의 결합사.
oc·ta·gon [áktəgɑ̀n/ɔ́ktəgən] *n.* Ⓒ 팔변형; 팔각형. **oc·tag·o·nal** [-tǽg-] *a.*
oc·tane[áktein/ɔ́-] *n.* Ⓤ 옥탄《석유중의 무색 액체 탄화수소》.
oc·tave[áktiv, -teiv/ɔ́k-] *n.* Ⓒ 〖樂〗 옥타브, 8도 음정; 제 8음.
oc·tet(te)[aktét/ɔ-] *n.* Ⓒ ① 8중창(重唱)곡, 8중주(重奏)곡, 8중창단, 8중주단; 8개짜리 한 벌. ② 〖컴〗 8중수.
†**Oc·to·ber**[aktóubər/ɔk-] *n.* 10월.
oc·to·ge·nar·i·an [ɑ̀ktədʒənɛ́əriən/ɔ̀ktoudʒənɛ́ər-] *a., n.* Ⓒ 80세의 (사람); 80대의 (사람).
˙**oc·to·pus**[áktəpəs/ɔ́-] *n.* Ⓒ ① 〖動〗 낙지(비슷한 것). ② 다방면으로 해로운 세력을 떨치는 단체.
oc·u·lar[ákjələr/ɔ́-] *a.* 눈의, 눈 같은; 눈으로 본; 시각(視覺)상의. — *n.* Ⓒ 접안경(接眼鏡).
oc·u·list[ákjulist/ɔ́-] *n.* Ⓒ 안과의사.
OD[òudíː] (＜*over dose*) *n.* Ⓒ 마약의 과용.
:**odd**[ɑd/ɔd] *a.* ① 나머지〔여분〕의; 우수리의. ② 때때로의, 임시의. ③ 홀수의(cf. even[1]). ④ 묘한. ***~ and even*** 홀 짝《알아맞히기 놀이》. ˙**∠·ly** *ad.* 괴상하게; 짝이 맞지 않게. ***~ly enough*** 이상한 이야기지만. **∠·ment** *n.* Ⓒ 남은 물건; (*pl.*) 잡동사니.
odd·i·ty[ádəti/ɔ́-] *n.* Ⓤ 이상함; Ⓒ 기인, 괴짜; 야릇한 것.
˙**odds**[ɑdz/ɔ-] *n. pl. & sing.* 불평등(한 것); 우열의 차, 승산(*The ~ are in his favor* 〔*against him*〕. 그에게 승산이 있다〔없다〕); 차이; 불화, 다툼; 가망, 가능성. ***at ~*** (***with***) (…와) 사이가 좋지 않아. ***by long*** 〔***all***〕 ***~*** 훨씬. ***It is ~ that ...*** 아마도…. ***lay*** 〔***give***〕 ***~ of*** (three) ***to*** (one) (상대의 하나)에 대하여 (셋)의 비율로 걸다. ***make no ~*** 아무래도 좋다, 별차 없다. ***~ and ends*** 남은 것; 잡동사니. ***The ~ are that ...*** 아마도….
˙**ode**[oud] *n.* Ⓒ (고아하고 장중한) 송시(頌詩).
˙**o·di·ous**[óudiəs] *a.* 밉살스러운, 싫은.
o·di·um[óudiəm] *n.* Ⓤ 증오; 비난; 평판이 나쁨.
o·dom·e·ter [oudámitər/oudɔ́-] *n.* Ⓒ 〖機〗 (차의) 주행거리계.
:**o·dor,** 《英》 **o·dour**[óudər] *n.* Ⓒ 냄새; 방향(芳香); 기미; Ⓤ 평판. ***be in*** 〔***fall into***〕 ***bad*** 〔***ill***〕 ***~*** 평이 나쁘다〔나빠지다〕. ***be in good ~ with*** …에게 평이 좋다.
Od·ys·sey[ádəsi/ɔ́d-] *n.* 트로이 전쟁 후의 Odysseus의 10년 방랑을 그린 Homer작의 서사시; (o-) Ⓒ 긴 방랑 여행.
O.E.C.D. Organization for Economic Cooperation and Development.
Óedipus còmplex 〖精神分析〗 에디퍼스 콤플렉스, 친모복합(親母複合)《아들이 아버지에 반발하고 어머니를 사모하는 경향》(cf. Electra complex).
o'er [ɔːr, óuər] *ad., prep.* 《詩》 ＝ OVER.
oe·soph·a·gus [isɑ̀fəgəs/-ɔ́-] *n.* (*pl.* ***-gi***[-dʒài, -gai]) ＝ ESOPHAGUS.
†**of**[強 ɑv, ʌv/ɔv; 弱 əv] *prep.* ①

《소유·귀속》 …의, …에 속하는. ② 《거리·분리》 …의, …부터(*north of Paris*). ③ 《기원》 …에서(out of) (*come of a noble family*). ④ 《美口》 …전(to)(*a quarter of ten*). ⑤ 《원인·이유》 …에서, …로 인하여(*die of cholera*). ⑥ 《재료》 …로 된; …의, …로 만든(*The house was made of brick*). ⑦ 《분량》 …의(*a cup of tea*); …을 가진(*a house of five rooms*). ⑧ 《부분》 …의 가운데의, …중에서(*one of them*). ⑨ 《관계》 …의, …에 관한, …을, …이(*a story of adventure*). ⑩ 《작자·행위자》 ('…에 관해서는' 의 뜻에서 '…은') …의; …에 의한(by)(*That is very kind of you indeed.* 친절에 참으로 감사합니다). ⑪ 《부사구를 만듦》 (*of late* 최근 / *of an evening* 흔히 저녁 나절 같은 때에 / *all of a sudden* 갑자기). ⑫ 《목적격 관계》 …의, …을(*the creation of man* 인류의 창조(創造)). ⑬ 《동격 관계》 …의, …라는(named) (*the city of Rome*). ⑭ 《형용사구를 만듦》 …한, …이 있는(*a man of ability*).

†**off**[ɔːf/ɔf] *ad.* ① (시간·공간적으로) 떨어져서(away); 저쪽으로. ② 절단되어서; (가스·전기 등이) 끊어져서. ③ 없어질 때까지; 남김없이. ④ 생계를 이어; 기거하여. ***be ~*** 떠나다. ***~ and on,*** or ***on and ~*** 때때로, 단속적으로. ***~ with*** …을 벗은. ***O- with you!*** 가라. ***take oneself ~*** 떠나다. ***well*** 〔***badly, ill***〕 ***~*** 살림이 넉넉한〔어려운〕(cf. COME ~). — *a.* ① (말·차·도로의) 우측《먼 쪽》의《원래 쌍두 마차에 탈 때 왼쪽 말에서 탔기 때문에》. ② 〖海〗 바다〔난바다〕쪽으로 향한. ③ 본도(本道)에서) 갈라진, 지엽(枝葉)의. ④ 비번(非番)의(cf. ~ DUTY). ⑤ 평상보다 좋지 못한, 흉작의; 급이 낮은. ⑥ 《口》 있을 법하지 않은. ⑦ (전기·가스 등이) 나가서. — *prep.* …에서 (떨어져서, 벗어나서)(away from); …에서 빗나가서; …의 난〔앞〕바다에. — *int.* 가라!. — *n.* (the ~) 〖크리켓〗 (타자의) 우전방; 〖컴〗 끄기.

of·fal[ɔ́ːfəl, ɑ́f-/ɔ́f-] *n.* Ⓤ 부스러기; 고깃부스러기; 겨, 기울.

óff·bèat *a.* 파격적인, 보통과 다른; 자유로운. — *n.* Ⓒ 〖樂〗 오프비트《4박자의 재즈곡》.

óff-chànce *n.* (*sing.*) 만에 하나의 가능성, 도저히 있을 것 같지 않은 일.

:**of·fence**[əféns] *n.* 《英》 = OFFENSE.

:**of·fend**[əfénd] *vt.* 감정을 해치다; 성나게 하다. — *vi.* 죄를 범하다; (법률·예의 등을) 어기다(*against*). ˚**~·er** *n.* Ⓒ 범죄자. **~·ing** *a.* 불쾌한, 싫은.

:**of·fense,** 《英》 **-fence**[əféns] *n.* ① Ⓒ 죄; 위반, 반칙. ② Ⓤ 감정을 해치기, 모욕; 손상받은 감정, 화냄, 불쾌. ③ Ⓤ,Ⓒ 공격(자측). ***give ~ to*** …을 성나게 하다. ***take ~*** 성내다.

:**of·fen·sive**[əfénsiv] *a.* ① 불쾌한, 싫은; 무례한; 괘씸한. ② 공격적인, 공격용의(opp. defensive). — *n.* Ⓒ (보통 the ~) 공격, 공세. ***peace ~*** 평화 공세. **~·ly** *ad.* **~·ness** *n.*

†**of·fer**[ɔ́ːfər, ɑ́f-/ɔ́f-] *vt.* ① 제공〔제의〕하다, 신청하다. ② 팔려고 내놓다; 값을 부르다. ③ (신에게) 바치다. ④ 꾀하다, 시도하다. ⑤ 나타내다. — *vi.* 나타나다; 일어나다. ***~ one's hand*** (악수 따위를 위해) 손을 내밀다; 구혼하다. ***~ up*** (기도를) 드리다. — *n.* Ⓒ 제언; 신청; 제의; 매긴 값(bid). ˚**~·ing** *n.* Ⓤ 신청; 제공; 헌납; Ⓒ 공물(供物); 선물; (특히 교회에의) 헌금.

of·fer·to·ry[ɔ́ːfərtɔ̀ːri, ɑ́f-/ɔ́fətəri] *n.* Ⓒ (예배 볼 때 모으는) 헌금; 그 때 봉창하는 성구(聖句), 부르는 찬송가, 연주되는 음악.

óff·hànd *ad., a.* 즉석에서〔의〕; 아무렇게나, 되는 대로의.

†**of·fice**[ɔ́ːfis, ɑ́f-/ɔ́f-] *n.* ① Ⓤ,Ⓒ 직무, 임무, 일. ② (*pl.*) 진력, 주선. ③ (the ~; one's ~) 〖宗〗 의식, 기도. ④ Ⓤ 공직. ⑤ Ⓒ 관공서, 관청; 《英》 성(省); 《美》 국. ⑥ Ⓒ 사무소〔실〕, 회사. ⑦ Ⓒ (관청·회사·사무소 등의) 직원. ⑧ (*pl.*) (주택의) 가사실《부엌·세탁장·축사(畜舍)·변소 따위》. ***be in*** 〔***out of***〕 ***~*** 재직하고 있다〔있지 않다〕; (정당이) 정권을 잡고 있다〔에서 물러나 있다〕. ***by*** 〔***through***〕 ***the good ~s***

O

of …의 알선으로.
óffice bòy 급사, 사환.
óffice·hòlder *n.* Ⓒ 공무원. 「간.
óffice hòurs 집무 시간; 영업 시
†**of·fi·cer**[-ər] *n.* Ⓒ ① 관리, 공무원(*a police* ~ 경관). ② (회 등의) 간사, 임원. ③ 장교, 사관(opp. man). ④ (상선의) 선장, 고급 선원. ***an*** ~ ***of the day*** 일직 사관. — *vt.* 《보통 수동》 장교를 배치하다; (장교로서) 지휘[통솔]하다.
:of·fi·cial[əfíʃəl] *a.* 직무[공무]상의; 공(公)의; 공식[공인]의; 관공서풍의. — *n.* Ⓒ 공무원, 직원. ~·**dom** *n.* Ⓤ 관계(官界); 관료 (기질). ~·**ese**[-ə́-íːz] *n.* Ⓤ (완곡하고 이해하기 어려운) 관청 독특한 문체[용어]. ~·**ism**[-ìzəm] *n.* Ⓤ 관제(官制); (관청적인) 형식주의. * ~·**ly** *ad.*
of·fi·ci·ate[əfíʃièit] *vt.* 직무를 행하다; 사회하다; (신부가) 사제하다.
of·fi·cious[əfíʃəs] *a.* 참견 잘 하는 (meddlesome); 《外交》 비공식의. ~·**ly** *ad.* ~·**ness**
off·ing[ɔ́ːfiŋ/ɔ́f-] *n.* (the ~) 난바다. ***gain*** [***keep***] ***the*** ~ 난바다로 나가다, 난바다를 향해하다. ***in the*** ~ 난바다에, 눈으로 볼 수 있는 곳에, 가까이에; 절박하여.
óff-kéy *a.* 음정[가락·예상]이 벗어난.
óff-lìcense *n.* Ⓒ 《英》 (점내에서 음주는 허용되지 않는) 주류 판매 면허(가 있는 가게).
óff-lìne *a.* 《컴》 따로잇기의, (중앙처리 장치에) 직결되지 않은; 철도에서 떨어진. — *n.* 《컴》 따로잇기, 이음. 「의.
óff-péak *a.* 절정을 지난, 한산할 때
óff-pùtting *a.* 《英》 느낌이 나쁜; 당혹하게 하는.
˙**óff-séason** *n., a.* Ⓒ 한산기(閑散期), 시즌오프; 제철이 아닌.
˙**off·set**[ˊsèt] *n.* Ⓒ ① 차감 계산; 벌충. ② 《植》 분지(分枝). ③ 《印》 오프셋판; 《建》 벽단(壁段)《고층 건물 상부의 물러난 부분》. — [ˋˊ/ˊˋ] *vt.* 차감 계산하다; 《印》 오프셋판으로 하다; 《建》 (초고층 빌딩을) 벽단식(壁段式)으로 건축하다.
óff·shòot *n.* Ⓒ 분지(分枝); 지맥(支脈); 지류; 갈랫길; 분파(分派); 분가(分家).
óff·shóre *ad.* 난바다로 (향하여). — *a.* 난바다(로)의; 역외(域外)의. ~ ***fisheries*** 근해 어업. ~ ***purchase*** 역외 구입.
óff síde 반대측의; 《蹴·하키》 오프사이드의.
:óff·spring *n.* Ⓒ 《집합적》 자식; 자손; 결과.
óff·stáge *a.* 무대 뒤의.
óff-stréet *a.* (뒷)골목의.
oft[ɔːft/ɔft] *ad.* 《詩·古》 = OFTEN.
†**of·ten**[ɔ́ːfən, -tən/ɔ́f-] *ad.* 종종, 자주. ***as*** ~ ***as*** …때마다. ***as*** ~ ***as not*** 종종, 빈번히.
o·gle[óugəl] *n., vt., vi.* Ⓒ (보통 *sing.*) 추파(를 던지다).
o·gre[óugər] *n.* Ⓒ (동화의) 사람잡아 먹는 귀신. ~·**ish, ó·grish** *a.* 귀신 같은, 무서운.
†**oh**[ou] *int.* 오!; 아!; 앗! — *n.* (*pl.* ~**s,** ~**'s**) Ⓒ oh하고 외치는 소리; 《美》 제로.
ohm[oum] *n.* Ⓒ 《電》 옴《저항의 MKS 단위; 기호 Ω》.
O.H.M.S. On His [Her] Majesty's Service 공용《공문서의 무료 배달 표시》.
†**oil**[ɔil] *n.* ① Ⓤ 기름; 광유, 석유; 올리브유; 기름 같은 것. ② (*pl.*) 유화(油畵) 물감; Ⓒ 유화; Ⓤ 유포(油布). ***burn the midnight*** ~ 밤이 깊도록 공부하다. ~ ***of vitriol*** 황산. ***pour*** ~ ***on the*** (***troubled***) ***waters*** 거친 수면에 기름을 퍼붓다; 분쟁을 가라앉히다. ***smell of*** ~ 고심[공부]한 흔적이 보이다. ***strike*** ~ 유맥(油脈)을 찾아내다; 노다지를 만나다. — *vt.* ① (…에) 기름을 바르다[치다]; 기름을 먹이다. ② (지방 따위를) 녹이다; (바퀴 따위에) 기름을 발라서 움직이게 하다. ③ (…에) 뇌물을 쓰다, 매수하다(bribe); 《英俗》 속이다. — *vi.* (지방 따위가) 녹다. ***have a well*** ~***ed tongue*** 아첨을 잘 하다. ~ ***a person's hand*** [***palm***] 아무에게 뇌물을 주다(cf. butter(*v.*)). ~ ***one's tongue*** 아첨하다. ~ ***the wheels*** 바퀴에 기름을 치다; (뇌물 따위로) 일을 원활하게 해나가다. ~**ed**[-d] *a.* 기름을 바

른. ∠·**er** *n.* Ⓒ 급유자; 급유기(器)〔장치〕.

·**óil·clòth** *n.* Ⓤ,Ⓒ 유포(油布).

óil field 유전(油田).

óil pàinting 유화(법).

óil·skìn *n.* Ⓤ 유포(油布), 방수포; (*pl.*) 방수복《윗도리와 바지》.

óil slìck 〔**spìll**〕 수면에 유출한 기름.

óil·tànker *n.* Ⓒ 유조선.

óil wèll 유정(油井).

·**oil·y**[ɔ́ili] *a.* ① 기름의〔같은〕; 기름 바른; 기름 먹인; 번드르르한. ② 말솜씨 좋은. **óil·i·ly** *ad.*

·**oint·ment**[ɔ́intmənt] *n.* Ⓤ,Ⓒ 연고. ***a*** FLY² ***in the* ~.**

:**OK, O.K.**[óukéi] *a., ad.* 《口》 좋아; 틀림없어, 승인필(畢). — *vt.* 승인하다. — *n.* (*pl.* **~'s**) Ⓒ 승인.

o·kay, o·key[óukéi] *a., ad., v., n.* 《口》 ＝OK.

o·kra[óukrə] *n.* Ⓒ 『植』 오크라; 오크라의 깍지.

†**old**[ould] *a.* (***older, elder; oldest, eldest***) ① 나이 먹은; …세의; 오랜; 옛날(부터)의. ② 과거의, 시대에 뒤떨어진, 구식인; 헌; 못쓰게 된; 이전의; 전시대의, 고대의. ③ 늙은이 같은, 고리타분한. ④ 노성한; 숙련된. ⑤ 그리운. ⑥ 《口》 굉장한《다른 형용사 뒤에 붙이는 강세어》(***have a fine* ~ *time*** 즐거운 때를 보내다). ⑦ (색이) 충충한. ***dress* ~** 점잖은 옷치장을 하다. ***for an* ~ *song*** 헐값으로. ***for* ~ *sake's sake*** 옛날의 정으로. — *n.* Ⓤ 옛날. ***of* ~** 옛날의; 옛날은〔부터〕.

óld-áge *a.* 노년자의〔를 위한〕, 노인의.

óld-áge pènsion 《英》 양로 연금.

óld bóy 《주로 英》 (친근하게) 여보게, 자네(~ chap, ~ fellow); 《英》 졸업생《특히 public school의》; 쾌활한 노인.

old country, the (이민의) 조국, 고국 《종종 영국 식민지의》.

·**old·en**[∠ən] *a.* 《詩》 오래된; 옛날의.

Óld Énglish ⇨ENGLISH.

:**óld-fáshioned** *a.* 유행에 뒤떨어진, 구식의.

óld guárd, the 《집합적》 보수파. ② 《美》 정당 내의 보수파.

óld hánd ① 숙련공, 노련가(*at*).

old·ie, old·y[óuldi] *n.* Ⓒ 《口》 시대에 뒤떨어진 사람〔것〕《특히 유행가, 영화》.

óld máid 올드미스, 노처녀; 잔소리 심한 사람; 『카드』 도둑 잡기.

óld-máidish *a.* 노처녀 같은, 잔소리 심한; 딱딱한.

óld mán 《口》 부친; 남편; 보스, 선장, 사장《우두머리를 가리킴》; 《호칭》 여보게; 숙련자.

óld máster 대화가《특히 15-18세기 유럽의》; 거장의 작품.

Óld Níck 악마.

óld schòol tíe 《英》 (public school 출신자가 매는) 넥타이; public school 출신자; 학벌 (의식).

óld style 구체 활자; (the O- S-) (율리우스력(曆)에 의한) 구력(舊曆).

·**Óld Téstament, the** ⇨TESTAMENT.

·**óld-tíme** *a.* 옛날(부터)의. **-tímer** *n.* Ⓒ 《口》 고참; 구식 사람.

óld wóman 노파; 《口》 마누라; 어머니; 소심한 남자.

Óld Wórld, the 구세계《유럽·아시아·아프리카》; 동반구.

óld-wórld *a.* 구세계의; 옛날(풍)의; (O- W-) 구세계의《아메리카 대륙 이외의》, 동반구(東半球)의.

o·le·an·der[òuliǽndər] *n.* Ⓒ 『植』 서양협죽도(夾竹桃).

O lèvel 《英》 보통급(ordinary level) 《G.C.E.의 기초 학력 시험》.

ol·fac·to·ry[ɑlfǽktəri/ɔ-] *a.* 후각(嗅覺)의, 냄새의. — *n.* Ⓒ (보통 *pl.*) 후관(嗅官), 코.

ol·i·garch[áləgɑ̀ːrk/ɔ́l-] *n.* Ⓒ 과두(寡頭) 정치의 집정자(執政者); 과두제 지지자. **-gar·chy** *n.* Ⓤ 과두정치; Ⓒ 과두 정치 집정자; 과두제 국가. **-gar·chic**[∸-gɑ́ːrkik], **-chi·cal**[-əl] *a.*

:**ol·ive**[áliv/ɔ́-] *n., a.* ① Ⓒ 올리브 나무〔열매〕. ② Ⓤ 올리브 재목; 올리브색《황록색·(살갗의) 미색》(의).

ólive brànch 올리브 가지《평화의 상징》; 화평〔화해〕의 제의; 자식.

ólive gréen 올리브색, 황록색.

ólive òil 올리브유(油).

O·lym·pi·ad[əlímpiæ̀d, ou-] *n.*

O

Ⓒ (옛 그리스의) 올림피아기(紀)《한 올림피아 경기로부터 다음 경기까지의 4년간》; 국제 올림픽 대회.

O·lym·pi·an [əlímpiən, ou-] *a.* 올림포스 산의; 신과 같은; 하늘(위)의; 당당한; 거드름 빼는; Olympia의. ***the* ~ *Games*** (고대의) 올림피아 경기. — *n.* Ⓒ 올림포스 산의 신; 올림픽 대회 출전 선수.

:O·lym·pic [əlímpik, ou-] *a.* 올림피아 경기의; Olympia의. — *n.* (the ~s) 국제 올림픽 대회.

Olympic Gámes, the (고대의) 올림피아 경기; 국제 올림픽 대회.

O.M. 《英》 Order of Merit.

·o·me·ga [oumégə, -míː-, -méi-] *n.* Ⓤ,Ⓒ 그리스어 알파벳의 끝글자《Ω, ω》; (the ~) 최후; Ⓒ 〖理〗 오메가 중간자. 「오믈렛.

·om·e·let(te) [ámǝlit/ɔ́m-] *n.* Ⓒ

:o·men [óumən] *n.* Ⓒ,Ⓤ 전조, 징조; 예감. ***an evil* [*ill*] *~*** 흉조. ***be of good ~*** 징조가 좋다. — *vt.* 전조가 되다.

·om·i·nous [ámənəs/ɔ́mə-] *a.* 불길한; 험악한; 전조(前兆)의(*of*). **~·ly** *ad.* 불길하게도.

·o·mis·sion [oumíʃən] *n.* ① Ⓤ 생략; 탈락; Ⓒ 생략물, 탈락 부분. ② Ⓤ 태만. ***sins of ~*** 태만죄.

:o·mit [oumít] *vt.* (**-tt-**) 생략하다; (…하기를) 잊다; 게을리하다.

om·ni- [ámni/ɔ́m-] '전(全), 총(總), 범(汎)'의 뜻의 결합사: ***om-ni***potent.

·om·ni·bus [ámnəbʌ̀s, -bəs/ɔ́m-] *n.* Ⓒ 승합마차(자동차), 버스; = **~ bóok** 한 작가의 한 권으로 된 작품집. — *a.* 잡다한 것을 포함한, 총괄적인. **~ *film*** 옴니버스 영화.

om·nip·o·tent [amnípətənt/ɔ-] *a.* 전능의. — *n.* (the O-) 전능의 신. **-tence** *n.*

om·ni·pres·ent [àmnəprézənt/ɔ̀-] *a.* 편재(遍在)하는. **-ence** *n.*

om·nis·cient [amníʃənt/ɔm-] *a.* 전지(全知)의. — *n.* (the O-) 하느님. **-cience** *n.*

om·niv·o·rous [amnívərəs/ɔ-] *a.* 무엇이나 먹는; 잡식의; 무엇이든지 좋다는 식의(***an ~ reader*** 남독가(濫讀家)). **~·ly** *ad.*

†on [an, ɔːn/ɔn] *prep.* ① 《접촉》 …의 위에(의), …에. ② 《근거·이유》 …에 의거하여(***act on principle***). ③ 《근접》 …의 가까이에, …을 향하여(toward)(***march on Paris***). ④ …에 대해서. ⑤ 《날짜·때·결과》 …에, …와 동시에, …한 다음에(***on Sunday / on the instant*** 즉시로). ⑥《상태》 …하여(***be on fire*** 타고 있다). ⑦ 《관계》 …에 관계하여, …에 대하여(about)(***a book on music***). ⑧ 《수단》 …으로(***play on the piano***). ⑨ 《누가》 …에 더하여(***heaps on heaps*** 쌓이고 쌓여). — *ad.* ① 위에. ② 향하여. ③ 진행하여, 행해져서(***'Othello' is on.*** '오셀로' 상연중). ④ (가스·전기)가 통하여. AND ***so on. be on*** 《俗》 내기에 응하다. ***be well on*** 잘 되어가다; (내기에) 이길 듯하다. ***be on about*** 《口》 …에 대해 투덜거리다. ***from that day on*** 그날 이후. ***later on*** 나중에, 후에. ***neither off nor on*** 관계 없는(*to*); 우유부단한. ***on and*** OFF. ***on and on*** 계속하여, 자꾸.

†once [wʌns] *ad.* ① 한 번, 한 곱. ② 일찍이; (장래) 언젠가. ③ 일단 …하면. ***ever ~ in a while*** 때때로. ***more than ~*** 한 번만이 아니고, 여러 번이나. ***~ and again*** 몇 번이고. ***~ for all*** 한(이)번만; 단호히. ***~ in a way* [*while*]** 간혹. ***~ over*** 다시 한 번. ***~ too often*** 늘, 자주. ***~ upon a time*** 옛날. — *n.* Ⓤ 한 번, 동시. ***all at ~*** 갑자기; 일제히. ***at ~*** 즉시; 동시에. ***for* (*this*) *~*** 이번만은. — *conj.* 한 번 …하면, …하자마자. — *a.* 이전의.

ónce-òver *n.* (*sing.*) 《美口》 대충 한 번 훑어보기. ***give a person* [*thing*] *the ~*** 아무를 한 번 만나두다(물건을 대충 봐두다).

ón·còming *a.* 다가오는; 새로 나타나는; 장래의. — *n.* Ⓤ 접근.

†one [wʌn] *a.* 하나의; 동일한; 일체(一體)의; 어떤; (the ~) 유일한. ***be all ~*** 전혀 같다, 어떻든 상관없다. ***for ~ thing*** 한 예를 들면. ***~ and the same*** 동일한. — *n.* Ⓤ,Ⓒ 하나, 한 개, 한 사람. ***all in***

～ 전부가 하나로 되어서. ***at*** ～ 일치하여. ***make*** ～ (모임의) 일원이 되다; 하나로 되다; 결혼으로 결합하다. ～ ***and all*** 누구나다. ～ ***by*** ～ 하나〔한 사람〕씩. — *pron.* 사람; 누구나; 《명사의 반복을 피하여》 그것. ***no*** ～ 아무도 …아니다. ～ ***another*** 서로. ～ ***…, another*** 〔***the other***〕 ***…*** 한 편은… 또 한 편은…. ***the*** ～ ***…, the other*** 전자는… 후자는. **∠·ness** *n.* Ⓤ 단일〔동일, 통일〕성, 일치, 합일.

óne-armed bándit 《口》 도박용 슬롯머신.

óne-mán *a.* 한 사람만의, 개인의 (*a* ～ *show* 개인전(展)).

óne-night stánd 《美》 하룻밤만의 흥행.

óne-óff *a., n.* Ⓒ 《英》 1회 한의 (것), 한 개에 한하는 (것), 한 사람을 위한 (것).

on·er·ous [ánərəs/ɔ́-] *a.* 귀찮은, 부담이 되는.

†**one·self** [wʌnsélf] *pron.* 스스로; 자기 자신을. ***be*** ～ 자제하다; 자연스럽게 행동하다.

óne-síded *a.* 한 쪽만 있는; 한 쪽으로 치우친; 균형이 맞지 않는; 문제의 한 쪽 면밖에 보지 못하는, 편파적인.

óne-tìme *a.* 이전의.

óne-to-óne *a.* 1대 1의, 한 쌍이 되는, 대조적인.

óne-tráck *a.* (철도가) 단선인; 《口》 하나밖에 모르는, 편협한.

òne-úp·man·shìp *n.* Ⓤ 상대보다 일보 앞서기; 우월감.

óne-wáy *a.* 일방 통행〔교통〕의; 편도(片道)의; 일방적인.

ón·gòing *a.* 전진하는, 진행하는.

:**on·ion** [ʌ́njən] *n.* ① Ⓤ,Ⓒ 양파; Ⓤ 양파 냄새. ② Ⓒ 《俗》 인간. ***know one's*** ～***s*** 《俗》 자기 일에 정통하고 있다. ***off one's*** ～(***s***) 《주로 英》 어리석은; 머리가 돈. **～·y** *a.*

ón-lìne *a.* 〚컴〛 온라인의, 바로잇기의 (～ *help*/～ *processing*/～ *processing system* 바로잇기 처리 체계); (중앙 처리 장치에) 직결한.

ón·lòoker *n.* Ⓤ 방관자. **ón·look·ing** *a.* 방관하는.

†**on·ly** [óunli] *a.* 유일한, 단 하나〔한 사람〕의; 최상의. — *ad.* 오직, 단지; 겨우, …만. ***have*** ～ ***to*** (do) …하기만 하면 된다. ***if*** ～ …하기만 하면; …라면 좋을 텐데. ***not*** ～ ***… but*** (***also***) …뿐만 아니라 또한. ～ ***just*** 이제 막 …한. ～ ***not*** (***a child***) 거의 (어린이나) 마찬가지. ～ ***too*** 유감스럽게도; 대단히. — *conj.* 단, 오직; …을 제외하고 (*that*).

on·o·mat·o·poe·ia [ɑ̀nəmæ̀təpíːə/ɔ̀-] *n.* Ⓤ 〚言〛 의성(법); Ⓒ 의성어; Ⓤ 〚修〛 성유(聲喩)법. **-poe·ic** [-píːik], **-po·et·ic** [-pouétik] *a.*

ón·rùsh *n.* Ⓒ 돌진; 분류.

·**ón·sèt** *n.* (the ～) 공격; 개시.

ón·shóre *a., ad.* 육지를 향하는〔향하여〕; 육상의〔에서〕.

ón·síde *a., ad.* 〚美蹴·하키〛 정규 위치의〔에〕.

ón·slàught *n.* Ⓒ 맹공격.

·**on·to** [強 ántuː ɔ́ːn-, 弱 -tə] *prep.* …의 위에.

on·tol·o·gy [ɑntálədʒi/ɔntɔ́l-] *n.* Ⓤ 〚哲〛 존재론, 실체론. **on·to·log·ic** [ɑ̀ntəládʒik/ɔ̀ntəlɔ́-], **-i·cal** [-əl] *a.*

o·nus [óunəs] *n.* (the ～) 책임; 무거운 짐.

:**on·ward** [ánwərd/ɔ́-] *a.* 전방으로의, 전진의. — *ad.* 전방에; 나아가서. **:～s** *ad.* ＝ONWARD.

on·yx [ániks/ɔ́-] *n.* Ⓤ 〚鑛〛 오닉스, 얼룩마노(瑪瑙).

·**ooze**[1] [uːz] *vi.* 스며나오다, 줄줄 흘러 나오다; (비밀 등이) 새다(*out*); (용기 등이) 점점 없어지다(*away*). — *vt.* 스며나오게 하다. — *n.* Ⓤ 스며나옴; 분비물. **óoz·y**[1] *a.* (줄줄) 스며나오는.

ooze[2] *n.* Ⓤ (해저·강바닥 등의) 연한 개흙. **óoz·y**[2] *a.* 진흙의; 곤죽 같은.

op. *opera;* operation; *opus.*

o·pac·i·ty [oupǽsəti] *n.* Ⓤ 불투명(체); 모호; 우둔.

·**o·pal** [óupəl] *n.* Ⓤ 〚鑛〛 단백석(蛋白石), 오팔.

o·pal·esce [òupəlés] *vi.* (단백석 같은) 젖빛 광택을 내다. **-és·cence** *n.* Ⓤ 젖빛. **-cent** *a.* 젖빛 광택을 내는.

·**o·paque** [oupéik] *a.* 불투명한; 광택 없는, 충충한(dull); 불명료한;

우둔한. ⌈art).

óp árt [ɑ́p-/ɔ́p-] 광학 예술(optical

OPEC [óupek] Organization of Petroleum Exporting Countries 석유 수출국 기구.

†**o·pen** [óupən] *a.* ① 열린; 드러나 있는; 노출된. ② 무개(無蓋)의. ③ 펼쳐진; 넓은. ④ 공개의, 공공의; 이용할 수 있는; 자유로운. ⑤ (지위·직등이) 비어 있는(unfilled). ⑥ 관대한. ⑦ 솔직한. ⑧ 미결정의. ⑨ 〖軍〗 (도시가) 무방비의, (국제법상) 보호를 받고 있는. ⑩ 공공연한. ⑪ (직물이) 발이 성긴. ⑫ 개점〔개업·개회〕중인, 개최 중인. ⑬ (감화 등) 받기 쉬운, (…을) 면할 수 없는(subject) (*to*). ⑭ (지식·사상 등을) 받아들이기 쉬운(*to*). ⑮ (강·바다 등이) 얼지 않는. ⑯ 해금(解禁)의; 《美口》 주류 판매·도박을 허용하고 있는. ⑰ 〖樂〗 개방음의. ⑱ 〖音聲〗 (모음이) 개구음(開口音)인, (자음이) 개구적인. ⑲ 〖印〗 (활자가) 음각(陰刻)의. ***be ~ to*** …을 쾌히 받아들이다; …을 받기 쉽다; …에 문호가 개방되어 있다. ***be ~ with*** …에게 숨김이 없다. ***have an ~ hand*** 인색하지 않다. ***keep one's mouth ~*** 걸신들려 있다. ── *n.* (the ~) 빈터, 광장; 넓은 장소〔해면〕, 옥외(屋外); 〖컴〗 열기. ── *vt.* 열다; 펴다; 트다; 개간하다; (대열 등을) 벌이다; 공개하다; 개업하다; 개시하다; 털어놓다; 누설하다(*to*). ── *vi.* 열리다; 넓어지다; (마음 등이) 커지다; 시작하다(*with*); (대열 등이) 벌어지다; 〖海〗 보이게 되다. ***~ into*** …로 통하다. ***~ on*** …에 면하다〔통하다〕. ***~ one's eyes*** 깜짝 놀라다. ***~ out*** 열다; 펴(지)다; 발달시키다〔하다〕; 속을 터놓다. ***~ the door to*** …에 기회〔편의〕를 주다. ***~ up*** 열다; 펴다; 개발하다; 나타내다; 개시하다. **:~·ly** *ad.* 솔직히; 공공연히.

:**ópen-áir** *a.* 옥외〔야외〕의.

ópen-and-shút *a.* 명백한.

ópen·càst *n., ad., a.* 《주로 英》 = OPEN-PIT.

ópen dóor (통상상의) 문호 개방.

o·pen·er [óupənər] *n.* Ⓒ 여는 사람, 개시자; 여는 도구, 병〔깡통〕따개.

ópen-hánded *a.* 활수한.

ópen-héarted *a.* 솔직한; 친절한.

ópen hóuse 공개 파티; (학교 따위의) 공개일(日); 손님을 환대하는 집. ***keep ~*** (언제나) 손님을 환대하다.

:**o·pen·ing** [óupəniŋ] *n.* ① Ⓤ 열기; 개방. ② Ⓒ 개시; 모두(冒頭). ③ Ⓒ 구멍, 틈. ④ Ⓒ 빈터, 광장. ⑤ Ⓒ 취직 자리. ⑥ Ⓒ 기회. ── *a.* 개시의.

ópening hòurs 영업 시간, (도서관 따위의) 개관 시간.

ópening nìght (연극·영화 따위의) 초연; 첫날(밤).

ópening tìme 개점 시간, (도서관 따위의) 개관 시간.

ópen-mínded *a.* 편견 없는.

ópen-móuthed *a.* 입을 벌린; (놀라서) 입이 딱 벌어진; 욕심사나운; 시끄러운.

ópen-pìt *n., ad., a.* Ⓒ 노천굴(掘)(로〔의〕).

ópen-plán *a.* (넓은 사무실·공간 따위를 벽없이) 낮은 칸막이로 구획을 지은 방의 배치의.

ópen príson 경비(警備)를 최소한으로 줄인 교도소.

ópen quéstion 미결 문제.

ópen séa, the 공해(公海).

ópen sésame '열려라 참깨'《문 여는 주문(呪文)》; 바라는 결과를 가져오는 유효한 수단.

:**op·er·a** [ɑ́pərə/ɔ́-] *n.* Ⓒ 가극, 오페라; Ⓤ 가극의 상연; Ⓒ 가극장.

op·er·a·ble [ɑ́pərəbəl/ɔ́-] *a.* 실시 가능한; 수술이 가능한.

ópera hòuse 가극장.

:**op·er·ate** [ɑ́pərèit/ɔ́-] *vi.* ① (기계 등이) 움직이다, 일하다. ② 작용하다, 영향을 미치다(*on, upon*). ③ (약이) 듣다. ④ 수술을 하다(*on, upon*). ⑤ 군사 행동을 취하다. ── *vt.* 운전〔조종〕하다; 《美》 경영하다.

op·er·at·ic [ɑ̀pərǽtik/ɔ̀-] *a.* 오페라(풍)의.

óperating sýstem 〖컴〗 운영 체제《프로그램의 제어·데이터 관리 따위를 행하는 소프트웨어; 생략 OS》.

:**op·er·a·tion** [ɑ̀pəréiʃən/ɔ̀-] *n.* ① Ⓤ 가동, 작용. ② Ⓤ 행동, 활동. ③ Ⓤ 효과, (약의) 효력. ④ Ⓤ,Ⓒ 방

법; (기계의) 운전. ⑤ U,C 사업; 경영. ⑥ U 실시. ⑦ C 수술. ⑧ C 〖數〗 운산(運算). ⑨ (보통 *pl.*) 〖軍〗 군사 행동, 작전. ⑩ C 투기 매매, (시장의) 조작. ⑪ C 〖컴〗 작동, 연산. ***come*** 〔***go***〕 ***into*** ~ 운전〔활동〕을 시작하다; 실시되다; 유효하게 되다. ***in*** ~ 운전〔활동, 실시〕중에. ***put into*** ~ 실시하다. ***~·al** *a.* 조작상의; 〖軍〗 작전상의.

˙op·er·a·tive [ɑ́pərətiv, -rèi-/ɔ́-] *a.* 일〔활동〕하는; 운전〔작용〕하는; 효력 있는, (약 등) 잘 듣는; 수술의; 실시의. ***become*** ~ 실시되다. — *n.* C 직공; 《美口》 탐정, 형사.

:op·er·a·tor [ɑ́pərèitər/ɔ́-] *n.* C ① (기계의) 운전자; (전신) 기사; (전화) 교환원. ② (외과) 수술자. ③ 《美》 경영자. ④ 〖證〗 투기사. ⑤ 〖數〗 연산기호. ⑥ 〖컴〗 연산자; 조작원. ⑦ 〖遺傳〗 작동 유전자(~ gene).

op·er·et·ta [ɑ̀pərétə/ɔ̀-] *n.* C 소희가극, 오페레타.

oph·thal·mi·a [ɑfθǽlmiə/ɔ-] *n.* U 〖醫〗 안염(眼炎). **-mic** *a.* 눈의.

oph·thal·mol·o·gy [ɑ̀fθælmɑ́lədʒi/ɔ̀fθælmɔ́l-] *n.* U 안과학. **-gist** *n.* C 안과 의사.

o·pi·ate [óupiit] *n., a.* C 아편제(劑); 《口》 마취제; 진정제; 아편을 함유한; 최면〔진정〕의.

:o·pin·ion [əpínjən] *n.* ① C 의견. ② C (보통 *pl.*) 소신. ③ C 평가, 평판. ④ U,C 전문가의 의견, 감정; U 여론. ***act up to one's ~s*** 소신을 실행하다. ***be of*** (***the***) ~ ***that*** …라고 믿다. ***have a good*** 〔***bad***〕 ~ ***of*** …을 좋게〔나쁘게〕 생각하다; …을 신용하다〔하지 않다〕. ***have the courage of one's ~s*** 소신을 당당하게 표명하다.

o·pin·ion·at·ed [-èitid], **-a·tive** [-èitiv] *a.* 자설(自說)을 고집하는, 독단적인.

opínion pòll 여론 조사.

˙o·pi·um [óupiəm] *n.* U 아편. **~·ism** [-ìzəm] *n.* U 아편 중독.

o·pos·sum [əpɑ́səm/əpɔ́-] *n.* C 〖動〗 (미국 남부산) 주머니쥐(cf. possum). ***play*** ~ 《美俗》 죽은 시늉을 하다.

:op·po·nent [əpóunənt] *n.* C 적, 상대; 반대자. — *a.* 대립〔반대〕하는.

˙op·por·tune [ɑ̀pərtjúːn/ɔ́pərˌ] *a.* 형편 좋은; 행운의; 적절한. **~·ly** *ad.* **-tun·ism** [-ìzəm] *n.* U 기회주의. **-tun·ist** *n.*

:op·por·tu·ni·ty [-əti] *n.* U,C 기회, 호기.

:op·pose [əpóuz] *vt.* (…에) 반대하다; 저항하다; 방해하다; 대항시키다; 대조시키다; 맞보게 하다.

˙op·posed [əpóuzd] *a.* 반대의, 적대〔대항〕하는; 대립된; 마주 바라보는. ***be*** ~ ***to*** …에 반대이다.

:op·po·site [ɑ́pəzit/ɔ́-] *a.* 마주 보는; 반대의, 역(逆)의; 〖植〗 대생(對生)의. — *n.* U 반대의 것; 반대자〔어〕. — *ad.* 반대〔맞은〕쪽에. — *prep.* …의 맞은〔반대〕쪽의〔에〕.

ópposite númber 대등한 지위에 있는 사람; 대등한 위치.

:op·po·si·tion [ɑ̀pəzíʃən/ɔ̀-] *n.* ① U 반대, 저항; 대항; 방해; 대조. ② 《집합적》 (종종 the O-) 반대당. ***in*** ~ ***to*** …에 반대하여. ***the*** 〔***His, Her***〕 ***Majesty's O-*** 《英》 야당. **~·ist** *n.* C 반대자.

:op·press [əprés] *vt.* 압제하다; 압박하다; 답답한 느낌을 주다; 우울하게 하다. ***op·prés·sor** *n.* C 압제자.

:op·pres·sion [əpréʃən] *n.* ① U,C 압박; 압제(tyranny). ② U 우울; 답답함(dullness).

˙op·pres·sive [əprésiv] *a.* ① 압제적인; 가혹한. ② 답답한. **~·ly** *ad.* **~·ness** *n.*

op·pro·bri·ous [əpróubriəs] *a.* 입이 건; 모욕적인, 상스러운; 창피한. **~·ly** *ad.* **-bri·um** [–briəm] *n.* U 불명예; 욕.

opt [ɑpt/ɔpt] *vi.* 선택하다(*for, between*). ***~ing out*** 〖經〗 (국제 통화기금 특별 인출권의) 선택적 거부권.

˙op·tic [ɑ́ptik/ɔ́-] *a.* 눈의; 시각의. — *n.* C 《諧》 눈. ***~s** *n.* U 광학(光學). ***óp·ti·cal** *a.* 눈의; 시력의〔을 돕는〕; 광학(상)의.

óptical fíber 〖電·컴〗 광(光)섬유.

op·ti·cian [ɑptíʃən/ɔ-] *n.* C 안경상, 광학 기계상.

O

·op·ti·mism [áptəmìzəm/ɔ́pt-] *n.* Ⓤ 낙천주의 (opp. pessimism). **-mist** *n.* Ⓒ 낙천가. **·-mis·tic** [⌐–místik] *a.* 낙천적인.

op·ti·mum [áptəməm/ɔ́p-] *n.* (*pl.* **~s, -ma**[-mə]) Ⓒ 〖生〗 (성장·번식 등의) 최적(最適) 조건. ── *a.* 최적의, 최선(最善)의.

·op·tion [ápʃən/ɔ́-] *n.* ① Ⓤ 선택권, 선택의 자유, 수의(隨意). ② Ⓒ 선택물. ③ Ⓒ 〖商〗 (일정한 프리미엄을 지불하고 계약 기간 중 언제든지 할 수 있는) 선택 매매권. ④ Ⓒ 〖컴〗 별도, 추가 선택. ***have no ~ but to*** do …하는 수밖에 없다. ***make one's ~*** 선택하다. **·~·al** *a.*

op·u·lent [ápjələnt/ɔ́-] *a.* 부유한; 풍부한. **~·ly** *ad.* **-lence** *n.* Ⓤ 부(富); 풍부.

o·pus [óupəs] *n.* (*pl.* ***opera***) (L.) Ⓒ 작(作), 저작; 〖樂〗 작품《생략 op.》.

†or [ɔːr, 弱 ər] *conj.* 또는; 즉; 그렇지 않으면《종종 else를 수반함》.

-or [ər] *suf.* '…하는 사람, …하는 것' 의 뜻: act*or*, refrigerat*or*.

·or·a·cle [ɔ́(ː)rəkəl, á-] *n.* Ⓒ ① 신탁(神託)(소). ② (신탁을 전하는) 사람. ③ 성언(聖言). ④ 현인(賢人).

o·rac·u·lar [ɔːrǽkjələr/ɔ-] *a.* 신탁의[같은]; 뜻이 모호한; 현명한; 독단적인; 젠체하는; 점잔 빼는.

·o·ral [ɔ́ːrəl] *a.* 구두[구술]의; 〖解〗 입의. **~·ly** *ad.*

†or·ange [ɔ́(ː)rindʒ, á-] *n.* ① Ⓒ,Ⓤ 오렌지, 귤; Ⓒ 오렌지나무. ② Ⓤ 오렌지 빛. ── *a.* 오렌지의, 오렌지 같은; 오렌지 빛의.

or·ange·ade [⌐–éid] *n.* Ⓤ 오렌지에이드, 오렌지 즙.

órange blòssom 오렌지꽃《신부가 순결의 표시로 머리에 꽂음》.

or·ange·ry [ɔ́(ː)rindʒəri, á-] *n.* Ⓒ 오렌지 밭[온실].

o·rang·u·tan [ɔːrǽŋutæ̀n, ərǽŋ-], **-ou·tang** [-ŋ] *n.* Ⓒ 〖動〗 성성이.

·o·ra·tion [ɔːréiʃən] *n.* Ⓒ (형식을 갖춘) 연설.

·or·a·tor [ɔ́(ː)rətər, á-] *n.* Ⓒ 연설자; 웅변가.

or·a·to·ri·o [ɔ̀(ː)rətɔ́ːriou, à-] *n.* (*pl.* **~s**) Ⓒ 〖樂〗 오라토리오, 성담곡(聖譚曲).

·or·a·to·ry¹ [ɔ́ːrətɔ̀ːri, á-/ɔ́rətə-] *n.* Ⓤ 웅변(술). **-tor·i·cal** [⌐–tɔ́ːrikəl/-tɔ́r-] *a.* 「실.

or·a·to·ry² *n.* Ⓒ 작은 예배당, 기도

·orb [ɔːrb] *n.* Ⓒ 천체; 구(球), 구체(球體); 세계; 보주(寶珠)《왕권의 상징》; 안구, 눈(알).

:or·bit [ɔ́ːrbit] *n.* Ⓒ (천체의) 궤도; (인생의) 행로; 〖解〗 안와(眼窩); 세력 범위. ── *vt.* (지구 따위의) 주위를 돌다; (인공 위성을) 궤도에 올리다. ── *vi.* 선회 비행하다; 궤도를 돌다. **·~·al** *a.* 궤도의; 안와의.

:or·chard [ɔ́ːrtʃərd] *n.* Ⓒ 과수원; 《집합적》 과수원의 과수. **~·ist** *n.* Ⓒ 과수 재배자(orchardman).

:or·ches·tra [ɔ́ːrkəstrə] *n.* Ⓒ ① 오케스트라; 관현악단. ② (무대 앞의) 주악석. ③ (극장의) 일층석(의 앞쪽). **-tral** [ɔːrkéstrəl] *a.* 오케스트라(용)의. 「단석.

órchestra pìt (무대 앞의) 관현악

or·ches·trate [ɔ́ːrkəstrèit] *vt., vi.* 관현악용으로 작곡[편곡]하다. **-tra·tion** [⌐–tréiʃən] *n.*

or·chid [ɔ́ːrkid] *n., a.* Ⓒ 〖植〗 난초(꽃); Ⓤ 연자줏빛(의).

·or·dain [ɔːrdéin] *vt.* ① (신·운명이) 정하다. ② (법률이) 규정하다. ③ (성직자로) 임명하다.

·or·deal [ɔːrdíːəl] *n.* Ⓒ 호된 시련; Ⓤ (고대 튜턴 민족의) 죄인 판별법《불을 잡게 하거나 독약 등을 마시게 하고도 무사하면 무죄로 한》.

†or·der [ɔ́ːrdər] *n.* ① Ⓒ (보통 *pl.*) 명령; (법정의) 지령(서). ② Ⓤ 정돈, 정리. ③ Ⓤ 질서; 이치; 조리. ④ Ⓤ 순서. ⑤ Ⓤ 복장. ⑥ Ⓤ 정상적인 상태. ⑦ Ⓒ (종종 *pl.*) 계급, 신분; 등급; 사제의 계급. ⑧ Ⓒ 성직 수임식(授任式). ⑨ Ⓒ 수도회; 기사단; 결사, 우애(友愛) 조합. ⑩ Ⓒ 〖商〗 주문(서); 지불 명령서; 환(어음). ⑪ (O-) Ⓒ 훈위(勳位), 훈장. ⑫ Ⓒ 〖生〗 목(目). ⑬ Ⓤ (회의 등의) 규칙; Ⓒ 〖宗〗 의식. ⑭ Ⓤ 〖數〗 위수(位數); 〖化〗 차수(次數). ⑮ Ⓒ 〖建〗 주식(柱式), 건축 양식. ⑯ Ⓒ 《주로 英》 무료 입장권. ⑰ Ⓒ (음식점의)

일인분(의 식사)(portion). ⑱ Ⓒ 〖컴〗 차례, 주문. ***be on*** ~ 주문중이다. ***call to*** ~ (의장이) 정숙을 명하다. ***give an*** ~ ***for*** …을 주문하다. ***in*** ~ ***to*** 〔***that***〕 …하기 위하여. ***in short*** ~ 곧. ***made to*** ~ 맞춘. ***on the*** ~ ***of*** …와 비슷하여. ***out of*** ~ 뒤죽박죽이 되어; 고장이 나서; 기분이 나빠서. ***take*** ~***s*** 성직자가 되다. ***take*** ~ ***with*** …을 처분하다. ***the*** ~ ***of the day*** 일정. — *vt.* (…을) 명령〔지시〕하다; (…에게) 가도록 명하다; 주문하다; 정돈하다; (신·운명 등이) 정하다. — *vi.* 명령을 내리다. ~ ***about*** 〔***around***〕 여러 곳으로 심부름 보내다〔이것저것 마구 부리다〕.

órder bòok 주문 기록 장부.

órder fòrm 주문 용지.

or·der·ly** [-li] *a.* 순서 바른, 정돈된; 질서를 잘 지키는; 순종하는. — ***n. Ⓒ 전령, 연락병; (특히 군(軍)의) 병원 잡역부. **-li·ness** *n.*

órder pàper 《英》 (하원의) 의사 일정표.

or·di·nal** [ɔ́ːrdənəl] *a.* 순서를 나타내는; 〖生〗 목(目)의. — ***n. Ⓒ 서수(序數); 〖英國敎〗 성직 수임식 규범(規範); 〖가톨릭〗 미사 규칙서.

órdinal nùmber 서수.

***or·di·nance** [ɔ́ːrdənəns] *n.* Ⓒ 법령; 〖宗〗 의식.

:or·di·nar·y [ɔ́ːrdənèri/-dənri] *a.* 보통의, 평범한; 보통 이하의; 〖法〗 직할(直轄)의. — ***n.*** ① (the ~) 보통(의 일·상태). ② Ⓒ 《주로 英》 정식(定食); 여관(의 식당). ③ (the ~) 〖宗〗 의식 차례서. ④ Ⓒ 관할권을 갖는 (대)주교 또는 성직자. ⑤ Ⓒ 《美》 유언 검인 판사. ***in*** ~ 상임의; (함선이) 대기중인(*a physician in* ~ 상시 근무하는 시의(侍醫)/*a ship in* ~ 예비함). ***out of the*** ~ 유다른. * **-na·ri·ly** [⌒-nérəli, ⌒-⌒--/⌒dənri-] *ad.* 통상, 보통으로.

órdinary lével 《英》 G.C.E.의 기초 학력 시험.

órdinary séaman 〖英海軍〗 3등 수병; 〖海〗 2등 선원.

or·di·na·tion [ɔ̀ːrdənéiʃən] *n.* U,C 성직 수임(식), 서품식.

ord·nance [ɔ́ːrdnəns] *n.* Ⓤ 《집합적》 포(砲); 병기, 군수품; 병참부.

órdnance sùrvey, the (영국 정부의) 육지 측량부.

or·dure [ɔ́ːrdʒər/-djuər] *n.* Ⓤ 오물; 똥; 외설한 일; 상스러운 말.

:ore [ɔːr] *n.* U,C 광석, 원광(原鑛).

†**or·gan** [ɔ́ːrgən] *n.* Ⓒ ① 오르간, (특히) 파이프오르간; 배럴오르간(barrel organ); 리드오르간(reed organ). ② (생물의) 기관. ③ (정치적) 기관(機關); 기관지(紙·誌).

or·gan·dy, -die [ɔ́ːrgəndi] *n.* Ⓤ 얇은 모슬린.

órgan grìnder 배럴오르간 연주자.

***or·gan·ic** [ɔːrgǽnik] *a.* ① 〖化〗 유기의; 탄소를 함유한; 유기체의. ② 조직〔유기〕적인. ③ 〖醫〗 기관(器官)의; 장기(臟器)를 침범하는, 기질성(器質性)의(*an* ~ *disease*)(opp. functional). ④ 기본적인; 고유의. **-i·cal·ly** *ad.* 유기〔조직〕적으로; 유기체의 일부로.

orgánic chémistry 유기 화학.

***or·gan·ism** [ɔ́ːrgənìzəm] *n.* Ⓒ 유기체, (미)생물; 유기적 조직체.

***or·gan·ist** [ɔ́ːrgənist] *n.* Ⓒ 오르간 연주자.

:or·gan·i·za·tion [ɔ̀ːrgənəzéiʃən/-nai-] *n.* ① Ⓤ 조직, 구성, 편성. ② Ⓒ 체제, 기구; 단체, 조합, 협회.

:or·gan·ize [ɔ́ːrgənàiz] *vt., vi.* (단체 따위를) 조직〔편성〕하다; (노동자를) 조합으로 조직하다; 창립하다; 체계화하다; 조직화하다. ~***d labor*** 조합 가입 노동자. ***-iz·er** *n.* Ⓒ 조직〔편성〕자, 발기인, 창립〔주최〕자; 〖生〗 형성체.

or·gasm [ɔ́ːrgæzəm] *n.* U,C (성적) 흥분의 절정.

***or·gy, -gie** [ɔ́ːrdʒi] *n.* Ⓒ (보통 *pl.*) 진탕 마시고 떠들기; 법석대기, 유흥; (*pl.*) 《古그·로》 주신(酒神) Bacchus제(祭); 《美俗》 섹스 파티.

:o·ri·ent [ɔ́ːriənt] *n.* ① (the O-) 동양; 《古》 (the ~) 동쪽. ② Ⓒ (동양산의) 질이 좋은 진주; Ⓤ 그 광택. — [-ènt] *vt., vi.* 동쪽으로 향하게 하다; 성단(聖壇)을 교회의 동쪽으로 오게 세우다; 바른 방위에 놓다; (환경 등에) 바르게 순응하다. ~

O

oneself 자기의 태도를 정하다. — *a.* (해가) 떠오르는; 《古》 동쪽의; (보석의) 광택이 아름다운.
:O·ri·en·tal[ɔ̀ːriéntl] *a., n.* 동양의; (o-) 동쪽의; Ⓒ 동양 사람. **~·ism, o-**[-təlìzəm] *n.* Ⓤ 동양풍; 동양학. **~·ist, o-** *n.* Ⓒ 동양통(通), 동양학자. **~·ize, o-**[-àiz] *vt., vi.* 동양식으로 하다[되다]. 「ENT.
o·ri·en·tate[ɔ́ːriəntèit] *vt.* = ORI-
˙o·ri·en·ta·tion[ɔ̀ːrientéiʃən] *n.* Ⓤ,Ⓒ ① 동쪽으로 향하게 함; (교회의) 성단을 동향으로 함. ② 방위 (측정). ③ 【心】 소재식(所在識); 【生】 정위(定位). ④ 태도 시정; (새 환경에의) 순응, 적화(適化); (신입생 등의) 지도, 안내.
o·ri·en·teer·ing[ɔ̀ːrientíəriŋ] *n.* Ⓤ 오리엔티어링《지도와 나침반으로 목적지를 찾아가는 경기; 이 경기의 참가자는 orienteer》. 「가리.
˙or·i·fice[ɔ́ːrəfis, ɑ́-] *n.* Ⓒ 구멍; 아
:or·i·gin[ɔ́ːrədʒin/ɔ́ri-] *n.* Ⓤ,Ⓒ 기원, 근원; 【컴】 근원; Ⓤ 가문(家門), 태생; 혈통.
:o·rig·i·nal[ərídʒənəl] *a.* 원시의; 최초의; 원물(原物)[원작·원문]의; 독창적인, 발명의 재간이 있는; 신기한. — *n.* Ⓒ 원물, 원작; (the ~) 원문; 원어; 《古》 기인(奇人); 기원, 근원. **˙~·ly** *ad.* 본래; 최초에(는).
˙o·rig·i·nal·i·ty [ərìdʒənǽləti] *n.* Ⓤ ① 독창성[력]; 신기(新奇); 창의. ② 기인(奇人); 진품; 진짜.
oríginal sín 【神】 원죄.
˙o·rig·i·nate[ərídʒənèit] *vt.* 시작하다; 일으키다; 발명하다. — *vi.* 시작되다; 일어나다, 생기다. **-na·tor** *n.* Ⓒ 창작자, 발기인. **-na·tion**[-ˌ--néiʃən] *n.* Ⓤ 시작; 창작; 발명; 기원.
or·mo·lu [ɔ́ːrməlùː] *n.* Ⓤ 오몰루《구리·아연·주석의 합금; 모조금(模造金)용》.
:or·na·ment[ɔ́ːrnəmənt] *n.* Ⓤ 장식; Ⓒ 장식품; 광채[명예]를 더하는 사람[행위]. — [-mènt] *vt.* 꾸미다. **˙-men·tal**[ˌ--méntl] *a.* 장식(용)의; 장식적인. **-men·ta·tion**[ˌ---téiʃən] *n.* Ⓤ 장식(품).
or·nate[ɔːrnéit] *a.* (문체 등) 화려한.
or·ner·y[ɔ́ːrnəri] *a.* 《美口》 품성이 비열한; 《주로 方》 하찮은, 흔한.
or·ni·thol·o·gy [ɔ̀ːrnəθɑ́lədʒi/-θɔ́-] *n.* Ⓤ 조류학(鳥類學). **-gist** *n.* Ⓒ 조류학자. **-tho·log·ic**[-θəlɑ́dʒik/-ɔ́-], **-i·cal**[-əl] *a.*
o·ro·tund[ɔ́ːrətʌ̀nd] *a.* (목소리가) 낭랑한; 호언 장담하는.
:or·phan[ɔ́ːrfən] *n.* Ⓒ 고아; 한쪽 부모가 없는 아이. — *a.* 고아의[를 위한]; (한쪽) 부모가 없는. — *vt.* 고아로 만들다. **~·age**[-idʒ] *n.* Ⓒ 고아원; = **~·hood**[-hùd] *n.* Ⓤ 고아의 몸[신세].
or·th(o)-[ɔ́ːrθ(ou), -θ(ə)] '정(正), 직(直)'의 뜻의 결합사《모음 앞에서는 orth-》: *ortho*dox.
or·tho·don·tics [ɔ̀ːrθədɑ́ntiks/-dɔ́n-] *n.* Ⓤ 치열 교정(술).
˙or·tho·dox[ɔ́ːrθədɑ̀ks/-ɔ̀-] *a.* ① (특히 종교상) 정교(正教)의, 정통파의. ② 일반적으로 옳다고 인정된; 전통[보수]적인. **~·y** *n.* Ⓤ 정교 (신봉); 일반적인 설에 따름.
Órthodox Chúrch, the 그리스 정교회.
or·thog·ra·phy [ɔːrθɑ́grəfi/-ɔ́-] *n.* Ⓤ 바른 철자; 정서법(正書法). **or·tho·graph·ic** [ɔ̀ːrθəgrǽfik], **-i·cal**[-əl] *a.*
or·tho·pe·dic, 《英》 **-pae·dic** [ɔ̀ːrθoupíːdik] *a.* 정형 외과의. **~s** *n.* Ⓤ (특히 유아의) 정형 외과(수술). **-dist** *n.* Ⓒ 정형 외과 의사.
-ory[ɔ̀ːri, əri/əri] *suf.* ① '…로서의, …의 효력이 있는' 등의 뜻의 형용사를 만듦: compuls*ory,* prefat*ory.* ② '…소(所)'의 뜻의 명사를 만듦: dormit*ory,* fact*ory,* laborat*ory.* 「양(羚羊).
o·ryx[ɔ́ːriks] *n.* Ⓒ (아프리카산) 영
Os·car[ɑ́skər, ɔ́-] *n.* 【映】 아카데미상 수상자에게 수여되는 작은 황금상(像).
os·cil·late[ɑ́səlèit/ɔ́s-] *vi.* (진자[추] 모양으로) 진동하다; (마음·의견 등이) 동요하다. — *vt.* 【電】 전류를 고주파로 변환시키다; 진동시키다. **-la·tion**[ˌ-léiʃən] *n.* Ⓤ,Ⓒ 진동; 한번 흔들기. **-la·tor** [ɑ́səlèitər/ɔ́s-]

n. Ⓒ 〖電〗 발진기(發振器); 〖理〗 진동자(子); 동요하는 사람. **-la·to·ry** [ásələtɔ̀:ri/ɔ́silətəri] *a.* 진동[동요]하는.

os·cil·lo·scope [əsíləskòup] *n.* Ⓒ 〖電〗 오실로스코프《전압·전류 등의 변화를 형광 스크린에 나타내는 장치》.

o·sier [óuʒər] *n.* Ⓒ 《英》 꽃버들(의 가지)《버들 세공용》.

os·mo·sis [ɑzmóusis, ɑs-/ɔz-] *n.* Ⓤ 〖理〗 삼투(滲透)(성).

os·prey [áspri/ɔ́-] *n.* Ⓒ 〖鳥〗 물수리(fishhawk).

os·si·fy [ásəfài/ɔ́-] *vt., vi.* 골화(骨化)하다; 경화(硬化)하다; 냉혹하게 하다[되다]; 보수적으로 하다[되다]. **-fi·ca·tion** [ˋ–fəkéiʃən] *n.*

os·ten·si·ble [ɑsténsəbəl/ɔ-] *a.* 표면상의, 겉꾸밈의, 가장한.

os·ten·ta·tion [ɑ̀stentéiʃən/ɔ̀-] *n.* Ⓤ 자랑해 보임, 허영, 과시.

os·ten·ta·tious [-téiʃəs] *a.* 허세부리는; 겉꾸미는, 화려한. **~·ly** *ad.*

os·te·o- [ɑ̀stiou, -tiə/ɔ̀s-] '뼈' 의 뜻의 결합사.

os·te·o·path [ástiəpæ̀θ/ɔ́-] *n.* Ⓒ 정골의(整骨醫).

os·te·op·a·thy [ɑ̀stiápəθi/ɔ̀stiɔ́p-] *n.* Ⓤ 정골 요법(整骨療法).

os·te·o·po·ro·sis [ɑ̀stioupəróusis/ɔ̀s-] *n.* (*pl.* **-roses** [-si:z]) Ⓤ 〖醫〗 골다공증(骨多孔症); 〖畜産〗 골연증(骨軟症).

ost·ler [áslər/ɔ́-] *n.* Ⓒ (여관의) 말구종(hostler).

os·tra·cism [ástrəsìzəm/ɔ́-] *n.* Ⓤ (옛 그리스의) 패각 추방(貝殼追放)《투표에 의한 추방》; 추방.

os·tra·cize [ástrəsàiz/ɔ́-] *vt.* 패각 추방을 하다; (국외로) 추방하다; 배척하다.

˙**os·trich** [ɔ́(:)stritʃ, á-] *n.* Ⓒ 〖鳥〗 타조. ***bury one's head in the sand like an*** ~ 어리석은 짓을 하다. ~ ***belief*** [***policy***] 눈 가리고 아옹하기, 자기 기만의 얕은 지혜. ~ ***farm*** 타조 사육장.

†**oth·er** [ʌ́ðər] *a.* 딴; 다른(*than, from*); 또 그밖의; 다음의; 저쪽의; (the ~) 또 하나의, 나머지의. ***every*** ~ 하나 걸러. ***in*** ~ ***words*** 바꿔 말하면. ***none*** ~ ***than*** 다름 아닌. ***the*** ~ ***day*** [***night***] 일전[요전날 밤]에. ***the*** ~ ***party*** 〖法〗 상대방. ***the*** ~ ***side*** (미국에서 본) 유럽. ***the*** ~ ***world*** 내세, 저승. — *pron.* 딴 것[사람]; (the ~) 다른 하나, 나머지 것. ***of all*** ~***s*** 모든 것[사람] 중에서 특히. ***some ... or*** ~ 무언[누군·어딘]가. — *ad.* 그렇지 않고, 딴 방법으로.

:**oth·er·wise** [-wàiz] *ad.* 딴 방법으로, 달리; 딴 점에서는; 다른 상태로; 그렇지 않으면. — *a.* 다른.

óther·wórldly *a.* 내세[저승]의; 공상적인.

o·ti·ose [óuʃiòus] *a.* 쓸모 없는; 한가한; 게으른.

˙**ot·ter** [átər/ɔ́-] *n.* (*pl.* ~***s,*** 《집합적》 ~) Ⓒ 〖動〗 수달; Ⓤ 수달피.

Ot·to·man [átəmən/ɔ́-] *a.* 터키(사람)의. — *n.* (*pl.* ~***s***) Ⓒ 터키 사람; (o-) (등널이 없는) 긴 소파.

ouch [autʃ] *int.* 아야!

†**ought** [ɔ:t] *aux. v.* …해야만 하다; …하는 것이 당연하다; …하기로 되어 있다; …으로 정해져 있다. 「축.

ought·n't [ɔ:tnt] ought not의 단

Oui·ja [wí:dʒə] *n.* Ⓒ 〖商標〗 위저《심령(心靈) 전달의 점판(占板)》.

:**ounce** [auns] *n.* Ⓒ 온스《상형(常衡) 1/16 pound, 금형(金衡) 1/12 pound; 액량 《美》 1/16 [《英》 1/20] pint; 생략 oz.; *pl.* ozs》; (an ~) 소량.

†**our** [auər, ɑ:r] *pron.* 우리의.

†**ours** [auərz, ɑ:rz] *pron.* 우리의 것.

†**our·selves** [ɑ̀uərsélvz, ɑ:r-] *pron.* 우리 자신(을, 이, 에게).

-ous [əs] *suf.* 형용사 어미를 만듦: courage*ous*, fam*ous*, monstr*ous*.

˙**oust** [aust] *vt.* 내쫓다(*from, of*). **∠·er** *n.* Ⓤ,Ⓒ 추방; (불법 수단에 의한 재산) 탈취, 불법 몰수.

†**out** [aut] *ad.* ① 밖으로, 밖에; 떨어져서; 외출하여; 부재 중으로. ② 실직하여; 정권을 떠나서; 〖競〗 아웃되어. ③ 불화하여; 스트라이크 중에. ④ 벗어나서; 탈이 나서; 잘못되어; 못쓰게 되어. ⑤ (불이) 꺼져서. ⑥ 공개되어, 출판되어; 사교계에 나와; 나타나서; (꽃이) 피어; 탄로되어. ⑦

O

완전히; 끝까지. ⑧ 큰 소리로. ⑨ 돈에 궁해서. ***be* ~ *for* [*to* do]** …을 얻으려고[하려고] 애쓰다. ***down and* ~** 거덜이 나. **~ *and about*** (환자가) 외출할 수 있게 되어. **~ *and away*** 훨씬, 비길 데 없이. **~ *and* ~** 완전히, 철저히. **~ *of*** …의 안으로부터; …의 사이에서; …의 출신인; …의 범위 밖에; …이 없어서; 《재료》 …로; …에서; …때문에. **~ *there*** 저쪽에; 《俗》 싸움터에. **~ *to*** 열심히 하려고 하는. — ***a.*** 밖의; 떨어진; 야당의; 【野】 수비측의; 유별난; 활동[사용] 중이 아닌. — ***n.*** ① Ⓒ 지위[세력]을 잃은 사람; 못쓰게 된 것. ② (*sing.*) 《俗》 도피구, 변명. ③ Ⓒ 【野】 아웃. ***at* [*on the*] ~*s*** 불화하여. ***from* ~ *to* ~** 끝에서 끝까지. ***make a poor* ~** 성공하지 못하다, 두드러지지 않다. — ***prep.*** …을 통하여 밖으로; 《詩》 …으로부터, …에서. — ***vi.*** 나타나다; 드러나다. — ***vt.*** 쫓아내다; 《英俗》 죽이다; 【野】 아웃이 되게 하다; 【拳】 때려 눕히다. — ***int.*** 나가, 꺼져.

out-[aut] ***pref.*** '밖의[으로], …이상으로, …을 넘어, 보다 많이 …하는' 따위의 뜻: ***out***door, ***out***live.

out·age[áutidʒ] ***n.*** Ⓤ,Ⓒ (정전에 의한) 기계의 운전 정지; 정전.

óut-and-óut ***a.*** 완전한, 철저한. **~er** ***n.*** Ⓒ 《俗》 (어떤 성질을) 철저히 갖춘 사람[물건], 전형; 극단으로 나가는[끝까지 하는] 사람.

òut·bíd ***vt.*** (**-*bid, -bade; -bid, -bidden; -dd-***) …보다 비싼 값을 매기다.

óut·bòard ***a., ad.*** 배 밖의[에]; 뱃전의[에].

óutboard mótor 선외(船外) 발동기.

óut·bòund ***a.*** 외국행의.

:óut·brèak ***n.*** Ⓒ 발발; 폭동.

óut·bùilding ***n.*** Ⓒ (본채의) 부속 건축물, 딴채.

·òut·búrst ***n.*** Ⓒ 폭발.

óut·càst ***a.*** (집·친구로 부터) 버림받은; 집 없는; 배척받은. — ***n.*** Ⓒ 버림받은[집 없는] 사람, 추방자.

òut·clάss ***vt.*** …보다 고급이다[낫다], (…을) 능가하다.

:óut·còme ***n.*** Ⓒ 결과.

óut·cròp ***n.*** Ⓒ (광맥의) 노출, 노두(露頭). — [⌐⌐] ***vi.*** (**-*pp-***) 노출하다.

·óut·crỳ ***n.*** Ⓤ 부르짖음, (갑작스러운) 외침; 떠들썩함; 경매. — [⌐⌐] ***vt., vi.*** …보다 큰 소리로 외치다; 야료하다; 큰 소리로 외치다.

òut·dístance ***vt.*** 훨씬 앞서다《경주·경마에서》; 능가하다.

·òut·dó ***vt.*** (**-*did; -done***) …보다 낫다, 물리쳐 이기다.

:óut·dòor ***a.*** 문 밖의.

:òut·dóors ***n., ad.*** Ⓤ 문밖(에서, 으로). **~ *man*** 옥외 생활[운동]을 좋아하는 사람.

:out·er[áutər] ***a.*** 바깥(쪽)의, 외면의(opp. inner). — ***n.*** 【射擊】 (표적판의) 과녁 밖. **~·mòst** ***a.*** 가장 밖의[먼].

óuter spáce (대기권 밖의) 우주, 외계(外界).

òut·fáce ***vt.*** 노려보다; 꿈쩍도 않다; (…에게) 대담하게 대항하다.

·óut·fìeld ***n.*** (the ~) ① 【野·크리켓】 외야. ② 《집합적》 외야수; 외진 곳의 밭. **·~er** ***n.*** Ⓒ 외야수.

:óut·fìt ***n.*** Ⓒ ① (여행 따위의) 채비, 도구. ② 《美口》 (채광·철도 건설·목축 따위에 종사하는 사람들의) 일단. — ***vt.*** (**-*tt-***) (…에게) 필수품을 공급하다, 채비를 차리다(*with*). — ***vi.*** 몸차림을 하다, 준비하다. **~ter** ***n.*** Ⓒ 여행용품상.

òut·flánk ***vt.*** (적의) 측면을 포위하다[돌아서 후방으로 나가다]; (…을) 선수치다; 허를 찌르다.

óut·flòw ***n.*** Ⓤ 유출; Ⓒ 유출물.

·óut·gòing ***a.*** 나가는; 출발하는; 사교적인. — ***n.*** Ⓤ 나감; (*pl.*) 경비.

òut·grów ***vt.*** (**-*grew; -grown***) ① (…에) 들어가지 못할 정도로 커지다. ② (…보다도) 커지다.

óut·gròwth ***n.*** Ⓒ 자연의 결과; 가지; 생장물; 성장.

óut·hòuse ***n.*** Ⓒ =OUTBUILDING; 옥외 변소.

·out·ing[⌐iŋ] ***n.*** Ⓒ 소풍.

out·land·ish[àutlǽndiʃ] ***a.*** 이국풍(異國風)의; 색다른.

òut·lást ***vt.*** …보다 오래 계속되다[가다], …보다 오래 견디다.

·**out·law**[áutlɔ̀ː] *n.* Ⓒ ① 법률의 보호를 빼앗긴 사람; 추방자(exile). ② 무법자; 상습범. — *vt.* (…로 부터) 법률의 보호를 빼앗다; 비합법으로 하다; 법률의 효력을 잃게 하다. **~·ry** *n.* Ⓤ,Ⓒ 법익(法益) 박탈; 법률 무시.
·**óut·lày** *n.* Ⓒ 지출; 경비. — [⌐⌐] *vt.* (**-laid**) 소비하다.
:**out·let**[⌐lèt] *n.* Ⓒ 출구(出口); 배출구; 판로.
:**out·line**[⌐làin] *n.* Ⓒ 윤곽; 약도(법); 대요; 개략; (종종 *pl.*) 요강. ***in*** **~** 윤곽만의; 대강의; 〖컴〗 테두리, 아우트라인. ***give an*** **~** ***of*** …의 대요를 설명하다. — *vt.* (…의) 윤곽을 그리다; 약술하다(sketch).
·**out·live**[àutlív] *vt.* …보다 오래 살다〔계속하다·견디다〕.
:**out·look**[áutlùk] *n.* Ⓒ ① 전망(*on*); 예측(prospect)(*for*). ② 견지(*on*). ③ 망보기, 경계(lookout); 망루. 「떨어진; 외딴.
óut·lỳing *a.* 중심에서 떠난; 멀리
òut·manéuver, 《英》 **-manoéuvre** *vt.* 책략으로 (…에게) 이기다.
out·mod·ed[⌐móudid] *a.* 시대에 뒤떨어진, 구식의.
òut·númber *vt.* …보다 수가 많다; 수에서 (…을) 능가하다.
·**òut-of-dáte** *a.* 시대에 뒤떨어진; 현재는 사용하지 않는.
óut·pàtient *n.* Ⓒ 외래 환자(cf. inpatient).
òut·perfórm *vt.* (기계·사람이) …보다 우수하다. 「우다.
òut·pláy *vt.* (경기에서) 이기다, 지
òut·póint *vt.* …보다 많이 득점하다; 〖요트〗 …보다 이물을 바람부는 쪽으로 돌려서 범주(帆走)하다.
óut·pòst *n.* Ⓒ 〖軍〗 전초(진지); 전진 거점.
out·pour·ing[áutpɔ̀ːriŋ] *n.* Ⓒ 유출(물); (*pl.*)(감정의) 분출〔발로〕.
:**out·put**[⌐pùt] *n.* Ⓤ,Ⓒ ① 산출, 생산(고). ② 〖電·機〗 출력(出力). ③ 〖컴〗 출력《컴퓨터 안에서 처리된 정보를 외부 장치로 끌어내는 일; 또 그 정보》.
:**out·rage**[⌐rèidʒ] *n., vt.* Ⓤ,Ⓒ 폭행〔모욕〕(하다); (법률·도덕 등을) 범하다; 난폭(한 짓을 하다).
·**out·ra·geous**[àutréidʒəs] *a.* 난폭한; 포악한, 괘씸한; 심한. **~·ly** *ad.*
òut·ránk *vt.* …보다 윗 자리에 있다.
ou·tré[uːtréi] *a.* (F.) 상도를 벗어난; 이상〔기묘〕한.
òut·réach *vi., vt.* (…의) 앞까지 도달하다〔미치다〕; 펴다, 뻗치다. — *n.* Ⓤ,Ⓒ 뻗치기; 뻗친 거리.
óut·rìder *n.* Ⓒ 말탄 종자(從者)《마차의 전후〔좌우〕의》; 선도자(先導者)《경호 오토바이를 탄 경관 등》.
óut·rìgger *n.* Ⓒ (카누의 전복 방지용의) 돌출 부재(浮材); 돌출 노받이(가 있는 보트).
·**out·right**[⌐ràit] *a.* 명백한, 솔직한; 완전한. — [⌐⌐] *ad.* 철저히, 완전히; 명백히; 당장; 솔직하게.
·**òut·rún** *vt.* (**-ran; -run; -nn-**) …보다 빨리 달리다; 달려 앞지르다; 달아나다; (…의) 범위를 넘다.
òut·séll *vt.* (**-sold**) …보다 많이〔비싸게〕 팔다.
·**óut·sèt** *n.* (the ~) 착수, 최초.
òut·shíne *vt.* (**-shone**) …보다 강하게 빛나다; …보다 우수하다, 낫다.
†**out·side** [⌐sáid, ⌐⌐] *n.* (*sing.*) (보통 the ~) 바깥쪽; 외관; 극한. ***at the*** (***very***) **~** 기껏해야. **~** ***in*** 뒤집어서, 바깥쪽이 보이지 않아. ***those on the*** **~** 국외자. — *a.* 바깥쪽〔외부〕의; 옥외의; 국외(局外)(자)의; 《口》 최고의, 극한에 달한. — *ad.* 밖으로〔에〕; 문밖으로〔에서〕. ***be*** 〔***get***〕 **~** ***of*** 《美俗》 …을 양해〔이해〕하다; …을 마시다〔먹다〕. **~** ***of*** …의 바깥에〔으로〕. — *prep.* …의 밖에〔으로, 의〕; …의 범위를 넘어서, …이외에; 《美口》 …을 제외하고(except).
óutside bróadcast 스튜디오 밖에서의 방송.
·**out·sid·er**[àutsáidər] *n.* Ⓒ ① 외부 사람; 국외자; 문외한; 초심자. ② 승산이 없는 말〔사람〕.
óut·sìze *a., n.* 특대의; Ⓒ 특대품.
·**out·skirts**[⌐skə̀ːrts] *n. pl.* (도시의) 변두리, 교외; 주변. ***on*** 〔***at, in***〕 ***the*** **~** ***of*** …의 변두리에.
òut·smárt *vt.* 《口》 …보다 약다〔수가 높다〕; (…을) 압도하다.
òut·spóken *a.* 솔직한, 숨김없이

말하는; 거리낌 없는.
òut·spréad *vt., vi.* (~) 펼치(어지)다. — *a.* 펼쳐진.
:òut·stánding *a.* 눈에 띄는, 걸출한; 중요한; 돌출한; 미불(未拂)의; 미해결의.
òut·stáy *vt.* …보다 오래 머무르다.
·òut·strétched *a.* 펼친, 뻗친.
òut·strip *vt.* (**-pp-**) …보다 빨리 가다, 앞지르다; 능가하다.
òut·tráy *n.* Ⓒ (서류의) 기결함(函) (cf. in-tray).
òut·vóte *vt.* 표수로 (…에게) 이기다.
:out·ward[áutwərd] *a.* ① 밖으로 향하는[가는]; 바깥 쪽의; 표면의; 외면적인. ② 육체의. ***the ~ eye*** 육안. ***the ~ man*** 육체. — *ad.* 바깥 쪽에[으로]. **~·ly** *ad.* 바깥 쪽으로[에]; 외면에; 외형상. **~s** *ad.* = OUTWARD.
óutward-bóund *a.* 외국행의.
òut·wéigh *vt.* …보다 무겁다; (가치·세력 등이) (…을) 능가하다.
òut·wít *vt.* (**-tt-**) (…의) 허를 찌르다, 선수치다.
òut·wórn [∠∠] *a.* 입어서[써서] 낡은.
o·va[óuvə] *n.* ovum의 복수.
·o·val[óuvəl] *a., n.* Ⓒ 달걀 모양의(것), 타원형의 (물건).
o·va·ry[óuvəri] *n.* Ⓒ 난소; 〖植〗씨방.
o·va·tion[ouvéiʃən] *n.* Ⓒ 대환영, 대갈채; 대인기.
:ov·en[ʌ́vən] *n.* Ⓒ 솥, (요리용) 화덕, 오븐; (난방·건조용) 작은 노(爐).
:o·ver[óuvər] *prep.* ① …의 위에. ② …을 덮어. ③ 온통. ④ …을 넘어서, …을 통하여. ⑤ …의 저쪽에. ⑥ …을 가로질러서. ⑦ 《시간·장소》 …중. ⑧ …의 위에, …을 지배하여. ⑨ …에 관하여(about). ⑩ …을 하면서. ⑪ …이상. ***~ all*** 끝에서 끝까지. — *ad.* ① 위에(above). ② 넘어서; 건너서; 저쪽에. ③ 거꾸로; 넘어져서. ④ 온통, 덮이어. ⑤ 가외로. ⑥ 끝나서. ⑦ 구석구석까지. ⑧ (어느 기간을) 통하여. ⑨ 통틀어. ⑩ 한번 더; 되풀이하여. ⑪ 《주로 복합어로》 너무나. ***all ~*** 완전히 끝나서. ***all ~ with*** …은 완전히 절망적이어서; …은 만사 끝나서. ***It's all ~ with ~ ...*** (병 따위에서) 회복하다. ***~ again*** 다시 한 번. ***~ against*** …에 대[면]하여, …와 대조하여. ***~ and above*** 그 밖에. ***~ and ~ (again)*** 여러번 되풀이하여. ***~ here*** [***there***] 이[저]쪽에. — *a.* 위의(upper); 끝의; 《보통 복합어로서》 상위의(~*lord*), 여분의(~*time*), 과도한(~*act*). — *n.* Ⓤ 여분.
o·ver-[òuvər, ∠–] *pref.* '과도로[의], 여분의, 위의[로], 밖의[으로], 넘어서, 더하여, 아주' 따위의 뜻.
òver·áct *vt., vi.* 지나치게 하다; 과장하여 연기하다.
·óver·àll *n.* (*pl.*)(가슴판이 붙은) 작업 바지; 《英》 (의사·여자·아이의) 일옷, 덧옷. — *a.* 끝에서 끝까지의; 전반적인, 종합적인.
òver·árch *vt., vi.* (…의) 위에 아치를 만들다; 아치형을 이루다; (…의) 중심이 되다, 전체를 지배하다.
óver·àrm *a.* 〖球技〗 (어깨 위로 손을 들어 공을) 내리던지는, 내리치는; 〖水泳〗 팔을 물 위로 내어 앞으로 쭉 뻗치는.
òver·áwe *vt.* 위압하다.
òver·bálance *vt.* …보다 균형을 잃게 하다. — *vi.* 넘어지다. — [∠–∼–] *n.* Ⓤ,Ⓒ 초과(량).
òver·béar *vt.* (***-bore; -borne***) 위압하다, 지배하다; 전복시키다. **~·ing** *a.* 거만한.
òver·blówn *a.* 과도한; (폭풍 따위가) 멎은; (꽃이) 활짝 필 때를 지난.
·óver·bòard *ad.* 배 밖으로, (배에서) 물 속으로; 《美》 열차에서 밖으로. ***throw ~*** 물속으로 내던지다; 《口》 저버리다, 돌보지 않다.
òver·búrden *vt.* (…에게) 지나치게 적재(積載)하다[지우다].
·òver·cást *vt.* (~) ① 구름으로 덮다; 어둡게 하다. ② 휘갑치다. — *a.* 흐린; 어두운; 음침한; 휘갑친.
òver·chárge *n., vt.* Ⓒ 엄청난 대금(을 요구하다); 엄청난 값; 적하(積荷) 초과; 짐을 지나치게 싣다; 과(過)충전(하다).
:óver·còat *n.* Ⓒ 외투. **~ing** *n.* Ⓤ 외투 감.
:òver·cóme *vt.* (***-came; -come***) ① 이겨내다, 극복하다; 압도하다.

② 《수동으로 써서》 지치다, 정신을 잃다(*by, with*).
óver·compensátion *n.* Ⓤ 〖精神分析〗 (약점을 감추기 위한) 과잉 보상.
òver·cóoked *a.* 너무 익힌〔삶은, 구운〕.
˙**òver·crówd** *vt.* (사람을) 너무 많이 들여 넣다, 혼잡하게 하다. ˙**~ed** *a.* 초만원의.
òver·dó *vt.* (**-did; -done**) 지나치게 하다; 과장하다; 《보통 수동 또는 재귀적으로》 (몸 따위를) 너무 쓰다, 과로케 하다; 너무 삶다〔굽다〕. **~ *it*** 지나치게 하다; 과장하다. **~ *one-self*** 〔***one's strength***〕 무리를 하다.
óver·dòse *n.* Ⓒ 약의 적량(適量) 초과. ── [⌐─⌐] *vt.* (…에) 약을 너무 많이 넣다〔먹이다〕.
óver·dràft, -dràught *n.* Ⓒ (은행의) 당좌 대월(當座貸越)(액)《예금자측에서 보면 차월(借越)》; (어음의) 초과 발행.
òver·dráw *vt.* (**-drew; -drawn**) (예금 등을) 초과 인출하다; (어음을) 초과 발행하다; 과장하다.
òver·dréss *vt., vi.* 옷치장을 지나치게 하다(*oneself*). ── [⌐─⌐] *n.* Ⓒ (얇은 옷감으로 된) 윗도리.
òver·dríve *vt.* (**-drove; -driven**) (사람·동물을) 혹사하다. ── [⌐─⌐] *n.* Ⓒ 〖機〗 오버드라이브, 증속 구동(增速驅動).
òver·dúe *a.* (지불) 기한이 지난; 「연착한.
˙**òver·éat** *vt., vi.* (**-ate; -eaten**) 과식하다(*oneself*).
òver·émphasize *vt., vi.* 지나치게 강조하다.
òver·éstimate *vt.* 과대 평가하다; 높이 사다. **-estimátion** *n.* Ⓤ 과대평가.
òver·expóse *vt.* 〖寫〗 지나치게 노출하다. **-expósure** *n.* Ⓤ,Ⓒ 노출 과도.
:**òver·flów** *vt.* (강 등이) 범람하다; (물 등) (…에서) 넘치다; (…에) 다 못들어가 넘치다. ── *vi.* 범람하다; 넘치다; 넘칠 만큼 많다(*with*). ── [⌐─⌐] *n.* Ⓤ 범람; Ⓒ 충만; Ⓒ 배수로; Ⓒ 〖컴〗 넘침《연산결과 등이 계산기의 기억·연산단위 용량보다 커짐》. **~ing** *a.* 넘쳐 흐르는, 넘칠 정도의.
o·ver·ground [óuvərgràund] *a.* 지상의. ***be still* ~** 아직 살아 있다.
òver·grów *vt.* (**-grew; -grown**) (풀이) 만연하다; 너무 자라다; …보다도 커지다. ── *vi.* 너무 커지다.
óver·gròwth *n.* Ⓒ 전면에 난 것; Ⓤ,Ⓒ 과도 성장; 무성.
˙**òver·háng** *vt.* (**-hung**) (…의) 위에 걸치다; 닥쳐서 불안케 하다, 위협하다. ── *vi.* 덮치다; 절박하다. ── [⌐─⌐] *n.* Ⓒ 쑥 내밂; 쑥 내민 것〔부분〕.
˙**o·ver·haul** [òuvərhɔ́:l] *vt.* (수리하려고) 분해 검사하다; 〖海〗 (삭구를) 늦추다. ── [⌐─⌐] *n.* Ⓤ,Ⓒ 분해 검사.
:**òver·héad** *ad.* 위로 (높이); 상공에; 위층에. ── [⌐─⌐] *a.* 머리 위의, 고가(高架)의; 전반적인, 일반의. ── [⌐─⌐] *n.* Ⓒ ① (~(s)) 〖商〗 간접비, 제경비. ② 〖컴〗 부담.
:**o·ver·hear** [-híər] *vt.* (**-heard** [-hə́:rd]) 도청하다; 엿듣다.
òver·jóy *vt.* 매우 기쁘게 하다, 미칠듯이 기쁘게 하다. ***be* ~*ed*** (…에) 미칠 듯이 기뻐하다(*at, with*). **~ed** *a.* 대단히 기쁜. 「상력.
óver·kill *n.* Ⓤ (핵무기의) 과잉 살
˙**óver·lànd** *ad.* 육로로〔를〕, 육상으로〔을〕. ── *a.* 육로의.
˙**o·ver·lap** [òuvərlǽp] *vt., vi.* (**-pp-**) (…에) 겹치(어 지)다; 일부분이 일치하다, 중복하다. ── [⌐─⌐] *n.* Ⓤ,Ⓒ 겹침; 중복 (부분); 〖映〗 오버랩《한 장면을 다음 장면과 겹치는 일》; 〖컴〗 겹침. **~·ping** *n.* 〖컴〗 겹치기.
òver·láy *vt.* (**-laid**) 겹치다; (장식을) 달다; 압도하다. ── [⌐─⌐] *n.* Ⓒ 덮개, 씌우개; 덧장식; 〖컴〗 오버레이(~ ***structure*** 오버레이 구조).
óver·lèaf *ad.* (종이의) 뒷 면에; 다음 페이지에.
˙**òver·lóad** *vt.* 짐을 과하게 싣다. ── [⌐─⌐] *n.* Ⓒ 과중한 짐; 〖컴〗 과부하.
:**o·ver·look** [òuvərlúk] *vt.* 내려다보다, 바라보다; 빠뜨리고 보다; 눈감아 주다; 감독하다; …보다 높은 곳에 있다; (…을) 넘어 저쪽을 보다.

óver·lòrd *n.* Ⓒ (군주 위의) 대군주(大君主).

o·ver·ly [-li] *ad.* 《美·Sc.》 과도하게, 지독하게.

óver·múch *a., ad.* 과다(한); 과도(하게). ── *n.* Ⓤ 과도, 과잉.

˙**òver·níght** *ad.* 밤새도록; 전날 밤에. ── [⌐─⌐] *a.* 밤중에 이루어지는 [일어나는]; 전날 밤의; 밤을 위한. ── [⌐─⌐] *n.* Ⓒ 《口》 일박(一泊) 허가증; Ⓤ 《古》 전날 밤.

òver·páss *vt.* (*~ed, -past*) 넘다 (pass over); 빠뜨리다; 못보고 넘기다; 능가하다. ── [⌐─⌐] *n.* Ⓒ 육교, 구름다리; 고가 도로[철도].

òver·páy *vt.* (*-paid*) (…에) 더 많이 지불하다. **~ment** *n.*

òver·pláy *vt.* 과장하여 연기하다; 보다 잘 연기하다; 과장해서 말하다.

˙**òver·pówer** *vt.* ① (…으로) 이겨내다; 압도하다. ② 깊이 감동시키다, 못견디게 하다. **~ing** *a.* 압도적인, 저항할 수 없는.

òver·ráte *vt.* 과대 평가하다.

òver·réach *vt.* 속이다; 지나쳐 가다; 퍼지다; 두루 미치다. ~ *oneself* 몸을 지나치게 뻗다; 무리가[책략이] 지나쳐서 실패하다.

òver·ríde *vt.* (*-rode; -ridden*) (장소를) 타고 넘다; 짓밟다; 무시하다; 무효로 하다, 뒤엎다; 이겨내다; (말을) 타서 지치게 하다.

òver·rúle *vt.* 위압[압도]하다; (의론·주장 등을) 뒤엎다, 무효로 하다; 각하하다.

˙**òver·rún** *vt.* (*-ran; -run; -nn-*) (…의) 전반에 걸쳐 퍼지다; (잡초 등이) 무성하다; (…을) 지나쳐 달리다; 초과하다; (강 등이) (…에) 범람하다. ── [⌐─⌐] *n.* Ⓒ 만연, 무성; 잉여.

˙**óver·séa(s)** *ad.* 해외로, 외국으로. ── *a.* 해외(에서)의; 외국의; 외국으로 가는. ~ *Koreans* (*Chinese*) 해외 교포[화교].

òver·sée *vt.* (*-saw; -seen*) 감독하다; 몰래[흘끗] 보다. **óver·sèer** *n.* Ⓒ 감독자.

òver·séxed *a.* 성욕 과잉의.

˙**òver·shádow** *vt.* (…에) 그늘지게 하다; 무색하게 만들다.

˙**óver·shòe** *n.* (보통 *pl.*) 오버슈즈, 방한[방수]용 덧신.

òver·shóot *vt.* (*-shot*) (과녁을) 넘겨 쏘다; …보다 높게[멀리] 쏘아 실패하다. ── *vi.* 지나치게 멀리 날아가다. ~ *oneself* (*the mark*) 지나치게 하다; 과장하다. ── [⌐─⌐] *n.* 지나침(으로 인한 실패); 〖컴〗 오버슈트.

óver·sìght *n.* Ⓤ,Ⓒ 빠뜨림, 실수; Ⓤ 감독. *by* (*an*) ~ 까딱 실수하여.

òver·símplify *vt.* (…을) 지나치게 간소화하다.

óver·sìze *a.* 너무 큰, 특대의. ── *n.* Ⓒ 특대형(의 것).

˙**òver·sléep** *vi., vt.* (*-slept*) 지나치게 자다(*oneself*).

óver·spìll *n.* Ⓒ 흘러떨어진 것, 넘쳐나온 것; (대도시에서 넘치는) 과잉 인구.

òver·státe *vt.* 허풍을 떨다, 과장하다.

òver·stáy *vt.* (…보다) 너무 오래 머무르다.

òver·stép *vt.* (*-pp-*) 지나치다, 한도를 넘다.

òver·stóck *vt.* 지나치게 공급하다 [사들이다]. ── [⌐─⌐] *n.* Ⓤ 공급 [재고] 과잉.

òver·subscríbe *vt., vi.* 모집액 이상으로 신청하다《공채 등을》.

o·vert [óuvəːrt, ─⌐] *a.* 명백한; 공공연한(opp. covert). **~·ly** *ad.* 명백히, 공공연히.

:**o·ver·take** [òuvərtéik] *vt.* (*-took; -taken*) ① (…에) 뒤따라 미치다. ② (폭풍·재난이) 갑자기 덮쳐오다.

òver·táx *vt.* (…에) 중세(重稅)를 과하다; (…에) 과중한 짐[부담]을 지우다.

:**o·ver·throw** [òuvərθróu] *vt.* (*-threw; -thrown*) ① 뒤집어엎다. ② 타도하다; (정부·국가 등을) 전복시키다; 폐지하다. ── [⌐─⌐] *n.* Ⓒ 타도, 전복; 파괴.

˙**óver·tìme** *n.* Ⓤ 정시외 노동 시간, 잔업 시간; 초과 근무. ── *a., ad.* 정시 외의[에]. ── [⌐─⌐] *vt.* (…에) 시간을 너무 잡다.

òver·tòne *n.* Ⓒ 〖樂〗 상음(上音)(opp. undertone); 배음(倍音).

˙**o·ver·ture** [óuvərtʃər, -tʃùər] *n.* Ⓒ 〖樂〗 서곡; (보통 *pl.*) 신청, 제안.

:**o·ver·turn** [òuvərtə́ːrn] *vt., vi.* 뒤엎다, 뒤집히다; 타도하다. ──

[ˊ--ˋ] *n.* Ⓒ 전복, 타도, 파멸.
òver·úse *vt.* 과용하다. — [ˊ-jù:s] *n.* Ⓤ 과용, 혹사, 남용.
óver·view *n.* Ⓒ 개관(槪觀).
o·ver·ween·ing [-wí:niŋ] *a.* 뽐내는, 교만한.
˙**óver·wèight** *n.* Ⓤ 초과 중량, 과중. — [ˋ-ˊ] *a.* 중량을 초과한. — *vt.* 지나치게 싣다; 부담을 지나치게 지우다.
:**o·ver·whelm** [òuvərhwélm] *vt.* ① (큰 파도나 홍수가) 덮치다, 물에 잠그다. ② 압도하다. ③ (마음을) 꺾다. ˙~**·ing** *a.* 압도적인; 저항할 수 없는. ~**·ing·ly** *ad.*
:**òver·wórk** *vt.* (~***ed, -wrought***) ① 지나치게 일을 시키다; 과로시키다. ② (…에) 지나치게 공들이다. — *vi.* 지나치게 일하다; 과로하다. — [ˊ--ˋ] *n.* Ⓤ 과로; 초과 근무.
òver·wríte *vt., vi.* (***-wrote; -written***) 너무 쓰다; 다른 문자 위에 겹쳐서 쓰다. — *n.* 〖컴〗 겹쳐쓰기(이전의 정보는 소멸).
òver·wróught *v.* overwork의 과거(분사). — *a.* 《古》 지나치게 일한; 《古》 과로한; 흥분한; 지나치게 공들인.
o·void [óuvɔid] *a., n.* Ⓒ 난형의 (것); 난형체.
o·vu·late [óuvjulèit] *vi.* 배란(排卵)하다.
o·vum [óuvəm] *n.* (*pl.* ***ova***) Ⓒ 〖生〗 난자, 알.
:**owe** [ou] *vt.* ① 빚지고 있다. ② 은혜를 입고 있다(*to*). ③ (사은(謝恩)·사죄·원한 등의 감정을) 품다. — *vi.* 빚이 있다(*for*).
:**ow·ing** [óuiŋ] *a.* 빚지고 있는; 지불해야 할(due). ~ ***to*** …때문에, …로 인하여.
:**owl** [aul] *n.* Ⓒ ① 올빼미. ② 젠 체하는 사람. ③ 밤을 새우는 사람, 밤에 나다니는 사람. ˊ~**·et** *n.* Ⓒ 올빼미 새끼; 작은 올빼미. ˊ~**·ish** *a.* 올빼미 비슷한; 점잔 빼 얼굴을 한.
†**own** [oun] *a.* ① 자기 자신의, 그것의. ② 독특한. ③ (혈연 관계가) 친(親)인(real). ***be one's ~ man*** [***master***] 자유의 몸이다, 남의 지배를 받지 않다. ***get one's ~ back*** 앙갚음하다(*on*). — *n.* Ⓒ 자기[그] 자신의 것[사람]. ***come into one's ~*** (당연한 권리로) 자기의 것이 되다; 정당한 신용[성공]을 얻다. ***hold one's ~*** 자기의 입장을 지키다, 지지 않다. ***my ~*** 《호칭》 애야, 아아(착한 애구나). ***on one's ~*** 《口》 자기가, 자기의 돈[책임]으로, 혼자 힘으로. — *vt.* ① 소유하다. ② 승인하다; 자백하다; 자기의 것으로 인정하다. — *vi.* 자백하다(*to*). ~ ***up*** 모조리[깨끗이] 자백하다.
:**own·er** [óunər] *n.* Ⓒ 임자, 소유자. ~**·less** *a.* 임자 없는. ˙~**·ship** [-ʃip] *n.* Ⓤ 임자임; 소유(권).
ówn gòal 〖蹴〗 자살 골; 자신에게 불리한 행동[일].
:**ox** [ɑks/ɔ-] *n.* (*pl.* ~***en***) Ⓒ (특히 거세한) 수소, 소(속(屬)의 동물).
Ox·bridge [ɑ́ksbrìdʒ/ɔ́-] *n., a.* Ⓤ 《英》 Oxford 대학과 Cambridge 대학(의); 일류 대학(의).
˙**ox·ide** [ɑ́ksaid/ɔ́-], **ox·id** [-sid] *n.* Ⓤ,Ⓒ 〖化〗 산화물.
˙**ox·i·dize** [ɑ́ksədàiz/ɔ́-] *vt., vi.* 〖化〗 산화시키다[하다]; 녹슬(게 하)다. ~***d silver*** 그을린 은. **-di·za·tion** [àksədizéiʃən/ɔ̀ksədai-] *n.* Ⓤ 산화.
Oxon. Oxfordshire; *Oxinia* (L. = Oxford, Oxfordshire); Oxonian.
óx·tàil *n.* Ⓤ,Ⓒ 쇠꼬리(수프재료).
ox·y·a·cet·y·lene [àksiəsétəlì:n/ɔ-] *a.* 산소 아세틸렌의. ~ ***blowpipe*** [***torch***] 산소 아세틸렌 용접기.
:**ox·y·gen** [ɑ́ksidʒən/ɔ́-] *n.* Ⓤ 〖化〗 산소.
ox·y·gen·ate [ɑ́ksidʒənèit/ɔ́k-], **-gen·ize** [-dʒənàiz] *vt.* 〖化〗 산소로 처리하다; 산화시키다. **-gen·a·tion** [ˋ--éiʃən] *n.* Ⓤ 산소 처리법; 산화.
óxygen màsk 〖空〗 산소 마스크.
óxygen tènt 〖醫〗 산소 텐트.
:**oys·ter** [ɔ́istər] *n.* Ⓒ 〖貝〗 굴.
˙**oz.** ounce(s).
o·zone [óuzoun, -ˊ] *n.* Ⓤ 〖化〗 오존; 《口》 신선한 공기. **o·zo·nif·er·ous** [òuzounífərəs] *a.* 오존을 함유한.
ózone làyer 오존층.

O

P

P, p[piː] *n.* (*pl.* **P's, p's**[-z]) Ⓒ P자 모양의 것. ***mind one's p's and q's*** 언행을 조심하다.

p. page; penny. **p.** 〖樂〗 *piano²*.

p.a. PER annum.

pa[pɑː] *n.* 《口》 = PAPA.

:pace[peis] *n.* Ⓒ ① 한 걸음(step); 보폭(步幅)《약 2.5 피트》. ② 걸음걸이; 보조; 걷는 속도, 진도; (생활·일의) 페이스, 속도. ③ (말의) 측대보(側對步)《한 쪽 앞뒷다리를 동시에 드는 걸음걸이》. ***go at a good ~,*** or ***go*** 〔***hit***〕 ***the ~*** 대속력으로〔상당한 속도로〕 가다; 난봉 피우다, 방탕하게 지내다(cf. GO it). ***keep ~ with*** …와 보조를 맞추다; …에 뒤지지 않도록 하다. ***put a person through his ~s*** 아무의 역량을 시험해 보다. ***set*** 〔***make***〕 ***the ~*** 보조를 정하다; 정조(整調)하다; 모범을 보이다(*for*). — *vt.* ① (규칙 바르게) …을 걸어 다니다. ② 보측(步測)하다(*out*). ③ 보조를 바르게 하다. — *vi.* ① 보조 바르게 걷다. ② (말이) 일정한 보조로 달리다.

páce·màker *n.* Ⓒ 보조 조절자; 《一般》 지도자; 주동자; 〖醫〗 페이스메이커《전기의 자극으로 심장의 박동을 계속시키는 장치》; 〖解〗 박동원(搏動原).

páce·sètter *n.* Ⓒ 보조 조절자; 《一般》 지도자, 주동자(仐).

pach·y·derm[pǽkidəːrm] *n.* Ⓒ 후피(厚皮)동물《코끼리·하마 따위》; 둔감한 사람.

:pa·cif·ic[pəsífik] *a.* ① 평화의〔를 사랑하는〕; 온화한; 화해적인. ② (P-) 태평양(연안)의. ***the P-*** (***Ocean***) 태평양.

pac·i·fi·ca·tion[pæ̀səfəkéiʃən] *n.* Ⓤ 강화 (조약); 화해; 진압.

pac·i·fi·er[pǽsəfàiər] *n.* Ⓒ 달래는 사람〔것〕, 조정자; (고무) 젖꼭지.

pac·i·fism[pǽsəfìzəm] *n.* Ⓤ 평화주의, 반전론. ***-fist** *n.* Ⓒ 평화주의자.

***pac·i·fy**[pǽsəfài] *vi.* ① 달래다, 가라앉히다. ② 평화를 수립하다.

:pack[pæk] *n.* Ⓒ ① 꾸러미, 다발, 묶음, 짐짝. ② (담배의) 갑; (카드의) 한 벌《52 장》. ③ (악한 등의) 일당; (사냥개·사냥감의) (한) 떼. ④ 총빙(叢氷), 큰 성엣장 떼. ⑤ (조직화된) 일단, 전함대(戰艦隊). ⑥ 〖醫〗 습포(濕布), 찜질(하기); (미용술의) 팩. ⑦ 〖컴〗 압축《자료를 압축시키는 일》. ***in ~s*** 떼를 지어. — *vt.* ① 싸다, 꾸리다, 포장하다(*up*). ② (과일·고기 따위를) 포장〔통조림으로〕하다. ③ 가득 채우다(*with*); 채워 넣다; 패킹하다. ④ (말 따위에) 짐을 지우다. ⑤ 《美口》 (포장하여) 운반하다. ⑥ 〖컴〗 압축하다. — *vi.* ① 짐을 꾸리다, 짐이 꾸려지다, 포장되다. ② (짐을 꾸려 가지고) 나가다. ***~ off*** 내쫓다; 급히 나가다. ***send a person ~ing*** 아무를 해고하다, 쫓아내다. ***´-er** *n.* Ⓒ 짐 꾸리는 사람; 포장꾼〔업자〕; 통조림업자; 《美》 식료품 포장 출하(出荷)업자.

†pack·age[´idʒ] *n., vt.* ① Ⓤ 짐꾸리기, 포장(하다). ② Ⓒ 꾸러미, 짐. ③ Ⓒ (포장용) 상자. ④ Ⓒ 〖컴〗 패키지《범용(凡用) 프로그램》. **~(*d*) *tour*** (여행사 주최의) 비용 일체를 한 목에 내고 하는 여행(all-expense tour).

páck ànimal 짐 나르는 짐승, 짐말.

pácked lúnch (점심) 도시락.

pack·et**[pǽkit] *n.* Ⓒ ① 소포; (작은) 묶음. ② = ´ **bòat** 우편선, 정기선. ③ 《英俗》 (투기 등에서 번〔잃은〕) 상당한 금액; 일격, 강타. ④ 〖컴〗 패킷. ***buy 〔***catch, get, stop***〕 ***a ~*** 《英俗》 총알에 맞다; 갑자기 변을 당하다.

***pack·ing**[´iŋ] *n.* Ⓤ ① 짐꾸리기, 포장(재료). ② 채워 넣는 것, 패

킹'. ③ 통조림 제조(업).

pácking bòx 〔**càse**〕 포장 상자.

pact[pækt] *n.* Ⓒ 계약, 협정, 조약.

:**pad**[1][pæd] *n.* Ⓒ ① 덧대는 것, 채워넣는 것; 안장 밑(받침). ② 스탬프패드. ③ 한 장씩 떼어 쓰게 된 종이철《편지지 따위》. ④ (개·여우 따위의) 육지(肉趾)《발바닥》, 발. ⑤ 수련의 큰 잎. ⑥ 〖컴〗 판. — *vt.* (**-dd-**) ① (…에) 채워 넣다. ② (군소리를 넣어 문장을) 길게 하다(*out*). ③ (인원·장부 따위의 숫자를) 허위 조작하여 불려서 기입하다. **~ded cell** (벽에 부드러운 것을 댄) 정신 병원의 병실. **∠·ding** *n.* Ⓤ 채워 넣는 물건; 메워서 채움.

pad[2] *n.* Ⓒ《英俗》 도로; 길을 밟는 (발소리 따위의) 무딘 소리, 쿵. — *vt., vi.* (**-dd-**) 터벅터벅 걷다; 도보 여행하다.

:**pad·dle**[1][pǽdl] *n.* Ⓒ ① 노(젓기). 한 번 저음; 노〔주걱〕 모양의 물건; 《美》 (탁구의) 라켓. ② (외륜선(外輪船)의) 물갈퀴; 〖工〗 날개 판; 〖컴〗 패들. ③ (빨래) 방망이. — *vt.* ① (…을) 노로 젓다. ② 방망이로 치다, 철썩 때리다. **~ *one's own canoe*** 독립독보(獨立獨步)하다. **~r** *n.* Ⓒ 탁구 선수.

pad·dle[2] *vi.* (물속에서 손발을) 철벙거리다; 물장난하다; (어린애가) 아장아장 걷다. 「(外輪船).

páddle bòat 〔**stèamer**〕 외륜선

páddling pòol (공원 등의) 어린이 물놀이터.

pad·dock[pǽdək] *n.* Ⓒ (마구간 근처의) 작은 목장; 경마장에 딸린 울친 땅. 「(계의) 사람《별명》.

Pad·dy[pǽdi] *n.* Ⓒ 《俗》 아일랜드

pad·dy[pǽdi] *n.* Ⓒ 논; Ⓤ 쌀, 벼.

pad·lock[pǽdlàk/-ɔ̀k] *n., vt.* Ⓒ 맹꽁이 자물쇠(를 채우다).

pa·dre[pá:dri, -drei] *n.* Ⓒ (이탈리아·스페인 등지의) 신부, 목사; 종군 신부.

pae·an[pí:ən] *n.* Ⓒ 기쁨의 노래, 찬가; 승리의 노래.

·**pa·gan**[péigən] *n., a.* Ⓒ 이교도《기독교·유대교·이슬람교에서 본》(의); 무종교자(의). **~·ism**[-ìzəm] *n.* Ⓤ 이교(신앙). **~·ize**[-àiz] *vt., vi.* 이교(도)화하다.

†**page**[1][peidʒ] *n.* Ⓒ ① 페이지. ② 〖印〗 한 페이지의 조판. ③ 기록, 문서. ④ (역사상의) 사건, 시기. ⑤ 〖컴〗 페이지. — *vt.* (…에) 페이지를 매기다.

·**page**[2] *n.* Ⓒ ① 시동(侍童), 근시(近侍); 수습 기사(騎士). ② (호텔 따위의 제복을 입은) 급사(~ boy). — *vt.* (급사에게) 이름을 부르게 하여 (사람을) 찾다, (급사가 하듯이) 이름을 불러 (사람을) 찾다.

·**pag·eant**[pǽdʒənt] *n.* ① Ⓤ 장관(壯觀). ② Ⓒ 장려(壯麗)〔장엄〕한 행렬. ③ Ⓒ (화려한) 야외극, 패전트. ④ Ⓤ 허식, 겉치레. **~·ry** *n.* Ⓤ,Ⓒ 장관; 허식.

páge bòy = PAGE[2] (*n.*); 〖美容〗 안말이《머리 스타일》.

pa·go·da[pəgóudə] *n.* Ⓒ (동양의) 탑(*a five-storied* ~, 5층탑).

†**paid**[peid] *v.* pay의 과거(분사). — *a.* 유급의; 고용된; 지급필(畢)의; 현금으로 치른.

:**pail**[peil] *n.* Ⓒ (물 담는) 들통, 양동이; 한 통의 양(量). **~·ful**[∠fùl] *n.* Ⓒ 한 통 (가득).

†**pain**[pein] *n.* ① Ⓤ,Ⓒ 아픔, 고통. ② Ⓤ 괴로움, 고뇌. ③ (*pl.*) 고생, 애씀. ④ Ⓤ《古》 형벌. ***be at the ~s of doing*** …하려고 애쓰다. ***for one's ~s*** 고생한〔애쓴〕 값으로〔보람으로〕; 《反語》 애쓴 보람도 없이 (혼나다). ***on*** 〔***upon, under***〕 ***~ of*** 어기면 …의 벌을 받는다는 조건으로. ***~ in the neck*** 《口》 싫은 것〔녀석〕. ***take*** (***much***) ***~s*** (크게) 애쓰다. — *vt., vi.* 아프게 하다, 괴롭히다; 아프다.

:**pain·ful**[∠fəl] *a.* 아픈, 괴로운; 쓰라린. ·**~·ly** *ad.* 고통스럽게; 애써서. **~·ness** *n.*

páin·kìller *n.* Ⓒ《口》 진통제.

páin·less *a.* 아픔〔고통〕이 없는. **~·ly** *ad.* **~·ness** *n.*

·**pains·tak·ing**[∠ztèikiŋ] *a., n.* 부지런한; 공들인; 힘드는; Ⓤ 수고, 고심. **~·ly** *ad.*

†**paint**[peint] *n.* ① Ⓤ,Ⓒ 채료, 페인트; 칠, 도료. ② Ⓤ 화장품, 연지, 루즈. — *vt.* ① (채료로) 그리다;

P

채색〔색칠〕하다; 페인트 칠하다. ② 화장하다. ③ (생생하게) 묘사하다. ④ (약을) 바르다. — *vi.* ① 그림을 그리다. ② 화장하다, 연지〔루즈〕를 바르다. ~ **in** 그려넣다; 그림물감으로 두드러지게 하다. ~ **out** 페인트로 지우다. ~ **the town red** 《俗》 야단법석하다.

páint bòx 그림물감 상자.

páint·brùsh *n.* Ⓒ 화필(畫筆).

:**paint·er**[1] [⊿ər] *n.* Ⓒ ① 화가. ② 페인트공, 칠장이, 도장공.

paint·er[2] *n.* Ⓒ 〖海〗 배를 매어 두는 밧줄.

:**paint·ing**[⊿iŋ] *n.* ① Ⓒ 그림. ② Ⓤ 그리기; 화법. ③ Ⓤ 페인트칠. ④ Ⓤ 〖컴〗 색칠.

†**pair**[pεər] *n.* Ⓒ ① 한 쌍(*a* ~ *of shoes* 신발 한 켤레); (두 부분으로 된 것의) 하나, 한 자루(*a* ~ *of scissors* 가위 한 자루). ② 부부, 약혼한 남녀; (동물의) 한 쌍. ③ (한데 맨) 두 필의 말. ④ (짝진 것의) 한 쪽〔짝〕. ⑤ 〖政〗 서로 짜고 투표를 기권하는 반대 양당 의원 두 사람; 그 타협. ***another*** 〔***a different***〕 ~ ***of shoes*** 〔***boots***〕 별문제. ***in*** ~***s***, or ***in a*** ~ 둘이 한 쌍〔짝〕이 되어. — *vt., vi.* ① 한 쌍이 되(게 하)다. ② 결혼시키다〔하다〕(*with*); 짝지우다; 짝짓다. ③ (*vi.*) 〖政〗 반대당의 의원과 짜고 기권하다. ~ **off** 둘〔두 사람〕씩 가르다〔짝짓다〕.

pais·ley[péizli] *n., a.* Ⓤ 페이즐리 (모직)(의).

˙**pa·ja·ma**[pədʒɑ́:mə, -ǽ-] *n., a.* (*pl.*) 파자마(의), 잠옷(의).

:**pal**[pæl] *n.* Ⓒ 《口》 ① 동료, 친구. ② 짝패, 공범. ③ = PEN PAL. — *vi.* (**-ll-**) 사이가 좋아지다.

†**pal·ace**[pǽlis, -əs] *n.* Ⓒ 궁전; 큰 저택.

pal·at·a·ble[pǽlətəbəl] *a.* 맛좋은; 상쾌한. **-bly** *ad.*

pal·a·tal[pǽlətl] *a.* 〖解〗 구개(口蓋)의; 〖音聲〗 구개음의. — *n.* Ⓒ 〖音聲〗 구개음《[j] [ç] [i:] 따위》. **~·ize**[-təlàiz] *vt.* 구개(음)화하다. **~·i·za·tion**[pæ̀lətəlizéiʃən] *n.* Ⓤ 〖音聲〗 구개음화.

˙**pal·ate**[pǽlit] *n.* Ⓒ ① 〖解〗 구개, 입천장. ② (보통 *sing.*) 미각; 취미, 기호; 심미.

pa·la·tial[pəléiʃəl] *a.* 궁전의〔같은〕; 웅장한.

pa·lav·er[pəlǽvər, -ɑ́:-] *n., vt., vi.* Ⓤ (특히 아프리카 토인과 무역상과의) 상담(을 하다); 잡담(하다), 수다(떨다); 아첨; 감언(甘言).

:**pale**[peil] *a.* ① 창백한. ② (빛깔이) 엷은. ③ (빛이) 어슴푸레한. — *vt., vi.* ① 창백하게 하다〔되다〕. ② 엷게 하다, 엷어지다. ~ ***before*** 〔***beside***〕 …와 비교하여 무색하다〔훨씬 못하다〕. **⊿·ly** *ad.* **⊿·ness** *n.*

pa·le·o-[péiliou, pǽ-] '고(古), 구(舊), 원시'의 뜻의 결합사.

pa·le·o·lith·ic[pèiliəlíθik, pæ̀l-] *a.* 구석기 시대의.

pa·le·on·tol·o·gy[pèiliəntɑ́lədʒi, pæ̀l-/-tɔ́l-] *n.* Ⓤ 고생물학.

pal·ette[pǽlit] *n.* Ⓒ 팔레트, 조색(調色)판; 팔레트 위의 (여러 색의) 그림물감.

pálette knìfe 팔레트 나이프《그림물감을 섞는 데 씀》.

pal·imp·sest[pǽlimpsèst] *n.* Ⓒ 거듭 쓴 양피지(의 사본)《본디 문장을 긁어 지우고 그 위에 다시 쓴 것》.

pal·i·sade[pæ̀ləséid] *n.* Ⓒ 뾰족 말뚝; 울타리; (*pl.*) (강가의) 벼랑. — *vt.* 방책(防柵)을 두르다. 「한.

pal·ish[péiliʃ] *a.* 좀 창백한; 파리

˙**pall**[1] [pɔ:l] *n.* Ⓒ 관〔무덤〕 덮는 천; 막. — *vt.* 관 씌우개로〔처럼〕 덮다.

pall[2] *vi.* (너무 먹거나 마셔) 맛이 없어지다; 물리다(*on, upon*). — *vt.* 물리게 하다.

páll·bèarer *n.* Ⓒ 관을 들거나 옆을 따라가는 장송자(葬送者).

pal·let[1] [pǽlit] *n.* Ⓒ 짚으로 된 이부자리; 초라한 잠자리.

pal·let[2] *n.* Ⓒ (도공(陶工)의) 주걱; (화가의) 팔레트; 〖機〗 (톱니바퀴의) 미늘, 바퀴 멈추개.

pal·li·ate[pǽlièit] *vt.* (병세가 잠정적으로) 누그러지게 하다; 변명하다. **-a·tion**[⊿-éiʃən] *n.*

pal·li·a·tive [pǽlièitiv, -liə-] *a.* (병세 따위를) 완화시키는; (죄를) 경감하는; 변명하는. — *n.* Ⓒ (일시적) 완화제; 변명; 참작할 만한 사정;

P

고식적인 수단.

pal·lid [pǽlid] *a.* 해쓱한, 창백한 (cf. pale). ~**·ly** *ad.* ~**·ness** *n.*

pal·lor [pǽlər] *n.* Ⓤ 해쓱함, 창백 (cf. pale)

pal·ly [pǽli] *a.* 우호적인, 친한.

:**palm**¹ [pɑːm] *n.* Ⓒ ① 손바닥. ② 장갑의 손바닥. ③ 손목에서 손가락 끝까지의 길이, 수척(手尺)《폭 3-4인치, 길이 7-10인치》. ④ 손바닥 모양의 부분《노의 편평한 부분, 사슴뿔의 넓적한 부분 따위》. ***grease*** [***gild, tickle***] ***a person's*** ~ 아무에게 뇌물을 주다(cf. OIL a person's hand). ***have an itching*** ~ 뇌물을 탐내다; 욕심이 많다. — *vt.* (요술로) 손바닥에 감추다. ~ ***off*** 속여서 (가짜를) 안기다(*on, upon*).

:**palm**² *n.* Ⓒ ① 〖植〗 종려, 야자. ② 종려나무의 가지[잎]《승리의 상징》. ③ (the ~) 승리. ***bear*** [***carry off***] ***the*** ~《古·廢》 우승하다. ***yield*** [***give***] ***the*** ~ ***to*** …에게 승리를 양보하다, 지다.

palm·ist [pɑ́ːmist] *n.* Ⓒ 손금[수상]쟁이. **-is·try** *n.* Ⓤ 수상술(手相術).

pálm òil 야자유; 《美俗》 뇌물.

Pálm Súnday Easter 직전의 일요일.

pal·pa·ble [pǽlpəbəl] *a.* 만질[감촉할] 수 있는; 명백한. **-bly** *ad.* **-bil·i·ty** [ˋ–bíləti] *n.*

pal·pi·tate [pǽlpətèit] *vi.* (가슴이) 두근거리다; 떨리다(*with*). **-ta·tion** [ˋ–téiʃən] *n.* Ⓤ,Ⓒ 두근댐, 동계(動悸); 〖醫〗 심계 항진(心悸亢進).

pal·sy [pɔ́ːlzi] *n., vt.* Ⓤ 중풍; 무기력; 마비(시키다).

pal·try [pɔ́ːltri] *a.* 하찮은; 무가치한; 얼마 안 되는.

pam·pas [pǽmpəz, -pəs] *n. pl.* (the ~) (남아메리카, 특히 아르헨티나의) 대초원.

pámpas gràss 팜파스초(草)《남아메리카 원산의 참억새; 꽃꽂이에 씀》.

pam·per [pǽmpər] *vt.* 어하다, 지나치게 떠받들다; 실컷 먹게 하다; (식욕 따위를) 지나치게 채우다.

:**pam·phlet** [pǽmflit] *n.* Ⓒ 팸플릿; (시사 문제의) 소(小)논문. ~**·eer** [ˋ–flətíər] *n., vi.* Ⓒ 팸플릿을 쓰는 사람[쓰다, 출판하다].

:**pan**¹ [pæn] *n.* Ⓒ ① 납작한 냄비. ② 접시(모양의 것), (천칭의) 접시; (구식총의) 약실. ③ 《俗》 상판대기. — *vt.* (**-nn-**) ① (사금을 가려내기 위하여) 냄비에 (감흙을) 일다(*off, out*). ② 《口》 혹평하다. ~ ***out*** (사금을) 일어내다; 사금이 나오다; 《口》 …한 결과가 되다(~ *out well*).

pan² (＜panorama) *vt., vi.* (**-nn-**) (카메라를) 좌우로 움직이다(cf. tilt); (*vt.*) (카메라를 돌려 …을) 촬영하다.

pan- [pæn] '전(全), 범(汎)(all)'의 뜻의 결합사.

pan·a·ce·a [pæ̀nəsíːə] *n.* Ⓒ 만능약, 만병 통치약.

pa·nache [pənǽʃ, -nɑ́ːʃ] *n.* Ⓤ 당당한 태도; 겉치레, 허세; Ⓒ (투구의) 깃털장식.

˙**Pan·a·ma** [pǽnəmɑ̀ː, ˋ–ˊ] *n.* ① (the Isthmus of ~) 파나마 지협. ② 파나마 공화국; 그 수도. ③ (p-) ＝**pánama hát** 파나마 모자.

˙**pan·cake** [pǽnkèik] *n.* ① Ⓒ,Ⓤ 팬케이크《일종의 핫케이크》. ② Ⓒ 〖空〗 (비행기의) 수평 낙하. — *vi.* 〖空〗 수평 낙하하다.

Páncake Dày Ash Wednesday 바로 전 화요일《pancake를 먹는 습관에서》.

pan·cre·as [pǽŋkriəs] *n.* Ⓒ 〖解〗 췌장(膵臟). **-cre·at·ic** [ˋ–ǽtik] *a.*

pan·da [pǽndə] *n.* Ⓒ 〖動〗 판다《히말라야 등지에 서식하는 너구리 비슷한 짐승》; 흑백곰의 일종(giant ~) 《티베트·중국 남부산》.

pánda càr 《英》 (경찰의) 순찰차.

pan·dem·ic [pændémik] *a., n.* Ⓒ 전국적[세계적] 유행의 (병)(cf. epidemic).

pan·de·mo·ni·um [pæ̀ndəmóuniəm, -njəm] *n.* ① (P-) 마귀굴, 복마전(伏魔殿). ② Ⓒ 수라장; Ⓤ 대혼란.

pan·der [pǽndər] *vt., vi., n.* 나쁜 일[매춘]의 알선을 하다(*to*); Ⓒ 그 사람.

:**pane** [pein] *n.* Ⓒ (한 장의) 창유리.

pan·e·gyr·ic [pæ̀nədʒírik] *n.* Ⓒ 칭찬의 연설[글], 찬사(*upon*); 격찬. **-i·cal** [-əl] *a.*

:**pan·el** [pǽnl] *n.* Ⓒ ① 판벽널, 판자

P

널. ② 화판(畫板); 패널판의 사진《4×8.5 인치》; 폭이 좁고 긴 그림〔장식〕. ③ 양피지 조각; 〖法〗 배심원 명부, 《집합적》 배심원; 《英》 건강 보험 의사 명부. ④ 《집합적》 (토론회의) 강사단; (3, 4 명의) 그룹, 위원; 〖放〗 (퀴즈 프로) 회답자들. — *vi.* (《英》 **-ll-**) 판벽널을 끼우다. **~·(l)ist** *n.* Ⓒ (토론회 따위의) 강사, 참석자.

pan·el·(l)ing[-iŋ] *n.* Ⓤ 《집합적》 판벽널.

˙**pang**[pæŋ] *n.* (cf. pain) Ⓒ 고통; 격통; 마음 아픔.

pán·hàndle *n.* Ⓒ 프라이팬의 자루; (P-) 《美》 좁고 긴 땅. — *vt., vi.* 《美》 (길에서) 구걸하다. **-hàndler** *n.* Ⓒ 거지.

:pan·ic[pǽnik] *n.* Ⓤ,Ⓒ 낭패, 당황 (sudden fear); Ⓒ 〖經〗 공황. — *a.* 공황적인, 낭패의. — *vt.* (**-ck-**) 《俗》 (청중을) 열광케 하다. ***be at ~ stations*** (…을) 서둘러 하지 않으면 안 되다; (…때문에) 몹시 당황하다(*over*). **pán·ick·y** *a.* 《口》 = PANIC.

pánic-strìcken, -strùck *a.* 공황에 휩쓸린; 당황한, 허둥거리는.

pan·nier[pǽnjər, -niər] *n.* Ⓒ (말의 등 양쪽에 걸치는) 옹구; (옛날의) 스커트 버팀테.

pan·o·ply[pǽnəpli] *n.* Ⓤ ① 성대한 의식(*of*). ② (한 벌의) 갑주(甲冑). ③ 완전한 장비〔덮개〕.

:pan·o·ra·ma[pæ̀nərǽmə, -ɑ́:-] *n.* Ⓒ 파노라마; 전경(全景); 개관(概觀); 잇달아 변하는 광경〔영상〕. **-ram·ic**[-rǽmik] *a.*

pán·pìpe, Pán's pìpes *n.* Ⓒ 판(Pan)피리《파이프를 길이의 차례대로 묶은 옛 악기》.

:pan·sy[pǽnzi] *n.* Ⓒ 〖植〗 팬지(의 꽃); 《俗》 여자 같은〔나약한〕 사내, 동성애의 남자.

:pant[pænt] *n., vi.* Ⓒ 헐떡임, 헐떡이다, 숨이 참〔차다〕; (엔진이 증기 따위를) 확 내뿜다〔내뿜는 소리〕; 동계(動悸), 두근거리다; 열망하다(*for, after*). — *vt.* 헐떡거리며 말하다 (*out, forth*).

˙**pan·ta·loon**[pæ̀ntəlú:n] *n.* Ⓒ ① (근대 무언극(無言劇)의) 늙은이 어릿광대역《clown의 상대역》. ② 《주로 美》 (*pl.*) 바지.

pan·tech·ni·con [pæntéknikɑ̀n, -kən/-kən] *n.* Ⓒ 《英》 가구 진열장(場)〔창고〕; = **~ vàn** 가구 운반차.

pan·the·ism[pǽnθiìzəm] *n.* Ⓤ 범신론(汎神論); 다신교. **-ist** *n.* Ⓒ 범신론자. **-is·tic**[ㅅ—ístik], **-i·cal** [-əl] *a.*

pan·the·on[pǽnθiən] *n.* (the P-) (로마의) 판테온, 만신전(萬神殿); Ⓒ 한 나라 위인들의 무덤·기념비가 있는 건물; 《집합적》 한 국민이 믿는 신들.

˙**pan·ther**[pǽnθər] *n.* Ⓒ 〖動〗 퓨마; 표범; 아메리카표범(jaguar).

pant·ies[pǽntiz] *n. pl.* 팬티; (어린애의) 잠방이.

pánti·hòse *n.* 《英》 = PANTY HOSE.

pan·to [pǽntou] *n.* 《英》 = PANTOMIME ②.

˙**pan·to·mime**[pǽntəmàim] *n., vt., vi.* ① Ⓤ,Ⓒ 무언극(을 하다); 《英》 (크리스마스 때의) 동화극. ② Ⓤ 몸짓(으로 나타내다), 손짓.

˙**pan·try**[pǽntri] *n.* Ⓒ 식료품(저장)실(室), 식기실.

:pants[pænts] *n. pl.* 《주로 美》 바지; (여자용) 드로어즈; 《英》 (남자용)속바지, 팬츠. ***beat the ~ off*** 《俗》 완패시키다. ***bore the ~ off a person*** 아무를 질력나게 하다. ***wear the ~*** 내주장하다.

pánt·sùit *n.* Ⓒ 《美》 팬트슈트《상의와 바지로 된 여성용 슈트》.

panty hose *n.* 《美》 《복수 취급》 팬티스타킹.

pap[pæp] *n.* Ⓤ (어린애·환자용) 빵죽; 《俗》 (관리의) 음성 수입.

:pa·pa[pɑ́:pə, pəpɑ́:] *n.* Ⓒ 아빠.

pa·pa·cy[péipəsi] *n.* ① (the ~) 교황의 지위〔권력〕. ② Ⓒ 교황의 임기. ③ Ⓤ 교황 정치.

˙**pa·pal**[péipəl] *a.* 로마 교황의; 교황 정치의; 로마 가톨릭 교회의.

pa·paw[pɔ́:pɔ:, pəpɔ́:] *n.* Ⓒ (북미산의) 포포(나무); Ⓒ,Ⓤ 포포 열매.

pa·pa·ya[pəpáiə] *n.* Ⓒ (열대산) 파파야(나무); Ⓒ,Ⓤ 파파야 열매.

†**pa·per**[péipər] *n.* ① Ⓤ 종이; 벽지, 도배지. ② Ⓒ 신문. ③ Ⓤ 어

음; 지폐. ④ (*pl.*) 신분 증명서; 서류. ⑤ Ⓒ 논문; 시험 문제; 답안. ⑥ Ⓒ 종이 용기, 포장지. **on ~** 서류[이론]상으로는. **put pen to ~** 붓을 들다, 쓰기 시작하다. — *vt.* ① 종이에 쓰다. ② 종이로 싸다(*up*). ③ 도배지[종이]를 바르다, …뒤에 종이를 대다. — *a.* ① 종이의[로 만든]. ② 종이 같은, 얇은, 무른. ③ 서류(상)의.

páper·bàck *n.* Ⓒ (염가판) 종이 표지 책(paper book). — *a.* 종이 표지의.

páper bòy [**gìrl**] 신문 파는 소년[소녀].

páper chàse = HARE and hounds.

páper knìfe 종이 베는 칼.

páper mòney [**cùrrency**] 지폐.

páper-thín *a.* 종이처럼 얇은; 아슬아슬한. 「세.

páper tíger 종이 호랑이, 허장성

páper·wèight *n.* Ⓒ 서진(書鎭).

páper·wòrk *n.* Ⓤ 탁상 사무, 문서 업무, 서류를 다루는 일.

pa·per·y [péipəri] *a.* 종이 모양의, 종이같이 얇은; 취약한.

pa·pier-mâ·ché [péipərməʃéi/pǽpjeimáːʃei] *n., a.* (F.) Ⓤ 혼응지(混凝紙)《송진과 기름을 먹인 딱딱한 종이; 종이 세공용》; 혼응지로 만든.

pa·pist [péipist] *n., a.* Ⓒ 《蔑》 가톨릭 교도(의).

pap·ri·ka, -ca [pæpríːkə] *n.* Ⓒ 고추의 일종. ***Spanish* ~** 피망.

pa·py·rus [pəpáirəs/-páiər-] *n.* (*pl.* **-ri** [-rai]) Ⓤ 〖植〗 파피루스《고대 이집트·그리스·로마 사람의 제지 원료》; 파피루스 종이; Ⓒ (파피루스로 된) 옛 문서.

˙**par** [pɑːr] *n.* ① (a ~) 동등; 동수준. ② Ⓤ 〖經〗 평가(平價), 액면 가격; 환평가(換平價). ③ Ⓤ 〖골프〗 표준 타수. **above ~** 액면 이상으로. **at ~** 액면 가격으로. **below ~** 액면 이하로; 건강이 좋지 않아. **on a ~ with** …와 같아[동등하여]. **~ of exchange** (환의) 법정 평가. — *a.* 평균[정상, 평가]의.

par. paragraph.

par·a-[1] [pǽrə] *pref.* ① '측면, 이상, 이외, 부정, 불규칙'의 뜻. ② 〖醫〗 '의사(疑似), 부(副)'의 뜻.

par·a-[2] ① '보호, 방호'의 뜻의 결합사. ② '낙하산'의 뜻의 결합사.

par·a·ble [pǽrəbəl] *n.* Ⓒ 비유(담), 우화.

pa·rab·o·la [pərǽbələ] *n.* Ⓒ 〖數〗 포물선; 파라볼라.

par·a·bol·ic [pæ̀rəbɑ́lik/-ɔ́-], **-i·cal** [-əl] *a.* 우화적인; 포물선(모양의). ***parabolic antenna*** 파라볼라 안테나.

˙**par·a·chute** [pǽrəʃùːt] *n., vi., vt., a.* Ⓒ 낙하산(으로 내리다, 으로 투하하다); 낙하산 수송의. **-chùt·er, -chùt·ist** *n.* Ⓒ 낙하산병(兵).

:**pa·rade** [pəréid] *n.* Ⓒ ① 행렬, 시위 행진. ② 과시, 자랑하여 보이기; 장관; 〖放〗 (프로·히트송 따위의) 열거(*hit* ~). ③ 〖軍〗 열병식(장). ④ 《주로 英》 산책장; 산보하는 사람들, 인파. ***make a ~ of*** …을 자랑해 보이다. **on ~** (배우 등) 총출연하여. — *vt.* ① 열병하다; (열병을 위해) 정렬시키다. ② (거리 따위를) 누비고 다니다. ③ 과시해 보이다. — *vi.* 줄을 지어 행진하다; 열병을 위해 정렬하다. **pa·rad·er** [-ər] *n.* Ⓒ 행진하는 사람.

paráde gròund 열병[연병]장.

par·a·digm [pǽrədàim, -dim] *n.* Ⓒ 범례; 〖文〗 어형 변화표.

:**par·a·dise** [pǽrədàis] *n.* ① (P-) 천국; 에덴 동산. ② Ⓒ 낙원.

:**par·a·dox** [pǽrədɑ̀ks/-dɔ̀ks] *n.* ① Ⓤ,Ⓒ 역설《일견 모순된 것 같으나 바른 이론; 보기: *The child is father of the man.*》. ② Ⓒ 모순된 설[인물·일]. **~·i·cal** [ˋ-ˊikəl] *a.*

par·af·fin [pǽrəfin], **-fine** [-fìːn] *n., vt.* Ⓤ 파라핀(으로 처리하다); 메탄계의 탄화수소.

par·a·gon [pǽrəgən, -gɑ̀n] *n.* Ⓒ ① 모범, 전형; 뛰어난 인물; 일품(逸品). ② 〖印〗 패러건 활자《20포인트》.

:**par·a·graph** [pǽrəgræ̀f, -grɑ̀ːf] *n.* Ⓒ ① (문장의) 마디, 절(節), 단락. ② 단락 부호《¶》. ③ (신문의, 표제 없는) 단평(短評). — *vt.* ① (문장을) 단락으로 나누다. ② (…의) 기사를 쓰다. **~·er** *n.* Ⓒ 단평 기자.

par·a·keet [pǽrəkìːt] *n.* Ⓒ 앵무

P

새의 일종.

:par·al·lel[pǽrəlèl] *a.* ① 평행의(*to, with*). ② 동일 방향[목적]의(*to, with*); 대응하는; 유사한. ③ 〖컴〗 병렬의. — *n.* Ⓒ ① 평행선[면]. ② 유사물; 대등자[물]. ③ 대비. ④ 위선(緯線). ⑤ 〖印〗 평행 부호(‖). ⑥ 〖컴〗 병렬. ***draw a ~ between*** …을 비교하다. ***have no ~*** 유례가 없다. ***in ~ with*** …와 병행하여. ***without (a) ~*** 유례 없이. — *vt.* (《英》 **-ll-**) ① 평행하다[시키다]. ② 필적하다[시키다]. ③ 비교하다(*with*). **~·ism** *n.* Ⓤ 평행; 유사; 대응; 〖哲〗 평행론; 〖生〗 평행 현상; 〖修〗 대구법(對句法).

párallel bárs 평행봉.

par·al·lel·ism[pǽrəlelìzəm] *n.* Ⓤ 평행; Ⓒ 비교, 대응; 유사.

par·al·lel·o·gram [pæ̀rəléləgræ̀m] *n.* Ⓒ 평행 4변형.

˙pa·ral·y·sis [pərǽləsis] *n.* (*pl.* ***-ses***[-sìːz]) Ⓤ,Ⓒ ① 〖醫〗 마비. ② 무기력, 무능력; 정체(停滯).

par·a·lyt·ic[pæ̀rəlítik] *a., n.* 마비의[된]; 무력한; Ⓒ 중풍 환자.

:par·a·lyze, 《英》 **-lyse**[pǽrəlàiz] *vt.* 마비시키다; 무능력하게 하다.

par·a·med·ic[pæ̀rəmédik] *n.* Ⓒ ① 낙하산 위생병[군의관]. ② 준의료 종사자《조산원 등》.

par·a·med·i·cal [pæ̀rəmédikəl] *a.* 준의료 종사자의, 준의료 활동의.

pa·ram·e·ter[pərǽmitər] *n.* Ⓒ 〖數·컴〗 매개 변수, 파라미터; 〖統〗 모수(母數).

pàra·mílitary *a.* 군 보조의, 준(準)군사적인.

˙par·a·mount[pǽrəmàunt] *a.* 최고의; 주요한; 보다 우수한(*to*).

par·a·noi·a[pæ̀rənɔ́iə] *n.* Ⓤ 〖醫〗 편집광(偏執狂). **-ac**[-nɔ́iæk] *a., n.* Ⓒ 편집광의 (환자).

pàra·nórmal *a.* 과학적[합리적]으로는 설명할 수 없는.

˙par·a·pet[pǽrəpit, -pèt] *n.* Ⓒ 난간; (성의) 흉장(胸牆).

par·a·pher·na·lia [pæ̀rəfərnéiljə] *n.* Ⓤ (개인의) 자질구레한 소지품[세간]; 장치, 여러 가지 도구.

:par·a·phrase[pǽrəfrèiz] *n.* Ⓒ (상세하고 쉽게) 바꿔쓰기, 말하기; 의역(意譯). — *vt., vi.* 의역하다.

par·a·ple·gi·a [pæ̀rəplíːdʒiə] *n.* Ⓤ 〖醫〗 하반신 불수.

pàra·psychólogy *n.* Ⓤ 초(超)심리학《심령 현상의 과학적 연구 분야》.

˙par·a·site[pǽrəsàit] *n.* Ⓒ ① 기생생물, 기생충[균]. ② 기식자, 식객. **-sit·ism**[-sàitizəm] *n.* Ⓤ 기생(상태); 〖病〗 기생충 감염증. **-sit·ic** [pæ̀rəsítik], **-si·cal**[-əl] *a.* 기생의, 기생적인; 〖電〗 와류(渦流)의.

:par·a·sol[pǽrəsɔ̀ːl, -sɑ̀l/-sɔ̀l] *n.* Ⓒ 양산, 파라솔.

par·a·troop[pǽrətrùːp] *a., n.* (*pl.*) 공정대(空挺隊)(의). **~·er** *n.* Ⓒ 공정대원.

par·boil[pɑ́ːrbɔ̀il] *vt.* 반숙(半熟)이 되게 하다; 너무 뜨겁게 하다(overheat); (태양 따위가) 태우다.

:par·cel[pɑ́ːrsəl] *n.* ① Ⓒ 소포, 꾸러미, 소화물. ② Ⓒ (토지의) 한 구획. ③ (a ~) 한 떼, 한 무더기. ***by ~s*** 조금씩. PART ***and ~.*** — *vt.* (《英》 **-ll-**) ① 분배하다(*out, into*). ② 소포로 하다(*up*).

˙parch[pɑːrtʃ] *vt.* ① (콩 따위를) 볶다, 덖다, 태우다. ② 바싹 말리다. ③ 갈증을 느끼게 하다(*with*). — *vi.* 바싹 마르다; 타다. ***be ~ed with thirst*** 목이 타다. **~ed**[-t] *a.* 볶은, 덖은, 탄; 바싹 마른. **∠·ing** *a.* 타는[태우는] 듯한.

˙parch·ment[pɑ́ːrtʃmənt] *n.* ① Ⓤ 양피지. ② Ⓒ 양피지 문서.

:par·don[pɑ́ːrdn] *n.* ① Ⓤ 용서. ② Ⓒ 〖宗〗 면죄; 〖法〗 사면. ***I beg your ~.*** 죄송합니다; 실례입니다만…《상대방의 말을 반대할 때》; 《끝을 올려 발음하여》 다시 한 번 말씀해 주십시오; 《성난 어조로》 다시 한 번 말해 봐라! — *vt.* 용서하다; 〖法〗 사면하다. **~·a·ble** *a.* 용서할 수 있는. **~·er** *n.* Ⓒ 용서하는 사람; 〖史〗 면죄부 파는 사람.

˙pare[pɛər] *vt.* ① (…의) 껍질을 벗기다. ② 잘라[깎아]내다(*off, away*). ③ (예산 따위를) 조금씩 줄이다, 절감하다(*away, down*).

†par·ent[pɛ́ərənt] *n.* Ⓒ ① 어버이. ② (*pl.*) 조상. ③ (동식물의) 어미, 모

체. ④ 근원, 원인. ~·**hood**[-hùd] *n.* Ⓤ 어버이임; 친자 관계.

:**par·ent·age**[-idʒ] *n.* Ⓤ 어버이임; 태생, 혈통; 가문. 「서)의.

˙**pa·ren·tal**[pəréntl] *a.* 어버이(로

párent còmpany 모(母)회사.

˙**pa·ren·the·sis** [pərénθəsis] *n.* (*pl.* **-ses**[-sì:z]) Ⓒ ① 삽입구. ② (보통 *pl.*) (둥근) 괄호. ③ 간격. **-size** [-θəsàiz] *vt.* 괄호 속에 넣다; 삽입구를 넣다. **par·en·thet·ic** [pærənθétik], **-i·cal**[-əl] *a.* 삽입구의; 설명적인.

párent-téacher associàtion 사친회《생략 P.T.A.》.

par ex·cel·lence [pɑ:r èksəlɑ́:ns] (F.) 특히 뛰어난.

pa·ri·ah[pəráiə, pǽriə] *n.* Ⓒ (남부 인도의) 최하층민; 사회에서 버림받은 자.

˙**par·ish**[pǽriʃ] *n.* Ⓒ ① (교회의) 교구, 본당(本堂). ②《집합적》교구의 주민. ③ (미국 Louisiana주의) 군. ***all over the*** ~ 《英》 어디에나, 도처에(everywhere). ***go on the*** ~ 교구의 신세를 지고 살다.

párish clèrk《英》교회의 서무계원. 「교구민.

pa·rish·ion·er[pəríʃənər] *n.* Ⓒ

párish régister 교구 기록부《세례·결혼·사망 따위》.

˙**Pa·ri·sian**[pəríʒiən, -ziən] *a.* 파리(식·사람)의. — *n.* Ⓒ 파리 사람.

par·i·ty[pǽrəti] *n.* Ⓤ 동등, 동격; 일치; 〚商〛 등가(等價), 평가(平價); 유사; 〚經〛 '패리티'《농가의 수입과 생활비와의 비율》; 〚컴〛 패리티; 패리티 비트.

†**park**[pɑ:rk] *n.* Ⓒ ① 공원. ② 큰 정원; 《英》 사냥터. ③ 주차장. ④ 〚軍〛 (군대 숙영 중의) 군수품 저장소, 포창(砲廠). ***the P-*** 하이드 파크《런던의 유명한 공원》. — *vt.* ① 공원으로서[사냥터로서] 둘러 막다. ② (포차 따위를) 기지에 정렬시키다. ③ 주차시키다. ④《口》두다, 두고 가다.

par·ka[pɑ́:rkə] *n.* Ⓒ (알래스카·시베리아의) 후드 달린 털가죽 재킷; 후드 달린 재킷[스목](cf. anorak).

˙**park·ing**[ˊiŋ] *n., a.* Ⓤ 주차(의); 〚컴〛 둠, 파킹. ***No*** ~. 주차 금지.

párking lòt《美》주차장(《英》car park).

párking mèter 주차 시간 표시기.

párking tìcket 주차 위반 호출장.

Pár·kin·son's disèase[pɑ́:rkinsənz-] 〚醫〛 진전(震顫) 마비(paralysis agitans).

Párkinson's láw 파킨슨의 법칙 《영국의 C. Parkinson이 제창한 풍자적 경제 법칙》.

párk·lànd *n.* Ⓤ 수목이 듬성듬성 있는 초원지, 풍치 지구.

párk·wày *n.* Ⓒ 《美》 공원도로《중앙에 가로수나 잔디가 있는 큰 길》.

par·lance[pɑ́:rləns] *n.* Ⓤ 말투, 어조, 어법(語法).

˙**par·ley**[pɑ́:rli] *n., vi.* Ⓒ 상의, 협의, 교섭; (특히 전쟁터에서 적과의) 담판(을 하다).

:**par·lia·ment**[pɑ́:rləmənt] *n.* ① Ⓒ 의회, 국회(cf. congress). ② (P-) 영국 의회.

par·lia·men·tar·i·an [pɑ̀:rləmentɛ́əriən] *n.* Ⓒ 의회 법규[정치]에 정통한 사람.

˙**par·lia·men·ta·ry**[-méntəri] *a.* ① 의회의, 의회가 있는. ② 의회에서 제정된. ③ 의회 법규[관습]에 따른.

:**par·lor,** 《英》 **-lour**[pɑ́:rlər] *n., a.* Ⓒ 객실(의), 거실; (호텔·클럽의) 담화실; 《美》 영업실, …점(店).

párlor gàme 실내의 놀이.

par·lous[pɑ́:rləs] *a.* 《古》 위험한 (perilous); 빈틈 없는. — *ad.* 몹시.

pa·ro·chi·al[pəróukiəl] *a.* 교구의 [를 위한]; 지방적인; 편협한. ~-**ism**[-ìzəm] *n.* Ⓤ 교구 제도; 지방근성; 편협.

par·o·dy[pǽrədi] *n.* Ⓤ,Ⓒ 풍자적 [조롱적] 모방 시문(詩文); 서투른 모방. — *vt.* 풍자적으로 모방하다; 서투르게 흉내내다. **-dist** *n.* Ⓒ 풍자적 [조롱적] 모방 시문 작자.

pa·role[pəróul] *n., vt.* Ⓤ 포로의 선서; 가석방; 집행 유예; (포로를) 선서시키고 석방하다; 가석방하다.

par·ox·ysm[pǽrəksìzəm] *n.* Ⓒ 발작; (감정의) 격발(激發). **-ys·mal** [pæ̀rəksízməl] *a.*

par·quet[pɑ:rkéi] *n.* ① Ⓤ 쪽모이

세공한 마루. ② Ⓒ《美》(극장의) 아래층 앞자리, 오케스트라 박스와 parquet circle(⇩) 사이의 자리. — *vt.* (《英》 **-tt-**) 쪽모이 세공 마루를 깔다. **~·ry**[pá:rkətri] *n.* Ⓤ 쪽모이 세공(깔기).

parquét círcle 《美》(극장의 2층 관람석 밑) parquet ②의 뒤쪽.

par·ri·cide[pǽrəsàid] *n.* Ⓤ 어버이(존속) 살해(죄); Ⓒ 그 범인. **-cid·al**[⌐–sáidl] *a.*

:par·rot[pǽrət] *n., vt.* Ⓒ 〖鳥〗 앵무새; 앵무새처럼 말을 되뇌다(입내내다); 그 사람.

par·ry[pǽri] *vt.* 받아넘기다, 슬쩍 피하다, 비키다; 어물쩍거리다, 둘러(꾸며)대다. — *n.* Ⓒ (펜싱의) 받아넘김, 슬쩍 피함; (말을) 둘러댐.

parse[pa:rs] *vt.* (글을 문법적으로) 해부하다; (어구의 품사·문법 관계를) 설명하다.

Par·see, -si[pá:rsi:, –⌐] *n.* Ⓒ 페르시아계의 조로아스터 교도.

par·si·mo·ni·ous [pà:rsəmóuniəs] *a.* 인색한. **~·ly** *ad.* **-ny**[pá:rsəmòuni/-məni] *n.*

pars·ley[pá:rsli] *n.* Ⓤ 〖植〗 양미나리, 파슬리.

pars·nip[pá:rsnip] *n.* Ⓒ 〖植〗 양(아메리카)방풍나물.

·par·son[pá:rsən] *n.* Ⓒ 교구 목사; 《一般》 목사. **~·age**[-idʒ] *n.* Ⓒ 목사관.

†part[pa:rt] *n.* ① Ⓒ 부분, 일부; (책 따위의) 부, 편; 신체의 부분. ② Ⓤ (일의) 역할, 구실. ③ Ⓒ (배우의) 역; 대사. ④ Ⓤ (상대하는) 한쪽 편; 쪽, 편(side). ⑤ (*pl.*) 지방, 지구. ⑥ (*pl.*) 자질; 재능. ⑦ Ⓒ 〖樂〗 음부(音部), 성부(聲部), 악장(樂章). ⑧ Ⓒ《美》 머리의 가르마. ***a ~ of speech*** 품사. ***for my ~*** 나(로서)는. ***for the most ~*** 대부분은. ***in ~*** 일부분. ***~ and parcel*** 중요 부분. ***play a ~*** 역(役)을 하다; 시치미를 떼다. ***take*** (*it*) ***in good*** (***bad***) ***~*** (그것을) 선의(악의)로 해석하다. ***take ~ in*** …에 관계(참가)하다. ***take ~ with,*** or ***take the ~ of*** …에 편들다(가담하다). — *vt.* ① 나누다. ② (머리를) 가르다. ③ 절단하다; 떼어 놓다. ④ 《古》 분배하다. — *vi.* ① 갈라지다, 떨어지다; 터지다, 쪼개지다. ② (…와) 헤어지다(*from*). ③ (남에게) 넘겨주다(*with*). ④ 떠나다. ⑤ 죽다. ***~ company with*** …와 헤어지다. ***~ with*** …을 해고하다; (남에게) 넘겨주다; 《稀》 …와 헤어지다. — *a.* 부분의. — *ad.* 일부분(*a room ~ study, ~ studio* 서재 겸 아틀리에); 어느 정도. **:⌐·ly** *ad.* 일부분, 얼마간.

·par·take [pa:rtéik] *vi.* (***-took; -taken***) ① 한 몫 끼다, 참여하다(share)(*of, in*); 같이(함께)하다. ② 얼마큼 먹다(마시다)(*of*). ③ (성질 따위가 …의) 기미가 있다(*of*). — *vt.* (…에) 참여하다, 함께하다. **par·ták·er** *n.* Ⓒ 함께하는 사람, 관여자(*of, in*).

:par·tial[pá:rʃəl] *a.* ① 부분적인. ② 불완전(불공평)한. ③ 특히 좋아하는(*to*). **·~·ly** *ad.* **~·ness** *n.*

par·ti·al·i·ty[pà:rʃiǽləti] *n.* Ⓤ 불공평, 편파; (a ~) 편애, 기호(*for, to*).

·par·tic·i·pant[pa:rtísəpənt] *a.* 관계하는(*of*). — *n.* Ⓒ 참가자, 관계자, 협동자.

:par·tic·i·pate[pa:rtísəpèit] *vi., vt.* ① 관여(관계)하다; 가담(참여)하다(*in, with*). ② (…한) 기미가 있다(*of*). **-pa·tor** *n.* Ⓒ 관계자, 참가자, 협동자. **:-pa·tion**[–⌐–péiʃən] *n.* Ⓤ 참가, 관계; 협동.

:par·ti·ci·ple[pá:rtəsìpəl] *n.* Ⓒ 〖文〗 분사. **:-cip·i·al**[pà:rtəsípiəl] *a.* 〖文〗 분사의. ***participial construction*** 〖文〗 분사 구문.

:par·ti·cle[pá:rtikl] *n.* Ⓒ ① 미분자(微分子); 미량(微量). ② 〖理〗 질점(質點). ③ 〖文〗 불변화사(不變化詞)《관사·전치사, 접속사, 감탄사》, 접두(접미)사.

:par·tic·u·lar[pərtíkjələr] *a.* ① 특수한, 특정의(cf. special); 고유의, 독특한. ② 각별한; 현저한. ③ 상세한. ④ 까다로운(*about, in, over*). — *n.* ① Ⓒ 사항, 항목. ② (*pl.*) 자세한 내용(점). ③ (the ~) 특색. ***in ~*** 특히, 상세하게. ***the London***

～ 런던의 명물《안개 따위》. **:～·ly** *ad.* 특히; 낱낱이; 상세히.

par·tic·u·lar·i·ty[pə*r*tìkjəlǽrəti] *n.* Ⓤ 특성, 특이성, 특색; 상세함; 세심한 주의; 까다로움.

par·tic·u·lar·ize[pə*r*tíkjələràiz] *vt., vi.* 상술하다; 열거하다; 특기하다. **-i·za·tion**[–ˌ–lərizéiʃən/-rai-] *n.*

˙part·ing[páː*r*tiŋ] *n.* ① Ⓤ,Ⓒ 이별, 고별; 별세. ② Ⓤ 분리; 출발. ③ Ⓒ 분기점. — *a.* ① 고별[이별]의; 최후의. ② 떠나가는. ③ 나누는.

˙par·ti·san[páː*r*təzən/pàːtizǽn] *n., a.* Ⓒ ① 도당(徒黨)(의 한 사람); 한 동아리; 당파의. ② 〖軍〗 유격병(의). **～·ship**[-ʃip] *n.* Ⓤ 당파심; 가담.

˙par·ti·tion[paː*r*tíʃən] *n., vt.* Ⓤ 분할(하다); 구획(하다); Ⓒ 부분; 칸막이; 벽; 칸막(이 하)다; 〖컴〗 분할.

par·ti·tive[páː*r*tətiv] *a., n.* Ⓒ 〖文〗 부분을 나타내는 (말)《some, few, any 등》.

:part·ner[páː*r*tnə*r*] *n.* Ⓒ ① 협동자; 동아리, 공동자(共同者). ② 〖法〗 조합원, 사원. ③ 배우자; (댄스의) 파트너; (경기의) 짝패. **～·less** *a.* 상대가 없는. **˙～·ship**[-ʃip] *n.* Ⓤ 공동, 협력; Ⓒ 조합, 상사, 합명[합자] 회사; Ⓤ,Ⓒ 조합 계약, 공동 경영.

párt òwnership 공동 소유.

par·took[paː*r*túk] *v.* partake의 과거.

˙par·tridge[páː*r*tridʒ] *n.* (*pl.* **～s,** 《집합적》 ～) Ⓒ 〖鳥〗 반시·자고의 무리; (미국의) 목도리뇌조.

˙part-time[páː*r*ttàim] *a.* 시간제의, 파트타임의. **-tímer** *n.* Ⓒ 시간제의 근무자(cf. full-timer); 정시제(定時制) 학교의 학생.

†par·ty[páː*r*ti] *n.* Ⓒ ① 당(파); 정당; (the P-) (공산)당. ② 〖軍〗 분견대(分遣隊), 부대; 일행; 대(隊); 한동아리, 자기편. ③ (사교의) 모임. ④ 〖法〗 (계약·소송의) 당사자 (*the third* ～ 제삼자). ⑤ 《口》 사람. ***be a ～ to*** …에 관계하다. ***make one's ～ good*** 자기 주장을 관철하다[입장을 유리하게 하다]. — *a.* 정당[당파]의.

párty líne (전화의) 공동 가입선; (정당의) 정책 노선; (공산당의) 당 강령.

párty pólitics 정당 본위 정치《자기 당의 이익만 생각하는》; 당략.

párty spírit 당파심, 애당심; 파티열(熱). 「벽.

párty wáll 〖法〗 (이웃집과의) 경계

par·ve·nu[páː*r*vənjùː] *n.* (F.) Ⓒ 벼락 출세자.

pas[paː] *n.* (F.)(*pl.* ～ [-z]) Ⓒ (댄스의) 스텝; 선행권, 우선권.

†pass[pæs, paːs] *vi.* (**～ed**[-t], ***past***) ① 지나다, 나아가다(*away, out, by*), 통과하다(*by, over*). ② (때가) 경과하다. ③ 변화하다(～ *into nothingness* 무(無)로 돌아가다), 되다(become)(*to, in*). ④ (시험에) 합격하다; (의안이) 통과하다. ⑤ 소실[소멸]하다; 떠나다; 끝나다; 죽다. ⑥ (사건이) 일어나다. ⑦ 통용하다(*for, as*). ⑧ 판결을 내리다; (판결이) 내려지다(*on, upon*). ⑨ (재산 따위가 남의 손에) 넘어가다. ⑩ (술잔 따위가) 돌다. ⑪ (구기(球技)에서) 공을 패스하다; 〖카드〗 패스하다; 〖펜싱〗 찌르다(*on, upon*). — *vt.* ① 지나가다; 통과시키다; 넘(어 가)다, 건너다, 횡단하다. ② (시간을) 보내다, 지내다. ③ 움직이다; (밧줄 따위를) 휘감다; 꿰다, 꿰뚫다. ④ (의안이) 통과[가결]하다. ⑤ (시험에) 합격하다, 급제시키다. ⑥ 양도하다; 넘겨주다; 돌리다. ⑦ 못보고 지나치다, 눈감아 주다, 간과하다; 아무것도 않고 그대로 두다. ⑧ (판결을) 선고하다, (판단을) 내리다; (의견을) 말하다. ⑨ 약속하다. ⑩ (한도를) 넘다; …보다 낫다. ⑪ 《美》 거르다, 빼먹다, 생략하다. ⑫ (공을) 패스하다; 〖野〗 (4구 또는 히트로 주자를) 1루(壘)에 나가게 하다. ⑬ (대소변을) 보다(～ *water* 소변보다). ***～ away*** 떠나다; 끝나다; 스러지다, 안쓰이게 되다; 죽다. ***～ by*** (…을) 지나(가)다; (때가) 지나가다; 눈감아 주다; 못보고 지나치다[빠뜨리다]; 무시하다. ***～ into*** …으로 변하다; (…의 손)으로 넘어가다. ***～ off*** 떠나다; 차차 사라지다; 잘 되어가다; 일어나다(happen); (가짜를) 쥐어주다[갖게 하다](*on*); (그 자리를) 얼버

무려 꾸미다; 가짜로 통하다(~ *oneself off as* 짐짓 …으로 행세하다). ~ **on** 나아가다; 넘겨주다. ~ **out** 나가다; 《口》 의식을 잃다. ~ **over** 건너다; 통과하다; (때를) 보내다; 생략하다; 못보고 빠뜨리다[넘어가다], 무시하다. ~ **the** BABY. ~ **through** 빠져 나가다; 관통하다; 경험하다. ~ **up** 《美俗》 그대로 보내다, 간과하다; 포기하다. ── *n.* Ⓒ ① 합격, 급제; 《英》 보통 급제《우등 급제가 아닌》. ② 패스《무료 입장[승차]권》; 통행[입장]허가. ③ 모양, 상태; 위기. ④ (최면술의) 안수(按手); 요술, 속임수. ⑤ 산길(path). ⑥ 물길, 수로. ⑦ 〖펜싱〗 찌르기; 〖球技·카드〗 패스; 〖野〗 사구(四球) 출루(出壘)(walk). ⑧ 〖컴〗 과정. **bring to** ~ 이룩하다; 야기시키다. **come to** ~ 일어나다(happen)(*come to a nice* [*pretty*] ~ 난처[곤란]하게 되다). ∠·**er** *n.*

˙pass·a·ble [pǽsəbəl, -ɑ́:-] *a.* ① 통행 할 수 있는. ② 어지간한, (성적이) 보통인. ③ (화폐 따위) 통용되는; (의안이) 통과될 수 있는. **-bly** *ad.*

:pas·sage [pǽsidʒ] *n.* ① U,C 통행, 통과; 통행권. ② Ⓤ (사건의) 진행; (때의) 경과; 추이. ③ Ⓤ 여행, 항해. ④ Ⓤ 뱃삯; 찻삯; 항행권. ⑤ Ⓒ 통로, 샛길; 《英》 복도; 수로(水路). ⑥ Ⓒ (문장·연설의) 한 절; 〖樂〗 악절. ⑦ U,C (의안의) 통과, 가결. ⑧ (*pl.*) 밀담, 교섭. ⑨ Ⓤ 논쟁; 격투(combat). **make a** ~ 항해하다. ~ **of arms** 시합, 싸움, 격투; 논쟁. **take** ~ **in** …을 타고 도항(渡航)하다. **work one's** ~ 뱃삯 대신 배에서 일하다.

páss·bòok *n.* Ⓒ 은행 통장; (외상) 거래장.

pas·sé [pæséi, pɑ́:sei] *a.* (F.) 과거의; 한창때가 지난; 시대에 뒤진.

†pas·sen·ger [pǽsəndʒər] *n.* Ⓒ 여객, (특히) 선객.

˙pas·ser-by [pǽsərbái, pɑ́:-] *n.* (*pl.* ***-s-by***) Ⓒ 지나가는 사람, 통행인.

pas·sim [pǽsim] *ad.* (L.) (인용서(書)의) 여기저기에.

˙pass·ing [pǽsiŋ, -ɑ́:-] *a.* ① 통행[통과]하는. ② 목전[현재]의. ③ 삽시[순식]간의. ④ 대충의; 우연의. ⑤ 합격의; 뛰어난. ── *n.* Ⓤ 통행, 통과; 경과; 죽음; (의안의) 통과, 가결. **in** ~ …하는 김에. ── *ad.* 《古》 대단히. ~·**ly** *ad.* 대충, 대강; 《古》 몹시.

:pas·sion [pǽʃən] *n.* ① U,C 격정, 열정. ② Ⓤ 감정의 폭발; 격노. ③ Ⓤ 열렬한 애정; 정욕. ④ Ⓤ 정열, 열심(*for*); 열애하는 것. ⑤ (the P-) 예수의 수난; Ⓤ 《古》 (순교자의) 수난. **fall** [**fly, get**] **into a** ~ 벌컥 성내다. ~·**less** *a.* 정열이 없는; 냉정한.

:pas·sion·ate [pǽʃənit] *a.* ① 감정에 지배되는. ② 성 잘 내는. ③ 열렬한, 감정적인. **˙~·ly** *ad.*

pássion·flòwer *n.* Ⓒ 〖植〗 시계초(時計草).

Pássion plày 예수 수난극(劇).

Pássion Wèek 수난 주간.

:pas·sive [pǽsiv] *a.* ① 수동의. ② 무저항의. ③ 활발하지 못한. ④ 〖文〗 수동[피동]의. ── *n.* (the ~) 〖文〗 수동태. ~·**ly** *ad.* **pas·sív·i·ty** *n.* Ⓤ 수동(성).

pássive resístance (정부에 대한) 소극적 저항.

pássive smóking 간접적 끽연《타인이 내뿜는 담배 연기를 들이마시는 일》.

páss·kèy *n.* Ⓒ 결쇠; 사용(私用)의 열쇠.

Páss·òver *n.* (the ~) (유대인의) 유월절(踰越節).

:pass·port [∠pɔ̀:rt] *n.* Ⓒ 여권(旅券), 패스포트.

「호.

páss·wòrd *n.* Ⓒ 암호(말); 〖컴〗 암

†past [pæst, pɑ:st] *a.* ① 과거의, (이제 막) 지난. ② 요전의. ③ 〖文〗 과거의. ── *ad.* 지나쳐서(by). ── *n.* ① (the ~) 과거; (*sing.*) 과거의 일); 경력; 수상쩍은[아름답지 못한] 경력. ② (the ~) 〖文〗 과거(시제), 과거형. ── *prep.* ① (시간이) …을 지나서(after)(*half* ~ *two*, 2시 반). ② …을 넘어서. ③ …이 미치지 않는, …이상. ~ **belief** 믿을 수 없는.

:paste [peist] *n.* U,C ① 풀. ② (과

자용의) 반죽(dough). ③ 반죽해 이긴 것, 페이스트《생선고기 뭉갠 것, 크림 치약, 연고(軟膏), 이긴 흙, 모조보석의 원료용 납유리 따위》. ④ 〖컴〗 붙임, 붙이기. SCISSORS **and ~.** — *vt.* 풀로 붙이다(*up, on, down, together*); 《俗》 (주먹으로) 때리다. **pást·er** *n.* Ⓒ 고무풀 칠한 붙임용지; 풀칠하는 사람.

páste·bòard *n.* Ⓤ 판지(板紙).

pas·tel[pæstél/∠–] *n.* Ⓤ 파스텔; 파스텔 화법; 파스텔풍의 색조(色調); Ⓒ 파스텔화(畵).

pas·tern[pǽstəːrn] *n.* Ⓒ (말의) 발회목뼈《뒷발톱과 발굽과의 사이》.

pas·teur·ize[pǽstəràiz, -tʃə-] *vt.* (개에) 광견병 예방 접종을 하다. **-i·za·tion**[∸–izéiʃən] *n.*

pas·til[pǽstil], **pas·tille**[pæstíːl] *n.* Ⓒ 정제(錠劑); 향정(香錠).

·pas·time[pǽstàim, -ɑ́ː-] *n.* Ⓤ,Ⓒ 오락; 기분 전환.

pást máster 명인, 대가; (조합·협회 따위의) 전(前)회장.

·pas·tor[pǽstər, -ɑ́ː-] *n.* Ⓒ 주임 목사; 정신적 지도자.

·pas·to·ral[pǽstərəl, -ɑ́ː-] *a.* 목자(牧者)의; 전원(생활)의; 목사의. ***the P- Symphony*** 전원 교향곡《Beethoven의 교향곡 제 6 번》. — *n.* Ⓒ 목가, 전원시〔극·화〕; (bishop) 교서(教書).

:pást párticiple 〖文〗 과거분사.

:pást pérfect 〖文〗 과거완료.

:pas·try[péistri] *n.* Ⓤ,Ⓒ 반죽 과자〔식품〕.

:pas·ture[pǽstʃər, -ɑ́ː-] *n.* Ⓤ,Ⓒ 목장, 방목장; 목초지; Ⓤ 목초. — *vt., vi.* 방목하다; (풀을) 뜯(어 먹)다. **pas·tur·er**[-ər] *n.* Ⓒ 목장주.

pásture·lànd *n.* Ⓤ,Ⓒ 목장, 목초지.

past·y[1][pǽsti, pɑ́ː-] *n.* Ⓤ,Ⓒ 《주로 英》 고기 파이.

past·y[2][péisti] *a.* 반죽〔풀〕 같은; (얼굴이 부증으로 들떠) 누런; 창백한, 늘어진(flabby).

pásty-fáced *a.* 창백한 얼굴의.

:pat[1][pæt] *vt., vi.* (**-tt-**) ① (납작한 것으로) 가볍게 두드리다. ② 쳐서 모양을 만들다. — *n.* Ⓒ ① 가볍게 두드리기〔두드리는 소리〕. ② (버터 따위의) 작은 덩어리.

pat[2] *a.* 꼭맞는, 안성맞춤의; 적절한(*to*). — *ad.* 꼭(들어 맞아서); 적절히. ***stand ~*** (트럼프 따위) 처음 패 그대로 하다; (결의 등을) 고수하다.

:patch[pætʃ] *n.* Ⓒ ① 깁는 헝겊. ② (상처에 대는) 헝겊 조각, 안대(眼帶). ③ (불규칙한) 반점. ④ 작은 지면. ⑤ 〖컴〗 깁기《프로그램이나 데이터의 장애 부분에 대한 임시 교체 수정》. ***not a ~ on*** …와는 비교가 안 되는. — *vt.* ① (…에) 헝겊을 대고 깁다(*up*); 수선하다. ② (사건·분쟁 따위를) 가라앉히다(*up*). ③ 일시 미봉하다(*up*). **∠·y** *a.* 누덕누덕 기운; 주워 모은; 조화되지 않은. **∠·ing** *n.* 〖컴〗 깁기.

pátch·wòrk *n.* Ⓤ,Ⓒ 쪽모이 세공(細工); 주워 모은 것.

pate[peit] *n.* Ⓒ 《口》 머리; 두뇌.

pâ·té de foie gras[pɑːtéi də fwɑ́ː grɑ́ː] (F.) (지방이 많은 거위의) 간(肝) 파이.

pa·tel·la[pətélə] *n.* (*pl.* **-lae**[-liː]) Ⓒ 종지뼈, 슬개골.

:pa·tent[pǽtənt, péit-] *n.* Ⓒ 특허(품·증). — *a.* ① (전매) 특허의. 《口》 신안의. ② 명백한. ③ 열려 있는. ④ 〖醫〗 (결핵 따위가) 개방성의. — *vt.* (…의 전매) 특허를 얻다. **~·ly** *ad.* 명백히, 공공연히.

pa·tent·ee[pæ̀təntíː, pèi-] *n.* Ⓒ 전매특허권 소유자.

pátent léather (검은 광택이 나는) 에나멜 가죽.

Pátent Óffice 특허청.

pa·ter·fa·mil·i·as[pèitərfəmíliəs, -æs] *n.* Ⓒ 〖로法〗 가장(家長).

·pa·ter·nal[pətə́ːrnəl] *a.* 아버지(편)의, 아버지다운(opp. maternal); 아버지로부터 물려받은. **~·ism**[-ìzəm] *n.* Ⓤ (정치·고용 관계의) 부자(父子)주의; 온정주의; 간섭 정치. **~·ly** *ad.* 아버지로서, 아버지답게.

pa·ter·nal·is·tic[pətə̀ːrnəlístik] *a.* 온정주의의. **-ti·cal·ly** *ad.*

pa·ter·ni·ty[pətə́ːrnəti] *n.* Ⓤ 아버지임; 부계(父系)(cf. maternity).

patérnity lèave (맞벌이 부부의)

P

남편의 출산·육아 휴가.

†**path**[pæθ, -ɑ:-] *n.* (*pl.* ~**s**[-ðz, -θz/-ðz]) Ⓒ ① (사람이 다녀서 난) 길, 작은 길; 보도; (정원·공원 안의) 통로; 진로. ② (인생의) 행로. ③ 〖컴〗 경로. **∠·less** *a.* 길 없는; 인적 끊긴.

:**pa·thet·ic**[pəθétik], **-i·cal**[-əl] *a.* 가련한; 감동시키는. ***the*** ~ 감상적인 것. **-i·cal·ly** *ad.*

páth·finder *n.* Ⓒ 개척자, 탐험자; (폭격기를 이끄는) 선도기(先導機)(의 조정사).

path·o·gen·ic[pæ̀θədʒénik] *a.* 발병시키는, 병원(病原)이 되는.

pa·thol·o·gy[pəθɑ́lədʒi/-ɔ́-] *n.* Ⓤ 병리학; 병상(病狀). **path·o·log·ic** [pæ̀θəlɑ́dʒik/-ɔ́-], **path·o·log·i·cal**[-əl] *a.* 병리학의; 병적인.

˙**pa·thos**[péiθɑs/-θɔs] *n.* Ⓤ (문장·음악·사건 따위의) 애틋함을 자아내는 힘, 애수감, 비애; 〖藝〗 '파토스', 정감(情感)(opp. ethos).

:**pa·tience**[péiʃəns] *n.* Ⓤ ① 인내(심); 끈기. ② 《英》 혼자 노는 카드놀이(solitaire).

:**pa·tient**[péiʃənt] *a.* ① 인내력이 강한. ② 근면한. — *n.* Ⓒ 환자. ˙~·**ly** *ad.*

pat·i·na[pǽtənə] *n.* Ⓤ 녹, 녹청; 「고색(古色).

pa·ti·o[pǽtiòu, pɑ́:-] *n.* (*pl.* ~**s**) Ⓒ (스페인·라틴 아메리카식 집의) 안뜰.

pat·ois[pǽtwɑ:] *n.* (F.) (*pl.* ~ [-z]) Ⓒ 방언.

pa·tri·arch[péitriɑ̀:rk] *n.* Ⓒ 가장, 족장(族長); 개조(開祖), 창설자; 장로, 고로(古老); (초기 교회·그리스 정교회의) 주교. **-ar·chal**[∸-ɑ́:rkəl] *a.* **-ar·chate**[∠-ɑ̀:rkit] *n.* Ⓤ,Ⓒ patriarch의 지위[직권·임기]. **-ar·chy** *n.* Ⓤ 가장[족장] 정치[제도].

pa·tri·cian[pətríʃən] *n., a.* Ⓒ (고대 로마의) 귀족(의); 《一般》 귀족적인, 귀족에 어울리는.

pat·ri·cide[pǽtrəsàid] *n.* Ⓒ 부친 살해범; Ⓤ 부친 살해죄. **-cid·al**[∸-sáidl] *a.*

pat·ri·mo·ny [pǽtrəmòuni/-məni] *n.* Ⓤ,Ⓒ 세습 재산; 어버이로부터 물려받은 것; 교회 재산. **-ni·al** [pæ̀trəmóuniəl, -njəl] *a.*

:**pa·tri·ot**[péitriət, -ɑ̀t/pǽtriət] *n.* Ⓒ 애국자; (점령군에의) 협력 거부자 (cf. collaborator). ˙~·**ism**[-triətìzəm] *n.* Ⓤ 애국심. ˙~·**ic**[pèitriɑ́tik/pæ̀triɔ́-] *a.* 애국의; 애국심이 강한.

˙**pa·trol**[pətróul] *n.* ① Ⓤ 순회, 순시, 정찰. ② Ⓒ 순시인, 순경; 정찰대《척후·비행기·함선 따위의》. ③ Ⓒ 《집합적》 소년단의 반《8명》. ***on*** ~ 순회 중. — *vt., vi.* (**-ll-**) 순회하다; (거리를) 행진하다. ~·**ler** *n.*

patról wàgon 《美》 죄수 호송차.

:**pa·tron**[péitrən] *n.* Ⓒ ① 후원자, 패트런. ② (상점의) 단골 손님, 고객. ③ 수호 성인(聖人). ④ 〖古로〗 (해방된 노예의) 옛 주인. ˙~·**age** [pǽtrənidʒ, péit-] *n.* Ⓤ 후원; 애고(愛顧); 은혜를 베푸는 듯한 태도, 덕색(德色); 《英》 서임권(敍任權). ~·**ess** *n.* Ⓒ patron의 여성. ˙~·**ize** [-àiz] *vt.* 후원하다; 아끼고 사랑하다; 덕색질하다. ~·**iz·ing**[-àiziŋ] *a.* 은인인 체하는, 생색을 내는, 은혜라도 베푸는 듯싶은.

pátron sáint 수호 성인.

pat·sy[pǽtsi] *n.* Ⓒ 《美俗》 쉬이 속아 넘어가는 사람, '봉'.

˙**pat·ter**¹[pǽtər] *vt., vi.* ① 또닥또닥 [후두두후두두] 소리를 내다; 후두두 후두두 비가 뿌리다. ② 타닥타닥 잦은 걸음으로 달리다. — *n.* (*sing.*) 그 소리.

pat·ter² *n., vt., vi.* Ⓤ 재게 재잘거림; 재잘대다; (도둑·거지 등의) 변말.

:**pat·tern**[pǽtərn] *n.* Ⓒ ① 모범; 본보기; 본. ② 양식; 모형. ③ 무늬, 바탕, (옷 따위의) 견본. ④ 《美》 (양복지의) 1착분. ⑤ 〖컴〗 패턴. ***run to*** ~ 틀에 박히다. — *vt., vi.* (본을 따라) 만들다(*after, upon*); (행위의) 본보기에 따르다; 무늬를 넣다.

pau·ci·ty[pɔ́:səti] *n.* (a ~) 소수; 소량; 결핍.

paunch[pɔ:ntʃ] *n.* Ⓒ 배(belly); 올챙이배. **∠·y** *a.* 올챙이배의.

pau·per[pɔ́:pər] *n.* Ⓒ (생활 보호를 받는) 빈곤자, 가난한 사람. ~·**ism** [-ìzəm] *n.* Ⓤ 빈곤. ~·**ize**[-àiz] *vt.* 가난하게 하다; 피구호자가 되게 하다.

:pause[pɔːz] *n.* Ⓒ ① 휴지(休止), 중지, 중단. ② 지체; 주저. ③ 단락, 구두(句讀); 〖樂〗 늘임표(𝄐, 𝄑). ④ 〖컴〗 (프로그램 실행의) 쉼. ***give ~ to*** …을 주저케 하다. ── *vi.* ① 휴지(休止)하다; 기다리다(*for*). ② 머뭇거리다(*upon*).

:pave[peiv] *vt.* ① 포장하다(*with*). ② 덮다; 수월케 하다. ***~ the way for*** 〔***to***〕 …을 위해 길을 열다〔트다〕; …을 수월하게 하다. **páv·ing** *n.* Ⓤ 포장 (재료).

:pave·ment[ˊ-mənt] *n.* ① Ⓒ《英》 포장 도로, 인도(cf. 《美》 sidewalk); 《美》 차도. ② Ⓤ 포장 (재료).

pávement àrtist 《英》 거리의 화가《포도 위에 색분필로 그림을 그려 돈을 얻음》; 《美》 길가에서 개인전을 하는 화가.

:pa·vil·ion[pəvíljən] *n.* Ⓒ ① 큰 천막. ② (야외 경기장 따위의) 관람석. ③ (병원의) 병동(病棟); (공원·정원의) 정자, 별채. ④ 《詩》 하늘. ── *vt.* 큰 천막을 치다〔으로 덮다〕.

:paw[pɔː] *n.* Ⓒ ① (개·고양이 따위의) 발. ② 《口》 (사람의) 손. ── *vi., vt.* ① (앞)발로 치다〔긁다〕. ② 서투르게〔거칠게〕 다루다, 만지작거리다(*over*).

·pawn[1][pɔːn] *n.* Ⓤ 저당; Ⓒ 저당물, 질물(質物). ***in*** 〔***at***〕 ***~*** 전당〔전당〕 잡혀. ── *vt.* ① 전당잡히다. ② (생명·명예를) 걸다, (…을) 걸고 맹세하다.

pawn[2] *n.* Ⓒ (장기의) 졸(卒); 남의 끄나풀〔앞잡이〕 짓하는 사람.

páwn·bròker *n.* Ⓒ 전당포 주인.

páwn·shòp *n.* Ⓒ 전당포.

paw·paw[pɔ́ːpɔ̀ː] *n.* =PAPAW.

†pay[pei] *vt.* (***paid***) ① 치르다; (대금·봉급 등을) 지불하다. ② 변제하다. ③ (사업 따위가 아무에게) 이익을 주다, 보상하다. ④ 대갚음하다. ⑤ (방문 따위를) 하다(give), (주의·존경 따위를) 하다. ⑥ (벌을) 주다. ── *vi.* ① 지불하다; 변제하다. ② (일 따위가) 수지맞다, 괜찮다. ③ 벌을 받다(*for*). ***~ as you go*** (빚을 지지 않고) 현금으로 해나가다; 수입에 따른 지출을 하다; 원천과세(源泉課稅)를 물다. ***~ back*** 도로 갚다; 보복하다. ***~ down*** 맞돈으로 지불하다. ***~ for*** …의 댓가를 치르다; …을 보상하다. ***~ in*** 불입하다. ***~ off*** (빚을) 전부 갚다; 봉급을 주고 해고하다; 앙갚음하다; 〖海〗 (이물을) 바람 불어가는 쪽으로 돌리다. ***~ one's way*** 빚을 지지 않고 살다. ***~ out*** (빚을) 지불하다; (아무에게) 분풀이〔앙갚음〕하다; 〖海〗 (밧줄을) 풀어내다. ***~ up*** 전부 지불하다; (주(株)를) 전액 불입하다. ── *n.* Ⓤ ① 지불 (능력이 있는 사람). ② 급료, 보수. ③ 갚음, 응보. ***in the ~ of*** …에게 고용되어. **˚ˊ-a·ble** *a.* 지불해야 할; 지불할 수 있는; (광산 따위) 수지 맞을 듯싶은.

páy-as-you-éarn *n., a.* Ⓤ 《英》 원천 과세(源泉課稅)(제도)(의)《생략 P.A.Y.E.》.

páy·dày *n.* Ⓒ 지불일, 봉급날.

P.A.Y.E. pay-as-you-earn.

pay·ee[peiíː] *n.* Ⓒ 수취인.

pay·er[péiər] *n.* Ⓒ 지불인.

páying guèst 하숙인.

páy lòad 인건비; 수익 하중(收益荷重); 유도탄의 탄두; 그 폭발력.

páy·màster *n.* Ⓒ 회계원; 〖軍〗 재정관.

:pay·ment[ˊ-mənt] *n.* Ⓤ,Ⓒ 지불(액), 납부, 불입; 변상; Ⓤ 보복.

páy·òff *n.* (*sing.*) 급료 지불(일); 청산; 보상; 《口》 예기치 않은 사건; (이야기의) 클라이맥스.

páy phòne 《美》 (주화를 넣어 쓰는) 공중 전화(실).

páy·ròll *n.* Ⓒ 급료 지불부; 지불 급료의 총액. ***off the ~*** 해고되어. ***on the ~*** 고용되어.

P.C. Police Constable. **PC** personal computer 개인용 컴퓨터.

p.c. per cent.

PE[piːíː] (＜*p*hysical *e*ducation) *n.* Ⓤ 《口》 체육.

:pea[piː] *n.* (*pl.* **~s**) Ⓒ 완두(콩); (BEAN과 구별하여) (둥근) 콩; 완두콩 비슷한 식물. ***green ~*** 푸른 완두. ── *a.* 완두콩 만한 (크기의).

†peace[piːs] *n.* ① Ⓤ 평화. ② (the ~) 치안, 공안(公安). ③ (종종 P-)

P

U 강화 (조약)(*the P- of Paris* 파리 강화 조약). ④ U 안심, 평안(平安). ***at* ~** 평화롭게; 사이좋게(*with*). ***hold* [*keep*] *one's* ~** 침묵을 지키다. ***in* ~** 평화롭게; 안심하여. ***make one's* ~ *with*** …와 화해하다. ***make* ~** 화해[강화]하다. ***wage the* ~** 《美》 평화를 유지하다. — *int.* 조용히! ***∠·a·ble** *a.* 평화로운, 평화를 좋아하는; 평온한. **:∠·ful** *a.* 평화로운[적인]; 평온한. ***∠·ful·ly** *ad.*

Péace Còrps 평화 봉사단. 「인.

péace·màker *n.* C 조정자, 중재

péace òffering (신에게 바치는) 사은의 제물; 화해의 선물.

péace·tìme *n., a.* U 평시(의).

:peach[piːtʃ] *n., a.* ① C,U 복숭아; C 복숭아 나무. ② U 복숭앗빛(의). ③ C 《俗》 미인; 멋진 것. **∠·y** *a.* 복숭아 같은; 복숭앗빛의.

:pea·cock[píːkɑ̀k/-kɔ̀k] *n.* (*pl.* **~s,** 《집합적》 ~) C ① 공작(의 수컷). ② 허영 부리는 사람.

péacock blúe 광택 있는 청색.

péa gréen 연둣빛(light green).

péa·hèn *n.* C 암공작.

:peak[piːk] *n.* C ① 봉오리, 산꼭대기; 고봉(孤峰). ② 첨단, 뾰족한 끝. ③ 최고점, 절정. ④ (모자의) 앞챙. **~ed**[piːkt, píːkid] *a.* 뾰족한.

:peal[piːl] *n.* C ① (포성·천둥·웃음소리 등의 길게 끄는) 울림; 종소리의 울림. ② (음악적으로 음률을 고른) 한 벌의 종, 종악(鐘樂)(chime). — *vi., vt.* (종 따위가) 울려 퍼지(게 하)다, (우렁차게) 울리다.

˙pea·nut[píːnʌ̀t] *n.* ① C,U 땅콩, 낙화생. ② C 《俗》 변변치 않은 사람. ③ (*pl.*) 하찮은 것; 적은 액수.

péanut bùtter 땅콩 버터.

:pear[pɛər] *n.* C,U 서양배; C 서양배 나무.

†pearl[pəːrl] *n.* ① C 진주. ② C 일품(逸品), 정화(精華). ③ C 진주 같은 것《이슬·눈물 따위》. ④ U 진줏빛(bluish gray). ⑤ C 〖印〗 펄형 활자《5포인트》. ***cast* [*throw*] *~s before swine*** 돼지에 진주를 던져 주다. — *a.* 진주(빛·모양)의. — *vt., vi.* 진주로 장식하다; 진주를 캐다.

péarl bàrley 정백(精白)한 보리.

pearl·y[pə́ːrli] *a.* 진주 같은[로 장식한].

:peas·ant[pézənt] *n.* C 소농(小農), 농부; 시골뜨기. **~·ry** *n.* U 《집합적》 소작인, 농민.

péase pùdding 《주로 英》 콩가루 푸딩.

péa·shòoter *n.* C 콩알총.

peat[piːt] *n.* U 토탄(土炭)(덩어리). **∠·y** *a.* 토탄 같은, 토탄이 많은.

˙peb·ble[pébəl] *n., vt.* C (둥근) 조약돌; (가죽 따위의) 표면을 도톨도톨하게 하다. **péb·bly** *a.* 자갈이 많은.

pe·can[pikǽn, -kɑ́ːn] *n.* C (미국 남부산) 피칸(나무)《hickory의 일종》.

pec·ca·dil·lo[pèkədílou] *n.* (*pl.* **~(*e*)*s***) C 가벼운 죄, 조그마한 과오; 작은 결점.

pec·ca·ry[pékəri] *n.* (*pl.* **-ries,** 《집합적》 ~) C (미국산) 산돼지류.

:peck *vi., vt.* (부리 따위로) 쪼다, 쪼아 먹다; 쪼아 줍다(*up*); 쪼아 파다; 조금씩 먹다; 흠을 잡다(*at*); (타이프로) 쳐내다. — *n.* C 쪼기; 쪼아낸 구멍[자국]; 가벼운 키스.

pec·tin[péktin] *n.* U 〖生化〗 펙틴.

pec·to·ral [péktərəl] *a.* 가슴의 (~ *fin* 가슴지느러미).

:pe·cu·liar[pikjúːljər] *a.* 독특한, 특유한(*to*); 특별한; 묘한(odd). **˙ ~·ly** *ad.* **˙-li·ar·i·ty**[—ˊliǽrəti] *n.* U 특(수)성, 특질; C 괴상함; C 기이한 버릇.

pe·cu·ni·ar·y[pikjúːnièri/-njəri] *a.* 금전(상)의.

ped·a·gog·ic[pèdəgɑ́dʒik, -góu-/-ɔ́-], **-i·cal**[-əl] *a.* 교육학[자]의. **-ics** *n.* = PEDAGOGY.

ped·a·gog(ue) [pédəgɑ̀g, -gɔ̀ːg/-gɔ̀g] *n.* C 《蔑》 교사; 현학자(衒學者).

ped·a·go·gy[pédəgòudʒi, -ɑ̀-/-ɔ̀-] *n.* U 교육(학).

˙ped·al[pédl] *n., a.* C 페달(의), 발판; 발의. — *vi., vt.* ((《英》) *-ll-*) 페달을 밟다[밟아 움직이다]. 「트.

ped·a·lo[pǽdəlòu] *n.* C 페달식 보

ped·ant[pédənt] *n.* C 학자연하는 사람; 공론가(空論家). **pe·dan·tic** [pidǽntik] *a.* 학자연하는. **péd·ant-**

ry *n.* Ⓤ 학자연합; 현학(衒學).

ped·dle[pédl] *vt., vi.* 행상하다; 소매하다. ***ped·dler** *n.* Ⓒ 행상인.

ped·es·tal**[pédəstl] *n.* Ⓒ ① (동상·기둥 등의) 주춧대, 대좌(臺座), (꽃병 등의) 받침. ② 근저; 기초. ③ 〖機〗 축받이. ***put 〔***set***〕 ***a person on a*** ~ 아무를 받들어 모시다. ― *vt.* (《英》 **-ll-**) 대(臺)에 올려놓다.

***pe·des·tri·an**[pədéstriən] *a.* 도보의; 단조로운; 진부한. ― *n.* Ⓒ 보행자; 도보주의자. ~**·ism**[-ìzəm] *n.* Ⓤ 도보주의.

pedéstrian précinct 보행자 전용 도로 구획.

pe·di·a·tri·cian [pì:diətríʃən], **-at·rist**[-ǽtrist] *n.* Ⓒ 소아과 의사. **-át·rics** *n.* Ⓤ 〖醫〗 소아과.

ped·i·cure[pédikjùər] *n.* Ⓤ 발 치료《티눈·물집 따위의》; Ⓤ,Ⓒ 페디큐어《발톱가꾸기》(cf. manicure).

ped·i·gree[pédəgrì:] *n.* Ⓒ 계도(系圖); Ⓤ,Ⓒ 가계(家系), 가문; Ⓒ 《美俗》 (경찰의) 전과 기록부. ~**d**[-d] *a.* 유서 있는; 혈통이 확실한.

ped·i·ment[pédəmənt] *n.* Ⓒ 〖建〗 (그리스식 건축의) 박공(벽).

***ped·lar**[pédlər] *n.* = PEDDLER.

pee[pi:] *vi.* 《俗》 쉬하다, 오줌누다. ― *n.* Ⓤ 오줌(piss).

peek[pi:k] *vi.* 엿보다(*in, out*). ― *n.* (*sing.*) 엿보기; 〖컴〗 집어내기.

peek·a·boo[pí:kəbù:] *n.* '아웅', 깍꿍' 놀이; Ⓒ 비치는 옷. ― *a.* 비치는, 잔 구멍이 많은.

:peel[pi:l] *n.* Ⓤ (과일·야채 등의) 껍질. ― *vt., vi.* (…의) 껍질을 벗기다, 껍질이 벗겨지다(*off*), 허물벗다. **∠·ing** *n.* Ⓤ 껍질을 벗김; (*pl.*) (벗긴) 껍질.

peel·er *n.* Ⓒ 껍질 벗기는 사람〔기구〕; 《俗》 스트리퍼.

:peep[1][pi:p] *n.* (a ~) 엿보기, 훔쳐봄; Ⓤ 출현, 보이기 시작함. ***have*** 〔***get***〕 ***a*** ~ ***at*** …을 잠깐 보다. ~ ***of day*** 〔***dawn***〕 새벽. ― *vi.* 엿보다, 훔쳐보다(*at, into, through*); 나타나다; (성질 따위가) 부지중 드러나다(*out, forth*).

peep[2] *n.* Ⓒ (새끼새·쥐 등의) 삐악삐악〔짹짹〕 우는 소리. ― *vi.* 삐악삐악〔짹짹〕 울다; 작은 소리로 이야기하다.

péep·hòle *n.* Ⓒ 들여다 보는 구멍.

Péeping Tóm 엿보기 좋아하는 사내.

péep shòw 요지경.

***peer**[1][piər] *vi.* (눈을 한데 모아) 응시하다(*into, at*); 희미하게 나타나다, 보이기 시작하다(*out*).

peer**[2] *n.* Ⓒ 귀족; 동배(同輩), 동등한 사람. ***without a ~ 비길 데 없는. ***∠·less** *a.* 비길 데 없는.

peer·age[píəridʒ] *n.* (the ~) 《집합적》 귀족; 귀족 계급(의 지위); Ⓒ 귀족 명감(名鑑).

peeve[pi:v] *vt., vi., n.* 짜증나게〔속타게〕 하다; Ⓒ 짜증나게 하는 것.

pee·vish[pí:viʃ] *a.* 성마른, 짜증이 난; 부루퉁〔지르퉁〕한. ~**·ly** *ad.*

pee·wit[pí:wit] *n.* = PEWIT.

:peg[peg] *n.* Ⓒ 나무못; 마개; 걸이못; (악기의) 줄조르개; (천막의) 말뚝; 이유, 구실, 계기; 《口》 (평가 따위의) 등급; 단계(degree); 《口》 다리, (나무로 만든) 의족(義足); 《英》 빨래집게. ***a*** ~ ***to hang on*** 구실, 계기. ***a round*** ~ ***in a square hole,*** or ***a square*** ~ ***in a round hole*** 부적임자(不適任者). ***take a person down a*** ~ (***or two***) 《口》 아무의 콧대를 꺾다. ― *vt.* (**-gg-**) (…에) 나무못을 박다〔으로 고정시키다, 죄다〕(*down, in, out*); (주가 등을) 안정시키다. ― *vi.* 부지런히 일하다(*away*).

pe·jo·ra·tive [pidʒɔ́:rətiv, pí:dʒərèi-, pédʒə-] *a., n.* 경멸의; Ⓒ 경멸어《보기: *poetaster*》.

Pe·kin·ese[pì:kiní:z], **-king·ese**[-kiŋí:z] *a.* 북경(인)의. ― *n.* Ⓒ 북경 사람; 발바리.

pe·lag·ic[pəlǽdʒik] *a.* 대양〔원양〕의(~ *fishing* 원양 어업).

***pel·i·can**[pélikən] *n.* Ⓒ 〖鳥〗 펠리컨.

pélican cróssing 《英》 누름버튼식 횡단 보도《*pe*destrian *li*ght *con*trolled crossing 에서》.

pel·la·gra[pəléigrə, -lǽg-] *n.* Ⓤ 〖醫〗 펠라그라, 옥수수홍반(紅斑)《피부병》.

P

pel·let[pélit] *n., vt.* Ⓒ (진흙·종이의) 뭉친 알(로 맞히다); (육식조(肉食鳥)가) 게워낸 덩어리; 알약; 작은 총알.

pell-mell[pélmél] *n., ad., a.* (a ~) 혼란, 난잡(하게, 한), 엉망진창(으로, 의); 몹시 허둥대어.

pel·lu·cid[pəlú:sid] *a.* 투명한; (뜻 따위가) 명백한.

:**pelt**[1][pelt] *vt.* (…에) (내)던지다; (질문·욕설 따위를) 퍼붓다(*with*). — *vi.* (비 따위가) 세차게 퍼붓다; 급히 가다. — *n.* Ⓤ 내던짐; 질주. (**at**) **full** ~ 전속력으로.

pelt[2] *n.* Ⓒ (양·염소 따위의) 생가죽; 《諧》 (사람의) 피부. **∠·ry** *n.* Ⓤ 《집합적》 생가죽(pelts or furs); Ⓒ (한 장의) 생가죽(a pelt; a fur).

pel·vis [pélvis] *n.* (*pl.* **pelves** [pélvi:z]) Ⓒ 〖解〗 골반.

†**pen**[1][pen] *n.* Ⓒ 펜. — *vt.* (**-nn-**) 쓰다.

:**pen**[2] *n.* Ⓒ (가축의) 우리, 축사(畜舍); (지하의) 잠수함 대피소. — *vt.* (**penned, pent; -nn-**) 우리에 넣다; 가두다(*in, up*).

pen[3] *n.* Ⓒ 《美俗》 구치소.

pe·nal[pí:nəl] *a.* 형(벌)의, 형(벌)을 받아야 할; 형사〔형법〕상의. **~·ize**[-àiz] *vt.* 유죄로 선고하다; (경기에서 반칙자에게) 벌칙을 과하다.

pénal códe 형법(전).

:**pen·al·ty**[pénəlti] *n.* Ⓒ ① 형벌. ② 벌금. ③ (경기의 반칙에 대한) 벌; 페널티. **on** 〔**under**〕 ~ **of** 어기면 …한 벌을 받는다는 조건으로.

˙**pen·ance**[pénəns] *n.* Ⓤ 참회, 고행; 〖가톨릭〗 고해 (성사).

pén-and-ínk *a.* 펜으로 쓴.

:**pence**[pens] *n.* 《英》 penny의 복수.

pen·chant[péntʃənt; pɑ́:ŋʃɑ́:ŋ] *n.* (F.) Ⓒ 강한 경향, 기호, 취미(*for*).

†**pen·cil**[pénsəl] *n.* Ⓒ 연필(모양의 것); 《古》 화필; 〖光〗 광속(光束). — *vt.* (《英》 **-ll-**) 연필로 쓰다〔그리다〕. ~(**l**)**ed** *a.* 연필로 쓴.

péncil shàrpener 연필 깎개.

˙**pend·ant**[péndənt] *n.* Ⓒ (로켓(locket) 같은) 드림 장식; (지붕·천장에서의) 늘임 장식; 매단 램프; 〖海〗 = PENNANT.

˙**pend·ing**[péndiŋ] *a.* 미결정의. — *prep.* …동안, …중(during); …까지.

pen·du·lous[péndʒələs] *a.* 매달린, 늘어진; 흔들리는.

˙**pen·du·lum**[péndʒələm] *n.* Ⓒ 진자(振子), 추, 흔들이.

pen·e·tra·ble[pénitrəbəl] *a.* 스며들〔침투할〕 수 있는; 관통〔간파〕할 수 있는.

:**pen·e·trate**[pénətrèit] *vt.* 꿰뚫다, 스며들다; 관통하다; 통찰하다; (빛 따위가) 통하다; 간파하다; 깊이 감명시키다. — *vi.* 스며들어가다; 뚫고 들어가다(*into, through, to*). ˙**-trat·ing** *a.* 꿰뚫는, 침투하는; 날카로운; 통찰력이 있는; (목소리 따위) 새된. ˙**-tra·tion**[≻-tréiʃən] *n.* Ⓤ 관통; 투철(력); 통찰력, 안식(眼識); 세력 침투. **-trà·tive** *a.* 관통력 있는, 스며드는; 마음에 사무치는; 예민한.

˙**pen·guin**[péŋgwin, pén-] *n.* Ⓒ 펭귄.

pen·i·cil·lin[pènəsílin] *n.* Ⓤ 〖藥〗 페니실린《항생물질약》.

:**pen·in·su·la**[pənínsələ, -sjə-] *n.* Ⓒ 반도. **-lar** *a.*

pe·nis[pí:nis] *n.* (L. = tail) (*pl.* **~es, -nes**[-ni:z]) Ⓒ 음경(陰莖).

˙**pen·i·tent**[pénətənt] *a., n.* 뉘우치는, Ⓒ 참회하는 (사람); 〖가톨릭〗 고해자. **-tence** *n.* **~·ly** *ad.*

pen·i·ten·tial[pènəténʃəl] *a.* 회오의; 속죄의. — *n.* = ⇧; 〖가톨릭〗 고해 세칙서. **~·ly** *ad.*

pen·i·ten·tia·ry[pènəténʃəri] *n.* Ⓒ 〖가톨릭〗 고해 신부; 《英》 감화원; 《美》 주〔연방〕 교도소. — *a.* 회오의; 징벌의; 감옥에 갈《벌 따위》.

pén·knife *n.* (*pl.* **-knives**) Ⓒ 주머니칼.

pén nàme 필명(筆名), 펜네임.

˙**pen·nant**[pénənt] *n.* Ⓒ 길고 조붓한 삼각기; 《美》 페넌트, 우승기.

˙**pen·ni·less**[pénilis] *a.* 무일푼의, 몹시 가난한.

pen·non[pénən] *n.* Ⓒ (본래 기사의 창에 단) 긴 삼각기; 《一般》 기(旗).

:**pen·ny**[péni] *n.* (*pl.* (액수) **pence,** (개수) **pennies**) Ⓒ 페니《영국의 청동화, 1/12 shilling》; 《美·캐나다》 1 cent 동전; 금전. **a bad** ~ 달갑잖

은 사람[물건]. ***A ~ for them!*** = ***A ~ for your thoughts!*** 무얼 그리 생각하고 있지. ***a pretty ~*** 큰 돈. ***In for a ~, in for a pound.*** ⇨IN(*ad.*). ***turn an honest ~*** 정직하게 일하여 돈을 벌다. ***Take care of the pence, and the pounds will take care of themselves.*** 《속담》 티끌 모아 태산.

pénny píncher 구두쇠, 노랑이.

:**pén pàl** 펜팔(pen-friend).

:**pen·sion**[pénʃən] *n., vt.* Ⓒ (…에게) 연금(을 주다). ~ ***off*** 연금을 주어 퇴직시키다. ~**·a·ble** *a.* 연금을 받을 자격이 있는. ~**·ar·y** *a., n.* 연금의, 연금을 받는; Ⓒ 연금 타는 사람. ~**·er** *n.* Ⓒ 연금 타는 사람.

pen·si·on[pɑːnsjɔ́ːŋ] *n.* (F.) Ⓒ (프랑스·벨기에 등지의) 하숙.

˙**pen·sive**[pénsiv] *a.* 생각에 잠긴; 구슬픈. ~**·ly** *ad.* ~**·ness** *n.*

pen·t(a)-[pént(ə)] '다섯'의 뜻의 결합사.

˙**pen·ta·gon**[péntəgɑ̀n/-gɔ̀n] *n.* Ⓒ 5각형, 5변형; 〖築城〗 5능보(稜堡); (the P-) 미국 국방부. **-tag·o·nal**[pentǽgənəl] *a.* 5각[변]형의.

pen·tam·e·ter[pentǽmitər] *n.* Ⓒ 〖韻〗 오보격(五步格).

pen·tath·lon [pentǽθlən, -lɑn] *n.* Ⓤ (보통 the ~) 5종 경기.

Pen·te·cost [péntikɔ̀ːst/-kɔ̀st] *n.* 오순절(五旬節)《Passover 후 50일째의 유대의 축일》; 성령 강림절(聖靈降臨節)(Whitsunday).

pént·hòuse *n.* Ⓒ 달개 지붕; 옥상의 소옥(小屋).

pént-úp *a.* 억제된; 갇힌.

pe·nult[píːnʌlt, pinʌ́lt] *n.* Ⓒ 어미에서 둘째의 음절. **pe·nul·ti·mate** [-təmit] *a., n.* Ⓒ 어미에서 둘째의 (음절).

pe·nu·ri·ous[pinjúəriəs] *a.* 인색한; 가난한. 「窮).

pen·u·ry[pénjəri] *n.* Ⓤ 빈궁(貧

pe·o·ny[píːəni] *n.* Ⓒ 〖植〗 작약(꽃).

†**peo·ple**[píːpl] *n.* Ⓒ 국민, 민족; 《이하 모두 복수 취급》 인민; 《一般》 사람들; (the ~) 민중; (the ~) 하층 계급; (어떤 지방·단체에 속하는) 사람들; 신민, 종자(從者); (one's ~) 가족, 친척. ***P- say that...*** 세상에서는 …이라고들 말한다. — *vt.* (…에) 사람을 살게 하다[채우다]; (동물 따위를) 많이 살게 하다(*with*).

pep[pep] (<*pep*per) *n.* Ⓤ 《美口》 원기. — *vt.* (**-pp-**) 기운을 북돋다.

:**pep·per** [pépər] *n.* Ⓤ 후추; Ⓒ 〖植〗 후춧과의 식물; 고추. — *vt.* (…에) 후춧가루를 치다, 후춧가루로 양념하다; 듬뿍 뿌리다; (총알·질문 따위를) 퍼붓다.

pépper·còrn *n.* Ⓒ (말린) 후추 열매; 하찮은 물건.

pep·per·mint[-mìnt] *n.* Ⓤ 〖植〗 박하; 박하유; Ⓒ 박하 사탕.

pep·pery [pépəri] *a.* ① 후추의[같은]; 매운. ② 격렬한《연설 따위》. ③ 성마른.

pép pìll 《美俗》 각성제.

pép tàlk 격려 연설, 격려의 말.

pep·tic[péptik] *a.* 소화를 돕는, 소화할 수 있는; 펩신의. — *n.* Ⓤ 소화제.

:**per**[強 pəːr, 弱 pər] *prep.* (L.) …에 의하여; …에 대해, …마다. ***as ~*** …에 의하여. ***as ~ usual*** 《諧》 평상시[여느 때]와 같이.

per·am·bu·late[pərǽmbjəlèit] *vt., vi.* 돌아다니다; 순시[순회]하다. ***-la·tor** *n.* Ⓒ 유모차(車); 순회자. **-la·tion**[-ˊ-léiʃən] *n.*

per ánnum (L.) 1년에 대해, 1년마다《생략 per an(n)., p.a.》.

per cáp·i·ta[-kǽpətə] (L.) 1인당, 머릿수로 나누어.

:**per·ceive**[pərsíːv] *vt.* 지각(知覺)하다; 알아[눈치]채다, 인식하다; 이해하다.

:**per·cent, per cént**[pərsént] *n.* (*pl.* ~, ~**s**) Ⓒ 퍼센트, 100분《기호 %》; 《口》 =⇩.

˙**per·cent·age**[pərséntidʒ] *n.* Ⓒ 백분율; 비율, 율; 부분; 수수료; Ⓤ 이익.

˙**per·cep·ti·ble**[pərséptəbəl] *a.* 지각할 수 있는. **-bly** *ad.*

˙**per·cep·tion**[pərsépʃən] *n.* Ⓤ,Ⓒ 지각(작용·력·대상)(perceiving).

per·cep·tive[pərséptiv] *a.* 지각하는; 지각력 있는.

:**perch**[1][pəːrtʃ] *n.* Ⓒ (새의) 횃대;

P

높은 지위[장소]; 퍼치《길이의 단위, 5.03m; 면적의 단위, 25.3m²》. ***hop*** 〔***tip over***〕 ***the*** ~ 죽다《본디 새에 일컬음》(cf. hop the TWIG). ***knock a person off his*** ~ 아무를 이기다[해치우다]. — *vi.* (새가) 횃대에 앉다(*on*); 앉다(*on, upon*). — *vt.* (높은 곳에) 두다, 얹다.

perch[2] *n.* (*pl.* ~***es,*** 《집합적》 ~) Ⓒ 농어류(類)의 물고기.

per·chance[pərtʃǽns, -ɑ́:-] *ad.* 《古·詩》 = MAYBE.

per·cip·i·ent[pərsípiənt] *a.* 지각하는; 지각력 있는. — *n.* Ⓒ 지각자(知覺者); (정신 감응술의) 영통자.

P

per·co·late[pə́:rkəlèit] *vt.* (액체를) 거르다; 스며나오게 하다. — *vi.* 스며나오다. **-la·tor** *n.* Ⓒ 여과기(器). 커피 끓이개. **-la·tion**[⌐–léiʃən] *n.* Ⓤ,Ⓒ 여과, 침투; 〖藥〗 침제(浸劑).

per·cus·sion[pərkʌ́ʃən] *n.* Ⓤ,Ⓒ 충격, 진동; 타악기의 연주; 〖醫〗 타진(打診); (*pl.*) (악단의) 타악기부.

percússion sèction (악단의) 타악기부.

per·di·tion[pərdíʃən] *n.* Ⓤ 멸망, 전멸; 지옥; 지옥에 떨어짐; (정신적) 파멸.

per·e·gri·nate[pérəgrinèit] *vi., vt.* 편력(遍歷)하다, 여행하다. **-na·tion** [⌐––néiʃən] *n.* **-na·tor** *n.*

per·e·grin(e)[pérəgrin] *a.* 외국[외래]의; (새 따위가) 이주(移住)하는.

péregrine fálcon (매 사냥에 쓰던) 송골매.

per·emp·to·ry[pərémptəri] *a.* 단호한; 거만한, 도도한; 결정[절대]적인. **-ri·ly** *ad.* **-ri·ness** *n.*

˚**per·en·ni·al**[pəréniəl, -njəl] *a., n.* 연중(年中) 끊이지 않는; 영원한; Ⓒ 다년생의 (식물). ~**·ly** *ad.*

†**per·fect**[pə́:rfikt] *a.* 완전한, 결점 없는; 숙달한(*in*); 전적인; 〖文〗 완료의. — *n.* Ⓒ 〖文〗 완료 시제[형]. — [pərfékt] *vt.* 완성[개선]하다; 완전하게 하다. ~**·er** *n.* **:**~**·ly** *ad.* ~**·ness** *n.* ~**·i·ble** *a.* 완전히 할 수 있는, 완전해질 수 있는.

:per·fec·tion[pərfékʃən] *n.* Ⓤ 완전; Ⓒ 완전한 사람[물건]; Ⓤ 완성; 극치. ***to*** ~ 완전히.

per·fid·i·ous[pərfídiəs] *a.* 불성실한, 배반하는. ~**·ly** *ad.* ~**·ness** *n.*

per·fi·dy[pə́:rfədi] *n.* Ⓤ 불신; 배반.

per·fo·rate[pə́:rfərèit] *vt.* 구멍을 뚫다[내다]; (우표 등에) 줄 구멍을 내다. — *vi.* 꿰뚫다(*into, through*). — [-rit] *a.* 관통된. **-ra·tor** *n.* Ⓒ 구멍 뚫는 기구. **-ra·tion**[⌐–réiʃən] *n.* Ⓤ 관통; Ⓒ (필름·우표 등의) 줄구멍.

per·force[pərfɔ́:rs] *ad.* 무리하게; 부득이, 필연적으로.

:per·form[pərfɔ́:rm] *vt., vi.* 하다(do); 실행하다; 성취하다; 연기(演技)하다; 연주하다; (*vi.*) (동물이) 재주를 부리다 ˚~**·er** *n.* Ⓒ 행위자, 실행[수행]자; 연기[연주]자.

:per·form·ance[-əns] *n.* ① Ⓒ 연기, 연주, 흥행. ② Ⓤ 수행, 성취, 실행. ③ Ⓤ,Ⓒ 일; 작업; (기계류의) 성능; 공적; 성과. ④ Ⓤ 〖컴〗 성능.

perfórming árts 공연[무대]예술 《연극·음악·무용 따위》.

:per·fume[pə́:rfju:m] *n.* ① Ⓤ 방향(芳香). ② Ⓤ,Ⓒ 향수, 향료. — [pə(:)rfjú:m] *vt.* 방향으로 채우다; 향수를 뿌리다.

per·func·to·ry[pərfʌ́ŋktəri] *a.* 되는 대로의, 마지못해 하는, 기계적인; 형식적인. **-ri·ly** *ad.*

per·go·la [pə́:rgələ] *n.* Ⓒ 퍼골라 《덩굴을 지붕처럼 올린 정자 또는 길》, 등나무 시렁.

†**per·haps** [pərhǽps, pərǽps] *ad.* 아마, 혹시(maybe), 어쩌면(possibly).

per·i·gee[pérədʒì:] *n.* Ⓒ (*sing.*) 〖天〗 근지점(近地點)(opp. apogee).

:per·il[pérəl, -ril] *n.* Ⓤ,Ⓒ 위험, 모험. — *vt.* (《英》 ***-ll-***) 위험에 빠뜨리다. ***at one's*** ~ 위험을 무릅쓰고. ***at the*** ~ ***of*** …을 걸고. ***in*** ~ ***of*** …이 위험에 직면하여.

:per·il·ous[pérələs, -ril-] *a.* 위험한. ~**·ly** *ad.* ~**·ness** *n.*

pe·rim·e·ter[pərímitər] *n.* Ⓒ (평면도의) 주변; 주변의 길이; 〖軍〗 (전선의) 돌출부.

†**pe·ri·od**[píəriəd] *n.* Ⓒ 기간; 시대; (어느 기간의) 완결; 수업 시간,

교시(校時); (경기의) 한 구분《전반·후반 등》; 〖天·理〗 주기(週期); 〖地〗 기(紀); 문장의 종결; 마침표, 피리어드; 〖修〗 도미문(掉尾文)《주절이 문미에 있는 글》; (*pl.*) 미문(美文); (*pl.*) 월경; (병의) 경과. ***come to a*** ~ 끝나다.

*__pe·ri·od·ic__[pìəriádik/-ɔ́d-] *a.* 주기[단속]적인; 〖修〗 도미문(掉尾文)의.

*__pe·ri·od·i·cal__ [-əl] *a.* 정기 간행(물)의; =↑. ── *n.* Ⓒ 정기 간행물, 잡지. **~·ly** *ad.* **-o·dic·i·ty**[-ədísəti] *n.* Ⓤ 주기성(周期性); 주율(周律).

periódic táble 〖化〗 주기(율)표.

per·i·pa·tet·ic[pèrəpətétik] *a.* (걸어) 돌아다니는; 여행하며 다니는; (P-) 소요(逍遙)학파의, 아리스토텔레스 학파의. ── *n.* Ⓒ 걸어 돌아다니는 사람, 행상인; (P-) 소요학파의 학도.

pe·riph·er·al[pəríførəl] *a.* ① 주위[주변]의; 말초의. ② 주변적[말초적]인; (…에 대해) 중요치 않은(*to*). ③ 〖컴〗 주변 장치의. ~ ***device*** 주변 장치. ~ ***equipment*** 주변 장비. ~ ***nerves*** 말초신경. **~·ly** *ad.*

pe·riph·er·y [pəríføri] *n.* Ⓒ (*sing.*) (원(圓)·타원의) 둘레, 원주(圓周); 바깥면.

per·i·scope[pérəskòup] *n.* Ⓒ 잠망경(潛望鏡).

†**per·ish**[périʃ] *vi.* 죽다, 멸망하다; 썩어[사라져] 없어지다; 말라[시들어] 죽다, 무너지다. ── *vt.* 《보통 수동》 몹시 곤란하게 하다, 괴롭히다(*with*). **~·a·ble** *a., n.* 부패[파멸]하기 쉬운; (*pl.*) (수송 중에) 부패되기 쉬운 것. **~·ing** *a.* (추위 따위) 혹독한; 《부사적으로》 지독하게, 몹시.

per·i·to·ni·tis[pèritənáitis] *n.* Ⓤ 〖病〗 복막염.

per·i·win·kle[1][pérəwiŋkl] *n.* Ⓒ 〖植〗 협죽도과(科)의 식물.

per·i·win·kle[2] *n.* Ⓒ 경단고둥류(類).

per·jure[pə́ːrdʒər] *vt.* 《~ *one-self*로 하여》 거짓 맹세하다, 위증(僞證)하다. **~d**[-d] *a.* 거짓 맹세[증언]한. **pér·jur·er** *n.* Ⓒ 위증자.

per·ju·ry[pə́ːrdʒəri] *n.* Ⓤ,Ⓒ 거짓 맹세, 위증.

perk[pəːrk] *vi., vt.* 머리를 쳐들다, 새침떨다, 점잔빼다, 의기 양양해 하다(*up*). **∠·y** *a.* 건방진, 오지랖넓은; 의기 양양한.

perm[pəːrm] *n.* Ⓒ 《口》 파마(permanent wave).

per·ma·frost[pə́ːrməfrɔ̀ːst/-frɔ̀st] *n.* Ⓤ 영구 동토대(凍土帶)《북극지방의》.

per·ma·nence [pə́ːrmənəns] *n.* Ⓤ 영속(성); 영구. **-nen·cy** *n.* = PERMANENCE; Ⓒ 영속물; 종신관(終身官), 종신 고용.

:**per·ma·nent**[pə́ːrmənənt] *a.* 영구한, 불변의; 영속하는. ── *n.* 《口》 =~ ***wáve*** 퍼머넌트. *__~·ly__ *ad.*

per·me·a·ble[pə́ːrmiəbəl] *a.* 침투할 수 있는. **-bil·i·ty**[∠──bíləti] *n.* Ⓤ 침투성.

per·me·ate[pə́ːrmièit] *vt.* 침투하다; 스며들다; 충만하다. ── *vi.* 스며퍼지다; 널리 퍼지다(*in, among, through*). **-a·tion**[∠─éiʃən] *n.* Ⓤ 침투, 충만; 보급.

per·mis·si·ble[pəːrmísəbəl] *a.* 허용되는, 지장 없는.

:**per·mis·sion**[pəːrmíʃən] *n.* Ⓤ 허가; 면허; 허용.

per·mis·sive[pəːrmísiv] *a.* 허가하는; 허용된; 수의(隨意)의.

:**per·mit**[pəːrmít] *vt., vi.* (**-*tt*-**) 허락[허용]하다; (…하게) 내버려 두다[방임하다]; 가능하게 하다; 용납하다(admit)(*of*). ***weather ~ting*** 날씨만 좋으면. ── [∠─] *n.* Ⓒ 허가증, 면허장.

per·mu·ta·tion [pə̀ːrmjutéiʃən] *n.* Ⓤ,Ⓒ 교환; 〖數〗 순열(cf. combination).

*__per·ni·cious__[pəːrníʃəs] *a.* 유해한; 치명적인(fatal); 파괴적인. **~·ly** *ad.* **~·ness** *n.*

per·nick·et·y[pərníkəti] *a.* 《口》 곰상스러운, 까다로운; 다루기 힘든.

per·o·rate[pérərèit] *vi.* (연설을) 끝맺다; 결론짓다; 열변을 토하다. **-ra·tion**[∠─réiʃən] *n.* Ⓤ,Ⓒ 〖修〗 (연설의) 결론, 끝맺음.

per·ox·ide[pəráksaid/-ɔ́-], **-ox·id**[-sid] *n.* Ⓤ 〖化〗 과산화물[수소].

P

~ ***of hydrogen*** 과산화수소. — *vt.* (머리털을) 과산화수소로 표백하다.

˙**per·pen·dic·u·lar**[pə̀ːrpəndíkjələr] *a.* 수직의; 〖幾〗 직각을 이루는; 깎아지른 듯한. — *n.* Ⓒ 수선(垂線); 수직면; Ⓤ (the ~) 수직의 위치. ~**·ly** *ad.* ~**·i·ty**[ˊ–ˊ–lǽrəti] *n.* Ⓤ 수직, 직립.

per·pe·trate[pə́ːrpətrèit] *vt.* (나쁜짓·죄를) 저지르다, 범하다. **-tra·tor** *n.* Ⓒ 범인. **-tra·tion**[ˊ–tréiʃən] *n.* Ⓒ 범행, 범죄; Ⓤ 나쁜 짓을 행함.

:**per·pet·u·al**[pərpétʃuəl] *a.* 영구한; (관직 따위) 종신의; 끊임없는; 〖園藝〗 사철 피는. ˙~**·ly** *ad.*

per·pet·u·ate[pə(ː)rpétʃuèit] *vt.* 영속[영존]시키다; 불후(不朽)하게 하다. **-a·tor** *n.* **-a·tion**[–ˊ–éiʃən] *n.* Ⓤ 영속, 불후(화).

per·pe·tu·i·ty[pə̀ːrpətjúːəti] *n.* Ⓤ 영속, 영존(永存); Ⓒ 종신 연금; Ⓤ 영대(永代) 재산[소유권]. ***in*** [***to, for***] ~ 영구히.

:**per·plex**[pərpléks] *vt.* 곤란케 하다, 당황케 하다, 혼란시키다. ~**ed** [-t] *a.* 당황[혼란]한. ~**·ing** *a.* 곤란[당황]케 하는; 복잡한. ~**·i·ty** *n.* Ⓤ 당황; 혼란; 곤란케 하는 것[일].

per·qui·site[pə́ːrkwəzit] *n.* Ⓒ (*sing.*) 임시 수입, 손씻이, 팁; (직무상의) 부수입.

per se[pəːr séi, -síː] *ad.* (L.) 그 자체, 본질적으로는.

:**per·se·cute**[pə́ːrsikjùːt] *vt.* (이교도를) 박해[학대]하다; 지근거리다, 괴롭히다(*with*). **-cu·tive** *a.* **-cu·tor** *n.* Ⓒ 박해자. ˙**-cu·tion**[ˊ–kjúːʃən] *n.* Ⓤ (종교적) 박해.

˙**per·se·vere**[pə̀ːrsəvíər/-si-] *vi.* 인내하다, 굴치 않고 계속하다(*in, with*). :**-ver·ance**[-víːrəns/-víər-] *n.* Ⓤ 인내; 고집. **-vér·ing** *a.* 참을성 있는.

:**Per·sian**[pə́ːrʒən, -ʃən/-ʃən] *a.* 페르시아(사람·말)의. — *n.* Ⓒ 페르시아 사람; Ⓤ 페르시아어.

˙**per·sim·mon** [pəːrsímən] *n.* Ⓒ 감(나무).

:**per·sist**[pəːrsíst, -zíst] *vi.* 고집하다, 주장하다(*in*); 지속하다.

:**per·sist·ent**[pəːrsístənt, -zís-] *a.* 고집하는, 불굴의; 지속하는; 〖植〗 상록의. ~**·ly** *ad.* **-ence, -en·cy** *n.* Ⓤ 고집; 지속(성).

†**per·son**[pə́ːrsən] *n.* Ⓒ 사람; (보통 *sing.*) 신체; 풍채, 인품, 인격, 개성; Ⓤ,Ⓒ 〖文〗 인칭; 〖法〗 인(人)《자연인과 법인의 총칭》. ***in*** ~ 스스로, 몸소. ~**·a·ble** *a.* 풍채가 좋은, 품위 있는.

per·so·na[pərsóunə] *n.* (*pl.* **-nae** [-niː]) (L.) Ⓒ (극·소설의 등장) 인물, 역. DRAMATIS PERSONAE. ~ ***grata*** [***non grata***] (외교관으로서) 탐탁스러운[스럽지 않은] 인물《주재국 입장에서》.

˙**per·son·age**[pə́ːrsənidʒ] *n.* Ⓒ 사람; 저명 인사; (소설 따위의) 인물.

:**per·son·al**[pə́ːrsənəl] *a.* ① 개인의, 사적(私的)인(private). ② 본인(직접)의(*a* ~ *interview* 면접); 신체의; 용모[풍채]의. ③ 개인에 관한, 개인적인. ④ 인신 공격의. ⑤ 〖文〗 인칭의. ⑥ 〖法〗 (재산이) 개인에 속하는, 동산(動産)의. ***become*** ~ 인신 공격을 하다. — *n.* Ⓒ《美》(신문의) 인사란(欄). ~**·ize**[-àiz] *vt.* 개인적으로 하다; 인격화하다.

pérsonal cólumn (신문의) 개인 광고난.

pérsonal compúter 〖컴〗 개인용 컴퓨터.

:**per·son·al·i·ty**[pə̀ːrsənǽləti/-li-] *n.* Ⓤ,Ⓒ 개성; 인격; 인물; 사람임; (보통 *pl.*) 인물 비평; 인신 공격.

personálity cúlt 개인 숭배.

:**per·son·al·ly**[pə́ːrsənəli] *ad.* 몸소, 스스로; 나 개인적으로(는), 자기로서는; 자기의 일로서, 빗대어; 인품으로서(는).

pérsonal prónoun 인칭 대명사.

per·son·i·fy[pəːrsánəfài/-ɔ́-] *vt.* 인격[의인(擬人)]화하다; 체현(体現)하다. ˙**-fi·ca·tion**[–ˊ–fikéiʃən] *n.* Ⓤ 의인[인격]화; Ⓤ,Ⓒ 〖修〗 의인법; 체현, 화신, 전형(典刑).

˙**per·son·nel**[pə̀ːrsənél] *n.* Ⓤ《집합적》 인원, 전직원; 〖軍〗 요원(要員); (회사 따위의) 인사과.

personnél càrrier (장갑한) 군(軍)수송차.

·per·spec·tive[pərspéktiv] *n.* Ⓤ 원근(遠近)화법; Ⓒ 투시도(透視圖); 전망; 균형. — *a.* 원근화법에 의한.

Per·spex[pə́:rspeks] *n.* Ⓤ 〖商標〗《英》(항공기의) 방풍 유리《투명 플라스틱》.

per·spi·ca·cious[pə̀:rspəkéiʃəs] *a.* 이해가 빠른, 명민한. **-cac·i·ty** [-kǽsəti] *n.*

·per·spire[pərspáiər] *vi., vt.* 땀흘리다. **·per·spi·ra·tion**[pə̀:rspəréiʃən] *n.* Ⓤ 발한(發汗) 작용; Ⓒ,Ⓤ 땀.

:per·suade[pə:rswéid] *vt.* 설복〔설득〕하다(*to, into*) (opp. dissuade); 납득시키다(*of; that*); 납득시키려들다; 주장하다.

·per·sua·sion[pərswéiʒən] *n.* ① Ⓤ 설득(력). ② Ⓒ 확신, 신념; 신앙, 신조. ③ Ⓒ 종파. ④ Ⓒ 《諧》 종류(*a man of military* ~ 군인).

·per·sua·sive[pərswéisiv] *a.* 설득력 있는.

pert[pə:rt] *a.* 버릇〔거리낌〕없는, 건방진; 《口》 활발한, 기운찬.

·per·tain[pərtéin] *vi.* 속하다(*to*); 관계하다(*to*); 적합하다(*to*).

per·ti·na·cious[pə̀:rtənéiʃəs] *a.* 끈질긴, 집요한, 완고한; 끈기 있는. ~**·ly** *ad.* **-nac·i·ty**[-nǽsəti] *n.*

·per·ti·nent[pə́:rtənənt] *a.* 적절〔타당〕한, (…에) 관한(*to*). ~**·ly** *ad.* **-nence, -nen·cy** *n.*

·per·turb[pərtə́:rb] *vt.* 교란하다, 혼란하게 하다; 당황〔불안〕하게 하다. **per·tur·ba·tion**[pə̀:rtərbéiʃən] *n.*

·pe·ruse[pərú:z] *vt.* 숙독〔정독〕하다; 읽다. **·pe·rús·al** *n.* Ⓤ,Ⓒ 숙독; 통독.

·per·vade[pərvéid] *vt.* (…에) 널리 퍼지다; 침투하다. **per·va·sion** [-ʒən] *n.* **per·va·sive**[-siv] *a.*

·per·verse[pərvə́:rs] *a.* 심술궂은, 빙퉁그러진; 사악한, 나쁜. ~**·ly** *ad.* ~**·ness** *n.* **per·vér·si·ty** *n.* Ⓤ 빙퉁그러짐, 외고집; 사악. **per·vér·sive** *a.* 곡해하는; 그르치게 하는.

per·ver·sion [pərvə́:rʒən, -ʃən] *n.* Ⓤ,Ⓒ 곡해; 악용; Ⓤ 악화; (성적) 도착(到着).

·per·vert[pərvə́:rt] *vt.* ① (정도에서) 벗어나게 하다. ② 곡해하다. ③ 악용〔오용〕하다. — [pə́:rvə:rt] *n.* Ⓒ 배교자(背敎者); 성욕 도착자.

pe·se·ta[pəséitə] *n.* Ⓒ 페세타《스페인의 화폐 단위》; 페세타 은화.

pes·ky[péski] *a.* 《美口》 성가신, 귀찮은.

pe·so[péisou] *n.* (*pl.* ~**s**) 페소《멕시코·쿠바·라틴 아메리카 등지의 화폐 단위》; 페소 은화.

·pes·si·mism [pésəmìzəm, -si-] *n.* Ⓤ 비관(주의·론); 염세관(opp. optimism). **-mist** *n.* Ⓒ 비관론자, 염세가. **·-mis·tic**[ᐨ-místik] *a.*

·pest[pest] *n.* Ⓒ 유해물; 성가신 사람〔물건〕; 해충; Ⓤ 악성 유행병, 페스트.

pes·ter[péstər] *vt.* 괴롭히다.

pes·ti·cide[péstəsàid] *n.* Ⓤ,Ⓒ 살충제.

pes·ti·lence [péstələns, -ti-] *n.* ① Ⓤ,Ⓒ 악성 유행병. ② Ⓤ 페스트. **-lent** *a.* 치명적인; 유해한; 평화를 파괴하는; 성가신.

pes·ti·len·tial[pèstəlénʃəl] *a.* 악역(惡疫)의; 유행병〔전염병〕을 발생하는; 유해한; 성가신.

pes·tle[péstl] *n.* Ⓒ 막자, 공이. — *vt., vi.* pestle로 갈다〔찧다〕.

†pet[pet] *n.* Ⓒ 페트, 애완 동물; 마음에 드는 물건〔사람〕. — *a.* 귀여워하는, 마음에 드는; 애정을 나타내는; 득의의. — *vt., vi.* (**-tt-**) 귀여워하다; 《口》 (이성을) 애무〔페트〕하다.

·pet·al[pétl] *n.* Ⓒ 꽃잎.

pe·tard[pitá:rd] *n.* Ⓒ (옛적의 성문 파괴용) 폭발물; 폭죽.

pe·ter[pí:tər] *vi.* 《口》 (광맥 따위가) 점점 소멸하다(fail)(*out*).

pe·tite[pətí:t] *a.* (F.) (여자가) 몸집이 작고 맵시 있는.

petíte bour·geoi·síe [-buərʒwɑ:zí:] 소시민(小市民) 계급.

:pe·ti·tion[pitíʃən] *n.* Ⓒ 탄원, 진정; 애원; 기원; 탄원〔진정〕서. — *vt., vi.* 청원〔신청〕하다(*for, to*); 기원하다. ~**·ar·y**[-èri/-nəri] *a.* **·**~**·er** *n.*

pét náme 애칭.

pet·rel[pétrəl] *n.* Ⓒ 바다제비류(類).

pet·ri·fy[pétrəfài] *vt., vi.* 돌이 되게 하다, 돌이 되다; 굳(어 지)게 하다; 둔하게 하다; 망연자실하(게 하)다, 제정신을 잃게 하다.
pet·ro-[pétrou, -rə] '바위, 돌, 석유'의 뜻의 결합사.
pètro·chémical *n., a.* Ⓒ (보통 *pl.*) 석유 화학 제품〔약품〕(의).
pet·rol[pétrəl] *n.* Ⓤ 《英》 가솔린.
pet·ro·la·tum [pètrəléitəm] *n.* Ⓤ 〖化〗 바셀린; 광유(鑛油).
pétrol bòmb 《英》 화염병.
˙**pe·tro·le·um** [pitróuliəm, -jəm] *n.* Ⓤ 석유.
pe·trol·o·gy[pitrálədʒi/-ɔ́-] *n.* Ⓤ 암석학(cf. petrography).
˙**pet·ti·coat**[pétikòut] *n., a.* Ⓒ 페티코트《여자·어린이의 속치마》; 스커트; (*pl.*) 《口》 여자, 여성(의). **~ government** 치맛바람, 내주장.
pet·ti·fog [pétifàg, -fɔ̀(ː)g] *vi.* (**-gg-**) 되잖은〔억지〕 이론을 늘어 놓다. **~·ger** *n.* Ⓒ 궤변가, 엉터리 변호사. **~·ging** *a.* 궤변으로 살아가는 속임수의; 보잘 것 없는.
pet·tish[pétiʃ] *a.* 까다로운, 성 마른.
˙**pet·ty**[péti] *a.* ① 사소한, 하찮은. ② 옹졸한, 인색한. ③ 소규모의.
pétty cásh 소액 지불 자금; 용돈.
pétty òfficer (해군의) 하사관.
pet·u·lant[pétʃələnt] *a.* 까다로운; 성마른. **~·ly** *ad.* **-lance, -lan·cy** *n.*
pe·tu·ni·a[pitjúːniə, -njə] *n.* Ⓒ 〖植〗 피튜니아(꽃).
˙**pew**[pjuː] *n.* Ⓒ (교회의) 벤치형 좌석; 교회의 가족석.
pe·wit[píːwit] *n.* Ⓒ 〖鳥〗 댕기물떼새; (유럽산) 갈매기의 일종; (미국산) 딱새의 일종.
pew·ter[pjúːtər] *n.* Ⓤ 백랍(白鑞), 땜납《주석과 납의 합금》; 《집합적》 백랍제의 기물(器物).
Pha·lanx[féilæŋks, fǽl-] *n.* (*pl.* **~es, phalanges** [fəlǽndʒiːz]) Ⓒ 〖古그〗 방진(方陣); 밀집대(隊); 결사(結社); 지골(指骨), 지골(趾骨).
phal·lus[fǽləs] *n.* (*pl.* **-li**[-lai]) Ⓒ 남근상(像); 〖解〗 = PENIS; CLITORIS.
phan·tasm[fǽntæzəm] *n.* Ⓒ 곡두, 환영(幻影); 환상. **-tas·mal**[fæntǽzməl] *a.* 환영의〔같은〕; 공상의.
phan·tas·ma·go·ri·a[fæ̀ntæzməgɔ́ːriə] *n.* Ⓒ (초기) 환등의 일종; 주마등 같은 광경. **-gór·ic** *a.*
˙**phan·tom**[fǽntəm] *n.* Ⓒ 곡두, 환영; 유령, 도깨비; 착각, 환상. — *a.* 유령 같은; 환영의; 가공의.
Phar·aoh[fέərou] *n.* Ⓒ 고대 이집트왕의 칭호.
Phar·i·see[fǽrəsiː] *n.* Ⓒ 바리새(파의) 사람; (p-) 형식주의자, 위선자. **~·ism** *n.*
phar·ma·ceu·tic [fàːrməsúːtik/-sjúːt-], **-ti·cal**[-əl] *a.* 조제(調製)(상)의. **-céu·tist** *n.* Ⓒ 약제사. **-céu·tics** *n.* Ⓤ 조제학.
phar·ma·cist[fáːrməsist] *n.* = DRUGGIST.
phar·ma·col·o·gy[fàːrməkálədʒi/-ɔ́-] *n.* Ⓤ 약학, 약리학.
phar·ma·co·poe·ia [fàːrməkəpíːə] *n.* Ⓒ 약전(藥典).
phar·ma·cy[fáːrməsi] *n.* Ⓤ 조제법(調製法); 약학; Ⓒ 약국; 약종상.
phar·yn·gi·tis [fæ̀rindʒáitis] *n.* Ⓤ 〖醫〗 인두염.
phar·ynx[fǽriŋks] *n.* (*pl.* **~es, pharynges**[fəríndʒiːz]) Ⓒ 〖解〗 인두.
:**phase**[feiz] *n.* Ⓒ (변화·발달의) 단계, 형세, 국면; (문제의) 면(面), 상(相); 〖天〗 (달, 기타 유성의) 상(象); 〖理〗 위상(位相); 〖化〗 상(相); 〖컴〗 위상, 단계. — *vt.* 위상으로〔단계로〕 나누(어 나타내)다.
Ph.d. [píːèitʃ díː] *Philosophiae Doctor*(L. = Doctor of Philosophy).
˙**pheas·ant**[fézənt] *n.* Ⓒ 꿩.
phe·nol [fíːnoul, -nal/-nɔl] *n.* Ⓤ 〖化〗 페놀, 석탄산(酸).
phe·nom·e·nal[finámənəl, -ɔ́-] *a.* 현상의; 자연 현상의; 경이적인, 굉장한. **~·ism**[-ìzəm] *n.* Ⓤ 〖哲〗 현상론.
:**phe·nom·e·non** [finámənàn/-nɔ́minən] *n.* (*pl.* **-na**) Ⓒ 현상; (*pl.* **~s**) 경이(적인 것), 진기한 사물〔사람〕.
pher·o·mone[férəmòun] *n.* Ⓒ

〖生〗 페로몬《어느 개체에서 분비되어, 동종의 다른 개체의 성적·사회적 행동에 변화를 주는 유인 물질》.

phew [Φː, fjuː] *int.* 쳇! 《초조·혐오·놀람 따위를 나타내는 소리》.

phi·al [fáiəl] *n.* Ⓒ 작은 유리병; 약병.

phi·lan·der [filǽndər] *vi.* (남자가) 엽색하다; 여자를 희롱하다(*with*). **∼·er** *n.*

phi·lan·thro·py [filǽnθrəpi] *n.* Ⓤ 박애, 자선; Ⓒ 자선 행위〔사업, 단체〕. **-thro·pist** *n.* Ⓒ 박애주의자. **-throp·ic** [filənθrápik/-ɔ́-] *a.* 박애의.

phi·lat·e·ly [filǽtəli] *n.* Ⓤ 우표 수집〔연구〕. **-list** *n.* Ⓒ 우표 수집가.

˙**phil·har·mon·ic** [filhɑːrmánik, filər-/-mɔ́n-] *a.* 음악 애호의《주로 악단 이름에 쓰임》(*London P- Orchestra*).

˙**Phi·lis·tine** [fíləstìːn, filístin, fílistàin] *n.* Ⓒ 필리스틴 사람《옛날, 유대인의 강적》; 《諧》 잔인한 적 《집달리·비평가 등》; (*or* p-) 속물(俗物). ── *a.* 필리스틴 사람의; (*or* p-)교양이 없는. **-tin·ism** [fíləstinìzəm] *n.* Ⓤ 속물 근성, 무교양.

phi·lol·o·gy [filálədʒi/-ɔ́-] *n.* Ⓤ 《주로 英》 문헌학; 언어학(linguistics). **-gist** *n.* Ⓒ 문헌〔언어〕학자.

phil·o·log·i·cal [filəládʒikəl/-ɔ́-] *a.* 문헌〔언어학〕(상)의. **-i·cal·ly** *ad.*

:**phi·los·o·pher** [filásəfər/-ɔ́-] *n.* Ⓒ 철학자; 철인.

˙**phil·o·soph·ic** [filəsáfik/-ɔ́-], **-i·cal** [-əl] *a.* 철학의; 철학에 통달한〔몰두한〕; 현명한, 냉정한. **-i·cal·ly** *ad.*

phi·los·o·phize [filásəfàiz/-ɔ́-] *vi.* 철학적으로 사색하다; 이론을 세우다.

:**phi·los·o·phy** [filásəfi/-ɔ́-] *n.* ① Ⓤ 철학; Ⓒ 철리, 원리. ② Ⓤ 침착; 깨달음.

phlegm [flem] *n.* Ⓤ 담, 가래; 〖廢〗 점액; 냉담, 무기력; 지둔(遲鈍).

phleg·mat·ic [flegmǽtik], **-i·cal** [-əl] *a.* 《廢》 점액질의; 냉담한; 둔감한.

pho·bi·a [fóubiə] *n.* Ⓤ,Ⓒ 공포증.

-pho·bi·a [fóubiə] *suf.* '…(공포)병'의 뜻의 명사를 만듦: Anglo*phobia*.

˙**phoe·nix** [fíːniks] *n.* 〖이집트神話〗 불사조. ***the Chinese*** ∼ 봉황새.

˙**phone** [foun] *n., v.* 《口》 = TELEPHONE.

-phone [foun] '음'의 뜻의 결합사.

phóne bòok 전화번호부.

phóne bòoth (공중) 전화 박스(《英》 phone box).

pho·neme [fóuniːm] *n.* Ⓒ 〖音聲〗 음소《어떤 언어에 있어서 음성상의 최소의 단위》.

pho·ne·mic [founíːmik] *a.* 〖音聲〗 음소의; 음소론의. **∼s** *n.* Ⓤ 음소론.

pho·net·ic [founétik] *a.* 음성(상)의, 음성을 나타내는. ∼ ***notation*** 음성 표기법. ∼ ***signs*** 〔***symbols***〕 음표 문자. ∼ ***transcription*** 표음 전사(轉寫). **-i·cal·ly** *ad.* **∼s** *n.* Ⓤ 음성학.

pho·ney [fóuni] *a., n.* = PHONY.

pho·no- [fóunou, -nə] '음, 소리'란 뜻의 결합사.

pho·nol·o·gy [founálədʒi/-ɔ́-] *n.* Ⓤ 음성학(phonetics), 음운론; 음성사론(音聲史論), 사적(史的) 음운론.

pho·ny [fóuni] *a., n.* Ⓒ 《口》 가짜(의).

˙**phos·phate** [fásfeit/-ɔ́-] *n.* Ⓤ,Ⓒ 〖化〗 인산염; (소량의 인산을 함유한) 탄산수; Ⓒ (보통 *pl.*) 인산 비료.

phos·pho·rate [fásfərèit/-ɔ́-] *vt.* 인(燐)과 화합시키다, 인을 가하다.

phos·pho·resce [fàsfərés/-ɔ̀-] *vi.* 인광(燐光)을 발하다. **-res·cence** [-résns] *n.* Ⓤ 인광(을 냄). **-res·cent** *a.* 인광을 발하는.

phos·pho·rous [fásfərəs/-ɔ́-] *a.* 인(燐)의; 인을 함유하는.

:**pho·to** [fóutou] *n.* (*pl.* **∼s**) 《口》 = PHOTOGRAPH.

pho·to- [fóutou, -tə] '사진·빛·광전자'란 뜻의 결합사.

phòto·fínish *a.* (경마 따위) 사진 판정의.

pho·to·gen·ic [fòutədʒénik] *a.* (풍경·얼굴·배우 등) 촬영에 알맞은; 〖生〗 발광성(發光性)의.

P

†**pho·to·graph**[fóutəgræ̀f, -grɑ̀ːf] *n., vt., vi.* Ⓒ 사진(으로 찍다, 을 찍다, 에 찍히다), 촬영하다.
˙**pho·tog·ra·phy** [fətágrəfi/-ɔ́-] *n.,* Ⓤ 사진술, 촬영술. ˙**-pher** *n.* Ⓒ 사진사. ˙**pho·to·graph·ic**[fòutəgræ̀fik] *a.* 사진의, 사진 같은; 극히 사실적인[정밀한].
pho·ton[fóutɑn/-tɔn] *n.* Ⓒ 〖理〗 광자.
phóto opportúnity (정부 고관·유명 인사 등의) 카메라맨과의 회견.
pho·to·stat[fóutoustæ̀t] *n.* Ⓒ 직접 복사 사진기; 직접 복사 사진. ── *vt.* 직접 복사 사진기로 촬영하다.
phòto·sýnthesis *n.* Ⓤ 〖生·生化〗(탄수화물 따위의) 광합성(光合成).
˙**phrase**[freiz] *n.* Ⓒ ① Ⓤ 말(씨). ② 성구(成句), 관용구; 금언. ③ 〖文〗 구(句); 〖樂〗 악구(樂句). ***set*** **~** 상투 문구, 성구. ── *vt.* 말로 표현하다; 〖樂〗 악구로 구분하다. **phràs·ing** *n.* Ⓤ 말씨; 어법; 〖樂〗 구절법.
phráse bòok 숙어집, 관용구집.
phra·se·ol·o·gy[frèiziálədʒi/-ɔ́-] *n.* Ⓤ 말(씨), 어법.
phy·lum[fáiləm] *n.* (*pl.* **-la**[-lə]) Ⓒ 〖生〗 (분류상의) 문(門).
:**phys·i·cal**[fízikəl] *a.* 물질의, 물질적인; 자연의(법칙에 의한); 물리학상의[적인]; 육체의. ˙**~·ly** *ad.*
phýsical jérks 《英》 미용 체조.
:**phy·si·cian**[fizíʃən] *n.* Ⓒ (내과) 의사.
˙**phys·i·cist**[fízisist] *n.* Ⓒ 물리학자.
:**phys·ics**[fíziks] *n.* Ⓤ 물리학.
phys·i·og·no·my [fìziágnəmi/-ɔ́-] *n.* ① Ⓤ 인상[관상]학; Ⓒ 인상, 얼굴 생김새. ② Ⓤ 지형; 특징. **-nom·i·cal**[⌐-əgnámikəl] *a.* 관상(학)의. **-nom·i·cal·ly** *ad.* 인상[관상](학)상. **-mist** *n.* Ⓒ 인상[관상]학자, 관상가.
˙**phys·i·ol·o·gy**[fìziálədʒi/-ɔ́-] *n.* Ⓤ 생리학; 생리 현상[기능]. ˙**-o·log·ic**[-əládʒik/-ɔ́-], **-i·cal**[-əl] *a.* 생리학(상)의. **-gist** *n.* Ⓒ 생리학자. 「*n.* Ⓤ 물리 요법.
phys·i·o·ther·a·py[fìziouθérəpi]
phy·sique[fizíːk] *n.* Ⓒ 체격.

pi[pai] *n.* Ⓤ,Ⓒ 그리스 알파벳의 16째 글자《Π, π, 영어의 P, p에 해당함》; Ⓒ 〖數〗 원주율.
:**pi·an·ist**[piǽnist, píːə-, pjǽn-] *n.* Ⓒ 피아니스트.
†**pi·an·o**[1] [piǽnou, pjǽn-] *n.* (*pl.* **~s**) 피아노.
pi·a·no[2][piáːnou] *ad., a.* (It.) 〖樂〗 여리게; 여린.
pi·az·za[piǽzə/-ǽtsə] *n.* Ⓒ (이탈리아 도시의) 광장; 《美》 =VERANDA.
pic·a·resque[pikərésk] *a.* 악한을 다룬《소설 따위》. ── *n.* (the ~) 악한을 소재로 한 것.
pic·co·lo[píkəlòu] *n.* (*pl.* **~s**) Ⓒ 피콜로《높은 음의 작은 피리》.
†**pick**[pik] *vt.* ① 따다, 뜯다. ② (뾰족한 것으로) 파다; (구멍을) 뚫다. ③ (귀·이 따위를) 우비다, 쑤시다. ④ (새로부터 깃털을) 쥐어[잡아]뜯다. ⑤ (뼈에 붙은 고기를) 뜯다. ⑥ 골라잡다, 고르다. ⑦ (주머니에서) 훔치다, 소매치기하다(~ *pockets*). ⑧ (자물쇠 등을) 비집어 열다. ⑨ (…에 대해 싸움할) 계기[꼬투리]를 잡다(*with*); (싸움을) 걸다. ⑩ 〖樂〗 (현악기를) 손가락으로 타다. ── *vi.* 쑤시다, 찌르다(*at*); 고르다; 훔치다, 소매치기하다. **~ *a quarrel with*** …에 싸움을[시비를] 걸다. **~ *at*** 조금씩 먹다; 《美口》 트집잡다, 잔소리하다. **~ *holes*** [***a hole***] ***in*** …의 트집을 잡다. **~ *off*** 뜯다; 하나씩 겨누어 쏘다. **~ *on*** …을 고르다; 《口》 …을 헐뜯다, 괴롭히다. **~ *oneself up*** (넘어진 사람이) 스스로 일어서다. **~ *out*** 고르다; 장식하다, 돋보이게 하다(*with*); 분간하다; (뜻을) 잡다, 파악하다. **~ *over*** (가장 좋은 것만을) 골라내다. **~ *up*** 주워 올리다; (배·차 따위가) 도중에서 태우다, (손님을) 태우다; 우연히 손에 넣다; (라디오 따위로) 청취하다; (말 따위를) 배우지 않고 익히다; 《美口》 (여자와) 좋아지다; (원기 따위를) 회복하다; 속력을 늘리다; 《口》 우연히 아는 사이가 되다(*with*); 《美》 정돈하다. ── *n.* ① Ⓤ 선택; (보통 the ~) 가장 좋은 물건, 정선품(精選品). ② Ⓒ (한 시기의) 수확 작물; (현악기

의) 채, 피크. ④ Ⓒ 찍는〔찌르는〕 도구, 곡괭이, 이쑤시개, 송곳 (따위). **~ed**[-t] *a.* 쥐어 뜯은; 깨끗이 한; 정선한.

pick·ax(e)[∠æ̀ks] *n., vt.* Ⓒ 곡괭이(로 파다).

˙**pick·et**[píkit] *n., vt., vi.* Ⓒ 말뚝(을 둘러치다, 에 매다); 〖軍〗 소초(小哨)(를 배치하다), 초병(哨兵)(근무를 하다); (노동 쟁의의) 감시원(노릇을 하다), 피킷(을 치다).

pícket lìne (노동 쟁의의) 피킷라인; 〖軍〗 전초선; (말을 매는) 고삐.

˙**pick·ing**[píkiŋ] *n.* ① Ⓤ 뜯음, 채집(採集). ② (*pl.*) 이삭; 남은 것; 훔친 물품.

˙**pick·le**[píkəl] *n.* Ⓤ (고기나 야채를) 절이는 물《소금물·초 따위》; (금속 따위를 씻는) 묽은 산(酸); Ⓤ,Ⓒ 절인 것《특히 오이지》; (a ~) 《口》 곤경. — *vt.* 절이 국물에 절이다; 묽은 산으로 씻다.

píck-me-ùp *n.* Ⓒ 《口》 각성제《술 따위》; 흥분제.

˙**píck·pòcket** *n.* Ⓒ 소매치기.

˙**píck·ùp** *n.* ① Ⓒ 《口》 우연히 알게 된 사람; 습득물. ② Ⓒ 《口》 (경기·건강의) 호전. ③ Ⓤ (자동차의) 가속; Ⓒ 픽업, 소형 트럭. ④ Ⓒ 〖野〗 타구를 건져 올리기. ⑤ Ⓒ (라디오·전축의) 픽업. ⑥ Ⓒ (자동차 등) 무료 편승자.

†**pic·nic**[píknik] *n.* Ⓒ 소풍, 피크닉; 《俗》 즐거운 일, 쉬운 일. — *vi.* (**-ck-**) 소풍을 가다; 피크닉식으로 식사를 하다.

˙**pic·to·ri·al**[piktɔ́:riəl] *a.* 그림의〔으로 나타낸〕; 그림이 든; 그린 것〔그림〕같은. — *n.* Ⓒ 화보, 그림이 실린 잡지〔신문〕. **~·ly** *ad.*

†**pic·ture**[píktʃər] *n.* Ⓒ 그림; 초상; 사진; 아름다운 풍경, 아름다운 것; 사실(적인 묘사); 상(象); 심상(心像)(mental image); 꼭 닮은 것; 화신(化身); (보통 *pl.*) 영화; 〖컴〗 그림. ***out of the*** ~ 엉뚱하게 잘못 짚어, 무관계하여. — *vt.* 그리다; 묘사하다; 상상하다(*to oneself*).

pícture gàllery 화랑(畵廊).

:**pic·tur·esque**[pìktʃərésk] *a.* 그림같은, 아름다운; 생생한.

pid·dle[pídl] *vi.* 《美》 (…을) 낭비하다; (…을) 질질 끌다; 《小兒》 쉬하다, 오줌누다. **pid·dling**[-dliŋ] *a.* 사소한, 시시한.

pidg·in[pídʒin] *n.* Ⓤ 《英口》 (볼)일, 거래; (몇 언어가 섞인) 혼합어(jargon).

:**pie**[pai] *n.* Ⓤ,Ⓒ ① 파이《과일이나 고기를 밀가루반죽에 싸서 구운 것》. ② 《美俗》 썩 좋은 것; 거저먹기; 뇌물. ***have a*** FINGER ***in the*** ~.

píe·bàld *a., n.* Ⓒ (흑백) 얼룩의(말).

†**piece**[pi:s] *n.* Ⓒ 조각, 단편; 한 조각; 부분(품); 한 구획; 한 개, 한 장; 한 예; (일정한 분량을 나타내는) 한 필, 한 통(따위); 화폐; (작품의) 한 편; 한 곡(따위); 총, 대포; (장기 등의) 말. ***all to ~s*** 산산조각으로; 《方》 철저히. ***a ~ of water*** 작은 호수. ***come to ~s*** 산산조각이 되다. ***go to ~s*** 자제심을 잃다, 신경 쇠약이 되다(cf. collect oneself; collect one's thoughts 냉정을 찾다). ***into*** 〔***to***〕 ***~s*** 산산조각으로. ***of a*** ~ 같은 종류의, 일치하여(*with*). — *vt.* 접합(接合)하다, 잇대어서 수리하다〔만들다〕(*on, out, together, up*).

pièce de ré·sis·tance[pjéis də rèzistɑ̃:ns] (F.) 식사 중의 주요 요리; 주요물, 백미(白眉).

píece·wòrk *n.* Ⓒ 도급일, 삯일.

píe chàrt 〖統〗 (원을 반지름으로 구분하는) 파이 도표.

pied[paid] *a., n.* Ⓒ 얼룩덜룩한(말); 잡색의.

pie-eyed[páiàid] *a.* 《美俗》 술취「한.

:**pier**[piər] *n.* Ⓒ 부두, 선창; 방파제; 교각(橋脚); 〖建〗 창문 사이 벽. **∠·age** [píəridʒ] *n.* Ⓤ 부두세(稅).

†**pierce**[piərs] *vt.* 꿰찌르다; 꿰뚫다, 관통하다; (…에) 구멍을 내다; 돌입하다; (고함 소리 따위가) 날카롭게 울리다; 감동시키다; 통찰하다; (…에) 스며들다. — *vi.* 들어가다, 꿰뚫다. ˙**pierc·ing** *a.* 꿰찌르는; 뼈에 사무치는; 날카로운; 통찰력 있는.

pi·er·rot[pí:əròu] (〈 F. *Pierre* = Peter) *n.* (F.) Ⓒ (P-) 피에로《프랑스 무언극의 어릿광대》; 어릿광대.

P

·**pi·e·ty**[páiəti] ***n.*** U,C 경건(한 언행); U (어버이·웃어른 등에 대한) 공순(恭順), 순종, 효성.
pif·fle[pífəl] ***n., vi.*** U 《口》 허튼소리(를 하다).
pif·fling[pífliŋ] ***a.*** 《口》 하찮은, 시시한.
†**pig**[pig] ***n.*** C 돼지, 새끼 돼지; U 돼지고기; C 《口》 (추접스러운, 게걸스러운, 또는 욕심 많은) 돼지 같은 사람; U 무쇠덩이. ***bring* 〔*drive*〕 *one's* ~*s to a pretty* 〔*a fine, the wrong*〕 *market*** 오산하다. ***buy a* ~ *in a poke* 〔*bag*〕** 잘 보지도 않고 물건을 사다. ***make a* ~ *of oneself*** 잔뜩 먹다; 욕심부리다.
:**pi·geon**[pídʒən] ***n.*** C 비둘기.
pígeon·hòle ***n., vi.*** C 비둘기장의 출입 구멍; 서류 정리장(에 넣다); 정리하다, 기억해 두다; 뒤로 미루다, 묵살하다.
pig·ger·y[pígəri] ***n.*** C 돼지우리; U 불결한 곳.
pig·gy, -gie[pígi] ***n.*** C 돼지새끼. — ***a.*** 욕심 많은.
píggy·bàck ***a., ad.*** 등에 업힌〔업혀서〕.
píggy bànk 돼지 저금통.
píg·hèaded ***a.*** 고집센, 완고한.
píg ìron 무쇠, 선철(銑鐵).
·**pig·ment**[pígmənt] ***n.*** U,C 그림물감; 『生』 색소.
pig·men·ta·tion [pìgməntéiʃən] ***n.*** U 『生』 염색; 색소 형성.
pig·my, P-[pígmi] ***n., a.*** = PYGMY.
píg·skìn ***n.*** U 돼지의 생가죽〔무두질한 가죽; C 《口》 축구공.
píg·stỳ ***n.*** C 돼지우리.
píg·tàil ***n.*** C 돼지꼬리; 변발(辮髮); 꼰 담배. 「창.
·**pike**[1][paik] ***n.*** C 『史』 미늘창(槍).
pike[2] ***n.*** (***pl.*** **~*s,*** 《집합적》 ~) C 『魚』 창꼬치(cf. pickerel).
píke·stàff ***n.*** (***pl.*** ***-staves*** [-stèivz]) C 창자루. ***as plain as*** ~ 아주 명백한.
pi·laf(f)[pilɑ́ːf/ pílæf] ***n.*** U 육반(肉飯)《볶은 쌀에 고기·후춧가루를 섞은 요리》.
pil·chard[píltʃərd] ***n.*** C 정어리류(類)《sardine의 성어(成魚)》.
:**pile**[1][pail] ***n.*** C ① 퇴적(堆積), 더미(heap). ② 화장(火葬)의 장작더미. ③ 《口》 대량(of). ④ 대건축물(의 집단). ⑤ 쌓은 재화(財貨); 재산. ⑥ 『電』 전퇴(電堆), 전지. ⑦ 『理』 원자로(爐)《reactor의 구칭》. — ***vt.*** 쌓아 올리다(on, up); 축적하다; 산더미처럼 쌓다. — ***vi.*** 《口》 와글와글 밀어닥치다(***in, off, out, down***). ***~ arms*** 『軍』 걸어총하다. ***~ it on*** 《口》 과장하다. ***~ up*** (배를) 좌초시키다; (비행기를) 결딴내다; (***vi.***) 충돌하다.
pile[2] ***n., vt.*** C (건조물의 기초로서의) 큰 말뚝(을 박아 넣다). **píl·ing** ***n.*** U 《집합적》 큰 말뚝; 말뚝 박기.
pile[3] ***n.*** U 솜털(down); 양털; (우단(羽緞) 따위의) 보풀.
píle drìver 말뚝 박는 기구.
piles[pailz] ***n. pl.*** 『病』 치질.
píle·ùp ***n.*** C (자동차의) 다중 충돌.
pil·fer[pílfər] ***vt., vi.*** 훔치다, 좀도둑질하다. **~·age**[-fəridʒ] ***n.*** U 좀도둑질; 『水產海運』 발화(拔貨).
:**pil·grim**[pílgrim] ***n.*** C 순례〔방랑·여행〕자; 《美》 (P-) Pilgrim Fathers 의 한 사람.
·**pil·grim·age**[pílgrimidʒ] ***n., vi.*** U,C 순례 여행; 긴 여행〔나그네길〕; 인생행로; 순례하다.
:**pill**[pil] ***n.*** C ① 알약, 환약; 작은 구형의 것. ② 《俗》 (야구·골프 등의) 공. ③ 《俗》 싫은 사람.
pil·lage[pílidʒ] ***n., vt., vi.*** U 약탈(하다).
:**pil·lar**[pílər] ***n.*** C 기둥(모양의 것); 주석(柱石). ***from* ~ *to post*** 여기저기에.
píllar bòx 《英》 우체통.
píll·bòx ***n.*** C (작은) 환약 상자; 작은 요새, 토치카.
pil·lion[píljən] ***n.*** C (같이 타는 여자용의) 뒤안장.
pil·lo·ry[píləri] ***n.*** C 『史』 칼〔형틀〕《죄인의 목과 양손을 널빤지 구멍에 끼운 채 뭇사람 앞에서 망신을 당하게 하던 옛날의 형 틀》. —***vt.*** 칼을 씌워 세우다; 웃음거리로 만들다.
:**pil·low**[pílou] ***n.*** C 베개; 방석, 덧대는 물건(pad). — ***vt.*** 베개로 하다.

píllow·càse, -slìp *n.* Ⓒ 베갯잇.

†**pi·lot**[páilət] *n.* Ⓒ 도선사(導船士), 수로(水路) 안내인; 키잡이; 〖空〗 조종사; 지도자; 〖機〗 조절기. ***drop the ~*** 훌륭한 지도자를 물리치다. — *vt.* 도선(導船)하다; 지도하다; (비행기를) 조종하다. — *a.* 시험적인, 예비적인. **~·age**[-idʒ] *n.* Ⓤ 도선(료); 비행기 조종술. **~·less** *a.* 조종사 없는(*a ~less airplane* 무인기).

pílot lìght 표시등(火登); (가스 점화용의) 불씨.

pílot òfficer 《英》 공군 소위.

pi·men·to [piméntou] *n.* (*pl.* **~s**) Ⓒ 〖植〗 피망《요리용》; Ⓤ (서인도산의)향료; Ⓤ 선명한 적색.

pimp[pimp] *n., v.* = PANDER.

pim·ple[pímpl] *n.* Ⓒ 여드름, 뾰루지. **~d**[-d] *a.* 여드름이 난[투성이의].

†**pin**[pin] *n.* Ⓒ ① 핀, 못바늘. ② 핀 달린 기장(記章); 장식 핀, 브로치. ③ (나무)못; 빗장. ④ 〖海〗 밧줄을 비끄러매는 말뚝(belaying pin), 노받이; (현악기 따위의) 주감이. ⑤ 〖볼링〗 병 모양의 표주(標柱), 핀. ⑥ 〖골프〗 hole을 표시하는 깃대. ⑦ (*pl.*) 《口》 다리(leg). ⑧ 하찮은 것. ***in a merry ~*** 기분이 매우 좋아. ***not care a ~*** 조금도 개의[상관]치 않다. ***~s and needles*** (손발의) 저림. ***on ~s and needles*** 조마조마하여. — *vt.* (**-nn-**) (…에) 핀을 꽂다(*up, together, on, to*); 핀을 찌르다; 옴쭉달싹 못하게 하다, (그 자리에) 못박다; 억누르다; 속박하다 (*down*). ***~ one's faith on*** [***to***] …을 신뢰하다.

pin·a·fore[pínəfɔ̀ːr] *n.* Ⓒ (어린애의) 앞치마; 소매 없는 간이복.

pin·ball[pínbɔ̀ːl] *n.* Ⓤ 핀볼, 코린트 게임.

pince-nez[pǽnsnèi] *n.* (F.) Ⓒ 코안경.

pin·cers[pínsərz] *n. pl.* 집게, 펜치, 못뽑이; 〖動〗 (게 따위의) 집게발; 〖軍〗 협공(전).

píncers mòvement 〖軍〗 협공작전.

:**pinch**[pintʃ] *vt.* ① 꼬집다, 집다, 물다. ② 잘라내다, 따다(*out*). ③ (구두 따위가) 죄다. ④ 괴롭히다(*for*); 수척하게 하다; (추위 따위로) 움츠러[지지러]들게 하다; 바싹 조리차하다[줄이다]. ⑤ 《俗》 훔치다 (*from, out, of*). ⑥ 《口》 체포하다. — *vi.* 죄어들다, (구두 따위가) 꼭끼다; 인색하게 굴다; (광맥이) 가늘어지다. — *n.* Ⓒ 꼬집음, 집음; 소량, 조금; (the ~) 압박; 어려움, 곤란; 위기; Ⓒ 《俗》 훔침; 《俗》 포박(捕縛). ***at*** [***in, on***] ***a ~*** 절박한 때에. **∠·er** *n.* Ⓒ 집는[무는] 사람[도구]; (*pl.*) = PINCERS.

pín·cùshion *n.* Ⓒ 바늘 겨레.

:**pine**[1][pain] *n.* Ⓒ 소나무; Ⓤ 그 재목.

*__pine__[2] *vi.* 수척해지다(*out, away*); 몹시 그리다[동경하다], 갈망하다 (*for, after*).

:**píne·àpple** *n.* Ⓒ 〖植〗 파인애플; 《軍俗》 폭탄, 수류탄.

ping[piŋ] *n., vi.* (a ~) 핑 (소리가 나다)《총탄이 나는 소리》.

ping-pong[píŋpɑ̀ŋ, -pɔ̀(ː)ŋ] *n.* Ⓤ 핑퐁, 탁구.

pin·ion[pínjən] *n.* Ⓒ 새의 날개 끝부분; 날개; 칼깃, 날개깃. — *vt.* (날지 못하도록) 날개 끝을 자르다[날개를 묶다]; (…의) 양팔을 동이다; 묶다; 속박하다(*to*).

:**pink**[piŋk] *n.* Ⓒ 석죽, 패랭이(의 꽃); Ⓤ,Ⓒ 도홍[분홍]색, 핑크빛; (the ~) 전형(典刑), 극치; Ⓒ 《美俗》 (때로 P-) 좌경한 사람. — *a.* 도홍[분홍]색의; 《俗》 좌경한. **∠·ish** *a.* 불그레한.

pink·ie[píŋki] *n.* Ⓒ 새끼 손가락.

pín mòney (아내·딸에게 주는, 또는 자기의) 용돈.

*__pin·na·cle__[pínəkəl] *n., vt.* Ⓒ 〖建〗 작은 뾰족탑; 높은 산봉우리; 정점(頂點)을 붙이다; 높은 곳에 두다.

pín·pòint *n.* Ⓒ 핀[바늘] 끝; 아주 작은 물건; 소량; 정확한 위치 결정. — *a.* 핀 끝(만큼)의; (폭격이) 정확한. — *vt., vi.* 정확하게 가리키다[폭격하다].

pín·strìpe *n.* Ⓒ 가는 세로 줄무늬(의 옷감·옷).

P

***pint**[paint] *n.* Ⓒ 파인트《1/2 quater; 《英》= 0.57리터, 《美》= 0.47리터》; 1파인트들이 그릇. 「한.
pínt-sìze *a.* 《美口》 비교적 자그마
pín·ùp *n., a.* Ⓒ 《口》 벽에 핀으로 꽂는 (사진); 매력적인 (여자).
:pi·o·neer[pàiəníər] *n., vt., vi.* Ⓒ 개척자; 선구자; (P-) 미국의 혹성 탐사기; 『軍』 공병; 개척하다; 솔선하다.
:pi·ous[páiəs] *a.* 신앙심이 깊은, 경건한; 신앙이 깊은 체하는; 종교적인; 《古》 효성스러운(opp. impious). **~·ly** *ad.*
pip[1][pip] *n.* Ⓒ (사과·귤 따위의) 씨.
pip[2] *vi.* (**-pp-**) (병아리가) 삐악삐악 울다; (시보(時報)가) 삐이하다. ── *vt.* (병아리가 껍질을) 깨고 나오다. ── *n.* Ⓒ (시보의) 삐이(소리).
:pipe[paip] *n.* Ⓒ ① 관(管), 도관(導管). ② (담배의) 파이프; 한 대의 담배. ③ 피리, 관악기, (파이프 오르간의) 관; (*pl.*) = BAGPIPE; 『海』 호적(號笛). ④ 노래 소리; 새의 울음소리. ⑤ 술통. ⑥ 『컴』 연결, 파이프. ── *vt.* (피리를) 불다; 노래하다; 새된 소리로 말하다; 『海』 호적으로 부르다; 도관(導管)으로 나르다〔공급하다〕; (옷 따위에) 가선 끈을 달다. ── *vi.* 피리를 불다; 새된 소리를 내다; 『海』 호적으로 명령〔신호〕하다. *~ down* 『海』 호적을 불어 일을 끝마치게 하다; 《俗》 조용〔잠잠〕해지다, 침묵하다. *~ up* 취주(吹奏)하기 시작하다; 소리지르다. **~·ful**[⌐fùl] *n.* Ⓒ (담배) 파이프 하나 가득.
pípe drèam 《口》 (아편 흡연자가 하는 따위의) 큰 공상(空想).
***pípe·lìne** *n.* Ⓒ 송유관; 정보 루트. *in the ~* 수송〔진행〕중에. ── *vt.* 도관으로 보내다.
***pip·er**[páipər] *n.* Ⓒ 피리 부는 사람. *pay the ~* 비용을 부담하다.
pi·pet(te)[pipét] *n.* Ⓒ 『化』 피펫.
pip·ing[páipiŋ] *n.* Ⓤ 피리를 붊; 관악(管樂) (pipe music); 새된 소리; 《집합적》 관(管); 관의 재료; (옷의) 가선끈. ── *a.* 새된, 픽픽〔지글지글〕끓는; 태평한(*the ~ times of peace*(북이 아니고, 피리소리 울리는) 태평 성세《Sh.》). *~ hot* 픽픽 끓을 정도로 뜨거운.
pip·it[pípit] *n.* Ⓒ 종다리의 무리.
pi·quant[pí:kənt] *a.* 얼얼한, 톡 쏘는(맛 따위); 시원스런, 통쾌한; 《古》 신랄한. **pí·quan·cy** *n.*
pique[pi:k] *n.* Ⓤ 성남; 기분이 언짢음, 지르퉁함. ── *vt.* 성나게 하다; (감정을) 상하게 하다; (흥미 따위를) 자아내다; 《古》 자랑하다. *~ oneself on* 〔*upon*〕 …을 자랑하다.
pi·ra·cy[páiərəsi] *n.* Ⓤ,Ⓒ 해적 행위; 저작권 침해.
:pi·rate[páiərət] *n.* Ⓒ 해적(선); 저작권 침해자; 약탈자. ── *vt., vi.* 해적질하다; 약탈하다; 저작권을 침해하다. **pi·rat·ic**[paiərǽtik], **-i·cal** [-əl] *a.*
pir·ou·ette[pìruét] *n., vt.* Ⓒ (스케이트·댄스에서) 발끝 돌기; 발끝으로 급선회하다.
Pis·ces[páisi:z, pis-] *n. pl.* 『天』 물고기자리; 쌍어궁(雙魚宮)《황도(黃道) 12궁(宮)의 하나》.
piss[pis] *n., vi., vt.* 《卑》 Ⓤ,Ⓒ 오줌(누다).
pissed[pist] *a.* 《美俗》 화난; 《英俗》 (곤드레만드레) 취한.
pis·ta·chi·o[pistá:ʃiòu] *n.* (*pl.* **~s**) Ⓒ 『植』 피스타치오; 그 열매 〔향료〕; Ⓤ 산뜻한 녹색.
:pis·tol[pístl] *n., vt.* (《英》 **-ll-**) Ⓒ 권총(으로 쏘다).
pis·ton[pístən] *n.* Ⓒ 『機』 피스톤.
píston ròd 피스톤간(桿).
:pit[1][pit] *n.* Ⓒ ① 구덩이, 움푹한 곳. ② 함정. ③ 『鑛』 곧은 쌤, 수갱, 채굴장. ④ (the ~) 지옥. ⑤ 《英》 (극장의) 아래층 뒤쪽 좌석(의 관객). ⑥ 투계(鬪鷄)〔투견(鬪犬)〕장. ⑦ 얽은 자국. ⑧ 《美》 거래소의 일구획. *the ~ of the stomach* 명치. ── *vt.* (**-tt-**) 구멍을 내다, 구덩이를 〔우묵하게〕 만들다; 곰보를 만들다; (닭·개 등을) 싸움붙이다(*against*).
pit[2] *n., vt.* (**-tt-**) Ⓒ 《美》 (복숭아 따위의) 씨(를 빼다).
pit·a·pat[pítəpæ̀t] *ad.* 파닥파닥 (뛰다 (따위)); 두근두근 (가슴이 뛰다 (따위)).
:pitch[1][pitʃ] *n.* Ⓤ 피치, 역청(瀝青); 수지, 송진. ── *vt.* 피치를 칠하다.
:pitch[2] *vt.* ① (말뚝을) 세우다; (천

막을) 치다; (주거를) 정하다. ② (목표를 향해) 던지다; (투수가 타자에게) 투구하다. ③ 『樂』 조절하다. — *vi.* 던지다; 『野』 투수를 맡다; 아래로 기울다; (배가) 뒷질하다; 천막을 치다. **~ed battle** 정정당당한 싸움; 격전, 격론. **~ in** 《美口》 기운차게 하다, 시작하다. **~ into** 《口》 맹렬히 공격하다; 호되게 꾸짖다. **~ on** [**upon**] 고르다. — *n.* Ⓒ 던짐, 고정 위치; 투구; (보통 the ~) (배의) 뒷질; 점(point); 정도; Ⓤ,Ⓒ 『樂』 음의 높이; 경사도; Ⓒ 피치 《톱니바퀴의 톱니와 톱니 사이의 거리》; 『컴』 문자 밀도, 피치.

pítch-blàck *a.* 새까만, 캄캄한.

pítch-dárk *a.* 캄캄한.

pitch·er[1] [∠ər] *n.* Ⓒ 물주전자. ***The ~ goes to the well once too often.*** 《속담》 꼬리가 길면 밟힌다. **~·ful**[-fùl] *n.* Ⓒ 물주전자 하나 가득의 양.

:pitch·er[2] *n.* Ⓒ 던지는 사람; 『野』 투수.

pítch·fòrk *n.* Ⓒ 건초용 쇠스랑[갈퀴]; 『樂』 음차(音叉).

·pit·e·ous[pítiəs] *a.* 불쌍한, 애처로운.

pít·fàll *n.* Ⓒ 함정, 유혹.

·pith[piθ] *n.* Ⓤ 『植』 수(髓); 진수(眞髓), 요점; 《古》 정력, 원기; 힘. ***the ~ and marrow*** 가장 중요한 점. **∠·less** *a.* 수(髓)가 없는; 기력이 없는.

pít·hèad *n.* Ⓒ 갱구(坑口); 그 부근의 건물.

pith·y[píθi] *a.* 수(髓)의[같은], 수가 많은; 기력이 있는; 간결한.

pit·i·a·ble[pítiəbəl] *a.* 가엾은; 비천한. **-bly** *ad.*

·pit·i·ful[pítifəl] *a.* 불쌍한; 비루한; 《古》 인정 많은.

·pit·i·less[-lis] *a.* 무정한, 무자비한. **~·ly** *ad.*

pi·ton[pí:tɑn/-ɔ-] *n.* Ⓒ 『登』 뾰족한 산꼭대기; (등산용의) 바위에 박는 못, 마우어하켄.

pit·ter·pat·ter[pítərpæ̀tər] *n.* (*sing.*) 후두두《비 따위의 소리》; 푸드득(하는 소리).

pi·tu·i·tar·y[pitjú:ətèri/-təri] *n.* Ⓒ 뇌하수체(제제(製劑)).

:pit·y[píti] *n.* Ⓤ 연민, 동정; Ⓒ 애석한 일; 유감의 원인. ***for ~'s sake*** 제발. ***have*** [***take***] ***~ on*** … 을 불쌍히 여기다. ***It is a ~*** [***a thousand pities***] ***that*** …이라니 딱한 일[가엾은 일, 유감천만]이다. ***out of ~*** 딱하게[가엾이] 여겨. ***What a ~!*** 참으로 딱하다[유감이다]. — *vt., vi.* 가엾게 여기다. **~·ing** *a.* 불쌍히 여기는, 동정하는. **~·ing·ly** *ad.*

·piv·ot[pívət] *n.* Ⓒ 선회축(旋回軸); (부채의) 사북; 중심점, 요점. — *vt.* 선회축 위에 놓다, 선회축을 붙이다. — *vi.* 축으로 회전하다, 축상(軸上) 회전하다. **~·al** *a.*

pix·el[píksəl] *n.* Ⓒ 『컴』 픽셀, 화소(畫素).

pix·y, pix·ie[píksi] *n.* Ⓒ 요정(妖精).

piz·za[pí:tsə] *n.* (It.) Ⓤ,Ⓒ 토마토·치즈·고기 따위가 얹힌 큰 파이.

piz·zi·ca·to[pìtsikɑ́:tou] *a., ad.* 《It.》 『樂』 피치카토의[로]; 현(絃)을 손톱으로 타는[뜯어]. — *n.* (*pl.* ***-ti*** [-ti:]) Ⓒ 피치카토곡(曲).

pkt. packet. **pl.** place; plural.

:plac·ard[plǽkɑ:rd, -kərd] *n.* Ⓒ 벽보; 간판; 포스터; 플래카드. — [英+ —∠] *vt.* 간판을[벽보를] 붙이다; 벽보로 광고하다; 게시하다.

pla·cate[pléikeit, plǽk-/pləkéit] *vt.* 달래다.

pla·ca·to·ry[pléikətɔ̀:ri, plǽk-] *a.* 달래는, 회유[융화]적인(~ *policies* 회유책).

†place[pleis] *n.* ① Ⓒ 장소; 곳. ② Ⓤ 공간, 여지. ③ Ⓒ 지방, 소재지 《시·읍·면 따위》. ④ Ⓒ 거소, 주소, 주택, 저택, 건축물. ⑤ Ⓒ 위치, 지위, 계급, 관직(office), 근무처. ⑥ Ⓒ 본분, 역할, 직무; (현재 차지하고 있는) 위치, 지위. ⑦ Ⓒ (공간에 있어서의) 순서, 『競』 선착《1착에서 3착까지》. ⑧ Ⓒ 좌석. ⑨ Ⓒ 『數』 자리, 위(位)(*to 3 decimal ~s* 소수점 이하 세 자리까지). ⑩ Ⓒ 여지; 기호, 호기(好機)(*a ~ in the sun* 출세의 좋은 기회). ***give ~ to*** …에게 자리[지위]를 물려 주다. ***in*** [***out***

of] ~ 적당[부적당]한 (위치에). ***in* ~ *of*** …의 대신으로. ***know one's* ~** 자기 분수를 알다. ***make* ~ *for*** …을 위해 자리를 만들다. ***take* ~** 일어나다(happen); 개최되다. ***take the* ~ *of*** …의 대리를 하다. — *vt.* 두다, 놓다; 배치[정돈]하다; 직위에 앉히다, 임명하다; (주문을) 내다; 투자하다; 장소를[연월·등급을] 정하다; 인정[확인]하다, 생각해 내다.

pla·ce·bo[pləsíːbou] *n.* Ⓒ (실효 없는) 안심시키기 위한 약; 《一般》 위안.

˙**place·ment**[pléismənt] *n.* Ⓤ 놓음, 배치; 직업 소개; 채용, 고용; 〖蹴〗 공을 땅에 놓기《place kick을 위해》, 그 위치; (학력에 의한) 반 편성.

pláce-nàme *n.* Ⓒ 지명.

pla·cen·ta[pləséntə] *n.* (*pl.* **~s, -tae**[-tiː]) Ⓒ 〖解·動〗 태반.

˙**plac·id**[plǽsid] *a.* 평온한; 침착[잔잔]한. **~·ly** *ad.* **~·ness** *n.* **pla·cid·i·ty** *n.* Ⓤ 평정, 평온.

pla·gia·rize[pléidʒiəràiz, -dʒjə-] *vt., vi.* (남의 문장·고안 등을) 표절하다, 도용하다. **-rism**[-rìzəm] *n.* Ⓤ 표절; Ⓒ 표절물. **-rist** *n.* Ⓒ 표절자.

:**plague**[pleig] *n.* ① Ⓒ 역병(疫病). ② (the ~) 페스트. ③ Ⓤ,Ⓒ 천재, 재해; 천벌. ④ Ⓒ 《口》 성가신 사람; 귀찮은 일; 말썽. — *vt.* 역병에 걸리게 하다; 괴롭히다. **plá·gu(e)y** *a.* 《古·方》 성가신, 귀찮은.

plaice[pleis] *n.* (*pl.* **~s,** 《집합적》 ~) Ⓒ 가오리·넙치의 무리.

˙**plaid**[plæd] *n.* Ⓤ 격자무늬; Ⓒ (스코틀랜드 고지인이 걸치는) 격자무늬 나사의 어깨걸이; 격자무늬 나사. **~·ed**[⌐id] *a.*

†**plain**[plein] *a.* ① 명백한; 평이한; 쉬운; 단순한. ② 무늬[장식]없는. ③ 보통의. ④ 소박[순수]한; (음식이) 담백한. ⑤ 솔직한. ⑥ (여자가) 예쁘지 않은. ⑦ 평탄한. ***in* ~ *terms*** [***words***] 솔직히 말하면. **:∠·ly** *ad.* 명백하게; 솔직히. **∠·ness** *n.*

pláin clóthes 평복, 통상복.

pláin sòng 〖宗〗 단선율 성가; 정선율(定旋律); 단순·소박한 곡[선율].

plain·tiff[pléintif] *n.* Ⓒ 〖法〗 원고(原告)(opp. defendant).

˙**plain·tive**[pléintiv] *a.* 애처로운, 슬픈. **~·ly** *ad.* **~·ness** *n.*

˙**plait**[pleit, plæt/plæt] *n., vi.* Ⓒ 주름(을 잡다); 꼰 끈; 땋은 머리; 엮은 밀짚(braid); 짜다, 엮다, 땋다.

†**plan**[plæn] *n.* Ⓒ 계획, 설계; 방책; 방법; 도면, 설계도; (시가 등의) 지도. — *vt., vi.* (**-nn-**) 계획(설계)하다; 설계도를 그리다; 뜻하다(*to* do).

:**plane**[1][plein] *n.* Ⓒ ① (수)평면. ② (발달의) 정도, 수준. ③ 비행기; 〖空〗 날개. — *a.* 평평한, 수평한; 평면의. — *vi.* 활주하다; (보트가 달리면서) 수면에서 떠오르다.

plane[2] *n.* Ⓒ 대패; 평평하게 깎는 기계. — *vt., vi.* 대패질하다; 대패로 깎다. **plán·er** *n.* Ⓒ 평삭기(平削機).

pláne[3] **(trèe)** *n.* Ⓒ 플라타너스.

:**plan·et**[plǽnit] *n.* Ⓒ 유성(遊星), 혹성; 운성(運星).

˙**plan·e·tar·i·um**[plæ̀nətέəriəm] *n.* (*pl.* **~s, -ia**[-iə]) Ⓒ 플라네타륨, 행성의(儀), (천상의를 설비한) 천문관(館).

˙**plan·e·tar·y**[plǽnətèri/-təri] *a.* 혹성의 (작용에 의한); 방랑하는, 부정(不定)한; 지상[현세]의.

:**plank**[plæŋk] *n.* Ⓒ ① 두꺼운 판자. ② 정강(政綱)의 조항. ***walk the* ~** 뱃전 밖으로 내민 판자 위를 눈을 가린 채 걸림을 당하다《해적의 사형》. — *vt.* ① 판자를 깔다; 밑에 놓다(*down*). ② 《口》 즉시 지불하다(*down, out*). ③ 《美》 (고기를) 판자위에서 구운 채 내놓다. **∠·ing** *n.* Ⓤ 판자깔기; 《집합적》 두꺼운 판자.

plank·ton[plǽŋktən] *n.* Ⓤ 《집합적》〖生〗 플랑크톤, 부유(浮游) 생물.

†**plant**[plænt, -ɑː-] *n.* ① Ⓒ 식물; 《협의》 (수목에 대한) 풀, 초본(草本); 묘목, 접나무. ② Ⓒ 기계 일습, (공장의) 설비; 공장; 장치. ③ Ⓒ (보통 *sing.*) 《俗》 책략, 속임수; (청중 등 사이에 끼어드는) 한통속; 밀정. — *vt.* ① 심다, (씨) 뿌리다. ② (물고기를) 방류(放流)하다, (굴 따위를) 양식하다. ③ 놓다, 설비하다;

건설하다. ④ 식민(植民)하다. ⑤ 처박아 넣다, 찌르다(*in, on*); 《口》(타격을) 주다. ⑥ (주의·교의(敎義)를) 주입하다. ⑦ 《俗》(훔친 물건을) 감추다. **~ on** (가짜를) 속여서 안기다. **~ out** (모판에서) 땅으로 옮겨 심다; (모종을) 간격을 두어 심다. **∠·er** *n.* Ⓒ 심는[씨 뿌리는] 사람; 파종기(機); 재배자, 농장 주인; 식민자.

plan·tain[1] [plǽntin] *n.* Ⓒ 〖植〗 질경이.

plan·tain[2] *n.* Ⓤ,Ⓒ (요리용) 바나나.

:plan·ta·tion [plæntéiʃən] *n.* Ⓒ 대농원, 재배장; 식림(植林)(지); 식민(지).

plaque [plæk/plɑːk] *n.* Ⓒ (벽에 거는 장식용) 틀, 액자.

***plas·ma** [plǽzmə], **plasm** [plǽzəm] *n.* Ⓤ ① 〖生〗 원형질; 〖解·生〗 혈장(血漿), 임파액; 유장(乳漿). ② 〖理〗 플라스마《자유로 움직일 수 있는 하전(荷電)입자의 집단》.

:plas·ter [plǽstər, -ɑ́ː-] *n.* ① Ⓤ 회반죽; 석고. ② Ⓤ,Ⓒ 반창고, 고약. **~ *of Paris*** 구운 석고. — *vt.* 회반죽을 바르다; 온통 발라 붙이다; 고약을 붙이다. **~·er** *n.* Ⓒ 미장이; 석고장(匠).

pláster cást 석고상(像); 〖醫〗 깁스 붕대. ***get out of the ~*** 깁스가 떨어지다.

***plas·tic** [plǽstik] *a.* ① 형성하는; 소조(塑造)할 수 있는, 어떤 형태로도 될 수 있는. ② 유연한; 감수성이 강한. ③ 소조(술)의; 〖醫〗 성형의. — *n.* Ⓤ 가소성(可塑性) 물질, 플라스틱. **plas·tic·i·ty** [plæstísəti] *n.* Ⓤ 가소성, 유연성.

plástic árt 조형 미술.

plástic súrgery 성형 외과.

:plate [pleit] *n.* ① Ⓒ 판금; 판유리. ② Ⓒ 표찰. ③ Ⓒ 금속판, 전기판, 연판(鉛版); 금속 판화(版畫); 도판(圖板). ④ Ⓒ 〖寫〗 감광판(感光板), 종판(種板). ⑤ Ⓒ 〖史〗 쇠미늘 갑옷. ⑥ Ⓒ (납작하고 둥근) 접시; 접시 모양의 것; 요리 한 접시; (1인분의) 요리. ⑦ (the ~) (교회의) 헌금 접시. ⑧ Ⓤ 《집합적》《주로 英》 금[은](도금한) 식기; 금[은]상배. ⑨ Ⓒ 〖齒〗 의치 가상(義齒假床). ⑩ Ⓒ 〖解·動〗 얇은 켜[층]. ⑪ Ⓒ 〖建〗 (벽 위의) 도리. ⑫ Ⓒ 〖野〗 본루, 투수판. ⑬ Ⓒ 〖電〗 (진공관의) 양극. ⑭ Ⓤ 소의 갈비 밑의 얇은 고기. — *vt.* (금·은 따위를) 입히다, 도금하다; 판금(板金)으로 덮다; 전기판[연판]으로 하다. **∠·ful** [pléitfùl] *n.* Ⓒ 한 접시(분).

***pla·teau** [plætóu/∠–] *n.* (*pl.* **~s, ~x**[-z]) Ⓒ 고원; 〖心〗 플래토 상태《학습의 안정기》.

pláte glàss 두꺼운 판유리.

pláte·làyer *n.* Ⓒ 《英》 〖鐵〗 선로공.

:plat·form [plǽtfɔ̀ːrm] *n.* Ⓒ ① 단(壇), 교단, 연단; (층계의) 층계참. ② (역의) 플랫폼; 《美》(객차의) 승강단, 덱. ③ (정당의) 강령; 계획.

plat·ing [pléitiŋ] *n.* Ⓤ 도금; 철판 씌우기, 장갑(裝甲); 그 철판.

***plat·i·num** [plǽtənəm] *n.* Ⓤ 백금; 백금색(色).

plátinum blónde 엷은 금발(의 여자).

plat·i·tude [plǽtətjùːd/-tjùːd] *n.* Ⓤ 단조, 평범; Ⓒ 평범[진부]한 이야기. **-tu·di·nous** [≻–tjúːdənəs/-tjúː-] *a.*

***Pla·ton·ic** [plətɑ́nik/-ɔ́-] *a.* 플라톤(철학)의; (연애 따위) 정신적인; 이상[비현실]적인.

pla·toon [plətúːn] *n.* Ⓒ 《집합적》 〖軍〗 소대《company와 squad의 중간》.

***plat·ter** [plǽtər] *n.* Ⓒ 《美》(타원형의 얕은) 큰 접시; 《美俗》 레코드, 음반; 〖野〗 본루; 〖컴〗 원판.

plat·y·pus [plǽtipəs] *n.* (*pl.* **~es, -pi**[-pài-]) Ⓒ 〖動〗 오리너구리(duckbill).

plau·dit [plɔ́ːdət] *n.* Ⓒ (보통 *pl.*) 박수, 갈채; 칭찬.

***plau·si·ble** [plɔ́ːzəbəl] *a.* (핑계가) 그럴 듯한; 말솜씨가 좋은. **-bly** *ad.* **-bil·i·ty** [≻–bíləti] *n.*

†play [plei] *vi.* ① 놀다, 장난치며 놀다, 뛰놀다. ② 살랑거리다, 흔들거리다; 어른거리다, 번쩍이며 비치다. ③ 분출하다. ④ 경기를 하다. ⑤ 내기[노름]하다. ⑥ 거동하다. ⑦ 연주

하다(*on, upon*). ⑧ 연극을 하다. ⑨ 가지고 놀다, 농락하다(*with, on, upon*). — *vt.* ① (놀이를) 하다. ② (사람·상대 팀과) 승부를 겨루다, (…의) 상대가 되다. ③ 흔들[너울·어른]거리게 하다. ④ (극을) 상연하다, (…의) 역(役)을 맡아 하다. ⑤ 악기를 타다[켜다], (곡을) 연주하다. ⑥ (낚시에 걸린 고기를) 가지고 어르다. ⑦ 가지고 놀다, 우롱하다. ⑧ (탄알 따위를) 발사하다. ⑨ 『카드』 패를 내어놓다. ~ ***at*** …을 하며 놀다. ~ ***away*** (재산을) 탕진하다; 놀며 (때를) 보내다. ~ ***both ends against the middle*** 양다리 걸치다; 어부지리를 노리다. ~ ***down*** 얕보다(minimize); (회화·연기의) 정도를 낮추다. ~ ***fair*** 공명정대하게 행하다. ~ ***foul*** [***false***] 속임수를 쓰다, 야바위치다. ~ ***into the hands of*** … 에게 유리하게 행동하다, …을 일부러 이기게 하다. ~ ***it low down on*** 《俗》 …에게 대해 불공평[부정]한 짓을 하다. ~ ***off*** 속이다; …에 창피를 주다, 업신여기다; 결승전을 하다. ~ ***on*** [***upon***] …을 이용하다, …에 편승하다. ~ ***out*** (연주·경기 따위를) 끝까지 다하다; 다 써버리다; 기진맥진케 하다. ~ ***to the*** GALLERY. ~ ***up*** (경기 따위에서) 분투하다. ~ ***up to*** …을 후원하다; …에게 아첨하다. — *n.* ① Ⓤ 놀이, 유희. ② Ⓒ 장난, 농담. ③ Ⓤ,Ⓒ 내기, 노름. ④ Ⓤ 경기; 경기의 차례; 경기 태도. ⑤ Ⓒ 연극, 희곡. ⑥ Ⓤ 활동, 행동; 작용; 마음대로의 움직임, 운동의 자유. ⑦ Ⓤ,Ⓒ 번쩍임, 어른거림. ***at*** ~ 놀고. ***come into*** ~ 일[작용]하기 시작하다. ***give*** (***free***) ~ ***to*** 자유로 …하게 하다. ***in full*** ~ 충분히 활동하고 있는. ***in*** ~ 농으로; 활동하고 있는. ~ ***on words*** 익살.

pláy·bàck *n.* Ⓒ 녹음 재생(기 장치).

pláy·bòy *n.* Ⓒ (돈많은) 난봉꾼, 탕아.

†**play·er**[pléiər] *n.* Ⓒ 경기자; 직업선수; 배우; 연주자; 자동 연주 장치.

play·ful[∠fəl] *a.* 놀기 좋아하는; 농담의. ~·**ly** *ad.*

:**play·ground**[∠gràund] *n.* Ⓒ 운동장.

pláy·hòuse *n.* Ⓒ 극장; (아이들) 놀이집.

pláying càrd 트럼프 패.

:**pláy·màte** *n.* Ⓒ 놀이 친구.

pláy-òff *n.* Ⓒ (비기거나 동점인 경우의) 결승 경기.

pláy·pèn[∠pèn] *n.* Ⓒ (격자로 둘러친) 어린이 놀이터.

*__pláy·thìng__ *n.* Ⓒ 장난감(toy).

pláy·tìme *n.* Ⓤ 노는 시간.

pláy·wrìght *n.* Ⓒ 극작가.

pla·za[plá:zə, plǽzə] *n.* (Sp.) Ⓒ (도시의) 광장.

*__plea__[pli:] *n.* Ⓒ 탄원; 구실; 변명, 변호; 『法』 항변(抗辯).

:**plead**[plí:d] *vt.* (~***ed***, 《美口·方》 ***ple***(***a***)***d***[pled]) 변호[항변]하다; 주장하다; 변명으로서 말하다. — *vi.* 변호[항변]하다(*against*); 탄원하다(*for*); 『法』 답변하다. ~ ***guilty*** [***not guilty***] (심문에 대해 피고가) 죄상을 인정하다[인정하지 않다]. ∠·**er** *n.* Ⓒ 변론자; 변호사; 탄원자. ∠·**ing** *n.* Ⓤ 변론; 변명; 『法』 변호.

†**pleas·ant** [pléznt] *a.* 유쾌한 (pleasing), 즐거운; 쾌활한; 맑은. *~·**ly** *ad.* ~·**ness** *n.* ~·**ry** *n.* Ⓤ 익살; Ⓒ 농담.

†**please**[pli:z] *vt.* ① 기쁘게 하다, 만족시키다; (…의) 마음에 들다. ② 부디, 제발. — *vi.* 기뻐하다; 좋아하다, 하고 싶어하다. ***be*** ~***d*** …이 마음에 들다; (…을) 기뻐하다. ***be*** ~***d to*** do 기꺼이 …하다; …해 주시다. ~ ***god*** 신의 뜻이라면, 잘만 나간다면. ***with if you*** ~ 부디; 실례를 무릅쓰고; 글쎄 말에요, 놀랍게도. ~**d**[-d] *a.* :**pléas·ing** *a.* 유쾌한; 만족한; 붙임성 있는.

pleas·ur·a·ble[pléʒərəbəl] *a.* 유쾌한; 즐거운, 기분좋은.

†**pleas·ure**[pléʒər] *n.* ① Ⓤ 즐거움; 쾌락; Ⓒ 유쾌한 것[일]. ② Ⓤ,Ⓒ 오락. ③ Ⓤ 의지; 욕구; 기호. ***at*** ~ 마음대로. ***take a*** ~ ***in*** …을 즐기다, 좋아하다. ***with*** ~ 기꺼이.

pléasure bòat 유람선.

pleat[pli:t] *n., vt.* Ⓒ 주름(을 잡다).

·ple·be·ian[plibíːən] *n.* Ⓒ (옛 로마의) 평민. — *a.* 평민[보통]의; 비속한. 「Ⓒ 국민 투표.
pleb·i·scite [plébəsàit, -sit] *n.*
plebs [plebz] *n.* (*pl.* ***plebes*** [plíːbiːz]) (the ~) (옛 로마의) 평민; 민중.
plec·trum [pléktrəm] *n.* (*pl.* **~s, -tra**[-trə]) Ⓒ (현악기의) 채.
pled[pled] *v.* plead의 과거(분사).
:pledge[pledʒ] *n.* ① Ⓤ,Ⓒ 서약. ② (the ~) 금주의 맹세. ③ Ⓤ,Ⓒ 담보[저당](물); 질물(質物). ④ Ⓒ 축배. ⑤ Ⓒ 보증. ⑥ Ⓒ 표시; 입회 서약자. ***take*** [***sign***] ***the*** ~ 금주의 맹세를 하다. — *vt.* 서약하다[시키다]; 저당[전당]잡히다, 담보로 넣다; (건강을 위해) 축배를 들다. **pledg·ée** *n.* Ⓒ 질권자. **plédg·er,** 〖法〗 **pledg(e)·ór** *n.* Ⓒ 전당 잡히는 사람; (금주의) 서약자.
·ple·na·ry[plíːnəri, plén-] *a.* 충분한; 완전한; 절대적인; 전원 출석의. ~ ***meeting*** [***session***] 본회의.
plen·i·po·ten·ti·ar·y[plènipəténʃəri, -ʃièri] *n.* Ⓒ 전권 대사[위원]. — *a.* 전권을 가지는.
·plen·te·ous[pléntiəs, -tjəs] *a.* = PLENTIFUL.
:plen·ti·ful[pléntifəl] *a.* 많은. ~**·ly** *ad.*
†plen·ty[plénti] *n.* Ⓤ 풍부, 많음, 충분(*of*). ***in*** ~ 많이; 충분히. — *a.* 《口》 많은, 충분한. — *ad.* 《口》 충분히.
pleth·o·ra[pléθərə] *n.* Ⓤ 과다(過多); 《廢》 다혈증. **ple·thor·ic**[pliθɔ́ːrik, -θár-, pléθə-/pleθɔ́r-] *a.*
pleu·ri·sy[plúərəsi] *n.* Ⓤ 〖醫〗 늑막염.
plex·us[pléksəs] *n.* (*pl.* **~es,** ~) Ⓒ 〖解〗 망(網), 총(叢); 복잡한 관계.
pli·a·ble[pláiəbəl] *a.* 휘기 쉬운, 유연(柔軟)한; 고분고분한, 유순한. **-bil·i·ty**[∸−bíləti] *n.* Ⓤ 유연(성); 유순(성).
pli·ant[pláiənt] *a.* = PLIABLE. **-an·cy** *n.* = PLIABILITY.
pli·ers[pláiərz] *n. pl.* 집게; 굽히는 사람[것].
plight[1][plait] *n.* Ⓒ (보통 *sing.*) (나쁜) 상태, 곤경.
plight[2] *n., vt.* Ⓒ 서약[약혼](하다). ~ ***one's troth*** 서약[약혼]하다.
plinth[plinθ] *n.* Ⓒ 〖建〗 원주(圓柱)의 토대(土臺), 주각(柱脚).
·plod[plɑd/-ɔ-] *vi., vt.* (**-dd-**), *n.* 터덕거리다, Ⓒ 무거운 발걸음으로 건다[걷기](*on, along*); 그 발소리; (*vi.*) 꾸준히 일[공부]하다(*at, away, through*).
plonk[1][plɑŋk/-ɔ-] *v., n., ad.* = PLUNK.
plonk[2] *n.* Ⓤ 《英口》 값싼 포도주.
plop[plɑp/-ɔ-] *n.* (a ~) 퐁당[첨벙] 떨어짐. — *ad.* 퐁당, 첨벙하고. — *vi., vt.* (**-pp-**) 퐁덩하고 떨어지다[떨어뜨리다].
plo·sive[plóusiv] *n., a.* Ⓒ 〖音聲〗 파열음(의).
:plot[plɑt/-ɔ-] *n.* Ⓒ (나쁜) 계획, 음모; (소설·극 따위의) 줄거리; 작은 지면(地面); 도면(圖面). — *vt.* (**-tt-**) 계획하다, 음모를 꾸미다; 도면을 작성하다; (토지를) 구획하다(*out*); 도면에 기입하다. — *vi.* 음모를 꾀하다(*for, against*). ∠**·ter** *n.* Ⓒ 음모자; 〖컴〗 도형 출력 장치, 플로터.
:plough[plau] *n., v.* 《英》 = PLOW.
plov·er[plʌ́vər] *n.* Ⓒ 〖鳥〗 물떼새.
:plow[plau] *n.* Ⓒ 쟁기; 제설기(除雪機)(snowplow); Ⓤ 《英》 경작지; (the P-)북두칠성. ***follow the*** ~ 농업에 종사하다. ~ ***back*** 재투자하다. ***put*** [***set***] ***one's hand to the*** ~ 일을 시작하다. ***under the*** ~ 경작되어. — *vt.* 쟁기질하다, 갈다; 두둑을 만들다; 파도를 헤치고 나아가다; 《英口》 낙제시키다. — *vi.* 쟁기로 갈다; 갈듯이 나아가다(*through*); 《英口》 낙제하다. ~ ***one's way*** 고생하며 나아가다. ~ ***the sand***(***s***) 헛수고하다.
plow·man[∠mən] *n.* Ⓒ 쟁기질하는 사람; 농부.
plów·shàre *n.* Ⓒ 보습.
:pluck[plʌk] *vt.* ① (새의) 털을 잡아 뽑다; (꽃·과실 따위를) 따다; 잡아당기다[뽑다]. ② 《英》 (용기를) 불러 일으키다(*at*). ③ 《俗》 잡아채다, 탈취[사취]하다. ④ (현악기의 줄을)

P

퉁겨 소리내다. ⑤《英俗》 낙제시키다. ― *vi.* 획 당기다(*at*); 붙잡으려고 하다(*at*). **get ~ed** 낙제하다. **~ up** 잡아뽑다; 뿌리째 뽑다; (용기를) 불러 일으키다. ― *n.* (a ~) 잡아당김, 쥐어뜯음; Ⓤ (소 따위의) 내장; 용기. **⌐·y** *a.* 용기 있는, 기력이 좋은, 단호한.

*__plug__[plʌg] *n.* Ⓒ ① 마개; (충치의) 충전물(充塡物); 소화전(栓) (fireplug); 〖機〗 (내연 기관의) 점화전(栓) (spark plug); 〖電·컴〗 플러그. ② 고형(固形) 담배, 씹는 담배. ③《주로 美俗》 늙어 빠진 말(馬). ④《口》 (라디오·텔레비전 프로 사이에 끼우는) 짧은 광고 방송; 선전(문구). ⑤ 실크해트. ― *vt.* (**-gg-**) 마개를 하다, 틀어 막다; 《俗》 탄환을 쏘다; 치다, 때리다; 《口》 (라디오·텔레비전 등에서) 집요하게 광고하다. ― *vi.* 《口》 부지런히 일하다. **~ in** 〖電〗 플러그를 끼우다.

:**plum**[plʌm] *n.* Ⓒ 양오얏(나무); (케이크에 넣는) 건포도; Ⓤ 진보라색; Ⓒ《俗》 정수(精粹), 일품; 《英俗》 10만 파운드의 돈, 큰 재산.

*__plum·age__[plúːmidʒ] *n.* Ⓤ《집합적》 깃털.

plumb[plʌm] *n.* Ⓒ 추(錘); 측연(測鉛); Ⓤ 수직. **off** 〔**out of**〕 **~** 수직이 아닌. ― *a., ad.* 수직의〔으로〕; 《口》 순전한〔히〕, 전혀; 정확히. ― *vt.* 다림줄로 조사하다; 수직되게 하다(*up*); 깊이를 재다; 헤아려 알다.

plumb·er[plʌ́mər] *n.* Ⓒ 연관공(鉛管工), 배관공.

plumb·ing[⌐iŋ] *n.* Ⓤ 배관 공사〔업〕; 수심 측량; 《집합적》 연관류.

plúmb lìne 추선(錘線), 다림줄.

plúm cáke 〔**púdding**〕 건포도가 든 케이크〔푸딩〕.

:**plume**[pluːm] *n.* Ⓒ ① (보통 *pl.*) (큰) 깃털; 깃털 장식. ② (원폭의 수중 폭발로 인한) 물기둥. **borrowed ~s** 빌려 입은 옷; 남에게서 빌린 지식. ― *vt.* (새가 부리로) 깃털을 고르다; 깃털로 장식하다. **~ oneself on** …을 자랑하다.

plum·met[plʌ́mit] *n.* Ⓒ 추. ― *vi.* 수직으로 떨어지다.

:**plump**[1][plʌmp] *a.* 부푼; 통통하게 살찐. ― *vi., vt.* 통통히 살찌다(*out, up*); 살찌게 하다(*up*).

*__plump__[2] *vi.* 털썩〔쿵〕 떨어지다(*down, into, upon*); 《주로 英》 (연기(連記) 투표에서) 한 사람에게만 투표하다(*for*). ― *n.* Ⓤ 털썩 떨어짐, 그 소리. ― *ad.* 털썩; 갑자기; 곧장; 노골적으로. ― *a.* 노골적인; 퉁명스런.

*__plun·der__[plʌ́ndər] *vt., vi., n.* 약탈하다; 착복하다; Ⓤ 약탈(품).

:**plunge**[plʌndʒ] *vt.* ① 처박다(*into*); 던져넣다, 찌르다(*into*). ② (어떤 상태로) 몰아넣다〔빠뜨리다〕(*into*). ― *vi.* ① 뛰어들다, 다이빙하다(*into*); 돌진하다(*into, down*). ② (말이) 뒷다리를 들고 뛰어오르다. ③ (배가) 뒷질하다. ④《口》 큰 도박을 하다. ― *n.* (*sing.*) 처박음; 뛰어듦; 돌진; 배의 뒷질. **take the ~** 모험하다, 과감한 행동을 하다.

plúng·er *n.* Ⓒ 뛰어드는 사람; 〖機〗 (펌프 따위의) 피스톤; 《口》 무모한 도박꾼〔투기꾼〕.

plunk[plʌŋk] *vt., vi., n.* (기타 따위) 퉁 소리나게 하다〔소리나다〕; 《口》 쿵하고 내던지다〔떨어뜨리다〕; Ⓒ (*sing.*) 쿵하고 던짐〔떨어짐〕; 그 소리. ― *ad.* 《口》 쿵(하고); 정확히.

plu·per·fect[pluːpə́ːrfikt] *n., a.* Ⓤ,Ⓒ 〖文〗 대과거(의), 과거완료(의).

:**plu·ral**[plúərəl] *a., n.* Ⓤ 복수(의); Ⓒ 복수형. **~·ism**[-ìzəm] *n.* Ⓤ 〖哲〗 다원론. **~·ist** *n.* Ⓒ 〖哲〗 다원론자. **~·is·tic**[⌐-ístik] *a.* 〖哲〗 다원론의.

plu·ral·i·ty[pluərǽləti] *n.* Ⓤ 복수성(性); Ⓒ (대)다수; Ⓒ 득표차《최고 득표자와 차점자의》.

:**plus**[plʌs] *prep.* …을 더하여. ― *a.* 더하기의, 정(正)의; 〖電〗 양(陽)의; 여분의. ― *n.* Ⓒ 플러스 기호, 정수(正數), 정량(正量); 여분; 이익.

plús fóurs 골프 바지《무릎 아래 4인치인 데서》.

plush[plʌʃ] *n.* Ⓤ 견면(絹綿) 벨벳, 플러시천; (*pl.*) 플러시로 만든 바지.

Plu·to[plúːtou] *n.* 〖그神〗 저승의 왕; 〖天〗 명왕성(冥王星).

plu·toc·ra·cy[pluːtákrəsi/-ɔ́-] *n.* Ⓤ 금권 정치; Ⓒ 부호 계급, 재벌.

plu·to·crat[plúːtoukræ̀t] *n.* Ⓒ 부

호 (정치가). **plu·to·crat·ic**[∸–kræ̀tik] *a.* 금권 정치의; 재벌의.

plu·to·ni·um [plu:tóuniəm, -njəm] *n.* Ⓤ 〖化〗 플루토늄《방사성 원소의 하나; 기호 Pu》.

:**ply**[1] [plai] *vt.* ① (도구 등을) 부지런히 쓰다. ② (…에) 열성을 내다, 부지런히 일하게 하다. ③ (음식 등을) 강요하다(*with*). ④ (질문 등을) 퍼붓다(*with*). ⑤ (강 등을) 정기적으로 건너다. — *vi.* ① 정기적으로 왕복하다(*between*). ② 부지런히 일하다.

ply[2] *n.* Ⓤ (밧줄의) 가닥, 올; 겹(fold), 두께; 경향, 버릇.

plý·wòod *n.* Ⓤ 합판, 베니어 합판《'veneer'와는 다름》.

P.M. Prime Minister.

:**P.M., p.m.** [pí:ém] 오후《*post meridiem* (L. = afternoon)》.

pneu·mat·ic [nju:mǽtik/nju(:)-] *a.* 공기의 (작용에 의한); 공기를 함유한〔채운〕; 기학(氣學)(상)의. **-i·cal·ly** *ad.* **~s** *n.* Ⓤ 기체 역학(氣體力學).

pneu·mo·ni·a [nju:móunjə, -niə] *n.* Ⓤ 〖醫〗 폐렴. **pneu·mon·ic** [-mɑ́-/-ɔ́-] *a.*

P.O., p.o. postal order; post office.

poach[1] [poutʃ] *vt., vi.* (밀렵하러 남의 땅에) 침입하다(*on*); 밀렵하다; 짓밟다. **∠·er** *n.* Ⓒ 밀렵〔침입〕자.

poach[2] *vt.* 수란(水卵)을 뜨다.

Po·ca·hon·tas [pòukəhɑ́ntəs/-ɔ́-] *n.* (1595?-1617) Captain Smith의 목숨을 구하였다고 전해지는 북아메리카 토인의 소녀.

pock·et [pɑ́kit/-ɔ́-] *n.* Ⓒ ① 포켓; 주머니; (*sing.*) (포켓 속의) 돈; 자력. ② 〖撞〗 (당구대 네 모서리의) 포켓. ③ 〖採〗 광혈(鑛穴), 광맥류(瘤). ④ 우묵한 땅; 굴. ⑤ 〖空〗 에어포켓. ⑥ 〖軍〗 (포위된) 고립 지역. ***be in* 〔*out of*〕 ~** 돈이 있다〔없다〕; 이득을〔손해를〕 보다. ***empty* ~** 한 푼도 없는 사람. ***have a person in one's* ~** 아무를 마음대로 다루다. ***in* ~** 접어 끼우게 된(*a book with a map in* ~ 접지도가 든 책). ***put one's hand in one's* ~** 돈을 내다, 기부하다. ***put one's pride in one's* ~** 자존심을 억누르다. ***suffer in one's* ~** 손해를 보다. — *vt.* ① 포켓에 넣다; 착복하다. ② (모욕 등을) 꾹 참다; (감정 등을) 억누르다. ③ (주자(走者)를) 둘러싸고 방해하다. ④ 《美》 (의안 등을) 묵살하다. — *a.* 포켓용〔소형〕의. **~·ful** [-fùl] *n.* Ⓒ 주머니 가득(한 분량).

***pócket·bòok** *n.* Ⓒ 지갑; 《美》 핸드백; 포켓북; 수첩; (one's ~) 재원.

pócket·knífe *n.* Ⓒ 접칼, 주머니칼.

pócket mòney 용돈.

póck·màrk *n., vt.* Ⓒ 곰보(를 만들다). **~ed** [-t] *a.* 마마 자국이 있는.

***pod** [pɑd/-ɔ-] *n.* Ⓒ ① (완두 등의) 꼬투리. ② (제트 엔진·화물·무기 등을 넣는) 비행기 날개 밑의 부푼 곳. ③ (우주선의) 분해 가능한 구성 단위. — *vi.* (**-dd-**) 꼬투리가 생기다〔맺다〕. — *vt.* 꼬투리를 까다.

podg·y [pɑ́dʒi/-ɔ́-] *a.* 《주로 英》 땅딸막한(pudgy).

po·di·a·try [poudáiətri] *n.* Ⓤ 〖醫〗 족병학(足病學); 족부 치료. **-trist** *n.* Ⓒ 족병의(醫).

po·di·um [póudiəm] *n.* (*pl.* **-dia** [-diə]) Ⓒ 대(臺); 〖動·解〗 발.

†**po·em** [póuim] *n.* Ⓒ 시; 시적인 문장; 아름다운 물건.

:**po·et** [póuit] *n.* Ⓒ 시인; 시인 기질의 사람.

po·et·ess [póuitis] *n.* Ⓒ 여류 시인.

***po·et·ic** [pouétik], **-i·cal** [-əl] *a.* 시의; 시인의, 시인 같은; 시적인, 시취(詩趣)가 풍부한; 시에 적합한.

poétic jústice (시에 나타나는 것과 같은) 이상적 정의, 인과 응보.

poétic lícense 시적 허용《시적 효과를 위해 문법·형식·사실 따위의 파격(破格)》.

póet láureate 《英》 계관 시인.

:**po·et·ry** [póuitri] *n.* Ⓤ ① 《집합적》 시, 운문. ② 작시; 시정(詩情).

pó·fàced *a.* 《英口》 자못 진지〔심각〕한 얼굴의.

pó·go (stìck) [póugou(-)] *n.* (*pl.* **~s**) Ⓒ 포고《용수철 달린 한 막대로, 이를 타고 뜀》.

P

po·grom [pougrám, póugrəm/pɔ́grəm] *n.* (Russ.) Ⓒ (조직적인) 학살, (특히) 유대인 학살.

poign·ant [pɔ́injənt] *a.* 찌르는 듯한, 매서운; 통렬한; (혀를) 톡 쏘는, (코를) 찌르는. **póign·an·cy** *n.*

poin·set·ti·a [pɔinsétiə] *n.* Ⓒ 〖植〗 포인세티아.

†**point** [pɔint] *n.* ① Ⓒ (뾰족한) 끝, 첨단, 끝; 곶. ② Ⓒ 〖數〗 점, 소수점 (4.6 = four point six); 구두점; 종지부; (온도계·나침반의) 도(度); 점 (*the boiling* ~ 비등점). ③ Ⓒ 정도. ④ Ⓒ 득점. ⑤ Ⓒ 시점(時點), 순간; 지점. ⑥ Ⓤ (특수한) 목적. ⑦ Ⓒ 항목, 세목. ⑧ Ⓒ 특징, 특질. ⑨ Ⓒ 요점, 논점; (우스운 이야기 따위의) 끝장. ⑩ Ⓒ 《美》 (학과의) 단위; (*pl.*) 《英》 (철도의) 전철기; 〖海〗 방위; Ⓤ 〖印〗 포인트《활자 크기의 단위, 약 1/72 인치》. ⑪ Ⓤ 손으로 짠 레이스. ⑫ Ⓒ 암시. ⑬ 〖컴〗 포인트《그림 정보의 가장 작은 단위》. ***at the ~ of*** …의 직전에, …할 무렵에. ***at the ~ of the sword*** [***bayonet***] 칼을 들이대어, 무력으로. ***carry*** [***gain***] ***one's ~*** 주장을 관철하다. ***come to the ~*** 요점을 찌르다. ***full ~*** 종지부. ***give ~s to*** …에게 핸디캡을 주다, …보다 낫다. ***in ~*** 적절한(*a case in ~* 적절한 예). ***in ~ of*** …에 관하여. ***make a ~ of*** …을 강조하다; 반드시 …하다(*…ing*). ***on the ~ of doing*** 바야흐로 …하려하여. ***~ of view*** 관점; 마음가짐. ***to the ~*** 적절한[하게], 요점을 벗어나지 않은. — *vt.* ① 뾰족하게 하다; 끝을 붙이다. ② 강조하다. ③ (손가락·무기 따위를) 향하게 하다(*at*); 주의하다; 가리키다. ④ (사냥개가 사냥감을) 알리다. ⑤ 점을 찍다, 구두점을 찍다. ⑥ 메지에 회반죽을 바르다. — *vi.* 가리키다, 보이다(*at, to*); (…한) 경향이 있다(*toward*); (사냥개가) 멈춰서서 사냥감 있는 곳을 알리다. ***~ off*** 점으로 구별하다. ***~ out*** 지적하다.

póint-blánk *a., ad.* 직사(直射)의; 직사하여; 솔직한[히].

póint dùty 《英》 (교통 순경 등의) 교통 정리 근무.

:**point·ed** [pɔ́intid] *a.* 뾰족한; (말이) 가시돋친; 빈정대는, 노골적인; 두드러진. **~·ly** *ad.*

˙**point·er** [∠ər] *n.* Ⓒ ① 지시하는 사람[물건]. ② (시계·계기의) 지침; 교편(教鞭). ③ 《美口》 암시. ④ 포인터《사냥개》. ⑤ (*pl.*) (the P-) 〖天〗 지극성(指極星)《큰 곰자리 중의 두 별》. ⑥ 〖컴〗 포인터.

poin·til·lism [pwǽntəlìzəm] *n.* Ⓤ (프랑스 신인상파 화가의) 점묘법(點描法).

point·ing [∠iŋ] *n.* Ⓤ 뾰족하게 함, 가늘게 함; (뾰족한 것을 향하게 하여) 지시(하기); 구두법(句讀法); 〖建〗 메지 바르기.

póint·less *a.* 뾰족한 끝이 없는; 무딘; 요령 없는; 무의미한.

póint-to-póint ràce 〖競馬〗 자유 코스의 크로스컨트리.

˙**poise** [pɔiz] *vt.* 균형 잡히게 하다; (창 따위를 잡고) 자세를 취하다. — *vi.* 균형잡히다; 허공에 매달리다; (새 따위가) 하늘을 돌다. — *n.* ① Ⓤ 평형, 균형. ② Ⓤ 안정; 평정(平靜); 미결단. ③ Ⓒ (몸·머리 따위의) 가짐새.

:**poi·son** [pɔ́izən] *n.* Ⓤ,Ⓒ 독(약); 해독, 폐해. — *vt.* (…에) 독을 넣다[바르다]; 독살하다; 악화시키다; 해치다, 못쓰게 하다. — *a.* 해로운. **~·ing** *n.* Ⓤ 중독.

˙**poi·son·ous** [pɔ́izənəs] *a.* 유독[유해]한; 악의 있는.

póison-pén *a.* 독필을 휘두르는; 악의로 씌어진.

˙**poke** [pouk] *vt.* ① (손가락·막대기 따위로) 찌르다, 밀다(*away, in, into, out*). ② (구멍을) 찔러서 뚫다. ③ 《英俗》 (…와) 성교하다. ④ 〖컴〗 (자료를) 어느 번지에 넣다. — *vi.* 찌르다(*at*); 천착하다; 어정거리다. ***~ fun at*** …을 놀리다. ***~ one's nose into*** …에 말참견을 하다, 쓸데없는 참견을 하다. — *n.* Ⓒ 찌름; 《口》 게으름뱅이; 〖컴〗 집어넣기.

˙**pok·er**[1] [póukər] *n.* Ⓒ 찌르는 사람[물건]; 부지깽이; 낙화용구(烙畫用具).

pok·er[2] *n.* Ⓤ 포커《카드 놀이》.

póker fàce 《口》 (의식적인) 무표정한 얼굴.
pok·(e)y[póuki] *a.* 느린, 둔한; 단정치 못한; 비좁은; 초라한; 시시한.
:**po·lar**[póulər] *a.* ① 극의, 극지(極地)의. ② 전극[자극]의. ③ 〖化〗 이온화한. ④ 정반대 성질의.
pólar bèar 북극곰; 흰곰.
po·lar·i·ty[poulǽrəti] *n.* Ⓤ 극성(極性), (전기의) 양극성(兩極性).
po·lar·ize[póuləràiz] *vt.* 〖電〗 극성(極性)을 주다; 〖光〗 편광(偏光)시키다. **-iz·er** *n.* Ⓒ 〖光〗 편광기(偏光器). **-i·za·tion**[ㅗ–rizéiʃən/-raiz-] *n.* Ⓤ 귀극(歸極), 편극; 〖電〗 성극(成極) (작용); 〖光〗 편광.
po·lar·oid[póulərɔ̀id] *n.* Ⓤ 폴라로이드, (*pl.*) 인조 편광판; (P-) 그 상표명. ***P- camera*** 폴라로이드 카메라《촬영후 곧 양화가 됨》.
pole[1][poul] *n.* Ⓒ ① 막대기, 기둥, 장대. ② 척도의 단위(rod) 《5.03 미터》; 면적의 단위《25.3 평방 미터》. — *vt.* (배에) 삿대질하다.
:**pole**[2] *n.* Ⓒ (천구(天球)·구체(球體) 따위의) 극; (지구의) 극지; 〖理〗 전극, 자극(磁極); (성격·학설 따위) 정반대.
póle·àx(e) *n.* Ⓒ 자루가 긴 전부(戰斧); 도살용의 도끼.
póle·càt *n.* Ⓒ 〖動〗 (유럽산) 족제비의 일종; (북아메리카산) 스컹크.
po·lem·ic[poulémik/pɔ-] *n.* Ⓒ 논쟁(가). — *a.* 논쟁의. **-i·cal**[-əl] *a.* **~s** *n.* Ⓤ 논쟁법, (신학상의) 논증법.
póle·stàr *n.* (the ~) 북극성; Ⓒ 목표.
póle·vàult *vi.* 장대높이뛰기를 하다.
†**po·lice**[pəlíːs] *n., vt.* Ⓤ 경찰; 《집합적》 경찰관; 공안; 치안(을 유지하다).
políce cónstable 《英》 순경(policeman).
políce dòg 경찰견.
políce fòrce 경찰대; 경찰력.
†**po·lice·man**[-mən] *n.* Ⓒ 경관, 순경.
políce stàte 경찰 국가.
˙**políce stàtion** 경찰서.
po·lice·wom·an[-wùmən] *n.* Ⓒ 여자 경찰관, 여순경.
:**pol·i·cy**[1][páləsi/pɔ́li-] *n.* Ⓤ,Ⓒ 정책, 방침; 수단; Ⓤ 심려(深慮).
pol·i·cy[2] *n.* Ⓒ 보험 증서; 《美》 숫자 도박.
pólicy·hòlder *n.* Ⓒ 보험 계약자.
po·li·o[póuliòu] *n.* Ⓤ 《口》 소아마비.
:**pol·ish**[páliʃ/-ɔ́-] *vt., vi.* 닦다, 광나게 하다, 윤을 내다[이 나다]; 퇴고(推敲)하다, 개선하다; 《古》 세련되(게 하)다, 품위있게 하다[되다]. **~ *off*** 《口》 재빨리 끝내다; (적수를) 제압하다. **~ *up*** 《口》 마무리하다; 광택을 내다. — *n.* Ⓤ,Ⓒ 닦기; Ⓤ,Ⓒ 광택(제), 닦는 가루약; Ⓤ 세련, 품위 있음. **~ed**[-t] *a.* 닦은; 광택이 있는; 세련된.
Po·lit·bu·reau, -bu·ro [pálitbjùərou, pəlít-/pɔ́litbjùər-, pəlít-] *n.* (Russ.) (the ~) (러시아의 당 중앙 위원회의) 정치국《1952년부터 Presidium(최고 회의 간부회)으로 되었음》.
:**po·lite**[pəláit] *a.* 공손한, 예절 바른; 세련된, 품위 있는. **:~·ly** *ad.* ˙**~·ness** *n.*
˙**pol·i·tic**[pálətik/-ɔ́-] *a.* 사려 깊은; 교활한; 시기에 적합한; 정치상의. ***the body ~*** 정치적 통일체, 국가. **:~s** *n.* Ⓤ 정치(학); 정략; 정견; 경영.
:**po·lit·i·cal**[pəlítikəl] *a.* 정치(상)의; 국가의; 정당(활동)의; 당략의; 행정의. ˙**~·ly** *ad.*
polítical asýlum (정치적 망명자에 대한) 정부의 보호.
polítical scíence 정치학.
:**pol·i·ti·cian** [pàlətíʃən/pɔ̀li-] *n.* Ⓒ 정치가, 정객(政客); 행정관.
pol·i·tick[pálətik/-ɔ́-] *vi.* 《美口》 정치(운동)에 손을 대다.
pol·i·ty[páləti/-ɔ́-] *n.* Ⓤ 정치; Ⓒ 정체; 국가.
pol·ka[póulkə/pɔ́lkə] *n.* Ⓒ 폴카《경쾌한 춤》; 그 곡. — *vi.* 폴카를 추다.
pólka dòt 물방울 (무늬).
:**poll**[poul] *n.* Ⓒ 머리(head); (선거의 머릿수, 즉) 투표수의 계산; 선거인 명부; (보통 *sing.*) 투표; 투표수,

P

투표 결과; (*pl.*)(the ~) 《美》 투표소; Ⓒ 여론 조사. — *vt.* 명부에 올리다; (표를) 얻다[기록하다]; 투표하다; (머리를) 깎다; (머리카락·가지 등을) 자르다. (가축의) 뿔을 잘라내다.

˙**pol·len**[pálən/-ɔ́-] *n.* Ⓤ 꽃가루.

pol·li·nate[pálənèit/-ɔ́-] *vt.* 〖植〗 수분(授粉)[가루받이]하다. **-na·tion** [ㅗ–néiʃən] *n.*

poll·ing[póuliŋ] *n.* Ⓤ 투표; 〖컴〗 폴링.

pólling bòoth 기표소(記票所).

poll·ster[póulstər] *n.* Ⓒ 《종종 蔑》 여론 조사자.

póll tàx 인두세.

pol·lu·tant[pəlú:tənt] *n.* Ⓒ 오염 물질.

˙**pol·lute**[pəlú:t] *vt.* 더럽히다, 불결하게 하다; (신성을) 더럽히다.

pol·lut·er[pəlú:tər] *n.* Ⓒ 오염자; 오염원.

:**pol·lu·tion**[pəlú:ʃən] *n.* Ⓤ 오염; 공해; 불결; 모독; 〖醫〗 몽정(夢精).

˙**po·lo**[póulou] *n.* Ⓤ 폴로《마상 구기(馬上球技)》.

pol·o·naise[pàlənéiz/-ɔ̀-] *n.* Ⓒ 폴로네즈《폴란드의 무도(곡)》; 여자옷의 일종.

pólo·nèck *a.* 접는[자라목] 깃의《스웨터 등》.

pol·y-[páli/pɔ́li] '다(多), 복(複)'의 뜻의 결합사.

pol·y·an·dry [páliæ̀ndri/pɔ́-] *n.* Ⓤ 일처 다부(一妻多夫).

pol·y·an·thus [pàliǽnθəs/pɔ̀-] *n.* Ⓤ,Ⓒ 〖植〗 앵초[수선]의 일종.

pól·y·es·ter (rèsin)[pálièstər(-)/-ɔ́-] *n.* Ⓤ 〖化〗 폴리에스테르 합성수지.

pol·y·eth·y·lene[pàliéθəlì:n/-ɔ̀-] *n.* Ⓤ 〖化〗 폴리에틸렌《합성 수지》.

po·lyg·a·my[pəlígəmi] *n.* Ⓤ 일부다처제[주의] (opp. monogamy). **-mist** *n.* **-mous** *a.*

pol·y·glot[páliglàt/pɔ́liglɔ̀t] *a., n.* Ⓒ 수개 국어에 능통한 (사람); 수개 국어로 쓴 (책); (특히) 수개 국어로 대역(對譯)한 성서.

pol·y·gon[páligàn/pɔ́ligɔ̀n] *n.* Ⓒ 다각[다변]형. **po·lyg·o·nal**[pəlígənl] *a.*

pol·y·math[pálimæ̀θ/pɔ́l-] *n.* Ⓒ 박학자, 박식한 사람.

pol·y·mer[páləmər/-ɔ́-] *n.* Ⓒ 〖化〗 중합체(重合體). **~·ize**[pəlíməràiz, pálə-/pɔ́lə-] *vt., vi.* 〖化〗 중합시키다[하다].

pol·yp[pálip/-ɔ́-] *n.* Ⓒ 〖動〗 폴립《산호의 무리》; 〖醫〗 식육(瘜肉), 폴립《코의 점막 따위에 생기는 줄기 있는 말랑말랑한 종기》.

po·lyph·o·ny[pəlífəni] *n.* Ⓤ 〖音聲〗 다음(多音); 〖樂〗 다성곡(多聲曲); 대위법. **pol·y·phon·ic**[pàlifánik/pɔ̀lifɔ́-] *a.* 〖樂〗 대위법의.

pol·y·pro·pyl·ene [pàlipróupəlì:n/-ɔ̀-] *n.* Ⓤ 〖化〗 폴리프로필렌《폴리에틸렌 비슷한 합성 수지》.

pòly·stýrene *n.* Ⓤ 〖化〗 폴리스티렌《무색 투명한 합성 수지의 하나》.

pol·y·syl·la·ble [pálisìləbəl/-ɔ́-] *n.* Ⓒ 다음절어《3음절 이상》. **-lab·ic** [ㅗ––lǽbik] *a.*

pol·y·tech·nic [pàlitéknik/-ɔ̀-] *a.* 공예의. — *n.* Ⓤ,Ⓒ 공예 학교.

pol·y·the·ism [páliθi:ìzəm/-ɔ́-] *n.* Ⓤ 다신론(多神論), 다신교(教). **-ist** *n.* Ⓒ 다신론자[교도]. **-is·tic** [ㅗ––ístik] *a.*

pòly·úrethane *n.* Ⓤ 〖化〗 폴리우레탄.

pome·gran·ate [páməgræ̀nit, pʌ́m-/pɔ́m-] *n.* Ⓒ 〖植〗 석류 (나무).

pom·mel[pʌ́məl, pám-] *n.* Ⓒ (검(劍)의) 자루 끝; 안장의 앞머리. — *vt.* (**-ll-**) 자루 끝[주먹]으로 (연달아) 치다.

:**pomp**[pamp/-ɔ-] *n.* Ⓤ 장관, 화려; (보통 *pl.*) 허식.

pom·pom[pámpàm/pɔ́mpɔ̀m] *n.* Ⓒ 자동 고사포; 자동 기관총.

˙**pomp·ous**[pámpəs/-ɔ́-] *a.* 호화로운; 거드름 피우는; 건방진; (말 따위) 과장된. **~·ly** *ad.* **pom·pos·i·ty** [pampásəti/pɔmpɔ́-] *n.*

ponce[pans/-ɔ-] *n.* Ⓒ 《英俗》 (매춘부의) 정부. — *vi.* 정부가 되다. — *vt.* 정부 노릇하다; 몰래 지내다.

pon·cho[pántʃou/-ɔ́-] *n.* (*pl.* **~s**) Ⓒ 판초《한가운데 구멍을 뚫어

머리를 내놓게 만든 외투》; (판초식) 비옷.

:**pond**[pand/-ɔ-] *n.* Ⓒ (연)못.

·**pon·der**[pándər/-ɔ́-] *vt., vi.* 숙고하다(*on, over*).

·**pon·der·ous**[pándərəs/-ɔ́-] *a.* 대단히 무거운; (무거워서) 다루기 힘든; 묵직한, 육중한; 답답한.

pon·tiff[pántif/-ɔ́-] *n.* Ⓒ 교황; 주교; (유대교의) 제사장; 고위 성직자.

pon·tif·i·cal[pantífikəl] *a.* 교황〔주교〕의. ── *n.* (*pl.*) 주교의 제복(祭服).

pon·tif·i·cate[pantífikit/-ɔ-] *n.* Ⓤ 교황〔주교〕의 지위〔직책·임기〕. ── [-kèit] *vt., vi.* 거드름 피우며 이야기하다.

pon·toon[pantú:n/-ɔ-] *n.* Ⓒ 〖軍〗 (배다리용의) 납작한 배; (수상 비행기의) 플로트; (침몰선 인양용의) 잠함(潛函).

:**po·ny**[póuni] *n.* Ⓒ 조랑말; 《美俗》 자습서; 《口》 작은 잔.

póny tàil (뒤에 묶어) 드리운 머리.

pooch[pu:tʃ] *n.* Ⓒ 《美俗》 (시시한) 개, 잡종개.

poo·dle[pú:dl] *n.* Ⓒ 푸들《작고 영리한 복슬개》.

poof[pu(:)f] *int.* (숨을 세게 내뿜어) 훅; =POOH.

pooh[pu:] *int.* 흥!; 체!

pooh-pooh[pú:pú] *vt., int.* 경멸하다; =POOH.

:**pool**[1] [pu:l] *n.* Ⓒ 웅덩이; 작은 못; (냇물이) 괸 곳; (수영용) 풀; 《美》 유층(油層), 천연 가스층.

·**pool**[2] *n.* Ⓒ (카드·경마 등의) 건 돈; 기업가 합동(의 구성원); 합동 자금; 《美俗》 (단체 등에서 공유하는) 시설, 설비; Ⓤ 《美》 내기 당구의 일종. ── *vt.* 자금을〔물자를〕 합동하다.

poop[1][pu:p] *n.* Ⓒ 고물(의 상갑판). ── *vt.* (파도가) 고물을 치다.

poop[2] *vt.* 《美俗》 《보통 수동으로》 피로하게 하다(*I'm ~ed out.* 지쳤다).

†**poor**[puər] *a.* 가난한; 부족한; 빈약한; 초라한; 열등한; 조잡한; 불쌍한; (토지가) 메마른; 시시한; 운수 나쁜; 형편이 좋지 못한. *∠·**ly** *a., ad.* 《口》 건강이 시원치 않은; 가난하게; 초라하게; 빈약하게; 서투르게.

póor whíte (미국 남부의) 가난한 백인.

·**pop**[1][pap/-ɔ-] *vi* (**-pp-**) 뻥 울리다〔소리내어 터지다〕; 탕 쏘다(fire) (*at*); 《口》 불쑥 움직이다〔들어오다, 나가다, 가다, 오다〕(*in, out, up, down, off*). ── *vt.* 뻥 소리를 나게 하다; 발포하다; (마개를) 뻥 뽑다; 《美》 (옥수수를) 튀기다; 《口》 갑자기 찌르다〔놓다, 넣다, 꺼내다〕 (*in, out, on*); 《英俗》 전당 잡히다; 부풀게 하다; 〖野〗 내야 플라이를 치다; 《美俗》 (경구 피임약을) 함부로 먹다. ~ ***the question*** 《口》 (여자에게) 구혼하다. ── *n.* Ⓒ 펑〔뻥〕하는 소리; 발포; Ⓤ 탄산수. ── *ad.* 뻥하고; 갑자기, 돌연히.

pop[2] (＜*popular*) *a.* 통속적인. ── *n.* Ⓤ 대중 가요; Ⓒ 그 곡.

pop[3] (＜*papa*) *n.* Ⓒ 《美口》 아버지; 아저씨《손윗 사람에 대한 호칭》.

pop. population.

póp árt 《美》 대중 미술《광고·만화·상업 미술 따위를 모방한》.

·**pop·corn** [∠kɔ̀:rn] *n.* Ⓤ 《美》 옥수수의 일종《잘 튀겨짐》; 튀긴 옥수수, 팝콘.

·**Pope, p-**[poup] *n.* Ⓒ 로마 교황.

pop·er·y[póupəri] *n.* Ⓤ 《蔑》 가톨릭교(의 제도, 관습).

póp·èyed *a.* 《口》 퉁방울눈의; 눈이 휘둥그래진.

póp·gùn *n.* Ⓒ (장난감의) 공기총.

pop·ish[póupiʃ] *a.* 《蔑》 가톨릭교의, 로마 교황의.

·**pop·lar**[páplər/-ɔ́-] *n.* Ⓒ 포플라, 사시나무; Ⓤ 그 재목.

pop·lin[páplin/-ɔ́-] *n.* Ⓤ 포플린《옷감》.

pop·per[pápər/-ɔ́-] *n.* Ⓒ 펑 소리를 내는 사람〔물건〕; 《美》 옥수수 튀기는 기구.

pop·pet[pápit/-ɔ́-] *n.* Ⓒ 《英口》 여자〔남자〕아이, (호칭으로) 예쁜애; 〖機〗 양판; 선반 머리; 〖海〗 침목《진수할 때 배 밑을 굄》.

·**pop·py**[pápi/-ɔ́-] *n.* Ⓒ 〖植〗 양귀비(의 꽃); Ⓤ 진홍색.

póppy·còck *n., int.* Ⓤ 《美口》 허튼 소리; 어처구니 없는!(bosh).

P

pop·si·cle[pápsikəl/-ɔ́-] *n.* Ⓒ 《美》 아이스 캔디.

·**pop·u·lace**[pápjələs/-ɔ́-] *n.* (the ~) 서민, 대중; 하층 계급.

†**pop·u·lar**[pápjələr/-ɔ́-] *a.* 대중의 (에 의한); 민간의; 대중적(통속적)인; 인기 있는, 평판이 좋은; 대중용의; 유행의, 널리 행해지는. * **~·ly** *ad.* 일반적으로; 통속적으로.

pópular frónt, P- F-, the 인민 전선.

:**pop·u·lar·i·ty** [pàpjəlǽrəti/-ɔ̀-] *n.* Ⓤ 인기, 인망; 통속.

pop·u·lar·ize [pápjələràiz/-ɔ́-] *vt.* 통속적으로 하다, 대중화하다, 보급시키다. **-i·za·tion**[pàpjələrizéiʃən/pɔ̀pjələrai-] *n.*

pop·u·late[pápjəlèit/-ɔ́-] *vt.* (…에) 주민을 거주시키다; 식민(植民)하다; (…에) 살다.

:**pop·u·la·tion**[pàpjəléiʃən/-ɔ́-] *n.* Ⓤ,Ⓒ 인구; 주민; 【統】 모(母)집단.

Pop·u·list[pápjəlist/-ɔ́-] *n.* Ⓒ 【美史】 인민당원. **-lism**[-lìzəm] *n.* Ⓤ 【美史】 인민당의 주의.

·**pop·u·lous**[pápjələs/-ɔ́-] *a.* 인구가 조밀한; 사람이 붐빈; 사람수가 많은.

póp-ùp *n.* Ⓒ 【野】 내야 플라이. — *a.* ① 펑 튀어나오는. ② 【컴】 팝업(~ ***menu*** 팝업 메뉴/***a ~ window*** 팝업 윈도).

·**por·ce·lain**[pɔ́ːrsəlin] *n.* Ⓤ 자기(磁器); 《집합적》 자기 제품.

:**porch**[pɔːrtʃ] *n.* Ⓒ 현관, 차 대는 곳; 《美》 베란다.

por·cu·pine[pɔ́ːrkjəpàin] *n.* Ⓒ 【動】 호저(豪猪).

·**pore**[1][pɔːr] *vi.* 몰두하다, 숙고(주시)하다(*on, upon, over*).

pore[2] *n.* Ⓒ 털구멍; 세공(細孔); 기공(氣孔).

pork[pɔːrk] *n.* Ⓤ ① 돼지고기. ② 《美俗》 (정부의 정략적) 보조금. **∠·er** *n.* Ⓒ 식용 돼지. **∠·y** *a.* 돼지의, 돼지 같은, 살찐.

pórk bàrrel 《美俗》 선심 교부금 《여당 의원의 인기를 높히기 위해 정부가 주는 정책적인 국고 교부금》.

porn[pɔːrn] *n.* 《俗》 = PORNO.

por·no[pɔ́ːrnou] *n.* = PORNOGRAPHY. — *a.* = PORNOGRAPHIC.

por·nog·ra·phy[pɔːrnágrəfi/-ɔ́-] *n.* Ⓤ 포르노, 호색 문학; 《집합적》 포르노 영화(책, 사진 따위). **por·no·graph·ic**[pɔ̀ːrnəgrǽfik] *a.*

po·rous[pɔ́ːrəs] *a.* 작은 구멍(기공)이 많은(있는); 삼투성(滲透性)의.

po·ros·i·ty [pouràsəti/pɔːrɔ́-] *n.* Ⓤ 다공성(多孔性), 유공성; 삼투성.

por·phy·ry[pɔ́ːrfəri] *n.* Ⓤ 【地】 반암(班岩).

por·poise[pɔ́ːrpəs] *n.* Ⓒ 돌고래.

·**por·ridge**[pɔ́ːridʒ, pá-/-ɔ́-] *n.* Ⓤ 《주로 英》 (오트밀) 죽.

:**port**[1][pɔːrt] *n.* Ⓒ 항구(harbor), 무역항; (세관이 있는) 항구; 항구 도시; (배의) 피난소; 공항. ***any ~ in a storm*** 궁여지책.

port[2] *n., a.* Ⓤ 좌현(左舷)(의). — *vt., vi.* 좌현으로 향(하게)하다.

port[3] *n.* Ⓤ (달고 독한) 붉은 포도주; 포트 와인.

·**port·a·ble**[pɔ́ːrtəbəl] *a., n.* 들고 다닐 수 있는; (건물, 도서관 따위) 이동(순회)할 수 있는; Ⓒ 휴대용의 (라디오, 텔레비전, 타이프라이터); 【컴】 (프로그램이 다른 기종에) 이식(移植) 가능한; 휴대용의. **-bil·i·ty** [∸-bíləti] *n.*

·**por·tal**[pɔ́ːrtl] *n.* Ⓒ (당당한) 문, 입구; 정문.

port·cul·lis[pɔːrtkʌ́lis] *n.* Ⓒ (옛날 성문의) 내리닫이 쇠살문.

por·tend[pɔːrténd] *vt.* (…의) 전조(前兆)가 되다, 예고하다.

por·tent[pɔ́ːrtənt] *n.* Ⓒ (흉사의) 전조; 흉조. **por·tén·tous** *a.* 불길한; 이상한; 놀라운.

:**por·ter**[1][pɔ́ːrtər] *n.* Ⓒ ① 운반인, (역의) 짐꾼. ② 《美》 특등(침대)차의 사환. 「리인.

·**por·ter**[2] *n.* Ⓒ 문지기; (건물의) 관

port·fo·li·o[pɔːrtfóuliòu] *n.* (*pl.* **~s**) Ⓒ 종이 끼우개, 손가방; Ⓤ 장관의 직. ***a minister without ~*** 무임소 장관.

pórt·hòle *n.* Ⓒ 【海】 현창(舷窓); 포문(砲門).

por·ti·co [pɔ́ːrtikòu] *n.* (*pl.* **~(e)s**) Ⓒ 【建】 주랑(柱廊) 현관.

:**por·tion**[pɔ́ːrʃən] *n.* Ⓒ ① 부분;

몫; (음식의) 일인분. ② 〖法〗 상속 재산; 지참금. ③ (*sing.*) 운명. — *vt.* 분배하다(*out*); 몫[상속분·지참금]을 주다.

port·ly[pɔ́ːrtli] *a.* 비만한; 당당한.

portmánteau wòrd 〖言〗 두 단어가 합쳐 한 단어가 된 말《*brunch* (< *br*eakfast+l*unch*) 따위》.

:**por·trait**[pɔ́ːrtrit, -treit] *n.* Ⓒ ① 초상(화); 인물 사진. ② (말에 의한) 묘사. ③ 〖컴〗 세로(방향).

por·trai·ture[pɔ́ːrtrətʃər] *n.* Ⓤ 초상화법.

***por·tray**[pɔːrtréi] *vt.* ① (…의) 그림을 그리다. ② (말로) 묘사하다. ③ (극으로) 표현하다. **~·al** *n.* Ⓤ 묘사; Ⓒ 초상(화).

:**pose**[1][pouz] *n.* Ⓒ ① 자세, 포즈. ② 꾸민 태도, 겉꾸밈. — *vi.* ① 자세[포즈]를 취하다. ② 짐짓 꾸미다, 가장하다(*as*). — *vt.* ① 자세[포즈]를 취하게 하다. ② (문제 따위를) 제출[제의]하다. **pós·er**[1] *n.* Ⓒ 짐짓 꾸미는 사람.

pose[2] *vt.* (어려운 문제로) 괴롭히다.

pos·er[2] *n.* Ⓒ 난문(難問).

po·seur[pouzə́ːr] *n.* (F.) Ⓒ 젠체하는 사람.

posh *a.* 《口》 멋진; 호화로운.

pos·it[pázit/-ɔ́-] *vt.* 놓다, 두다; 〖論〗 가정하다.

†**po·si·tion**[pəzíʃən] *n.* ① Ⓒ 위치; 장소. ② Ⓤ,Ⓒ 적소(適所), 소정의 위치(*be in* ~). ③ Ⓒ 자세; 태도, 견해. ④ Ⓤ,Ⓒ 지위, (특히 높은) 신분. ⑤ Ⓒ 일자리, 직(職). ⑥ Ⓒ 처지, 입장. ***be in a ~ to*** do …할 수 있다. ***be out of ~*** 적소를 얻지 못하고 있다.

:**pos·i·tive**[pázətiv/-ɔ́-] *a.* ① 확실한; 명확한; 확신하는. ② 독단적인; 우쭐한. ③ 적극적인; 절대적인. ④ 실재의; 실제적인; 실증적인. ⑤ 《口》 순전한. ⑥ 〖理·醫〗 양(성)의; 〖數〗 양(陽)의; 〖寫〗 양화(陽畫)의; 〖文〗 원급(原級)의. — *n.* ① Ⓒ 실재; 현실. ② (the ~) 〖文〗 원급. ③ Ⓒ (전지의) 양극판; 〖寫〗 양화; 〖數〗 양수. ***~·ly** *ad.* 확실히; 절대적으로; 적극적으로. **~·ness** *n.*

pos·i·tiv·ism[pázətivìzəm/-ɔ́-] *n.* Ⓤ 실증주의[철학]; 확신; 독단(주의). **-ist** *n.* Ⓒ 실증주의자[철학자].

pos·se[pási/-ɔ́-] *n.* Ⓒ 경관대; (sheriff가 징집하는) 민병대.

:**pos·sess**[pəzés] *vt.* ① 소유[점유]하다. ② (악령 따위가) 들리다. ③ (마음·감정을) 지배하다; 유지하다. ④ 《古》 잡다, 손에 넣다, 획득하다. ***be ~ed by*** [***with***] (악령 따위에) 들려 있다. ***be ~ed of*** …을 소유하고 있다. ***~ oneself*** 자제하다. ***~ oneself of*** …을 획득하다. **~ed** [-t] *a.* 홀린; 미친; 침착한.

:**pos·ses·sion**[pəzéʃən] *n.* ① Ⓤ 소유; 점유. ② (*pl.*) 소유물; 재산. ③ Ⓒ 영지, 속령(屬領). ④ Ⓤ 자제(自制). ***get*** [***take***] ***~ of*** …을 손에 넣다, 점유하다. ***in ~ of*** …을 소유하여. ***in the ~ of*** …의 소유의.

:**pos·ses·sive**[pəzésiv] *a.* ① 소유의; 소유욕이 강한; 소유를 주장하는. ② 〖文〗 소유(격)의. — *n.* 〖文〗 (the ~) 소유격, 소유대명사.

***pos·ses·sor**[pəzésər] *n.* Ⓒ 소유자; 점유자. **-so·ry**[-ri] *a.*

:**pos·si·bil·i·ty**[pàsəbíləti/-ɔ̀-] *n.* ① Ⓤ 가능성. ② Ⓒ 가능한 일. ③ Ⓒ (보통 *pl.*) 가망. ***by any ~*** 《조건에 수반하여》 만일에, 혹시; 《부정에 수반하여》 도저히 (…않다), 아무래도 (…않다). ***by some ~*** 어쩌면, 혹시.

†**pos·si·ble**[pásəbəl/-ɔ́-] *a.* ① 있을[일어날] 수 있는; 가능한. ② 《口》 웬만한, 참을 수 있는. :**-bly** *ad.* 어쩌면, 아마; 무슨 일이 있어도, 어떻게든지 해서.

pos·sum[pásəm/-ɔ́-] *n.* 《口》 = OPOSSUM. ***play*** [***act***] ***~*** 꾀병부리다; 죽은 체하다; 시치미떼다.

:**post**[1][poust] *n.* ① Ⓒ 기둥. ② 〖競馬〗 (the ~) 출발[결승]의 표주(標柱). — *vt.* ① (고시 따위를 기둥에) 붙이다; (벽 따위에) 삐라를 붙이다 (*P- no bills.* 벽보 엄금); 게시하다. ② 《英》 (대학에서, 불합격자를) 게시하다. ③ 《美》 사냥 금지를 게시하다.

:**post**[2] *n.* Ⓒ ① 지위, 맡은 자리; 직분. ② (초병(哨兵)·경찰관의) 부서. ③ 주둔지; 주둔 부대. ④ 《美》 (재향군인회의) 지방 지부. ⑤ (미개지의)

P

통상(通常) 거류지. — *vt.* (보초 등을) 배치하다. ~ ***a cordon*** 비상선을 펴다.

†**post³** *n.* ① (the ~) 《英》 우편. ② Ⓤ 《집합적》 《英》 우편물. ③ (the ~) 《英》 우체국; 우체통. ④ (P-) …신문(*the Sunday P-*). ***by*** ~ 우편으로. ***by return of*** ~ 편지받는 대로 곧《회답 바람》. ***general*** ~ 우체국 놀이《실내 유희의 일종》; 아침의 (제 1 회) 배달 우편. — *vt.* 우송〔투함〕하다; 〖簿〗 (분개장에서 원장에) 전기하다; (최신 정보 등을) 알리다, 정통하게 하다. — *vi.* 역마〔역마차〕로 여행하다; 급히 여행하다; (말의 보조에 맞추어) 몸을 상하로 흔들다. — *ad.* 빠른 말(馬)로; 황급히.

post- [poust] *pref.* '후(後)(after)'의 뜻.

:**post·age** [póustidʒ] *n.* Ⓤ 우편 요금.

:**póstage stàmp** 우표.

:**post·al** [póustəl] *a.* 우편의; 우체국의. — *n.* 《美口》 = ⇩.

˙**póstal càrd** 《美》 우편 엽서.

póstal còde = POST-CODE.

póstal (móney) òrder 우편환.

póst-bàg *n.* Ⓒ 《英》 = MAILBAG.

póst·bòx *n.* Ⓒ 우체통(《美》 mailbox); (각 가정의) 우편함.

:**póst·càrd** *n.* Ⓒ 《英》 우편 엽서; 《美》 사제 (그림) 엽서.

póst-còde *n.* Ⓒ 《英》 우편 번호(《美》 zip code).

póst·dáte *vt.* 날짜를 실제보다 늦추어 달다.

:**post·er** [póustər] *n.* Ⓒ ① 포스터, 벽보. ② 전단 붙이는 사람.

poste res·tante [pòust restɑ́:nt] (F.) 유치(留置) 우편《봉투에 표기》.

˙**pos·te·ri·or** [pastíəriər/pɔstíə-] *a.* ① (위치가) 뒤의, 후부의. ② (순서·시간이) 뒤의, 다음의(*to*). ③ 〖動〗 미부(尾部)의. — *n.* Ⓒ 엉덩이 (buttocks). ~**·i·ty** [-⌐-ɑ́rəti/-ɔ́-] *n.* Ⓤ (위치·시간이) 다음임.

:**pos·ter·i·ty** [pastérəti/pɔs-] *n.* Ⓤ 《집합적》 자손, 후세.

póst·frée *a.* 우편 요금 무료의.

pòst·gráduate *a., n.* (대학 졸업 후의) 연구과의; Ⓒ 연구과〔대학원〕 학생(의, 을 위한).

post·hu·mous [pástʃuməs/pɔ́s-] *a.* 유복자(遺腹子)로 태어난; (저자) 사후에 출판된; 사후의.

˙**post·man** [póustmən] *n.* Ⓒ 우편물 집배인. 「찍다).

póst·màrk *n., vt.* Ⓒ 소인(消印)(을

˙**póst·màster** *n.* Ⓒ 우체국장.

póstmaster géneral 《美》 우정공사 총재; 《英》 체신 공사 총재.

póst·mìstress *n.* Ⓒ 여자 우체국장.

post·mor·tem [poustmɔ́:rtəm] *a., n.* 사후(死後)의; Ⓒ 검시(檢屍)(의); 사후(事後) 토의.

†**póst òffice** ① 우체국. ② (the P- O-) 《英》 체신 공사; 《美》 우정성 《1971년 the Postal Service로 개편》. ③ 우체국 놀이《'우편' 배달이 늦어진 아이는 벌로서 키스를 청구당함》.

póst-office bòx 사서함《생략 P. O. Box》.

pòst·óperative *a.* 수술 후의.

póst·páid *a., ad.* 《美》 우편 요금 선불의〔로〕.

:**post·pone** [poustpóun] *vt.* 연기하다. ~**·ment** *n.*

post·pran·di·al [pòustprǽndiəl] *a.* 식후의.

˙**post·script** [póustskrìpt] *n.* Ⓒ (편지의) 추신(追伸), 추백(追白)《생략 P.S.》; 《英》 뉴스 방송 후의 해설.

pos·tu·lant [pástʃələnt/pɔ́s-] *n.* Ⓒ (특히 성직) 지원〔지망〕자.

pos·tu·late [pástʃəlèit/pɔ́s-] *vt., vi.* 요구하다(*for*); (자명한 것으로) 가정하다. — [-lit] *n.* Ⓒ 가정; 근본 원리, 필요 조건.

˙**pos·ture** [pástʃər/-ɔ́-] *n.* Ⓤ,Ⓒ 자세; Ⓒ 상태. — *vi., vt.* 자세를 취하다〔취하게 하다〕; …인 체하다. **pos·tur·al** *a.* 자세〔상태〕의; 위치상의.

˙**póst·wár** *a.* 전후의.

po·sy [póuzi] *n.* Ⓒ 꽃; 꽃다발.

:**pot** [pɑt/-ɔ-] *n.* ① Ⓒ 단지, 항아리, 화분, 병, 속깊은 냄비; 단지 하나 가득(한 물건); (물고기나 새우를 잡는) 바구니. ② (the ~) 《口》 한 번에 건 돈. ③ Ⓤ 《美俗》 마리화나. ***go to*** ~ 영락〔파멸〕하다, 결딴나

P

다. ***keep the ~ boiling*** 살림을 꾸려나가다; 경기좋게 계속해 가다. ***make the ~ boil*** 생계를 세우다. ***take a ~ at*** …을 겨냥하여 쏘다. — *vt.* (***-tt-***) 단지〔항아리〕에 넣다; 화분에 심다; 쏘다(shoot). — *vi.* 쏘다(*at*).

po·ta·ble[póutəbəl] *a.* (물이) 음료에 적합한. — *n.* (*pl.*) 음료, 술.

pot·ash[pátæʃ/-ɔ́-] *n.* Ⓤ 잿물; = POTASSIUM.

***po·tas·sium** [pətǽsiəm] *n.* Ⓤ 〖化〗 포타슘, 칼륨《기호 K》.

†**po·ta·to**[pətéitou] *n.* (*pl.* ~***es***) Ⓒ 감자; 《美》 고구마. ***drop a thing like a hot ~*** 당황하여 버리다. ***Irish*** 〔***white***〕 ~ 감자. ***sweet*** 〔***Spanish***〕 ~ 고구마.

potáto chìp 〔《英》 **crìsp**〕 얇게 썬 감자 튀김.

pót·bèlly *n.* Ⓒ 올챙이배(의 사람); (배가 불룩한) 난로.

pót·bòiler *n.* Ⓒ 생활을 위한 문학〔미술〕 작품(을 만드는 사람).

***po·tent**[póutənt] *a.* ① 힘센, 유력한; 세력〔효력〕이 있는. ② (남성이) 성적(性的) 능력이 있는. ③ (약 등) 효력이 있는. ④ (도덕적으로) 영향력이 강한. **~·ly** *ad.* **pó·ten·cy** *n.* Ⓤ 세력; 효력.

***po·ten·tate**[póutəntèit] *n.* Ⓒ 유력자; 세력가, 군주.

‡**po·ten·tial**[pouténʃəl] *a.* ① 가능한; 잠재적인. ② 〖理〗 전위(電位)의; 〖文〗 가능법의(~ *mood*). — *n.* Ⓤ ① 가능성; 잠세(潛勢); 잠재(능)력. ② 〖理〗 전위; 〖文〗 가능법《I *can do* it., He *may come.* 과 같은 'mood'》. **~·ly** *ad.* ***-ti·al·i·ty**[-ʃiǽləti] *n.* Ⓤ 가능성; Ⓒ 잠재력.

pót·hòle *n.* Ⓒ ① 〖地〗 돌개 구멍《하상의 암석에 생긴》; (노면에 팬) 구멍. ② (수직으로 구멍이 난) 깊은 동굴. **-hòler** *n.* Ⓒ 동굴 탐험자. **-hòling** *n.* Ⓤ 동굴 탐험.

po·tion[póuʃən] *n.* Ⓒ (약 따위의) 1회 분량, 한 잔.

pót plànt (관상용의) 화분 식물, 분종(盆種).

pot·pour·ri [pòupurí:, poupúəri] *n.* (F.) Ⓒ 화향(花香)《꽃잎과 향료를 섞은 실내 방향제》; 혼성곡; (문학의) 잡집(雜集).

pót·shòt *n.* Ⓒ 식용만을 목적으로 하는 총사냥; (잘 조준하지 않는) 근거리 사격.

pot·ted[pátid/-ɔ́-] *a.* 화분에 심은; 단지〔항아리〕에 넣은; 병조림의.

***pot·ter**[pátər/-ɔ́-] *n.* Ⓒ 도공(陶工), 옹기장이. * **~·y** *n.* Ⓤ 도기, 오지 그릇; 도기 제조(업); Ⓒ 도기제조소, 가마.

pótter's whèel 녹로(轆轤), 물레.

pot·ty[1][páti/-ɔ́-] *a.* 《英口》 사소한; 쉬운; 미친 듯한. **pót·ti·ness** *n.*

pot·ty[2] *n.* Ⓒ 어린이용 변기, 《兒》 변소.

pótty-tráining *n.* Ⓤ 대소변을 가리도록 길들임.

***pouch**[pautʃ] *n.* Ⓒ 작은 주머니; 〖動〗 (캥거루 따위의) 육아 주머니. — *vt.* 주머니에 넣다; 자루처럼 만들다; 오므라지게 하다. — *vi.* 자루 모양으로 되다. **~ed**[-t] *a.* 주머니가 있는; (동물이) 유대(有袋)의.

poul·tice[póultis] *n., vt.* Ⓒ (…에) 찜질약〔습포약〕(을 붙이다).

***poul·try**[póultri] *n.* 《집합적》 가금(家禽)《닭·칠면조·오리 따위》.

***pounce**[pauns] *vi., vt.* 붙잡으려 들다(*upon, on*); 갑자기 덮치다〔오다, 뛰다〕. — *n.* Ⓒ 붙잡으려 덤벼듦, 급습.

†**pound**[1][paund] *n.* Ⓒ 파운드《무게 단위, 16온스, 453.6그램, 생략 lb.》; 파운드《영국 화폐 단위, 100 pence, 기호 £》.

***pound**[2] *vt.* 세게 연타하다; 짓빻다. — *vi.* ① 세게 치다(*on*); 난타하다(*on, at*). ② (심장이) 두근거리다. ③ 쿵쿵 걷다(*about, along*). — *n.* 타격; 치는 소리; 강타.

pound[3] *n., vi.* Ⓒ (주인 잃은 소·개 따위의) 우리(에 넣다); 동물을 넣는 울; 구치소; 구류하다.

pound·age[⌐idʒ] *n.* Ⓤ (무게·금액) 1파운드에 대한 수수료〔세금〕.

‡**pour**[pɔːr] *vt.* ① 쏟다, 붓다(*into, in, on*); (총알을) 퍼붓다. ② (은혜를) 많이 베풀다. ③ 도도히 말하다. — *vi.* 흘러 나오다(*down, forth, out*); 억수같이 퍼붓다. ***It never***

P

rains BUT **it ~s.** — *n.* Ⓒ 유출(流出); 호우(豪雨).

*__pout__[paut] *vi., n.* Ⓒ 입을 삐물다〔삐죽거림〕; 뿌루퉁하다〔하기〕. — *vt.* (입을) 삐죽 삐물다〔고 말하다〕. **∠·y** *a.* 찌무룩한.

:**pov·er·ty**[pávərti/-5-] *n.* Ⓤ ① 가난. ② 빈약; (필요물의) 결핍(*in, of*). ③ 불모.

póverty lìne 빈곤(소득)선《최저 생활 유지에 필요한 소득 수준》.

póverty-strìcken *a.* 매우 가난한.

póverty tràp 《英》 빈곤의 올가미《수입이 늘면 국가의 보호 수당을 받지 못해 오히려 빈곤에서 벗어나지 못하는 상황을 이름》.

POW, P.O.W. prisoner of war.

:**pow·der**[páudər] *n.* ① Ⓤ 가루, 분말. ② Ⓤ 가루분(face powder); Ⓒ 가루약; Ⓤ 화약(gunpowder). ③ =POWDER BLUE. — *vt., vi.* 가루로 하다〔가 되다〕(*~ed egg* 분말 달걀/ *~ed milk* 분유); 가루를 뿌리다; 가루분을 바르다. **~·y**[-i] *a.* 가루(모양)의; 가루투성이의; 가루가 되기 쉬운, 무른.

pówder blúe 담청색(light blue) (가루 물감).

pówder kèg (옛날의) 화약통; 위험한 상황.

pówder pùff 분첩.

pówder ròom 화장실; 여성용 세면소; 욕실(浴室).

†**pow·er**[páuər] *n.* ① Ⓤ 힘; 능력. ② (*pl.*) 체력; 지력, 정신력. ③ Ⓤ 세력, 권력, 지배력; 정권. ④ Ⓒ 유력자; 강국. ⑤ Ⓒ 〖數〗 멱(冪), 거듭제곱. ⑥ Ⓤ 〖理〗 작업률, 공률; 〖機〗 동력; (렌즈의) 확대력. ⑦ Ⓒ (보통 *pl.*) 신(神). ***a ~ of*** 《口》 많은. ***in one's ~*** 힘이 미치는 범위내에; 지배하에. ***~ of attorney*** 위임장. ***the Great Powers*** 열강(列強). ***the ~s that be*** 당국.

pówer bàse (정치 운동의) 지반.

pówer·bòat *n.* Ⓒ 발동기선, 모터보트.

pówer cùt (일시적) 송전 정지, 정전.

:**pow·er·ful**[páuərfəl] *a.* 강력한; 유력한; 《주로 方》 많은. **~·ly** *ad.* **~·ness** *n.*

pówer·hòuse *n.* Ⓒ 발전소.

*__pówer·less__ *a.* 무력한, 무능한. **~·ly** *ad.* **~·ness** *n.*

pówer lìne 〖電〗 송전선.

pówer plànt 발전소; 발전 장치.

pówer stàtion =POWERHOUSE.

pox[paks/-ɔ-] *n.* (the ~) 매독.

pp 〖樂〗 *pianissimo.* **pp.** pages.

pr. pair(s). **P.R.** Proportional Representation 비례 대표; public relations.

*__prac·ti·ca·ble__ [prǽktikəbəl] *a.* ① 실행할 수 있는. ② 실용에 맞는. ③ (도로 따위) 통행할 수 있는. **-bil·i·ty**[≙--bíləti] *n.*

:**prac·ti·cal**[prǽktikəl] *a.* ① 실지의, 실제적인. ② 실용적인; 유용한. ③ 실지 경험이 있는; 노련한. ④ 실질상의; 분별 있는(*a ~ mind*). **:~·ly** *ad.* 실제로; 실질상; 실용적으로; 거의.

práctical jóke 못된 장난.

práctical núrse 환자 시중 전문의 간호사.

†**prac·tice**[prǽktis] *n.* ① Ⓤ 실시, 실행; 실제. ② Ⓤ,Ⓒ (개인의) 습관, (사회의) 관습. ③ Ⓒ 연습; 숙련. ④ Ⓒ (의사·변호사 등의) 업무. ⑤ Ⓤ 〖法〗 소송 절차. ***be in ~*** 연습〔숙련〕돼 있다; 개업하고 있다. ***in ~*** 실제상으로는. ***out of ~*** 연습 부족으로. ***put ... into*** 〔***in***〕 ***~*** …을 실행하다. — *vt.* ① 늘 행하다; 실행하다. ② 연습〔훈련〕하다. ③ (의사·변호사 등을) 업으로 하다. — *vi.* ① 습관적으로 하다. ② 연습하다(*on, at, with*). ③ (의사·변호사 등이) 개업하다. ④ (약점에) 편승하다, 속이다(*on, upon*). **~d**[-t] *a.* 연습〔경험〕을 쌓은. ***~d hand*** 숙련가.

:**prac·tise**[prǽktis] *vt., vi.* 《英》 =PRACTICE.

*__prac·ti·tion·er__[præktíʃənər] *n.* Ⓒ 개업자, 《특히》 개업의(醫), 변호사.

prag·mat·ic[prægmǽtik], **-i·cal** [-əl] *a.* 쓸데없이 참견하는; 독단적인; 〖哲〗 실용주의의; 실제적인; 활동적인. **-i·cal·ly** *ad.*

prag·ma·tism[prǽgmətìzəm] *n.* Ⓤ 쓸데없는 참견; 독단(성); 실제적

P

임; 〖哲〗 실용주의. **-tist** *n.* Ⓒ 〖哲〗 실용주의자; 참견하는 사람.
:prai·rie[prέəri] *n.* Ⓒ 대초원《특히 북아메리카의》.
:praise[preiz] *n., vt.* Ⓤ 칭찬(하다); (신을) 찬미(하다).
práise·wòrthy *a.* 칭찬할 만한, 기특한.
pram[præm] (〈perambulator) *n.* Ⓒ 《英口》 유모차.
˙prance[præns/-ɑ:-] *vi* ① (말이 기운이 뻗쳐) 뒷다리로 뛰다(*along*). ② (사람이) 말을 껑충껑충 뛰게 하여 나아가다. ③ 뻐기며 걷다(*about*); 뛰어돌아다니다. ── *n.* (a ~) 도약.
˙prank[præŋk] *n.* Ⓒ 농담, 못된 장난. **∠·ish** *a.* 장난의; 장난을 좋아하는.
prat[præt] *n.* Ⓒ 《俗》 궁둥이.
prate[preit] *n., vt., vi.* Ⓤ (재잘재잘) 쓸데 없는 말(을 하다), 수다 떨다.
prat·tle[prǽtl] *vi., vt., n.* Ⓤ 어린애 같이 (멋대로) 지껄이다; 혀짤배기 소리(를 하다); 수다 (떨다); (물 따위) 졸졸하는 소리.
prawn[prɔ:n] *n.* Ⓒ 〖動〗 참새우.
prax·is[prǽksis] *n.* (*pl.* ***praxes*** [-si:z]) Ⓤ,Ⓒ 습관, 관례; 연습; 응용; 〖文〗 예제, 연습 문제(집).
:pray[prei] *vi.* 간원하다(*for*); 빌다, 기도하다(*to*). ── *vt.* (…에게) 바라다; 기원하다; 기원하여 이루어지게 하다(*out, into*); 제발. ***be past ~ing for*** 개전(改悛)의 가망이 없다. **∠·er**[1] *n.* Ⓒ 기도[기원]하는 사람.
:prayer[2] [prεər] *n.* ① Ⓤ 기원; 간원. ② Ⓤ 기도식; 기도의 문구. ③ Ⓒ 기도의 목적물. ***the Book of Common P-*** (영국 국교회의) 기도서. ***the*** LORD***'s P-.***
práyer bòok[prέər-] 기도서.
práying mántis 〖蟲〗 사마귀.
pre-[prì:, pri] *pref.* '전, 앞, 미리' 따위의 뜻.
:preach[pri:tʃ] *vi.* 설교하다; 전도하다. ── *vt.* 설교하다; (도를) 전하다; 창도(唱道)하다. **˙∠·er** *n.* Ⓒ 설교자; 목사. **~·i·fy**[∠əfài] *vi.* 《口》 지루하게 설교하다. **˙∠·ing** *n.* Ⓤ,Ⓒ 설교. **∠·ment** *n.* Ⓤ,Ⓒ 설교; 지루한 설교. **∠·y** *a.* 《口》 설교하기 좋아하는, 설교적인.
pre·am·ble[prí:æmbəl/−∠−] *n.* Ⓒ (법률·조약 등의) 전문(前文), 머리말.
prè·arránge *vt.* 미리 타합[상의]하다; 예정하다. **~ment** *n.*
˙pre·car·i·ous [prikέəriəs] *a.* ① 남의 뜻에 좌우되는. ② 불안정한. ③ 위험한. **~·ly** *ad.*
pre·cast[prì:kǽst/-ɑ́:-] *vt.* (~), *a.* 〖建〗 (콘크리트를) 미리 틀에 넣어 만들다[만든], 프리캐스트의.
:pre·cau·tion[prikɔ́:ʃən] *n.* ① Ⓤ 조심, 경계. ② Ⓒ 예방책(*against*). **~·ar·y**[-nèri/-nə-] *a.*
:pre·cede[prisí:d] *vt., vi.* ① 앞서다; 선행(先行)하다. ② (…의) 상위에 앉다, …보다 중요하다[낫다], (…에) 우선하다. **-cé·dence, -den·cy** *n.* Ⓤ 선행; 상위, 상석; 우선권; 〖컴〗 우선 순위. **˙-céd·ing** *a.* 선행하는, 앞의; 전술(前述)한.
˙prec·e·dent [présədənt] *n.* Ⓒ 선례; Ⓤ,Ⓒ 〖法〗 판례. **pre·ced·ent** [prisí:dənt] *a.* …에 앞서는, 앞의.
˙pre·cept[prí:sept] *n.* ① Ⓤ,Ⓒ 교훈; 격언. ② Ⓒ 〖法〗 명령서.
˙pre·cinct[prí:siŋkt] *n.* Ⓒ ① 《주로 英》 경내(境內), 구내. ② (행정) 관구(管區); (*pl.*) 경계, 주위, 부근.
:pre·cious[préʃəs] *a.* ① 귀중한, 비싼; 소중한. ② 귀여운. ③ 점잔빼는; 괴까다로운. ④ 《口》 지독한, 순전한; 《反語》 대단한(*a ~ fool*). ── *ad.* 《口》 대단히. ── *n.* Ⓒ 《호칭》 소중한 사람(*My ~!*). **~·ly** *ad.* **~·ness** *n.*
˙prec·i·pice[présəpis] *n.* Ⓒ 절벽, 벼랑.
˙pre·cip·i·tate[prisípətèit] *vt., vi* ① 거꾸로 떨어뜨리다[떨어지다], 곤두박이치(게 하)다. ② 무턱대고 재촉하다, 촉진하다. ③ 〖化〗 침전시키다[하다]; 〖氣〗 응결시키다[하다]. ── [-tit, -tèit] *a.* 거꾸로의; 무모[경솔]한; 돌연한. ── [-tit, -tèit] *n.* Ⓤ,Ⓒ 〖化〗 침전물; 〖氣〗 응결한 수분《비·눈 따위》. **~·ly**[-titli] *ad.*
˙pre·cip·i·ta·tion[prisìpətéiʃən]

P

n. ① Ⓤ 거꾸로 투하〔낙하〕하기; 투하, 낙하. ② Ⓤ 화급(火急), 황급; 촉진; 경솔. ③ Ⓤ 침전; Ⓒ 침전물; Ⓤ 강수《비·눈·이슬 따위》; 강수량.

˙**pre·cip·i·tous** [prisípətəs] *a.* 험한; 성급한, 경솔한.

pré·cis [préisiː, ‒́] *n.* (F.) (*pl.* ~ [-z]) Ⓒ 대요, 개략.

:**pre·cise** [prisáis] *a.* ① 정확한. ② 세심한; 꼼꼼한. ③ 조금도 틀림없는. ***to be*** ~ 《독립구》 정확히 말하면. **:~·ly** *ad.* 정확히; 《대답으로서》 바로 그렇다. **~·ness** *n.*

˙**pre·ci·sion** [prisíʒən] *n., a.* Ⓤ 정확(한), 정밀(한); 〖컴〗 정밀도.

pre·clude [priklúːd] *vt.* 제외하다; 방해하다(*from*); 불가능하게 하다. **pre·clu·sion** [-ʒən] *n.* **pre·clú·sive** *a.* 제외하는; 방해하는(*of*).

pre·co·cious [prikóuʃəs] *a.* 조숙한, 올된; 〖植〗 일되는, 올벼의. **pre·coc·i·ty** [-kásəti/-ɔ́-] *n.*

pre·con·ceive [prìːkənsíːv] *vt.* 예상하다. **~*d idea*** 선입관, 편견.

pre·con·cep·tion [prìːkənsépʃən] *n.* Ⓒ 예상; 선입관.

pre·con·di·tion [prìːkəndíʃən] *n.* Ⓒ 전제 조건. ― *vt.* 미리 조건을 조성해 놓다.

pre·cur·sor [prikə́ːrsər] *n.* Ⓒ 선구자; 선배; 전조(前兆). **-so·ry** *a.* 전조의.

pre·da·cious, -ceous [pridéiʃəs] *a.* 〖動〗 포식성(捕食性)의, 육식성의.

pred·a·tor [prédətər] *n.* Ⓒ 약탈자; 〖生〗 포식자, 육식 동물.

pred·a·to·ry [prédətɔ̀ːri/-təri] *a.* 약탈하는; = PREDACIOUS.

˙**pre·de·ces·sor** [prèdisésər, ‒‒́‒/príːdisèsər] *n.* Ⓒ ① 전임자. ② 앞서의 것. ③ 《古》 선조.

˙**pre·de·ter·mine** [prìːditə́ːrmin] *vt.* 미리 결정하다〔방향을 정하다〕; 예정하다. **-mi·na·tion** [‒̀‒‒‒məneíʃən] *n.*

˙**pre·dic·a·ment** [pridíkəmənt] *n.* Ⓒ 상태; 궁경(窮境).

pred·i·cate [prédikit] *n., a.* Ⓒ 〖文〗 술어(의), 술부(의); 〖論〗 빈사(賓辭)(의); 〖컴〗 술어. ― [-kèit] *vt.* 단언하다; 서술하다. **-ca·tion** [‒̀‒kéiʃən] *n.* Ⓤ,Ⓒ 단언; 〖文〗 서술.

˙**pred·i·ca·tive** [prédikèitiv/pridíkətiv] *a.* 〖文〗 서술〔술어〕적인(opp. attributive). ― *n.* **~·ly** *ad.*

:**pre·dict** [pridíkt] *vt., vi.* 예언하다. ˙**pre·díc·tion** *n.* Ⓤ 예언(하기). **pre·díc·tive** *a.* **pre·díc·tor** *n.* Ⓒ 예언자; 〖軍〗 대공(對空) 조준 산정기(算定機).

pre·di·lec·tion [prìːdəlékʃən] *n.* Ⓒ 좋아함, 편애(偏愛)(*for*).

pre·dis·pose [prìːdispóuz] *vt.* 미리 (…에) 기울게 하다(*to, toward*); (병에) 걸리기 쉽게 하다(*to*). ˙**-po·si·tion** [‒̀‒pəzíʃən] *n.* Ⓒ 경향(*to*); 〖病〗 소인(素因)(*to*).

˙**pre·dom·i·nant** [pridámənənt/-ɔ́-] *a.* 우세한; 뛰어난; 현저한. **~·ly** *ad.* **-nance** *n.*

pre·dom·i·nate [pridámənèit/-ɔ́-] *vi.* 지배하다(*over*); 우세하다(*over*). **-na·tion** [‒̀‒‒néiʃən] *n.*

pre·em·i·nent [priémənənt] *a.* 발군의, 뛰어난; 현저한. **~·ly** *ad.* **-nence** *n.*

pre·empt [priémpt] *vt.* 선매권(先賣權)에 의하여 (공유지를) 획득하다; 선취하다. **pre·émp·tion** *n.* Ⓤ 선매(권). **pre·émp·tive** *a.* 선매의, 선매권 있는.

preen [priːn] *vt.* (새가) 부리로 (날개를) 다듬다; 몸단장〔몸치장〕하다(~ *oneself*).

prè-exíst *vi.* 선재(先在)하다. **~·ence** *n.* Ⓤ (영혼) 선재.

pre·fab [príːfǽb] *n., a.* Ⓒ 조립(組立) 가옥(의). ― *vt.* (**-bb-**) = ⇩.

pre·fab·ri·cate [priːfǽbrikèit] *vt.* (가옥 따위의) 조립 부분품을 제조하다. **~*d house*** 조립 가옥〔주택〕.

:**pref·ace** [préfis] *n., vt.* Ⓒ (책의) 서문〔머리말〕(을 쓰다); 허두(虛頭)(를 놓다), 시작하다(*by, with*).

pref·a·to·ry [préfətɔ̀ːri/-tə-], **-ri·al** [prèfətɔ́ːriəl] *a.* 서문의, 머리말의; 허두의, 서두의.

pre·fect [príːfekt] *n.* Ⓒ (고대 로마의) 장관; (프랑스의) 지사(知事); 《英》 (public school의) 반장.

:**pre·fec·ture** [príːfektʃər] *n.* Ⓤ prefect의 직(職)〔직권·임기〕; Ⓒ

prefect의 관할 구역〔관저〕; 도(道), 현(縣). **-tur·al**[-⸗tʃərəl] *a.*

:**pre·fer**[prifə́ːr] *vt.* (**-rr-**) ① (오히려 …을) 좋아하다, 택하다(~ *tea to coffee* 커피보다 홍차를 좋아하다). ② 제출하다. ③ 승진시키다. ④ 〖法〗 우선권을 주다. **~·ment** *n.* Ⓤ 승진; 〖宗〗 고위(高位).

˙**pref·er·a·ble**[préfərəbəl] *a.* 택할 만한, 오히려 나은, 바람직한. ˙**-bly** *ad.* 오히려, 즐겨, 이왕이면.

:**pref·er·ence**[préfərəns] *n.* ① Ⓤ 선택; 편애(*to, for, over*). ② Ⓒ 좋아하는 것. ③ Ⓤ,Ⓒ 우선권; (관세의) 특혜. 「주(株).

préference shàre〔**stòck**〕 우선

pref·er·en·tial[prèfərénʃəl] *a.* 우선의; 선택적인; 특혜의.

pre·fig·ure[priːfígər] *vt.* 미리 나타내다, 예시하다; 예상하다.

:**pre·fix**[príːfiks] *n.* Ⓒ 〖文〗 접두사 (cf. affix, suffix). — [-⸗] *vt.* 앞에 놓다; 접두사로 붙이다(*to*).

˙**preg·nant**[prégnənt] *a.* ① 임신한. ② (…이) 가득 찬(*with*); 풍부한. ③ 뜻깊은, 함축성 있는. **-nan·cy** *n.*

pre·hen·sile[prihénsil/-sail] *a.* 〖動〗 (발·꼬리가) 잡기〔감기〕에 알맞은, 휘감기는.

˙**pre·his·tor·ic**[prìːhistɔ́ːrik/-tɔ́r-], **-i·cal**[-əl] *a.* 유사 이전의.

pre·judge[priːdʒʌ́dʒ] *vt.* 미리 판단하다; 심리(審理)하지 않고 판결하다. **~·ment** *n.*

:**prej·u·dice**[prédʒədis] *n.* ① Ⓤ,Ⓒ 편견, 비뚤어진 생각(*against*). ② Ⓤ 〖法〗 손해, 불리. — *vt.* 편견을 갖게 하다; 해치다, 손상시키다. **~d** [-t] *a.* 편견을 가진.

prej·u·di·cial[prèdʒədíʃəl] *a.* 편견을 품게 하는, 불리한, 손해를 주는(*to*).

˙**prel·ate**[prélit] *n.* Ⓒ 고위 성직자 《bishop, archbishop 등》.

:**pre·lim·i·na·ry**[prilímənèri/-nə-] *a.* 예비의, 준비적인. ~ ***examination*** 예비 시험. ~ ***hearing*** 〖法〗 예심. — *n.* Ⓒ (보통 *pl.*) ① 예비 행위. ② 예선.

˙**prel·ude**[préljuːd, préi-] *n.* Ⓒ 〖樂〗 전주곡; 서막; 준비 행위. — *vt.* 전주곡이 되다; 서두가 되다. — *vi.* 전주곡을 연주하다; 서막이 되다(*to*).

pre·ma·ture[prìːmətjúər, ⸗-⸗] *a.* 너무 이른; 때 아닌; 너무 서두른. **~·ly** *ad.* **-tú·ri·ty** *n.*

pre·med·i·tate[priːmédətèit] *vt., vi.* 미리 생각〔계획〕하다. **-tat·ed**[-id] *a.* 미리 생각한. **-ta·tion**[-⸗-téiʃən] *n.*

:**pre·mier**[primíər, príːmiər] *n.* Ⓒ (종종 P-) 수상. — *a.* 제일위의; 최초의, 가장 오래된. **~·ship**[-ʃip] *n.* Ⓤ,Ⓒ 수상의 직〔임기〕.

pre·mière[primíər, -mjέər] *n.* (F.) Ⓒ (연극의) 첫날, 초연(初演); 주연 여배우.

˙**prem·ise**[prémis] *n.* ① Ⓒ 〖論〗 전제. ② (*pl.*) (the ~) 〖法〗 전술한 사항〔재산〕. ③ (*pl.*) (대지가 딸린) 집, 구내. — [primáiz] *vt., vi.* 미리 말하다; 전제로 하다.

˙**pre·mi·um**[príːmiəm] *n.* Ⓒ ① 보수, 상(여)금(bonus). ② 덧돈, 프리미엄. ③ 보험료; 사례, 수업료. ④ 〖經〗 할증 가격, 수수료(agio). (화폐 교환 때의) 초과 가치《금화의 지폐에 대한 경우 따위》. ***at a*** ~ 프리미엄이 붙어, 액면 이상으로; 진중(珍重)되어.

pre·mo·ni·tion [prìːməníʃən] *n.* Ⓒ 예고; 예감.

pre·mon·i·to·ry [primánitɔ̀ːri/-mɔ́nitəri] *a.* 예고의; 전조(前兆)의.

pre·na·tal[priːnéitl] *a.* 출생 전의.

˙**pre·oc·cu·pa·tion**[priːàkjəpéiʃən/-ɔ̀-] *n.* Ⓤ 선취; 선입관; 열중.

˙**pre·oc·cu·py** [priːákjəpài/-ɔ́-] *vt.* ① 먼저 차지하다. ② 마음을 빼앗다; 깊이 생각게 하다. ˙**-pied** *a.* 몰두한, 열중한; 선취되어 있는.

pre·or·dain[prìːɔːrdéin] *vt.* (운명을) 예정하다. **-di·na·tion**[⸗-də-néiʃən] *n.*

prep[prep] *n.* Ⓤ 《口》 예습; 사전 준비; =PREPARATORY SCHOOL.

pre·paid[priːpéid] *v.* prepay 의 과거(분사). — *a.* 선불(先拂)의.

:**prep·a·ra·tion** [prèpəréiʃən] *n.*

P

① U,C 준비; 예습(*for*). ② C 조합제(調合劑); 조제 식품. **in ~ for** …의 준비로.

·pre·par·a·to·ry [pripǽrətɔ̀:ri/-təri] *a.* 준비의, 예비의. **~ course** 예과. **~ to** …의 준비로서, …에 앞서.

prepáratory schòol 《英》(public school 진학을 위한) 예비교; 《美》(대학 진학을 위한) 대학 예비교.

†pre·pare [pripɛ́ər] *vt.* ① 준비하다[시키다](*for*). ② 각오시키다(*for, to*). ③ 조리[조정·조합]하다. — *vi.* 준비[각오]하다(*for*). **be ~d to** …의 준비[각오]를 하고 있다. **pre·par·ed·ly** [-pɛ́(:)ridli/-pɛ́ər-] *ad.* 준비[각오]하여. **pre·pár·ed·ness** *n.* U 준비; 군비의 충실.

pre·pay [pri:péi] *vt.* (**-paid**) 선불하다. **~·ment** *n.*

pre·pon·der·ant [pripɑ́ndərənt/-ɔ́-] *a.* 무게[수·세력 따위]에 있어 더한; 우세한; 압도적인(*over*). **-ance** *n.* (a ~) 무게에 있어서의 우위; 우세.

:prep·o·si·tion [prèpəzíʃən] *n.* C 〖文〗 전치사. **~·al** *a.* 전치사의(*~al phrase* 전치사구).

pre·pos·sess [prì:pəzés] *vt.* 《보통, 수동》 좋은 인상을 주다; 《보통, 수동》 선입관이 되다. **~·ing** *a.* 귀염성 있는, 호감을 갖게 하는. **-sés·sion** *n.* C 선입관(적 호감)《드물게, 반감》, 편애(偏愛).

·pre·pos·ter·ous [pripɑ́stərəs/-ɔ́-] *a.* 비상식의, 터무니없는. **~·ly** *ad.*

Pre-Raph·a·el·ite [pri:rǽfiəlàit] *a., n.* C 라파엘 전파(前派)의 (화가).

pre·re·cord [prì:rikɔ́:rd] *vt.* (라디오·텔레비전 프로를) 방송 전에 녹음[녹화]하다[해 두다].

pre·req·ui·site [pri:rékwəzit] *a., n.* C 미리 필요한 (물건), 없어서는 안 될(*to, for*); 필요 조건(*to, for*).

·pre·rog·a·tive [prirɑ́gətiv/-ɔ́-] *n.* C (보통 *sing.*) 특권, (제왕의) 대권(大權).

Pres. President; Presbyter(ian).

pres·age [présidʒ] *n.* C 전조; 예감; 예언. — [ˈpriséidʒ] *vt.* 전조가 되다; 예감하다; 예언하다.

·Pres·by·te·ri·an [prèzbitíəriən] *a.* 장로제의; 장로교회의. — *n.* C 장로교회원. **~·ism** [-ìzəm] *n.* U 장로 제도.

pres·by·ter·y [prézbitèri/-təri] *n.* C 장로회의; 장로회 관할구; 교회 내 성직자석.

pre·school [prí:skú:l] *a.* 학령 미달의.

pre·sci·ent [préʃiənt, prí:-] *a.* 미리 아는, 선견지명이 있는. **-ence** *n.*

:pre·scribe [priskráib] *vt.* ① 명하다. ② (약을) 처방하다, (요법을) 지시하다. ③ 시효로써 무효로 하다. — *vi.* ① 명령하다(*for*). ② 처방을 쓰다(*to, for*). ③ 시효에 의하여 청구하다[무효로 되다] (*to, for*). **pre·scríp·tion** *n.* U 명령, 규정; C 법규; 처방(전(箋)), 처방약; U 시효.

pre·scrip·tive [priskríptiv] *a.* 규정[지시]하는; 시효에 의한.

:pres·ence [prézəns] *n.* ① U 있음, 존재. ② U 출석. ③ U (사람이) 있는 곳; 면전. ④ U,C 풍채, 태도. ⑤ C 유령. ⑥ U (라디오·스테레오 따위의) 현장감(現場感). **in the ~ of** …의 면전에서. **~ of mind** 침착.

†pres·ent[1] [prézənt] *a.* ① 있는; 출석하고 있는. ② 현재의. ③ 〖文〗 현재(시제)의. — *n.* (the ~) 현재; C (보통 the ~) 〖文〗 현재 시제; (*pl.*) 〖法〗 본문, 본 증서. **at ~** 목하, 현재. **for the ~** 당분간, 현재로서는. **Know all men by these ~s that...** …이 서류에 의하여 …을 증명하다.

†pres·ent[2] *n.* C 선물.

†pre·sent[3] [prizént] *vt.* ① 선사하다; (정식으로) 제출하다. ② (광경을) 나타내다, (극을) 상연하다. ③ 말하다. ④ 넘겨[건네]주다, 내놓다. ⑤ 소개하다, 배알시키다. ⑥ (무기를) 돌리다, 겨누다(*at*). ⑦ 《英》 〖宗〗 추천하다. ***P- arms!*** 《구령》 받들어총. **~ oneself** 출두하다; 나타나다. **~·a·ble** *a.* 남 앞에 내 놓을 수 있는, 보기 흉하지 않은; 예의바른; 선물에 적합한.

·pres·en·ta·tion [prìːzentéiʃən, prèzən-] *n.* ① U,C 증정; 선물. ② U 소개; 배알. ③ U 제출; 제시. ④ C 표현; 상연; (목사의) 추천.

·présent-dáy *a.* 현대의.

pre·sen·ti·ment [prizéntəmənt] *n.* C (불길한) 예감, 불안감.

:pres·ent·ly [prézəntli] *ad.* 이내, 곧; 목하, 현재; 《古》 즉시.

·pres·er·va·tion[prèzərvéiʃən] *n.* U 보존, 저장; 보호; 방부(防腐).

pre·serv·a·tive[prizə́ːrvətiv] *a.* 보존하는, 보존력이 있는; 방부(防腐)의. — *n.* U,C 방부제, 예방약.

:pre·serve[prizə́ːrv] *vt.* ① 보존하다; 유지하다. ② 방부 조치를 하다; (음식물을) 저장하다. ③ 보호하다; 사냥을 금하다. — *n.* ① U (*pl.*) (과일의) 설탕 절임. ② C 금렵지(禁獵地), 양어장. **pre·sérv·er** *n.* C 보호자; 구조자.

:pre·side[prizáid] *vi.* 사회〔통합〕하다(*at, over*).

·pres·i·den·cy[prézidənsi] *n.* U president의 직〔임기〕.

†pres·i·dent [prézidənt] *n.* (종종 P-) C ① 대통령. ② 총재, 장관, 의장, 회장, 총장, 학장, 교장, 사장(등).

·pres·i·den·tial[prèzidénʃəl] *a.* president 의. ~ ***timber*** 대통령감.

pre·sid·i·um[prisídiəm] *n.* (the P-) (구소련 최고 회의의) 간부회.

†press[pres] *vt.* ① 누르다, 밀어붙이다. ② 눌러펴다, (다리미로) 다리다. ③ 짜다, 짜내다; (…의) 액(液)을 짜다. ④ 압박하다; 꼭 껴안다. ⑤ (의론 따위를) 밀고 나아가다; (의견 따위를) 강제하다; 강요하다. ⑥ 서두르게 하다. ⑦ 간원하다; 조르다; 괴롭히다. ⑧ 〖컴〗 누르다《글쇠판이나 마우스의 버튼을 아래로 누르는》. — *vi.* ① 누르다(*up, down, against*); 밀고 나아가다(*up, down, against*). ② 서두르다(*on, forward*). ③ (떼가) 몰려〔밀려〕 들다(*up, round*). ④ (마음을) 무겁게 하다(*upon*). ⑤ 급박하다(*on, upon*); 강요하다(*for*). ***be ~ed for*** …이 절박하다; …에 궁하다. — *n.* ① U,C 누름; 압박. ② U (밀치락 달치락의) 혼잡, 군집. ③ C 압착기; 인쇄기. ④ U 인쇄술. ⑤ C (보통 P-) 인쇄소〔회사〕; 출판사. ⑥ (the ~) 《집합적》 신문, 잡지, 정기 간행물; C (신문·잡지의) 논평. ⑦ U 급박, 번망(煩忙). ⑧ C 찬장, 서가(書架). ***go*** 〔***come***〕 ***to*** (***the***) ~ 인쇄에 돌려지다. ***in the ~*** 인쇄중. ***send to*** (***the***) ~ 인쇄에 돌리다. **∠·er** *n.* C 압착기〔공〕.

préss àgency 통신사(news agency).

préss àgent (극단 따위의) 선전원, 홍보 담당원, 대변인.

préss bòx (경기장의) 기자석.

préss cònference 기자 회견.

préss cùtting 〔《英》 **clìpping**〕 신문에서 오려낸 것.

préss gàllery 신문 기자석〔단〕.

:press·ing[∠iŋ] *a., n.* 화급한, 긴급한; 무리하게 조르는; C 프레스한 레코드.

press·man [∠mən] *n.* C 《英》 신문 기자.

préss òfficer (큰 조직·기관의) 공보관〔담당자〕.

préss-stùd *n.* C (장갑 따위의) 스냅 단추.

préss-ùp *n.* C 《英》 (체조의) 엎드려 팔굽히기.

:pres·sure[préʃər] *n.* ① U,C 압력, 압력도(度), 전압. ② U 압박, 강제. ③ U,C 절박, 번망(煩忙). ④ U,C 어려움, 궁핍(~ *for money* 돈에 궁핍); (*pl.*) 곤경. ***put ~ on*** …을 압박〔강압〕하다.

préssure còoker 압력 솥.

préssure gròup 〖政〗 압력 단체.

pres·su·rize[préʃəràiz] *vt.* (고도 비행중인 비행기 밀실의) 기압을 정상으로 유지하다; 고압 상태에 두다; 압력 솥으로 요리하다.

·pres·tige[prestíːʒ] *n.* U 위신, 명성.

pres·ti·gious[prestídʒəs] (＜⇧) *a.* 명성이 높은.

pres·to[préstou] *a., ad.* (It.) 〖樂〗 빠른; 빠르게; 《요술쟁이의 용어》 번개같이(*Hey ~, pass!* 자, 빨리 변해라). — *n.* (*pl.* **~s**) C 빠른 곡.

pre·sum·a·ble [prizúːməbəl] *a.* 가정〔추정〕할 수 있는, 그럴 듯한.

P

***-bly** *ad.* 아마; 그럴 듯하게.

:pre·sume [prizú:m] *vt.* ① 추정[가정]하다; …이라고 생각하다. ② 대담히 도[뻔뻔스럽게도] …하다(*to do*). — *vi.* (남의 약점 따위를) 기화로 삼다[이용하다](*on, upon*). **pre·súm·ing** *a.* 주제넘은.

pre·sump·tion [prizʌ́mpʃən] *n.* ① Ⓒ 추정(推定)[가정](의 근거); …할 것 같음, 가망. ② Ⓤ 주제넘음, 뻔뻔스러움.

pre·sump·tive [prizʌ́mptiv] *a.* 추정(推定)의[에 의거한]; 추정의 근거가 되는. ***heir*** **～** 추정 상속인(cf. heir apparent). **～·ly** *ad.*

***pre·sump·tu·ous** [prizʌ́mptʃuəs] *a.* 주제넘은, 뻔뻔스러운, 건방진. **～·ly** *ad.* **～·ness** *n.*

pre·sup·pose [prì:səpóuz] *vt.* 미리 상상하다; 필요 조건으로서 요구하다, 전제하다. **-po·si·tion** [-sʌpəzíʃən] *n.* Ⓤ 예상, 가정; Ⓒ 전제(조건).

pre·tax [prì:tǽks] *a.* 세금 포함한《수입 등》.

***pre·tence** [priténs] *n.* 《英》 = PRETENSE.

:pre·tend [priténd] *vt.* ① …인 체하다, 가장하다; 속이다. ② 감히[억지로] …하려고 하다. — *vi.* 속이다; 요구하다; 자부하다(*to*). **～·ed** [-id] *a.* …체한, 거짓의. **～·er** *n.* Ⓒ …체하는 사람; 사기꾼; 왕위를 노리는 사람.

pre·tense** [priténs] *n.* ① U,C 구실. ② C,U 허위, 거짓 꾸밈, 가장. ③ Ⓤ (허위의) 주장, 요구; 허세 (부리기). ***make a **～** ***of*** …인 체하다. ***on the*** [***under*** (***the***)] **～** ***of*** …을 구실로 (하여).

***pre·ten·sion** [priténʃən] *n.* ① U,C 주장, 요구. ② Ⓒ 권리. ③ Ⓒ 자부; Ⓤ 가장; 과시; Ⓒ 빙자.

***pre·ten·tious** [priténʃəs] *a.* 자부하는; 뽐내는; 허세를 부리는. **～·ly** *ad.* **～·ness** *n.*

pre·ter·nat·u·ral [prì:tərnǽtʃərəl] *a.* 초자연적인; 이상한. **～·ly** *ad.*

***pre·text** [prí:tekst] *n.* Ⓒ 구실, 변명.

pret·ti·fy [prítifài] *vt.* 《蔑》 야단스레 꾸미다, 아름답게 하다.

†pret·ty [príti] *a.* ① 예쁜, 아름다운, 귀여운; 멋진. ② 《口》 (수량이) 상당한; 《反語》 심한. ***sitting*** **～** 《俗》 유복하여, 안락한[하게]. — *ad.* 꽤; 매우. — *n.* Ⓒ 《호칭》 귀여운 애[사람]; (*pl.*) 고운 물건《장신구 따위》. **prét·ti·ly** *ad.* **-ti·ness** *n.*

pret·zel [prétsəl] *n.* Ⓒ 단단한 비스킷《소금을 뭍힌 것; 맥주 안주》.

:pre·vail [privéil] *vi.* ① 이기다(*over, against*). ② 우세하다; 유행[보급]되다. ③ 잘 되다. ④ 설복하다(*on, upon; with*). ***～·ing** *a.* 널리 행해지는, 유행의; 일반의, 보통의; 우세한, 유력한.

***prev·a·lent** [prévələnt] *a.* ① 널리 행해지는[퍼진], 유행하고 있는; 일반적인. ② 우세한. ***-lence** *n.* Ⓤ 널리 행해짐, 유행; 우세.

pre·var·i·cate [privǽrəkèit] *vi.* 얼버무려 넘기다(equivocate), 속이다. **-ca·tor** *n.* Ⓒ 얼버무려 넘기는 사람. **-ca·tion** [–ˌ–kéiʃən] *n.*

pre·vent [privént] *vt.* ① 방해하다, 방해하여 …하지 못하게 하다(hinder)(**～** *him from going;* **～** *his* [*him*] *going*). ② 예방하다, 일어나지 않게 하다(check)(*from*). **～·a·ble, ～·i·ble** *a.* 방해[예방]할 수 있는. **:pre·vén·tion** *n.* Ⓤ 방지, 예방(법)(*against*).

***pre·ven·tive** [privéntiv] *a.* 예방의, 방지하는(*of*). — *n.* Ⓒ 방지하는 물건; 예방법[책, 약].

pre·view [prí:vjù:] *n., vt.* Ⓒ (극·영화의) 시연(試演)(을 보다), 시사(試寫)(를 보다); 예고편; 〖컴〗 미리 보기.

:pre·vi·ous [prí:viəs] *a.* ① 앞서의, 이전의(*to*). ② 《口》 너무 일찍 서두른, 조급한. **～·ly** *ad.*

***pre·war** [prí:wɔ́r] *a.* 전전(戰前)의.

prex·y [préksi] *n.* Ⓒ 《俗》 학장, 총장.

:prey [prei] *n.* ① Ⓤ 먹이. ② Ⓤ 희생. ③ Ⓤ 포식(飽食). ④ Ⓒ 약탈품. ***beast*** [***bird***] ***of*** **～** 맹수[맹조]. — *vi.* 먹이로 하다(*on, upon*); 괴롭히다, 해하다(*on, upon*); 약탈하다(*on, upon*).

†price [prais] *n.* ① Ⓒ 값, 대가. ②

(*sing.*) 대상(代償); 보수, 현상; 희생. ③ Ⓤ《古》가치. **above** 〔**beyond, without**〕 ~ (값을 헤아릴 수 없을 만큼) 귀중한. **at any** ~ 값이 얼마이든, 어떤 희생을 치르더라도. **at the** ~ **of** …을 걸고서. **what** ~ 〖競馬〗 (인기말의) 승산은 어떠한가; 《口》 어떻게 생각하는가; 《口》 무슨 소용 있나(*What* ~ *going there?* 거기 가서 무슨 소용이 있는가). ── *vt.* 값을 매기다; 《口》 값을 묻다. ~ (*a thing*) **out of the market** (살 수 없을 만큼) 엄청난 값을 매기다. ˚~**·less** *a.* 돈으로 살 수 없는, 대단히 귀중한; 《俗·反語》 말도 아닌, 어처구니 없는.

príce fìxing 가격 협정〔조작〕.

príce lìst 정가표, 시세표.

príce tàg (상품에 붙이는) 정찰.

príce wàr 에누리 경쟁.

˚**prick**[prik] *n.* Ⓒ ① 찌름. ② 찔린 상처, 찔린 구멍; 격렬한 아픔; (양심의) 가책. ③ 날카로운 끝. **kick against the** ~**s** 쓸데 없는 저항을 하다. ── *vt.* ① 찌르다; (뾰족한 것으로) 구멍을 뚫다〔표를 하다〕. ② 아프게 하다, 괴롭히다. ③ 《古》 (말에) 박차를 가하다. ── *vi.* ① 따끔하(게 찌르)다; 따끔따끔 쑤시다. ② (귀가) 쫑긋 서다(*up*). ③ 《古》 (박차를 가해) 말을 달리다(*on, forward*). ~ **up one's ears** (개 따위가 귀를) 쫑그리다; (사람이) 귀를 기울이다.

prick·le[príkəl] *n.* Ⓒ 가시, 바늘; (*sing.*) 따끔따끔한 느낌〔아픔〕. ── *vt., vi.* 찌르다; 따끔따끔 쑤시(게 하)다.

prick·ly[∠li] *a.* 가시가 많은; 따끔따끔 쑤시는.

príckly héat 땀띠.

príckly péar 〖植〗 선인장의 일종; 그 열매《식용》.

:**pride**[praid] *n.* ① Ⓤ 자만, 자부, 거만; 자존심. ② Ⓤ,Ⓒ 자랑(으로 삼는 것). ③ Ⓤ 득의, 만족; 경멸; 득의의 모습. ④ Ⓒ (*sing.*) 한창. **take a** ~ **in** …에 긍지를 갖다. **the** ~ **of manhood** 남자의 한창 때. ── *vt.* 뽐내다, 자랑하다(*oneself on*).

:**priest**[pri:st] *n.* Ⓒ 성직자, 목사, 사제. ∠**·ness** *n.* Ⓒ (주로 기독교 이외의) 수녀, 여승. ∠**·ly** *a.* 성직자의; 성직자 같은〔다운〕.

príest·hòod *n.* Ⓤ 성직; 《집합적》 성직자.

prig[prig] *n.* Ⓒ 딱딱한〔젠체하는〕 사람, 뽐내는 사람, 학자연하는 사람. ∠**·ger·y** *n.* Ⓤ 딱딱함; Ⓒ 젠체하기. ∠**·gish** *a.* 딱딱한; 아는 체하는.

prim[prim] *a.* (**-mm-**) 꼼꼼한, 딱딱한, 새침떼는, 얌전빼는, 짐짓 점잔빼는. ∠**·ly** *ad.* ∠**·ness** *n.*

pri·ma·cy[práiməsi] *n.* Ⓤ 제1위; primate의 직〔지위〕; 〖가톨릭〗 교황의 수위권(首位權).

pri·ma don·na [prí:mə dɑ́nə/-dɔ́nə] (It.) (*pl.* ~**s**) (가극의) 주역 여가수.

pri·ma fa·ci·e[práimə féiʃiì:, -ʃi:] (L.) 일견한 바(로는).

pri·mal[práiməl] *a.* 최초의, 원시의; 주요한; 근본의.

:**pri·ma·ry**[práimèri, -məri] *a.* ① 최초의, 원시적인. ② 수위의, 주요한. ③ 본래의, 근본의. ④ 초보의. ⑤ 〖醫〗 제1기의; 〖電〗 1차의. ── *n.* Ⓒ ① 제1위의〔주요한〕 사물. ② 원색. ③ 〖文〗 일차어(一次語)《명사 상당 어구》. ④ 《美》 대통령 후보 예비 선거. **-ri·ly** *ad.* 첫째로; 주로.

prímary áccent 제 1 악센트.

prímary educátion 초등 교육.

prímary elèction 《美》 예비 선거.

˚**prímary schòol** 초등 학교; 《美》 3〔4〕학년급의 초등 학교.

pri·mate[práimit, -meit] *n.* Ⓒ 수석주교, 대주교; 〖動〗 영장류(靈長類). ***P- of All England,*** Canterbury 의 대감독. ***P- of England,*** York 의 대감독.

:**prime**[praim] *a.* ① 최초의; 원시적인. ② 근본적인; 수위의, 주된. ③ 최상의, 우수한. ④ 〖數〗 소수(素數)의. ── *n.* ① (the ~) 최초, 초기; 봄. ② (the ~, one's ~) 전성; 청춘; 최량의 상태〔부분〕. ③ Ⓒ 〖數〗 소수(素數). ④ Ⓒ 분(分) (minute); 프라임 부호(′)《분, 피트, 수학의 대시 따위를 나타냄》.

P

prime[2] *vt.* (총포에) 화약을 재다; 충분히 먹게[마시게]하다(*with*); 미리 가르치다, 코치[훈수]하다(*with*); (펌프에) 마중물을 붓다; (페인트나 기름의) 초벌칠을 하다.

:**príme mínister** 수상, 국무총리.

príme móver 원동력, 원동기.

príme númber 〖數〗 소수(素數).

˙**prim·er**[prímər/práim-] *n.* ① Ⓒ 입문서. ② [prímər] Ⓤ 〖印〗 프리머 활자. ***great*** [***long***] ~ 대[소] 프리머《18[10] 포인트 활자》.

príme tíme (라디오·텔레비전의) 골든 아워.

pri·me·val[praimí:vəl] *a.* 태고의, 원시(시대)의.

:**prim·i·tive**[prímətiv] *a.* ① 태고의; 초기의; 원시의. ② 원시적인, 소박한. ── *n.* Ⓒ 문예부흥기 이전의 화가; 그 작품.

pri·mo·gen·i·ture[-dʒénətʃər] *n.* Ⓤ 장자[맏아들]임; 장자 상속권.

pri·mor·di·al[praimɔ́:rdiəl] *a.* 원시의; 원시 시대부터 존재하는; 근본적인.

˙**prim·rose** [prímròuz] *n.* ① Ⓒ 앵초(櫻草), 그 꽃. ② Ⓤ 앵초색, 연노랑. ── *a.* 앵초(색)의; 화려한.

Pri·mus[práiməs] *n.* Ⓒ 〖商標〗 석유 스토브의 일종.

†**prince**[prins] *n.* Ⓒ ① 왕자, 황자, 친왕(親王)《영국에서는 왕[여왕]의 아들 또는 손자》. ② (봉건 시대의) 제후, 영주; (작은 나라의) 왕; (영국 이외의) 공작(公爵). ③ (보통 *sing.*) 제 1인자, 대가. ~ ***of evil*** [***darkness***] 마왕(魔王). ~ ***of the blood*** 황족. ***P- of Wales*** 웨일즈공《영국 왕세자》. ∠·**ly** *a.* 왕자[왕후(王侯)]의, 왕자[왕후] 같은; 기품 높은; 왕자[왕후]에 어울리는, 장려한.

prínce cónsort 여왕의 부군(夫君).

:**prin·cess**[prínsis, -səs, prinsés; 이름 앞 ∠–] *n.* Ⓒ ① 공주, 왕녀, 황녀, 왕자비. ② (영국 이외의) 공작 부인. ~ ***of the blood*** (여자의) 황족, 왕족.

príncess róyal 제 1공주.

:**prin·ci·pal**[prínsəpəl] *a.* ① 주된; 가장 중요한. ② 원금(元金)의. ── *n.* Ⓒ ① 장(長), 우두머리; (초등 학교·중학교의) 교장; 사장, 회장. ② (*sing.*) 원금; 기본 재산. ③ 〖法〗 주범; (채무자의) 제 1 (연대) 책임자. ˙~·**ly** *ad.* 주로; 대개.

˙**prin·ci·pal·i·ty**[prìnsəpǽləti] *n.* Ⓒ 공국(公國)《prince가 통치하는 나라》. ② (the P-) 《英》 = WALES. ③ 주권. ④ (*pl.*) 제 7위의 천사, 권품(權品)천사. 「화형.

príncipal párts (동사의) 주요 변화형.

:**prin·ci·ple**[prínsəpəl] *n.* ① Ⓒ 원리, 원칙; 법칙. ② Ⓒ 주의. ③ Ⓤ 도의, 절조. ④ Ⓒ 동인(動因), 소인(素因); 본원(本源). ⑤ Ⓒ 〖化〗 소(素), 정(精). ***in*** ~ 원칙으로, 대체로. ***on*** ~ 주의에 따라. ~**d**[-d] *a.* 절조 있는; 주의[원칙]에 의거한.

:**print**[print] *vt.* ① 찍다, 자국을 내다. ② 인쇄하다; 출판하다. ③ 활자체로 쓰다; 날염(捺染)하다; (마음에) 새기다(*on*). ④ 〖寫〗 인화(印畫)하다(*out, off*); (…의) 지문을 채취하다(~ *him*). ⑤ 〖컴〗 인쇄[프린트]하다. ── *vi.* 인쇄[출판]하다; 활자체로 쓰다; (사진 따위가) 인화되다, 박혀지다. ── *n.* ① Ⓤ 인쇄(자체, 상태). ② Ⓒ 인쇄물; 출판물, 신문(지). ③ Ⓒ 판화(版畫). ④ Ⓒ 흔적, 자국; 인상. ⑤ Ⓤ,Ⓒ 날염포(捺染布), 사라사. ⑥ Ⓒ 〖寫〗 인화(印畫), 양화(陽畫). ⑦ 〖컴〗 인쇄, 프린트. ***blue*** ~ 청사진. ***in*** ~ 인쇄[출판]되어. ***out of*** ~ 절판되어.

print·a·ble[príntəbəl] *a.* 인쇄할 수 있는; 인쇄[출판]할 가치가 있는; 인화(印畫)할 수 있는.

prínted círcuit 인쇄 회로(回路), 프린트 배선.

prínted màtter [**pàper**] 인쇄물.

˙**print·er**[∠ər] *n.* Ⓒ ① 인쇄인, 인쇄업자; 인쇄[식자]공. ② 〖컴〗 프린터.

:**print·ing**[∠iŋ] *n.* ① Ⓤ 인쇄(술, 업). ② Ⓒ 인쇄물; 인쇄 부수. ③ Ⓤ 활자체의 문자. ④ Ⓤ,Ⓒ 날염(捺染); 〖寫〗 인화(印畫).

prínting prèss 인쇄기; 날염기.

prínt-òut *n.* Ⓒ 〖컴〗 출력 정보 지시 테이프.

:**pri·or**[1][práiər] *a.* 전의, 앞(서)의;

보다 중요한(*to*).
pri·or[2] *n.* Ⓒ 수도원 부원장《abbot의 다음》, 소(小)수도원의 원장.
***pri·or·i·ty** [praió:rəti, -á-/-ɔ́-] *n.* Ⓤ ① (시간적으로) 먼저임(*to*); (순위·중요성이) 앞섬, 보다 중요함, 우선권. ② 《美》(국방상의 중요도에 따라 정해진) 교통〔수송〕 순위 우선; 《美》(전시 생산품의) 우선 배급, 그 순위. ③ 〖컴〗 우선 순위.
pri·o·ry[práiəri] *n.* Ⓒ 소(小)수도원《그 원장은 prior, 또는 prioress》.
***prism**[prízəm] *n.* Ⓒ 〖光學〗 프리즘; 〖幾〗 각기둥. **pris·mat·ic**[prizmǽtik], **-i·cal**[-əl] *a.* 분광(分光)의; 무지개빛의; 찬란한; 각기둥의.
:pris·on[prízn] *n.* Ⓒ 형무소, 감옥, 구치소.
príson càmp 포로 수용소.
:pris·on·er[príznər] *n.* Ⓒ ① 죄수; 형사 피고. ② 포로. ③ 붙잡힌 사람〔물건〕. ***hold* 〔*keep*〕 (*a person*) ~** (아무를) 포로로 잡아두다. ***make* 〔*take*〕 *a person* ~** 아무를 포로로 하다.
pris·sy[prísi] *a.* 《美口》 신경질의; 지나치게 꼼꼼한. **prís·si·ly** *ad.*
pris·tine[prísti(:)n, -tain] *a.* 원래의, 원시 시대의, 원시적인, 소박한.
***pri·va·cy**[práivəsi/prív-] *n.* Ⓤ ① 은둔, 은퇴; 사생활, 프라이버시. ② 비밀, 비밀성.
:pri·vate[práivit] *a.* ① 사사로운, 개인의, 개인적인; 사용(私用)〔사유〕의. ② 비밀의; 비공개의. ③ 민간의; 관직을 갖지 않은, 평민의. ④ 남의 눈에 띄지 않는, 은둔한. **~ *citizen*** 평민. ── *n.* Ⓒ 사병, 졸병. ***in* ~** 비공개로, 비밀로. ***~·ly** *ad.*
prívate detéctive 사설 탐정.
prívate énterprise 민영 사업.
pri·va·teer[pràivətíər] *n.* Ⓒ 사략선(私掠船)《전시중 적선 약탈의 허가를 받은 민간 무장선》; 사략선 선장; (*pl.*) 그 승무원. ── *vi.* 사략선으로 순항(巡航)하다.
prívate éye (사설) 탐정.
Prívate Mémber (종종 p- m-) 《英》(각료 외의) 일반 의원.
prívate párts 음부.
prívate sécretary (개인) 비서.
pri·va·tion [praivéiʃən] *n.* Ⓤ,Ⓒ (생활 필수품 등의) 결핍; 상실, 결여; 박탈.
pri·vat·ize[práivətàiz] *vt.* (국유〔공영〕 기업을) 사기업〔민영〕화하다. **prì·vat·i·zá·tion** *n.*
「무.
priv·et [prívit] *n.* Ⓤ 〖植〗 쥐똥나
:priv·i·lege[prívəlidʒ] *n., vt* Ⓤ,Ⓒ 특권〔특전〕(을 주다). ***~d** *a.* 특권〔특전〕이 있는〔부여된〕.
***priv·y**[prívi] *a.* ① 내밀히 관여하고 있는(*to*). ② 《古》 비밀의. ── *n.* Ⓒ 옥외(屋外) 변소.
Prívy Cóuncil 《英》 추밀원(樞密院).
prívy pùrse 《英》 내탕금(內帑金).
†prize[praiz] *n.* Ⓒ ① 상품(賞品), 경품. ② (경주의) 목적물. ── *a.* 상품으로 주어진; 상품을 줄 가치가 있는〔줄 만한〕; 입상한; 현상의.
príze-giving *n.* Ⓒ 표창식, 상품〔상금〕 수여식. ── *a.* 상품〔상금〕 수여의.
pro**[1] [prou] *ad.* 찬성하여. **~ *and con 찬부 두 갈래로. ── *n.* (*pl.* **~s**) Ⓒ 찬성론. **~*s and cons*** 찬부 양론; 찬부의 이유.
***pro**[2] *n.* (*pl.* **~s**) Ⓒ 《口》 프로, 직업 선수. ── *a.* 직업적인.
pro-[prou] *pref.* '대리, 부(副), 찬성, 편드는, 친(親)…(for)' 등의 뜻 (*pro*ctor, *pro*slavery).
:prob·a·bil·i·ty [pràbəbíləti/-ɔ̀-] *n.* ① Ⓤ 있음직함, Ⓒ 가망. ② Ⓤ 〖哲〗 개연성; 〖統·컴〗 확률. ***in all* ~** 아마, 십중팔구는.
:prob·a·ble[prábəbəl/-ɔ́-] *a.* 있음직한, 사실 같은, …할〔일〕 듯 싶은, 확실할 듯한. **†-bly** *ad.* 아마.
pro·bate[próubeit] *n., a., vt.* Ⓤ 유언 검인(檢認)(의); 《美》(유언서를) 검인하다.
***pro·ba·tion**[proubéiʃən] *n.* ① Ⓤ 시험, 검정(檢定). ② Ⓤ,Ⓒ 수습 (기간). ③ Ⓤ 시련. ④ Ⓤ 〖法〗 집행유예, 보호 관찰. ***on* ~** 시험 삼아; 집행 유예로, 보호 관찰로. **~·ar·y** [-nèri/-nəri] *a.* **~·er** *n.* Ⓒ 수습〔집행유예〕중인 사람.
***probe**[proub] *n.* Ⓒ ① 〖外〗 탐침(探針), 소식자(消息子). ② 시험. ③

P

《美》(불법 행위에 대한 입법부의) 조사. ④ 공중 급유용 파이프; 우주 탐사용 로켓. ⑤ 『컴』 문안침, 탐색침. — *vt.* 탐침으로〔소식자로〕 찾다; 자세히 살피다; 조사〔정사(精査)〕하다.

pro·bi·ty [próubəti, prάb-] *n.* Ⓤ 성실, 청렴.

prob·lem [prάbləm/-ɔ́-] *n.* Ⓒ 문제; 난문(難問); 의문. — *a.* 문제의. ***a ~ child*** 문제아(兒).

prob·lem·at·ic [prὰbləmǽtik/-ɔ̀-], **-i·cal** [-əl] *a.* 문제의, 의문의, 불확실한. **-i·cal·ly** *ad.*

:**pro·ce·dure** [prəsíːdʒər] *n.* Ⓤ,Ⓒ 절차; 조치; (행위·상태 등의) 진행; 『컴』 프로시저.

P

:**pro·ceed** [prousíːd] *vi.* ① 나아가다(*to*). ② 시작하다; 착수하다(*to*). ③ 계속하다(*in, with*). ④ 발생하다, 생기다(*from, out of*). ⑤ 처분하다, 소송 절차를 밟다(*against*). — [próusiːd] *n.* (*pl.*) 수입, 매상고. **:~·ing** *n.* Ⓤ,Ⓒ 행동; Ⓒ 조치, 조처; (*pl.*) 소송 절차; (*pl.*) 의사록, (학회의) 회보.

:**proc·ess** [prάses/próu-] *n.* ① Ⓤ,Ⓒ 진행, 경과; 과정. ② Ⓒ 순서, 방법; 『컴』 처리. ③ Ⓒ 『生』 돌기. ④ Ⓒ 『法』 피고 소환장, 영장. ⑤ Ⓒ 『印』 사진 제판법. ***in ~*** 진행하여, …중(*of*). — *a.* (화학적으로) 가공한. — *vt.* 처리〔가공〕하다; 기소하다. **próc·es·sor** *n.* Ⓒ 《美》 농산물 가공업자; 『컴』 처리기, 프로세서.

:**pro·ces·sion** [prəséʃən] *n.* Ⓒ 행렬; Ⓤ 행진. **~·al** *a., n.* 행렬(용)의; Ⓒ 행렬 성가(聖歌).

:**pro·claim** [proukléim, prə-] *vt.* 선언하다; 공표하다; 나타내다. **proc·la·ma·tion** [prὰkləméiʃən/-ɔ̀-] *n.* Ⓤ 선언; Ⓒ 선언서.

pro·cliv·i·ty [prəklívəti] *n.* Ⓒ 경향, 성벽(性癖)(*for, to, to* do).

pro·cras·ti·nate [proukrǽstənèit] *vi., vt.* 지연하다. **-na·tor** *n.* Ⓒ 미루는 사람. **-na·tion** [-ˌ--néiʃən] *n.* Ⓤ 지연.

pro·cre·ate [próukrièit] *vt.* (아버지로서) 자식을 보다; 자손을 낳다; (신종(新種) 따위를) 내다. **-a·tion** [ˌ--éiʃən] *n.* Ⓤ 출산; 생식. **-a·tive** *a.* 낳는; 생식력 있는.

proc·tor [prάktər/-ɔ́-] *n.* Ⓒ 『法』 대소인(代訴人), 대리인; 학생감.

proc·u·ra·tor [ˊ-èitər] *n.* Ⓒ (소송) 대리인; 『古로』 행정〔재무〕관.

:**pro·cure** [proukjúər, prə-] *vt.* ① (노력하여) 얻다. ② 《古》 가져오다, …시키다. ③ (매춘부를) 알선하다. ***~·ment** *n.* Ⓤ 획득; 《美》 조달.

prod [prɑd/-ɔ-] *vt.* (**-dd-**) 찌르다; 자극하다, 격려〔편달〕하다. — *n.* Ⓒ 찌르는 바늘; (가축 모는) 막대기; 찌름; 자극, 촉진.

·**prod·i·gal** [prάdigəl/-ɔ́-] *a.* 낭비하는; 아낌없이 주는(*of*); 풍부한. — *n.* Ⓒ 낭비자, 방탕한 아들. **~·i·ty** [ˌ-gǽləti] *n.* Ⓤ 낭비; 풍부, 활수함.

·**pro·di·gious** [prədídʒəs] *a.* 거대〔막대〕한; 놀랄 만한, 놀라운.

·**prod·i·gy** [prάdədʒi/-ɔ́-] *n.* Ⓒ 천재(天才); 경탄(할 물건·일).

†**pro·duce** [prəd*j*úːs] *vt.* ① 생기게 하다, 산출〔생산〕하다; 낳다. ② 초래하다. ③ 만들다, 제조하다. ④ 공급하다; 보이다, 제출하다. ⑤ (극 따위를) 상연하다; 《英》 연출하다(《美》 direct). ⑥ 『幾』 연장하다. ***~ on the line*** 대량 생산하다(cf. assembly line). — [prάd*j*uːs/prɔ́d-] *n.* Ⓤ 산물, 농산물; 생산액.

:**pro·duc·er** [-ər] *n.* Ⓒ ① 생산자. ② 《英》 (극의) 연출가(《美》 director). 『映』 프로듀서.

:**prod·uct** [prάdəkt/-ɔ́-] *n.* Ⓒ ① 생산품; 제작물. ② 결과, 성과. ③ 『數·컴』 곱, 적(積).

:**pro·duc·tion** [prədʌ́kʃən] *n.* ① Ⓤ 생산; 제작; Ⓒ 생산〔제작〕물, 작품. ② Ⓤ (영화의) 제작, 연출; Ⓒ 제작소.

prodúction lìne (일관 작업의) 생산 공정.

:**pro·duc·tive** [prədʌ́ktiv] *a.* 생산적인; (…을) 낳는, 산출하는(*of*); 다산(多産)의; 비옥한. ***-tiv·i·ty** [pròudʌktívəti, prὰ-/prɔ̀-] *n.* Ⓤ 생산성; 다산; 생산력.

prof [prɑf/-ɔf] *n.* Ⓒ 《口》 교수.

Prof. Professor.

·**pro·fane** [prəféin] *a.* (신성) 모독의, 불경한; 세속적인; 이교적인, 사

교(邪教)의. ── *vt.* (신성을) 더럽히다; 남용하다. ~**·ly** *ad.* ~**·ness** *n.*
pro·fan·i·ty [prəfǽnəti] *n.* Ⓤ 모독, 불경; Ⓒ 모독적인 언행.
·**pro·fess** [prəfés] *vt.* ① 공언[명언(明言)]하다. ② …라고 자칭[주장]하다. ③ (…을) 신앙한다고 공언하다. ④ …인 체하다. ⑤ (어떤 일을) 직업으로 삼다; (학문·기술 따위를) 지니고 있다고 공언하다. ⑥ (…을) 교수(教授)하다. ── *vi.* 공언하다; 신앙을 고백하다; 대학 교수로 있다.
pro·fessed [prəfést] *a.* 공언한; 공공연한; 서약하고 종교단에 든; 겉꾸밈의, 가장한, 자칭의. **-fess·ed·ly** [-fésidli] *ad.*
:**pro·fes·sion** [prəféʃən] *n.* ① Ⓒ (전문적, 지적) 직업. ② Ⓤ (the ~) 《집합적》 동업자들; 《俗》 배우들. ③ Ⓒ 공언; 신앙 고백. ***by*** ~ 직업은.
:**pro·fes·sion·al** [prəféʃənəl] *a.* 직업적인; 지적(知的) 직업에 종사하는; 전문의. ── *n.* Ⓒ 지적 직업인; 직업 선수. ~**·ism** [-ʃənəlìzəm] *n.* Ⓤ 전문가[직업 선수] 기질. ~**·ize** [-ʃənəlàiz] *vt.* 직업화하다. ~**·ly** *ad.*
:**pro·fes·sor** [prəfésər] *n.* Ⓒ ① (대학의) 교수; (남자) 선생. ② 공언자(公言者); 《英》 신앙 고백자. ~**-ship** [-ʃìp] *n.* Ⓤ 교수의 직[직위].
pro·fes·so·ri·al [pròufəsɔ́ːriəl, pràf-/prɔ̀-] *a.* 교수의, 교수다운; 학자연하는.
·**prof·fer** [práfər/-ɔ́-] *vt.* 제공하다; 제의하다. ── *n.* Ⓤ 제공; Ⓒ 제공물.
·**pro·fi·cient** [prəfíʃənt] *a.* 숙련된, 숙달한(*in, at*). ── *n.* Ⓒ 능수, 달인(達人)(*in*). ~**·ly** *ad.* **-cien·cy** *n.* Ⓤ 숙달.
·**pro·file** [próufail] *n.* Ⓒ 옆얼굴, 측면; 윤곽; 인물 단평(短評); 소묘(素描); 측면도. ***in*** ~ 측면에서 보아, 옆모습으로는. ── *vt.* (…의) 윤곽을[측면도를] 그리다; 인물평을 쓰다.
:**prof·it** [práfit/-ɔ́-] *n.* Ⓤ,Ⓒ (종종 *pl.*) (장사의) 이윤; 이익. ***make a ~ of*** …으로 이익을 보다. ***make one's ~ of*** …을 이용하다. ── *vt.* (…에) 이익이 되다. ── *vi.* 이익을 얻다, 남다(*by, from, of*). ~**·less** *a.* 이익 없는; 무익한.
·**prof·it·a·ble** [-əbəl] *a.* 유익한; 이문이 있는. **-bly** *ad.*
prof·it·eer [pràfitíər/prɔ̀fi-] *vi., n.* 폭리를 탐하다; Ⓒ 그 사람.
prófit màrgin 〖商〗 이윤폭(幅).
prófit shàring (노사간의) 이익 분배법.
prof·li·gate [práfligit/-ɔ́-] *a., n.* 품행[행실]이 나쁜; 낭비하는; Ⓒ 방탕자. **-ga·cy** *n.*
:**pro·found** [prəfáund] *a.* 깊은; 심원한; 마음으로부터의; 정중[공손]한 《절 따위》. * ~**·ly** *ad.* **pro·fun·di·ty** [prəfʌ́ndəti] *n.*
·**pro·fuse** [prəfjúːs] *a.* 아낌없는(*in, of*); 풍부한. ·**pro·fu·sion** [-fjúːʒən] *n.* Ⓤ 대량, 풍부, 활수, 낭비.
pro·gen·i·tor [proudʒénətər] *n.* Ⓒ 조상, 선조; 선배; 원본(original).
prog·e·ny [prádʒəni/-ɔ́-] *n.* Ⓤ 《집합적》 자손.
pro·ges·ter·one [proudʒéstəròun], **-ges·tin** [-dʒéstin] *n.* Ⓤ 〖生化〗 프로게스테론《여성 호르몬의 일종》.
prog·no·sis [pragnóusis/-ɔ-] *n.* (*pl.* **-ses** [-siːz]) Ⓤ,Ⓒ 〖醫〗 예후(豫後); 예측. **prog·nos·tic** [-nás-/-ɔ́-] *a., n.* 〖醫〗 예후의; 전조를 보이는(*of*); Ⓒ 전조, 징후; 예측.
prog·nos·ti·cate [pragnástikèit/prɔgnɔ́s-] *vt.* (전조에 의하여) 미리 알다; 예언[예시(豫示)]하다. **-ca·tion** [–⌐–kéiʃən] *n.* Ⓤ (전조에 의한) 예지(豫知); 예언, 예시; Ⓒ 전조.
pro·gram, 《英》 **-gramme** [próugræm, -grəm] *n.* Ⓒ 프로그램, 차례표; 예정, 계획(표); 〖컴〗 프로그램《처리 절차를 지시한 것》.
pro·gram·ma·ble [próugræməbəl, –⌐––] *a.* 프로그램으로 제어할 수 있는; 〖컴〗 프로그램할 수 있는. ── *n.* Ⓒ (특정한 일을 행할 수 있게) 프로그램할 수 있는 전자 기기《전산기·전화》.
pro·gram·(m)er [-ər] *n.* Ⓒ 〖放〗 프로그램 제작자; 〖컴〗 프로그래머.
pro·gram·(m)ing [-iŋ] *n.* Ⓤ 프로

P

그램의 작성〔실시〕; 〖컴〗 프로그래밍.

prógram mùsic 〖樂〗 표제 음악.

:prog·ress[prágres/-óu-] *n.* Ⓤ 전진, 진보; 발달. *in* ~ 진행중. *make* ~ 진행하다; 진척하다. ── [prəgrés] *vi.* 전진〔진행, 진보〕하다.

·pro·gres·sion [prəgréʃən] *n.* ① Ⓤ 전진, 진행. ② Ⓒ 〖數〗 수열.

:pro·gres·sive[prəgrésiv] *a.* 전진〔진보〕하는; 누진적인; 진보주의의; 〖文〗 진행형의(*the* ~ *form*). ~ *jazz* 비(非)재즈적 요소를 가미한 모던 재즈의 한 양식. ~ *taxation* 누진 과세. ── *n.* Ⓒ 진보론자; (P-) 《美》 진보당원; (공산당원의 영향으로) 적화(赤化)된 포로. **~·ly** *ad.*

:pro·hib·it [prouhíbit] *vt.* 금지〔방해〕하다.

:pro·hi·bi·tion[pròuhəbíʃən] *n.* Ⓤ 금지; Ⓒ 금령(禁令); (P-) Ⓤ 《美》 주류 제조 판매 금지령. **~·ism** [-ìzəm] *n.* Ⓤ 주류 제조 판매 금지주의. **~·ist** *n.* Ⓒ 그 주의자.

pro·hib·i·tive [prouhíbətiv], **-to·ry**[-tɔ̀:ri/-təri] *a.* 금지〔방해〕하는.

:pro·ject[prədʒékt] *vi., vt.* ① 고안〔계획〕하다. ② 내던지다. ③ 불쑥 내밀(게 하)다. ④ (탄환 따위를) 발사하다. ⑤ 객관〔구체〕화하다. ⑥ 투영하다, 영사하다. ⑦ 〖幾〗 투영도를 만들다. ⑧ 〖化〗 (…을) 투입하다. ── [prádʒekt/-ɔ́-] *n.* ① 계획, 기업; 〖敎育〗 연구 과제; 개발 토목 계획. ② 《美》 공영 단지. ③ 〖컴〗 과제. ***Project Apollo*** 〔***Mercury, Surveyor***〕 《美》 (우주선) 아폴로〔머큐리, 서베이어〕 계획.

pro·jec·tile[prədʒéktil, -tail] *a.* 발사하는; 추진하는. ── [prədʒéktl, -tail/prɔ́dʒiktàil] *n.* Ⓒ 발사물〔체〕, 탄환.

·pro·jec·tion [prədʒékʃən] *n.* ① Ⓤ,Ⓒ 돌출(부); Ⓤ 사출, 발사. ② Ⓤ,Ⓒ 〖數〗 투영법〔화〕; 〖地〗 평면 도(법); Ⓒ 〖映〗 영사. ③ Ⓤ 계획. ④ Ⓤ 〖心〗 주관의 객관화. ⑤ 〖컴〗 비춰내기. ~ *television* 투사식 텔레비전. **~·ist** *n.* Ⓒ 〖映〗 영사기사(映寫技師); TV기사.

pro·jec·tor[prədʒéktər] *n.* Ⓒ 계획자; 엉터리 회사의 창립자; 투사기(投射機); 영사기.

·pro·le·tar·i·an[pròulətɛ́əriən] *n., a.* Ⓒ 프롤레타리아〔무산 계급〕(의). **-i·at(e)** [-iət] *n.* Ⓤ (the ~) 《집합적》 프롤레타리아트, 무산 계급; 〖로史〗 최하층 사회.

pro·lif·er·ate [proulífərèit] *vt., vi.* 〖生〗 (관생(貫生)에 의해) 증식〔번식〕시키다〔하다〕. **-a·tion**[-́-éiʃən] *n.* Ⓤ 〖植〗 관생《생장의 종점인 꽃에서 새로운 줄기나 눈이 자라나는 일》.

·pro·lif·ic[proulífik] *a.* 아이를 (많이) 낳는; 다산(多産)의; (토지가) 비옥한; 풍부한(*in, of*). **-i·ca·cy** *n.* Ⓤ 출산력; 다산; 풍부.

pro·lix[proulíks] *a.* 장황한, 지루한, 지루하게 말하는. **~·i·ty**[proulíksəti] *n.*

·pro·log(ue) [próulɔ:g, -lag/-lɔg] *n.* Ⓒ (연극의) 개막사(opp. epilog(ue)); 서막; (소설·시 따위의) 머리말; 서막적 행동〔사건〕.

:pro·long[proulɔ́:ŋ/-lɔ́ŋ] *vt.* 늘이다, 연장하다. **~ed**[-d] *a.* 오래 끈. **pro·lon·ga·tion**[-́-géiʃən] *n.* Ⓤ 연장; Ⓒ 연장 부분.

prom[pram/-ɔ-] *n.* Ⓒ 《美口》 (대학·고교 따위의) 무도회.

·prom·e·nade[pràmənéid, -ná:d/prɔ̀məná:d] *n.* Ⓒ ① 산책, 산보. ② 산책하는 곳. ③ (무도회 개시 때의) 내객 전원의 행진. ── *vi., vt.* 산책하다. **-nád·er** *n.*

promenáde cóncert 야외 음악회《산책·댄스하면서 듣는》.

:prom·i·nent[prámənənt/prɔ́m-] *a.* 돌출한; 눈에 띄는; 현저한, 중요한; 저명한. **-nence** *n.* Ⓤ 돌출; Ⓒ 돌출물; Ⓤ 현저. **~·ly** *ad.*

pro·mis·cu·ous [prəmískjuəs] *a.* 난잡한; 무차별의; 우연한, 되는 대로의. **-cu·i·ty**[pràmiskjú:əti/prɔ̀m-] *n.*

†prom·ise [prámis/-ɔ́-] *n.* Ⓒ 약속(한 일, 물건); Ⓤ 촉망, 가망. ***the Land of P-*** = the Promised Land. ── *vt., vi.* 약속하다; 가망이〔우려가〕 있다. ***the Promised Land*** 〖聖〗 약속의 땅; 천국; (the p- l-) 희망의 땅. **próm·is·ing** *a.*

유망한.
prómissòry nóte 약속 어음.
pro·mo[próumou] (＜*promo*tion) *a.* 선전의, 선전에 도움이 되는.
prom·on·to·ry [prámәntɔ̀:ri/prɔ́mәntәri] *n.* Ⓒ 곶, 갑(岬).
:pro·mote[prәmóut] *vt.* ① 촉진〔조장〕하다. ② 승진〔진급〕시키다(*to*) (opp. demote). ③ (사업을) 발기하다. ④ 《美》 선전하여 (상품의) 판매를 촉진하다. **pro·mót·er** *n.* Ⓒ 촉진자; (주식 회사의) 발기인; 주창자; 흥행주(主). **pro·mó·tion** *n.* Ⓤ 승진, 진급; 촉진; 발기, 주창.
:prompt [prampt/-ɔ-] *a.* 신속한; 곧〔기꺼이〕 …하는; 즉시의. — *vt.* 촉진〔고무, 자극〕하다; 생각나게 하다; (사상·감정을) 환기하다; (배우에게 숨어서) 대사를 일러주다. (퀴즈 따위에서 사회자가) 힌트를 주다. — *n.* Ⓒ (숨어서) 대사를 일러줌; 〖컴〗 길잡이, 프롬프트. **∠·er** *n.* Ⓒ 〖劇〗 (숨어서) 배우에게 대사를 일러주는 사람. **∠·ly** *ad.* **∠·ness** *n.*
prom·ul·gate [prámәlgèit, proumʌ́l-/prɔ́mәl-] *vt.* 공포〔반포〕하다; (교의 등을) 널리 펴다. **-ga·tor** *n.* Ⓒ 위의 일을 하는 사람. **-ga·tion** [∸–géiʃәn] *n.*
·prone[proun] *a.* ① 수그린; 납죽 엎드린. ② 내리받이의. ③ (…의) 경향이 있는, (…하기) 쉬운(*to*).
prong [prɔ:ŋ/-ɔ-] *n., vt.* Ⓒ (포크나 사슴의 뿔 따위, 갈래진 물건의) 끝(으로 찌르다).
:pro·noun[próunàun] *n.* Ⓒ 〖文〗 대명사. **pro·nom·i·nal**[prounámәnәl/prәnɔ́m-] *a.* 대명사의, 대명사적인.
:pro·nounce[prәnáuns] *vt.* ① 발음하다. ② (의견 등을) 말하다; 선고하다; 단언하다. — *vi.* ① 발음하다. ② 의견을 말하다; 판단을 내리다 (*on, upon*). **∼·ment** *n.* Ⓒ 선언; 선고; 의견; 결정.
pro·nóunced *a.* 뚜렷한, 단호한. **-nounc·ed·ly**[-sidli] *ad.*
pron·to [prántou/-ɔ́-] *ad.* 《美俗》 급속히.
:pro·nun·ci·a·tion [prәnʌ̀nsiéiʃәn] *n.* Ⓤ,Ⓒ 발음(하는 법).
:proof[pru:f] *n.* ① Ⓤ,Ⓒ 증명; 증거, 증언. ② Ⓒ 시험; Ⓤ 시험필(畢)(의 상태); Ⓒ,Ⓤ 〖印〗 교정쇄(刷). ③ Ⓤ (주류의) 표준 강도. ***in* ∼ *of*** …의 증거로서. ***put*** 〔***bring***〕 ***to the* ∼** 시험하다. — *a.* 시험필의; (…에) 견디는(*against*); (주류가) 표준 강도의.
proof·read[prú:frì:d] *vt., vi.* (**-*read***[-rèd]) 교정하다. **∼·er** *n.* Ⓒ 교정원. **∼·ing** *n.*
·prop[1][prap/-ɔ-] *vt.* (**-*pp*-**) 버티다 (*up*); 버팀대를 대다. — *n.* Ⓒ 지주(支柱), 버팀대; 지지자.
prop[2] *n.* Ⓒ 〖數〗 명제; 《口》 〖劇〗 소품; 《口》 〖空〗 ＝PROPELLER.
:prop·a·gan·da[pràpәgǽndә/-ɔ̀-] *n.* Ⓤ 선전(된 주의·주장); Ⓒ 선전 기관. **∼ *film*** 선전 영화. **-gán·dism** *n.* Ⓤ 선전 (사업); 전도, 포교. **-gán·dist** *n.* Ⓒ 선지자. **-gán·dize** *vt., vi.* 선전〔포교〕하다.
·prop·a·gate [prápәgèit/-ɔ́-] *vt.* 번식시키다; 선전하다, 보급시키다; (빛·소리 등을) 전하다. — *vi.* 번식하다; 보급하다. **-ga·tor** *n.* Ⓒ 선전자. **-ga·tion**[∸–géiʃәn] *n.*
pro·pane [próupein] *n.* Ⓤ 〖化〗 프로판 (가스)《탄화수소의 일종》.
·pro·pel [prәpél] *vt.* (**-*ll*-**) 추진하다. **∼·lant** *n.* Ⓤ,Ⓒ (총포의) 발사 화약; (로켓의) 연료. **∼·lent** *a., n.* 추진하는; ＝PROPELLANT. **∼·ler** *n.* Ⓒ 프로펠러, 추진기; 추진자.
propélling péncil 《英》 샤프 펜슬 (《美》 mechanical pencil).
pro·pen·si·ty [prәpénsәti] *n.* Ⓒ 경향, 버릇, …벽(癖)(*to, for*).
†prop·er [prápәr/-ɔ́-] *a.* ① 적당한, 옳은. ② 예의바른. ③ 독특한; 〖文〗 고유의. ④ 엄밀한 의미에서의 《보통 명사 뒤에 붙임》; 진정한. ④ 《英口》 순전한. ***China* ∼** 중국 본토. ***in a* ∼ *rage*** 불같이 노하여. **∼·ly** *ad.* **∼*ly speaking*** 바르게 말하면.
·próper nóun 〔**náme**〕 〖文〗 고유명사.
:prop·er·ty[prápәrti/-ɔ́-] *n.* ① Ⓤ 재산; 소유물. ② Ⓒ 소유지. ③ Ⓤ 소유(권). ④ Ⓒ 특성. ⑤ (*pl.*) 〖劇〗

P

소품(小品). **man of ~** 자산가. **real** 〔**personal, movable**〕 **~** 부동산〔동산〕. **-tied** *a.* 《美》 재산 있는.

˙**proph·e·cy** [práfəsi/prɔ́fə-] *n.* Ⓤ,Ⓒ 예언; 신의 계시; Ⓒ 〖聖〗 예언서.

˙**proph·e·sy** [práfəsài/prɔ́fə-] *vt., vi.* 예언하다.

:**proph·et**[práfit/-ɔ́-] *n.* Ⓒ 예언자; 신의 뜻을 알리는 사람; (the Prophets) 〖舊約〗 예언서. **~·ess** *n.* Ⓒ 여자 예언자.

˙**pro·phet·ic** [prəfétik], **-i·cal** [-əl] *a.* 예언(자)의; 예언적인(*of*); 경고의. **-i·cal·ly** *ad.*

P

pro·phy·lac·tic [pròufəlǽktik/prɔ̀f-] *a., n.* (병을) 예방하는; Ⓒ 예방약〔법〕; 콘돔.

pro·pin·qui·ty [prəpíŋkwəti] *n.* Ⓤ (장소·때·관계의) 가까움; 근사; 친근.

pro·pi·ti·ate[prəpíʃièit] *vt.* 달래다; 화해시키다; (…의) 비위를 맞추다. **-a·to·ry**[-ʃiətɔ̀ːri/-təri] *a.* **-a·tion**[-⌐ʃiéiʃən] *n.*

pro·pi·tious [prəpíʃəs] *a.* 순조로운, 형편이 (…에) 좋은(*for, to*); 상서로운. **~·ly** *ad.* **~·ness** *n.*

pro·po·nent [prəpóunənt] *n.* Ⓒ 제안자; 지지자.

:**pro·por·tion** [prəpɔ́ːrʃən] *n.* ① Ⓤ 비율. ② Ⓤ 〖數〗 비례. ③ Ⓤ (각 부분의) 균형, 조화. ④ Ⓒ 몫, 부분. ⑤ (*pl.*) (각 부분을 모은) 면적, 용적, 크기. **in ~ to** …에 비례하여; …와 균형이 잡혀. **out of ~ to** …와 균형이 안 잡혀. **sense of ~** (엉뚱한 짓을 하지 않는) 신사적 양식(良識). ― *vt.* 균형잡히게 하다, 비례시키다(*to*); 할당〔배분〕하다(*to*). **~·a·ble** *a.* 균형이 잡힌. **~ed**[-d] *a.* 균형이 잡힌; 균형이 …한(*ill-~ed* 균형이 안 잡힌).

˙**pro·por·tion·al**[-əl] *a.* 균형이 잡힌; 〖數〗 비례의. **~·ly** *ad.* 비례하여.

propórtional representátion (선거의) 비례 대표(제).

˙**pro·por·tion·ate** [prəpɔ́ːrʃənit] *a.* 균형 잡힌, 비례한(*to*). **~·ly** *ad.*

:**pro·pose** [prəpóuz] *vt.* 신청하다; 제안하다; 추천〔지명〕하다; 기도하다, 꾀하다. ― *vi.* 계획하다; 청혼하다. **-pos·al** *n.* Ⓤ,Ⓒ 신청; 제안, 계획; 청혼. **-pos·er** *n.* Ⓒ 신청인; 제안자.

:**prop·o·si·tion** [pràpəzíʃən/-ɔ̀-] *n.* Ⓒ ① 제의, 제안. ② 서술(敍述). ③ 〖數〗 정리(定理); 〖論〗 명제. ④ 《美口》 기업, 사업; 상품. ⑤ 《口》 (처리할) 것; 상대, 놈, 녀석. ⑥ 《美口》 (여자에의) 유혹.

pro·pound [prəpáund] *vt.* (문제·계획을) 제출〔제의〕하다.

pro·pri·e·tar·y [prəpráiətèri/-təri] *a.* 소유(주)의; 재산이 있는; 독점의, 전매의. **~ *classes*** 유산〔지주〕 계급. **~ *medicine*** 특허 매약. **~ *rights*** 소유권. ― *n.* Ⓒ 소유자; 《집합적》 소유자들; Ⓤ,Ⓒ 소유(권).

˙**pro·pri·e·tor** [prəpráiətər] *n.* (*fem.* **-tress** [-tris]) Ⓒ 소유자; 경영자. **~·ship**[-ʃip] *n.* Ⓤ 소유권.

˙**pro·pri·e·ty** [prəpráiəti] *n.* Ⓤ ① 적당, 타당. ② 예의 바름; 교양; (the proprieties) 예의 범절.

pro·pul·sion [prəpʌ́lʃən] *n.* Ⓤ 추진(력). **-sive** *a.*

próp wòrd 〖文〗 지주어(支柱語)《형용사나 형용사 상당 어구에 붙어 이를 명사의 구실을 하게 하는 말; a white sheep and a black one에서 one》.

pro·sa·ic[prouzéiik] (< prose) *a.* 산문(체)의; 평범한, 지루한. **-i·cal·ly** *ad.*

pro·sce·ni·um [prousíːniəm] *n.* (*pl.* **-nia**[-niə]) (the ~) 앞 무대《막과 주악석(奏樂席) 사이》.

pro·scribe [prouskráib] *vt.* (사람을) 법률의 보호 밖에 두다; 추방하다; 금지〔배척〕하다. **-scríp·tion** *n.* **-scríp·tive** *a.*

:**prose**[prouz] *n.* Ⓤ 산문(체); 평범〔지루〕한 이야기. ― *a.* 산문의; 평범한, 공상력이 부족한. ― *vi.* 평범하게 쓰다〔이야기하다〕.

˙**pros·e·cute** [prásəkjùːt/prɔ́s-] *vt.* (조사를) 수행하다; (사업을) 경영하다; 〖法〗 (사람·죄를) 고소〔기소〕하다. ― *vi.* 기소하다. **-cu·tor** *n.* Ⓒ 수행자; 기소자. ***public prosecutor*** 검찰관, 검사. **-cu·tion**[⌐-kjúːʃən] *n.* Ⓤ 수행; 종사; Ⓤ,Ⓒ 기

소; Ⓤ (the ~) 《집합적》 기소자측.

pros·e·lyte [prásəlàit/prɔ́s-] *n.* Ⓒ 개종자; 전향자. — *vt., vi.* 개종〔전향〕시키다〔하다〕. **-lyt·ize** [-lətàiz] *vt., vi.* = PROSELYTE.

pros·o·dy [prásədi/-ɔ́-] *n.* Ⓤ 운율학, 작시법.

:pros·pect [práspekt/-ɔ́-] *n.* ① Ⓒ 조망(眺望); 경치; 전망. ② Ⓤ,Ⓒ 예상; 기대; 가망. ③ Ⓒ 단골이 될 듯한 손님. ***in*** ~ 예기〔예상〕되어, 가망이 있어, 유망하여. — [prəspékt] *vt., vi.* (광산 따위를) 찾다; 시굴(試掘)하다. **-pec·tor** [práspektər/prəspék-] *n.* Ⓒ 탐광자(探鑛者), 시굴자.

·pro·spec·tive [prəspéktiv] *a.* 예기된, 유망한; 장래의. ~**·ly** *ad.*

pro·spec·tus [prəspéktəs] *n.* (학교·회사 설립 등의) 취지서, 내용, 견본, 안내서.

·pros·per [práspər/-ɔ́-] *vi., vt.* 번영〔성공〕하다〔시키다〕.

:pros·per·i·ty [praspérəti/prɔspé-] *n.* Ⓤ 번영; 성공; 행운.

:pros·per·ous [práspərəs/-ɔ́-] *a.* 번영하는; 운이 좋은, 행운의; 잘 되어가는, 순조로운. ~**·ly** *ad.*

prós·tate (glànd) [prásteit(-)/-ɔ́-] *n.* Ⓒ 〖解〗 전립샘, 섭호선(攝護腺).

pros·ti·tute [prástətjù:t/prɔ́stətjù:t] *n.* Ⓒ 매춘부; 돈의 노예. — *vt.* 매음시키다〔하다〕; (능력 등을) 악용하다. **-tu·tion** [ˋ-tjú:ʃən] *n.* Ⓤ 매춘; 타락.

·pros·trate [prástreit/-ɔ́-] *a.* 부복한, 엎드린, 넘어진; 패배〔항복〕한. — *vt.* 엎드리게 하다, 넘어뜨리다; 굴복시키다; 극도로 피곤하게 하다. **pros·trá·tion** *n.* Ⓤ,Ⓒ 부복; Ⓤ 피로, 의기 소침. 「한, 지루한.

pros·y [próuzi] *a.* 산문적인; 평범

pro·tag·o·nist [proutǽgənist] *n.* Ⓒ (소설·극 따위의) 주인공; 주창자.

:pro·tect [prətékt] *vt.* 지키다, 막다; 보호하다(*from, against*); 〖經〗 (외국 물품에 과세하여 국내 산업을) 보호하다.

:pro·tec·tion [prətékʃən] *n.* ① Ⓤ 보호, 방어(*from, against*). ② Ⓒ 보호하는 사람〔물건〕. ③ Ⓤ 〖經〗 보호 무역 (제도) (opp. free trade). ④ Ⓒ 여권(旅券). ⑤ Ⓤ 〖컴〗 보호. ~**·ism** [-ìzəm] *n.* Ⓤ 보호 무역론〔무역주의〕. ~**·ist** *n.* Ⓒ 보호 무역론자; 야생 동물 보호론자.

·pro·tec·tive [prətéktiv] *a.* 보호〔방어〕하는; 상해(傷害) 방지의; 〖經〗 보호 무역의.

protéctive cústody 보호 구치.

·pro·tec·tor [prətéktər] *n.* Ⓒ ① 보호〔옹호, 방어〕자. ② 보호물〔기, 장치〕. ③ 〖英史〗 섭정.

pro·tec·tor·ate [prətéktərit] *n.* Ⓒ 보호국〔령〕.

pro·té·gé [próutəʒèi, ˋ-ˊ] *n.* (*fem.* ***-gée*** [-ʒèi]) (F.) Ⓒ 피보호자.

pro·tein [próuti:*i*n], **-teid** [-ti:*i*d] *n.* Ⓤ,Ⓒ 단백질. — *a.* 단백질의〔을 함유하는〕.

pro tem. *pro tempore.*

:pro·test [prətést] *vt., vi.* 항의하다 (*against*); 단언〔주장〕하다; (*vt.*) (약속 어음 따위의) 지급을 거절하다. — [próutest] *n.* Ⓤ,Ⓒ 이의; 언명; Ⓒ (어음의) 거절 증서. ***under*** ~ 항의하며, 마지못해서.

·Prot·es·tant [prátəstənt/prɔ́t-] *n.* Ⓒ 〖基〗 신교도; (p-) 항의자. — *a.* 신교도의; (p-) 이의를 제기하는. ~**·ism** [-ìzəm] *n.* Ⓤ 신교(의 교리); 《집합적》 신교도; 신교 교회.

prot·es·ta·tion [pràtistéiʃən, pròutes-] *n.* Ⓤ,Ⓒ 항의(*against*); 단언(*of, that*).

pro·to·col [próutəkàl, -kɔ̀:l/-kɔ̀l] *n.* Ⓒ 의정서; Ⓤ (외교상의) 의례(儀禮); 〖컴〗 (통신) 규약.

pro·ton [próutan/-tɔn] *n.* Ⓒ 〖理·化〗 프로톤, 양자(陽子).

pro·to·plasm [próutouplæ̀zəm] *n.* Ⓤ 〖生〗 원형질.

pro·to·type [próutoutàip] *n.* Ⓒ 원형; 모범; 〖컴〗 원형.

pro·to·zo·an [pròutəzóuən] *n., a.* Ⓒ 〖動〗 원생 동물(의).

pro·tract [proutrǽkt, prə-] *vt.* 오래〔질질〕 끌게 하다, 연장하다; 뻗치다, 내밀다; (각도기·비례자로) 제도하다. ~**·ed** [-id] *a.* 오래 끈. **-trac·tile** [-til, -tail] *a.* (동물의 기관 따

위) 신장성(伸長性)의. **-trác·tion** *n.*

pro·trac·tor[-ər] *n.* Ⓒ 각도기.

˙**pro·trude**[proutrú:d] *vt., vi.* 내밀다; 불쑥 나오다. **-trud·ent**[-ənt] *a.* **-tru·sion**[-ʒən] *n.* Ⓤ 돌출; Ⓒ 돌출부. **-trú·sive** *a.*

pro·tu·ber·ant[proutjú:bərənt] *a.* 불룩 솟은, 불쑥 나온. **-ance, -an·cy** *n.* Ⓤ 돌출, 융기; Ⓒ 돌출[융기]부, 혹.

†**proud**[praud] *a.* ① 자랑[자만]하고 있는; 자랑으로 생각하는(*of*). ② 자존심이 있는. ③ 거만한. ④ 영광으로 여기는. ⑤ 자랑할 만한; 당당한. ***be ~ of*** …을 자랑하다; …을 영광으로 생각하다. ***do a person ~*** 《口》 아무를 우쭐하게 하다. **:∠·ly** *ad.*

†**prove**[pru:v] *vt.* (**~d; ~d,** 《美·古》 ***proven***) ① 입증[증명]하다. ② (유언서를) 검인(檢認)하다. — *vi.* …이라 판명되다, …이 되다. **próv·a·ble** *a.* 증명할 수 있는.

prov·en[prú:vən] *v.* 《美·古》 prove의 과거분사.

prov·e·nance[právənəns/prɔ́v-] *n.* Ⓤ 기원, 출처.

prov·en·der[právindər/prɔ́-] *n.* Ⓤ 꼴, 여물; 음식물.

:prov·erb [právə:rb/-ɔ́-] *n.* Ⓒ 속담; 평판[정평] 있는 것. ***the* (*Book of*) *Proverbs*** 〖舊約〗 잠언(箴言).

˙**pro·ver·bi·al** [prəvə́:rbiəl] *a.* ① 속담(투)의; 속담으로 표현된; 속담으로 된. ② 평판 있는. **~·ly** *ad.* 속담대로; 일반으로 널리 (알려져).

†**pro·vide**[prəváid] *vt.* 준비[마련]하다(*for, against*); 조건을 정해두다, 규정하다(*that*); 공급하다(*with*). — *vi.* 대비[준비]하다(*for, against*); 예방책을 취하다; 부양하다(*for*). ***be ~d with*** …의 설비가 있다, …의 준비가 되어 있다. **˙-vid·ed**[-id], **˙-víd·ing** *conj.* …할 조건으로(*that*), 만약 …이라면.

˙**prov·i·dence**[právədəns/prɔ́v-] *n.* Ⓤ,Ⓒ ① 섭리, 신(神)의 뜻, 신조(神助). ② 장래에 대한 배려, 조심, 검약. ③ (P-) 신(神).

prov·i·dent[právədənt/prɔ́v-] *a.* 선견지명이 있는, 신중한, 알뜰한.

prov·i·den·tial [pràvədénʃəl/prɔ̀v-] *a.* 섭리의, 하느님 뜻에 의한; 행운의. **~·ly** *ad.*

:prov·ince [právins/-ɔ́-] *n.* ① Ⓒ 주(州), 성(省). ② (the ~s) (수도·주요 도시 이외의) 지방, 시골. ③ Ⓤ 본분; (활동의) 범위, (학문의) 부문.

˙**pro·vin·cial**[prəvínʃəl] *a.* ① 주[영토]의. ② 지방[시골]의, 촌스러운, 조야(粗野)한; 편협한. — *n.* Ⓒ 지방민, 시골뜨기. **~·ism**[-ìzəm] *n.* Ⓤ,Ⓒ 시골티; Ⓤ 조야; 편협; 지방 사투리.

:pro·vi·sion[prəvíʒən] *n.* ① Ⓤ 준비(*for, against*); 공급, 지급. ② Ⓒ 공급량; (*pl.*) 식량, 저장품. ③ 〖法〗 Ⓒ 조항, 규정. ***make ~*** 준비하다 (*for, against*). — *vi.* 식량을 공급하다.

˙**pro·vi·sion·al**[prəvíʒənəl] *a.* 임시의, 일시[잠정]적인. **~·ly** *ad.*

pro·vi·so [prəváizou] *n.* (*pl.* **~(*e*)*s***) Ⓒ 단서(但書); 조건.

˙**prov·o·ca·tion**[pràvəkéiʃən/-ɔ̀-] *n.* Ⓤ 성나게 함; 자극; 성남, 화. ***under ~*** 성을 내어.

˙**pro·voc·a·tive** [prəvákətiv/-ɔ́-] *a., n.* Ⓒ 성나게 하는 (것); 자극하는 (것); 도발적인.

:pro·voke[prəvóuk] *vt.* ① 성나게 하다, 자극하다. ② (감정 따위를) 불러일으키다; 일으키다(*of*). **pro·vók·ing** *a.* 성이 나는, 속타게[울컥거리게] 하는. **-vók·ing·ly** *ad.* 자극적으로; 성[화]날 정도로.

prov·ost[právəst/-ɔ́-] *n.* Ⓒ (영국의 college의) 학장; 〖宗〗 =DEAN; 《Sc.》 시장(市長).

˙**prow**[prau] *n.* Ⓒ 이물 (모양의 물건); (비행기 따위의) 기수(機首).

˙**prow·ess**[práuis] *n.* Ⓤ ① 용기; 무용(武勇). ② 훌륭한 솜씨.

˙**prowl**[praul] *vt., vi.* (먹이를 찾아) 헤매다. — *n.* (a ~) 배회, 찾아 헤맴. **~·er** *n.* Ⓒ 배회자, 좀도둑.

prox·i·mate[práksəmit/prɔ́k-] *a.* (장소·시간이) 가장 가까운; 근사한.

prox·im·i·ty[praksíməti/-ɔ-] *n.* Ⓤ (장소·시간·관계의) 접근(*to*).

prox·y[práksi/-ɔ́-] *n.* Ⓒ 대리(인); 대용물; 대리 투표; 위임장.

prude[pru:d] *n.* Ⓒ (남녀 관계에)

얌전한 체하는 여자, 숙녀연하는 여자.

:**pru·dent**[prú:dənt] *a.* 조심성 있는, 신중한; 분별 있는. **~·ly** *ad.* **-dence** *n.* Ⓤ 사려, 분별; 신중; 검소(economy).

prud·er·y[prú:dəri] *n.* Ⓤ 얌전한〔점잖은〕 체함, 숙녀연함; Ⓒ 짐짓 점잔빼는 행위〔말〕.

prud·ish[prú:diʃ] *a.* 숙녀인 체하는, 새침떼는.

˙**prune**[1] [pru:n] *n.* Ⓒ 서양 자두; 말린 자두. ***~s and prism*(*s*)** 점잔빼 말투, 특별히 공손한 말씨.

˙**prune**[2] *vt.* ① (나무를) 잘라 내다, (가지를) 치다(*away, off, down*). ② (여분의 것을) 없애다, 바싹 줄이다, (문장을) 간결하게 하다.

prun·ing[prú:niŋ] *n.* Ⓤ (심은 나무 등의) 가지치기, 전지(剪枝).

pru·ri·ent[prúəriənt] *a.* 호색(好色)의, 음탕한.

prús·sic ácid[prʌ́sik-] 〖化〗 청산(靑酸).

˙**pry**[1] [prai] *vi.* 엿보다(peep)(*about, into*); 일일이 알고 싶어하다(*into*). ― *n.* Ⓒ 꼬치꼬치 캐기 좋아하는 사람.

pry[2] *n.* Ⓒ 지레. ― *vt.* 지레로 올리다〔움직이다〕; 애써서 얻다(*out*).

˙**P.S.** postscript.

:**psalm**[sɑ:m] *n.* Ⓒ 찬송가, 성가; (P-) (시편중의) 성가. ***the* (*Book of*) *Psalms*** 〖舊約〗 시편. ― *vt.* 성가를 불러 찬미하다. **~·ist** *n.* Ⓒ 찬송가 작자; (the P-) (시편의 작자라고 일컬어지는) 다윗왕.

Psal·ter[sɔ́:ltər] *n.* (the ~) 시편; (p-) Ⓒ (예배용 기도서) 성가집.

pseud. pseudonym.

pseu·do(-) [sú:dou] *a.* 《口》 가짜의, 거짓의; 유사한.

pseu·do·nym[sú:dənim] *n.* Ⓒ (저자의) 아호(雅號), 필명.

psst [pst] *int.* 저, 여보세요, 잠깐 《주의를 끌기 위해 부르는 말》.

psych[saik] *vt., vi.* 《美俗》 정신적으로 혼란케 하다〔해지다〕; (육감으로) 꿰뚫어보다; 정신 분석을 하다.

Psy·che[sáiki] *n.* 〖그神〗 프시케, 사이키《나비의 날개를 가진 미소녀로 표현되는 인간의 영혼》; (p-) 《보통 단수형》 Ⓒ 영혼, 정신.

psy·che·del·ic[sàikədélik] *a.* 도취(감)의; 환각을 일으키는; 사이키풍의. ― *n.* Ⓒ 환각제 (사용자).

psy·chi·a·try[saikáiətri] *n.* Ⓤ 정신병학. **-trist** *n.* Ⓒ 정신병 의사〔학자〕. **-at·ric**[sàikiǽtrik] *a.*

psy·chic[sáikik], **-chi·cal**[-əl] *a.* 혼의; 정신의; 심령(현상)의, 초자연적인; 심령 작용을 받기 쉬운. ― *n.* Ⓒ 영매(靈媒), 무당.

psy·cho[sáikou] *n.* Ⓒ 《俗》 정신병자; Ⓤ 정신 분석. ― *a.* 정신병학의, 신경증의.

psy·ch(o)-[sáik(ou)] '정신, 영혼, 심리학' 의 뜻의 결합사.

psỳcho·análysis *n.* Ⓤ 정신 분석(학). **-anályst** *n.* Ⓒ 정신 분석학자.

˙**psy·cho·log·i·cal**[sàikəládʒikəl/-ɔ́-] *a.* 심리학의, 심리(학)적인(~ *acting* 심리 연기). **~·ly** *ad.*

psychológical wárfare 심리전, 신경전.

:**psy·chol·o·gy**[saikálədʒi/-ɔ́-] *n.* Ⓤ 심리학; 심리 (상태). ˙**-gist** *n.* Ⓒ 심리학자.

psy·cho·path[sáikoupæ̀θ] *n.* Ⓒ 정신병자.

psy·cho·sis[saikóusis] *n.* (*pl.* ***-ses***[-si:z]) Ⓤ,Ⓒ (심한) 정신병, 정신 이상.

psy·cho·so·mat·ic [sàikousoumǽtik] *a.* 정신 신체 양쪽의, 심신의. **~s** *n.* Ⓤ 정신 신체 의학.

psỳcho·thérapy *n.* Ⓤ (암시나 최면술에 의한 신경병의) 정신 요법.

psy·chot·ic[saikátik/-ɔ́-] *a., n.* 정신병의; Ⓒ 정신병자.

pt. part; pint(s); point; port.

P.T. physical training.

PTA, P.T.A. Parent-Teacher Association.

PT bóat 《美》 어뢰정《PT = Patrol Torpedo》.

Pte. Private 《英》 병사(cf. Pvt.).

pter·o·dac·tyl[tèroudǽktil] *n.* Ⓒ 〖古生〗 익수룡(翼手龍).

P.T.O., p.t.o. please turn over.

pub[pʌb] *n.* Ⓒ 《英口》 목로술집, 선

P

술집(public house).

púb cràwl 《英俗》 술집 순례《2차, 3차 다니는》.

pu·ber·ty [pjúːbərti] *n.* U 사춘기 《남자 14세, 여자 12세경》; 묘령.

pu·bes·cent [pjuːbésnt] *a.* 사춘기에 이른; 〖動·植〗 솜털로 뒤덮인.

pu·bic [pjúːbik] *a.* 음모의; 음부의; 치골의(*the* ~ *region* 음부 / *the* ~ *hair* 음모).

†**pub·lic** [pʌ́blik] *a.* ① 공중의; 공공의. ② 공립의, 공영(公營)의. ③ 공개의. ④ 공공연한; 널리 알려진. ⑤ 국제적인. ── *n.* U ①(the ~) 《집합적》 공중, 국민, 사회. ② (때로 a ~) 《집합적》 …계(界); 동아리, 패거리, 팬. **in ~** 공공연히. **~ good** (**benefit, interests**) 공익. *~**·ly** *ad.* 공공연히; 여론으로.

pub·li·can [pʌ́blikən] *n.* C 《英口》 선술집(public house)의 주인; (고대 로마의) 수세리(收稅吏).

:**pub·li·ca·tion** [pʌ̀bləkéiʃən] *n.* ① U 발표, 공표. ② U 발행; 출판; C 출판물.

públic hòuse 《英》 선술집; 여인숙.

pub·li·cist [pʌ́blisist] *n.* C 국제법학자; 정치 평론가; 광고 취급인.

:**pub·lic·i·ty** [pʌblísəti] *n.* U 널리 알려짐, 주지; 공표; 평판; 선전.

pub·li·cize [pʌ́bləsàiz] *vt.* 선전(공표)하다.

「이 있는.

públic-mínded *a.* 공공심(公共心)

públic relátions 홍보(선전) 활동《생략 P.R.》; 섭외 사무; P.R. 담당원.

·**públic schóol** 《美》 공립 학교; 《英》 기숙사제의 사립 중등 학교《귀족주의적인 대학 예비교; Eton, Harrow, Winchester, Rugby 등은 특히 유명》.

públic séctor 공공 부문.

públic spírit 공공심(公共心).

públic-spírited *a.* =PUBLIC-MINDED.

públic utílity 공익 사업(체).

públic wórks 공공 토목 공사.

:**pub·lish** [pʌ́bliʃ] *vt.* ① 발표(공표)하다; (법률 따위를) 공포하다. ② 출판(발행)하다. *~**·er** *n.* C 출판업자; 발표자; 《美》 신문 경영자.

puck *n.* C 퍽《아이스하키용의 고무로 만든 원반》.

puck·a [pʌ́kə] *a.* 《印英》 일류의, 고급품의; 진짜의; 신뢰할 수 있는.

puck·er [pʌ́kər] *vt., vi.* 주름을 잡다; 주름잡히다; 주름살짓다; 주름지다; 오므리다(*up*); 오므라지다(*up*). ── *n.* C 주름, 주름살.

:**pud·ding** [púdiŋ] *n.* ① U,C 푸딩 《과자》; 《英》 (식사 끝에 나오는) 디저트; 소시지의 일종. ② C 푸딩 모양의 것; 《口》 땅딸보. **more praise than ~** (실속 없는) 헛 칭찬.

pud·dle [pʌ́dl] *n.* C 웅덩이; U 이긴 진흙《진흙과 모래를 물로 이긴 것》. ── *vt.* 흙탕물로 적시다; 흙탕물이 되게 하다; 이긴 진흙이 되게 하다; (물의 유출을 막기 위해) 이긴 진흙을 바르다; (산화제를 넣어 녹은 쇠를) 정련하다. ── *vi.* 흙탕을 휘젓다(*about, in*). **púd·dling** *n.* U 연철(鍊鐵)(법). **púd·dly** *a.* (길 따위) 웅덩이가 많은; 진흙투성이의, 흙탕의.

pu·den·da [pjuːdéndə] *n. pl.* (*sing.* **-dum** [-dəm]) 〖解〗 (여성의) 외음부.

pudg·y [pʌ́dʒi] *a.* 땅딸막한, 뭉툭한.

pu·er·ile [pjúːəril, -ràil] *a.* 어린애 같은. **-il·i·ty** [pjùːəríləti] *n.* U 어린애 같음; 유년기; C 어린애 같은 언행.

:**puff** [pʌf] *n.* C ① 한 번 불, 그 양, 훅불기. ② 부풂. ③ (머리털의) 숱; (화장용의) 분첩. ④ 슈크림(모양의 과자). ⑤ 과장된 칭찬; 과대 광고. ⑥ (여자 옷 소매의) 부푼 주름. ── *vi.* ① 입김을(연기를) 훅 뿜다 (*out, up*). ② 푹푹거리며 움직이다 (뛰다)(*away, along*). ③ 헐떡이다. ④ 부풀어 오르다(*out, up*). ── *vt.* ① (연기 따위를) 훅 내뿜다, (담배를) 피우다. ② 훅 불어 버리다(*away*). ③ 헐떡이게 하다. ④ 부풀어 오르게 하다; 과장하여 칭찬하다. **∠·er** *n.* C 훅 부는 사람(물건); 〖魚〗 복어류. **∠·er·y** *n.* U,C 과대 선전(*mutual ~ery* 상호 칭찬). **∠·y** *a.* 훅 부는, 한 바탕 부는《바람》; 부푼; 뚱뚱한; 숨찬.

púff·bàll *n.* C 〖植〗 말불버섯.

puf·fin [pʌ́fin] *n.* Ⓒ 바다쇠오리의 일종《해조(海鳥)》 (sea parrot).
púff slèeve 퍼프 소매. 「자코.
pug [pʌg] *n.* Ⓒ 발바리의 일종; 사
pu·gil·ism [pjúːdʒəlìzəm] *n.* Ⓤ 권투. **-ist** *n.* Ⓒ (프로) 권투 선수. **-is·tic** [≥-ístik] *a.*
pug·na·cious [pʌgnéiʃəs] *a.* 툭하면 싸우는. **~·ly** *ad.* **pug·nac·i·ty** [-nǽsəti] *n.*
puke [pjuːk] *n., v.* 《口》 = VOMIT.
puk·ka [pʌ́kə] *a.* 《印英》 = PUCKA.
†**pull** [pul] *vt.* ① 당기다. ② (이·마개 따위를) 뽑다(*up*). ③ (꽃·과실 따위를) 따다; 찢다; 당기어 손상시키다. ④ (수레 따위를) 끌어 움직이다; (배를) 젓다. ⑤ (고삐를 당겨 말을) 멈추다; 〖競馬〗 (지려고 말을) 제어하다; 적당히 다루다. ⑥ (찌푸린 얼굴을) 하다(~ *a face*). ⑦ 《口》 행하다. ⑧ 〖印〗 수동 인쇄기로 찍어내다. — *vi.* 끌다, 잡아당기다(*at*); 당겨지다; (배가) 저어지다, 배를 젓다(*away, for, out*); 마시다(*at*); (담배를) 피우다(*at*). ***P- devil, ~ baker!*** (줄다리기 등에서) 어느 편도 지지 마라! ***~ down*** 헐다; (정부 등을) 넘어뜨리다; (가치·지위를) 떨어뜨리다; (병 따위가 사람을) 쇠약게 하다. ***~ foot*** 《俗》 죽자하고 뛰다; 도망가다. ***~ for*** 《口》 …을 돕다. ***~ in*** (목 따위를) 움추리다; 절약하다; (말을) 제어하다; 《俗》 체포하다; (기차가) 들어오다, (배가 물가 따위에) 접근하다. ***~ off*** 벗다; (경기에) 이기다, (상을) 타다; 잘 해내다. ***~ on*** (잡아당겨) 입다. ***~ oneself together*** 원기를 회복하다(cf. COLLECT[1] oneself). ***~ out*** 잡아빼다; 배를 저어나가다; (기차가 역을) 떠나다; (이야기 따위를) 끌다. ***~ out of the fire*** 실패를 성공으로 돌리다. ***~ round*** (건강을) 회복시키다. ***~ through*** (병·난국을) 겪어내게 하다; 곤란을 겪어내다. ***~ together*** 협력해서 하다. ***~ to pieces*** 갈기갈기 찢다; 혹평하다. ***~ up*** 뽑다; 근절하다; (말·수레를) 정지시키다, 정지하다. — *n.* ① Ⓒ 끌어[잡아]당김; 당기기; 한 번 노를 젓기; 《口》 (술·담배 따위의) 한 모금. ② Ⓤ 끄는 힘, 인력. ③ Ⓒ 당기는 손잡이(handle), 당기는 줄. ④ Ⓤ 곤란한 등반(登攀)[여행]; 노력. ⑤ Ⓤ 《俗》 연고, 연줄; (개인적인) 이점.
pul·let [púlit] *n.* Ⓒ (1년이 안 된) 어린 암탉.
***pul·ley** [púli] *n.* Ⓒ 도르래. — *vt.* 도르래로 올리다[를 달다].
púll-ìn *n.* Ⓒ 《英》 (길가의) 간이식당.
Púll·man (**càr**) [púlmən-] *n.* (*pl.* **~s**) 풀먼식 차량《침대차·특등차》.
púll-òut *n.* Ⓒ (잡지 따위의) 접어 넣는 페이지; 철수.
púll·òver *n.* Ⓒ 스웨터.
pul·mo·nar·y [pʌ́lmənèri, púl-/ pʌ́lmənəri] *a.* 폐의; 폐를 침범하는; 폐병의; 폐를 가진.
***pulp** [pʌlp] *n.* ① Ⓤ 과육(果肉); 치수(齒髓); 펄프《제지 원료》. ② Ⓒ (보통 *pl.*) 《俗》 (질이 나쁜 종이의) 저속한 잡지, 싸구려 책. **∠·y** *a.* 과육[펄프] 모양의, 걸쭉한.
***pul·pit** [púlpit, pʌ́l-] *n.* Ⓒ 설교단; (the ~) 《집합적》 목사; (the ~) 설교; 《英空軍俗》 조종석.
pul·sate [pʌ́lseit/−∠] *vi.* 맥이 뛰다, 고동하다; 진동하다, 오싹오싹하다. **pul·sá·tion** *n.* **pul·sá·tor** *n.* Ⓒ (세탁기 따위의) 진동기(器).
:**pulse**[1] [pʌls] *n.* Ⓒ ① 맥박; 고동. ② (생명·감정·의지 등의) 움직임; 느낌, 의향. ③ (규칙적으로) 뜀. ④ (전파 등의) 순간 파동, 펄스. ⑤ 〖컴〗 펄스. — *vi.* 맥이 뛰다; 진동하다.
pulse[2] *n.* Ⓒ 콩류, 콩《beans, peas, lentils 따위》.
pul·ver·ize [pʌ́lvəràiz] *vt.* 가루로 만들다; (액체를) 안개 모양으로 만들다; 《俗》 (의론 따위를) 분쇄하다. — *vi.* 가루가 되다. **-iz·er** [-àizər] *n.* Ⓒ 분쇄자[기]; 분무기. **-i·za·tion** [pʌ̀lvərizéiʃən] *n.* Ⓤ 분쇄.
pu·ma [pjúːmə] *n.* (*pl.* **~s,** 《집합적》 ~) Ⓒ 아메리카사자, 퓨마; Ⓤ 그 모피.
pum·ice [pʌ́mis] *n., vt.* Ⓤ 경석(輕石)(으로 닦다).
pum·mel [pʌ́məl] *vt.* (《英》 **-ll-**) 주먹으로 연거푸 치다.

P

:pump¹[pʌmp] *n.* Ⓒ 펌프 (달린 우물). — *vt., vi.* ① 펌프로 (물을) 올리다, 퍼내다(*out, up*). ② 펌프로 공기를 넣다(*up*). ③ 펌프의 손잡이 같이 (위아래로) 움직이다. ④ (머리를) 짜내다. ⑤ 《口》 넘겨짚어 알아내다, 유도심문하다.

pump² *n.* Ⓒ (보통 *pl.*) 끈 없는 가벼운 신《야회용·무도용》, 펌프스.

pum·per·nick·el[pʌ́mpərnìkəl] *n.* Ⓤ,Ⓒ 조제(粗製)의 호밀빵.

˙pump·kin [pʌ́mpkin, pʌ́ŋkin] *n.* Ⓒ,Ⓤ (서양) 호박. ***be some ~s*** 《美俗》 대단한 인물〔물건, 곳〕이다.

púmp prìming 《美》 (펌프의 마중물 같은) 정부의 재정 투융자에 의한 경제 회복 정책.

pun[pʌn] *n.* Ⓒ (동음 이의어를 이용한) 재담, 신소리(*on, upon*). — *vi.* (**-nn-**) 신소리〔재담〕하다(*on, upon*).

Punch[pʌntʃ] *n.* 펀치《영국 인형극 *~ and Judy*의 주인공, 곱사등이며 코가 굽은, Judy의 남편》; 펀치지(誌)《영국의 풍류 만화 잡지》. ***as pleased as ~*** 매우 기뻐서.

:punch¹ *vt.* 주먹으로 때리다; 《美西部》 (가축을) 몰다. — *n.* ① Ⓒ 주먹으로 때리기(*on*), 치기. ② Ⓤ 《口》 박력; 활기; 효과.

:punch² *n.* Ⓒ 구멍 뚫는 기구, 타인기(打印器), 표 찍는 가위, 찍어서 도려 내는 기구, 펀치; 〖컴〗 구멍, 펀치. — *vi.* (구멍을) 뚫다; 찍어내다; (표를) 찍다.

˙punch³ *n.* Ⓤ,Ⓒ 펀치《포도주·설탕·레몬즙·우유 따위의 혼합 음료》.

púnch·bàll *n.* 《英》 =PUNCHING-BAG.

púnch-drùnk *a.* (권투 선수가) 맞고 비틀비틀하는; 《口》 (머리가) 혼란한; 망연 자실한.

púnching bàg (권투 연습용의) 매달아 놓은 자루(《英》 punchball).

púnch lìne 급소를 찌르는 명문구.

punc·til·i·o[pʌŋktíliòu] *n.* (*pl.* **~s**) Ⓒ (의식(儀式) 따위의) 미세한 점; Ⓤ 형식 차림. **punc·tíl·i·ous** *a.* (예의범절에) 까다로운, 형식을 차리는, 꼼꼼한.

:punc·tu·al[pʌ́ŋktʃuəl] *a.* 시간을 엄수하는. **~·ly** *ad.* **~·i·ty**[⌐–ǽləti] *n.*

punc·tu·ate[pʌ́ŋktʃuèit] *vt.* 구두점을 찍다; (이야기를) 중단하다; 강조하다.

˙punc·tu·a·tion[⌐–éiʃən] *n.* Ⓤ 구두(법); 《집합적》 구두점.

punctuátion màrk 구두점.

˙punc·ture[pʌ́ŋktʃər] *n.* Ⓤ 찌름; Ⓒ (찔러 생긴) 구멍, (타이어의) 펑크. — *vt.* 찌르다; 구멍을 뚫다. — *vi.* 펑크나다.

pun·dit[pʌ́ndit] *n.* Ⓒ (인도의) 학자; 《諧》 박식한 사람.

pun·gent[pʌ́ndʒənt] *a.* (혀나 코를) 자극하는; 날카로운, 신랄한; 가슴을 에는 듯한; 마음을 찌르는.

pún·gen·cy *n.* Ⓤ 자극; 신랄; Ⓒ 신랄한〔자극이 강한〕 것.

:pun·ish[pʌ́niʃ] *vt.* 벌하다, 응징하다(*for, with, by*); 호되게 해치우다, 혼내주다. **~·a·ble** *a.* 벌 줄 수 있는, 벌주어야 할. **~·ment** *n.* Ⓤ 벌, 처벌; Ⓒ 형벌(*for, on*); Ⓤ 가혹한 처사, 학대; 〖拳〗 강타.

pu·ni·tive [pjú:nətiv], **-to·ry** [-nətɔ̀:ri/-təri] *a.* 형벌의; 벌 주는.

punk[pʌŋk] *n.* Ⓤ 《美》 불쏘시개(용의 썩은 나무); Ⓒ 《美俗》 애송이, 풋내기; 쓸모 없는 인간; 《美俗》 면, 연동(戀童); Ⓤ 《美俗》 실없는 소리. — *a.* 《美俗》 빈약한, 하찮은.

pun·ster[pʌ́nstər] *n.* Ⓒ 신소리를 잘하는 사람.

punt¹[pʌnt] *n.* Ⓒ (삿대로 젓는 양 끝이 네모진) 너벅선; 〖美式蹴〗 펀트《손에서 떨어뜨린 공을 땅에 닿기 전에 차기》. — *vt., vi.* (보트를) 삿대로 젓다; 〖美式蹴〗 펀트하다.

punt² *vt.* 〖카드〗 물주에게 대항하여 걸다; 《英》 (경마 따위에서) 돈을 걸다.

pu·ny[pjú:ni] *a.* 아주 작은, 미약한; 보잘 것 없는.

˙pup[pʌp] *n.* Ⓒ ① 강아지; (여우·이리·바다표범 등의) 새끼. ② 《口》 건방진 풋내기. — *vi.* (**-pp-**) (암캐가) 새끼를 낳다.

pu·pa[pjú:pə] *n.* (*pl.* **-pae** [-pi], **~s**) Ⓒ 번데기《chrysalis의 과학적 명칭》. **pú·pal**[-pəl] *a.*

pu·pate[pjú:peit] *vi.* 번데기가 되다, 용화(蛹化)하다.
pu·pil[1][pjú:pəl] *n.* Ⓒ 학생.
pu·pil[2] *n.* Ⓒ 〖解〗 눈동자, 동공.
˙**pup·pet**[pʌ́pit] *n.* Ⓒ 강아지; 꼭두각시, 괴뢰; 건방진 풋내기.
˙**pup·py**[pʌ́pi] *n.* Ⓒ 강아지; 건방진 풋내기.
:**pur·chase**[pə́:rtʃəs] *vt.* ① 사다; 노력하여 얻다. ② 지레〔도르래〕로 올리다. — *n.* ① Ⓤ 구입; Ⓒ 구입품. ② Ⓤ (토지로부터의 해마다의) 수익(고). ③ Ⓤ (당기거나 오르거나 할 때의) 손 잡을〔발 붙일〕데. ˙**púr·chas·er** *n.* Ⓒ 사는 사람, 구매자.
púrchasing pòwer 구매력.
:**pure**[pjuər] *a.* 순수한, 더러움 없는; 순혈〔순종〕의; 깨끗한; 순정(純正)의; 오점 없는, 순전한; 단순한; 순이론적인. (*a fool*) ~ ***and simple*** 순전한 (바보). **∠·ly** *ad.* **∠·ness** *n.*
púre·bréd *a., n.* 순종의; Ⓒ 순종 동물〔식물〕.
***pu·rée,* pu·ree**[pjuréi, ∠-/pjúri:] *n.* (F.) Ⓒ,Ⓤ 퓌레《야채 등을 삶아 거른 것》; 그것으로 만든 진한 스프.
pur·ga·tive[pə́:rgətiv] *a., n.* Ⓒ 하제(의).
pur·ga·to·ry[pə́:rgətɔ̀:ri/-təri] *n.* Ⓤ 〖가톨릭〗 연옥(煉獄); Ⓤ,Ⓒ 고행, 고난, 지옥 같은 곳. **-to·ri·al**[∸-tɔ́:riəl] *a.* 연옥의; 정죄적(淨罪的)인, 속죄의.
:**purge**[pə:rdʒ] *vt.* ① (몸·마음을) 깨끗이 하다(*of, from*). ② 일소하다(*away, off, out*). ③ (정당·반대 분자 따위를) 추방〔숙청〕하다. ④ (죄·혐의를) 풀다(*of*). ⑤ 변통(便痛)시키다. — *vi.* 깨끗이 하다. — *n.* Ⓒ 정화; 추방; 하제(下劑). **pur·gée** *n.* Ⓒ 피(被)추방자.
˙**pu·ri·fy**[pjúərəfài] *vt.* 정화하다, 깨끗이 하다(*of, from*); 심신을 깨끗이 하다; 정련〔정제(精製)〕하다. **-fi·er** *n.* Ⓒ 깨끗이 하는 사람; 청정기(淸淨器), 청정 장치. **-fi·ca·tion**[∸-fikéiʃən] *n.*
pur·ism[pjúərizm] *n.* Ⓤ,Ⓒ (언어 따위의) 순수주의, 국어 순정(純正)주의. **pur·ist** *n.*
˙**Pu·ri·tan**[pjúərətən] *n., a.* Ⓒ 청교도(의); (p-) (도덕·종교상) 엄격한 (사람). **~·ism**[-ìzəm] *n.* Ⓤ 청교(주의); (p-) (도덕·종교상의) 엄격주의.
pu·ri·tan·ic[pjùərətǽnik], **-i·cal**[-əl] *a.* 청교도적인; 엄격한.
˙**pu·ri·ty**[pjúərəti] *n.* Ⓤ ① 청정(淸淨), 청결. ② 결백. ③ (언어의) 순정(純正).
purl *n., vt., vi.* Ⓒ (고리 모양의) 가장 자리 장식(을 달다); Ⓤ 〖編物〗 뒤집어 뜨기〔뜨다〕.
pur·lieu[pə́:rlju:] *n.* Ⓒ 세력권내; (*pl.*) 근처, 주변, 교외. 「다.
pur·loin[pə:rlɔ́in] *vt., vi.* 도둑질하
:**pur·ple**[pə́:rpəl] *n.* ① Ⓤ,Ⓒ 자줏빛; Ⓤ (옛날 황제나 왕이 입던) 자줏빛 옷. ② (*the* ~) 왕위; 고위; 추기경의 직(위). ***be born in the*** ~ 왕후(王侯)의 신분으로 태어나다. — *a.* 자줏빛의; 제왕의; 화려한; 호화로운. — *vt., vi.* 자줏빛이 되(게 하)다. **pur·plish, pur·ply**[-li] *a.* 자줏빛을 띤.
Púrple Héart 〖美陸軍〗 명예 상이기장; (p- h-) 《俗》 (보랏빛 하트형) 흥분제.
pur·port[pə́:rpɔ:rt] *n.* Ⓤ 의미, 요지, 취지. — [-∠] *vt.* 의미하다, 취지로 하다; …이라 칭하다.
†**pur·pose**[pə́:rpəs] *n.* ① Ⓒ 목적, 의도; 용도. ② Ⓤ 의지, 결심. ③ Ⓤ 효과. ***on*** ~ 일부러. ***to good*** ~ 매우 효과적으로, 잘. ***to little*** 〔***no***〕 ~ 거의〔아주〕 헛되이. — *vt.* 계획하다, …하려고 생각하다. **~·ly** *ad.* 일부러, 고의로.
pur·pose·ful[-fəl] *a.* 목적 있는; 고의의; 의미심장한, 중대한; 과단성 있는. **~·ly** *ad.*
pur·pose·less[-lis] *a.* 목적이 없는; 무의미한, 무익한. **~·ly** *ad.*
pur·pos·ive[pə́:rpəsiv] *a.* 목적이 있는; 목적에 맞는; 과단성 있는.
˙**purr**[pə:r] *vi., vt., n.* (고양이가 만족하여) 가르랑거리다; Ⓒ 그 소리; 목을 울리다〔울려서 알리다〕.
:**purse**[pə:rs] *n.* Ⓒ ① 돈주머니, 돈지갑. ② (*sing.*) 금전, 자력, 국고. ③ 상금, 기부금. ***hold the*** ~ ***strings*** 금전 출납을 취급하다.

make a SILK ~ *out of a sow's ear.* — *vt., vi.* (돈주머니 아가리처럼) 오므리다(*up*); 오므라지다.

purs·er[pə́:rsər] *n.* Ⓒ (선박의) 사무장.

purse strìngs 돈주머니끈; 재산상의 권한.

pur·su·ance [pərsú:əns/-sjú:-] *n.* Ⓤ 추구; 속행(續行); 수행, 이행. *in* ~ *of* …을 좇아서, …을 이행하여. ***-ant** *a.* (…에) 따른(*to*).

:pur·sue[pərsú:/-sjú:] *vt.* ① 추적하다. ② 추구하다. ③ 수행하다, 종사하다; 속행하다. ④ (길을) 찾아 가다. — *vi.* 쫓아가다, 따라가다. ***pur·sú·er** *n.* Ⓒ 추적자; 추구자; 수행자; 연구자.

P

:pur·suit[pərsú:t/-sjú:t] *n.* ① Ⓤ 추적, 추격; 추구. ② Ⓤ 속행, 수행; 종사. ③ Ⓒ 직업, 일; 연구. *in* ~ *of* …을 좇아서.

pu·ru·lent[pjúərələnt] *a.* 곪은, 화농성의; 고름 같은. **-lence** *n.*

pur·vey[pərvéi] *vt.* (식료품을) 공급〔조달〕하다. **~·ance** *n.* Ⓤ (식료품의) 조달;《廢》조달〔식료〕품. **~·or** *n.* Ⓒ 어용(御用) 상인, 식료품 조달인.

pur·view[pə́:rvju:] *n.* Ⓤ (활동) 범위; 권한; 〖法〗 요항, 조항.

pus[pʌs] *n.* Ⓤ 고름, 농즙.

†push[puʃ] *vt.* ① 밀다; 밀어 움직이다. ② 쑥 내밀다. ③ (계획 등을) 밀고 나가다; 강하게 주장하다; 추구하다. ④ 확장하다. ⑤ (상품 등을) 억지로 떠맡기다. ⑥ 궁박게 하다. — *vi.* 밀다; 밀고 나가다(*on*); 노력하다; 돌출하다; (싹이) 나다. ***be ~ed for*** (돈·시간 따위에) 쪼들리다. ~ ***along*** 출발하다; (다시) 한 걸음 더 나아가다. ~ ***off*** (배를) 밀어내다;《口》떠나다, 돌아가다. ~ ***out*** 밀어내다; (싹 따위를) 내밀다. ~ ***over*** 밀어 넘어뜨리다. ~ ***up*** 《口》증가하다. — *n.* ① Ⓒ 밂, 한번 밀기; 추진; 돌진; 분투. ② Ⓤ 기력, 진취적 기상. ③ Ⓤ,Ⓒ《口》억지, 적극성. ④《집합적》《口》동아리, 일당. ⑤〖컴〗밀어넣기. **∠·er** *n.* Ⓒ 미는 사람〔것〕; 〖空〗 추진식 비행기; 보조 기관차. **∠·ful** [∠fəl] *a.* 적극적인; 오지랖넓은. **∠·ing** *a.* 미는; 활동적인; 억지가 센.

púsh bùtton (벨·컴퓨터 등) 누름단추.

púsh·càrt *n.* Ⓒ《美》손수레.

púsh·chàir *n.* Ⓒ《英》접는 식의 유모차.

púsh·òver *n.* Ⓒ《美俗》편한〔쉬운〕일, (경기에서) 약한 상대.

púsh·ùp *n.* ① Ⓒ (체조의) 엎드려 팔굽혀기(press-up). ② Ⓤ 〖컴〗 처음 먼저내기.

push·y[∠i] *a.*《美口》자신만만한, 오지랖넓은.

pu·sil·lan·i·mous[pjù:səlǽnəməs] *a.* 겁많은, 무기력한. **-la·nim·i·ty**[-sələnímәti] *n.*

puss[pus] *n.* Ⓒ《의인적 호칭》고양이(cf. chanticleer); 소녀.

***puss·y**[púsi] *n.* Ⓒ ①《兒》고양이. ② 털이 있는 부드러운 것《버들개지 등》(catkin). ③《卑》여자의 음부; 성교.

pússy·càt *n.* Ⓒ《兒》고양이.

pússy·fòot *vi., n.* (*pl.* **~s**) Ⓒ《美口》살그머니 걷다〔걷는 사람〕; 소극적인 생각을 하다〔하는 사람〕;《주로 英》금주주의자.

pússy wíllow (미국산) 갯버들.

pus·tule[pʌ́stʃu:l] *n.* Ⓒ 〖醫〗 농포(膿疱); 〖動·植〗 소돌기(小突起); 여드름, 물집, 사마귀.

†put[put] *vt.* (~; *-tt-*) ① 놓다, 두다, 고정시키다; 넣다(*in, to*). ② (어떤 물건에) 붙이다(*to*). ③ (어떤 상태·관계로) 두다, 하다(*in, to, at, on, under*). ④ 기록하다; 설명하다; 표현〔번역〕하다(*into*). ⑤ (문제를) 제출하다, (질문을) 하다. ⑥ 평가하다, 어림잡다(*at*). ⑦ (방향으로) 돌리다, 진로를 잡다(*off, out*). ⑧ (손을 어깨까지 굽혀) 던지다. ⑨ 사용하다(*to*). ⑩ (일, 책임, 세금 등을) 지우다; …에게 돌리다, …의 탓으로 하다. ***be ~ to it*** 강권에 못이겨 …하게 되다, 몹시 곤란받다. ~ ***about*** (배의) 방향을 바꾸다; 퍼뜨리다; 공표하다. ~ ***aside*** 〔***away, by***〕 치우다, 떼어〔남겨〕 두다; 버리다. ~ ***back*** (본래의 장소·상태로) 되돌리다, …을 방해하다; 되돌아가다.

~ down 내려놓다; 억누르다, 진정하게 하다, 말 못하게 하다; 줄이다; 적어 두다, (예약자로서) 기입하다; 평가하다(*at, as, for*); (…의) 탓으로 하다(*to*); 〖空〗 착륙하다. ***~ forth*** 내밀다; (싹·힘 따위를) 내다; (빛을) 발하다. ***~ forward*** 나아가게 하다; 제언[주장]하다; 촉진하다; 추천하다; 눈에 띄게 하다. ***~ in*** 넣다; 제출하다; 신청하다(*for*); 《口》 (시간을) 보내다; 입항하다. ***Put it there!*** 《美俗》 악수[화해]하자. ***~ off*** (옷을)벗다; 제거하다; 연기하다, 기다리게 하다; (가짜 물건을) 안기다(*on, upon*); 피하다, 회피하다; 단념케 하다(*from*); 출발하다. ***~ on*** 입다, 몸에 걸치다; …체하다; 늘다; 일시키다, 부추기다. ***~ oneself forward*** 주제넘게 굴다; 입후보하다. ***~ out*** 내다, 쫓아내다; (불을) 끄다; 방해하다, 난처하게 하다; (싹·힘 따위를) 내다; (눈을) 상하게 하다; 출판하다; 〖크리켓·野〗 아웃시키다; 출범하다. ***~ over*** 연기하다; 호평을 얻게 하다, 성공하다. ***~ through*** 꿰뚫다; 해내다; (전화를) 연결하다. ***~ together*** 모으다; 합계하다. ***~*** (*a person*) ***to it*** 강제하다; 괴롭히다. ***~ up*** 올리다, 걸다; 보이다; 상연하다, (기도를) 드리다; (청원을) 제출하다; 입후보로 내세우다, 건립하다; 저장하다; 제자리에 두다, 치우다; (칼집에) 넣다; 숙박시키다; 《口》 (몰래) 꾀하다. ***~ upon*** 속이다. ***~*** (*a person*) ***up to*** (아무에게) 알리다; 부추기어 …하게 하다. ***~ up with*** …을 참다[견디다]. 「의.

pu·ta·tive [pjú:tətiv] *a.* 추정(상)

pu·tre·fac·tion [pjù:trəfǽkʃən] *n.* Ⓤ 부패 (작용); Ⓒ 부패물. **-tive** *a.*

pu·tre·fy [pjú:trəfài] *vt., vi.* 부패시키다[하다]; 곪(게 하)다.

pu·tres·cent [pju:trésənt] *a.* 썩어 가는; 부패의. **-cence** *n.*

pu·trid [pjú:trid] *a.* 부패한; 타락한.

putsch [putʃ] *n.* (G.) Ⓒ 소폭동, 소란.

putt [pʌt] *vt., vi.* 〖골프〗 (홀 쪽으로 공을) 가볍게 치다. — *n.* Ⓒ 경타(輕打).

put·ter[1] [pʌ́tər] *vi.* 꾸물꾸물 일하다.

put·ter[2] [pʌ́tər] *n.* Ⓒ 〖골프〗 경타자; 경타용 채.

pútting grèen 〖골프〗 (홀 주위의) 경타 구역(cf. tee, fairway).

put·ty [pʌ́ti] *n., vt.* Ⓤ (유리 접합용의) 퍼티(로 고정하다, 로 메우다).

pút-ùp *a.* 《口》 미리 꾸민; 미리 짠.

:**puz·zle** [pʌ́zl] *n.* Ⓒ 수수께끼, 난문; (*sing.*) 당혹. — *vt.* 당혹시키다, (머리를) 괴롭히다[짜내다](*over*); 생각해내다. — *vi.* 당혹하다(*about, over*); 머리를 짜다(*over*). ***~ out*** 생각해내다.

P

PVA polyvinyl alcohol [acetate].

PVC polyvinyl chloride. **Pvt.** Private 《美》 병사(cf. Pte.).

·**pyg·my** [pígmi] *n., a.* Ⓒ 난쟁이; (P-) (아프리카·동남 아시아의) 피그미족; 아주 작은.

py·jam·as [pədʒɑ́:məz, -ǽ-] *n. pl.* 《英》 = PAJAMAS.

py·lon [páilɑn/-lɔn] *n.* Ⓒ (고대 이집트 사원의) 탑문; (고압선의) 철탑; 〖空〗 (비행장의) 목표탑.

:**pyr·a·mid** [pírəmid] *n.* Ⓒ 피라미드, 금자탑; 각추(角錐). **py·ram·i·dal** [pirǽmədəl] *a.* 「미.

pyre [paiər] *n.* Ⓒ 화장용의 장작더미.

Py·rex [páiəreks] *n., a.* Ⓤ 《美》 〖商標〗 (내열용의) 파이렉스 유리(로 만든).

py·ri·tes [paiəráiti:z, pə-] *n.* Ⓤ 〖鑛〗 황철광; 황화(黃化) 금속의 총칭.

py·ro·ma·ni·a [pàiəraméiniə] *n.* Ⓤ 방화광(狂).

py·ro·tech·nic [pàiərouték nik], **-ni·cal** [-əl] *a.* 불꽃의, 불꽃 같은; 불꽃 제조(술)의. **~s** *n.* Ⓤ 불꽃 제조술; 《복수 취급》 불꽃(올리기); (변설 따위의) 멋짐.

Pýrrhic víctory 막대한 희생을 치르고 얻은 승리.

py·thon [páiθɑn, -θən] *n.* Ⓒ (열대산) 비단뱀.

Q

Q, q[kju:] *n.* (*pl.* ***Q's, q's***[-z]) Ⓒ q자형의 것. ***Q and A*** 질의 응답(Question and Answer).
Q. question.
Q.B. Queen's Bench.
Q.C. Queen's Counsel.
qr. quarter; quire. **qt.** quart(s).
qua[kwei, kwɑ:] *ad.* (L.) …로서, …의 자격으로.
˙**quack**[1][kwæk] *vi.* (집오리 따위가) 꽥꽥 울다. ── *n.* Ⓒ 우는 소리.
quack[2] *n.* Ⓒ 돌팔이 의사; 식자연하는 사람; 사기꾼. ── *a.* 가짜[협잡·사기]의; 돌팔이 의사가 쓰는. ~ ***doctor*** 돌팔이 의사. ~ ***medicine*** 가짜 약. **∠·er·y** *n.* Ⓤ 엉터리 치료; 사기꾼 같은 짓.
quad[kwɑd/-ɔ-] *n.* 《口》 =QUADRANGLE; Ⓒ 《口》 네 쌍둥이(의 한 사람); 4채널 (스테레오).
quad·ran·gle[kwɑ́drӕ̀ŋgəl/-ɔ́-] *n.* Ⓒ 사변[사각]형, 정방형; (건물에 둘러 싸인 네모꼴의) 안뜰; 안뜰 둘레의 건물. **quad·rán·gu·lar** *a.* 사변형의.
quad·rant [kwɑ́drənt/-ɔ́-] *n.* Ⓒ 〖幾〗 사분원(주), 사분면; 사분의(四分儀).
quad·ra·phon·ic [kwɑ̀drəfɑ́nik/kwɔ̀drəfɔ́nik] *a.* (녹음 재생이) 4채널의.
quad·ri-[kwɑ́drə/-ɔ́-] '4'의 뜻의 결합사.
quàdri·láteral *n., a.* Ⓒ 4변형(의); 4변의.
qua·drille[kwɑdríl, kwə-] *n.* Ⓒ 카드리유(네 사람이 추는 춤; 그 곡).
quad·ru·ped[kwɑ́drupèd/-ɔ́-] *n.* Ⓒ 네발 짐승. ── *a.* 네발 가진.
quad·ru·ple[kwɑdrú:pəl, kwɑ́dru-/kwɔ́dru-] *a.* 4겹의; 4부분으로[4단위로] 된; 4배의; 〖樂〗 4박자의. ── *n.* Ⓤ (the ~) 4배. ── *vt., vi.* 4배로 만들다[되다]. **-ply**[-i] *ad.*
quad·ru·plet[kwɑ́druplit/-ɔ́-] *n.* Ⓒ 4개 한 조[벌]; 네 쌍둥이의 한 사람; (*pl.*) 네 쌍둥이(cf. triplet).
quaff[kwɑ:f, kwæf] *n., vt., vi.* Ⓒ 꿀꺽꿀꺽 마심[마시다].
quag·mire[kwǽgmàiər] *n.* Ⓒ 늪지; 궁지.
˙**quail**[1][kweil] *n.* (*pl.* ~***s***, 《집합적》 ~) Ⓒ 메추라기.
quail[2] *vi.* 주눅들다, 기가 죽다(*at, before, to*).
:**quaint**[kweint] *a.* 색다르고 재미있는, 고풍이며 아취 있는; 기이(奇異)한. **∠·ly** *ad.* **∠·ness** *n.*
˙**quake**[kweik] *n., vi.* Ⓒ 흔들림, 흔들리다, 진동(하다); 떨림, 떨리다(*with, for*); 《口》 지진.
˙**Quak·er**[kwéikər] *n.* Ⓒ 퀘이커교도. ~**·ess** *n.* Ⓒ 여자 퀘이커교도. ~**·ish** *a.* 퀘이커교도와 같은; 근엄(謹嚴)한. ~**·ism**[-ìzəm] *n.* Ⓤ 퀘이커교도의 교의[습관·근엄성].
˙**qual·i·fi·ca·tion** [kwɑ̀ləfəkéiʃən/kwɔ̀l-] *n.* ① Ⓒ (*pl.*) 자격(부여)(*for*). ② Ⓒ 자격 증명서. ③ Ⓤ,Ⓒ 제한, 조절.
:**qual·i·fy**[kwɑ́ləfài/-ɔ́l-] *vt.* ① (…에게) 자격[권한]을 주다, 적격으로 하다; 《美》 (…에) 선서하고 법적 자격을 주다. ② 제한하다, 한정하다; 완화하다; 약하게 하다. ③ (…으로) 간주하다, 평하다. ④ 〖文〗 한정[수식]하다. ── *vi.* 자격을 얻다, 적격성을 보이다. ˙**-fied**[-d] *a.* 자격 있는, 적임의; 면허받은; 한정된, 조건부의. **-fi·er** *n.* Ⓒ 자격을 주는 사람[것]; 〖文〗 한정[수식]어구; 〖컴〗 정성자. ~**·ing** *a.* 자격을 주는; 한정[수식]하는. ~***ing examination*** (자격) 검정 시험.
˙**qual·i·ta·tive** [kwɑ́lətèitiv/kwɔ́lətə-] *a.* 성질상의, 질적인.
:**qual·i·ty** [kwɑ́ləti/-ɔ́l-] *n.* ① Ⓤ 질; 성질; 품질. ② Ⓒ 특질, 특성;

재능. ③ Ⓤ 음질, 음색. ④ Ⓤ 양질(良質), 우량성. ⑤ Ⓤ《古》고위(高位), (높은) 사회적 지위; (the ~) 상류 사회(의 사람들).

quálity contròl 품질 관리.

qualm [kwɑːm, -ɔː-] *n.* Ⓒ (*pl.*) 현기증; 메스꺼움, 구역질; (갑작스런) 불안, 의구심. (양심의) 가책. ***~s of conscience*** 양심의 가책. **~·ish** *a.*

quan·da·ry [kwándəri/-ɔ́-] *n.* Ⓒ 당혹; 당황; 궁경(predicament).

*__quan·ti·ta·tive__ [kwántətèitiv/kwɔ́n-] *a.* 양적인, 양에 관한; 계량(計量)할 수 있는.

:**quan·ti·ty** [kwántəti/kwɔ́n-] *n.* Ⓤ 양; Ⓒ (특정한) 수량, 분량; (*pl.*) 다량, 다수. ***a ~ of*** 다소의. ***in ~***〔***quantities***〕많이, 다량으로.

quántity survèyor〖建〗견적사(見積士).

quan·tum [kwántəm/-ɔ́-] *n.* (*pl.* **-ta**[-tə]) Ⓒ 양; 정량; 몫;〖理〗양자(量子).

quántum jùmp〔**lèap**〕〖理〗양자 도약; 돌연한 비약; 약진.

quántum mechánics 양자 역학.

quántum thèory 양자론.

quar·an·tine [kwɔ́ːrəntiːn, -á-] *n.* Ⓒ 검역 정선(停船) 기간; 검역소; Ⓤ 격리, 교통 차단. — *vt.* 검역하다; 격리하다; (한 나라를) 고립시키다.

quark [kwɔːrk] *n.* Ⓒ〖理〗쿼크 모형《가설적 입장》.

:**quar·rel** [kwɔ́ːrəl, -á-] *n.* Ⓒ ① 싸움, 말다툼; 불화. ② 싸움〔말다툼〕의 원인, 불화의 씨. ③ 불평. — *vt.* (《英》 **-ll-**) (…와) 싸움〔말다툼〕하다(*with, for*); 티격나다; 불평하다(*with*). * **~·some** *a.* 싸움〔말다툼〕좋아하는.

*__quar·ry__[1] [kwɔ́ːri, -á-] *n.* Ⓒ 채석장; (지식·자료 따위의) 원천. — *vi.* 채석장에서 떠내다; (책에서) 찾아내다.

quar·ry[2] *n.* (*sing.*) 사냥감; 먹이; 추구물(追求物); 복수의 대상.

*__quart__ [kwɔːrt] *n.* Ⓒ 쿼트《액량의 단위: 4분의 1 갤런, 약 1.14 리터; 건량(乾量)의 단위; 1/8펙》; 1쿼트 들이 그릇.

†**quar·ter** [kwɔ́ːrtər] *n.* Ⓒ ① 4분의 1;《美》25센트 (은화); 15분(간); 4분기, 3개월, 1기(期)《1년을 4지불기로 나눈 하나》;《美》(4학기제의) 한 학기. ② 4방위《동서남북》의 하나, 방향, 방면, 그 방향의 장소. ③ 지역; 지구, …가(街). ④ (정보의) 출처, 소식통. ⑤ (*pl.*) 주소, 숙소; 부서. ⑥ (항복자 등의) 구명(救命)(을 허락함). ⑦ 짐승의 네 발의 하나, 각(脚). ⑧〖海〗선미부(船尾部), 고물쪽. ⑨〖紋〗방패를 직교선(直交線)으로 4분한 그 한 부분; 방패의(가진 사람이 보아) 오른쪽 위 4분의 1의 부분에 있는 문장(紋章). ⑩〖蹴〗(수비 위치는 Ⓤ) 쿼터백. ***at close ~s*** 접근하여. ***give ~ to*** …에게 구명(救命)을 허락하다. — *vt.* 4(등)분하다; (죄인을) 네 갈래로 찢다; 숙박시키다;〖海〗부서에 배치하다;〖紋〗(4분한) 방패에 (무늬를) 배치하다. — *vi.*〖海〗고물에 바람을 받고 달리다. — *a.* 4분의 1의.

quárter dày 4계(季) 지불일《영국에서는 Lady Day(3월 25일), Midsummer day(6월 24일), Michaelmas(9월 29일), Xmas(12월 25일); 미국에서는 1월, 4월, 7월, 10월의 각 초하루》.「갑판.

quárter·dèck *n.* (the ~)〖海〗후

quàrter·fínal *n., a.* Ⓒ 준준결승(의)(cf. semifinal).

quar·ter·ly [-li] *a., ad.* 연 4회의〔에〕; 철마다의〔에〕. — *n.* Ⓒ 연 4회 간행물, 계간지(季刊誌).

quárter·màster *n.* Ⓒ〖美陸軍〗병참 장교;〖海軍〗조타(操舵)수.

quárter nòte〖樂〗4분 음표.

quárter sèssions〖英法〗(연(年) 4회의) 주(州)재판소《1971년 폐지되고 Crown Court가 설치됨》.

*__quar·tet(te)__ [kwɔːrtét] *n.* Ⓒ 4중주〔창〕(곡); 4중주〔창〕단; 4개 한 벌.

quar·to [kwɔ́ːrtou] *n.* (*pl.* **~s**) Ⓤ,Ⓒ 4절판; Ⓒ 4절판의 책《약 9×12인치》. — *a.* 4절판의.

quartz [kwɔːrts] *n.* Ⓤ〖鑛〗석영.

qua·sar [kwéisɑːr, -zər] *n.* Ⓒ〖天〗항성상(恒星狀) 천체.

quash [kwɑʃ/-ɔ-] *vt.* 누르다, 진압하다, 가라앉히다;〖法〗취소하다, 폐

Q

기하다.

qua·si-[kwéizai, -sai] *pref.* '준(準)…, 유사(類似)…' 의 뜻.

qua·ter·cen·te·na·ry [kwɑ̀:tərsέntənèri/kwæ̀tərsentí:nəri] *n.* Ⓒ 4백년제(祭).

quat·rain[kwɑ́trein/-ɔ́-] *n.* Ⓒ 4행시(詩).

˚**qua·ver**[kwéivər] *vi.* (목소리가) 떨리다; 떨리는 목소리로 노래하다[말하다]; (악기로) 떠는 소리를 내다. — *n., vt.* Ⓒ 떨리는 목소리(로 노래하다, 말하다); 진음(震音); 〚樂〛 8분음표. **~·y** *a.* 떨리는 목소리의.

quay[ki:] *n.* Ⓒ 부두, 안벽(岸壁).

quáy·sìde *n.* Ⓒ 부두 지대.

quea·sy[kwí:zi] *a.* (음식물 따위가) 구역질 나는; (위·사람이) 메슥거리기 잘하는; 안정되지 않는, 불쾌한; 까다로운. **-si·ly** *ad.* **-si·ness** *n.*

Q

†**queen**[kwi:n] *n.* Ⓒ ① 왕비; 여왕; (…의) 여왕; 여왕벌[개미]. ② 아내, 연인. ③ (카드·체스의) 퀸. ④ 《空俗》 (무인기를 조작하는) 모기(母機). ⑤ 《美俗》 (남색의) 면(cf. punk). — *vt., vi.* 여왕으로서 군림하다. **∠-ly** *a., ad.* 여왕의[같은, 같이]; 여왕다운[답게]; 위엄 있는.

quéen bée 여왕벌.

quéen cónsort 왕비, 황후.

quéen móther 태후, 대비.

:**queer**[kwiər] *a.* ① 기묘한, 우스운; 별난. ② 몸[기분]이 좋지 않은; 기분[정신]이 좀 이상한. ③ 수상한; 《美俗》 가짜의; 나쁜, 부정한. ④ 《英俗》 술취한. — *n.* Ⓒ 《美俗》 가짜 돈; 남자 동성애자. — *vt.* 《俗》 결딴내다. **∠-ly** *ad.* **∠-ness** *n.*

˚**quell**[kwel] *vt.* (반란을) 진압하다; (감정을) 가라앉히다; 소멸시키다.

:**quench**[kwentʃ] *vt.* 《詩》 (불 따위를) 끄다; (욕망 등을) 억제하다; (갈증을) 풀다. **∠-less** *a.* 끌[누를] 수 없는.

quer·u·lous[kwérjələs] *a.* 투덜거리는; 성마른.

˚**que·ry**[kwíəri] *n.* Ⓒ 질문, 의문; 의문 부호; 〚컴〛 질문, 조회《data base에 대한 특정 정보의 검색 요구》 (~ *language* 질문[조회] 문자). — *vt.* (…에게) 묻다, 질문하다. — *vi.* 질문을 하다; 의문을 나타내다.

:**quest**[kwest] *n.* Ⓒ 탐색, 탐구(물). ***in ~ of*** (…을) 찾아. — *vt.* 탐색하다.

†**ques·tion**[kwéstʃən] *n.* Ⓒ 질문; Ⓤ 의심, 의문; Ⓒ 〚文〛 의문문; 심문; 논쟁; 문제; 사건; (의안의) 채결(의 제의). ***beside the ~*** 문제 밖이어서. ***beyond*** [***without***] ***~*** 의심할 나위도 없이, 확실히. ***call in ~*** 의심을 품다, 이론(異論)을 제기하다. ***in ~*** 논의 중의, 문제의. ***out of ~*** 《古》 확실히. ***out of the ~*** 논할 가치가 없는, 문제가 안되는. ***put the ~*** (의장이) 가부를 채결하다. ***Q-!*** (연사를 주의시켜) 본론을 말하시오!; 이의 있소! — *vt.* (…에게) 묻다, 질문하다; 심문하다; 탐구하다; 의심하다; 논쟁하다. **~·a·ble** *a.* 의심스러운; 수상쩍은. **~·less** *a.* 의심 없는, 명백한.

ques·tion·ing[-iŋ] *n.* Ⓤ 질문, 심문. — *a.* 의심스러운, 묻는 듯한. **~·ly** *ad.*

:**quéstion màrk** 의문부호(?).

quéstion màster 《英》 (퀴즈 프로 등의) 질문자, 사회자.

ques·tion·naire[kwèstʃənέər] *n.* (F.) Ⓒ (조목별로 쓴) 질문서, 앙케트(cf. opinionaire).

quéstion tìme 《英》 (의회의) 질문 「시간.

˚**queue**[kju:] *n.* Ⓒ 땋아 늘인 머리, 변발(辮髮); 《英》 (순번을 기다리는 사람이나 자동차 따위의) 긴 열; 〚컴〛 큐. JUMP ***the ~***. — *vi.* 《英》 긴 열을 이루다[이루어 기다리다]; 〚컴〛 대기 행렬을 짓다.

quib·ble[kwíbl] *n.* Ⓒ 둔사(遁辭), 핑계, 견강 부회; (수수께끼) 익살. — *vi.* 쓸데 없는 의론을 하다, 신소리하다.

†**quick**[kwik] *a.* ① 빠른, 재빠른, 민속한; 즉석의, 당장의. ② 성급한; (커브가) 급한. ③ 이해가 빠른; 민감한; 날카로운. ④ 《古》 살아 있는. — *ad.* 서둘러서, 빨리. — *n.* Ⓤ ① (the ~)(손[발]톱 밑의) 생살; 상처의 붉은 살. ② 감정의 중추(中樞), 급소; 중요 부분. ③ 살아 있는 사람들. ***the ~ and the dead*** 생존자

와 사망자. ***to the*** ~ 속살까지; 통렬히; 순수하게. †**∠·ly** *ad.* 서둘러서; 빨리. **∠·ness** *n.*

:quick·en[∠ən] *vt.* ① (…에게) 생명을 주다, 살리다. ② 고무하다; 활기 있게 하다. ③ 서두르게 하다, 속력을 올리다. ― *vi.* 살다; 활기띠다; (속력이) 빨라지다.

quíck-fíre *a.* 속사(용)의.

quick·ie, quick·y[kwíki] *n.* Ⓒ 《俗》 (급히 서둘러 만든) 날림 영화[소설]; 《美俗》 (술을) 단숨에 들이켬, 서둘러서 하는 일《여행, 성교 따위》. ― *a.* 속성의.

quíck-lìme *n.* Ⓤ 생석회.

quíck òne 《口》 (쭈욱) 단숨에 들이켜는 술.

quíck·sànd *n.* Ⓒ (*pl.*) 유사(流砂).

quíck·sìlver *n.* Ⓤ 수은.

quíck·stèp *n.* Ⓒ (*sing.*) 속보 (행진); 속보(速步) 행진곡; 활발한 춤의 스텝. 「내는.

quíck-témpered *a.* 성마른, 성 잘

quíck-wítted *a.* 기지에 찬, 재치 있는.

quid *n.* (*pl.* ~) Ⓒ 《英俗》 1파운드 금화[지폐]; 1파운드.

quid pro quo[kwìd prou kwóu] (L.) 대상물(代償物); 대갚음.

qui·es·cent[kwaiésnt] *a.* 조용한; 활동없는. **-cence, -cen·cy** *n.*

†**qui·et**[kwáiət] *a.* 조용[고요]한; 평정(平靜)한; (마음이) 평온한; 얌전한; 침착한; 점잖은, 수수한. ― *ad.* 조용히, 고요히, 평온히. ― *n.* Ⓤ 조용함; 정지(靜止); 침착, 평정. ― *vt.* 고요[조용]하게 하다; 달래다; 누그러뜨리다, 가라앉히다. ― *vi.* 조용해지다(*down*). **~·ism**[-ìzəm] *n.* Ⓤ 정적주의(靜寂主義)《17세기 말의 신비적 종교 운동》. **~·en** *vt., vi.* 《英》 =QUIET. **~·ist** *n.* †**~·ly** *ad.* **~·ness** *n.*

qui·e·tude[kwáiət*j*ù:d] *n.* Ⓤ 고요, 조용함, 정온(靜穩); 평온.

quiff[kwif] *n.* Ⓒ 《英》 (이마에 드린) 만 머리, (남자의) 앞머리.

˙**quill**[kwil] *n.* Ⓒ ① 큰 깃《날개·꼬리 따위의 튼튼한》; 깃촉. ② =∠ **pén** 깃촉 펜; 이쑤시개, (낚시의) 찌. ③ (보통 *pl.*) (호저(豪猪)의) 가시.

˙**quilt**[kwilt] *n.* Ⓒ 누비 이불; 침상덮개. ― *vt.* 누비질하여 꿰매)다; (지폐·편지 등을) …갈피에 꿰매 넣다. ― *vi.* 《美》 누비 이불을 만들다. **∠·ing** *n.* Ⓤ 누비질; 누비 이불감.

quin[kwin] *n.* =QUINTUPLET.

quince [kwins] *n.* Ⓒ 마르멜로 (열매).

quin·cen·te·na·ry [kwìnséntənèri], **-ten·ni·al**[kwìnsenténiəl] *a.* 500년(째)의; 500년 계속되는; 500세의. ― *n.* Ⓒ 500년제(祭).

qui·nine [kwáinain/kwiní:n] *n.* Ⓤ 키니네, 퀴닌.

quint[kwint] *n.* 《口》 =QUINTUPLET.

quin·tes·sence [kwintésns] *n.* (the ~) 정수(精髓), 진수(眞髓); 전형(典型)(*of*). **-sen·tial**[kwìntəsénʃəl] *a.*

quin·tet(te)[kwintét] *n.* Ⓒ 5중주단; 5중주[창]곡; 5개 한 벌[세트].

quin·tu·plet[kwintʌ́plət, -tjú:-/kwíntju-] *n.* Ⓒ 다섯 쌍둥이 중의 한 사람; 5개 한 벌.

quip[kwip] *n.* Ⓒ 명언(名言), 경구(警句); 빈정대는 말; 신랄한 말; 둔사(遁辭)(quibble); 기묘한 것.

quirk[kwəːrk] *n.* Ⓒ 빈정거림, 기벽(奇癖); 둔사(遁辭); 갑작스런 굽이; (서화의) 멋부려 쓰기[그리기].

quis·ling[kwízliŋ] *n.* Ⓒ 매국노, 배반자. **quis·le** *vi.* 조국을 팔다.

quis·ler *n.* Ⓒ 매국노, 배반자.

:quit[kwit] *vt.* (**~, ~*ted; -tt-***) ① 그만두다; 사퇴하다; 떠나다; 포기하다; 놓아버리다. ② (갚아서 빚 따위를) 면하다; 갚다; 면하게 하다(~ *oneself of* …을 면하다). ~ ***oneself*** 처신하다. ― *n.* Ⓒ 【컴】 끝냄《현 체계에서 이전 상태로의 복귀·처리 중지를 뜻하는 명령어[키]; 그 신호》. ― *pred., a.* 자유로워; (의무·부담 따위를) 면하여.

†**quite**[kwait] *ad.* 아주, 전혀, 완전히; 실제로, 거의; 《口》 꽤, 대단히.

quits[kwits] *pred. a.* 승패 없이 대등하여(*with*). ***call* [*cry*]** ~ 비긴 것으로 하다.

quit·ter[kwítər] *n.* Ⓒ 《口》 (경쟁·일·의무 등을) 이유없이 중지[포기]하

는 사람.

:**quiv·er**[1] [kwívər] *vi., vt., n.* 떨다, 떨게 하다; Ⓒ (*sing.*) 진동, 떨림.

quiv·er[2] *n.* Ⓒ 전통(箭筒), 화살통.

quix·ot·ic [kwiksɑ́tik/-ɔ́-] *a.* 돈키호테식의; 기사(騎士)연하는; 공상적인, 비현실적인. **-i·cal·ly** *ad.*

˙**quiz** [kwiz] *vt.* (**-zz-**) ① 《美》 (…에게) 질문하다, (…의) 지식을 시험하다. ② 놀리다, 희롱하다. — *n.* (*pl.* ~**zes** [kwíziz]) Ⓒ 《美》 시문(試問), 질문; 퀴즈; 장난; 놀리는〔희롱하는〕 사람.

quíz·màster *n.* Ⓒ (퀴즈 프로의) 사회자.

quiz·zi·cal [kwízikəl] *a.* 놀리는, 희롱하는, 지나친 장난을 하는; 기묘한, 우스꽝스러운. ~**·ly** *ad.*

quoit [kwait/kwɔit] *n.* Ⓒ 쇠고리; (*pl.*) 쇠고리 던지기.

quo·rum [kwɔ́:rəm] *n.* Ⓒ (회의의) 정족수(定足數).

quo·ta [kwóutə] *n.* Ⓒ 몫; 할당; 할당액(額).

quot·a·ble [kwóutəbəl] *a.* 인용할 수 있는; 인용할 만한; 인용에 적당한.

:**quo·ta·tion** [kwoutéiʃən] *n.* ① Ⓤ 인용; Ⓒ 인용어〔구·문〕. ② Ⓤ,Ⓒ 견적(見積).

:**quotátion màrks** 인용 부호(“ ” 또는 ‘ ’)(inverted commas).

:**quote** [kwout] *vt.* ① 인용하다; 인증(引證)하다. ② 〖商〗 (…의) 시세를 말하다; 견적하다(*at*). — *vi.* 인용하다(*from*); 〖商〗 시세를〔견적을〕 말하다(*for*). — *n.* Ⓒ 인용구〔문〕, 인용 부호.

quoth [kwouθ] *vt.* 《古》 말하였다(1인칭·3인칭 직설법 과거, 언제나 주어 앞에 놓음)(*“Yes,” ~ he, “I will.”*).

quo·tient [kwóuʃənt] *n.* Ⓒ 〖數·컴〗 몫.

q.v. [kjú: ví:, hwítʃ sí:] *quod vide* (L. = which see) 이 문구를〔말을〕 참조하라.

Q

R

R, r[ɑːr] *n.* (*pl.* ***R's, r's***[-z]) ***the r months*** R자(가 들어) 있는 달《9월부터 이듬해 4월까지; 굴(oyster)의 식용 기간》. ***the three R's*** 읽기·쓰기·셈(*r*eading, w*r*iting and a*r*ithmetic).

R. Republican. **R.,r.** *regina*(L. = queen); *rex* (L. = king); right; river. **®**registered trademark.

rab·bi[rǽbai], **rab·bin**[rǽbin] *n.* (*pl.* ~(***e***)***s***) [C] 랍비《유대의 율법 박사의 존칭》; 선생.

rab·bin·i·cal[rəbínikəl, ræ-] *a.* 랍비의; 랍비의 교의(敎義)〔말투, 저작〕의.

†**rab·bit**[rǽbit] *n.* [C] (집)토끼(의 털가죽)(cf. hare).

rábbit wàrren 토끼 사육장; 길이 복잡한 장소.

rab·ble[rǽbəl] *n.* ① [C]《집합적》 와글대는 어중이떠중이, 무질서한 군중(mob). ② (the ~) 하층 사회. **~·ment** *n.* [U] 소동.

rab·id[rǽbid] *a.* 맹렬한, 열광적인; 광포한; 미친. **~·ness, ra·bíd·i·ty** *n.* 「광견병.

ra·bies [réibiːz] *n.* [U] 〖病〗 공수병,

rac·coon[rækúːn, rə-] *n.* [C] 완웅(浣熊)《북아메리카산 곰의 일종》; [U] 그 털가죽.

†**race**[1][reis] *n.* ① [C] 경주, 경마; (the ~s) 경마대회; [C] …싸움; 경쟁. ② [C] (사람의) 일생; (태양·달의) 운행; (시간의) 경과; (이야기의) 진전. ③ [C] 수로(水路). ***run a ~*** 경주하다. — *vi., vt.* (…와) 경주〔경쟁〕하다〔시키다〕(*with*); 질주하다; (기관 따위가) 헛돌(게 하)다; (*vt.*) (재산을) 경마로 날리다(*away*).

†**race**[2] *n.* ① [U,C] 민족, 종족, 인종. ② [U] 가문, 가계(家系); 자손. ③ [C] 품종. ④ [C] 부류, 패거리, 동아리. ***finny ~*** 어류(魚類).

ráce·còurse *n.* [C] 경마장.

ráce·gòer *n.* [C] 경마팬〔광〕.

ráce·hòrse *n.* [C] 경마말.

ráce mèeting 경마대회; 경륜대회.

rac·er[réisər] *n.* [C] 경주자; 경마말; 경주 자전거〔요트〕(따위).

ráce rìot 인종 폭동《특히 미국의》.

ráce·tràck *n.* [C] 경마장.

˙**ra·cial**[réiʃəl] *a.* 인종상의.

˙**rac·ing**[réisiŋ] *n.* [U] 경주, 경마. — *a.* 경주(용)의; 경마광의.

rac·ism[réisizəm], **ra·cial·ism**[réiʃəlìzəm] *n.* [U] 민족주의, 민족 우월 사상.

:**rack**[1][ræk] *n.* ① [C] 선반; (기차 등의) 그물 선반; 모자〔옷·칼〕걸이; 격자꼴 시렁. ② (the ~) 고문대《이 위에서 사지를 잡아당김》; 괴롭히는 것. ③ [C] (톱니가 맞물리는) 톱니판. ***live at ~ and manger*** 유복하게 살다. ***on the ~*** 고문을 받고; 괴로워하여, 걱정하여. — *vt.* 선반〔시렁〕에 얹다; 고문하다; 괴롭히다; 잡아당기다. ***~ one's brains*** 머리를 짜내다.

rack[2] *n.* [U] 뜬구름, 조각구름; 파괴(wreck), 황폐. ***go to ~ and ruin*** 파멸〔황폐〕하다.

rack[3] *n., vi.* [C] (말의) 가볍게 달리기〔달리다〕.

rack·et[1][rǽkit] *n.* (a ~) 소동, 소음(騷音)(din); [C] 등치기, 공갈; 속임, 협잡(수단); 《美俗》 직업, 장사. ***go on the ~*** 들떠서 떠들다〔법석치다〕. ***stand the ~*** 시련에 견뎌 내다; 책임을 지다; 셈을 치르다. **~·y** *a.* 떠들썩한; 떠들썩하기를 좋아하는. 「켓.

†**rack·et**[2] *n.* [C] (정구·탁구 등의) 라

rack·et·eer[rǽkitíər] *n., vi.* [C] 등치기; 공갈 취재하다.

rac·on·teur[rǽkɑntə́ːr/-kɔn-] *n.* (F.) [C] 말솜씨 좋은 사람. 「COON.

ra·coon[rækúːn, rə-] *n.* = RAC-

rac·y[réisi] *a.* 팔팔〔발랄〕한, 생기

있는(lively); 신랄한(pungent); 본바닥의; 풍미있는; (풍류담(談) 등이) 외설한(*risqué*). **rác·i·ly** *ad.* **rác·i·ness** *n.*

˙**ra·dar**[réidɑ:r] *n.* Ⓒ 전파 탐지기, 레이더.

˙**ra·di·al**[réidiəl] *a.* 방사상(放射狀)의. ～**·ly** *ad.*

˙**ra·di·ance**[réidiəns], **-an·cy**[-i] *n.* Ⓤ 빛남, 광휘.

:**ra·di·ant**[-diənt] *a.* ① 빛나는, 빛〔열〕을 발하는. ② 방사〔복사(輻射)〕의. ③ (표정이) 밝은.

˙**ra·di·ate**[réidièit] *vi., vt.* ① (빛·열 따위를) 방사〔발산〕하다; 빛나다. ② (얼굴이 기쁨 따위를) 나타내다; (도로 따위가) 팔방으로 뻗(치)다. — [-diit] *a.* 발산하는, 방사상(狀)의.

˙**ra·di·a·tion**[rèidiéiʃən] *n.* ① Ⓤ (열·빛 따위의) 방사, 발광(發光), 방열(放熱). ② Ⓒ 방사물〔선〕.

radiátion sìckness 방사선병.

˙**ra·di·a·tor**[réidièitər] *n.* Ⓒ ① 라디에이터, 방열기; (자동차·비행기 따위의) 냉각기. ② 〖無線〗 공중선.

:**rad·i·cal**[rǽdikəl] *a.* ① 근본〔기본〕의; 철저한. ② 급진적인, 과격한. — *n.* Ⓒ ① 급진주의자. ② 〖化〗 기(基); 〖數〗 근호(√); 〖言〗 어근. ～**·ism**[-ìzəm] *n.* Ⓤ 급진론〔주의〕. ˙～**·ly** *ad.*

ra·di·i[réidiài] *n.* radius의 복수.

˙**ra·di·o**[réidiòu] *n.* (*pl.* ～**s**) Ⓒ 라디오(수신 장치). ***listen*** (***in***) ***to the*** ～ 라디오를 듣다. — *a.* 라디오〔무선〕의. — *vt., vi.* 무선 통신하다.

ra·di·o-[réidiou, -diə] '방사·복사·반지름·라듐·무선'의 뜻의 결합사.

˙**ràdio·áctive** *a.* 방사성의, 방사능이 있는; 방사성에 의한. ～ ***burn*** 열상(熱傷)《원자의 재 따위로 인한 화상》. ～ ***isotope*** 〖化〗 방사성 동위 원소. **-actívity** *n.* Ⓤ 방사능.

ràdio·cárbon *n.* Ⓤ 방사성 탄소《화석 등의 연대 측정에 씀》.

rádio contròl 무선 조종.

ra·di·og·ra·phy[rèidiɑ́grəfi/-ɔ́-] *n.* Ⓤ X선 사진술.

rádio télescope 〖天〗 전파 망원경.

ràdio·thérapy *n.* Ⓤ 방사선 요법.

˙**rad·ish**[rǽdiʃ] *n.* Ⓒ 〖植〗 무.

˙**ra·di·um**[réidiəm] *n.* Ⓤ 〖化〗 라듐.

˙**ra·di·us**[réidiəs] *n.* (*pl.* **-dii**[-diài]) Ⓒ ① 반지름, 반경. ② 지역, 범위; (바퀴의) 살. ③ 〖解〗 요골(橈骨). ～ ***of action*** 행동 반경.

ra·don[réidɑn/-dɔn] *n.* Ⓤ 〖化〗 라돈《방사성 희(稀)가스류 원소》.

RAF, R.A.F. Royal Air Force.

raf·fi·a[rǽfiə] *n.* Ⓒ Madagascar 산의 종려나무; Ⓤ 그 잎의 섬유.

raf·fle[rǽfəl] *n.* Ⓒ 복권식(福券式) 판매. — *vi., vt.* 복권식 판매에 가입하다〔로 팔다〕.

˙**raft**[1][ræft, -ɑ:-] *n., vt., vi.* Ⓒ 뗏목(으로 짜다, 가다, 보내다). ∠**·er**[1], **ráfts·man** *n.* Ⓒ 뗏사공.

raft[2] *n.* (a ～) 《美口》 다수, 다량.

˙**raft·er**[2][rǽftər, -ɑ́:-] *n.* Ⓒ 서까래.

:**rag**[1][ræg] *n.* ① Ⓤ,Ⓒ 넝마(조각), 단편(斷片); (*pl.*) 누더기, 남루한 옷. ② Ⓒ 걸레 같은 것; 《蔑》 (극장의) 막(幕); 손수건; 신문; 지폐. ***chew the*** ～ 불평을 하다; 종잘거리다. ***take the*** ～ ***off*** 《美》 …보다 낫다, …을 능가하다. ***the R-*** 《英俗》 육·해군인 클럽. — *a.* 누더기의, 너덜너덜해진.

rag[2] *vt.* (**-gg-**), *n.* 《俗》 (못살게) 괴롭히다, 꾸짖다; 놀리다. Ⓒ (…에게) 못된 장난(을 하다); 법석(떨다).

rag·a·muf·fin[rǽgəmʌ̀fin] *n.* Ⓒ 남루한 옷을 입은 부랑아.

rág bàby (**dòll**) 봉제 인형(stuffed doll).

rág·bàg *n.* Ⓒ 넝마 주머니.

:**rage**[reidʒ] *n.* ① Ⓤ 격노; 격렬, 맹위《바람·파도·역병 따위의》. ② (*sing.*) 열망, 열광. ③ (the ～) 대유행(하는 것). ***in a*** ～ 격노하여. — *vi.* 격노하다; 맹위를 떨치다; 크게 성하다.

:**rag·ged**[rǽgid] *a.* ① 남루한(tattered), 해진, 찢어진; 초라한. ② 울툭불툭〔깔쭉깔쭉〕한, 껄끄러운, (암석이) 비쭉비쭉한. ③ 고르지 못한, 조화되지 않은, 불완전한. ～**·ly** *ad.*

rag·lan[rǽglən] *n.* Ⓒ 래글런《소매가 솔기없이 깃까지 이어진 외투》.

ra·gout[rægú:] *n.* (F.) Ⓤ,Ⓒ 라구《스튜의 일종》.

R

rag·time[rǽgtàim] *n.* Ⓤ 〖樂〗 래그타임; 재즈.

rág tràde, the 《俗》 피복 산업, 양복업(특히 여성의 겉옷).

˙**raid**[reid] *n., vt., vi.* 습격[침입]하다(*into*); Ⓒ (경찰이) 급습(하다)(*on*). **∠·er** *n.* Ⓒ 침입자; 습격기; 〖軍〗 특공대원.

:rail[1][reil] *n.* ① Ⓒ 가로장(대), 난간; (*pl.*) 울타리. ② Ⓒ 궤조(軌條), 레일; Ⓤ,Ⓒ 철도. **by ~** 기차로; 철도편으로. **off the ~s** 탈선하여, 문란하여, 어지러워. — *vt.* 가로장[난간]으로 튼튼히 하다[을 붙이다](fence). ˙**∠·ing**[1] *n.* Ⓒ (보통 *pl.*) 레일; 난간; 울; Ⓤ 《집합적》 그 자료.

rail[2] *vi.* 몹시 욕하다(revile); 비웃다(scoff)(*at, against*). **∠·ing**[2] *n.* Ⓤ 욕설, 푸념.

rail·ler·y[réiləri] *n.* Ⓤ (악의 없는) 놀림(말); 농담(banter).

†**rail·road**[réilròud] *n., vt.* Ⓒ 《美》 철도《종업원도 포함해서》; 철도를 놓다[로 보내다]; 《美口》 (의안을) 무리하게 통과시키다; 《俗》 (귀찮은 존재를 없애려고 부당한 죄목으로) 투옥하다. **~·er** *n.* Ⓒ 《美》 철도(종업)원; 철도 부설(업)자.

:ráilroad stàtion 철도역.

†**rail·way**[réilwèi] *n.* Ⓒ 《英》 철도.

rail·way·man[-mən] *n.* = RAILROAD MAN.

:ráilway stàtion = RAILROAD STATION.

rai·ment[réimənt] *n.* Ⓤ 《집합적》 《雅》 의류(衣類)(garments).

†**rain**[rein] *n., vi., vt.* Ⓤ,Ⓒ 비(가 오다), 빗발처럼 쏟아지다[퍼붓다]; (*pl.*) 우기(雨期). ***It never ~s but it pours.*** 《속담》 비만 오면 (반드시) 억수같이 쏟아진다; 엎친데 덮치기. ***It ~s*** CATs ***and dogs.*** ***~ or shine*** 비가 오건 날이 개건. **∠-less** *a.* 비오지 않는.

†**rain·bow**[∠bòu] *n.* Ⓒ 무지개.

ráin chèck 우천 입장 보상권《경기를 중지할 때, 관객에게 내주는 차회 유효권》.

:rain·coat[∠kòut] *n.* Ⓒ 비옷, 레인코트.

ráin·dròp *n.* Ⓒ 빗방울.

:rain·fall[∠fɔ̀ːl] *n.* Ⓤ 강우(降雨); Ⓤ,Ⓒ 강우량.

ráin·pròof *a.* 비가 새들지 않는, 방수의.

ráin·stòrm *n.* Ⓒ 폭풍우, 호우.

ráin·wàter *n.* Ⓤ 빗물.

†**rain·y**[∠i] *a.* 비의, 우천의, 비가 많은. **~ *season*** 장마철, 우기.

:raise[reiz] *vt.* ① 일으키다, 세우다. ② 높이다; 올리다; (먼지 따위를) 일으키다; 승진시키다. ③ (집을) 짓다; (외치는 소리를) 지르다; (질문·이의를) 제기하다; (군인을) 모집하다; (돈을) 거두다; (동식물·아이를) 기르다. ④ 가져오다, 야기시키다; 출현시키다, (망령 등을) 불러내다; (죽은 자를) 소생시키다. ⑤ (사냥개가) 몰이하다; (빵을) 부풀리다(*~d bread*); (포위·금지 따위를) 풀다. ⑥ 〖海〗 …이 보이는 곳까지 오다(*The ship ~d land.*); 〖카드〗 …보다 더 많이 돈을 걸다; 〖數〗 제곱하다. ***~ a dust*** 먼지를 일으키다; 남의 눈을 속이다; 소동을 일으키다. ***~ Cain* [*hell, the devil*]** 《俗》 큰 법석을 벌이다[일으키다]. **~** MONEY ***on.*** ***~ oneself*** 뻗어 올라가다; 출세하다. — *n.* Ⓒ 《美》 올림; 오르막(길); 높은 곳; 증가, 가격[임금] 인상; 그러모으기. ***make a ~*** 변통[조달]하다; 찾아내다. **ráis·er** *n.*

:raised[reizd] *a.* 높인; 돋을새김의. ***~ type*** (맹인용) 점자(點字). ***~ work*** 돋을새김 세공.

†**rai·sin**[réizən] *n.* Ⓤ,Ⓒ 건포도.

rai·son d'ê·tre [réizoun détrə] (F.) 존재 이유.

raj[rɑːdʒ] *n.* (the ~) 《Ind.》 지배, 통치(rule).

ra·ja(h)[rɑ́ːdʒə] *n.* Ⓒ 《Ind.》 왕, 군주; (Java, Borneo의) 추장.

:rake[1][reik] *n.* Ⓒ 갈퀴, 쇠스랑; 써레; 고무래. — *vt.* ① 갈퀴로 그러모으다; 써레로 긁다[긁어 고르다]. ② (불을) 헤집어 일으키다; (불을) 잿속에 묻다. ③ 찾아 다니다; 내다보다. ④ 〖軍〗 소사(掃射)하다(enfilade). ***~ down*** 《美俗》 꾸짖다; (내기 등에서) 돈을 따다.

rake[2] *n., vi., vt.* Ⓒ 경사(지다, 지게

R

하다)(slant).

ráke-òff *n.* Ⓒ《口》(부정한) 배당, 몫, 리베이트(rebate).

rak·ish *a.* 방탕한.

râle[rɑːl] *n.* (F.) (폐의) 수포음(水泡音).

:ral·ly[rǽli] *vt., vi.* (다시) 모으다〔모이다〕; (세력·기력·체력을) 회복(케)하다; (힘을) 집중하다; (*vi.*) 〖테니스〗(쌍방이) 연달아 되받아치다. ── *n.* ① (a～) 재집합, 재거(再擧); 되돌림, 되찾음, 회복. ② Ⓒ 시위 운동, 대회. ③ Ⓒ 〖테니스〗 계속하여 되받아치기.

·ram[ræm] *n.* ① Ⓒ 숫양(cf. ewe); (R-) 〖天〗 양자리〔궁〕. ② Ⓒ 〖史〗 파성(破城) 메(battering ram); (군함의) 충각(衝角); (땅을 다지는) 달구(rammer). ── *vt.* (**-mm-**) 부딪다; 파성 메로 치다; 충각으로 부딪다; 달구로 다지다.

RAM [ræm] (＜*r*andom-*a*ccess *m*emory) *n.* Ⓤ 〖컴〗 램, 임의 접근 기억 장치.

·ram·ble[rǽmbəl] *n., vi.* Ⓒ 산책(하다), 어정거림〔거리다〕; 종작〔두서〕없는 이야기(를 하다); (담쟁이 덩굴 따위가) 뻗어 퍼지다(*over*). **rám·bler** *n.* Ⓒ 산보하는 사람; 덩굴장미; ＝ RANCH HOUSE.

ram·bling[rǽmbliŋ] *a.* 어슬렁어슬렁 거니는; 산만한; 어수선한; (덩굴이) 뻗어 나간, 널리 퍼지는.

ram·bunc·tious [ræmbʌ́ŋkʃəs] *a.*《美口》몹시 난폭한(unruly); 시끄러운.

ram·e·kin, -quin [rǽmikin] *n.* Ⓤ,Ⓒ 〖料理〗 치즈 그라탱(cheese gratin); (보통 *pl.*) 그것을 넣는 틀 접시.

ram·i·fy[rǽməfài] *vt., vi.* 분지(分枝)하다; 분파하다. **-fi·ca·tion**[ˌ-fikéiʃən] *n.*

ramp[ræmp] *vi.* (사자가) 뒷다리로 서다, 덤벼들다〔들려하다〕(cf. rampant); 날뛰다(rush about); 〖建〗 물매지다(slope). ── *n.* Ⓒ 물매, 경사(면·로(路)), 루프식 입체 교차로.

ram·page[*v.* ræmpéidʒ, *n.* ˊ-] *vi., n.* 날뛰다; Ⓤ 날뜀, 설침. ***go*** 〔***be***〕 ***on the*** 〔***a***〕 ～ 날뛰다.

·ramp·ant[rǽmpənt] *a.* ① 마구 퍼지는, 만연〔창궐〕하는; 분방한; (유행병 등이) 맹렬한. ② 〖紋〗 뒷발로 선(*a lion* ～ 뒷발로 일어선 사자)(cf. ramp). **rámp·an·cy** *n.* Ⓤ 만연; 맹렬; (초목의) 무성.

·ram·part[rǽmpɑːrt, -pərt] *n., vt.* Ⓒ 누벽(壘壁)〔성벽〕(을 두르다); 방어(물).

ram·rod[rǽmràd/-rɔ̀d] *n.* Ⓒ (총포의) 꽂을대.

rám·shàckle *a.* 쓰러질 듯한; 흔들흔들하는.

†ran[ræn] *v.* run의 과거.

:ranch[ræntʃ, rɑːntʃ] *n., vi.* Ⓒ 큰 농장(을 경영하다, 에서 일하다); 목장(에서 일하는 사람들). **ˊ·er,** **～·man**[ˊmən] *n.* Ⓒ 농장〔목장〕 경영자〔노동자〕.

ránch hòuse《美》목장주의 가옥; 지붕의 경사가 완만한 단층집.

ran·cid[rǽnsid] *a.* 악취가 나는, 썩은 냄새〔맛이〕나는; 불유쾌한. **～·ly** *ad.* **～·ness, ～·i·ty**[rænsídəti] *n.*

ran·cor,《英》**-cour** [rǽŋkər] *n.* Ⓤ 원한, 증오. **～·ous** *a.* 원한을 품은, 증오하는.

R & D research and development.

:ran·dom[rǽndəm] *n., a.* Ⓤ 마구잡이; 닥치는〔되는〕 대로의(*a* ～ *guess* 어림 짐작); 〖컴〗 막…, 무작위. ***at*** ～ 되는〔닥치는〕대로.

rándom áccess 〖컴〗 비순차적 접근, 임의 접근.

:rang[ræŋ] *v.* ring[1]의 과거.

:range[reindʒ] *n.* ① Ⓒ 열(列), 줄, 연속(series); 산맥. ② Ⓤ,Ⓒ 범위; 한계; 음역; 사정(射程). ③ Ⓒ 사격장. ④ Ⓒ 계급; 부류. ⑤ Ⓒ 목장. ⑥ Ⓒ (요리용 가스·전기) 레인지(cookstove)(*a gas* ～ 가스 레인지). ⑦ 〖컴〗 범위. ── *vt.* ① 늘어놓다, 정렬시키다; 가지런히 하다; 분류하다. ② (…의) 편에 서다(*He is* ～*d against* 〔*with*〕 *us.* 우리의 적〔편〕이다). ③ (…을) 배회하다; (연해를) 순항(巡航)하다. ④ (총·망원경 따위를) 가늠하다, 겨누다; 사정을 정하다. ── *vi.* ① 늘어서다, 일직선으

로 되어 있다(*with*); 잇달리다; (범위가) 걸치다, 미치다(*over; from ... to ...*). ② 어깨를 나란히 하다(rank) (*with*). ③ 배회[방황]하다, 서성거리다; 순항하다; 변동하다(*between*). **~ oneself** (결혼·취직 따위로) 신상을 안정시키다; 편들다(*with*).

ránge fìnder (사격용) 거리 측정기; 〖寫〗 거리계(計).

***rang·er**[réindʒər] *n.* Ⓒ ① 돌아다니는 사람, 순회자. ② (숲·공원 따위를) 지키는 사람, 감시인, 무장 경비원(*a Texas R-*); 《美》 특별 유격대원; (R-) 《美》 〖宇宙〗 레인저 계획.

rang·y[réindʒi] *a.* 팔 다리가 가늘고 긴; (동물 따위가) 돌아다니기에 알맞은; 산(山)이 많은.

:rank[1][ræŋk] *n.* ① Ⓤ,Ⓒ 열, 횡렬; 정렬. ② (*pl.*) 군대, 병졸. ③ Ⓤ,Ⓒ 계급(grade); 직위, 신분; 품위; 순서. ④ Ⓤ 고위, 고관. ⑤ 〖컴〗 순번. ***break* ~(*s*)** 열을 흩뜨리다; 낙오하다. ***fall into* ~** 정렬하다, 줄에 늘어서다. **~ *and fashion*** 상류사회. **~ *and file*** 하사관병, 사병; 대중. ***rise from the* ~*s*** 일개 사병[미천한 신분]에서 출세하다. — *vi., vt.* 자리[지위]를 차지하다; 등급을 매기다, 평가하다(*above, below*); 늘어서다[세우다]; 부류에 넣다. **∠·ing** *n.* Ⓤ 등급[자리, 지위] 매기기; 서열, 랭킹.

rank[2] *a.* 조대(粗大)한(large and coarse); 우거진, 널리 퍼진; 냄새나는; 지독한; 천한, 외설한. **∠·ly** *ad.* **∠·ness** *n.*

ran·kle[rǽŋkəl] *vt.* (경멸·원한 따위가) 괴롭히다.

ran·sack[rǽnsæk] *vt.* 샅샅이 뒤지다; 약탈하다.

***ran·som**[rǽnsəm] *n., vt.* Ⓒ 몸값(을 치르고 자유롭게 하다); Ⓤ 〖神〗 속죄(하다).

rant[rænt] *vi., n.* Ⓤ 고함(치다), 폭언[노호](하다); 호언(하다).

***rap**[ræp] *n., vt., vi.* Ⓒ (**-*pp*-**) 가볍게 두드림[두드리다]; 비난(하다) (*take the* ~ 비난을 받다); 내뱉듯이 말하다(*out*).

ra·pa·cious[rəpéiʃəs] *a.* 강탈하는; 욕심 사나운(greedy); 〖動〗 생물을 잡아먹는. **~·ly** *ad.* **ra·pac·i·ty**[rəpǽsəti] *n.* Ⓤ 탐욕.

***rape**[1][reip] *n., vt.* Ⓤ,Ⓒ 강간(하다); 강탈(하다).

rape[2] *n.* Ⓤ 〖植〗 평지.

:rap·id[rǽpid] *a.* 신속한, 빠른, 급한(swift); (비탈이) 가파른(steep). — *n.* Ⓒ (보통 *pl.*) 여울. ***ra·pid·i·ty**[rəpídəti] *n.* Ⓤ 신속; 속도. **:~·ly** *ad.* 빠르게; 서둘러.

rápid-fíre *a.* 속사(速射)의. **~ gun** 속사포.

rápid tránsit (고가 철도·지하철에 의한) 고속 수송.

ra·pi·er[réipiər] *n.* Ⓒ (찌르기에 쓰는 양날의) 장검(長劍).

rap·port[ræpɔ́ːr] *n.* (F.) Ⓤ (친밀·조화된) 관계; 일치.

rap·proche·ment[ræ̀prouʃmɑ́ːŋ/ ræprɔ́ʃmɑːŋ] *n.* (F.) Ⓒ (국가간의) 친선; 국교 회복.

***rapt**[ræpt] *a.* ① (육체·영혼을 이승으로부터) 빼앗긴(*away, up*). ② (생각에) 마음을 빼앗긴, 골똘한, 열중한(absorbed); 황홀한(*with* ~ *attention*); 열심인.

:rap·ture[rǽptʃər] *n.* Ⓤ,Ⓒ 미칠 듯한 기쁨, 광희(狂喜), 무아(無我), 황홀(ecstasy). **ráp·tur·ous** *a.*

:rare[1][rɛər] *a.* 드문, 드물게 보는; (공기가) 희박한(thin). **:∠·ly** *ad.* 드물게; 썩 잘. **∠·ness** *n.*

***rare**[2] *a.* (고기가) 설구워진, 설익은.

rare·bit [rɛ́ərbit] *n.* = WELSH RABBIT.

rar·e·fy[rɛ́ərəfài] *vt., vi.* 희박하게 하다[되다]; 순화(純化)하다, 정화하다; (*vt.*) 정미(精微)하게 하다(subtilize). **-fac·tion**[≟–fǽkʃən] *n.*

rar·i·ty[rɛ́ərəti] *n.* Ⓤ 드묾, 진기; 희박; Ⓒ 진품.

:ras·cal[rǽskəl/-ɑ́ː-] *n.* Ⓒ 악당 (rogue). **~·ly** *a.* 악당의, 비열한. **~·i·ty**[ræskǽləti/rɑːs-] *n.* Ⓤ 악당 근성; Ⓒ 악당 행위.

:rash[1][ræʃ] *a.* 성급한; 무모한. **∠·ly** *ad.* **∠·ness** *n.*

rash[2] *n.* (a ~) 뾰루지, 발진(發疹), 부스럼.

rash·er[rǽʃər] *n.* Ⓒ (베이컨·햄의) 얇게 썬 조각.

rasp[ræsp, -ɑː-] *n.* Ⓒ 이가 굵고 거친 줄, 강판. — *vt.* 줄질하다, 강판으로 갈다; 쉰목소리로 말하다; 속을 지글지글 태우다. — *vi.* 북북 문지르다[소리 나다], 쓸리다, 갈리다(grate). ~ *on* (신경에) 거슬리다.

***rasp·ber·ry**[rǽzbèri, rɑ́ːzbəri] *n.* Ⓒ ① 나무딸기(의 열매). ②《俗》입술과 혀를 진동시켜 내는 소리《이의·경멸 따위를 나타냄》.

:**rat**[ræt] *n.* Ⓒ ① 쥐(cf. mouse). ② 배반자; 파업 불참 직공. ③《美》(여자 머리의) 다리. ***Rats!***《俗》바보같은 소리 마라!; 에이(빌어먹을)!; 설마! ***smell a*** ~ (계략 따위를) 낌새[알아]채다. — *vi.* (**-tt-**) 쥐를 잡다;《俗》변절하다, 파업을 깨다.

rat-(a-)tat[rǽt(ə)tǽt] *n.* Ⓒ 쾅쾅, 둥둥《소리》.

rát·bàg *n.* Ⓒ《英俗》불쾌한 사람.

ratch·et[rǽtʃət], **ratch**[rætʃ] *n., vt.* Ⓒ 미늘 톱니(를 붙이다); 갈고리 톱니[N자 톱니] 모양(으로 하다).

†**rate**[reit] *n.* Ⓒ ① 비율, 율; 정도, 속도. ② (배·선원 따위의) 등급; 시세(*the* ~ *of exchange* 환율); 값(*at a high* ~). ③ (보통 *pl.*)《英》세금; 지방세(~*s and taxes* 지방세와 국세). ***at a great*** ~ 대속력으로. ***at any*** ~ 하여튼, 좌우간. ***at that*** ~《口》저런 상태[푼수]로는, 저 형편으로는. ***give special*** ~***s*** 할인하다. — *vt.* 견적[평가]하다; …으로 보다[여기다]; 도수(度數)를 재다; 등급을 정하다; 지방세를 과하다. — *vi.* 가치가 있다, 견적[평가]되다; (…의) 등급을 가지다.

ráte·pàyer *n.* Ⓒ《英》납세자.

†**rath·er**[rǽðər, -ɑ́ː-] *ad.* ① 오히려, 차라리; 다소, 약간. ② (or ~) 좀 더 적절히 말하면. ③ [rǽðə́ːr/rɑ́ːðə́r]《英口》그렇고 말고(Certainly!), 물론이지(Yes, indeed!) (*"Do you like Mozart?" "R-!"*). ***had*** [***would***] ~ ... ***than*** …보다는[하느니] 오히려 …하고 싶다[…하는 편이 낫다](*He would* ~ *ski than eat.* 밥먹기보다도 스키를 좋아한다) (cf. had BETTER[1]). ***I should*** ~ ***think so.*** 그렇고 말고요. ***I would*** ~ ***not*** …하고 싶지 않다.

***rat·i·fy**[rǽtəfài] *vt.* 비준[재가]하다. ***-fi·ca·tion**[ㅅ–fikéi-] *n.*

rat·ing[réitiŋ] *n.* Ⓒ 평점; Ⓤ,Ⓒ 평가, 견적; Ⓤ,Ⓒ 과세(액); Ⓒ (배·선원의) 등급;【電】정격(定格); (라디오·TV의) 시청률.

ra·tio**[réiʃou, -ʃiòu/-ʃiòu] *n.* (*pl.* ~**s**) Ⓤ,Ⓒ 비(율). ***direct [***inverse***] ~ 정[반]비례.

ra·ti·oc·i·nate [ræ̀ʃiɑ́sənèit/-tiɔ́s-] *vi.* 추리[추론]하다. **-na·tive** *a.* **-na·tion**[ㅅ–ㅅ–néiʃən] *n.*

ra·tion**[rǽʃən, réi-] *n.* Ⓒ ① 정액, 정량; 1일분의 양식; 배급량(*the sugar* ~). ② (*pl.*) 식료(食料). ***iron ~ 비상용 휴대 식량. K RATION. ~***ing by the purse***《英》물가의 (부당한) 인상. — *vt.* 급식[배급]하다. ~***ing system*** 배급 제도.

ra·tion·al**[rǽʃənl] *a.* ① 이성 있는, 이성적인; 합리적인. ②【數】유리수(有理數)의(opp. irrational). ~**·ism**[-ʃənəlìzəm] *n.* Ⓤ 합리주의. ***the Saint of ~***ism*** =J.S. MILL. ~**·ist**[-ʃənəlist] *n.* ~**·ly** *ad.* ~**·i·ty**[ㅅʃənǽləti] *n.* Ⓤ 합리성, 순리성; (보통 *pl.*) 이성적 행동.

ra·tion·ale[ræ̀ʃənǽl/-nɑ́ːl] *n.* (L.) (the ~) 이론적 해석;《稀》근본적 이유, 이론적 근거.

ra·tion·al·ize[rǽʃənəlàiz] *vt.* 합리화하다; 합리적으로 다루다; 이론적으로 설명[생각]하다; 이유를 붙이다;【數】유리화하다. **-i·za·tion**[ㅅ––izéiʃən/-laiz-] *n.*

rát ràce《美》무의미한 경쟁; 악순환.

「나무.

rat·tan[rætǽn, rə-] *n.* Ⓒ 등(藤)

rat-tat[rǽttǽt] *n.* (a ~) 쾅쾅, 똑똑《문의 knocker 소리 등》.

rat·ter[rǽtər] *n.* Ⓒ 쥐덫, 쥐 잡는 개;《俗》배반자.

:**rat·tle**[rǽtl] *vi.* 왈각달각[덜걱덜걱]하다[소리나다], 왈각달각 달리다; 우르르 떨어지다(*along, by, down, &c.*). — *vt.* 왈각달각[덜거덕덜거덕] 소리내다; 빨리 말하다(*away, off, out, over*); 놀라게 하다, 혼란시키다(confuse), 갈팡거리게 하다; (사냥감을) 몰아내다. — *n.* ① Ⓤ,Ⓒ 왈각달각《소리》; Ⓒ 딸랑이《장난감》. ②

Ⓒ 수다〔수선〕쟁이. ③ Ⓒ (목구멍의) 꼬르륵 소리《특히 죽을 때》. ④ Ⓒ 방울뱀의 둥근 고리 끝. ⑤ Ⓒ 야단법석.
ráttle·snàke *n.* Ⓒ 방울뱀.
rat·tling[rǽtliŋ] *a., ad.* 덜거덕거리는; 활발한; 굉장〔훌륭〕한〔하게〕(*That's ~ fine.*).
rat·ty[rǽti] *a.* 쥐의, 쥐 같은, 쥐가 많은; 《俗》 초라한.
rau·cous [rɔ́:kəs] *a.* 쉰목소리의 (hoarse), 귀에 거슬리는.
*__rav·age__[rǽvidʒ] *n., vt., vi.* Ⓤ 파괴(하다); 휩쓸다, 황폐케 하다; (the ~s) 파괴된 자취, 참해.
*__rave__[reiv] *vi., vt.* (미친 사람같이) 헛소리하다, 소리치다; 정신 없이 떠들다, 격찬하다; (풍랑이) 사납게 일다.
rav·el[rǽvəl] *vt., vi.* (《英》 *-ll-*) 엉클어지(게 하)다, 풀(리)다. — *n.* Ⓒ 엉클림; 풀린 실. **~·(l)ing** *n.* Ⓒ 풀린 실.
*__ra·ven__[1][réivən] *n., a.* Ⓒ 큰까마귀; 새까만, 칠흑 같은.
rav·en[2][rǽvən] *n., vt.* Ⓤ 약탈(하다). **~·ing** *a.* 탐욕스런. **~·ous** *a.* 굶주린; 탐욕스런(greedy). **~·ous·ly** *ad.*
ráve-ùp *n.* Ⓒ 《英口》 떠들썩한 파티.
*__ra·vine__[rəví:n] *n.* Ⓒ 협곡(峽谷).
ra·vi·o·li[rævióuli] *n.* (It.) Ⓤ 매콤한 다진 고기를 싼 납작한 단자.
rav·ish[rǽviʃ] *vt.* (여자를) 능욕하다(violate); 황홀케 하다(enrapture); (빼)앗아 가다. **~·ing** *a.* 마음을 빼앗는, 황홀케 하는. **~·ment** *n.* Ⓤ 무아(無我), 황홀; 강탈; 강간.
:**raw**[rɔ:] *a.* ① 생〔날〕것의(~ *fish*); 원료 그대로의; 가공하지 않은; 물 타지 않은. ② 세련되지 않은, 미숙한(*a ~ soldier*). ③ (날씨가) 궂고 으스스한. ④ 껍질이 벗겨진, 따끔따끔 쑤시는, 얼얼한(sore). ⑤ 《俗》 잔혹한, 불공평한(*a ~ deal* 심한 대우). ⑥ 〖컴〗 (입력된 그대로의) 원, 미가공. **~ *silk*** 생사(生絲). — *n.* (the ~) 까진〔벗겨진〕 데(*touch a person on the ~* 아무의 약점을 찌르다). **∠·ness** *n.*
ráw·bóned *a.* 깡마른.
ráw·hide *n., vt.* (**~d**) Ⓤ 생가죽, 원피(原皮); Ⓒ 가죽 채찍(으로 때리다).
ráw matérial 원료.
:**ray**[1][rei] *n.* Ⓒ ① 광선; 방사선, 열선(熱線). ② 광명, 번득임, 서광(*a ~ of hope* 한가닥의 희망). ③ (보통 *pl.*) 방사상(狀)의 것. — *vt., vi.* (빛을) 내쏘다, 방사하다; (*vi.*) 번득이다(*forth, off, out*).
ray[2] *n.* Ⓒ 〖魚〗 가오리.
*__ray·on__[réiɑn/-ɔn] *n.* Ⓤ 인조견(사), 레이온.
raze[reiz] *vt.* 지우다(erase); (집·도시를) 파괴하다.
:**ra·zor**[réizər] *n.* Ⓒ 면도칼.
razz[ræz] *n., vt.* Ⓤ,Ⓒ 《俗》 혹평〔조소〕(하다).
raz·zle(-daz·zle)[rǽzəl(dǽzəl)] *n.* (the ~) 《俗》 대법석; (겉으로) 화려한 움직임《쇼 따위》.
RC Roman Catholic.
Rd., road.
re[1][rei, ri:] *n.* Ⓤ,Ⓒ 〖樂〗 레《장음계의 둘째 음》.
re[2][ri:] *prep.* (L.) 〖法·商〗 …에 관하여.
re-[rì:, ri:] *pref.* '다시, 다시 …하다, 거듭' 의 뜻: *re*cover.
†**reach**[ri:tʃ] *vt.* ① (손을) 뻗치다, 내밀다; 뻗어서 잡다〔집다〕; 집어서 넘겨주다(*Please ~ me that book.*). ② 도착하다; 닿다, 미치다, 이르다, 달하다; 달성하다. ③ (마음을) 움직이다, 감동시키다(*Men are ~ed by flattery.*). ④ (…와) 연락이 되다. — *vi.* 손〔발〕을 뻗치다; 발돋움하다; 뻗다; 얻으려고 애쓰다(*after, at, for*); 닿다, 퍼지다(*to, into*). — *n.* ① Ⓤ (손을) 뻗침. ② Ⓤ 손발을 뻗을 수 있는 범위; 미치는〔닿는〕 범위, 한계; 세력 범위. ③ Ⓒ 이해력. ④ Ⓒ 조붓한 후미. ***within* (*easy*) ~** (용이하게) 닿을〔얻을〕 수 있는.
*__re·act__[ri:ǽkt] *vi.* ① (자극에) 반응하다(*on, upon*); 〖理〗 반작용하다. ② 반동〔반발〕하다(*to*). ③ 반항하다(*against*); 역행하다.
:**re·ac·tion**[ri:ǽkʃən] *n.* Ⓤ,Ⓒ ① 반응, 반동, 반작용; 〖政〗 (보수) 반동. ② 〖電〗 재생. * **~·ar·y**[-ʃənèri/

R

-ʃənəri] *a., n.* 반동의, 보수적인; 반작용의; 〖化〗 반응의; Ⓒ 반동[보수]주의자.

re·ac·tive[riːǽktiv] *a.* 반동[반응]의. **~·ly** *ad.*

˙**re·ac·tor**[riːǽktər] *n.* Ⓒ 반응을 보이는 사람[물건]; 원자로(爐)(atomic reactor; cf. pile[1]).

†**read**[riːd] *vt.* (*read*[red]) ① 읽다, 독서하다; 낭독하다. ② 이해하다; 해독하다; (꿈 따위를) 판단하다; 알아채다, 간파하다; 배우다(~ *law*). ③ (…의) 뜻으로 읽다; (…라고) 읽을 수 있다; (…을) 가리키다(*The thermometer ~s 85 degrees.*). ④ (정오표 따위에서, …라고 있는 것은) …의 잘못(*For "set" ~ "sit".*). ⑤ (컴퓨터에 정보를) 주다(*in*); (컴퓨터에서 정보를) 회수하다(*out*). — *vi.* ① 읽다, 독서[공부]하다; 낭독하다. ② …라고 씌어져 있다; …라고 읽다; …라고 해석할 수 있다. ③ 읽어 들려주다(*to, from*). ④ 〖컴〗 데이터를 읽다. ***be well ~*** [red] ***in*** …에 정통하다, …에 밝다[환하다]. ***~ a person's hand*** 손금을 보다. ***~ between the lines*** 언외(言外)의 뜻을 알아내다. ***~ into*** …의 뜻으로 해석[곡해]하다. ***~ out of*** …에서 제명하다. ***~ to oneself*** 묵독하다. ***~ up*** 시험공부하다; 전공하다(*on*). ***~ with*** …의 공부 상대를 하다《가정교사가》. **∠·a·ble** *a.* 읽을 만한, 읽어 재미있는; (글자가) 읽기 쉬운. — *n.* 〖컴〗 읽기.

:**read·er**[ríːdər] *n.* Ⓒ ① 독본, 리더. ② 독자, 독서가. ③ (대학) 강사(lecturer). ④ 출판사 고문《원고를 읽고 채부(採否) 결정에 참여함》; 교정원(proof-reader). ⑤ 〖컴〗 읽개, 판독기.

réader·shìp *n.* Ⓒ (보통 *sing.*) (신문·잡지의) 독자수; 독자층; Ⓤ (대학) 강사의 직[지위].

†**read·ing**[ríːdiŋ] *n.* ① Ⓤ 읽기, 독서(력); 학식. ② Ⓒ 낭독; 의회의 독회(讀會). ③ Ⓤ 읽을 거리. ④ Ⓒ 해석, 판단. ⑤ Ⓒ (계기의) 시도(示度).

réading ròom 열람실.

re·ad·just [rìːədʒʌ́st] *vt.* 다시 하다; 재조정하다. **~·ment** *n.*

re·ad·mit[rìːədmít] *vt.* 다시 인정[허가]하다; 재입학시키다.

réad-ónly *a.* 〖컴〗 읽기 전용의(~ *memory* 늘기억 장치, 읽기 전용 기억 장치《생략 ROM》).

réad·òut *n.* Ⓤ,Ⓒ 〖컴〗 정보 판독[취득].

†**read·y**[rédi] *a.* ① 준비된, 채비가 된(prepared)(*to, for*). ② 기꺼이 …하는(willing); 이제라도 …할 것 같은(be about)(*to* do); 걸핏하면 …하는, …하기 쉬운(be apt)(*to* do). ③ 즉석의, 재빠른(*a ~ welcome*); 교묘한; 곧 나오는; 손쉬운, 편리한, 곧 쓸 수 있는. ***get*** [***make***] ***~*** 준비[채비]하다. ***~ to hand*** 손 가까이에 있는. — *vt.* 준비[채비]하다. — *n.* Ⓤ 〖컴〗 준비《실행 준비가 완료된 상태》(~ *list* 준비 목록/ ~ *time* 준비 시간). :**réad·i·ly** *ad.* 쾌히; 곧, 즉시; 쉽사리. ˙**réad·i·ness** *n.*

:**réady-máde** *a.* 만들어 놓은, 기성품의(opp. custom-made); (의견이) 얻어 들은, 독창성이 없는.

réady móney 현금.

re·a·gent [riːéidʒənt] *n.* Ⓒ 시약(試藥).

†**re·al**[ríːəl, ríəl] *a.* ① 실재[실존]하는, 현실의. ② 진실한; 진정한. ③ 부동산의(cf. personal); 〖數〗 실수(實數)의. ***~ life*** 실생활. — *ad.*《美口》= REALLY. ˙**~·ism**[ríːəlìzəm/ríəl-] *n.* Ⓤ 현실[사실]주의; 현실성; 〖哲〗 실재론. ˙**~·ist**[ríːəlist/ríəl-] *n.* †**~·ly** *ad.* 실제로; 정말로.

˙**réal estàte** 부동산.

˙**re·al·is·tic**[rìːəlístik] *a.* 사실[현실·실제]적인. **-ti·cal·ly** *ad.*

:**re·al·i·ty**[riːǽləti] *n.* ① Ⓤ 진실[실제]임; 실재(함); 현실성(actuality). ② Ⓒ 사실, 현실. ③ Ⓤ,Ⓒ 〖哲〗 실체. ***in ~*** 실제로는(in fact); 참으로(truly).

:**re·al·ize**[ríːəlàiz] *vt.* ① 실현하다; 사실적으로 표현하다; 현실같이 보이게 하다. ② 실감하다, (절실히) 깨닫다. ③ (증권·부동산을) 현금으로 바꾸다, (…에) 팔리다. **-iz·a·ble** *a.* ˙**-i·za·tion**[≻–izéiʃən/-laiz-] *n.*

:**realm**[relm] *n.* Ⓒ ① 〖法〗 왕국

R

(kingdom). ② 영토, 범위. ③ 분야, 부문, 영역.
re·al·po·li·tik[reiá:lpòulitì:k] *n.* (G.) Ⓤ 현실 정책.
réal tíme 〖컴〗 실(實)시간.
re·al·tor[rí:əltər] *n.* Ⓒ 《美》 부동산 중매인.
re·al·ty[rí:əlti] *n.* Ⓤ 부동산.
ream[ri:m] *n.* Ⓒ 연(連)《20 quires(=480 장 또는 500 장)에 상당하는 종이의 단위》.
:reap[ri:p] *vt.* ① 베다, 베어〔거두어〕 들이다. ② 획득하다; 얻다. (행위의 결과로서) 거두다. **~ *as* 〔*what*〕 *one has sown*** 뿌린 씨를 거두다 《자업 자득》. ***~·er** *n.* Ⓒ 베(어 들이)는 사람; 수확기(機). **~·ing** *a.*
˙re·ap·pear[rì:əpíər] *vi.* 다시 나타나다; 재발하다. **~·ance**[-əpíərəns] *n.* Ⓒ 재현, 재발.
re·ap·point[rì:əpɔ́int] *vt.* 다시 임명하다, 복직〔재선〕시키다.
re·ap·prais·al[rì:əpréizəl] *n.* Ⓤ,Ⓒ 재평가.
re·ap·praise[rì:əpréiz] *vt.* (…을) 재평가하다.
˙rear[1][riər] *vt.* ① 기르다, 키우다; 사육하다; 재배하다. ② 올리다(lift), 일으키다(raise); 세우다(~ *a temple*). — *vi.* (말이) 뒷발로 서다. **~·er** *n.* Ⓒ 양육자; 사육자; 재배자; 뒷다리로 서는 버릇이 있는 말.
:rear[2] *n.* ① (the ~) 뒤, 뒷면, 배후; 〖軍〗 후위. ② Ⓒ 《口》 변소; 《口》 궁둥이. ***bring* 〔*close*〕 *up the* ~** 후위를 맡다, 맨 뒤에 오다. — *a.* 뒤〔후방〕의; 배후(로부터)의, 뒷면의 (*a* ~ *window* 뒤창); 〖軍〗 후위의. — *vi.* 《英俗》 변소에 가다.
réar ádmiral 해군 소장.
réar guárd 후위(군).
re·arm[ri:ɑ́:rm] *vi., vt.* 재무장하다〔시키다〕; 재군비하다. **re·ár·ma·ment** *n.*
réar·mòst *a.* 맨 뒤의.
˙re·ar·range[rì:əréindʒ] *vt.* 재정리〔재배열〕하다; 배치 전환하다; 다시 정하다. **~·ment** *n.*
réar·vìew mírror[ríərvjù:-] (자동차의) 백미러.
rear·ward[ríərwərd] *ad., a.* 뒤로(의), 후부의〔에〕. **~s** *ad.* 뒤로.
˙rea·son[rí:zən] *n.* ① Ⓤ,Ⓒ 이유, 동기. ② Ⓤ 사리; 이성, 제정신, 분별. ***as* ~ *was*** 이성에 따라서. ***be restored to* ~** 제정신으로 돌아오다. ***bring to* ~** 사리를 깨닫게 하다. ***by* ~ *of*** …때문에, …의 이유로. ***hear* 〔*listen to*〕 ~** 도리에 따르다. ***in* ~** 사리에 맞는. ***lose one's* ~** 미치다. ***practical* 〔*pure*〕 ~** 실천〔순수〕 이성. ***stand to* ~** 사리에 맞다. ***with* ~** (충분한) 이유가 있어서. — *vt.* 논하다, 추론하다 (*about, of, upon*); 설복하다. **~ *a person into* 〔*out of*〕** 사리로 타일러 …시키다〔그만두게 하다〕. ***~·ing** *n.* Ⓤ 추론, 추리; 논증.
:rea·son·a·ble[-əbəl] *a.* ① 합리적인, 분별 있는. ② 무리 없는, 온당한; (값이) 알맞은. **~·ness** *n.* ***-bly** *ad.* 합리적으로, 온당하게; 꽤.
re·as·sem·ble[rì:əsémbəl] *vt., vi.* 다시 모으다〔모이다〕. 「〔주장〕하다.
re·as·sert[rì:əsə́:rt] *vt.* 거듭 단언
re·as·sess[rì:əsés] *vt.* 재평가하다; (…을) 다시 할당하다; (…에) 재과세하다. **~·ment** *n.*
˙re·as·sure[rì:əʃúər] *vt.* 안심시키다; 재보증〔재보험〕하다. **-súr·ing** *a.* 안심시키는; 믿음직한. **-súr·ance** *n.*
re·bate[rí:beit, ribéit] *n., vt.* Ⓒ 할인(하다); 일부 환불(하다).
:reb·el[rébəl] *n.* Ⓒ 반역자. — [ribél] *vi.* (**-ll-**) 모반〔반역〕하다 (*against*); 싫어하다(*at*); 반발하다 (*against*).
:re·bel·lion[ribéljən] *n.* Ⓤ,Ⓒ 모반, 반란. ***-lious**[-ljəs] *a.* 모반의; 반항적인; 다루기 어려운.
re·birth[ri:bə́:rθ] *n.* (*sing.*) 다시 태어남, 갱생, 재생, 부활.
re·born[ri:bɔ́:rn] *a.* 재생한, 갱생한.
re·bound[ribáund] *vi., n.* 되튀다. Ⓒ 되튀기; (감정 따위의) 반발, 반동 (reaction); 〖籠〗 리바운드를 잡다, 리바운드.
re·buff[ribʌ́f] *n., vt.* Ⓒ 거절(하다), 박참, 박차다; 좌절(시키다).
re·build[ri:bíld] *vt.* (***-built***[-bílt]) 재건하다, 다시 세우다.

R

:re·buke[ribjú:k] *n., vt.* U,C 비난(하다), 징계(하다).

re·but[ribʌ́t] *vt.* (**-tt-**) 반박[반증]하다(disprove). **~·tal** *n.*

re·cal·ci·trant[rikǽlsətrənt] *a., n.* C 반항적인 (사람), 복종하지 않는, 다루기 힘든, 어기대는 (사람). **-trance, -tran·cy** *n.*

:re·call[rikɔ́:l] *vt.* ① 다시 불러 들이다; (외교관 따위) 소환하다. ② 취소하다; (일반 투표로) 해임하다. ③ 생각나(게 하)다, 상기시키다. — *n.* U 다시 불러들임, 소환; 취소; (결함 상품의) 회수; 해임; 상기; 〖컴〗 (입력한 정보의) 되부르기. ***beyond*** [***past***] ~ 돌이킬 수 없는. **~·a·ble** *a.* **~·ment** *n.*

re·cant[rikǽnt] *vt.* 취소하다, 철회하다. — *vi.* 자설(自說)[앞서 말한 것]의 철회를 공포하다. **re·can·ta·tion**[rì:kæntéiʃən] *n.*

re·cap[rí:kǽp] *vt.* (**-pp-**) (타이어 표면을 가류(加硫) 처리하고 고무조각을 대서) 재생시키다(cf. retread). — [ˊˋ] *n.* C (고무 댄) 재생 타이어.

re·ca·pit·u·late[rì:kəpítʃəlèit] *vt.* 요점을 되풀이하다; 요약하다. **-la·tion**[ˋ-ˋ-léi-] *n.* U,C 요약; 〖生〗 발생 반복《선조의 발달 단계의, 태내에서의 요약적 되풀이》; 〖樂〗 (소나타 형식의) 재현부.

·re·cap·ture[ri:kǽptʃər] *n., vt.* U 탈환(하다).

re·cast[rí:kæ̀st, -kɑ̀:st] *n.* C 개주(改鑄); 개작; 배역[캐스트] 변경; 재계산. — [ˋˊ] *vt.* (***recast***) recast 하다.

rec·ce[réki] *n.* U,C 《軍口》 정찰 (reconnaissance).

recd. received.

·re·cede[risí:d] *vi.* ① 물러나다[서다], 멀리 물러가다; 쑥 들어가다, 움츠리다. ② 손을 떼다(*from*); (가치가) 떨어지다, 쇠퇴하다.

:re·ceipt[risí:t] *n.* ① U 수령, 수취. ② C 영수증; (*pl.*) 영수액. ③ C 《古》 처방, 제법(recipe). ***be in ~ of*** 〖商〗 …을 받다. — *vt.* 영수필(畢)이라고 쓰다; 영수증을 떼다.

†re·ceive[risí:v] *vt.* ① 받다, 수취하다; 수령하다. ② (공격·질문 따위를) 받아 넘기다, 수신(受信)하다; 수용하다; 맞이하다; 대접[접대]하다(entertain). ③ 이해[용인]하다. ④ 〖컴〗 수신하다. **~d**[-d] *a.* 일반적으로 인정된, 용인된. **:re·céiv·er** *n.* C 수취인; 받는 그릇; 수신[수화]기; 〖컴〗 수신기. **re·céiv·ing** *a.* 수신(용)의.

:re·cent[rí:sənt] *a.* 최근의(late); 새로운. **:~·ly** *ad.* 요사이, 최근(lately). **~·ness, ré·cen·cy** *n.* U (사건 따위) 새로움.

:re·cep·ta·cle[riséptəkəl] *n.* C 용기(容器); 저장소.

:re·cep·tion[risépʃən] *n.* ① U 받아들임, 수령, 수리(受理); 수용. ② C 응접, 접대, 환영(의 모임). ③ U 입회 (허가). ④ U 평판; 시인; 수신(상태). **~·ist**[-ʃənist] *n.* C 응접계원, 접수계원.

recéption ròom 응접실; 접견실.

·re·cep·tive[riséptiv] *a.* 잘 받아들이는(*of*), 민감한. **-tiv·i·ty**[-ˋtívəti, rì:sep-] *n.*

:re·cess[rí:ses, risés] *n.* ① U,C 휴식; 쉬는 시간; (대학 따위의) 휴가; (의회의) 휴회. ② (보통 *pl.*) 깊숙한[후미진] 곳; (마음) 속; 은거지, 구석; 벽에 움푹 들어간 선반(niche); 방안의 후미져 구석진 곳(alcove). — *vt.* (벽에) 움푹 들어간 선반을 만들다, 구석에 두다, 감추다; 뒤로 물리다. — *vi.* 《美》 휴업하다, 쉬다.

·re·ces·sion[riséʃən] *n.* ① U 퇴거, 퇴장(receding). ② C (경기 등의) 후퇴(기). ③ C (벽 등의) 움푹 들어간 선반(recess). **~·al**[-ʃənəl] *a., n.* C 퇴장할 때 부르는 (찬송); 휴회[휴정]의.

re·ces·sive[risésiv] *a.* 퇴행의, 역행의; 〖遺傳〗 열성(劣性)의.

re·cher·ché[rəʃέərʃei] *a.* (F.) 정선된(choice), 꼼꼼한, 정성들인.

re·cid·i·vism[risídəvìzəm] *n.* U 상습적 범행, 반복 범죄 성향. **-vist** *n.* C 누범자, 상습범.

:rec·i·pe[résəpi:] *n.* C 처방; 요리법; 방법(*for*).

re·cip·i·ent[risípiənt] *a., n.* C 받아들이는 (사람), 수취인.

ˈ**re·cip·ro·cal**[risíprəkəl] *a.* 상호의, 호혜적(互惠的)인; 역(逆)의(*a* ~ *ratio* 역비). — *n.* Ⓒ 상대되는 것; 〖數〗 역수(《1/5과 5 따위》). **~·ly** [-kəli] *ad.*

re·cip·ro·cate[-rəkèit] *vt., vi.* 교환하다; 보답하다, 답례하다(*with*); 〖機〗 왕복 운동시키다〔하다〕. **-ca·tion**[—ˊ—kéiʃən] *n.*

rec·i·proc·i·ty[rèsəprásəti/-ɔ́-] *n.* Ⓤ 교호 작용; 호혜주의.

ˈ**re·cit·al**[risáitl] *n.* Ⓒ ① 암송; 상술(詳述); 이야기. ② 독주〔독창〕(회).

ˈ**rec·i·ta·tion**[rèsətéiʃən] *n.* ① Ⓤ,Ⓒ 자세한 이야기; 암송, 낭독; Ⓒ 암송문. ② Ⓤ,Ⓒ 《美》 (예습 과목의) 암송; 그 수업.

rec·i·ta·tive[rèsətətí:v] *n.* Ⓒ (가극의) 서창(敍唱)부〔조〕(《노래와 대사와의 중간의 창영(唱詠)법》).

ː**re·cite**[risáit] *vt., vi.* ① 암송〔음송〕하다. ② (자세히) 이야기하다, 말하다(narrate).

ː**reck·less**[ˊlis] *a.* 무모한; 개의치 않는(*of*). **~·ly** *ad.* **~·ness** *n.*

ː**reck·on**[rékən] *vt.* ① 세다, 계산하다. ② 평가하다; 단정하다(*that*); 생각하다, 간주하다(regard)(*as, for; to* be). ③ 돌리다(*to*). — *vi.* 세다, 계산하다; 《美》 생각하다; 기대하다(*on, upon*); 고려에 넣다. (…와) 셈〔청산〕하다(*with*). **~·er** *n.* ˈ**~·ing** *n.* Ⓤ,Ⓒ 계산(서), 셈; 청산, 측정; 청산일; 최후의 심판일. ***out in one's ~ing*** 기대가 어긋나서.

ˈ**re·claim**[rikléim] *vt.* ① (…의) 반환을 요구하다; 되찾다. ② 교화〔교정〕하다; 《古》 (매사냥의 매를) 길들이다. ③ 개척하다; 매립(埋立)하다. — *n.* Ⓤ 교화, 개심(의 가능성). ***past*** ~ 회복〔교화〕의 가망이 없는.

rec·la·ma·tion[rèkləméiʃən] *n.* Ⓤ,Ⓒ 개간, 매립; 개선, 교정.

ˈ**re·cline**[rikláin] *vi., vt.* 기대(게 하)다(*on*); (*vi.*) 의지하다(rely)(*on, upon*).

re·cluse[riklú:s, réklu:s; *a.* riklú:s] *a., n.* 속세를 버린; Ⓒ 속세를 떠난 사람.

ː**rec·og·ni·tion**[rèkəgníʃən] *n.* Ⓤ,Ⓒ ① 인식, 승인. ② 표창. ③ 아는 사이; 인사(greeting). ***in ~ of*** …을 인정하여; …의 보수〔답례〕로서.

ː**rec·og·nize**[rékəgnàiz] *vt.* ① 인정하다; 인식〔인지〕하다. ② 승인하다; (사람을) 알아보다; (아무개로) 알아보고 인사하다. ③ 《美》 (의회에서) 발언을 허가하다. **-niz·a·ble** *a.*

ˈ**re·coil**[rikɔ́il] *n., vi.* Ⓤ 튀어 되돌아옴〔오다〕, 반동(하다); (공포·혐오 따위로) 뒷걸음질(치다)(*from*); 움츠리다; 퇴각하다(*from, at, before*).

ː**rec·ol·lect**[rèkəlékt] *vt.* 회상하다. ː**-léc·tion** *n.* Ⓤ,Ⓒ 회상; 기억.

ː**rec·om·mend**[rèkəménd] *vt.* ① 추천하다. ② 권고〔충고〕하다(*to* do; *that*). ③ 좋은 느낌을 갖게 하다(*Her elegance ~s her.* 그녀는 품위가 있어 호감을 준다). **~·a·ble** *a.* 추천할 수 있는, 훌륭한.

ː**rec·om·men·da·tion**[rèkəmendéiʃən] *n.* Ⓤ 추천; Ⓒ 추천장; Ⓤ 권고; Ⓒ 장점. **-mend·a·to·ry**[-méndətɔ̀:ri/-təri] *a.* 추천의; 장점이 되는; 권고적인.

ː**rec·om·pense**[rékəmpèns] *n., vt.* 갚다; Ⓤ,Ⓒ 보답(하다); 보상(하다).

ː**rec·on·cile**[rékənsàil] *vt.* ① 화해시키다(*to, with*). ② 단념시키다. ③ 조화〔일치〕시키다(*to, with*). ***~ oneself to*** …에 만족하다, 단념하고 …하다. **~·ment,** ˈ**-cil·i·a·tion** [ˊ—sìliéiʃən] *n.* Ⓤ,Ⓒ 조정; 화해; 조화, 일치. ˈ**-cil·i·a·to·ry**[ˊ—síliətɔ̀:ri/-təri] *a.*

re·con·dite[rékəndàit, rikándait/rikɔ́n-] *a.* 심원한; 난해한; 숨겨진.

ː**re·con·nais·sance** [rikánəsəns/-ɔ́-] *n.* Ⓤ,Ⓒ 정찰(대).

re·con·noi·ter, 《英》 **-tre**[rèkənɔ́itər, rì:-] *vt.* (적정(敵情)을) 정찰하다; (토지를) 조사〔답사〕하다.

ˈ**re·con·sid·er**[rì:kənsídər] *vt., vi.* 재고하다; 〖議會〗 재심하다. **~·a·tion** [ˊ—sidəréiʃən] *n.*

ː**re·con·struct**[rì:kənstrʌ́kt] *vt.* 재건〔개조〕하다. ː**-strúc·tion** *n.* **-tive** *a.*

ˈ**re·cord**[rikɔ́:rd] *vt.* 기록하다. — [rékərd/-kɔ:rd] *n.* Ⓒ ① 기록; (경기의) (최고) 기록. ② 음반, 레코드(disc). ③ 이력; (학교의) 성적. ④

R

〖컴〗 레코드《file의 구성 요소가 되는 정보의 단위》. ***on* 〔*off*〕 *the* ～** 공식〔비공식〕으로. **:～·er**[-ər] *n.* Ⓒ 기록원〔기〕; 녹음기.

récord-brèaking *a.* 기록 돌파의, 공전의.

récord brèaker 기록 경신자.

récord hòlder (최고) 기록 보유자.

ˈre·cord·ing[-iŋ] *a.* 기록〔녹음〕하는, 기록용의, 기록계원의. — *n.* U,C 기록, 녹음; Ⓒ 녹음 테이프, 음반.

:récord plàyer 레코드 플레이어.

ˈre·count[rikáunt] *vt.* (자세히) 이야기하다.

re-count[rí:kàunt] *n.* Ⓒ 재(再)계산. — [-ˊ] *vt.* 다시 계산하다.

re·coup[rikú:p] *vt.* 벌충하다, 보상하다; 메우다. **～ *oneself*** 손실(등)을 회복하다.

ˈre·course[rí:kɔ:rs, rikɔ́:rs] *n.* ① U,C 의지(가 되는 것). ② Ⓤ 〖法〗 상환 청구. ***have* ～ *to*** …에 의지하다, …을 사용하다.

:re·cov·er[rikʌ́vər] *vt.* ① 되찾다, 회복하다. ② 회복시키다. ③ 보상하다, 벌충하다. ④ 〖컴〗 복구시키다《경미한 상태에서 정상 상태로 돌림》. — *vi.* 회복〔완쾌〕하다; 소생하다; 소송에 이기다; 〖컴〗 복구하다. **～ *oneself*** 소생하다; 제정신〔냉정〕을 되찾다. **:～·y**[-vəri] *n.* U,C 회복, 완쾌; 되찾음, 회수; 승소; 〖컴〗 복구.

re-cov·er[ri:kʌ́vər] *vt.* …덮개〔표지〕를 갈아 붙이다.

re-cre·ate[ri:kriéit] *vt.* 재창조하다; 개조하다.

†rec·re·a·tion[rèkriéiʃən] *n.* U,C 휴양, 보양, 기분 전환, 오락.

ˈrec·re·a·tion·al[rèkriéiʃənəl] *a.* 오락적인, 기분 전환이 되는; 휴양의.

recreátion gròund 《英》 운동장, 유원지.

recreátion ròom 〔**hàll**〕 오락실.

re·crim·i·nate[rikrímənèit] *vi.* 되받아 비난하다, 응수하다. **-na·tion** [-ˋ-néiʃən] *n.*

re·cru·des·cence[rì:kru:désns] *n.* U,C 재발(再發).

ˈre·cruit[rikrú:t] *vt.* ① (신병·신회원을) 모집하다; (…에) 신병(등)을 넣다; 보충하다. ② (수를) 유지하다, 증가하다; 원기를 북돋우다. — *vi.* 신병을 모집하다; 보충하다; 보양하다, 원기가 회복되다. — *n.* Ⓒ 신병, 신입 사원, 신회원; 신참자.

rec·tal[réktl] *a.* 〖解〗 직장의.

ˈrec·tan·gle[réktæ̀ŋgəl] *n.* Ⓒ 직사각형. **ˈ-gu·lar**[-ˊgjələr] *a.* 직사각형의.

rec·ti·fy[réktəfài] *vt.* 고치다, 바로잡다(correct); 수정하다; 〖電〗 정류(整流)하다. **～*ing tube*** 〔***valve***〕 정류관. **-fi·er** *n.* **-fi·ca·ti·on**[ˋ-fikéiʃən] *n.* Ⓤ 시정; 수정; 정류.

rècti·línear *a.* 직선의〔을 이루는〕, 직선으로 둘러싸인.

rec·ti·tude[réktətjù:d] *n.* Ⓤ 정직, 성실(integrity).

rec·to[réktou] *n.* (*pl.* **～s**) Ⓒ (책의) 오른쪽 페이지; (종이의) 표면 (opp. verso).

ˈrec·tor[réktər] *n.* Ⓒ ① 〖英國教〗 교구 사제; 〖監督教會〗 교구 목사; 〖가톨릭〗 (수도)원장. ② 교장, 학장, 총장. **～·ship**[-ʃìp] *n.* **rec·to·ry** [réktəri] *n.* Ⓒ rector의 저택〔수입〕. **rec·to·ri·al**[rektɔ́:riəl] *a.*

rec·tum[réktəm] *n.* (*pl.* ***-ta***[-tə]) Ⓒ 직장(直腸).

re·cum·bent[rikʌ́mbənt] *a.* 가로누운, 기댄; 경사진; 활발하지 못한. **-ben·cy** *n.*

re·cu·per·ate[rikjú:pərèit] *vt., vi.* (건강·원기 따위를) 회복시키다〔하다〕. **-a·tion**[-ˋ-éiʃən] *n.* **-a·tive** [-rèitiv, -rə-] *a.*

ˈre·cur[rikɔ́:r] *vi.* (***-rr-***) (이야기가) 되돌아가다(*to*); 회상하다; (생각이) 다시 떠오르다; 재발하다; 되풀이하다.

re·cur·rent [rikɔ́:rənt, -ʌ́-] *a.* 회귀〔재발·순환〕하는. **-rence** *n.*

recúrring décimal 〖數〗 순환소수.

re·cy·cle[ri:sáikəl] *vt., vi.* (불용품을) 재생하다, 원상으로 하다. **-cling** *n.* Ⓤ 재생 이용.

†red[red] *a.* (***-dd-***) ① 빨간; 작열하는. ② 피에 물든, 잔인한(***a* ～ *vengeance***). ③ (정치적) 적색의, 혁명

적인, 공산주의의, 과격한(radical); (R-) 러시아의. ***turn*** ~ 붉어지다; 적화하다. ─ *n.* ① U,C 빨강 (물감); U 붉은 옷. ② (종종 R-) C 공산당원. ③ (the ~) 적자(opp. black). ***in the*** ~ 적자를 내어(in debt). ***see*** ~ 격노하다. ***the Reds*** 적군(赤軍).

réd alért (공습의) 적색 경보; 긴급 비상 사태.

réd·brèast *n.* C 울새(robin); (미국산) 도요새의 일종.

réd·brìck *a.* 《英》 (대학이) 역사가 짧은, 신설 대학의.

réd cárpet 정중[성대]한 대우, 환대; (고관을 맞는) 붉은 융단.

réd cént 《美》 1센트 동전; 피천; 보잘것 없는 액수[양].

réd córpuscle 적혈구(red blood cell).

·**Réd Cróss, the** 적십자(사); (r- c-) 성(聖)조지 십자장(章)《영국 국장》. 「자사.

Réd Cróss Socìety, the 적십

·**red·den**[rédn] *vt., vi.* 붉게 하다, 붉어지다.

·**red·dish**[rédiʃ] *a.* 불그스름한.

·**re·deem**[ridíːm] *vt.* ① 되사다, 되찾다, 회복하다. ② 속죄하다; 구조하다(rescue). ③ (약속을) 이행하다(fulfill). ④ 보상하다; (결점을) 보충하다. ⑤ 태환(兌換)하다; (국채 따위를) 상환하다. ⑥ (몸값을 치르고) 구해 내다. **~·a·ble** *a.* 되살[되받을] 수 있는; 상환[태환]할 수 있는; 속죄할 수 있는. **~·er** *n.* C 환매(還買)하는 사람; (저당물을) 찾는 사람; 구조자. ***the Redeemer*** 예수, 구세주.

·**re·demp·tion**[ridémpʃən] *n.* U ① 되사기, 되받기(redeeming). ② (속전을 내고) 죄인을 구제함; 상각(償却); 구출(rescue). ③ (예수에 의한) 속죄, 구원(salvation). ④ 벌충.

re·de·ploy[rìːdiplɔ́i] *vt.* (부대 따위를) 전진[이동]시키다; (노동력을) 재배치하다. **~·ment** *n.*

réd flág 적기(赤旗)《위험 신호기·혁명기》; (the R- F-) 적기가(歌); 성나게 하는 물건.

réd-hánded *a.* 잔인한; 현행범의.

réd·hèad *n.* C 빨간 머리의 사람; 〖鳥〗 흰죽지류(類)의 새.

réd hérring 훈제(燻製) 청어; 사람의 주의를 딴 데로 돌리게 하는 것[도구, 수단].

·**réd-hót** *a.* ① 빨갛게 단. ② 열의에 찬; 격렬한(violent). ③ (뉴스가) 새로운, 최신의.

Réd Índian 아메리카 토인, 인디언.

re·di·rect[rìːdirékt, -dai-] *vt.* 방향을 고치다; 수신인 주소를 고쳐 쓰다. ─ *a.* 〖法〗 재(再)직접의. ~ ***examination*** 재직접 심문.

réd-létter *a.* 붉은 글자의, 기념할 만한(*a* ~ *day* 경축일).

réd líght (교통의) 붉은 신호; 위험 신호. ***see the*** ~ 위험을 느끼다, 겁내다.

réd-líght dìstrict 홍등가.

réd mèat 붉은 고기《소·양고기 등》.

red·o·lent[rédələnt] *a.* 향기로운; (…의) 향기가 나는; (…을) 생각나게 하는(suggestive)(*of*); (…을) 암시하는. **-lence** *n.* **~·ly** *ad.*

·**re·dou·ble**[riːdʌ́bəl] *vt., vi.* 강화하다[되다]; 배가하다; 《古》 되풀이하다(repeat); 〖브리지〗 (상대가 배액을 건 때) 다시 그 배액을 걸다.

re·doubt[ridáut] *n.* C 〖築城〗 (요충지의) 각면 보루(角面堡壘); 요새.

re·doubt·a·ble[-əbəl] *a.* 무서운; 존경할 만한. **-bly** *ad.*

re·dound[ridáund] *vi.* (…에) 기여하다(contribute)(*to*); (결과로서) …이 되다; 되돌아오다(*upon*).

réd pépper 고추(가루)(cayenne pepper).

·**re·dress**[ridrés] *vt., n.* U,C (부정 따위를) 바로잡다[바로잡음]; 개선[구제](하다); 배상(하다). **~·a·ble** *a.* **~·er, re·drés·sor** *n.*

réd·skin *n.* = RED INDIAN.

réd tápe [**tápism**] (공문서 매는) 붉은 띠; 관공서식, 형식[관료]주의, 번문욕례(煩文縟禮).

:**re·duce**[ridjúːs] *vt.* ① 줄이다, 축소하다. ② (어떤 상태로) 떨어뜨리다. ③ 말라빠지게 하다. ④ 진압하다, 항복시키다. ⑤ 변형시키다, 간단히 하다; 분류[분해]하다. ⑥ 격하시

R

키다(degrade); 영락[약화]시키다; (페인트 등을) 묽게 하다(dilute); 퇴화시키다. ⑦ 《化》 환원하다; 《數》 환산하다, 약분하다; 《冶》 제련하다; 《外》 (탈구 따위를) 정복(整復)하다. — *vi.* 줄다; (식이요법으로) 체중을 줄이다. ~**d**[-t] *a.* 감소[축소]한, 할인한; 영락한; 환원한. **re·dúc·er** *n.* **re·dúc·i·ble** *a.*

:**re·duc·tion**[ridʌ́kʃən] *n.* ① U 변형. ② U,C 감소(액), 축소. ③ U 저하, 쇠미. ④ U 정복, 정골(整骨). ⑤ U 《化》 환원. ⑥ U 《數》 환산, 약분. ⑦ U,C 《論》 환원법. ~ **to absurdity** 《論》 귀류법.

re·dun·dant[ridʌ́ndənt] *a.* 쓸데없는, 군; 장황한; 번거로운. ~**·ly** *ad.* **-dance, -dan·cy** *n.* U,C 과잉, 여분; 《컴》 중복(*redundancy check* 중복 검사).

réd wíne 붉은 포도주.

réd·wòod *n.* C 미국 삼나무; U 붉은색의 목재.

re·ech·o[ri(:)ékou] *n.* (*pl.* ~**es**). *vt., vi.* C 다시 반향(하다).

:**reed**[ri:d] *n.* C ① 갈대. ② (피리의) 혀. ③ 《詩》 갈대 피리; 전원시; 화살. **a broken** ~ 믿지 못할 사람. ∠**·y** *a.* 갈대 같은[가 많은]; 갈대 피리 비슷한 소리의; (목소리가) 새된.

re·ed·u·cate[ri:édʒukèit] *vt.* 재교육하다, 세뇌하다.

·**reef**[1][ri:f] *n.* C 암초(*strike a* ~ 좌초하다); 광맥.

reef[2] *n., vt.* C 《海》 (돛의) 축범부(縮帆部); 축범하다, 짧게 하다. ∠**·er** *n.* C 돛 줄이는 사람; (선원 등의) 두꺼운 상의; 《美俗》 마약이 든 궐련; 《美俗》 냉동차, 냉동선(船).

réef knòt 옭매듭(square knot).

reek[ri:k] *n., vi.* U 김(을 내다); U,C 악취(를 풍기다); (…의) 냄새가 나다(~ *of blood* 피비린내 나다). ∠**·y** *a.*

:**reel**[1][ri:l] *n.* C ① (전선·필름 따위를 감는) 얼레, 릴; 실패. ② 《映》 1권(약 1000 ft.)(*a six* ~ *film,* 6권 짜리). ③ (낚싯대의) 줄 감개, 릴. ④ 《컴》 릴(자기 또는 종이 테이프를 감는 틀; 또 그 테이프). (**right**) **off the** ~ (실 따위가) 술술 풀려; 막힘 없이(이야기하다); 주저없이, 즉시. — *vt.* 얼레에 감다. (실을) 잣다. — *vi.* (귀뚜라미 따위가) 귀뚤귀뚤 울다.

reel[2] *vi.* 비틀거리다; (대오·전열이) 흐트러지다; 현기증나다.

reel[3] *n.* (Scotland의) 릴(춤).

·**re·e·lect**[rì:ilékt] *vt.* 재선하다. ·**-léc·tion** *n.*

·**re-en·ter**[ri:éntər] *vi., vt.* 다시 들어가다[넣다]; (우주선이) 재돌입하다. ~**·a·ble** *a.* 《컴》 재입(再入) 가능한. **-try** *n.*

reeve *n.* C 《英史》 (고을의) 수령, (지방의) 장관; (장원(莊園)의) 감독.

re-ex·am·ine[rì:egzǽmin] *vt.* 재시험[재심리]하다. **-i·na·tion**[ㅡㅡㅡənéiʃən] *n.*

ref. referee; reference.

re·fec·to·ry[riféktəri] *n.* C (수도원·학교 등의) 식당.

:**re·fer**[rifə́:r] *vt.* (**-rr-**) ① 문의[조회]하다; 참조시키다(~ *a person to a book*). ② (…에) 돌리다, (…에) 속하는 것으로 하다(attribute)(*to*). — *vi.* ① 인증(引證)하다, 참조[문의]하다(*to*). ② 관계하다, 대상으로 삼다(*to*). ③ 언급하다, 암암리에 가리키다(*to*). ~ **oneself to** … 에게 의뢰하다, …에게 맡기다. ~**·a·ble**[réfərəbəl, rifə́:r-] *a.*

·**ref·er·ee**[rèfərí:] *n., vt.* C 중재인; 심판원, 중재[심판]하다.

:**ref·er·ence**[réfərəns] *n.* ① U 참조; 참고; C 참조문; 참고 자료. ② C 참조 부호(* † § 따위) (~ mark); 인용문; 표제. ③ U 언급; 관계; 《文》 (대명사가) 가리킴, 받음. ④ U 문의; 조회; C 조회처, 신원 보증인. ⑤ U 위탁, 부탁. ⑥ U 《컴》 참조(*a* ~ *manual* 참조 설명서). **cross** ~ (같은 책 중의) 전후 참조. **frame of** ~ (일관된) 몇 개의 사실; 체계적인 원리. **in** [**with**] ~ **to** …에 관하여. **make** ~ **to** …에 언급하다. **without** ~ **to** …에 관계 없이, …에 불구하고.

réference bòok 참고 도서(사전·연감 등).

réference lìbrary 참고 도서관(대

출은 않음》.

ref·er·en·dum [rèfəréndəm] *n.* (*pl.* **~s, -da**[-də]) Ⓒ 국민 투표.

re·fill [riːfíl] *vt.* 다시 채우다〔채워 넣다〕. — [ˊ-] *n.* Ⓒ 다시 채워 넣기〔넣은 물품〕.

***re·fine** [rifáin] *vt.* ① 정제〔정련〕하다, 순화(純化)하다. ② 세련되게 하다, 고상〔우아〕하게 하다, (문장을) 다듬다. — *vi.* ① 순수해지다, 세련되다, 개선되다(*on, upon*). ② 정밀〔교묘〕하게 논하다(*on, upon*).

:re·fined [rifáind] *a.* 정제〔정련〕한; 세련된, 우아한.

***re·fine·ment** [-mənt] *n.* Ⓤ ① 정제, 정련, 순화. ② 세련, 고상함, 우아. ③ 세밀한 구별〔구분〕; 공들임; 정교함, 극치(*~s of cruelty* 용의주도한 잔학 행위).

re·fin·er [rifáinər] *n.* Ⓒ 정제〔정련〕기. * **~·y** *n.* Ⓒ 제련〔정련〕소.

re·fit [riːfít] *vt., vi.* (**-tt-**) (배 따위를) 수리〔개장(改裝)〕하다; 수리〔개장〕되다. — [ríːfìt] *n.* Ⓒ 수리, 개장. **~·ment** *n.*

re·fla·tion [rifléiʃən] *n.* Ⓤ 통화 재팽창, 리플레이션(cf. deflation, inflation).

:re·flect [riflékt] *vt.* ① 반사〔반향〕하다; 비치다; 반영하다. ② (명예·불신 따위를) 가져오다(*on, upon*). — *vi.* ① 반사〔반향〕하다; 반성〔숙고〕하다. ② (…에) 불명예를 끼치다(*on, upon*). ③ (인물, 또는 그 미점 따위를) 이리저리 되생각하다; (숙고하여) 비난하다; 트집을 잡다; 비방하다(blame)(*on, upon*). **~ on oneself** 반성하다. ***re·fléc·tive** *a.*

:re·flec·tion, 《英》 **re·flex·ion** [riflékʃən] *n.* ① Ⓤ 반사(광·열); Ⓒ 반영, 영상; 빼쏜 것. ② Ⓤ 반성, 숙고(*on* 〔*upon*〕 ~ 숙고한 끝에). ③ Ⓒ (*pl.*) 감상(感想), 비난, 치욕(*on, upon*). **angle of ~** 반사각. **cast a ~ on** …을 비난하다, …의 수치가〔치욕이〕 되다.

***re·flec·tor** [rifléktər] *n.* Ⓒ ① 반사물, 반사기. ② 반사(망원)경.

***re·flex** [ríːfleks] *a.* 반사의, 반사적인, 꺾인, 반대 방향의. — *n.* Ⓒ ① 반사; 반사광; 영상; 반영. ② 〖生〗 반사 작용. ③ 리플렉스 수신기. **conditioned ~** 조건 반사.

re·flex·ion [riflékʃən] *n.* 《英》 = REFLECTION.

re·flex·ive [rifléksiv] *a., n.* Ⓒ 〖文〗 재귀의; 재귀 동사〔대명사〕 《*He behaved himself* like a man.》. **~·ly** *ad.*

:re·form [rifɔ́ːrm] *vt.* 개혁하다, 개정〔개량〕하다; 교정(矯正)하다(*~ oneself* 개심하다). — *vi.* 좋아지다; 개심하다. — *n.* Ⓤ,Ⓒ 개정, 개량; 교정, 감화. **~·a·ble** *a.* * **~·er** *n.*

re-form [riːfɔ́ːrm] *vt., vi.* 고쳐〔다시〕 만들다. **re-for·ma·tion** [ˋ-méiʃən] *n.* Ⓤ 재구〔편〕성.

***ref·or·ma·tion** [rèfərméiʃən] *n.* ① Ⓤ,Ⓒ 개정, 개혁, 혁신. ② (the R-) 종교 개혁.

re·form·a·to·ry [rifɔ́ːrmətɔ̀ːri/-təri] *a.* 개혁의; 교정의. — *n.* Ⓒ 《美》 감화원, 소년원.

re·fract [rifrǽkt] *vt.* 〖理〗 굴절시키다. **re·frác·tive** *a.* 굴절의, 굴절하는. **re·frác·tion** *n.* Ⓤ 굴절 (작용) (*the index of refraction* 굴절률). **re·frác·tor** *n.* Ⓒ 굴절 매체〔렌즈, 망원경〕.

re·frac·to·ry [rifrǽktəri] *a.* 다루기 힘든, 고집이 센; (병이) 난치의; 용해〔가공〕하기 어려운.

:re·frain[1] [rifréin] *vi.* 그만두다, 자제〔억제〕하다(*from*).

:re·frain[2] *n.* Ⓒ (노래의) 후렴 (문구); 상투 문구(常套文句).

:re·fresh [rifréʃ] *vt., vi.* ① 청신하게 하다〔되다〕, 새롭게 하다〔되다〕(renew). ② 원기를 회복하다〔시키다〕. ③ 〖컴〗 (화상이나 기억 장치의 내용을) 재생하다(*~ memory* 재생 기억 장치). **~ oneself** 음식을 들다. **~·er** *n., a.* Ⓒ 원기를 북돋우는 것; 청량음료; 보습과(補習科); 보습〔복습〕의. * **~·ing** *a.* 상쾌하게 하는.

refrésher còurse 재교육 과정, 보습과.

:re·fresh·ment [-mənt] *n.* ① Ⓤ 원기 회복, 휴양. ② Ⓒ 원기를 북돋우는 것. ③ (흔히 *pl.*) (간단한) 음식물, 다과.

re·frig·er·ate [rifrídʒərèit] *vt.* 차

R

게하다(cool); 냉동〔냉장〕하다. **-a·tion**[-̶-̶é̀iʃən] *n.* Ⓤ 냉각, 냉동, 냉장. ***-a·tor** *n.* Ⓒ 냉장고; 냉동기〔장치〕.

re·fu·el[ri:fjúːəl] *vt., vi.* (…에) 연료를 보급하다.

:ref·uge[réfjuːdʒ] *n.* ① Ⓤ 피난; 은신, 도피. ② Ⓒ 피난처; 은신〔도피〕처. ③ Ⓒ 의지가 되는 물건〔사람〕. ④ Ⓒ 핑계, 구실. ⑤ Ⓒ (가로의) 안전 지대((safety) island).

·ref·u·gee[rèfjudʒíː, ∠-∠] *n.* Ⓒ 피난자, 망명자, 난민.

re·ful·gent[rifʌ́ldʒənt] *a.* 찬란하게 빛나는(radiant). **-gence** *n.* Ⓤ 광휘.

·re·fund[1][riːfʌ́nd] *vt., vi.* 환불〔상환〕하다. ── [∠-] *n.* Ⓒ 환불, 상환. **~·ment** *n.*

re·fund[2][riːfʌ́nd] *vt.* (채무·공채 등을) 차환(借換)하다.

re·fur·bish[riːfə́ːrbiʃ] *vt.* 다시 닦다, 일신하다.

:re·fus·al [rifjúːzəl] *n.* ① Ⓤ,Ⓒ 거절, 사퇴. ② (the ~) 우선 선택권, 선매권(先買權).

†re·fuse[1][rifjúːz] *vt., vi.* ① (부탁·요구·명령·청혼 등을) 거절〔사퇴〕하다. ② (말이) 안 뛰어넘으려 하다. **re·fús·er** *n.*

ref·use[2][réfjuːs, -z] *n., a.* Ⓤ 폐물(의), 지질한 (물건).

re·fute[rifjúːt] *vt.* (설·의견 따위를) 논파〔반박〕하다. **re·fu·ta·ble**[-əbəl, réfjə-] *a.* **ref·u·ta·tion**[rèfjutéiʃən] *n.*

·re·gain[rigéin] *vt.* ① 되찾다, 회복하다. ② (…로) 되돌아가다.

·re·gal[ríːgəl] *a.* 국왕의; 국왕다운; 당당한.

re·gale[rigéil] *vt.* 대접하다; 즐겁게 하다(entertain)(*with*). ── *vi.* 성찬을 먹다(*on*); 크게 기뻐하다. ~ ***oneself*** 먹다, 마시다.

re·ga·li·a[rigéiliə, -ljə] *n. pl.* 왕위를 나타내는 보기(寶器)《왕관·홀(scepter) 따위》; 《집합적》(회·계급을 표시하는) 기장(emblems).

†re·gard[rigáːrd] *vt.* ① 주시하다; 중시〔존중〕하다. ② (…로) 간주하다(*as*); 관계하다. ── *vi.* 유의하다. ***as ~s*** …에 관하여는. ── *n.* ① Ⓤ 주의, 관심(*to*), 배려, 걱정(care)(*for*). ② Ⓤ,Ⓒ 존경, 호의. ③ Ⓤ 관계. ④ Ⓤ 점(*in this ~* 이 점에 관하여). ⑤ (*pl.*) (안부 전해주십시오라는) 인사(*Give my kindest ~s to your family.* 여러분에게 안부 전해 주십시오). ***in*** 〔***with***〕 ***~ to*** …에 관하여. ***without ~ to*** …에 관계〔상관〕 없이. **~·a·ble** *a.* **~·er** *n.* **~·ful** *a.* 주의 깊은; (…을) 존중하는(*of*). **:~·ing** *prep.* …에 관하여, …한 점에서는. ***~·less** *a., ad.* 부주의한; (…에) 관계〔상관〕없는〔없이〕; 《口》 (비용에) 개의치 않고; (결과야) 어쨌든.

·re·gat·ta[rigǽtə] *n.* Ⓒ 레가타《보트 경조(競漕)(회)》.

re·gen·cy[ríːdʒənsi] *n.* Ⓤ 섭정 정치〔시대〕; 섭정의 지위; Ⓒ 섭정 기간.

·re·gen·er·ate[ridʒénərèit] *vt., vi.* 갱생〔재생〕시키다〔하다〕. ── [-rit] *a.* 개심〔갱생〕한; 쇄신된. **-a·cy** *n.* **-a·tive** *a.* **-a·tion**[-̶-̶éiʃən] *n.*

re·gent[ríːdʒənt] *n., a.* Ⓒ (*or* R-) 섭정(의). ***Prince*** 〔***Queen***〕 ***R-*** 섭정 황태자〔왕후〕.

reg·i·cide[rédʒəsàid] *n.* Ⓤ 국왕 시해(弑害), 대역; Ⓒ 국왕 시해자, 대역 죄인.

·re·gime, ré·gime[reiʒíːm] *n.* Ⓒ 정체, 정권; 정부; (사회) 제도; =⇩.

reg·i·men[rédʒəmən, -mèn] *n.* Ⓒ 〖醫〗 섭생(법), 식이 요법, 양생; 〖文〗 지배; (Jespersen의 문법에서, 전치사의) 목적어.

·reg·i·ment[rédʒəmənt] *n.* Ⓒ 연대; (보통 *pl.*) 많은 무리. ── [-mènt] *vt.* 연대〔단체〕로 편성하다, 조직화하다, 통제하다.

reg·i·men·tal[rèdʒəméntl] *a., n.* 연대의(*the ~ colors* 연대기); (*pl.*) 군복.

:re·gion[ríːdʒən] *n.* Ⓒ ① (*pl.*) 지방, 지구. ② (신체의) 부위. ③ 범위, 영역. ④ 〖컴〗 영역《기억 장치의 구역》. ***in the ~ of*** …의 부근에. ***the airy ~*** 하늘. ***the upper*** 〔***lower, nether***〕 ***~s*** 천국〔지옥〕.

ˈ~·**al** *a.* 지방의(~ *government* 지방 자치체).

:**reg·is·ter**[rédʒəstər] *n.* ① Ⓒ 기록[등록]부, 표시기, 자동 기록기, 금전 등록기. ② Ⓒ (난방의) 환기[통풍] 장치. ③ Ⓤ,Ⓒ 〖樂〗 성역(聲域), 음역, (풍금의) 음전(音栓). ④ Ⓤ 〖印〗 (선·색 등의) 정합(整合). ⑤ 〖컴〗 기록기《소규모의 기억 장치》. — *vt., vi.* ① 기록[등록·등기]하다, 기명(記名)하다, 등기우편으로 하다; (계기가) 나타내다. ② (…의) 표정을 짓다(*Her face ~ed joy.*). ③ 〖印〗 (선·난·색 따위를[가]) 바르게 맞(추)다. ~**ed**[-d] *a.* 등록한; 등기 우편의.

régistered núrse 《美》 공인 간호사.

régister òffice 등기소(registry); 《美》 직업 소개소.

reg·is·trar[rédʒəstràːr, ⌐–⌐] *n.* Ⓒ 기록[등록]계원; 등기 관리; (대학의) 사무관《학적부 등을 기록》.

ˈ**reg·is·tra·tion**[rèdʒəstréiʃən] *n.* ① Ⓤ 기입, 등기, 등록; (우편물의) 등기. ② Ⓒ 《집합적》 등록자수. ③ Ⓒ (온도계 등의) 표시.

registrátion nùmber 〔**màrk**〕 (자동차의) 등록 번호, 차량 번호.

reg·is·try[rédʒəstri] *n.* Ⓤ 기입; 등기, 등록; Ⓒ 등기소, 등록소.

re·gress[ri(ː)grés] *vi.* 복귀하다, 퇴보[역행]하다. — [ríːgres] *n.* Ⓤ 복귀; 퇴보, 역행. **re·gres·sion**[ri(ː)gréʃən] *n.* = REGRESS. **-sive** *a.*

:**re·gret**[rigrét] *n., vt.* (**-tt-**) Ⓤ 유감(으로 생각하다), 애석(하게 여기다); 후회(하다); 아쉬움(을 느끼다) (~ *one's happy days* 즐거웠던 때를 못내 아쉬워하다); (*pl.*) 《美》 (초대·안내 따위의) 사절(장)(*Please accept my ~s.*). ***express ~ for*** 변명을 늘어놓다, 사과하다. ***to my ~*** 유감스럽게도. ~·**ful** *a.* 유감스러운; 후회하고 있는. ~·**ful·ly** *ad.*

ˈ**re·gret·ta·ble**[rigrétəbəl] *a.* 유감스러운, 섭섭한; 아까운, 분한.

:**reg·u·lar**[régjələr] *a.* ① 규칙적인; 정례(定例)의. ② 정연한, 계통이 선. ③ 정식의, 정규의, 상비의(*the ~ soldier* 정규병). ④ 일상의, 통례의. ⑤ 면허증이 있는, 본직의. ⑥ 〖美政〗 공인된. ⑦ 〖文〗 규칙 변화의. ⑧ 본격적인; 《口》 완전한, 틀림 없는(*a ~ rascal* 철저한 악당). ⑨ 정해 놓은(*his ~ joke* 늘 하는 농담). ⑩ 《美》 충실한(*a ~ Democrat*). ***keep ~ hours*** 규칙적인 생활을 하다. ***~ fellow*** 호한(好漢). ***~ holiday*** 정기 휴일. — *n.* Ⓒ 정규병(cf. volunteer); 상용 고용인; 《美》 충실한 당원. ~·**ize**[-àiz] *vt.* 규칙 바르게 하다, 질서를 세우다. ~·**i·za·tion** [⌐--riʒéiʃən/-rai-] *n.* :~·**ly** *ad.* 규칙 바르게; 정식으로; 《俗》 아주. ~·**i·ty**[⌐–lǽrəti] *n.*

ˈ**reg·u·late**[régjəlèit] *vt.* ① 규칙바르게 하다. ② 규정[통제·단속]하다. ③ 조절하다. **-la·tor** *n.* Ⓒ 조절기[장치]; (시계의) 조정기; 표준 (시계). ˈ**-la·tion**[⌐–léi–] *n., a.* Ⓒ 규칙(의), 규정(의)(*a regulation uniform* 제복); 보통의, 통례의. ***traffic regulations*** 교통 법규.

re·gur·gi·tate[rigə́ːrdʒətèit] *vi., vt.* (세차게) 역류하다; 토하다, 게우다. **-ta·tion**[–⌐–téiʃən] *n.*

re·ha·bil·i·tate[rìːhəbílətèit] *vt.* 원상태대로 하다; 복권[복위·복직]시키다; (…의) 명예를 회복하다. ˈ**-ta·tion**[⌐–⌐ətéiʃən] *n.*

re·hash[riːhǽʃ] *vt.* 다시 저미다[굽다]; 개작하다《특히 문학적 소재를》; 바꿔 말하다. — [⌐⌐] *n.* Ⓒ (*sing.*) 재탕, 개작.

re·hear[riːhíər] *vt.* (**-heard**) 다시 듣다; 〖法〗 재심(再審)하다.

ˈ**re·hears·al**[rihə́ːrsəl] *n.* Ⓤ,Ⓒ (연극·음악 등의) 연습, 리허설. ***dress ~*** (실제 의상을 입고 하는) 최종 연습.

ˈ**re·hearse**[rihə́ːrs] *vt., vi.* 복창하다; (예행) 연습을 하다; (…을) 되풀이하다; 암송[복창]하다.

Reich[raik, raiç] *n.* (G.) (the ~) 독일 (국가). ***the Third ~*** (나치의) 제 3 제국《1933-45》.

:**reign**[rein] *n.* Ⓤ 통치, 지배; 권세; Ⓒ 치세, 성대(聖代). — *vi.* 군림[지배]하다(*over*); 널리 퍼지다(*Silence ~ed.* 침묵이 깔려 있었다).

re·im·burse[rìːimbə́ːrs] *vt.* 변상

〔상환·환불〕하다. **~·ment** *n.*
ˈrein[rein] *n.* Ⓒ (보통 *pl.*) 고삐; 권력; 억제 (수단). **draw ~** (말을 멈추기 위해) 고삐를 당기다; 속력을 늦추다; 그만두다. **give ~** 〔**the ~s**〕 **to** (말을) 마음대로 가게 하다; 자유를 주다. **hold a ~ on** …을 억제〔제어〕하다.
re·in·car·nate [rìːinkáːrneit] *vt.* (영혼에게) 다시 육체를 주다, 다시 태어나게 하다, 화신(化身)시키다. **-na·tion**[∸−−néiʃən] *n.* Ⓒ 재생, 환생, 화신.
ˈrein·deer[réindìər] *n.* Ⓒ *sing.* & *pl.* 순록(馴鹿).
ˈre·in·force[rìːinfɔ́ːrs] *vt.* 보강〔증강〕하다, 강화하다; 증원(增員·增援)하다.
reinfórced cóncrete 철근 콘크리트.
re·in·force·ment[-mənt] *n.* Ⓤ 보강; Ⓒ (보통 *pl.*) 증원군〔함선〕. **~ bar** 〔**iron**〕 (콘크리트용) 철근.
re·in·state[rìːinstéit] *vt.* 원상태로 하다; 회복〔복위·복직·복권〕시키다. **~·ment** *n.*
re·in·sure [rìːinʃúər] *vt.* 재보험하다. **-súr·ance** *n.*
re·is·sue[riːíʃuː/-ísjuː] *n., vt.* Ⓒ 재발행(하다); 〖映〗 신판.
re·it·er·ate[riːítərèit] *vt.* (행위·요구 등을) 되풀이하다. **-a·tion**[−∸−éiʃən] *n.*
:re·ject[ridʒékt] *vt.* ① 물리치다, 거절하다(refuse). ② 토하다(vomit). **ˈre·jéc·tion** *n.*
re·jig[ridʒíg] *vt.* (**-gg-**) (공장에) 다시 설비를 하다.
:re·joice[ridʒɔ́is] *vi.* 기뻐하다(*at, in, over; to* do); 즐기다; 축하하다. — *vt.* 기쁘게 하다. **~ in** …을 향유하다, …을 누리고 있다(*I ~ in health*). **ˈre·jóic·ing**(**·ly**) *n.* (*ad.*)
re·join[1][riːdʒɔ́in] *vi., vt.* 재결합〔재합동〕하다〔시키다〕.
re·join[2][ridʒɔ́in] *vt.* 대답하다. **~·der** *n.* Ⓒ 답변, 대꾸(retort); (원고의 답변에 대한) 피고의 항변.
re·ju·ve·nate[ridʒúːvənèit] *vt., vi.* 다시 젊어지(게 하)다; 원기를 회복하다〔시키다〕. **-na·tor** *n.* **-na·tion** [−∸−néiʃən] *n.*
re·kin·dle[rikíndl] *vt., vi.* 다시 점화시키다〔하다〕, 다시 불붙다.
re·laid[riːléid] *v.* re-lay의 과거(분사).
re·lapse[rilǽps] *n., vi.* Ⓒ (나쁜 길로) 되돌아감〔가다〕, 타락(하다); (병이) 재발(하다).
:re·late[riléit] *vt.* 이야기〔말〕하다; 관계〔관련〕시키다(*to, with*); 친척으로 삼다(*to*). — *vi.* 관계가 있다(*to, with*). **ˈre·lat·ed**[-id] *a.* 관계 있는(*to*).
:re·la·tion[riléiʃən] *n.* ① Ⓤ,Ⓒ 관계, 관련. ② Ⓤ 친척 관계, 연고(緣故); Ⓒ 친척. ③ Ⓒ 이야기(account); Ⓤ 진술. **in ~ to** …에 관(련)하여. **ˈ~·ship**[-ʃip] *n.* Ⓤ,Ⓒ 관계; 친척 관계.
re·la·tion·al[riléiʃənəl] *a.* 관계가 있는; 친족의; 〖文法〗 문법 관계를 나타내는. 상관적인(*a ~ data base* 〖컴〗 관계 자료틀).
:rel·a·tive[rélətiv] *a.* ① 관계 있는, 관련된(*to*). ② 상대〔비교〕적인; 비례한(*to*). ③ 〖文〗 관계를 나타내는. **~ merits** 우열(優劣). — *n.* Ⓒ 친척; 〖文〗 관계사. **ˈ~·ly** *ad.* 상대〔상관〕적으로, 비교적으로.
rel·a·tiv·ism[rélətivìzəm] *n.* Ⓤ 〖哲〗 상대론, 상대주의. **-ist** *n.* Ⓒ 상대론자, 상대주의자; 상대성 원리 연구자.
rel·a·tiv·i·ty[rèlətívəti] *n.* Ⓤ 관련성; 상호 의존; 〖理〗 상대성(원리).
:re·lax[rilǽks] *vi., vt.* 늦추(어지)다, 긴장을 풀(게 하)다; 편히 쉬(게 하)다; 관대해지다〔하게 하다〕; 약해지다, 약하게 하다.
ˈre·lax·a·tion[rìːlækséiʃən] *n.* ① Ⓤ 느스러짐, 이완; 경감. ② Ⓤ 긴장을 풂; 기분 전환; Ⓒ 소창거리, 오락.
ˈre·lay[ríːlei] *n.* ① Ⓒ 갈아 타는 말, 역말. ② Ⓒ 갈아 쓰는 재료 (공급). ③ Ⓒ 교대자, 새 사람. ④ Ⓒ 계주(繼走). ⑤ Ⓤ 〖放〗 중계. ⑥ Ⓒ 〖컴〗 계전기(繼電器). — [∸, riléi] *vt.* 중계로 전하다; 교체시키다; 〖放〗 중계하다.
re-lay[riːléi] *vt.* (**-laid**) 바꿔 놓다; 고쳐 칠하다; (세금을) 다시 부과하다.

:re·lease[rilíːs] *n., vt.* Ⓤ 해방[석방](하다)(*from*); 해제[면제](하다)(*from*); (권리를) 포기(하다), 양도(하다); Ⓤ (폭탄을) 투하(하다); Ⓒ 〖寫〗 릴리즈; 〖電〗 안전기; Ⓤ 공연, 공개, 판매; 〖映〗 개봉(하다); 〖컴〗 배포《하드웨어나 소프트웨어 신제품을 시장에 내놓음》.

rel·e·gate[réləgèit] *vt.* 좌천하다; 추방하다(banish); (사건 등을) 위탁[이관]하다(hand over). **-ga·tion** [ˆ–géiʃən] *n.*

***re·lent**[rilént] *vt.* 누그러지다, 상냥해지다, 측은하게[가엾게] 생각하다(*toward*). **~·ing·ly** *ad.* 상냥하게. **~·less** *a.* 무자비한. **~·less·ly** *ad.*

***rel·e·vant**[réləvənt] *a.* 관련된; 적절한(*to*). **-vance, -van·cy** *n.*

re·li·a·bil·i·ty[rilàiəbíləti] *n.* Ⓤ 확실성; 신빙성; 〖컴〗 믿음성, 신뢰도.

***re·li·a·ble**[riláiəbəl] *a.* 신뢰할[믿을] 수 있는, 확실한. **-bly** *ad.*

***re·li·ance**[riláiəns] *n.* Ⓤ 신뢰; 의지. **-ant** *a.*

***rel·ic**[rélik] *n.* Ⓒ ① (*pl.*) 유물, 유적. ② 유습, 유풍. ③ (성인·순교자의) 유물, 유보(遺寶); 기념품. ④ (*pl.*) 《古·詩》 유골.

:re·lief[rilíːf] *n.* ① Ⓤ 구조, 구출; (고통·걱정 따위의) 제거, 경감. ② Ⓤ 안심, 기분 전환; 소창, 휴식. ③ Ⓤ 구제금, 보조금. ④ Ⓤ 교체, 증원; Ⓒ 교대자. ⑤ Ⓤ (토지의) 기복, 고저. ⑥ Ⓤ 돋을새김; Ⓒ 부조(浮彫)(세공), 릴리프. ⑦ Ⓤ (그림의) 윤곽의 선명, 현저, 탁월. ***bring into ~*** 두드러지게[뚜렷하게] 하다. ***give a sigh of ~*** 한숨 돌리다. ***high ~*** 높은 돋을새김. ***in*** (***bold***) ***~*** 부조되어서, 또렷하게.

relíef màp 모형 지도《지형의 기복을 돋을새김한 것》.

relíef ròad (혼잡 완화를 위한) 우회 도로.

:re·lieve[rilíːv] *vt.* ① 구제[구출]하다; (고통·걱정 등을) 경감하다, 덜다(ease); (근심을) 덜어주다(*of, from*); 안심시키다. ② 교대하다; 쉬게 하다; 해직[해임]하다(*of, from*). ③ 단조로움을 깨뜨리다, 변화를 주다. ④ 돋보이게 하다; 대조시키다. ***be ~d*** (*to hear*)(…라 듣고) 안심하다. ***~ nature*** [***oneself***] 대변[소변]을 보다. ***~ one's feelings*** (울거나 고함쳐서) 후련하게 하다. ***~*** (*a person*) ***of*** (아무에게서) …을 없애[제거해] 주다; 《諧》 훔치다, 빼앗다.

:re·li·gion[rilídʒən] *n.* Ⓤ 종교; 신앙(심). ***make*** (***a***) ***~ of*** (do*ing*), or ***make it ~ to*** (do) 반드시 …하다.

:re·li·gious[rilídʒəs] *a.* ① 종교상(의), 종교적인; 종단(宗團)에 속하는. ② 신앙 깊은; 양심적인; 엄정한(strict). ***with ~ care*** 세심한 주의를 기울여. **~·ly** *ad.* **~·ness** *n.*

***re·lin·quish**[rilíŋkwiʃ] *vt.* ① 포기하다; 양도하다. ② 놓아주다(let go). **~·ment** *n.*

rel·i·quar·y[réləkwèri/-əri] *n.* Ⓒ 유물[유골]함(函).

rel·ish**[réliʃ] *n.* ① Ⓤ 풍미(flavor), 향기. ② Ⓤ 식욕, 흥미, 의욕, 기호(*for*). ③ Ⓤ,Ⓒ 조미료, 양념. ④ Ⓤ 기미, 소량(*of*). ***with ~ 맛있게; 재미있게. — *vt.* 맛보다; 좋아하다; 즐기다; 맛을 들이다. — *vi.* 맛이[풍미가] 있다(*of*); 기미가 있다, 냄새가 나다(*of*). **~·a·ble** *a.* **~·er** *n.* **~·ing·ly** *ad.*

re·live[riːlív] *vt.* (상상 속에서) 재생하다; (…을) 다시 체험하다. — *vi.* 되살아나다.

re·load[riːlóud] *vt., vi.* (…에) 다시 짐을 쌓다[싣다]; 다시 탄약을 재다.

re·lo·cate[riːlóukeit] *vt.* ① 다시 배치하다; (주거·공장 등을) 새 장소로 옮기다. ② 〖컴〗 다시 배치하다.

re·lo·ca·tion[rìːloukéiʃən] *n.* Ⓤ 재배치; 《美》(적(敵) 국민의) 강제 격리 수용.

***re·luc·tant**[rilʌ́ktənt] *a.* 마지못해 하는, 마음이 내키지 않는(unwilling); 《詩》 다루기 힘든. **~·ly** *ad.* ***-tance** *n.* Ⓤ 싫어함; 본의 아님.

:re·ly[rilái] *vi.* 의지하다, 기대를 걸다, 믿다(depend)(*on, upon*).

†re·main[riméin] *vi.* ① 남다, 살아남다. ② 머무르다(*at, in, with*). ③ …한 채로[대로]이다. ④ 존속하다, (업적 등이) 현존하다. ***I ~ yours faithfully.*** 돈수(頓首), 경구(敬具)

R

《편지의 끝맺음 말》. ~ ***with*** (…의) 수중에 있다, (…에) 속하다. ― ***n.*** (*pl.*) ① 잔존물; 유해, 유골. ② 유물, 유적; 화석.

***re·main·der**[riméindər] *n.* ① (the ~) 나머지; Ⓒ 〖數〗 잉여; 〖컴〗 나머지. ② Ⓒ 잔류자; (팔다가 철지난) 남은 책. ― *vt.* 남은 책을 싸게 처분하다.

re·make[ri:méik] *vt.* (***-made***) 고쳐〔다시〕 만들다, 개조하다.

re·mand[rimǽnd, -ɑ́:-] *n., vt.* Ⓤ 재구류(하다); 송환(하다).

:re·mark[rimɑ́:rk] *n.* ① Ⓤ 주의, 주목, 관찰. ② Ⓒ 의견, 비평. ③ Ⓒ 〖컴〗 설명. ***make ~s*** 의견을 말하다; 비난하다. ***pass a ~*** 의견을 말하다. ***pass without ~*** 묵과하다. ― *vt.* 알아채다, 주의하다, (한마디) 말하다. ― *vi.* 유의하다; 비평하다(*on, upon*).

:re·mark·a·ble[-əbəl] *a.* 주목할 만한, 현저한, 비범한, 보통이 아닌. ***-bly** *ad.* 현저하게, 눈에 띄게.

re·mar·ry[ri:mǽri] *vi., vt.* (…와) 재혼하다〔시키다〕.

re·me·di·a·ble[rimí:diəbəl] *a.* 치료〔구제〕할 수 있는.

re·me·di·al[rimí:diəl] *a.* 치료〔구제〕하는; 바로잡을 수 있는.

:rem·e·dy[rémədi] *n.* U,C ① 의약; 의료(법); 구제〔교정〕(법)(*for*). ② 배상, 변상. ― *vt.* 치료〔구제·교정·배상〕하다.

†re·mem·ber[rimémbər] *vt.* ① 기억하고 있다; 생각해 내다. ② 선물〔팁〕을 주다. ③ 안부를 전하다, 전언하다(***R- me kindly to*** …에게 안부 전해 주시오). ― *vi.* 생각해 내다; 기억하고 있다; 기억력이 있다.

:re·mem·brance[-brəns] *n.* ① U,C 기억(memory); 회상; Ⓤ 기념. ② Ⓒ 기념품(souvenir); (*pl.*) 전언.

:re·mind[rimáind] *vt.* 생각나게 하다, 깨우치다(~ ***him of; to*** do; ***that***). * **~·er** *n.* Ⓒ 생각나게 하는 사람〔것〕; 조언; 〖商〗 독촉장.

rem·i·nisce[rèmənís] *vt., vi.* 추억에 잠기다〔을 이야기하다〕.

***rem·i·nis·cence**[rèmənísns] *n.* ① Ⓤ 회상, 추억. ② (*pl.*) 회상록, 경험담. **:-cent** *a.* 추억의, 회상적인; (…을) 생각나게 하는(*of*).

re·miss[rimís] *a.* 부주의한; 태만한(negligent); 무기력한(languid).

re·mis·sion[rimíʃən] *n.* Ⓤ 면제; 사면; U,C (일시적인) 경감.

:re·mit[rimít] *vt.* (**-tt-**) ① (돈·짐 따위를) 보내다. ② (죄·세금을) 면제〔경감〕하다; (노염·고통을) 누그러뜨리다. ③ (소송을) 하급 법원에 환송하다; 조회하다(*to*); (사건의 결정을 다른 곳에) 의뢰하다; (재조사를 위해) 연기하다. ④ 《古》 다시 투옥하다. ― *vi.* 송금하다, 지불하다; 경감하다. **~·tance**[-əns] *n.* Ⓤ 송금; Ⓒ 송금액. **~·ter** *n.* Ⓒ 송금인.

***rem·nant**[rémnənt] *n.* Ⓒ ① 나머지; 자투리; 찌꺼기, 끄트러기. ② 유물, 유풍.

re·mod·el [ri:mɑ́dl/-ɔ́-] *vt.* (《英》 **-ll-**) 개조〔개축〕하다, 모델을 고치다.

re·mon·strance[rimɑ́nstrəns/-ɔ́-] *n.* U,C 항의, 반대; 충고. **-strant** *a., n.* Ⓒ 항의〔반대·충고〕하는 (사람).

re·mon·strate[rimɑ́nstreit/-ɔ́-] *vt., vi.* 항의〔반대〕하다(*against*); 충고하다(~ ***with him on a matter***). **-stra·tion**[rì:mɑnstréiʃən/rì:mɔn-] *n.* **re·món·stra·tive** *a.* **re·món·stra·tor** *n.*

***re·morse**[rimɔ́:rs] *n.* Ⓤ (심한) 회한, 후회, 양심의 가책. **~·ful** *a.* **~·ful·ly** *ad.* **~·less(·ly)** *a.* (*ad.*) 무정한(무정하게도).

:re·mote[rimóut] *a.* ① 먼, 아득한; 멀리 떨어진, 궁벽한, 외딴. ② (혈연이) 먼. ③ 미미한, 근소한. **~·ly** *ad.* **~·ness** *n.*

remóte contról 〖機〗 원격 조작〔제어〕.

re·mount [ri:máunt] *vi., vt.* 다시 (말을) 타다; 다시 오르다; 말을 갈아타다; 갈아 끼우다〔대다〕; 되돌아가다, 거슬러 올라가다. ― [스―] *n.* Ⓒ 갈아 탈 말.

re·mov·a·ble[rimú:vəbəl] *a.* 옮길〔제거할〕 수 있는; 해임할 수 있는.

***re·mov·al**[rimú:vəl] *n.* U,C ① 이사, 이동. ② 제거, 살해. ③ 해임,

해직.

†**re·move**[rimúːv] *vt.* ① (…을) 옮기다. ② 없애다, 치우다; 죽이다. ③ 벗(기)다, 끄르다. ④ 떠나게[물러가게] 하다; 해임[해직]하다. ― *vi.* 옮기다, 이사하다; 떠나다. ~ ***oneself*** 물러가다. ― *n.* Ⓒ ① 이전, 이동. ② 간격, 거리. ③ 단계(*It is but one ~ from beggary.* 거지꼴이나 매한가지다); 촌수(寸數). ④ 진급. *~**d**[-d] *a.* 떨어진, 먼; 관계가 먼; …촌(寸)의. ***first cousin once*** [***twice***] **~*d*** 사촌의 자녀[손자], 양친[조부모]의 사촌.

re·mu·ner·ate[rimjúːnərèit] *vt.* 보수를 주다, 보상[보답]하다(reward). **-a·tive**[-rèitiv/-rə-] *a.* 보답이 있는; 유리한. **-a·tion**[-ˌ-ˊéiʃən] *n.*

*__ren·ais·sance__[rènəsáːns, -záː-/rinéisəns] *n.* ① Ⓒ 부활, 재생; 부흥. ② (the R-) (14-16세기의) 문예 부흥, 르네상스.

re·nal[ríːnəl] *a.* 신장의, 콩팥의.

re·name[riːnéim] *vt.* 개명[개칭]하다. ― *n.* 〖컴〗 새이름《파일 이름의 변경》.

re·nas·cent[rinǽsənt] *a.* 재생하는; 부흥하는. **-cence**[-səns] *n.*

*__rend__[rend] *vt., vi.* (***rent***) 째(지)다, 찢(기)다(tear); 쪼개(지)다, 갈라지다(split); (*vt.*) (마음을) 괴롭히다; 잡아떼다, 강탈하다(*away, off*).

:**ren·der**[réndər] *vt.* ① 돌려주다(*R- unto Caesar the things that are Caesar's.* 〖聖〗 가이사의 것은 가이사에게 돌리라). ② 지불하다. ③ 돌보다, 진력하다(give). ④ 제출하다(submit). ⑤ 표현[묘사]하다; 번역하다(*into*); 연출[연주]하다. ⑥ …으로 만들다(make), 바꾸다. ⑦ (기름을) 녹이다, 녹여서 정제(精製)하다. **~·a·ble**[-dərəbəl] *a.*

*__ren·dez·vous__ [ráːndivùː/-ˊ-] *n.* (*pl.* ~ [-z]) (F.) Ⓒ ① 〖軍〗 집결지; 만날 약속(을 한 장소), 회합. ② (우주선의) 궤도 회합, 랑데부. ― *vi., vt.* 집합하다[시키다]; 약속한 장소에서 만나다.

ren·di·tion[rendíʃən] *n.* Ⓒ 번역; 연출, 연주(rendering).

ren·e·gade[rénigèid] *n.* Ⓒ 배교자(背敎者); 변절자, 탈당원. ― *a.* 저버린; 배반의.

re·nege[riníg, -nég/-níːg] *vi.* 〖카드〗 선의 패와 똑같은 패를 (가지고 있으면서) 내지 않다; 약속을 어기다.

:**re·new**[rinjúː] *vt.* ① 개신[갱신]하다. ② 되찾다, 회복하다. ③ 재개(再開)하다; 되풀이하다; (계약서 따위를) 고쳐 쓰다; 바꾸다. *~**·al** *n.* Ⓤ,Ⓒ 재개; 갱신. **~ed**[-d] *a.* 갱신한, 새로운.

ren·net[rénit] *n.* Ⓤ 레닛《송아지의 위벽에 있는 rennin 함유 물질, 치즈 따위를 만드는 데 씀》.

*__re·nounce__[rináuns] *vt., vi.* 포기하다, 양도[단념]하다; 부인[거절]하다; (저)버리다, 관계를 끊다(*~ a friend/~ friendship*); 의절하다(disown). **~·ment** *n.*

ren·o·vate[rénəvèit] *vt.* 혁신[개선]하다; 회복하다. **-va·tion**[ˌ-ˊvéiʃən] *n.*

*__re·nown__ [rináun] *n.* Ⓤ 명성(fame). * **~ed**[-d] *a.* 유명한.

:**rent**[1] [rent] *n.* Ⓤ 지대(地代), 집세, 방세, 빌리는 삯. ***For ~.*** 《美》 셋집[셋방] 있음(《英》 to let). ― *vt.* (…에) 지대[집세]를 물다; 빌려 주다, 임대(賃貸)[임차(賃借)]하다. ― *vi.* 임대되다. *__∠·al__ *n.* Ⓤ 임대료. **∠·er** *n.* Ⓒ 차지인(借地人), 세든 사람.

rent[2] *n.* Ⓒ (구름의) 갈라진 틈; 균열; 골짜기; 대립, 분열.

rent[3] *v.* rend의 과거(분사).

rent·al[réntl] *n.* Ⓒ ① 임대[임차]료; 임대료 수입. ② 《美》 셋집, 셋방, 렌터카. ③ 임대. ④ 〖컴〗 임차(賃借). ― *a.* 《美》 임대의.

re·nun·ci·a·tion[rinʌ̀nsiéiʃən, -ʃi-] *n.* Ⓤ,Ⓒ 포기, 부인, 단념(renouncing).

*__re·o·pen__[riːóupən] *vt., vi.* 다시 열다, 재개(再開)하다.

*__re·or·gan·ize__ [riːɔ́ːrgənàiz] *vt., vi.* 재편성하다, 개혁하다; 정리하다. *__-i·za·tion__[-ˌ-nizéiʃən] *n.*

Rep. Representative; Republic(an).

re·paid [riːpéid] *v.* repay의 과거

R

(분사).

:re·pair[1] [ripέər] *n., vt.* Ⓤ 수선[수리](하다); 회복[교정(矯正)](하다); 배상[보상](하다). ***under* ~*s*** 수리 중. **~·a·ble**[-əbl] *a.*

re·pair[2] *vi.* 가다; 종종 다니다; 찾아가다.

·rep·a·ra·tion[rèpəréiʃən] *n.* ① Ⓤ 배상; 보상. ② (*pl.*) 배상금. ③ Ⓤ 수리. **re·par·a·tive**[ripǽrətiv] *a.*

rep·ar·tee[rèpɑːrtíː] *n.* Ⓒ 재치있는 즉답; Ⓤ 재치, 기지.

re·past [ripǽst, -ɑ́ː-] *n.* Ⓒ 식사(meal).

re·pat·ri·ate[riːpéitrièit/-ǽ-] *vt., n.* (포로 따위를) 본국에 송환하다; Ⓒ 송환[귀환]자. **-a·tion**[-ᅳᅳéiʃən] *n.*

:re·pay[riːpéi] *vt.* (**-paid**) 갚다; 보답하다. **~·ment** *n.*

·re·peal[ripíːl] *n., vt.* 무효로 하다; Ⓤ 폐지[철폐](하다).

:re·peat[ripíːt] *n.* Ⓒ 반복, 되풀이; 〖樂〗 반복절[기호]. — *vt.* ① 되풀이하다; 암송하다. ② 《美》 이중 투표하다《선거의 부정 행위》. **~ *oneself*** 같은 말을 되풀이하다. ***~·ed**[-id] *a.* 되풀이된, 종종 있는. ***~·ed·ly** *ad.* 되풀이하여, 몇번이고. **~·er** *n.* Ⓒ 되풀이 하는 물건[사람]; 연발총; (불법적) 이중 투표자.

·re·pel[ripél] *vt.* (**-ll-**) ① 쫓아버리다, 격퇴[거절·반박]하다. ② 〖理〗 반발하다. ③ 불쾌[혐오]감을 주다.

re·pel·lent[-ənt] *a.* 튀기는, 반발하는; 느낌이 나쁜, 싫은. — *n.* Ⓤ,Ⓒ 방충제; 방수 가공제; 〖醫〗 (종기 따위를) 삭게 하는 약.

:re·pent[ripént] *vi., vt.* 후회하다 (regret)(*of*). ***~·ance** *n.* Ⓤ 후회, 회개. **~·ant** *a.*

re·per·cus·sion[rìːpərkʌ́ʃən] *n.* Ⓤ,Ⓒ 되튀기(recoil), 되찌름; 반동; 반향; Ⓒ (보통 *pl.*) 영향.

rep·er·toire[répərtwɑ̀ːr] *n.* Ⓒ 레퍼토리, 연예[상연] 목록.

rep·er·to·ry [répərtɔ̀ːri/-təri] *n.* Ⓒ (지식 등의) 축적; 저장(소), 보고(寶庫); =REPERTOIRE.

:rep·e·ti·tion[rèpətíʃən] *n.* Ⓤ,Ⓒ 반복, 되풀이; Ⓒ 암송문; 복사. **re·pet·i·tive**[ripétətiv] *a.*

:re·place[ripléis] *vt.* ① 제자리에 놓다, 되돌리다; 돌려 주다. ② 복직[복위]시키다. ③ (…에) 대신하다, 교대시키다(*by, with*). — *n.* Ⓤ 〖컴〗 새로바꾸기. ***~·ment** *n.* Ⓤ 반환; 교체; 〖컴〗 대체.

re·plen·ish[ripléniʃ] *vt.* 보충[추가]하다; 다시 채우다(*with*). **~ed** [-t] *a.* 가득해진. **~·ment** *n.*

re·plete[riplíːt] *a.* 가득 찬, 충분한; 포식한(*with*). **re·plé·tion** *n.*

rep·li·ca[réplikə] *n.* (It.) Ⓒ 모사(模寫), 복제(複製)(facsimile).

rep·li·cate[réplikèit] *vt.* 되풀이하다; 복제하다; 사본을 뜨다; 되접다.

rep·li·ca·tion[rèpləkéiʃən] Ⓤ,Ⓒ ① 답; 대답에 대한 응답; 〖法〗 원고의 재항변. ② 복사, 모사. ③ 반향. ④ 〖統計〗 실험의 반복.

†re·ply[riplái] *n., vi., vt.* Ⓒ 대답[대꾸](하다)(answer), 응답(하다); 응전(하다); 반향(反響)(하다).

†re·port[ripɔ́ːrt] *n., vt., vi.* ① Ⓒ 보고[보도](하다); Ⓤ,Ⓒ 소문(내다). ② (보고하기 위해) 출두하다, 신고하다. ③ Ⓒ (보통 *pl.*) 판결[의사]록. ④ Ⓒ 총성, 포성, 폭음. ⑤ Ⓒ 〖컴〗 보고서. **~ *oneself*** 신고하다, 출두하다; 도착을 알리다. ***R- to the Nation*** (영국 정부가 2주일마다 일류 신문에 발표하는) '국민에의 보고'. ***through good and evil* ~** 평판이 좋든 나쁘든. **~·ed·ly**[-idli] *ad.* 보도[세평·전하는 바]에 의하면. ***~·er** *n.* Ⓒ 통신[보도]원, 탐방 기자; 보고[통보]자; 의사[판결] 기록원; 기관지.

re·port·age[ripɔ́ːrtidʒ, rèpɔːrtɑ́ːʒ] *n.* (F.) Ⓤ 보고 문학, 르포르타주 (문체).

repórt càrd (학교) 성적표.

repórted spéech 〖文〗 간접화법(indirect narration).

:re·pose[ripóuz] *vt.* 쉬게 하다, 눕히다(*on, in*). — *vi.* 쉬다, 눕다, 자다, 놓여 있다(*in, on*); 영면하다. — *n.* Ⓤ ① 휴식, 안면; 영면(永眠); 휴지(休止). ② 침착; 조화. **~·ful** *a.* 평온한. **~·ful·ly** *ad.*

re·pos·i·to·ry [ripɑ́zitɔ̀ːri/-pɔ́zitəri] *n.* Ⓒ 창고; 용기(容器); (지식

등의) 보고(寶庫); 납골당(納骨堂); 믿을 수 있는 사람(confidant).

re·pos·sess[rì:pəzés] *vt.* 되찾(게 하)다.

rep·re·hend[rèprihénd] *vt.* 꾸짖다, 비난하다. **-hén·sion** *n.* **-hén·si·ble** *a.* 비난당할 만한.

:rep·re·sent[rèprizént] *vt.* ① 묘사하다, 나타내다; 의미하다. ② 말하다, 기술하다, 단언하다. ③ 상연[연출]하다. ④ 대표하다; (…의) 대표자[대의원]이다. ⑤ (…에) 상당하다 (correspond to). *~ed* SPEECH. ***-sen·ta·tion**[⌐--téiʃən] *n.* Ⓤ 표현, 묘사; 〖컴〗 표현; Ⓒ 설명; 진술; (*pl.*) 진정; Ⓤ,Ⓒ 상연, 연출; Ⓤ 대표(권).

:rep·re·sent·a·tive [rèprizéntətiv] *a.* ① 대표[전형]적인. ② 대리의; 대의제의. ③ 표현하는(*of*). *~ government* 대의 정체. — *n.* Ⓒ ① 대표자, 대리인, 대의원. ② 상속인. ③ 대표물, 견본; 전형. ***the House of Representatives*** 《美》 하원; 민의원.

˙re·press[riprés] *vt.* 억제하다 (restrain); 억압하다, 억누르다; 진압하다. **re·prés·sion** *n.* **-sive** *a.*

re·prieve[riprí:v] *n., vt.* Ⓒ (…형의) 집행 유예[일시적 연기](를 하다)(cf. probation).

rep·ri·mand[réprəmæ̀nd/-mɑ̀:nd] *n., vt.* Ⓤ,Ⓒ 징계(하다).

˙re·print[rí:prìnt] *n.* Ⓒ 재판(再版), 번각(飜刻). — [⌐⌐] *vt.* 재판[번각]하다.

「무력 행사.

re·pris·al[ripráizəl] *n.* Ⓤ,Ⓒ 보복;

:re·proach[ripróutʃ] *n.* Ⓤ 비난; 불명예. — *vt.* 비난하다; 체면을 손상시키다. **~·ful** *a.* 책망하는, 책망하는 듯한, 비난하는; 부끄러운. **~·ful·ly, ~·ing·ly** *ad.* **~·less** *a.* 더할 나위 없는.

rep·ro·bate[réprəbèit] *vt.* 비난하다; (신이) 저버리다. — *a., n.* Ⓒ 구제할 길 없는 (무뢰한); 신에게 버림 받은 (사람). **-ba·tion**[⌐-béiʃən] *n.* Ⓤ 비난, 거절; (신의) 저버림.

˙re·pro·duce[rì:prədjú:s] *vt.* 재생[재현]하다; 복사하다, 모조[복제]하다; 재연[재판]하다; 생식[번식]하다. **-duc·i·ble**[-əbəl] *a.* 재생[복제]할 수 있는.

˙re·pro·duc·tion[rì:prədʌ́kʃən] *n.* ① Ⓤ 재생, 재현; 재건; 재생산. ② Ⓤ 모조, 복제; Ⓒ 모조[복제]품. ③ Ⓤ 생식 (작용). **-dúc·tive** *a.*

˙re·proof[riprú:f] *n.* Ⓤ 비난(rebuke), 질책; Ⓒ 비난의 말.

˙re·prove[riprú:v] *vt.* 비난하다.

:rep·tile[réptil, -tail] *n.* Ⓒ 파충류; 비열한(漢). — *a.* 파행성의, 기어다니는; 비열한. **rep·til·i·an**[reptíliən] *a., n.*

:re·pub·lic[ripʌ́blik] *n.* Ⓒ 공화국. ***R- of Korea*** 대한민국(《생략 ROK》). ***R- of South Africa*** 남아프리카 공화국.

˙re·pub·li·can[ripʌ́blikən] *a.* 공화국[정체·주의]의. ***the R- Party*** 《美》 공화당. — *n.* Ⓒ 공화론자; (R-) 《美》 공화당원. **~·ism**[-ìzəm] *n.* Ⓤ 공화주의, 공화 정치, 공화제.

re·pu·di·ate[ripjú:dièit] *vt.* 의절(義絶)하다; 거절[거부]하다; 부인하다. **-a·tion**[-⌐-éiʃən] *n.*

re·pug·nance[ripʌ́gnəns] *n.* Ⓤ 반감, 증오(aversion). **-nant** *a.*

˙re·pulse[ripʌ́ls] *n., vi.* (*sing.*) 격퇴[논박·거절](하다). **re·púl·sion** *n.* Ⓤ 반감, 증오; 격퇴; 거절; 〖理〗 반발 (작용). **re·pul·sive**[-siv] *a.* 몹시 불쾌한; 쌀쌀한; 〖理〗 반발하는.

rep·u·ta·ble[répjətəbəl] *a.* 평판 좋은, 명성 있는; 훌륭한.

:rep·u·ta·tion[rèpjətéiʃən] *n.* Ⓤ 평판; 명성.

:re·pute[ripjú:t] *n.* Ⓤ 세평, 평판; 명성(good fame), 호평. — *vt.* 《보통 수동》 …라 평[생각]하다, …로 보다(*He is ~d as* [*to be*] *honest.*). **re·put·ed**[-id] *a.* 평판이 좋은; …라고 일컬어지는(*the ~d author* 저자(著者)라는 사람). **re·put·ed·ly**[-idli] *ad.* 세평으로는.

:re·quest[rikwést] *vt.* 바라다; 요구하다, (신)청하다(ask for). — *n.* Ⓤ,Ⓒ ① 요구, 소원, 의뢰, 간청. ② 수요. ***by*** [***at the***] ***~ of*** …의 요구[요청]에 따라. ***much in ~*** (인기가 있어) 사방에서 끄는.

req·ui·em, R- [rékwiəm, rí-] *n.*

R

Ⓒ 〖가톨릭〗 진혼 미사(곡); 진혼곡, 레퀴엠.

†**re·quire**[rikwáiər] *vt.* 요구하다, 구하다; (…을) 필요로 하다; 명하다. **:~·ment** *n.* Ⓒ 요구; 필요물〔조건〕; 자격.

***req·ui·site**[rékwəzit] *a., n.* Ⓒ 필요한 (물건), 요건.

req·ui·si·tion[rèkwəzíʃən] *n.* Ⓤ 요구; 수요, 징발, 징용; Ⓒ (전시의) 징발〔징집〕 명령(서). — *vt.* 징발〔징용·접수(接收)〕하다; (문서로) 요구하다.

re·quit·al[rikwáitl] *n.* Ⓤ 보답; 보상; 보복.

re·quite[rikwáit] *vt.* 보답〔답례〕하다; 보상하다; 보복하다. **~·ment** *n.*

re·route[riːrúːt, -ráut] *vt., vi.* (…의) 여정을 변경하다.

re·run [riːrʌ́n] *vt.* (***-ran; -run; -nn-***) 재상연하다; 〖컴〗 (…을) 다시 실행하다. — [스스] *n.* Ⓒ 재상연; 〖컴〗 재실행.

re·scind [risínd] *vt.* 폐지하다 (repeal); 무효로 하다; 취소하다. **~·ment** *n.*

:res·cue[réskjuː] *n., vt.* Ⓤ,Ⓒ 구조〔구제〕(하다); Ⓤ (불법으로) 탈환(하다). **rés·cu·er** *n.* Ⓒ 구조〔구원〕자.

:re·search[risə́ːrtʃ, ríːsəːrtʃ] *n.* Ⓤ (종종 *pl.*) 연구, 조사(*after, for*). — *vi.* 연구〔조사〕하다(*into*). ***~·er** *n.*

:re·sem·ble[rizémbəl] *vt.* (…와) 비슷하다. ***-blance** *n.* Ⓤ,Ⓒ 유사, 닮음, 비슷함(*between, to, of*); Ⓒ 초상.

***re·sent**[rizént] *vt.* (…을) 분개하다; 원망하다. **~·ful(·ly)** *a.* (*ad.*) ***~·ment** *n.* Ⓤ 노함, 분개; 원한.

res·er·va·tion**[rèzərvéiʃən] *n.* ① Ⓤ,Ⓒ 보류, 삼가함; 조건, 제한. ② Ⓤ,Ⓒ (좌석 따위의) 예약. ③ Ⓒ 《美》 (인디언) 보호 지역. ***without **~** 거리낌〔기탄〕없이; 무조건으로.

:re·serve[rizə́ːrv] *vt.* ① 보류하다; (따로) 떼어 두다; 보존〔보유〕하다. ② (좌석을) 예약하다; 따로 해 두다; 운명짓다. ③ (토론·판결 등을) 연기하다; 삼가해 두다. ***All rights ~d.*** (일체의) 판권 소유. **~ *oneself for*** …에 대비하여 정력을 길러두다. — *n.* Ⓤ 보류, 유보, 보존; 예비; 〖컴〗 예약; Ⓒ 예비품, (은행의) 예비〔적립〕금; 예비 선수; (the ~) 예비부대, 예비〔후비〕병; Ⓒ 특별 보류지 (*a game* ~ 금렵 지역); Ⓤ 제한; 사양. ***in*** **~** 따로 떼어(둔); 예비〔보결〕의. ***without*** **~** 거리낌〔기탄〕없이, 털어놓고; 무제한〔무조건〕으로. ***~d**[-d] *a.* 겸양하는, 수줍어하는; 예약된; 보류한. **re·serv·ed·ly** [-idli] *ad.* 조심스레, 터놓지 않고.

re·serv·ist[-ist] *n.* Ⓒ 예비병; 재향 군인.

***res·er·voir**[rézərvwàːr, -vwɔ̀ːr] *n.* Ⓒ 저장소; 저수지; 석유〔가스〕 탱크; (램프의) 기름통; (지식·경험의) 축적.

re·set[riːsét] *vt.* (**~; *-tt-***) 다시 놓다〔맞추다, 끼우다, 짜다〕; 〖컴〗 재시동〔리셋〕하다. — [스스] *n.* Ⓒ 바꾸기; 〖컴〗 재시동, 리셋(*a* ~ *key* 재시동키).

re·shuf·fle[riːʃʌ́fəl] *vt., n.* Ⓒ (카드패를) 다시 치다〔침〕; 개각(改閣)(하다); (인원의) 배치 변경; 전환(시키다).

:re·side[rizáid] *vi.* ① 살다, 주재하다(*at, in*). ② 존재하다, 있다(*in*).

:res·i·dence[rézidəns] *n.* Ⓤ 거주, 주재; Ⓒ 주재 기간; 주택, 저택. **-den·cy** *n.* Ⓤ 전문의의 실습 기간; 관저.

:res·i·dent[-dənt] *a.* ① 거주하는; 숙식〔입주〕하는. ② 고유의, 내재하는 (inherent); 〖컴〗 상주의. — *n.* Ⓒ 거주〔주재〕자; 레지던트《병원에서의 전문의(專門醫)실습생》; 〖컴〗 상주. ***foreign ~s*** 재류(在留) 외국인. **~ *minister*** 변리 공사. **~ *tutor*** 입주 가정 교사.

***res·i·den·tial**[rèzidénʃəl] *a.* 거주(지)의; 주택용의.

re·sid·u·al[rizídʒuəl] *n., a.* Ⓒ 나머지〔잉여〕(의); (*pl.*) (출연자에게 주는) 재방송료. **~ *property*** 잉여 재산.

re·sid·u·ar·y [-èri/-əri] *a.* 〖法〗 잔여 (재산)의. **~ *legatee*** 잔여 재산 수증자(受贈者).

res·i·due[rézidjùː] *n.* Ⓒ 〖法〗 잔여 (재산); 〖數〗 잉여.

:re·sign[rizáin] *vt.* (직을) 사임하다; 포기〔단념〕하다. ── *vi.* 사직하다 (*from*). **be ~ed,** or **~ oneself** 체념하다; 몸을 맡기다(*to*). **~ed** [-d] *a.* 복종적인; 체념한; 사직한. **~·ed·ly**[-idli] *ad.*

·res·ig·na·tion[rèzignéiʃən] *n.* [U,C] 사직; 양위, 물러남; [C] 사표; [U] 체념(*to*); 포기.

re·sil·ient[rizíljənt, -liənt] *a.* 되튀는; 탄력성 있는. **-ience, -ien·cy** *n.*

·res·in[rézin] *n.* [U,C] 수지(樹脂), 송진; 합성 수지. **~·ous**[rézənəs] *a.* 수지질의, 진이 있는.

:re·sist[rizíst] *vt.* 저항〔반항〕하다 (oppose); 방해하다; 무시하다; 참다; 격퇴하다. **:~·ance**[-əns] *n.* [U] 저항, 반항; 반대. **~·ant** *a.* **~·er** *n.* [C] 저항자; 반정부주의자. **~·less** *a.* 저항하기〔억누르기〕 어려운. **re·sís·tor** *n.* [C] 〖電·컴〗 저항기.

·res·o·lute[rézəlùːt] *a.* 굳은 결의의, 단호한. **~·ly** *ad.* **~·ness** *n.*

:res·o·lu·tion[rèzəlúːʃən] *n.* ① [C] 결심; 과단; 결의(안). ② [U] 분해, 분석(*into*); 해결, 해답(solution). ③ [U] 〖컴〗 해상도.

:re·solve[rizálv/-5-] *vt.* ① 분해〔분석〕하다; 해체하다; 변체(變體)〔변형, 변모〕시키다. ② (분석하여) 해결하다; 결심〔각오〕하다. ③ 결정〔표결〕하다, 의결하다. ④ (종기를) 삭게 하다. ── *vi.* 결심〔결정〕하다(*on, upon*); 분해하다; (결국 …이) 되다, (…로) 귀착하다(*into*); (종기가) 삭다; 〖法〗 무효로 되다. ── *n.* [U,C] 결심, 결의; [U] 불굴. ***~d** *a.* 결의한, 단호한. **re·solv·ed·ly**[-idli] *ad.*

res·o·nance[rézənəns] *n.* [U] 공명; 〖電〗 공진(共振). **-nant** *a.*

:re·sort[rizɔ́ːrt] *vi.* ① 자주 가다, 모여들다(*to*). ② 의지하다(*to*), 힘을 빌리다. ── *n.* ① [C] 유흥지; 사람이 많이 모이는 장소, 번화가; 드나드는 〔자주 가는〕 장소. ② [U] 의지; [C] 수단(recourse). ***health*** 〔***summer, winter***〕 **~** 보양〔피서·피한〕지. ***in the last* ~** 최후 수단으로, 결국에는.

·re·sound[rizáund] *vi., vt.* 울리다, 울려퍼지다; 반향하다; 평판이 자자해지다〔하게 하다〕.

:re·source[ríːsɔːrs, rizɔ́ːrs] *n.* ① [C] (보통 *pl.*) 자원; 물자; 재원, 자력(資力); 〖컴〗 자원. ② [C] 수단, 방법; 무료를 달래기; [U] 기략(機略). **~·ful** *a.* 자력〔기략〕이 풍부한. **~·less** *a.* 기략〔자력〕이 부족한.

†re·spect[rispékt] *n.* ① [U] 존경(esteem) (*for*). ② (*pl.*) 경의, 인사; 전언. ③ [U] 주의, 관심, 고려. ④ [U,C] 관계; 점. ***give one's* ~s *to*** …에게 안부 전하다. ***have* ~** (…을) 존경하다(*for*); (…에) 관계가 있다, (…을) 고려하다(*to*). ***in no* ~** 아무리〔어느 모로〕 보아도 …아니다. ***in* ~ *of*** …에 관하여. ***in* ~ *that*** 《古》 …인 고로, …때문에. ***in this* ~** 이 점에서. **~ *of persons*** 편벽된 특별 대우, 편애. ***without* ~ *to*** 〔***of***〕 …을 고려치 않고. ***with* ~ *to*** …에 관하여. ── *vt.* 존경〔존중〕하다; 고려〔관계〕하다. ***as* ~s** …에 관하여(는), …에 대하여는. **~ *oneself*** 자중하다. **~ *persons*** 사람을 차별 대우하다, 편애하다. ***~·ful(·ly)** *a.* (*ad.*) 정중한〔하게〕. **~·ing** *prep.* …에 관하여.

:re·spect·a·ble[-əbəl] *a.* 존경할 만한, 훌륭한; 신분〔평판〕이 좋은; 품위 있는; 보기 흉치 않은; 상당한. **~ *minority*** 소수이지만 무시할 수 없는 수(의 사람들). **-bly** *ad.* **-bil·ity**[-∸-bíləti] *n.* [U] 존경할 만한 일; 체면; 《단·복수 취급》 훌륭한 사람들, 명사들; (*pl.*) 인습적 의례〔관습〕.

·re·spec·tive[rispéktiv] *a.* 각자의; 각각〔각기〕의. ***~·ly** *ad.* 각각, 각기《흔히 문미에서》. 「호흡 (작용).

·res·pi·ra·tion [rèspəréiʃən] *n.* [U]

res·pi·ra·tor[réspərèitər] *n.* [C] (인공 호흡용) 마스크; 인공 호흡기; 《英》 방독면.

re·spir·a·to·ry[réspərətɔ̀ːri, rispáiərə-/rispáiərətəri] *a.* 호흡의.

re·spire[rispáiər] *vi., vt.* 호흡하다.

res·pite[réspit] *n., vt.* [U,C] 연기(하다); (사형 집행을) 유예(하다); 휴식(시키다).

re·splend·ent[rispléndənt] *a.* 찬연한, 눈부신. **-ence, -ency** *n.*

R

:**re·spond**[rispánd/-5-] *vi.* 대답하다; 응하다; 감응이 있다. **~·ent** *a., n.* Ⓒ 대답[응답]하는 (사람); 〖法〗 (이혼 소송 따위의) 피고(의).

:**re·sponse**[rispáns/-5-] *n.* ⓊⒸ 응답; Ⓒ (보통 *pl.*) (교회에서의) 응답송; ⓊⒸ 감응; 〖컴〗 응답. ***in ~ to*** …에 응하여[따라].

:**re·spon·si·bil·i·ty** [rispɑ̀nsəbíləti/-pɔ̀n-] *n.* ⓊⒸ 책임; 책무(*of, for*); 책임 대상《가족, 부채 따위》.

:**re·spon·si·ble**[rispánsəbəl/-5-] *a.* 책임 있는; 책임을 져야 할(*to* a person; *for* a thing); (지위가) 중대한; 책임을 다할 수 있는, 신뢰할 수 있는(reliable). **-bly** *ad.* **~·ness** *n.*

·**re·spon·sive** [rispánsiv/-5-] *a.* 대답하는; 감응[감동]하기 쉬운(*to*). ***cast a ~ glance*** 눈으로 대답하다. **~·ly** *ad.* **~·ness** *n.*

†**rest**[1][rest] *n.* ① ⓊⒸ 휴식, 휴양(*take a ~*); 수면; 죽음, 영면; Ⓤ 안심. ② Ⓒ 휴식[숙박]처(*for*). ③ Ⓒ 대(臺), 지주(支柱). ④ Ⓒ 〖樂〗 휴지(부), 쉼표. ***at ~*** 휴식[안심]하고, 잠들어; 영면하여. ***day of ~*** 안식일, 일요일. ***go to ~*** 자다, 죽다. ***lay to ~*** 매장하다. — *vi., vt.* ① 쉬(게 하)다, 정지(靜止)하다[시키다]. ② 눕다, 눕히다, 기대(게 하)다(*on, upon, against*). (이하 *vi.*) ③ 자다; 영면하다. ④ 의지하다(*in, on, upon*); (…에) 있다(*It ~s with you to decide.* 결정은 네게 달려 있다). ***be ~ed*** 쉬다. ***~ in peace*** (지하에) 고이 잠들다. ***~ on one's arms*** 무장한 채 쉬다; 방심하지 않다. **∠·ful** *a.* 마음을 편안케 하는; 편안한, 평온한.

:**rest**[2] *n.* (the ~) 나머지, 그 밖의 것[사람들]. ***among the ~*** 그 중에서도 (특히); 그 중에 끼어서. ***for the ~*** 그 외는, 나머지는. — *vi.* …인[한] 채이다[로 있다]. ***~ assured*** [***satisfied, content***] 안심[만족]하고 있다.

rést àrea 《英》 (고속도로 따위의) 대피소(《英》 lay-by).

re·state[ri:stéit] *vi.* 재진술하다, 고쳐 말하다. **~·ment** *n.*

:**res·tau·rant** [réstərənt, -rà:nt/-rɔ̀:ŋ] *n.* (F.) Ⓒ 요리[음식]점.

res·tau·ra·teur [rèstərətə́:r/-tɔ:r-] *n.* (F.) Ⓒ 요리점 주인.

rést cùre 〖醫〗 (정신병 등의) 안정 요법.

rést dày 휴일; 안식일.

rést hòme 요양소, 보양소.

résting plàce 휴게소; (계단의) 층계참.

res·ti·tu·tion[rèstətjú:ʃən] *n.* Ⓤ 반환, 상환, 배상; 회복; 복직; 〖理〗 복원. ***make ~*** 배상하다.

res·tive[réstiv] *a.* 침착하지 못한, 불안해 하는(uneasy); 다루기 힘든, 고집 센; (말 따위가) 앞으로 나아가려 않는, 어거하기 힘든.

:**rest·less**[réstlis] *a.* 침착하지 않은; 불안한; 부단한, 끊임없는; 쉬지 않는; 잠잘 수 없는; 활동적인. **~·ly** *ad.* **~·ness** *n.*

re·stock[ri:sták/-stɔ́k] *vt., vi.* (…을) 새로 사들이다; (농장에) 다시 가축을 들이다; (…을) 보급하다.

·**res·to·ra·tion**[rèstəréiʃən] *n.* Ⓤ 회복; 복구; 복고; 복위; 복원; (the R-) 〖英史〗 (Charles Ⅱ 의) 왕정 복고(시대)《1660-88》.

re·stor·a·tive[ristɔ́:rətiv] *a., n.* Ⓒ 원기를 회복하는 (약), 강장제.

:**re·store**[ristɔ́:r] *vt.* 본래대로 하다, 복구하다; 회복[부흥]하다; (건강 등을) 되찾다; 복위시키다; 돌려주다; 〖컴〗 되깔기하다. **re·stór·er** *n.* **re·stór·ing** *a.*

:**re·strain**[ristréin] *vt.* 억제[제지·억압]하다; 구속[감금]하다(confine). ***~ oneself*** 자제하다. ·**~ed** *a.* 온당한; 구속[억제]된. **~·ed·ly**[-idli] *ad.*

·**re·straint**[ristréint] *n.* ① ⓊⒸ 억제. ② Ⓤ 구속, 속박, 감금; 검속. ③ ⓊⒸ 자제, 삼감; 제한. ***~ of trade*** 거래 제한. ***without ~*** 거리낌없이.

·**re·strict**[ristríkt] *vt.* 제한하다(*to, within*). ·**~·ed** *a.* ·**re·stríc·tion** *n.* ⓊⒸ 제한; 구속. ·**re·stric·tion·ism**[-ìzəm] *n.* Ⓤ (무역·이민 등의) 제한주의. **-ist** *n.* ·**re·stríc·tive** *a., n.* 제한하는; 〖文〗 제한적(용법)인; 한정적인; Ⓒ 〖文〗 한정사.

rést ròom 휴게실; 변소.

rést stòp = REST AREA.

†**re·sult**[rizʌ́lt] *n.* U,C 결과; C (보통 *pl.*) (시험의) 성적; C (계산의) 답. — *vi.* (결과로서) 생기다, 일어나다(*from*); (…에) 귀착하다, (…이) 되다(*in*). *~·**ant**[-ənt] *n., a.* C 결과(로서 발생하는); 〖理〗 합성적인; 합력; 〖數〗 종결식.

:**re·sume**[rizúːm/-zjúːm] *vt.* ① 다시 시작하다; 다시 잡다(~ *one's seat* 자리에 돌아오다). ② 되찾다; (건강을) 회복하다. ③ (다시 초들어) 요약하다(summarize). ***re·sump·tion**[rizʌ́mpʃən] *n.* U,C 재개시.

***ré·su·mé**[rézuméi, ⌐–⌐] *n.* (F.) C 적요(摘要); 이력서.

re·sur·face[riːsə́ːrfis] *vi.* (잠수함이) 떠오르다.

re·surge[risə́ːrdʒ] *vi.* 재기하다; 부활하다, 되살아나다; 재현하다. **re·sur·gence**[-dʒəns] *n.* U 재기, 부활. **re·sur·gent**[-dʒənt] *a.*

res·ur·rect[rèzərékt] *vt.* 소생〔부활〕시키다; 다시 소용되게 하다; 파내다. *-**réc·tion** *n.* U 부활; (the R-) 예수의 부활; (시체) 발굴.

re·sus·ci·tate[risʌ́sətèit] *vi., vt.* 소생〔부활〕하다〔시키다〕.

*****re·tail**[ríːteil] *n., a.* U 소매(小賣)(의). — *ad.* 소매로. — [riːtéil] *vt., vi.* 소매하다〔되다〕; [ritéil] (이야기를) 받아 옮기다. ~·**er** *n.*

:**re·tain**[ritéin] *vt.* ① 보유하다, 보지〔유지〕하다. ② 계속 실행하다; 기억하고 있다. ③ (변호사·하인을) 고용해 두다. ~·**er** *n.* C 보유자; 〖史〗 부하, 종자, 가신(家臣); = RETAINING FEE.

retáining fèe (고용 변호사의) 고용료, 변호사 수당.

re·take [*v.* riːtéik: *n.* ⌐–] *vt.* (**-took; -taken**), *n.* 다시 취(取)하다; 되찾다; C 〖寫·映〗 재촬영(하다); 재시험.

re·tal·i·ate[ritǽlièit] *vt., vi.* 앙갚음〔보복〕하다. **-a·tion**[-⌐–éiʃən] *n.* **-a·tive** *a.* **-a·to·ry**[-tɔ̀ːri/-təri] *a.*

re·tard[ritáːrd] *vt., vi.* 늦게 하다, 늦어지다, 늦추다, 늦추어지다; (*vt.*) 방해하다. — *n.* U,C 지연; 방해.

re·tar·da·tion[rìːtaːrdéiʃən] *n.* U,C 지연; 방해(물); 〖理〗 감속도.

re·tard·ed[ritáːrdid] *a.* 지능이 뒤진, 지진의《IQ 70∼85정도》(*a ~ child* 지진아).

retch[retʃ] *n., vi.* C 구역질(나다).

re·tell[riːtél] *vt.* (**-told**) 다시 이야기하다; 되풀이하다; 다시 세다.

re·ten·tion[riténʃən] *n.* U 보지(保持), 보유, 유지; 기억(력); 〖醫〗 (요(尿))폐색. **-tive** *a.* 보지하는(*of*), 보지력이 있는; 기억력 좋은.

ret·i·cence[rétəsəns], **-cen·cy** [-si] *n.* U,C 침묵, 과묵; 삼감, **-cent** *a.* **-cent·ly** *ad.*

ret·i·cule[rétikjùːl] *n.* C (그물 모양의) 핸드백.

ret·i·na[rétənə] *n.* (*pl.* **~s, -nae** [-nìː]) C 〖解〗 망막(網膜).

ret·i·nue[rétənjùː] *n.* C 《집합적》 수행원.

:**re·tire**[ritáiər] *vi.* 물러나다, 퇴각하다(*from, to*); 자다; 퇴직〔은퇴〕하다. — *vt.* 물러나게 하다; (지폐 따위를) 회수하다; 〖野·크리켓〗 아웃시키다(put out). *~**d**[-d] *a.* 퇴직〔은퇴〕한; 궁벽한, 외딴(secluded). *~·**ment** *n.* U,C 퇴직, 퇴역; 퇴거. ***re·tír·ing** *a.* 은퇴하는, 물러나는; 수줍은, 내성적인, 겸손한.

*****re·tort**[ritɔ́ːrt] *n., vi., vt.* U,C (…라고) 말대꾸(하다), 대갚음(하다); 역습(을 가하다); 보복(하다)(*on, upon, against*).

re·touch[riːtʌ́tʃ] *n., vt.* C 수정(하다).

re·trace[ritréis] *vt.* 근본〔근원〕을 찾다; 거슬러 올라가(서 조사하)다; 회고하다; (왔던 길을) 되돌아가다, 되물러나다. ~ ***one's steps*** 되돌아가다; 다시 하다.

re·tract[ritrǽkt] *vt.* 뒤로 물리다, 움츠러들이다; 철회〔취소〕하다. **~·a·ble** *a.* **re·trac·tá·tion** *n.* **re·trac·tile**[ritrǽktil, -tail] *a.* 움츠릴 수 있는. **re·trác·tion** *n.* **re·trác·tive** *a.*

re·tread[riːtréd] *vt.* (**~ed**) (타이어의) 바닥을 갈아 대다(cf. recap). — [⌐–] *n.* C 재생 타이어; 《美俗》 재소집병.

R

:re·treat[ritríːt] *n.* ① Ⓤ,Ⓒ 〖軍〗 퇴각(의 신호); 귀영 나팔[북](소리). ② Ⓒ 은퇴[피난](처). ③ Ⓤ,Ⓒ 〖敎會〗 묵상(시간), 정수(精修). **beat a ~** 퇴각하다; 사업을 그만두다. — *vi., vt.* 물러나(게 하)다, 퇴각하다.

re·trench[ritréntʃ] *vt., vi.* 삭제[단축]하다, 절약하다. **~·ment** *n.*

re·tri·al[riːtráiəl] *n.* Ⓤ,Ⓒ 〖法〗 재심.

ret·ri·bu·tion[rètrəbjúːʃən] *n.* Ⓤ 보복; 벌; 응보. **re·trib·u·tive**[ritríbjətiv] *a.* **re·trib·u·to·ry**[-tɔ̀ːri/-təri] *a.*

re·triev·al[ritríːvəl] *n.* Ⓤ 만회; 〖컴〗 (정보의) 검색.

·re·trieve[ritríːv] *vt.* ① (잃어버린 명예·신용 따위를) 회복하다, (손해본 것을) 되찾다. ② 정정(訂正)하다; (과실을) 보상[벌충]하다. ③ 구하다(*from, out of*); 생각해 내다. ④ 〖컴〗 (정보를) 검색하다. — *vi.* (사냥개가) 잡은 것을 찾아서 가져오다. — *n.* Ⓤ 회복, 되찾음. **re·tríev·a·ble** *a.* **re·tríev·al** *n.* **re·tríev·er** *n.* Ⓒ retrieve하는 사람; 사냥개(의 일종).

ret·ro-[rétrou, -rə] *pref.* '뒤로, 거꾸로, 거슬러, 재복귀의' 등의 뜻.

rètro·áctive *a.* 소급하는. **~ law** [**tax**] 소급법[세].

ret·ro·grade[rétrəgrèid] *vi.* 후퇴[퇴보·역행]하다; 쇠퇴[악화]하다. — *a.* 후퇴[퇴보·쇠퇴]하는.

ret·ro·gress[-grès, ∸–∸] *vi.* 후퇴[퇴보·퇴화·악화]하다. **-gres·sion**[∸–gréʃən] *n.* **-grés·sive** *a.*

ret·ro·spect[rétrəspèkt] *n., vt., vi.* Ⓤ 회고[회상](하다). **in ~** 회상하여(보면). **-spec·tion**[∸–spékʃən] *n.* **-spéc·tive** *a.*

†re·turn[ritə́ːrn] *vi.* 돌아가[오]다, 되돌아가[오]다; 대답하다. — *vt.* ① 돌려주다, 되돌리다; 반사하다. ② 보답[대갚음]하다; 대답하다, 답신[보고]하다. ③ (이익 따위를) 낳다. ④ (선거구가, 국회의원을) 뽑다. — *n.* ① Ⓤ,Ⓒ 돌아옴[감]; 반환; 대갚음. ② Ⓤ,Ⓒ 복귀, 회복; (병의) 재발; 〖컴〗 복귀. ③ (보통 *pl.*) 이익, 보고서; (*pl.*) 통계표. ④ Ⓒ 국회의원 당선. ⑤ Ⓒ 왕복표. **by ~ of post** (편지 답장을) 되짚어 곧, 지급으로. **in ~** 보수[보답·답례]로서, 그 대신으로(*for*). **Many happy ~s** (**of the day**)! 축하합니다《생일 따위의 축사》. **secure a ~** (국회의원에) 선출되다. **~ed**[-d] *a.* 돌아온.

re·turn·ee[ritə̀ːrníː] *n.* Ⓒ 귀환[반송(返送)]자; 복학자.

retúrn gáme [**mátch**] 설욕전.

retúrning òfficer 《英》 선거 관리관.

retúrn tícket 《英》 왕복표.

·re·un·ion[riːjúːnjən] *n.* Ⓤ 재결합; Ⓒ 친목회.

re·u·nite[rìːjuːnáit] *vi., vt.* 재결합[화해]하다[시키다].

rev[rev] (＜*rev*olution) *n., vt., vi.* (**-vv-**) Ⓒ 《口》 발동기의 회전(을 증가시키다)(*up*).

Rev. Reverend.

re·val·ue[riːvǽljuː] *vt.* 재평가하다. **-u·a·tion**[∸–∸éiʃən] *n.*

re·vamp[riːvǽmp] *vt.* 조각을[새갑피를] 대(고 깁)다; 수선하다; 개작[개선]하다; 쇄신하다.

Revd. Reverend.

:re·veal[rivíːl] *vt.* 들추어내다; 나타내다; 보이다; (신이) 계시하다. **~ itself** 드러[나타]나다; 알려지다. **~ oneself** 이름을 밝히다. **~·ment** *n.* Ⓤ 폭로; 계시.

rev·eil·le[révəli/rivǽli] *n.* (F.) Ⓤ (종종 the ~) 기상 나팔[북] 소리.

·rev·el[révəl] *n., vi.* (《英》 **-ll-**) Ⓤ,Ⓒ 술잔치(를 베풀다, 를 베풀고 법석 대다); 한껏 즐기다(*in*). **~ it** 술마시며 떠들다. **~·(l)er** *n.*

·rev·e·la·tion[rèvəléiʃən] *n.* ① Ⓤ (비밀의) 폭로, 누설; 발각; Ⓒ 뜻밖의 새 사실(*What a ~!* 천만 뜻밖인데!). ② Ⓤ 〖神〗 (신의) 묵시, 계시(cf. reveal); (the R-, (the) Revelations) 〖聖〗 요한 계시록.

rev·el·ry[révəlri] *n.* Ⓤ (또는 *pl.*) 술잔치, 주연, 술마시고 법석댐.

:re·venge[rivéndʒ] *n., vi.* Ⓤ,Ⓒ 앙갚음[복수](하다); 원한(을 풀다). **have** [**take**] **one's ~** 원한을 풀다. **in ~ for** [**of**] …의 앙[대]갚음으로서. — *vt.* (…의) 복수를 하다

(*She ~d her husband.* 남편의 원수를 갚았다); 《수동 또는 재귀적》 원한을 풀다(*She was ~d* [*She ~d herself*] *on* [*upon*] *her husband.*). **~·ful** *a.* 앙심 깊은; 복수의.

:rev·e·nue[révənjùː] *n.* ① Ⓤ (국가의) 세입; 수익; 수입원[항목]; (*pl.*) (국가·개인의) 총수입, 소득 총액. ② (the ~) 국세청, 세무서.

re·ver·ber·ate [rivə́ːrbərèit] *vi., vt.* 반향[반사]하다[시키다]. **-ant** *a.* **-a·to·ry**[-tɔ̀ːri/-təri] *a.* 반향[반사]의. **-a·tion** [-⌒-réiʃən] *n.*

re·vere[rivíər] *vt.* 존경하다.

·rev·er·ence[révərəns] *n.* Ⓤ 존경; Ⓒ 존경심(deep respect) (*We hold him in ~.*); 경례(deep bow); (R-) 님《성직자에 대한 경칭》(*his* [*your*] *R-*).

·rev·er·end[-d] *a.* 존경할 만한, 존귀한; (보통 the R-) …신부《경칭; 생략 Rev.》; 성직의. ***Right*** [***Most***] ***R-*** bishop [archbishop]의 존칭. — *n.* Ⓒ 《口》 성직자, 목사.

rev·er·ent[-t] *a.* 경건한. **~·ly** *ad.*

rev·er·en·tial[rèvərénʃəl] *a.* = ⇧. **~·ly** *ad.*

rev·er·ie [révəri] *n.* Ⓤ,Ⓒ 몽상, 공상.

re·vers [rivíər, -véər] *n.* (*pl.* ~[-z]) (F.) Ⓒ (옷깃·소매 등의) 접어 젖힌 단.

re·ver·sal[rivə́ːrsəl] *n.* Ⓒ 역전, 반전.

:re·verse[rivə́ːrs] *vt.* 거꾸로 하다, 뒤집다; 역전[역류]하다; 《法》 취소[파기]하다. — *vi.* 거꾸로 되다[돌다], 되돌아가다. — *a.* 거꾸로[역(逆)]의; 뒤[이면]의. — *n.* (the ~) 반대; (화폐·메달 등의) 뒷면(opp. obverse); Ⓤ,Ⓒ 역(회전); Ⓒ 불행. **~·ly** *ad.*

revérse géar (자동차의) 후진 기어.

re·vers·i·ble[rivə́ːrsəbəl] *a.* 거꾸로 할[뒤집을] 수 있는; 취소할 수 있는.

re·ver·sion[rivə́ːrʒən, -ʃən] *n.* Ⓤ,Ⓒ 역전, 복귀; 귀속; 격세(隔世) 유전; Ⓒ 《法》 복귀권; 상속권. **~·al** [-əl], **~·ar·y**[-èri/-əri] *a.*

·re·vert[rivə́ːrt] *vi.* ① 본래[예전]상태로 돌아가다, 되돌아가다; 《法》 복귀[귀속]하다(*to*). ② 회상하다(*to*). ③ 격세 유전하다(*to*). **~·i·ble** *a.*

re·vet[rivét] *vt.* (**-tt-**) 돌·콘크리트 등으로 덮다《제방·벽 등의 겉을》. **~·ment** *n.* Ⓒ 《土》 기슭막이, 호안(護岸), 옹벽.

:re·view[rivjúː] *n., vt.* ① Ⓤ,Ⓒ 재검토(하다); Ⓒ 검열[검사·사열](하다); 사열식. ② Ⓒ 평론, 비평(하다); 평론 잡지(*the Edinburgh R-*). ③ Ⓒ 복습(하다); 연습 (문제). ④ Ⓤ,Ⓒ 관찰(하다); 회고(하다). ⑤ Ⓤ,Ⓒ 《法》 재심(리)(하다). ***court of ~*** 재심 법원. ***naval ~*** 관함식(觀艦式). ***pass in ~*** 검사하다, 검사받다. — *vi.* 평론을 쓰다. **~·al** *n.* **~·er** *n.* Ⓒ 평론가; 검열자.

·re·vile[riváil] *vt., vi.* 욕(설)하다.

·re·vise[riváiz] *vt.* 개정(改訂)[교정(校訂)]하다; 교정(校正)하다. ***~d edition*** 개정판. — *n.* Ⓒ 개정[교정](판); 교정[재교]쇄(刷). **re·vís·er** *n.*

Revísed Stándard Vérsion, the 개정 표준 성서.

Revísed Vérsion (of the Bíble), the 개역(改譯) 성서.

·re·vi·sion[rivíʒən] *n.* Ⓤ,Ⓒ 개정, 교정; Ⓒ 개정판.

re·vis·it[riːvízit] *n., vt.* Ⓒ 재방문[재유(再遊)](하다).

·re·viv·al[riváivəl] *n.* Ⓤ,Ⓒ 재생; 부활; 부흥; 신앙 부흥; (R-) 문예 부흥; (극·영화 따위의) 재상연. ***R- of Learning*** = RENAISSANCE. **~·ist** *n.* Ⓒ 신앙 부흥 운동자.

:re·vive[riváiv] *vi., vt.* 부활하다[시키다].

re·viv·i·fy[riːvívəfài] *vt.* 부활시키다.

re·voke[rivóuk] *vt., n.* 폐지하다; 취소하다; Ⓒ 《카드》 낼 수 있는 패를 갖고 있으면서 딴 패를 내다[냄].

rev·o·ca·tion[rèvəkéiʃən] *n.*

:re·volt[rivóult] *n., vi.* Ⓤ,Ⓒ 반란[폭동](을 일으키다) (*against*); 반항(하다); Ⓤ 반감(을 품다), 구역질나다(*at, against, from*). — *vt.* 구역질나게 하다, 비위를 거스르다, 반감을 품게 하다. **~·ing** *a.* 구역나는, 싫은.

:rev·o·lu·tion[rèvəlúːʃən] *n.* Ⓤ,Ⓒ 혁명; Ⓒ 회전; Ⓤ 주기(cycle).

R

AMERICAN REVOLUTION. ***English R-*** 영국 혁명(1688). ***French R-*** 프랑스 혁명(1789-99; 1830). ***~·ar·y** [-nèri/-nəri] *a.* 혁명적인. **~·ist** [-ʃənist] *n.* Ⓒ 혁명가. **~·ize** [-ʃənàiz] *vt.* 혁명을 일으키다.

˙**re·volve** [riválv/-ɔ́-] *vi., vt.* 회전하다[시키다](*about, round*); (*vt.*) 궁리[숙고]하다. ˙**re·vólv·er** *n.* Ⓒ 연발권총.

re·volv·ing [riválviŋ/-ɔ́-] *a.* 회전하는, 선회하는; 회전식의, 윤전식의. ***a ~ chair*** 회전 의자. ***a ~ door*** 회전 도어. ***~ credit*** 〖商〗 회전 신용장《소정액 한도내에서 계속 이용이 되는》. ***~ fund*** 회전 자금《대출과 회수의 이행으로 자금을 회전시키는》.

re·vue [rivjúː] *n.* (F.) Ⓤ,Ⓒ (본디, 프랑스의) 시사(時事) 풍자극; 레뷔《경쾌한 음악·무용극》.

re·vul·sion [riválʃən] *n.* Ⓤ (감정 따위의) 격변; (자본 따위의) 회수.

:**re·ward** [riwɔ́ːrd] *n., vt.* Ⓤ,Ⓒ 보수[상여·사례금](을 주다); 보답하다. **~·ing** *a.* (…할) 보람이 있는.

:**re·write** [riːráit] *vt.* (***-wrote; -written***) 다시[고쳐] 쓰다.

rhap·so·dy [rǽpsədi] *n.* Ⓒ (고대 그리스의) 서사시의 음송부(吟誦部); 광상시[문], 열광적인 말; 〖樂〗 광상곡. **-dize** [-dàiz] *vt., vi.* 열광적으로 쓰다[얘기하다]; 광상곡을 짓다. **rhap·sod·ic** [ræpsádik/-ɔ́-], **-i·cal** [-əl] *a.*

rhe·sus [ríːsəs] *n.* Ⓒ 〖動〗 원숭이의 일종《북인도산; 의학 실험용》.

˙**rhet·o·ric** [rétərik] *n.* Ⓤ 수사(修辭)(학); Ⓤ,Ⓒ 미사(美辭).

rhe·tor·i·cal [ritɔ́(ː)rikəl, -tár-] *a.* 수사(修辭)적인.

rheu·mat·ic [ruːmǽtik] *a., n.* Ⓒ 류머티스의 (환자).

:**rheu·ma·tism** [rúː(ː)mətìzəm] *n.* Ⓤ 류머티스.

rhéu·ma·toid arthrítis [-tɔ̀id-] 류머티스성 관절염.

rhine·stone [´-stòun] *n.* Ⓤ,Ⓒ (유리의) 모조 다이아몬드.

rhi·no [ráinou] *n.* (*pl.* **~s**) Ⓒ 《英俗》 돈; =⇩.

˙**rhi·noc·er·os** [rainásərəs/-nɔ́s-] *n.* (*pl.* **~, ~es**) Ⓒ 〖動〗 무소.

rhi·zome [ráizoum] *n.* Ⓒ 〖植〗 뿌리줄기, 땅속줄기.

rho·do·den·dron [ròudədéndrən] *n.* Ⓒ 〖植〗 철쭉속의 식물《만병초 따위》.

rhom·boid [rámbɔid/-ɔ́-] *n., a.* Ⓒ 마름모꼴(의). **~·al** [–´–l] *a.* = RHOMBOID.

rhom·bus [rámbəs/-ɔ́-] *n.* (*pl.* **~·es, -bi** [-bai]) Ⓒ 마름모꼴.

rhu·barb [rúːbɑːrb] *n.* ① Ⓤ 〖植〗 대황[장군풀](뿌리《하제(下劑)용》); 대황 소스. ② Ⓒ 격론, 말다툼.

˙**rhyme** [raim] *n.* Ⓤ 운(韻), 각운(脚韻), 압운(押韻); Ⓒ 동운어(同韻語); Ⓒ 압운시(詩), 시; Ⓤ 운문. ***double*** [***female, feminine***] ***~*** 여성운, 이중운《보기: *mountain, fountain*》. ***eye*** [***printer's, sight, spelling, visual***] ***~*** 시각운(視覺韻)《발음과 관계 없는, 철자만의 압운; 보기: *nasal, canal*》. ***nursery ~*** 자장가. ***single*** [***male, masculine***] ***~*** 남성운, 단운(單韻)《보기: eagle *eyes,* surm*ise*》. ***without ~ or reason*** 영문 모를. — *vi.* 시를 짓다; 운이 맞다(*to, with*). — *vt.* 시로 만들다; 운이 맞게 하다(*with*).

:**rhythm** [ríðəm, ríθ-] *n.* Ⓤ,Ⓒ 율동, 리듬; 운율.

rhýthm and blúes 리듬 앤드 블루스《흑인 음악의 일종; 생략 R&B》.

˙**rhyth·mic** [ríðmik] *a.* 율동적인; 운율이 있는; 규칙적으로 순환하는.

:**rib** [rib] *n.* Ⓒ ① 〖解〗 갈빗대; 갈비(에 붙은 고기). ② 〖造船〗 (배의) 늑재(肋材); 〖植〗 주엽맥(主葉脈); (곤충의) 시맥(翅脈); (우산의) 살. ③ (논·밭의) 두렁, 둑, 이랑, (피륙의) 골. ④ 《諧》 아내《신이 아담의 갈빗대로 이브를 창조했다는 데에서》. ***poke*** [***nudge***] ***a person in the ~s*** 아무의 옆구리를 살짝 찔러 주의시키다. — *vt.* (**-bb-**) (…에) 갈빗대를 붙이다, (우산의) 살을 대다; 이랑을 만들다; 놀리다, 조롱하다(tease).

rib·ald [ríbəld] *a., n.* Ⓒ 입이 더러운 (사람); 상스러운 (사람). **~·ry** *n.* Ⓤ 야비한 말.

:**rib·bon** [ríbən] *n., vi.* Ⓤ,Ⓒ 끈(을 달

다), 리본(으로 꾸미다). **~ed**[-d] *a.* 리본을 단.

†**rice**[rais] *n.* Ⓤ 쌀; 벼; 밥(*boil* 〔*cook*〕 ~ 밥을 짓다). — *vt.* 《美》 (삶은 감자 따위를) ricer로 뽑아내다. **ríc·er** *n.* Ⓒ 라이서《다공(多孔) 압착기로서 삶은 감자 따위를 쌀톨만 한 크기로 뽑아내는 취사용구》.

ríce pàper 라이스 페이퍼, 얇은 고급 종이.

†**rich**[ritʃ] *a.* ① 부자의, 부유한. ② …이 풍부한(*in*); 풍요한(*a* ~ *harvest* 풍작). ③ (토지가) 비옥한. ④ 값진, 귀중한; (복장 따위가) 훌륭한, 사치한. ⑤ 맛〔자양〕 있는; 진한, 짙은 맛이 있는(~ *wine*). ⑥ (빛깔이) 선명한; (소리·목소리가) 잘 울리는. ⑦ 《口》 재미있는; 우스운, 당치도 않은(*That's a* ~ *idea.*). *the* ~ 부자(들). ⁑**rich·es**[ˊ-iz] *n. pl.* 《보통 복수 취급》 부(富), 재산, 재보. ⁑**ˊ·ly** *ad.* *ˊ·**ness** *n.*

Rích·ter scàle[ríktər-] 지진의 진도 눈금《magnitude 1-10》.

rick[rik] *n., vt.* Ⓒ (비를 피하기 위해 풀로 이엉을 해 씌운) 건초·짚 따위의 가리; (볏)가리(로 하다).

rick·ets[ríkits] *n. pl.* 《단수 취급》 『病』 구루병(佝僂病)(rachitis), 곱사등. **rick·et·y** [ríkiti] *a.* 구루병의; 쓰러지기 쉬운, 비슬비슬하는; 약한.

rick·shaw[ríkʃɔː], **-sha**[-ʃɑː] *n.* (Jap.) Ⓒ 인력거.

ric·o·chet[ríkəʃèi] *vi., vt., n.* Ⓒ 튀어서〔물을 차고〕 날다〔날기〕; 도탄(跳彈)(하다).

⁑**rid**[rid] *vt.* (*rid,* ~*ded;* **-dd-**) 제거하다, 면하게 하다(*of*). ***be*** 〔***get***〕 ~ ***of,*** or ~ ***oneself of*** …을 면하다; 쫓아버리다. **ˊ·dance** *n.* Ⓤ 면함; 쫓아버림. ***make clean*** ~·***dance of*** …을 일소하다.

⁑**rid·den**[rídn] *v.* ride의 과거 분사.

⁑**rid·dle**[1][rídl] *n., vi.* Ⓒ 수수께끼(를 내다). — *vt.* (수수께끼를) 풀다(unriddle).

rid·dle[2] *n.* Ⓒ 어레미, 도드미. — *vt.* ① 체질해 내다(sift). ② 정사(精査)하다. ③ (총알로) 구멍 투성이를 만들다.

†**ride**[raid] *vi.* (*rode,* 《古》 *rid; ridden,* 《古》 *rid*) ① (말·차·기차 따위를) 타고 가다, 타다(~ *in* 〔*on*〕 *a train*). ② 걸터 타다, 말을 몰다; (말·차 따위가) 태우고 가다(*This camel* ~*s easily.* 편하게 탈 수 있다《순하다》). ③ 탄 기분이 …하다. ④ (물위·하늘에) 뜨다(~ *at anchor* 정박하다). — *vt.* ① (…을) 타다, 탈 수 있게 되다. ② 말을〔차를〕 타고 지나가다〔건너다〕. ③ 지배하다; 《俗》 괴롭히다《보통 p.p.형: cf. bedridden, hagridden》. ④ 《俗》 놀리다. ⑤ 태우고 가다〔나르다〕. ***let*** ~ 《俗》 방치하다. ~ ***down*** (말 따위를) 지나치게 타서 기진맥진케 하다; 말을 타고 뒤쫓다; 넘어뜨리다; 이기다(overcome). ~ ***for a fall*** 《口》 무모한 짓을 하다. ~ ***herd on*** 카우보이로서 일하다. ~ ***no hands*** 양손을 놓고 자전거를 타다. ~ ***out*** (폭풍우·곤란 따위를) 헤쳐 나아가다. ~ ***over*** 짓밟다, 압도하다. ~ ***up*** (셔츠·넥타이 따위가) 비어져 올라가다〔내밀다〕(move up). — *n.* Ⓒ 탐, 말〔기차·배〕로 가는 여행; 말길. ***have*** 〔***give***〕 ***a*** ~ (말·차에) 타다〔태우다〕.

⁑**rid·er**[ˊ-ər] *n.* Ⓒ 타는 사람, 기수(騎手); 추가 조항. ~·**less** *a.* 탈 사람이 없는.

⁑**ridge**[ridʒ] *n., vt., vi.* Ⓒ 산마루, 산등성이, 분수선(分水線); 산맥; (지붕의) 마룻대(를 대다); 이랑(을 짓다, 지다).

*__rid·i·cule__[rídikjùːl] *n., vt.* Ⓤ 비웃음, 비웃다.

⁑**ri·dic·u·lous**[ridíkjələs] *a.* 우스운, 어리석은. ~·**ly** *ad.* ~·**ness** *n.*

rid·ing[ráidiŋ] *n.* Ⓤ 승마; 승차; 말길.

rife[raif] *a.* 유행하는, 한창(*with*).

riff[rif] *n.* Ⓒ 『樂』 리프, 반복 악절〔선율〕《재즈에서》.

rif·fle[rífəl] *n., vi., vt.* Ⓒ 《美》 여울(을 흐르다, 이 되다); 『카드』 양손에 나눠 쥔 패를 튀기며 한데 섞다〔섞기〕.

riff·raff[rífræ̀f] *a., n.* (the ~) 《복수 취급》 하찮은 (물건·사람들); Ⓤ 쓰레기, 폐물.

R

:ri·fle[ráifəl] *n.* Ⓒ 강선총(腔線銃), 라이플총; (*pl.*) 소총부대. ── *vt.* ① (총·포신의 내부에) 강선(腔線)을 넣다; 소총으로 쏘다. ② 강탈하다; 훔치다; 발가벗기다. **~·man** *n.* Ⓒ 소총사수(射手). **rí·fling** *n.* Ⓤ 강선을 넣음.

rift[rift] *n., vt., vi.* Ⓒ (벌어[갈라]진) 틈, 균열(을 만들다, 이 생기다).

˙rig[1][rig] *n., vt.* (**-gg-**) Ⓒ 선구(船具)를 장치하다[함], 의장(艤裝)(하다), 범장(帆裝)(하다); 《口》 차려 입히다 (*out*); 날림[임시변통]으로 짓다(*up*); 《美》 말을 맨 마차. **∠·ging** *n.* 《집합적》 삭구(索具).

rig[2] *n., vt.* (**-gg-**) ⓊⒸ 장난; 속임수 [농간](부리다). **~ the market** 시세(時勢)를 조종하다.

†right[rait] *a.* ① 곧은(*a ~ line*), 올바른, 정당[당연]한; 직각의. ② 적절한; 바람직한; 건강한; 제정신인. ③ 정면의, 바깥쪽의. ④ (물건을 오른손으로 잡는 것이 바르다고 보아) 오른쪽(손)의. **at ~ angles with** …와 직각으로. **do the ~ thing by** …에(게) 의무를 다하다. **get it ~** 올바르게 이해하다[시키다]. **get on the ~ side of** …의 마음에 들다. **get** [**make**] **~** 바르게 되다[하다], 고치다, 고쳐지다. **one's ~ hand** 오른팔《미더운 사람》. **on the ~ side of** (*fifty*)(50세) 이하로. **put** [**set**] **~** 고치다, 바르게 하다. **R- (you are)!** 맞았어; 알았어. **~ as rain** 매우 건강하여. **the ~ man in the ~ place** 적재 적소. **the ~ way** 올바른 방법(으로), 바르게. ── *ad.* 바르게; 정당하게, 당연히; 적당하게; 아주, 꼭, 곧; 오른쪽에[으로]; 매우. **come ~** 바르게 되다. **Eyes ~!** 《구령》 우로 봐! **go ~** 잘 돼가다. **if I remember ~** 분명히《기억이 '분명'치 않을 때에도 말함》. **It serves** [《俗》 **Serve**] **him ~.** 그래 싸다, 꼴 좋다. **R- about!** 뒤로 돌아! **~ along** 《美》 쉬지 않고, 잇따라. **~ and left** 좌우로, 사방으로[에서]; 닥치는 대로. **~ away** [**now, off, straight**] 《美口》 곧, 당장, 즉시. **R- dress!** 《구령》 우로 나란히! **~ here** 《美》 바로 여기서[곧]. **R- turn!** 《구령》 우향우! **turn ~ round** 한바퀴 빙 돌다[돌리다]. ── *n.* ① Ⓤ 정의, 공정; (*pl.*) (올)바른 상태; (*pl.*) 진상. ② ⓊⒸ (종종 *pl.*) 권리, (주주의) 신주(新株) 우선권. ③ Ⓤ 오른쪽; (the R-) 우익, 우파. **be in the ~** 옳다. BILL[1] **of Rights. by** [**of**] **~(s)** 당연히, 의당히; 본래 같으면(if rights were done). **by** [**in**] **~ of** …에 의하여, …의 권한으로. **civil ~s** 공민권. **do** *a person* **~s** 공평히 다루다[평하다]. **get** [**be**] **in ~ with** …의 마음에 들(어 있)다. **in one's** [**own**] **~** 자기의 정당한 요구로서; 부모에게서 물려받은[받아](*a peeress in her own ~* (결혼에 의해 된 것이 아닌) 귀족 부인). **~ of way** (남의 토지내의) 통행권; 우선권. **to ~s** 《口》 정연하게. **to the ~** 오른쪽에. ── *vt.* 곧바로 세우다 [일으키다]; 바르게 하다, 바로 잡다 (adjust); (방 따위를) 정돈하다; 구(救)하다. ── *vi.* 똑바로 되다, (기울어진 배 따위가) 제 위치로 돌아가다. **~ itself** 원상태로 돌아가다, 똑바로 되다. **~ oneself** (쓰러질 듯한) 몸의 균형을 바로 잡다.

:ríght ángle 직각.

ríght-ángled *a.* 직각의.

˙right·eous[ráitʃəs] *a.* 바른, 공정한, 고결한; 당연한. **~·ly** *ad.* **˙~·ness** *n.*

˙right·ful[∠fəl] *a.* 올바른, 합법의, 정당한. **~·ly** *ad.*

˙ríght-hánd *a.* 오른쪽(손)의, 우측의; 의지가 되는, 심복의.

ríght-hánded *a.* 오른손잡이의; 오른손으로 한; 오른손용의; 오른쪽으로 도는《시계와 같은 방향의》.

right·ist[∠ist] *a., n.* Ⓒ 우익[우파]의 (사람), 보수파의 (사람).

˙right·ly[ráitli] *ad.* ① 바르게, 틀림없이. ② 공정하게; 정당하게. ③ 적절히.

ríght-mínded *a.* 공정한 (의견을 가진); 마음이 바른.

ríght-ón *a.* 《美俗》 바로 그대로의; 정보에 정통한; 현대적인; 시대의 첨단을 가는; 세련된.

ríght wíng 우파, 우익.

R

ríght-wíng *a.* 우익의. **~er** *n.* Ⓒ 우파[우익]의 사람.

˙**rig·id**[rídʒid] *a.* 굳은; 엄정한, 엄(격)한; (비행선이) 경식(硬式)인. **~·ly** *ad.* **~·ness, ri·gíd·i·ty** *n.*

rig·ma·role[rígmərðul] *n.* Ⓤ 지지한 소리, 조리 없이 긴 글.

˙**rig·or,** 《英》 **-our** [rígər] *n.* Ⓤ 엄하기, 엄격함(severity); 굳음(stiffness).

rígor mór·tis[-mɔ́ːrtis] 〖生〗 사후 경직(死後硬直).

˙**rig·or·ous**[rígərəs] *a.* 엄한; 엄격[엄정]한. **~·ly** *ad.* **~·ness** *n.*

rile[rail] *vt.* 《주로 美》 흐리게 하다; 성나게 하다.

:**rim**[rim] *n., vt.* (**-mm-**) Ⓒ 가장자리[테·림](를 대다).

rime *n., vt.* Ⓤ 서리; 흰 서리(로 덮다).

rim·less[rímlis] *a.* 테 없는.

˙**rind**[raind] *n.* ⓊⒸ (과일의) 껍질(peel); 나무껍질(bark); (치즈의) 굳은 껍질.

†**ring**[1][riŋ] *vi.* (**rang,** 《稀》 **rung; rung**)(방울·종 따위가) 울리다, 울려 퍼지다(*out*); (초인종을 울려서) 부르다(*for*); 평판이 자자하다; …처럼 들리다(sound). — *vt.* (방울·종 따위를) 울리다, 치다; 울려서 부르다; 울려퍼지게 하다. **~ again** 반향하다, 메아리치다. **~ in** [**out**] 종을 울려서 맞이하다[보내다]《새해·묵은 해를》. **~ing frost** 밟으면 소리가 나는 서리. **~ in one's ears** [**heart**] 귀[기억]에 남다. **~ off** 전화를 끊다. **~ up** …에 전화를 걸다; 금전등록기의 키를 눌러 (어떤 금액)을 꺼내다. — *n.* Ⓒ (벨 따위의) 울리는 소리, 울림; 전화 호출; 〖컴〗 링. ***give a person a ~*** 《口》 전화를 걸다. **∠·er**[1] *n.* Ⓒ 울리는 사람; 아주 비슷한 사람(*for*).

:**ring**[2] *n.* Ⓒ ① 고리; 반지, 귀[코]고리, 팔찌. ② 나이테, 연륜; 고리 모양의 물건; 빙 둘러 앉은[선] 사람들; (*pl.*) 물결무늬. ③ 경마장; 경기장; 권투장. ④ (the ~)(현상 붙은) 권투(prize fighting); 경쟁, 선거전. ⑤ 《美》 도당(徒黨), 한패. ***be in the ~ for*** 경쟁에 나서다. ***have the ~ of truth*** 사실처럼 들리다. ***make a ~*** (상인이) 동맹을 맺어 시장을 좌우하다. ***make*** [***run***] ***~s round a person*** 《口》 아무보다 훨씬 빨리 달리다[하다]. ***ride*** [***run, tilt***] ***at the ~*** 〖史〗 말을 달려 높이 매단 고리를 창으로 찔러 떼다《옛날의 서양식 무술》. ***win the ~*** 《古》 상을 받다, 이기다. — *vt.* (**~ed**) 둘러싸다(*about, in, round*); 반지[코고리]를 끼다. **∠·er**[2] *n.*

ríng fínger 약손가락, 무명지.

ríng·lèader *n.* Ⓒ 장본인, 괴수.

ring·let[ríŋlit] *n.* Ⓒ 작은 고리; 고수머리(curl).

ríng·màster *n.* Ⓒ (곡마단 등의) 조련사《단장이 아님》.

ríng·sìde *n.* (the ~) (서커스·권투 등의) 링사이드, 맨 앞 자리.

ríng·wòrm *n.* Ⓤ 〖醫〗 윤선(輪癬), 백선(白癬).

rink[riŋk] *n.* Ⓒ (빙판의, 또는 롤러 스케이트의) 스케이트장.

˙**rinse**[rins] *vt., n.* Ⓒ 헹구다[기], 가시다[기](*away, out*).

:**ri·ot**[ráiət] *n.* ① Ⓒ 폭동, 소동. ② Ⓤ 야단 법석; 방탕. ③ (a ~) 색채[음향]의 난무(*The garden was a ~ of color.* 정원은 울긋불긋 몹시 아름다웠다). ***read the ~ act*** (소요(騷擾) 단속령을 낭독하여) 폭도의 해산을 명령하다. ***run ~*** 난동을 부리다; 널리 (뻗어) 퍼지다, (온갖 꽃이) 만발하다. — *vi.* (술마시고) 떠들다, 폭동을 일으키다. — *vt.* 법석대며 보내다. **~·ous** *a.* 폭동의; 소란스러운; 분방한.

ríot squàd [**políce**] 폭동 진압대, 경찰 기동대.

˙**rip**[rip] *vt.* (**-pp-**) 찢다, 쪼개다; 베어내다, (칼로) 갈라 헤치다; 난폭하게 말하다(*out*). — *vi.* 찢어지다, 터지다, 쪼개지다; 돌진하다. ***Let him ~.*** 말리지 마라, 내버려 둬라. — *n.* Ⓒ ① 잡아찢기, 터짐; 찢긴[터진, 갈라진] 데. ② =RIPSAW. ③ 《英俗》 돌진, 스피드.

R.I.P. *requiesca*(*n*)*t in pace*(L. = May he [she, they] rest in peace.).

:**ripe**[raip] *a.* 익은; 잘 발달된, 원숙

한, 풍만한, 나이 지긋한; (종기가) 푹 곪은; …할 때인(ready)(*for*). ***man of ~ years*** 나이 지긋한 사람. ***~ age*** 고령(高齡). ***~ beauty*** 여자의 한창때.

·**rip·en**[ráipən] *vi., vt.* 익(히)다, 원숙하(게 하)다.

ríp·òff *n.* Ⓒ 《美俗》 도둑; 횡령, 착취; 사취, 엉터리 상품.

:**rip·ple**[rípəl] *n., vi., vt.* Ⓒ 잔 물결(이 일다, 을 일으키다); (머리 따위) 웨이브(가 되다, 를 만들다); (*pl.*) 찰랑찰랑[수런수런](소리 나다, 소리내다)(*a ~ of laughter*). **-ply** *a.*

rip-roar·ing[ríprɔ̀:riŋ] *a.* 《口》 큰 소동의.

ríp·sàw *n.* Ⓒ 내릴톱.

†**rise**[raiz] *vi.* (***rose; risen***) ① 일어나다, 일어서다. ② (탑·산이) 우뚝 솟다. ③ 오르다; 솟다, 높아지다, 증대[증수(增水)]하다. ④ 등귀하다; 부풀다. ⑤ 떠오르다; 날아오르다, 이륙하다. ⑥ 발(생)하다(*from*); 봉기하다, 반란을 일으키다(rebel)(*against*). ⑦ 자리를 뜨다, 떠나다, 산회(散會)하다, 철퇴하다. ⑧ 향상[승진]하다. ***~ in arms*** 무장 궐기 하다. ***~ in the world*** 출세하다. ***~ to one's feet*** 일어서다. — *n.* Ⓒ 상승, 오르막길; 대지(臺地); 증대, 등귀; 승진, 출세; (계단의) 높이; Ⓤ 발생, 기원. ***give ~ to*** …을 일으키다. ***on the ~*** 증가하여, 올라서. ***take ~*** 발(생)하다(*from, in*). **rí·ser** *n.* Ⓒ 일어나는 사람(*an early riser*); (계단의) 층 뒤판《디딤판에 수직된 부분》.

ris·i·ble[rízəbəl] *a.* 웃음의, (잘) 웃는; 웃기는, 우스운(funny). **ris·i·bíl·i·ty** *n.* Ⓤ 우스움.

·**ris·ing**[ráiziŋ] *a.* 올라가는, 오르는; 오르막(길)의; 증대[증수]하는; 승진하는. ***the ~ generation*** 청년(층). — *n.* Ⓤ 상승; 등귀; 기립, 기상; Ⓒ 반란. — *prep.* 《方》 (나이가) …에 가까운; 《口》 …이상의(*of*).

:**risk**[risk] *n.* ① Ⓤ 위험, 모험. ② Ⓒ 〖保險〗 위험률; 보험 금액, 피보험자[물]; 위험 분자. ***at all ~s*** 만난을 무릅쓰고, 반드시, 꼭. ***at the ~ of*** …을 걸고. ***run a*** [***the***] ***~,*** or ***run ~s*** 위험을 무릅쓰다. — *vt.* 위태롭게 하다; 걸다; 대담하게 해 보다. **∠·y** *a.* 위험한; ＝RISQUÉ.

ri·sot·to [risɔ́:tou/-sɔ́t-] *n.* (It.) Ⓤ,Ⓒ 쌀이 든 스튜.

ris·qué[riskéi/∠–] *a.* (F.) 문란한, 외설의.

·**rite**[rait] *n.* Ⓒ 의식(儀式); 전례(典禮); 관습.

·**rit·u·al**[rítʃuəl] *n., a.* Ⓒ 의식서(書); Ⓤ 의식(의). **~·ism**[-ìzəm] *n.* Ⓤ 의식 존중[연구]. **~·ist** *n.* Ⓒ 의식 존중주의자.

:**ri·val**[ráivəl] *n.* Ⓒ 경쟁 상대, 적수; 호적수, 맞수, 필적자(equal). — *a.* 경쟁 상대의. — *vt., vi.* (《英》 **-ll-**) (…와) 경쟁[필적]하다. ·**~·ry** *n.* Ⓤ,Ⓒ 경쟁, 대항.

†**riv·er**[rívər] *n.* Ⓒ 강. ***sell a person down the ~*** 《美》 ＝DOUBLE-CROSS.

ríver bèd 강바닥, 하상(河床).

·**ríver·sìde** *n., a.* (the ~) 강변(의).

·**riv·et**[rívit] *n., vt.* Ⓒ 대갈못[리벳](으로 죄다, 을 박다); (애정을) 굳게 하다, 두텁게 하다; (마음·시선을) 집중하다(*on, upon*).

Riv·i·er·a[rìviέərə] (보통 the ~) 남프랑스의 Nice에서 북이탈리아의 Spezia에 이르는 피한지(避寒地).

·**riv·u·let**[rívjəlit] *n.* Ⓒ 개울, 시내(brook).

R.M. Royal Marines. **R.N.** Registered Nurse; Royal Navy.

RNA ribonucleic acid.

roach[1][routʃ] *n.* ＝COCKROACH.

roach[2] *n.* (*pl.* ***~es,*** 《집합적》 ~) Ⓒ 〖魚〗 붕어·황어류의 민물고기.

†**road**[roud] *n.* Ⓒ 도로, 가로; 방도; 방법(*to*); 《美》 ＝RAILROAD; (*pl.*) ＝ROADSTEAD. ***be in one's*** [***the***] ***~*** 방해가 되다. ***be on the ~*** 여행하고 있다. ***get out of one's*** [***the***] ***~*** 길을 비켜주다. ***hit the ~*** 《俗》 여행을 떠나다, 여행을 계속하다. ***on the ~*** (상용) 여행 중에; 순회 공연 중에. ***take to the ~*** 여행을 떠나다; 《古》 노상 강도가 되다.

róad·blòck *n.* Ⓒ 〖軍〗 노상방책(防柵)(barricade); 장애물.

róad hòg 타차선으로 나와 다른 차

의 통행을 방해하는 운전사, 마구 자동차〔자전거〕를 달리는 사람.

róad·hòuse *n.* Ⓒ (운전사 상대의) 여인숙(inn).

***róad·shòw** *n., vt.* Ⓒ 순회 흥행; 〖映〗 특별 흥행, 로드쇼(로서 상영하다).

***róad·sìde** *n., a.* (the ~) 길가(의).

róad-tèst *n., vt.* (차를 노상에서) 시운전하다; Ⓒ 그 시운전.

***róad·wày** *n.* (the ~) 도로; 차도.

róad·wòrk *n.* Ⓤ (운동 선수 등의) 로드워크; (*pl.*) 도로 공사.

:**roam**[roum] *vi., vt., n.* Ⓒ 돌아다니다〔다님〕, 배회(하다).

roan[roun] *a., n.* Ⓒ 황회색 또는 적갈색 바탕에 회색 또는 흰 얼룩이 섞인 (말·소 따위).

:**roar**[rɔːr] *vi.* ① (맹수가) 포효하다, 으르렁거리다. ② 왁자그르르 웃다; 울리다, 반향하다(*again*). — *vt.* 소리쳐 말하다, 외치다. — *n.* Ⓒ 포효; 노호; 폭소. * **~·ing**[⌐iŋ] *a.* 포효〔노호〕하는, 짖는; 떠들썩한; 경기가 좋은.

:**roast**[roust] *vt.* ① (고기를) 굽다; (오븐으로) 익히다; 볶다; 데우다. ② 《口》 놀리다(chaff), 조롱하다(banter). — *vi.* (생선이〔고기가〕) 구워지다; 뜨거워지다. ~ ***oneself*** 불을 쬐다. — *a.* 불고기로 한. ~ ***beef*** (소의) 불고기. — *n.* Ⓤ 굽기; 불고기; 《口》 조롱, 놀림. ***rule the*** ~ 주인 노릇을 하다; 지배하다. **⌐·er** *n.* Ⓒ 굽는〔볶는〕 기구〔사람〕.

:**rob**[rɑb/-ɔ-] *vt.* (***-bb-***) 강탈하다 (~ *him of his purse*); 훔치다; (…의) 속을 뒤져 훔치다(~ *a house*). — *vi.* 강도질을 하다. :**⌐·ber** *n.* Ⓒ 도둑, 강도. ***⌐·ber·y** *n.* Ⓤ,Ⓒ 강탈.

:**robe**[roub] *n.* Ⓒ 길고 품이 큰 겉옷; (*pl.*) 의복; 예복, 법복; 긴 유아복. ***the*** (***long***) ~ 법복, (성직자의) 법의. — *vt., vi.* (…에게) 입히다; 법복을〔법의를〕 입다.

:**rob·in**[rábin/-ɔ́-] *n.* Ⓒ ① 울새 (~ redbreast). ② 큰 개똥지빠귀.

ro·bot [róubət, rάb-/róubɔt, rɔ́b-, -bət] *n.* Ⓒ 인조 인간, 로봇(같은 사람).

ro·bot·ics[roubátiks/-bɔ́t-] *n.* Ⓤ 로봇 공학.

:**ro·bust**[roubʌ́st, róubʌst] *a.* 억센, 튼튼한(sturdy), 정력적인; (연습 따위가) 격심한; 조야한.

†**rock**[1][rɑk/-ɔ-] *n.* Ⓤ,Ⓒ 바위, 암석; Ⓒ 《美》 돌(any piece of stone); Ⓤ 암반; (*sing.*) 견고한 기초〔버팀〕; Ⓒ 암초; 화근. ***on the ~s*** 《口》 난파〔좌초〕하여; 《口》 빈털터리가 되어; (몇개의) 얼음덩어리 위에 (부은)《위스키 따위》. ***sunken*** ~ 암초. ***the R- of ages*** 예수.

:**rock**[2] *vt.* 흔들어 움직이다; 흔들다. — *vi., n.* Ⓒ 흔들리다〔림〕. ***~ing chair*** 〔***horse***〕 흔들 의자〔목마〕. **⌐·er** *n.* Ⓒ 흔들 의자〔목마〕(의 다리).

rock·a·bil·ly[rάkəbìli/rɔ́k-] *n.* Ⓤ 로커빌리《열광적인 리듬의 재즈 음악》.

róck and róll ⇨ROCK-' N' -ROLL.

róck bóttom 맨 밑바닥; 기저(基底); 깊은 속, 진상; 불행의 씨.

róck cáke 겉이 딱딱하고 꺼칠한 쿠키.

róck-clìmbing *n.* Ⓤ 암벽 등반, 록클라이밍.

†**rock·et**[rάkit/-ɔ́-] *n., vt.* ① Ⓒ 봉화〔화전(火箭)〕(를 올리다). ② Ⓒ 로켓(을 쏘아 올리다). ③ (a ~) 《英俗》 심한 질책. ***get a*** ~ 《軍俗》 크게 혼나다. — *vi.* (새가) 훌쩍 날아오르다; (값이) 갑자기 뛰어오르다; 급속도로 출세하다; (로켓처럼) 돌진하다. **~·ry** *n.* Ⓤ 로켓 공학〔실험〕.

róck gàrden 암석 정원; 석가산(石假山)이 있는 정원.

rócking chàir 〔**hòrse**〕 ⇨ ROCK[2].

rock-'n'-roll[rάkənróul/rɔ́k-] *n.* Ⓤ 로큰롤《박자가 격렬한 재즈곡; 그 춤》.

róck sàlt 암염(岩鹽).

:**rock·y**[1][⌐i] *a.* ① 바위의〔같은, 많은〕; 암석질의. ② 완고한, 냉혹한. ***the Rockies*** 로키 산맥.

rock·y[2] *a.* 흔들흔들하는(skaky); 《口》 비슬거리는.

ro·co·co[rəkóukou] *n., a.* Ⓤ 로코코 양식《18세기 전반(前半)에 유행한 화려한 건축 양식》(의).

:**rod**[rɑd/-ɔ-] *n.* Ⓒ 장대, 긴 막대,

R

낚싯대; 작은 가지; 지팡이, 회초리; 권표(權標); 권력; 로드《길이의 단위, 약 5m》; 《美俗》 권총; 간균(稈菌). **kiss the ~** 벌을 달게 받다. **Spare the ~ and spoil the child.** 《속담》 귀한 자식 매로 키워라.

:**rode**[roud] *v.* ride의 과거.

ro·dent[róudənt] *a., n.* 갉는, Ⓒ 설치류(齧齒類)의 (동물).

ro·de·o[róudiòu, roudéiou] *n.* (*pl.* **~s**) Ⓒ 《美》 (카이보이들의 승마술·올가미 던지기 따위의) 경기대회; 소떼를 몰아 모음.

roe[1][rou] *n.* U,C 물고기의 알, 곤이. **soft ~** 이리.

roe[2] *n.* Ⓒ 노루의 일종(~ deer라고도 함).

rog·er[rádʒər/-ɔ́-] *int.* 《美俗》 좋아; 알았어!

:**rogue**[roug] *n.* Ⓒ 악한(rascal); 개구쟁이, 장난꾸러기; 녀석《애칭》; 무리에서 따로 떨어진 동물〔코끼리〕. **ro·guer·y**[ˊəri] *n.* U,C 나쁜짓; 장난. **ro·guish**[ˊiʃ] *a.* 깡패의; 장난치는.

rógues' gállery 전과자 사진첩.

rois·ter[rɔ́istər] *vi.* 술마시며 떠들다. **~·er** *n.*

:**role, rôle**[roul] *n.* (F.) Ⓒ 구실, 역할, 역(役).

róle-plàying *n.* Ⓤ 〖心〗 역할 연기 《심리극 따위에서》.

†**roll**[roul] *vt., vi.* ① 굴리다; 구르다. ② (눈알을) 희번덕거리다. ③ 둥그렇게 하다, 동그래지다(*in, into, up*). 휘감(기)다, 휘말(리)다. ④ (*vt.*) 혀를 꼬부려 발음하다. ⑤ (*vi.*) (파도·들판 따위가) 굽이치다, 완만하게 기복(起伏)하다. ⑥ (구름·안개·연기가) 뭉게뭉게 피어 오르다, 하늘거리며 오르다(*The mist ~ed away.* 안개가 걷혔다). ⑦ (*vt.*) 롤러로 (판판하게) 밀(어 늘이)다. ⑧ (배·비행기를) 옆질하(게 하)다(cf. pitch[2]). ⑨ 허리를 좌우로 흔들며 걷다《뱃사람의 걸음걸이》. ⑩ (*vt.*) 숙고하다. ⑪ (북 따위를〔가〕) 둥둥 울리다, (천둥이) 울리다. ⑫ 떠는 소리로 울다〔노래하다〕, (목소리를) 떨다. ⑬ (*vt.*) 《俗》 (만취된 사람 등의) 주머니를 털다. ⑭ (*vi.*) 《口》 쌔고쌨다(*She is ~ing in money.*). **~ back** 되돌리다; (통제에 의해 물가를) 원래대로 내리다. **~ in** 꾸역꾸역 모여 들다. **~ on** 굴러 나아가다; 세월이 흐르다. **~ up** (휘)감다, 휘말다; 동그래지다; 감아 올리다, 감기어 올라가다; 피어 오르다; (돈이) 모이다; 나타나다. — *n.* Ⓒ ① 회전, 구르기. ② 굽이침. ③ 두루마리, 한 통〔필〕, (말린) 한 개(*a ~ of bread*). ④ 롤빵; 롤러. ⑤ (원래는 갖고 다니기 위해 둘둘 만) 기록; 표, 명부(*call the ~* 점호하다). ⑥ 울림. ⑦ 〖海〗 옆질. ⑧ 〖空〗 횡전(橫轉). ⑨ 《美俗》 돈 뭉치, 자본. **on the ~s** 명부에 올라. **on the ~s of fame** 역사에 이름을 남기어. **~ of hono(u)r** 전사자 명부. **strike off the ~s** 제명하다.

róll càll 점호, 〖軍〗 점호 나팔〔신호〕.

:**roll·er**[ˊər] *n.* Ⓒ (땅고르기·인쇄·압연용) 롤러; 큰 놀; 〖鳥〗 롤러카나리아.

róller còaster 《美》 (스릴을 즐기는) 환주차(環走車).

róller skàte 롤러 스케이트 (구두).

róller-skàte *vi.* ⇧로 스케이트 타다.

rol·lick[rálik/-ɔ́-] *vi.* 시시덕거리다 (frolic). **~·ing, ~·some** *a.* 쾌활한, 명랑하게 떠드는.

:**roll·ing**[róuliŋ] *a., n.* 구르는; Ⓤ 구르기, 굴리기〔하기〕. **A ~ stone gathers no moss.** 《속담》 우물을 파도 한 우물을 파라.

rólling pìn 밀방망이.

rólling stóck 《집합적》 철도 차량 《기관차·객차》.

róll-tòp désk 접는 뚜껑이 달린 책상.

róly-póly *a., n.* Ⓒ 토실토실한 (아이); U,C 《주로英》 파배기 푸딩.

ROM 〖컴〗 read only memory 롬《늘 기억 장치》.

ro·maine [rouméin] *n.* Ⓤ 상치의 일종.

†**Ro·man**[róumən] *a.* 로마(사람)의; (로마) 가톨릭교의; 로마(숫)자의. — *n.* Ⓒ 로마 사람; Ⓒ (*pl.*) 가톨릭〔천주〕교도; Ⓤ 〖印〗 로마체 (활자).

(*The Epistle of Paul the Apostle to the*) ~*s* 〖新約〗 로마서.
Róman álphabet 로마자.
Róman cándle 꽃불의 일종.
Róman Cátholic 가톨릭교의 (교도).
Róman Cathólicism 천주교, (로마) 가톨릭교; 그 교의·의식.
:ro·mance [roumǽns, róumæns] *n.* Ⓒ 중세 기사 이야기, 전기(傳奇) 소설, 연애〔모험〕 소설, 정화(情話); 소설적인 사건, 로맨스(love affair); Ⓤ,Ⓒ 꾸며낸 이야기, 공상 (이야기); Ⓤ (R-) 로만스어(파). — *a.* (R-) 로망스말의. — *vi.* 꾸며낸 이야기를 하다; 거짓말하다(lie); 공상하다.
ro·mánc·er *n.* Ⓒ 전기 소설 작가; 공상〔과장〕가; 꾸며낸 이야기를 하는 사람.
Ro·man·esque [ròumənésk] *n., a.* Ⓤ (중세 초기의) 로마네스크 건축 양식《아치 꼭대기가 둥금》(의).
Róman nóse 매부리코(cf. aquiline).
Róman númerals 로마숫자《Ⅰ, Ⅱ, Ⅴ, Ⅹ, L(50), C(100), D(500), M(1000), MCMLXIX(1969) 따위》.
:ro·man·tic [roumǽntik, rə-] *a.* 전기(傳奇)(소설)적인, 공상〔비현실〕적인; 로맨틱한; 낭만주의의. ***R-Movement*** (19세기 초엽의) 낭만주의 운동. ~ ***school*** 낭만파. — *n.* Ⓒ 낭만파의 예술가〔시인〕; (*pl.*) 낭만적 사상.
ro·man·ti·cism [roumǽntəsìzəm] *n.* Ⓤ 낭만적 정신; 낭만주의《형식을 배제하고 분방한 상상력을 중시하는 18세기 말부터 19세기 초엽의 사조》 (cf. classicism, realism). **-cist** *n.* Ⓒ 낭만주의자.
Rom·a·ny [rɑ́məni/-ɔ́-] *n., a.* Ⓤ 집시말(의); Ⓒ 집시(의).
romp [rɑmp/-ɔ-] *vi.* 까불(며 놀)다, 뛰놀다(frolic)(*about*). — *n.* Ⓤ 까불; Ⓒ 까불며 뛰노는 아이. **∠·ers** *n. pl.* 놀이옷, 롬퍼스.
ron·do [rɑ́ndou/-ɔ́-] *n.* (*pl.* ~*s*) (It.) Ⓒ 〖樂〗 론도, 회선곡(回旋曲).
rood [ru:d] *n.* Ⓒ 십자가 (위의 예수상); 《英》 루드《면적 단위 = 1/4 acre (약 1단 = 300평)》. ***by the R-*** 신에 맹세코.
†roof [ru:f] *n.* (*pl.* ~*s;* 때로 ***rooves*** [-vz]), *vt.* Ⓒ 지붕(을 달다); 집. ~ ***of the mouth*** 입천장, 구개. ~ ***of the world*** 높은 산맥, (특히) Pamir 고원. ***under the parental*** ~ 부모슬하에서. **∠·er** *n.* **∠·ing** *n.* Ⓤ 지붕이기; 지붕이는 재료. **∠·less** *a.*
róof gàrden 옥상 정원.
rook[1] [ruk] *n., vi., vt.* Ⓒ 〖鳥〗 (유럽산) 떼까마귀; (카드놀이에서) 속임수 쓰다〔쓰는 사람〕. **∠·er·y** *n.* Ⓒ 떼까마귀 (따위)가 떼지어 사는 곳; 빈민굴.
rook[2] *n.* Ⓒ 〖체스〗 성장(城將)(castle)《장기의 차(車)에 해당》.
rook·ie [rúki] *n.* Ⓒ 《俗》 신병, 신참, 풋내기.
†room [ru(:)m] *n.* Ⓒ 방(의 사람들); (*pl.*) 셋방, 하숙(lodgings); Ⓤ 장소, 여지(*for; to* do). ***in the*** ~ ***of*** …의 대신으로. ***make*** ~ 자리를 양보하다, 장소를 만들다(*for*). (***There is***) ***no*** ~ ***to turn in.*** 비좁다, 답답하다. — *vt., vi.* 방을 주다, 숙박시키다; 유숙하다(*at, with, together*). **∠·er** *n.* Ⓒ 《美》 세든 사람, 하숙인. **~·étte** *n.* Ⓒ 《美》 (Pullman car의) 개인용 침실. **~·ful** [∠fùl] *n.* Ⓒ 방(하나) 그득(한 사람·물건). **∠·ie** *n.* Ⓒ 동숙자. **∠·y** *a.* 널찍한 (spacious).
róoming hòuse 《美》 하숙집.
róom-màte *n.* Ⓒ 《美》 한 방(을 쓰는) 사람, 동숙자.
róom sèrvice (호텔 등의) 룸서비스; 룸서비스계.
:roost [ru:st] *n.* Ⓒ (닭장의) 홰 (perch); 휴식처, 잠자리. ***at*** ~ 취침중에. ***Curses, like chickens, come home to*** ~. 《속담》 누워서 침뱉기. ***go to*** ~ 잠자리에 들다. ***rule the*** ~ 《口》 마음대로 하다. — *vi., vt.* (홰에) 앉다; 보금자리에 들다. ***∠·er** *n.* Ⓒ 《美》 수탉(《英》 cock).
:root [ru:t] *n.* Ⓒ ① 뿌리; (*pl.*) 근채(根菜), 지하경. ② 근본; 근저(根底), 근거. ③ 근원; 선조; 〖聖〗 자손; 본질. ④ 〖文〗 어간(stem); 〖言〗 어근; 〖數〗 근; 〖樂〗 기음(基音)《기초

R

화음》. ⑤ 〖컴〗 뿌리. ***pull up by the ~s*** 뿌리째 뽑다. ***~ and branch*** 전부 완전히. ***strike* (*take*) *~*** 뿌리 박히다, 정착하다. — *vi., vt.* ① 뿌리박(게 하)다; 정착하다(시키다). ② 뿌리째 뽑다, 근절하다(*up, out*). ·**~·ed**[ˊ-id] *a.* **ˊ·let** *n.* Ⓒ 가는 뿌리.

róot bèer 탄산수의 일종《sassafras 등의 뿌리로 만듦》.

†**rope**[roup] *n.* ① Ⓤ,Ⓒ (밧)줄, 새끼. ② (the ~) 교수형(絞首刑)(용 밧줄). ③ Ⓒ (*pl.*) 둘러친 장소《권투장 등》의 밧줄. ④ Ⓒ (*pl.*) 비결, 요령. ***a ~ of sand*** 못믿을 것. ***come to the end of one's ~*** 진퇴유곡에 빠지다. ***give*** (*a person*) ***~*** (***enough to hang*** *himself*) 멋대로 하게 내버려 두(어 자업자득이 되게 하)다. ***on the high ~s*** 사람을 얕(깔)보아; 의기 양양하여, 뽐내어. ***on the ~*** (등산가들이) 로프로 몸을 이어 매고. — *vt.* (밧)줄로 묶다(잇다, 당기다); 올가미를 던져 잡다. — *vi.* (끈끈하여) 실같이 늘어지다. ***~ in*** 《俗》 끌어(꾀어) 들이다.

róp·y *a.* 밧줄 같은; 끈끈한, 실이 늘어지는.

rópe làdder 줄사닥다리.

ro·sa·ry[róuzəri] *n.* Ⓒ 〖가톨릭〗 묵주, 로자리오; 장미원.

†**rose**[1][rouz] *n.* ① Ⓒ 장미(꽃)《영국의 국화》. ② Ⓤ 장미빛. ③ Ⓒ 장미무늬(매듭); 원화창(圓花窓). ④ (*pl.*) 발그레한 얼굴빛. ⑤ Ⓒ 미인. ***Alpine ~*** 〖植〗 석남. ***bed of ~s*** 안락한 지위(신분). ***gather*** (***life's***) ***~s*** 환락을 일삼다. ***~ of Sharon*** 무궁화; 〖聖〗 샤론의 장미《실체는 미상(未詳)》. ***under the ~*** 비밀히(＜L. *sub rosa*). ***Wars of the Roses*** 〖英史〗 장미 전쟁《York 가(家)(흰 장미의 문장)와 Lancaster가(家)(붉은 장미의 문장)의 싸움(1455-85)》. — *a.* 장미빛의.

†**rose**[2] *v.* rise의 과거.

ro·se·ate [róuziit] *a.* 장미빛의 (rosy); 밝은, 행복한; 낙관적인 (optimistic).

·**róse·bùd** *n.* Ⓒ ① 장미 봉오리. ② 아름다운 소녀.

rose·mar·y[ˊmὲəri] *n.* Ⓒ 〖植〗 로즈메리《상록 관목(灌木); 정절 등의 상징》.

ro·sette[rouzét] *n.* Ⓒ 장미 매듭(의 리본); 장미꽃 장식; 〖建〗 원화창(圓花窓).

róse wàter 장미 향수; 겉발림말.

róse wíndow 원화창(圓花窓).

róse·wòod *n.* Ⓒ 자단(紫檀)《콩과의 나무; 열대산》; Ⓤ 그 재목.

ros·in[rázən, -ɔ́(:)-] *n., vt.* Ⓤ 수지(樹脂)《송진 따위》(를 바르다).

ros·ter [rástər/rɔ́s-] *n.* Ⓒ (근무) 명부.

ros·trum[rástrəm/-ɔ́-] *n.* (*pl.* **~s, -tra**[-trə]) Ⓒ 연단(演壇)(platform).

:**ros·y**[róuzi] *a.* ① 장미빛의, 불그스름한; 장미로 꾸민. ② 유망한. ③ 밝은 (기분의)(cheerful).

·**rot**[rɑt/-ɔ-] *vi., vt.* (**-tt-**) 썩(게 하)다; 썩어 문드러지(게 하)다. — *n.* Ⓤ 부패, 썩음; 《俗》 케케묵은 농담(*Don't talk ~!* 허튼 수작 그만둬!).

·**ro·ta·ry** [róutəri] *a.* 회전하는. — *n.* Ⓒ 윤전기; 환상 교차점; 〖電〗 회전 변류기.

·**ro·tate**[róuteit/-ˊ] *vi., vt.* 회전하다(시키다); 교대하다(시키다). ***~ crops*** 윤작하다. ·**ro·tá·tion** *n.* Ⓤ,Ⓒ 회전; 교대(***by*** (***in***) ***rotation*** 교대로, 차례로); 돌려짓기; 〖컴〗 회전《컴퓨터 그래픽에서 모델화된 물체가 좌표계의 한 점을 중심으로 도는 것》. **ro·tá·tion·al** *a.* 회전의; 순환의. **ró·ta·tor** *n.* Ⓒ 회전하는 것, 회전기. **ro·ta·to·ry**[róutətɔ̀:ri/-təri] *a.*

rote[rout] *n.* Ⓤ 기계적인 방식(암기). ***by ~*** 암기하여, 기계적으로.

:**rot·ten**[rátn/-ɔ́-] *a.* 부패한; 약한, 부서지기 쉬운(*a ~ ice*); 《俗》 나쁜, 더러운(nasty). ***R- Row*** 런던의 Hyde Park의 승마길(the Row).

rot·ter[rátər/-ɔ́-] *n.* Ⓒ 《주로 英俗》 변변찮은 녀석, 보기싫은 녀석.

ro·tund[routʌ́nd] *a.* 토실토실 살찐; 낭랑한. **ro·tún·di·ty** *n.*

ro·tun·da[routʌ́ndə] *n.* Ⓒ 〖建〗 (둥근 지붕의) 원형 건물; 둥근 천장의 큰 홀.

rou·ble[rú:bəl] *n.* ＝RUBLE.

rou·e[ru:éi, ˊ-] *n.* (F.) Ⓒ 방탕자

(rake). 「지(를 바르다).
*rouge[ruːʒ] n., vi., vt. U (입술) 연
†rough[rʌf] a. ① 거친, 껄껄[울퉁불퉁]한. ② 텁수룩한(shaggy). ③ 거센, 파도가 높은. ④ 사나운, 난폭한; 예의없는. ⑤ (보석 따위) 닦지 않은; 가공되지 않은. ⑥ 개략(槪略)[개산]의. ⑦ 서투른; 불친절한, 냉혹한 (*on*). ⑧ (소리가) 귀에 거슬리는. ⑨ (술맛이) 떫은[나쁜]. ⑩ = ASPIRATE. **have a ~ time** 되게 혼나다, 고생하다. **~ rice** 현미(玄米). **~ work** 고된[거친] 일. —**ad.** 거칠게; 대충. —**n.** U,C 거칠음, 거친 물건; C 《주로 英》 난폭한[우악스런] 사람; U 〖골프〗 불량 지역; 학대. **in the ~** 미가공[미완성]의; 대체로. —**vt.** 거칠게 하다, 껄껄[우툴두툴]하게 하다; 난폭하게 다루다; 대충 해내다[모양을 만들다]. **~ it** 비참한[고된] 생활에 견디다; 난폭한 짓을 하다. **~ out** 대충 마무르다.
‡**∠·ly** ad. 거칠게; 대강. **~ly estimated** 개산(槪算)으로, 대충잡아. **~ly speaking** 대충 말해서.
rough·age[rʌ́fidʒ] n. U 거친 물건[재료]; 섬유질 식품.
róugh-and-réady a. 즉석의; (인품이) 세련되지 못한, 무무한.
róugh-and-túmble a., n. 뒤범벅이 된, 어지러운; U,C 난투.
róugh·càst vt. 러프코트로 마무리하다; (…의) 대체적인 줄거리를 세우다. —**n.** U 러프코트《회반죽과 자갈을 섞어 바른 벽》; 대체적인 줄거리.
rough·en[rʌ́fən] vi., vt. 거칠게 되다[하다].
róugh-héwn a. 대충 깎은, 건목친; 조야한.
róugh·nèck n. C 《美口》 우락부락한 사람, 난폭자.
róugh·shód a. (말이) 못이 나온 편자를 신은. **ride ~ over** 난폭하게[야멸치게] 다루다.
rou·lette[ruːlét] n. U 룰렛《공굴리기 도박》.
†**round**[raund] a. ① 둥근. ② 토실토실 살찐. ③ 한바퀴[일주]의. ④ 완전한(*a ~ lie* 새빨간 거짓말). ⑤ 대강의, 끝수[우수리]가 없는(*a ~ number* 개수, 어림수《500·3,000따위》). ⑥ 상당한(*a good ~ sum*). ⑦ 잘 울리는, 낭랑한. ⑧ 활발한. ⑨ 솔직한(frank). ⑩ 〖音聲〗 입술을 동그랗게 한. —**n.** C ① 원(형); 둥근 물건; (조각의) 환조(丸彫); (빵의) 둥글게 썬 조각; 사다리의 가로장《둥글린 것》(rung[1]). ② 한바퀴, 순회(지구)(*go* [*make*] *one's ~s* 순회하다). ③ 회전, 주기. ④ 범위. ⑤ (승부의) 한판(*play a ~*). ⑥ 연속. ⑦ (탄약의) 한 발분, 일제 사격. ⑧ 원무(圓舞), 윤창(輪唱). **daily ~** 매일의 일[근무]. **in the ~** 모든 점으로 보아(*Seoul in the ~* 서울의 전모). —**ad.** 돌아서; 둘레에; 둥글게; 가까이; 차례차례로. **all ~** 널리 미치게. **all the year ~**, 1년내내. **ask** (*a person*) **~** (아무를) 초대하다. **come ~** 돌아오다; 회복하다. **come ~ to** *a person's* **view** 의견에 동의하다. **~ about** 원을 이루어, 둘레에; 멀리 빙 돌아서; 반대쪽에. **~ and ~** 빙빙; 사방에 널리 미쳐서. **win** (*a person*) **~** 자기편으로 끌어들이다. —**prep.** ① …을 돌아서, …의 둘레에. ② …의 근처[주변·일대]에. ③ …을 꼬부라져서, 모퉁이를 돈 곳에(*~ the corner*). **come ~** (*a person*) 꾀로 앞지르다[넘기다]; 감언으로 속이다. —**vi., vt.** 둥글게 되다[하다]; 돌다; (*vt.*) 완성하다; (*vi.*) 토실토실 살찌다, 원숙해지다. **~ down** (수·금전 등의) 우수리를 잘라 버리다. **~ off** 둥글게 하다; (모진 것을) 둥글리다; 잘 다듬어 마무르다; 원숙하게 하다. **~ on** (친구 등을) 역습하다, 끽 소리 못하게 하다; 고자질[밀고]하다. **~ out** 둥글게 하다; 살찌게 하다; 완성하다. **~ up** 동그랗게 뭉치다; 숫자를 우수리가 없게 하다; 몰아 대다[모으다]; 《口》 검거하다. —**n.** C 원; 〖컴〗 맺음.
*****róund·abòut** a., n. C 멀리 도는; 에움길, 에두름; 에두르는; 사내아이의 짧은 웃옷; 《英》 회전 목마; 《英》 환상 십자로, 로터리.
round·ed[∠id] a. 둥글게 한[만든].
roun·del[ráundl] n. C 고리, 둥근 것, 원반; 〖空〗 (날개의) 둥근 마크.
róund·er n. C 순회자; 주정뱅이;

R

상습범; (*pl.*) 구기(球技)의 일종.
róund-éyed *a.* (깜짝 놀라) 눈을 둥그렇게 뜬.
Róund·hèad *n.* Ⓒ 〖英史〗 원두당원(圓頭黨員)《1642-52의 내란 당시 머리를 짧게 깎은 청교도 의원; Charles Ⅰ에 반항》.
round·ish [∠iʃ] *a.* 둥그스름한.
round·ly [∠li] *ad.* 둥글게; 완전히, 충분히, 솔직하게; 단호히; 몹시; 기운차게; 대충.
round·ness [∠nis] *n.* Ⓤ 둥글음, 완전함, 솔직함; 호됨.
róund róbin 사발통문의 탄원서; 원탁회의; 리그전; 연속.
róund-shóuldered *a.* 새우등의.
rounds·man [∠zmən] *n.* Ⓒ 《英》 주문 받으러 다니는 사람, 외무원; 《美》 순찰 경관.
róund-tàble *a.* 원탁의(~ *conference* 원탁 회의).
róund tríp 왕복 여행; 주유(周遊) 여행.
róund·ùp *n.* Ⓒ 가축을 몰아 한데 모으기; (범인 등의) 일제 검거.
:**rouse** [rauz] *vt.* 일으키다; 날아오르게 하다; 격려하다; 성나게 하다; 휘젓다. — *vi., n.* 일어나다, 잠이 깨다; Ⓤ,Ⓒ 눈뜸, 각성; 분발(하다), (감정이) 격해지다. **róus·er** *n.* Ⓒ 환기〔각성〕시키는 사람. **róus·ing** *a.* 격려하는; 활발한; 터무니없는.
roust·a·bout [ráustəbàut] *n.* Ⓒ 《美》 부두 노무자.
·**rout** [raut] *n.* Ⓤ,Ⓒ 패배; 무질서한 군중(mob). — *vt.* 패주시키다.
:**route** [ruːt, raut] *n.* Ⓒ 길, 노선, 노정; 항로; 《美》 (신문 등의) 배달 구역. ***go the*** ~ (임무 따위를) 끝까지 해내다; 완투하다. — *vt.* (…의) 길〔노선〕을 정하다; 발송하다.
:**rou·tine** [ruːtíːn] *n.* Ⓒ,Ⓤ 상례적인 일, 판에 박힘, 정해짐, 정해진 순서; 〖컴〗 루틴《어떤 작업에 대한 일련의 명령군(群); 완성된 프로그램》. — *a.* 일상의, 판에 박힌.
roux [ruː] *n.* (F.) Ⓤ,Ⓒ 〖料理〗 루《녹인 버터와 밀가루를 섞은 것》.
:**rove** [rouv] *vi.* 헤매다, 배회하다(wander)(*over*). — *n., vt.* Ⓤ 유력(遊歷)〔유랑〕(하다), 배회(하다); (R-) 개 이름. ***on the*** ~ 배회하고.
·**rov·er** [róuvər] *n.* Ⓒ 배회자; 해적; 월면차(月面車). ***at*** ~***s*** 막연히.
:**row**[1] [rou] *n.* Ⓒ 열, 줄; 죽 늘어선〔줄지은〕 집; 거리; 가로수; (the R-) 《英》 = ROTTEN ROW; 〖컴〗 행. ***a hard*** 〔***long, tough***〕 ~ ***to hoe*** 《美》 힘든〔지긋지긋한〕 일, 큰 일.
:**row**[2] *vt.* (배를) 젓다, 저어서 운반하다; (…으로) 젓다. — *vi., n.* (a ~) 젓다; 젓기; 경조(競漕)(하다). ~ ***down*** 저어서 따라 미치다. ~***ing boat*** 《英》 = ROWBOAT. ~ ***over*** 상대방의 배를 앞지르다. ∠·**er** *n.* ∠·**ing** *n.*
:**row**[3] [rau] *n.* ① Ⓤ,Ⓒ 《口》 소동, 법석. ② Ⓒ 꾸짖음(*get into a* ~ 꾸지람 듣다). ③ Ⓒ 《口》 말다툼. ***make kick up a*** ~ 법석을 일으키다; 항의하다. — *vt., vi.* 《口》 욕질하다; 《口》 떠들다, 말다툼하다.
row·an [róuən, ráu-] *n.* Ⓒ 〖植〗 마가목의 일종; 그 열매.
row·dy [ráudi] *n., a.* Ⓒ 난폭자; 난폭한. ~·**ism** [-ìzəm] *n.*
row·lock [rálək, rʌ́-/rɔ́-] *n.* Ⓒ 《英》 (보트의) 노걸이, 노받이.
:**roy·al** [rɔ́iəl] *a.* 왕〔여왕〕의; 국왕에 의한; 왕가의; 왕자(王者)다운; 훌륭한, 당당한(*a* ~ *game*); 장엄한; 왕립의; 칙허(勅許)의; 거창한. ***have a*** ~ ***time*** 굉장히 즐겁게 지내다. ***His*** 〔***Her***〕 ***R- Highness*** 전하〔비(妃)전하〕. ~ ***assent*** (의회를 통과한 법안에 대한) 국왕의 재가. ~ ***household*** 왕실. ~ ***touch*** 연주창 환자에게 왕이 손을 댐《왕이 손을 대면 낫는다고 생각됐음》. ***the R- Air Force*** 영국 공군. ***the R- Marines*** 영국 해병대. ***the R- Navy*** 영국 해군. ~·**ist** *n.* Ⓒ 왕당파; (R-) 왕당원(cf. Roundhead). ~·**ly** *ad.* 왕답게, 당당하게.
róyal blúe 진한 청색.
·**roy·al·ty** [rɔ́iəlti] *n.* ① Ⓤ 왕〔여왕〕임; 왕권; (보통 *pl.*) 왕의 특권; 왕족, 황족. ② Ⓒ (본래는 왕실에 진납된) 상납금; 채굴권; 인세; (희곡의) 상연료; 특허권 사용료.
rpm, r.p.m. revolutions per minute.

R

R.S.P.C.A. Royal Society for the Prevention of Cruelty to Animals. **R.S.V.P.** *Répondez s'il vous plaît*(F. = please reply). **Rt. Hon.** Right Honorable. **R.U.** Rugby Union.

:rub[rʌb] *vt., vi.* (**-bb-**) ① 문지르다, 마찰하다; 닦다. ② (*vt.*) 문질러〔비벼〕 지우다〔없애다〕. ③ (*vt.*) 초조하게 만들다. ④ (*vi.*) 문질리다. ⑤《口》그럭저럭 살아 나가다(*along, on, through*). **~ *down*** 문질러 없애다; 마사지하다; 몸을 훑어서 조사하다. **~ *in***《俗》되풀이 말하다. **~ *off*** 문질러 없애다〔떼다〕. **~ *one's hands*** 두 손을 비비다《득의·만족을 나타냄》. **~ *up*** 닦다; 복습하다(~ *up Latin*); 한데 개다〔섞다〕(mix). — *n.* (a ~) 문지름, 마찰; (the ~) 장애, 곤란; 빈정거림, 욕설. **~s *and worries of life*** 인생의 고초. ***There's the* ~.** 그것이 골치아픈〔위태로운〕 점이다《Sh(ak)》. **∠·bing** *n.* U,C 마찰; 연마; 마사지; 탁본.

:rub·ber[1][rʌ́bər] *n.* ① U 고무; C 고무 제품; 고무 지우개(*India* ~); (*pl.*)《美》고무신. ② C 문지르는〔비비는〕 사람, 안마사; 칠판 지우개. ③ C 숫돌, 줄. — *vt.* (천에) 고무를 입히다. — *vi.*《美古俗》목을 늘이(고 보)다, 뒤돌아보다. **~·ize** [-ràiz] *vt.* (…에) 고무를 입히다〔대다〕. **~·ly** *a.* 고무같은, 탄력 있는.

rub·ber[2] *n.* C 3판 승부(의 결승전).

rúbber bánd 고무 밴드.

rúbber plánt 〔**trèe**〕 고무 나무.

rúbber stámp 고무 도장.

rúbber-stámp *vt.* (…에) 고무도장을 찍다;《口》무턱대고 도장을 찍다〔받아 들이다〕.

˙rub·bish[rʌ́biʃ] *n.* U 쓰레기; 잡꼬대, 허튼 소리. **~·y** *a.*

rub·ble[rʌ́bəl] *n.* U 잡석, 밤자갈.

ru·bel·la[ru:bélə] *n.* U 〖醫〗 풍진(風疹)(German measles).

Ru·bi·con [rú:bikàn/-kən] *n.* (the ~) 이탈리아 중부의 강. ***cross the* ~** 결행하다.

ru·bi·cund[rú:bikʌ̀nd/-kənd] *a.* (얼굴 따위가) 붉은(ruddy).

ru·ble[rú:bəl] *n.* 루블《러시아의 화폐 단위; = 100 kopecks; 기호 R, r》.

ru·bric[rú:brik] *n.* C 주서(朱書), 붉은 인쇄〔글씨〕; 예배 규정.

˙ru·by [rú:bi] *n., a.* C 홍옥, 루비(빛의); U 진홍색(의); 〖拳〗 피; U《英》〖印〗 루비(⇨agate).

ruck[rʌk] *n.* C 다수; 대중; 잡동사니.

ruck·sack[rʌ́ksæ̀k, -ú-] *n.* C 룩색, 배낭. 「단 법석.

ruck·us[rʌ́kəs] *n.* U,C《美口》야

ruc·tion[rʌ́kʃən] *n.* U,C《口》소동, 싸움, 난투.

˙rud·der[rʌ́dər] *n.* C (배의) 키; 〖空〗 방향타(舵). **~·less** *a.* 키가 없는; 지도자가 없는.

˙rud·dy[rʌ́di] *a.* 붉은; 혈색이 좋은.

:rude[ru:d] *a.* ① 버릇없는, 난폭한. ② (날씨 따위가) 거친, 거센. ③ 자연 그대로의. ④ (어림 따위) 대강의(rough). ***be* ~ *to*** …을 욕뵈다. ***say* ~ *things*** 무례한 말을 하다. **∠·ness** *n.*

˙rude·ly[rú:dli(:)] *ad.* 거칠게; 버릇없게; 서투르게.

ru·di·ment[rú:dəmənt] *n.* (*pl.*) 기본, 초보; C 발육 불완전 기관. **-men·tal**[∸–méntl], **-men·ta·ry** [-təri] *a.* 초보의; 〖生〗 발육 부전의; 흔적의.

rue[ru:] *vt., vi.* 뉘우치다, 슬퍼하다, 한탄하다. — *n.* U《古》회한, 비탄. **∠·ful**(**·ly**) *a.* (*ad.*)

ruff[rʌf] *n.* C (16세기경 남녀 옷의) 수레바퀴 모양의 주름 옷깃. **~ed** [-t] *a.* 주름 옷깃이 있는.

˙ruf·fi·an[rʌ́fiən, -fjən] *n., a.* C 악한, 불량배; 흉악한. **~·ism** [-ìzəm] *n.* **~·ly** *a.* 흉악한.

˙ruf·fle[rʌ́fəl] *vt.* ① 물결을 일으키다, (깃털을) 세우다. ② 교란시키다, 속타게〔초조하게〕하다. ③ (물결 모양의) 주름 가장자리를 달다. ④ (트럼프 패를) 쳐서 뒤섞다. — *vi.* 물결이 일다; 속타다; 뽐내다. **~ *it*** 뽐내다. — *n.* ① C 주름 가장자리〔장식〕. ② C 잔 물결. ③ C,U 동요; 속탐, 화(냄).

:rug[rʌg] *n.* C 깔개, 융단, 양탄자; 《주로 英》 무릎 덮개.

rúg·by (**fóotball**)[rʌ́gbi(-)] *n.* (종종 R-) U 럭비(축구).

:rug·ged [rʌ́gid] *a.* 울퉁불퉁한, 껄껄한(rough); 엄격한; 험악한(~ *weather*); 괴로운; 조야한; 단단한; 귀에 거슬리는; 튼튼한(*a* ~ *child*). **~·ly** *ad.* **~·ness** *n.*

rug·ger [rʌ́gər] *n.* Ⓤ 《英俗》 럭비.

:ru·in [rúːin] *n.* (*pl.*) 폐허; Ⓤ 파멸(의 상태); 몰락; 파산; 황폐; 손해. ***be the ~ of*** (…의) 파멸의 원인이 되다. ***bring to ~*** 실패시키다. ***go to ~*** 멸망하다. — *vt., vi.* 파괴하다, 파멸시키다; 영락시키다〔하다〕. **~·a·tion** [ㅅ-éiʃən] *n.* **~·ous** *a.* 파괴적인, 파멸을 가져오는; 황폐한; 영락한.

†rule [ruːl] *n.* ① Ⓒ 규칙, 표준, 법칙. ② Ⓒ 관례, 정례. ③ Ⓤ 지배, 통치. ④ Ⓒ 규준; 자(ruler). ⑤ Ⓒ 괘(罫), 괘선(罫線). ***as a ~*** 대개, 일반적으로. ***by ~*** 규칙으로〔대로〕. ***hard and fast ~*** 까다로운 표준〔규정〕. ***make it a ~ to*** 하는 것을 상례로 하다, 늘 …하기로 하고 있다. ***~ of the road*** 교통 규칙. ***~ of three*** 비례. ***~ of thumb*** 개략의 측정, 개산(概算); 실제 경험에서 얻은 법칙. — *vt.* 규정하다; 통치〔지배〕하다; 판정하다; 자로 줄을 긋다; 억제하다. — *vi.* 지배하다 (*over*); 판정하다; 〖商〗 보합(保合)을 이루다(*Prices ~ high.* 높은 시세에 머물러 있다). ***~ out*** 제외〔배제〕하다. **ㅅ·less** *a.* 규칙이 없는; 지배되지 않는.

:rul·er [rúːlər] *n.* Ⓒ 통치〔지배〕자, 주권자.

:rul·ing [rúːliŋ] *a.* 통치〔지배〕하는; 우세한; 일반의. — *n.* Ⓤ 지배; Ⓒ 판정; 선(긋기). ***~ class*** 지배 계급. ***~ passion*** (행동의 근원이 되는) 주정(主情). ***~ price*** 시세, 시가. **~·ly** *ad.*

·rum¹ [rʌm] *n.* Ⓤ 럼주《당밀 따위로 만듦》; 《美·一般》 술.

rum² *a.* (**-mm-**) 《英俗》 이상한, 별스런(odd). ***feel ~*** 기분이 나쁘다.

rum·ba [rʌ́mbə, rú(ː)m-] *n., vi.* (Sp.) Ⓒ 룸바《본디 쿠바 토인의 춤》(를 추다).

·rum·ble [rʌ́mbəl] *n.* (*sing.*) 우르르 소리, 덜커덕〔요란한〕 소리; = ㅅ **sèat** (구식 자동차 후부의) 접었다 폈다 하는 식의 좌석; 소문; 불평. — *vi.* 우르르 울리다; 덜커덕덜커덕 소리가 나다.

ru·mi·nant [rúːmənənt] *a., n.* Ⓒ 되새기는; 심사〔묵상〕하는; 반추 동물《소·양·낙타 따위》.

ru·mi·nate [rúːmənèit] *vi., vt.* 되새기다; 심사〔묵상〕하다(ponder) (*about, of, on, over*). **-na·tion** [ㅅ-néiʃən] *n.* Ⓤ 반추; 생각에 잠김, 묵상.

rum·mage [rʌ́midʒ] *vt., vi.* 뒤적거리며〔뒤져〕 찾다; 찾아내다(*out, up*). — *n.* (a ~) 샅샅이 뒤짐; Ⓤ 잡동사니, 허섭스레기(odds and ends).

rúmmage sàle 자선 바자; 재고품 정리 판매.

rum·my¹ *n.* Ⓤ 카드놀이의 일종.

rum·my² *n.* Ⓒ 《美俗》 주정뱅이.

:ru·mor, 《英》 **-mour** [rúːmər] *n., vt.* Ⓤ,Ⓒ 풍문, 소문(을 내다).

·rump [rʌmp] *n.* Ⓒ (사람·새·짐승의) 궁둥이; 《英》 (쇠고기의) 엉덩이살; 나머지; 잔당, 잔류파.

rum·ple [rʌ́mpəl] *vt.* 구기다, 주름지게 하다; 헝크러뜨리다.

rum·pus [rʌ́mpəs] *n.* (*sing.*) 《口》 소음, 소란(row³).

rúm-shòp *n.* Ⓒ 《美口》 술집, 주류 판매점.

†run [rʌn] *vi.* (***ran; run; -nn-***) ① 달리다; 급하게 가다. ② 달아나다(~ *for one's life*). ③ 다니다, 왕복하다. ④ 나아가다. ⑤ 기다(creep), (담쟁이 덩굴·포도 따위가) 휘감겨 오르다(climb). ⑥ 대강 훑어보다. ⑦ (때가) 지나다. ⑧ 뻗다, 퍼지다. ⑨ 번지다(spread). ⑩ (강 따위가) 흐르다; 콧물이〔고름·피가〕 나오다, 흘러나오다(*My nose ~s.*); 흘리고 있다(*You're ~ning at the nose.*). ⑪ …이〔하게〕 되다(~ *dry* 말라붙다/~ *hard* 몹시 궁색하다/~ *low* 적어지다). ⑫ (모양·크기 등이) …이다(*These apples ~ large.*). ⑬ 계속하다(last). ⑭ 일어나다, 행해지다. ⑮ (기억이) 떠오르다. ⑯ 〖法〗 효력이 있다. ⑰ (경기·선거 등에) 나가다(*for*); (경주·경마에서) …등이 되다.

⑱ 수월하게〔스르르〕 움직이다. ⑲ 말은〔문구는〕 …이다. ⑳ 멋대로 행동하다. 어거하기 힘들다(~ *wild*). ㉑ (물고기떼가) 이동하다. ㉒ 풀리다(ravel); 녹다. ㉓ 달하다(*to*). ── *vt.* ① 달리게 하다(~ *a horse*); (길을) 가다(~ *a course*). ② 뒤쫓다, 몰다(~ *a hare*); 알아내다(~ *the rumor to its source*). ③ (…와) 경쟁하다(*I'll* ~ *him a mile.*); (말을) 경마에 내보내다. ④ (아무를) 출마시키다(~ *him for the Senate* 상원의원에 입후보시키다). ⑤ (칼로) 꿰찌르다(*into*). ⑥ 꿰매다. ⑦ (…을) 흐르게 하다(flow with)(*The streets ran blood.* 거리는 온통 피바다였다). ⑧ (어떤 상태로) 만들다. ⑨ 무릅쓰다(~ *a risk*). ⑩ 지장없이 움직이다. ⑪ 경영하다. ⑫ 빠져나가다. ⑬ 밀수(입)하다(smuggle). ⑭《美》(광고·기사 따위를) 내다, 발표하다(~ *an ad in The Times* 타임즈지(紙)에 광고를 내다). ~ ***about*** 뛰어다니다. ~ ***across*** 뜻밖에 만나다. ~ ***after*** …을 뒤쫓다; 추구하다. ~ ***against*** 충돌하다; 뜻하지 않게 만나다. ~ ***away*** 도망치다. ~ ***away with***《口》…을 가지고 달아나다; …와 사랑의 도피를 하다; 지레짐작하다. ~ ***close*** 바싹 뒤쫓다; 육박하다. ~ ***down*** (*vi.*) 뛰어내려가다; (아무를 방문하러) 시골에 가다; (태엽이 풀려서 시계가) 서다; 줄다, 쇠약해지(게 하)다; (*vt.*) 바싹 뒤따르다〔뒤쫓다〕; 부딪쳐 넘어뜨리다, 충돌하다; 찾아내다; 《口》 헐뜯다. ~ ***for*** 부르러 가다; …의 후보로 나서다(~ *for Congress*). ~ ***for it*** 도망치다. ~ ***in*** (*vi.*) 잠깐 들르다; 일치〔동의〕하다; (*vt.*) 〖印〗 행을 바꾸지 않고 이어 짜다; 《俗》 체포하여 교도소에 집어 넣다. ~ ***into*** 뛰어들다; 빠지다(~ *into debt* 빚을 지다); (강물이 바다로) 흘러 들어가다; …에 충돌하다; 딱 마주치다; …으로 기울다; 달하다. ~ ***off*** (용케) 도망치다; (이야기가) 갑자기 탈선하다; 유출하다〔시키다〕; 거침없이 〔줄줄〕 쓰다〔낭독하다〕; 《美》(연극을) 연속 공연하다; 인쇄하다. ~ *a* (*person*) ***off*** *his* ***legs*** 지치게 하다. ~ ***on*** 계속하다; 도도하게 말을 계속하다; 〖印〗 이어짜다; 경과하다; (…에) 미치다; 좌초하다. ~ ***out*** 뛰어〔흘러〕나오다, 새다; 끝나다, 다하다; 만기가 되다; (시계가) 서다; (원고를 인쇄하였을 때) 예정 이상으로 늘어나다; 〖野〗 러너를 아웃시키다; (밧줄을) 풀어내다. ~ ***out of*** 다 써버리다. ~ ***over*** (차가 사람 등을) 치다; 넘치다, 피아노를 빨리 치다. ~ ***through*** 꿰찌르다; 대강 훑어 읽다; 소비하다; (글씨를) 줄을 그어 지우다. ~ ***up*** (*vi.*) 뛰어 오르다; 증가하다, 부쩍부쩍 자라다; 달하다(*to*); (*vt.*) 올리다; 증가하다; 급조(急造)하다. ── *n.* ① Ⓒ 달림; 한달음, 〖軍〗 구보(cf. double time); 경주. ② (a ~) 여행. ③ (a ~) 진행, 행정(行程). ④ Ⓤ 흐름; 유출; Ⓒ 시내; 수관(水管), 파이프. ⑤ (the ~) 유행, 주문 쇄도; (은행의) 지불 청구의 쇄도(*on*). ⑥ (the ~) 방향, 추세; 형세, 경향(trend). ⑦ (a ~) 흐름과 같이 잇따름; 한 연속; 연속. ⑧ Ⓒ 보통(의 것), 종류, 계급(class). ⑨ Ⓒ 도로. ⑩ Ⓒ 방목장, 사육장(*a chicken* ~). ⑪ (the ~) 사용〔출입〕의 자유. ⑫ (the ~) 조업〔운전〕(시간); 작업량. ⑬ Ⓒ 〖野〗 생환(生還)《1점》; 〖크리켓〗 득점; 1점. ⑭ Ⓒ 급주(急奏). ⑮ Ⓒ (양말의) 전선(傳線)(《英》 ladder)(*in*); Ⓤ 떼지어 이동하는 물고기. ⑯ 〖컴〗 실행. ***at a*** ~ 구보로. ***by the*** ~, or ***with a*** ~ 갑자기, 왈칵. ***common*** ~ ***of people*** 보통의 사람, 대중. ***have a good*** ~ 굉장한 인기를 얻다. ***have a*** ~ ***for one's money*** 노력〔지출〕한 만큼의 보람이 있다; 《美》 이익을 얻고자 기를 쓰다. ***have the*** ~ ***of one's teeth*** (노동의 보수로서) 식사를 제공받다. ***in the long*** ~ 마침내, 결국(은). ***keep the*** ~ ***of***《美》 뒤〔빠〕지지 않다. ***let*** (*a person*) ***have his*** ~ 자유를 주다, 마음대로 하게 하다. ***on the*** ~ 《口》 도주하여; 뛰어 다니며. ~(***s***) ***batted in*** 〖野〗 타점《생환 득점; 생략 r. b. i.》.

rún·abòut *n.* Ⓒ 떠돌이, 부랑자; 소형 자동차〔발동선〕.

rún·aròund *n.* (the ~) 《口》 회피,

R

도피; 어물쩍거림, 핑계.
ˈ**rún·awày** *n., a.* Ⓒ 도망(자), 달아난 (말), 사랑의 도피; 눈맞아 도피한; (경주에서) 쉽게 이긴.
run·down [*a.* ˊdáun ; *n.* ˊˋ] *a., n.* 몹시 지친; 파손[황폐]된; (시계 따위가) 선; Ⓒ 적요; 감수(減數), 감원.
rune [ru:n] *n.* Ⓒ (보통 *pl.*) 룬 문자《북유럽의 고대 문자》; 룬 문자의 시; 신비로운 기호. **rú·nic** *a., n.* 룬 문자의; Ⓒ 루닉체의 활자.
rung[1] [rʌŋ] *n.* Ⓒ (사닥다리의) 가로장.
:**rung**[2] *v.* ring[1]의 과거(분사).
rún-ìn *a., n.* Ⓒ 〖印〗 이어짜는 (부분); 추가의 (원고·교정); 《美口》 말다툼.
run·nel [rʌ́nl] *n.* Ⓒ 시내, 개울.
:**run·ner** [rʌ́nər] *n.* Ⓒ ① 달리는 사람, 경주자[말]. ② (스케이트·썰매의) 활주면. ③ 좁고 길쭉한 테이블보[융단]. ④ 〖植〗 덩굴. ⑤ (양말의) 전선(ladder). ⑥ 《美》 유괴(誘客)꾼; 밀수업자; 심부름꾼.
rúnner-úp *n.* (*pl.* **-s-up**) Ⓒ (경기 따위의) 차점자[팀].
:**run·ning** [rʌ́niŋ] *n.* Ⓤ 달리기, 경주, 운전; 유출, 고름이 나옴. ***be in*** [***out of***] ***the*** ~ 경주·경쟁에 참가[불참]하다; 승산이 있다[없다]. ***take up the*** ~ 앞장서다, 솔선하다. ― *a.* 달리는, 흐르는; 잇다른, 연속하는(*for six days* ~ 연(連) 6일간); 미끄러운, 원활하게 되어가는[나아가는]; (덩굴 따위가) 뻗는.
rúnning cómmentary (스포츠 프로 등의) 실황 방송; 필요에 따라 수시로 하는 설명[해설].
rúnning màte 짝지은 입후보자 중 하위의 사람《부통령 등》.
run·ny [rʌ́ni] *a.* 액체 비슷한, 점액을 분비하는(*a* ~ *nose*).
rún·òff *n.* ① Ⓤ,Ⓒ 흘러 없어지는 것; (도로의) 배수(排水)(기). ② Ⓒ (동점자의) 결승전.
rún-of-(the-)míll *a.* 보통의.
runt [rʌnt] *n.* Ⓒ 송아지; 《蔑》 난쟁이; 작은 동물[식물]. ˊ**·y** *a.*
rún-thròugh *n.* Ⓒ 통독(通讀); 예행 연습.
rún-ùp *n.* Ⓒ 도움닫기.
ˈ**rún·wày** *n., vt.* Ⓒ 주로(走路); 활주로(를 만들다); (동물의) 다니는 길; (재목 등을 굴러내리는) 비탈길.
ru·pee [ru:píː] *n.* Ⓒ 루피《인도·파키스탄·스리랑카의 화폐 단위; 생략 r, R, Re》; 루피 은화.
rup·ture [rʌ́ptʃər] *n.* Ⓤ 파열; Ⓤ,Ⓒ 결렬; 불화; Ⓒ 헤르니아, 탈장(脫腸). ― *vt., vi.* 깨뜨리다; 찢(어지)다, 터뜨리다, 터지다; 헤르니아에 걸리(게 하)다.
:**ru·ral** [rúərəl] *a.* 시골풍의, 전원의. ~**·ize** [-àiz] *vt., vi.* 전원화하다.
ruse [ru:z] *n.* Ⓒ 계략(stratagem).
†**rush**[1] [rʌʃ] *vi.* 돌진[돌격]하다(*on, upon*); 급행하다. ― *vt.* 돌진시키다, 재촉하다, 몰아치다; 돌격하다; (공을) 급송구하다; 《美口》 (여자와) 뻔질나게 교제하다. ― *n.* ① Ⓒ 돌진, 돌격. ② (*sing.*) 몰려듦, 답지(遝至). ③ (a ~) 쇄도. ④ Ⓒ 《美大學》 (울타리·보도(步道)·막대기 따위를 다투어 빼앗는 학급간의) 난투. ⑤ Ⓒ (보통 *pl.*) 《美》〖映〗 (제작 도중의) 편집용 프린트. ***in a*** ~ 갑자기, 와아하고. ~ ***hour*** (교통이) 한창 붐비는 시간. ***with a*** ~ 돌격[쇄도]하여, 와아하고 (한꺼번에). ― *a.* 돌진하는; 지급(至急)의.
rush[2] *n.* Ⓒ 등심초, 골풀; 하찮은 물건. ***not care a*** ~ 아무렇지도 않게 생각하다. ˊ**·y** *a.* 등심초가 많은[로 만든].
rusk [rʌsk] *n.* Ⓒ 러스크《살짝 구운 비스킷》; 오븐(oven)으로 토스트한 빵[과자].
rus·set [rʌ́sət] *n., a.* Ⓤ 황[적]갈색(의); 황갈색의 천《농부용》; Ⓒ 황[적]갈색 사과의 일종.
:**Rus·sia** [rʌ́ʃə] *n.* 러시아; (r-) = ˊ **léather** [**cálf**] 러시아 가죽. :**Rús·sian** *a., n.* 러시아의; Ⓒ 러시아 사람(의); Ⓤ 러시아 말(의).
Rússian roulétte 탄환이 1개 든 권총의 탄창을 회전시켜 총구를 자기 머리에 대고 방아쇠를 당기는 무모한 내기; 생사를 건 무서운 짓.
:**rust** [rʌst] *n.* Ⓤ 녹(슨 빛); 〖植〗 녹병; 무위(無爲). ***gather*** ~ 녹슬다. ***keep from*** ~ 녹슬지 않게 하다. ― *vi., vt.* 녹슬(게 하)다; 녹병에 걸리(게 하)다; 둔해지다. ˊ**·less** *a.*

녹슬지 않는.

:rus·tic[rʌ́stik] *a.* ① 시골(풍)의, 전원(생활)의(rural). ② 조야한, 우락부락한. ③ 소박한, 순수한. ④ 통나무로 만든(*a* ~ *bridge*). — *n.* Ⓒ 시골뜨기. **rús·ti·cal·ly** *ad.*

:rus·tle[rʌ́səl] *vi., vt.* 바스락바스락〔와삭와삭〕 소리나다〔소리내다〕; 《美口》 기운차게 하다〔일하다〕; (가축을) 훔치다. — *n.* U,C 살랑〔바스락〕거리는 소리; 옷 스치는 소리; 《美口》 도둑질. ~ ***in silks*** 비단옷을 입고 있다〔걷다〕. **rús·tler** *n.* Ⓒ 《美口》 활동가; 가축 도둑. ***rús·tling** *a., n.*

rúst·pròof *a.* 녹 안나게 한.

:rust·y[rʌ́sti] *a.* 녹슨, 부식한, 녹빛의, 퇴색한; 낡아빠진; (목) 쉰; 〖植〗 녹병의.

rut[1][rʌt] *n.* Ⓒ 바퀴 자국; 상례(*get into a* ~ 틀에 박히다). — *vt.* (**-tt-**) 바퀴 자국을 남기다. **rut·ted** [∠id] *a.* **rút·ty** *a.*

rut[2] *n.* Ⓤ (동물의) 발정(기), 암내남. ***at*** 〔***in***〕 ***the*** ~ 발정기가 되어. ***go to*** (***the***) ~ 암내를 내다. — *vi.* (**-tt-**) 발정기가 되다.

ru·ta·ba·ga[rù:təbéigə] *n.* Ⓒ 황색 큰 순무의 일종.

***ruth·less**[rú:θlis] *a.* 무정한(pitiless); 잔인한(cruel). **~·ly** *ad.*

-ry[ri] *suf.* 《명사어미》 ① 상태·성질: bigot*ry*, rival*ry*. ② 학술: chemist*ry*. ③ 행위: mimic*ry*. ④ 총칭: jewel*ry*, peasant*ry*.

***rye**[rai] *n.* Ⓤ 호밀《빵 원료·가축 사료》; 호밀 위스키.

R

S

S, s [es] *n.* (*pl.* ***S's, s's***[´iz]) Ⓒ S자 모양의 것.

s. saint; south; southern; shilling; son.

S.A. South Africa.

***Sab·bath** [sǽbəθ] *n., a.* (the ~) 안식일(~ day)《기독교에서는 일요일, 유대교에서는 토요일》(의).

Sab·bat·i·cal [səbǽtikəl] *a.* 안식일의.

***sa·ber,** 《英》 **-bre** [séibər] *n., vt.* Ⓒ (특히 기병의) 군도(軍刀); 사브르(로 베다, 죽이다); 〖美空軍〗 F-86형 제트 전투기.

sáber ràttling 무력의 과시; 무력에 의한 위협.

***sa·ble** [séibəl] *n., a.* Ⓒ 〖動〗 검은담비; Ⓤ 그 가죽; 《詩》〖紋〗 흑색(의), 암흑(의).

sab·o·tage [sǽbətà:ʒ, -tidʒ] *n. vi., vt.* (F.) Ⓤ 사보타주《노동쟁의 중, 고의로 생산·작업을 방해하는 일》(하다); (패전국 국민의 점령군에 대한) 반항 행위(를 하다).

sab·o·teur [sæ̀bətə́:r] *n.* (F.) Ⓒ sabotage하는 사람.

sac [sæk] *n.* Ⓒ (동·식물의) 주머니 모양의 부분, 낭(囊). 「린.

sac·cha·rin [sǽkərin] *n.* Ⓤ 사카

sac·cha·rine [sǽkəràin, -rin] *a.* (목소리 등이) 감미로운; 당질(糖質)의. — [-rin, -rì:n] *n.* =⇧.

sac·er·do·tal [sæ̀sərdóutl] *a.* 성직자의; 성직자 같은(priestly); 사제(司祭)(제)의. **~·ism** [-təlìzəm] *n.* Ⓤ 성직자〔사제〕제(制)〔기질〕.

sa·chet [sæʃéi/´–] *n.* (F.) Ⓒ 작은 주머니; 향낭(香囊).

:**sack**[1] [sæk] *n.* Ⓒ ① 마대, 부대, 큰 자루. ② 《美·一般》 주머니 부대(bag). ③ 《野俗》 누(壘). ④ 《美俗》 침낭(寢囊), 잠자리. ⑤ 여자·어린이용의 헐렁한 상의. ⑥ 《俗》 해고; 퇴짜. ***get*** 〔***give***〕 ***the*** ~ 《俗》 해고되다〔하다〕 (cf. send (a person) PACKing). ***hold the*** ~ 《美口》 남의 뒤치다꺼리나 하다, 억지로 책임을 지다. — *vt.* ① 자루〔부대〕에 넣다. ② 《俗》 목자르다, 해고하다. ③ 《俗》 (경기에서) 패배시키다. ~ ***out*** 《美俗》 잠자리에 들다, 눕다.

sack[2] *n., vt.* Ⓤ (the ~) 약탈(품); 약탈하다.

sáck·clòth *n.* Ⓤ 즈크, 두꺼운 삼베; (뉘우치는 표시로 입던) 거친 삼베옷. ~ ***and ashes*** 회오(悔悟), 비탄.

sáck ràce 자루뛰기 경주《두 다리를 자루에 넣고 껑충껑충 뜀》.

sac·ra·ment [sǽkrəmənt] *n.* Ⓒ 〖宗〗 성예전(聖禮典), 성사《신교에서는 세례와 성찬; 가톨릭 및 동방교회에서는 영세, 견진, 성체, 고해, 혼배, 신품, 종부의 7성사(聖事)》; (the ~, the S-) 성체성사(용의 빵), 성체(聖體); 신성한 물건; 상징; 선서(oath). **-men·tal** [^–méntl] *a.*

:**sa·cred** [séikrid] *a.* ① 신성한; (신에게) 바친, (신을) 모신. ② (…에게) 바쳐진(*to*). ③ 종교적인; 신성불가침의. **~·ly** *ad.* **~·ness** *n.*

sácred ców 인도의 성우(聖牛); 《비유》 신성 불가침의 일〔물건〕.

:**sac·ri·fice** [sǽkrəfàis, -ri-] *n., vt., vi.* ① Ⓒ 제물. ② Ⓒ,Ⓤ 희생(으로 하다), 헌신. ③ Ⓒ 투매(投賣)(하다); 그로 인한 손실. ④ Ⓒ 〖野〗 (*vi.*) 희생타(를 치다); (*vt.*) 희생타로 진루(進壘)시키다. ***at a*** ~ 손해를 보고, 싸구려로. **-fi·cial** [sæ̀krəfíʃəl] *a.*

sac·ri·lege [sǽkrəlidʒ] *n.* Ⓤ (성물·성소 따위에 대한) 불경, 모독. **-le·gious** [^–lídʒəs] *a.*

sac·ris·tan [sǽkristən] *n.* Ⓒ (교회의) 성물(聖物) 관리인, 성당지기.

sac·ris·ty [sǽkristi] *n.* Ⓒ 성물실(聖物室), 성물 안치소.

sac·ro·sanct[sǽkrousæ̀ŋkt] *a.* 신성 불가침의, 지성(至聖)의. **-sanc·ti·ty**[-təti] *n.*

†**sad**[sæd] *a.*(**-dd-**) ① 슬픈; 슬퍼하는. ② (빛깔이) 어두운, 우중충한. ③ 《口》 지독한, 어이없는. ④ 《古》 진지한. ⑤ 《方》 (빵이) 설구워진. ***a ~der and a wiser man*** 고생을 맛본 사람. ***in ~ earnest*** 《古》 진지하게. ***~ to say*** 불행하게도, 슬프게도. **:∠·ly** *ad.* **:∠·ness** *n.*

sad·den[sǽdn] *vt., vi.* 슬프게 하다[되다]; 우중충하게 하다[해지다].

:**sad·dle**[sǽdl] *n.* Ⓒ ① (말·자전거 따위의) 안장. ② (양 따위의) 등심고기; 안장 모양의 물건. ③ 산등성이. ***in the ~*** 말을 타고; 권력을 쥐고. — *vt., vi.* ① (…에) 안장을 놓다. ② (…에게) (부담·책임을) 짊어지우다.

sáddle·bàg *n.* Ⓒ 안낭(鞍囊).

sad·dler[sǽdlər] *n.* Ⓒ 마구상(商), 마구 파는[만드는] 사람. **~·y** *n.* Ⓤ 《집합적》 마구; Ⓤ 마구 제조[판매]업; Ⓒ 마구상.

sáddle·sòre *a.* (말탄 후에) 몸이 아픈[뻐근한]; (말이) 안장에 쓸린.

sad·ism[sǽdizəm, séid-] *n.* Ⓤ 가학 변태 성욕; (일반적으로) 잔학(행위)(opp. masochism). **sád·ist** *n.* Ⓒ 가학성 변태 성욕자.

sad·o·mas·o·chism [sæ̀dou-mǽzəkìzəm, sèid-, -mǽs-] *n.* Ⓤ 가학 피학성(被虐性) 변태성욕.

S.A.E., s.a.e. 《英》 stamped addressed envelope 회신(回信)용 봉투.

sa·fa·ri [səfɑ́:ri] *n.* Ⓒ (아프리카에서의) 사냥 여행.

†**safe**[seif] *a.* ① 안전한(*from*), 무사한. ② 틀림 없는; 몹시 조심하는; 믿을 수 있는. ③ (죄수 등) 도망할[난폭의] 우려가 없는. ***from a ~ quarter*** 확실한 소식통으로부터. ***on the ~ side*** 만일을 염려하여, 안전을 기하여. ***~ and sound*** 무사히. ***~ hit*** 〖野〗 안타. — *n.* Ⓒ ① 금고. ② 파리장. **:∠·less** *ad.*

sáfe-cónduct *n.* Ⓤ (전시의) 안전 통행증; Ⓒ 그 통행권.

sáfe-depòsit *a.* 안전 보관의(*a ~ box* 대여 금고).

*__safe·guàrd__ *n., vt.* Ⓒ 보호(하다), 호위(하다); 보호[방호]물; =SAFE-CONDUCT.

:**safe·ty**[séifti] *n.* Ⓤ 안전; Ⓒ 안전기(器)[판(瓣)]. ***in ~*** 안전[무사]히. ***play for ~*** 안전을 기하다.

sáfety bèlt 구명대(帶); 〖空〗 (좌석의) 안전 벨트.

sáfety càtch (총포의) 안전 장치.

sáfety cùrtain (극장의) 방화막.

sáfety glàss 안전 유리.

sáfety ìsland [**ìsle**] (가로의) 안전 지대(safety zone).

sáfety màtch 안전 사냥.

sáfety nèt (서커스 등의) 안전망; 《비유》 안전책.

sáfety pìn 안전핀.

sáfety ràzor 안전 면도(날).

sáfety vàlve 안전판(瓣).

sáfety zòne (도로 위의) 안전 지대.

*__saf·fron__[sǽfrən] *n., a.* Ⓒ 〖植〗 사프란; Ⓤ 사프란색(의), 샛노란색(의) (orange yellow).

*__sag__[sæg] *vi.* (**-gg-**) ① (밧줄 따위가) 축 처지다[늘어지다], 휘다, 굽다, 기울다. ② (땅이) 두려빠지다. ③ (물가가) 내리다; 하락하다. ④ (의기 따위가) 약해지다. ⑤ 〖海〗 표류하다(drift). — *n.* Ⓒ (a ~) 처짐, 늘어짐, 휨; 침하(沈下); 하락; 표류.

*__sa·ga·cious__[səgéiʃəs] *a.* 현명한; 명민한. **~·ly** *ad.* **~·ness** *n.*

*__sa·gac·i·ty__[səgǽsəti] *n.* Ⓤ 총명, 현명.

*__sage__[1][seidʒ] *a., n.* 현명한, 어진; 현인인 체하는; Ⓒ 현인.

sage[2] *n.* Ⓒ 〖植〗 샐비어(잎)《요리·약용》.

ságe·brùsh *n.* Ⓤ 〖植〗 산쑥 무리.

sag·gy[sǽgi] *a.* 밑으로 처진.

Sag·it·ta·ri·us [sæ̀dʒitέəriəs] *n.* 〖天〗 궁수자리, 인마궁.

sa·go[séigou] *n.* (*pl.* **~s**) Ⓤ 〖植〗 사고《사고야자의 녹말》.

sa·hib[sɑ́:*h*ib] *n.* Ⓒ 《印英》 나리; (S-) 각하, 선생님.

†**said**[sed] *v.* say의 과거 (분사). — *a.* 전기(前記)한, 앞서 말한.

†**sail**[seil] *n.* ① Ⓒ 돛. ② Ⓒ 돛배; …척의 배. ③ (a ~) 범주(帆走), 항정(航程); 범주력. ④ Ⓒ (풍창의)

날개. ***in*** ~ 범선(帆船)을 타고. ***make*** ~ 출범하다; 돛을 늘려 급히 가다. ***set*** ~ 출범하다(*for*). ***strike*** ~ 돛을 내리다. ***take in*** ~ 돛을 줄이다; 이상을 억누르다. ***take the*** WIND[1] ***out of a person's ~s*** ***under*** ~ 항해중. — *vi., vt.* ① 범주[항행]하다. ② (*vi.*) (수중을) 미끄러지듯 나가다. ③ (하늘을) 날다; 선드러지게 걷다. ④ (*vt.*) (배를) 달리다. ~ ***close to the wind*** 바람을 옆으로 받으며 범주하다; (법망을 뚫으며) 위태롭게 처세하다. ~ ***in*** 입항하다; 《俗》 마음을 다져먹고 착수하다. ~ ***into*** 《俗》 공격하다, 나쁘게 말하다; 대담하게 시작하다.

sáil·bòat *n.* Ⓒ 요트, 범선.

sáil·clòth *n.* Ⓤ 범포(帆布), 즈크.

:sáil·ing *n.* ① Ⓤ 범주(帆走). ② Ⓤ 항행(력). ③ Ⓤ 항해(술). ④ Ⓤ,Ⓒ 출범. ***plain*** (***smooth***) ~ 평탄한 항해; (일의) 순조로운 진행.

sáiling bòat 《英》 범선, 요트.

sáiling shìp (**vèssel**) 범선, 돛배.

†sail·or[´-ər] *n.* Ⓒ 선원, 수부, 수병. ***bad*** (***good***) ~ 뱃멀미하는(안하는) 사람. **~·ing** *n.* Ⓤ 선원 생활; 선원의 일. **~·ly** *a.* 뱃사람다운(에 적합한).

:saint[seint] *n.* (*fem.* **~ess**) Ⓒ ① 성인, 성도. ② (S-) [英+ sənt, sint] 성(聖) … 《생략 St.》 (*St. Paul* 성도 바울). — *vt.* 성인으로 하다, 시성(諡聖)하다. **´-·ed** *a.* 성인이 된; 덕이 높은. **´-·ly** *a.* 성인[성도]같은, 거룩한. **´-·hòod** *n.* Ⓤ 성인의 지위; 《집합적》 성인, 성도.

Sáint's dày 성인[성도] 축일.

:sake[seik] *n.* Ⓤ 위함, 목적, 이유. ***for convenience'*** ~ 편의상. ***for God's*** (***goodness', heaven's, mercy's***) ~ 부디, 제발. ***for his name's*** ~ 그의 이름을 생각해서[보아], (명성의) 덕분으로. ***for old ~'s*** ~ 옛정을[옛 정분을] 생각하여[해서]. ***for the*** ~ ***of*** (…을) 위하여, (…을) 생각해서. ***Sakes*** (***alive***)***!*** 《美》 이거 놀랐는걸.

sa·la·cious[səléiʃəs] *a.* 호색적인 (lewd); 외설한. **sa·lac·i·ty**[-lǽs-] *n.*

:sal·ad[sǽləd] *n.* Ⓤ,Ⓒ 샐러드; Ⓤ 샐러드용 야채.

sálad drèssing 샐러드용 소스.

sal·a·man·der[sǽləmæ̀ndər] *n.* Ⓒ 〖動〗 도롱뇽, 영원; 〖傳說〗 불도마뱀; 불의 정(精); 휴대용 난로.

sa·la·mi[səlɑ́ːmi] *n. pl.* (*sing.* **-me**[-mei]) Ⓤ,Ⓒ 살라미《이탈리아산의 훈제(燻製) 소시지》.

:sal·a·ry[sǽləri] *n., vt.* Ⓤ,Ⓒ (…에게) 봉급(을 주다, 지불하다)(cf. wages).

†sale[seil] *n.* ① Ⓤ,Ⓒ 판매, 매각. ② (*pl.*) 매상고. ③ Ⓒ 팔림새. ④ Ⓒ (보통 *pl.*) 특매(特賣). ***a bill of*** ~ 〖法〗 매매 증서. ***... for*** ~ 팔려고 내놓은. ***on*** ~ =for ~; 《美》 특가로. ~ ***on credit*** 외상 판매.

sale·a·ble[séiləbəl] *a.* 팔기에 알맞은, 팔림새가 좋은; (값이)적당한. **-bility**[∸-bíləti] *n.*

sales·clerk[séizklə̀ːrk/-klɑ̀ːk] *n.* Ⓒ 《美》 판매원, 점원.

:sales·man[séilzmən] *n.* Ⓒ ① 점원. ② 《美》 세일즈맨, 외판원. **~·ship** *n.* Ⓤ 판매(술).

sáles·pèrson, -pèople *n.* Ⓒ 판매원.

sáles representàtive 외판원(부).

sáles·ròom *n.* Ⓒ (판)매장; 경매장.

sáles slìp 매상 전표.

sáles tàlk 상담(商談); 설득력 있는 권유[의론].

sáles tàx 물품 판매세.

sáles·wòman *n.* Ⓒ 여점원.

sa·li·ent[séiliənt, -ljə-] *a.* 현저한; 돌출한, 철각(凸角)의. — *n.* Ⓒ 철각; (참호 등의) 돌출부. **~·ly** *ad.* **-ence** *n.*

sa·line[séilain] *a.* 소금의, 소금[염분]을 함유한, 짠. — [英+ səláin] *n.* Ⓤ 식염제. **sa·lin·i·ty**[səlínəti] *n.*

sa·li·va[səláivə] *n.* Ⓤ 침, 타액.

sal·i·var·y[sǽləvèri/-vəri] *a.* 침[타액]의.

sal·i·vate[sǽləvèit] *vi., vt.* 침을 흘리다; (수은을 써서) 침이 많이 나오게 하다. **-va·tion**[∸-véiʃən] *n.* Ⓤ 타액 분비; 유연증(流涎症).

·sal·low[1][sǽlou] *a.* 누르스름한; 혈

색이 나쁜. — *vt., vi.* 창백하게 하다〔되다〕.
sal·low[2] *n.* Ⓒ 땅버들(가지).
:sal·ly[sǽli] *n.* Ⓒ ① (농성군(軍)의) 출격. ② 외출; 소풍, 여행. ③ (감정·기지 따위의) 용솟음; 경구(警句), 익살. — *vi.* 출격하다, 여행길을 떠나다; 튀어〔뿜어〕나오다.
:salm·on[sǽmən] *n.* (*pl.* ~*s,* 《집합적》 ~), *a.* Ⓒ 연어(의); Ⓤ 연어 살빛(의).
sal·mo·nel·la [sæ̀lmənélə] *n.* (*pl.* ~(*s*), *-lae*[-néli:]) Ⓒ 살모넬라균(菌).
˚sa·lon[səlɑ́n/sǽlɔ:n] *n.* (F.) Ⓒ ① 객실, 응접실; 명사의 모임; 상류사회. ② 미술 전람회장.
˚sa·loon[səlú:n] *n.* Ⓒ ① 큰 방, 홀. ② (여객기의) 객실; (배 등의) 사교실. ③ 《美》 바, 술집; 《英》 =⇩.
salóon bàr 고급 바〔술집〕.
salóon càr 《英》 특별 객차; 세단형 승용차.
sal·si·fy[sǽlsəfi, -fài] *n.* Ⓤ 〖植〗 선모(仙茅)《뿌리는 식용》.
SALT[sɔ:lt] Strategic Arms Limitation Talks 전략 무기 제한 협정.
†salt[sɔ:lt] *n.* ① Ⓤ 소금, 식염. ② Ⓒ 〖化〗 염(鹽)(류). ③ (*pl.*) 염제(鹽劑). ④ Ⓤ 자극, 흥미; 풍자, 기지. ⑤ Ⓒ 식탁용 소금 그릇. ⑥ Ⓒ (노련한) 뱃사람. ***eat*** (*a person's*) ~ …의 손님〔식객〕이 되다. ***in*** ~ 소금을 친〔뿌린〕; 소금에 절인. ***not worth one's*** ~ 봉급만큼의 일을 못하는. ***the*** ~ ***of the earth*** 〖聖〗 세상의 소금《마태복음 5:13》; 사회의 건전한 사람들, 중견. ***take*** (*a person's words*) ***with a grain of*** ~ (아무의 이야기를) 에누리하여 듣다. — *a.* 짠, 소금에 절인. — *vt.* ① 소금에 절이다, 소금으로 간을 맞추다. ② (사람을 속이기 위해) 다른 물건을 섞다. ~ ***a mine*** (비싸게 팔아넘기고자) 광산에 딴 광산의 질좋은 광석을 섞어 넣다. ~ ***away*** 〔***down***〕 소금에 절이다; 《口》 저축해〔모아〕두다; (증권을 안전히) 투자하다(store away). ~**·ed**[∠id] *a.* 짠맛의; 소금에 절인. ∠**·ish** *a.* 소금기가 있는, 짭짤한.

sált·cèllar *n.* Ⓒ (식탁용) 소금 그릇.
salt·pe·ter, 《英》 **-tre**[sɔ̀:ltpí:tər/ ∠∠−] *n.* Ⓤ 초석(硝石); 칠레 초석.
sált-wáter *a.* 소금물의, 바닷물 속에 사는.
˚salt·y[sɔ́:lti] *a.* ① 소금기가 있는; 바다 냄새가 풍기는; 짜릿한; 기지에 찬. ② (말이) 신랄한.
sa·lu·bri·ous[səlú:briəs] *a.* 건강에 좋은. **-bri·ty** *n.*
sal·u·tar·y[sǽljətèri/-təri] *a.* 유익한; 건강에 좋은.
˚sal·u·ta·tion[sæ̀ljətéiʃən] *n.* Ⓤ 인사; Ⓒ 그 말.
:sa·lute[səlú:t] *n., vi., vt.* Ⓒ ① 인사(하다, 하여 맞이하다). ② 경례(하다); 받들어 총(을 하다), 예포. ③ (광경이) 비치다; (소리가) 들리다. ***fire a*** ~ 예포를 쏘다.
˚sal·vage[sǽlvidʒ] *n.* Ⓤ ① 해난〔화재〕 구조, 재산 구조. ② 구조 화물〔재산〕, 구조료. ③ 폐물 이용, 폐품 수집. — *vt.* 구조하다.
˚sal·va·tion[sælvéiʃən] *n.* Ⓤ 구조; Ⓒ 구조자〔법〕; Ⓤ (죄의) 구제. ***find*** ~ 개종하다. ~**·ist** *n.* Ⓒ 구세군 군인.

Salvátion Ármy, the 구세군.
salve[sæ(:)v, sɑ:v/sælv] *n., vt.* Ⓤ,Ⓒ 《詩》 연고(軟膏); Ⓒ 덜어주는 것, 위안(*for*); 위안하다, 가라앉히다; 《古》 연고를 바르다.
sal·ver[sǽlvər] *n.* Ⓒ (금속의 둥근) 쟁반(tray).
sal·vo[sǽlvou] *n.* (*pl.* ~(*e*)*s*) Ⓒ 일제 사격; 〖空〗 (폭탄의) 일제 투하 (cf. stick[1]); (일제히 하는) 박수 갈채.
Sa·mar·i·tan[səmǽrətn] *a., n.* Ⓒ 〖聖〗 사마리아(사람)의; 사마리아 사람. ***good*** ~ 착한 사마리아인(人); 자선가《누가복음 10 : 30-37》.
sam·ba[sǽmbə] *n.* Ⓒ 삼바《아프리카 기원의 브라질 댄스곡》.
†same[seim] *a.* (the ~) ① 같은, 동일한, 마찬가지의, 똑같은(*as*). ② 《종종 蔑》 전술한, 예의. ③ 다름 없는; (the 없이) 단조로운. — *ad.* (the ~) 마찬가지로. ALL (*ad.*) ***the*** ~. ***at the*** ~ ***time*** 동시에; 그러

나, 그래도. ***the ~ ... that*** …과 동일한 …. ***the very ~*** 바로 그. — *pron.* (the ~) 동일인(同一人), 그 사람[것, 일]; (the 없이) 〖法·商〗 《卑》 동인(同人)(들); 동건(同件); 그 물건[것]. **∠·ness** *n.* Ⓤ 동일, 일률.

sam·o·var [sǽmouvɑ̀:r, ⌐—∠] *n.* Ⓒ 사모바르《러시아의 물 끓이는 주전자》.

sam·pan [sǽmpæn] *n.* Ⓒ 삼판《중국의 거룻배》.

:sam·ple [sǽmpl/-ɑ́:-] *n., a.* Ⓒ 견본[표본](의); 〖컴〗 표본, 본보기, 샘플. — *vt.* (…의) 견본을 뽑다, 시식(試食)하다. **-pler** *n.* Ⓒ 견본 검사원; 견본 채취구; 시식[시음]자; (여학생의) 자수 견본 작품.

˙san·a·to·ri·um [sæ̀nətɔ́:riəm] *n.* Ⓒ 요양소[지].

˙sanc·ti·fy [sǽŋktəfài] *vt.* 성별(聖別)[성화]하다, 신성하게 하다; 정화하다(purify); 정당화하다. ***sanctified airs*** 성자연하는 태도. **-fi·ca·tion** [⌐—fikéiʃən] *n.*

sanc·ti·mo·ni·ous [sæ̀ŋktəmóuniəs, -njəs] *a.* 신성한 체하는; 신앙이 깊은 체하는. **~·ness** *n.*

˙sanc·tion [sǽŋkʃən] *n.* ① Ⓤ 인가, 재가; 지지. ② (도덕률 등의) 구속(력). ③ Ⓒ 제재, 상벌; 처벌; 국제적 제재(制裁). — *vt.* 인가[재가·시인]하다.

˙sanc·ti·ty [sǽŋktəti] *n.* Ⓤ 신성(함); (*pl.*) 신성한 의무[감정].

˙sanc·tu·ar·y [sǽŋktʃuèri/-tʃuəri] *n.* Ⓒ 성소(聖所), 신전, 성당; (교회당의) 지성소; (법률이 미치지 않는) 성역, 피난처; Ⓤ 보호.

sanc·tum [sǽŋktəm] *n.* Ⓒ 성소; 서재, 사실(私室).

†sand [sænd] *n.* ① Ⓤ 모래; (*pl.*) 모래알. ② (*pl.*) 모래벌판, 백사장《바닷가 등의》; 모래톱. ③ (*pl.*) (모래시계의) 모래(알); 《비유》 시각; 수명(壽命). ④ Ⓤ 《美俗》 용기(grit). ⑤ Ⓤ 《俗》 설탕. ***man of ~*** 용기 있는 사람. — *vt.* (…에) 모래를 뿌리다[섞다, 로 닦다, 속에 파묻다].

:san·dal [sǽndl] *n.* Ⓒ (보통 *pl.*)(고대 로마 등의) (짚신 같은) 가죽신; (여자·어린이용의) 샌들(신); 《美》 운두가 얕은 덧신.

sándal·wòod *n.* Ⓒ 〖植〗 백단향; Ⓤ 그 재목. ***red ~*** 자단(紫檀).

sánd·bàg *n., vi., vt.* (**-gg-**) Ⓒ 모래 주머니(로 틀어막다); (흉기용의) 모래 부대(로 치다).

sánd·bànk *n.* Ⓒ (하구 따위의) 모래톱; 사구(砂丘). 「톱.

sánd·bàr *n.* Ⓒ (하구 따위의) 모래

sánd·blàst *n.* Ⓒ (연마용의) 모래 뿜는 기구. Ⓤ 분사(噴砂).

sánd·bòx *n.* Ⓒ 모래통《기관차의 미끄럼 방지용》; (어린이의) 모래놀이통; 모래 거푸집.

sánd dùne 사구(砂丘).

sánd·flỳ *n.* Ⓒ 〖蟲〗 눈에놀이《피를 빪》.

sánd·màn *n.* (the ~) 잠귀신《모래를 어린이 눈에 뿌려 졸음이 오게 한다는》.

sánd·pàper *n., vt.* Ⓤ 사포(砂布)(로 닦다).

sánd·pìper *n.* Ⓒ 〖鳥〗 도욧과의 새《삑삑도요·깝작도요 따위》.

sánd pìt 모래 채취장, 사갱(砂坑).

sánd·stòne *n.* Ⓤ 사암(砂岩).

sánd·stòrm *n.* Ⓒ 모래 폭풍.

:sand·wich [sǽndwitʃ/sǽnwidʒ, -tʃ] *n.* Ⓤ,Ⓒ 샌드위치. — *vt.* 사이에 끼우다.

sándwich bòard 샌드위치맨이 걸치는 광고판.

sándwich còurse 《英》 샌드위치 코스《실업 학교 따위에서 실습과 이론 연구를 3개월 내지 6개월씩 번갈아 하는 교육 제도》.

˙sand·y [sǽndi] *a.* 모래(빛)의; 모래투성이의; 불안정한.

˙sane [sein] *a.* 제정신의; (사고방식이) 건전한, 분별이 있는; 합리적인. **∠·ly** *ad.* **∠·ness** *n.*

†sang [sæŋ] *v.* sing의 과거.

sang-froid [sɑ:ŋfrwɑ́:, sæŋ-] *n.* (F. =cold blood) Ⓤ 냉정, 침착.

san·gui·nar·y [sǽŋgwənèri/-nəri] *a.* 피비린내 나는; 잔인한.

˙san·guine [sǽŋgwin] *a.* ① 명랑한; 희망에 찬, (…을) 확신하는(*of*); 혈색이 좋은(ruddy). ② =SANGUINARY.

˙san·i·tar·i·um [sæ̀nətέəriəm] *n.*

(*pl.* **~s, -ia**[-iə]) 《美》 = SANATORUIM.

:san·i·tar·y[sǽnətèri/-təri] *a., n.* 위생(상)의, 청결한; Ⓒ 공중 변소.

sánitary nápkin (**bélt**) 월경대.

san·i·tate[sǽnətèit] *vt.* (…을) 위생적으로 하다; (…에) 위생 시설을 하다.

·san·i·ta·tion[sæ̀nətéiʃən] *n.* Ⓤ 위생 (시설); 하수구 설비.

san·i·tize [sǽnətàiz] *vt.* = SANITATE.

san·i·ty[sǽnəti] *n.* Ⓤ 정신이 건전함, 온건, 건전.

:sank[sæŋk] *v.* sink의 과거.

†San·ta Claus[sǽntə klɔ̀ːz/∸–∸] (〈 *St. Nicholas*) 산타클로스.

:sap[1][sæp] *n.* ① Ⓤ 수액(樹液); 기운, 생기, 원기, 활력. ② Ⓒ 《美俗》 바보(saphead). **∠·less** *a.* 시든, 활기 없는; 재미 없는.

sap[2] *n., vt., vi.* (**-pp-**) Ⓒ 〖軍〗 (성내(城內) 적군 안으로의) 대호(對壕)(를 파서 공격하다); (신앙·신념 따위를) 점점 무너뜨리다[무너지다]; Ⓤ 그 무너짐; 점점 약화시키다.

sa·pi·ent[séipiənt, -pjə-] *a.* 현명한, 영리한. **-ence, -en·cy** *n.* Ⓤ 아는 체하는 태도, 아는 체함.

·sap·ling[sǽpliŋ] *n.* Ⓒ 어린 나무, 묘목; 젊은이.

sap·per [sǽpər] *n.* Ⓒ 《英》 공병(工兵).

·sap·phire[sǽfaiər] *n., a.* Ⓤ,Ⓒ 사파이어, 청옥(靑玉); Ⓤ 사파이어 빛깔(의).

sap·py[sǽpi] *a.* 수액(樹液)이 많은; 싱싱한, 기운 좋은; 《俗》 어리석은.

sáp·wòod *n.* Ⓤ (목재의) 백목질, 변재(邊材)《나무껍질과 심재(心材) 중간의 연한 부분》.

Sar·a·cen[sǽrəsən] *n.* Ⓒ 사라센 사람《십자군에 대항한 이슬람교도》. **~·ic**[∸–sénik] *a.*

sar·casm[sɑ́ːrkæzəm] *n.* Ⓤ 빈정댐, 비꼼, 풍자; Ⓒ 빈정대는[비꼬는] 말. **:sar·cas·tic**[sɑːrkǽstik] *a.*

sar·coph·a·gus[sɑːrkɑ́fəgəs/-ɔ́-] *n.* (*pl.* **-gi**[-gài, -dʒài], **~es**) Ⓒ 석관(石棺).

·sar·dine[sɑːrdíːn] *n.* Ⓒ 〖魚〗 정어리. ***packed like ~s*** 빽빽이[꽉] 들어차서.

sar·don·ic[sɑːrdɑ́nik/-ɔ́-] *a.* 냉소적인, 빈정대는. **-i·cal·ly** *ad.*

sarge[sɑːrdʒ] *n.* 《美口》 = SERGEANT.

sa·ri[sɑ́ːri(ː)] *n.* Ⓒ (인도 여성의) 사리《휘감는 옷》.

sa·rong[sərɔ́ːŋ, -ɑ́-/-ɔ́-] *n.* Ⓒ 사롱《말레이 제도 원주민의 허리 두르개》; Ⓤ 사롱용의 천.

sar·to·ri·al[sɑːrtɔ́ːriəl] *a.* 재봉(바느질)의, 양복장이의.

:sash[1][sæʃ] *n.* Ⓒ 장식띠; (여성·어린이의) 허리띠, 어깨띠.

sash[2] *n.* Ⓤ,Ⓒ (내리닫이 창의) 새시, 창틀. — *vt.* (…에) 새시를 달다.

sa·shay[sæʃéi] *vi.* 《美口》 미끄러지듯이 나아가다; 움직이다, 돌아다니다.

sásh còrd (**lìne**) (내리닫이 창의) 도르래 줄.

sásh wíndow 내리닫이 창(cf. casement window).

sas·sy[sǽsi] *a.* 《口》 = SAUCY.

†sat[sæt] *v.* sit의 과거(분사).

·Sat. Saturday.

:Sa·tan[séitən] *n.* 사탄, 마왕. **satan·ic**[seitǽnik, sə-] *a.*

·satch·el[sǽtʃəl] *n.* Ⓒ (멜빵이 달린) 학생 가방; 손가방.

sate[seit] *vt.* 물리게[넌더리 나게] 하다(*with*).

:sat·el·lite[sǽtəlàit] *n.* Ⓒ ① 〖天〗 위성. ② 종자(從者). ③ 위성국, 위성 도시. ④ 인공 위성.

sa·ti·ate[séiʃièit] *vt.* 물리게[넌더리 나게] 하다, 물릴 정도로 주다. **-a·tion**[∸–éiʃən] *n.*

sa·ti·e·ty[sətáiəti] *n.* Ⓤ 포만, 만끽; 과다(*of*).

·sat·in[sǽtən] *n., a.* Ⓤ 새틴, 견수자(絹繻子)(의, 비슷한), 매끄러운 (smooth and glossy). **~·ly** *a.*

:sat·ire[sǽtaiər] *n.* Ⓤ 풍자(문학); Ⓒ 풍자시(문); Ⓤ 비꼼(*on*). **satir·ic**[sətírik], **-i·cal**[-əl] *a.* **sat·i·rize**[sǽtəràiz] *vt.* 풍자하다; 빗대다.

:sat·is·fac·tion[sæ̀tisfǽkʃən] *n.* ① Ⓤ 만족(*at, with*); 만족시킴; Ⓒ 만족시키는 물건. ② Ⓤ 이행; 변제

(辨濟). ③ Ⓤ 사죄; 결투(duel). ④ Ⓤ 〖神〗 속죄. ***demand*** ~ 사죄를 요구하다; 결투를 신청하다. ***give*** ~ 만족시키다; 사죄하다; 결투 신청에 응하다. ***in*** ~ ***of*** …의 보상으로. ***make*** ~ ***of*** …을 변제〔배상〕하다.

:sat·is·fac·to·ry[sæ̀tisfǽktəri] *a.* 만족한, 더할 나위 없는. ***-ri·ly*** *ad.*

:sat·is·fy[sǽtisfài] *vt.* ① (욕망 따위를) 만족시키다, 채우다, 이루다. ② (부채 따위를) 지불하다, 갚다. ③ (아무를) 안심시키다, (걱정·불안을) 가라앉히다. ④ (의심·의문을) 풀게 하다. ***be satisfied*** 만족하다, 기뻐하다(*with; with doing; to do*); 납득〔확신〕하다(*of; that*). ***rest satisfied*** 만족하고 있다. ~ ***oneself*** 만족〔납득〕하다; 확인하다(*of; that*). **·~·ing** *a.*

·sat·u·rate[sǽtʃərèit] *vt.* ① 적시다. 배어들게 하다. 흠뻑 적시다(soak). ② (전통·편견 따위를) 배어들게 하다(*with, in*). ③ 〖化〗 포화시키다(*with*). ④ 집중 폭격하다.

sat·u·ra·tion[sæ̀tʃəréiʃən] *n.* Ⓤ 침윤(浸潤); 포화; (밝기에 대한) 채도(彩度)《색의 포화도》.

sàturation pòint 포화점; 인내〔참을성〕의 한계점.

†Sat·ur·day[sǽtərdèi, -di] *n.* Ⓒ 《보통 무관사》 토요일.

·Sat·urn[sǽtərn] *n.* ① 〖로神〗 농사의 신. ② 〖天〗 토성.

sat·ur·nine[sǽtərnàin] *a.* 〖占星〗 토성의 정기를 받은〔받아 태어난〕; 뚱한, 음침한.

sa·tyr[sǽtər, séi-] *n.* (종종 S-) 〖그神〗 사티로스《반인 반수의 숲의신, Bacchus의 종자》; Ⓒ 호색한(漢). **~·ic**[sətírik] *a.*

:sauce[sɔːs] *n.* ① Ⓤ,Ⓒ 소스. ② Ⓤ 《美》 과일의 설탕 조림(apple ~). ③ Ⓤ,Ⓒ 흥미를 더하는 것. ④ Ⓤ《口》 건방짐. ***Hunger is the best*** ~. 《속담》 시장이 반찬. ***None of your*** ~! 건방진 소리 마라! ***What's*** ~ ***for the goose is*** ~ ***for the gander.*** 《속담》 남잡이가 제잡이; (말다툼에서) 그것은 내가 할 말이다. — *vt.* ① 맛을 내다(season). ② 《口》 (…에게) 무례한 말을 하다.

sáuce·bòat *n.* Ⓒ 배 모양의 소스 그릇.

·sáuce·pàn *n.* Ⓒ 손잡이 달린 속깊은 냄비, 스튜 냄비.

:sau·cer[sɔ́ːsər] *n.* Ⓒ 받침접시.

·sau·cy[sɔ́ːsi] *a.* 건방진(pert); 멋진, 스마트한. **sáu·ci·ly** *ad.* **sáu·ci·ness** *n.*

sau·na[sáunə] *n.* Ⓒ (핀란드의) 증기욕〔탕〕.

saun·ter[sɔ́ːntər] *vi., n.* 산책하다, 어정거리다, (a ~) 어슬렁어슬렁 거닐다〔거닐기〕.

:sau·sage[sɔ́ːsidʒ/sɔ́s-] *n.* ① Ⓤ,Ⓒ 소시지, 순대. ② 〖空〗 소시지형 계류 기구《관측용》.

sáusage-dòg *n.* 《口》 = DACHSHUND.

sau·té[soutéi, sɔː-/ˊ-] *a., n.* (F.) Ⓤ,Ⓒ 기름에 살짝 튀긴 (요리). ***pork*** ~ 포크소테.

:sav·age[sǽvidʒ] *a., n.* 야만적인; 사나운; Ⓒ 잔인한 (사람), 야만인. **~·ly** *ad.* **~·ry**[-əri] *n.* Ⓤ 만행; 잔인.

·sa·van·na(h)[səvǽnə] *n.* Ⓤ,Ⓒ (특히 열대·아열대의) 대초원.

sa·vant[səvɑ́ːnt/sǽvənt] *n.* Ⓒ (대)학자, 석학.

†save[1][seiv] *vt.* ① (…에서) 구해내다, 구조하다, 살리다. ② (죄에서) 건지다, 제도(濟度)하다(*from*). ③ (금전·곤란·노고 따위를) 덜다, 면케 하다. ④ 절약〔저축〕하다, 모으다, (버리지 않고) 떼어 두다. — *vi.* 구하다; 모으다; 절약하다; (음식·생선 따위가) 오래 가다. ***A stitch in time*** ~***s nine.*** 《속담》 제때의 한 땀은 아홉 수고를 던다. (***God***) ~ 〔***defend***〕 ***me from my friends!*** 부질없는 참견〔걱정〕 마라! ~ ***one's breath*** 쓸데 없는 말을 않다. ~ ***oneself*** 수고를 아끼다. ~ ***one's face*** 면목〔체면〕이 서다. ***S- the mark!*** 《삽입구》 이거참 실례(의 말을 용서하십시오). ~ ***up*** 저축하다. — *n.* Ⓒ (축구 등에서) 상대편의 득점을 막음; 〖컴〗 갈무리, 저장, 세이브.

:save[2] *prep.* …을 제외하고, …은 별도로 치고(except). — *conj.* …을 제외하고, …외에는.

sav·er[ˊ-ər] *n.* Ⓒ 구조자; 절약가.

S

:sav·ing[séiviŋ] *a.* ① 구(제)하는. ② 절약하는. ③ …을 더는, 보상[벌충]이 되는. ④ 〖法〗 제외하는. — *n.* U,C 구조, 구제; 저축, (*pl.*) 저금; 절약. ~ ***clause*** 단서. — *prep.* …을 제외하고, …에 대하여 실례지만. ~ ***your presence*** [***reverence***] 당신 앞에서 실례입니다만. — *conj.* …외에는.

sávings accòunt 보통 예금 계좌 (cf. checking account).

sávings and lóan associàtion 《美》 저축 대부 조합.

sávings bànk 저축 은행.

·sav·ior, 《英》 **-iour**[séivjər] *n.* C 구조자, 구제자; (the S-) 구세주《예수》. **~·hòod, ~·shìp** *n.*

sa·voir-faire [sǽvwɑːrféər] *n.* (F.) U 재치, 수완(tact).

·sa·vor, 《英》 **-vour**[séivər] *n.* U 맛, 풍미; 향기; 기미(*of*); 《古》 명성. — *vt., vi.* (…에) 맛을 내다; (…의) 맛이 나다, (…한) 기미가 있다. **~·ous** *a.* 맛이 좋은.

sa·vor·y, 《英》 **-vour·y**[séivəri] *a.* 맛좋은, 풍미 있는; 평판 좋은. — *n.* C 《英》 (식사 전후의) 싸한 맛이 나는 요리, 입가심 요리.

sav·vy[sǽvi] 《美俗》 *vt., vi.* 알다, 이해하다. — *n.* U 상식, 이해, 재치.

†saw[1][sɔː] *v.* see[1]의 과거.

saw[2] *n.* C 격언, 속담.

:saw[3] *n., vt.* (**~ed; ~n**[sɔːn], 《稀》 **~ed**) C 톱(으로 자르다, 으로 켜서 만들다). — *vi.* 톱질하다; 톱으로 켜지다. ~ ***the air*** 팔을 앞뒤로 움직이다.

sáw·dùst *n.* U 톱밥. ***let the ~ out of*** (인형 속에서 톱밥을 끄집어 내듯)…의 약점을 들춰내다; 콧대를 꺾어놓다.

·sáw·mìll *n.* C 제재소.

sax[sæks] *n.* C 《口》 색소폰(saxophone).

sax·i·frage [sǽksəfridʒ] *n.* U 〖植〗 범의귀.

·Sax·on[sǽksn] *n., a.* C (앵글로) 색슨 사람(의); (독일의) Saxony 사람(의); U 색슨 말(의). ~ ***word*** (외래어에 대해) 본래의 영어《보기: *dog, father, glad, house, love, &c.*》.

sax·o·phone[sǽksəfòun] *n.* C 색소폰《목관 악기》.

†say[sei] *vt., vi.* (**said**) ① 말하다. ② (기도를) 외다; 암송하다(~ *one's lessons*). ③ 이를테면, 글쎄(*Call on me tomorrow, ~, in the evening.* 내일 저녁께라도 와주게). ④ 《美口》 이봐, 저어, 잠깐(《英》 I say). ***have nothing to ~ for oneself*** 변명하지 않다. ***hear ~*** 소문[풍문]에 듣다. ***I ~!*** 《英口》 이봐; 저어; 그래 (놀랐는걸); 《강조》 …라니깐; 《반복》 지금 말했듯이. ***It goes without ~ing*** (***that***) …은 말할 것 (까지)도 없다. ***let us ~*** 예컨대, 이를테면, 글쎄. ***not to ~*** …라고는 말할 수 없을지라도. ~ ***for oneself*** 변명하다. ~ ***out*** 속을 털어놓다. ~ ***over*** 되풀이해 말하다; 건성으로 말하다. ***~s I*** 《俗》 …라고 내가 말했단 말야. ~ ***something*** 간단한 연설을 하다; =say GRACE. ***This is ~ing a great deal.*** 그거 큰일이군. ***that is to ~*** 즉, 말하자면; 적어도. ***though I ~ it*** (***who should not***) 내 입으로 말하기는 쑥스럽지만[뭣하지만]. ***to ~ nothing of*** …은 말할 것도 없고. ***What ~ you*** [***do you ~***] ***to …?*** …할 마음은 없나. ***You don't ~ so!*** 설마 (하니)! — *n.* ① U 할 말, 주장. ② U 발언의 차례[기회], 발언권. ③ 《美》 (the ~) (최종) 결정권. ***have*** [***say***] ***one's ~*** 할 말[주장]을 말하다, 발언하다. **·∠·ing** *n.* C 격언; 속담; 말.

say-so[séisòu] *n.* (*sing.*) 《美口》 독단(적 성명); 최종 결정권.

Ś-bànd *n.* C S밴드《1550-5200 메가헤르츠의 초단파대(帶)》.

scab[skæb] *n.* ① C 딱지; U 붉은 곰팡이 병; U 검은별 무늬병. ② C 비조합원 노동자; 《俗》 파업 파괴자, 배반자; 무뢰한. — *vi.* (**-bb-**) ① (상처에) 딱지가 앉다. ② 파업을 깨다. **∠·by** *a.* 딱지투성이인; 붉은 곰팡이 병에 걸린; 천한, 비열한, 더러운.

·scab·bard[skǽbərd] *n., vt.* C 칼집(에 꽂다, 넣다).

S

sca·bies[skéibiìːz, -biːz] *n.* Ⓤ 〖醫〗 옴, 개선(疥癬).
scab·rous[skǽbrəs/skéi-] *a.* 껄껄〔울퉁불퉁〕한; 다루기 어려운; = RISQUÉ.
scad[skæd] *n.* (*pl.*) 《美俗》 많음; 거액(巨額); 경화(coin).
˙**scaf·fold**[skǽfəld, -fould] *n., vt.* Ⓒ 〖建〗 비계(를 만들다); 교수대(에 매달다); (야외의) 관객석. **~·ing** *n.* Ⓤ 비계 (재료).
sca·lar[skéilər] *a.* 층계를 이루는, 단계적인; 눈금의 수치로 나타낼 수 있는《이를 테면 온도》. — *n.* Ⓒ 〖數〗 스칼라.
scal·a·wag, 《英》 **scal·la-**[skǽləwæ̀g] *n.* Ⓒ 《口》 무뢰한, 깡패.
˙**scald**[skɔːld] *vt.* ① (뜨거운 물·김에) 화상을 입히다. ② 데치다, 삶다. — *n.* ① Ⓒ (뜨거운 물 따위에) 뎀, 화상. ② Ⓤ (더위로) 나뭇잎이 시들시들함; (과일의) 썩음.
:scale[1][skeil] *n.* Ⓒ ① 눈금, 척도(尺度); 비율; 축척(縮尺); 자. ② 〖樂〗 음계. ③ 진법(進法); 등급, 계급; 순차로 비교된 크기. ④ 규모, 스케일. ⑤ (물가·임금 등의) 비율, 율(*to a* ~ 일정한 비율로). ⑥ 《廢》 사닥다리, 계단. ⑦ 〖컴〗 크기 조정, 스케일. ***a ~ of one inch to one mile,*** 1마일 1인치의 축척. ***decimal ~*** 십진법. ***folding ~*** 접자. ***on a large ~*** 대규모로. ***play* 〔*sing*〕 *one's ~s*** 음계를 연주〔노래〕하다. ***out of ~*** 일정한 척도에서 벗어나, 균형을 잃고. ***social ~*** 사회의 계급. — *vt.* 사다리로 오르다, 기어오르다; 축척으로 제도하다; (비율에 따라) 삭감〔증대〕하다(*down, up*); 적당히 판단하다.
:scale[2] *n.* Ⓒ 천칭(天秤)의 접시; (종종 *pl.*) 저울, 천칭, 체중계; (the Scales) 〖天〗 천칭자리〔궁〕. ***hold the ~s even*** 공평하게 판가름하다. ***throw one's sword into the ~*** 힘〔무력〕에 의하여 요구를 관철하다. ***tip the ~s*** 한쪽을 우세하게 하다; 무게가 …나가다. ***turn the ~ at*** (*...pounds*) (…파운드)의 무게가 나가다. — *vt., vi.* 천칭으로 달다; 무게가 …이다.
:scale[3] *n.* ① Ⓒ 비늘(모양의 것); 〖植〗 인편(鱗片). ② Ⓤ 물때; 버캐; 쇠똥; 이똥. ③ = **∠·insect** 개각충(介殼蟲), 깍지진디. ***remove the ~s from a person's eyes*** 아무의 눈을 뜨게 하다. ***Scales fell from his eyes.*** 잘못을 깨달았다《사도행전 9:18》. — *vt.* (…의) 비늘을 벗기다; 비늘로 덮다; 껍데기〔물때·이똥〕를 떼다. — *vi.* 비늘이 떨어지다; 작은 조각이 되어 떨어지다.
scal·lion[skǽljən] *n.* Ⓒ 골파(shallot), 부추(leek).
scal·lop[skáləp, -æ-/-ɔ-] *n., vt.* Ⓒ 가리비(의 조가비), 속이 얕은 냄비(에 요리하다); 부채꼴(로 하다, 로 자르다).
˙**scalp**[skælp] *n.* Ⓒ ① (털이 붙은 채로의) 머릿가죽; (적의 머리에서 벗긴) 머릿가죽. ② 승리의 징표, 전리품. — *vt.* (…의) 머릿가죽을 벗기다; 《美口》 (증권·표 등을) 이문 남겨 팔다; 작은 이문을 남기다; 혹평하다. **∠·er** *n.* Ⓒ (주식 매매로) 약간의 이문을 남기는 사람, 암표상.
scal·pel[skǽlpəl] *n.* Ⓒ 〖外〗 메스.
scal·y[skéili] *a.* 비늘이 있는, 비늘 모양의; 《俗》 천한; 인색한.
scam[skæm] *n.* Ⓒ 《美俗》 사기, 야바위.
scamp[skæmp] *n.* Ⓒ 무뢰한, 깡패. — *vi.* (일을) 되는 대로 해치우다. **∠·ish** *a.* 망나니 같은.
˙**scamp·er**[skǽmpər] *n., vi.* 급히 내닫다〔도주하다〕; Ⓒ 급한 여행; 급하게 훑어 읽기.
scam·pi[skǽmpi] *n.* (*pl.* ~, *~es*) Ⓒ 참새우; Ⓤ 참새우나 작은 새우를 기름에 튀긴 이탈리아 요리.
˙**scan**[skæn] *vt.* (*-nn-*) ① (시의) 운율을 고르다〔살피다〕. ② 자세히 조사하다. ③ (책 등을) 죽 훑어 보다. ④ 〖TV·레이더〗 주사(走査)하다; 〖컴〗 훑다, 주사하다.
:scan·dal[skǽndl] *n.* ① Ⓤ,Ⓒ 추문, 의옥(疑獄); Ⓒ 치욕(이 되는 물건·일). ② Ⓒ (추문에 대한 세상의) 반감, 분개. ③ Ⓤ 중상, 욕. **~·ize** [-dəlàiz] *vt.* 분개시키다; 중상하다. ***be ~ized*** 분개하다(*at*). ˙**~·ous** *a.* 명예롭지 못한, 못된; 중상적인.

S

scándal·mònger *n.* Ⓒ 추문을 퍼뜨리는 사람.

scan·ner [skǽnər] *n.* Ⓒ 정밀히 조사하는 사람; 〖TV〗 주사기(走査機)〔판(板)〕; 주사 공중선; 〖컴〗 훑개, 주사기, 스캐너.

scan·sion [skǽnʃən] *n.* Ⓤ (시의) 운율 분석(scanning); 율독(律讀)(법).

˙**scant** [skænt] *a., vt.* 불충분한, 모자라는(*of*); 가까스로의; 인색한; 인색하게 굴다. **∠·ly** *ad.*

:**scant·y** [skǽnti] *a.* 부족〔결핍〕한, 모자라는(*of*). **scánt·i·ly** *ad.* **scánt·i·ness** *n.*

scape·goat [skéipgòut] *n.* Ⓒ 〖聖〗 (사람 대신의) 속죄의 염소; 남의 죄를 대신 짊어지는 사람.

scap·u·la [skǽpjələ] *n.* (*pl.* **-lae** [-lìː]) Ⓒ 견갑골(肩胛骨). **~r** *a.*

:**scar** [skɑːr] *n., vt.* (**-rr-**) Ⓒ 상처(를 남기다); (마음의) 상처. — *vi.* 흉터를 남기고 낫다.

:**scarce** [skɛərs] *a.* ① 결핍한, 부족한(*of*). ② 드문, 희귀한. ***make oneself*** **~** 《口》 가만히 떠나(가)다; 결석하다. **~ *books*** 진서(珍書). — *ad.* 《古》 =⇩. **∠·ness** *n.*

:**scarce·ly** [∠li] *ad.* 겨우; 거의〔좀처럼〕 …아니다. **~ *any*** 거의 아무것도 없다. **~ ... *but*** …하지 않는 일은 좀처럼 없다. **~ *ever*** 좀처럼 …(하지) 않다. **~ *less*** 거의 같게. **~ ... *when*** 〔***before***〕 …하자마자.

˙**scar·ci·ty** [skɛ́ərsəti] *n.* Ⓤ,Ⓒ 결핍, 부족, 기근; Ⓤ 드묾.

:**scare** [skɛər] *vt., vi.* 으르다; 겁을 집어먹다; 깜짝 놀라(게 하)다. **~ *the pants off*** 《口》 놀래다. — *n.* (a ~) 놀람, 겁냄; Ⓒ 깜짝 놀라(게 하)는 일.

:**scáre·cròw** *n.* Ⓒ 허수아비; 넝마를 걸친 사람; 말라깽이.

scáre·mònger *n.* Ⓒ 유언비어를 퍼뜨리는 사람.

:**scarf** [skɑːrf] *n.* (*pl.* **~s, scarves**) Ⓒ ① 스카프, 목도리, 어깨걸이. ② 넥타이. ③ 《美》 테이블〔피아노·장농〕보.

:**scar·let** [skɑ́ːrlit] *n., a.* Ⓤ 주홍색(의 옷·천); 주홍의; (죄악을 상징하는) 주홍빛.

scárlet féver 성홍열.

scar·y [skɛ́əri] *a.* 《口》 겁많은(timid); 무서운(dreadful).

scath·ing [skéiðiŋ] *a.* 해치는, 호된.

:**scat·ter** [skǽtər] *vt., n.* Ⓤ 흩뿌리다〔기〕; 쫓아버리다〔기〕. ***~·ed** [-d], **~·ing** [-iŋ] *a.* 산재한, 흩어진, 성긴.

scátter·bràin *n.* Ⓒ 덤벙이는〔차분하지 못한〕 사람.

scav·enge [skǽvəndʒ] *vt., vi.* (시가를) 청소하다. **scáv·en·ger** *n.* Ⓒ 가로 청소인; 썩은 고기를 먹는 동물.

sce·nar·i·o [sinɛ́əriòu, -nɑ́ːr-] *n.* (*pl.* **~s**) (It.) Ⓒ 〖劇〗 극본(劇本); 〖映〗 각본, 시나리오. **sce·nar·ist** [sinɛ́ərist, -nɑ́ːr-] *n.*

†**scene** [siːn] *n.* Ⓒ ① (극의) 장(場) 《생략 sc.》 (cf. act). ② (무대의) 배경이나 세트. ③ (사건 따위의) 장면; 사건; 큰 소동, 추태. ④ (한 구획의) 경치(cf. scenery). ⑤ (*pl.*) 광경, 실황(實況). ***behind the ~s*** 무대 뒤에서; 몰래, 음으로, 은밀히. ***change of ~*** 장면의 전환〔변화〕; 전지(轉地). ***make a ~*** 활극〔큰 소동〕을 벌이다; 언쟁하다. ***make the ~*** 《美俗》 (행사·활동에) 참가하다, 나타나다. ***on the ~*** 그 자리〔현장〕에서. ***quit the ~*** 퇴장하다; 죽다.

:**scen·er·y** [síːnəri] *n.* Ⓤ 《집합적》 ① 〖劇〗 무대 배경(화), 세트. ② 경치, 풍경.

˙**sce·nic** [síːnik, sén-] *a.* ① 무대의, 극의; 배경의. ② 풍경의.

:**scent** [sent] *vt.* ① 냄새 맡다, 알아채다(*out*). ② 냄새를 풍기다; 향수를 뿌리다. — *n.* ① Ⓒ 향기; 냄새. ② Ⓤ 《주로 英》 향수. ③ Ⓒ (사냥 짐승이 지나간) 냄새자취, 흔적; 실마리. ***follow up the ~*** 뒤를 쫓다. ***put*** 〔***throw***〕 ***a person off the ~*** 뒤쫓는 사람을 따돌리다, 자취를 감추다. **∠·less** *a.* 무취의; 냄새 자취를 남기지 않는.

˙**scep·ter,** 《英》 **-tre** [séptər] *n., vt.* Ⓒ (왕이 가지는) 홀(笏); (the ~) 왕권(을 주다). **~ed** [-d] *a.* 홀을 가진; 왕위에 있는. 「&c.

scep·tic [sképtik], **&c.** = SKEPTIC,

:**sched·ule** [skédʒu(ː)l/ʃédjuːl] *n.*

Ⓒ ①《美》 예정(표), 계획(표); 〖컴〗 일정 스케줄; 시간표. ② (본문에 딸린) 별표, 명세표. **on ~** 예정[시간] 대로. — *vt.* ① 표를[목록을] 만들다, 표[목록]에 올리다. ② 예정하다, 정하다.

sche·ma[skíːmə] *n.* (*pl.* **~ta**[-tə]) Ⓒ 개요; 설계(도); 도표, 도식; (칸트 철학의) 선험적(先驗的) 도식.

sche·mat·ic[ski(ː)mǽtik] *a.* 도해(圖解)의[에 의한]; 개요의.

:scheme[skiːm] *n.* Ⓒ ① 안(案), 계획, 방법. ② 획책, 음모. ③ 조직, 기구. — *vt., vi.* 계획하다; 획책[음모]하다(*for; to* do). **schém·er** *n.* **schém·ing** *a.*

scher·zo [skέərtsou] *n.* (It.) Ⓒ 〖樂〗 해학곡, 스케르초.

schism[sízəm] *n.* Ⓤ,Ⓒ 분열; (교회의) 분립, 분파. **schis·mat·ic**[sizmǽtik] *a., n.* 분열의; Ⓒ 분립론자.

schist[ʃist] *n.* Ⓤ 편암(片岩).

schiz·oid[skítsɔid] *a.* 정신 분열증의[비슷한].

schiz·o·phre·ni·a[skìtsəfríːniə, skìzə-] *n.* Ⓤ 정신 분열증. **-phrén·ic** *a., n.* Ⓒ 정신 분열증의 (환자).

schlock[ʃlɑk/-ɔ-] *a., n.* Ⓒ《美俗》 싸구려의 (물건); 값싼 (물건).

schmal(t)z [ʃmɑːlts] *n.* (G.) Ⓤ 《口》 (음악·문학 따위의) 극단적 감상주의.

schmo(e)[ʃmou] *n.* (*pl.* **schmoes**) Ⓒ《美俗》 얼간이.

schmuck[ʃmʌk] *n.* Ⓒ《美俗》 얼간 「이.

schnap(p)s[ʃnæps] *n.* Ⓤ,Ⓒ 네덜란드 진《술》; 독한 술.

:schol·ar[skálər/-ɔ́-] *n.* Ⓒ ① 학자. ② 학도, 학생. ③ 장학생. **˙~·ly** *a., ad.* 학자다운[답게]; 학문을 좋아하는; 학식이 있는. **˙~·ship**[-ʃìp] *n.* Ⓤ 학식; 장학생의 자격; Ⓒ 장학금.

˙scho·las·tic[skəlǽstik] *a.* ① 학교(교육)의. ② 학자[학생]의; 학자연하는. ③ 스콜라 철학(풍)의. **~ year** 학년. — *n.* (종종 S-) Ⓒ 스콜라 철학자; 현학[형식]적인 사람. **-ti·cism**[-təsìzəm] *n.* (종종 S-) Ⓤ 스콜라 철학《중세의 사변(思辨)적 종교 철학》; 방법(론)의 고수(固守).

school[1][skuːl] *n., vi.* Ⓒ (물고기 따위의) 떼(를 이루다).

†school[2] *n.* ① Ⓤ 학교《교육》, 수업(시간)(*after ~* 방과 후). ② Ⓒ 학교《건물》, 교사(敎舍), 교실(*the fifth-form ~* 《英》 5학년 교실). ③ (the ~) 《집합적》 전교 학생. ④ Ⓒ 양성소, 학관. ⑤ Ⓒ (대학의) 학부, 대학원. ⑥ Ⓒ 학파, 유파(流派). ⑦ Ⓒ 〖樂〗 (대위법) 교(칙)본. **of the old ~** 구식의; 고결한. — *vt.* 훈련하다, 교육하다.

schóol àge 학령(學齡); 의무 교육 연한.

†schóol·bòy *n.* Ⓒ 남학생.

schóol dày 수업일; (*pl.*) 학교 시절.

schóol·fèllow *n.* Ⓒ 동창생, 학우.

†schóol·gìrl *n.* Ⓒ 여학생.

:schóol·hòuse *n.* Ⓒ 교사(校舍).

˙schóol·ing[∠iŋ] *n.* Ⓤ 교육(비).

:schóol·màster *n.* Ⓒ 교사; 교장; 〖魚〗 도미의 일종.

˙schóol·màte *n.* Ⓒ 학우(學友).

schóol·tèacher *n.* Ⓒ (초·중등 학교의) 교사.

˙schoon·er[skúːnər] *n.* Ⓒ 스쿠너《쌍돛의 종범(縱帆)식 돛배》; 《美口》 포장 마차; 《美口》 큰 맥주잔.

schwa[ʃwɑː] *n.* Ⓒ 〖音聲〗 쉬와《애매한 모음 [ə]의 기호명; 헤브라이어의 *shĕ wa*에서 옴》. **hooked ~** 갈고리 쉬와《[ɚ]의 기호 이름; 이 사전에서는 [ər]로 표시》.

sci·at·ic[saiǽtik] *a.* 좌골(座骨)의, 볼기의.

sci·at·i·ca[-ə] *n.* Ⓤ 좌골 신경통.

†sci·ence[sáiəns] *n.* ① Ⓤ (자연) 과학. ② Ⓤ,Ⓒ …학《개개의 학문 분야》. ③ Ⓤ (권투 따위의) 기술. **natural [social] ~** 자연[사회] 과학.

science fiction 공상 과학 소설《생략 SF》.

:sci·en·tif·ic[sàiəntífik] *a.* ① 과학의. ② 과학적인; 학술상의; 정확한. ③ 기량이 있는, 숙련된(*a ~ boxer*). **-i·cal·ly** *ad.*

:sci·en·tist[sáiəntist] *n.* Ⓒ (자연) 과학자.

sci-fi[sáifái] *a., n.* Ⓒ 《美》 공상 과학 소설(science fiction)(의).

scim·i·tar, -e·tar[símətər] *n.* Ⓒ (아라비아인 등의) 언월도(偃月刀).

scin·til·la[sintílə] *n.* (a ～) (…의) 미량(微量), 극히 소량(*of*).

scin·til·late[síntəlèit] *vi.* 불꽃을 내다; 번쩍이다. **-lant** *a.* **-la·tion** [ˋ-léiʃən] *n.* Ⓤ 불꽃을 냄; 번쩍임; 재기의 번득임; 신틸레이션(형광체에 방사선을 쬐었을 때의 섬광).

sci·on[sáiən] *n.* Ⓒ (접목의) 접지(椄枝); (귀족 등의) 자손.

:scis·sors[-z] *n. pl.* ① 《보통 복수 취급》 가위(*a* ～, *a pair of* ～ 가위 한 개). ② 《단수 취급》 〖레슬링〗 가위 조르기. ～ **and paste** 풀칠과 가위질(의 편집).

scle·ro·sis[skləróusis, skliər-] *n.* Ⓤ,Ⓒ 〖醫〗 경화(硬化)(증).

˙scoff[skɔ:f, -ɑ-/-ɔ-] *vi., vt., n.* 비웃다(*at*); Ⓒ 비웃음; (the ～) 웃음거리(*of*). **ˊ·er** *n.* **ˊ·ing** *a.* **ˊ·ing·ly** *ad.* 냉소적으로.

:scold[skould] *vt.* 꾸짖다. ── *vi., n.* 쨍쨍[앙앙]거리다(*at*); Ⓒ 그런 여자. **common** ～ (이웃을 안 꺼리고) 쨍쨍거리는 여자. **ˊ·ing** *n., a.* Ⓤ,Ⓒ 잔소리(가 심한).

scone[skoun/-ɔn] *n.* Ⓒ,Ⓤ 납작한 빵.

˙scoop[sku:p] *n.* Ⓒ ① (밀가루·설탕을 뜨는) 작은 삽, (아이스크림 따위를 뜨는 반구(半球)형의) 큰 숟갈, 스쿱. ② 한 삽[숟갈]. ③ 구멍; 움푹 팬 곳. ④ 《口》 〖新聞〗 스쿠프, 특종. ⑤ 《口》 큰 벌이, 크게 벎. ── *vt.* 푸다, 뜨다(*up*); 도려내다(*out*); 《口》 (타사(他社)를) 특종으로 앞지르다; 크게 벌다. **～·ful**[ˊfùl] *n.* Ⓒ 한 삽[숟갈]분.

scoot[sku:t] *vi., vt.* 《口》 휙 달리(게 하)다. **ˊ·er** *n.* Ⓒ 스쿠터(한쪽 발로 땅을 차며 나아가는 어린이용 핸들 달린 스케이트); (모터) 스쿠터(소형 오토바이); 《美》 빙상 겸용 활주 범선.

:scope[skoup] *n.* Ⓤ ① (능력·지식의) 범위; 〖컴〗 유효 범위. ② (발휘할) 기회, 여지; 배출구. ③ 안계; 시계, 시야. **give a person** (**ample** [**full**]) ～ (충분한) 활동의 자유를 주다(*to*). **seek** ～ 배출구를 찾다 (*for*).

:scorch[skɔ:rtʃ] *vt., vi.* ① 그슬리다, 태우다; 그을다, 타다. ② (가뭄으로) 말리다, 시들(게 하)다. ③ (*vt.*) (적이 오기 전에) (…을) 초토화하다. ④ 독이 오르다. ⑤ (*vi.*) 《口》 (차가) 질주하다. ── *n.* Ⓒ 탐, 그을음, 눌음. **～ed**[-t] *a.* 탄. **ˊ·er** *n.* Ⓒ 태우는 물건[사람]; (a ～) 《口》 몹시 뜨거운 날, 맹렬한 비난, 혹평; 《口》 (엔진이 과열될 정도로) 질주시키는 사람. **ˊ·ing**(**·ly**) *a.* (*ad.*)

scórched éarth pólicy 초토 전술.

:score[skɔ:r] *n.* Ⓒ ① 벤 자리[자국], 상처(자국); (기록·셈을 위한) 새긴 금. ② 계산; (술값 따위의) 셈, 빚. ③ 득점(표)(*win by a* ～ *of 2 to 0,* 2대 0으로 이기다). ④ (*pl.* ～) 20(개)(옛날 셈할 때 20까지 막대에 금을 새긴 데서)(*three* ～ *and ten* (인생) 70년); (*pl.*) 다수. ⑤ 성공; 행운; 멋진 응수. ⑥ 이유, 근거(*on that* ～ 그 때문에; 그 점에서). ⑦ 《口》 진상. ⑧ 〖樂〗 총보(總譜), 악보(*in* ～). ⑨ (경기의) 출발선. **by** [**in**] **～s** 몇 십이나 되게, 많이. **go off at** ～ 전속력으로 달리기 시작하다, (좋아하는 일을) 힘차게 시작하다; 신이 나게 이야기하다. **keep the** ～ 점수를 매기다. **know the** ～ 사실을 알고 있다; 일을 낙관하지 않다. **settle** [**clear, pay off**] **old ～s,** or **quit the ～s** 원한을 풀다(*with*). **What a** ～**!** 운이 억세게 좋기도 하군! ── *vt.* ① 눈금[벤[칼]자국]을 내다. ② 계산하다, (숫자를) 기록하다. ③ (원한을) 가슴 속에 새기다. ④ 득점하다, (승리를) 얻다, (성공을) 거두다. ⑤ 《美》 말로 해내다, 윽박지르다. ⑥ (곡을) 총보에 기입하다. ── *vi.* 채점하다; 득점하다; 이기다(*against*). ～ **off** 《英》 윽박지르다, 해내다. ～ **out** 지우다, 삭제하다. ～ **under** … 글자 밑에 줄을 긋다. ～ **up** 기록[기입]하다; 외상으로 달아놓다. **scór·er** *n.* Ⓒ 득점 기록원; 득점자.

˙scóre·bòard *n.* Ⓒ 득점판.

:scorn[skɔ:rn] *n.* Ⓤ 경멸, 비웃음; (the ～) 경멸의 대상. **hold** [**think**]

S

it ～ *to* (do) …하는 일을 떳떳하게 여기지 않다. *laugh* (*a person*) *to* ～ 냉소하다. *think* ～ *of* …을 경멸하다. ― *vt., vi.* 경멸하다; 떳떳하게 여기지 않다(*to* do).

˙scorn·ful[skɔ́:rnfəl] *a.* 경멸하는, 비웃는. ˙**～·ly** *ad.* 경멸하여.

Scor·pi·o[skɔ́:rpiòu] *n.* 〖天〗 전갈(全蠍)자리, 천갈궁(天蠍宮).

˙scor·pi·on [skɔ́:rpiən] *n.* Ⓒ ① 〖動〗 전갈; 도마뱀의 일종. ② 음흉한 사나이. ③ 〖聖〗 전갈 채찍. ④ (the S-) = SCORPIO.

˙Scot[skɑt/-ɔ-] *n.* Ⓒ 스코틀랜드 사람.

:Scotch[skɑtʃ/-ɔ-] *a.* 스코틀랜드(사람·말)의. ― *n.* ① Ⓤ 스코틀랜드말[방언]; Ⓤ,Ⓒ 스카치 위스키. ② (the ～) 《집합적》 스코틀랜드 사람.

scotch *n., vt.* Ⓒ 얕은 상처(를 입히다); 반죽음시키다; 바퀴 멈추개(로 멎게 하다).

Scótch tápe 〖商標〗 셀로판 테이프의 일종.

scot-free[skɑ́tfrí:/-ɔ́-] *a.* 처벌을 [피해를] 모면한; 면세(免稅)의.

Scótland Yárd 런던 경찰청(의 수사과).

Scots[skɑts/-ɔ-] *a., n.* (the ～) 《집합적》 스코틀랜드 사람; Ⓤ 스코틀랜드의 (말).

Scots·man[⌐mən] *n.* Ⓒ 스코틀랜드 사람.

˙Scot·tish[skɑ́tiʃ/skɔ́t-] *a., n.* = SCOTCH.

˙scoun·drel [skáundrəl] *n.* Ⓒ 악당, 깡패.

˙scour[1][skauər] *vt., vi., n.* (a ～) 문질러 닦다[닦기], 갈다, 갈기; 물로 씻어내다[내기], 일소[청소]하다[하기]. **⌐·ings** *n. pl.* 오물, 찌꺼기.

scour[2] *vi., vt.* 급히 찾아 다니다; 찾아 헤매다; 질주하다.

scour·er[skáuərər] *n.* Ⓒ 《특히》 나일론 수세미.

˙scourge[skə:rdʒ] *n.* Ⓒ ① 매, 채찍. ② 천벌《유행병·기근·전쟁 따위》. ― *vt.* 매질하다; 벌하다; 몹시 괴롭히다.

:scout[skaut] *n.* Ⓒ ① 정찰병[기·함]. ② 소년[소녀]단원. ③ 《口》 녀석; (경기·예능 따위에서) 신인을 물색하는 사람. ― *vi., vt.* 정찰하다; 소년[소녀]단원으로서 일하다(*for*); (신인을) 물색하다.

scóut·màster *n.* Ⓒ 소년단 단장; 정찰 대장.

˙scowl[skaul] *n., vi.* Ⓒ 찌푸린 얼굴(을 하다), 오만상(을 하다) (*at, on*); 잔뜩 찌푸린 날씨(가 되다).

scrab·ble[skrǽbəl] *n., vi., vt.* Ⓒ (*sing.*) 갈겨 쓰기[쓰다], 손으로[발로] 비비다[긁다]; 손으로[발로] 비빔[긁음]; 손톱으로 할퀴[할퀴다]; (S-) 〖商標〗 글씨 채우기 게임.

scrag[skræg] *n., vt.* (**-gg-**) Ⓒ 말라빠진 사람[동물]; 마른[가는] 부분; 《俗》 (…의) 목을 조르다. **⌐·gy** *a.* 말라빠진; 울퉁불퉁한.

scram[skræm] *vi.* (**-mm-**) 《口》 도망하다; 《주로 명령형》 (나)가다.

:scram·ble[skrǽmbəl] *vi.* ① 기다, 기어 오르다. ② 서로 다투어 빼앗다(*for*). ③ 퍼지다; 불규칙하게 뻗다. ― *vt.* ① (카드패 따위를) 뒤섞다; 그러모으다(*up*). ② 우유[버터]를 넣어 휘저어 익히다. **～*d eggs*** 우유·버터를 섞어 지진 달걀; 《英口》 장교 군모의 챙을 장식하는 금 몰. **～ *on* [*along*]** 그럭저럭 해나가다. **～ *through*** 간신히 지내다. ― *n.* Ⓒ (*sing.*) 기어오름; 쟁탈(전) (*for*). **-bler** *n.* Ⓒ scramble하는 사람[물건]; (비밀 통신의) 주파수대 변환기.

:scrap[1][skræp] *n.* ① Ⓒ 작은 조각, 나부랑이, 파편. ② (*pl.*) 남은 것. ③ (*pl.*) (신문 등의) 오려낸 것, 스크랩. ④ Ⓤ 《집합적》 폐물, 잡동사니; (*pl.*) 쇠부스러기, 파쇠. ***a* ～ *of paper*** 종잇조각; 《比》 휴지나 다름없는 조약. ― *vt.* (**-pp-**) 폐기하다, 부스러기로 하다.

scrap[2] *n., vi.* (**-pp-**) Ⓒ 《口》 주먹다짐[싸움](하다). **⌐·per** *n.* Ⓒ 《口》 싸움꾼.

˙scráp·bòok *n.* Ⓒ 스크랩북.

:scrape[skreip] *vt.* ① 문지르다, 비벼 떼다[벗기다](*away, off*). ② 면도하다; 문질러 만들다. ③ 긁어모으다; (돈을) 푼푼이 모으다. ④ (악기를) 켜다, 타다. ― *vi.* ① 문질러지다(*against*); 스치며 나아가다(*along, past*). ② (악기를) 타다[켜

다]. ③ 푼푼이 모으다. ④ 오른발을 뒤로 빼고 절하다. ⑤ 근근이 살아가다(*along*). ~ **an acquaintance** …의 환심을 사고자 억지로 가까워지다(*with*). ~ **and screw** 인색하게 절약하다. ~ **down** 발을 구르며 야유하다; 반반하게 하다. ~ **through** 간신히 통과[합격]하다. — *n.* Ⓒ ① 문지르는[비비는] 일, 문지른[비빈] 자국. ② 발을 뒤로 빼는 절. ③ 스치는[비비적거리는] 소리; 곤경《특히, 자초(自招)한》. **get into a** ~ 곤경에 빠지다. **scráp·er** *n.* Ⓒ 스크레이퍼, 깎는[긁는] 도구; 신흙털개; 가죽 벗기는 기구; 구두쇠; 《蔑》 이발사.

scráp héap 쓰레기 더미, 쓰레기 버리는 곳.

scrap·py [skrǽpi] *a.* 부스러기[나부랑이]의; 남은 것의; 단편적인, 지리멸렬한.

:scratch [skrætʃ] *vt., vi.* ① 긁(히)다, 긋다. ② 우비어 (구멍을) 파다. ③ 지우다, 말살하다. ④ 갈겨 쓰다. ⑤ 근근히 살아가다. ⑥ 그러모으다 (*together, up*). ~ **about** 뒤져 찾다(*for*). — *n.* Ⓒ ① 긁는 일[소리]; 긁힌[할퀸] 상처, 찰과상. ② 〖撞〗 어쩌다 맞기. ③ (핸디가 붙는 경주에서, 핸디도 벌칙도 적용되지 않는 자의) 스타트선[시간]; 영(零), 무(無). ④ 휘갈겨 쓰기[씀]. **come (up) to the** ~ 《口》 출발 준비가 되다; 소정의 규준에 달하다. **from** ~ 최초부터; 영[무]에서. ~ **the surface of** …의 겉을 만지다《핵심에 닿지 않다》. **up to** ~ 표준(역량)에 달하여. — *a.* 급히[부랴부랴] 그러모은; 급조한; 핸디 없는(*a* ~ *race*). **∠·er** *n.* **∠·y** *a.* 날림의; 갈겨 쓴; (펜 따위가) 긁히는; 주워[그러]모은.

scrátch pàd 《美》 떼어 쓰게 된 (메모) 용지(《英》 scribbling block); 〖컴〗 임시 저장용 기억 장소.

˙scrawl [skrɔːl] *n., vi., vt.* Ⓒ (보통 *sing.*) 갈겨씀; 갈겨쓰다; (…에) 낙서하다. 「진.

scrawn·y [skrɔ́ːni] *a.* 야윈, 말라빠

:scream [skriːm] *vi., vt.* 소리치다; 깔깔대다, 날카로운 소리를 지르다[로 말하다]. — *n.* Ⓒ 외침; 깔깔대는 소리, 날카로운 소리; 《口》 매우 익살스러운 사람[물건]. **∠·er** *n.* Ⓒ scream 하는 사람; 《口》 깜짝 놀라게 하는 것《읽을거리 등》; 《美俗》 〖新聞〗 큼직한 표제(~*er bomb* 음향 폭탄). **∠·ing** *a.*

˙screech [skriːtʃ] *vt., vi.* 날카로운 소리를 지르다; (끼하는 자동차의) 급정거 소리를 내다. — *n.* Ⓒ 날카로운 소리; 비명. **∠·y** *a.*

screed [skriːd] *n.* Ⓒ (보통 *pl.*) 긴 이야기[편지].

:screen [skriːn] *n.* Ⓒ ① 병풍; 칸막이, 장지, 칸막이 커튼. ② 막(幕); 영사막; (the ~) 영화. ③ 〖TV·컴〗 화면(~ *dump* 화면퍼내기/ ~ *editing* [*editor*] 화편 편집[편집기]). ④ 망(網); 어레미. ⑤ 전위 부대[함대]. **folding** ~ 병풍. **mosquito** ~ 방충망. — *vt.* ① 가리다, 가로막다, 두둔하다(*from*); 칸막다. ② (모래·석탄 따위를) 체질하여 가려내다; (적격) 심사하다. ③ 영사[상영]하다, 촬영[영화화]하다. — *vi.* 영화에 맞다 (*She* ~*s well.* 그녀는 화면에 잘 맞는다); 상영할 수 있다.

scréen·plày *n.* Ⓒ 〖映〗 시나리오, 영화 대본.

scréen tèst 스크린 테스트《영화 배우의 적성[배역] 심사》.

scréen·writer *n.* Ⓒ 시나리오 작가(scenarist).

:screw [skruː] *n.* Ⓒ ① 나사(못); 한 번 비틀기[죔]. ② (배의) 스크루, 추진기. ③ (보통 the ~) 압박, 강제. ④ 구두쇠. **a** ~ **loose** 느스러진 나사, 고장. **put the** ~ **on,** or **apply the** ~ **to** …을 압박하다, 괴롭히다. — *vt.* ① 비틀어[꽉] 죄다. ② (용기 따위를) 분발시키다; 굽히다. ③ (얼굴을) 찡그리다. ④ (값을) 억지로 깎다(*down*); 무리하게 거두다[이야기시키다, 단념시키다]. ⑤ 괴롭히다. 「괴짜.

scréw·bàll *n.* Ⓒ 〖野〗 곡구; 《美俗》

scréw·drìver *n.* ① Ⓒ 드라이버, 나사돌리개. ② Ⓤ,Ⓒ 칵테일의 일종.

scréw-tòpped *a.* 돌리는 마개용의 나삿니 달린《병 따위》.

screw·y [∠i] *a.* 《美俗》 머리가 돈.

˙scrib·ble [skríbl] *n., vt., vi.* Ⓤ,Ⓒ 갈겨 씀[쓰다]; Ⓒ 낙서(하다)(*No*

S

scribbling. 낙서 금지《게시》. **-bler** *n.* Ⓒ 갈겨 쓰는 사람; 잡문 쓰는 사람.

scribe[skraib] *n.* Ⓒ 필기자; 〖史〗 서기; 저술가; 《戲》 야구 기자.

scrim·mage[skrímidʒ] *n., vi., vt.* Ⓒ 격투(를 하다), 드잡이(하다); 〖럭비〗 스크럼(을 짜다) (scrummage).

scrimp[skrimp] *vt.* 긴축하다; (음식 등을) 바짝 줄이다. — *vi.* 인색하게 굴다, 아끼다. **∠·y** *a.* 부족한; 인색한.

scrip [skrip] *n.* ① Ⓒ 종이 쪽지; 《美》 메모, 적요. ② Ⓤ 《집합적》 가(假)주권, 가증권; Ⓒ 영수증. ③ Ⓤ 점령군의 군표. ④ Ⓒ 〖美史〗 1달러 이하의 소액 지폐.

:script[skript] *n.* ① Ⓤ 손으로 쓴 것, 필기(글씨), 필기체 활자. ② Ⓒ 〖法〗 원본, 정본(cf. copy). — *vt.* 각색하다, (이야기를) 시나리오화하다.

˙scrip·ture[skríptʃər] *n.* Ⓤ 경전(經典), 성전. (***Holy***) ***S-, the Scriptures*** 성서(聖書)(the Bible). **-tur·al** *a.* 성서의.

scrípt·wrìter *n.* Ⓒ (영화·방송의) 대본 작가.

˙scroll[skroul] *n.* Ⓒ ① 두루마리, 족자. ② 소용돌이 장식〔무늬〕. ③ 수결(手決). ④ 〖컴〗 두루마리(~ *bar*/ *Scroll Lock key* 두루마리 걸쇠).

Scrooge[skru:dʒ] *n.* 스크루지 《C. Dickens 작품의 한 주인공 이름》; Ⓒ (보통 s-) 수전노.

scro·tum[skróutəm] *n.* (*pl.* ***-ta*** [-tə]) Ⓒ 〖解〗 음낭(陰囊).

scrounge[skraundʒ] *vi., vt.* 후무리다(pilfer), 훔치다.

:scrub¹[skrʌb] *vt., vi.* (***-bb-***), *n.* 박박 문지르다〔비비다, 닦다〕; Ⓤ 그렇게 하기; Ⓒ 빠빠지게 일하다〔하는 사람〕; Ⓤ 〖로켓〗 미사일 발사(를) 중지(하다).

scrub² *n., a.* Ⓤ 덤불, 관목(숲); Ⓒ 자잘한 (것, 사람); Ⓒ 《美口》 2류의 (선수). **∠·by** *a.*

scrúb brùsh 세탁솔, 수세미.

scruff[skrʌf] *n.* Ⓒ 목덜미(nape).

scrum[skrʌm], **scrum·mage** [skrʌ́midʒ] *n., v.* = SCRIMMAGE.

scrump·tious[skrʌ́mpʃəs] *a.* 《口》 멋진, 훌륭한.

˙scru·ple[skrú:pl] *n.* ① Ⓤ,Ⓒ 망설임; 주저. ② Ⓒ 《약의 양 단위》 스크루플(=20 grains = 1/3 dram = 1.296g). ③ Ⓒ 미량(微量). ***make no ~ to*** do 예사로 …하다. ***man of no ~s*** 못된 짓을 예사로 하는 사람. ***without ~*** 예사로, 태연히. — *vt., vi.* 주저하다(hesitate)(*to* do).

˙scru·pu·lous [skrú:pjələs] *a.* ① 고지식한; 양심적인. ② 빈틈없는, 주의 깊은, 신중한; 정확한. **~·ly** *ad.* **~·ness** *n.*

scru·ti·neer [skrù:təníər] *n.* Ⓒ 《주로 英》 검사자; 《英》 (특히) 투표 검사인(《美》 canvasser).

˙scru·ti·nize[skrú:tənàiz] *vt., vi.* ① 자세히 조사하다. ② (사람을) 뚫어지게〔빤히〕 보다.

˙scru·ti·ny[skrú:təni] *n.* Ⓤ,Ⓒ 정밀 검사, 음미; 유심히 보는 일.

scúba dìving 스쿠버 다이빙.

scud[skʌd] *n., vi.* (***-dd-***) Ⓒ 질주(하다); Ⓤ 지나가는 비.

scuff[skʌf] *vi.* 발을 질질 끌며 걷다; (구두 따위를) 닳도록 신다. — *n.* Ⓒ 발을 질질 끌며 걷는 걸음; 그 소리; 슬리퍼.

scuf·fle[skʌ́fl] *n., vi.* 격투〔난투〕(하다).

scull[skʌl] *n.* Ⓒ 고물에 달아 좌우로 저어 나아가는 외노; 스컬《혼자서 양손에 하나씩 쥐고 젓는 노; 그것으로 젓는 경조(競漕) 보트》. **∠·er** *n.*

scul·ler·y[skʌ́ləri] *n.* Ⓒ (부엌의) 그릇 씻어 두는 곳.

sculp(t). *sculpsit.* (L. = he (*or* she) carved it); sculptor; sculpture.

˙sculp·tor [skʌ́lptər] *n.* (*fem.* ***-tress***[-tris]) Ⓒ 조각가.

˙sculp·ture[skʌ́lptʃər] *n., vt.* Ⓤ 조각(술); Ⓒ 조각품; 조각하다. **~d**[-d] *a.* 조각된. **scúlp·tur·al** *a.*

scum[skʌm] *n., vi., vt.* (***-mm-***) Ⓤ (표면에 뜨는) 찌끼, 더껑이(가 생기다, 를 걷어내다); 찌꺼기; Ⓒ 인간 쓰레기. **∠·my** *a.* 뜬 찌끼투성이의, 찌꺼기의; 비열한.

scup·per[skʌ́pər] *n.* Ⓒ (보통 *pl.*) (갑판의) 배수구.
scur·ril·ous[skə́:rələs/skʌ́r-] *a.* 쌍스러운, 입이 건〔사나운〕. **~·ly** *ad.* **~·ness** *n.* **-ril·i·ty** *n.*
˙**scur·ry**[skə́:ri, skʌ́ri] *vi., vt., n.* (a ~; the ~) 서두르다〔름〕; (특히 말타고) 달림; 달리다.
scur·vy[skə́:rvi] *n.* Ⓤ 괴혈병. — *a.* 상스러운, 야비한.
˙**scut·tle**[1][skʌ́tl] *n.* Ⓒ (실내용) 석탄 그릇〔통〕.
scut·tle[2] *vi.* 허둥지둥 달리다〔도망치다〕. — *n.* Ⓤ (또는 a ~) 급한 걸음; 줄행랑.
scut·tle[3] *n.* Ⓒ (뱃전·갑판·지붕·벽 등의) 작은 창(의 뚜껑). — *vt.* 구멍을 내어 (배를) 침몰시키다; (희망·계획을) 포기하다.
˙**scythe**[saið] *n., vt.* Ⓒ (자루가 긴) 큰낫(으로 베다); 〖로史〗 (chariot의) 수레바퀴에 단 낫.
SE, S.E., s.e. southeast.
†**sea**[si:] *n.* ① Ⓒ 바다. ② Ⓒ 큰 물결; 놀(*a high* ~). ③ (the ~) 호수(*the S- of Galilee*). ④ Ⓒ (광대한) 퍼짐, …바다; 일대, 온통, 다량, 다수(*a ~ of blood, troubles, faces, &c.*). ***at* ~** 항해 중에; 할 바를 모르고. ***by* ~** 배〔바닷길〕로. ***follow the* ~,** or ***go to* ~** 선원〔뱃사람〕이 되다. ***full* ~** 만조. ***half(-)seas(-) over*** 항정(航程)의 절반을 끝내고〔마치어〕; 《俗》 얼근히 취하여. ***keep the* ~** 제해권을 유지하다. ***on the* ~** 배를 타고, 해상에(서), 해변에. ***put* (*out*) *to* ~** 출범〔출항〕하다. ***the seven* ~*s*** 칠대양.
séa anémone 〖動〗 말미잘.
séa·bèd *n.* (the ~) 해저.
séa bìrd 바닷새, 해조.
séa·bòard *n.* Ⓒ 해안(선), 해안 지방.
séa·bòrne *a.* 배로 운반된; 해상 수송의.
séa brèeze (시원한) 바닷바람.
séa chànge 바다〔조수〕에 의한 변화; 변화, 변모. ***suffer a* ~** 변화〔변모〕하다《Sh., *Tempest*》.
séa dòg 바다표범의 일종; 노련한 선원; 해적.
séa·fàrer *n.* Ⓒ 뱃사람. **-fàring** *a., n.* Ⓤ 선원을 직업으로 하는 (일), 선원 생활; Ⓤ,Ⓒ 바다 여행.
séa·fòod *n.* Ⓤ,Ⓒ 해산물(생선·조개류); 어개(魚介).
séa·frònt *n.* Ⓤ,Ⓒ (도시·건물의) 바다로 향한 면; 해안 거리.
séa·gòing *a.* 배로 가는; 원양 항해에 알맞은.
séa grèen 바다빛, 청녹색.
séa gùll 갈매기.
séa hòrse 〖神話〗 해마(海馬); 〖魚·動〗 해마.
:**seal**[1][si:l] *n.* Ⓒ 바다표범, 물개, 강치; Ⓤ 그 털가죽. ***fur* ~** 물개. — *vi.* 바다표범 사냥을 하다.
:**seal**[2] *n.* Ⓒ ① 인(印), 인장; 도장. ② 봉인(지); 입막음, 함구. ③ 확증, 보증; 표시, 징후. ***break the* ~** 개봉하다. ***Lord* (*Keeper of the*) *Privy S-*** 국새 상서(國璽尙書). ***put* 〔*set*〕 *one's* ~** 날인〔인가·보증〕하다(*to*). **~ *of love*** 사랑의 표시《입맞춤·결혼 따위》. ***set the* ~ *on*** …을 결정적인 것으로 하다. ***the Great S-*** 국새. ***under* 〔*with*〕 *a flying* ~** 개봉하여. — *vt.* ① (…에) 날인〔조인〕하다; 확인〔보증·검인〕하다. ② (봉랍(封蠟) 따위로) 봉인〔밀폐〕하다(*up*); 에워싸다, 움직이지 못하게 하다. ③ (아무의 입을) 틀어막다. ④ 확정하다.
seal·ant[sí:lənt] *n.* Ⓤ,Ⓒ 밀봉제(密封劑).
séa lègs (*pl.*) 배가 흔들려도 예사로 걷기.
séa lèvel 해면(*above* ~ 해발).
séaling wàx 봉랍(封蠟).
séa lìon 〖動〗 강치《태평양산》.
:**seam**[si:m] *n.* Ⓒ ① 솔기; 갈라진 틈. ② 상처 자국. ③ 〖解〗 봉합선(線); 얇은 층. — *vt., vi.* 꿰매〔이어〕 맞추다; 틈〔금〕을 내다〔이 생기다〕, (…에) 솔기를 내다. **∠·less** *a.*
:**sea·man**[sí:mən] *n.* Ⓒ 뱃사람, 수병. **~·like, ~·ly** *a.* **~·ship**[-ʃip] *n.* Ⓤ 항해 기술.
seam·stress [sí:mstris/sém-] *n.* Ⓒ 여자 재봉사, 침모.
seam·y[sí:mi] *a.* 솔기가 있는〔드러난〕; 보기 흉한; 이면의. ***the* ~**

S

side (옷의) 안; (사회의) 이면, 암흑면《Sh., *Othello*》.
se·ance, sé·ance[séiɑːns] *n.* (F.) Ⓒ (개회 중인) 회(會); (특히) 강신술(降神術)의 회.
séa·plàne *n.* Ⓒ 수상 비행기.
:**séa·pòrt** *n.* Ⓒ 항구; 항구 도시.
séa pòwer 해군력; 해군국(國).
sear[siər] *vt., vi.* 태우다, 타다, 그을(리)다; (양심 따위) 마비시키다〔되다〕; 시들(게 하)다. — *n.* Ⓒ 탄〔눌은〕 자국. — *a.* 시든, 말라 죽은. ***the ~ and yellow leaf*** 노경, 늘그막《Sh., *Macb.*》.
:**search**[səːrtʃ] *vt.* ① 찾다; 뒤지다, 조사하다. ② (상처를) 찾다, (마음을) 탐색하다〔떠보다〕. — *vi.* 찾다 (*after, for*). ***S- me!*** 《口》 =I don't know. ***~ out*** 찾아 내다. — *n.* Ⓒ 수색, 탐색; 〖컴〗 검색(*~ key* 검색 키). ***in ~ of*** …을 찾아. ***∠·er*** *n.* Ⓒ 탐색자; 검사관; 〖醫〗 탐침(探針).
·**search·ing**[sə́ːrtʃiŋ] *a.* 수색하는; 엄중〔엄격〕한; 날카로운; (찬 바람 등이) 스며드는. — *n.* Ⓤ 수색, 음미. ***~s of heart*** 양심의 가책.
séarch·lìght *n.* Ⓒ 탐조등.
séarch pàrty 수색대.
séarch wàrrant 가택 수색 영장.
séa·scàpe *n.* Ⓒ 바다 풍경(화).
séa shèll 조가비.
:**sea·shore**[∠ʃɔ̀ːr] *n.* Ⓤ 해안.
·**séa·sìck** *a.* 뱃멀미하는. ***~ness*** *n.* Ⓤ 뱃멀미.
:**sea·side**[∠sàid] *n., a.* (the ~) 해변(의). ***go to the ~*** (해수욕하러) 해변에 가다.
†**sea·son**[síːzən] *n.* Ⓒ ① 철, 계절. ② 한물, 제철, 한창 때; 호기. ③ 《英口》 정기권(season ticket). ***at all ~s*** 1년 내내. ***close*** 〔***open***〕 ***~*** 금〔수〕렵기. ***dead*** 〔***off***〕 ***~*** 제철이 아닌 시기, 비철. ***for a ~*** 잠시. ***in good ~*** 때마침; 제때에 맞춰. ***in ~*** 마침 알맞은 때의, 한물의, 한창의; 사냥철인. ***in ~ and out of ~*** 항상. ***out of ~*** 제철이 아닌, 철 지난; 호기를 놓치어; 한물이 간〔지난〕; 금렵기인. ***the London ~*** 런던의 사교 계절《초여름》. — *vt.* ① 익히다; 단련하다; (재목을) 말리다. ② (…에) 간을 맞추다(*highly ~ed dishes* 매운 요리). ③ (…에) 흥미를 돋구다. ④ 누그러뜨리다. — *vi.* ① 익숙해지다, 익다. ② (재목 등이) 마르다. ***~ed***[-d] *a.* 익은, (목재 따위) 말린; 익숙한, 단련한; 풍미를 곁들인; 조절〔가감〕한.
sea·son·a·ble[síːzənəbəl] *a.* 계절〔철〕에 맞는; 때에 알맞은; 순조로운.
·**sea·son·al**[síːzənəl] *a.* 계절의; 때에 맞는; 계절에 의한. ***~·ly*** *ad.* 계절적으로.
sea·son·ing[síːzəniŋ] *n.* Ⓤ 조미; Ⓒ 조미료; 양념; 가미(加味)(물); Ⓤ 완화제; 건재(乾材)(법).
séason tìcket 《英》 정기권.
†**seat**[siːt] *n.* Ⓒ ① 자리, 좌석. ② 의자; (의자의) 앉는 부분, (바지의) 궁둥이. ③ 예약석(席), 의석; 의원의 지위. ④ 왕위, 왕권. ⑤ (말)타기. ⑥ 소재지(*the ~ of war* 싸움터); 중심지; 별장. — *vt.* ① (자리에) 앉게 하다; 좌석을〔지위를〕 주다. ② …사람분의 좌석을 가지다(*The theater will ~ 1,200.*). …명분의 설비를 하다(*The Public Hall is ~ed for 3,000.*). ***be ~ed*** 앉다 (*Pray be ~ed.* 앉아 주십시오); 앉아 있다. ***keep one's ~*** 자리에 앉은 채로 있다; 지위를 유지하다. ***~ oneself*** 착석하다. ***∠·er*** *n.* Ⓒ …인승(人乘)(*a four-seater,* 4인승). ***∠·ing*** *n.* Ⓤ 착석(시킴); 수용력; 의자의 재료; 승마 자세.
séat bèlt (여객기의) 좌석 벨트.
séa ùrchin 〖動〗 성게.
séa wàll (해안의) 방파벽(防波壁).
·**sea·ward**[síːwərd] *a., ad.* 바다쪽의〔으로〕. 「WARD.
sea·wards[∠wərdz] *ad.* =SEA-
séa wàter 바닷물.
séa·wày *n.* Ⓤ,Ⓒ 항로; 항행; 거친 바다(*in a ~* 파도에 시달려).
·**séa·wèed** *n.* Ⓤ,Ⓒ 해초, 바닷말.
séa·wòrthy *a.* (배가) 항해에 알맞은, 내항성(耐航性)이 있는.
se·ba·ceous[sibéiʃəs] *a.* 기름의〔이 많은〕; 지방(질)의.
sec. second(s); secretary; section(s).

sec·a·teurs[sékətə̀:rz] *n. pl.* 《주로 英》 (한 손으로 쓰는) 전정 가위.
se·cede[sisí:d] *vi.* 탈퇴[분리]하다 (*from*).
se·ces·sion[siséʃən] *n.* Ⓤ,Ⓒ 탈퇴, 분리(*from*); (S-) Ⓤ 〖美史〗 (남북 전쟁의 원인이 된) 남부 11주의 분리. **~·ism**[-ìzəm] *n.* Ⓤ (종종 S-) 〖美史〗 분리론[주의]; 〖建〗 시세션식《인습 탈피에 의한 직선 (존중) 주의》. **~·ist** *n.*
ˈ**se·clude**[siklú:d] *vt.* 격리하다; 은퇴시키다. **se·clud·ed**(**·ly**) [-id(li)] *a.*, (*ad.*) 인가에서 멀리 떨어진[져], 외진[외져]; 은퇴한[하여]. ˈ**se·clu·sion**[-ʒən] *n.* Ⓤ 격리; 은퇴. **se·clú·sive** *a.*
†**sec·ond**[1][sékənd] *a.* ① 제 2의, 두번째의, 2등의, 2위의, …다음[의 버금]가는, 부수적인(*to*). ② (*a* ~) 또 하나의, 다른. ③ 다음의, 보조[대용]의. ***a ~ time*** 다시. ***every ~ day*** 하루 걸러. ***in the ~ place*** 둘째로. (*be*) ***~ to none*** 누구[무엇]에도 못(하)지 않은. — *ad.* 둘째로. — *n.* ① Ⓒ (보통 *sing.*) 두 번째, 둘째(의 것); 2등[차점]의 것; 제2의 것, 부본; 이등차. ② Ⓒ 조수; (결투·권투의) 입회자, 세컨드; 다른 사람, 후원자. ③ (*pl.*) 2급품, 2급 밀가루(의 빵); Ⓤ 2루(壘). ④ Ⓤ,Ⓒ 〖樂〗 2도 (음정); (흔히) 알토. ***~ of exchange*** (환의) 제2 어음. — *vt., vi.* ① 보좌하다; (권투 선수 등의) 입회하다. ② (제안에) 찬성하다.
†**sec·ond**[2] *n.* Ⓒ 초《시간·각도의 단위》. ***in a ~*** 삽시간에.
Sécond Ádvent 예수의 재림.
ː**sec·ond·ar·y**[sékəndèri/-dəri] *a.* ① 둘째의, 제2(위)의. ② 부(副)의; 보조의. ③ 중등의. — *n.* Ⓒ ① 둘째의 사람. ② 보조자, 대리자. ③ 〖文〗 2차어《형용사 상당어(구): *school* boy》.
sécondary educátion 중등 교육.
sécondary schòol 중등 학교.
sécond chámber 상원(上院).
sécond-cláss *a., ad.* 2등의[으로]; 이류의.
Sécond Cóming = SECOND ADVENT.
sec·ond·er[sékəndər] *n.* Ⓒ 후원자; (동의의) 찬성자.
ˈ**sécond hànd** (시계의) 초침.
ˈ**sec·ond·hand**[-hǽnd] *a.* ① 두번째의; 간접의, 전해[얻어]들은, (남의 학설·의견을) 되팔아 먹는. ② 중고의, 헌; 헌 물건을 파는.
sécond lieuténant 소위.
ˈ**sec·ond·ly**[sékəndli] *ad.* 둘째[두번째]로.
sécond náture 제2의 천성《습성》.
sécond pérson 〖文〗 (제)2인칭.
sécond-ráte *a.* 2류의, …만 못한.
sécond síght 천리안; 선견지명.
sécond-síghted *a.* 선견지명이 있는.
sécond-strínger *n.* Ⓒ 《口》 2류쯤 되는 선수; 시시한 것[사람]; 대안(代案), 차선책.
sécond wínd (격심한 운동 뒤의) 되돌린 숨, 원기의 회복.
ː**se·cre·cy**[sí:krəsi] *n.* Ⓤ 비밀(성); 기밀 엄수 (능력).
†**se·cret**[sí:krit] *a.* ① 비밀[기밀]의; 비밀을 지키는. ② 숨은, 외딴, 으슥한. ③ 신비스러운. — *n.* Ⓒ ① 비밀, 기밀(*in* ~ 비밀히). ② (the ~) 비법, 비결. ③ (종종 ~s) (대자연의) 신비, 기적. ④ (*pl.*) 음부. ***be in the ~*** 기밀을 알고 있다. ***let a person into the ~*** 비밀을 밝히다; 비법을 가르치다. ***open ~*** 공공연한 비밀. ˈ**~·ly** *ad.* 비밀로[히].
sécret ágent 첩보원, 정보원, 간첩.
sec·re·tar·i·al [sèkrətέəriəl] *a.* secretary의.
sec·re·tar·i·at(**e**)[-tέəriət] *n.* Ⓒ 서기(관)의 직; 장관직; 비서과, 문서과, 총무처; (S-) (유엔) 사무국.
ː**sec·re·tar·y**[sékrətèri/-tri] *n.* Ⓒ ① 비서(관), 서기(관); (회의) 간사. ② 장관. ③ 사자대(寫字臺). ***Home S-*** 내상(內相). ***S- of State*** 국무 대신; 《美》 국무장관. **~·ship** [-ʃìp] *n.* Ⓤ secretary의 직[임기].
sécretary bìrd 뱀독수리《뱀을 먹음》. 「장[국장].
sécretary-géneral *n.* Ⓒ 사무 총

sécret bállot 비밀 투표.
se·crete[sikríːt] *vt.* 비밀로 하다, 숨기다; 〖生〗 분비하다. **se·cré·tion** *n.* Ⓤ 분비; Ⓒ 분비물(액). **se·cre·to·ry**[-təri] *a., n.* 분비하는; 분비선(腺).
se·cre·tive[síːkrətiv, sikríː-] *a.* 비밀의, 숨기는, 솔직하지 않은; 분비(성)의, 분비를 촉진하는. **~·ly** *ad.*
sécret políce 비밀 경찰.
sécret sérvice (국가의) 첩보 기관; 첩보 활동; (S- S-) 《美》 재무부 비밀검찰부《대통령 호위, 위폐범 적발 등을 담당》.
:sect[sekt] *n.* Ⓒ 종파, 교파; 당파.
sec·tar·i·an[sektέəriən] *a., n.* Ⓒ 종파〔당파〕적인 (사람). **~·ism** [-ìzəm] *n.* Ⓤ 당파심; 학벌.
:sec·tion[sékʃən] *n.* Ⓒ ① 절개(切開), 절단. ② 단면(도); 절단면; 단편; 부분(품). ③ 부(문), 과(課); 구분, 구(區), 구역, 구간. ④ (당)파; 마디, 절(節), 단락; 악절; 분대(分隊). ***in ~s*** 해체〔분해〕하여. **—** *vt.* ① 해체〔구분〕하다. ② 단면도를〔박편(薄片)을〕 만들다.
sec·tion·al[sékʃənəl] *a.* 부분〔구분·단락〕의〔이 있는〕; 지방〔부분〕적인; 조립식의. **~·ism**[-ìzəm] *n.* Ⓤ 지방주의; 당파심, 파벌주의. **~·ly** *ad.*
·sec·tor[séktər] *n.* Ⓒ ① 〖幾〗 부채꼴. ② 〖數〗 함수척(尺). ③ 부문, 분야. ④ 부채꼴의 전투 지역. ⑤ 〖컴〗 (저장)테조각, 섹터.
·sec·u·lar[sékjələr] *a.* ① 세속의, 현세의. ② 한 세기 한 번의; 백년마다의, 백년 계속되는, 불후의 (*the ~ bird* 불사조). **—** *n.* Ⓒ 재속(在俗) 신부, 속인. **~·ism**[-rìzəm] *n.* Ⓤ 현세주의; 종교 분리교육론〔주의〕. **~·ize**[-ràiz] *vt.* 환속시키다; 속용(俗用)으로 제공하다; (…을) 종교에서 분리시키다. **~·i·za·tion**[⌐--izéiʃən] *n.*
:se·cure[sikjúər] *a.* ① 안전한. ② 확실한. ③ 튼튼한(*against, from*). ④ 확신〔안심〕하는(*of*). **—** *vt.* ① 안전〔확실〕히 하다. ② 획득하다, 구하다(*from*). ③ 보증하다; 보험에 들다(*against*). ④ 단단히 잠그다〔채우다〕; 가두다, 붙들어매다(*to*). **—** *vi.* 안전하게 되다. **~·ly** *ad.*
:se·cu·ri·ty[sikjúəriti] *n.* ① Ⓤ 안전; 안심; 확실. ② Ⓤ,Ⓒ 보호; 보장; 보증(금·인); 담보(물); 차용증(*for*). ③ (*pl.*) 증권, 증서, 채권. ***give*** 〔***go***〕 ***~ for*** …의 보증인이 되다. ***government securities*** 공채, 국채. ***in ~ for*** …의 담보로서.
Secúrity Còuncil, the (유엔) 안전 보장 이사회《생략 SC》.
secúrity rìsk (치안상의) 위험 인물.
se·dan[sidǽn] *n.* Ⓒ 세단형 자동차; = **∠ chàir** 가마, 남여(藍輿).
se·date[sidéit] *a.* 침착한; 진지한; 수수한. **~·ly** *ad.*
sed·a·tive[sédətiv] *a., n.* 가라앉히는; Ⓒ 진정제.
·sed·en·tar·y[sédəntèri/-təri] *a.* 줄곧 앉아 있는, 앉아서 일하는; 〖動〗 정주성(定住性)의. ***~ occupation*** 앉아서 일하는 직업.
sedge[sedʒ] *n.* Ⓤ 사초속(屬)의 식물. **sédg·y** *a.* 사초 같은〔가 무성한〕.
·sed·i·ment[sédəmənt] *n.* Ⓤ 앙금, 침전물. **-men·tal**[sèdəméntl], **-men·tar·y** *a.* **-men·ta·tion**[⌐-məntéiʃən] *n.* Ⓤ 침전 (작용), 침강.
se·di·tion[sidíʃən] *n.* Ⓤ 난동 선동, 치안 방해, 폭동 교사(행위). **-tious** *a.* 선동적인.
·se·duce[sidjúːs] *vt.* ① (여자를) 유혹하다, 꾀어내다. ② 부추기다; 황홀케 하다. **~·ment** *n.* **se·dúc·er** *n.* **se·duc·tion**[sidʌ́kʃən] *n.* **se·dúc·tive** *a.*
sed·u·lous[sédʒuləs] *a.* 부지런한; 애써 공들인. **~·ly** *ad.* **~·ness** *n.* **se·du·li·ty**[sidjúːləti] *n.*
†see[1][siː] *vt.* (***saw; seen***) ① 보다; 구경하다. ② 식별하다, 이해하다; 조사하다; 알다. ③ 만나다; 방문하다(*~ the doctor*). ④ 경험하다; 의견을 갖다, 생각하다. ⑤ 묵인하다. ⑥ 유의하다. **—** *vi.* ① 보이다, 보다, 물체를 보다. ② 알다(*Well, I ~.*). ③ 주의하다; 돌보다. ***have seen*** 〔***one's***〕 ***better*** 〔***best***〕 ***days*** 좋은〔떵떵거리던〕 때도 있었다. ***let me ~*** 글쎄; 가만 있자. ***~ about***

S

정신 차리다, 조심하다; 고려하다. ~ **after** 돌보다. ~ *a person* **home** 집에까지 바래다 주다. ~ **... done** …이 …되는 것을 확인[목격]하다; 틀림없이 …되도록 하다. **See here!** 《美》 어이, 이봐, 여보세요(《英》 I say!; Look here!). **Seeing is believing.** 《속담》 백문이 불여일견. ~ **into** 조사[간파]하다. ~ **much** [**something, nothing**] **of** (…을) 자주 만나다[더러 만나다, 거의 만나지 않다]. ~ (*a person*) **off** 배웅하다. ~ **out** 현관까지 배웅하다; 끝까지 보다; 완수하다, 해내다; 《口》 이기다. ~ **over** 검사[시찰]하다. ~ **that** …하도록 주선[주의]하다. ~ **things** 환시(幻視)를[환각을] 일으키다(*You're ~ing things!* 꿈이라도 꾸고 있는게지). ~ **through** 간파하다. ~ (*a thing*) **through** 끝까지 해내다. ~ (*a person*) **through** 도와서 완수시키다. ~ **to** …에 주의하다. ~ **to it that** …하도록 노력[배려]하다. **you** ~ 이봐, 아시겠죠. **You shall** ~. 후에 얘기하자, 차차 알게 될 게다. **∠·a·ble** *a.*

see² *n.* Ⓒ bishop의 지위[교구]; = DIOCESE. **the Holy S-** 로마 교황의 지위; 교황청.

†**seed**[si:d] *n.* (*pl.* **~s,** ~) ① Ⓤ,Ⓒ 씨, 종자. ② Ⓤ (물고기의) 알; (동물의) 정액. ③ (흔히 *pl.*) 《집합적》 자손(*of*); 근원(*of*). **go** [**run**] **to** ~ 꽃이 지고 열매를 맺다, 장다리가 돋아나다; 초췌해지다. **raise up** ~ 자식을 낳다. **sow the good** ~ 복음을 전하다. — *vi.* ① 씨를 뿌리다[가 생기다]. ② 성숙하다. — *vt.* ① (…에) 씨를 뿌리다. ② 〖競〗 시드하다《우수 선수끼리 처음부터 맞붙지 않도록 대진표를 짜다》. ~ **down** …에 씨를 뿌리다.

séed·bèd *n.* Ⓒ 묘상(苗床), 모판.

***seed·ling**[sí:dliŋ] *n.* Ⓒ 실생(實生) 식물; 모종, 묘목.

séed pèarl 알이 작은 진주(《1/4 grain 이하》).

seeds·man[sí:dzmən] *n.* Ⓒ 씨뿌리는 사람; 씨앗 장수.

seed·y[sí:di] *a.* 씨 많은; 야윈, 초라한, 기분이 좋지 않은. **séed·i·ly** *ad.*

†**seek**[si:k] *vt.* (**sought**) ① 찾다, 구하다. ② 하고자 하다. ③ (…에) 가다(~ *one's bed* 취침하다). — *vi.* 찾다, 탐구하다(*after, for*). ~ *a person's* **life** 아무의 목숨을 노리다. ~ **out** 찾아내(려고 하)다, …와의 교제를 바라다. — *n.* (열·소리·광선 등의) 목표물 탐색; 〖컴〗 자리찾기(~ *time* 자리 찾기 시간). **∠·er** *n.* Ⓒ 탐구자; (미사일의) 목표물 탐색 장치; 그 장치를 한 미사일.

†**seem**[si:m] *vi.* ① …로 보이다, …(인 것) 같다. ② 생각이 들다, 있을 것[…한 것]처럼 보이다(*There ~s no point in going.* 갔댔자 아무 소용도 없을 것 같다). **it ~s ...** …인 것 같다[처럼 생각되다]. **It ~s to me that ...** 생각컨대. **it should** [**would**] ~ = it ~s. ***∠·ing** *n., a.* Ⓤ 겉꾸[외관](의), 겉보기(만의). ***∠·ing·ly** *ad.* **∠·ly** *a., ad.* 적당한[히]; 점잖은[게]; = HANDSOME.

†**seen**[si:n] *v.* see¹의 과거분사.

seep[si:p] *vi.* 스며나오다, 새다. **∠·age** *n.* Ⓤ 스며나옴, 삼출(滲出).

***se·er**[sí:ər] *n.* (*fem.* **~ess**[sí(:)ris/síər-]) Ⓒ ① 보는 사람. ② [síər] 예언자; 환상가; 점쟁이.

seer·suck·er[síərsʌ̀kər] *n.* Ⓤ 아마 또는 면으로 짠 인도산 피륙.

:**see·saw**[sí:sɔ̀:] *n.* ① Ⓤ 시소놀이; Ⓒ 시소판. ② Ⓤ,Ⓒ 동요, 변동; 일진일퇴. — *a.* 위아래로 움직이는, 동요하는. ~ **game** 접전, 백중전.

***seethe**[si:ð] *vi.* (**~d,** 《古》 **sod; ~d,** 《古》 **sodden**) 끓어 오르다, 뒤끓다; 소연해지다. **seeth·ing**[∠iŋ] *a.*

see-through[sí:θrù:] *a.* (옷이) 내비치는. — *n.* Ⓒ 내 비치는 옷.

***seg·ment**[ségmənt] *n.* Ⓒ ① 조각, 부분, 분절(分節). ② 〖生〗 환절(環節); 〖幾〗 호(弧). ③ 〖컴〗 칸살. — *vt., vi.* 〖生〗 분열하다[시키다]; (*vt.*) 분할하다. **seg·men·tal**[segméntl] *a.* **seg·men·ta·tion**[ˌ-téiʃən] *n.* Ⓤ 〖컴〗 세그멘테이션.

seg·re·gate[ségrigèit] *vt., vi.* 분리[격리]시키다[하다](*from*); 인종차별 대우를 하다; (*vi.*) 〖結晶〗 분결(分結)하다. — [-git] *a.* 분리한.

-ga·tion[∸–géiʃən] *n.*
seis·mic[sáizmik] *a.* 지진의. ~ ***center*** [***focus***] 진원(震源)(지).
seis·mo·graph [sáizməgræ̀f, -grɑ̀:f] *n.* Ⓒ 지진계(計). **seis·mog·ra·phy**[-mɑ́grəfi/-ɔ́-] *n.* Ⓤ 지진 관측(법).
seis·mol·o·gy [saizmɑ́lədʒi/-ɔ́-] *n.* Ⓤ 지진학. **-gist** *n.* **seis·mo·log·i·cal**[∸məlɑ́dʒikəl/-ɔ́-] *a.*
:seize[si:z] *vt.* ① (붙)잡다; 압류하다. ② 이해[파악]하다; (병이) 침범하다. ③ 〖海〗 잡아[동여]매다. — *vi.* 움켜쥐다, 잡다. ***be ~d of*** … 을 가지고 있다. ***be ~d with*** (*a fever*) (열병)에 걸리다. ***~ on*** [***upon***] 꽉 붙잡다; 이용하다.
·sei·zure[sí:ʒər] *n.* ① Ⓤ (붙)잡음. ② Ⓤ 강탈; 압류. ③ Ⓒ 발작.
:sel·dom[séldəm] *ad.* 드물게, 좀처럼 …않는. ***not ~*** 때때로, 흔히.
:se·lect[silékt] *vt.* 고르다, 뽑다, 뽑아[가려]내다. — *a.* ① 뽑아[가려]낸, 극상의. ② 선택에 까다로운 (*in*); (호텔 등) 상류 계급을 위한. **~·man** [siléktmən] *n.* Ⓒ 《美》 (New England의) 도시 행정 위원.
seléct commíttee 특별 위원회.
:se·lec·tion[silékʃən] *n.* ① Ⓤ,Ⓒ 선택(물); 선발, 발췌; 가려[골라]냄. ② Ⓤ 도태(淘汰). ③ 〖컴〗 선택(~ *sort* 선택 정렬). ***artificial*** [***natural***] ~ 인위[자연] 도태.
·se·lec·tive[-tiv] *a.* ① 선택적인, 선택한, 도태의. ② 〖無電〗 분리식의.
se·lec·tiv·i·ty[silèktívəti] *n.* Ⓤ 선택(성); 〖無電〗 분리성.
se·lec·tor[səléktər] *n.* Ⓒ 선택자; 선택기; 〖無電〗 분리 장치.
:self[self] *n.* (*pl.* ***selves***) ① Ⓤ,Ⓒ 자기, 자신; Ⓤ 〖哲〗 자아, 나(ego). ② Ⓤ 진수(眞髓). ③ Ⓤ 사욕, 이기심. ④ Ⓤ 〖商〗 본인; 《諧·卑》 나[당신] 자신. ***your good selves*** 〖商〗 귀점(貴店), 귀사. — *a.* (성질·색·재료 따위가) 단일의. **∠-absórbed** *a.* 여념이 없는; 자기 중심의. **∠-absórption** *n.* Ⓤ 몰두, 자기 도취. **∠-addréssed** *a.* 반신용의, 자기 앞으로의[쓴]. **∠-adhésive** *a.* 풀기 있는 《봉투 따위》. **∠-assértion** *n.* Ⓤ 주제넘게 나섬, 자기 주장. **∠-assértive** *a.* 자기를 주장하는, 주제넘은. **∠-assúrance** *n.* Ⓤ 자신(自信). **∠-céntered,** 《英》 **-céntred** *a.* 자기 중심의. **∠-cónfidence** *n.* Ⓤ 자신. **∠-cónfident** *a.* **·∠-cónscious** *a.* 자의식이 있는[센]; 남의 앞을 꺼리는, 수줍어하는. **∠-contáined** *a.* 말 없는, 속을 털어 놓지 않는; 자기 충족의; 〖機〗 그 자체만으로 완비한; 독립한 (아파트 등). **∠-contradíctory** *a.* 자가당착의. **·∠-contról** *n.* Ⓤ 자제, 극기(克己). **∠-deféating** *a.* 자기 파멸로 이끄는; 의도와 반대로 작용하는. **·∠-defénse,** 《英》 **-fénce** *n.* Ⓤ 자위. **∠-deníal** *n.* Ⓤ 자제, 극기. **∠-determinátion** *n.* Ⓤ (남 지시에 의하지 않은) 자기 결정; 민족 자결. **∠-díscipline** *n.* Ⓤ 자기 훈련[수양]. **∠-dríve** *a.* 《英》 렌터카의. **∠-éducated** *a.* 독학의; 자학자습의. **∠-effácement** *n.* Ⓤ 표면에 나서지 않음, 자기 말살. **∠-emplóyed** *a.* 자가(自家) 경영의, 자영의. **∠-estéem** *n.* Ⓤ 자부(심), 자존(심). **·∠-évident** *a.* 자명한. **∠-examinátion** *n.* Ⓤ 자기 반성. **∠-explanátory** *a.* 자명한. **∠-expréssion** *n.* Ⓤ 자기 표현. **·∠-góvernment** *n.* Ⓤ 자치; 자제. **·∠-hélp** *n.* 자조, 자립. **∠-impórtant** *a.* 젠체하는. **∠-impórtance** *n.* **∠-impósed** *a.* 스스로 과한; 자진해서 하는. **∠-indúlgence** *n.* Ⓤ 방종. **-gent** *a.* **∠-inflícted** *a.* 스스로 초래한[부른]. **·∠-ínterest** *n.* Ⓤ 사리(私利). **∠-ínterested** *a.* 자기 본위의. **∠-máde** *a.* 자력으로 출세[성공]한. **-opínionated** *a.* 자부하고 있는; 완고한, 외고집의. **∠-percéption** *n.* Ⓤ 자각. **∠-píty** *n.* Ⓤ 자기 연민. **∠-pórtrait** *n.* Ⓒ 자화상. **∠-posséssed** *a.* 침착한. **∠-posséssion** *n.* Ⓤ 침착, 냉정. **∠-preservátion** *n.* Ⓤ 자기 보존. **∠-relíance** *n.* Ⓤ 독립 독행, 자립. **·∠-respéct(ing)** *n., a.* Ⓤ 자존(심)(이 있는). **∠-ríghteous** *a.* 독선적인. **·∠-sácrifice** *n.* Ⓤ,Ⓒ 자기 희생, 헌신. **-ficing** *a.* **∠-sátisfied** *a.* 자기만족의. **∠-séeking** *n., a.* Ⓤ 이기주의(의), 제멋대로(의).

∠-sérvice *n., a.* Ⓤ (식당 등) 자급(自給)식(의). **∠-stýled** *a.* 자임하는, 자칭의. **∠-sufficiency** *n.* Ⓤ 자급 자족; 자부. **∠-sufficient, -sufficing** *a.* (자급) 자족의; 자부심이 강한. **∠-suppórt** (-ing) *n., a.* Ⓤ 자각(이 있는), 자급(의), 자활(하는). **∠-wíll** *n.* Ⓤ 아집(我執), 억지, 고집. **∠-wílled** *a.*

:self·ish[sélfiʃ] *a.* 이기적인, 자기 본위의, 제멋대로의. **~·ly** *ad.* **~·ness** *n.*

self·same[∠sèim] *a.* 꼭〔아주〕 같은, 동일한.

†sell[sel] *vt.* (**sold**) ① 팔다; 장사하다. ② 선전하다. ③ 배신하다; 《口》 속이다(*Sold again!* 또 속았다!). ④ 납득〔수락, 승낙〕시키다, 강제하다. — *vi.* 팔리다. ***be sold on*** 《美》 …에 열중해 있다. ***~ a game*** 〔***match***〕 뇌물을 먹고 경기에서 져주다. ***~ off*** 싸구려로 처분하다. ***~ one's life dearly*** 적에게 손해를 입히고 전사하다. ***~ out*** 매진하다; 《美口》 배반하다. ***~ up*** 《英》 경매에 부치다. — *n.* ① Ⓤ 판매 전술. ② Ⓒ 《俗》 속임(수). ③ Ⓤ 《口》 실망. **∠·òut** *n.* Ⓒ 매진; (흥행물 따위의) 초만원; 배신.

:sell·er[sélər] *n.* Ⓒ 파는 사람; 팔리는 물건. ***best ~*** 날개 돋친 듯 잘 팔리는 물건〔책〕, 베스트셀러.

séllers' màrket 매주(賣主) 시장 《수요에 비해 공급이 딸려 매주에게 유리한 시황(市況)》.

séll-òff *n.* Ⓤ (주식·채권 따위의) 급락.

Sel·lo·tape [séləteìp] *n.* Ⓤ 〖商標〗 셀로테이프.

sel·vage, -vedge[sélvidʒ] *n.* Ⓒ 피륙의 변폭(邊幅)〔식서(飾緖)〕.

selves[selvz] *n.* self의 복수.

se·man·tic[simǽntik] *a.* 의의(意義)에 관한. **~s** *n.* Ⓤ 〖言〗 어의론(語義論), 의미론. **-ti·cist** *n.*

sem·a·phore[séməfɔ̀ːr] *n., vt., vi.* Ⓤ 수기(手旗)〔까치발〕 신호(로 신호하)다.

se·men[síːmən/-men] *n.* Ⓤ 정액.

·se·mes·ter[siméstər] *n.* Ⓒ (2학기 제도의) 학기(*the first ~*, 1학기).

sem·i-[sémi, -mai/-mi] *pref.* '반, 얼마간' 의 뜻. **~·ánnual** *a.* 반년마다의, 연(年) 2회의, 반기(半期)의. **~·ánnually** *ad.* **~·árid** *a.* 강수량 과소의. **~·automátic** *a.* 반자동식의 《기계·총 따위》. **~·barbárian** *a., n.* 반미개의; Ⓒ 반미개인. **∠·brève** *n.* Ⓒ 〖樂〗 온음표. **≃·centénnial** *a.* 50년 마다의. **∠·cìrcle** *n.* Ⓒ 반원. **≃·círcular** *a.* 반원(형)의(*~circular canals* (귀의) 삼반규관(三半規管)). **~·cívilized** *a.* 반문명의. **:∠·còlon** *n.* Ⓒ 세미콜론(;). **≃·condúctor** *n.* Ⓒ 〖電·컴〗 반도체. **≃·cónscious** *a.* 의식이 반 있는〔불완전한〕. **≃·detáched** *a.* 〖建〗 반분리식의. **≃·devéloped** *a.* 반쯤 발달한, 발육 부전(不全)의. **≃·documéntary** *n.* Ⓒ 〖映〗 반기록영화《기록 영화를 극영화식으로 구성한 것》. **∠·fìnal** *n., a.* Ⓒ 준결승(의). **≃·flúid, ≃·líquid** *n., a.* Ⓤ,Ⓒ 반액체(의). **≃·lúnar** *a.* 반월형의(*~lunar valve* 〖解〗 반월판). **∠·made** *a.* 자력으로 만든〔성공한〕. **≃·manufáctures** *n.* Ⓒ 반〔중간〕제품. **≃·mónthly** *a., ad., n.* 반달〔보름〕마다(의); 월 2회(의); Ⓒ 월 2회의 출판물. **≃·offícial** *a.* 반관(半官)적인. **≃·párasite** *n.* 〖生〗 반기생(半寄生). **≃·pérmeable** *a.* 〖生〗 반투성(半透性)의《막 따위》. **≃·précious** *a.* 약간 귀중(貴重)한, 준(準)보석의. **∠·pro, ~·proféssional** *a., n.* Ⓒ 반직업적인 (선수). **∠·quàver** *n.* Ⓒ 〖樂〗 16분 음표(♬). **≃·sólid** *n., a.* Ⓒ 반고체(의). **∠·tòne** *n.* Ⓒ 반음. **≃·transpárent** *a.* 반투명의. **≃·trópical** *a.* 아열대의. **∠·vòwel** *n.* Ⓒ 반모음《w, j따위》. **≃·wéekly** *ad., a., n.* Ⓒ 주(週) 2회(의); 주 2회 간행물. **≃·yéarly** *ad., a., n.* Ⓒ 연2회(의); 연2회 간행물.

sem·i·nal[sémənl, síːm-] *a.* 정액의; 〖植〗 배자(胚子)의, 종자의; 생식의; 발전성이 있는.

:sem·i·nar[sémənɑ̀ːr, ∠-∠] *n.* Ⓒ 《집합적》 (대학의) 세미나; 연습; 연구실.

·sem·i·nar·y[sémənèri/-nə-] *n.* Ⓒ

S

(고등학교 이상의) 학교; 〖가톨릭〗 신학교; 온상. **-nar·i·an**[ㅗ-néəriən/-néər-] *n.* Ⓒ 신학교의 학생.

Sem·ite[sémait/síːm-] *n.* Ⓒ 셈어족(語族)의 사람. **Se·mit·ic**[simítik] *a., n.* Ⓒ 셈 사람[족]의; Ⓤ 셈말(의).

「기울.

sem·o·li·na [sèməlíːnə] *n.* Ⓤ 밀

Sen., sen. senate; senator; senior.

:**sen·ate**[sénət] *n.* Ⓒ ① (고대 로마의) 원로원. ② 입법부, 의회. ③ (S-) (미국·프랑스의) 상원. ④ (대학의) 평의원회, 이사회.

:**sen·a·tor**[sénətər] *n.* Ⓒ 원로원 의원; (S-) 《美》 상원 의원; 평의원, 이사. **~·ship**[-ʃip] *n.* Ⓤ ~의 직(지위). **-to·ri·al**[ㅗ-tɔ́ːriəl] *a.*

†**send**[send] *vt.* (*sent*) ① 보내다; 가게 하다; 차례로 돌리다. ② 내다, 발하다, 쏘다, 던지다. ③ (신이) 베풀다, 주시다, 내리다; 빠지게 하다, …되게[되도록] 하다, …시키다(*S-him victorious.* 그를[왕을] 이기게 해 주소서《영국 국가의 구절》). ④ 〖電〗 전도하다(transmit). — *vi.* 심부름꾼[사람]을 보내다(*for*), 편지를 부치다. ~ ***a person about his business*** 쫓아내다, 해고하다. ~ ***away*** 해고하다, 내쫓다. ~ ***back*** 돌려주다. ~ ***down*** 하강[하락]시키다; 〖英大學〗 정학[퇴학]을 명하다. ~ ***for*** 부르러[가지러] 보내다. ~ ***forth*** 보내다, 내다, 발[방출]하다; 파견하다. ~ ***in*** 보내다, 제출하다. ~ ***off*** (편지·소포를) 발송하다, 내다; 쫓아버리다; 배웅하다. ~ ***on*** 회송(回送)하다. ~ ***out*** 파견하다, 보내다, 내다; (싹 따위가) 돋아나다. ~ ***over*** 파견하다; 방송하다. ~ ***round*** 돌리다, 회송하다. ~ ***up*** 올리다; 제출하다; (공을) 보내다; 《美俗》 교도소에 처넣다. ~ ***word*** 전언하다, 알리다. ***ㅗ·er*** *n.* Ⓒ 발송인; 발신[송신, 송화]기.

sénd-òff *n.* Ⓒ 《口》 송별, 배웅; (첫) 출발(*a* ~ *party* 송별회).

sénd-ùp *n.* Ⓒ 《英口》 흉내, 비꼼.

se·nes·cent[sinésənt] *a.* 늙은, 노쇠한. **-cence** *n.* Ⓤ 노후, 노쇠.

se·nile[síːnail, sén-] *a.* 고령(高齡)의; 노쇠의[에 의한]. **se·nil·i·ty** [siníləti] *n.*

:**sen·ior**[síːnjər] (cf. junior) *a.* ① 나이 많은, 연장(年長)의, 나이가 위인, 나이 더 먹은 (쪽의)《생략 sen., Sr. (*John Jones, Sr.*)》. ② 선임의, 상급의, 윗자리의. ③ 《美》 최고 학년의. — *n.* Ⓒ 연장자; 선배; 선임자; 《英》 상급생; 《美》 최상급생.

sénior cítizen 《美》 65세 이상의 시민; 연금 생활자.

sen·ior·i·ty[siːnjɔ́ːriti, -njár-] *n.* Ⓤ,Ⓒ 연장, 고참(권), 선임(임).

:**sen·sa·tion**[senséiʃən] *n.* ① Ⓤ 감각; Ⓒ 느낌; 기분(feeling). ② Ⓤ,Ⓒ 감동, (대)인기(의 것), 센세이션(*the latest* ~ 최근 평판이 된 사건[연극 (따위)]).

·**sen·sa·tion·al**[-ʃənəl] *a.* ① 감각의[이 있는]. ② 감동적인; 선풍적 인기의, 선정적인; 대평판의. **~·ly** *ad.* **~·ism**[-ìzəm] *n.* Ⓤ 선정주의; 〖哲〗 감각론. **~·ist** *n.* Ⓒ 선정적 작가; 선동 정치가; 감각론자.

†**sense**[sens] *n.* ① Ⓒ 감각(기관), 관능; 느낌, 의식, 육감, 감수력. ② (*pl.*) 제정신. ③ Ⓤ 분별(*a man of* ~ 지각 있는 사람). ④ Ⓒ 의미. ⑤ Ⓤ 다수의 의견, 여론(*the* ~ *of the meeting* 회(會)의 의향). ***come to one's ~s*** 제정신으로 돌아오다. ***common*** ~ 상식. ***five ~s*** 오감(五感). ***good*** ~ 양식. ***in a*** ~ 어떤 의미로는. ***in one's*** (***right***) ***~s*** 제정신으로. ***make*** ~ (아무의 말이) 사리에 맞다. ***make ~ of*** …의 뜻을 이해하다. ***out of one's ~s*** 제정신을 잃어. ***stand to*** ~ 이치에 맞다. ***take leave of one's ~s*** 제정신을 잃다. ***talk*** (***speak***) ~ 조리에 맞는 말을 하다. — *vt.* 느껴 알다, 《美口》 알다, 납득하다; 〖컴〗 (데이터·테이프·펀치 구멍을) 읽다.

sénse·less *a.* 무감각한, 무의식의; 무분별한. ***fall*** ~ 졸도하다. **~·ly** *ad.* **~·ness** *n.*

·**sen·si·bil·i·ty** [sènsəbíləti, -sibíli-] *n.* ① Ⓤ 감각(력), 감성; 감도. ② (종종 *pl.*) 감정, 민감; (*pl.*)(예술 등에 대한) 감수성; 의식.

:**sen·si·ble**[sénsəbəl] *a.* ① 지각할

수 있는; 느낄 정도의. ② 알아채고, 깨닫고, 알고(*of*). ③ 분별있는, 현명한. *·**-bly** *ad.*

:**sen·si·tive**[sénsətiv, -si-] *a.* ① 느끼기 쉬운; 민감한; 성 잘내는; 반응하는; 감광성(感光性)의. ② (정부 기밀 등) 극비에 부쳐야 할, 절대적 충성을 요하는. **~·ly** *ad.* **~·ness** *n.*

·**sen·si·tiv·i·ty**[sènsətívəti] *n.* U,C 민감(성), 감(수)성; 〖寫〗 감광도; 〖컴〗 민감도.

sen·si·tize[sénsətàiz] *vt.* 민감하게 하다; 감광성(感光性)을 주다. **~*d paper*** 인화지. **-tiz·er**[-tàizər] *n.* 증감제(增減劑).

sen·sor[sénsər] *n.* C 〖機·컴〗 감지기《빛·온도·방사능 따위의》.

sen·so·ry[sénsəri], **sen·so·ri·al**[sensɔ́:riəl] *a.* 지각의, 감각의; 감관(感官)의. — *n.* C 감각 기관.

·**sen·su·al**[sénʃuəl/-sju-] *a.* ① 관능적인(~ *pleasures*); 육욕의, 호색의. ② 감각의. **~·ism**[-ìzəm] *n.* U 쾌락[육욕]주의. **~·ist** *n.* **~·i·ty**[⌐–ǽləti] *n.* U 호색. **~·ize**[-àiz] *vt.* 호색하게 만들다, 타락시키다.

sen·su·ous[sénʃuəs/-sju-] *a.* 감각적인; 민감한; 미적(美的)인.

†**sent**[sent] *v.* send의 과거(분사).

†**sen·tence**[séntəns] *n.* ① C 〖文〗 문장, 글(*a simple* (*compound, complex*) ~ 단[중, 복]문). ② C 결정, 의견. ③ U,C 판결, 선고, 형벌. ④ C 《古》 격언. ⑤ C 〖樂〗 악구. ***pass*** **~** …에게 판결을 내리다(*upon*). ***serve one's*** **~** 형을 살다. — *vt.* 판결[선고]하다(*He was ~d to death by hanging.* 교수형을 선고 받았다). **-tén·tial** *a.*

sen·ten·tious[senténʃəs] *a.* 격언이 많은[을 잘 쓰는]; 간결한; 교훈조의, 짐짓 젠체하는. **~·ly** *ad.*

sen·tient[sénʃənt] *a.* 감각[지각]력이 있는; 지각하는(*of*). **sen·tience, sen·tien·cy** *n.*

:**sen·ti·ment**[séntəmənt, -ti-] *n.* ① U,C 감정, 정(*a man of ~* 감상적인 사람); 정서(cf. emotion); U 정취, 다감. ② U,C 감상; 의견.

·**sen·ti·men·tal**[⌐–méntl] *a.* 감정의; 다감한; 감상적인. **~·ism**[-təlìzəm] *n.* U 감상주의[벽(癖)], 다정다감. **~·ist** *n.* **~·ize** *vt.* **~·ly** *ad.*

·**sen·ti·nel**[séntinl] *n.* C 보초, 파수병. ***stand*** **~** 보초서다. ***keep*** **~** 파수[망]보다.

sen·try[séntri] *n.* C 보초, 감시병.

séntry bòx 보초막, 파수병막.

se·pal[sí:pəl] *n.* C 꽃받침 조각.

sep·a·ra·ble[sépərəbl] *a.* 분리할 수 있는.

:**sep·a·rate**[sépərèit] *vt., vi.* 가르다; 갈라지다; 분리하다; 별거시키다[하다]; (*vt.*) 식별하다; 불화하게 하다. — [sépərit] *a.* 갈라진, 분리한; 따로따로의, 단독의. **~ *but equal*** 《美》 (흑인에 대한) 차별 평등 병행(주의)《차별은 하지만 교육·교통 기관 따위의 이용은 평등으로 하자는 주장》. — [sépərit] *n.* C 분책(分冊); 발췌 인쇄; (*pl.*) 〖服飾〗 세퍼레이츠. *·**~·ly**[sépəritli] *ad.* 따로따로, 하나하나. **-ra·tor** *n.* C (우유의) 지방 분리기.

:**sep·a·ra·tion**[sèpəréiʃən] *n.* U,C ① 분리, 이탈. ② 별거, 이혼. ③ 〖化〗 석출(析出).

sep·a·ra·tism[sépərətìzəm] *n.* U (정치·종교의) 분리주의(opp. unionism). **-tist** *n.*

se·pi·a[sí:piə, -pjə] *n., a.* U 오징어의 먹물; 세피아 (그림물감), 세피아색《고동색》(의).

·**Sep**(**t**). September.

†**Sep·tem·ber**[septémbər, səp-] *n.* 9월.

sep·tet, 《주로 英》 **-tette**[septét] *n.* C 칠중주(곡); 7부 합창(곡); 일곱개 한조, 7인조.

sep·tic[séptik] *a.* 〖醫〗 부패(성)의.

sep·ti·ce·mi·a, -cae-[sèptəsí:miə] *n.* U 패혈증. **-mic** *a.*

séptic tànk 오수 정화조(淨化槽).

sep·tu·a·ge·nar·i·an [sèptʃuədʒənɛ́əriən, -tju:-] *a., n.* C 70세[대]의 (사람).

·**sep·ul·cher,** 《英》 **-chre**[sépəlkər] *n.* C 무덤, 매장소. ***the*** (***Holy***) ***S-*** 성묘《예수의 무덤》. ***whited*** **~** 회칠한 무덤, 위선자《마태복음 23 : 27》. — *vt.* 매장하다.

se·pul·chral[sipʌ́lkrəl] *a.* 무덤

S

의; 음침한.

se·quel[síːkwəl] *n.* Ⓒ 계속, 연속, 후편(*to*); 결과(*to*). ***in the ~*** 결국, 뒤에.

:se·quence[síːkwəns] *n.* ① Ⓤ 연속, 연쇄. ② Ⓤ (계속되는) 순서, 차례. ③ Ⓒ,Ⓤ 결과. ④ Ⓒ 〖카드〗 순서로 된 동종의 패의 한 조. ⑤ 〖컴〗 순서. ***in reqular ~*** 차례대로. ***~ of tenses*** 〖文〗 시제의 일치. — *vt.* 〖컴〗 (자료를) 배열하다. **sé·quent** *n., a.* Ⓒ 귀결, 결과; 잇단, 잇달아 일어나는; 필연적인 결과로서 일어나는(*on, upon*).

se·quen·tial[sikwénʃəl] *a.* 잇따라 일어나는; 결과로서 따르는(*to*); 〖컴〗 축차(逐次)의. — *n.* 〖컴〗 순차(~ *file* 순차(기록)철). **~·ly** *ad.*

·se·ques·ter[sikwéstər] *vt.* ① 떼어놓다; 은퇴시키다. ② (재산을) 압류〔몰수〕하다. ***~ oneself*** 은퇴하다. **~ed**[-d] *a.* 은퇴한; 깊숙이 틀어박힌, 외딴.

se·ques·trate[sikwéstreit] *vt.* 몰수하다; 《古》 =⇧. **-tra·tion**[sìːkwestréiʃən] *n.* Ⓤ 압류, 몰수; 은퇴.

se·quin[síːkwin] *n.* Ⓒ 옛 이탈리아·터키의 금화; 옷장식용의 둥근 금속판.

se·quoi·a[sikwɔ́iə] *n.* Ⓒ 세쿼이아《미국 Calif. 주산의 삼나뭇과의 거목》.

ser·aph[sérəf] *n.* (*pl.* **~s, ~im**) Ⓒ 3쌍 날개의 천사(cf. cherub). **se·raph·ic**[sərǽfik/se-] *a.*

sere[siər] *a.* 《詩》 =SEAR.

·ser·e·nade[sèrənéid, -ri-] *n.* Ⓒ 소야곡, 세레나데《사랑하는 여인 집 창 밑에서 연주〔노래함〕》. — *vt., vi.* (…에게) 세레나데를 들려주다〔노래하다〕.

:se·rene[siríːn] *a.* (하늘이) 맑게 갠(clear); 고요한, 온화〔잔잔〕한(*a ~ smile*); 평화로운. ***Your S- Highness(es)*** 전하《호칭》. **~·ly** *ad.* **·se·ren·i·ty**[sirénəti] *n.*

serf[səːrf] *n.* Ⓒ 농노(農奴)《토지와 함께 매매되는》; 혹사당하는 사람. **∠·age, ∠·dom, ∠·hood** *n.*

·serge[səːrdʒ] *n.* Ⓤ 서지, 세루《피륙》.

:ser·geant[sáːrdʒənt] *n.* Ⓒ 하사관, 중사, 상사《생략 Sergt., Sgt.》; 경사(警査); =∠ **at árms** 《英》 (왕실·의회의) 수위. **~·ship**[-ʃìp] *n.*

sérgeant májor 원사.

·se·ri·al[síəriəl] *a.* 연속(물)의; 〖컴〗 (자료의 전송·연산이) 직렬의. — *n.* Ⓒ (신문·잡지·영화 따위의) 연속물, 정기 간행물, 분책(分冊); 〖컴〗 직렬. **~·ist** *n.* Ⓒ 연속물 작가. **~·ly** *ad.*

se·ri·al·ize[síəriəlàiz] *vi.* 연재하다, 연속물로서 방영하다.

sérial nùmber 일련 번호.

:se·ries[síəriːz] *n. sing.* & *pl.* ① 일련, 연속, 계열. ② 총서, 시리즈. ③ 〖數〗 수열, 급수; 〖化〗 열(列); 〖地〗 통(統)《system(계)보다 하위의 지층(地層) 단위》; 〖電〗 직렬; 〖樂〗 (12음 음악의) 음렬(音列). ***arithmetical*** 〔***geometrical***〕 ***~*** 등차〔등비〕 급수.

ser·if[sérif] *n.* Ⓒ 〖印〗 세리프《H, I 따위의 아래위 가늘고 짧은 선》.

:se·ri·ous[síəriəs] *a.* ① 엄숙한, 진지한; (얼굴 등) 짐짓 위엄을 차린. ② 중대한; (병·상처가) 중한(opp. mild). **:~·ly** *ad.* **:~·ness** *n.*

:ser·mon[sə́ːrmən] *n.* Ⓒ 설교; 잔소리. ***the S- on the Mount*** 산상수훈(山上垂訓)《마태복음 5:7》. **~·ize**[-àiz] *vt.* 설교하다.

:ser·pent[sə́ːrpənt] *n.* Ⓒ ① (큰) 뱀. ② 음험한 사람. ③ (S-) 〖天〗 뱀자리. ***the*** (***Old***) ***S-*** 〖聖〗 악마, 유혹자.

ser·pen·tine[sə́ːrpəntàin, -tìːn] *a.* 뱀의〔같은〕; 꾸불꾸불한, 음험한. — *n.* Ⓤ 〖鑛〗 사문석(蛇紋石).

ser·rate[sérit], **-rat·ed**[séreitid/–∠–] *a.* 톱니 모양의.

ser·ried[sérid] *a.* 밀집한, 빽빽이 들어찬.

se·rum[síərəm] *n.* (*pl.* **~s, -ra**[-rə]) Ⓤ,Ⓒ 장액(漿液); 혈청.

†serv·ant[sə́ːrvənt] *n.* Ⓒ ① 하인, 머슴, 고용인. ② 봉사자(*the ~s of God* 목사). ***civil ~*** 공무원, 문관. ***public ~*** 공복(公僕), 공무원.

†serve[səːrv] *vt.* ① (…을) 섬기다, 봉사하다; 시중들다, 접대하다; (음식

을) 차려내다, 제공하다. ② (…의) 소용에 닿다, 충분하다; (…에) 도움 되다; 만족시키다; 돕다(aid). ③ 다루다, 대(우)하다; 보답〔보복〕하다. ④ 근무하다; (형기·연한 등을) 보내다. ⑤ (영장 따위) 송달하다(deliver); 〖테니스〗 서브하다. ⑥ 〖海〗 감다; (대포등을) 조작〔발사〕하다. ― *vi.* ① 섬기다, 봉사〔근무, 복역〕하다, (손님을) 시중들다. ② 소용〔도움〕되다. ③ 서브하다. ***as memory ~s*** 생각났을 때에. ***as occasion ~s*** 기회 있는대로. ***Serve(s) him* 〔*you*〕 *right!*** 《口》 꼴 좋다! ***~ one's time*** 임기〔연한, 형기〕를 (끝)마치다. ***~ out*** 분배하다; 복수하다. ― *n.* U,C 서브(방법, 차례). ***sérv·er** *n.*

†**serv·ice**[sə́ːrvis] *n.* ① (종종 *pl.*) 봉사, 공헌, 애씀; U 유용, 조력. ② U,C 근무, 직무, 공무; 군무 (***enter the ~***); (관청의) 부문, …부. ③ U 고용(살이). ④ C,U 예배(식). ⑤ U 시중, 서비스. ⑥ C 식기〔다구(茶具)〕 한벌(*a tea ~* 차세트). ⑦ C,U 기차편(便), 선편, 운행; (우편·전화·가스·수도 등의) 시설; 사업. ⑧ U (영장의) 송달; U,C 〖테니스〗 서브. ⑨ 〖海〗 감는 밧줄. ***be at a person's ~*** …의 마음대로, 임의로(*I am at your ~.* 무엇이든 말씀만 하십시오). ***have seen ~*** 실전(實戰)의 경험이 있다; 써서 낡았다. ***in active ~*** 재직중. ***in the ~*** 《英》 군무에 종사하고. ***of ~*** 도움이 되는, 유용한. ***on his* 〔*her*〕 *Majesty's ~*** 《英》 공용(公用)《공문서에 O.H.M.S.로 생략》. ***on ~*** 재직〔현역〕(의). ***take into one's ~*** 고용하다. ***take ~ with* 〔*in*〕** …에 근무하다. ***the Civil S-*** 문관. ***water ~*** (수도) 급수. ― *vt.* ① (가스·수도 등을) 공급하다. ② 무료로 수리하다; (…을) 수리하다. ③ (수컷이 암컷과) 교미하다. ― *a.* ① 실용의. ② 고용인용의. ③ 일상용의(cf. fulldress). ***~·a·ble** *a.* 쓸모 있는, 소용에 닿는(*to*); 오래 쓸 수 있는.

sérvice àrea 〖放〗 (TV·라디오의) 시청 가능 구역.

sérvice chàrge 서비스 요금, 수수료.

sérvice flàt 《英》 식사제공 아파트.

sérvice·màn *n.* C (현역) 군인; 현역병; 《美》 수리공.

sérvice ròad 지선(支線)〔구내(構內)〕 도로.

sérvice stàtion 주유소; 수리소.

sérvice·wòman *n.* C 여군. 「KIN.

ser·vi·ette [səːrviét] *n.* = NAP-

***ser·vile**[sə́ːrviːl, -vail] *a.* 노예의; 천한, 야비한, 굴욕적인, 자주성이 없는. **ser·víl·i·ty** *n.* U 노예 상태〔근성〕; 굴종; 예속.

***ser·vi·tude**[sə́ːrvətjùːd/-vitjùːd] *n.* U ① 노예 상태. ② 고역, 복역.

ser·vo[sə́ːrvou] *n.* C 서보모터, 간접조속(調速)장치.

ses·a·me** [sésəmi] *n.* C 참깨(씨). ***Open ~! 열려라 참깨!《주문》.

‡**ses·sion**[séʃən] *n.* ① U,C 개회〔개정〕(기)(***in ~*** 개회〔개정, 회의〕중). ② C 수업(시간), 학기. ③ 〖컴〗 작업 시간. ***Court of S-*** 《Sc.》 최고 민사 법원. ***petty ~s*** 《英》 (치안 판사에 의한) 즉결 심판. ***~·al*** *a.*

†**set**[set] *vt.* (***set; -tt-***) ① (…에) 두다, 놓다, 자리잡아 놓다(place); 끼우다; 심다, (씨를) 뿌리다; 세우다; 갖다 대다, 접근시키다; (활자를) 짜다. ② 향하다; (눈길·마음 따위를) 쏟다; (돛을) 올리다(*~ sail* 출범하다). ③ (도장을) 찍다; (불을) 붙이다; (암탉에게) 알을 안기다. ④ (값을) 매기다; (모범을) 보이다; (문제를) 내다. ⑤ (뼈를) 잇다, 접골하다; (톱의) 날을 세우다; (시계를) 맞추다; 덫〔함정〕을 놓다. ⑥ 고정시키다; (머리칼을) 길들이다, 잠재우다. ⑦ 종사시키다(*to*), 집중하다(*on*). ⑧ 정하다; 약속하다; (가사에) 곡조를 붙이다. ⑨ …하게 하다, …상태로 하다; …시키다(make)(*~ the bell ringing* 종을 울리다). ― *vi.* ① (해·별 등이) 지다, 기울다. ② 굳어지다, 고정하다; 여물다, 익다. ③ 종사하다, 착수하다(*~ to work*). ④ 흐르다, 향하다; (흐름이 …로) 향하다(tend)(*to*). ⑤ 꺾꽂이하다. ⑥ (옷이) 맞다. ⑦ (사냥개가) 멈춰 서서 사냥감을 가리키다. (cf. setter);

S

(암탉이) 알을 품다(brood). ***be hard*** ~ 곤궁한 처지에 있다. ~ ***about*** 시작하다(~ *about doing*); 《英》 말을 퍼뜨리다. ~ ***against*** 비교〔대조〕하다; 균형잡다; 대항시키다, 이간하다. ~ ***apart*** 따로 떼어〔남겨〕두다(reserve). ~ ***aside*** 치우다, 남겨두다; 버리다, 폐기하다. ~ ***at*** …을 덮치다, 부추기다. ~ ***back*** 저지하다; (시계 바늘을) 뒤로 돌리다. ~ ***bread*** 〖料理〗 빵을 이스트로 부풀리다. ~ ***by*** 곁에 두다〔놓다〕, 치우다; 저축하다; 존중하다. ~ ***down*** (내려) 놓다; (차에서) 내리게 하다; 정하다; 적어넣다; (…의) 탓〔원인〕으로 돌리다(ascribe)(*to*); (…라고) 생각하다(*as*). ~ ***forth*** 진술〔말〕하다, 설명하다; 출발하다; 《廢》 발포〔발행〕하다. ~ ***forward*** 《古》 촉진하다. ~ ***in*** 밀물지다, (조수가) 밀다; 밀어닥치다, (계절이) 시작되다, 정해지다, 확정되다. ~ ***light*** 〔***little***〕 ***by*** …을 경시하다 (cf. ~ by). ~ ***off*** 구획짓다, 가르다; (대조로) 드러나게〔두드러지게〕 하다, 꾸미다, 강조하다; 에끼다(against); 발사하다, (꽃불을) 올리다; 크게 칭찬하다; 폭발〔폭소〕시키다; 출발시키다〔하다〕. ~ ***on*** 부추기다; 덮치다, 공격하다; 착수〔출발〕하다. ~ ***on foot*** 시작하다. ~ ***oneself against*** …에 대적하다. ~ ***out*** 표시하다, 발포하다, 진술〔말〕하다, 설명하다; 구획짓다, 분계(分界)하다, 측정하다, 할당하다, 제한하다; 진열하다, 〖土木〗 (계획 위치를) 현장(現場)에 설정하다, (돌을) 쑥 내밀게 놓다, (간격을 두고 나무를) 심다; 〖印〗 활자 사이를 띄어 짜다; (여행)길을 떠나다, 착수하다; (조수가) 빠지다. ~ ***over*** …위에 놓〔두〕다; 양도하다; 지배하다. ~ ***to*** 시작하다. ~ ***up*** 세우다, 일으키다, 올리다; 설립하다; 개업하다; 공급하다, (마련하여) 내다; 《俗》 한턱하다; (소리를) 높이다; 제출〔신고〕하다; 보이다; 입신〔출세〕시키다; 원기를 북돋우다, 취하게 하다; (활자를) 짜다. ~ ***up for*** …라고 〔…을〕 자칭하다, …을 자처하다. ~ ***upon*** 공격하다. — ***a.*** ① 고정된; (눈길 따위가) 움직이지 않는; 단호한. ② 규정된〔대로의〕, 정식의; 예정〔지정〕된(*at the* ~ *time*). ③ 일부러 지은〔꾸민〕, 어색한(*a* ~ *smile* 억지웃음). ***all*** ~ 《口》 만반의 준비를 갖추어. ***of*** 〔***on, upon***〕 ~ ***purpose*** 일부러. ~ ***phrase*** 성구(成句), 상투어구. ***with*** ~ ***teeth*** 이를 악물고. — ***n.*** ① Ⓤ 《詩》 (해가) 짐, 저묾, 일몰. ② Ⓒ (한) 세트, 한 벌(*a radio* 〔*TV*〕 ~ / *a* ~ *of dishes*); (책·잡지의) 한 질; (서적의) 부; 〖컴〗 설정, 집합, 세트. ③ Ⓒ 〖테니스〗 세트. ④ Ⓒ 〖鑛〗 (측벽의) 동발; 어린 나무, 모〔꺾꽂이〕나무. ⑤ (*sing.*) 《집합적》 (둥지 속의) 한 배에 낳은 알; 동아리, 한 패(거리), 동무; 사람들(*the literary* ~ 문단인). ⑥ (*sing.*) 추세, 경향(drift); 정해진 변형; 휨, 굽음; (the ~) 모양(새), 태도. ⑦ Ⓒ 무대 장치, 대도구, 세트. ⑧ 〖獵〗 = ***déad*** ∠ (사냥개가) 사냥물을 발견하고 멈춰섬. ⑨ Ⓒ 〖數·論〗 집합. ***best*** ~ 상류 사회.

sét·bàck ***n.*** Ⓒ 좌절, 차질; 퇴보, 역류(逆流); 〖建〗 (고층 빌딩 상부의) 단형(段形) 물림.

sét pìece 〖劇〗 소품(小品).

sét squàre 삼각자(triangle).

set·tee[setíː] ***n.*** Ⓒ (등널이 있는) 긴 의자.

set·ter[sétər] ***n.*** Ⓒ ① set하는 사람. ② 세터《사냥물을 가리키는 사냥개》. ③ 식자공; 선동자; 밀고자.

·**set·ting**[sétiŋ] ***n.*** ① Ⓤ 둠, 놓음, 붙박아둠; (보석) 박아넣기; Ⓒ 박아넣는 대. ② Ⓤ (톱) 날세움. ③ Ⓤ 작곡; Ⓒ (작곡된) 곡. ④ Ⓒ 〖劇〗 장치, 배경; 환경. ⑤ Ⓤ (해·달의) 짐. ⑥ Ⓒ (새의) 한 배의 알. ⑦ Ⓤ 〖印〗 식자.

†**set·tle**[1][sétl] ***vt.*** ① (…에) 놓다, 정치(定置)〔설정〕하다; 자리잡게 하다, 안정〔정주, 취업〕시키다, 식민하다. ② 결정하다; 해결하다, 조정하다, 결말짓게 하다. ③ 진정시키다; 맑게 하다, 침전시키다; 굳어지게 하다. ④ 결산〔청산〕하다; 정돈〔정리〕하다. ⑤ (유산·연금 따위를) 주다, 넘겨〔물려〕 주다(*on, upon*). — ***vi.*** ① 자리잡다, 정주(定住)하다; 안정되다. ② 결심하다; 결말짓다, 해결〔처

리]되다. ③ 가라앉다; 침하(沈下)[침전]하다, 맑아지다. ④ (새 따위가) 앉다. ⑤ 기울다. ～ ***accounts with*** ***a person*** 아무에게 셈을 치르다, 아무와 셈을 청산하다. ～ ***down*** (흥분 따위가) 가라앉다, 조용해지다; 침전하다; 정주하다; 자리잡다, 이주하다; (일 따위를) 본격적으로 대들어 하다. ～ ***in*** 정주[거류]하다; 식민하다; (새 집에) 자리잡게 하다. ～ ***into shape*** 모양[윤곽]이 잡히다. ～ ***on*** [***upon***] (법적으로) 정하다; (재산을) 물려주다. ～ ***one's affairs*** 유언을 써 (만사를 정해) 두다. ～ ***oneself*** 거처를 정하다[잡다]; 자리잡다; 털썩 앉다. ～ ***up*** 처리[해결]하다; 지불하다. ～ ***with*** …와 화해[사화]하다; 결말[타결]을 짓다; 결제하다. *～**d**[-d] *a.*

set·tle[2] *n.* Ⓒ (팔걸이가 있고, 등널이 높은) 긴 벤치.

:**set·tle·ment**[-mənt] *n.* ① Ⓒ 낙착, 결말, 해결, 화해, 결정. ② Ⓤ 정주(定住); 생활의 안정, 자리잡음; Ⓒ 정주지. ③ Ⓤ 침전. ④ Ⓒ 변제, 결산; 〖法〗 (권리·재산 등의) 수여, 양도; 증여 재산. ⑤ Ⓤ 이민; Ⓒ 식민[거류]지; 《美》 부락. ⑥ Ⓒ 인보(隣保) 사업단《빈민가 개선 사업단》. ***Act of S-*** 〖英史〗 왕위 계승령(令).

:**set·tler**[sétlər] *n.* Ⓒ ① 식민하여 사는 사람. ② 식민자. ③ 해결자; 침전기. ④ 《口》 마지막 결말을 짓는 것; 이주자.

sét-tò *n.* (a ～) 《口》 주먹다짐[싸움]; 말다툼, 시비.

*__sét·ùp__ *n.* Ⓒ ① (기계 따위의) 조립; 구성; 기구, 조직; 설비. ② 자세, 몸가짐. ③ 《美口》 짬짜미 경기. ④ 《美》 (술에 필요한) 소다수·얼음·잔 등의 일습. ⑤ 〖컴〗 준비, 세트업.

†**sev·en**[sévən] *n., a.* Ⓤ,Ⓒ 일곱(의), 7(의); Ⓤ 일곱시. ***seventy times*** ～ 〖聖〗 몇 번이고《마태복음 18: 22》.

†**sev·en·teen**[-tíːn] *n., a.* Ⓤ,Ⓒ 17(의). ***sweet*** ～ 묘령. :～**th** *n., a.* Ⓤ 열일곱(번)째(의); Ⓒ 17분의 1(의).

†**sev·enth**[-θ] *n., a.* Ⓤ 일곱째(의); Ⓒ 7분의 1(의).

†**sev·en·ty**[sévənti] *n., a.* Ⓤ,Ⓒ 70(의). ～ ***times*** SEVEN. ***the seventies*** (나이의) 70대; 70년대. **-ti·eth**[-iθ] *n., a.* Ⓤ 70번째(의); Ⓒ 70분의 1(의).

*__sev·er__[sévər] *vt.* 절단[분할, 분리]하다. ― *vi.* 떨어[잘라, 끊어]지다. ～ ***one's connection with*** …와 관계를 끊다.

†**sev·er·al**[sévərəl] *a.* ① 몇몇의, 몇 개[사람]의. ② 여러 가지의(various); 각기[각자, 각각]의. ***S- men,*** ～ ***minds.*** 《속담》 각인 각색. ― *pron.* 몇몇, 몇 개[사람]. ～**·fold**[-fòuld] *a., ad.* 몇 겹의[으로], 몇 배의[로]. ～**·ly** *ad.* 각각, 제각기; 따로따로.

sev·er·ance[sévərəns] *n.* Ⓤ,Ⓒ 분리; 단절; 해직.

séverance pày 해직 수당.

:**se·vere**[sivíər] *a.* ① 엄한, 호된, 모진, 가혹한. ② 격렬한; (병이) 중한; 중대한; 곤란한. ③ 엄숙한; (추론(推論) 따위) 엄밀한. ④ (문체가) 군더더기 없는, 수수한; (건축 양식이) 간소한. ～**·ness** *n.*

:**se·vere·ly**[sivíərli] *ad.* ① 호되게; 격심하게; 간소하게.

*__se·ver·i·ty__[sivérəti] *n.* Ⓤ ① 엄격, 가혹; 엄중; 통렬함. ② 간소, 수수함.

:**sew**[sou] *vt.* (～***ed; sewn,*** ～***ed***) 꿰매다, 박다, 깁다; 꿰매어 붙이다(*on*). ― *vi.* 바느질하다. ～ ***in*** 꿰매[박아] 넣다. ～ ***up*** 꿰매[박아] 잇다, 꿰매 붙이다.

sew·age[súːidʒ/sjúː(ː)-] *n.* Ⓤ 시궁창, 하수 오물.

*__sew·er__[súːər/sjúər] *n.* Ⓒ 하수구(溝). ～**·age** *n.* Ⓤ 하수 설비.

*__sew·ing__[sóuiŋ] *n.* Ⓤ 재봉.

séwing machìne 재봉틀.

*__sewn__[soun] *v.* sew의 과거분사.

:**sex**[seks] *n.* ① Ⓤ 성(性). ② Ⓒ (보통 the ～) 《집합적》 남성, 여성. ③ Ⓤ 성교, 성욕. ***the fair*** [***gentle***(***r***), ***softer, weaker***] ～ 여성. ***the rough*** [***sterner, stronger***] ～ 남성.

sex-[seks] '여섯, 6'의 뜻의 결합사.

séx appèal 성적 매력.

sex·ism[séksizəm] *n.* Ⓤ 남녀 차

별(주의).

sex·less[sékslis] *a.* 무성(無性)의.

sex·ol·o·gy[seksálədʒi/-ɔ́-] *n.* Ⓤ 성과학.

sex·tant[sékstənt] *n.* Ⓒ 〖海〗 육분의(六分儀); 《稀》 원의 6분의 1.

sex·tet(te)[sekstét] *n.* Ⓒ 6중창〔주〕; 여섯(개) 한 짝〔조〕.

sex·ton[sékstən] *n.* Ⓒ 교회 관리인, 교회의 사찰.

:**sex·u·al**[sékʃuəl/-sju-] *a.* ① 성(性)의. ② 〖生〗 유성(有性)의. ~ ***appetite*** 〔***intercourse***〕 성욕〔성교〕. ~ ***generation*** 〖生〗 유성(有性) 세대. **~·ly** *ad.* **·~·i·ty**[sèkʃuǽləti/-sju-] *n.* Ⓤ 성별; 성적임; 성욕.

sex·y[séksi] *a.* 《口》 성적인; 성적 매력이 있는.

Sgt. sergeant.

:**shab·by**[ʃǽbi] *a.* ① 초라한; (선물 따위가) 쩨쩨한. ② 입어서 낡은. **-bi·ly** *ad.* **-bi·ness** *n.*

shack[ʃæk] *n.* Ⓒ (초라한) 오두막. — *vi.* 살다, 머무르다. ~ ***up*** 《美俗》 동서(同棲)하다; 숙박하다.

·**shack·le**[ʃǽkəl] *n., vt.* Ⓒ (보통 *pl.*) 수갑, 차꼬, 쇠고랑(을 채우다); 속박(하다), 방해(하다).

†**shade**[ʃeid] *n.* ① Ⓤ (종종 the ~) 그늘; 응달; 〖컴〗 그늘, 음영(陰影). ② (*pl.*) (해질녘의) 어둠, 땅거미. ③ Ⓒ 차양, 커튼, 차일. ④ Ⓒ (명암의 도에 따른) 색조, 색의 뉘앙스. ⑤ Ⓒ 미미한 차; (a ~) 약간, (마음에) 좀(*a* ~ *larger* 좀 큰 듯싶음). ⑥ Ⓒ 망령(亡靈); (*pl.*) 저승(Hades). ***cast*** 〔***put, throw***〕 *…* ***into the*** ~ 무색케 하다. ***without light and*** ~ (그림·문장이) 단조로운. — *vt.* ① 그늘지게 하다, …으로부터 빛을 막다, 가리다, 어둡게 하다. ② 바림하다; (그림에) 음영〔그늘〕을 나타내다. ③ 조금씩 변화시키다. — *vi.* (색조·의미 따위가) 조금씩 변해〔달라져〕가다(*into, off, away*). **shád·ing** *n.* Ⓤ 그늘지게 하기; (그림의) 명암〔음영〕법; (빛깔·명암 따위의) 미세한〔점차적인〕 변화. **∠·less** *a.*

:**shad·ow**[ʃǽdou] *n.* ① Ⓒ 그림자; 영상(映像). ② Ⓒ 명목뿐인 것; 곡두, 환영, 유령. ③ Ⓒ 미행자; 종자(從者). ④ (the ~s) 어둠, 땅거미. ⑤ Ⓒ (명성 등에 던지는) 어두운 그림자; 우울. ⑥ (*sing.*) 흔적, 자취, 조금, 약간. ⑦ Ⓒ 조짐, 징조. ***be worn to a*** ~ 몹시 수척하다. ***catch at ~s*** 헛수고하다. ***live in the*** ~ 세상에 알려지지 않고 살다. ***quarrel with one's own*** ~ 하찮은 일에 화를 내다. ***the*** ~ ***of a shade*** 환영(幻影). ***the*** ~ ***of night*** 야음. ***under*** 〔***in***〕 ***the*** ~ ***of*** …의 보호 밑에; …의 바로 곁에. — *a.* 《英俗》 (다급할 때 댈 수 있도록) 대강 모양이 된. — *vt.* ① 가리다, 어둡게 하다; 덮다; 그림자를 만들다; 《古》 보호하다. ② (그림처럼 붙어 다니다, 미행하다. ③ 조짐을 보이다(*forth*). ④ 우울하게 하다.

shádow·bòxing *n.* Ⓤ 〖拳〗 단독 연습.

·**shad·ow·y**[ʃǽdoui] *a.* ① 그림자 있는, 어두운; 몽롱한, 어렴풋한. ② 유령과 같은; 공허한, 덧없는.

·**shad·y**[ʃéidi] *a.* ① 그늘〔응달〕의, 그늘을 이루는; 희미한. ② 《口》 뒤가 구린, 수상한, 좋지 않은. ***keep*** ~ 《美俗》 비밀로 하다. ***on the*** ~ ***side of*** (*forty*) (사십)의 고개를 넘어. **shád·i·ly** *ad.* **shád·i·ness** *n.*

:**shaft**[ʃæft, -ɑ-] *n.* Ⓒ ① 화살대, 창자루; 화살, 창. ② 샤프트, 굴대, 축(軸); 깃대; (수레의) 채; 굴뚝; 〖植〗 나무 줄기; 〖動〗 (새의) 깃촉; 〖建〗 기둥몸. ③ (엘리베이터의) 통로; 〖鑛〗 수갱(竪坑); 배기 구멍. ④ 광선. ⑤ (비웃음 따위의) 화살.

shag[ʃæg] *n.* Ⓤ 더부룩한 털, 거친 털; 보풀(일게 짠 천); 거친 살담배. — *vt.* (**-gg-**) 더부룩하게 하다.

·**shag·gy**[∠i] *a.* 털복숭이의, 털이 더부룩한〔많은〕. **-gi·ly** *ad.* **-gi·ness** *n.*

shággy-dóg stòry 듣는 이에겐 지루한 얼빠진 이야기; 말하는 동물 이야기.

shah[ʃɑː] *n.* (Per.) Ⓒ 이란 국왕의 칭호.

:**shake**[ʃeik] *vt.* (***shook; shaken***) ① 흔들다, 떨다, 진동시키다. ② 흩뿌리다; 휘두르다; 흔들어 깨우다(*up*); 흔들어 떨어뜨리다; 떨어버리다(*from; out of*). ③ 놀래다(*be ~n* *at* …에 흠칫 놀라다). ④ 흔들리게 하다. ― *vi.* ① 떨다, 진동하다; 흔들리다. ② 〖樂〗 진음(顫音)을 쓰다. ③ 악수하다. ~ **a foot** 〔**a leg**〕 바삐 걷다, 댄스하다. ~ (*a person*) **by the hand** 악수하다. ~ **down** 흔들어 떨어뜨리다; 자리잡(히게 하)다; 동료와〔환경에〕 익숙해지다; 《美俗》 돈을 빼앗다, 등치다. ~ **hands with** 악수하다. ~ **in one's shoes** 전전긍긍하다, 벌벌 떨다. ~ **off** 떨어 버리다, 쫓아 버리다; (버릇·병 따위를) 고치다. ~ **oneself together** 용기를 내다. ~ **one's head** 고개를 가로 젓다《거절·비난》. ~ **one's sides** 배를 움켜쥐고 웃다. ~ **out** (속의 것을) 흔들어 떨다; (기 따위를) 펼치다. ~ **up** 세게 흔들다, (액체를) 흔들어 섞다; (베개를) 흔들어 모양을 바로잡다; 깨게 하다; 편달하다; 섬뜩하게 하다. ― *n.* Ⓒ ① 흔들림, 동요; 《口》 지진; (the ~s) 《口》 오한. ② 《美》 흔들어 만드는 음료(*a milk* ~ 밀크 셰이크). ③ 순간. ④ (땅 따위의) 균열, (목재의) 갈라진 틈. ⑤ 〖樂〗 전음. **all of a** ~ 덜덜 떨어. **be no great** ~**s** 《俗》 대단한 일〔것〕이 못 되다. **give a** ~ 흔들다; 내쫓다. **in the** ~ **of a lamb's tail,** or **in two** ~**s** 눈 깜짝할 사이에, 삽시간에.

sháke·dòwn *n., a.* Ⓒ 조정; 가〔임시〕침대; 이잡듯하는 수색; Ⓤ,Ⓒ 《美俗》 등침, 강취(強取), 수회(收賄); 성능 테스트의〔를 위한〕《항해·비행 따위》.

shak·er [ʃéikər] *n.* Ⓒ ① 흔드는 사람〔도구〕; 교반기. ② 뿌리개《소금·후추 따위를 담은》. ③ (S-) 진교도(震敎徒)《미국 기독교의 일파》(cf. Quaker).

˙shak·y [ʃéiki] *a.* 흔들리는, 떠는; 비슬비슬하는, 위태로운, 불확실한. **look** ~ 얼굴빛이 나쁘다.

shale [ʃeil] *n.* Ⓤ 혈암(頁岩), 이판암(泥板岩).

†shall [強 ʃæl, 弱 ʃəl] *aux. v.* (p. **should**) ① 1인칭에서 단순 미래를 〔예정을〕 나타냄(*I* ~ *be at home tomorrow.*) 《美口語에서는 이 때에도 will이 보통》. ② 2〔3〕인칭에서 말하는 사람의 의사를 나타냄(*You* ~ *have it.* 자네에서 주겠네/*He* ~ *come.* 그를 오게 하시오). ③ 1인칭에서 특히 강한 의사를 나타냄(*I* ~ 〔強 ʃæl〕 *go.* 무슨 일이 있어도 간다). ④ 각 인칭을 통해서 의무·필요·예언 따위를 나타냄(*Rome* ~ *perish.* 로마는 망하리라). ⑤ 《의문문》 1〔3〕인칭에서 상대의 의사를 물음(*S- I do it?; S- she sing?* 그 여자에게 노래를 시킬까요); 2인칭에서 상대의 예정을 물음 《단순미래》(*S- you be at home tomorrow?*): ⇨should.

shal·lot [ʃəlát/-ɔ́-] *n.* Ⓒ 〖植〗 골파류.

:shal·low [ʃǽlou] *a., n.* 얕은; 천박한; Ⓒ (보통 *pl.*) 여울. ― *vt., vi.* 얕게 하다〔되다〕.

sham [ʃæm] *n., a.* Ⓤ 가짜(의), 속임(의); Ⓒ 협잡꾼, 사기꾼. ~ **fight** 모의전, 군사 연습. ― *vt., vi.* (**-mm-**) 짐짓 …하는 체하다〔시늉을 하다〕, (…을) 가장하다.

sha·man [ʃáːmən, ʃǽm-] *n.* Ⓒ 샤먼, 무당; 《一般》 주술사.

sham·ble [ʃǽmbəl] *n., vi.* Ⓒ 비틀걸음; 비슬비슬 걷다.

sham·bles [ʃǽmbəlz] *n. sing.* & *pl.* ① Ⓒ 도살장. ② (a ~) 수라장; 대혼란.

:shame [ʃeim] *n.* ① Ⓤ 부끄럼, 수치; 불명예; 치욕. ② (a ~) 창피〔지독〕한 일(*What a* ~*!* 이거 무슨 창피인가!; 그건 너무하다). **cannot do ... for very** ~ 너무 부끄러워서 …할 수 없다. **from** 〔**for, out of**〕 ~ 부끄러워. **life of** ~ 부끄럽고 더러운 생활, 추업(醜業). **past** 〔**dead to**〕 ~ 부끄럼을〔수치를〕 모르는. **put** *a person* **to** ~ 창피를 주다. **S-** (**on you**)**!, For** ~**!,** or **Fie, for** ~**!** 아이구, 부끄럽지도 않으냐!; 그게 무슨 망신이냐! **think** ~ 수치로 알다(*to* do). ― *vt.* 부끄럽게 하다; 부끄러워 …하게 하다(*into; out of* doing); 모욕하다.

sháme·fàced *a.* 부끄러워〔수줍어〕하는; 스스러워하는, 숫기 없는. ~**·ly** *ad.* ~**ness** *n.*

˙shame·ful [⌐fəl] *a.* 부끄러운, 창피한. ~**·ly** *ad.* ~**·ness** *n.*

˙shame·less [⌐lis] *a.* 부끄럼을 모

르는, 파렴치한.
sham·my[ʃǽmi] *n.* = CHAMOIS.
˙**sham·poo**[ʃæmpúː] *vt.* (비누·샴푸로 머리를) 감다, 씻다; 《古》 마사지하다. — *n.* (*pl.* **~s**) Ⓒ 머리감기; [U,C] 세발제, 샴푸.
sham·rock[ʃǽmrɑk/-rɔk] *n.* [U,C] 토끼풀, 클로버.
shan·dy(**·gaff**)[ʃǽndi(gæ̀f)] *n.* [U,C] 맥주와 진저에일의 혼합주.
shank[ʃæŋk] *n.* Ⓒ 정강이; 다리; 손잡이, 자루, 긴 축(軸); 활자의 몸체〔인쇄 안 되는 부분〕; 구두창의 땅 안 밟는 부분; 《美口》 끝, 마지막, 나머지(*the* ~ *of the evening* 저녁 무렵). ***ride* 〔*go on*〕 *Shank's mare*** 걸어서 가다, 정강말 타다.
˙**shan't**[ʃænt, -ɑː-] shall not의 단축.
shan·ty[1][ʃǽnti] *n.* Ⓒ 오두막, 판잣「집; 《濠》 선술집.
shan·ty[2] *n.* Ⓒ 뱃노래(chant(e)y).
†**shape**[ʃeip] *n.* ① [U,C] 모양, 형상; Ⓒ 형(型), 골. ② Ⓤ 자태, 꼴, 모습; Ⓒ 어렴풋한 모습(*a* ~ *of fear* 무서운 모습, 유령). ③ Ⓤ 상태, 형편. ***get* 〔*put*〕 *into* ~** 모습〔꼴〕을 갖추다, 형태를 이루다; 구체화하다. ***take* ~** 구체화하다, 실현하다. — *vt.* ① 모양짓다, 형태를 이루다. ② 맞추다(*to*); (진로 등을) 정하다, 방향짓다. ③ 말로 표현하다(~ *a question*). — *vi.* ① 형태를〔모양을〕 취하다, 모양이 되다. ② 다 되다, 구체화하다; 발전하다. **~ *up*** 《口》 일정한 형태〔상태〕가 되다; 잘 되어가다(*Everything is shaping up well.* 만사가 잘 되어 간다); 동조하다; 좇다; 몸의 상태를 조절하다. ˙**∠·less** *a.* **∠·ly** *a.* 모양이 좋은.
shard[ʃɑːrd] *n.* Ⓒ 사금파리; 파편, 단편; (딱정벌레의) 겉날개, 시초.
†**share**[1][ʃɛər] *n.* ① (*sing.*) 몫, 할당; 분담. ② Ⓤ 역할. ③ Ⓒ 주(株)(식). ***go* ~*s*** 똑같이 나누다〔분담하다〕(*in, with*). ***on* ~*s*** 손익을 공동으로 분담하여. **~ *and* ~ *alike*** 등분하여; 똑같이 나누어. — *vt.* 분배〔등분, 배당〕하다; 함께 하다; 분담하다(*in, with; between, among*).
shár·er *n.*
share[2] *n.* Ⓒ 보습의 날.
sháre·cròp *vi.* (**-pp-**) 《美》 소작하다. **~per** *n.* Ⓒ 《美》 소작인.
sháre·hòlder *n.* Ⓒ 주주(株主).
sha·ri·a[ʃəríːə] *n.* Ⓒ 이슬람법, 성법(聖法), 샤리아.
:**shark**[ʃɑːrk] *n., vt., vi.* Ⓒ 상어; 사기꾼; 《美俗》 수완가; 속여 빼앗다; 사기하다.
:**sharp**[ʃɑːrp] *a.* ① 날카로운. ② 예민한, 빈틈없는, 교활한; (물매가) 가파른. ③ 매서운, 통렬한(~ *words*); 살을 에는 듯한, 차가운. ④ 또렷한, 선명한; 활발한, 빠른(*a* ~ *walk*); 《俗》 멋진. ⑤ 새된, 드높은(*a* ~ *voice*); 〖樂〗 반음 높은(opp. flat); 〖音聲〗 무성음의《p, t, k, 따위》. ***as* ~ *as a needle*** 몹시 야무진, 빈틈없는. ***Sharp's the word!*** 자 빨리, 서둘러라! **~ *practices*** 사기. **~ *tongue*** 독설. — *ad.* ① 날카롭게. ② 갑자기; 꼭, 정각(*at two o'clock* ~). ③ 기민하게, 날쌔게(*Look* ~*!* 조심해!; 빨리!); 빈틈 없이. ④ 〖樂〗 반음 높게. — *n.* Ⓒ ① 〖樂〗 샤프, 올림표(♯). ② 《口》 사기꾼. ③ 《口》 전문가.
˙**sharp·en**[∠ən] *vt., vi.* 날카롭게 하다〔되다〕, 갈다. **~·er** *n.* Ⓒ 가는 사람; 가는〔깎는〕 기구.
shárp-éyed *a.* 눈이 날카로운〔매서「운〕.
:**sharp·ly**[ʃáːrpli] *ad.* ① 날카롭게. ② 세게, 호되게. ③ 급격하게; 날쌔게. ④ 빈틈없이. ⑤ 뚜렷이.
shárp·shòoter *n.* Ⓒ 사격의 명수, 명사수, 저격병.
:**shat·ter**[ʃǽtər] *vt.* ① 부수다, 분쇄하다. ② (손)상하다, 파괴하다. — *n.* (*pl.*) 파편, 엉망이 된 상태.
shátter·pròof *a.* (깨어져도) 조각나 흩어지지 않는《유리 따위》.
:**shave**[ʃeiv] *vt.* (**~d; ~d, shaven**) ① 면도하다; 깎다; 밀다. ② 스쳐 지나가다, 스치다. — *vi.* 수염을 깎다. — *n.* Ⓒ ① 면도; 깎음; 깎은 부스러기, 깎는 연장. ② 스칠듯 말듯한 통과, 가까스로의 탈출. ***be* 〔*have*〕 *a close* ~ (*of it*)** 아슬아슬하게 모면하다. ***by a* (*close, narrow, near*) ~** 하마터면, 아슬아슬하게. **sháv·er** *n.* Ⓒ 깎는〔면도하는〕 사람; 이발사; 대패질하는 사람; 면도

기구; 《口》 꼬마, 풋내기.

***shav·ing** [ʃéiviŋ] *n.* ① Ⓤ 면도함〔질〕, 깎음. ② Ⓒ (보통 *pl.*) 깎아낸 부스러기, 대팻밥.

sháving brùsh 면도용 솔.

sháving crèam 면도용 크림.

***shawl** [ʃɔːl] *n.* Ⓒ 숄, 어깨 걸치개.

†**she** [ʃiː, 弱 ʃi] *pron.* 그 여자(는, 가)《배·국가·도시 따위도 가리킴》. ── *n., a.* Ⓒ 여자, 아가씨; 암컷(의) (*a* ~ *cat* 암고양이/*a* ~ *goat* 암염소/*two* ~*s and a he*).

sheaf [ʃiːf] *n.* (*pl.* **sheaves** [ʃiːvz]) Ⓒ (벼·화살·책 따위의) 묶음, 다발. ── *vt.* 다발〔단〕짓다, 묶다.

***shear** [ʃiər] *vt., vi.* (~**ed,** 《方·古》 **shore;** ~**ed, shorn**) ① (가위로) 잘라내다(*off*), 베다, 깎다; 《詩》 (칼로) 베다. ② (…에게서) 빼앗다, 박탈하다. ── *n.* (*pl.*) 큰가위; 전단기(剪斷機); Ⓒ (양털의) 깎는 회수; (양의) 나이(year); Ⓤ 〖機〗 전단; 변형.

***sheath** [ʃiːθ] *n.* (*pl.* ~**s**[-ðz, -θz]) Ⓒ ① 칼집, 씌우개. ② 〖植〗 엽초(葉鞘); (벌레의) 시초(翅鞘).

sheathe [ʃiːð] *vt.* 칼집에 꽂다〔넣다〕; 덮다, 싸다.

sheaves [ʃiːvz] *n.* sheaf; 다수, 다량.

she·bang [ʃibǽŋ] *n.* Ⓒ 《美口》 (조직·계략·사건 등) 구성; 오두막, 집; 도박장.

***shed**[1] [ʃed] *n.* Ⓒ 헛간, 의지간; 격납〔기관〕고.

:**shed**[2] *vt.* (**shed; -dd-**) ① (눈물·피를) 흘리다; (빛을) 내(쏘)다, 발하다. ② (껍질·껍데기 따위를) 벗(어버리)다, (뿔·깃털·이를) 갈다. ── *vi.* 탈피〔탈모(脫毛)〕하다, 깃털을 갈다. ~ **the blood of** …을 죽이다, …을 상처입히다.

:**she'd** [ʃiːd, 弱 ʃid] she had 〔would〕의 단축.

sheen [ʃiːn] *n.* Ⓤ 빛남; 광채, 광택, 윤. **∠·y** *a.*

†**sheep** [ʃiːp] *n. sing. & pl.* ① Ⓒ 양; Ⓤ 양가죽. ② Ⓒ 온순한〔기가 약한〕 사람; 어리석은 사람. ③ 《집합적》 교구민, 신자. **cast** 〔**make**〕 ~**'s eyes** 추파를 보내다(*at*). LOST ~. **One may as well be hanged for a** ~ **as a lamb.** 《속담》 기왕 내친 걸음이면 끝까지(cf. *In for the lamb, in for the* ~. 새끼양을 훔쳐 사형이 될 바에는 아예 어미양을 훔쳐 당하는 게 낫겠다). **separate the** ~ **from the goats** 〖聖〗 선인과 악인을 구별하다《마태복음 25:32》.

shéep dòg 양치기 개.

sheep·ish [∠iʃ] *a.* 기가 약한, 수줍어하는, 겁많은; 어리석은.

shéep·skin *n.* Ⓤ 양가죽; 양피지; Ⓒ 《美口》 졸업증서.

:**sheer**[1] [ʃiər] *a.* ① 순전한(~ *nonsense*). ② 속이 비치는, (천이) 얇은. ③ 가파른; 수직의. ── *ad.* 전혀, 아주; 수직으로. **∠·ly** *ad.*

sheer[2] *vi.* 〖海〗 침로를 바꾸다; 벗어나다.

:**sheet** [ʃiːt] *n.* Ⓒ ① 시트, 홑이불《깔개·침구 등의 커버》. ② 한 장(의 종이); 편지, 《口》 신문. ③ (쇠·유리의) 얇은 판; 펴진〔질펀한〕 면, 온통 …의 바다(*a* ~ *of water* 〔*fire*〕 온통 물〔불〕바다). ④ 《詩》 돛; 〖海〗 돛의 아딧줄; (*pl.*) (이물〔고물〕의) 공간. **be** 〔**have**〕 **a** ~ 〔**three** ~**s**〕 **in the wind**(**'s eye**) 《俗》 거나하게〔억병으로〕 취하다. **between the** ~**s** 잠자리(속)에 들어. **in** ~**s** 얇은 판이 되어; 억수같이 퍼부어; 인쇄한 채로 제본되지 않고. **pale as a** ~ 새파랗게 질리어. ── *vt.* (…에) 시트로 덮다. **∠·ing** *n.* Ⓤ 시트 감; 〖土〗 판자틀; 판금 (가공).

shéet ànchor 〖海〗 (비상용) 큰 닻; 최후의 의지(가 되는 사람·물건).

shéet lìghtning 막을 친 듯한 번개.

shéet mùsic (책으로 철하지 않은) 낱장 악보.

sheik(**h**) [ʃiːk/ʃeik] *n.* Ⓒ (아라비아 사람의) 추장, 족장(族長), 촌장; (회교도의) 교주; 《俗》 (여자를 호리는) 난봉꾼. **∠·dom** *n.* Ⓒ ~의 영지(領地).

shek·el [ʃékəl] *n.* Ⓒ 세켈《옛 유대의 무게 단위·은화; 이스라엘의 통화 (단위)》; (*pl.*) 《俗》 = MONEY.

:**shelf** [ʃelf] *n.* (*pl.* **shelves** [ʃelvz])

S

Ⓒ ① 선반, 시렁; 선반 모양의 장소; 바위턱(ledge). ② 모래톱, 암초. **on the ~** 《俗》(선반에 얹힌 채) 돌아보지 않아〔팔리지 않아〕, 묵살되어.

shélf lìfe (포장 식품 따위의) 보존 기간.

:**shell**[ʃel] *n.* Ⓒ ① 껍질, 껍데기, 외피, 깍지, 조가비; (거북의) 등딱지. ② 약협(藥莢), 파열탄(彈), 포탄. ③ 외관. ④ 가벼운 보트《경조용》. ⑤ 《美》여성용의 소매 없는 헐렁한 블라우스. ⑥ 〖理〗(원자의) 각(殼). ⑦ 〖컴〗 조가비, 셸. — *vt.* (…을) 껍데기〔껍질, 깍지〕에서 빼내다, (…에서) 껍질을 〔껍데기를, 깍지를〕 벗기다; 알맹이를 떼내다. — *vi.* 벗겨〔벗어〕지다, 까〔빠〕지다. **~ off** 벗겨〔떨어〕지다. **~ out** 《俗》(돈을) 지불하다, 넘겨 주다.

†**she'll**[ʃiːl, 弱 ʃil] she will 〔shall〕의 단축.

shel·lac[ʃəlǽk] *n., vt.* (**-ck-**) Ⓤ 셸락《칠》(을 칠하다); 《美俗》(느닷없이) 때리다, 참패시키다. **-láck·ing** *n.* Ⓒ (보통 *sing.*) 《俗》 채찍질(의 벌); 때려눕힘; 대패.

shéll·fire *n.* Ⓒ 포화(砲火).

˙**shéll·fish** *n.* Ⓤ,Ⓒ 조개; 갑각(甲殼) 동물《새우·게 따위》.

shéll shòck 전쟁성(性) 정신 이상.

:**shel·ter**[ʃéltər] *n.* ① Ⓒ 은신처, 피난〔도피〕처(*from*); 방공호. ② Ⓤ 차폐, 보호; Ⓒ 차폐물, 보호물(*from*). — *vt., vi.* 보호하다; 피난하다. **~ed**[-d] *a.* **~·less** *a.*

˙**shelve**¹[ʃelv] *vt., vi.* (…에) 선반을 달다; 선반에 얹다, 처박아 두다, 묵살하다, 깔아뭉개다.

shelve² *vi.* 완만히 물매〔경사〕지다.

˙**shelves**[ʃelvz] *n.* shelf의 복수.

shelv·ing[ʃélviŋ] *n.* Ⓤ 선반에 얹기; 묵살, 연기; 면직; 선반 재료.

she·nan·i·gan[ʃinǽnigən] *n.* Ⓒ (보통 *pl.*) 《美口》 허튼소리; 사기, 속임수.

:**shep·herd**[ʃépərd] *n.* (*fem.* **~ess**) Ⓒ 양 치는 사람; 목사(pastor). **the Good S-** 예수. — *vt.* (양을) 지키다; 이끌다.

sher·bet[ʃə́ːrbit] *n.* Ⓒ,Ⓤ 셔벗《빙과의 일종》; Ⓤ,Ⓒ 《英》 찬 과즙 음료.

sherd[ʃəːrd] *n.* =SHARD.

:**sher·iff**[ʃérif] *n.* Ⓒ ① 《英》 주(州)장관. ② 《美》 보안관《county의 치안 책임자》.

sher·ry[ʃéri] *n.* Ⓤ,Ⓒ 셰리《스페인산 흰 포도주》.

†**she's**[ʃiːz, 弱 ʃiz] she is 〔has〕의 단축.

Shétland póny Shetland 군도 원산의 힘센 조랑말.

shib·bo·leth [ʃíbəliθ/-lèθ] *n.* (Heb.) Ⓒ (인종·계급·층성 따위를 간파하기 위해) 시험해 보는 물음말; (당파의) 구호, 표어.

:**shield**[ʃiːld] *n.* Ⓒ 방패; 보호물〔자〕; (방패 모양의) 무늬. — *vt.* 수호〔보호〕하다. **∠·er** *n.* Ⓒ 방호자〔물〕.

:**shift**[ʃift] *vt.* 바꾸다, 옮기다, 제거하다. — *vi.* ① 바뀌다, 옮다, 움직이다. ② 이리저리 변통하다〔둘러대다〕, 꾸려나가다; 속이다. ③ (자동차의) 기어를 바꿔 넣다. **~ about** 방향이 바뀌다. — *n.* Ⓒ ① 변경, 변화, 바꿔 넣음, 교대. ② (보통 *pl.*) 수단, 방책, 이리저리 변통함. ③ 속임. ④ 〖컴〗 이동, 시프트. **for a ~** 임시변통으로. **make (a) ~** 이리저리 변통하다. **one's last ~** 마지막 수단. **~ of crops** 돌려짓기, 윤작(輪作). **∠·er** *n.*

shift·less[∠lis] *a.* 주변머리 없는, 무능한; 게으른. **~·ly** *ad.* **~·ness** *n.*

shift·y[∠i] *a.* 책략〔두름성〕이 풍부한; 잘 속이는(tricky).

:**shil·ling**[ʃíliŋ] *n.* Ⓒ 실링《영국의 화폐 단위; 1파운드의 20분의 1; 생략 s.; 1971년 2월 폐지》; 1실링 은화. **CUT off with a ~. take the (King's 〔Queen's〕) ~** 《英》 입대하다.

shil·ly-shal·ly[ʃíliʃæ̀li] *n., a., ad., vi.* Ⓤ,Ⓒ 망설임; 망설이는; 망설여; 망설이다.

˙**shim·mer**[ʃímər] *vi., n.* 가물가물〔어렴풋이〕 비치다; Ⓤ 희미한 빛.

˙**shin**[ʃin] *n., vt., vi.* (**-nn-**) Ⓒ 정강이(를 차다); 기어오르다.

shín·bòne *n.* Ⓒ 정강이뼈, 경골(脛

骨)(tibia).
shin·dig[ʃíndìg] *n.* Ⓒ《美口》 시끄러운[즐거운] 모임, 댄스 파티.
shin·dy[ʃíndi] *n.* Ⓒ《口》 야단법석, 소동; =SHINDIG.
†**shine**[ʃain] *vi.* (***shone***) ① 빛나다, 반짝이다, 비치다. ② 빼어나다, 두드러지다. — *vt.* ① 비추다, 빛내다. ② (p. & p.p. ***shined***) (구두를) 닦다. ~ ***up to***《俗》…에게 환심을 사려고 하다. — *n.* Ⓤ ① 햇빛, 일광, (날씨의) 맑음(***rain or*** ~ 비가 오건 날씨가 맑건간에). ② 빛; 빛남, 반짝임, 윤기. ③ (신 따위를) 닦음. ④《俗》좋아함, 애착. ⑤ (보통 ***pl.***) 《口》 장난; 《俗》 법석(***make*** [***kick up***] ***no end of a*** ~ 큰법석을 떨다).
shín·er *n.* Ⓒ 빛나는 물건, 번쩍 띄는 인물; 《美》 은빛의 작은 담수어; 《俗》 퍼렇게 멍든 눈; 《英俗》 금화; (*pl.*) 돈.
***shin·gle**[1][ʃíŋgəl] *n., vt.* Ⓒ 지붕널(로 이다); (여성 머리의) 치깎기[깎다].
shin·gle[2] *n.* Ⓤ《英》《집합적》(바닷가 따위의) 조약돌. **shín·gly** *a.*
shín guàrd 정강이받침.
***shin·y**[ʃáini] *a.* ① 빛나는, 번쩍이는, 윤이 나는; (때 묻은 옷 따위) 번들거리는. ② 햇빛이 쬐는.
†**ship**[ʃip] *n.* Ⓒ 배, 함(艦); 《집합적》(함선의) 전승무원. ~ ***of the line***『史』전열함(戰列艦). ***take*** ~ 승선하다, 배로 가다. ***when one's*** ~ ***comes home*** 운이 트이면, 돈이 생기면. — *vt.* (***-pp-***) ① (…을) 배에 싣다[태우다]; 수송하다; 《口》 쫓아버리다. ② 선원으로 고용하다. ③ 파도를 뒤집어 쓰다(~ ***a sea***). ④ (배에) 설비하다. — *vi.* 배에 타다; 선원[뱃사람]으로 근무하다.
-ship[ʃip] *suf.* 명사나 형용사에 붙여 '상태, 역할, 직책, 신분, 술(術)' 따위를 나타냄: sportsman***ship***; hard***ship***.
shíp·bòard *n.* Ⓤ 배(***go on*** ~ 승선하다).
shíp·buìlder *n.* Ⓒ 조선(造船) 기사, 배 목수.
shíp·buìlding *n.* Ⓤ 조선.
shíp·lòad *n.* Ⓒ 배 한 척분의 적하(積荷)(량), 한 배분.
shíp·màte *n.* Ⓒ 동료 선원.
***ship·ment**[∠mənt] *n.* ① Ⓤ,Ⓒ 선적. ② Ⓒ (배·철도·트럭 따위의) 적하(積荷)(량), 적송품.
shíp·òwner *n.* Ⓒ 배 임자, 선주.
shíp·per *n.* Ⓒ 선적인, 화주.
:**shíp·ping** *n.* Ⓤ ① 배에 싣기, 선적, 실어 보내기, 출하(出荷). ② 해운업; 《美》 수송. ③ 《집합적》 선박; 선박 톤수(total tonnage).
shíp·shàpe *ad., a.* 정연히[한].
shíp·wrèck** *n., vi., vt.* Ⓤ,Ⓒ 파선, 난파; Ⓒ 난파선; Ⓤ 파멸(make*** ~ ***of*** …을 잃다); 파선하다[시키다]; 파멸하다[시키다].
***shíp·yàrd** *n.* Ⓒ 조선소.
shire[ʃáiər] *n.* (영국의) 주(county).
shíre hòrse 《英》 짐말, 복마.
shirk[ʃə:rk] *vt., vi.* (책임을) 피하다, 게을리하다. — *n.* =SHIRKER. **∠·er** *n.* Ⓒ 게으름뱅이, 회피자.
†**shirt**[ʃə:rt] *n.* Ⓒ 와이셔츠; 셔츠. ***keep one's*** ~ ***on***《俗》냉정하다, 성내지 않다. **∠·ing** *n.* Ⓤ,Ⓒ 와이셔츠 감. **∠·y** *a.* 《英》 기분이 언짢은, 성난. 「먹인).
shírt frònt 와이셔츠의 앞가슴《풀
shírt-slèeve *a.* 와이셔츠 바람의 (***in one's*** ~ 웃옷을 벗고); 소탈한, 평이한, 비공식의; 평범한.
shit[ʃit] *n., vi.* (~; ***-tt-***) Ⓤ 《卑》 똥(누다). — *int.* 염병할, 빌어먹을.
:**shiv·er**[ʃívər] *n., vi., vt.* Ⓒ 부들부들떪[떨(게 하)다]. ***give a person the*** ~***s*** 오싹하게 하다. ~**·y** [-vəri] *a.*
***shoal**[1][ʃoul] *n., vi., a.* Ⓒ 모래톱, 여울목(이 되다), 얕아지다; 얕은. **∠·y** *a.* 여울이 많은.
shoal[2] *n., vi.* Ⓒ 무리; 떼; 다수; 어군; 떼를 짓다[지어 유영하다]. ~***s of*** 많은.
†**shock**[1][ʃak/-ɔ-] *n.* Ⓤ,Ⓒ ① 충격, 충돌, 격동; 진동. ② (정신적) 타격, 쇼크. — *vt.* (…에게) 충격을[쇼크를] 주다. — *vi.* 충돌하다. **∠·er** *n.* Ⓒ 오싹하게 하는 것; 《英口》 선정적인 소설. ***∠·ing** *a., ad.* 충격적인, 오싹[섬뜩]하게 하는, 무서운; 지독

S

한, 망측한; 《口》 지독하게.
shock² *n.* Ⓒ 헝클어진 머리; 부스스한〔더부룩한〕 것.
shóck absòrber 완충기(器)〔장치〕.
shóck·pròof *a.* 충격에 견디는.
shóck tàctics (장갑 부대 등의) 급습 전술; 급격한 행동.
shóck thèrapy (정신병의) 충격〔전격〕 요법.
shóck tròops 특공대.
shóck wàve 〖理〗 충격파(波).
shod [ʃɑd/-ɔ-] *v.* shoe의 과거(분사).
shod·dy [ʃɑ́di/-ɔ́-] *n.* Ⓤ 재생 털실; 재생 나사; 가짜, 위조품. ── *a.* (헌 털실) 재생의; 가짜의, 굴퉁이의 (pretentious).
†**shoe** [ʃuː] *n.* (*pl.* **~s,** 《古》 **shoon**) Ⓒ ① 《美》 신, 구두; 《英》 단화. ② 편자; (지팡이 등의) 끝쇠; (브레이크의) 접촉부; 타이어의 외피(外皮). DIE¹ ***in one's ~s. look after*** 〔***wait for***〕 ***dead men's ~s*** 남의 유산(등)을 노리다. ***Over ~s, over boots.*** 《속담》 이왕 내친 걸음이면 끝까지. ***stand in another's ~s*** 아무를〔남을〕 대신하다, 남의 입장이 돼보다. ***That's another pair of ~s.*** 그것과는 전혀 별문제. ***The ~ is on the other foot.*** 형세가 역전되었다. ***where the ~ pinches*** 곤란한〔성가신〕 점. ── *vt.* (***shod; shod, shodden***) 신을〔구두를〕 신기다; 편자〔끝쇠〕를 대다.
shóe·hòrn *n.* Ⓒ 구둣주걱.
shóe·làce *n.* Ⓒ 구두끈.
***shóe·màker** *n.* Ⓒ 구두 만드는〔고치는〕 사람, 제화공.
shóe·shìne *n.* Ⓒ 《美》 신을 닦음; 닦인 신의 겉면. 「세 자금.
shóe·strìng *n.* Ⓒ 구두끈; 《口》 영
:**shone** [ʃoun/ʃɔn] *v.* shine의 과거(분사). 「다).
shoo [ʃuː] *int., vt., vi.* 쉿(하고 쫓
shóo-ìn [ʃúːìn] *n.* Ⓒ 《口》 당선〔우승〕이 확실한 후보자〔경쟁자〕.
:**shook** [ʃuk] *v.* shake의 과거.
†**shoot** [ʃuːt] *vt.* (***shot***) ① 발사하다; (활·총을) 쏘다; 쏴 죽이다; 던지다; (질문을) 퍼붓다. ② 쑥 내밀다(~ *out one's tongue*). ③ (공을) 슈트하다. ④ (급류를) 내려가다. ⑤ 〖映〗 촬영하다(cf. shot¹). ⑥ (대패로) 곧게 밀다〔깎다〕. (금·은실을) 짜넣다 (*silk shot with gold*). ⑦ (육분의로) 고도를 재다(~ *the sun*). ── *vi.* ① 쏘다, 내쏘다; 사출하다; 질주하다. ② (털이) 나다; (싹이) 나오다, 싹을 내다; 돌출하다(***up***). ③ 들이쑤시다. ***be shot through with*** …로 그득 차 있다. ***I'll be shot if ...*** 결단코 …아니다. **~ *down*** (적기를) 격추하다; …의 꿈이 깨지다; (논쟁 등에서) 윽박지르다, 말로 해내다; 실망시키다. **~ *out*** 무력으로 해결하다. **~ *the moon*** 《英俗》 야반도주하다. **~ *the works*** 《美俗》 전력을 다하다; 전재산을 걸다. ── *n.* Ⓒ ① 사격(회); 《俗》 주사. ② 급류. ③ 어린 가지. ④ 물건을 미끄러져 내리는 장치(chute). **∠·er** *n.*
:**shoot·ing** [∠iŋ] *n.* ① Ⓤ 사격, 발사; 총사냥, 수렵(권). ② Ⓤ 사출; (영화) 촬영. ③ Ⓤ,Ⓒ 격통.
†**shop** [ʃɑp/-ɔ-] *n.* Ⓒ ① 《英》 가게 《미국에서는 보통 store》. ② 공장, 작업장. ③ 일터, 직장, 근무처. ***all over the ~*** 《俗》 사방팔방으로; 어수선하게 흩뜨려, 엉망으로. ***talk ~*** 장사〔전문〕 얘기만 하다. ***the other ~*** 경쟁 상대가 되는 가게. ── *vi.* (**-pp-**) 물건을 사다, 물건 사러〔장보러〕 가다.
shóp assìstant 《英》 점원.
shóp flòor (공장 등의) 작업장; (the ~) 《집합적》 공장 근로자.
shóp·kèeper *n.* Ⓒ 《英》 가게 주인. ***the nation of ~s*** 영국(민) 《Napoleon이 경멸적으로 이렇게 불렀음》.
shóp·lìfter *n.* Ⓒ 들치기《사람》.
shóp·lìfting *n.* Ⓤ 들치기《행위》.
shóp·per *n.* Ⓒ (물건) 사는 손님.
†**shop·ping** [∠iŋ] *n.* Ⓤ 물건사기, 쇼핑. ***go ~*** 물건 사러 가다.
shópping cènter 《美》 상점가(街).
shópping màll 보행자 전용 상점가.
shóp·sòiled *a.* (점포에) 오랫동안 내놓아 찌든.

shóp stèward 《주로 英》 (노조의) 직장 대표.

†**shore**[1][ʃɔːr] *n.* Ⓒ (강·호수의) 언덕; Ⓒ 해안; Ⓤ 뭍, 육지. ***in*** ~ 해안 가까이. ***off*** ~ 해안을 (멀리) 떨어져. ***on*** ~ 육지[뭍]에서, 육지로.

shore[2] *n., vt.* Ⓒ 지주(支柱)(로 버티다)(*up*). **shór·ing** *n.* 《집합적》 지주.

shóre·lìne *n.* Ⓒ 해안선.

shorn[ʃɔːrn] *v.* shear의 과거분사.

†**short**[ʃɔːrt] *a.* ① 짧은; 키가 작은; 간단한. ② (길이·무게 따위가) 부족한, 모자라는; 『商』 공매(空賣)하는, 물품 부족의. ③ (짤막하고도) 퉁명스런(*a* ~ *answer*). ④ 무른, 깨지기 쉬운; 부서지기 쉬운, 헤식은, 푸석푸석한(cf. shorten)(*This cake eats* ~. 입에 대면 파삭파삭한다). ⑤ 독한《술 따위》. ⑥ 『音聲』 짧은 음의(~ *vowels*). ***be*** ~ ***of*** …에 미치지 못하다[않다]. ***be*** ~ ***with*** …에게 대하여 상냥하지 않다. ***in the*** ~ ***run*** 요컨대. ***little*** ~ ***of*** …에 가까운. ***make*** ~ ***work of*** 재빨리 처리하다. ***nothing*** ~ ***of*** 참으로[아주] …한. ***run*** ~ 부족[결핍]하다. ***to be*** ~ 요컨대, 간단히 말하면. — *ad.* 짧게; 부족하여; 갑자기; 무르게; 무뚝뚝하게. ***bring*** [***pull***] ***up*** ~ 갑자기 멈추다[서다]. ***come*** [***fall***] ~ ***of*** 미달하다, 미치지 못하다, (기대에) 어긋나다. ***jump*** ~ 잘못 뛰다. ***run*** ~ 없어지다, 바닥나다(*of*). ***sell*** ~ 공매(空賣)하다. ~ ***of*** …이 아닌 한, …을 제외하고(~ *of lying* 거짓말만은 빼고/ ~ *of that* 게까지는 못 간다 하더라도). ***stop*** ~ 갑자기 그치다, 중단하다. ***take*** (*a person*) ***up*** ~ 이야기를 가로막다. — *n.* ① Ⓤ 짧음, 간결, 간단. ② (the ~) 요점. ③ Ⓒ 결손, 부족; 짧은 것. ④ Ⓒ 단음; 단편 소설; (*pl.*) 반바지. ⑤ Ⓒ 『野』 유격수. ***for*** ~ 약(略)하여. ***in*** ~ 요컨대, 결국. — *vt., vi.* 『電』 단락(短絡)[쇼트]하다. **:∠·ly** *ad.* 곧, 멀지 않아; 짤막하게, 쌀쌀[무뚝뚝]하게. **∠·ness** *n.*

:short·age[∠idʒ] *n.* Ⓤ,Ⓒ 부족, 결핍, 동이 남; Ⓒ 부족액[량].

shórt·brèad, -càke *n.* Ⓤ,Ⓒ 쇼트 케이크.

shórt-chánge *vt.* 《口》 (…에게) 거스름돈을 덜 주다; 속이다.

shórt-círcuit *vt., vi.* 『電』 단락(短絡)[쇼트, 합선]시키다[하다]; 간략히 하다.

*****shórt·còming** *n.* Ⓒ (보통 *pl.*) 결점; 결핍.

shórt cùt 지름길.

*****short·en**[∠n] *vt., vi.* 짧게 하다, 짧아지다; (*vt.*) 무르게[푸석푸석하게] 하다. **~·ing** *n.* Ⓤ 단축; 쇼트닝《빵·과자를 눅지게 하는 것; 버터 따위》.

shórt·fàll *n.* Ⓒ 부족액, 적자.

:shórt·hànd *n., a.* Ⓤ 속기(의).

shórt-hánded *a.* 일손[사람] 부족의.

shórt-líved *a.* 단명의, 덧없는, 일시적인.

shórt òrder (식당의) 즉석 요리.

:shórt-síghted *a.* 근시의, 선견지명이 없는. **~ness** *n.*

shórt stóry 단편 소설.

shórt témper 성마름.

shórt-témpered *a.* 성마른.

shórt-tèrm *a.* 단기의.

shórt tíme 『經』 조업 단축.

shórt wáve 단파.

:shot[1][ʃat/-ɔ-] *n.* (*pl.* ~(**s**)) ① Ⓒ 탄환, 포탄; Ⓤ 《집합적》 산탄(散彈); Ⓒ,Ⓤ 『競』 (16파운드 (이상)의) 포환. ② Ⓒ 발포, 발사; 사정(射程); 겨냥, 저격; 사격수(*a good* ~). ③ Ⓒ 《俗》 (약의) 한 번 복용; (1회의) 주사. ④ Ⓒ 『映』 촬영 거리. ***big*** ~ 《美》 거물, 명사. ***have a*** ~ 시도하다, 해보다(*at, for*); 노리다, 겨누다(*at*). ***like a*** ~ 곧. ***long*** ~ 원사(遠寫); 어림 짐작; 곤란한 기도(企圖). ***put the*** ~ 포환을 던지다. — *vt.* (**-tt-**) …에 탄알을 재다, 장탄하다.

shot[2] *v.* shoot의 과거(분사). — *a.* (직물이) 보기에 따라 빛이 변하게 짠, 양색(兩色)의(~ *silk*).

shót·gùn *n.* Ⓒ 새총, 산탄총.

shótgun márriage [**wédding**] (임신으로 인한) 강제적 결혼.

†**should**[強 ʃud, 弱 ʃəd] *aux. v.* ① shall의 과거; 《간접화법에서 표면상의 과거》 …할[일]것이다(*He said he* ~ *be at home.* = He said, "I *shall* be at home."). ② 《조건문

에서, 인칭에 관계없이》(*If I* 〔*he*〕 ~ *fail* 만일 실패한다면). ③《조건문의 귀결의 단순미래》(*If he should do it, I ~ be angry.* 만약 그가 그런 일을 한다면 나는 화낼걸세). ④《의무·책임》당연히 …해야한다(*You ~ do it at once.*). ⑤《이성적·감정적 판단에 수반하여》(*It is only natural that you ~ say so.; It is a pity he ~ be so ignorant.; Why ~ he be so stubborn?*). ⑥《완곡한 표현을 수반하여》…하겠죠, …일〔할〕테지요(*I ~ think so.* 그러리라 생각합니다(만)). ***I ~ like to*** …하고 싶다〔싶습니다만〕. ***It ~ seem*** …인것〔한 것〕 같습니다, …처럼 생각되다 《It seems …보다 정중한 말투》.

†**shoul·der**[ʃóuldər] *n.* Ⓒ 어깨, 어깨고기《앞발의》(*the cold ~ of mutton* 양의 냉동 견육(肩肉); 어깨에 해당하는 부분(*the ~ of a bottle; the ~ of a road* 도로 양쪽 변두리); 〖軍〗 어깨에 총의 자세. ***have broad ~s*** 튼튼한 어깨를 가지고 있다. ***put*** 〔***set***〕 ***one's ~ to the wheel*** 노력〔전력〕하다. ***rub ~s with*** …와 사귀다《유명 인사 따위》. ***~ to ~*** 밀집하여; 협력하여. ***straight from the ~*** (욕설·타격 따위가) 곧장, 정면〔정통〕으로, 호되게. ***turn*** 〔***give***〕 ***the cold ~ to*** … (전에 친했던 사람)에게 냉담히 굴다. — *vt.* 짊어지다; 지다, 떠맡다; 밀어 헤치며 나아가다. ***S- arms!***《구령》어깨에 총!

shóulder bàg 어깨에 걸고 다니는 핸드백.

shóulder blàde 〔**bòne**〕 〖解〗 견갑골, 어깨뼈.

shóulder stràp 견장.

†**shout**[ʃaut] *vi.* 외치다, 소리치다, 부르짖다, 큰소리로 말하다(*at*); 고함치다(*for, to*); 떠들어대다(*for, with*) (*All is over but the ~ing.* 승부는 났다《남은 것은 갈채뿐》). — *vt.* 외쳐〔큰소리로〕 말하다. — *n.* Ⓒ 외침, 소리침, 큰소리; (*sing.; one's ~*)《俗》한 턱낼 차례(*It's my ~.*). **∠·er** *n.* Ⓒ 외치는 사람; 《美》열렬한 지지자.

·**shove**[ʃʌv] *vt., vi., n.* 밀(치)다; 찌르다; Ⓒ (보통 *sing.*) 밀기; 찌르기. ***~ off*** (배를) 밀어내다; 저어 나아가다; 《口》떠나다, 출발하다.

:**shov·el**[ʃʌ́vəl] *n.* Ⓒ 삽; 큰 숟갈. — *vt.* (《英》 **-ll-**) 삽으로 푸다〔만들다〕.

†**show** [ʃou] *vt.* (**~ed; ~n,**《稀》**~ed**) ① 보이다, 나타내다. ② 알리다, 가리키다. ③ 진열〔출품〕하다. ④ 안내하다; 설명하다. ⑤ (감정을) 나타내다, (호의를) 보이다(*~ mercy*). — *vi.* ① 보이다, 밖에 나오다(*Pardon, your slip is ~ing.* 실례입니다만 부인의 슬립(자락)이 밖으로 비져 나왔군요). ②《口》얼굴을 내밀다. ③《美》(경마에서) 3착이내에 들다. ④ 흥행하다. ***~*** (*a person*) ***over*** 안내하며 돌아다니다. ***~ off*** 자랑해 보이다; 잘 보이다, 드러나게〔돋보이게〕 하다. ***~ up*** 폭로하다, 본성을 드러내다; 두드러지다; 나타나다. — *n.* ① Ⓒ 보임, 표시. ② Ⓒ 전람(회), 구경(거리), 연극, 쇼; 영화; 웃음거리. ③ ⓊⒸ 겉꾸밈, 과시. ④ Ⓒ 징후, 흔적; Ⓤ 외관. ⑤ Ⓒ (*sing.*)《口》기회(*He hasn't a ~ of winning.* 이길 가망은 없다). ⑥ Ⓤ《美》(경마에서) 3착. ***for ~*** 자랑해 보이려고. ***give away the ~*** 내막을 폭로하다; 마각〔약점〕을 드러내다; 실언하다. ***in ~*** 표면은. ***make a ~ of*** …을 자랑해 보이다. ***make a ~ of oneself*** 웃음거리가 되다. ***no ~*** 결석객(客)《여객기의 좌석 예약을 취소 안한 채의》. ***~ of hands*** (찬부의) 거수(擧手). ***with some ~ of reason*** 그럴듯하게.

shów·er[1] *n.*

shów·bìz *n.*《美俗》= SHOW BUSINESS.

shów bùsiness 흥행업.

shów·càse *n.* Ⓒ 진열장.

shów·dòwn *n.* Ⓒ (보통 *sing.*) 폭로; 대결.

:**show·er**[2][ʃáuər] *n.* Ⓒ ① 소나기. ② (눈물이) 쏟아짐; (탄알 따위가) 빗발 치듯함, 많음. ③《美》(결혼식 전의 신부에의) 선물 (증정회). ④ = SHOWER BATH. — *vt.* 소나기로 적시다; 뿌리다. — *vi.* 소나기가 쏟아지다; 빗발치듯 내리다〔오다〕. **~·y** *a.*

shówer bàth 샤워; 샤워 장치.

show·ing[ʃóuiŋ] *n.* Ⓒ 전시; 진열, 꾸밈; 전람〔전시〕회; (보통 *sing.*) 외관, 모양새; 성적; 주장. ***make a good*** ~ 모양새가 좋다; 좋은 성적을 올리다. ***on your own*** ~ 당신 자신의 변명에 의하여.
shów jùmping 〖馬〗 장애물 뛰어넘기《경기》.
show·man[ʃóumən] *n.* Ⓒ 흥행사. ~**·ship**[-ʃip] Ⓤ 흥행술, 흥행적 수완〔재능〕.
:**shown**[ʃoun] *v.* show의 과거분사.
shów-òff *n.* Ⓤ 자랑해 보임, 과시; Ⓒ 자랑해 보이는 사람.
shów·pìece *n.* Ⓒ (전시용의) 우수견본, 특별품.
shów·ròom *n.* Ⓒ 진열실.
·**show·y**[ʃóui] *a.* 화려한; 허세를〔허영을〕 부리는.
·**shrank**[ʃræŋk] *v.* shrink의 과거.
shrap·nel[ʃrǽpnəl] *n.* Ⓤ《집합적》〖軍〗 유산탄(榴散彈) (파편).
·**shred**[ʃred] *n.* Ⓒ (보통 *pl.*) 조각, 끄트러기, 단편; 소량. — *vt., vi.* (~***ded, shred; -dd-***) 조각조각으로 하다〔이 되다〕.
shred·der[ʃrédər] *n.* Ⓒ 강판; 문서 절단기.
shrew[ʃru:] *n.* Ⓒ 앙알〔으드등〕거리는 여자; 〖動〗 뾰족뒤쥐. ∠**·ish** *a.*
:**shrewd**[ʃru:d] *a.* ① 빈틈없는, 기민한, 약빠른. ② 모진, 심한. ∠**·ly** *ad.* ∠**·ness** *n.*
:**shriek**[ʃri:k] *n., vi.* Ⓒ 비명(을 지르다), 새된 소리를 지르다; 그 소리.
shrift[ʃrift] *n.* Ⓤ,Ⓒ《古》 참회, 뉘우침.
:**shrill**[ʃril] *a., n.* Ⓒ 날카로운 소리(의); 강렬한. — *ad., vt., vi.* 높은 소리로 (말하다), 새된〔날카로운〕 소리로 (소리치다); 날카롭게 (울리다).
shríl·ly *ad.*
·**shrimp**[ʃrimp] *n.* Ⓒ 작은 새우; 난쟁이, 얼간이.
:**shrine**[ʃrain] *n.* Ⓒ ① 감실(龕室), 성체 용기. ② 사당, 신전(神殿), 묘(廟). — *vt.* 감실〔사당〕에 모시다.
:**shrink**[ʃriŋk] *vi.* (***shrank, shrunk; shrunk(en)***) 줄어〔오므라, 움츠러〕들다; 뒷걸음질 치다(*away, back, from doing*). — *vt.* 줄어들게 하다, 움츠리다. — *n.* Ⓒ 수축; 뒷걸음질; 《美俗》 정신과 의사. ~**·age**[∠idʒ] *n.* Ⓤ 수축(량); 감소, 하락.
shriv·el[ʃrívəl] *vi., vt.* (《英》 ***-ll-***) 시들〔이울〕(게 하)다.
shroud[ʃraud] *n., vt.* Ⓒ 수의(壽衣)(를 입히다); 덮개(로 가리다〔싸다〕); (*pl.*) 〖海〗 양옆 뱃전에 버틴 돛대줄.
:**shrub**[ʃrʌb] *n.* Ⓒ 관목(bush). ∠**·ber·y** *n.* Ⓒ 관목 심은 곳; Ⓤ《집합적》 관목숲. ∠**·by** *a.* 관목의〔이 우거진〕; 관목성(性)의.
·**shrug**[ʃrʌg] *vt., vi.* (***-gg-***), *n.* Ⓒ (보통 *sing.*) (어깨를) 으쓱하다〔하기〕. ~ ***one's shoulders*** (양손바닥을 위로 하여) 어깨를 으쓱하다《불쾌·불찬성·절망·경멸 따위의 기분을 나타냄》.
·**shrunk**[ʃrʌŋk] *v.* shrink의 과거분사. 「과거분사.
shrunk·en[ʃrʌ́ŋkən] *v.* shrink의
shuck[ʃʌk] *n., vt.* Ⓒ 껍질〔껍데기, 꼬투리〕(을 벗기다); 《美》 조금(*I don't care a* ~. 조금도 상관 없다).
shucks[-s] *int.* 《口》 쳇!, 빌어먹을!《불쾌·초조·후회 등을 나타냄》.
:**shud·der**[ʃʌ́dər] *n., vi.* Ⓒ 떪; 떨다.
·**shuf·fle**[ʃʌ́fl] *vt., vi.* ① 발을 질질 끌다; 〖댄스〗 발을 끌며 나아가다. ② 뒤섞다, (트럼프를) 섞어서 떼다(cf. cut). ③ 이리저리 움직이다; 속이다. ④ (옷 따위를) 걸치다, 벗다 (*into, out of*). ~ ***off*** (벗어) 버리다. — *n.* Ⓒ ① (보통 *sing.*) 발을 질질 끄는 걸음; 〖댄스〗 발끌기. ② 뒤섞음; 트럼프패를 쳐서 뗌〔떼는 차례〕. ③ 잔재주. ④ 속임, (말을) 어물거림〔꾸며댐〕. ~**r** *n.* Ⓒ shuffle 하는 사람.
·**shun**[ʃʌn] *vt.* (***-nn-***) (기)피하다 (avoid).
shunt[ʃʌnt] *vt.* 옆으로 돌리다〔비키다〕; 제거하다; 〖鐵〗 측선(側線)에 넣다, 전철(轉轍)〔입환〕하다. — *vi., n.* Ⓒ (보통 *sing.*) 한쪽으로 비키다〔비킴〕; 측선으로 들어가다 〔들어가기〕; Ⓒ 전철(기(器)); 〖電〗 분로(分路).
†**shut**[ʃʌt] *vt., vi.* (***shut; -tt-***) 닫

S

(히)다; 잠그다, 잠기다. ~ **away** 격리하다, 가두다. ~ **down** 닫다; 《口》(일시적으로) 휴업〔폐쇄〕하다. ~ **in** 가두다; (가로) 막다. ~ **into** …에 가두다; (도어 따위에 손가락이) 끼이다. ~ **off** (가스·물 따위를) 잠그다, (소리 따위를) 가로막다; 제외하다(*from*). ~ **one's teeth** 이를 악물다. ~ **out** 내쫓다, 들이지 않다; 가로막다; 영패시키다. ~ **to** (문 따위를) 꼭 닫다, 뚜껑을 덮다; (문이) 닫히다. ~ **up** (집을) 아주 닫다〔폐쇄하다〕; 감금〔투옥〕하다; 《口》 침묵하다〔시키다〕. — *n.* Ⓤ 닫음, 닫는 시간; 끝; 〖音聲〗 폐쇄음(《p〔b〕 따위》). — *a.* 닫은, 잠근, 둘러싸인; 폐쇄음의; (음절이) 자음으로 끝나는.

shút·dòwn *n.* Ⓒ 공장 폐쇄, 휴업; 〖컴〗 중단.

:**shut·ter**[ʃʌ́tər] *n., vt.* Ⓒ 덧문(을 달다, 닫다); 〖寫〗 셔터.

˙**shut·tle**[ʃʌ́tl] *n., vi.* Ⓒ (베틀의) 북(처럼 움직이다); 왕복 운동〔운전〕(하다); 우주 왕복선.

shúttle·còck *n., vt., vi.* Ⓒ (배드민턴의) 깃털공(치기 놀이); (깃털공을) 서로 받아 치다; 이리저리 움직이다.

S

:**shy**[1][ʃai] *a.* ① 내성적인, 수줍어〔부끄러워〕하는. ② 겁많은. ③ 조심성 많은(*of*). ④ 《俗》 부족한(*of, on*). **fight ~ of** (…을) 피하다. **look ~** (…을) 의심하다(*at, on*). — *n., vi.* Ⓒ 뒷걸음질(치다); (말이) 놀라 물러서다〔물러섬〕. ˙**∠·ly** *n.* ˙**∠·ness** *n.*

shy[2] *vt., vi., n.* Ⓒ (몸을 틀어) 홱 (내) 던지다〔기〕; 《口》 냉소.

shy·ster[ʃáistər] *n.* Ⓒ 《美口》 악덕 변호사.

SI Système International d'Unité (=International System of Units) 국제 단위.

Si·a·mese[sàiəmí:z] *a., n.* 샴의; Ⓒ 샴사람(의); Ⓤ 샴 말(의).

sib·i·lant[síbələnt] *a., n.* 쉬쉬 소리를 내는(hissing); Ⓒ 〖音聲〗 치찰음(齒擦音)(《s〔z〕〔ʃ〕〔ʒ〕 따위》).

sib·ling[síbliŋ] *a., n.* Ⓒ 형제의 (한 사람).

sic[sik] *ad.* (L.) (원문) 그대로 (so, thus).

†**sick**[sik] *a.* ① 병의(《英》 ill); 병자용의(*a ~ room* 병실). ② 《주로 英》 욕지기가 나는(*feel ~*). ③ 싫증이 나는, 물린; 넌더리나는(*of*). ④ 아니꼬운, 역겨운(*at*). ⑤ 그리워하는, 흐노는(*~ for home*). ⑥ (색·빛이) 바랜, 창백한; 상태가〔몸이〕 좋지 않은; (술맛이) 변한; 〖農〗 (땅이) (…의 생장에) 맞지 않는(*clover-~*). **be ~ at heart** 비관하다. **fall**〔**get**〕 **~** 병에 걸리다. **go**〔**report**〕 **~** 〖軍〗 병결근 신고를 내다.

sick bày (군함의) 병실.

sick·bèd *n.* Ⓒ 병상(病床).

˙**sick·en**[síkən] *vt., vi.* ① 병나게 하다, 병이 되다. ② 역겹게 하다, 역겨워하다(*at*). ③ 넌더리〔싫증〕 나게 하다, 넌더리〔싫증〕내다(*of*). **~·ing** *a.*

sick héadache 편두통(migraine) 《구역질이 나는》.

˙**sick·le**[síkəl] *n.* Ⓒ (작은) 낫. **~ cell anemia** 〖醫〗 겸형(鎌形) 적혈구 빈혈증.

sick lèave 병가(病暇).

˙**sick·ly**[síkli] *a.* ① 골골하는, 병약한, 창백한. ② 몸에 나쁜(*a ~ season*). ③ 감상적〔병적〕인. ④ 역겹게 하는. — *ad.* 병적으로. — *vt.* 창백하게 하다. **-li·ness** *n.*

:**sick·ness**[∠nis] *n.* ① Ⓤ,Ⓒ 병; 병태. ② Ⓤ 《英》 역겨움, 구역질.

sick pày 병가(病暇) 중의 수당.

sick·ròom *n.* Ⓒ 병실.

†**side**[said] *n.* ① Ⓒ 곁, 옆. ② Ⓒ 사면, (물체의) 측면, 쪽; 면(面). ③ Ⓒ 옆〔허〕구리(고기). ④ Ⓒ (적과 자기편의) 편, 조(組), 자기편. ⑤ Ⓒ 가, 끝, 변두리(*the ~ of the river* 강변, 강가); 뱃전. ⑥ Ⓒ (보통 *sing.*) (아버지쪽·어머니쪽의) 쪽, 계(系), 혈통. ⑦ Ⓤ 《英俗》 젠체〔잘 난체〕하기(*He has lots of ~.* 굉장히 뽐내는 기세다). **by the ~ of** …의 곁〔옆〕에; …와 비교하여. **change ~s** 변절하다. **hold**〔**shake**〕 **one's ~s for**〔**with**〕 **laughter** 배를 움켜쥐고 웃다. **on all ~s** 사면팔방에. **on the large**〔**small, high**〕 **~** 좀 큰〔작은, 높은〕 편인. **on the right**

[**better, bright**] ~ **of** (*fifty*). (50세) 전인. **on the wrong** [**shady**] ~ **of** (*fifty*). (50)의 고개를 넘어. **put on** ~《俗》 젠체하다, 뽐내다; 〖撞〗 공을 틀어치다. ~ **by** ~ 나란히(*with*). **split one's** ~**s** 배를 움켜쥐고 웃다. **take** ~**s** [**a** ~] 편들다(*with*). — *a.* 한[옆]쪽의; 옆[곁](으로부터)의(*a* ~ *view* 측면도); 그다지 중요치 않은; 부[이]차적인(*a* ~ *issue* 지엽적인 문제). — *vi.* 편들다, 찬성하다(*with*). — *vt.* 치우다, 밀어젖히다; 측면을 붙이다(~ *a house*).

·**síde·bòard** *n.* Ⓒ 살강, 식기 선반.

síde·bùrns *n. pl.* 짧은 구레나룻.

síde·càr *n.* U,C (오토바이의) 사이드카.

síde dìsh (주요리에) 곁들여 내는 요리.

síde effèct 부작용.

síde ìssue 지엽적인 문제.

síde·kìck(er) *n.* Ⓒ (한) 동아리, 짝패(partner); 친구.

síde lìght 측면광(光); 옆창; 우연한 정보.

síde lìne 측선(側線); 〖競〗 사이드라인; (*pl.*) 사이드라인의 바깥쪽; 부업, 내직.

síde·lìne *vt.* 《口》 (병·부상으로, 선수에게) 참가를 안 시키다.

síde·lòng *a., ad.* 옆의[으로], 곁에[으로], (엇)비스듬한[히].

síde òrder 별도 주문(의)《좀 더 먹고 싶을 때의 주문》.

síde·sàddle *n.* Ⓒ (여자용의) 모로 앉게 된 안장.

síde shòw 여흥; 지엽적 문제.

síde·splìtting *a.* 포복절도할[의].

síde stèp (한걸음) 옆으로 비키기; (책임 따위의) 회피.

síde-stèp *vi., vt.* (**-pp-**) (한 걸음) 옆으로 비키다; 회피하다《책임을》.

síde strèet 옆길, 뒷골목.

síde·swìpe *n., vt., vi.* Ⓒ 옆을 (스쳐) 치기[치다].

síde·tràck *n., vt.* Ⓒ 〖鐵〗 측선[대피선](에 넣다); 피하다.

:**síde·wàlk** *n.* Ⓒ 《美》 보도, 인도 (《英》 pavement).

:**síde·ways**[-z], **síde·wìse** *a., ad.* 옆에(서), 옆의; 옆으로[옆을] 향한.

sid·ing[sáidiŋ] *n.* Ⓒ 〖鐵〗 측선(側線); 대피선; Ⓤ 《美》 (가옥의) 미늘판벽; 편들기, 가담.

si·dle[sáidl] *vi.* 옆걸음질하다; (가만히) 다가들다.

:**siege**[siːdʒ] *n.* C,U 포위(공격). **lay** ~ **to** …을 포위하다, 줄기차게 공격하다. **raise the** ~ **on** …에 대한 포위를 풀다. **stand a** ~ 포위(공격)에 굴하지 않다.

si·en·na[siénə] *n.* Ⓤ 시에나 색, 황갈색(의 그림물감).

si·er·ra[siέərə] *n.* Ⓒ (보통 *pl.*) 톱니처럼 솟은 산맥.

si·es·ta[siéstə] *n.* (Sp.) Ⓒ 낮잠.

·**sieve**[siv] *n., vt.* Ⓒ 체(질하다); 거르다.

:**sift**[sift] *vt.* 체질하다, 밭다; (증언 따위를) 정사(精査)[음미]하다. — *vi.* 체를 빠져 (나오듯) 떨어지다; (빛이) 새어들다. **∠·er** *n.*

:**sigh**[sai] *n., vi.* ① Ⓒ 탄식, 한숨(짓다). ② Ⓒ (바람이) 살랑거리다[거리는 소리]. ③ 그리(워 하)다(*for*). ④ 슬퍼하다(*over*). — *vt.* 한숨쉬며 말하다(*out*); (…을) 슬퍼하다.

†**sight**[sait] *n.* ① Ⓤ 시각, 시력. ② Ⓤ 시계(視界). ③ Ⓤ 봄, 일견, 힐끗 봄(glimpse), 목격, 관찰. ④ Ⓒ 구경거리, 웃음거리. ⑤ Ⓒ 광경; (*pl.*) (*the* ~) 명승지; 경치; Ⓤ 일람(一覽). ⑥ Ⓤ 보기, 견해. ⑦ Ⓒ (총의) 가늠쇠[자]. ⑧ Ⓒ 《口》 많음. **a** (**long**) ~ **better** 《口》 훨씬 좋은[나은]. **a** ~ **for sore eyes** 《口》 보기만 해도 반가운 것《귀한 손님·진품》. **at first** ~ 한 번 보아; 일견한 바로는. **at** [**on**] ~ 보자 곧, 보자마자; 보는 대로[즉시]. **catch** [**get**] ~ **of** …을 발견하다. **in** *a person's* ~ 아무의 눈 앞에서; …의 눈으로 보면. **in** ~ (**of**) (…에서) 보이는[보일 정도로 가까운 곳에]. **keep in** ~ …의 모습을[자태를] 놓치지 않도록 하다. **know by** ~ 안면이 있다. **lose** ~ **of** …의 모습을 잃다[놓치다]. **out of** ~ 안 보이는 곳에. **Out of** ~, **out of mind.** 《속담》 헤어지면 마음조차 멀어진다. **see** [**do**] **the**

S

~**s** 명소를 구경하다. **take a ~ of** …을 보다〔바로보다〕. **take ~** 노리다, 겨누다. — *vt.* 보다, 목격하다; 관측하다; 겨누다, 조준하다; 일람(一覽)시키다. **~·less** *a.* 보지 못하는, 맹목의. **~·ly** *a.* 보기 싫지 않은; 전망이〔경치가〕 좋은.

síght-rèad *vt., vi.* (~ [-red]) 〖樂〗 악보를 보고 거침없이 연주하다, 시주〔시창〕(視奏〔視唱〕)하다.

:**síght-sèeing** *n., a.* Ⓤ 관광〔구경〕(의). ~ **bus** 관광 버스.

†**sign**[sain] *n.* Ⓒ ① 기호, 부호. ② (신호의) 손짓, 사인; 암호. ③ 간판, 길잡이. ④ 증거, 표시, 징후; 흔적, 자취. ⑤ 〖聖〗 기적(*seek a ~* 기적을 찾다). ⑥ 〖天〗 (12궁(宮)의) 궁(宮). **make no ~** (기절하여) 꿈쩍않다. **~ manual** (국왕 등의) 친서, 서명. ~**s and wonders** 기적. — *vt., vi.* ① 신호〔군호〕하다. ② 서명〔조인〕하다. ③ (*vt.*) (상대에게) 서명시켜 고용〔계약〕하다. ④ (*vt.*) 기호를 달다. ⑤ (*vi.*) 서명하여 고용되다(*She ~ed for a year.*). **~ away** 〔**over**〕 (서명한 다음) 양도하다. **~ off** 방송이 끝남을 알리다; 서명하고 …을 끊다《술 따위》. **~ on** 계약서에 서명시키고 고용하다〔서명을 하고 고용되다〕. **~ on the dotted line** 사후(事後) 승낙을 강요당하다; 상대방의 조건을 묵인하다. **~ up** 《口》 (계약서에) 서명하고 고용되다; 참가하다.

:**sig·nal**[sígnəl] *n.* Ⓒ 신호, 군호; 도화선(*for*); 〖카드〗 짝패에게 보내는 암호의 수. — *a.* 신호(용)의; 뛰어난, 훌륭한. — *vi., vt.* (《英》 **-ll-**) 신호〔군호〕로 알리다; (*vt.*) (…의) 전조가〔조짐이〕 되다. **~·(l)ing** *n.* Ⓒ 신호. **~·ly** *ad.* 「호소.

sígnal-bòx *n.* Ⓒ 《英》 (철도의) 신

sígnal·man[-mən, -mæ̀n] *n.* Ⓒ (철도 따위의) 신호수.

sig·na·to·ry[sígnətɔ̀ːri/-təri] *a., n.* 서명〔조인〕한; Ⓒ 서명인, 조인국.

:**sig·na·ture**[sígnətʃər] *n.* Ⓒ ① 서명. ② 〖樂〗 (조·박자) 기호. ③ 〖印〗 접지 번호, (번호 매긴) 전지(全紙). ④ (방송 프로 전후의) 테마 음악.

sígnet rìng 인장을 새긴 반지.

:**sig·nif·i·cance**[signífikəns] *n.* Ⓤ 의미(심장), 중대성. :**-cant** *a.* 의미 심장한; 중대한; …을 뜻하는(*of*). **-cant·ly** *ad.*

sig·ni·fi·ca·tion [sìgnəfikéiʃən] *n.* Ⓤ 의미, 의의. Ⓒ 어의; Ⓤ,Ⓒ 표시, 지시. **sig·nif·i·ca·tive**[signífəkèitiv/-kətiv] *a.* 나타내는(*of*); 뜻이 있는.

˙**sig·ni·fy**[sígnəfài] *vt., vi.* 나타내다, 의미〔뜻〕하다; 예시하다; 중대하다.

sígn lànguage 수화(手話), 지화법(指話法); 손짓〔몸짓〕말.

sígn·pòst *n.* Ⓒ 길잡이, 도표(道標).

Sikh[siːk] *n., a.* Ⓒ 시크교도(의). **~·ism**[⌐izəm] *n.* Ⓤ 시크교《인도 북부의 종교》.

si·lage[sáilidʒ] *n., vt.* Ⓤ 건초실(silo)에 저장하다〔하기〕; (저장한) 생(生)목초(*~d green fodder*).

†**si·lence**[sáiləns] *n.* ① Ⓤ 침묵; 정적. ② Ⓤ,Ⓒ 무소식(*Excuse me for my long ~.*). ③ Ⓤ 망각(*pass into ~* 잊혀지다); 침묵을 지킴, 비밀; 묵살. **keep ~** 침묵을 지키다. **put to ~** 윽박질러 침묵시키다, 잠잠하게 하다. — *vt.* 침묵시키다. — *int.* 조용히!; 입닥쳐! **sí·lenc·er** *n.* Ⓒ 침묵 시키는 사람〔것〕; 소음(消音)장치.

†**si·lent**[sáilənt] *a.* ① 침묵하는, 무언의. ② 조용한; 활동하지 않는. ③ 익명의. ④ 〖音聲〗 묵음의. :**~·ly** *ad.* 무언으로, 잠자코; 조용히.

sílent pártner 《美》 익명 조합원 (《英》 sleeping partner).

˙**sil·hou·ette**[sìlu(ː)ét] *n.* Ⓒ 실루엣, 그림자(그림); (옆얼굴의) 흑색 반면 영상(半面影像); 영상. — *vt.* 실루엣으로 하다(*a tree ~d against the blue sky* 파란 하늘을 배경으로 검게 보이는 나무).

sil·i·ca[sílikə] *n.* Ⓤ 〖化〗 실리카, 규토(珪土), (무수) 규산.

sil·i·cate[síləkit, -kèit] *n.* Ⓤ,Ⓒ 〖化〗 규산염.

sil·i·con[sílikən] *n.* Ⓤ 〖化〗 규소.

†**silk**[silk] *n.* Ⓤ ① 비단, 견사(絹絲) (*raw ~* 생사). ② (*pl.*) 견직물, 비

S

단옷. ③《英口》왕실 변호사(의 제복). **hit the ~** 《美空軍俗》낙하산으로 뛰어 내리다. **take** (**the**) **~** 왕실 변호사가 되다. ***You cannot make a ~ purse out of a sow's ear.*** 《속담》돼지 귀로 비단 염낭은 만들 수 없다; 콩심은 데 콩 나고 팥 심은 데 팥 난다.

·**silk·en**[ˊ-ən] *a.* 비단의〔으로 만든〕; 비단 같은 (윤이 나는), 반드러운; 비단옷을 입은, 사치스런.

sílk-scrèen *a.* 실크 스크린의. **~ *print*** 〔***process***〕 실크 스크린 인쇄〔날염법〕.

sílk·wòrm *n.* Ⓒ 누에.

silk·y [ˊ-i] *a.* 비단의〔같은〕; 반드러운.

sill[sil] *n.* Ⓒ 문지방, 창턱.

:**sil·ly**[síli] *a.* ① 어리석은; 바보 같은. ②《古》단순한, 천진한. ③《古》아연한(stunned), 아찔한(dazed). — *n.* Ⓒ《口》바보. **síl·li·ness** *n.*

si·lo[sáilou] *n.* (*pl.* **~s**[-z]), *vt.* Ⓒ (목초 저장용의) 사일로(에 저장하다);《美》사일로《발사 준비된 미사일 지하 격납고》.

silt[silt] *n., vt., vi.* Ⓤ 침니(沈泥)(로 막다·막히다)(*up*).

†**sil·ver**[sílvər] *n.* Ⓤ 은; 은화; 은그릇; 은실; 질산은; 은백, 은빛. — *a.* 은의; 은색의, 은으로 만든, 은방울 굴리는 듯한, 낭랑한, 소리가 맑은. — *vt.* (…에) 은을 입히다, 은도금(鍍金)하다; 질산은을 칠하다; 백발이 되게 하다.

sílver·fìsh *n.* Ⓒ《一般》(각종) 은빛의 물고기;〚蟲〛반대좀.

sílver pàper 은박지, 은종이;〚寫〛은감광지.

sílver pláte《집합적》은(銀)식기.

sílver-pláted *a.* 은을 입힌, 은도금한.

sílver scréen, the 영화; 은막.

sílver·smìth *n.* Ⓒ 은세공장이.

sílver-tóngued *a.* 웅변의, 구변이 좋은, 설득력이 있는.

sílver·wàre *n.* Ⓤ《집합적》은제품.

sílver wédding 은혼식《결혼 25주년의 축하식》.

·**sil·ver·y**[-i] *a.* 은과 같은; 은빛의.

sim·i·an [símiən] *n., a.* Ⓒ 원숭이(의, 같은).

:**sim·i·lar**[símələr] *a.* 유사한, 닮은꼴의. :**~·ly** *ad.* 똑같이.

·**sim·i·lar·i·ty**[sìmələ́rəti] *n.* Ⓤ 비슷함, 유사, 상사.

sim·i·le[síməlì:/-li] *n.* Ⓤ,Ⓒ〚修〛직유(直喩)《보기 : as busy *as a bee*》(cf. metaphor).

·**sim·mer**[símər] *vi., vt.* ① (…에) 부글부글 끓다, (끓어 오르기 전에) 픽픽 소리나(게 하)다. ② 뭉글 불로 익히다. ③ (격노를 참느라고 속을〔이〕) 지글지글 끓(이)다; (웃음을) 지그시 참다. **~ *down*** 천천히 식다, 가라앉다. — *n.* (*sing.*) simmer 하기.

sim·per[símpər] *n., vi., vt.* Ⓒ 억지〔얼빠진〕웃음(을 짓다, 지어 말하다), 선웃음(치다).

†**sim·ple**[símpəl] *a.* ① 단순한, 간단한, 쉬운. ② 간소한, 질박한, 수수한. ③ 자연스러운; 솔직한. ④ 티없는, 천진한; 유치한. ⑤ 하찮은; 신분이 낮은. ⑥ 순연한, 순전한. ⑦〚植〛(잎이) 갈라지지 않은;〚化〛단체(單體)의(*a ~ eye*). ***pure and ~*** 순전한. — *n.* Ⓒ 단순한 것; 단체(單體); 바보;《古》약초(medicinal plant). **~·ness** *n.* = SIMPLICITY.

símple ínterest〚商〛단리(單利).

símple-mínded *a.* 순진한; 단순한; 어리석은; 정신 박약의.

sim·ple·ton[símpltən] *n.* Ⓒ 바보.

:**sim·plic·i·ty**[simplísəti] *n.* Ⓤ 단순; 평이; 간소; 소박; 순진; 무지.

sim·pli·fi·ca·tion[sìmpləfikéiʃən] *n.* Ⓤ,Ⓒ 단일화; 간소화; 평이화.

·**sim·pli·fy**[símpləfài] *vt.* 단일〔단순〕하게 하다; 간단〔평이〕하게 하다.

:**sim·ply**[símpli] *ad.* 솔직히; 단순히; 다만; 어리석게; 전혀, 순전히.

sim·u·la·crum[sìmjuléikrəm] *n.* (*pl.* **-cra**[-krə], **~s**) Ⓒ 모습, 환영(幻影); 상(像); 가짜.

·**sim·u·late**[símjulèit] *vt.* (…으로) 가장하다〔겉꾸미다〕, (짐짓) (…인) 체하다(pretend); 흉내내다. — [-lit, lèit] *a.* 짐짓 꾸민, 가장한; 의태(擬態)의. **-lant** *a.* **-la·tion**[ˋ-léiʃən] *n.* Ⓤ,Ⓒ 가장, 흉내; 꾀병;〚컴·宇宙〛시뮬레이션, 모의 실험. **-la·tive** *a.* **-la·tor** *n.*

·**si·mul·ta·ne·ous**[sàiməltéiniəs,

sim-] *a.* 동시의[에 일어나는]. *~·ly *ad.* ~·ness *n.* **-ne·i·ty**[-təníːəti] *n.*

:**sin**[1][sin] *n.* U,C (도덕상의) 죄(cf. crime); C 잘못; 위반(*against*). ***for my ~s*** 《諧》 무엇에 대한 벌인지. ***like ~*** 《俗》 몹시. ***the seven deadly ~s*** 〖宗〗 7가지 큰 죄, 칠죄종(七罪宗). ── *vi., vt.* (**-nn-**)(죄를) 짓다(*against*). ***~ one's mercies*** 행운에 감사하지 않다. **∠·less** *a.*

sin[2][sain] *n.* = SINE.

†**since**[sins] *ad.* 그 후, 그 이래; (지금부터 몇 해·며칠) 전에. ***ever ~*** 그 후 쭉[내내]. ***long ~*** 훨씬 이전에[전부터]. ***not long ~*** 바로 최근. ── *prep.* …이래. ── *conj.* …(한) 이래; …이[하]므로(because).

:**sin·cere**[sinsíər] *a.* 성실한, 진실의.

:**sin·cere·ly**[sinsíərli] *ad.* 성실하게; 충심으로. ***Yours ~,*** or ***Sincerely yours*** 돈수(頓首), 경구(敬具)《편지의 끝맺음말》.

˙**sin·cer·i·ty**[sinsérəti] *n.* U 성실; 성의; 정직.

sine [sain] *n.* C 〖數〗 사인《생략 sin》.

si·ne·cure[sáinikjùər, síni-] *n.* C (명목뿐인) 한직(閑職).

si·ne di·e [sáini dáii] (L.) 무기한으로[의].

si·ne qua non [-kwei nán/-ɔ́-] (L.) 필요 조건[자격].

˙**sin·ew**[sínjuː] *n.* U,C 힘줄; (*pl.*) 근육; 힘(의 원천). ***the ~s of war*** 군자금; 돈. ── *vt.* 건(腱)으로 잇다; 근력을[원기를] 북돋우다. **~·y** *a.* 근골이 늠름한.

˙**sin·ful**[sínfəl] *a.* 죄있는, 죄많은; 죄받을. **~·ly** *a.* **~·ness** *n.*

†**sing**[siŋ] *vi., vt.* (***sang,*** 《古》《稀》 ***sung; sung***) 노래하다, 울다, 지저귀다; (*vi.*) 울리다, (벌레·바람·미사일 따위가) 윙윙거리다; (주전자 물이 끓어) 픽픽거리다. ***~ another song*** [***tune***] (가락을[태도를] 바꾸어) 겸손하게 나오다(cf. ~ *the same old song* 같은 일을 되풀이 하다). ***~ out*** 《口》 큰소리로 부르다, 소리치다. ***~ small*** 《口》 풀이 죽다. ── *n.* C 노랫소리, 우는 소리; (탄환·바람의) 윙윙소리. **:∠·er** *n.*

sing·a·long[síŋəlɔ̀ːŋ/-lɔ̀ŋ] *n.* C 노래 부르기 위한 모임.

singe[sindʒ] *vt., vi.* 태워 그스르다[그을다]. (*vt.*) (새나 돼지 따위의) 털을 그스르다. ***~ one's feathers*** [***wings***] 명성을 손상하다; 실패하다. ── *n.* C (조금) 탐, 눌음.

:**sing·ing**[síŋiŋ] *n.* U 노래하기; 노랫소리; 지저귐; 귀울림.

†**sin·gle**[síŋgəl] *a.* ① 단 하나의. ② 혼자의, 독신의. ③ 《英》 편도의(*a ~ ticket*). ④ 단식의, 홑의, 단식 시합의. ⑤ 〖植〗 외겹(꽃)의. ⑥ 성실한; 일편단심의(*~ devotion*). ⑦ 일치한, 단결한. ***~ blessedness*** 《諧》 독신《Sh.》. ***~ combat*** (단 둘의) 맞상대 싸움. ***with a ~ eye*** 성심성의로. ── *n.* C 한개, 단일, 〖野〗 단타(單打); (*pl.*) 〖테니스〗 단식 시합, 싱글. ── *vi.* 단타를 치다.

síngle-bréasted *a.* (윗도리·외투가) 싱글의, 외줄 단추의.

síngle-hánded *a., ad.* 한 손[사람]의; 한마음의, 성실한; 단독으로.

síngle-mínded *a.* 성실한.

sin·gle·ness[síŋgəlnis] *n.* U 단일, 단독; 성의.

síngle párent fàmily 「親) 가정. 편친(片

˙**sin·gly**[síŋgli] *ad.* 혼자서, 단독으로; 하나씩; 제 힘으로.

sing·song[síŋsɔ̀ːŋ/-sɔ̀ŋ] *n., a., vt., vi.* (a ~) 단조(로운); C 《英》 즉흥 노래[성악] 대회; 단조롭게 노래[얘기]하다.

:**sin·gu·lar**[síŋgjələr] *a.* ① 단 하나의, 개개의; 각각의; 〖文〗 단수의. ② 독특한; 훌륭한, 멋진; 이상[기묘]한, 현저한. ── *n.* (the ~) 〖文〗 단수(형). ***all and ~*** 모조리. **~·ly** *ad.* **-lar·i·ty**[∠–lǽrəti] *n.* U 이상, 기이; 기이한 버릇; 비범; 단독; 단일.

˙**sin·is·ter**[sínistər] *a.* ① 불길한; 사악한, 음험한, 부정직한; 불행한. ② 〖紋〗 방패의 왼쪽《마주 보아 오른쪽》의; 왼쪽의. **~·ly** *ad.*

:**sink**[siŋk] *vi.* (***sank, sunk; sunk, sunken***) ① 가라앉다, 침몰하다. ② (해·달 등이) 지다; 내려앉다. ③ 쇠약해지다; 몰락[타락]하다. ④ 스며들

다(*in, into, through*). ⑤ 우묵[홀쭉]해지다, 쑥 빠지다; 처지다, 낮아지다, (바람이) 잔잔해진다. — *vt.* ① 가라앉히다, 침몰시키다. ② 낮추다, 숙이다, 떨어뜨리다. ③ 약하게 하다; 낮게 하다; 줄이다. ④ (재산을) 잃다; (자본을) 무익하게 투자하다. ⑤ 조각하다, 새겨 넣다; 파다. ⑥ (국채를) 상환하다. ⑦ (이름·신분을) 숨기다; 무시하다. ~ **oneself** 사리(私利)를 버리(고 남을 위하)다. ~ **or swim** 운을 하늘에 맡기고, 성패간에. ~ **the shop** 직업[전문]을 숨기다. — *n.* Ⓒ (부엌의) 수채; 하수구(溝), 구정물통; 소굴(*a* ~ *of iniquity* 악한의 소굴). ⌐**·er** *n.* Ⓒ sink 하는 사람[것]; 《美俗》 도넛; 〖野〗 '싱커'《드롭시키는 투구(投球)》.

sin·less[sínlis] *a.* 죄 없는. 「인.

˙**sin·ner**[sínər] *n.* Ⓒ (도덕상의) 죄

Si·no-[sáinou, -nə, sín-] '중국' 의 뜻의 결합사.

sin·u·ous[sínjuəs] *a.* 꾸불꾸불한; 빙퉁그러진; 복잡한. ~**·ly** *ad.*

si·nus[sáinəs] *n.* (*pl.* ~*es*; ~) Ⓒ 우묵한 곳; 〖解〗 동(洞), 두(竇), (특히) 정맥동; 〖醫〗 누(瘻).

si·nus·i·tis [sàinəsáitis] *n.* Ⓤ 〖醫〗 정맥동염(靜脈洞炎); 부비강염(副鼻腔炎).

:**sip**[sip] *n.* Ⓒ 한 모금, 한번 홀짝임[마심]. — *vt., vi.* (**-pp-**) 홀짝홀짝 마시다[빨다].

˙**si·phon**[sàifən] *n., vt., vi.* Ⓒ 사이펀(으로 빨아올리다, 을 통하다).

†**sir**[強 sə:r, 弱 sər] *n.* ① 님, 선생(님), 나리. ② 이봐!《꾸짖을 때 따위》. ③ (*pl.*) 《상용문》 각위(各位), 여러분. ④ 《英》 (S-) 경(卿)《knight 또는 baronet 의 이름 또는 성에 붙임》.

˙**sire**[saiər] *n.* Ⓒ ① 노년자; 장로. ② 폐하, 전하《군주에의 경칭》. ③ 《詩》 아버지, 부조(父祖). ④ 씨말. — *vt.* (씨말이) 낳다(beget).

˙**si·ren**[sáiərən] *n.* ① (S-) 〖그神〗 사이렌《아름다운 노랫소리로 뱃사람을 유혹하여 난파시켰다는 요정》. ② Ⓒ 미성(美聲)의 가수; 인어. ③ Ⓒ 경적, 사이렌. — *a.* 매혹적인.

sir·loin[sə́:rlɔin] *n.* Ⓤ,Ⓒ (소의 윗부분의) 허리고기.

si·roc·co[sirɑ́kou/-ɔ́-] *n.* (*pl.* ~*s*) Ⓒ 시로코 바람; (기분이 나쁜) 열풍.

sí·sal (**hèmp**)[sáisəl(-), sís(-)] *n.* Ⓤ 사이잘삼《로프용》.

sis·sy[sísi] *n.* Ⓒ 소녀; 《口》 여자 같은[나약한] 사내(아이).

†**sis·ter**[sístər] *n.* Ⓒ ① 자매, 언니, 누이《누나·여동생》. ② 여자 친구[회원]. ③ 〖가톨릭〗 수녀. **be like ~s** 매우 다정하다. — *a.* 자매의[와 같은]; 짝[쌍]의. ~ **language** 자매어. **the three Sisters** 〖그神〗 운명의 3여신. ~**·hood**[-hùd] *n.* Ⓤ 자매의 관계[정]; Ⓒ (종교적인) 여성단체, 부인회. ~**·ly** *ad.*

˙**síster-in-làw** *n.* (*pl.* **sisters-**) Ⓒ 올케·시누이·형수·계수·처남댁·처형·처제 등.

†**sit**[sit] *vi.* (**sat,** 《古》 **sate; sat; -tt-**) ① 앉다, 걸터 앉다, 착석하다. ② (선반 따위의) 얹혀 있다. ③ (새가) 앉다; 알을 품다. ④ (옷이) 맞다 (~ *well* [*ill*] *on him*). ⑤ (바람이) 불다. ⑥ 출석하다. ⑦ 의석을 갖다; 의원이 되다(~ *in Congress*). ⑧ 개회[개정]하다. — *vt.* 착석시키다; (말을) 타다. **make** (*a person*) ~ **up** 《俗》 깜짝 놀라게 하다; 고생시키다. ~ **at home** 죽치다, 칩거하다. ~ **back** (의자에) 깊숙이 앉다; 일을 피하다; 아무 일도 하지 않고 일이 일어나기를 기다리다. ~ **down** 앉다; 착수하다(*to*); (모욕을) 감수하다(*under*). ~ **for** (시험을) 치르다; (초상화를) 그리게 하다, (사진을) 찍게 하다; (선거구를) 대표하다. ~ **heavy on** (*a person*) 먹은 것이 얹히다, 징건하다; 괴롭히다. ~ **in judgment on** …을 (멋대로) 비판하다. ~ **light on** 부담[고통]이 되지 않다. ~ **loosely on** (의견·주의 등이) 중요시 되지 않다, 아무래도 좋다. ~ **on** [**upon**] (위원회 따위의) 일원이다; 심리하다; 《口》 윽박지르다. ~ **on one's** HANDS. ~ **on the fence** 형세[기회]를 관망하다. ~ **out** (댄스 따위에서) 축에 끼지 않다; (음악회·시험장에서) 마지막까지 남다; (딴 손님보다) 오래 앉아 있다.

S

~ **under** …의 설교를 듣다. ~ **up** 일어나다; 상반신을 일으키다; 자지 않고 있다(~ *up late* 밤 늦게까지 안 자다); 깜짝 놀라다, 깜짝 놀라 정신차리다. ***sít·ter** *n.* Ⓒ sit하는 사람, 착석자; BABY-SITTER; 《俗》 수월한 일. ***sit·ting**[sítiŋ] *n.* Ⓤ 착석; Ⓒ 한 차례 일; 회기; 개정(기간). **at a**〔**one**〕**sitting** 단숨에.

sit·com[sítkàm/-ɔ̀-] *n.* 《美俗》 = SITUATION COMEDY.

sít-dòwn (**strìke**)[⌐dàun(-)] *n.* Ⓒ 농성 파업.

:site[sait] *n.* Ⓒ 위치, 장소; 용지, 부지.

sít-in *n.* Ⓒ 연좌 (농성) 항의《특히 미국의 인종차별에 대한》.

sítting dúck 손쉬운 표적(easy target); 봉.

†sítting ròom 거실.

sit·u·ate[sítʃuèit] *a.* 《古》 = ⇩.

:sit·u·at·ed[sítʃuèitid] *a.* 있는, 위치한(*at, on*); 입장에 놓인.

:sit·u·a·tion[sìtʃuéiʃən] *n.* Ⓒ ① 위치, 장소. ② 형세; 입장, 처지. ③ 지위, 직(職). ④ (연극의) 아슬아슬한 고비.

situátion còmedy 〖TV〗 연속 코미디.

sít·ùp *n.* Ⓒ 반듯이 누웠다가 상체만 일으키는 복근(腹筋) 운동.

†six[siks] *n., a.* Ⓤ,Ⓒ 6(의). **at ~es and sevens** 혼란하여; 불일치하여. **gone for ~** 〖英軍〗 전투중 행방불명되어. **It's ~ of one and half-a-dozen of the other.** 오십보 백보다. **⌐·fòld** *a., ad.* 6배의〔로〕, 6겹의〔으로〕.

·síx·pènce *n.* Ⓒ 《英》 6펜스; 6펜스 은화《1971년 2월 폐지》.

síx-shóoter *n.* Ⓒ 《口》 6연발 권총.

†six·teen[síkstíːn] *n., a.* Ⓤ,Ⓒ 16(의). **sweet ~** = sweet SEVENTEEN. **:~th** *n., a.* Ⓤ 열여섯(번)째(의); 16분의 1(의)(*a sixteenth note* 〖樂〗 16분음표).

†sixth[siksθ] *n., a.* Ⓤ 여섯째(의); 6분의 1(의); 〖樂〗 제 6도(음정); 《英》 6학년(sixth form).

síxth sénse 제 6 감, 직감.

†six·ty[síksti] *n., a.* Ⓤ,Ⓒ 60(의) **:-ti·eth** *n., a.* Ⓤ 60(번)째(의); 60분의 1(의).

siz·a·ble[sáizəbəl] *a.* 꽤 큰.

†size[1][saiz] *n.* ① Ⓤ,Ⓒ 크기, 치수; Ⓒ (모자·구두 따위의) 사이즈, 형. ② (the ~) 《口》 실정. **be of a ~** 같은 크기다(*with*). — *vt.* 어느 크기로 짓다; (…을) 크기별로 가르다; (…의) 치수를 재다. **~ down** 점차 작게 하다. **~ up** 《口》 치수를 어림잡다; (남을) 평가하다; 어떤 크기〔표준〕에 달하다.

size[2] *n., vt.* Ⓤ 반수(礬水)(를 칠하다); 풀(먹이다).

siz·zle [sízəl] *vi.* 지글지글하다. — *n.* (*sing.*) 지글지글하는 소리.

†skate[1][skeit] *n., vi.* Ⓒ 스케이트 구두(의 날); 롤러 스케이트; 스케이트를 지치다. **get**〔**put**〕**one's ~ on** 《口》 서두르다. **~ over** (이야기 중에서) 잠깐 언급하다〔비추다〕. ***skát·er** *n.* Ⓒ 스케이트 타는 사람.

skate[2] *n.* Ⓒ 〖魚〗 홍어.

skáte·bòard *n.* Ⓒ 스케이트보드《바퀴 달린 길이 60cm 정도의 활주판, 그 위에 타고 서서 지침》.

†skat·ing[⌐iŋ] *n.* Ⓤ 스케이트.

skáting rìnk 스케이트장.

skein[skein] *n.* Ⓒ 타래 다발; 엉클림; (기러기 따위의) 떼.

skel·e·tal[skélətl] *a.* 골격의; 해골의〔같은〕.

:skel·e·ton[skélətn] *n.* Ⓒ 골격, 해골; 여윈 사람〔동물〕; 뼈대, 골자. — *a.* 해골의; 여윈. **family ~,** or **~ in the cupboard** (남에게 숨기고 싶은) 집안의 비밀. **~ at the feast** 좌흥을 깨드리는 것. **~·ize** [-àiz] *vt.* 해골로 하다; 개요를 적다(summarize); 인원을 대폭 줄이다.

skéleton kèy (여러 자물쇠에 맞는) 결쇠.

skep·tic, 《英》 **scep-**[sképtik] *n.* Ⓒ 의심 많은 사람, 회의론자. — *a.* = ⇩. **skep·ti·cism**[-təsìzəm] *n.* Ⓤ 회의주의.

·skep·ti·cal[sképtikəl] *a.* 의심이 많은, 회의적인.

:sketch[sketʃ] *n.* Ⓒ 스케치; 사생화; 애벌〔대충〕 그림; 초안. — *vt., vi.* (…의) 약도〔스케치〕를 그리다; 사생하다. (…의) 개략을 진술하다.

skétch·bòok *n.* Ⓒ 사생첩, 스케치북; 소품〔단편, 수필〕집.

skétch màp 약도, 겨냥도.
sketch·y[ˊi] *a.* 사생(풍)의; 개략〔대강〕의.
skew [skjuː] *a.* 비스듬한, 굽은; 〖數〗 비대칭의. ── *n.* U,C 비뚤어짐, 휨; 잘못. ── *vi., vt.* 비뚤어진〔일그러지〕(게 하)다; 굽다, 구부리다.
skew·er[skjúːər] *n., vt.* C 꼬챙이(에 꽂다)《고기를》.
skéw-whìff *a., ad.* 《英口》 비뚤어져.
†**ski**[skiː] *n.* (*pl.* ~(**s**)), *vi.* C 스키(를 타다). **ˊ·er** *n.* †**ˊ·ing** *n.* U 스키(를 타기); 스키술.
skid[skid] *n., vi.* (a ~) (**-dd-**) 옆으로 미끄러지기〔지다〕《차가》; 옆으로 미끄러짐을 막다; 미끄럼막이; 《美俗》 (the ~s) 몰락의 길.
skiff[skif] *n.* C (혼자 젓는) 작은 배.
ski·ffle[skífəl] *n.* U 재즈와 포크송을 혼합한 음악의 일종《냄비·손 따위도 즉석에서 이용함》.
skí jùmp 스키 점프(장).
:**skil·ful**[skilfəl] *a.* ＝SKILLFUL.
skí lìft 스키어 운반기《케이블 의자》, 리프트.
:**skill**[skil] *n.* U 숙련, 교묘, 솜씨 (*in, to* do). ***~·ed**[-d] *a.* 숙련된. **:skil(l)·ful**[ˊfəl] *a.* 숙련된, 교묘한. ***skíll·ful·ly** *ad.*
skil·let[skílit] *n.* C 《美》 프라이팬; 《英》 스튜 냄비.
:**skim**[skim] *vt.* (**-mm-**) ① (찌끼 따위를) 떠〔걷어〕내다(*off*). ② (표면을) 스쳐 지나가다, 미끄러져 나가다. ③ 대충 훑어 읽다. ── *vi.* 스쳐 지나가다(*along, over*); (살얼음·찌끼)로 덮이다. ~ ***the cream off*** …의 노른자위를 빼내다. **ˊ·mer** *n.* C skim하는 사람〔것〕; 그물 국자.
skím mílk 탈지유.
skimp[skimp] *vt., vi.* 찔름찔름〔감질나게〕 주다; 바싹 줄이다〔조리차하다〕, 검약하다; (일을) 날림으로 하다.
†**skin**[skin] *n.* ① U,C 피부, 가죽. ② U,C 가죽 제품; (술의) 가죽 부대. ③ C 《美俗》 구두쇠; 사기꾼. ***be in*** (*a person's*) ~ (아무의) 입장이〔처지가〕 되다. ***by*** 〔***with***〕 ***the*** ~ ***of one's teeth*** 가까스로, 간신히. ***have a thick*** 〔***thin***〕 ~ 둔감〔민감〕하다. ***in*** 〔***with***〕 ***a whole*** ~ 《口》 무사히. ***jump out of one's*** ~ (기쁨·놀람 따위로) 펄쩍 뛰다. ***save one's*** ~ 《口》 부상을 안 입다. ── *vt.* (**-nn-**) ① 가죽〔껍질〕을 벗기다; 살가죽이 벗어지게〔까지게〕 하다. ② 가죽으로 덮다(*over*). ③ 《俗》 사취하다, 속이다. 「한.
skín-déep *a.* 얕은, 피상적인; 천박
skín-dìve *vi.* 스킨다이빙을 하다.
:**skín-dìver** *n.* C 스킨다이빙하는 사람.
:**skín dìving** 스킨다이빙.
skín·flìnt *n.* C 구두쇠.
skin·ful[skínfùl] *n.* (a ~) 가죽 부대 하나 가득; 《口》 배불리, 잔뜩.
skín·hèad *n.* C 《英俗》 스킨헤드족《장발족에 대항하여 머리를 빡빡 깎은 전투적 보수파 청년》.
skin·ny[ˊi] *a.* 가죽과 같은; 바싹 마른.
skín·tíght *a.* 몸에 꼭 끼는.
:**skip**[skip] *vi.* (**-pp-**) ① 뛰다, 줄넘기하다; 뛰놀다, 뛰어다니다. ② 거르다, 빠뜨리다(*over*). ③ 《口》 급히 떠나다. ── *vt.* ① 가볍게 뛰다; (물을 차고) 스쳐가다(~ *stones on a pond*). ② (군데군데) 건너 뛰다, 빠뜨리다. ── *n.* C 도약(跳躍); 줄넘기; 건너뜀; 〖컴〗 넘김, (행·페이지의) 뒤로 물림.
skip·per *n., vt.* C (어선·(작은) 상선 따위의) 선장(으로 근무하다); (팀의) 주장; 〖美空軍〗 기장(機長).
skípping ròpe 줄넘기줄.
***skir·mish**[skɔ́ːrmiʃ] *n., vi.* C 작은 충돌(을 하다). **~·er** *n.* C 〖軍〗 척후병; 산병(散兵).
:**skirt**[skəːrt] *n.* ① C (옷의) 자락; 스커트. ② (*pl.*) 가장자리, 변두리; 교외(outskirts). ③ C 《俗》 계집(애). ── *vt.* (…에) 자락을〔스커트를〕 달다; (…과) 경계를 접하다. ── *vi.* 변두리〔경계〕에 있다〔살다〕; 가를 따라 (나아)가다(*along*).
skit[skit] *n.* C 풍자문(文), 희문(戱文); 익살극.
skit·tish[skítiʃ] *a.* (말 따위) 잘 놀라는; 변덕스러운(fickle); 수줍어하는(shy).

S

skit·tles[skítlz] *n. pl.* 구주희(九柱戲). ***beer and*** ~ 마시며 놀며(하는 태평 생활). ***S-!*** 시시하게!
skú·a (**gúll**)[skjúːə(-)] *n.* Ⓒ 〖鳥〗 큰갈매기; 도둑갈매기.
skul·dug·ger·y[skʌldʌ́gəri] *n.* Ⓤ 《美口》 부정 행위, 사기, 속임수.
skulk[skʌlk] *vi.* 슬그머니〔몰래〕 달아나다〔숨다〕(*behind*); 기피하다; ＝**∠·er** skulk하는 자; 이리떼.
˙skull[skʌl] *n.* Ⓒ 두개골; 머리; 두뇌. ***have a thick*** ~ 둔감하다.
skúll and cróssbones (죽음의 상징인) 해골 밑에 대퇴골을 열십자로 짝지은 그림《해적기, 독약의 표지》.
skúll·càp *n.* Ⓒ 테 없는 모자.
˙skunk[skʌŋk] *n.* Ⓒ (북미산) 스컹크; Ⓤ 그 털가죽; Ⓒ 《口》 역겨운 녀석. ── *vt.* 《美俗》 〖競〗 영패시키다.
†sky[skai] *n.* Ⓒ (종종 *pl.*) 하늘; (the ~) 천국; (종종 *pl.*) 날씨. ***laud*** 〔***praise***〕 ***to the skies*** 몹시 칭찬하다〔치살리다〕. ***out of a clear*** ~ 갑자기, 느닷없이.
ský-blúe *a.* 하늘색의.
ský·dìving *n.* Ⓤ 스카이 다이빙.
ský-hígh *a., ad.* 까마득히 높은〔높게〕.
:ský·làrk *n.* Ⓒ 종달새; 《口》 야단법석. ── *vi.* 법석대다, 희롱거리다.
ský·lìght *n.* Ⓒ 천창(天窓).
˙ský·lìne *n.* Ⓒ 지평선; 하늘을 배경으로 한 윤곽《산·나무 따위의》.
ský·ròcket *n., vi., vt.* Ⓒ 쏘아올리는 꽃불(처럼 높이 솟구치다), 폭등하다〔시키다〕; 갑자기 유명하게 하다.
˙ský·scràper *n.* Ⓒ 마천루, 고층 건축물.
ský·ward *ad., a.* 하늘 위로(의). **~s** *ad.*
˙slab[slæb] *n., vt.* (**-bb-**) Ⓒ 석판(石版), 두꺼운 판〔평판(平板)〕(으로 하다); (고기의) 두껍게 벤 조각.
˙slack[1][slæk] *a.* ① 느슨한, 느즈러진, 늘어진. ② 기운 없는, 느른한; 긴장이 풀린, 느린. ③ 침체된, (날씨가) 좋지 못한; 경기가 없는. ── *n.* ① Ⓤ,Ⓒ 느즈러진 곳, 느즈러짐. ② Ⓒ 불황기. ③ (*pl.*) 슬랙스《느슨한 바지》. ── *vi., vt.* ① 느슨해〔느즈러〕지다, 늦추다. ② 약해지다, 약하게 하다. ③ 게으름 부리다. ~ ***off*** 늦추다; 게으름피다. ~ ***up*** 속력을 늦추다. ˚**∠·en** *vi., vt.* ＝SLACK. **∠·er** *n.* Ⓒ 게으름뱅이; 병역 기피자. **∠·ly** *ad.* **∠·ness** *n.*
slack[2] *n.* Ⓤ 분탄(粉炭).
slacks[slæks] *n., pl.* ⇨SLACK[1].
slag[slæg] *n., vt., vi.* (**-gg-**) Ⓤ (광석의) 용재(溶滓)〔슬래그〕(로 만들다, 가 되다).
˙slain[slein] *v.* slay의 과거분사.
slake[sleik] *vt.* (불을) 끄다, (갈증을) 풀다, (노여움을) 누그러뜨리다, (원한을) 풀다; (석회를) 소화(消和)하다. ── *vi.* 꺼지다, 풀리다, 누그러지다; (석회가) 소화되다.
sla·lom [slɑ́ːləm, -loum] *n.* (Norw.) Ⓤ (보통 the ~) 〖스키〗 회전 경기.
˙slam[slæm] *n., vt., vi.* (**-mm-**) Ⓒ (보통 *pl.*) 쾅(하고 닫다, 닫히다); 쿵(하고 내던지다); (*vt.*) 《美口》 혹평(하다); 〖카드〗 전승(하다).
˙slan·der[slǽndər, -ɑ́ː-] *n., vt.* Ⓤ,Ⓒ 중상(하다); 〖法〗 비훼(誹毁)하다. **~·er**[-ər] *n.* **~·ous**[-əs] *a.* 중상적인, 헐뜯는. **~·ous·ly** *ad.*
:slang[slæŋ] *n.* Ⓤ 속어. ── *vi.* 속어를〔야비한 말을〕 쓰다. **∠·y** *a.*
:slant[slænt, -ɑː-] *n., vi., vt.* (*sing.*) 물매〔경사〕(지다, 지게 하다); Ⓒ 경향(이 있다); 기울(게 하)다, (*vt.*) 편견으로 말하다〔쓰다〕; Ⓒ 《美口》 (특수한) 견지. **∠·ing**(**·ly**) *a.* (*ad.*) **∠-wise** *ad., a.* 비스듬히〔한〕.
:slap[slæp] *n., ad., vt.* (**-pp-**) Ⓒ 철썩(하고); 손바닥으로 때림〔때리다〕; 모욕; 털썩〔쾅〕(놓다, 던지다); 《口》 갑자기; 정면으로.
sláp-báng, sláp·dàsh *ad., a.* 무턱대고〔댄〕; 엉터리로(인).
sláp·hàppy *a.* 《口》 (펀치를 맞고) 비틀거리는; 머리가 둔한.
sláp·stìck *n., a.* Ⓒ (어릿광대의) 끝이 갈라진 타봉(打棒); Ⓤ 익살극(의).
˙slash[slæʃ] *n., vt.* Ⓒ ① 휙 내리쳐 벰〔베다〕, 난도질(치다); 깊숙이 베다〔벰〕. ② 홱홱 채찍질하다〔함〕. ③ (옷의 일부의) 터놓은 자리(를 내다). ④ 삭제〔삭감〕(하다). ⑤ 혹평(하다). ⑥ 사선(/). **∠·ing** *a.* 맹렬한, 신랄

한; 《口》 멋진, 훌륭한.
slat[slæt] *n., vt.* (**-tt-**) Ⓒ (나무·금속의) 얇고 좁은 조각(을 대다).
:slate[1][sleit] *n., vt.* ① Ⓒ 슬레이트(로 지붕을 이다); Ⓤ 점판암(粘板岩). ② Ⓒ 석판(石板)〔예정표〕(에 적다); Ⓤ 석판색《청회색》. ③ Ⓒ 《美》 후보자 명부(에 등록하다). ***clean*** ~ 훌륭한 기록〔경력〕. ***clean the*** ~ (공약·의무 등을) 일체 백지로 돌리다, 과거를 청산하(고 새 출발하)다.
slate[2] *vt.* 《英口》 혹평하다.
slat·tern[slǽtərn] *n.* Ⓒ 칠칠치 못한〔홀게늦은〕 계집. **~·ly** *a.*
·slaugh·ter[slɔ́ːtər] *n., vt.* Ⓤ 도살(하다); Ⓤ,Ⓒ (대량) 학살(하다). **~·ous**[-əs] *a.* 잔학한.
sláughter hòuse 도살장; 수라장.
Slav[slɑːv, slæv] *n., a.* Ⓒ 슬라브인(의); 슬라브어의; (the ~s) 슬라브민족(의).
:slave[sleiv] *n., vi.* Ⓒ 노예(처럼 일하는 사람); 뼈빠지게 일하다(*at.*)
sláve drìver 노예 감독인; 무자비하게 부리는 주인.
slav·er[1][sléivər] *n.* Ⓒ 노예상(인); 노예(무역)선.
slav·er[2][slǽvər] *n., vi., vt.* Ⓤ 침(을 흘리다, 으로 더럽히다); 낯간지러운 아첨(을 하다).
:slav·er·y[sléivəri] *n.* Ⓤ 노예의 신분; 노예 제도; 고역, 중노동.
sláve tràde 노예 매매.
slav·ish[sléiviʃ] *a.* 노예적인; 비열한, 비굴한, 천한; 독창성이 없는. **~·ly** *ad.*
Sla·von·ic[sləvɑ́nik/-ɔ́-] *a., n.* Ⓒ (유고 북부의) Slavonia의(사람). Ⓤ 슬라브어파.
:slay[slei] *vt.* (***slew; slain***) 《詩》 끔찍하게 죽이다, 학살하다, 죽이다 (kill); 파괴하다.
slea·zy[slíːzi] *a.* (천 따위) 여린, 얄팍한.
·sled[sled] *n., vi., vt.* (**-dd-**) Ⓒ 썰매(로 가다, 로 나르다).
·sledge[sledʒ] *n., vi., vt.* =SLED; 《英》 =SLEIGH.
·sleek[sliːk] *a.* (털이) 야드르르하고 부드러운, 함함한; 단정한(tidy); 말솜씨가 번드르한. ― *vt.* 매끄럽게 하다, 매만지다; 단정히 하다. **∠·ly** *ad.*
†sleep[sliːp] *vi., vt.* (***slept***) ① 자다; 묵다, 숙박시키다; 《口》 이성과 자다. ② (*vi.*) 마비되다; (팽이가) 서다. ~ ***around*** 《俗》 아무하고나 자다, (성적으로) 헤프다. ~ ***away*** 잠을 자며 보내다; (두통 따위를) 잠을 자서 고치다. ~ ***off*** 잠을 자 잊어버리다〔고치다〕. ~ ***on*** 〔***over, upon***〕 《口》 …을 하룻밤 자며 생각하다, 내일까지 미루다. ~ ***out*** 자며 보내다; 잠을 자 술을 깨우다(~ *out the whisk(e)y, wine, &c.*); 외박하다; (고용인이) 통근하다. ― *n.* ① (a ~) 수면 (시간); Ⓤ 잠듦, 영면; 동면(冬眠). ② Ⓤ 마비; 정지(靜止) (상태). ***go to*** ~ 잠자리에 들다, 자다. ***one's last*** 〔***long***〕 ~ 죽음. **·∠·er** *n.* Ⓒ 자는 사람; 침대차; 《英》 침목(tie); 《美口》 뜻밖에 성공하는 사람. **∠·less** *a.*
sléeping bàg (등산·탐험용의) 침낭(寢囊).
sléeping càr 〔《英》 **càrriage**〕 침대차.
sléeping pártner 《英》 익명 조합원〔관계자〕. 「제.
sléeping pìll (정제·캅셀의) 수면
sléeping sìckness 〖醫〗 수면병.
sléep·wàlker *n.* Ⓒ 몽유병자.
:sleep·y[slíːpi] *a.* 졸린; 졸음이 오는 듯한. **sléep·i·ly** *ad.* **sléep·i·ness** *n.*
·sleet[sliːt] *n., vi.* Ⓤ 진눈깨비(가 내리다). **∠·y** *a.*
:sleeve[sliːv] *n., vt.* Ⓒ 소매(를 달다). ***have ... up*** 〔***in***〕 ***one's*** ~ (…을) 몰래〔가만히〕 준비하다. ***laugh in*** 〔***up***〕 ***one's*** ~ 속으로 웃다〔우스워하다〕. **∠·less** *a.* 소매 없는.
:sleigh[slei] *n., vi., vt.* Ⓒ (대형) 썰매(로 가다, 로 나르다). **∠·ing** *n.* Ⓤ 썰매 타기.
sleight[slait] *n.* Ⓤ,Ⓒ 책략, 술수, 솜씨. ~ ***of hand*** 재빠른 손재주; 요술.
:slen·der[sléndər] *a.* ① 가느다란, 가냘픈, 마른(slim). ② 빈약한, 얼마 안 되는, 미덥지 못한(*a* ~ *meal, hope, ground, &c.*). **~·ize**[-ràiz]

S

vt., vi. 가늘게 하다〔되다〕; (*vt.*) 여위게 하다, 날씬하게 하다.

†**slept** [slept] *n.* sleep의 과거(분사).

sleuth [slu:θ] *n., vi.* Ⓒ 《美口》 탐정 「(으로서 일하다).

Ś lèvel 《英》 대학 장학금 과정 《Scholarship *level*의 단축형》.

*__slew__[1] [slu:] *v.* slay의 과거.

slew[2] *v.* =SLUE.

slew[3] *n.* (a ~) 《口》 많음.

:**slice** [slais] *n.* Ⓒ ① (빵·고기 등의) 베어낸 한 조각, (생선의) 한 점. ② 부분; 몫(share[1]). ③ 얇게 저미는 식칼, 얇은 쇠주걱(spatula). ④ 〖골프〗 곡구(曲球)《오른손잡이면 오른쪽으로, 왼손잡이면 왼쪽으로 날아감》. ― *vt., vi.* 얇게 베다〔베어내다〕; 나누다; 〖골프〗 곡구로 치다.

*__slick__ [slik] *a.* ① 매끄러운; 번드르르한. ② 《口》 말솜씨가 번지르르한; 교활한(sly); 교묘한. ③ 《美俗》 최상의. ― *n.* Ⓒ 매끄러운 곳; 《口》 (광택지를 사용한) 잡지. ― *ad.* ① 매끄럽게; 교묘하게; 교활하게. ② 바로, 정면으로. ***run ~ into*** …과 정면 충돌하다. **∠·er** *n.* Ⓒ 《美》 레인코트; 《美口》 사기꾼; 도시 출신의 세련된 사람.

*__slide__ [slaid] *vi., vt.* (***slid; slid,*** 《美》 ***slidden***) 미끄러지(게 하)다; 미끄러져 가다〔지나가다〕; (수렁·죄악 따위에) 스르르 빠져들다(*into*). ***let things ~*** 일이 되어가는 대로 내버려두다. ― *n.* Ⓒ ① 미끄러짐, 활주, 〖野〗 슬라이딩. ② 단층(斷層), 사태(沙汰). ③ (화물용의) 미끄러 떨어뜨리는 대(臺). ④ 슬라이드《환등·현미경용의》.

slíde rùle 계산자.

slíding dóor 미닫이.

slíding scále 〖經〗 슬라이딩 스케일, 종가 임금(從價賃金) 제도; 《古》 =SLIDE RULE.

:**slight** [slait] *a.* 근소한, 적은; 모자라는; 가날픈, 홀쭉한; 약한, 하찮은. ― *n., vi.* Ⓒ 경멸(*to, upon*); 얕〔깔〕보다. **∠·ly** *ad.* 조금, 약간. **∠·ingly** *ad.*

*__slim__ [slim] *a.* (**-mm-**) 홀쭉한; 호리호리한; 약한; 빈약한; 부족한; 하찮은. ― *vi., vt.* (**-mm-**) 가늘어〔홀쭉해〕지(게 하)다. **∠·ly** *ad.*

slime [slaim] *n.* Ⓤ 찰흙; (물고기 따위의) 점액(粘液). ― *vt.* 찰흙〔점액〕을 칠하다〔벗기다〕. **slím·y** *a.* 끈적끈적한, 질척질척한; 흙투성이인; 더러운; 굽실굽실하는.

slím·ming *n.* Ⓤ 슬리밍《살빼기 위한 감식(減食)·운동》.

*__sling__ [sliŋ] *n.* Ⓒ 투석(기); 삼각 붕대; (총의) 멜빵; 매다는 사슬. ― *vt.* (***slung,*** 《古》 ***slang; slung***) 투석기로 던지다; 매달아 올리다; 매달다.

slíng·shòt *n.* Ⓒ 《美》 (고무줄) 새총, 투석기.

slink [sliŋk] *vi.* (***slunk,*** 《古》 ***slank; slunk***) 살금살금〔가만가만〕 걷다, 가만히〔살며시〕 도망치다 (sneak).

slink·y [∠i] *a.* 살금살금하는, 사람 눈을 피하는; (여성복이) 부드럽고 몸에 꼭 맞는; 날씬하고 우미한.

:**slip**[1] [slip] *vi.* (***~ped,*** 《古》 ***slipt; ~ped; -pp-***) ① (쪼르르) 미끄러지다; 살짝〔가만히〕 들어가다〔나가다〕. ② 모르는 사이에 지나가다(*by*). ③ 깜빡 틀리다(*in*). ④ 스르르 빠지다〔벗어지다, 떨어지다〕. ⑤ 몰래〔슬그머니〕 달아나다. ― *vt.* ① (쪼르르) 미끄러뜨리다; 쑥 집어넣다(*into*). ② 쑥 걸쳐 입다〔신다〕(*on*); 벗다(*off*), 뽑다(*from*). ③ 풀어 놓다. ④ (기회를) 놓치다; …할 것을 잊다. ⑤ 무심코 입밖에 내다. ⑥ (가축이) 조산하다. ***let ~*** 얼결에 지껄이다〔이야기하다〕. ***~ along*** 《俗》 황급히 가다. ***~ (a person) over on*** 《美口》 속여서 …에 이기다. ***~ up*** 헛디디다; 틀리다, 실수〔실패〕하다. ― *n.* Ⓒ ① 미끄러짐. ② 〖地〗 사태, 단층(斷層). ③ 과실, 실패. ④ 쑥〔훌렁〕 벗어지는〔빠지는〕 물건, 베갯잇, (여성용의) 슬립, 속옷. ⑤ 개의 사슬〔줄〕. ⑥ 조선대(造船臺); (양륙용) 사면. ***give (a person) a ~*** (아무의 눈을 속여) 자취를 감추다.

slip[2] *n.* Ⓒ 나뭇조각, 지저깨비, 전표, 쪽지, 부전(付箋); 꺾꽂이, 가지 접붙이기; 호리호리한 소년〔소녀〕. ― *vt.* (**-pp-**) (…의) 가지를 자르다 《꺾꽂이용으로》.

S

slíp·knòt *n.* Ⓒ 풀매듭.
slíp-òn *a., n.* 입거나 벗기가 간단한; Ⓒ 머리로부터 입는 식의 (스웨터).
ː**slip·per**[slípər] *n.* Ⓒ (보통 *pl.*) 실내화; (마차의) 바퀴멈춤개. **bed ~** 환자용 변기. — *vt.* (어린이를 징계하기 위해) slipper로 때리다.
˚**slip·per·y**[slípəri] *a.* 미끄러운; 믿을 수 없는; 속임수의; 불안정한.
slíp·shòd *a.* 뒤축이 닳은 신을 신은; 단정치 못한(slovenly); (문장 등) 엉성한.
slíp-ùp *n.* Ⓒ 《口》 잘못, 실책.
˚**slit**[slit] *n., vt.* (*slit; -tt-*) Ⓒ 길게 벤자리(를 만들다), 틈[금](을 만들다).
slith·er[slíðər] *vi., n.* Ⓒ 주르르 미끄러지다[짐]. **~·y**[-i] *a.* 매끄러운, 미끌미끌한.
sliv·er[slívər] *vt., vi.* 세로 짜개(지)다[갈라지다], 찢(어지)다. — *n.* Ⓒ 찢어[짜개]진 조각; 나뭇조각; 〖紡〗 소모(梳毛), 소면(梳綿).
slob[slɑb/-ɔ-] *n.* Ⓒ 《口》 얼간이, 추레한 사람.
slob·ber[slábər/-ɔ́-] *n.* Ⓤ 침; Ⓒ 우는 소리; Ⓒ 퍼붓는 키스. — *vi., vt.* 침을 흘리다; 우는 소리를 하다. **~·ly** *a.*
sloe[slou] *n.* Ⓒ (미국산의) 야생 자두(열매); =BLACKTHORN.
slog[slɑg/-ɔ-] *n., vi., vt.* (*-gg-*) Ⓒ 강타(하다); Ⓤ 무거운 발걸음으로 걷다[걸음]; 꾸준히 일하다[일함].
ː**slo·gan**[slóugən] *n.* Ⓒ 함성(war cry); 슬로건, (선전) 표어.
sloop[sluːp] *n.* Ⓒ 〖海〗 외대박이 돛배.
slop[slɑp/-ɔ-] *n.* Ⓤ 엎지른 물, 흙탕물; (*pl.*) (부엌의) 찌꺼기《돼지 등의 사료》; (*pl.*) 유동물(流動物)[식(食)]. — *vt., vi.* (*-pp-*) 엎지르다, 엎질러지다. **~ over** 넘쳐 흐르다; 《口》 재잘거리다, 감정에 흐르다.
ː**slope**[sloup] *n., vi., vt.* Ⓒ 경사면; Ⓤ,Ⓒ 경사(도); Ⓤ,Ⓒ 비탈; 경사[물매]지(게 하)다.
slop·py[slápi/-ɔ́-] *a.* 젖은, 젖어서 더러워진; 질척질척한; 단정치 못한, 너절한(slovenly); 조잡한; 《口》 무척 감상적인.
slosh[slɑʃ/-ɔ-] *n.* Ⓤ 《口》 묽은 음료; =SLUSH. — *vi., vt.* 물[진창] 속을 뛰어다니(게 하)다; 철벅철벅 휘젓다[씻다]; (*vi.*) 배회하다.
slot[slɑt/-ɔ-] *n., vi.* (*-tt-*) Ⓒ 가늘고 긴 구멍(을 내다); 요금 (넣는) 구멍; 〖컴〗 슬롯.
˚**sloth**[slouθ, slɔːθ] (＜slov+-TH) *n.* ① Ⓤ 나태, 게으름. ② Ⓒ 〖動〗 나무늘보. **∠·ful** *a.* 게으른.
˚**slót machìne** 《英》 자동 판매기; 《美》 자동 도박기, 슬롯머신.
slouch[slautʃ] *vi., n.* Ⓒ (앞으로) 수그리다[기], 구부리다[기], 구부정하게 서다[앉다, 걷다]; 그렇게 서기[앉기, 걷기]; 《口》 너절한 사람, 게으름뱅이; (모자챙이) 늘어지다. — *vt.* 늘어뜨리다. **∠·y** *a.*
slough[1][slau] *n.* Ⓒ 수렁, 진창; 타락(의 구렁텅이); [sluː] 《美·캐나다》 진구렁. **∠·y**[1] *a.*
slough[2][slʌf] *n.* Ⓒ (뱀의) 벗은 허물; 딱지. — *vi., vt.* 탈피하다; (딱지등이) 떨어지다, 떼다. **∠·y**[2] *a.*
slov·en[slʌ́vən] *n.* Ⓒ 단정치 못한 사람. ˚**~·ly** *a., ad.* 단정치 못한[하게]; 되는 대로(의).
†**slow**[slou] *a.* ① 느린, 더딘; (시계가) 늦은. ② 둔한; 좀처럼[여간해서]…않는(*to* do). ③ 재미없는(dull). — *ad.* 느리[더디]게, 느릿느릿. — *vt., vi.* 더디게[느리게] 하다[되다] (*down, up, off*). †**∠·ly** *ad.*
slów-mótion *a.* 느린, 굼뜬; 〖映〗 고속도 촬영의.
slów·pòke *n.* Ⓒ 《俗》 머리회전이나 행동이 느린 사람, 굼뱅이.
sludge[slʌdʒ] *n.* Ⓤ 진흙, 진창; 질척질척한 눈; 작은 부빙(浮氷)[성엣장].
slue[sluː] *vt., vi.* 돌(리)다; 비틀「(리)다.
˚**slug**[1][slʌg] *n.* Ⓒ ① 행동이 느린[굼뜬] 사람[말, 차 따위]. ② 〖動〗 괄태충; (느린) 잎벌레. ③ (구식총의 무거운) 산탄(霰彈); 작은 금속 덩어리. ④ 〖印〗 대형의 공목; (라이노타이프의) 1행(분의 활자). 「타(하다).
slug[2] *n., vt., vi.* (*-gg-*) Ⓒ 《美口》 강
˚**slug·gish**[slʌ́giʃ] *a.* 게으른, 게으름 피우는; 느린; 활발치 못한; 불경기인. **~·ly** *ad.* **~·ness** *n.*

S

sluice[slu:s] *n., vi.* Ⓒ 수문(水門); 봇물, 분류(奔流)(하다). ── *vt.* 수문을 열고 흘려보내다; (…에) 물을 끼얹다; 〖採〗(감흙을) 유수(流水)로 일다; (통나무를) 물에 띄워 보내다.

slum[slʌm] *n., vi.* (**-mm-**) Ⓒ (*pl.*) (더러운) 뒷거리; (the ~s) 빈민굴〔촌〕(을 방문하다).

:slum·ber[slʌ́mbər] *n., vi., vt.* Ⓒ,Ⓤ (종종 *pl.*) 잠(자다, 자며 보내다); 휴지(休止)하다. **~·ous**[-əs] *a.* 졸린(듯한); 졸음이 오게 하는; 조용한.

slump[slʌmp] *n., vi.* Ⓒ (가격·인기 따위) 폭락(하다); 부진, 슬럼프.

·slung[slʌŋ] *v.* sling의 과거(분사).

slunk[slʌŋk] *v.* slink의 과거(분사).

slur[slə:r] *vt.* (**-rr-**) 가볍게 다루다, 대충 훑어보다, 소홀히〔되는 대로〕하다(*over*); 분명치 않게 계속 말하다〔쓰다〕; 〖樂〗 계속해서 연주〔노래〕하다; 모욕〔중상〕하다, 헐뜯다. ── *n.* Ⓒ 또렷치 않은 연속 발음; 〖樂〗 연결 기호, 슬러《또는》; 모욕, 중상(*on, at*).

slur·ry[slə́:ri] *n.* Ⓤ 슬러리《물에 점토, 시멘트 등을 혼합한 현탁액》.

slush[slʌʃ] *n.* Ⓤ 눈석임, 진창, 곤죽; 푸념; 윤활유(grease); 《美俗》 뇌물; 위조 지폐. **∠·y** *a.*

slúsh fùnd 《美》 부정 자금, 뇌물〔매수〕 자금; (배·군함의 승무원·봉급자 따위의).

slut[slʌt] *n.* Ⓒ 흘게늦은〔칠칠치 못한〕 계집; 몸가짐이 헤픈 여자, 계명워리, 《美》 매춘부; 《諧》 계집애; 암캐. **∠·tish** *a.* 단정치 못한.

:sly[slai] *a.* ① 교활한, 음흉한. ② 은밀한. ③ (눈·윙크 등) 장난스러운, 익살맞은. ***on the ~*** 은밀히, 몰래. ***~ dog*** 교활한 자식. **∠·ly** *ad.* 교활하게; 음험하게; 익살맞게.

·smack[1][smæk] *n.* Ⓒ 맛, 풍미; (a ~) 기미. ── *vi.* 맛이〔기미가〕 있다(*of*).

·smack[2] *n., vt., vi.* Ⓒ 혀차기, 입맛다심; 혀를 차다, 입맛을 쩍쩍 다시다; 찰싹 때리다; (입술을) 쪽하고 소리내다; 쪽하는 키스(를 하다). ── *ad.* 《口》 찰싹; 갑자기, 정면〔정통〕으로. **∠·ing** *a.* 입맛다시는; 빠른; 강한.

smack[3] *n.* Ⓒ 《美》 활어조(活魚槽)가 있는 어선.

smack·er[smǽkər] *n.* Ⓒ 입맛 다시는 사람; 철썩 때리는 일격; 《美俗》 달러; 《英俗》 파운드; 《英》 굉장한 물건, 일품.

†small[smɔ:l] *a.* 작은; 좁은; (수입 따위) 적은; 시시한, 하찮은, 인색한(*a man of ~ mind* 소인(小人)); 떳떳지 못한, 부끄러운. ***and ~ wonder*** …이라고 해서 놀랄 것은 못 된다. ***feel ~*** 떳떳지 못하게〔부끄럽게〕 여기다. ***look ~*** 풀이 죽다. ***no ~*** 적지 않은, 대단한. ── *ad.* 작게, 잘게; 작은 (목)소리로. ***sing ~*** 겸손하다. ── *n.* (the ~) 작은 부분〔물건〕, 소량; 세부; (*pl.*) 《英口》 (자잘한) 빨래. ***a ~ and early*** 빨리 파해버리는 적은 인원의 만찬회. ***in ~*** 작게, 소규모로. ***the ~ of*** …의 가장 가는 부분(*the ~ of back* 잔허리).

smáll árms 휴대용 무기.

smáll béer 《英古》 약한 맥주; 《집합적》 《英口》 하찮은 것〔사람〕.

smáll chánge 잔돈; 시시한 이야기〔소문〕.

smáll frý 《집합적》 어린애들, 갓난애, 작은 동물, 동물의 새끼, 작은 물고기, 시시한 친구들〔것〕.

smáll hólder 《英》 소(小)자작농.

smáll hólding 《英》 소자작 농지.

smáll hóurs 한밤중《1·2·3시경》.

smáll-mínded *a.* 도량이 좁은, 비열한, 째째한.

small·ness[smɔ́:lnis] *n.* Ⓤ 미소(微小); 미소(微少); 빈약.

·smáll·pòx *n.* Ⓤ 〖醫〗 천연두.

smáll·scále *a.* 소규모의; 소축척의《지도》.

smáll tàlk 잡담, 세상 이야기.

smáll-tíme *a.* 《口》 시시한, 보잘것없는, 삼류의.

smarm[smɑ:rm] *vt.* 《英口》 (기름처) 매끄럽게 하다; 뒤바르다; 빌붙다. **∠·y** *a.* 《英口》 몹시 알랑대는.

:smart[smɑ:rt] *a.* ① 약삭빠른, 똑똑한. ② 멋진, 스마트한; 유행의. ③ 빈틈없는, 교활한, 방심할 수 없는. ④ 야발스러운, 깜찍한, 건방진. ⑤ 욱신욱신 쑤시는; 날카로운, 강한. ⑥

돌돌한, 재빠른, 날랜; 활발한. ⑦ 머리가 빨리 도는. ⑧《口·方》(금액·사람 수 따위) 꽤 많은[상당한]. **a ~ few** 꽤 많음[많은]. — *n.* Ⓒ 아픔, 격통; 고통, 비통, 분개. — *vi.* 욱신욱신 아프다; 괴로워하다, 분개하다(*under*); 대갚음을 받다. **~ for** …때문에 벌받다. **∠·ness** *n.*

smárt àl·eck 〔**àl·ec**〕 [-ǽlik] 《口》 건방진[잘난 체하는] 녀석.

smart·en [smɑ́ːrtn] *vt., vi.* smart하게 하다[되다].

smart·ly [smɑ́ːrtli] *ad.* 세게; 호되게; 재빠르게.

***smash** [smæʃ] *vt., vi.* ① 분쇄하다, 박살내다[나다]. ② (사업의) 실패[파멸, 파산]시키다[하다]. ③ 대패시키다. ④ 충돌시키다[하다]; (*vi.*) 맹렬히 나아가다. ⑤ 〖테니스〗 스매시하다, 맹렬하게 내리치다(*vt.*). — *n.* Ⓒ ① 깨뜨려 부숨. ② 쨍그렁하고 부서지는 소리. ③ 대패; 파산. ④ 충돌. ⑤ 스매시. ⑥《美》(음악회·극장의) 대성공, 대만원. **go to ~** 《口》 부서지다; 파산[완패]하다. — *ad.* 철썩; 쨍그렁; 정면[정통]으로. **∠·ing** *a.* 맹렬한; (상황(商況)이) 활발한; 《口》 굉장한.

smash·er [smǽʃər] *n.* Ⓒ 《俗》 ① 맹렬한 타격[추락]; 찍소리 못하게 하는 의론. ② 분쇄자; 〖테니스〗 스매시를 잘하는 선수. ③《英》 멋진 사람[것].

smat·ter·ing [smǽtəriŋ] *n.* (a ~) 어설픈[설부른] 지식.

***smear** [smiər] *vt.* (기름 따위를) 바르다; (기름 따위로) 더럽히다; 문질러 더럽히다; (명성·명예 등을) 손상시키다; 《美俗》 철저하게 해치우다. — *vi.* 더럽혀지다. — *n.* Ⓒ 얼룩, 더럼; 중상. **~·y** [smíəri] *a.* 더러워진; 얼룩이 진.

†**smell** [smel] *vt.* (**smelt, ~ed**) 냄새맡다; 맡아내다, 알아[낌새]채다(*out*). — *vi.* 냄새맡다, 맡아보다(*at*); 악취가 나다; 냄새맡고 다니다; (…의) 냄새[낌새]가 나다(*of*). — *n.* Ⓒ 냄새맡음; Ⓤ 후각(嗅覺); Ⓒ,Ⓤ 냄새; Ⓤ 낌새.

smélling sàlts 정신들게 하는 약 《탄산암모니아가 주제(主劑)로 된》.

:**smelt**[1] [smelt] *v.* smell의 과거(분사).

smelt[2] *vt., vi.* 〖冶〗 용해하다, 제련하다. **∠·er** *n.* Ⓒ 용광로; 제련소.

smid·gen, -gin [smídʒin] *n.* (a ~) 《美口》 소량, 미량.

†**smile** [smail] *n., vi.* Ⓒ 미소(하다), 방긋거림[거리다]; 냉소(하다)(*at*); 은혜[호의](를 보이다). ***smíl·ing** *a.* 방글거리는, 명랑한.

smirk [sməːrk] *n., vi., vt.* Ⓒ 능글[증글]맞은 웃음(을 웃다).

***smite** [smait] *vt.* (**smote, smit; smitten,** 《古》 **smit**) ① 《文語》 때리다, 강타하다; 죽이다. ② (병이) 덮치다; (욕망이) 치밀다; (마음을) 괴롭히다; 매혹하다(*with*). — *vi.* 때리다, 부딪치다(*on*).

***smith** [smiθ] *n.* Ⓒ 대장장이; 금속세공장(匠)(cf. goldsmith).

smith·er·eens [smìðəríːnz] *n. pl.* 《口》 산산조각, 파편.

smith·y [smíθi, -ði] *n.* Ⓒ 대장간.

smit·ten [smítn] *v.* smite의 과거분사.

***smock** [smɑk/-ɔ-] *n.* Ⓒ 작업복, 스목《작업용, 부인·어린이용의 덧옷》. — *vt.* 스목을 입히다; 장식 주름을 내다. **∠·ing** *n.* Ⓤ 장식 주름.

:**smog** [smɑg, -ɔ(ː)-] *n.* Ⓤ 스모그, 연무(煙霧)(< *sm*oke+f*og*). — *vt.* (**-gg-**) 스모그로 덮다. **∠·gy** *a.* 스모그가 많은.

†**smoke** [smouk] *n.* ① Ⓤ 연기(같은 것)《안개·먼지 따위》. ② Ⓤ,Ⓒ 실체가 없는 것, 공(空). ③ Ⓒ 흡연, 한 대 피움[피우는 시간]. ④ Ⓒ (보통 *pl.*) 궐련, 여송연. ⑤ Ⓒ 모깃불. **end in ~** (중도에) 흐지부지되다. **from ~ into smother** 갈수록 태산. **like ~** 《俗》 순조롭게; 곧, 당장. — *vi.* 연기를 내다, 잘 타지 않고 연기를 내다; 김이 나다; 담배를 피우다; 얼굴을 붉히다; 《俗》 대마초를 피우다. — *vt.* 그을리다; 훈제(燻製)로 하다; 연기를 피워 구제(驅除)[소독]하다; (담배 따위를) 피우다; 담배를 피워 …하다. **~ one's time away** 담배를 피우며 시간을 보내다. **~ out** 연기를 피워 몰아내다; (탐지하여) 폭로하다.

S

smóke·less *a.* 연기 없는.
˙**smok·er** [ˊ-ər] *n.* Ⓒ 흡연자(*a heavy* ~); 흡연실〔차〕; 《美》 남자만의 흡연 담화회.
smóke scrèen 연막; 《비유》 위장.
smóke·stàck *n.* Ⓒ (공장·기관차·기선 따위의) 큰 굴뚝. ── *a.* (철강·화학·자동차 등의) 중공업의.
:**smok·ing**[ˊ-iŋ] *n.* Ⓤ 흡연. ***No*** ~ (within these walls). (구내) 금연《게시》.
smóking jàcket (남자들의) 헐렁한 평상복.
˙**smok·y**[ˊ-i] *a.* 연기 나는, 매운; 연기와 같은; 거무칙칙한, 그을은.
smol·der, 《英》 **smoul-**[smóuldər] *vi.* 연기 나다, (내)내다; (불만이) 쌓이다. ── *n.* Ⓒ (보통 *sing.*) 내는 불; 연기 남〔피움〕.
smooch[smu:tʃ] *n., vi.* (a ~)《口》 키스(하다), 애무(하다).
:**smooth**[smu:ð] *a.* ① 반드러운; 수염 없는; 매끄러운. ② 유창한; 귀에 거슬리지 않는, (소리가) 부드러운; 온화한, 매력으로〔비위 맞춰〕 남을 끄는, (말 따위가) 번지르한. ③ (바다가) 잔잔한. ④ (음료가) 입에 당기는. ⑤ 《美俗》 멋진. ***in*** ~ ***water*** 장애를 돌파하여. ***make things*** ~ 장애를 제거하고 일을 쉽게 만들다. ~ ***things*** 겉발림말. ── *vt.* 반드럽게 하다, 펀펀하게 고르다, 다리다; 매만지다; 잘 보이다; 달래다, 가라앉히다. ── *vi.* 반드러워〔평온해〕지다. ~ ***away*** 〔***off***〕 (장애·곤란 등을) 없애다, 반드럽게 하다. ── *n.* (a ~) 반드럽게 함; 반드러운 부분; Ⓒ 평지; 《美》 초원. ***take the rough with the*** ~ 곤경에 처해도 태연하게 행동하다. ***ㄹ·ness*** *n.*
:**smooth·ly**[smú:ðli] *ad.* 매끈하게; 유창하게; 평온하게; 꺼리낌없이.
smor·gas·bord, smör·gas- [smɔ́:rgəsbɔ̀:rd] *n.* (Sw.) Ⓤ 여러 가지 전채(前菜)가 나오는 스웨덴식 식사《때로는 50접시에 이름》.
˙**smote**[smout] *v.* smite의 과거.
˙**smoth·er**[smʌ́ðər] *vt.* (…에게) 숨막히게 하다, 질식시키다; (재를 덮어) 끄다, (불을) 묻다; (친절·키스 따위를) 퍼붓다; (하품을) 눌러 참다; 쓱싹〔쉬쉬〕하다, 묵살하다; 찜으로 하다. ── *n.* (a ~) 자욱한 연기〔먼지, 물보라〕; 대혼란, 야단법석.
smudge[smʌdʒ] *n., vt., vi.* Ⓒ 얼룩(을 묻히다), 오점(을 찍다), 더럽히다(더러움); 《美》 모깃불(을 피우다). **smúdg·y** *a.* 더럽혀진; 선명치 못한; 매운.
smug[smʌg] *a.* (**-gg-**) 혼자 우쭐대는, 젠체하는; 말쑥한(neat). **ㄹ·ly** *a.* **ㄹ·ness** *n.* Ⓒ 새침떼, 젠체함.
˙**smug·gle**[smʌ́gəl] *vt., vi.* 밀수(입·출)하다(*in, out, over*); 밀항〔밀입국〕하다. ˙**smúg·gler** *n.* Ⓒ 밀수자〔선〕. **smúg·gling** *n.* Ⓤ 밀수.
smut[smʌt] *n.* Ⓤ,Ⓒ 그을음, 검댕(soot); 탄(炭)가루; 얼룩; Ⓤ 흑수병, 깜부깃병; 외설한 이야기〔말〕. ── *vt., vi.* (**-tt-**) 더럽히다〔혀지다〕, 검게 하다〔되다〕; 깜부깃병에 걸리(게 하)다. **ㄹ·ty** *a.* 그을은, 더럽혀진; 깜부깃병의; 외설한.
snack[snæk] *n.* Ⓒ 가벼운 식사, 간식; 맛, 풍미(smack[1]); 몫. ***go*** ~***s*** (몫을) 반분하다. ***Snacks!*** 똑같이 나눠라!
snáck bàr 〔《英》 **còunter**〕 《美》 간이 식당.
snaf·fle[snǽfəl] *n., vt.* Ⓒ (말의) 작은 재갈(로 제어하다); 《英俗》 훔치다, 후무리다(pinch).
snag[snæg] *n.* Ⓒ 꺾어진 가지; 가지 그루터기; 빠진〔부러진〕 이, 뻐드렁니; 물에 쓰러진〔잠긴〕 나무《배의 진행을 방해》; 뜻하지 않은 장애. ***strike a*** ~ 장애에 부딪치다. ── *vt.* (**-gg-**) 방해하다; 잠긴 나무에 걸리게 하다〔를 제거하다〕. **ㄹ·gy** *a.*
:**snail**[sneil] *n.* Ⓒ 달팽이; 《비유》 굼벵이, 느리광이. ***at a*** ~***'s pace*** 〔***gallop***〕 느릿느릿.
:**snake**[sneik] *n.* Ⓒ 뱀; 《비유》 음흉한 사람. ***raise*** 〔***wake***〕 ~***s*** 소동을 일으키다. ***see*** ~ 《美口》 알코올 중독에 걸려 있다. ~ ***in the grass*** 숨어 있는 적〔위험〕. ***Snakes!*** 빌어먹을! ***warm*** 〔***cherish***〕 ***a*** ~ ***in one's bosom*** 믿는 도끼에 발등 찍히다《은혜를 원수로 갚받다》. ── *vt.* 꿈틀거리다, 뒤틀다; 《美口》 잡아 끌다. ── *vi.* 꿈틀꿈틀 움직이다.

S

snák·y *a.* 뱀과 같은; 뱀이 많은; 음흉한.
snáke·bìte *n.* Ⓒ 뱀에게 물린 상처.
snáke chàrmer 뱀 부리는 사람.
snáke·skìn *n.* Ⓒ 뱀 가죽; Ⓤ 무두질한 뱀 가죽.
:**snap**[snæp] *vt., vi.* (**-pp-**) 덥석 물다, 물어뜯다(*at*); 달려들다; 똑 꺾다〔부러지다〕, 툭 끊다〔끊어지다〕, 쾅 닫(히)다; (탁) 퉁기다, 딸깍 소리 내다; (권총을) 쏘다; 《口》 딱딱거리다; 버럭 소리치다(*out*); 잡아채다; 스냅 사진을 찍다; (*vi.*) (총이) 불발로 그치다; 번쩍 빛나다; (신경 따위가) 못 견디게 되다; 재빨리 움직이다. **~ *at*** 달려들다; 쾌히 응낙하다. **~ *into it*** 《美口》 본격적으로 시작하다. **~ *one's fingers at*** …을 경멸하다, 무시하다. **~ *short*** 똑 부러지다, 툭 끊어지다; (이야기를) 가로막다. **~ *up*** 덥석 물다; 잡아채다; 버릇없이 남의 말을 가로막다. — ***n.*** Ⓒ 덥석 물음; 버럭 소리침; 똑부러짐 (따위), 잘깍 하는 소리; 똑딱 단추; (날씨의) 급변, 갑작스런 추위; 스냅 사진; 〖野〗 급투(急投); Ⓤ 《口》 활기, 민활함, 정력, 활력; Ⓒ 《口》 수월한 일〔과목〕; 허둥대는 식사; 《英方》 (노동자·여행자의) 도시락. ***in a ~*** 곧. ***not care a ~*** 조금도 상관치 않다. ***with a ~*** 뚝〔탁〕하고. — ***a.*** 재빠른, 급한; 《俗》 쉬운. **∠·per** ***n.*** Ⓒ 딱딱거리는 사람; = **snápping tùrtle** (북아메리카의) 큰 자라.
snáp·dràgon *n.* Ⓒ 금어초(金魚草).
snáp fàstener 똑딱단추.
snap·py[snǽpi] *a.* 짤깍짤깍〔바지직바지직〕 소리나는; 《口》 활기 있는; (추위가) 살을 에는 듯한; 스마트한.
snáp·shòt *n., vt.* Ⓒ 속사(速射); 스냅 사진(을 찍다).
˙**snare**[snɛər] *n., vt.* Ⓒ 덫〔함정〕(에 걸리게 하다); 유혹(하다); (보통 *pl.*) (북의) 향현(響絃)《장선(腸線)의 일종》.
snáre drùm (잘 울리게 향현을 댄) 작은 북.
˙**snarl**[1][snɑːrl] *vi.* (개가 이빨을 드러내고) 으르렁거리다; 고함치다. — *vt.* 호통치다, 소리지르며 말하다. — ***n.*** Ⓒ 으르렁거림, 고함; 으르렁거리는 소리.
snarl[2] *n., vi., vt.* Ⓒ 엉클어짐; 엉클리다, 엉클어지게 하다; 혼란(하다, 시키다).
:**snatch**[snætʃ] *vt.* 와락 붙잡다, 잡아채다, 급히 먹다(*away, off*); 용하게〔운좋게〕 얻다; 간신히 손에 넣다〔구해내다〕(*from*); 《俗》 (어린이를) 유괴하다(kidnap). — ***vi.*** 잡으려고 하다, 움켜잡으려 들다(*at*); (제의에) 기꺼이〔냉큼〕 응하다(*at*). **~ *a kiss*** 갑자기 키스하다. **~ *a nap*** 한숨 자다. **~ *up*** 홱 잡아채다. — ***n.*** Ⓒ 잡아챔, 강탈; 《俗》 유괴; (보통 *pl.*) 작은 조각, 단편, (음식의) 한 입; 단시간(*a ~ of sleep* 한잠); Ⓒ 《美俗》 여자의 성기, 성교. ***by ~es*** 때때로 (생각난 듯이). **∠·y** ***a.*** 단속적(斷續的)인, 불규칙한; 이따금씩의.
snaz·zy[snǽzi] *a.* 《美》 멋진, 일류의; 매력적인.
˙**sneak**[sniːk] *vi., vt.* 슬그머니 움직이다〔달아나다, 들어가다, 나가다〕(*away, in, out*); 《口》 후무리다; (*vi.*) 《英學生俗》 고자질하다; 《英俗》 굽실거리다(*to*). **~ *out of*** …을 슬쩍〔가만히〕 빠져나가다. — ***n.*** Ⓒ 비겁한 사람, 고자질꾼. **∠·er** ***n.*** Ⓒ 비열한 사람; (고무 바닥의) 즈크신. **∠·ing** ***a.*** 슬금슬금〔몰래〕하는〔달아나는〕; 비열한.
snéak thìef 좀도둑; 빈집털이.
˙**sneer**[sniər] *n., vi.* 비웃다; Ⓒ 조소(하다)(*at*). — *vt.* 비웃어 말하다.
˙**sneeze**[sniːz] *n., vi.* Ⓒ 재채기(하다); 《口》 업신여기다(*at*). ***not to be ~d at*** 《口》 깔볼 수 없는, 상당한.
snick·er[sníkər] *n., v.* = SNIGGER.
snide[snaid] *a.* (보석 따위가) 가짜의; (사람이) 비열한.
:**sniff** [snif] *vt.* 코로 들이쉬다(*in, up*); 냄새맡다. — ***vi.*** 킁킁 냄새맡다(*at*); 콧방귀 뀌다(*at*). — ***n.*** Ⓒ sniff 함; 코웃음; 콧방귀. **∠·y** ***a.***
snif·fle[snífəl] *n., v.* = SNUFFLE. ***the ~s*** 코막힘, 코감기; 훌쩍이며 욺.
snig·ger[snígər] *n., vi.* Ⓒ 《주로

S

英》 킬킬거리며 웃음[웃다].
snip[snip] *vt., vi.* (**-pp-**) 가위로 싹독 자르다. ── *n.* Ⓒ 싹독 자름; 끄트러기, 자투리; 조금; (*pl.*) 함석 가위; Ⓒ《美口》 하찮은 인물; 풋내기.
snipe [snaip] *n.* Ⓒ 〖鳥〗 도요새; 〖軍〗 저격(狙擊); 《美俗》 담배 꽁초. ── *vt., vi.* 도요새 사냥을 하다; 저격하다. **sníp·er** *n.* Ⓒ 저격병.
snip·pet[snípit] *n.* Ⓒ 단편; 《美口》 하찮은 인물.
sniv·el[snívəl] *vi.* (《英》 **-ll-**) 콧물을 흘리다; 훌쩍이며 울다; 우는 소리를 하다. ── *n.* Ⓤ 콧물; Ⓒ 우는 소리; 코멘 소리.
snob[snɑb/-ɔ-] *n.* Ⓒ (신사연하는) 속물(俗物); 금권(金權)주의자; 윗사람에게 아첨하고 아랫사람에게 교만한 인간; 《英》 동맹파업 불참 직공. **∠·ber·y** *n.* Ⓤ 속물 근성; Ⓒ 속물적 언동. **∠·bish** *a.*
snook[snu(ː)k] *n.* Ⓒ 《俗》 엄지손가락을 코끝에 대고 다른 네 손가락을 펴보이는 경멸의 몸짓. ***cut*** 〔***cock***〕 ***a ~ at*** 《口》 냉소하다, 조롱하다.
snoop[snuːp] *vi., n.* Ⓒ 《口》 (못된 짓을 할 목적으로) 기웃거리며 서성대다[서성대는 사람, 서성대기].
snoot·y[snúːti] *a.* 《口》 우쭐거리는, 건방진.
snooze[snuːz] *n.* (a ~) 《口》 걸잠. ── *vi., vt.* 꾸벅꾸벅 졸다; 빈둥거리며 시간을 보내다.
˙**snore** [snɔːr] *n., vi., vt.* Ⓒ 코골; 《英》 (한) 잠; 코를 골다.
˙**snor·kel**[snɔ́ːrkəl] *n.* Ⓒ 스노클《잠수함의 환기 장치; 잠수용 호흡 기구》.
˙**snort**[snɔːrt] *vi., vt.* (말이) 콧김을 뿜다; (사람이) 씨근거리(며 말하)다《경멸·노염의 표시》; (엔진이) 씩씩 소리내다. ── *n.* Ⓒ 콧김; (엔진의) 배기음.
snot·ty[snɑ́ti/snɔ́ti] *a.* ① 《卑》 콧물투성이의; 추레한. ② 《俗》 어쩐지 싫은, 하찮은《이상은 **∠ nòsed** 라고도 함》. ③ 《俗》 건방진, 역겨운.
snout[snaut] *n.* Ⓒ (돼지·개·악어 따위의) 주둥이; (사람의) 크고 못생긴 코; 바위끝; = NOZZLE.
†**snow**[snou] *n.* Ⓤ 눈(내림); Ⓤ,Ⓒ 강설; Ⓤ 《詩》 순백, 백발; 《俗》 코카인[헤로인] 가루; 〖TV〗 화면에 나타나는 흰 반점. ── *vi.* 눈이 내리다(*It ~s.*); 눈처럼 내리다. ── *vt.* 눈으로 파묻히게[갇히게] 하다(*in, up*); 눈같이 뿌리다; 백발로 하다. ***be ~ed under*** 눈에 묻히다; 《美俗》 압도되다(be overwhelmed).
˙**snów·bàll** *n., vt., vi.* Ⓒ 눈뭉치(를 던지다); 《英》 차례차례 권유시키는 모금(募金)(법); 눈사람식으로 붇다; 〖植〗 불두화나무(guelder-rose).
snów·bòund *a.* 눈에 갇힌.
snów-càpped *a.* (산 따위가) 눈으로 덮인.
snów·drìft *n.* Ⓒ 휘몰아쳐 쌓인 눈.
snów·dròp *n.* Ⓒ 〖植〗 눈 꽃; 아네모네; 《美軍俗》 헌병.
˙**snów·fàll** *n.* Ⓒ 강설; Ⓤ 강설량.
snów field 설원(雪原), 만년설.
˙**snów·flàke** *n.* Ⓒ 눈송이.
snów lìne 〔**lìmit**〕 설선(雪線)《만년설의 최저선》.
˙**snów·màn** *n.* Ⓒ 눈사람; (히말라야의) 설인(雪人)《보통 *the abominable ~*》.
snów·plòw, 《英》 **-plòugh** *n.* Ⓒ (눈 치우는) 넉가래, 제설기.
˙**snów·shòe** *n., vi.* Ⓒ (보통 *pl.*) 설화(雪靴)(로 걷다).
˙**snów·stòrm** *n.* Ⓒ 눈보라.
˙**snów-whìte** *a.* 눈같이 흰, 순백의.
‡**snow·y**[snóui] *a.* ① 눈의, 눈이 오는, 눈이 많은. ② 눈이 쌓인, 눈으로 덮인. ③ 눈 같은, 순백의, 깨끗한, 오점이 없는.
snub[snʌb] *n., vt.* (**-bb-**) Ⓒ 몰아세움; 몰아세우다; 냉대(하다); (말·배 등) 급정거(시키다). ── *a.* 들창코의; 코웃음치는.
snuff[1][snʌf] *n., vt.* Ⓤ (까맣게 탄) 양초의 심지(를 잘라 밝게 하다); (촛불을) 끄다. **~ *out*** (촛불을) 끄다, 소멸시키다; 《口》 죽다.
˙**snuff**[2] *vt.* 냄새맡다. ── *vi.* 코로 들이쉬다, 냄새 맡아보다(*at*); 코를 킁킁거리다. ── *n.* Ⓒ 냄새; 코로 들이쉼; Ⓤ 코담배. ***in high ~*** 의기양양하게. ***up to ~*** 《英俗》 빈틈없는; 《口》 원기 왕성하게, 좋은 상태로.
snúff·bòx *n.* Ⓒ 코담배갑.
snuf·fle[snʌ́fəl] *n., vi., vt.* Ⓒ 콧

S

소리(가 되다, 로 노래하다); (the ~s) 코감기, 코가 멤〔메다〕; 코를 킁킁거리다.

·**snug**[snʌg] *a.* (**-gg-**) (장소가) 아늑한(*a ~ corner*); 깨끗한, 조촐〔아담〕한; 넉넉한; 숨은; (배가) 잘 정비된. ***as ~ as a bug in a rug*** 매우 편안하게, 포근히. ***lie ~*** 숨어서 보이지 않는. **ˊ·ly** *ad.* **ˊ·ness** *n.*

snug·gle[snʌ́gəl] *vi., vt.* 다가붙다〔들다〕; 끌어안다(*up, to*).

†**so**[sou] *ad.* 그렇게; 그와 같이; 마찬가지로(*So am I.*); 맞았어, (당신의 말) 그대로(*"They say he is honest." "So he is."*); 그만큼; 그정도로; 《口》 매우; 그래서, 그러므로; 《문두에서》 그럼. ***and so*** 그리고 (…하였다); 그래서. ***as ... so*** …과 같이 또한. ***It so happened that ...*** 때마침〔공교롭게도〕 …이었다. ***or so*** … 만큼. (*not*) ***so ... as*** …만큼 (…은 아니다). ***so ... as to*** …할 만큼. ***so as to*** (do) …하기 위하여, …하도록. ***So be it!*** 그렇다면 좋다 《승낙·단념의 말투》. ***so*** FAR. ***so far as*** …만으로는, …하는 한(에서는). ***so far as from*** doing …하기는 커녕. ***So long!*** 《口》 안녕. ***so long as*** …하는 한에는, …이면. ***So many men, so many minds.*** 《속담》 각인 각색. ***so so*** 《口》 그저 그렇다, 이럭저럭. ***so that*** …하기 위하여, …하도록; 따라서, 그러므로; 만일 …이면, …하기만 한다면. ***so ... that*** 대단히 …이〔하〕므로; …한 식으로, 공교롭게도 …하게. ***so to say*** 〔***speak***〕 말하자면. ***So what?*** 《美口》《반문》 그래서 어쨌다는 거야. — *conj.* …할 만큼; 그러므로, 따라서; 《古》 …하기만 한다면. — *int.* 설마; 됐어; 그대로 (가만히)!; 정말이냐! — *pron.* 《say, think, tell 따위의 목적어로서》 그렇게, 그같이(*I suppose so.*); 정도, 가량, 쯤(*a mile or so,* 1마일 가량).

:**soak**[souk] *vt.* (물에) 잠〔담〕그다, 적시다; 흠뻑 젖게 하다; 스며들게 하다; 빨아들이다(*in, up*); 《비유》 (지식 등을) 흡수하다; (술을) 많이 마시다; 《俗》 벌하다, 때리다; 《俗》 우려내다, 중세(重稅)를 과하다. — *vi.* 잠기다; 담기다; (흠뻑) 젖다; 스며들다〔나오다〕(*in, into, through; out*); 많은 술을 마시다. ***be ~ed*** 〔***~ oneself***〕 ***in*** …에 몰두하다. ***~ up*** 흡수하다; 이해하다. — *n.* Ⓒ (물에) 잠금, 젖음; 흠뻑 젖음; 큰비; 《俗》 술잔치; 《俗》 술고래.

·**só-and-sò** *n.* (*pl.* **~s**) Ⓒ,Ⓤ 아무개, 누구 누구, 무엇 무엇. — *a.* 지겨운(damned).

:**soap**[soup] *n.* Ⓤ 비누; Ⓒ 《俗》 금전; (특히 정치적) 뇌물. — *vt., vi.* (…에) 비누를 칠하다〔로 씻다〕. **ˊ·y** *a.* 비누의; 비누투성이의〔를 함유한〕; 《俗》 낯간지러운 겉발림말의.

sóap·bòx *n., vi.* Ⓒ 《美》 비누 상자 《포장용》; 빈 비누 궤짝《가두 연설의 연단으로 씀》; 가두 연설하다.

sóap flàkes 〔**chìps**〕 (선전용의) 작은 비누.

sóap òpera 《美口》 〖라디오·TV〗 (주부들을 위한 낮의) 연속 가정극《원래 비누 회사 제공》.

sóap pòwder 가루 비누.

sóap·stòne *n.* Ⓤ 동석(凍石)《비누 비슷한 부드러운 돌》.

sóap·sùds *n. pl.* 거품이 인 비눗물, 비누 거품.

:**soar**[sɔːr] *vi.* ① 높이〔두둥실〕 올라가다. ② (희망·사상 등이) 치솟다, 부풀다. ③ (물가가) 폭등하다. ④ 〖空〗 일정한 높이를 활공하다.

:**sob**[sab/-ɔ-] *vi.* (**-bb-**) 흐느끼다; (바람 따위가) 흐느끼는 듯한 소리를 내다. — *vt.* 훌쩍이면서 이야기하다(*out*); 흐느껴 …이 되게 하다. — *n.* Ⓒ 훌쩍이는 울음. — *a.* 《美俗》 《한정적》 눈물을 자아내는.

:**so·ber**[sóubər] *a.* 취하지〔술 마시지〕 않은, 맑은 정신의; 진지한; 냉정한, 분별 있는; 과장 없는; (빛깔이) 수수한. ***appeal from Philip drunk to Philip ~*** 상대방이 술 깬 뒤에 다시 이야기하다. — *vt.* (…의) 술 깨게 하다; 마음을 가라앉히다(*down*). — *vi.* 술이 깨다(*up, off*); 마음이 가라앉다(*down*). **~·ly** *ad.* **~·ness** *n.*

so·bri·e·ty[soubráiəti] *n.* Ⓤ 절주(節酒); 제정신, 진지함, 근엄.

sób stòry 〔**stùff**〕 《美口》 감상적

S

인 얘기, 애화(哀話); 상대의 동정을 얻으려는 변명.

Soc. society.

:**so-called**[sóukɔ́:ld] *a.* 이른바, 소위.

˙**soc·cer**[sɑ́kər/-ɔ́-] *n.* Ⓤ 축구.

˙**so·cia·ble**[sóuʃəbəl] *a.* 사교적인, 사교를 좋아하는; 사귀기 쉬운, 붙임성 있는. — *n.* Ⓒ 《美》 친목회; (마주 보는 좌석이 있는) 4륜 마차; (S자형) 소파. **-bly** *ad.* 사교적으로, 상냥하게. **-bil·i·ty**[≻–bíləti] *n.* Ⓤ 사교성, 사교적임.

:**so·cial**[sóuʃəl] *a.* 사회의[에 관한]; 사회[사교]적인; 붙임성 있는; 사교계의; 사회 생활을 영위하는; 〖動·植〗 군거(群居)[군생]하는; 사회주의의; 성교의[에 의한]. — *n.* Ⓒ 친목회. **so·ci·al·i·ty**[sòuʃiǽləti] *n.* Ⓤ 사교[군거]성. **~·ly** *ad.*

sócial clímber 출세주의자, 야심가.

sócial demócracy 사회 민주주의.

˙**so·cial·ism**[sóuʃəlìzəm] *n.* Ⓤ 사회주의. ˙**-ist** *n.* Ⓒ 사회주의자, 사회당. **-is·tic**[≻–ístik] *a.*

so·cial·ite[sóuʃəlàit] *n.* Ⓒ 사교계의 명사(名士).

˙**so·cial·ize**[sóuʃəlàiz] *vt.* 사회[사교]적으로 하다; 사회주의화하다; 국영화하다. **~d medicine** 의료 사회화 제도. ˙**-i·za·tion**[≻–izéiʃən] *n.*

sócial scíence 사회 과학.

sócial secúrity 사회 보장 (제도).

sócial sérvice [**wòrk**] 사회 (복지) 사업.

sócial stùdies 사회과《학교의 교과》.

sócial wòrker 사회 사업가.

:**so·ci·e·ty**[səsáiəti] *n.* ① Ⓤ 사회; 세상, 세인. ② Ⓤ 사교계; 상류 사회(의 사람들). ③ Ⓤ,Ⓒ (특정한) 사회, 공동체. ④ Ⓤ 사교; 교제; 남의 앞. ⑤ Ⓒ 회, 협회, 조합. ***S- of Friends*** 프렌드[퀘이커] 교회. ***S- of Jesus*** 예수회(cf. Jesuit).

so·ci·o-[sóusiou, -siə, -ʃi-] '사회, 사회학' 의 뜻의 결합사.

˙**so·ci·ol·o·gy** [sòusiɑ́lədʒi, -ʃi-/-ɔ́l-] *n.* Ⓤ 사회학. ˙**-gist** *n.* Ⓒ 사회학자. **-o·log·i·cal**[sòusiəlɑ́dʒikəl, -ʃi-/-lɔ́dʒ-] *a.*

:**sock**[1][sɑk/-ɔ-] *n.* Ⓒ (보통 *pl.*) 속스, 짧은 양말.

sock[2] *vt., n.* Ⓒ (보통 *sing.*) 《俗》 강타(強打)(하다).

˙**sock·et**[sɑ́kit/-ɔ́-] *n.* Ⓒ (꽂는) 구멍, (전구) 소켓. — *vt.* 소켓에 끼우다; 접속하다.

˙**sod**[1][sɑd/-ɔ-] *n.* Ⓤ,Ⓒ 잔디, 뗏장. ***under the ~*** 지하에 묻혀, 저승에서. — *vt.* (**-dd-**) 잔디로 덮다.

sod[2] (＜sodomite) *n.* Ⓒ 《英俗》 비역쟁이.

:**so·da**[sóudə] *n.* ① Ⓤ 소다《(중)탄산소다·가성 소다 등》. ② Ⓤ,Ⓒ 소다수(水), 탄산수.

sóda fòuntain 소다수(水) 탱크[판매장].

sóda wàter 소다수.

sod·den[sɑ́dn/-ɔ́-] *a.* 흠뻑 젖은 (*with*); 물기를 빨아들여 무거운; (빵이) 설구워진; 술에 젖은; 멍청한, 얼빠진. — *vt., vi.* (물에) 잠그다, 잠기다, 흠뻑 젖(게 하)다(*with*); 붇(게 하)다.

˙**so·di·um**[sóudiəm] *n.* Ⓤ 〖化〗 나트륨《금속 원소; 기호 Na》.

sódium bicárbonate 〖化·藥〗 중탄산나트륨. 「금.

sódium chlóride 염화나트륨, 소금.

sod·om·y[sɑ́dəmi/-ɔ́-] *n.* Ⓤ 비역, 남색(男色); 수간(獸姦). **-om·ite** [-əmàit] *n.* Ⓒ 남색가; 수간자.

:**so·fa**[sóufə] *n.* Ⓒ 소파, 긴 의자.

†**soft**[sɔ(:)ft, sɑft] *a.* ① (유)연한, 부드러운; 매끈한. ② (윤곽이) 흐릿한; (음성이) 조용한, (광선이) 부드러운; (기후가) 상쾌한, 온난한. ③ 온화한, 상냥한; 약한, 나약한; 어리석은; 관대한. ④ 《英》 (날씨가) 누진, 구중중한; (물이) 연성(軟性)의; 알코올분(分)이 없는. ⑤ 수월한, 손쉬운. ⑥ 〖音聲〗 연음(軟音)의《*gem*의 *g*, *cent*의 *c* 따위》. — *ad.* 부드럽게, 조용하게, 상냥하게. — *n.* Ⓒ 부드러운 물건[부분]. — *int.* 《古》 쉿!, 잠깐! ***~ glances*** 추파. ***~ news*** 중요하지 않은 뉴스. ***~ nothings*** (잠자리에서의) 사랑의 속삭임. ***~ thing*** [***job***] 수월하게 돈 벌 수 있는 일. ***~ things*** 겉발림말; (잠자리에서의) 사랑의 말. ***the ~***(***er***)

sex 여성. **:∠·ly** *ad.* **∠·ness** *n.*
sóft·bàll *n.* Ⓤ 연식 야구; Ⓒ 그 공.
sóft-bóiled *a.* 반숙(半熟)의.
sóft drúg 약한 마약《마리화나 따위》.
:sof·ten[sɔ́(ː)fən, sάfən] *vt., vi.* 부드럽게 하다[되다]; 연성(軟性)으로 하다[되다]; 상냥[온화]하게 하다[되다]; (*vt.*) (폭격 따위로 적의) 저항력을 약화시키다(*up*).
sóft-héarted *a.* 마음씨가 상냥한.
sóft pálate 연구개(軟口蓋).
sóft·pédal *vi.* (피아노의) 약음 페달을 밟다. ── *vt.* 《口》 (태도·어조를) 부드럽게 하다.
sóft séll, the 온건한 판매술.
sóft shóulder 비포장 갓길.
sóft-sóap *vt., vi.* 《口》 아첨하다; 물비누로 씻다. **~er** *n.* Ⓒ 《口》 아첨꾼, 빌붙는 사람. 「득력 있는.
sóft-spóken *a.* 말씨가 상냥한; 설
˙soft·ware[∠wὲər] *n.* Ⓤ 【컴】 소프트웨어《프로그램 체계의 총칭》; (로켓·미사일의) 설계, 연료 (따위).
sóft·wòod *n.* Ⓤ 연목(재); Ⓒ,Ⓤ 침엽수 (목재).
soft·y, -ie[∠i] *n.* Ⓒ 《口》 감상적인 [무기력한] 남자; 바보, 얼간이.
sog·gy[sάgi/-ɔ-] *a.* 물에 젖신, 흠뻑 젖은; (빵이) 덜 구워져 눅눅한; 둔한.
:soil[1] [sɔil] *n.* Ⓤ 흙, 토양; Ⓤ,Ⓒ 토지; 생육지; 나라.
˙soil[2] *vt.* 더럽히다, (…에) 얼룩[오점]을 묻히다; (가명(家名) 따위를) 더럽히다; 타락시키다. ── *vi.* 더러워지다. ── *n.* Ⓤ 더럼, 오물; 거름, 비료. **~ed**[-d] *a.* 더러워진.
soi·ree, *soi·rée*[swɑːréi/∠–] *n.* (F.) Ⓒ 야회(夜會).
˙so·journ[sóudʒəːrn/sɔ́-] *n., vt.* Ⓒ 체재(하다), 머무르다.
sol[soul/sɔl] *n.* Ⓤ,Ⓒ 【樂】 솔.
˙sol·ace[sάləs/sɔ́l-] *n., vt., vi.* Ⓤ 위안, 위로(를 주다, 가 되다); Ⓒ 위안물.
:so·lar[sóulər] *a.* 태양의[에 관한]; 태양에서 오는, 햇빛[태양열]을 이용한; 태양의 운행에 의해 측정한.
sólar báttery [**céll**] 태양 전지.
so·lar·i·um[souléəriəm] *n.* (*pl.* ***-ia***[-riə]) Ⓒ 일광욕실; 해시계(sundial).
sólar pléxus 【解】 태양 신경총(叢).
sólar sỳstem 【天】 태양계.
sólar yéar 【天】 태양년《365일 5시간 48분 46초》.
†sold[sould] *v.* sell의 과거(분사).
sol·der[sάdər/sɔ́ldər] *n.* Ⓤ 땜납; Ⓒ 결합물. ***soft* ~** 아첨. ── *vt.* 납땜하다; 결합하다; 수선하다. **~*ing iron*** 납땜 인두.
†sol·dier[sóuldʒər] *n.* Ⓒ (육군의) 군인; (officer에 대하여) 사병; (역전의) 용사; 전사(戰士). **~ *of fortune*** (돈이나 모험을 위해 무엇이든 하는) 용병(傭兵). ── *vi.* 군대에 복무하다; 《口》 빈둥거리다, 꾀부리다. **~·ing** *n.* Ⓤ 군대 복무. **~·like, ~·ly** *a.* 군인다운, 용감한. **~·y**[-i] *n.* Ⓤ 《집합적》 군인; 군사 교련[지식].
:sole[1][soul] *a.* 유일한; 독점적인; 단독의; 【法】 미혼의. **~ *agent*** 총대리점. **:∠·ly** *ad.* 단독으로; 오로지, 단지, 전혀.
˙sole[2] *n.* Ⓒ 발바닥; 신바닥(가죽); 밑부분, 밑바닥. ── *vt.* (…에) 구두 밑창을 대다.
sole[3] *n.* Ⓒ 【魚】 혀넙치, 혀가자미.
sol·e·cism[sάləsìzəm/-ɔ́-] *n.* Ⓒ 문법[어법] 위반; 예법에 어긋남; 잘못, 부적당.
:sol·emn[sάləm/-ɔ́-] *a.* 엄숙한; 격식 차린, 진지한(체하는); 종교상의, 신성한; 【法】 정식의. ***S- Mass*** = HIGH MASS. **˙~·ly** *ad.* **~·ness** *n.*
˙so·lem·ni·ty[səlémnəti] *n.* Ⓤ 엄숙, 장엄; 점잔빼; Ⓒ (종종 *pl.*) 의식.
sol·em·nize[sάləmnàiz/-ɔ́-] *vt.* (특히, 결혼식을) 올리다; (식을 올려) 축하하다; 장엄하게 하다. **-ni·za·tion**[≥––zéiʃən] *n.*
sol-fa [sòulfά/sɔ̀l-] *n., vt., vi.* Ⓤ 【樂】 계명 창법(으로 노래하다).
:so·lic·it[səlísit] *vt., vi.* (일거리·주문 따위를) 구하다, 찾다(*for*); 간청[간원]하다(*for*); (매춘부가 남자를) 끌다, (나쁜 짓을) 교사하다. **-i·ta·tion**[səlìsətéiʃən] *n.*
˙so·lic·i·tor[səlísətər] *n.* Ⓒ 간청

S

하는 사람; 《美》 외판원; 〖英法〗 (사무) 변호사; 《美》 (시·읍의) 법무관.
solícitor géneral (*pl.* **~s general**) 《英》 법무 차관, 차장 검사; 《美》 수석 검사.
so·lic·i·tous [səlísətəs] *a.* 걱정하는(*for, about*); 열심인; 열망하는(*to* do). **~·ly** *ad.*
so·lic·i·tude [səlísət*j*ù:d] *n.* Ⓤ 걱정; 열망, 갈망; (*pl.*) 걱정거리.
:**sol·id** [sálid/-ɔ́-] *a.* ① 고체의; 속이 비지 않은. ② 〖數〗 입방의, 입체의. ③ 짙은, 두꺼운. ④ 꽉 찬(*with*); 견고한, 튼튼한; 똑같은; 순수한. ⑤ 완전한; 단결된; (학문이) 착실한; 진실의, 신뢰할 수 있는; 분별 있는; (재정적으로) 견실한. ⑥ 연속된; (복합어가) 하이픈 없이 된(보기 : *softball*); 〖印〗 행간을 띄지 않고 짠. ⑦ 《美口》 사이가 좋은; 《美俗》 훌륭한, 멋진. ── *n.* Ⓒ 고체; 〖數〗 입(방)체. **~·ly** *ad.*
sol·i·dar·i·ty [sɑ̀lədǽrəti/-ɔ̀-] *n.* Ⓤ 단결; 연대 책임.
so·lid·i·fy [səlídəfài] *vt., vi.* 응고(凝固)시키다〔하다〕; 단결시키다〔하다〕. **-fi·ca·tion** [-ˌ-ˌ-fikéiʃən] *n.*
so·lid·i·ty [səlídəti] *n.* Ⓤ 단단함; 고체성; 견고; 견실; 고밀도.
so·lil·o·quy [səlíləkwi] *n.* Ⓤ,Ⓒ 혼잣말; Ⓒ (연극의) 독백. **-quize** [-kwàiz] *vi.* 혼잣말〔독백〕하다.
sol·i·taire [sálətὲər/sɔ́l-] *n.* Ⓒ (반지에) 한 개 박은 보석; Ⓤ 혼자 하는 카드놀이.
:**sol·i·tar·y** [sálitèri/sɔ́litəri] *a.* ① 혼자의, 단독의; 단일의. ② 고독한, 외로운. ③ 쓸쓸한. ── *n.* Ⓒ 혼자 사는 사람; 은둔자. **-tar·i·ly** *ad.* **-tar·i·ness** *n.*
sólitary confínement 독방 감금.
:**sol·i·tude** [sálit*j*ù:d/sɔ́li-] *n.* Ⓤ 고독; 외로움, 쓸쓸함; Ⓒ 쓸쓸한 장소.
·**so·lo** [sóulou] *n.* (*pl.* **~s, -li** [-li:]) Ⓒ 독주(곡), 독창(곡); 독무대; 단독 비행; 〖카드〗 whist의 일종. ── *a.* 독주〔독창〕의; 독주부를 연주하는; 단독의. ── *vi.* 단독 비행하다. **~·ist** *n.* Ⓒ 독주〔독창〕자.
sol·stice [sálstis/-ɔ́-] *n.* Ⓒ 〖天〗 지(至). ***summer*** 〔***winter***〕 **~** 하〔동〕지.
·**sol·u·ble** [sáljəbəl/-ɔ́-] *a.* 용해될 수 있는; 해결할 수 있는. **-bil·i·ty** [sɑ̀ljəbíləti/-ɔ̀-] *n.* Ⓤ 가용성(可溶性).
:**so·lu·tion** [səlú:ʃən] *n.* ① Ⓤ 해결, 해명. ② Ⓤ,Ⓒ 용해 (상태); 용액. **~·ist** *n.* Ⓒ (신문·텔레비전 따위의) 퀴즈 해답 전문가.
:**solve** [sɑlv/-ɔ-] *vt.* 해결하다; 설명하다. **sólv·a·ble** *a.* 해결할 수 있는.
·**sol·vent** [sálvənt/-ɔ́-] *a.* 용해력이 있는; 지불 능력이 있는; 마음을 누그러지게 하는. ── *n.* Ⓒ 용제(溶劑), 용매(*of, for*); 약화시키는 것. **sól·ven·cy** *n.* Ⓤ 용해력; 지불 능력.
·**som·ber,** 《英》 **-bre** [sámbər/-ɔ́-] *a.* 어둠침침한; 거무스름한; 음침한, 우울한.
som·bre·ro [sɑmbrέərou/sɔm-] *n.* (*pl.* **~s**) (Sp. =hat) Ⓒ 챙 넓은 중절모《멕시코 모자》.
†**some** [sʌm, 弱 səm] *a.* 어느, 어떤; 얼마(간)의《수·양》; 누군가의; 대략; 《口》 상당한, 대단한. ***in* ~ *way*** (***or other***) 이럭저럭 해서. **~ *day*** 언젠가, 머지 않아. **~ *one*** 어떤 사람, 누군가; 어느 것인가 하나(의); 누구인가 한 사람(의). **~ *time*** 잠시; 언젠가, 뒷날. **~ *time or other*** 머지 않아서, 조만간. ── *pron.* 어떤 사람들〔물건〕; 얼마간, 다소. ── *ad.* 《口》 얼마쯤, 다소; 《美俗》 상당히.
†**some·bod·y** [sʌ́mbɑ̀di, -bədi/-bɔ̀di] *pron.* 어떤 사람, 누군가. ── *n.* Ⓒ 상당한 인물.
:**some·how** [sʌ́mhàu] *ad.* ① 어떻게든지 하여, 그럭저럭; 어떻든지, 좌우간. ② 웬일인지. **~ *or other*** 이럭저럭; 웬일인지.
†**some·one** [sʌ́mwʌ̀n, -wən] *pron.* =SOMEBODY.
sóme·plàce *ad.* 《美口》 =SOMEWHERE.
·**som·er·sault** [sʌ́mərsɔ̀:lt], **som·er·set** [ˊ-sèt] *n., vi.* Ⓒ 재주넘기, 공중제비(하다). ***turn a* ~** 재주넘다.
†**some·thing** [sʌ́mθiŋ] *pron., n.* 어떤 물건〔일〕, 무엇인가; 얼마간; 다

소; Ⓤ 가치 있는 물건〔사람〕. ***be ~ of a*** 조금〔좀〕 …하다, 좀 …한 데가 있다. ***take a drop of ~*** 한 잔하다. ***That is ~.*** 그것은 다소 위안이 된다. ***There is ~ in it.*** 그건 일리가 있다. ***think ~ of oneself*** (시원찮은데도) 자기를 상당한 인물로 여기다. ― *ad.* 얼마쯤, 다소; 꽤.

:some·time[sʌ́mtàim] *ad., a.* 언젠가, 조만간; 이전(의).

†some·times [sʌ́mtàimz, səmtáimz] *ad.* 때때로, 때로는, 이따금.

:some·what[sʌ́m*h*wàt/-*h*wɔ̀t] *ad.* 얼마간, 다소. ― *pron.* 어느 정도.

†some·where[sʌ́m*h*wὲər] *ad.* 어딘가에, 어디론가; 어느땐가(~ *in the last century*).

som·nam·bu·lism[sɑmnǽmbjəlìzəm] *n.* Ⓤ 몽유병. **-list** *n.* Ⓒ 몽유병자.

som·no·lent[sámnələnt/-ɔ́-] *a.* 졸린; 최면(催眠)의. **-lence** *n.*

†son[sʌn] *n.* ① Ⓒ 아들; 사위, 양자; (보통 *pl.*) (남자의) 자손. ② Ⓒ (…의) 아들, 계승자. ③ Ⓒ 《호칭》 젊은이. ④ (the S-) 예수. ***his father's ~*** 아버지를 빼쏜 아들(cf. CHIP of the old block). ***~ of a bitch*** 《蔑》 개자식, 병신 같은 놈, 치사한 놈.

so·nar[sóunɑːr] *n.* Ⓒ 《美》 수중 음파 탐지기(《英》 asdic).

·so·na·ta[sənάːtə] *n.* Ⓒ 〖樂〗 소나타, 주명곡(奏鳴曲).

†song[sɔ(ː)ŋ, -ɑ-] *n.* Ⓒ 노래, 창가, 가곡; 가창; 시; Ⓤ (새의) 지저귐, (시냇물의) 졸졸 소리. ***for a*** (***mere***) ***~,*** or ***for an old ~*** 아주 헐값으로. ***make a ~ about*** 《英俗》 …을 자랑〔자만〕하다. ***~ and dance*** 《美口》 (거짓말 등을 섞은) 이야기, 설명, 변명. ***the S- of Solomon,*** or ***the S- of Songs*** 〖舊約〗 아가(雅歌)(Canticles). 「가수.

sóng·bìrd *n.* Ⓒ 명금(鳴禽); 여자

·song·ster[⁄-stər] *n.* Ⓒ 가수(singer); 가인(歌人), 시인; 명금(鳴禽).

song·stress[⁄-stris] *n.* ⇧의 여성.

son·ic[sάnik/-ɔ́-] *a.* 음(파)의; 음속의.

sónic bóom 충격 음파《항공기가 음속을 돌파할 때 내는 폭발음과 비슷한 소리》.

són-in-làw *n.* (*pl.* **sons-in-law**) Ⓒ 사위.

·son·net[sάnət/-ɔ́-] *n., vi.* Ⓒ 〖韻〗 소네트, 14행시(를 짓다). **~·eer** [⁄-íər] *n.* Ⓒ 소네트 시인.

son·ny[sʌ́ni] *n.* Ⓒ 《口》 아가, 얘야 《애칭》.

so·nor·i·ty[sənɔ́ːrəti, -ά-] *n.* Ⓤ 울려퍼짐; 〖音聲〗 (음의) 들림.

·so·no·rous[sənɔ́ːrəs] *a.* 울려퍼지는, 낭랑한; 당당한, (표현이) 과장된.

†soon[suːn] *ad.* 이윽고, 이내, 곧; 빨리; 기꺼이. ***as*** 〔***so***〕 ***~ as*** …하자 마자 (곧). ***as ~ as possible*** 될 수 있는 대로 빨리. ***no ~er than*** …하자 마자. ***~er or later*** 조만간. ***would*** 〔***had***〕 ***~er ... than*** …보다는 차라리 … 하고 싶다.

·soot[sut, suːt] *n., vt.* Ⓤ 그을음, 검댕(으로 덮다, 더럽히다). **´ <·y** *a.* 그을은.

:soothe[suːð] *vt.* 위로하다; 가라앉히다; (고통 등을) 완화시키다(relieve); 달래다.

sóoth·sàyer *n.* Ⓒ 예언자, 점쟁이.

sop[sɑp/-ɔ-] *n.* Ⓒ (우유·수프 따위에 적신) 빵 조각; 뇌물. ― *vt.* (**-pp-**) (빵 조각을) 적시다(*in*); 흠뻑 적시다; 빨아들이다(*up*), 닦아〔훔쳐〕 내다. ― *vi.* 스며들다; 흠뻑 젖다.

so·phis·ti·cate[səfístəkèit] *vt.* 궤변으로 현혹시키다; (원문을) 멋대로 뜯어고치다; 세파에 닳고닳게 하다; (술 따위에) 섞음질하다; (취미·센스를) 세련되게 하다. ― *vi.* 궤변부리다. **·-cat·ed**[-id] *a.* 세파에 닳고닳은; 억지로 끌어댄; 섞음질한; (작품·문체가) 몹시 기교적인; 고도로 세련된. **-ca·tion**[-⁀-kéiʃən] *n.*

soph·ist·ry[sάfistri/-ɔ́-] *n.* Ⓤ,Ⓒ (고대 그리스의) 궤변술; 궤변, 구차한 억지 이론.

·soph·o·more [sάfəmɔ̀ːr/sɔ́f-] *n.* Ⓒ 《美》 (고교·대학의) 2년생.

sop·o·rif·ic[sàpərífik/sɔ̀p-] *a., n.* 최면의; 졸린; Ⓒ 수면제. 「은.

sop·ping[sάpiŋ/-ɔ́-] *a.* 흠뻑 젖

sop·py[sάpi/-ɔ́-] *a.* 젖은, 흠뻑 젖은.

S

·so·pra·no [səprǽnou/-rá:-] *n.* (*pl.* ~***s***, ***-ni***[-ni:]) Ⓤ 소프라노; 소프라노부(部); Ⓒ 소프라노 가수. — ***a.*** 소프라노의(로 노래하는), 소프라노용의.

sor·cer·er [sɔ́:rsərər] *n.* (*fem.* ***-ceress***) Ⓒ 마술사, 마법사.

sor·cer·y [sɔ́:rsəri] *n.* (cf. ⇧) Ⓤ 마법, 마술.

「한.

·sor·did [sɔ́:rdid] *a.* 더러운; 야비

:sore [sɔ:r] *a.* 아픈, 따끔따끔 쑤시는, 얼얼한; 슬픈; 성마른; 성난; 고통을(분노를) 일으키는; 격심한, 지독한. — ***n.*** Ⓒ 상처, 진무른데; 고통거리, 비통; 옛 상처, 언짢은 추억. — ***ad.*** 《古·詩》 아프게, 심하게. **·∠·ly** *ad.* **∠·ness** *n.*

sor·ghum [sɔ́:rgəm] *n.* Ⓤ 수수; 사탕수수의 시럽.

so·ror·i·ty [sərɔ́:rəti, -á-] *n.* Ⓒ 《英》 여성 종교 단체; 《美大學》 여학생회(cf. fraternity).

sor·rel[1] [sɔ́:rəl, -á-] *n., a.* Ⓤ 밤색(의); Ⓒ 구렁말.

sor·rel[2] *n.* Ⓒ 〖植〗 참소리쟁이·수영·괭이밥류(類).

:sor·row [sárou, sɔ́:r-] *n.* ① Ⓤ 슬픔(의 원인). ② Ⓤ,Ⓒ (종종 *pl.*) 고난, 불행. — ***vi.*** 슬퍼(비탄)하다(*for, at, over*). **:~·ful** *a.* 슬픈; 슬퍼 보이는; 애처로운, 가슴아픈.

†sor·ry [sári, sɔ́:ri] *a.* 유감스러운, 미안한(*for; that, to* do); 후회하는; 《한정적》 슬픈; 가엾은, 딱한.

†sort [sɔ:rt] *n.* Ⓒ ① 종류. ② 품질, 성질. ③ 어떤 종류의 사람(것). ④ 정도, 범위; 방식, 방법. ⑤ 〖컴〗 차례짓기, 정렬. ***a ~ of*** …과 같은 물건, 일종의. ***in*** (***after***) ***a ~*** 얼마간, 다소. ***in some ~*** 어느 정도. ***of a ~*** 일종의, 신통찮은. ***of ~s*** 여러 가지 종류의; 그저 그만한. ***of the ~*** 그러한. ***out of ~s*** 《口》 기분(건강)이 언짢은. ***~ of; ~er*** 《口》 얼마간; 말하자면; …같은(*She ~ of smiled.* 웃은 것 같았다). — ***vt.*** 분류하다(*over, out*); 구분하다(*out*).

sor·tie [sɔ́:rti:] *n.* Ⓒ (농성군의) 반격, 출격; 〖空軍〗 단기(單機) 출격.

:SOS [ésòués] *n.* Ⓒ (무전) 조난 신호; 《一般》 구조 신호, 구원 요청.

so-so, so·so [sóusòu] *a.* 좋지도 나쁘지도 않은, 그저 그렇고 그런. — ***ad.*** 그저 그만하게, 그럭저럭.

sot [sɑt/-ɔ-] *n.* Ⓒ 주정뱅이, 모주(drunkard). **∠·tish** *a.*

sot·to vo·ce [sátou vóutʃi/sɔ́t-] *ad.* (It.) 낮은 소리로; 방백(傍白)으로(aside); 비밀히.

sou [su:] *n.* (*pl.* ~***s***)(F.) Ⓒ 수《5상팀 상당의 구(舊) 프랑스 화폐》; (a ~) 하찮은 물건.

souf·flé [su:fléi/∠-] *n.* Ⓤ,Ⓒ 수플레《오믈렛의 일종, 달걀을 거품 내서 구운 요리》. — ***a.*** 부푼.

sough [sau, sʌf] *vi., n.* 윙윙거리다, 쏴아하다; Ⓒ 그 소리.

:sought [sɔ:t] *v.* seek의 과거(분사).

†soul [soul] *n.* Ⓒ 영혼, 정신; 혼; Ⓤ 기백, 열정; Ⓒ (*sing.*) 정수(精髓); Ⓒ (the ~) 전형; 화신(化身); Ⓒ 사람. ***by*** (***for***) ***my ~*** 정말이지, 단연코. ***for the ~ of me*** 아무리 해도. ***keep ~ and body together*** =keep BODY and ~ together. ***upon my ~*** 맹세코, 확실히. **∠·ful** *a.* 감정어린, 감정적인. **∠·less** *a.* 영혼(정신)이 없는; 기백없는; 무정한.

sóul fòod 《美口》 흑인 특유의 음식.

sóul màte 《특히》 (이성의) 마음의 친구; 애인, 정부(情夫, 情婦); 지지자.

sóul mùsic 《美口》 흑인 음악《rhythm and blues의 일종》.

†sound[1] [saund] *n.* Ⓤ,Ⓒ 소리, 음향; Ⓤ 소음, 잡음; 음조; 들리는 범위; Ⓤ,Ⓒ 〖音聲〗 음(phone); Ⓒ (목소리의) 인상, 느낌. — ***vi.*** 소리 나다, 울리다; 울려퍼지다; 소리를 내다, 들리다; 생각되다. — ***vt.*** 소리나게 하다; (북 따위로) 군호(명령)하다; 알리다; 발음하다; 타진하다.

†sound[2] *a.* 건전(건강)한; 상하지(썩지) 않은; 확실한, 안전한, 견실한; 올바른, 합리적인; 철저(충분)한; 〖法〗 유효한. — ***ad.*** 충분히(*sleep* ~). **∠·ly** *ad.* **∠·ness** *n.*

:sound[3] *vt.* (측연(測鉛)으로 물의) 깊이를 측량하다; 〖醫〗 소식자(消息子)로 진찰하다(종종 *out*); (사람의)

의중〔속〕을 떠보다(*on, about; as to*). ― *vi.* 수심을 재다; (고래 따위가) 물밑으로 잠기다. ― *n.* Ⓒ 〖醫〗 소식자. 「의) 부레.

sound[4] *n.* Ⓒ 해협; 후미; (물고기

sóund bàrrier 음속 장벽(sonic barrier).

sóund effècts 음향 효과.

sóunding bòard (악기의) 공명판 (soundboard).

sóund·less *a.* 소리나지 않는.

sóund·pròof *a., vt.* 방음의; (…에) 방음 장치를 하다.

sóund tràck 〖映〗 (필름 가장자리의) 녹음띠.

sóund wàve 〖理〗 음파.

:**soup**[1][su:p] *n.* Ⓤ 수프 《종류에서는 Ⓒ》; (the ~) 《俗》 짙은 안개. ***from ~ to nuts*** 처음부터 끝까지, 일일이. ***in the ~*** 《俗》 곤경에 빠져. **∠·y** *a.* 수프와 같은.

soup[2] *vt.* 《俗》 《~ *up*의 형태뿐임》 (모터의) 마력을 늘리다; 〖空〗 속력을 늘리다; (…에) 활기를 주다.

soup·çon[su:psɔ́:ŋ/∠-] *n.* (F.) (a ~) 소량; 기미(氣味)(*of*).

:**sour**[sauər] *a.* 시큼한, 신; 산패(酸敗)한; 발효한; 시큼한〔쉰〕 냄새가 나는; 까다로운, 찌무룩한; (날씨가) 냉습한; (토지가) 불모의. ***~ grapes*** 기벽(機癖), 오기(傲氣)《이솝의 여우 이야기에서》. ***~ gum*** 《美》 북아메리카산(産)의 큰 고무나무. ― *ad.* 찌무룩〔지르퉁〕하게. ― *vt., vi.* 시게 하다〔되다〕; 지르퉁하게 하다〔되다〕. ― *n.* Ⓒ 신 것; (the ~) 싫은 것, 불쾌한 일; Ⓤ,Ⓒ 《美》 사워《산성 알코올 음료》.

:**source**[sɔ:rs] *n.* Ⓒ 수원(지), 근원, 원천; 출처, 출전(出典); 원인 〖컴〗 바탕, 원천, 소스.

sóur crèam 사워크림, 산패유(酸敗乳).

sóur·dòugh *n.* Ⓒ 알래스카〔캐나다〕의 탐광〔개척〕자.

souse[saus] *vt.* 물에 담〔잠〕그다(*in, into*). 흠뻑 적시다; 식초〔소금물〕에 담그다; 《俗》 취하게 하다. ― *vi.* 물에 담기다; 흠뻑 젖다; 《俗》 취하다. ― *n.* Ⓒ 물에 담그기, 흠뻑 젖음; Ⓤ (절임용) 소금물; 돼지 대가리〔귀·다리〕의 소금절임; Ⓒ 《美俗》 주정뱅이, 모주꾼. ― *ad.* 첨벙, 풍덩. **~d** *a.* 《俗》 몹시 취한(*get ~d*).

†**south**[sauθ] *n.* (the ~) 남(쪽); 남부(지방); (S-) 《美》 남부 제주(諸州). ***in*** 〔***on, to***〕 ***the ~ of*** …의 남부에〔남쪽에 접하여, 남쪽에〕. ***~ by east*** 〔***west***〕 남미동(南微東)〔서〕. ― *a.* 남(향)의; 남쪽에 있는; 남쪽에서의; (S-) 남부의. ― *ad.* 남(쪽)으로〔에, 에서〕. ***∠·ward** *a., ad., n.* 남(향)의; 남쪽에 있는; (the ~) 남(쪽)으로〔에〕; 남방. **∠·ward·ly** *ad., a.* 남(쪽)으로(의); (바람이) 남으로부터(의). **∠·wards** *ad.* = SOUTHWARD.

:**south·east** [sàuθí:st; (海) sauí:st] *n.* (the ~) 남동(지방). ***~ by east*** 〔***south***〕 남동미(微)동〔남〕. ― *a.* 남동(향)의; 남동에 있는; 남동에서의. ― *ad.* 남동으로〔에, 에서〕. **~·er** *n.* Ⓒ 남동풍. **~·er·ly** *ad., a.* 남동으로〔에서〕(의). ***~·ern** *a.* 남동(으로, 에서)의. **~·ward** *n., a., ad.* (the ~) 남동(에 있는); 남동으로(의). **~·ward·ly** *ad., a.* 남동으로(부터)(의). **~·wards** *ad.* = SOUTHEASTWARD.

south·er·ly[sʌ́ðərli] *ad., a.* 남쪽으로(부터)(의). ― *n.* Ⓒ 남풍.

:**south·ern**[sʌ́ðərn] *a.* 남쪽의; 남쪽으로(부터)의; 남쪽에 있는; (S-) 《美》 남부 제주(諸州)의. ― *n.* Ⓒ 남부 사람. **~·er** *n.* Ⓒ 남쪽〔남국〕 사람; (S-) 《美》 미국 남부의 사람. **~·mòst** *a.* 남단의.

sóuth·pàw *a., n.* Ⓒ 《口》 〖野〗 왼손잡이의 (투수).

Sóuth Póle, the 남극.

:**south·west**[sàuθwést; (海) sàuí:st] *n.* (the ~) 남서(지방); (S-) 《美》 남서부 지방. ***~ by west*** 〔***south***〕 남서미(微)서〔남〕. ― *a.* 남서(향)의; 남서에 있는; 남서에서의. ― *ad.* 남서로〔에, 에서〕. **~·er** *n.* Ⓒ 남서(열(烈))풍. **~·er·ly** *ad. a.* 남서로(부터)(의). ***~·ern** *a.* 남서(로, 에서)의. **~·ward** *n., a., ad.* (the ~) 남서(에 있는); 남서로(의). **~·ward·ly** *a., ad.* 남서로(부터)(의). **~·wards** *ad.* = SOUTHWESTWARD.

S

·sou·ve·nir [sù:vəníər, ∠-∸] *n.* Ⓒ 기념품, 선물.

sou'·west·er [sàuwéstər] *n.* = SOUTHWESTER; Ⓒ (수부(水夫)가 쓰는 챙 넓은) 폭풍우용 방수모(帽).

:sov·er·eign [sávərin/sɔ́v-] *n.* Ⓒ 군주, 주권자; 영국의 옛 1파운드 금화. — *a.* 주권이 있는; (지위·권력이) 최고의; 자주[독립]의; 최상의; (약 따위가) 특효 있는. ~ ***power*** 주권. **·~·ty** *n.* Ⓤ 주권; 주권자의 지위; Ⓒ 독립국.

:so·vi·et [sóuvièt] *n.* (Russ.) Ⓒ 회의, 평의회; (종종 S-) 소비에트《소련의 평의회》. — *a.* 소비에트[평의회]의; (S-) 소비에트 연방의. **~·ize** [-tàiz] *vt.* 소비에트화(化)하다.

:sow[1] [sou] *vt.* (***~ed; sown, ~ed***) (씨를) 뿌리다; (…에) 씨를 뿌리다; 흩뿌리다, 퍼뜨리다. — *vi.* 씨를 뿌리다. **∠·er** *n.* Ⓒ 씨 뿌리는 사람, 파종기.

sow[2] [sau] *n.* Ⓒ (성장한) 암퇘지.

soy [sɔi], **soy·a** [sɔ́iə] *n.* Ⓤ 간장 (~ sauce); = **∠ bèan** 콩.

sóy sàuce 간장.

spa [spɑ:] *n.* Ⓒ 광천(鑛泉), 온천(장).

†space [speis] *n.* ① Ⓤ 공간. ② Ⓤ 우주 (공간), 대기권밖. ③ Ⓒ 구역, 공지. ④ Ⓤ 여지, 빈 데, 여백. ⑤ Ⓤ,Ⓒ 간격, 거리; 시간《특정한 거리의》. ⑥ Ⓤ 〖라디오·TV〗 (스폰서를 위한) 광고 시간. ⑦ Ⓒ 〖印〗 행간, 어간(語間). ⑧ Ⓤ,Ⓒ (악보의) 줄사이. ⑨ Ⓤ (기차·비행기 등의) 좌석. ⑩ 〖컴〗 사이, 스페이스. ***blank*** ~ 여백. ***open*** ~ 빈 터, 공지. — *vt., vi.* (…에) 간격을 두다; (행간을) 띄우다.

spáce bàr 〖컴〗 사이 띄(우)개, 스페이스 바.

space·craft [∠kræ̀ft, -krɑ̀:ft] *n.* Ⓒ = SPACESHIP.

spáced-óut *a.* 《美俗》 마약을 써서 멍해진.

spáce hèater 실내 난방기.

:spáce·màn *n.* Ⓒ 우주 비행사.

:space·ship [∠ʃìp] *n.* Ⓒ 우주선, 우주 여행기(機)(spacecraft).

spáce shùttle 우주 왕복선.

:spáce stàtion 우주 정거장.

spáce sùit 우주복.

spac·ing [spéisiŋ] *n.* Ⓤ 간격을 두기; 〖印〗 간격, 어간(語間), 행간.

·spa·cious [spéiʃəs] *a.* 넓은, 널찍한.

·spade[1] [speid] *n.* Ⓒ 가래, 삽; 〖軍〗 포미(砲尾)박기《발사시의 후퇴를 막음》; (고래를 째는) 끌. ***call a ~ a ~*** 직언(直言)하다. — *vt.* 가래로[삽으로] 파다. **~·ful** [∠fùl] *n.* Ⓒ 한 삽 가득, 한 삽(분).

·spade[2] *n.* Ⓒ 〖카드〗 스페이드 패; (*pl.*) 스페이드 한 벌; Ⓒ 《俗》 흑인.

spáde·wòrk *n.* Ⓤ 삽질; 힘드는 기초 공작[연구].

spa·ghet·ti [spəgéti] *n.* (It.) Ⓤ 스파게티.

Spam [spæm] *n.* Ⓤ 〖商標〗 (미국제의) 돼지고기 통조림.

:span[1] [spæn] *n.* Ⓒ ① 한 뼘《보통 9인치》; 경간(徑間)《다리·아치 따위의 지주(支柱) 사이의 간격》. ② 짧은 길이[거리·시간]; 전장(全長). ③ 〖空〗 (비행기의) 날개길이. ④ 〖컴〗 범위. — *vt.* (**-nn-**) 뼘으로 재다; (강에 다리 따위를) 놓다(***with***); (다리가 강에) 걸쳐 있다; (…에) 걸치다, 미치다.

span[2] *v.* 《古》 spin의 과거.

·span·gle [spǽŋgəl] *n.* Ⓒ 스팽글《무대 의상 따위에 다는 번쩍이는 장식》; 번쩍번쩍 빛나는 작은 조각《별·운모·서리 따위》. — *vt.* 스팽글로 장식하다; 번쩍번쩍 빛나게 하다; (반짝이게) 뿌려 깔다[박다](***with***). — *vi.* 번쩍번쩍 빛나다.

span·iel [spǽnjəl] *n.* Ⓒ 스패니얼《털이 길고 귀가 늘어진 개》; 비굴한 알랑쇠.

†Span·ish [spǽniʃ] *n.* (the ~) 《집합적》 스페인 사람; Ⓤ 스페인어(語). — *a.* 스페인의, 스페인풍의; 스페인 사람[말]의.

Spánish Máin, the 〖史〗 카리브해 연안 지방; (지금의) 카리브해.

·spank [spæŋk] *vt., n.* Ⓒ (엉덩이를 손바닥 따위로) 철썩 갈기다[갈김]. **∠·ing** *n.* Ⓤ,Ⓒ 손바닥으로 볼기치기.

span·ner [spǽnər] *n.* Ⓒ 손뼘으로 재는 사람; 《주로 英》 스패너《공구》.

spar[1] [spɑːr] *n.* Ⓒ 〖海〗 원재(圓材) 《돛대·활대 따위》; 〖空〗 익형(翼桁). ── *vt.* (**-rr-**) (배에) 원재를 대다.

spar[2] *vi.* (**-rr-**) (권투 선수등이) 주먹으로 치고 받다; (닭이) 서로 차다; 말다툼하다. ── *n.* Ⓒ 권투; 투계(鬪鷄); 언쟁.

spar[3] *n.* Ⓤ 〖鑛〗 철평석(鐵平石)《판상(板狀)의 결이 있는 광석의 총칭》. ***calcareous*** ~ 방해석(方解石).

:spare[spεər] *vt.* 아끼다, 절약하다; 없는 대로 지내다〔넘기다〕; (어떤 목적에) 떼어두다; 나누어 주다; (시간 따위를) 할애하다(*for*); 《英古》 억누르다, 삼가다; 용서하다, 살려주다; (수고 따위를) 끼치지 않다; (아무를) …한 변을 당하지 않게 하다. ── *vi.* 검약하다; 용서하다. ── *a.* 여분의; 예비의; 야윈; 부족한, 빈약한. ── *n.* Ⓒ 예비품. **spár·ing** *a.* 검약하는, 아끼는(*of*); 인색한. **spár·ing·ly** *ad.* 아껴서, 삼가서.

spáre·rìb *n.* (보통 *pl.*) 돼지 갈비.

:spark[spɑːrk] *n.* Ⓒ 불꽃, 불똥; 〖電〗 스파크; (내연 기관의) 점화 장치; 섬광; 생기, 활기; 《종종 부정문에》 극히 조금, 흔적. ***as the ~s fly upward*** 필연적으로. ── *vi., vt.* 불꽃을 튀기다; 번쩍이다; 활기를〔자극을〕 주다, (…의) 도화선이 되다.

:spar·kle[spáːrkəl] *n., vi., vt.* Ⓤ,Ⓒ 불꽃(을 튀기(게 하)다); 번쩍임; 번쩍이다; 광휘(를 발하다), 빛나다; 생기(가 있다). ***-kling** *a.*

spar·kler[-ər] *n.* Ⓒ 불꽃을 내는 물건; 미인, 재사(才士); 불꽃; 번쩍이는 보석, (특히) 다이아몬드; 《口》 반짝이는 눈.

spárk plùg (내연 기관의) 점화전(點火栓); 《口》 (일·사업의) 중심 인물; 지도자.

spárring pàrtner (권투의) 연습 상대; (우호적인) 논쟁 상대.

:spar·row[spǽrou] *n.* Ⓒ 참새.

***sparse**[spɑːrs] *a.* ① (머리털이) 성긴. ② (인구 따위) 희소한, 희박한. ③ 빈약한. **∠·ly** *ad.*

***Spar·ta** [spáːrtə] *n.* 스파르타. ***-tan** *a., n.* Ⓒ 스파르타(식)의 (사람); 검소하고 굳센 (사람).

spasm[spǽzəm] *n.* Ⓤ,Ⓒ 〖醫〗 경련; Ⓒ 발작(fit[2]).

spas·mod·ic [spæzmádik/-ɔ́-], **-i·cal**[-əl] *a.* 경련(성)의; 발작적인; 흥분한. **-i·cal·ly** *ad.*

spas·tic[spǽstik] *a.* 〖病〗 경련(성)의〔에 의한〕. ── *n.* Ⓒ 경련〔뇌성 마비〕 환자.

spat[1][spæt] *v.* spit[1]의 과거(분사).

spat[2] *n., vi.* (**-tt-**) Ⓒ 가벼운 싸움(을 하다); 가볍게 때림〔때리다〕; (비 따위가) 후두두 뿌리다.

spat[3] *n.* Ⓒ (보통 *pl.*) 짧은 각반.

spate[speit] *n.* Ⓒ 《英》 홍수; 큰비; (a ~)(감정의) 격발.

***spa·tial**[spéiʃəl] *a.* 공간의; 공간적인; 장소의; 우주의.

***spat·ter**[spǽtər] *vt.* 튀기다, 뿌리다(*with, on*); (욕설을) 퍼붓다(*with*). ── *vi.* 튀다, 흩어지다. ── *n.* Ⓒ 튀김, 튀긴 것; 빗소리, 먼데서의 총소리.

spat·u·la[spǽtʃulə/-tju-] *n.* Ⓒ (보통, 쇠로 된) 주걱; 〖醫〗 압설자(壓舌子).

***spawn**[spɔːn] *n.* Ⓤ ① 《집합적》(물고기·개구리·조개 따위의) 알. ② 〖植〗 균사(菌絲). ③ 《蔑》 우글거리는 아이들; 산물, 결과. ── *vt., vi.* (물고기 따위가) (알을) 낳다.

spay[spei] *vt.* (동물의) 난소(卵巢)를 떼내다.

†speak[spiːk] *vi.* (**spoke,** 《古》 ***spake; spoken***) 이야기〔말〕하다〔걸다〕; 연설하다; (의견·감정을) 표명〔전〕하다; 탄원하다; (대포·시계 따위가) 울리다; (개가) 짖다. ── *vt.* 이야기〔말〕하다; 알리다; (말을) 쓰다; 나타내다(*His conduct ~s a small mind.* 행동만 보아도 알 수 있듯이 소인(小人)이다). ***generally ~ing*** 대체로 말하면. ***properly*** 〔***roughly, strictly***〕 ***~ing*** 정당히〔대충, 엄밀히〕 말하면. ***not to ~ of*** …은 말할 것도 없고, 물론. ***so to ~*** 말하자면. ***~ by the book*** 정확히〔딱딱하게〕 말하다. ***~ for*** 대변〔변호〕하다; 요구〔주문〕하다. ***~ (well, ill) of*** (…을) (좋게, 나쁘게) 말하다. ***~ out*** 〔***up***〕 큰 소리로 이야기하다; 거리낌 없이 말하다. ***~ to*** 이야기 걸다; 언급하다; 꾸짖다; 증명하다. **:∠·er** *n.*

S

Ⓒ 이야기하는 사람; 연설자, 변사; (S-) (영·미의) 하원 의장; 확성기.

spéak·eàsy *n.* Ⓒ 주류 밀매점, 무허가 술집.

:spear[1] [spiər] *n., vt.* Ⓒ 창(으로 찌르다).

spear[2] *n., vi.* Ⓒ (식물의) 싹; 어린 가지(shoot); 싹이 트다.

spéar·hèad *n.* Ⓒ 창끝; (공격·사업 따위의) 선두, 선봉.

spéar·mìnt *n.* Ⓤ 〖植〗 양(洋)박하.

spec [spek] *n.* Ⓤ,Ⓒ 《英口》 투기(speculation). **on ~** 투기적으로, 요행수를 바라고.

†spe·cial [spéʃəl] *a.* 특별[특수]한; 전문의; 특별한 기능[목적]을 가진; 특정의; 예외적인; 각별한. — *n.* Ⓒ ① 특별한 사람[것]; 특파원. ② 특별 시험; 특별 열차; (신문의) 호외; 특별 요리, 특제품. ***~·ist** *n.* Ⓒ 전문가[의(醫)](*in*). **:~·ly** *ad.*

Spécial Bránch 《英》 (런던 경시청의) 공안부(公安部).

spécial delívery 《美》 속달 우편(물)(《英》 express delivery); 속달 취급인(印).

spécial efféts (영화·TV의) 특수 효과; 특수 촬영.

˙spe·ci·al·i·ty [spèʃiǽləti] *n.* 《英》 = SPECIALTY.

:spe·cial·ize [spéʃəlàiz] *vt., vi.* 특수화하다; 한정하다; 상설(詳說)하다; 전문적으로 다루다, 전공하다(*in*). ***-i·za·tion** [⌐–izéi–/-lai-] *n.* 「증.

spécial lícense 결혼 특별 허가

˙spe·cial·ty [spéʃəlti] *n.* Ⓒ 전문, 전공; 특질; 특제품; 특별 사항; 〖法〗 날인증서.

:spe·cies [-z] *n. sing. & pl.* Ⓒ 〖生〗 종(種)(*the Origin of S-*); 종류(kind[2]); 〖論〗 종(種)개념; 〖가톨릭〗 (미사용의) 빵과 포도주; (the ~) 인류.

˙spe·cif·ic [spisífik] *a.* 특수[특정]한; 독특한; 명확한; 〖生〗 종(種)의; 〖醫〗 특효 있는. — *n.* Ⓒ 특효약(*for*); (*pl.*) 세목; 명세. **-i·cal·ly** *ad.* 특히; 특효적으로.

spec·i·fi·ca·tion [spèsəfikéiʃən] *n.* Ⓤ 상술, 상기; 〖컴〗 명세; Ⓒ 명세 사항; (보통 *pl.*) (공사·설계 따위의) 명세서.

specífic grávity 〖理〗 비중.

˙spec·i·fy [spésəfài] *vt.* 일일이 들어 말하다; 명세서에 적다.

:spec·i·men [spésəmin, -si-] *n.* Ⓒ 견본, 표본; 《口》 (특이한) 인물, 괴짜.

spe·cious [spíːʃəs] *a.* 허울좋은, 그럴듯한. **~·ly** *ad.*

˙speck [spek] *n.* Ⓒ 작은 반점(斑點); 얼룩; 극히 작은 조각. — *vt.* (…에) 반점을 찍다. **⌐·less** *a.* 얼룩[반점]이 없는.

˙speck·le [spékəl] *n.* Ⓒ 반점, 얼룩; (피부의) 기미. — *vt.* (…에) 작은 반점을 찍다. **~d** *a.* 얼룩진.

specs [speks] *n. pl.* 《口》 안경.

:spec·ta·cle [spéktəkəl] *n.* Ⓒ (눈으로 본) 광경; 장관(壯觀); 구경거리; (*pl.*) 안경. **~d** [-d] *a.* 안경을 쓴.

˙spec·tac·u·lar [spektǽkjələr] *a.* 구경거리의; 장관인, 눈부신.

:spec·ta·tor [spékteitər, ⌐⌐–] *n.* Ⓒ 구경꾼; 관찰자, 목격자; 방관자.

spéctator spórt 관객 동원력이 있는 스포츠.

˙spec·ter, 《英》 **-tre** [spéktər] *n.* Ⓒ 유령.

˙spec·tral [spéktrəl] *a.* 유령의[같은]; 〖理〗 스펙트럼의[에 의한].

spec·trom·e·ter [spektrámitər/-trɔ́mi-] *n.* Ⓒ 〖光〗 분광계(分光計).

spec·tro·scope [spéktrəskòup] *n.* Ⓒ 〖光〗 분광기.

spec·tros·co·py [spektráskəpi/-ɔ́-] *n.* Ⓤ 분광학[술].

˙spec·trum [spéktrəm] *n.* (*pl.* **~s, -tra**) Ⓒ 〖理〗 스펙트럼, 분광; (눈의) 잔상(殘像); 〖라디오〗 가청 전파.

˙spec·u·late [spékjəlèit] *vi.* 사색하다(*on, upon*); 추측하다(*about*); 투기(投機)를 하다(*in, on*). — *vt.* (…의) 투기를 하다. **:-la·tion** [⌐–léiʃən] *n.* Ⓤ,Ⓒ 사색, 추측; 투기(*in*).

˙spec·u·la·tive [spékjəlèitiv, -lə-] *a.* 사색적인; 순이론적인; 위험을 내포한; 투기의, 투기적인. **~·ly** *ad.*

˙spec·u·la·tor [spékjəlèitər] *n.* Ⓒ 사색가; 투기(업)자; 암표상.

:sped [sped] *v.* speed의 과거(분사).

S

†**speech**[spiːtʃ] *n.* ① Ⓤ 말, 언어; 국어, 방언; 표현력. ② Ⓤ 이야기, 담화; 말투; 말[얘기]하기; 언어 능력. ③ Ⓒ 연설; Ⓤ 연설법; 〖文〗 화법. ***direct*** [***indirect, represented***] **~** 직접[간접·묘출] 화법. **~·i·fy** [⌐-əfài] *vi.* 《諧·蔑》 연설하다, 열변을 토하다. *⌐**·less** *a.* 말을 못 하는, 잠자코 있는.

spéech dày 《英》 (학교) 졸업식날.

spéech thèraphy 언어장애 교정(술).

†**speed**[spiːd] *n.* ① Ⓤ 신속, 빠르기; Ⓤ,Ⓒ 속도, 속력; Ⓒ 〖機〗 변속 장치. ② Ⓤ 《古》 성공, 번영. ③ Ⓤ 《俗》 각성[흥분]제(methamphetamine). ***at full* ~** 전속력으로. ***wish good* ~** 성공을 빌다. — *vi.* (***sped, ~ed***) 급히 가다, 질주하다(*along*); (자동차로) 위반 속도를 내다; 진행하다; 해[살아]나가다; 《古》 성공하다. — *vt.* 서두르게 하다; 속력을 빨리하다; 촉진하다; 《古》 성공시키다, 돕다(*God* **~** *you!* 《古》 성공을 빕니다); 성공을[도중 무사를] 빌다(wish Godspeed to). **~ *up*** 속도를 내다.

spéed·bòat *n.* Ⓒ 쾌속정.

spéed·ing *n.* Ⓤ 속도 위반. — *a.* (차가) 속도를 위반한.

spéed lìmit 제한 속도.

speed·om·e·ter [spiːdámitər/-ɔ́mi-] *n.* Ⓒ 속도계.

spéed tràp 속도 감시 구역.

***spéed-ùp** *n.* Ⓤ,Ⓒ 가속(加速); 생산 증가, 능률 촉진.

spéed·wày *n.* Ⓒ 《美》 고속 도로; 오토바이 경주장. 「종.

spéed·wèll *n.* Ⓒ 〖植〗 꼬리풀의 일

:**speed·y**[spíːdi] *a.* 민속한, 재빠른; 조속한, 즉시의. ***spéed·i·ly** *ad.*

spe·l(a)e·ol·o·gy [spìːliálədʒi/-ɔ́l-] *n.* Ⓤ 동굴학.

:**spell**[1][spel] *vt.* (***spelt, ~ed***) (낱말을) 철자하다; 철자하여 …라 읽다; 의미하다, (…의) 결과가 되다. — *vi.* 철자하다. **~ *out*** (어려운 글자를) 판독하다; 상세[명료]하게 설명하다; (생략 않고) 다 쓰다. ⌐**·er** *n.* Ⓒ 철자하는 사람; 철자 교본.

:**spell**[2] *n.* Ⓒ 주문(呪文), 주술; 마력(魔力), 매력. ***cast a* ~ *on*** …에 마술을 걸다, …을 매혹하다. ***under a* ~** 마술에 걸려, 매혹되어. — *vt.* 주문으로 얽어매다; 매혹하다.

***spell**[3] *n.* Ⓒ 한 바탕의 일; (날씨 따위의) 한 동안의 계속; 한 동안; 《美口》 병의 발작, 기분이 나쁜 때; 교대. — *vt.* 《주로 美》 일시 교대하다; 《濠》 (…에) 휴식을 주다.

spéll·bòund *a.* 주문에 걸린; 홀린; 넋을 잃은.

:**spell·ing**[spéliŋ] *n.* Ⓒ 철자; Ⓤ 철자법.

spelt[spelt] *v.* spell[1]의 과거(분사).

†**spend**[spend] *vt.* (***spent***) ① (돈을) 쓰다(*in, on, upon*); (노력 따위를) 들이다, 바치다, (시간을) 보내다. ② 다 써버리다, 지쳐빠지게 하다. — *vi.* 돈을 쓰다; 낭비하다.

spénd·ing *n.* Ⓤ 지출; 소비.

spénding mòney 용돈.

spénd·thrìft *n.* Ⓒ 낭비가; 방탕자. — *a.* 돈을 헤프게 쓰는.

†**spent**[spent] *v.* spend의 과거(분사).

sperm[spəːrm] *n.* Ⓒ 정충, 정자; Ⓤ 정액.

sper·ma·to·zo·on [spəːrmætəzóuən/spə́ːrmətə-] *n.* (*pl.* ***-zoa*** [-zóuə]) Ⓒ 〖生〗 정충.

spérm whàle 향유고래.

spew[spjuː] *vt., vi.* 토하다, 게우다.

sphag·num[sfǽgnəm] *n.* (*pl.* ***-na*** [-nə]) Ⓤ 물이끼.

:**sphere**[sfiər] *n.* Ⓒ ① 구(球), 구체(球體), 구면(球面). ② 천체; 별; 지구본, 천체의(儀); 하늘, 천공(天空). ③ 활동 범위, 영역.

***spher·i·cal**[sférikəl] *a.* 구형의, 구(球)(면)의.

sphe·roid[sfíərɔid] *n., a.* Ⓒ 〖幾〗 구형(球形)체(의); 회전 타원체. **sphe·roi·dal** *a.*

sphinc·ter[sfíŋktər] *n.* Ⓒ 〖解〗 괄약근(括約筋).

:**sphinx** [sfiŋks] *n.* (*pl.* ***~es, sphinges***[sfíndʒiːz]) ① (the S-) 〖그神〗 스핑크스《여자 머리, 사자 몸에, 날개를 가진 괴물》; (카이로 부근에 있는) 사자 몸·남자 얼굴의 스핑크스 석상(石像). ② Ⓒ 스핑크스의 상;

수수께끼의 인물.

:spice[spais] *n., vt.* Ⓒ,Ⓤ 조미료, 향신료(를 치다)(*with*); 정취를 (곁들이다); (a ~) 《古》 기미(*of*).

spick-and-span[spíkənspǽn] *a.* 아주 새로운; 말쑥한, 산뜻한.

spic·y[spáisi] *a.* 향료 같은[를 넣은]; 방향이 있는; 싸한; 《口》 생기가 있는; 상스런.

:spi·der[spáidər] *n.* Ⓒ 〖蟲〗 거미 (비슷한 것); 계략을 꾸미는 사람; 프라이팬; 삼발이. **~·y**[-i] *a.* 거미(집) 같은; 아주 가느다란.

spiel[spi:l] 《口》 *n.* Ⓤ,Ⓒ (손님을 끌기 위한) 너스레, 수다. — *vi.* 떠벌리다.

spig·ot[spígət] *n.* Ⓒ (통 따위의) 주둥이, 마개, 꼭지(faucet).

·spike[1][spaik] *n., vt.* Ⓒ 큰 못(을 박다); (신바닥의) 스파이크(로 상처를 입히다); 방해하다; 《美俗》 (음료에) 술을 타다.

spike[2] *n.* Ⓒ 이삭; 수상(穗狀) 꽃차례.

spik·y[spáiki] *a.* ① (철도의) 큰 못 같은, 끝이 뾰족한; 큰 못 투성이인. ② 《英口》 골치 아픈《상대 따위》, 완강한, 성마른.

S

·spill[spil] *vt.* (***spilt, ~ed***) ① (액체·가루를) 엎지르다, (피를) 흘리다; 흩뿌리다. ② 《口》 (차·말에서) 내동댕이 치다. ③ 〖海〗 (돛의) 바람을 새게 하다. ④ 《俗》 지껄이다, 누설하다. — *vi., n.* 엎질러지다. Ⓒ 엎질러짐; 《口》 (가격 따위의) 급락.

:spin[spin] *vt., vi.* (***spun,*** 《古》 ***span; spun; -nn-***) 잣다, 방적(紡績)하다; (선반 따위를) 회전시켜 만들다; (실을) 토하다; (거미가) (집을) 짓다; (팽이 따위) 뱅글뱅글 돌(리)다; 《英俗》 낙제시키다[하다]; (*vi.*) 질주하다; (*vi.*) 눈이 핑 돌다, 어질어질하다. ***send a person ~ning*** 힘껏 후려쳐 비틀거리게 하다. ***~ a yarn*** 장황하게 말을 늘어놓다. ***~ out*** (시간을) 질질 끌다. — *n.* Ⓤ,Ⓒ 회전; (a ~)(자전거·말 따위의) 한번 달리기; Ⓒ 〖空〗 나선식 강하(降下); (a ~)(물가 따위의) 급락.

·spin·ach[spínitʃ/-nidʒ, -nitʃ] *n.* Ⓤ 시금치.

spi·nal[spáinl] *a.* 가시의; 〖解〗 등뼈의, 척추의.

spínal cólumn 〖解〗 등마루, 척주(backbone).

spínal córd 척수(脊髓).

·spin·dle[spíndl] *n.* Ⓒ 방추(紡錘); 물렛가락; 굴대. — *vi.* 가늘게 길어지다. **spín·dling** *a., n.* Ⓒ 껑충한 (사람·것). **spín·dly** *a.* 껑충한.

spín-drý *vt.* (탈수기에서 빨래를) 원심력으로 탈수하다.

·spine[spain] *n.* Ⓒ 등뼈, 척주; 〖植·動〗 가시; (책의) 등. **~d**[-d] *a.* 척주가 있는. **∠·less** *a.* 척주[가시]가 없는; 무골충의.

spin·et[spínit, spinét] *n.* Ⓒ 하프시코드 비슷한 옛 악기; 소형 피아노.

spin·na·ker[spínikər] *n.* Ⓒ 〖海〗 (요트의) 이물 삼각돛.

·spin·ner[spínər] *n.* Ⓒ 실 잣는 사람; 방적기(機); 거미. **~·et**[-nərèt] *n.* Ⓒ (누에 따위의) 방적돌기.

spin·ney[spíni] *n.* Ⓒ 《英》 잡목숲.

:spin·ning[spíniŋ] *n., a.* Ⓤ 방적(의); 방적업(의).

spínning whéel 물레.

spín·òff *n.* ① Ⓤ 모회사가 주주에게 자회사의 주를 배분하는 일. ② Ⓤ,Ⓒ 부산물; 파생물.

·spin·ster[spínstər] *n.* Ⓒ 미혼 여성; 노처녀(old maid); 실 잣는 여자. **~·hood**[-hùd] *n.*

spin·y[spáini] *a.* 가시가 많은[와 같은]; 어려운.

:spi·ral[spáiərəl] *a., n.* Ⓒ 나선형의(것), 나선(용수철); 〖空〗 나선 비행; 〖經〗 (악순환에 의한) 연속적 변동. ***inflationary ~*** 악(순환)성 인플레. — *vt., vi.* 나선형으로 하다[이 되다]. **~·ly** *ad.*

:spire[spaiər] *n., vt.* Ⓒ 뾰족탑(을 세우다); (식물의) 가는 줄기[싹]. — *vi.* 쑥 내밀다; 싹 트다.

†spir·it[spírit] *n.* ① Ⓤ (사람의) 정신, 영혼. ② (the S-) 신, 성령. ③ Ⓒ 신령, 유령, 악마. ④ Ⓤ 원기; 생기; 기개; (*pl.*) 기분. ⑤ Ⓒ (정신면에서 본) 사람, 인물. ⑥ Ⓤ (사람들의) 기풍, 기질; Ⓒ 시대 정신; (입법 따위의) 정신. ⑦ Ⓤ 알코올, 주정; Ⓒ (보통 *pl.*) (독한) 술; 알코올 용액. ***catch a person's ~*** 의기에 감동하다. ***give up the ~*** 죽다. ***in***

high 〔***low, poor***〕 **~s** 원기 있게〔없이〕, 기분이 좋아〔언짢아〕. ***in*** **~s** 명랑〔발랄〕하게. ***in*** (***the***) ~ 내심, 상상으로. ***people of*** ~ 패기 있는 사람들. ~ ***of the staircase*** 사후(事後)의 명안(名案). ~ ***of wine*** 주정(酒精), (에틸) 알코올. ── *vt.* 북돋다(*up*); 채가다, (아이를) 유괴하다(*away, off*). **~·less** *a.* 생기 없는.

·spir·it·ed[spíritid] *a.* 원기 있는, 활기찬; …정신의. **~·ly** *ad.*

spírit lèvel 주정 수준기(水準器).

:spir·it·u·al[spíritʃuəl/-tju-] *a.* 영적인, 정신의〔적인〕; 신성한; 종교〔교회〕의. ~ ***father*** 신부(神父); 『가톨릭』 대부(代父). ── *n.* Ⓒ (미국 남부의) 흑인 영가. **~·is·tic**[∸---ístik] *a.* 유심론적; 강신술적.

spir·it·u·al·i·ty [spìritʃuǽləti/-tju-] *n.* Ⓤ,Ⓒ 영성(靈性).

:spit[1][spit] *vt., vi.* (***spat,*** 《古》 ***spit; -tt-***) ① (침을) 뱉다(*at*); 《俗》 내뱉듯이 말하다(*out*). ② (*vi.*) (고양이가) 성나서 그르렁거리다. ③ (비가) 후두두후두두 내리다, (눈이) 한두송이씩 흩날리다. ── *n.* Ⓤ 침(을 뱉음); (곤충의) 게거품. ***the*** (***very, dead***) ~ ***of*** 《口》 …을 꼭 닮음, …을 빼쏨.

spit[2] *n., vt.* (**-tt-**) Ⓒ 굽는 꼬챙이(에 꿰다); (사람을) 꿰찌르다(stab); 곶, 돌출한 모래톱.

:spite[spait] *n.* Ⓤ 악의, 원한. ***in*** ~ ***of*** …에도 불구하고; …을 돌보지 않고. ***in*** ~ ***of oneself*** 저도 모르게. ***out of*** ~ 분풀이로, 앙심으로. ── *vt.* (…에) 짓궂게 굴다. **∠·ful** *a.* 악의 있는, 짓궂은. **∠·ful·ly** *ad.*

spít·fìre *n.* Ⓒ 화포(火砲); 불뚱이 《사람》; (S-) 《英》 스피트파이어기(機)《제 2차 대전의》.

spit·tle[spítl] *n.* Ⓤ 침.

spit·toon[spitú:n] *n.* Ⓒ 타구(唾具).

spiv[spiv] *n.* Ⓒ 《英口》 암거래꾼, 건달.

:splash[splæʃ] *vt., vi.* ① (물·흙탕물을) 튀기다; 튀기며 가다. ② (*vt.*) 흩뿌린 것 같은 무늬로 하다. ③ (*vi.*) 튀다. ~ ***down*** (우주선이) 착수(着水)하다. ── *n.* Ⓒ 튀김, 철벅철벅, 첨벙; 반점(斑點). ***make a*** ~ 철벅하고 소리내다; 《口》 큰 호평을 얻다. **∠·y** *a.* 튀는; 철벅철벅 소리내는; 반점〔얼룩〕투성이의.

splásh·dòwn *n.* Ⓒ (우주선의) 착수(着水).

splat[splæt] *n.* Ⓒ (특히, 의자의) 등널.

splat·ter[splǽtər] *vi., vt., n.* Ⓒ (물·진흙 따위를) 튀기다〔튀김〕.

splay[splei] *vt., vi.* (창틀 따위) 바깥쪽으로 벌어지(게 하)다, 외면 경사로 하다. ── *a.* 바깥으로 벌어진; 모양새 없는. ── *n.* Ⓒ 『建』 바깥쪽으로 벌어짐; 빗면.

spláy·fòot *n.* Ⓒ 평발, 편평족(扁平足). **~ed** *a.*

spleen[spli:n] *n.* Ⓒ 비장(脾臟), 지라; Ⓤ 언짢음, 노여움, 원한(*against*); 《古》 우울. **∠·ful** *a.* **∠·ish** *a.*

:splen·did[spléndid] *a.* 화려〔장려〕한; 빛나는, 훌륭한, 굉장한; 《口》 근사한. **~·ly** *ad.* **~·ness** *n.*

:splen·dor, 《英》 **-dour**[spléndər] *n.* Ⓤ (종종 *pl.*) 광휘, 광채; 화려; 훌륭함; (명성이) 혁혁함.

sple·net·ic[splinétik] *a.* 비장(脾臟)의, 지라의; 성마른, 까다로운.

splice[splais] *n., vt.* Ⓒ (밧줄의 가닥을) 꼬아 잇기〔잇다〕; 《俗》 결혼시키다.

splint[splint] *n., vt.* Ⓒ 『外』 부목(副木)(을 대다); 얇은 널조각; 비골(脾骨).

·splin·ter[splíntər] *n.* Ⓒ 지저깨비; 파편. ── *vt., vi.* 쪼개(지)다, 찢(기)다, 깎이다. ── *a.* 분리된. **~·y** *a.* 찢어〔쪼개〕지기 쉬운, 파편의, 파편투성이인.

splínter gròup 〔**pàrty**〕 분파, 소수파.

:split[split] *vt., vi.* (**~; -tt-**) ① 분열〔분리〕시키다〔하다〕(*away*), 쪼개〔빠개〕(지)다(*up*). ② 《俗》 밀고하다. ~ ***hairs*** 〔***straws***〕 지나치게 세세한 구별을 짓다. ~ ***one's sides*** 배를 움켜 쥐고 웃다. ~ ***one's vote*** 〔***ticket***〕(같은 선거에서) 별개의 당〔후보자〕에게 (연기(連記)) 투표하다. ~ ***the difference*** 타협〔접근〕하다.

S

— *a.* 조개〔찢어〕진, 갈라진, 분리〔분할〕된. — *n.* Ⓒ ① 분할, 분리; 《口》 몫; 갈라진 금, 균열. ② 불화. ③ 《俗》 밀고자. ④ (종종 *pl.*) 양다리를 일직선으로 벌리고 앉는 곡예. ⑤ 《口》 (술·음료의) 반 병, 작은 병. ⑥ 《口》 얇게 썬 과일에 아이스크림을 곁들인 것. **∠·ting** *a.* 빠개지는 듯한, 심한(*a* ~*ting headache*).

splít infínitive 〖文〗 분리 부정사 《보기 : He has began *to* really *understand* it.》.

splít personálity 정신 분열증; 이중 인격.

splodge[splɑdʒ/-ɔ-] *n., v.* = SPLOTCH.

splotch [splɑtʃ/-ɔ-] *n., vt.* Ⓒ 큰 얼룩(을 묻히다). **∠·y** *a.* 얼룩진.

splurge [splə:rdʒ] *n., vt., vi.* Ⓒ 《美口》 과시(誇示)(하다).

splut·ter[splʌ́tər] *v., n.* = SPUTTER.

:spoil[spɔil] *vt., vi.* (***spoilt,*** ~***ed***) ① 망치다, 못쓰게 되다〔하다〕, 손상케 하다; (*vi.*) (음식이) 상하다. ② 약탈하다. ③ (*vi.*) 아이를 응석받이로 키우다(*a* ~*ed child* 버릇 없는 아이). ***be*** ~***ing for*** …이 하고 싶어 좀이 쑤시다. — *n.* ① Ⓤ (또는 *pl.*) 약탈품; (수집가의) 발굴물. ② (*pl.*) 《美》 (여당이 얻는) 관직, 이권.

spoil·age[∠idʒ] *n.* Ⓤ 못쓰게 함〔됨〕, 손상(물); (음식의) 부패.

†spoke[1][spouk] *v.* speak의 과거.

˚spoke[2] *n.* Ⓒ (수레바퀴의) 살; (사닥다리의) 가로장; 바퀴 멈추개. ***put a*** ~ ***in a person's wheel*** 남의 일을 훼방놓다. — *vt.* (…에) 살을 달다.

†spo·ken[spóukən] *v.* speak의 과거분사. — *a.* 입으로 말하는, 구두〔구어(口語)〕의. ~ ***language*** 구어.

˚spokes·man[spóuksmən] *n.* Ⓒ 대변인.

:sponge[spʌndʒ] *n.* ① Ⓤ,Ⓒ 해면(海綿); 해면 모양의 물건《빵·과자 따위》. ② Ⓒ 〖動〗 해면동물; 《口》 식객; 술고래. ***pass the*** ~ ***over*** 해면으로 닦다; …을 아주 잊어버리다. ***throw*** 〔***chuck***〕 ***up the*** ~ 〖拳〗 졌다는 표시로 해면을 던지다; 패배를 자인하다. — *vt.* ① 해면으로 닦다〔문지르다〕(*down, over*); 해면에 흡수시키다(*up*). ② 《口》 우려내다, 등치다. — *vi.* ① 흡수하다. ② 해면을 따다. ③ 기식(寄食)하다(*on, upon*).

spónge bàg 화장품 주머니.

spónge bìscuit 〔**càke**〕 카스텔라의 일종.

spong·er[∠ər] *n.* Ⓒ 《口》 객식구, 식객.

˚spon·gy[spʌ́ndʒi] *a.* 해면질〔모양〕의, 구멍이 많은, 흡수성의, 폭신폭신한.

:spon·sor[spɑ́nsər/-ɔ́-] *n.* Ⓒ ① 대부(代父), 대모(代母). ② 보증인; 후원자; (방송의) 광고주, 스폰서. — *vt.* ① 보증하다, 후원하다. ② 방송 광고주가 되다. ③ (신입 회원을) 소개하다. ˚~**·ship**[-ʃip] *n.*

˚spon·ta·ne·ous [spɑntéiniəs/ spɔn-] *a.* 자발적인; 자연 발생적인; 천연의; (문장이) 시원스러운. ~ ***combustion*** 자연 발화(發火). ~**·ly** *ad.* ~**·ness** *n.* **-ne·i·ty**[∸təní:əti] *n.* Ⓤ 자발〔자연〕성; Ⓒ 자발 행위.

spoof[spu:f] *vt., vi., n.* Ⓒ 《俗》 장난으로 속이다〔속임〕; 놀리다; 흉내(내다).

spook[spu:k] *n.* Ⓒ 《口》 유령. **∠·y** *a.* 《口》 유령 같은; 무시무시한; 겁많은.

spool[spu:l] *n., vt.* Ⓒ 실패(에 감다); (테이프 등의) 릴, 스풀.

:spoon[spu:n] *n.* Ⓒ ① 숟가락 (모양의 물건). ② 높이치기용(用)의 골프채의 일종《끝이 나무로 됨》. ③ (낚시의) 미끼쇠. ***be born with a silver*** 〔***gold***〕 ~ ***in one's mouth*** 부잣집에 태어나다. ***be*** ~***s on*** …에 반하다. ***hang up the*** ~ 《俗》 죽다. — *vt., vi.* ① 숟가락으로 뜨다(*out, up*). ② 《俗》 새롱거리다, 애무하다. **∠·fùl** *n.* Ⓒ 한 술.

spóon·fèed *vt.* (**-fed**) (…에게) 숟가락으로 떠먹이다; 떠먹이듯 가르치다; 너무 어하다.

spoor[spuər] *n., vt., vi.* Ⓤ,Ⓒ 자귀(짚다).

spo·rad·ic[spərǽdik], **-i·cal** [-əl] *a.* 산발적인; 산재(散在)하는, 드문드문한; 돌발적인. **-i·cal·ly** *ad.*

***spore**[spɔːr] *n., vi.* Ⓒ 〖植〗 홀씨 〔포자·종자〕(가 생기다).

spor·ran[spɑ́rən/-ɔ́-] *n.* Ⓒ (정장한 스코틀랜드 고지 사람이 kilt 앞에 차는) 털가죽 주머니.

†sport[spɔːrt] *n.* ① Ⓤ 오락; 운동, 경기. ② (*pl.*) 운동〔경기〕회. ③ Ⓤ 농담, 장난, 희롱; Ⓒ 웃음〔조롱〕거리; (돌연) 변종(變種); (the ～) 농락당하는 것(*the* ～ *of the fortune*). ④ Ⓒ 운동가, 사냥꾼; 《口》 노름꾼; 좋은 녀석; 시원시원한 남자. ***for* 〔*in*〕 ～** 농으로. ***make* ～ *of*** (…을) 놀리다. ― *vi.* 놀다, 장난치다; 까불다, 희롱하다(*with*). ― *vt.* 낭비하다; 《口》 과시하다. ***∠·ing** *a.* 스포츠맨다운, 경기를 좋아하는, 스포츠용의; 정정당당한; 모험적인.

spórt(s) càr 스포츠카.

spórts·càst *n.* Ⓒ 스포츠 방송.

:sports·man [∠mən] *n.* (*fem* ***-woman***) Ⓒ 스포츠맨, 운동가, 사냥꾼; 정정당당히 행동하는 사람; 《美古》 도박사. **～·like**[-làik] *a.* **:～·ship**[-ʃip] *n.*

spórts·wèar *n.* Ⓤ 《집합적》 운동복; 간이복.

sport·y[spɔ́ːrti] *a.* 《口》 운동가다운; 발랄한; (복장이) 멋진, 스포티한(opp. dressy); 화려한; 태도가 괄괄한.

†spot[spɑt/-ɔ-] *n.* Ⓒ ① 점, 얼룩, 반점; 〖天〗 (태양의) 흑점. ② 오점, 결점, 오명. ③ (어떤) 지점, 장소. ④ (a ～) 《口》 조금. ⑤ 《美俗》 1달러(*a ten* ～, 10달러 지폐). ⑥ 집비둘기의 일종; 〖魚〗 조기류(類). ⑦ (*pl.*) 〖商〗 현물. ***hit the* ～** 《口》 만족하다, 꼭 알맞다, 더할 나위 없다. ***on* 〔*upon*〕 *the* ～** 즉석에서, 당장; 그 장소에(서); 《俗》 빈틈없이, 준비가 되어; 《俗》 곤경에 빠져; 《俗》 위험에 노출되어(*be put on the* ～ 피살되다). ― *vt.* (**-tt-**) ① (…에) 반점〔얼룩·오점〕을 묻히다; 얼룩지게 하다. ② 산재(散在)시키다. ③ 《口》 (우승자·범인 등을) 점찍다, 알아내다, 발견하다. ― *a.* 당장의, 현금(거래)의; 현장인도(現場引渡)의; 〖TV·라디오〗 현지(중계) 프로의.

spót chèck 〔tèst〕 《美》 무작위〔임의〕 견본 추출; 불시 점검(點檢).

***spót·less** *a.* 얼룩〔결점〕이 없는; 결백한.

***spót·lìght** *n., vt.* Ⓒ 〖劇〗 스포트라이트(를 비추다); (the ～) (세인의) 주시.

spót-òn *a., ad.* 《英口》 정확한〔히〕, 확실한〔히〕.

spot·ted[∠id] *a.* 반점〔오점〕이 있는, 얼룩덜룩한; (명예를) 손상당한.

spot·ty[∠i] *a.* 얼룩〔반점〕 투성이의; 한결같지 않은.

***spouse**[spaus, -z/-z] *n.* Ⓒ 배우자; (*pl.*) 부부.

spout[spaut] *vt., vi.* ① 내뿜다. ② (으스대며) 도도히 말하다. ③ (*vt.*) 《俗》 전당잡히다. ― *n.* Ⓒ ① (주전자·펌프 등의) 주둥이, 꼭지. ② 분출, 분류; 회오리, 물기둥. ③ (옛날 전당포의) 전당물 반송(搬送) 승강기. ④ 《英俗》 전당포. ***up the* ～** 《英俗》 전당잡혀; 곤경에 놓여.

sprain [sprein] *n., vt.* Ⓒ (손목 등을) 삠; 삐다.

:sprang[spræŋ] *v.* spring의 과거.

sprat[spræt] *n.* Ⓒ 〖魚〗 청어속(屬)의 작은 물고기. ***throw a* ～ *to catch a herring*** 새우로 잉어를 낚다《작은 밑천으로 큰 것을 바라다》.

***sprawl**[sprɔːl] *vi., vt., n.* Ⓒ (보통 *sing.*) 큰대자로 드러눕다〔누움〕, 큰대자로 때려 눕히다〔눕힘〕; 마구 퍼지다〔퍼짐〕.

:spray[sprei] *n.* ① Ⓤ 물보라. ② Ⓒ 흡입기(吸入器), 분무기. ③ Ⓒ (잎·꽃·열매 등이 달린) 작은 가지, 가지 무늬〔장식〕. ― *vt., vi.* ① 물보라를 일으키다〔일게 하다〕, 안개〔살충제〕를 뿜다(*upon*). ② 산탄(散彈)을 퍼붓다(*upon*). **∠·er** *n.* Ⓒ 분무기, 흡입기.

spráy gùn (도료·살충제의) 분무기.

†spread[spred] *vt., vi.* (～) ① 펴다, 펼치다, 퍼뜨리다, 퍼지다, 유포(流布)하다. ② (*vt.*) 흩뿌리다, 바르다(～ *bread with jam* 빵에 잼을 바르다). ③ 배치하다; (식사를) 차리다(～ *for dinner;* ～ *the table;* ～ *tea on the table*). ④ 뻗(치)다. ⑤ (*vi.*) 걸치다, 미치다, 열리다, 피다, 번지다. ***～ oneself*** 퍼지다, 뻗

S

다; 《口》 자신을 잘 보이려고 노력하다; 분발하다; 충분히 실력을 나타내다; 자랑하다. — *n.* ① Ⓤ 폭, 퍼짐, 범위. ② (*sing.*) (보통 the ~) 유포(流布); 유행, 보급. ③ Ⓒ 《口》 성찬. ④ Ⓒ 시트, 식탁보. ⑤ Ⓤ,Ⓒ (빵에) 바르는 것《치즈·잼 따위》. ⑥ Ⓒ 《美》 (신문의) 큰 광고, 큰 기사, 2페이지에 걸친 삽화. ⑦ Ⓤ,Ⓒ 허리통이 굵어짐.

spréad-èagle *a., vt.* 날개를 편 독수리 형태의〔로 하다〕; 《美口》 (특히 미국이) 제나라 자랑을 하는.

spréad·shèet *n.* Ⓒ ① 【會計】 매트릭스 정산표. ② 【컴】 스프레드 시트, 펼친 셈판, 확장 문서.

spree[spriː] *n.* Ⓒ 법석댐, 흥청거림; 술잔치. ***on the*** ~ 들떠서.

sprig[sprig] *n., vt.* (**-gg-**) Ⓒ 어린 가지(를 치다); (도기·천에) 잔가지 (무늬)(를 넣다); 《蔑》 애송이.

˙**spright·ly**[spráitli] *a., ad.* 쾌활한〔하게〕.

†**spring**[spriŋ] *n.* ① Ⓒ (종종 *pl.*) 샘(*a hot* ~ 온천); 원천, 원동력. ② Ⓒ 기원, 근원, 시작. ③ Ⓤ 봄. ④ Ⓤ,Ⓒ 청춘 (시절). ⑤ Ⓒ 도약(跳躍). ⑥ Ⓤ 반동; 탄력. ⑦ Ⓒ 용수철, 태엽, 스프링. — *vi.* (***sprang, sprung; sprung***) ① (근원을) 발하다, 싹트다, 생기다, 일어나다. ② 도약하다, 뛰다, 튀다; 튀기다(*off*); 우뚝 솟다. ③ (판자가) 휘다, 굽다. — *vt.* ① 뛰어 넘다, 뛰어오르게 하다. ② 찢다, 가르다; 휘게 하다; 폭발시키다. ③ 용수철을 되튀기게 하다, 용수철을 달다. ④ 느닷없이 꺼내다(*He sprang a surprise on me*). ⑤ 날아가게 하다. ⑥ 《美俗》 석방하다. ~ ***a leak*** 물샐 구멍이 생기다. ~ ***a mine*** 지뢰를 폭발시키다. ~ ***a somersault*** 재주 넘다. ~ ***on*** 〔***upon***〕 …에 덤벼 들다.

spríng·bòard *n.* Ⓒ 뜀판.

spríng·bòk *n.* Ⓒ (남아프리카의) 영양(羚羊)의 일종. 「풋내기.

spríng chícken 영계, 햇닭; 《俗》

spríng-cléan *vt.* 춘계 대청소를 하다. **~ing** *n.*

spring·er[spríŋər] *n.* Ⓒ 뛰는 것《사람·개·물고기 따위》, (특히) 범고래; 햇닭.

spríng tíde 한사리; 분류.

:**spríng·tìme** *n.* Ⓤ (the ~) 봄; 청춘.

spring·y[spríŋi] *a.* 용수철 같은, 탄력 있는; 경쾌한; 샘이 많은, 습한.

:**sprin·kle**[spríŋkəl] *vt.* (물·재 따위를) 끼얹다, 붓다, 뿌리다. — *vi.* 물을 뿌리다; 비가 뿌리다(*It* ~*s.*). — *n.* Ⓒ ① 흩뿌림. ② 부슬비. ③ (*sing.*) 드문드문함, 소량. ˙**-kling** *n.* Ⓤ 흩뿌리기, 살수; Ⓒ (비 따위가) 뿌림; 조금, 드문드문함(*a sprinkling of gray hairs* 희끗희끗한 머리).

sprin·kler[-ər] *n.* Ⓒ 살수기〔차〕; 스프링쿨러, 물뿌리개.

sprint[sprint] *n., vi.* Ⓒ 단거리 경주; 단시간의 대활동; 단거리를 질주하다. **∠·er** *n.* Ⓒ 단거리 선수.

sprite[sprait] (＜spirit) *n.* Ⓒ 요정(妖精); 도깨비, 유령; 【컴】 쪽화면.

sprock·et[sprákit/-ɔ́-] *n.* Ⓒ 사슬톱니바퀴(~ wheel)《자전거 등의》.

˙**sprout**[spraut] *n.* Ⓒ 눈, 새싹; (*pl.*) 싹양배추(Brussels sprouts). — *vi.* 싹이 트다; 갑자기 자라다. — *vt.* ① 싹트게 하다. ② (뿔·수염을) 기르다. ③ (…의) 싹〔순〕을 따다.

˙**spruce**[1][spruːs] *n.* Ⓒ,Ⓤ 가문비나무속(屬)의 나무; Ⓤ 그 재목.

spruce[2] *a.* 말쑥한(trim). — *vt., vi.* (옷차림을) 말쑥하게〔맵시 있게〕 하다(*up*). **∠·ly** *ad.*

:**sprung**[sprʌŋ] *v.* spring의 과거(분사). 「ble).

spry[sprai] *a.* 활발한; 재빠른(nim-

spud[spʌd] *n., vt.* (**-dd-**) Ⓒ 작은 가래(로 파다; 로 제거하다); 《口》 감자.

spume[spjuːm] *n., vi.* Ⓤ 거품(이 일다)(foam). **spúm·y** *a.*

:**spun**[spʌn] *v.* spin 의 과거(분사). — *a.* 자은; 실 모양으로 한; 잡아늘인; 지쳐빠진.

spunk[spʌŋk] *n.* Ⓒ 《口》 용기; 부싯깃(tinder). ***get one's*** ~ ***up*** 《口》 용기 백배하다. **∠·y** *a.* 《口》 씩씩한, 용기 있는; 성마른.

:**spur**[spəːr] *n.* Ⓒ ① 박차. ② 격려. ③ (새의) 며느리발톱. ④ 짧은

S

가지; (바위·산의) 돌출부. ⑤ (등산용) 아이젠. **give the ～** 격려[자극]하다. **on the ～ of the moment** 얼떨결에, 앞뒤 생각 없이, 순간적인 …로. **win one's ～s** 〖史〗 (황금의 박차와 함께) knight 작위를 받다; 이름을 떨치다. ── *vt., vi.* (**-rr-**) (…에) 박차를 가하다[달다]; 격려[자극]하다. **～ a willing horse** 필요 이상으로 재촉하다.

spu·ri·ous[spjúəriəs] *a.* 가짜의 (false); 그럴싸한; 사생아의.

˙**spurn**[spəːrn] *vt., vi.* 쫓아버리다; 걷어차다; 일축하다. ── *n.* Ⓒ 걷어차기; 일축; 퇴짜, 매몰찬 거절.

˙**spurt**[spəːrt] *n., vi., vt.* Ⓒ 분출(하다); 한바탕 분발(하다), 역주(力走)(하다).

˙**sput·ter**[spʌ́tər] *vi., vt.* 침을 튀기다[튀기며 말하다]; (불똥 등이) 탁탁 튀다. ── *n.* Ⓤ 입에서 튀김[튀어나온 것]; 빨리 말함; 탁탁하는 소리.

spu·tum [spjúːtəm] *n.* (*pl.* **-ta** [-tə]) Ⓤ,Ⓒ 침(saliva); 담, 가래.

:**spy**[spai] *n.* Ⓒ 스파이, 탐정. ── *vt., vi.* 탐정[염탐]하다(*on*); 찾아내다(*out*); 면밀히 조사하다(*into*).

squab·ble[skwábəl/-5-] *n., vi.* Ⓒ (사소한 일로) 싸움(을 하다)(*with*).

˙**squad**[skwad/-ɔ-] *n.* Ⓒ 《집합적》 〖軍〗 분대, 반; 팀.

˙**squad·ron**[∠rən] *n.* Ⓒ 《집합적》 기병 대대《120-200 명》; 소함대; 비행 중대; 집단. 「장《소령》.

squádron lèader 《英》 비행 중대

squal·id[skwálid/-5-] *a.* 더러운, 너저분한(filthy); 천한(mean[2]). **～·ly** *ad.* **～·ness** *n.* **squa·líd·i·ty** *n.*

˙**squall**[skwɔːl] *n.* Ⓒ 돌풍, 질풍, 스콜; 《口》 싸움, 소동. ── *vi.* 질풍이 휘몰아치다. **∠·y** *a.* 돌풍의; 《口》 험악한.

squal·or[skwálər/-5-] *n.* Ⓤ 불결함; 비참함; 비열.

squan·der [skwándər] *vt., vi.* 낭비하다.

†**square**[skwɛər] *n.* Ⓒ ① 정사각형. ② (사각) 광장, (시가의) 한 구획. ③ T자, 곱자. ④ 평방, 제곱《생략 sq.》. ⑤ 방진(方陣)(*a magic* ～ 마(魔)방진). **by the ～** 정밀하게. **on the ～** 직각으로; 《口》 정직[공평]하게. **out of ～** 직각을 이루지 않고; 비스듬히; 《口》 불규칙[부정확]하게. ── *a.* ① 정사각형[네모]의. ② 모난; 튼튼한. ③ 정직한, 꼼꼼한; 공평한. ④ 수평의; 평등의, 대차(貸借)가 없는. ⑤ 평방의(*six feet* ～, 6피트 평방/*six* ～ *feet,* 6평방 피트). ⑥ 《口》 (식사 따위) 충분한. **get (*things*) ～** (일을) 정돈하다. **get ～ with** …와 대차(貸借) 없이 되다, 비기다, 보복[대갚음]하다. ── *vt.* ① 정사각형[직각·수평]으로 하다. ② (대차 관계를) 결산[청산]하다(settle). ③ 시합의 득점을 동점으로 하다. ④ 일치[조화]시키다. ⑤ 〖數〗 제곱하다. ⑥ (어깨를) 펴다. ⑦ 《俗》 매수하다. ── *vi.* ① 직각을 이루다. ② 일치하다. ③ 청산하다. **～ accounts** 결산[대갚음]하다(*with*). **～ away** 〖海〗 순풍을 받고 달리다. **～ off** 자세를 취하다. **～ oneself** 《口》 (과거의 잘못을) 청산하다, 보상하다. **～ the circle** 불가능한 일을 꾀하다. ── *ad.* ① 직각[사각]으로. ② 정통[정면]으로. ③ 공정[정직]하게. ˙**∠·ly** *ad.* 정사각형[사각·직각]으로; 정직[공정]하게; 정면으로; 단호히. **∠·ness** *n.*

squáre-bàshing *n.* Ⓤ 《英軍俗》 군사 교련. 「《[ ]》.

squáre bráckets 〖印〗 꺽쇠괄호

squáre dànce 스퀘어댄스.

squáre knòt ＝REEF KNOT.

squáre mátrix ① 〖數〗 사각형 행렬, 정방(正方) 행렬. ② 〖컴〗 정방행렬《행과 열이 같은 수인》.

squáre róot 제곱근.

squar·ish[skwɛ́əriʃ] *a.* 네모진.

˙**squash**[1][skwaʃ/-ɔ-] *vt., vi.* ① 으깨다; 으끄러[으스러]지다; 흐물흐물하게 하다[되다]. ② 억지로 밀어넣다, [헤치고 들어가다](*into*). ③ (*vt.*) 진압하다, 《口》 찍소리 못하게 하다. **～ hat** 소프트 (모자). ── *n.* ① Ⓒ,Ⓤ 짜그러짐[뜨림]; 와싹하는 소리. ② Ⓒ 으스러져 흐물흐물한 물건. ③ Ⓒ 《英》 과즙 음료. ④ Ⓤ 정구 비슷한 공놀이, 스쿼시. **∠·y** *a.* 으스러지기 쉬운; 흐물흐물한; 모양이 찌그러진.

squash[2] *n.* Ⓒ 호박류(類).

S

squásh rácquets [**ràckets**] 스쿼시《사방이 벽으로 둘러싸인 코트에서 자루가 긴 라켓과 고무공으로 하는 구기》.

˙**squat** [skwɑt/-ɔ-] *vi.* (~***ted, squat; -tt-***) 웅크리다, 쭈그리다; 《口》 털썩 앉다; 공유지[남의 땅]에 무단히 거주하다. — *a.* 웅크린(*a* ~ *figure*); 땅딸막한. — *n.* Ⓤ 웅크리기; 쭈그린 자세. **∠·ter** *n.* **∠·ty** *a.* 땅딸막한.

squaw [skwɔː] *n.* Ⓒ 북아메리카 토인의 여자[아내]; 《諧》 마누라.

squawk [skwɔːk] *vi.* (물새 따위가) 꽥꽥[깍깍]거리다; 《美俗》 (큰 소리로) 불평을 하다. — *n.* Ⓒ 꽥꽥[깍깍]하는 소리; 불평.

˙**squeak** [skwiːk] *vi., vt.* (쥐 따위가) 찍찍 울다, 끽끽거리다; 삐걱거리다; 꽥꽥하는 소리로 말하다; 《英俗》 밀고하다. — *n.* Ⓒ 찍찍[끽끽]거리는 소리; 밀고. ***narrow*** ~ 《俗》 위기 일발. **∠·y** *a.* 끽끽하는, 삐걱거리는. **∠·er** *n.* Ⓒ 끽끽거리는 것; 꽥꽥거리는 사람; 《英俗》 밀고자.

squeal [skwiːl] *vi., vt.* 끽끽 울다; 비명을 올리다; 《俗》 밀고하다. — *n.* Ⓒ 끽끽 우는 소리; 비명; 밀고. **∠·er** *n.* Ⓒ 끽끽 우는 동물; 《俗》 밀고자.

squeam·ish [skwíːmiʃ] *a.* (뇌)까다로운, 결벽한; 곧잘 느글거려지는; 점잔빼는.

squee·gee [skwíːdʒi, –∠/∠∠, –∠] *n., vt.* Ⓒ (물기를 닦아내는) 고무 걸레(로 훔치다).

:**squeeze** [skwiːz] *vt.* ① 굳게 쥐다[악수하다], 꽉 껴안다. ② 밀어[틀어] 넣다(*in, into*); 압착하다; 짜내다(*out, from*). ③ 착취하다. ~***d orange*** 즙을 짜낸 찌끼; 더 이상 이용 가치가 없는 것. — *vi.* ① 압착되다, 짜지다. ② 밀어 헤치고 나아가다(*in, into, out, through*). — *n.* Ⓒ ① 꽉 쥠[껴안음]. ② 압착, 짜냄. ③ (a ~) 혼잡, 붐빔. ④ 짜낸 (소량의) 과일즙 (따위). ⑤ 곤경. ⑥ 본뜨기.

squéez·er *n.* Ⓒ 압착기.

squelch [skweltʃ] *vt.* 짓누르다, 찌부러뜨리다; 진압하다; 《口》 끽소리 못하게 하다. — *vi.* 철벅철벅하는 소리를 내다. — *n.* Ⓒ (보통 *sing.*) 철벅철벅하는 소리; 찌부러진 물건; 《口》 끽소리 못하게 하기.

squib [skwib] *n.* Ⓒ 폭죽, 도화 폭관(導火爆管); 풍자. — *vt., vi.* (**-bb-**) 풍자하다; (폭죽을) 터뜨리다.

squid [skwid] *n.* Ⓒ 오징어.

squif·fy [skwífi] *a.* 《英俗》 거나하게 취한; 일그러진, 비스듬한.

˙**squint** [skwint] *n.* Ⓒ 혹보기, 사팔눈[뜨기]; 곁눈질, 《口》 흘낏 보기, 일별; 경향(*to, toward*). — *vi.* 사팔눈이다; 곁눈질로[눈을 가늘게 뜨고] 보다(*at, through*); 얼핏 보다(*at*); 경향이 있다. — *vt.* 사팔눈으로 하다; (눈을) 가늘게 뜨다.

:**squire** [skwaiər] *n.* Ⓒ 《英》 시골 유지, (지방의) 대(大)지주; 《美》 치안[지방] 판사; 기사의 종자(從者); 여자를 모시고 다니는 신사. — *vt.* (주인·여자를) 모시고 다니다.

squir(**e**)·**ar·chy** [skwáiərɑːrki] *n.* Ⓒ (the ~) (영국의) 지주 계급; Ⓤ 지주 정치.

squirm [skwəːrm] *vi., n.* Ⓒ 꿈틀[허위적]거리다[거림]; 몸부림치다[침]; 머뭇거리다[거림]; 어색해 하다[하기]. **∠·y** *a.*

:**squir·rel** [skwə́ːrəl/skwír-] *n.* Ⓒ 다람쥐; Ⓤ 그 털가죽.

squirt [skwəːrt] *n., vt., vi.* Ⓒ 분출(하다); 분수; 주사기; 《口》 건방진 젊은이(upstart).

Sr. Senior; Sister.

SS *Sancti* (L. =Saints); Saints; steamship.

:**St.**[1] [seint, sənt, sin*t*] *n.* =SAINT.

:**St.**[2] Street. **st.** stone.

:**stab** [stæb] *vt.* (**-bb-**), *n.* (푹) 찌르다; Ⓒ (푹) 찌름; 중상(하다); 《口》 기도(企圖). — *vi.* 찌르며 덤벼들다(*at*). ~ (*a person*) ***in the back*** (아무를) 중상하다. **∠·ber** *n.* Ⓒ 찌르는 것; 자객.

:**sta·bil·i·ty** [stəbíləti, -li-] *n.* Ⓤ 안정; 고정, 불변; 착실.

˙**sta·bi·lize** [stéibəlàiz] *vt.* 안정시키다; (…에) 안정 장치를 하다. **-liz·er** *n.* Ⓒ 안정시키는 사람[것]; 안정 장치. ˙**-li·za·tion** [∸–lizéiʃən/-lai-] *n.* Ⓤ 안정, 고정.

S

:sta·ble[1] [stéibl] *a.* 안정된, 견고한; 〖理·化〗 안정(성)의; 영속성의; 착실한; 복원력(復原力)이 있는.

˙sta·ble[2] *n.* Ⓒ ① (종종 *pl.*) 마구간, 외양간. ② 《집합적》 (마구간의) 말. ③ 〖競馬〗 말 조련장〔기수〕. ④ 《俗》 《집합적》 (한 사람의 감독 밑의) 사람들〔권투선수, 매춘부들〕. — *vt., vi.* 마구간에 넣다〔살다〕.

stáble·bòy *n.* Ⓒ 마부《특히 소년》.

sta·ble·man [-mən] *n.* Ⓒ 마부.

stac·ca·to [stəkáːtou] *ad., a.* (It.) 〖樂〗 단음적(斷音的)으로; 단음적인.

˙stack [stæk] *n.* Ⓒ ① (건초·밀짚 등의) 더미; 낟가리. ② 〖軍〗 걸어총. ③ (*pl.* 또는 a ～) 《口》 다량, 많음. ④ 조립 굴뚝; (기차·기선의) 굴뚝. ⑤ (*pl.*) 서가(書架). ⑥ 〖컴〗 스택, 동전통. ***S- arms!*** 걸어총. — *vt.* ① 낟가리를 쌓다. ② 걸어총하다. ③ 〖空〗 (착륙 대기 비행기를) 고도차를 두어 대기시키다. ④ 〖카드〗 부정한 수로 카드를 치다. ***have the cards ～ed against one*** 대단히 불리한 입장에 놓이다.

:sta·di·um [stéidiəm, -djəm] *n.* (*pl.* **～s, -dia**[-diə]) Ⓒ ① 육상 경기장, 스타디움. ② 〖古그〗 경주장.

:staff [stæf, -ɑː-] *n.* (*pl.* **～s, staves**) Ⓒ ① 지팡이, 막대기, 장대. ② 지탱, 의지. ③ 권표(權標). ④ (창 따위의) 자루. ⑤ (이하 *pl.* **～s**) 직원, 부원; 〖軍〗 참모. ⑥ 〖樂〗 보표. ***be on the ～*** 직원〔간부〕이다. ***editorial ～*** 《집합적》 편집국(원). ***general ～*** 일반 참모; 참모부. ***～ of old age*** 노후의 의지. ***～ of life*** 생명의 양식. — *vt.* (…에) 직원을 두다.

stáff sérgeant 〖軍〗 하사.

˙stag [stæg] *n.* Ⓒ (성장한) 수사슴; (거세한) 수짐승; 《美》 (파티에서) 여자를 동반치 않은 남자; ＝STAG PARTY. — *a.* 남자들만의.

†stage [steidʒ] *n.* Ⓒ ① 무대; (the ～) 연극; 배우업(業). ② 활동 무대. ③ 연단, 마루; 발판. ④ 역, 역참(驛站); (역참간의) 여정; 역〔승합〕마차. ⑤ (발달의) 단계. ***by easy ～s*** 천천히, 쉬엄쉬엄. ***go on the ～*** 배우가 되다. — *vt.* 상연하다; 연출하다; 계획〔꾀〕하다. — *vi.* 상연에 알맞다.

˙stáge·còach *n.* Ⓒ 역마차, (정기의) 승합 마차.

stáge·cràft *n.* Ⓤ 극작〔연출〕법.

stáge dirèction 연출; 각본(脚本)에서의 지시서《생략 S.D.》.

stáge frìght (배우의) 무대 공포증.

stáge·hànd *n.* Ⓒ 무대 담당.

stáge mànager 무대 조감독.

stáge rìght (극의) 상연권, 흥행권.

stáge-strùck *a.* 무대 생활을 동경하는.

stáge whìsper 〖劇〗 큰 소리로 하는 속삭임.

:stag·ger [stǽgər] *vi., vt.* ① 비틀거리(게 하)다, 흔들리(게 하)다. ② 망설이(게 하)다, 주춤하(게 하)다. ③ (이하 *vt.*) 깜짝 놀라게 하다. ④ 충격을 주다. ⑤ 서로 엇갈리게 배열하다; (시업 시간·휴식 시간 따위를) 시차제로 하다. — *n.* Ⓒ ① 비틀거림. ② (*pl.*) 현기, 어지러움. ③ (*pl.*) 《단수 취급》 (양·말의) 훈도증(暈倒症). ④ 엇갈림(의 배열), 시차(時差) 방식. **～·er** *n.* Ⓒ 비틀거리는 사람; 대사건, 난문제. **˙～·ing** *a.* 비틀거리(게 하)는, 깜짝 놀라게 하는. **～·ing·ly** *ad.*

stag·ing [stéidʒiŋ] *n.* Ⓤ (건축물의) 비계; Ⓤ,Ⓒ (연극의) 상연; Ⓤ 역마차 여행; 역마차업(業); Ⓤ 〖宇宙〗 (로켓의) 다단식(多段式).

stáging pòst 〖空〗 중간 착륙지.

˙stag·nant [stǽgnənt] *a.* 흐르지 않는, 괴어 있는; 활발치 못한, 불경기의. **-nan·cy** *n.* **～·ly** *ad.*

stag·nate [stǽgneit] *vi., vt.* 괴다; 괴게 하다; 침체하다〔시키다〕; 불경기가 되(게 하)다. **stag·ná·tion** *n.*

stág pàrty 남자만의 연회.

stag·y [stéidʒi] *a.* 연극의〔같은〕, 연극조의, 과장된. **stág·i·ness** *n.*

staid [steid] *a.* 침착한, 차분한; 착실한. — *v.* 《古》 stay의 과거(분사).

:stain [stein] *vt.* ① (얼룩을) 묻히다, 더럽히다(*with*). ② (명예를) 손상시키다, 더럽히다. ③ (유리 따위에) 착색하다. — *vi.* 더러워지다, 얼룩지다. ***～ed glass*** 착색 유리, 색유리. — *n.* Ⓒ 얼룩(*on, upon*); 흠, 오점; Ⓤ,Ⓒ 착색(제). **∠·less** *a.* 더럽

S

혀지지 않은; 녹슬지 않는; 흠 없는; 스테인리스(제)의.

stáinless stéel 스테인리스(강(鋼)).

:stair[stɛər] *n.* Ⓒ (계단의) 한 단; (*pl.*) 계단. ***below ~s*** 지하실〔하인방〕에(서). ***flight*** 〔***pair***〕 ***of ~s*** (한 줄로 이어진) 계단.

˙stáir·càse *n.* Ⓒ 계단.

˙stáir·wày *n.* =⇧.

:stake[1][steik] *n.* Ⓒ 말뚝; 화형주(火刑柱); (*pl.*) 화형. ***pull up ~s*** 《美口》 떠나다, 이사〔전직〕하다. — *vt.* 말뚝에 매다; 말뚝으로 둘러치다(*out, off, in*).

stake[2] *n.* Ⓒ 내기; 내기에 건 돈; (*pl.*) (경마 따위의) 상금; (*sing.*) 내기 경마; (내기돈을 건 것 같은) 이해관계. ***at ~*** 문제가 되어서; 위태로워져서. — *vt.* 걸다; 재정적으로 원조하다; 《口》 (수익(受益) 계약에 의하여 탐광자(探鑛者)에게) 의식을 공급하다(grubstake).

stáke·hòlder *n.* Ⓒ 내기 돈을 맡는 사람. 「복.

stáke·òut *n.* Ⓒ 《美口》 (경찰의) 잠

sta·lac·tite[stəlǽktait, stǽləktàit] *n.* Ⓤ 종유석(種乳石).

sta·lag·mite[stəlǽgmait, stǽləgmàit] *n.* Ⓒ 〖鑛〗 석순(石筍).

˙stale[steil] *a.* ① (음식물이) 신선하지 않은, (빵이) 굳어진; (술이) 김빠진. ② 케케묵은, 시시한. ③ (연습으로) 피로한. — *vt., vi.* stale하게 하다〔해지다〕. **∠·ly** *ad.*

˙stale·mate[stéilmèit] *n., vt.* Ⓤ,Ⓒ 〖체스〗 수가 막힘〔막히게 하다〕; 막다름; 막다르게 하다.

:stalk[1][stɔːk] *n.* Ⓒ 〖植〗 대, 줄기, 꽃꼭지, 잎꼭지; 〖動〗 경상부(莖狀部).

˙stalk[2] *vi.* ① (적·사냥감에) 몰래 접근하다. ② (병이) 퍼지다(*through*). ③ 유유히〔뽐내며〕 걷다, 활보하다. — *vt.* (적·사냥감에) 몰래 다가가다. — *n.* Ⓒ 몰래 접근〔추적〕함; 활보(imposing gait).

stálking-hòrse *n.* Ⓒ 숨을 말《사냥꾼이 몸을 숨기어 사냥감에 몰래 접근하기 위한 말, 또는 말 모양의 물건》; 구실, 핑계.

:stall[stɔːl] *n.* Ⓒ ① 축사, 마구간〔외양간〕의 한 구획. ② 매점, 노점. ③ (교회의) 성가대석, 성직자석; (the ~s) 《英》 (극장의) 아래층 정면의 일등석. ④ 〖空〗 실속(失速). — *vt.* ① (마구간〔외양간〕에) 칸막이를 하다. ② (말·마차를 진창〔눈구덩이〕 속에서) 오도가도〔꼼짝〕 못하게 하다; 저지하다. ③ (발동기를) 멈추게 하다. ④ 〖空〗 실속시키다. — *vi.* ① 마구간〔외양간〕에 들어가다. ② 진창〔눈구덩이〕 속에 빠지다, 오도가도 못하다. ③ (발동기가) 서다. ④ 〖空〗 실속하다.

stáll·hòlder *n.* Ⓒ 《英》 (시장의) 노점상. 「말, 종마.

stal·lion[stǽljən] *n.* Ⓒ 씨말, 수

˙stal·wart[stɔ́ːlwərt] *a., n.* Ⓒ 튼튼한〔억센〕 (사람); 용감한 (사람); 충실한 (지지자·당원).

˙sta·men[stéimən/-men] *n.* (*pl.* ~s, ***stamina***[1][stǽmənə]) Ⓒ 〖植〗 수술.

stam·i·na[2][stǽmənə] *n.* Ⓤ 정력, 스태미너; 인내(력).

:stam·mer[stǽmər] *vi., vt.* 말을 더듬다; 더듬으며 말하다(*out*). — *n.* Ⓒ (보통 *sing.*) 말더듬기.

†stamp[stæmp] *n.* Ⓒ ① 발을 구름. ② 〖鑛〗 쇄석기(碎石機)(의 해머). ③ 타인기(打印器); 도장; 소인(消印), 스탬프. ④ 표, 상표. ⑤ 인상, 표정. ⑥ 특징, 특질. ⑦ 종류, 형(型). ⑧ 우표, 수입 인지. — *vt.* ① 짓밟다(~ *one's foot* 발을 구르다《성난 표정》). ② 깊이 인상짓다. ③ 분쇄하다. ④ (형(型)을) 찍다, 눌러 자르다(*out*). ⑤ 표시하다; 도장〔소인〕을 찍다. ⑥ (…에) 우표〔인지〕를 붙이다. ***of the same ~*** 같은 종류의. ***put to ~*** 인쇄에 부치다. — *vi.* 발을 구르다; 발을 구르며 걷다. ***~ down*** 짓밟다. ***~ out*** (불을) 밟아 끄다; (폭동·병을) 누르다, 가라앉히다, 진압하다.

stámp collèctor 우표 수집가.

stámp dùty 〔**tàx**〕 인지세.

˙stam·pede[stæmpíːd] *vi., vt., n.* Ⓒ (가축 떼가) 후닥닥 도망치다〔침〕; (군대·동물떼의) 궤주(潰走)(하다); 쇄도(하다, 시키다).

˙stance[stæns] *n.* Ⓒ (보통 *pl.*) 선 자세; 위치; (공을 칠 때의) 발의 위

치.

stan·chion [stǽntʃən/stɑ́:nʃən] *n.* Ⓒ (창·지붕 따위의) 지주(支柱); (가축을 매는) 칸막이 기둥.

†**stand** [stænd] *vi.* (**stood**) ① 서다; 멈춰 서다. ② 일어서다(*up*); 일어서면 높이가 …이다; 서 있다. ③ 놓여 있다; 위치하다, (…에) 있다. ④ 《보어·부사(구)를 수반하여》 어떤 위치[상태]에 있다(*I* ~ *his friend.* 그 사람 편이다); 변경되지 않다, 그대로 있다(*It* ~*s good.* 여전히 유효하다). ⑤ (물이) 괴다; (눈물이) 어리다(*on, in*). ⑥ (배가 어떤 방향으로) 침로(針路)를 잡다. — *vt.* ① 세우다, 세워 놓다. ② (입장을) 고수하다; 참다; 받다, 오래 가다. ③ 《口》 비용을 치러 주다, 한턱 내다. ④ (배가 침로를) 잡다. **as things** [**matters**] ~ 현상태로는. ~ **a chance** 기회가 있다, 유망하다. **S- and deliver!** 가진 돈을 모조리 털어 내놓아라!《강도의 말》. ~ **aside** 비켜서다; 동아리에 끼지 않다. ~ **at ease** [**attention**] 쉬어[차려] 자세를 취하다. ~ **by** 곁에 서다; 방관하다; 지지하다, 돕다; 고수하다; 준비하다. ~ **clear** 멀어져 가다. ~ **corrected** 잘못의 수정을 인정하다. ~ **for** …을 나타내다; …에 입후보하다; (주의 따위를) 제창하다, 옹호하다; …에 편들다; 《口》 참다, 견디다; 〖海〗 …로 향하다, …의 방향으로 나아가다. ~ **good** 진실[유효]하다. ~ **in** …에 참가하다; 《口》 …와 사이가 좋다; 《俗》 돈이 들다. ~ **in for** …을 대표하다. ~ **in with** …에 편들다; …을 지지하다; …의 배당몫을 가지다. ~ **off** 멀리 떨어져 있다; 멀리하다. ~ **on** …에 의거하다, …에 의지하다; 요구[주장]하다. ~ **out** 튀어 나오다; 두드러지다; 끝까지 버티다. ~ **over** 연기하다[되다]. ~ **pat** (포커에서) 돌라준 패 그대로를 가지고 하다; (개혁에 대하여) 현상 유지를 주장하다; 끝까지 버티다. ~ **to** (조건·약속 등을) 지키다, 고집하다. ~ **treat** 한턱 내다. ~ **up** 일어서다; 지속하다; 두드러지다. ~ **up to** …에 용감히 맞서다. ~ **well with** …에게 평판이 좋다. — *n.* Ⓒ 기립; 정지; 입장, 위치, 방어, 저항; (보통 *sing.*) 관람석, 스탠드; 대(臺), …세우개, …걸이; 매점; 《美》(법정의) 증인석; 주차장; (순회 중인) 흥행지; (어떤 지역의) 입목(立木), 작물. **bring** [**come**] **to a** ~ 정지시키다[하다]. **make a** ~ 멈춰 서다(*at*); 끝내 버티고 싸우다.

stánd-alóne *a.* 〖컴〗 (주변 장치가) 독립(형)의(~ *system* 독립 시스템).

:**stand·ard** [stǽndərd] *n.* Ⓒ ① (지배자의 상징인) (군)기, 기치(旗幟). ② (본디 지배자가 정한) 도량형의 원기(原器), 기본 단위, 표준, 모범. ③ 수준. ④ 《英》 (초등 학교의) 학년. ⑤ 〖造幣〗 본위(本位)(*the gold* [*silver*] ~ 금[은] 본위제). ⑥ 《동사 'stand'의 의미와 함께》 똑바로 곧은 지주(支柱), 남포대; (장미 따위의) 입목. ⑦ (곧바로) 자연목《특히 과수(果樹)》. ⑧ 〖컴〗 표준. ~ **of living** 생활 수준. **under the** ~ **of** …의 기치 아래서. **up to the** ~ 합격하여. — *a.* ① 표준의, 모범적인. ② 일류의, 권위 있는. ~ **coin** 본위 화폐.

stándard-bèarer *n.* Ⓒ 〖軍〗 기수(旗手); 지도자.

·**stand·ard·ize** [-àiz] *vt.* 표준에 맞추다; 규격화[통일]하다; 〖化〗 표준에 의하여 시험하다. **-i·za·tion** [ˌ---zéiʃən] *n.*

stándard làmp 《英》 플로어 스탠드《바닥에 놓는 전기 스탠드》.

stándard tìme 표준시.

·**stánd-bỳ** *n.* Ⓒ 의지가 되는 사람[것]; 구급선; 대기의 구령[신호]. **on** ~ 대기하고 있는.

·**stánd-ìn** *n.* Ⓒ 《口》 유리한 지위; 〖映〗 대역(代役).

:**stand·ing** [stǽndiŋ] *a.* ① 서 있는, 선 채로의. ② 베지 않은, 입목(立木)의. ③ 움직이지 않는; (물 따위) 괴어 있는(~ *water* 흐르지 않는 물); 고정된. ④ 영구적인. ⑤ 상비[상치(常置)]의. ⑥ 정해진, 일정한, 판에 박힌(*Enough of your* ~ *joke!*). — *n.* Ⓤ 섬, 서 있음, 서는 곳; 지위, 명성; 존속.

stánding órder 군대 내무 규정; (의회의) 의사 규칙.

S

stánding ròom 서 있을 만한 여지; (극장의) 입석(立席)(*S- R- Only* 입석뿐임《생략 S.R.O.》).
stánd·òff *a., n.* Ⓤ 떨어져 있는(있음); 냉담(한); Ⓒ (경기의) 동점, 무승부.
stand·off·ish[⌐ɔ́(:)fiʃ, -ɑ́f-] *a.* 쌀쌀한, 냉담한; 불친절한.
stánd·pìpe *n.* Ⓒ 배수탑(塔), 급수탱크.
:stánd·pòint *n.* Ⓒ 입장, 입각점; 관점, 견지. 「힘.
stánd·stìll *n.* Ⓒ,Ⓤ 정지, 휴지, 막
stánd-ùp *a.* 서 있는, 곧추 선; 선 채로의; 정정당당한.
stank[stæŋk] *v.* stink의 과거.
˙stan·za[stǽnzə] *n.* Ⓒ (시의) 절, 연(聯).
˙sta·ple[1][stéipəl] *n.* ① Ⓒ (보통 *pl.*) 주요 산물[상품]. ② Ⓒ 주성분. ③ Ⓤ 원료. ④ Ⓤ (솜·양털 따위의) 섬유. — *a.* 주요한; 대량 생산의. — *vt.* (섬유를) 분류하다. **⌐r**[1] *n.* Ⓒ 양털 선별공[상(商)].
sta·ple[2] *n., vt.* Ⓒ U자형의 거멀못(을 박다); 스테이플, 서류철쇠(로 철(綴)하다). ***stapling machine*** 호치키스《종이 철하는 기구》. **⌐r**[2] *n.* Ⓒ 철하는 기구, 호치키스.
†star[stɑːr] *n.* Ⓒ ① 별, 항성; (the ~)《詩》지구. ② 별 모양(의 것), 별표 훈장; 별표(*)(asterisk). ③ 인기 있는 사람, 대가; 인기 배우, 스타. ④ (보통 *pl.*)【占星】운성(運星), 운수, 운. ⑤ (마소 이마의) 흰 점. ***see ~s*** (얻어 맞아) 눈에서 불꽃이 튀다. ***the Stars and Stripes*** 성조기. — *vt.* (**-rr-**) 별로 장식하다; 별표를 달다; (…을) 주역으로 하다. — *vi.* 뛰어나다; 주연(主演)하다. — *a.* 별의; 주요한; 스타의.
stár·bòard *n., ad.* Ⓤ【海】우현(右舷)(으로). — *vt.* (키를) 우현으로 돌리다, (진로를) 오른쪽으로 잡다.
˙starch[stɑːrtʃ] *n.* ① Ⓤ,Ⓒ 전분, 녹말, 풀. ② (*pl.*) 전분질 음식물. ③ Ⓤ 딱딱함, 형식차림. ④ Ⓤ《口》정력, 활기. — *vt.* (의류에) 풀을 먹이다. **~ed**[-t] *a.* 풀 먹인; 딱딱한. **⌐·y** *a.* 전분(질)의; 풀을 먹인, 뻣뻣한; 딱딱한.
star·dom[stɑ́ːrdəm] *n.* Ⓤ 스타의 지위;《집합적》스타들.
:stare[stɛər] *vi.* 응시하다, 빤히 보다(*at, upon*); (색채 따위가) 두드러지다. — *vt.* 응시하다, 노려보아 …시키다. *~ a person **down*** [***out of countenance***] 아무를 빤히 쳐다보아 무안하게 하다. *~ a person **in the face*** 아무의 얼굴을 빤히 쳐다보다; (죽음·위험 따위가) 눈앞에 닥치다. — *n.* Ⓒ 응시. **˙stár·ing** *a.* 응시하는; (색채가) 혼란한, 야한.
stár·fish *n.* Ⓒ【動】불가사리.
˙stark[stɑːrk] *a.* ① (시체 따위가) 뻣뻣해진. ② 순전한, 완전한. ③ 강한, 엄한. — *ad.* 순전히; 뻣뻣해져서.
stark·ers[stɑ́ːrkərz] *a.*《英俗》모두 벗은; 아주 미친 짓의.
stár·less *a.* 별 없는.
star·let[⌐lit] *n.* Ⓒ 작은 별; 신진 여배우.
˙stár·lìght *n., a.* Ⓤ 별빛(의).
star·ling[⌐liŋ] *n.* Ⓒ【鳥】찌르레기.
star·lit[⌐lìt] *a.* 별빛의.
˙star·ry[stɑ́ːri] *a.* 별의; 별이 많은; 별빛의; 별처럼 빛나는; 별 모양의.
stárry-èyed *a.* 공상적인.
†start[stɑːrt] *vi.* ① 출발하다(*on, for, from*); (기계가) 움직이기 시작하다; 시작하다(*on*). ② 일어나다; 생기다(*at, in, from*). ③ (놀람·공포로 눈 따위가) 튀어나오다(*out, forward*), 펄쩍 뛰다, 흠칫 놀라다(*at, with*). ④ (눈물 따위가) 갑자기 나오다. ⑤ 뛰어 비키다[물러나다](*aside, away, back*), 뛰어 오르다(*up, from*). ⑥ (선재(船材)·못 따위가) 느슨해지다. — *vt.* ① 출발시키다. ② 운전시키다; 시작하(게 하)다. ③ (사냥감을) 몰아내다. ④ (선재·못 따위를) 느슨하게 하다. *~ **in*** [***out, up***] =START. — *n.* ① Ⓒ 출발(점); 개시. ② Ⓤ,Ⓒ 움찔하기. ③ Ⓒ (보통 *sing.*) 뛰어 오르기. ④ Ⓒ (경주의) 선발권, 출발. ⑤ Ⓤ,Ⓒ 유리. ⑥ (*pl.*) 발작; 충동. ***at the ~*** 처음에는, 최초에. ***get a ~*** 흠칫 놀라다. ***get*** [***have***] ***the ~ of*** …의 기선을 제압하다. **˙⌐·er** *n.* Ⓒ 시작하는 사람[것]; (경주·경마

따위의) 출발 신호원; (기차 따위의) 발차계원; 〖機〗 시동 장치.

stárting blòck 〖競技〗 스타팅 블록, 출발대(臺).

:stárting pòint 출발점, 기점.

:star·tle [stáːrtl] *vt.* 깜짝 놀라게 하(여 …시키)다. ― *vi.* 깜짝 놀라다 (*at*). ― *n.* Ⓒ 놀람. **-tler** *n.* Ⓒ 놀라게 하는 사람〔것〕; 놀라운 사건. ***stár·tling** *a.* 놀랄 만한.

***star·va·tion** [stɑːrvéiʃən] *n.* Ⓤ 굶주림; 아사(餓死).

:starve [stɑːrv] *vi.* 굶주리다, 아사하다; 《口》 배고프다; 갈망하다(*for*). ― *vt.* 굶주리게 하다; 굶겨죽이다; 굶주려 …하게 하다. ~ *out* 굶주리게 하다. **∠·ling** *a., n.* Ⓒ 굶주려서 야윈 (사람·동물).

stash [stæʃ] *vt., n.* 《美俗》 따로 떼어〔감춰, 간수해〕 두다; Ⓒ 그 물건.

sta·sis [stéisis] *n.* (*pl.* ***-ses*** [-siːz]) Ⓤ,Ⓒ 〖病〗 혈행 정지, 울혈(鬱血); 정체, 정지.

†state [steit] *n.* ① Ⓒ (보통 *sing.*) 상태, 형세. ② Ⓒ 계급; 지위, 신분; 고위(高位). ③ Ⓒ (*or* S-) 국가, 나라. ④ Ⓒ 《口》 근심, 흥분〔불만〕 상태. ⑤ Ⓤ 위엄, 당당함; 장관; 의식. ⑥ Ⓒ (보통 S-) (미국·오스트레일리아의) 주(州)(cf. territory). ⑦ (the States) 미국. ⑧ 〖컴〗 (컴퓨터를 포함한 automation의) 상태 (~ *table* 상태표). ***Department*** 〔***Secretary***〕 ***of S-*** 《美》 국무부〔장관〕. ***in ~*** 공식으로, 당당히. ***lie in ~*** (매장 전에) 유해가 정장(正裝) 안치되다. ***S- of the Union message*** 《美》 대통령의 연두 교서. ***States Rights*** 《美》 (중앙 정부에 위임치 않은) 주의 권리. ― *a.* 국가의〔에 관한〕; (*or* S-) 《美》 주(州)의; 의식용의. ***~ criminal*** 국사범(犯). ***~ property*** 국유 재산. ***~ socialism*** 국가 사회주의. (***turn***) ***~'s evidence*** 《美》 공범 증언(을 하다). ***visit of ~*** 공식 방문. ― *vt.* 진술〔주장〕하다; (날짜 등을) 지정하다, 정하다; (문제 등을) 명시하다. **stat·ed** [∠id] *a.* 진술된; 정해진. **∠·hood** *n.* Ⓤ 국가의 지위; 《美》 주(州)의 지위.

státe·cràft *n.* Ⓤ 정치적 수완.

Státe Depàrtment, the 《美》 국무부.

státe·less *a.* 국적〔나라〕 없는; 《英》 위엄이 없는.

:state·ly [∠li] *a.* 위엄 있는, 장엄한. **státe·li·ness** *n.* Ⓤ 위엄, 장엄.

:state·ment [∠mənt] *n.* ① Ⓤ,Ⓒ 진술, 성명. ② Ⓒ 진술서, 성명서; 〖商〗 보고〔계산〕서. ③ 〖컴〗 명령문.

státe-of-the-árt *a.* 최신식의, 최신기술을 도입한.

státe·ròom *n.* Ⓒ (궁전의) 큰 응접실; (기차·기선의) 특별실.

:states·man [stéitsmən] *n.* (*fem.* ***-woman***) Ⓒ 정치가. **~·like** [-làik], **~·ly** *a.* 정치가다운. **~·ship** [-ʃip] *n.* Ⓤ 정치적 수완.

státe(s)·sìde *a., ad.* 《美口》 미국의〔에서, 에서는〕.

***stat·ic** [stǽtik], **-i·cal** [-əl] *a.* 정지(靜止)한, 정직인; 정체(靜體)의; 〖電〗 정전〔공전(空電)〕의; 〖컴〗 정적(靜的)《재생하지 않아도 기억 내용이 유지되는》. ― *n.* (-ic) Ⓤ 정전기, 공전 (방해). **stát·ics** *n.* Ⓤ 정역학(靜力學).

státic electrícity 정전기.

†sta·tion [stéiʃən] *n.* Ⓒ ① 위치, 장소. ② 정거장, 역. ③ …국(局), …소(所). ④ (경찰의) 파출소. ⑤ (군대의) 주둔지. ⑥ 방송국. ⑦ 지위, 신분. ⑧ 〖컴〗 국《네트워크를 구성하는 각 컴퓨터》.

státion àgent 《美》 역장.

***sta·tion·ar·y** [stéiʃənèri/-nəri] *a.* 정지(靜止)한; 고정된.

sta·tion·er [stéiʃənər] *n.* Ⓒ 문방구상. ***~·y** [-nèri/-nəri] *n.* Ⓤ 문방구, 문구.

státion·màster *n.* Ⓒ 역장.

státion wàg(g)on 《美》 좌석을 젖혀 놓을 수 있는 상자형 자동차(《英》 estate car).

sta·tis·tic [stətístik], ***-ti·cal** [-əl] *a.* 통계의, 통계학(상)의. ― *n.* (-tic) Ⓒ 통계 항목(의 하나). **-ti·cal·ly** *ad.*

stat·is·ti·cian [stæ̀tistíʃən] *n.* Ⓒ 통계학자.

:sta·tis·tics [stətístiks] *n.* Ⓤ 통계

학; 《복수 취급》 통계(자료).
stat·u·ar·y[stǽtʃuèri/-tjuəri] *n.* Ⓤ 《집합적》 조상(彫像)(군(群)); 조상술; Ⓒ 《稀》 조상가. ── *a.* 조상(용)의.
:stat·ue [stǽtʃuː, -tjuː] *n.* Ⓒ 상(像), 조상(彫像).
stat·u·esque[stæ̀tʃuésk/-tju-] *a.* 조상 같은, 윤곽이 고른; 위엄이 있는.
stat·u·ette[stæ̀tʃuét/-tju-] *n.* Ⓒ 「소상(小像).
:stat·ure[stǽtʃər] *n.* Ⓤ 신장(身長); (심신의) 성장, 발달.
·sta·tus[stéitəs, stǽt-] *n.* Ⓤ,Ⓒ ① 상태; 지위; 〖法〗 신분. ② 〖컴〗 (입출력 장치의 동작) 상태. **~ (*in*) *quo*** (L.) 현황. **~ *quo ante*** 이전의 상태.
státus sỳmbol 신분의 상징《소유물·재산·습관 따위》.
·stat·ute[stǽtʃu(ː)t/-tjuːt] *n.* Ⓤ 법령; 규칙.
státute bòok 법령 전서.
státute làw 성문법.
stat·u·to·ry[stǽtʃutɔ̀ːri/-tjutəri] *a.* 법령의; 법정의; 법에 저촉되는.
·staunch[stɔːntʃ, -ɑː-] *a.* (사람·주장 따위가) 신조에 철두철미한, 충실한, 신뢰할 수 있는.
·stave[steiv] *n.* Ⓒ 통널; (사닥다리의) 디딤대; 막대; 장대; (시가의) 절, 연(聯); 시구; 〖樂〗 보표(譜表). ── *vt.* (**~d, stove**) 통널을 붙이다; (통·배 따위에) 구멍을 뚫다(*in*). ── *vi.* 깨지다, 부서지다. **~ *off*** 간신히 막다. 「복수.
staves[steivz] *n.* stave, staff의
†stay[stei] *vi.* (**~ed,** 《英古·美》 **staid**) ① 머무르다; 체재하다(*at, in, with*). ② 묵다, 멈춰서다; 기다리다. ③ …인 채로 있다; 견디다, 지탱하다, 지속하다. ④ 《古》 굳게 서 있다. ── *vt.* ① 막아내다, 방지하다. ② (식욕 따위를) 만족시키다. ③ (판결 따위를) 연기하다. ④ 지속하다. ***come to* ~** 계속되다, 영속적인 것으로 되다. **~ *away*** (집을) 비우다(*from*). ── *n.* ① Ⓒ(보통 *sing.*) 체재 (기간). ② Ⓤ,Ⓒ 억제, 방해. ③ Ⓤ,Ⓒ 〖法〗 연기, 중지. ④ Ⓤ 《口》 끈기, 지구력. **∠·er** *n.* Ⓒ 체재자; 끈기 있는 사람〔동물〕; 지지자〔물〕.
stáy-at-hòme *a., n.* Ⓒ 집에만 틀어박혀 있는 (사람).
stáying pòwer 내구력, 인내력.
:stead[sted] *n.* ① Ⓤ 대신(*in his* ~ 그 대신에). ② Ⓒ 이익; 장소. ***in* (*the*) ~ *of*** =INSTEAD of. ***stand* (*a person*) *in good* ~** (아무에게) 도움이 되다.
·stead·fast[stédfæ̀st, -fəst/-fəst] *a.* 견실〔착실〕한; 부동〔불변〕의. **~·ly** *ad.* **~·ness** *n.*
stead·y[stédi] *a.* ① 흔들리지 않는; 견고한, 안정된. ② 한결같은; 꾸준한, 간단 없는. ③ 규칙적인. ④ 침착한; 착실한. ⑤ 〖海〗 (침로·바람 따위) 변치 않는. ── *vt., vi.* 견고하게 하다〔해지다〕, 안정시키다〔되다〕. ── *n.* Ⓒ 《美俗》 이미 정해진 친구〔애인〕. **:stéad·i·ly** *ad.* 견실하게; 착실히, 꾸준히. **stéad·i·ness** *n.*
:steak[steik] *n.* Ⓒ,Ⓤ (쇠고기·생선의) 베낸 고깃점; 불고기, (비프) 스테이크. 「식당.
stéak·hòuse *n.* Ⓒ 스테이크 전문
†steal[stiːl] *vt.* (**stole; stolen**) 훔치다; 몰래〔가만히〕 …하다; 몰래〔슬쩍〕 손에 넣다; 〖野〗 도루하다. ── *vi.* 도둑질하다; 몰래 가다〔침입하다, 나가다〕; 조용히 움직이다. ── *n.* Ⓒ 《口》 도둑질; 훔친 물건; 〖野〗 도루; 횡재, 싸게 산 물건. **∠·er** *n.* Ⓒ 도둑. ***∠·ing** *n.* Ⓤ 훔침; Ⓒ 〖野〗 도루; (*pl.*) 훔친 물건.
·stealth[stelθ] *n.* Ⓤ 비밀. ***by* ~** 몰래. ── *a.* (종종 S-) 레이더 포착 불능의.
·stealth·y[stélθi] *a.* 비밀의, 몰래 한. **stéalth·i·ly** *ad.*
:steam[stiːm] *n.* Ⓤ (수)증기, 김; 《口》 힘, 원기. ***at full* ~** 전속력으로. ***by* ~** 기선으로. ***get up* ~** 증기를 올리다, 김을 내다; 기운을 내다. ***let off* ~** 여분의 증기를 빼다; 울분을 풀다. ***under* ~** (기선이) 증기로 움직여져; 기운〔힘〕을 내어. ── *vi.* 증기〔김〕을 내다; 증발하다; 증기로 움직이다; 김이 서려 흐리다. ── *vt.* 찌다; (…에) 증기를 쐬다. **~ *along* 〔*ahead, away*〕** 《口》 힘껏 일하다, 착착 진척되다. **~*ing hot*** 몹시 뜨거운. **∠·ing** *a., n.* 김을

S

내뿜는〔내뿜을 만큼〕; Ⓤ 김쐬기; 기선 여행(거리). **∠·y** *a.* 증기〔김〕의, 김이 오르는; 안개가 짙은.

:stéam·bòat *n.* Ⓒ 기선.

·stéam èngine 증기 기관(機關).

:steam·er[∠ər] *n.* Ⓒ ① 기선. ② 증기 기관. ③ 찌는 기구.

stéam ìron 《美》 증기 다리미.

stéam ròller (땅 고르는 데 쓰는) 증기 롤러; 강압 수단.

stéam·ròller *vt.* 강행〔압도〕하다.

:stéam·shìp *n.* Ⓒ 기선.

stéam shòvel 증기삽.

·steed[sti:d] *n.* Ⓒ 《詩·諧》 (승용) 말; 기운찬 말.

:steel[sti:l] *n.* ① Ⓤ 강철. ② 《집합적》 검(劍). ③ Ⓤ 강철 같은 단단함〔세기·빛깔〕. ***cast*** 〔***forged***〕 **~** 불림강철, 주강(鑄鋼), 단강(鍛鋼). ***cold* ~** 도검, 총검 (따위). ***draw one's* ~** 칼〔권총〕을 뽑아들다. ***grip of* ~** 꽉 쥐기. (***foe***) ***worthy of one's* ~** 상대로서 부족이 없는 (적). **—** *a.* 강철로 만든; 강철같이 단단한; 강철빛의. **—** *vi.* ① 강철로 날을 만들다; 강철을 입히다; 강철같이 단단하게 하다. ② 무감각〔무정〕하게 하다. **∠·y** *a.* 강철의〔같은〕, 강철로 만든; 단단한; 무정한.

stéel bánd 〖樂〗 스틸 밴드《드럼통을 이용한 타악기 밴드; Trinidad에서 시작됨》.

stéel wóol 강모(鋼毛)《금속 연마재》.

stéel·wòrk *n.* Ⓒ 강철 제품; (~s) *sing.* & *pl.* 제강소.

:steep[1][sti:p] *a.* 험한, 가파른; 《口》 엄청난. **—** *n.* Ⓒ 가풀막, 절벽.

·steep[2] *vt.* (…에) 적시다, 담그다 (*in*); 몰두시키다(*in*). **—** *n.* Ⓤ,Ⓒ 담금, 적심; Ⓤ 담그는 액체.

steep·en[stí:pən] *vt., vi.* 험하게〔가파르게〕 하다〔되다〕.

·stee·ple[stí:pəl] *n.* Ⓒ (교회의) 뾰족탑. **~d** *a.*

stéeple·chàse *n.* Ⓒ 교외 횡단 경마〔경주〕; 장애물 경주.

stéeple·jàck *n.* Ⓒ (뾰족탑·높은 굴뚝 따위의) 수리공.

·steep·ly[stí:pli] *ad.* 가파르게, 험준하게.

:steer[1][stiər] *vt.* (…의) 키를 잡다, 조종하다; (어떤 방향으로) 돌리다; 인도하다. **—** *vi.* 키를 잡다; 향하다, 나아가다(*for, to*). **~ *clear of*** …을 피하다; …에 관계하지 않다. **—** *n.* Ⓒ 《美口》 조언, 충고.

steer[2] *n.* Ⓒ (2-4살의) 어린 수소; 식육용의 불깐 소.

steer·age[-idʒ] *n.* Ⓤ (상선의) 3등 선실; 고물, 선미; 조타(操舵)(법), 조종.

stéering commìttee 《美》 운영위원회.

stéering whèel (자동차의) 핸들; (배의) 타륜(舵輪).

stel·lar[stélər] *a.* 별의〔같은〕; 주요한.

:stem[1][stem] *n.* Ⓒ ① (초목의) 대, 줄기, 꽃자루, 잎자루〔꼭지〕, 열매꼭지. ② 줄기 모양의 부분, (연장의) 자루, (잔의) 굽, (파이프의) 축(軸). ③ 종족, 혈통. ④ 〖言〗 어간(語幹) 《변하지 않는 부분》. ⑤ 〖海〗 이물. ***work the* ~** 《美俗》 구걸하다. **—** *vt.* (**-mm-**) (과일 따위에서) 줄기를 떼다. **—** *vi.* 《美》 발(發)하다, 생기다, 일어나다(*from, in; out of*). **∠·less** *a.* 대〔줄기, 자루, 축〕 없는.

stem[2] *vt.* (**-mm-**) 저지하다, 막다; (바람·파도를) 거슬러 나아가다; 저항하다.

stench[stentʃ] *n.* Ⓒ (보통 *sing.*) 악취(를 풍기는 것).

sten·cil[sténsil] *n., vt.* Ⓒ 스텐실〔형판(型板)〕(으로 형을 뜨다); 등사원지; 등사하다.

·ste·nog·ra·pher[stənágrəfər/-5-] *n.* Ⓒ 속기사.

·ste·nog·ra·phy[stənágrəfi/-5-] *n.* Ⓤ 속기(술). **sten·o·graph·ic**[stènəgrǽfik] *a.*

Sten·tor[sténtɔ:r] *n.* 50명몫의 목소리를 냈다고 하는 그리스의 전령; (s-) Ⓒ 목소리가 큰 사람. **sten·to·ri·an**[stentɔ́:riən] *a.* 우레같은 목소리의.

†step[step] *n.* ① Ⓒ 걸음. ② Ⓒ 한 걸음, 일보(의 거리); 짧은 거리. ③ Ⓒ,Ⓤ 걸음걸이; (댄스의) 스텝, 추는 법; 보조. ④ (*pl.*) 보정(步程). ⑤ Ⓒ 디딤판; (사닥다리의) 단(段); (*pl.*)

S

발판 사닥다리, 발판. ⑥ Ⓒ 발소리; 발자국. ⑦ Ⓒ 진일보(進一步), 수단, 조치. ⑧ Ⓒ (사회 계층 중 하나의) 계급; 승급. ⑨ Ⓒ 〖樂〗 (온)음정. ***in a person's*** **~** 아무의 전례를 따라. ***in*** 〔***out of***〕 **~** 보조를 맞추어〔흩뜨리어〕. **~ *by*** **~** 한걸음 한걸음; 착실히. ***watch one's*** **~** 《美》 조심하다. — *vi.* (《詩》 ***stept; -pp-***) 걷다, 가다, 일정한 걸음거리로 나아가다; (자동차의 스타터 따위를) 밟다(*on*); 《口》 급히 가다; (좋은 일 따위에) 얻어 걸리다(*into*). — *vt.* 걷다; (…을) (춤)추다; 보측(步測)하다(*off, out*). **~ *down*** 내리다; (전압 따위를) 낮추다. **~ *in*** 들어가다; 간섭하다; 참가하다. **~ *on it*** 《口》 서두르다. **~ *out*** 《美口》 놀러 나가다. ***S- this way, please.*** 이리로 오십시오. **~ *up*** 접근하다, 다가가다(*to*); 《美口》 빠르게 하다.

step-[step] *pref.* '배다른, 계(繼)…'의 뜻. **∠·bròther** *n.* Ⓒ 이부(異父)〔이복〕 형제. **∠·chìld** *n.* (*pl.* ***-children***) Ⓒ 의붓 자식. **∠·dàugh-ter** *n.* **~·fàther** *n.* ˙**∠·mòther** *n.* **∠·mótherly** *a.* **∠·pàrent** *n.* **∠·sìster** *n.* **∠·sòn** *n.*

stép·làdder *n.* Ⓒ 발판 사닥다리, 발판.

steppe[step] *n.* (the S-s) 스텝 지대; Ⓒ (나무가 없는) 대초원.

stépping stòne 디딤돌, 징검돌; 수단.

˙**ster·e·o**[stériòu, stíər-] *n.* Ⓤ 입체 음향, 스테레오; Ⓒ 스테레오 전축, 재생 장치; =STEREOTYPE.

ster·e·o·phon·ic [stèriəfánik/stìəriəfɔ́n-] *a.* 입체 음향(효과)의.

˙**ster·e·o·type**[stériətàip/stíər-] *n.* Ⓒ ① 〖印〗 연판(鉛版) (제조법); 연판 제조〔인쇄〕. ② 판에 박은 문구; 상투〔항용〕 수단. — *vt.* 연판으로 하다〔인쇄하다〕; 판에 박다. **~d**[-t] *a.* 연판으로 인쇄한; 판에 박은. **-typ·y** *n.* Ⓤ 연판 인쇄술〔제조법〕.

˙**ster·ile**[stéril/-rail] *a.* (opp. fertile) 균 없는, 살균한; 메마른, 불모의; 자식을 못 낳는(*of*); 효과 없는(*of*). **ste·ril·i·ty** [stəríləti] *n.*

ster·i·lize[stérəlàiz] *vt.* 살균〔소독〕하다; 불모로〔불임케〕 하다; 무효로〔무익하게〕 하다. **-liz·er** *n.* Ⓒ 소독기. **-li·za·tion**[∸-lizéiʃən/-lai-] *n.*

˙**ster·ling**[stə́:rliŋ] *n., a.* Ⓤ 영화(英貨)〔파운드〕(의); (순은(純銀) 92.5%를 함유하는) 표준량의; 표준은으로 만든; 순수한, 훌륭한, 신뢰할 만한. **~ *area*** 〔***bloc, zone***〕 파운드 지역. **~ *silver*** 순은, 표준은.

:**stern**[1][stə:rn] *a.* 엄격한, 준엄한; 단호한, 굳은; 쓸쓸한, 황량한. **∠·ly** *ad.* **∠·ness** *n.*

:**stern**[2] *n.* Ⓒ ① 고물, 선미(船尾). ② 《一般》 뒷부분; (동물의) 엉덩이. ***down by the*** **~** 〖海〗 고물이 물속에 내려 앉아.

ster·num[stə́:rnəm] *n.* (*pl.* ***-na*** [-nə], **~*s***) Ⓒ 〖解〗 흉골(胸骨).

ster·oid[stérɔid] *n.* Ⓒ 〖生化〗 스테로이드.

ster·to·rous[stə́:rtərəs] *a.* 〖醫〗 코고는 소리가 큰; 숨이 거친.

steth·o·scope[stéθəskòup] *n.* Ⓒ 〖醫〗 청진기.

ste·ve·dore[stí:vədɔ̀:r] *n.* Ⓒ 부두 일꾼.

˙**stew**[stju:/stju:] *vt., vi.* 뭉근한 불로 끓이다〔에 끓다〕(*The tea is ~ed.* 차가 너무 진해졌다); (*vt.*) 스튜 요리로 하다; 《口》 마음 졸이(게 하)다. **~ *in one's own juice*** 자업 자득으로 고생하다. — *n.* ① Ⓤ,Ⓒ 스튜. ② (a ~) 《口》 근심, 초조. ***get into a*** **~** 속이 타다, 마음 졸이게 되다. ***in a*** **~** 《口》 마음 졸이며.

˙**stew·ard**[stjú:ərd/stjú(:)əd] *n.* Ⓒ 집사; (클럽·병원 따위의) 식사 담당원; (기선·여객기 따위의) 급사, 여객계원; (연회·쇼 따위의) 간사.

˙**stew·ard·ess**[-is] *n.* Ⓒ 여자 steward; (기선·여객기 따위의) 여자 안내원, 스튜어디스. **~·shìp** *n.* Ⓤ ~의 직.

stewed[stju:d] *a.* 뭉근한 불로 끓인; 스튜로 한; 《英》 (차가) 너무 진한.

†**stick**[1][stik] *n.* Ⓒ ① 나무 토막, (나무에서 쳐낸, 꺾은, 또는 주워 모은) 잔가지, 물거리. ② 단장, 지팡이; 막대 모양의 물건; (야구의) 배트;

(하키의) 스틱; 〚空〛 조종간(桿). ③ 〚英空〛 연속 투하 폭탄(cf. salvo). ④ 〚印〛 식자용 스틱. ⑤ 《口》 멍청이. ⑥ (the ~s) 《美口》 오지(奧地), 시골. ***get*** 〔***have***〕 (***hold of***) ***the wrong end of the*** ~ (이론·이야기 등을) 오해하다, 잘못 알다. ***in a cleft*** ~ 진퇴 유곡에 빠져. — *vt.* 막대기로 버티다.

:stick[2] *vt.* (**stuck**) ① (…으로) 찌르다, 꿰찌르다(*into, through*). ② 찔러 죽이다; 찔러 넣다(*in, into*); 찔러 붙박다〔꽂다〕, 꿰뚫다(*on*); 불쑥 내밀다(*out*). ③ 붙이다, 들러붙게 하다(*on*); 고착시키다. ④ 걸리게 하다(*My zipper's stuck.* 지퍼 멈추개가 걸려 움직이지 않는다). ⑤ 막다르게〔꼼짝 못하게〕 하다; 《口》 난처〔당황〕하게 하다; 《俗》 (손해 따위로) 큰 곤란을 겪게 하다. ⑥ 《俗》 엄청난 값을 부르다, 탈취하다, 속이다. ⑦ 《俗》 참다. — *vi.* ① 찔리다. ② 불쑥 내밀다. ③ 들러붙다, 점착하다(*on, to*). ④ 빠져서 박히다. ⑤ 고집하다, 충실하다(*to, by*). ⑥ 멈추다. ⑦ 《口》 난처하게 되다, 망설이다. ***be stuck on*** 《口》 …에 홀딱 반하다. ~ ***around*** 《口》 옆에서 기다리다. ~ ***at*** …을 열심히 하다, 파고들다; …에 구애되다; 망설이다. ~ ***fast*** 고착하다; 막다르다. ~ ***out*** 튀어 나오다, 불쑥 내밀다; 《美口》 두드러지다; 좀처럼 들어주지 않다; 끝까지 버티다. ~ ***up*** 솟아 나와 있다, 곧추 서다; 《俗》 곤란하게 하다; 《俗》 (강도 따위가) 흉기로 위협하다, 강탈하다. ~ ***up for*** 《口》 …을 지지〔변호〕하다. — *n.* Ⓒ 한번 찌름. **∠·er** *n.* Ⓒ 찌르는 사람〔연장〕; 《美》 풀 묻힌 레테르, 스티커; 《美》 밤송이, 가시; 《口》 수수께끼.

stícking plàce 〔**pòint**〕 발판; 나사가 걸리는 곳. ***screw one's courage to the*** ~ 단행할 결의를 굳히다.

stícking plàster 반창고.

stíck-in-the-mùd *a., n.* Ⓒ 《口》 고루한 (사람), 시대에 뒤진 (사람), 굼뜬 (사람).

stick·le[stíkəl] *vi.* 하찮은 일에 이의를 말하다, 완고하게 주장하다; 망설이다. **-ler** *n.* Ⓒ 까다로운 사람(*for*). 「기.

stíckle·bàck *n.* Ⓒ 〚魚〛 큰가시고

stíck·pìn *n.* Ⓒ 《美》 넥타이핀.

stíck·ùp *n.* Ⓒ 《美俗》 (특히, 권총) 강도, 강탈.

·stick·y[stíki] *a.* 끈적끈적한, 점착성의; 《口》 이의를 말하는; 무더운; 《口》 귀찮은. **stíck·i·ly** *ad.*

:stiff[stif] *a.* ① 뻣뻣한, 경직(硬直)한; 잘 움직이지 않는, 빡빡한. ② (밧줄 따위) 팽팽한. ③ 반죽이 되게 된. ④ 딱딱한, 거북한, 격식을 차린. ⑤ (바람 따위) 심한. ⑥ 곤란한. ⑦ 완고한. ⑧ (술 따위) 독한. ⑨ 《口》 비싼. ⑩ 〚商〛 강세(強勢)의. — *n.* Ⓒ 《俗》 시체; 《俗》 딱딱한 사람; 《俗》 뒤틀바리. ***∠·ly** *ad.* **∠·ness** *n.*

·stiff·en[∠ən] *vt., vi.* ① 뻣뻣〔딱딱〕하게 하다; 뻣뻣〔딱딱〕해지다. ② 세게 하다, 세어지다. ③ 강경하게 하다, 강경해지다. 「완고한.

stíff-nécked *a.* 목덜미가 뻣뻣한;

·sti·fle[stáifəl] *vt.* 질식시키다; 숨막히게 하다; (불을) 끄다; 억〔짓〕누르다; 진압하다; 숨겨 두다. — *vi.* 질식하다; (연기가) 나다. ~ ***... in the cradle*** 채 자라기 전에 …을 없애다. **stí·fling** *a.* 숨 막히는.

·stig·ma[stígmə] *n.* (*pl.* ***~s, -mata*** [-mətə]) Ⓒ ① 《古》 (노예나 죄수에게 찍던) 낙인. ② 오명, 치욕. ③ 눈에 띄게 하기 위한 기호. ④ 〚植〛 암술머리. ⑤ 〚動〛 기공(氣孔), 숨구멍. ⑥ 〚醫〛 (피부의) 소적반(小赤斑). **stig·mat·ic**[stigmǽtik] *a.* 낙인이 찍힌; 명예롭지 못한; 암술머리〔기공, 소적반〕의.

stig·ma·tize[∠-tàiz] *vt.* (…에) 낙인을 찍다; (…에) 오명을 씌우다, 비난하다(*as*). **-ti·za·tion**[∸-tizéiʃən/-tai-] *n.*

·stile[stail] *n.* Ⓒ (사람은 넘을 수 있으나 가축은 다닐 수 없게, 울타리 따위에 만든) 층계; =TURNSTILE.

sti·let·to[stilétou] *n.* (*pl.* ~(**e**)**s**), *vt.* Ⓒ 가는 단검(으로 찌르다, 죽이다).

†still[1][stil] *a.* ① 고요한; 정지(靜止)한, 움직이지 않는. ② (목소리가) 낮은. ③ 물결이 일지 않는; (포도주 따

S

위) 거품이 일지 않는. ~ **small voice** 양심의 속삭임. — *ad.* ① 상금, 아직, 여전히. ② 더욱 더, 더 한층; 그럼에도 불구하고, 그래도. ③ 조용히. ④ 《古·詩》 늘. ~ **less** 《부정구 다음에》 하물며〔더군다나〕 … 않다(*He does not know English, ~ less Latin.* 영어도 모르거늘 하물며 라틴어 따위를 알 턱이 있나). ~ **more** 《긍정구 다음에》 더군다나 …이다, 하물며 …에 있어서랴(*He knows Latin, ~ more English.* 라틴어도 알고 있다, 영어 따위는 말할 것도 없다). — *vt., vi.* 고요〔조용〕하게 하다, 진정시키다, 잠잠〔고요〕해지다; 누그러뜨리다, 누그러지다. — *n.* ① (the ~) 침묵, 고요. ② Ⓒ 정물(靜物) 사진; (영화에 대하여) 보통의 사진; (영화의) 스틸. — *conj.* 그럼에도 불구하고. * **∠·ness** *n.* Ⓤ 고요, 침묵; 정지(靜止). **~·y**[1] [stíli] *a.* 《詩》 고요한. **stil·ly**[2] [stílli] *ad.* 고요히.

still[2] *n.* Ⓒ 증류기(蒸溜器); 증류소(所). 「사산아(兒).

stíll·bìrth *n.* Ⓤ,Ⓒ 사산(死産); Ⓒ

stíll·bòrn *a.* 사산(死産)의.

stíll lífe (*pl.* **~s**) 정물(靜物)(화).

stilt[stilt] *n.* Ⓒ (보통 *pl.*) 죽마(竹馬). **~·ed**[∠id] *a.* 죽마를 탄; (문체 따위) 과장한; 딱딱한.

·**stim·u·lant**[stímjələnt] *a.* 자극성의, 흥분시키는. — *n.* Ⓤ,Ⓒ 자극(물), 흥분제.

:**stim·u·late** [stímjəlèit] *vt.* ① 자극하다; 격려하다. ② 술로 기운을 북돋우다, 취하게 하다. ③ 흥분시키다. — *vi.* 자극이 되다. **-la·tive**[-lèitiv/-lə-] *a.* 자극하는. **-la·tor**[-lèitər] *n.* Ⓒ 자극〔격려〕하는 사람〔것〕. * **-la·tion**[∠-léi-] *n.*

·**stim·u·lus**[stímjələs] *n.* (*pl.* **-li** [-lài]) Ⓤ 자극, 흥분; Ⓒ 자극물, 흥분제.

:**sting**[stiŋ] *vt.* (**stung,** 《古》 **stang; stung**) ① (바늘 따위로) 찌르다, 쏘다. ② 얼얼하게〔따끔따끔 쑤시게〕 하다; 괴롭히다; (혀 따위를) 자극하다; 자극하여 …시키다(*into, to*). ③ 《俗》 속이다, 엄청난 값을 부르다. — *vi.* ① 찌르다, 바늘이〔가시가〕 돋치다(*a ~ing tongue* 독설). ② 얼얼하다(*Mustard ~s.*); 욱신욱신 쑤시다. — *n.* Ⓒ ① 찌르기; 찔린 상처. ② 〖動·植〗 바늘, 가시(털); 독아(毒牙). ③ 격통, 고통(거리). ④ 비꼼; 자극물(物). **∠·er** *n.* Ⓒ 쏘는 동물〔식물〕; 침, 가시; 《口》 빈정거림; 빈정거리는 사람.

stíng·ràу *n.* Ⓒ 〖魚〗 가오리.

stin·gy[stíndʒi] *a.* 인색한; 부족한, 빈약한.

·**stink**[stiŋk] *n., vi., vt.* (**stank, stunk; stunk**) Ⓒ 악취(惡臭)(를 풍기다, 풍기게 하다); (*vi.*) 평판이 나쁘다; (*vt.*) 악취를 풍겨 내쫓다(*out*); (*vt.*) 《俗》 (…의) 냄새를 맡아내다. **∠·ing** *a.* (고약한) 냄새나는, 구린.

stínk bòmb 악취탄.

·**stint**[stint] *vt.* 바싹 줄이다, 절약하다. — *n.* Ⓤ 제한, 절약, 내기 아까워함; Ⓒ 정량(定量), 할당(된 일). ***without* ~** 아낌없이.

sti·pend[stáipend] *n.* Ⓒ 급료(cf. wages). **sti·pen·di·ar·y**[staipéndièri/-diəri] *a., n.* 유급(有給)의; Ⓒ 유급자; 《英》 유급 치안 판사.

stip·ple[stípəl] *vt.* 점화(點畫)〔점각(點刻)〕하다; 점채(點彩)하다. — *n.* Ⓤ 점화〔점각·점채〕법; Ⓒ 점화. **-pler** *n.*

stip·u·late[stípjəlèit] *vt.* (계약서 따위에) 규정하다; 계약의 조건으로서 요구하다. — *vi.* 계약〔규정〕하다, 명기하다(*for*). **-la·tion**[∠-léiʃən] *n.* Ⓤ 약정; 규정; Ⓒ 조건. **-la·tor** [-lèitər] *n.* Ⓒ 계약자; 규정자.

:**stir**[stəːr] *vt., vi.* (**-rr-**) ① 움직이다; 휘젓다, 뒤섞(여지)다. ② 흥분〔분발〕시키다〔하다〕(*up*). ③ (이하 *vi.*) 활동하다; 유통하다, 전해지다. ***S- your*** STUMP***s!*** — *n.* ① Ⓒ 움직임, 활동; 휘젓기, 뒤섞기. ② Ⓤ 혼란, 큰 법석; 흥분. ③ Ⓒ 찌르기. ***make a* ~** 평판이 나다. **~ *and bustle*** 큰 법석. **∠·rer** *n.* Ⓒ 휘젓는 사람; 교반기(器); 활동가. * **∠·ring** *a.* 활동적인; 감동시키는, 북돋우는.

·**stir·rup**[stírəp, stə́ːrəp] *n.* Ⓒ 등자(鐙子); 등자 줄〔가죽〕.

:**stitch**[stitʃ] *n.* ① Ⓒ 한 바늘〔땀,

뜸]; 꿰매는[뜨는] 법, 스티치; (실) 땀, (뜨개질의) 코. ② Ⓒ (a ~) (천 따위의) 조각. ③ (a ~) 《口》 약간. ④ (a ~) (옆구리 따위의) 격통. — *vt., vi.* 깁다, 꿰매다; 꿰매어 꾸미다; (책을) 철하다, 매다.

stoat[stout] *n.* Ⓒ 〖動〗 (특히, 여름철 털이 갈색인) 담비; 족제비.

:stock[stak/-ɔ-] *n.* ① Ⓒ (초목의) 줄기; 《古》 그루터기; (접목의) 대목(臺木). ② Ⓒ (기계·연장의) 대(臺), 자루; (총의) 개머리. ③ (the ~s) 〖史〗 (죄인의) 망신 차꼬대. ④ (*pl.*) 조선대(造船臺). ⑤ Ⓤ 가계(家系), 혈통, 가문. ⑥ Ⓤ,Ⓒ 증권, (자본) 주식, 공채(증서). ⑦ Ⓒ,Ⓤ 저축; Ⓤ 저장품; 재고품, 스톡. ⑧ Ⓤ 《집합적》 가축. ⑨ Ⓤ (공업의) 원료; (수프나 소스 재료의) 삶아낸 국물. ⑩ Ⓒ 〖劇〗 레퍼토리식 전속 극단. ⑪ Ⓒ 바보, 비웃음의 대상. ⑫ Ⓒ,Ⓤ 〖植〗 자라난화(紫羅欄花). ***dead*** ~ 농기구. ***farm*** ~ 농장 자산《농구·가축·작물 따위》. ***in*** [***out of***] ~ (상품이) 재고가 있는[품절되어]. ***live*** ~ 가축. ***on the*** ~***s*** (배가) 건조중; 계획중. ~ ***in trade*** 재고품; (목수 등의) 연장; 필요 수단. ~ ***of knowledge*** 쌓아올린 지식. ~***s and stones*** 목석, 무정한 사람. ***take*** ~ 재고품을 조사하다; 평가하다. ***take*** ~ ***in*** 《口》 …에 흥미를 가지다, …을 존중[신용]하다. ***take*** ~ ***of*** …을 검사하다. — *a.* ① 수중에 있는, 재고의. ② 보통의, 흔한. ③ 가축 사육의. ④ 주[공채]의. — *vt.* ① 사들이다. ② 저장하다, 공급하다(*with*). ③ (…에) 대(臺)를 달다. ④ (농장에) 가축을 넣다. ⑤ (…에) 씨를 뿌리다(*with*). — *vi.* 사들이다(*up*).

·stock·ade[stakéid/-ɔ-] *n.* Ⓒ 방책(防柵); 울타리를 둘러 친 곳, 가축 울; 〖美軍〗 영창. — *vt.* 울타리를 둘러치다[막다].

stóck·bròker *n.* Ⓒ 증권 중매인.

stóck càr 가축 운반 화차.

stóck exchànge 증권 거래소; 증권 매매인 조합.

·stóck·hòlder *n.* Ⓒ 《美》 주주(株主)(《英》 shareholder).

:stock·ing[stákiŋ/-ɔ́-] *n.* Ⓒ (보통 *pl.*) 스타킹, 긴 양말 (모양의 것). (***six feet***) ***in one's*** ~***s*** [~ ***feet***] 양말만 신고, 구두를 벗고 (키가 6피트, 따위). ~**·less** *a.*

stock·man[∠mən] *n.* Ⓒ 《美》 목축업자; 창고 계원.

·stóck màrket 증권 시장[매매, 시세]; 가축 시장.

stóck·pìle *n., vt., vi.* Ⓒ (긴급용 자재의) 축적; 재고; 핵무기 저장; 비축하다.

stóck-stíll *a.* 움직이지 않는.

stóck·tàking *n.* Ⓤ 시재(時在) 조사, 재고(품) 조사; (사업 따위의) 실적 조사.

stock·y[∠i] *a.* 땅딸막한, 단단한.

stodg·y[stádʒi/-ɔ́-] *a.* (음식이) 진한; 소화가 잘 안 되는; (책이) 재미 없는(dull); (문체 따위가) 답답한; 진부한.

Sto·ic[stóuik] *n.* Ⓒ (아테네의) 스토아 철학자; (s-) 금욕주의자. — *a.* 스토아 학파의; (s-) =STOICAL.

Sto·i·cism[∠–sìzəm] *n.* Ⓤ 스토아 철학; (s-) 금욕주의, 견인(堅忍)(patient endurance); 냉정.

sto·i·cal[-əl] *a.* 금욕의; 냉정한. ~**·ly** *ad.*

stoke[stouk] *vt.* (불을) 쑤셔 일으키다; (난로 따위의) 불을 때다. — *vi.* 불을 때다. **stók·er** *n.* Ⓒ 화부; 자동 급탄기(給炭機).

:stole[1][stoul] *v.* steal의 과거.

stole[2] *n.* Ⓒ (끝을 앞으로 늘어뜨리는) 여자용 어깨걸이; 〖宗〗 영대(領帶) 《성직자가 목에 둘러 앞으로 늘이는 가름한 천》. 「사. — *a.* 훔친.

:sto·len[stóulən] *a.* steal의 과거분

stol·id[stálid/-ɔ́-] *a.* 둔감한, 멍청한. ~**·ly** *ad.* **sto·lid·i·ty**[stəlídəti/stɔ-] *n.*

:stom·ach[stʌ́mək] *n.* ① Ⓒ 위(胃); 배. ② Ⓤ 식욕(*for*). ③ Ⓤ 욕망, 기호, 기분(*for*). — *vt.* 삼키다; 먹다, 소화하다; (모욕 따위를) 참다(bear).

·stómach·àche *n.* Ⓤ,Ⓒ 복통.

stómach pùmp 〖醫〗 위세척기.

stomp[stamp/stɔmp] 《口》 *vt.* (…을) 짓밟다; 쿵쿵 밟다. — *vi.* 쿵쿵 발을 구르다; (…을) 짓밟다(*on*). —

S

n. Ⓒ 쿵쿵 밟음; 스톰프《세게 마루를 구르는 재즈 댄스의 일종》.

†**stone**[stoun] *n.* ① Ⓒ 돌; Ⓤ 석재(石材). ② Ⓒ 묘비; 숫돌, 맷돌. ③ Ⓒ 보석(*a nineteen* ~ *watch* 19석 시계). ④ Ⓒ 〖醫〗 결석(結石)(병). ⑤ Ⓒ (굳은) 씨, 핵(核). ⑥ (*sing.* & *pl.*) 《英》 스톤《중량의 단위, 14 파운드》. ***at a* ~'s *cast* 〔*throw*〕** 아주 가까운 곳에. ***cast the first* ~** 맨 먼저 비난하다. ***cast* 〔*throw*〕 ~*s* 〔*a* ~〕 *at*** …을 비난하다. ***leave no* ~ *unturned*** 온갖 수단을 다하다(*to* do). ― *a.* 돌의, 석조(石造)의; 막사기그릇의. ― *vt.* (…에) 돌을 깔다〔놓다〕; (…에) 돌을 던지다〔던져 쫓다, 던져 죽이다〕; (…의) 씨를 빼다. **∠·less** *a.* 돌〔씨〕 없는.

Stóne Àge, the 석기 시대.

stóne-cóld *a.* 돌같이 차가운.

stóne-déad *a.* 완전히 죽은.

stóne-déaf *a.* 전혀 못 듣는.

stóne·màson *n.* Ⓒ 석공, 석수.

stóne·wàll *n., a.* Ⓒ 돌담(같이 튼튼한). ― *vt., vi.* 〖크리켓〗 신중히 타구하다; 《英》 (의사를) 방해하다(filibuster).

stóne·wàre *n.* Ⓤ 석기; 막사기그릇.

stóne·wórk *n.* Ⓤ 돌세공; 〖建〗 석조 부분, 석조(건축)물.

:**ston·y**[stóuni] *a.* 돌의, 돌 같은, 돌이 많은; 무정한; 무표정한.

†**stood**[stud] *v.* stand의 과거(분사).

stooge[stu:dʒ] *n., vi.* Ⓒ 《俗》 어릿광대의 보조〔얼간이〕 역(을 하다); 보조역〔보좌역〕(을 하다); 조수; 남의 뜻대로 하는 사람, 꼭두각시; 뛰어〔날아〕 다니다, (비행기로) 선회하다(*about, around*).

:**stool**[stu:l] *n.* ① Ⓒ (등·팔걸이 없는) 걸상. ② Ⓒ 발판, 무릎 받치는 궤. ③ Ⓒ 걸상 비슷한 물건; 실내용 변기; 변소. ④ Ⓤ (대)변(*green* ~ 녹변). ***fall between two* ~*s*** 욕심부리다 모두 실패하다.

stóol pìgeon 후림 비둘기; 한통속; (경찰의) 끄나풀.

:**stoop**[stu:p] *vi.* ① 몸을〔허리를〕 굽히다(*over*); 허리가 굽다. ② (나무·벼랑 등이) 구부러지다. ③ 자신을 낮추어〔굽히어〕 …하다(*to* do); (…으로) 전락하다(*to*). ― *vt.* (머리·등 따위를) 굽히다. ~ ***to conquer*** 굴욕을 참고 목적을 이루다. ― *n.* (a ~) 앞으로 몸을 굽힘; 새우등; 굴종, 겸손.

†**stop**[stɑp/-ɔ-] *vt.* (**-*pp*-**) ① 멈추다, 그만두다, 세우다. ② 중지하다; 그만두게 하다, 방해하다. ③ (교통을) 스톱하다; 막다. ④ (속이 꿰져 나오는 것을) 멈추게 하다, 마개를 하다, 틀어 막다. ⑤ 〖拳〗 K.O.시키다. ― *vi.* ① 서다, 멈추다, 중지하다, (비 따위가) 멎다. ② 《口》 묵다. ~ ***down*** 〖寫〗 렌즈를 조르다. ~ ***off*** 《美口》 단기간 머무르다. ~ ***over*** 《美》 도중 하차하다; ＝STOP OFF. ~ ***to think*** 천천히 생각하다. ― *n.* Ⓒ ① 멈춤, 멎음, 중지, 휴지(休止). ② 정류소. ③ 장애물. ④ 〖機〗 멈추개. ⑤ 체재; 종지(終止); 구두점(*a full* ~ 종지부). ⑥ 〖樂〗 (오르간의) 스톱, 음전(音栓). ⑦ 〖音聲〗 폐쇄음(p, t, k; b, d, g 등). ⑧ 〖컴〗 멈춤. ***put a* ~ *to*** …을 그치게〔끝내게〕 하다.

stóp·còck *n.* Ⓒ (수도 따위의) 꼭지, 고동.

stóp·gàp *n., a.* Ⓒ 임시 변통(의), 빈 곳 메우기(에 쓰는).

stóp-go sígn 《英口》 교통 신호.

stóp·lìght *n.* Ⓒ 정지 신호; (자동차 뒤의) 스톱라이트, 정지등.

stóp·òver *n.* Ⓒ 도중 하차.

stop·page[∠idʒ] *n.* Ⓤ,Ⓒ 정지, 중지; 장애.

stóp·per *n., vt.* Ⓒ 멈추는〔막는〕 사람〔것〕; 마개(를 하다, 로 막다).

stóp prèss 《英》 (윤전기를 멈추고 삽입하는) 최신 뉴스.

stóp·wàtch *n.* Ⓒ 스톱워치.

·**stor·age**[stɔ́:ridʒ] *n.* ① Ⓤ,Ⓒ 보관; 저장(소), 창고. ② Ⓤ 보관료. ③ Ⓤ,Ⓒ 〖컴〗 기억 (장치).

†**store**[stɔ:*r*] *n.* ① Ⓒ (종종 *pl.*) 비축, 저장, 준비; (지식 따위의) 축적; 다량(*of*). ② (*pl.*) 필수품; 저장소; 창고. ③ Ⓒ 《美》 상점. ④ (*pl.*) 《英》 백화점. ⑤ Ⓒ 〖컴〗 기억《데이터를 기억 장치에 저장하는 것》. ***in* ~** 저장

하여, 마침 가지고 있어, 준비하여 (*for*); (재난 따위가) 기다리고 있어 (*for*). ***set*** (*great*) ~ ***by*** 〔***upon***〕 …을 (크게) 존중하다. — *vt.* ① 저축〔저장〕하다(*up*); 떼어두다. ② 창고에 보관하다; 공급하다(*with*); 넣을 여지가 있다. ③ 〖컴〗 (정보를) 기억시키다.

ˈstóre·hòuse *n.* Ⓒ 창고; (지식의) 보고.

ˈstóre·kèeper *n.* Ⓒ ① 《美》 가게 주인. ② 창고 관리인.

stóre·ròom *n.* Ⓒ 저장실.

:sto·rey[stɔ́:ri] *n.* 《英》 = STORY².

sto·ried, -reyed *a.* …층으로 지은, …층의.

ˈstork[stɔ:rk] *n.* Ⓒ 황새《갓난아이는 이 새가 갖다 주는 것이라고 아이들은 배움》.

†storm[stɔ:rm] *n.* Ⓒ ① 폭풍우; 큰비〔눈〕; 심한 천둥. ② 빗발치듯 하는 총알〔칭찬〕; 우레 같은 박수; (노여움 따위의) 폭발, 격정. ③ 강습(強襲). ***a*** ~ ***in a teacup*** 헛소동, 집안 싸움. ***the*** ~ ***and stress*** 질풍 노도《18세기 후반의 독일 문예 운동 (시대); ＜G. *Sturm und Drang*》. — *vi.* ① (날씨가) 험악해지다. ② 돌진하다; 날뛰다. ③ 호통치다(*at*). — *vt.* 강습〔쇄도〕하다.

stórm clòud 폭풍우를 동반한 먹구름; 동란의 조짐. 「대원.

stórm tròoper (특히) 나치 돌격

:storm·y[⌐i] *a.* ① 폭풍우의, 날씨가 험악한. ② 격렬한, 소란스러운.

†sto·ry¹[stɔ́:ri] *n.* ① Ⓒ 설화, 이야기; 소설; Ⓤ 전설. ② Ⓒ 신상 이야기; 경력; 전기 일화; 소문. ③ Ⓒ 《口》 꾸며낸 이야기; 거짓말. ④ Ⓤ (소설·극의) 줄거리. ⑤ Ⓒ (신문) 기사. ***to make a long*** ~ ***short*** 간단히 말하면. — *vt.* (이야기·사실(史實))로 꾸미다.

:sto·ry² *n.* Ⓒ (집의) 층. ***the upper*** ~ 위층; 두뇌.

stóry·bòok *n.* Ⓒ 얘기〔소설〕책.

stóry·tèller *n.* Ⓒ 이야기꾼; 소설가; 《口》 거짓말쟁이.

stóry·tèlling *n.* Ⓒ 이야기하기; 《口》 거짓말하기.

stoup[stu:p] *n.* Ⓒ 물 따르는 그릇, 큰 컵; (교회 입구의) 성수반(聖水盤).

:stout[staut] *a.* ① 살찐, 뚱뚱한. ② 억센, 튼튼한; 용감한. — *n.* ① Ⓤ 흑맥주. ② Ⓒ 살찐 사람; (*pl.*) 비만형의 옷. **∠·ly** *ad.* **∠·ness** *n.*

stóut-héarted *a.* 용감한.

:stove¹[stouv] *n.* Ⓒ 스토브; 난로.

stove² *v.* stave의 과거(분사).

stow[stou] *vt.* 챙겨〔꼭꼭 채워, 집어〕 넣다(*in, into*); 가득 채워넣다 (*with*). ~ ***away*** 치우다; 밀항하다. ***S- it!*** 《俗》 입닥쳐!, 그만둬! **~·age**[⌐idʒ] *n.* Ⓤ 쌓아 넣기〔넣는 장소〕; 적하(積荷)(료(料)).

stów·awày *n.* Ⓒ 밀항자; 무임 승객; 숨는 장소.

strad·dle[strǽdl] *vi., n.* 두 다리를 벌리다, 다리를 벌리고 걷다〔서다, 앉다〕; Ⓒ 그렇게 하기; 《口》 애매한 입장을 취하다〔하기〕, 양다리 걸치기; 〖英海軍〗 협차(夾叉) 포격(하다) (bracket). — *vt.* (걸터) 타다, 걸치다; 《口》 (…에 대해) 애매한 입장을 취하다, 양다리 걸치다(~ ***a question***).

strafe[streif, -rɑ:f] (＜G.) *vt.* (지상의 적을) 기총소사〔폭격〕하다; 맹사격〔맹폭격〕하다; 《俗》 벌주다.

strag·gle[strǽgl] *vi.* 뿔뿔이〔산산이〕 흩어지다; 무질서하게 나아가다; (일행에서) 뒤떨어지다; (어지럽게) 뻗쳐 퍼지다, 우거지다(gad); 산재하다. **-gler** *n.* Ⓒ 낙오〔부랑〕자; 우거져 퍼지는 풀〔가지〕. **-gling, -gly** *a.*

†straight[streit] *a.* ① 곧은, 일직선의; 곧추 선. ② 솔직한; 올바른; 정연한. ③ 《口》 틀림없는(~ ***news, tips, &c.***). ④ 《美》 철저한. ⑤ (음료가) 순수한, 섞음질하지 않은(~ ***whiskey***). ⑥ 연속의(~ ***A's*** (성적이) 전수(全秀)); 〖포커〗 다섯 장 연속의(***a*** ~ ***flush*** 같은 짝 패의 5장 연속《ace, king, queen, jack, ten》). ⑦ 에누리 없는. ***get*** 〔***make, put, set***〕 ***things*** ~ 물건을 정돈하다. ~ ***angle*** 평각. — *ad.* ① 곧게, 일직선으로; 곧추 서서. ② 직접적으로; 솔직하게. ③ 연속하여; 원작대로. ~ ***away*** 〔***off***〕 즉시, 곧. ~ ***out*** 솔직하게. — *n.* (the ~) 직선; 〖競馬〗 (최후의) 직선 코스; Ⓒ 〖포커〗 5장

S

연속. ***out of the ~*** 비뚤어져.
stráight·awày *n., a.* Ⓒ 〖競馬〗 직선 코스(의).
:straight·en[ˊn] *vt., vi.* ① 똑바르게 하다〔되다〕. ② 정돈하다.
·stráight·fórward *a., ad.* ① 똑바로 (향하는). ② 솔직한〔하게〕, 간단한〔하게〕. **~s**[-z] *ad.* = STRAIGHTFORWARD.
:strain[1][strein] *vt.* ① 잡아당기다, 팽팽하게 켕기다. ② 긴장시키다; 힘껏 …하게 하다《눈을 크게 뜨다, 목소리를 짜내다, 따위》. ③ 너무 써서 손상시키다; (힘줄 따위를) 접질리다, 삐다; 곡해하다; 남용하다. ④ 꼭 껴안다. ⑤ 거르다, 걸러내다(*out, off*). — *vi.* ① 잡아당기다, 켕기다(*at*). ② 긴장하다; 노력하다(*after; to* do). ③ 스며나오다. ***~ a point*** 억지로 갖다 붙이다. ***~ at a*** GNAT. — *n.* ① Ⓤ,Ⓒ 당기기, 켕김, 긴장. ② Ⓤ,Ⓒ 큰 수고; 과로; Ⓒ《口》무거운 부담. ③ Ⓤ,Ⓒ 어긋남, 삠. ④ Ⓤ,Ⓒ 변형, 찌그러짐. ⑤ (종종 *pl.*) 선율, 노래; 가락(*in the same ~*), 말투. ***at*** (***full***) ***~,*** or ***on the ~*** 긴장하여. **~ed**[-d] *a.* 긴장한; 무리한, 부자연한. **ˊ·er** *n.* Ⓒ 잡아당기는〔켕기는〕 사람〔기구〕; 여과기(濾過器).
strain[2] *n.* Ⓒ 종족, 혈통; (a ~) 특징, 기미; 기풍, 경향.
:strait[streit] *a.*《古》① 좁은. ② 엄중한. ***the ~ gate*** 〖聖〗 좁은 문《마태복음 7:14》. — *n.* ① Ⓒ 해협《고유명사로는 보통 *pl.*》. ② (보통 *pl.*) 궁핍, 곤란. ***Straits Settlements, the*** 해협 식민지.
strait·en[ˊn] *vt.* 궁핍하게 하다; 제한하다;《古》좁히다. **~ed**[-d] *a.* 궁핍한.
stráit jàcket (미치광이나 난폭한 죄수 등에 입히는) 구속복(拘束服) (camisole).
stráit-làced *a.* 엄격한.
·strand[1][strænd] *n.* Ⓒ《詩》물가, 바닷가. — *vt., vi.* 좌초시키다〔하다〕; 궁지에 빠지(게 하)다.
strand[2] *n.* Ⓒ (밧줄·철사 따위의) 가닥, 꼼; (한 가닥의) 실, 줄. — *vt.* (밧줄의) 가닥을 끊다; 꼬다.
†strange[streindʒ] *a.* ① 이상한, 묘한. ② 모르는, 눈〔귀〕에 선; 생소한, 익숙하지 못한, 경험이 없는(*to*); 낯선; 서먹서먹한. ③《古》타국의. — *ad.*《口》묘하게. **:ˊ·ly** *ad.* **ˊ·ness** *n.*
:stran·ger[stréindʒər] *n.* Ⓒ ① 낯선 사람; 새로 온 사람. ② 제삼자, 문외한, 무경험자. ③ 손님. ④《古》외국인. ***make a*** (***no***) ***~ of*** …을 쌀쌀하게〔친절하게〕 대하다.
·stran·gle[strǽŋgəl] *vt.* ① 교살하다; 질식시키다. ② 억압〔묵살〕하다.
strángle hòld 〖레슬링〗 목조르기; 자유 행동〔발전 등〕을 방해하는 것.
stran·gu·late[strǽŋgjəlèit] *vt.* 목졸라 죽이다; 〖醫〗 괄약(括約)하다. **-la·tion**[ˋ-léiʃən] *n.*
:strap[stræp] *n., vt.* (**-pp-**) ① 가죽끈(으로 묶다, 때리다). ② 가죽 손잡이. ③ 가죽 숫돌(로 갈다). **ˊ·ping** *a., n.*《口》몸집이 큰(*a ~ping girl*); Ⓤ,Ⓒ 매질, 채찍질; Ⓤ 반창고.
stra·ta[stréitə, -ǽ-] *n.* stratum 의 복수.
·strat·a·gem[strǽtədʒəm] *n.* Ⓤ,Ⓒ 전략; 계략.
·stra·te·gic[strətí:dʒik], **-gi·cal**[-əl] *a.* ① 전략(상)의; 전략상 중요한. ② 국외 의존의 군수품 원료의. ③ 전략 폭격(용)의(cf. tactical). **-gi·cal·ly** *ad.* **-gics** *n.* Ⓤ 전략, 병법.
·strat·e·gy[strǽtidʒi] *n.* Ⓤ,Ⓒ ① 용병학, 병법. ② 전략; 교묘한 운용. **-gist** *n.* Ⓒ 전략가.
strat·i·fi·ca·tion[strǽtəfikéiʃən] *n.* Ⓤ,Ⓒ 〖地〗 성층(成層), 〖生〗 (조직의) 층(層) 형성; 사회 계층.
strat·i·fy[strǽtəfài] *vt., vi.* 층을 이루(게 하)다.
strat·o·sphere[strǽtəsfìər] *n.* (the ~) 성층권; 최고(위).
·stra·tum [stréitəm, -ǽ-] *n.* (*pl.* ***-ta***[-tə], **~s**) Ⓒ 층; 지층; 사회 계층.
:straw[strɔ:] *n.* ① Ⓤ 짚, 밀짚. ② Ⓒ 짚 한 오라기; (음료용) 빨대. ③ Ⓒ 밀짚모자. ④ Ⓒ 하찮은 물건. ***a ~ in the wind*** 풍향〔여론〕을 나타

S

내는 것. ***catch*** [***snatch***] ***at a*** ~ [***two*** ~***s***] 조금도 개의치 않다. ***make bricks without*** ~ 불가능한 일을 꾀하다. ***man of*** ~ 짚 인형; 가공 인물; 재산 없는 사람; 믿을 수 없는 사람. ***the last*** ~ (끝내 파멸로 이끄는) 최후의 사소한 일. — *a.* ① (밀)짚의, 짚으로 만든. ② 하찮은. ③ 가짜의.

:**straw·ber·ry**[strɔ́:bèri/-bəri] *n.* U,C 양딸기.

stráw-còlo(u)red *a.* 밀짚 빛깔 [담황색]의.

stráw pòll 《美》 비공식적인 여론조사.

:**stray**[strei] *vi.* ① 길을 잃다; 헤매다, 방황하다. ② 옆길로 빗나가다, 못된 길로 빠지다. — *a.* ① 길 잃은, 일행에서 뒤처진. ② 뿔뿔이 흩어진; 고립한; 드문. — *n.* C 길 잃은 가축; 집[길] 잃은 아이. ~**ed**[-d] *a.* 길 잃은; 일행에서 뒤처진.

:**streak**[stri:k] *n.* C ① 줄, 줄무늬; 광맥. ② 성향(性向), 기미(*a* ~ *of genius* 천재성의 번득임). ③ 《美口》 단기간. ***like a*** ~ (***of lightning***) 전광석화와 같이; 전속력으로. — *vt.* ① (…에) 줄을 긋다, 줄무늬를 넣다. ② 질주하다. ③ 나체로 대중 앞을 달리다. **∠·er** *n.* C 스트리킹하는 사람. **∠·ing** *n.* U 스트리킹《나체로 대중 앞을 달리기》. **∠·y** *a.* 줄이[줄무늬가, 얼룩이] 있는.

†**stream**[stri:m] *n.* C ① 흐름, 시내. ② (사람·물건의) 흐름, 물결. ③ 경향, 풍조. ④ 『컴』 정보의 흐름. ~ ***of*** CONSCIOUSNESS. — *vi.* ① 흐르다, 끊임없이 잇따르다. ② 펄럭이다, 나부끼다. — *vt.* ① 흘리다, 유출시키다. ② 펄럭이게 하다. ③ (학생을) 능력별로 편성하다.

˙**stream·er**[∠ər] *n.* ① 기(旗)드림; (펄럭이는) 장식 리본; (배가 출발할 때 던지는) 테이프. ② (북극광 따위의) 사광(射光), 유광(流光). ③ 《美》 (신문의) 전단(全段) 표제.

stréam·lìne *n., a., vt.* C 유선(流線), 유선형(의, 으로 하다); 간소화 [합리화]하다. ˙~**d** *a.* 유선형의, 날씬한; 근대[능률]화한. **-lìner** *n.* C 유선형 열차.

†**street**[stri:t] *n.* ① C 가로, 거리 《미국의 큰 도시에서는, 특히 동서로 뚫린 길》 (cf. avenue). ② C 차도 (車道); …가(街), …로(路). ③ (the ~) 《집합적》 한 구역[동네] 사람들. ***not in the same*** ~ ***with*** 《口》 …에는 도저히 못 미치는. ***the man in the*** ~ 보통 사람.

:**stréet·càr** *n.* C 《美》 시가 전차.

stréet·wàlker *n.* C 매춘부.

†**strength**[streŋkθ] *n.* ① U 힘; 강하기, 강도; 농도. ② U 저항[내구]력. ③ U 병력. ④ U 효력. ⑤ U,C 힘이 되는 것, 의지. ***on the*** ~ ***of*** …을 의지하여[믿고].

:**strength·en**[∠ən] *vt., vi.* ① 강하게 하다; 강해지다. ② 기운을 돋우다; 기운이 나다.

˙**stren·u·ous**[strénjuəs] *a.* 분투적인; 정력적인. ~**·ly** *ad.*

strep·to·coc·cus[strèptəkɑ́kəs/-ɔ́-] *n.* (*pl.* ***-cocci***[-kɑ́ksai/-ɔ́-]) C 연쇄상 구균.

strep·to·my·cin[strèptoumáisən] *n.* U 스트렙토마이신《항생물질》.

:**stress**[stres] *n.* ① U 압력, 압박; 강제; 긴장(*times of* ~ 비상시). ② U 노력. ③ U,C 강조; 중요성; 강세, 악센트. ***lay*** ~ 중점을 두다 (*on*). ***under*** ~ ***of*** …때문에, …에 몰려[쪼들려]. — *vt.* ① (…에) 압력을 가하다. ② 중점[역점]을 두다, 강조하다. ③ 강세를 두다.

S

:**stretch**[stretʃ] *vt.* ① 뻗치다, 잡아당기다[늘이다]; 펴다, 펼치다. ② 크게 긴장하다; 억지로 갖다붙이다; 남용하다. — *vi.* ① 뻗다, 퍼지다. ② 기지개를 켜다, 손발을 뻗다; 손을 내밀다(*out*). ③ (선의) 길이가 …이다; (토지가 …에) 미치다, 뻗치다. ④ 『TV』 (시간을 끌기 위해) 천천히 하다. ~ ***a point*** 도를 넘치다, 무리한 해석을[양보를] 하다. ~ ***oneself*** 기지개를 켜다. — *n.* ① C (보통 *sing.*) 신장(伸張), 확장, 퍼짐. ② C 긴장. ③ C 뻗침, 한동안의 시간 [일, 노력]; 범위. ④ C (보통 *sing.*) 《俗》 징역. ⑤ C 견강부회; 남용. ⑥ C (경마장 양쪽의) 직선 코스. ***at a*** ~ 단숨에. ***on the*** ~ 긴장하여.

˙**stretch·er**[strétʃər] *n.* C ① 뻗는

〔펴는, 펼치는〕 사람〔도구〕. ② (화포(畫布)를 켕기는) 틀. ③ 들것.
strétcher-bèarer *n.* Ⓒ 들것 메는 사람.
·**strew** [struː] *vt.* (**~ed; strewn, ~ed**) ① 흩뿌리다. ② 흩뿌려 뒤덮다(*with*).
stri·at·ed [stráieitid/–´–] *a.* 줄〔홈이〕 있는. **stri·á·tion** *n.* Ⓤ 줄〔홈〕을 침; 줄무늬〔자국〕, 가는 홈.
:**strick·en** [stríkən] *v.* 《古》 strike의 과거분사. — *a.* ① (탄환 등에) 맞은, 다친. ② (병·곤란 따위가) 덮친(*with*). ~ **in years** 나이 먹은.
:**strict** [strikt] *a.* ① 엄(격)한. ② 정확한. ③ 절대적인. **:´·ly** *ad.* **´·ness** *n.*
stric·ture [stríktʃər] *n.* Ⓒ (보통 *pl.*) 비난, 혹평(*on, upon*); 〖醫〗 협착.
:**stride** [straid] *vi.* (**strode; stridden,** 《古》 **strid**) ① 큰걸음으로 걷다, 활보하다. ② (…을) 성큼 (뛰어) 넘다(*over, across*). — *vt.* 성큼 (뛰어) 넘다. — *n.* Ⓒ ① 큰 걸음. ② 한 걸음(의 폭). **hit one's ~** 《口》 가락을〔페이스를〕 되찾다. **make great** 〔**rapid**〕 **~s** 장족의 진보를 이루다; 급히 가다. **take** (*a thing*) **in one's ~** 뛰어넘다; 쉽사리 해어나다.
stri·dent [stráidənt] *a.* 귀에 거슬리는, 삐걱〔끽끽〕거리는; (빛깔 등이) 야한. **-den·cy** *n.*
:**strife** [straif] *n.* Ⓤ,Ⓒ 다툼, 투쟁, 싸움.
:**strike** [straik] *vt.* (**struck; struck;** 《美》 **stricken**) ① 치다, 때리다, 두드리다; (타격을) 가하다; 공격하다. ② 부딪다, 맞히다; 푹 찌르다; (화폐 따위를) 찍어내다; (성냥을) 긋다. ③ 뜻밖에 만나다, 발견하다; (…에) 충돌하다; 인상지우다. ④ (시계가 시간을) 치다. ⑤ 갑자기 …하게 하다; (공포 따위를) 느끼게 하다, (병에) 걸리게 하다, 괴롭히다(cf. stricken). ⑥ 생각나다, 발견하다. ⑦ 삭제하다. ⑧ (태도를) 취하다; (식물을) 뿌리박게 하다; (되의 곡물을) 평미레로 밀어 고르다. ⑨ 결산하다; (결)정하다. ⑩ (돛·기를) 내리다, (천막을) 거두다; (일을) 그만두다. ⑪ (물고기를) 낚아 채다. — *vi.* ① 치다, 때리다, 두들기다. ② 충돌하다, 좌초하다(*against, on*). ③ 불붙다; (빛이) 닿다, (소리가) 귀를 때리다. ④ (새 방향으로) 향하다; 갑자기〔뜻밖에〕 만나다(*on, upon*). ⑤ 꿰뚫다(*through, into*); (식물이) 뿌리박다. ⑥ (시계가) 치다; (항복·인사의 표시로) 기를 내리다. ⑦ 동맹파업을 하다. **~ a balance** 수지를 결산하다. **~ at** … 에게 치고 덤비다. **~ home** 치명상을 입히다. 급소를 찌르다. **~ in** 불쑥 말참견하다; 방해하다; (병이) 내공(內功)하다. **~ into** 꿰찌르다; 갑자기 …하기 시작하다. **~ it rich** 《美》 (부광(富鑛)·유전 따위를) 발견하다; 뜻하지 않게 성공하다. **~ off** (목 따위를) 쳐서 떨어뜨리다; 삭제하다; 인쇄하다; (길을) 옆으로 벗어나다, 떨어지다. ~ OIL. **~ out** (불꽃을) 쳐내다; …하기 시작하다; 손발로 물을 헤치며 헤엄치다; 생각해 내다, 발견하다; 삭제하다; 〖野〗 삼진하다〔시키다〕. **~ up** 노래〔연주〕하기 시작하다; (교제를) 시작하다. — *n.* Ⓒ ① 치기, 타격. ② 파업, 스트라이크(*They are on* ~. 파업중/*go on* ~ 파업을 하다) (cf. lockout). ③ 〖野·볼링〗 스트라이크. ④ 《美》 (부광(富鑛)·유전의) 발견; 대성공. **call a ~** 파업을 일으키다.
stríke·bòund *a.* 파업으로 기능이 정지된.
stríke·brèaker *n.* Ⓒ 파업 파괴자; 파업을 깨뜨릴 직공을 주선하는 사람.
stríke·brèaking *n.* Ⓤ 파업 파괴.
stríke pày (조합으로부터의) 파업 수당.
strik·er [´ər] *n.* Ⓒ 치는 사람〔것〕; 동맹 파업자; 《美》 잡역부; 당번병.
:**strik·ing** [´iŋ] *a.* ① 치는. ② 파업 중인. ③ 현저한, 두드러진; 인상적인. **~·ly** *ad.*
:**string** [striŋ] *n.* ① Ⓤ,Ⓒ 실, 끈. ② Ⓒ 실에 뀐 것. ③ Ⓒ (활·악기 따위의) 현(弦); (*pl.*) 현악기; (the ~s) (관현악단의) 현악기부(部)(cf. the winds). ④ Ⓒ 〖植〗 섬유, 덩굴; 일련(一連), 일렬. ⑤ (*pl.*) 《美口》 부대 조건, 단서(但書). ⑥ Ⓒ 〖컴〗 문

자열(文字列). ***attach ~s*** 조건을 붙이다. ***get*** 〔***have***〕 ***a person on a ~*** 아무를 마음대로 조종하다. ***on a ~*** 허공에 떠서, 아슬아슬 하여; (남이) 시키는 대로. ***pull the ~s*** 배후에서 조종하다, 흑막이 되다. — *vt.* (***strung***) ① 실에 꿰다; 끈으로 묶다; 현〔줄〕을 달다; (…의) 현을 조르다. ② (기분을) 긴장시키다(*up*); 흥분시키다. ③ (콩 따위의) 덩굴손을 없애다. ④ 일렬로 늘어세우다(*out*). ⑤《美俗》속이다. — *vi.* ① 실이 되다. ② 줄지어 나아가다. ~ ***out***《美口》늘이다, 펼치다. ~ ***up***《口》목 졸라 죽이다. **~ed**[-d] *a.* 현(弦)이 있는; 현악기의〔에 의한〕.

stríng bèan 깍지를 먹는 콩《어떤 종류의 강낭콩·완두 등》; 그 깍지.

strin·gent[strínd ʒənt] *a.* (규칙 따위가) 엄중한; (금융 사정이) 절박〔핍박〕한, 돈이 잘 안 도는; (의론 따위) 설득력이 있는, 유력한. **-gen·cy** *n.* **~·ly** *ad.*

string·er[stríŋər] *n.* Ⓒ (활의) 시위 메우는 장색(匠色); (철도의) 세로 침목; (배의) 종통재(縱通材); 〖建〗 세로 도리; 《美·Can.》 (신문·잡지 따위의) 지방 통신원; …급 선수(*a second* ~) 2군〔보결〕 선수).

string·y[stríŋi] *a.* 실의, 실 같은; (액체가) 실오리처럼 늘어지는, 끈적끈적한; 섬유질의; 힘줄이 많은.

:strip[1][strip] *vt.* (***-pp-***) 벌거숭이로 만들다; (…의) 덮개를 없애다, 벗기다; (배·포(砲) 따위의) 장비를 떼다; 나삿니를 마멸시키다. — *vi.* 옷을 벗다. ~ ***off*** 벗기다, 빼앗다. **∠·per** *n.*

:strip[2] *n., vt.* (***-pp-***) Ⓒ ① 길고 가는 조각(으로 만들다). ② (신문·잡지의) 연재 만화(comic strip). ③ 활주로; (떼어낼 수 있게 된) 철판 활주로.

:stripe[straip] *n.* Ⓒ ① 줄; 줄무늬. ② 〖軍〗 수장(袖章). ③ 종류, 형(型). — *vt.* (…에) 줄무늬를〔줄을〕 달다. ***~d**[-t] *a.*

stríp·lìghting *n.* Ⓤ (가늘고 긴) 형광등에 의한 조명.

strip·ling[∠liŋ] *n.* Ⓒ 청년, 젊은이.

stríp·tèase *n.* Ⓤ,Ⓒ《美》스트립쇼.

:strive[straiv] *vi.* (***strove; striven***) ① 애쓰다, 노력하다(*to* do; *for, after*). ② 싸우다; 겨루다(*against, with*).

strode[stroud] *v.* stride의 과거.

:stroke[1][strouk] *n.* Ⓒ ① 침, 때림, 일격. ② (시계의) 치는 소리(*on the* ~ *of six,* 6시를 치자). ③ (a ~) (운명의) 도래, 우연한 운(*a* ~ *of good luck*). ④ (심장의) 고동, 맥박. ⑤ (수영의) 한 번 손발 놀리기; 날개치기; 붓의 일필; 한 칼, 한 번 새김, (손이나 기구의) 한 번 움직임〔놀림, 내휘두름〕. ⑥ (a ~) 한바탕 일하기, 한 차례의 일; 수완. ⑦ (병의) 발작; 졸도. ⑧ (보트의) 한 번 젓기; 정조수(整調手). ⑨ 〖컴〗 스트로크; (키보드상의 키) 누르기, 치기(자판). ***at a ~*** 일격으로, 단번에. ***finishing ~*** 최후의 일격〔마무리〕. ***keep ~*** 박자를 맞추어 노를 젓다. — *vt.* (…에) 선을 긋다; (보트의) 정조수 노릇을 하다.

stroke[2] *vt., n.* Ⓒ 쓰다듬다〔듬기〕; 어루만지다〔기〕.

:stroll[stroul] *vi.* ① 어슬렁어슬렁 거닐다, 산책하다. ② 방랑〔순회 공연〕하다. — *vt.* (…을) 어슬렁어슬렁 거닐다. **~ing company** 순회 공연 극단. — *n.* Ⓒ 어슬렁어슬렁 거닐기, 산책. **∠·er** *n.* Ⓒ 어슬렁거리는〔산책하는〕 사람; 순회 배우; 간편한 유모차, (유아의) 보행기.

†strong[strɔ:ŋ/-ɔŋ] *a.* ① 강한, 힘찬; 튼튼한; (성격이) 굳센; 견고한. ② 잘 하는(~ *in mathematics*); (의론 따위가) 유력한. ③ 인원〔병력 등〕이 …인. ④ (목소리가) 큰; (차가) 진한; (맛 따위) 매운; (술 따위) 독한; 고약한 맛〔냄새〕의; (말씨가) 격렬한, 난폭한. ⑤ 열심인; 강렬한. ⑥ 〖文〗 강변화〔불규칙 변화〕의; 〖音聲〗 강음(強音)의; 〖商〗 강세(強勢)의. ***be ~ against*** …에 절대 반대다. ***have a ~ head*** 〔***stomach***〕 (사람이) 술이 세다. ~ ***meat*** 어려운 교의(教義)(opp. milk for babies). ***the ~er sex*** 남성. — *ad.* (힘)세게, 힘차게; 격렬하게.

stróng·àrm *a.*《口》완력〔폭력〕을 쓰는. — *vt.* (…에게) 폭력을 쓰다; (…에게서) 강탈하다.

S

stróng·bòx *n.* Ⓒ 금고.
·**stróng·hòld** *n.* Ⓒ 요새; 본거지.
:**strong·ly**[strɔ́(ː)ŋli, stráŋ-] *ad.* 강하게; 튼튼하게; 열심히.
stróng màn 독재자, 유력자.
stróng-mínded *a.* 마음이 굳센, 과단성〔결단력〕 있는; (여자가) 기벽 있는, 오기 있는.
stróng·ròom *n.* Ⓒ 금고실, 귀중품실; 광포한 정신병자 수용실.
stron·ti·um[strɑ́nʃiəm, -ti-/-ɔ́-] *n.* Ⓤ 스트론튬《금속 원소; 기호 Sr》.
strop·py[strɑ́pi/-ɔ́-] *a.* 《英俗》 잔뜩 골이 나 있는, 기분이 언짢은; (거칠어) 다루기 어려운.
·**strove**[strouv] *v.* strive의 과거.
:**struck**[strʌk] *v.* strike의 과거(분사). ── *a.* 파업으로 폐쇄된〔영향을 받은〕.
·**struc·tur·al**[strʌ́ktʃərəl] *a.* ① 구조(상)의, 조직(상)의. ② 건축의. **~·ly** *ad.* **~·ism** *n.* Ⓤ 구조주의.
:**struc·ture**[strʌ́ktʃər] *n.* ① Ⓤ 구조; 조직, 조립; 〖컴〗 구조. ② Ⓒ 구조〔건조〕물.
stru·del[strúːdl] *n.* Ⓒ,Ⓤ 과일이나 치즈에 밀가루를 입혀 구운 과자.

S

:**strug·gle**[strʌ́gl] *vi.* ① 허위적〔버둥〕거리다(*to*); 고투(苦鬪)하다, 싸우다(*against, with*). ② 노력하다(*to* do, *for*). ③ 밀어 헤치고 나아가다(*along, in, through*). **~ *to one's feet*** 간신히 일어나다. ── *n.* Ⓒ ① 버둥질. ② 노력. ③ 고투, 격투. **~ *for existence*** 생존 경쟁. **~ *for life*** 필사적인 노력. **strúg·gling** *a.* 허위적거리는; 고투하는, (특히) 생활난과 싸우는.
strum[strʌm] *vt., vi.* (**-mm-**) (악기를) 서투르게〔되는 대로〕 울리다〔타다〕 (*on*). ── *n.* Ⓒ (악기를) 서투르게 타기; 그 소리.
strum·pet[strʌ́mpit] *n.* Ⓒ 매춘부.
·**strung**[strʌŋ] *v.* string의 과거(분사). ***highly ~*** 몹시 흥분하여.
·**strut**[1][strʌt] *vi.* (**-tt-**), *n.* 점잔빼며 걷다(*about, along*); Ⓒ 점잔뺀 걸음.
strut[2] *n., vt.* (**-tt-**) Ⓒ 〖建〗 버팀목(을 대다), 지주(支柱)(를 받치다).
strych·nine[stríknain -ni(ː)n], **-nin**[-nin] *n.* Ⓤ 〖藥〗 스트리키닌.
·**stub**[stʌb] *n.* Ⓒ ① 그루터기. ② (연필·양초 따위의) 토막, 동강; 담배 꽁초; (이의) 뿌리. ③ 《美》 (수표장(帳)의) 지닐〔베낌〕벌, 부본. ④ 유달리 짧은 물건. ── *vt.* (**-bb-**) ① (…을) 그루터기로 하다; 그루터기를 뽑아내다. ② (발부리를 그루터기·돌부리 등에) 부딪치다. **∠·by** *a.* 그루터기 같은〔가 많은〕; 땅딸막한; (털 등이) 짧고 빳빳한.
·**stub·ble**[stʌ́bəl] *n.* Ⓤ ① (보리 따위의) 그루터기. ② 짧게 깎은 머리〔수염〕. **stúb·bly** *a.* 그루터기투성이의〔같은〕; 뭉구리의.
:**stub·born**[stʌ́bərn] *a.* ① 완고한; 말 안 듣는, 완강한. ② 다루기 어려운. **~·ly** *ad.* **~·ness** *n.*
stuc·co[stʌ́kou] *n.* (*pl.* **~(*e*)*s***), *vt.* Ⓤ 치장 벽토(를 바르다); 그 세공.
:**stuck**[stʌk] *v.* stick[2]의 과거(분사).
stúck-úp *a.* 《口》 거만한.
·**stud**[1][stʌd] *n.* Ⓒ ① 장식 징〔못〕. ② (남자 셔츠의) 장식 단추; (기계에 박는) 볼트, 나사; 마개. ③ 〖建〗 샛기둥. ── *vt.* (**-dd-**) ① 장식못을 박다. ② 점점이 박다. ③ 산재시키다. ④ 샛기둥을 세우다. ***be ~ded with*** …이 점재하다; …이 점점 박혀 있다.
stud[2] *n.* Ⓒ ① 《집합적》 (번식·사냥·경마용으로 기르는) 말들. ② 씨말; 《口》 호색한(漢).
†**stu·dent**[stjúːdənt] *n.* Ⓒ (대학·고교 등의) 학생; 연구가, 학자.
stúdent·shìp *n.* Ⓤ 학생 신분; Ⓒ 《英》 대학 장학금.
stud·ied[stʌ́did] *a.* 일부로 꾸민, (문체가) 부자연스러운; 심사 숙고한; 《古》 박식한, 정통한.
:**stu·di·o**[stjúːdiòu] *n.* (*pl.* **~s**) Ⓒ ① (화가·사진사 등의) 작업장, 아틀리에. ② 영화 촬영소. ③ (방송국의) 방송실, 스튜디오.
stúdio apàrtment 거실 겸 침실·부엌·욕실로 된 아파트.
stu·di·ous[stjúːdiəs] *a.* 공부하는, 공부 좋아하는; 열심인; 애쓰는(*of*); 주의 깊은. **~·ly** *ad.*
†**stud·y**[stʌ́di] *n.* ① Ⓤ 공부. ② Ⓤ,Ⓒ 조사; 연구. ③ Ⓒ 연구 대상〔과

목〕; (*sing.*) 연구할〔볼〕 만한 것. ④ Ⓒ 습작; 스케치, 시작(試作); 연습곡 (*étude*). ⑤ Ⓒ 서재, 연구실, 공부방. ⑥ Ⓒ 〖劇〗 대사 암송이 …한 배우(*a slow* 〔*quick*〕 ~ 대사 암송이 느린〔빠른〕 배우). — *vt.* ① 연구〔공부〕하다, 잘 조사하다, 유심히〔눈여겨〕 보다. ② 고려〔꾀〕하다. ③ (대사 등을) 암기하다. — *vi.* ① 연구〔공부〕하다. ② 애쓰다. ③ 《美》 숙고하다.

:stuff[stʌf] *n.* Ⓤ ① 원료. ② 요소, 소질. ③ 《주로 英》 (모)직물; (불특정의) 물건, 물질. ④ 《口》 소지품. ⑤ 잡동사니; 잠꼬대, 허튼 소리〔생각〕. ***doctor's*** ~ 《口》 약. ***Do your*** ~! 《美俗》 네 생각대로 (말)해버려라! ***S-*** (***and nonsense***)! 바보 같은 소리. — *vt.* ① (…에) 채우다; 《俗》 배불리 먹다〔먹이다〕. ② 《美》 (투표함을) 부정 투표로 채우다. ③ (귀·구멍 따위를) 틀어막다(*up*); 〖料理〗 소를 넣다; 메워〔틀어, 밀어〕넣다 (*into*); 박제(剝製)로 하다. — *vi.* 게걸스럽게〔배불리〕 먹다. **∠·ing** *n.* Ⓤ 채워넣기; (가구 따위에) 채워 넣는 깃털〔솜〕; 요리의 소〔속〕.

stúffed shírt 《美俗》 (하찮은 주제에) 뽐내는 사람.

stuff·y[∠i] *a.* 통풍이 안 되는; 답답한, 나른한; (머리가) 무거운; 딱딱한; 성난, 부루퉁한.

stul·ti·fy[stʌ́ltəfài] *vt.* 어리석어 보이게 하다, 무의미하게 하다; (나중의 모순된 행위로써) 무효가 되게 하다. **-fi·ca·tion**[∸–fikéiʃən] *n.*

:stum·ble[stʌ́mbəl] *vi.* ① 헛딛어 곱드러지다(*at, over*); 비틀거리다. ② 말을 더듬다, 더듬거리다(*through, over*), 망설이다. ③ 잘못을 저지르다, (도덕상의) 죄를 범하다. ④ 우연히 만나다, 마주치다(*across, on, upon*). — *vt.* 비틀거리게 하다, 망설이게 하다. — *n.* Ⓒ 비틀거림; 실책, 실수.

stúmbling blòck 장애물, 방해물; 고민거리.

:stump[stʌmp] *n.* Ⓒ ① 그루터기; (부러진 이의) 뿌리, (손이나 발의) 잘리고 남은 부분; (연필 따위의) 쓰다 남은 몽당이, (담배, 양초의) 꼬투리. ② 의족(義足); (*pl.*) 《俗·諧》 다리. ③ 똥똥한 사람; 무거운 발걸음〔발소리〕. ④ 〖크리켓〗 (삼주문의) 기둥(cf. bail[2]); (정치 연설할 때 올라서는) 나무 그루터기, 연단. ⑤ 《美口》 감행, 도전. ***on the*** ~ 정치 운동을 하여. ***Stir your*** ~***s!*** 빨리 서둘러라. ***up a*** ~ 《美口》 꼼짝달싹 못하게 되어, 곤경에 빠져. — *vt.* ① 《口》 괴롭히다, 난처하게 하다(*I am* ~*ed.* 난처하게 됐다). ② 《美》 (지방을) 유세하다. ③ 《美口》 도전하다. — *vi.* 의족〔무거운 발걸음〕으로 걷다; 《美》 유세하다. **∠·er** *n.* Ⓒ 난문(難問); = STUMP ORATOR. **∠·y** *a.* 그루터기가 많은; 땅딸막한.

stúmp òrator 〔**spèaker**〕 선거〔정치〕 연설자.

***stun**[stʌn] *vt.* (**-nn-**) ① (때려서) 기절시키다. ② 귀를 먹먹하게 하다; 어리벙벙하게 하다, 간담을 서늘케 하다. **∠·ner** *n.* Ⓒ 기절시키는 사람〔것·타격〕; 《口》 멋진 사람; 근사한 것. ***∠·ning** *a.* 기절시키는; 간담을 서늘케 하는; 《口》 근사한, 멋진.

***stung**[stʌŋ] *v.* sting의 과거(분사).

stunk[stʌŋk] *v.* stink의 과거(분사).

stunt[1][stʌnt] *vt.* 발육을 방해하다, 주접들게 하다. — *n.* Ⓒ 주접들기; 주접든 동식물. **∠·ed** *a.* 발육 부전의; 지지러진.

***stunt**[2] *n., vi., vt.* Ⓒ 묘기, 곡예(를 하다), 스턴트; 곡예 비행〔운전〕(을 하다).

stúnt màn 〖映〗 스턴트맨《위험한 장면의 대리역》.

***stu·pe·fy**[stjúːpəfài] *vt.* 마취시키다; (…의) 지각을 잃게 하다; 멍하게 하다. **-fac·tion**[∸–fǽkʃən] *n.*

***stu·pen·dous**[stjuːpéndəs] *a.* 엄청난, 굉장〔거대〕한. ~**·ly** *ad.*

:stu·pid[stjúːpid] *a.* 어리석은; 시시한; 멍청한, 무감각한; 《英方》 고집센. ~**·ly** *ad.*

***stu·pid·i·ty**[stjuːpídəti] *n.* Ⓤ 우둔; Ⓒ (보통 *pl.*) 어리석은 짓.

stu·por[stjúːpər] *n.* Ⓤ 무감각, 혼수; 망연.

***stur·dy**[stə́ːrdi] *a.* 억센; 건전한; 완강한; 불굴의. **stúr·di·ly** *ad.* **stúr·di·ness** *n.*

S

stur·geon[stə́:rdʒən] *n.* Ⓒ,Ⓤ 〖魚〗 철갑상어.

stut·ter[stʌ́tər] *vi., n.* Ⓒ 말을 더듬다〔더듬기〕, 말을 떠듬〔우물〕거리다〔거림〕. — *vt.* 떠듬적거리다(*out*). ~·**er** *n.*

sty[1][stai] *n.* Ⓒ 돼지우리; 더러운 집〔장소〕.

sty[2], **stye**[stai] *n.* Ⓒ 〖眼科〗 다래끼.

Styg·i·an[stídʒiən] *a.* 삼도(三途) 내의, 하계(下界)의; 지옥의; 어두운, 음침한.

:style[stail] *n.* 《원뜻 : 첨필(尖筆)》 ① Ⓒ 첨필; (해시계의) 바늘. ② Ⓤ,Ⓒ 문체, 말투. ③ Ⓤ,Ⓒ 스타일; 양식, 형(型), 유행; 〖컴〗 모양새, 스타일《그래픽에서 선분이나 글씨의 그려지는 형태 지정》. ④ Ⓒ (특수한) 방법, 방식. ⑤ Ⓤ 고상함, 품위. ⑥ Ⓒ 호칭, 칭호, 직함. ⑦ Ⓒ 역법(曆法). ⑧ Ⓒ 〖植〗 화주(花柱). ***in good*** ~ 고상하게. ***in*** ~ 화려하게. ***the New*** 〔***Old***〕 ***S-*** 신〔구〕력(新〔舊〕曆). — *vt.* 이름 짓다, 부르다.

styl·ist[⌐ist] *n.* Ⓒ 문장가, 명문가(名文家); (의복·실내 장식의) 의장가(意匠家). **sty·lís·tic** *a.* 문체(상)의; 문체에 공들이는. **sty·lís·tics** *n.* Ⓤ 문체론.

styl·ize[stáilaiz] *vt.* 스타일에 순응시키다, 양식에 맞추다; 인습적으로 하다.

sty·lus[stáiləs] *n.* Ⓒ 첨필(尖筆), 철필; 축음기 바늘, (레코드 취입용) 바늘.

sty·mie, -my[stáimi] *n.* Ⓒ 〖골프〗 방해구《자기 공과 홀과의 사이에 상대방의 공이 있고, 두 공의 거리가 6 인치 이상인 상태》; 그 공〔위치〕. — *vt.* 방해구로 방해하다; 훼방놓다, 좌절시키다, 어찌 할 도리가 없게 하다.

suave[swɑ:v] *a.* 상냥한, 유순한, 정중한. ⌐·**ly** *ad.* ⌐·**ness** *n.*

suav·i·ty[swɑ́:vəti, -ǽ-] *n.* Ⓤ 온화; Ⓒ (보통 *pl.*) 정중한 태도.

sub[sʌb] *n.* Ⓒ 보충원, 보결 선수; 잠수함; 중위, 소위. — *a.* 하위(下位)의. — *vi.* (**-bb-**) 대신하다; 대리를 보다.

sub[sʌb] *prep.* (L.) …의 아래〔밑〕에.

sub. submarine; substitute.

sub·al·tern[səbɔ́:ltərn/sʌ́bltən] *n.* Ⓒ 차관, 부관; 〖英陸軍〗 대위 이하의 사관. — *a.* 하위의; 속관의; 〖英陸軍〗 대위 이하의.

sub·a·que·ous[sʌbéikwiəs] *a.* 수중(水中)(용)의.

sùb·átom *n.* Ⓒ 아원자(亞原子)《양자·전자 따위》. ~·**ic**[sʌbətɑ́mik/-ɔ́-] *a.*

súb·committee *n.* Ⓒ 분과〔소〕위원회.

sùb·cónscious *n., a.* (the ~) 잠재 의식(의), 어렴풋이 의식하고 있는〔의식하기〕. ~·**ly** *ad.* ~·**ness** *n.*

sub·con·tract[sʌbkɑ́ntrækt/-ɔ́-] *n.* Ⓒ 하청(계약). — [sʌbkəntrǽkt] *vt., vi.* 하청(계약)하다. **-trac·tor**[sʌbkɑ́ntræktər/-kɔntrǽkt-] *n.* Ⓒ 하청인.

súb·cùlture *n.* Ⓤ 〖社〗 소(小)문화, 하위 문화.

sùb·cutáneous *a.* 피하(皮下)의.

sùb·divíde *vt., vi.* 재분(再分)〔세분〕하다. ***-divísion** *n.* Ⓤ 재분, 세분; Ⓒ (세분한) 일부; 분할 부지.

:sub·due[səbdjú:] *vt.* ① 정복하다, 이기다; 복종시키다, 회유하다. ② 억제하다. ~**d**[-d] *a.* (빛·색·가락 따위) 차분한, 부드러운(*a color of subdued tone* 차분한 빛깔); (목소리를) 낮추는, 누그러뜨리는. **sub·dú·al** *n.*

sùb·édit *vt.* 《英》 (…의) 부(副)주필 일을 보다. **-éditor** *n.*

súb·hèad(ing) *n.* Ⓒ 작은 표제《표제의 세분》.

sùb·húman *a.* 인간 이하의; 인간에 가까운.

†sub·ject[sʌ́bdʒikt] *a.* ① 지배를 받는, 종속하는(*to*). ② 받는, 받기〔걸리기〕 쉬운(*to*). ③ (…을) 받을 필요 있는(*This treaty is ~ to ratification.* 이 조약은 비준이 필요하다); (…을) 조건으로 하는, …여하에 달린(~ *to changes*). — *n.* Ⓒ ① 권력〔지배〕하에 있는 사람; 국민, 신하. ② 학과, 과목. ③ 주제, 화제; 〖文〗 주어, 주부; 〖論〗 주사(主辭); 〖哲〗 주체, 주관, 자아; 〖樂·美術〗 주제, 테마. ④ 피(被)실험자, 실험 재

료. ⑤ …질(質)의 사람, (…성) 환자. ***on the ~ of*** …에 관하여. — [səbdʒékt] *vt.* ① 복종시키다(*to*); 반게〔걸리게〕 하다(*to*). ② 제시하다, 맡기다(*to*). ***sub·jéc·tion** *n.* Ⓤ 정복; 복종.

·**sub·jec·tive**[səbdʒéktiv, sʌb-] *a.* ① 주관의, 주관적인; 개인적인. ② 〖文〗 주격의. **~·ly** *ad.* **-tiv·i·ty**[sʌ̀bdʒektívəti] *n.* Ⓤ 주관(성).

súbject màtter 주제, 내용.

sub ju·di·ce[sʌb dʒúːdisi] (L.) 심리 중의, 미결의.

sub·ju·gate[sʌ́bdʒugèit] *vt.* 정복하다; 복종시키다. **-ga·tor** *n.* **-ga·tion**[ㅅ-géiʃən] *n.*

:**sub·junc·tive**[-tiv] *a.* 〖文〗 가정〔가상〕법의. — *n.* (the ~) 가정〔가상〕법; Ⓒ 가정법의 동사《보기 : were I a bird; if it *rain;* God *save* the Queen.》 (cf. imperative, indicative).

sùb·lét *vt.* (*~; -tt-*) 다시 빌려주다; 하청시키다.

sub·lieu·ten·ant [sʌ̀bluːténənt/-lət-] *n.* Ⓒ 《英》 해군 중위.

sub·li·mate[sʌ́bləmèit] *vt.* 순화(純化)하다; 〖化·心〗 승화시키다. — [-mit] *a., n.* 순화된; 승화(昇華)된; Ⓒ 승화물. **-ma·tion**[ㅅ-méiʃən] *n.* Ⓤ 순화; 승화.

:**sub·lime**[səbláim] *a.* ① 고상〔숭고〕한. ② 장엄〔웅대〕한. — *n.* (the ~) 숭고(함), 장엄. — *vt., vi.* ① 〖化〗 승화시키다〔하다〕. ② 고상하게 하다〔되다〕. **~·ly** *ad.* **sub·lim·i·ty**[-líməti] *n.* Ⓤ 숭고, 장엄; Ⓒ 숭고한 사람〔물건〕.

sub·lim·i·nal[sʌblímənəl] *a.* 〖心〗 식역하(識閾下)의, 잠재 의식의.

sub·ma·chíne gùn[sʌ̀bməʃíːn-] 《美》 (휴대용) 소형 기관총.

:**sub·ma·rine**[sʌ́bməriːn, ㅅ-ㄹ] *n.* Ⓒ 잠수함. — *a.* 바다 속의〔에서 쓰는〕; 잠수함의; 잠수함으로 하는.

·**sub·merge**[səbmə́ːrdʒ] *vt.* ① 물 속에 가라앉히다. ② 물에 잠그다. ③ 감추다. — *vi.* (잠수함 등이) 가라앉다, 잠항하다. ***the ~d tenth*** 사회의 맨밑바닥 사람들. **sub·mér·gence** *n.* Ⓤ 침몰, 잠항; 침수, 관수(冠水).

sub·mers·i·ble[səbmə́ːrsəbəl] *a.* 수중에 가라앉힐 수 있는; 잠수〔잠항〕할 수 있는. — *n.* Ⓒ 잠수〔잠항〕정, 잠수함.

·**sub·mis·sion**[-míʃən] *n.* ① Ⓤ,Ⓒ 복종, 항복. ② Ⓤ 순종(*to*). ③ Ⓒ (의견의) 개진(開陳), 제안. **-sive** *a.* 순종하는, 유순한.

:**sub·mit**[-mít] *vt.* (*-tt-*) ① 복종시키다(*to*). ② 제출하다(*to*). ③ 부탁하다, 공손히 아뢰다(*that*). — *vi.* 복종하다(*to*).

sùb·nórmal *a., n.* 정상 이하의; Ⓒ 정신 박약의 (사람).

·**sub·or·di·nate**[səbɔ́ːrdənit] *a.* ① 하위〔차위〕의; 부수하는. ② 〖文〗 종속의. — *n.* Ⓒ 종속하는 사람〔것〕, 부하. — [-nèit] *vt.* 하위에 두다; 경시하다(*to*); 종속시키다(*to*). **-na·tive**[-nèitiv, -nə-] *a.* **-na·tion**[-ㅅ-néiʃən] *n.*

subórdinate cláuse 〖文〗 종속절.

sub·orn[səbɔ́ːrn/sʌb-] *vt.* 거짓 맹세〔위증〕시키다; 매수하다, 나쁜 일을 교사하다. **~·er** *n.* **sub·or·na·tion**[sʌ̀bɔːrnéiʃən] *n.*

súb·plòt *n.* Ⓒ (극·소설의) 부가적 줄거리.

sub·poe·na, -pe-[səbpíːnə] *n., vt.* Ⓒ 〖法〗 소환장; 소환하다.

·**sub·scribe**[səbskráib] *vt.* ① 서명하다; (기부금 등에) 서명하여 동의하다, 기부하다. ② (신문·잡지 등을) 예약하다. ③ (주식 등에) 응모하다. — *vi.* ① 서명〔기부〕하다(*to*); 기부자 명부에 써넣다. ② 찬성하다(*to*). ③ 예약〔구독〕하다; (주식 등에) 응모하다(*for*). ***sub·scríb·er** *n.* Ⓒ 기부자; 구독〔예약〕자; 응모〔서명〕자.

·**sub·scrip·tion** [səbskrípʃən] *n.* ① Ⓒ 서명(승낙). ② Ⓤ 기부; Ⓒ 기부금. ③ Ⓤ 예약 구독료〔구독 기간〕; 예약, 응모.

subscríption cóncert 예약(제) 음악회.

sub·sec·tion[sʌ̀bsèkʃən] *n.* Ⓒ (section의) 세분, 소부(小部).

·**sub·se·quent**[sʌ́bsikwənt] *a.* 뒤〔다음〕의; 뒤이어〔잇따라〕 일어나는 (*to*). **~·ly** *ad.* **-quence** *n.*

sub·ser·vi·ent[-sə́ːrviənt] *a.* 복

S

종하는; 도움이 되는(*to*); 비굴한.
-ence *n.*

˙**sub·side**[-sáid] *vi.* ① 가라앉다, (건물 따위가) 내려앉다; 침전하다. ② (홍수 따위가) 빠다; (폭풍·소동 따위가) 잠잠해지다.

˙**sub·sid·i·ar·y**[-sídièri] *a.* ① 보조의; 보충적인. ② 종속[부차]적인. ③ 보조금의[을 받을]. — *n.* Ⓒ 보조물; 보조자; 자(子)회사.

sub·si·dize[sʌ́bsidàiz] *vt.* 보조금을 주다; 돈을 주어 협력을 얻다, 매수하다.

「성금.

sub·si·dy[⌐sidi] *n.* Ⓒ 보조금, 조

˙**sub·sist**[səbsíst] *vi.* ① 생존하다, 생활하다(*on, by*). ② 존재하다. — *vt.* 밥[양식]을 대다, 급양하다.

˙**sub·sist·ence**[-sístəns] *n.* Ⓤ ① 생존, 현존, 존재. ② 생활; 생계; 생활 수단.

subsístence lèvel, the 최저 생활 수준.

súb·sòil *n.* Ⓤ (보통 the ~) 하층토(土), 저토(底土).

sùb·sónic *a.* 음속 이하의(cf. sonic).

:**sub·stance**[sʌ́bstəns] *n.* ① Ⓒ 물질; (어떤 종류의) 물건. ② Ⓤ 〖哲〗 실체, 본질. ③ (the ~) 요지; 실질; 알맹이; (직물의) 바탕. ④ Ⓤ 재산. *in* ~ 대체로; 실질적으로, 사실상.

sùb·stándard *a.* 표준 이하의.

:**sub·stan·tial** [səbstǽnʃəl] *a.* ① 실질의; 실재하는, 참다운. ② 〖哲〗 실체[본체]의. ③ 다대한, 중요한, 충분한. ④ 실질[본질]적인, 내용[알맹이] 있는; 견고한; 사실상의. ⑤ 자산이 있는, 유복한. ˚**~·ly**[-ʃəli] *ad.* **-ti·al·i·ty**[−⌐ʃiǽləti] *n.* Ⓤ 실질(이 있음); 실재성; 실체; 견고.

sub·stan·ti·ate[-stǽnʃièit] *vt.* 입증하다; 실체화하다. **-a·tion**[−⌐− éiʃən] *n.*

sub·stan·tive[sʌ́bstəntiv] *a.* 〖文〗 (실(實))명사의, 명사로 쓰인; 존재를 나타내는; 독립의; 현실의; 본질적인. — *n.* Ⓒ 〖文〗 (실)명사. **-ti·val**[⌐− táivəl] *a.* (실)명사의.

súb·stàtion *n.* Ⓒ 지서(支署), 출장소.

:**sub·sti·tute**[sʌ́bstitjùːt] *n.* Ⓒ 대리인; 대체물, 대용품; 〖컴〗 바꾸기. — *vt.* 바꾸다, 대용하다, 대체하다, 대리시키다. — *vi.* 대리를 하다. — *a.* 대리의. ˚**-tu·tion**[⌐−⌐ʃən] *n.* Ⓤ,Ⓒ 대리; 교체; 〖化〗 치환; 〖數〗 대입(법).

sub·stra·tum[sʌ́bstrèitəm, -rǽ-] *n.* (*pl.* **-ta**[-tə], **~s**) Ⓒ 하층(토); 기초.

súb·strùcture *n.* Ⓒ 기초 공사.

sub·tend[səbténd] *vt.* 〖幾〗 (현(弦)이 호(弧)에, 변이 각에) 대(對)하다.

sub·ter·fuge[sʌ́btərfjùːdʒ] *n.* Ⓒ 구실; Ⓤ 속임수.

sub·ter·ra·ne·an[sʌ̀btəréiniən], **-ne·ous**[-réiniəs, -njəs] *a.* 지하의; 비밀의, 숨은.

súb·title *n.* Ⓒ (책의) 부제(副題); (*pl.*) 〖映〗 설명 자막.

:**sub·tle**[sʌ́tl] *a.* ① 포착하기[잡기] 어려운, 미묘한, 미세한. ② (약·독 따위) 서서히 효과가 나타나는; (미소·표정 따위) 신비스런. ③ 예민한; 교묘한. ④ 음흉한, 교활한. ⑤ 희박한. ˚**~·ty** *n.* 희박(함); 예민; 세밀한 구별. **súb·tly** *ad.*

sùb·tótal *n.* Ⓒ 소계(小計).

˙**sub·tract**[səbtrǽkt] *vt.* 〖數〗 덜다, 빼다(~ *2 from 7*, 7에서 2를 빼다)(cf. deduct). **~·er** *n.* Ⓒ 〖컴〗 뺄셈기; 공제자. ˚**sub·trác·tion** *n.* Ⓤ,Ⓒ 감법(減法), 뺄셈. **sub·trác·tive** *a.*

sùb·trópic, -ical *a.* 아열대의.

sùb·trópics *n. pl.* 아열대 지방.

:**sub·urb**[sʌ́bəːrb] *n.* ① Ⓒ (도시의) 변두리 지역, 교외. ② (*pl.*) 주변; (the ~s) 변두리 주택 지역. ˚**sub·ur·ban**[səbə́ːrbən] *a.* 교외의; 교외[변두리]에 사는; 교외(의 주민) 특유의. **sub·ur·ban·ite**[-bənàit] *n.* Ⓒ 교외 거주자.

sub·ur·bi·a[səbə́ːrbiə] *n.* Ⓤ 《집합적》 교외 거주자; 교외 생활 양식.

sub·ven·tion[səbvénʃən] *n.* Ⓒ 보조금.

sub·ver·sion[səbvə́ːrʒən] *n.* Ⓤ 전복[파괴](하는 것).

sub·ver·sive[səbvə́ːrsiv] *a.* 전복하는, 파괴하는(*of*). — *n.* Ⓒ 파괴[불온]분자.

S

sub·vert[səbvə́:rt] *vt.* (국가·정체 따위를) 전복시키다, 파괴하다; (주의·주장을) 뒤엎다, 타락시키다.

:**sub·way**[sʌ́bwèi] *n.* Ⓒ (보통 the ~) 《美》 지하철; 《英》 지하도.

sùb-zéro *a.* (특히 화씨의) 영도 이하의; 영하 기온용의.

:**suc·ceed**[səksí:d] *vt.* ① (…에) 계속하다. ② (…의) 뒤를 잇다. — *vi.* ① 계속되다, 잇따라 일어나다(*to*); 계승〔상속〕하다(*to*). ② 성공하다(*in*); (좋은) 결과를 가져오다. ③ 입신(출세)하다.

†**suc·cess**[səksés] *n.* Ⓤ 성공, 행운; 출세; Ⓒ 성공자. :**~·ful** *a.* 성공한, 행운의. :**~·ful·ly** *ad.*

:**suc·ces·sion**[-séʃən] *n.* ① Ⓤ 연속; Ⓒ 연속물. ② Ⓤ 상속, 계승(권); 상속 순위; 《집합적》 상속자들. ***in* ~** 연속하여. ***the law of* ~** 상속법.

:**suc·ces·sive**[-sésiv] *a.* 연속적인, 잇따르는. **~·ly** *ad.*

:**suc·ces·sor**[-sésər] *n.* Ⓒ 뒤를 잇는 사람; 후임〔후계〕자; 상속인.

suc·cinct[səksíŋkt] *a.* 간결한.

suc·cor, 《英》 **-cour**[sʌ́kər] *n., vt.* Ⓤ 구조(하다).

suc·cu·lent[sʌ́kjələnt] *a.* (과일 따위) 즙이 많은; 흥미진진한; 〖植〗 다육(多肉)의. **-lence** *n.*

˙**suc·cumb**[səkʌ́m] *vi.* ① 굴복하다, 지다(*to*). ② (…으로) 죽다(*to*).

†**such**[強 sʌtʃ, 弱 sətʃ] *a.* ① 이〔그〕러한, 이〔그〕와 같은; 같은. ② 《~ **...as**의 형식으로》 …과 같은; …하는 것과 같은 그러한. ③ 앞서 말한, 상기(上記)의. ④ 훌륭한; 대단한, 심한(*He's ~ a liar!*). **~ *and* ~** 이러이러한. — *pron.* ① 그러한〔이러한〕 사람〔물건〕. ② 〖商〗 전기한 물건. ***and* ~** 《口》 …따위. ***as* ~** 그 자격으로; 그것만으로. 「건〕.

súch·lìke *a., pron.* 그러한 사람〔물

:**suck**[sʌk] *vt.* ① 빨다; 빨아들이다(*in, down*). ② (물·지식 따위를) 흡수하다(*in*); (이익을) 얻다, 착취하다(*from, out of*). — *vi.* 빨다; 홀짝이다(*at*); 젖을 빨다. **~ *in* 〔*up*〕** 빨아들이다〔올리다〕, 흡수하다. — *n.* ① Ⓤ (젖을) 빨기〔빠는 소리〕; 흡인력. ② Ⓒ 《口》 한 번 빨기, 한 모금. ***at* ~** 젖을 빨고. ***give* ~ *to*** …에게 젖을 먹이다. ˙**∠·er** *n., vt., vi.* Ⓒ 빠는 사람〔물건〕; 젖먹이; 빨판, 흡반(이 있는 물고기); 〖植〗 흡지(吸枝); 흡입관(管); 《美俗》 (잘 속는) 얼간이; 《口》 꼬챙이 사탕(lollipop); (옥수수·담배 등의) 흡지(吸枝)를 떼어버리다; 흡지가 나다. **∠·ing** *a.* (젖을) 빠는, 흡수하는; 젖떨어지지 않은; 《口》 젖비린내 나는, 미숙한.

suck·le[sʌ́kəl] *vt.* (…에게) 젖을 먹이다; 기르다, 키우다. **súck·ling** *n., a.* Ⓒ 젖먹이; 어린 (짐승); 젖떨어지지 않은. 「당(蔗糖).

su·crose[sú:krous] *n.* Ⓤ 〖化〗 자

suc·tion[sʌ́kʃən] *n.* Ⓤ 빨기; 흡인(력). — *a.* 빨아들이게 하는; 흡인력에 의하여 움직이는.

†**sud·den**[sʌ́dn] *a.* 돌연한, 갑작스런. — *n.* 돌연. ***on* 〔*of, all of*〕 *a* ~** 갑자기. †**~·ly** *ad.* 갑자기, 돌연, 불시에. **~·ness** *n.*

suds[sʌdz] *n. pl.* (거품이 인) 비눗물; (비누) 거품; 《俗》 맥주.

˙**sue**[su:/sju:] *vt., vi.* ① 고소하다, 소송을 제기하다(*~ for damages* 손해 배상 청구 소송을 제기하다). ② 간청하다(*to, for*). ③ 《古》 (여자에게) 구혼〔구애〕하다.

suède[sweid] (F. = Sweden) *n., a.* Ⓤ 스웨드 가죽(비슷한 천)(으로 만든).

su·et[sú:ət] *n.* Ⓤ 쇠기름, 양기름.

sú·ety *a.* 쇠〔양〕기름 같은.

†**suf·fer**[sʌ́fər] *vt.* ① (고통·패전·손해를) 입다, 당하다, 겪다. ② 견디다. ③ 허용하여 …하게 하다. — *vi.* ① 괴로워하다, 고생하다(*from, for*). ② 병에 걸리다(*from*); 손해를 입다. **~·a·ble**[-rəbəl] *a.* 참을 수 있는; 허용할 수 있는. :**~·er** *n.* Ⓒ 괴로워하는 사람; 피해자. :**~·ing** *n.* Ⓤ 고통, 괴로움; Ⓒ (종종 *pl.*) 재해; 피해; 손해.

suf·fer·ance[sʌ́fərəns] *n.* Ⓤ 관용, 묵허(默許); 인내력. ***on* ~** 눈감아 주어, 덕분에.

:**suf·fice**[səfáis] *vi.* 충분하다, 족하다. — *vt.* (…에) 충분하다; 만족시키다. ***S- it to say that ...*** …이라 하면 충분하다.

S

:suf·fi·cient[səfíʃənt] *a.* 충분한(*to* do, *for*). **:~·ly** *ad.* **-cien·cy** *n.* Ⓤ 충분; 《古》 능력, 자격.

:suf·fix[sʌ́fiks] *n., vt.* Ⓒ 〖文〗 접미사(로서 붙이다); 첨부하다.

˙suf·fo·cate[sʌ́fəkèit] *vt.* ① (…의) 숨을 막다; 질식(사)시키다; 호흡을 곤란케 하다. ② (불 따위를) 끄다. ── *vi.* 질식하다. **-ca·tion**[∸─kéiʃən] *n.*

suf·fra·gan [sʌ́frəgən] *n., a.* Ⓒ 〖宗〗 부감독〔부주교〕(의); 보좌(補佐)의.

˙suf·frage[sʌ́fridʒ] *n.* Ⓒ (찬성) 투표; Ⓤ 투표〔선거·참정〕권. ***manhood*** **~** 성년 남자 선거권. ***universal*** **~** 보통 선거. ***woman*** **~** 여성 선거〔참정〕권. **súf·fra·gist** *n.* Ⓒ 참정권 확장론자, (특히) 여성 참정권론자.

suf·fra·gette[sʌ̀frədʒét] *n.* Ⓒ (여자의) 여성 참정권론자.

suf·fuse[səfjú:z] *vt.* (액체·빛·빛깔 따위가) 뒤덮다, 채우다. **suf·fu·sion** [-ʒən] *n.*

†sug·ar[ʃúgər] *n.* Ⓤ 설탕; 〖化〗 당(糖)(***granulated*** **~** 그래뉴당(糖), 굵은 설탕); Ⓒ 각사탕. **~ *of lead*** 〔***milk***〕 연당(鉛糖)〔유당(乳糖)〕. ── *vt.* ① (…에) 설탕을 넣다, 설탕을 입히다〔뿌리다〕; 설탕으로 달게 하다. ② (말을) 달콤하게〔사탕발림〕 하다. ③ 《俗》《수동태로》 저주하다(*I'm ~ed!* 빌어먹을!/*Pedantics be ~ed!* 같잖게 학자인 체하네!). ── *vi.* ① 당화(糖化)하다. ② 《美》 단풍당(糖)을 만들다; 당액을 바짝 졸이다(*off*). **~ed**[-d] *a.* 설탕을 뿌린〔쓴〕; (말이) 달콤한, 상냥한, 겉발림의.

súgar bèet 사탕무.

súgar càne 사탕수수.

súgar-còat *vt.* (알약 따위에) 당의(糖衣)를 입히다; 잘 보이게 하다.

súgar dàddy 《美俗》 금품 따위로 젊은 여성을 후리는 중년의 부자.

†sug·gest[səgdʒést] *vt.* ① 암시〔시사〕하다, 넌지시 비추다. ② 말을 꺼내다, 제안하다(*that*). ③ 연상시키다, 생각나게 하다. **~ *itself to*** … 의 머리〔염두〕에 떠오르다. **~·i·ble** *a.* 암시할 수 있는; (최면술에서) 암시에 걸리기 쉬운.

:sug·ges·tion[səgdʒéstʃən] *n.* ① Ⓤ,Ⓒ 암시. ② Ⓤ,Ⓒ 생각남; 연상. ③ Ⓤ,Ⓒ 제안; 제의. ④ (*sing.*) 투, 기미(*a ~ of fatigue*). ⑤ Ⓤ (최면술의) 암시; Ⓒ 암시된 사물.

˙sug·ges·tive[səgdʒéstiv] *a.* ① 암시적인; 암시하는, 연상시키는(*of*). ② 유혹적인.

:su·i·cide[sú:əsàid] *n.* ① Ⓤ,Ⓒ 자살; 자멸. ② Ⓒ 자살자. **-cid·al** [∸─sáidl] *a.*

†suit[su:t] *n.* 《원뜻 'follow'》 ① Ⓤ,Ⓒ 탄원, 청원, 간원(懇願); Ⓒ 〖法〗 소송; 고소. ② Ⓤ 구애(求愛), 구혼. ③ Ⓒ (옷) 한 벌, 갖춤벌《특히, 남자의 상의·조끼·바지》. ④ Ⓒ (카드의) 짝패 한 벌《각 13매》; (동 종류의 것의) 한 벌. ***follow*** **~** (카드놀이에서) 처음 내놓은 패와 같은 짝패를 내다; 남 하는 대로 하다. ── *vt.* ① (…에게 갖춤벌의) 옷을 입히다. ② (갖추게 한다는 뜻에서) 적합〔일치〕하게 하다(*to, for*). ③ 적합하다, (…에) 어울리다. ④ (…의) 마음에 들다. ── *vi.* ① 형편이 좋다. ② 적합하다. **~ *oneself*** 제 멋대로 하다. **~ *the action to the word*** 대사대로 행동하다《Sh., *Ham.*》; (약속·협박 등을) 곧 실행하다. **∠·ing** *n.* Ⓤ 양복지. **˚∠·or** *n.* Ⓒ 원고; 간원자; 구혼자《남자》.

:suit·a·ble[sú:təbəl] *a.* 적당한, 어울리는. **-bly** *ad.* **-bil·i·ty**[∸─bíləti] *n.*

˙suit·case[sú:tkèis] *n.* Ⓒ (소형) 여행 가방, 슈트케이스.

˙suite[swi:t] *n.* Ⓒ ① 수행원, 일행; 한 벌 갖춤. ② (목욕실 따위가 있는) 붙은 방《호텔의》(*a ~ of rooms*); 한 벌의 가구. ③ 〖樂〗 조곡(組曲).

sul·fate[sʌ́lfeit] *n., vi.* Ⓤ,Ⓒ 〖化〗 황산염(화하다). ── *vt.* 황산과 화합시키다〔으로 처리하다〕; (축전지의 연판에) 황산염 화합물을 침전시키다.

sul·fide, -phide[sʌ́lfaid] *n.* Ⓤ,Ⓒ 〖化〗 황화물.

:sul·fur[sʌ́lfər] *n., a.* Ⓤ 유황(색의), 황녹색(의).

sul·fu·re·ous[sʌlfjúəriəs] *a.* 유황(질·모양)의; 황내 나는.

sulfúric ácid 황산.
sul·fur·ous[sʌ́lfərəs] *a.* 유황의〔같은〕; (4가(價)의) 유황을 함유하는; 지옥불의〔같은〕.
sulk[sʌlk] *vi., n.* (the ~s) 시무룩해지다〔함〕; 지루퉁함, 부루퉁함.
***sulk·y**[´-i] *a.* 찌무룩〔지르퉁〕한, 부루퉁한. — *n.* Ⓒ 1인승 2륜 경마차《혼자라서, 재미가 없다는 뜻에서》. **súlk·i·ly** *ad.* **súlk·i·ness** *n.*
***sul·len**[sʌ́lən] *a.* 찌무룩한, 지르〔부루〕퉁한; (날씨가) 음산한. **~·ly** *ad.* **~·ness** *n.*
sul·ly[sʌ́li] *vt.* (명성 따위를) 더럽히다; 손상하다.
***sul·tan**[sʌ́ltən] *n.* Ⓒ 회교국 군주, 술탄; (the S-) 〖史〗 터키 황제.
sul·tan·a[sʌltǽnə, -ɑ́:-] *n.* Ⓒ 회교국 왕비; 회교국 군주의 어머니〔자매·딸〕; 《주로 英》 포도의 한 품종; 그 포도로 만든 건포도.
sul·tan·ate[sʌ́ltənit] *n.* U,C 술탄의 지위〔권력·통치 기간·영토〕.
***sul·try** [sʌ́ltri] *a.* 무더운(close and hot), 숨막히게 더운. **súl·tri·ly** *ad.* **súl·tri·ness** *n.*
sum[sʌm] *n.* ① (the ~) 합계, 총계. ② (the ~) 개략, 요점. ③ Ⓒ (종종 *pl.*) 금액. ④ Ⓒ 《口》 산수 문제; (*pl.*) 계산(*do ~s* 계산하다). ⑤ 절정. ***in ~*** 요약하면. ***~ and substance*** 요점. ***~ total*** 총계. — *vt.* (**-mm-**) 합계하다(*up*); 요약(해 말)하다, (…을) 재빨리 평가하다(*up*). — *vi.* 요약(해 말)하다(*up*). ***~ to*** 합계하면 …이 되다. ***to ~ up*** 요약하면.
***sum·ma·rize**[sʌ́məràiz] *vt.* 요약하다, 요약하여 말하다.
‡**sum·ma·ry**[sʌ́məri] *a.* ① 개략의, 간결한. ② 약식의; 즉결의. — *n.* Ⓒ 적요, 요약. **-ri·ly** *ad.*
sum·ma·tion[sʌméiʃən] *n.* U,C 덧셈; 합계; Ⓒ 〖法〗 (배심에 돌리기 전의 반대측 변호인의) 최종 변론.
†**sum·mer**[sʌ́mər] *n.* ① U,C 여름(철), 하계. ② (the ~) 한창때, 청춘. ③ (*pl.*) 《詩》 연령. — *a.* 여름의. — *vi.* 여름을 지내다, 피서하다(*at, in*). — *vt.* (여름철 동안) 방목하다. **súm·mer·y** *a.* 여름의; 여름다운.
súmmer càmp (아동 등의) 여름 캠프.
súmmer hòuse 정자; 《美》 피서 별장.
súmmer schòol 하계 학교, 하계 강습회.
***súmmer·tìme** *n.* Ⓤ 여름철, 하계; 한여름.
súmming-úp *n.* Ⓒ 총합계; 요약.
‡**sum·mit**[sʌ́mit] *n.* Ⓒ 정상, 절정; 수뇌부, 수뇌 회담.
‡**sum·mon**[sʌ́mən] *vt.* ① 호출〔소환〕하다. ② (의회를) 소집하다. ③ (…에게) 항복을 권고하다; 요구하다. ④ (용기를) 불러 일으키다(*up*). **~·er** *n.* Ⓒ 소환자.
***sum·mons**[-z] *n.* (*pl.* **~es**) Ⓒ 소환(장), 호출(장); 소집(*serve with a ~*). — *vt.* 《口》 법정에 소환하다, 호출하다.
sump[sʌmp] *n.* Ⓒ 오수(汚水)〔구정물〕 모으는 웅덩이; 〖鑛〗 물웅덩이; (엔진의) 기름통.
***sump·tu·ous**[´-tʃuəs] *a.* 값진, 사치스런. **~·ly** *ad.* **~·ness** *n.*
súm tótal 총계; 실질; 요지.
†**sun**[sʌn] *n.* ① Ⓤ (보통 the ~) 태양. ② Ⓤ 햇빛; 양지쪽. ③ Ⓒ (위성을 가진) 항성; 태양처럼 빛나는 것. ④ Ⓒ 《詩》 날(day), 해(year). ***from ~ to ~*** 해가 떠서 질 때까지. ***in the ~*** 양지쪽에서; 유리한 지위에서. ***see the ~*** 살아 있다. ***under the ~*** 천하에, 이 세상에; 도대체. — *vt.* (**-nn-**) 햇볕에 쬐다. — *vi.* 일광욕하다.
***Sun.** Sunday.
sún·bàthe *vi.* 일광욕을 하다.
‡**sún·bèam** *n.* Ⓒ 햇빛, 광선.
sún·blìnd *n.* Ⓒ 《주로 英》 (창밖의) 차양.
sún-blòck *n.* U,C 선블록, 햇빛 차단 크림〔로션〕.
***sún·bùrn** *n.* Ⓤ 볕에 탐〔탄 빛깔〕. — *vt., vi.* 햇볕에 태우다〔타다〕.
†**Sun·day**[sʌ́ndei, -di] *n.* Ⓒ 《보통 무관사》 일요일; (기독교도의) 안식일.
Súnday schòol 주일 학교(의 학생〔직원〕들).
sun·der[sʌ́ndər] *vt.* 가르다, 떼다,

S

찢다. — *vi.* 갈라지다, 분리되다. — *n.* 《다음 성구로만》 **in ~** 떨어져서, 따로따로.

sún·dìal *n.* Ⓒ 해시계.

˙**sún·dòwn** *n.* Ⓤ 일몰(시).

sún·drèss *n.* Ⓒ 선드레스《어깨·팔이 노출된 하복》.

˙**sun·dry**[sʌ́ndri] *a.* 잡다한, 여러 가지의. ALL **and ~.**

sún·flòwer *n.* Ⓒ 〖植〗 해바라기(따위).

†**sung**[sʌŋ] *v.* sing의 과거(분사).

sún·glàsses *n. pl.* 선글라스.

sún·gòd *n.* Ⓒ 태양신.

:**sunk**[sʌŋk] *v.* sink의 과거(분사).

sunk·en[∠ən] *v.* sink의 과거분사. — *a.* 가라앉은; 물밑의; 내려앉은; (눈 따위) 움푹 들어간; 살이 빠진;

sún lámp (인공) 태양등(燈).

sún·less *a.* 볕이 안 드는; 어두운, 음산한.

:**sun·light**[∠làit] *n.* Ⓤ 일광, 햇빛.

sún·lìt *a.* 햇볕에 쬐인, 볕이 드는.

:**sun·ny**[sʌ́ni] *a.* ① 볕 잘 드는, 양지 바른. ② 태양 같은. ③ 밝은, 명랑한. **on the ~ side of** (*fifty*) (50세)는 아직 안 된.

:**sun·rise**[∠ràiz] *n.* Ⓤ,Ⓒ ① 해돋이, 해뜰녘. ② 《비유》 초기.

súnrise industry (특히 전자·통신 방면의) 신흥 산업.

:**sun·set**[∠sèt] *n.* Ⓤ,Ⓒ ① 일몰, 해질녘. ② 《비유》 말기.

sún·shàde *n.* Ⓒ (대형) 양산; 차양.

:**sun·shine**[∠ʃàin] *n.* Ⓤ 햇빛; 양지(陽地); 맑은 날씨; 명랑. **sun·shin·y**[∠ʃàini] *a.*

sún·spòt *n.* Ⓒ 태양 흑점.

sún·stròke *n.* Ⓤ 일사병.

sún·tàn *n.* Ⓒ 햇볕에 탐; (*pl.*) (카키색의) 군복.

sún·tràp *n.* (찬 바람이 들어오지 않는) 양지 바른 곳.

sún-ùp *n.* 《美》 =SUNRISE.

˙**sup**[sʌp] *vt., vi.* (**-pp-**) 홀짝홀짝 마시다; 경험하다. — *n.* Ⓒ 한 모금, 한 번 마시기.

su·per [sú:pər/sjú:-] *n.* Ⓒ 〖劇〗 단역(端役)(supernumerary); 여분〔가외〕의 것; 감독(superintendent), 지휘자; 〖商〗 특등품. — *a.* 특급품의(superfine).

su·per-[sú:pər/sjú:-] *pref.* '위에, 더욱 더, 대단히, 초(超)…' 따위의 뜻.

sùper·abúndant *a.* 매우 많은; 남아 돌아가는. **-abúndance** *n.*

su·per·an·nu·ate[-ǽnjuèit] *vt.* (연금을 주어) 퇴직시키다; 시대에 뒤진다 하여 물리치다. **-at·ed**[-id] *a.* 퇴직한; 노쇠한; 시대에 뒤진. **-a·tion**[∠-∠-éiʃən] *n.* Ⓤ 노후; 노년〔정년〕 퇴직; Ⓒ 정년 퇴직 연금.

˙**su·perb**[supə́:rb] *a.* 장려한; 화려한; 굉장한, 멋진. **~·ly** *ad.*

súper·chàrge *vt.* (발동기 따위에) 과급(過給)하다; (…에) 과급기(機)를 사용하다; =PRESSURIZE. **-chárg·er** *n.* Ⓒ 과급기(機).

su·per·cil·i·ous [-síliəs] *a.* 거만한.

súper·compùter *n.* Ⓒ 슈퍼컴퓨터, 초고속 전산기.

sùper·conductívity *n.* Ⓤ 〖理〗 초전도.

sùper·condúctor *n.* Ⓒ 〖理〗 초전도체.

sùper·égo *n.* Ⓒ (보통 the ~) 초자아(超自我).

:**su·per·fi·cial**[sù:pərfíʃəl/sjù:-] *a.* ① 표면의; 면적〔평방〕의. ② 피상적인, 천박한. **~·ly** *ad.* **-ci·al·i·ty**[-fìʃiǽləti] *n.*

sùper·fíne *a.* 극상의; 지나치게 섬세한; 너무 점잔빼는.

˙**su·per·flu·ous**[supə́:rfluəs/sju-] *a.* 여분의. **-flu·i·ty**[∠-flú:əti] *n.* Ⓤ,Ⓒ 여분(의 것), 남아 돌아가는 돈.

sùper·húman *a.* 초인적인.

sùper·impóse *vt.* 위에 놓다; 덧붙이다; 〖映〗 2중 인화(印畫)하다.

˙**su·per·in·tend**[-inténd] *vt., vi.* 감독〔관리〕하다. **~·ence** *n.* Ⓤ 지휘, 관리. ˙**~·ent** *n., a.* Ⓒ 감독〔관리〕자; 공장장; 교장; 총경; 감독〔관리〕하는.

:**su·pe·ri·or** [səpíəriər, su-] *a.* (opp. inferior) ① 우수한, 나은(*to, in*). ② 양질(良質)의, 우량한; 우세한. ③ 보다 높은, 보다 고위의. ④ …을 초월한, …에 동요되지 않는(*to*). ⑤ 거만한. ⑥ 〖印〗 어깨 글자의《x^2, 2^n의 ^{2}, ^{n} 따위의 일컬음》. ~

person 《비꼬아서》 높은 양반, 학자 선생. ~ **to** …보다 우수한; …에 동요되지 않는, 굴복하지 않는. — *n.* Ⓒ ① 윗사람, 상급자, 뛰어난 사람. ② (S-) 수도〔수녀〕원장. **~·ly** *ad.* ***~·i·ty**[–ˊ–ɔ́(:)rəti, -ɑ́r-] *n.* Ⓤ 우세, 우월(*to, over*).

***su·per·la·tive**[səpə́:rlətiv, su:-] *a.* ① 최고의. ② 〖文〗 최상급의. — *n.* Ⓒ ① 최고의 사람〔것〕, 극치. ② 〖文〗 최상급. **speak** 〔**talk**〕 **in ~s** 과장하여 이야기하다.

su·per·man[-mæ̀n] *n.* Ⓒ 슈퍼맨 초인(超人).

***su·per·mar·ket**[-mɑ̀:rkit] *n.* Ⓒ 슈퍼마켓《cash-and-carry 식임》.

***sùper·nátural** *a., n.* 초자연의, 불가사의한; (the ~) 초자연적인 힘 〔영향·현상〕.

sùper·nóva *n.* Ⓒ 〖天〗 초신성(超新星)《갑자기 태양의 천-1억배의 빛을 냄》.

su·per·nu·mer·ar·y[sù:pərnjú:mərèri/sju:pənjú:mərəri] *a., n.* 정수(定數) 이상의; Ⓒ 가외의 (사람·것); 〖劇〗 단역.

súper·pòwer *n.* Ⓒ 초강대국; 강력한 국제 관리 기관; Ⓤ 〖電〗 초출력.

***su·per·sede**[-sí:d] *vt.* ① (…에) 대신하다, 갈마들다. ② 면직시키다; 바꾸다. ③ 폐지하다.

su·per·son·ic[-sɑ́nik/-sɔ́n-] *a.* 초음파의; 초음속의, 초음속으로 나는 (cf. transsonic).

súper·stàr *n.* Ⓒ 슈퍼스타, 뛰어난 인기 배우.

:su·per·sti·tion [sù:pərstíʃən/sjù:-] *n.* Ⓤ,Ⓒ 미신, 사교(邪敎). ***-tious** *a.* 미신적인, 미신에 사로잡힌.

súper·strùcture *n.* Ⓒ 상부 구조; (토대 위의) 건축물; 〖船〗 (중갑판 이상의) 상부 구조; 〖哲〗 원리의 체계.

súper·tànker *n.* Ⓒ 초대형 유조선.

su·per·vene[sù:pərví:n] *vi.* 잇따라 일어나다, 병발하다. **-ven·tion** [-vénʃən] *n.*

***su·per·vise**[sú:pərvàiz/sjú:-] *vt.* 감독하다. ***-vi·sion**[ˊ–víʒən] *n.* ***-vi·sor**[ˊ–vàizər] *n.* Ⓒ 감독자; 〖컴〗 감독자, 슈퍼바이저. **-vi·so·ry** [ˊ–váizəri] *a.* 감독의.

su·pine[su:páin] *a.* 번듯이 누운; 게으른. **~·ly** *ad.*

†sup·per[sʌ́pər] *n.* Ⓤ,Ⓒ 저녁 식사 《특히, 낮에 'dinner'를 먹었을 경우의》. **the Last S-** 최후의 만찬.

sup·plant[səplǽnt, -ɑ́:-] *vt.* (부정 수단 따위로) 대신 들어앉다, 밀어내고 대신하다; (…에) 대신하다.

sup·ple[sʌ́pəl] *a.* 나긋나긋한, 유연한; 경쾌한; 유순한, 아첨하는. — *vt., vi.* 유연〔유순〕하게 하다〔되다〕.

:sup·ple·ment[sʌ́pləmənt] *n.* Ⓒ 보충, 보족(補足), 보유(補遺), 부록(*to*); 〖數〗 보각(補角). — [-mènt] *vt.* 보충하다, 추가하다; 보유를〔부록을〕 달다. **-men·tal**[-méntl], ***-men·ta·ry**[-təri] *a.*

***sup·pli·ant**[sʌ́pliənt] *a., n.* Ⓒ 탄원〔간원〕하는 (사람). **-ance** *n.*

sup·pli·cant[-kənt] *n., a.* = SUPPLIANT.

***sup·pli·cate** [sʌ́pləkèit] *vt., vi.* 탄원하다(*to, for*); 기원하다(*for*). ***-ca·tion**[ˊ–kéiʃən] *n.* Ⓤ,Ⓒ 탄원; 기원.

†sup·ply[səplái] *vt.* ① 공급하다 (*with*). ② 보충하다. ③ (희망·필요를) 만족시키다. ④ (지위 따위를) 대신 차지하다. — *n.* ① Ⓤ 공급; 보급; Ⓒ (종종 *pl.*) 공급물, 저장 물자. ② Ⓒ 대리자. ③ (*pl.*) 필요 물자, 군수품. **sup·plí·er** *n.* Ⓒ supply 하는 사람〔것〕.

supplý-sìde[səplái-] *a.* (경제가) 공급면 중시의.

†sup·port[səpɔ́:rt] *vt.* ① 지탱하다, 버티다; 견디다. ② 지지〔유지〕하다. ③ 부양하다. ④ 원조하다. ⑤ 옹호하다. ⑥ 입증하다. ⑦ 〖軍〗 지원하다. ⑧ 〖劇〗 (맡은 역을) 충분히 연기하다; 조연〔공연〕하다. — *n.* ① Ⓤ 지지; Ⓒ 지주(支柱); 지지물〔자〕. ② Ⓤ 원조; 부양. ③ Ⓒ 〖軍〗 지원(부대); 예비대. ④ 〖컴〗 지원. **give ~ to** …을 지지하다. **in ~ of** …을 옹호〔변호〕하여. **~·a·ble** *a.* 지탱할〔참을〕 수 있는; 지지〔부양〕할 수 있는. ***~·er** *n.* Ⓒ 지지자, 지지물, 버팀. **~·ing** *a.*

†sup·pose[səpóuz] *vt.* ① 가정하

다. 상상하다. 생각하다. ② 믿다. ③ 상정(想定)하다. (…을) 필요 조건으로 하다. 의미하다. ④ 《명령형 또는 현재 분사형으로》 만약 …이라면. ⑤ 《명령형으로》 …하면 어떨까(*S- we try?*). ˙**sup·posed**[-d] *a.* 상상된; 가정의; 소문난. **sup·pos·ed·ly**[-idli] *ad.* 상상[추정]상. 아마. ˙**sup·pós·ing** *conj.* 만약 …이라면(if).

˙**sup·po·si·tion**[sʌ̀pəzíʃən] *n.* Ⓤ 상상; Ⓒ 가정. **~·al** *a.*

sup·pos·i·to·ry [səpázətɔ̀:ri/-pɔ́zətəri] *n.* Ⓒ 〖醫〗 좌약(坐藥).

:**sup·press**[səprés] *vt.* ① (감정 따위를) 억누르다. 참다. ② (반란 따위를) 진압하다. ③ (진상 따위를) 발표하지 않다; 발표를 금지하다; 삭제하다. ④ (출혈 따위를) 막다. ˙**sup·prés·sion** *n.* Ⓤ 억제; 진압; 발매 금지; 삭제.

sup·pres·sor[səprésər] *n.* Ⓒ 진압자; 억제자; 금지자.

sup·pu·rate[sʌ́pjərèit] *vi.* 곪다. 고름이 나오다. **-ra·tive** *a.* 화농성의; 화농을 촉진하는. **-ra·tion**[ˌ--réiʃən] *n.* Ⓤ 화농; 고름.

su·pra-[sú:prə/sjú:-] *pref.* '위의 [에]' 의 뜻.

˙**su·prem·a·cy**[səpréməsi, su(:)-] *n.* Ⓤ 지고(至高). 최상; 주권. 대권(大權). 지상권(至上權).

:**su·preme**[səprí:m, su(:)-] *a.* 지고[최상]의; 최후의. ***make the ~ sacrifice*** 목숨을 바치다. **~·ly** *ad.*

Supréme Béing, the 신. 하느님.

Supréme Cóurt, the 《美》 (연방 또는 여러 주의) 최고 재판소.

Supt. Superintendent.

sur·charge[sə́:rtʃɑ̀:rdʒ] *n.* Ⓒ 과(過) 적재; 과중; 과충전(過充電); (대금 등의) 부당[초과] 청구; 추가 요금; (우표의) 가격[날짜] 정정인(訂正印); (우편의) 부족세(稅). — [-ˊ] *vt.* 지나치게 싣다[채우다]; 과충전하다; 과중한 부담을 지우다; (우표에) 가격[날짜] 정정인을 찍다.

†**sure**[ʃuər] *a.* ① 틀림없는; 확실한; 신뢰할 수 있는. ② 자신 있는; 확신하는(*of; that*). ③ 확실히 …하는(*to* do, *to* be). ④ 튼튼한. 안전한. ***be ~*** 꼭 …하다(*to* do). ***for ~*** 확실히. ***make ~*** 확보하다; 확인하다. ***S- thing!*** 《美口》 그렇고 말고요. ***to be ~(!)*** 과연; 물론; 참말(*To be ~ he is clever.* 물론 머리는 좋지만); 저런!; 원!(따위). ***Well, I'm ~!*** 원. 놀랐는걸. — *ad.* 《美口》 확실히. 꼭; 그렇고말고요! ***~ enough*** 《美口》 과연, 아니나 다를까; 참말로. †**ˊ·ly** *ad.* 확실히; 틀림없이; 반드시.

súre-fìre *a.* 《美口》 확실한. (성공이) 틀림없는. 「착실한, 틀림없는.

sùre-fóoted *a.* 발디딤이 든든한;

˙**sure·ty**[ˊti] *n.* Ⓒ,Ⓤ 보증; 담보(물건); Ⓒ 보증인; Ⓤ 《古》 확실한 것, 확실성. ***of a ~*** 확실히.

˙**surf**[sə:rf] *n.* Ⓤ 밀려오는 파도.

:**sur·face**[sə́:rfis] *n., a.* Ⓒ 표면(의); 외관(의). 겉보기(뿐의); 〖幾〗 면(面). — *vt.* 표면을 붙이다; 판판하게 하다; 포장(鋪裝) 하다.

súrface màil (항공 우편에 대하여) 지상·해상 수송 우편.

súrface ténsion 〖理〗 표면 장력(張力). 「對空) 미사일.

súrface-to-áir mìssile 지대공(地

súrf·bòard *n.* Ⓒ 파도타기 널.

˙**sur·feit**[sə́:rfit] *n., vt., vi.* Ⓤ,Ⓒ 과다; 과식[과음](시키다. 하다)(*of, on, upon*); 식상(食傷). 포만(飽滿); 식상하(게 하)다(*with*); 물리(게 하)다(*with*).

surf·er[sə́:rfər] *n.* Ⓒ 파도타기를 하는 사람.

súrf·ing *n.* Ⓤ 서핑. 파도타기; 미국서 생긴 재즈의 하나.

˙**surge**[sə:rdʒ] *vi.* 파도 치다. 밀어닥치다; (감정이) 끓어오르다. — *vt.* 〖海〗 (밧줄을) 늦추다. 풀어 주다. — *n.* Ⓒ 큰 파도. 물결 침; 굽이침; (감정의) 격동; (전류의) 파동. 서지; (바퀴 따위) 헛돌기; 〖컴〗 전기놀. 전기 파도.

:**sur·geon**[sə́:rdʒən] *n.* Ⓒ 외과 의사; 군의관; 선의(船醫).

súrgeon géneral 《美》 의무감(監); (S- G-) 공중(公衆) 위생국 장관.

˙**sur·ger·y**[sə́:rdʒəri] *n.* Ⓤ 외과(수술); Ⓒ 수술실; 《英》 의원. 진료소.

˙**sur·gi·cal**[sə́:rdʒikəl] *a.* 외과(의사)의; 외과용의. **~·ly** *ad.*

S

ˈ**sur·ly**[sə́:rli] *a.* 지르퉁한, 까다로운, 무뚝뚝한. **-li·ly** *ad.* **-li·ness** *n.*
ˈ**sur·mise**[sərmáiz, sə́:rmaiz] *n.* [C,U] 추량(推量); 추측(상의 일). ― [--ˊ] *vt., vi.* 추측하다.
sur·mount[sərmáunt] *vt.* 오르다; (…의) 위에 놓다, 얹다; 극복하다, (곤란을) 이겨내다.
ˈ**sur·name**[sə́:rnèim] *n., vt.* [C] 성(姓); 별명(을 붙이다, 으로 부르다).
ː**sur·pass**[sərpǽs, -pá:s] *vt.* …보다 낫다; (…을) 초월하다. **~·ing** *a.* 뛰어난, 탁월한.
sur·plice[sə́:rplis] *n.* [C] (성직자나 성가대원이 입는, 소매 넓은) 중백의(中白衣). **sur·pliced**[-t] *a.* 중백의를 입은.
ː**sur·plus**[sə́:rpləs] *n., a.* [U,C] 여분(의); 〖經〗 잉여(금).
†**sur·prise**[sərpráiz] *n.* ① [U] 놀람. ② [C] 놀라운〔뜻 밖의〕 일. ③ [U] 불시의 공격, 기습. **by ~** 불시에. ***take by ~*** 불시에 습격하여 붙잡다; 기습을 하다; 깜짝 놀라게 하다. ***to one's*** (***great***) ***~*** (대단히) 놀랍게도. ― *vt.* ① 놀라게 하다. ② 불시에 습격하다; 불시에 쳐서 …시키다. ③ 현행(現行) 중에 붙잡다. ***be ~d at*** 〔***by***〕 …에 놀라다. ― *a.* 뜻밖의, 놀라운. ː**sur·prís·ing** *a.* 놀라운, 뜻밖의. ˈ**sur·prís·ing·ly** *ad.*
sur·real·ism[sərí:əlìzəm] *n.* [U] 〖美術·文學〗 초현실주의.
ː**sur·ren·der**[səréndər] *vt.* ① 인도(引渡)하다, 넘겨주다; 포기하다. ② (몸을) 내맡기다, (습관 따위에) 빠지다. ― *vi.* 항복하다. ***~ oneself*** 항복하다; 빠지다(*to*). ― *n.* [U,C] 인도, 단념; 항복.
sur·rep·ti·tious[sə̀:rəptíʃəs/sʌ̀r-] *a.* 비밀의, 내밀〔부정〕한; 뒤가 구린.
sur·ro·gate[sə́:rəgèit, -git/sʌ́r-] *n.* [C] 대리인; 〖英國國敎〗 감독 대리; 《美》 (어떤 주에서) 유언 검증 판사. ― *vt.* 〖法〗 (…의) 대리를 하다.
ː**sur·round**[səráund] *vt.* 둘러〔에워〕싸다, 두르다. ː**~·ing** *n., a.* [C] 둘러싸는 것; (*pl.*) 주위(의 상황), 환경; 둘러 싸는, 주위의.
sur·tax[sə́:rtæ̀ks] *n., vt.* [U,C] 《美》 부가세(를 과하다); 《英》 소득세 특별부가세.
sur·veil·lance[sərvéiləns, -ljəns] *n.* [U] 감시, 감독. ***under ~*** 감독을 받고.
ː**sur·vey**[sərvéi] *vt.* 바라다보다, 전망하다; 개관(槪觀)하다; 조사하다; 측량하다. ― *vi.* 측량하다. ― [sə́:rvei, sərvéi] *n.* [C] 개관; [U,C] 조사(표); 측량(도). **~·ing** *n.* [U] 측량(술). ˈ**~·or** *n.* [C] 측량 기사; 《美》 (세관의) 검사관; (S-) 미국의 달 무인(無人) 탐측 계획에 의한 인공 위성. ***~or's measure*** (60피트의 측쇄를 기준으로 하는) 측량 단위.
ˈ**sur·viv·al**[sərváivəl] *n.* ① [U] 잔존(殘存), 살아 남음. ② [C] 생존자, 잔존물; 예부터의 풍습〔신앙〕. ***~ of the fittest*** 적자 생존(適者生存).
ː**sur·vive**[sərváiv] *vt.* (…의) 후까지 생존하다, …보다 오래 살다; (…에서) 살아나다. ― *vi.* 살아 남다; 잔존하다. ˈ**sur·ví·vor** *n.* [C] 살아남은 사람, 생존자.
ˈ**sus·cep·ti·ble**[səséptəbəl] *a.* 예민하게 느끼는, 민감한; 동하기 쉬운, 정에 무른(*to*); …을 허락하는, …을 할 수 있는(*of*). **-bly** *ad.* 느끼기 쉽게. **-bil·i·ty**[-ˋ-bíləti] *n.* [U] 감수성(*to*); [C] (*pl.*) 감정.
ː**sus·pect**[səspékt] *vt.* 알아채다, …이 아닐까 하고 생각하다; 의심하다, 수상쩍게 여기다(*of*). ― [sʌ́spekt] *n., pred. a.* [C] 용의자; 의심스러운.
ː**sus·pend**[səspénd] *vt.* ① 매달다. ② 허공에 뜨게 하다. ③ 일시 중지하다, 정직시키다, (…의) 특권을 정지하다. ④ 미결로 두다, 유보하다. ― *vi.* (은행 등이) 지불을 정지하다. ˈ**~·ers** *n. pl.* 《美》 바지 멜빵; 《英》 양말 대님.
suspénded animátion 가사(假死), 인사 불성.
ˈ**sus·pense**[səspéns] *n.* [U] 걱정, 불안; (소설·영화 따위의) 서스펜스; 미결정, 이도저도 아님. ***keep a person in ~*** 아무를 마음 졸이게 하다.
ˈ**sus·pen·sion**[səspénʃən] *n.* ① [U] 매닮; 매달림. ② [C] 매다는 지주(支柱). ③ [U] (특권의) 일시 정지, 정직; 중지, 미결정; 지불 정지. ④

Ⓒ 차체(車體) 버팀 장치. ⑤ Ⓒ 현탁액(懸濁液). **-sive** *a.* 중지〔정지〕의; 불안한; 이도저도 아닌.

suspénsion brìdge 조교(吊橋).

:**sus·pi·cion**[səspíʃən] *n.* ① Ⓤ,Ⓒ 느낌, 낌새챔; 의심; 혐의. ② Ⓤ 소량, 미량(*a ~ of brandy*); 기미(*of*). **above** 〔**under**〕 ~ 혐의가 없는〔있는〕. **on ~ of** …의 혐의로.

:**sus·pi·cious**[səspíʃəs] *a.* 의심스러운, 괴이쩍은; 의심하는〔많은〕; 의심을 나타내는. **~·ly** *ad.* **~·ness** *n.*

:**sus·tain**[səstéin] *vt.* ① 버티다, 지지하다, 유지하다, 지속하다(*~ed efforts* 부단한 노력). ② 부양하다. ③ 견디다. ④ 받다, 입다. ⑤ 승인〔시인〕하다, 확인〔확증〕하다. **~·ing** *a.* 버티는, 지구적(持久的)인; 몸에 좋은; 힘을 북돋는(*~ing food*). *~ing* **program** 〖放〗 (스폰서 없는) 자주(自主) 프로, 비상업적 프로.

ˑ**sus·te·nance**[sʌ́stənəns] *n.* Ⓤ ① 생명을 유지하는 것, 음식물; 영양물. ② 생계. ③ 유지; 지지.

su·ture[sú:tʃər] *n.* Ⓒ 〖外〗 봉합(縫合), 꿰맨 자리(의 한 바늘); 〖動·植〗 봉합; 〖解〗 (두개골의) 봉합선.

svelte[svelt] *a.* (F.) (여자의 자태가) 미끈한, 날씬한.

SW shortwave. **SW, S.W., s.w.** southwest; southwestern.

swab[swɑb/-ɔ-] *n.* Ⓒ 자루 걸레; (소독 또는 약을 바르는 데 쓰는) 스펀지, 헝겊, 탈지면; 포강(砲腔) 소제봉(棒); 《俗》 솜씨 없는 사람. ― *vt.* (**-bb-**) 자루 걸레로 훔치다(*down*); (약을) 바르다, 약솜(등)으로 닦다.

swad·dle[swɑ́dl/-ɔ́-] *vt.* 포대기로 싸다《갓난 아기를》; 옷으로〔붕대로〕 감다.

swáddling bànds 〔**clòthes**〕 기저귀, (특히, 갓난 아기의) 배내옷; 유년기; 《비유》 자유를 속박하는 힘.

swag[swæg] *n.* Ⓤ 《俗》 장물, 약탈품, 부정 이득; Ⓒ 《濠》 (삼림 여행자의) 휴대품 보따리; 꽃줄(festoon).

ˑ**swag·ger**[swǽgər] *vi.* 거드럭거리며 걷다; 자랑하다(*about*); 으스대다, 뻐기다. ― *vt.* 을러대어 …시키다. ― *n.* Ⓤ 거드럭거리는 걸음걸이〔태도〕. ― *a.* 《英口》 스마트한, 멋진. **~·ing·ly** *ad.* 뽐내어.

swágger stìck 〔《英》 **càne**〕 (군인 등이 외출시에 들고 다니는) 단장.

swain[swein] *n.* Ⓒ 《古·詩》 시골 멋쟁이; = LOVER.

:**swal·low**[1][swɑ́lou/-ɔ́-] *vt., vi.* ① 삼키다. ② 빨아들이다. ③ 《口》 받아들이다, 곧이듣다. ④ 참다; (노여움을) 억누르다. ⑤ (말한 것을) 취소하다. ― *n.* Ⓒ 삼킴; 한 모금(의 양); 식도.

:**swal·low**[2] *n.* Ⓒ 제비.

:**swam**[swæm] *v.* swim의 과거.

swa·mi[swɑ́:mi] *n.* (*pl.* **~s**) Ⓒ 인도 종교가의 존칭.

:**swamp**[swɑmp/-ɔ-] *n.* Ⓒ,Ⓤ 늪, 습지. ― *vt.* (물 속에) 처박다〔가라앉히다〕; 물에 잠기게 하다; 궁지에 몰아 넣다, 압도하다. **∠·y** *a.* 늪의, 늪이 많은; 질퍽질퍽한.

:**swan**[swɑn/-ɔ-] *n.* Ⓒ 백조; 가수; 시인. ***black ~*** (호주산) 검은 고니; 희귀한 물건〔일〕. ***the S- of Avon*** Shakespeare의 별칭.

swank[swæŋk] *vi., n.* Ⓤ 자랑해 보이다〔보이기〕; 허세(부리다), 뽐내며 걷다; 《俗》 멋부림; 스마트함. ― *a.* = SWANKY. **∠·y** *a.* 《口》 멋진.

swán sòng 백조의 노래《백조가 죽을 때 부른다는》; 마지막 작품.

swap[swɑp/-ɔ-] *n., vt., vi.* (**-pp-**) Ⓒ (물물) 교환(하다); 《俗》 부부 교환(을 하다); 〖컴〗 교환, 갈마들임.

sward[swɔ:rd] *n., vt., vi.* Ⓤ 잔디(로 덮(이)다).

:**swarm**[1][swɔ:rm] *n.* Ⓒ ① (곤충의) 떼. ② (분봉하는, 또는 벌집 속의) 꿀벌 떼. ③ 〖生〗 부유(浮遊) (단)세포군(群). ④ (물건의) 다수, 무리, 군중. ― *vi.* 떼짓다; (꿀벌이) 떼지어 분봉하다.

swarm[2] *vt., vi.* 기어 오르다(*up*).

ˑ**swarth·y**[swɔ́:rði, -θi] *a.* (피부가) 거무스레한, 거무튀튀한.

swásh·bùckler *n.* Ⓒ 허세부리는 사람〔군인 등〕. **-bùckling** *n., a.* Ⓤ 허세(부리는).

swas·ti·ka [swɑ́stikə] *n.* Ⓒ 만자《卍》; (나치 독일의) 갈고리 십자 기장(十字記章)《卐》.

swat[swɑt/-ɔ-] *vt.* (**-tt-**), *n.* Ⓒ 찰

싹치다〔때림〕, 파리채.
swatch[swɑtʃ/-ɔ-] *n.* Ⓒ 견본(조각).
swathe[sweið, swɑð] *vt.* 싸다, 붕대로 감다; 포위하다. ── *n.* Ⓒ 싸는 천, 붕대.
:**sway**[swei] *vt., vi.* 흔들(리)다; 지배하다, 좌우하다. ── *n.* Ⓤ,Ⓒ 동요; Ⓤ 지배(권).
:**swear**[swɛər] *vi.* (***swore,*** 《古》 ***sware; sworn***) 맹세하다; 〖法〗 선서하다; 서약하다; 벌받을 소리를 하다, 욕지거리하다(*at*). ── *vt.* 맹세하다; 선서하다; 단언하다; 선서〔서약〕시키다; 맹세코 …한 상태로 하다. **~ *by*** (…을) 두고 맹세하다; 《口》 (…을) 크게 신용하다. **~ *in*** 선서를 시키고 취임시키다. **~ *off*** 《口》 (술 따위를) 맹세코 끊다. **~ *to*** (맹세코) 단언하다, 확언하다. ── *n.* Ⓒ 《口》 저주, 욕. **∠·ing** *n.* Ⓒ 맹세(의 말); 저주, 욕설(《'Damn it!' 따위》).
swéar·wòrd *n.* Ⓒ 재수 없는 말, 욕, 저주.
:**sweat**[swet] *n.* ① Ⓤ 땀. ② (a ~) 발한(發汗)(작용). ③ Ⓤ,Ⓒ (표면에 끼는) 물기. ④ (a ~) 《口》 불안. ⑤ (a ~) 《口》 힘드는 일, 고역. ***by*** 〔***in***〕 ***the ~ of one's brow*** 이마에 땀을 흘려, 열심히 일하여. ***in a ~*** 땀 흘려; 《口》 걱정하여. ── *vi.* (***sweat, ~ed***[∠id]) ① 땀을 흘리다. ② 습기가 생기다; 스며 나오다; 표면에 물방울이 생기다. ③ 《口》 땀 흘려 일하다; 《口》 걱정하다. ── *vt.* ① 땀을 흘리게 하다. ② 땀으로 적시다〔더럽히다〕. ③ 습기를 생기게 하다; (공업적 제조 과정에서) 스며나오게 하다; 발효시키다. ④ 혹사하다. ⑤ 《俗》 고문하다. ⑥ (땜납을) 녹을 때까지 가열하다, 가열 용접하다; 가열하여 가용물(可熔物)을 제거하다. **~ *down*** 《美俗》 몹시 압축하다, 소형으로 하다. **~ *out*** (감기 따위를) 땀을 내어 고치다.
swéat·bànd *n.* Ⓒ (모자 안쪽의) 땀받이.
sweat·ed[swétid] *a.* 저임금 노동의. **~ *goods*** 저임금 노동으로 만든 제품. **~ *labor*** 저임금 노동.
:**sweat·er**[∠ər] *n.* Ⓒ 스웨터; 땀흘리는 사람; 발한제(劑); 싼 임금으로 혹사하는 고용주.
swéat glànd 〖解〗 땀샘.
swéat shìrt (두꺼운 감의) 낙낙한 스웨터.
swéat·shòp *n.* Ⓒ 노동자 착취 공장.
「흘리게 하는.
sweat·y [swéti] *a.* 땀투성이의; 땀
:**sweep**[swi:p] *vt.* (***swept***) ① 청소하다, 털다(*away, off, up*). ② 일소하다(*away*). ③ 휩쓸어가다, 날려버리다. ④ 둘러 보다. ⑤ (…을) 스칠 듯 지나가다. ⑥ 살짝 어루만지다. ⑦ (악기를) 타다. ── *vi.* ① 청소하다. ② 휙 지나가다. ③ 엄습하다; 휘몰아치다. ④ 옷자락을 끌며〔사뿐사뿐, 당당히〕 걷다. ⑤ 멀리 바라다보다. ⑥ 멀리 뻗치다. ***be swept off one's feet*** (파도에) 발이 휩쓸리다; 열중하다. **~ *the board*** (내기에 이겨) 탁상의 돈을 몽땅 쓸어가다, 전승하다. **~ *the seas*** 소해(掃海)하다; 해상의 적을 일소하다. ── *n.* Ⓒ ① 청소, 일소. ② 불어제침, 한 번 휘두르기. ③ 밀어 닥침. ④ (물·바람 따위의) 맹렬한 흐름. ⑤ 만곡(彎曲). ⑥ 뻗침; 범위, 시계(視界). ⑦ (*pl.*) 먼지, 쓰레기. ⑧ 《주로 英》 굴뚝〔도로〕 청소부. ⑨ 〖海〗 길고 큰 노. ⑩ (두레박틀의) 장대. ⑪ = SWEEPSTAKE(S). ***make a clean ~ of*** …을 전폐하다. ***∠·er** *n.* Ⓒ 청소부〔기〕.
***swéep·ing** *a.* ① 일소하는; 불어제치는. ② 파죽지세(破竹之勢)의. ③ 전반에 걸친, 대충의. ④ 대대적인, 철저한. ── *n.* Ⓤ,Ⓒ 청소, 일소; 불어제침, 밀어내림; (*pl.*) 쓸어모은 것, 먼지, 쓰레기. **~·ly** *ad.*
swéep·stàke(s) *n.* Ⓒ 건 돈을 독점하는 경마, 또 그 상금; 건 돈을 독점〔분배〕하는 내기.
†**sweet**[swi:t] *a.* ① 달콤한, 맛있는, 향기로운. ② 맛이〔냄새가〕 좋은. ③ 신선한, 기분 좋은, 유쾌한. ④ 목소리가〔가락이〕 감미로운. ⑤ 《美口》 수월하게 할 수 있는. ⑥ 친절한, 상냥한. ⑦ (땅이) 경작에 알맞은. ⑧ 《口》 예쁜, 귀여운. ***be ~ on*** 〔***upon***〕 《口》 (…을) 그리워하다. ***have a ~ tooth*** 단 것을 좋아하다. ── *n.* Ⓒ 단 것; 《英》 식후에 먹는 단것; (*pl.*)

사탕, 캔디; (*pl.*) 즐거움, 쾌락; 연인, 애인. — *ad.* 달게; 즐겁게; 상냥하게; 순조롭게. ⁑ ∠·**ly** *ad.* ⁑ ∠·**ness** *n.*

swéet-and-sóur *a.* 새콤달콤하게 양념한.

swéet·brèad *n.* Ⓒ (송아지·새끼양의) 지라, 흉선(胸腺)《식용》.

swéet córn 《美》 사탕옥수수.

***sweet·en**[∠n] *vt., vi.* 달게 하다[되다]; (향기 따위) 좋게 하다, 좋아지다; 유쾌하게 하다, 유쾌해지다; 누그러지(게 하)다. ∠·**ing** *n.* Ⓤ,Ⓒ 달게 하는 것; 감미료.

⁑**swéet·hèart** *n., vi.* Ⓒ 애인, 연인; 연애하다. ~ ***contract*** [***agreement***] 회사와 노조가 공모하여 낮은 임금을 주는 노동 계약.

sweet·ie[swíːti] *n.* 《口》 ① Ⓒ 애인. ② (흔히 *pl.*) 《英》 단 과자.

swéet potàto 고구마.

swéet-tàlk *vt., vi.* 《美口》 감언으로 꾀다; 아첨하다.

⁑**swell**[swel] *vi., vt.* (~***ed;*** ~***ed,*** ***swollen***) ① 부풀(리)다. ② 부어오르(게 하)다(*out, up*). ③ (수량이) 붇다, 늘다; (수량을) 불리다. ④ 융기하다[시키다]. ⑤ (소리 따위) 높아지다, 높이다. ⑥ 우쭐해지다, 우쭐대게 하다. ⑦ (가슴이) 뿌듯해지다, (가슴을) 뿌듯하게 하다(*with*). ⑧ (*vi.*) 물결이 일다. — *n.* ① Ⓤ 커짐; 증대; Ⓒ 부풂; (*sing.*) (땅의) 융기), 구릉(丘陵); 큰 파도, 놀. ② Ⓤ 높은 소리; 〖樂〗 (음량의) 증감(장치); Ⓒ 그 기호《〈, 〉》. ③ Ⓒ 《口》 명사(名士), 달인(達人)(*in, at*); (상류의) 멋쟁이. — *a.* ① 《口》 맵시 있는, 멋진. ② 훌륭한, 일류의. * ∠·**ing** *n., a.* Ⓤ,Ⓒ 증대; 팽창; Ⓒ 종기; 융기; 돌출부; Ⓤ,Ⓒ 놀; 부푼; (말이) 과장된.

swel·ter[swéltər] *vi.* 더위로 몸이 나른해지다, 더위 먹다; 땀투성이가 되다. — *n.* Ⓒ 무더움; 땀투성이.

⁑**swept**[swept] *v.* sweep의 과거(분사).

***swerve**[swəːrv] *vi., vt.* ① 빗나가(게 하)다, 벗어나(게 하)다(*from*), (공을) 커브시키다. ② 바른 길에서 벗어나(게 하)다(*from*). — *n.* Ⓒ 벗어남, 빗나감; 〖크리켓〗 곡구(曲球).

⁑**swift**[swift] *a., ad.* 빠른; 빨리; 즉석의; …하기 쉬운(*to* do). — *n.* Ⓒ 〖鳥〗 칼새. ⁑ ∠·**ly** *ad.* * ∠·**ness** *n.*

swig [swig] *n., vi., vt.* (**-gg-**) Ⓒ 《口》 꿀꺽꿀꺽 들이켬[들이켜다].

swill[swil] *n., vt.* (a ~) 꿀꺽꿀꺽 들이켬[들이켜다]; 씻가시기; 씻가시다(*out*); Ⓤ 부엌찌끼《돼지먹이》.

†**swim**[swim] *vi.* (***swam,*** 《古》 ***swum; swum; -mm-***) 헤엄치다; 뜨다; 넘치다(*with*); 미끄러지다. ~ ***with*** 눈이 돌다, 어지럽다. — *vt.* 헤엄치(게 하)다; 띄우다. ~ ***the tide*** [***stream***] 시대 조류에 따르다. — *n.* Ⓒ 수영, 헤엄치는 시간[거리]; 물고기의 부레; (the ~) 《口》 시류(時流), 정세. ***be in*** [***out of***] ***the*** ~ 실정에 밝다[어둡다]. ⁑ ∠·**mer** *n.*

⁑**swim·ming**[∠iŋ] *n.* Ⓤ 수영. ~·**ly** *ad.* 거침 없이, 쉽게; 일사 천리로.

swímming bàth 《英》 (보통 실내의) 수영장.

swímming còstume 《英》 수영복.

swímming pòol 《美》 수영 풀.

swímming trùnks 수영 팬츠.

***swin·dle**[swíndl] *vt., vi.* 속이다; 사취(詐取)하다(*out of*). — *n.* Ⓒ 사취, 사기. **swín·dler** *n.* Ⓒ 사기꾼.

***swine**[swain] *n.* (*pl.* ~) Ⓒ (가축으로서의) 돼지; 야비한 사람.

†**swing**[swiŋ] *vi.* ① 흔들거리다, 흔들리다. ② 회전하다. ③ 몸을 좌우로 흔들며 걷다. ④ 매달려 늘어지다, 그네 뛰다. ⑤ 《口》 교수형을 받다. ⑥ 《美俗》 성의 모험을 하다, 부부 교환을 하다; 실컷 즐기다. — *vt.* ① 흔들(거리게 하)다. ② 매달다. ③ 방향을 바꾸다. ④ 《美口》 교묘히 처리하다; 좌우하다. ⑤ 스윙식으로 연주하다. ~ ***the lead***[led] 《英軍俗》 꾀병부리다; 게으름 피우다. ~ ***to*** (문이) 삐걱 소리내며 닫히다. — *n.* ① Ⓒ,Ⓤ 동요, 진동(량), 진폭. ② Ⓒ,Ⓤ 율동, 가락. ③ Ⓒ 그네(뛰기). ④ Ⓒ,Ⓤ (골프·야구·정구의) 휘두르기. ⑤ Ⓒ 활보. ⑥ Ⓤ (일 따위의) 진행, 진척. ⑦ Ⓤ 활동(의 자유·범위). ⑧ Ⓤ 스윙 음악. ***give full*** ~ ***to*** (…을) 충분히 활동시키다. ***go with a*** ~ 순조롭게[척척] 진행되다. ***in full*** ~

S

한창 진행중인, 한창인. ***the ~ of the pendulum*** 진자(振子)의 진폭; 영고 성쇠(榮枯盛衰). ― *a.* 스윙음악(식)의. ***˙swing·ing*** *a.* 흔들거리는; 경쾌한; 《美俗》 활발한.
swíng dòor (안팎으로 열리는) 자동식 문.
swinge[swindʒ] *vt.* 《古》 매질하다; 벌하다. **∠·ing** *a.* 《英口》 최고의; 굉장한; 거대한.
swíng wìng 〖空〗 가변익(可變翼).
swipe[swaip] *n.* Ⓒ 〖크리켓〗 강타; (두레박틀의) 장대(well sweep); 들이켜기; (*pl.*) 《英口》 싼 맥주; 《美口》 말 사육자. ― *vt., vi.* 《口》 강타하다; 《俗》 훔치다.
˙swirl[swəːrl] *vi.* (물·바람 따위가) 소용돌이치다; 소용돌이꼴로 되다, 휘감기다. ― *vt.* 소용돌이치게 하다. ― *n.* Ⓒ 소용돌이(꼴).
swish[swiʃ] *vt.* (지팡이를) 휘두르다; 휙휙 소리나게 하다; 싹 베어버리다(*off*). ― *vi.* (비단옷 스치는 소리·풀베는 소리가) 삭삭거리다; (채찍질하는 소리가) 휙하고 나다. ― *n.* Ⓒ 삭삭〔휙, 싹〕 소리; (지팡이·채찍의) 한 번 휘두르기.
:Swiss[swis] *a.* 스위스(사람·식)의. ― *n.* Ⓒ 스위스 사람. 「용).
Swíss chárd[-tʃάːrd] 〖植〗 근대《식
:switch[switʃ] *n.* ① Ⓒ 휘청휘청한 나뭇가지〔회초리〕; (회초리의) 한번 치기. ② Ⓒ (여자의) 다리꼭지. ③ (*pl.*) 〖鐵〗 전철기; 〖電〗 스위치. ④ Ⓒ 전환. ⑤ 〖컴〗 스위치. ― *vt.* 《美》 회초리로 치다; 휘두르다; 전철하다; 스위치를 끄다〔켜다〕(*off, on*); 《口》 바꾸다. ― *vi.* 회초리로 때리다; 전철〔전환〕하다. ***~ off*** (*a person*) (아무의) 방송 도중에 스위치를 끄다; 《美俗》 환각 체험을 하다〔에서 깨다〕. ***~ on to*** (*a person*) (아무의) 방송을 듣기 위해 스위치를 켜다.
swítch·bàck *n.* Ⓒ (등산(登山) 전차의) 갈짓자 모양의 선로, 스위치백; 《英》 (오락용의) 롤러 코스터.
swítch·blàde (**knífe**) [∠blèid(-)] *n.* Ⓒ 날이 튀어나오게 된 나이프.
˙swítch·bòard *n.* Ⓒ 〖電〗 배전반(配電盤); (전화의) 교환대.
swiv·el[swívəl] *n.* Ⓒ 전환(轉鐶); 회전고리; 회전대(臺); (회전 의자의) 대(臺); 회전 포가(砲架), 선회포(砲).
:swol·len[swóulən] *v.* swell의 과거분사. ― *a.* 부푼; 물이 붇은; 과장된.
˙swoon[swuːn] *n., vi.* Ⓒ 기절〔졸도〕하다; 차츰 사라져가다〔쇠약해지다〕.
˙swoop[swuːp] *vi.* (맹조(猛鳥) 따위가) 위에서 와락 덮치다, 급습하다. ― *vt.* 움켜잡다, 잡아채다(*up*). ― *n.* Ⓒ 위로부터의 습격〔급습〕. ***at one fell ~*** 일거에.
swop[swɑp/-ɔ-] *n., v.* (**-pp-**) = SWAP.
:sword[sɔːrd] *n.* Ⓒ 검(劍), 칼; (the ~) 무력; 전쟁. ***at the point of the ~*** 무력으로. ***be at ~'s points*** 매우 사이가 나쁘다. ***cross ~s with*** …와 싸우다. ***measure ~s with*** (결투 전에) …와 칼의 길이를 대보다; …와 싸우다. ***put to the ~*** 칼로 베어 죽이다.
swórd dànce 칼춤, 검무.
swórd·fish *n.* Ⓒ 〖魚〗 황새치.
swórd·plày *n.* Ⓤ 검술.
swords·man[sɔ́ːrdzmən] *n.* Ⓒ (명)검객; 《古》 군인. **~·ship** *n.* Ⓤ 검술(솜씨).
˙swore[swɔːr] *v.* swear의 과거.
˙sworn[swɔːrn] *v.* swear의 과거분사. ― *a.* 맹세한; 선서〔서약〕한. ***~ enemies*** 불구대천의 원수.
:swung[swʌŋ] *v.* swing의 과거(분사). ― *a.* 흔들거리는; 물결 모양의.
syb·a·rite[síbəràit] *n.* Ⓒ 사치·쾌락을 추구하는 이. **-rit·ic**[sìbərítik], **-i·cal**[-əl] *a.*
˙syc·a·more[síkəmɔ̀ːr] *n.* Ⓒ 《美》 플라타너스; 《英》 단풍나무의 일종; (이집트 등지의) 무화과나무.
syc·o·phant[síkəfənt] *n.* Ⓒ 아첨쟁이. **-phan·cy** *n.* Ⓤ 추종, 아첨.
:syl·la·ble[síləbəl] *n.* Ⓒ 음절; (음절을 나타내는) 철자; 한마디, 일언. ― *vt.* 음절로 나누(어 발음하)다.
syl·la·bus[síləbəs] *n.* (*pl.* **~es, -bi**) Ⓒ (강의·교수 과정의) 대요, 요목.
syl·lo·gism[sílədʒìzəm] *n.* Ⓒ 〖論〗 삼단 논법; Ⓤ 연역(법). **-gis·tic**[∸-dʒístik] *a.* **-ti·cal·ly** *ad.*

S

syl·van[sílvən] *a.* 삼림의; 나무가 무성한; 숲이 있는. ── *n.* Ⓒ 삼림에 사는〔출입하는〕 사람〔짐승〕.

sym·bi·o·sis[sìmbaióusis] *n.* (*pl.* **-ses**[-siːz]) Ⓤ,Ⓒ 〖生〗 공생(共生), 공동 생활.

:**sym·bol**[símbəl] *n., vt.* Ⓒ 상징〔표상〕(하다); 기호(로 나타내다). **~·ism**[-ìzəm] *n.* Ⓤ 기호의 사용, 기호로 나타냄; 상징적 의미; 상징주의; 〖컴〗 기호. **~·ist** *n.* Ⓒ 기호 사용자; 상징주의자. ***~·ize**[-àiz] *vt.* 상징하다; (…의) 상징이다; 기호로 나타내다〔를 사용하다〕; 상징화하다. **~·is·tic**[≻–ístik] *a.* 상징주의(자)의.

***sym·bol·ic**[simbálik/-ɔ́-], **-i·cal**[-əl] *a.* 상징의; 상징적인; …을 상징하는(*of*); 기호를 사용하는. **-i·cal·ly** *ad.*

***sym·met·ric**[simétrik], **-ri·cal**[-əl] *a.* (좌우) 대칭(對稱)적인, 균형잡힌. **-ri·cal·ly** *ad.*

sym·me·try[símətri, -mi-] *n.* Ⓤ 좌우 대칭; 균형; (부분과 전체의) 조화. **-trize**[-tràiz] *vt.* 대칭적으로 하다, 균형을 이루게 하다; 조화시키다.

:**sym·pa·thet·ic**[sìmpəθétik] *a.* ① 동정적인(*to*). ② 마음이 맞는. ③ 《口》 호의적인, 찬성하는. ④ 〖生〗 교감(交感)의(*the ~ nerve* 교감 신경). ⑤ 〖理〗 공명하는. *~ ink* 은현잉크. **-i·cal·ly** *ad.*

:**sym·pa·thize**[símpəθàiz] *vi.* ① 동정〔공명〕하다, 동의하다(*with*). ② 조화〔일치〕하다(*with*). **-thiz·er** *n.* Ⓒ 동정〔동조·공명〕자.

:**sym·pa·thy**[símpəθi] *n.* ① Ⓤ,Ⓒ 동정, 연민(*for*). ② Ⓤ 동의, 동조, 찬성, 공명(*with*). ③ Ⓤ 조화, 일치(*with*). ④ Ⓤ 〖生〗 교감(작용).

sym·phon·ic [simfánik/-ɔ́-] *a.* 교향적인.

:**sym·pho·ny**[símfəni] *n.* Ⓒ 심포니, 교향곡; Ⓤ 음〔색채〕의 조화.

sym·po·si·um [simpóuziəm, -zjəm] *n.* (*pl.* **~s, -sia**[-ziə]) Ⓒ 토론〔좌담〕회; (고대 그리스의) 향연 《음악을 듣고 담론함》; (같은 테마에 관한 여러 사람의) 논(문)집.

:**symp·tom**[sím*p*təm] *n.* Ⓒ 징후, 조짐; 〖醫〗 증후(症候). **symp·to·mat·ic**[≻–mǽtik], **-i·cal**[-əl] *a.* 징후〔증후〕가 되는〔를 나타내는〕(*of*); 징후의, 증후에 의한.

***syn·a·gogue**[sínəgàg, -ɔ̀ː-/-ɔ̀-] *n.* Ⓒ (예배를 위한) 유대인 집회; 유대교 회당.

syn·apse[sinǽps, sáinæps] *n.* Ⓒ 〖生〗 시냅스, 신경 세포 연접(부).

sync, synch [siŋk] *n.* =SYNCHRONIZATION. ── *vi., vt.* =SYNCHRONIZE.

syn·chro·mesh[síŋkrəmèʃ] *n., a.* Ⓒ (자동차의) 톱니바퀴를 동시에 맞물게 하는 장치(의).

***syn·chro·nize**[síŋkrənàiz] *vi.* ① 동시에 일어나다(*with*); 시간이 일치하다. ② (둘 이상의 시계가) 같은 시간을 가리키다. ③ 〖映〗 화면과 음향이 일치하다; 〖寫〗 (셔터와 플래시가) 동조(同調)하다. ── *vt.* 동시에 하게 하다; (…에) 시간을 일치시키다. **~d** [-d] *a.* **-ni·za·tion**[≻–nizéiʃən/-naiz-] *n.* Ⓤ 시간을 일치시킴; 동시에 함; 동시성; (영화의) 화면과 음향과의 일치; 동시 녹음; 〖컴〗 (동기)화.

syn·chro·nous[síŋkrənəs] *a.* 동시에 일어나는〔움직이는〕; 〖理·電〗 동일 주파수의, 동기(同期)의; (위성이) 정지(靜止)의; 〖컴〗 동기(同期)(적). **~·ly** *ad.*

syn·co·pate [síŋkəpèit] *vt.* 〖文〗 (말의) 중간의 음을〔문자를〕 생략하다; 〖樂〗 절분(切分)하다, (악구에) 절분음을 쓰다. **-pa·tion**[≻–péiʃən] *n.* Ⓤ,Ⓒ 〖樂〗 절분(법); 〖文〗 어중음(語中音)소실, 중략(中略).

syn·di·cal·ism[síndikəlìzəm] *n.* Ⓤ 신디칼리즘《산업·정치를 노동 조합의 지배하에 두려는》. **~·ist** *n.*

***syn·di·cate**[síndikit] *n.* Ⓒ 《집합적》 ① 신디케이트, 기업 연합(cf. trust, cartel). ② 신문 잡지 연맹 《뉴스나 기사를 써서, 많은 신문·잡지에 동시에 공급함》. ③ 평의원단. ── [-dəkèit] *vt., vi.* 신디케이트를 만들다〔에 의하여 관리하다〕, 신문 잡지 연맹을 통하여 발표하다〔공급하다〕.

syn·drome[síndroum] *n.* Ⓒ 〖醫〗 증후군(症候群); 병적 현상.

S

syn·er·gy[sínərdʒi] *n.* Ⓤ ① 협력 작용; 공력 작용. ② 상승 작용; 〖社〗 공동 작업.

syn·od[sínəd] *n.* Ⓒ 종교 회의; (장로 교회의) 대회; 회의. **~·ic** [sinάdik/-ɔ́-], **-i·cal**[-əl] *a.* 종교 회의의; 〖天〗 합(合)의.

:syn·o·nym[sínənim] *n.* Ⓒ 동의어; 표시어(《'letter' 가 'literature' 를 나타내는 따위》).

syn·on·y·mous [sinάnəməs/-nɔ́n-] *a.* 동의(어)의(*with*). **~·ly** *ad.*

syn·op·sis[sinάpsis/-ɔ́-] *n.* (*pl.* ***-ses***[-si:z]) Ⓒ 적요, 대의.

syn·op·tic[sinάptik/-ɔ́-], **-ti·cal** [-əl] *a.* 개관(대의)의; (종종 S-) 공관적(共觀的), 공관 복음서의. **-ti·cal·ly** *ad.*

:syn·tax[síntæks] *n.* Ⓤ 〖文〗 구문론, 문장론, 통어법(統語法); 〖컴〗 구문. **syn·tac·tic**[sintǽktik], **-ti·cal** [-əl] *a.*

·syn·the·sis[sínθəsis] *n.* (*pl.* ***-ses*** [-sì:z]) ① Ⓤ 종합; 통합; Ⓒ 합성물. ② Ⓤ 〖化〗 합성. ③ Ⓤ 〖哲〗 (변증법에서, 정·반에 대하여) 합(合), 진테제(cf. thesis, antithesis). ④ Ⓤ 접골.

syn·the·size[sínθəsàiz] *vt.* 종합하다; 종합적으로 취급하다; 합성하다. **-siz·er** *n.* Ⓒ 종합하는 사람(것); 신시사이저(《음의 합성 장치》); 〖컴〗 합성기, 신시사이저.

·syn·thet·ic[sinθétik], **-i·cal**[-əl] *a.* ① 종합의, 종합적인. ② 〖化〗 합성의; 인조의. ③ 진짜가 아닌, 대용의. ④ 〖言〗 ('분석적'에 대하여) 종합적인. ~ ***fiber*** 합성 섬유. **-i·cal·ly** *ad.* 종합(합성)적으로.

syph·i·lis[sífəlis] *n.* Ⓤ 〖病〗 매독. **-lit·ic**[ˌ–lítik] *a.*

sy·rin·ge[sərínd3, ˊ–] *n.* Ⓒ 주사기; 세척기(洗滌器), 주수기(注水器), 관장기. — *vt.* 주사(주입·세척)하다.

:syr·up[sírəp, sə́:r-] *n.* Ⓤ 시럽; 당밀. **~·y** *a.*

†sys·tem[sístəm] *n.* ① Ⓒ 조직; 체계; 계통; 학설; 제도. ② Ⓒ 방식, 방법. ③ Ⓤ 순서. ④ 〖天〗 계(系); 〖地〗 계(系); (the ~) 신체. ⑤ 〖컴〗 시스템.

:sys·tem·at·ic[sìstəmǽtik], **-i·cal**[-əl] *a.* 조직(계통)적인; 정연한; 규칙바른; 〖生〗 분류상의. **-i·cal·ly** *ad.*

sys·tem·a·tize[sístəmətàiz] *vt.* 조직을 세우다; 조직(체계)화하다; 분류하다. **-ti·za·tion**[ˌ–––tizéiʃən/-taiz-] *n.*

sys·tem·ic[sistémik] *a.* 조직(계통)의; 〖生〗 전신의.

sýstems anàlysis (능률·정밀도를 높이기 위한) 시스템 분석.

T

T, t [tiː] *n.* (*pl.* ***T's, t's***[-z]) Ⓒ T자 모양의 것. ***cross one's* 〔*the*〕 *t's,*** t자의 횡선(橫線)을 긋다; 사소한 점도 소홀히 하지 않다. ***to a T*** 정확히, 꼭 들어맞게(to a nicety).

ta [tɑː] *int.* 《英俗·兒》 thank you의 단축·전화(轉化).

T.A. Territorial Army.

tab [tæb] *n., vt.* (**-bb-**) Ⓒ 드림〔끈·고리·휘장·찌지(tag)〕(을 달다); 《美口》 계산서; 〖컴〗 징검(돌), 태브《세트해 둔 장소로 커서를 옮기는 기능》. ***keep* ~(*s*) *on*** 《口》 …의 셈을 하다; …을 지켜보다. ***pick up the* ~** 《美口》 셈을 치르다, 값을 지불하다.

Ta·bas·co [təbǽskou] *n.* Ⓤ,Ⓒ 〖商標〗 고추(capsicum)로 만든 매운 소스.

tab·by [tǽbi] *n.* Ⓒ (갈〔회〕색 바탕에 검은 줄무늬의) 얼룩고양이; 암코양이; 《주로 英》 심술궂고 수다스러운 여자; ＝TAFFETA. ― *a.* 얼룩진(*a* ~ *cat* 얼룩고양이).

˙tab·er·na·cle [tǽbərnæ̀kəl] *n.* Ⓒ ① 가옥(假屋), 천막집. ② (이스라엘 사람이 방랑 중 성전으로 사용한) 장막(tent), 유대 성소(聖所). ③ 《英》 (비국교파의) 예배소. ④ 영혼의 임시 거처로서의) 육체. ⑤ 닫집 달린 감실〔제단〕. ⑥ 성궤(聖櫃), 성기(聖器) 상자. **-nac·u·lar** [tæ̀bərnǽkjələr] *a.* tabernacle 의; 비속한.

†ta·ble [téibəl] *n.* Ⓒ ① 테이블, 탁자, 식탁; (*sing.*, 종종 Ⓤ) 음식. ② 《집합적》 식탁을 둘러싼 사람들. ③ 〖地〗 고원(高原), 대지. ④ 서판(書板)(에 새긴 글자)(cf. tablet). ⑤ (수상(手相)이 나타나 있는) 손바닥. ⑥ 표(*the* ~ *of contents* 목차), 리스트. ⑦ 〖컴〗 표, 테이블. ***at* ~** 식사 중. ***keep a good* ~** (언제나) 잘 먹다. ***lay on the* ~** (심의를) 일시 중지하다, 무기 연기하다. ***lay* 〔*set, spread*〕 *the* ~** 식탁을 차리다. ***learn one's* ~*s*** 구구단을 외다. ***the Twelve Tables*** 12동판법(銅版法)《로마법 원전(451 B.C.)》. ***turn the* ~*s*** 형세를 역전시키다, 역습하다(*on, upon*). ***wait at* 〔《美》 *on*〕 ~** 시중을 들다. ― *vt.* 탁상에 놓다; 표로 만들다; 《美》 (의안 등을) 묵살하다.

tab·leau [tǽblou] *n.* (*pl.* **~*s*, ~*x*** [-z]) Ⓒ 극적 장면; 그림; 회화적 묘사; 활인화(活人畵).

˙táble·clòth *n.* Ⓒ 테이블 보.

ta·ble d'hôte [tɑ́ːbəl dóut, tǽ-] (F.) 정식(定食).

táble mànners 식사 예법.

táble màt (식탁에서 뜨거운 접시 따위의 밑에 까는) 받침, 깔개.

:táble·spòon *n.* Ⓒ 식탁용 큰 스푼; 식탁용 큰 스푼 하나 가득한 분량.

:tab·let [tǽblit] *n.* Ⓒ ① (나무·상아·점토·돌 등의) 평판, 서판. ② (*pl.*) 메모장(帳), 편지지 철. ③ 〖鐵〗 타블렛《안전 통과표》. ④ 정제(錠劑). ⑤ 〖컴〗 자리판.

táble tènnis 탁구.

táble·tòp *n.* Ⓒ 테이블의 표면. ― *a.* 탁상(용)의.

táble·wàre *n.* Ⓤ 《집합적》 식탁용구, 식기류.

tab·loid [tǽblɔid] *n.* Ⓒ 타블로이드판 신문; (T-) 〖商標〗 정제(tablet). ― *a.* 요약한; 타블로이드판의.

˙ta·boo, -bu [təbúː, tæ-] *n., a.* Ⓤ,Ⓒ (폴리네시아 사람 등의) 금기(禁忌)〔터부〕(의)(*a* ~ *word*); 금제(禁制)(ban)(의). ***put the* ~ *on,* or *put under the* ~** 금기〔금제〕하다.

tab·u·lar [tǽbjələr] *a.* 표의, 표로 한; 얇은 판자(모양)의.

tab·u·late [tǽbjəlèit] *vt.* 평판(平板) 모양으로 하다; (일람)표로 만들다. ― [-lit] *a.* 평면〔평판 모양〕의. **-la·tor** *n.* Ⓒ 도표 작성자; (컴퓨터 따위의) 도표 작성 장치. **-la·tion** [⌐—

léiʃən] *n.* Ⓤ 표로 만듦, 도표화.
tac·it[tǽsit] *a.* 무언의, 침묵의; 암묵(暗默)의. **~·ly** *ad.*
tac·i·turn[tǽsətə:rn] *a.* 말 없는, 과묵한. **-tur·ni·ty**[∸−tə́:rnəti] *n.* Ⓤ 과묵, 침묵.
·**tack**[1][tæk] *n.* ① Ⓒ (납작한) 못, 압정. ② Ⓒ 〖裁縫〗 가봉, 시침질. ③ Ⓒ 〖海〗 지그재그 항정(航程); Ⓤ,Ⓒ 돛의 위치에 따라 결정되는) 배의 침로. ④ Ⓤ,Ⓒ 방침, 정책. ***be on the wrong* 〔*right*〕 ~** 방침이〔침로가〕틀리다〔옳다〕. ***~ and ~*** 〖海〗 계속적인 지그재그 항법으로. ── *vt.* ① 못으로 고정시키다. ② 가봉하다, 시침질하다. ③ 덧붙이다, 부가하다(add). ④ 뱃머리를 바람쪽으로 돌려 진로를 바꾸다; 갈짓자로 나아가게 하다(*about*). ⑤ 방침을 바꾸다.
tack[2] *n.* Ⓤ 〖海〗 음식물. ***be on the ~*** 《俗》 술을 끊고 있다. ***hard ~*** 건빵.
:**tack·le**[tǽkəl] *n.* ① Ⓤ 도구(*fishing ~* 낚시 도구). ② [téikəl] Ⓤ,Ⓒ 〖海〗 테이클《선구·삭구(索具)》. ③ Ⓤ,Ⓒ 복활차(複滑車). ④ Ⓒ 〖美式蹴〗 태클. ── *vt., vi.* ① (말에) 마구를 달다(harness). ② 도르래로 끌어올리다〔고정하다〕. ③ 붙잡다. ④ 태클하다. ⑤ (일에) 달려들다, 부지런히 시작하다(*to*).
tack·y[tǽki] *a.* 《美口》 초라한; 야한; 시대에 뒤진.
ta·co[tá:kou] *n.* (*pl.* **~s**[-z, -s]) Ⓒ 타코스《멕시코 요리; 저민 고기 등을 tortilla로 싼 것》.
·**tact**[tækt] *n.* ① Ⓤ 재치; 솜씨, 요령. ② Ⓤ,Ⓒ 촉감. **∠·ful** *a.* 솜씨 좋은; 재치 있는. **∠·ful·ly** *ad.*
tac·ti·cal[tǽktikəl] *a.* 병학(兵學)의; 전술(상)의; 전술적인(cf. strategical); 책략〔술책〕이 능란한; 빈틈없는. ***T- Air Command*** 《美》 전술공군 사령부《생략 TAC》.
tac·ti·cian[tæktíʃən] *n.* Ⓒ 전술가; 책사(策士).
·**tac·tics**[tǽktiks] *n.* Ⓤ 《단·복수 취급》 전술, 용병학(cf. strategy); 《복수 취급》 책략, 술책.
tac·tile[tǽkt*i*l/-tail] *a.* 촉각의; 만져서 알 수 있는.

táct·less *a.* 재치〔요령〕 없는, 서투른. **~·ly** *ad.* **~·ness** *n.*
tad[tæd] *n.* Ⓒ 《美口》 꼬마《특히 사내아이》.
·**tad·pole**[tǽdpòul] *n.* Ⓒ 올챙이.
taf·fe·ta[tǽfitə] *n., a.* Ⓤ (얇은) 호박단(琥珀緞)(의).
taf·fy[tǽfi] *n.* =TOFFEE; Ⓤ 《口》 아첨, 아부.
:**tag**[1][tæg] *n.* Ⓒ ① 꼬리표, 찌지, 정가〔번호〕표. ② 늘어뜨린 끝; 끈 끝의 쇠붙이; (동물의) 꼬리. ③ (문장·연설 끝의) 판에 박힌 문구; 노래의 후렴; 〖劇〗 끝맺는 말. ④ 부가의문. ⑤ 〖컴〗 꼬리표《이것을 부착한 것의 소재를 추적하게 만든 전자 장치》. ***keep a ~ on…*** 《英口》 …을 감시하다. ***~ and rag,*** or ***~, rag and bobtail*** 야료꾼; 사회의 찌꺼기. ── *vt.* (**-gg-**) tag를 달다; 잇다; 압운(押韻)하다; 《口》 붙어 다니다.
tag[2] *n.* ① Ⓤ 술래잡기(play ~). ② Ⓒ 〖野〗 터치아웃. ── *vt.* ① (술래잡기에서 술래가) 붙잡다. ② 〖野〗 터치아웃시키다. **~ *up*** 〖野〗 (주자가) 베이스에 이르다, 터치업하다.
tág dày 《美》 가두 모금일(《英》 flag day).
:**tail**[1][teil] *n.* Ⓒ ① 꼬리, 꽁지. ② 꼬리 모양의 것; 말미, 후부; (비행기의) 기미(機尾); 〖컴〗 꼬리. ③ 옷자락; (*pl.*) 《口》 연미복; 땋아 늘인 머리. ④ 수행원들; 군속(軍屬)들; 줄(로 늘어선 사람)(queue). ⑤ (보통 *pl.*) 화폐의 뒷면(opp. heads). ***cannot make head,*** or ***~ of*** 무슨 뜻인지 전혀 알 수 없다. ***get one's ~ down*** 작아지다, 기가 죽다. ***get one's ~ up*** 기운이 나다. ***go into ~s*** (아이가 자라서) 연미복을 입게 되다. ***keep one's ~ up*** 기운이 나 있다. ***~ of the eye*** 눈초리. ***turn ~*** 달아나다. ***with the ~ between legs*** 기가 죽어서, 위축되어, 겁에 질려. ── *vt.* (…에) 꼬리를 달다; 잇다(*on, on to*); 꼬리를〔끝을〕 자르다; (…의) 꼬리를 잡아당기다; 《口》 미행하다. ── *vi.* 축 늘어뜨리다, 꼬리를 끌다; 뒤를 따르다. ***~ after*** …의 뒤를〔줄에〕 따르다. ***~ away* 〔*off*〕** 낙오하다; (뒤처

T

져) 뾸뾸이 되다; 점점 가늘어지다.

tail² *n., a.* Ⓤ 〖法〗 계사 한정(繼嗣限定); 한사(限嗣) 상속 재산《*estate in* ~ 이라고도 함》; 한사의.

táil·bòard *n.* Ⓒ (짐마차의) 떼어낼 수 있는 뒷널.

táil·còat *n.* 연미복, 모닝코트.

táil énd 꼬리, 끝.

táil làmp [**lìght**] 미등(尾燈).

˙**tai·lor**[tèilər] *n.* Ⓒ 재봉사, (남성복의) 재단사. ***Nine ~s make* [*go to*] *a man.*** 《속담》 양복 직공 아홉 사람이 한 사람 구실을 한다《이로 인하여 양복 직공을 얕보아 *a ninth part of a man* (9분의 1의 사나이) 따위로 부르기도 함》. ***The ~ makes the man.*** 《속담》 옷이 날개. — *vi.* 양복점을 경영하다. — *vt.* (양복을) 짓다. **~ed**[-d] *a.* = TAILOR-MADE. **~·ing** *n.* Ⓤ 재봉업, 양복 기술.

táilor-máde *a.* 양복점에서 지은; (특히 여성복을) 남자 옷처럼 지은, 산뜻한; 꼭맞는.

táil·pìece *n.* Ⓒ 꼬리 조각; (책의) 장말(章末)·권말의 컷.

táil·spìn *n.* Ⓒ ① 〖空〗 (비행기의) 나선식 급강하. ② 낭패, 혼란, 공황; 의기 소침.

˙**taint**[teint] *vt., vi.* ① 더럽히다, 더러워지다, 오염시키다. ② 해독을 끼치다[받다], 썩(히)다. — *n.* ① Ⓤ,Ⓒ 더럼, 오명. ② Ⓤ (잠재한) 병독; 감염; 타락. ③ Ⓤ (또는 a ~) 기미(氣味)(*of*). **~·ed**[ˊid] *a.* 썩은; 더럽혀진.

†**take**[teik] *vt.* (***took; taken***) ① 취하다. ② 잡다; 붙잡다. ③ 받다. ④ 획득하다(gain, win). ⑤ 섭취하다, 먹다; 마시다. ⑥ (병이) 들다(~ *cold* 감기들다). ⑦ 타다(~ *a train, plane, taxi*). ⑧ 받아들이다; 감수하다, 따르다(submit to). ⑨ 필요로 하다(*It will ~ two days.*). ⑩ 고르다, 채용하다. ⑪ (병에) 걸리다; (생명을) 빼앗다. ⑫ 빼다, 감하다 (subtract). ⑬ 데리고 가다; (…으로) 통하다(lead); (여자 등을) 안내하다, 동반하다(escort). ⑭ 가지고 가다(carry)(~ *one's umbrella, lunch, &c.*). ⑮ (어떤 행동을) 취하다, 하다(~ *a walk, swim, trip*). ⑯ (사진을) 찍다, 촬영하다. ⑰ 느끼다(~ *pride, delight, &c.*). ⑱ 조사하다, 재다(~ *one's temperature* 체온을 재다). ⑲ 알다, 이해하다; 믿다; 생각하다. ⑳ 채용하다; 아내로 맞이하다. ㉑ 빌다(hire); 사다, (신문 따위를) 구독하다. ㉒ 받아 쓰다 (~ *dictation*). ㉓ (윤이) 잘 나다 (*Mahogany ~s a polish.* 마호가니 재목은 닦으면 윤이 난다). (색을) 흡수하다, (…에 잘) 물들다. ㉔ 끌다, (…의) 흥미를 끌다; (잘) 타고 넘다 (~ *a fence*), 뚫고 나아가다. ㉕ 〖文〗 (어미·격·변화형 악센트 따위를) 취하다(*'Ox' ~s '-en' in the plural.*). — *vi.* ① 취하다, (불)잡다. ② (장치가) 걸리다(catch); (톱니바퀴가) 맞물리다. ③ (물고기·새 등이) 걸리다, 잡히다. ④ 뿌리가 내리다. ⑤ (약이) 듣다, (우두가) 되다. ⑥ (극·책이) 호평을 받다. ⑦《口·方》 …으로 되다(become)(~ *ill* [*sick*] 병들다). ⑧ 《口》 (사진으로) 찍히다. ⑨ (색 따위가) 잘 묻다, 스며들다. ⑩ 제거하다, 줄이다. ⑪ 떼내어지다, 갈라지다(*It ~s apart easily.*). ⑫ 가다(*across, down, to*). **~ *after*** …을 닮다. **~ *away*** 제거하다; 식탁을 치우다. **~ *back*** 도로찾다; 취소하다. **~ *down*** 적어두다; (집을) 헐다; (머리를) 풀다; 《口》 속이다; 코를 납작하게 만들다. **~** (A) ***for*** (B), (A를 B)로 잘못 알다. **~ *from*** 감하다(*Her voice ~s from her charm.* 그 목소리로는 매력도 반감이다). **~ *in*** 받아들이다; 수용하다, 묵게 하다; (여성을 객실로부터 식당으로) 안내하다; (배가) 화물을 싣다; (영토 등을) 합병하다; 《주로 英》 (신문 따위를) 구독하다; 포괄하다; 고려에 넣다; (옷 따위를) 줄이다; (돛을) 접다; 이해하다; 믿다; 《口》 속이다. **~ *it easy*** 《보통 명령형》 마음을 편하게 가지다, 서두르지 않고 하다, 근심하지 않다. **~ *it hard*** 걱정하다, 슬퍼하다. **~ *it out on*** 《口》 (남에게) 마구 화풀이하다. **~ *off*** (*vt.*) 제거하다, 벗다; 떼다, 옮기다; 죽이다; 목자르다, 면직시키다; 감하다; 베끼다; 《口》 흉내내다, 흉내내며 놀

T

리다; (이하 *vi.*) 《口》 떠나다; 이륙〔이수〕하다. **~ on** (*vt.*) 인수하다, 떠맡다; …을 가장하다; 체하다; (형세를) 드러내다; (살이) 찌다; 고용하다; 동료로 끌어들이다; (이하 *vi.*) 《口》 흥분하다, 떠들어대다, 노하다. **~ out** 꺼내다, 끄집어내다, 없애다; 받다. **~ over** 이어받다, 떠맡다; 접수하다. **~ to** …이 좋아지다, …을 따르다; …을 돌보다; …의 버릇이 생기다, …에 몰두하다. **~ up** 집어들다; 주워 올리다; (손님을) 잡다; (제자로) 받다; 보호하다; 체포하다; 흡수하다; (시간·장소를) 차지하다; (마음·주의를) 끌다; 말을 가로막다; 비난하다; (일을) 시작하다, (이잣돈을) 빌리다; (중단된 이야기를) 계속하다; 빚을 모두 갚다; (거처를) 정하다; (옷을) 줄이다. **~ upon oneself** (책임 등을) 지다; 마음먹고 …하다. **~ up with** …에 흥미를 갖다; 《口》 …와 사귀(기 시작하)다; 《古》 …에 동의하다, 찬성하다. — *n.* Ⓒ 포획〔수확〕(물·고); (입장권) 매상고; 촬영.

táke·awày *a., n.* 《英》 =TAKEOUT.

táke-hòme (**pày**) (세금 등을 공제한) 실수령 급료.

táke-òff *n.* ① Ⓒ 《口》 (익살스러운) 흉내(mimicking). ② ⓊⒸ 〖空〗 이륙, 이수(離水).

táke·òut *a., n.* Ⓒ 《美》 집으로 사가는 (요리)(《英》 takeaway).

táke·òver *n.* ⓊⒸ 인계, 접수; 경영권 취득.

˙**tak·ing**[téikiŋ] *a.* ① 매력 있는. ② 《廢》 전염하는, 옮는. — *n.* ① Ⓤ 취득. ② Ⓒ (물고기 따위의) 포획고. ③ (*pl.*) 수입.

talc[tælk] *n., vt.* (**~ked, ~ed; ~(k)ing**) Ⓤ 곱돌(로 문지르다).

tal·cum[tǽlkəm] *n.* Ⓤ 활석(滑石), 곱돌(talc); = **∠ pòwder** (면도 후에 바르는) 화장 분말.

:**tale**[teil] *n.* Ⓒ 이야기; 고자질, 험담; 소문; 거짓말. **a ~ of a tub** 터무니 없는 이야기. **carry ~s** 소문을 퍼뜨리고 다니다. **tell its own ~** 자명하다. **tell ~s** (**out of school**) 고자질하다, 비밀을 퍼뜨리다.

:**tal·ent**[tǽlənt] *n.* ① Ⓒ 고대 그리스·헤브라이의 무게〔화폐〕 이름. ② Ⓤ 재능(*for*). ③ Ⓤ 《집합적》 재능 있는 사람들, 인재; Ⓒ 연예인. **~·ed** [-id] *a.* 재능 있는. **~·less** *a.*

tálent scòut (운동·실업·연예계의) 인재〔신인〕 발굴 담당자.

ta·les·man[téilzmən, -li:z-] *n.* Ⓒ 보결 배심원.

†**talk**[tɔ:k] *vi.* 말〔이야기〕하다; 의논하다(*~ over a matter* = *~ a matter over*); (종알종알) 지껄이다. — *vt.* 말〔이야기〕하다; 논하다; 이야기하여 …시키다(*into; out of*). **~ about** …에 대해 말하다. **~ at** …을 비꼬다. **~ away** (밤·여가를) 이야기하며 보내다; 노닥거리며 보내다. **~ back** 말대꾸하다. **~ down** 말로 지우다, 말로 꼼짝 못하게 만들다; 〖空〗 무전 유도하다. **~ freely of** …을 꺼리낌 없이 말하다. **~ing of** …으로 말하면, …말이 났으니 말이지. **~ out** 기탄없이 이야기하다, 끝까지 이야기하다. **~ over** 논하다, …의 상의를 하다; 설득하다. **~ round** (*vi.*) 장황하게 이야기하여 언제까지나 결말을 못내다; (*vt.*) 설득하다. **~ to** …에게 말을 걸다; 《口》 군소리하다, 꾸짖다. **~ to oneself** 혼잣말하다. **~ up** 큰 소리로 말하다, 똑똑히 말하다. — *n.* ① Ⓒ 이야기, 담화; 의논. ② Ⓤ 소문; 객담, 빈말; (the ~) 이야깃거리. ③ Ⓤ 언어, 방언. **make ~** 소문거리가 되다; 시간을 보내기 위해 그저 지껄이다. **∠·er** *n.*

˙**talk·a·tive**[∠ətiv] *a.* 말 많은.

:**talk·ie**[tɔ́:ki] *n.* Ⓒ 《口》 토키, 발성 영화.

tálking pòint 화제. 「리.

tálking-tò *n.* Ⓒ 《口》 꾸지람, 잔소

tálk shòw 《美》 (방송에서) 유명 인사 특별 출연 프로《토론회·인터뷰》.

†**tall**[tɔ:l] *a.* ① 키 큰, 높은(*a ~ man, tower, tree, &c.*). ② …높이의(*six feet* 〔*foot*〕 *~* 신장 6피트). ③ 《口》 (값이) 엄청난. ④ 《口》 과장된(*~ talk* 흰소리/*a ~ story* 과장된 이야기).

táll·bòy *n.* Ⓒ 《英》 다리가 높은 장롱(cf. highboy).

˙**tal·low**[tǽlou] *n., vt.* Ⓤ 수지(獸

T

脂)〔쇠기름〕(를 바르다); = ∠ **càn·dle** 수지 양초. **~·y** *a.*
tal·ly[tǽli] *n.* Ⓒ 〖史〗 (대차(貸借) 금액을 새긴) 부신(符信); 그 눈금; 짝의 한 쪽; 일치; 물표, 표, 패(tag); 계산, 득점. — *vt.* 부신(符信)에 새기다; 계산하다(*up*); 패를 달다; 대조하다. — *vi.* (꼭) 부합하다(*with*).
Tal·mud[tá:lmud, tǽl-/tǽl-] *n.* (the ~) 탈무드《유대 법전 및 전설집》.
tal·on[tǽlən] *n.* Ⓒ (맹금(猛禽)의) 발톱(claw); (*pl.*) 움켜쥐는 손.
tam·bou·rin[tǽmbərin] *n.* Ⓒ 탕부랭《남(南)프랑스의 무용(곡)》.
:**tame**[teim] *a.* ① 길든, 길들인; 순한. ② 무기력한. ③ 재미 없는, 따분한. — *vt., vi.* (길러) 길들(이)다; (*vt.*) 복종시키다, 누르다, 무기력하게 하다; (색을) 부드럽게 하다. **∠·less** *a.* 길들이기 힘든. **∠·ly** *ad.* **∠·ness** *n.*
tamp[tæmp] *vt.* (흙을) 밟아〔다져〕 단단하게 하다; (폭약을 잰 구멍을) 진흙(등)으로 틀어막다.
tam·per[tǽmpər] *vi.* 간섭하다(meddle); 만지작거리다, 장난하다(*with*); (원문을) 함부로 변경하다(*with*); 뇌물을 주다(*with*).
·**tan**[tæn] *vt.* (-**nn**-) (가죽을) 무두질하다; (피부를) 햇볕에 태우다; 《口》 매질하다(thrash). — *vi.* 햇볕에 타다. — *n., a.* Ⓤ 탠 껍질《무두질용의 나무 껍질》; 황갈색(의); Ⓒ 햇볕에 탄 빛깔(의); (*pl.*) 황갈색 옷〔구두〕.
tan, tan. tangent.
tan·dem[tǽndəm] *ad.* (한 줄로) 세로로 늘어서서. — *a., n.* Ⓒ 세로로 늘어세운 (말·마차); 2인승 자전거.
tang[tæŋ] *n.* (*sing.*) 싸한 맛; 톡 쏘는 냄새; 특성, 기미(氣味)(smack[1]); 슴베《칼·끌 등의》.
tan·gent[tǽndʒənt] *n., a.* Ⓒ 〖數〗 탄젠트; 〖幾〗 접하는, 접선(의). ***fly* 〔*go*〕 *off at a* ~** 갑자기 옆길로 벗어나다. 「의 일종.
tan·ge·rine[tæ̀ndʒərí:n] *n.* Ⓒ 귤
·**tan·gi·ble**[tǽndʒəbəl] *a.* 만져서 알 수 있는; 확실〔명백〕한. — *n.* (*pl.*) 〖法〗 유형(有形) 재산. **-bly** *ad.* **-bil·i·ty**[∸-bíləti] *n.*
·**tan·gle**[tǽŋgəl] *vt., vi.* 엉키(게 하)다; 얽히(게 하)다, 빠뜨리다, 빠지다. — *n.* Ⓒ 엉킴, 분규, 혼란. **tan·gled, -gly** *a.* 엉킨.
tan·go[tǽŋgou] *n.* Ⓒ 탱고; Ⓤ,Ⓒ 탱고 곡.
†**tank**[tæŋk] *n.* Ⓒ (물·가스 등의) 탱크, 통; 저수지; 〖軍〗 전차(戰車), 탱크. — *vt.* 탱크에 넣다〔저장하다〕. **~·age**[∠idʒ] *n.* Ⓤ 탱크 용량〔저장·사용량〕; (도살장의) 탱크 찌끼《비료》. **~ed**[-t] *a.* 탱크에 저장한; 《美口》 술취한. ˙**∠·er** *n.* Ⓒ 탱커, 유조선; 공중 급유기; 〖美軍〗 전차대원.
tank·ard[∠ərd] *n.* Ⓒ (뚜껑·손잡이 달린) 대형 맥주컵.
tan·ner[tǽnər] *n.* Ⓒ 무두장이. **~·y** *n.* Ⓒ 제혁소(製革所); 무두질 공장.
tan·nic[tǽnik] *a.* 〖化〗 탠(tan) 껍질에서 얻은; 타닌성의.
tan·nin[tǽnin] *n.* Ⓤ 〖化〗 타닌산.
tan·ta·lize[tǽntəlàiz] *vt.* 보여서 감질나게 하다, 주는 체하고 안 주다 (cf. Tantalus). **-li·za·tion**[∸-lizéiʃən/-lai-] *n.* **-liz·ing**(**·ly**) *a.* (*ad.*)
tan·ta·mount[tǽntəmàunt] *a.* (보통 *pred. a.*) 동등한, 같은(*to*).
tan·trum[tǽntrəm] *n.* Ⓒ 울화.
·**tap**[1][tæp] *vt., vi.* (-**pp**-) ① 가볍게 치다〔두드리다〕; 똑똑 두드리다. ② (*vt.*) (구두 바닥에) 가죽을 대다. — *n.* Ⓒ ① 가볍게 치기; 그 소리. ② 창갈이 가죽. ③ (*pl.*) 〖軍〗 소등(消燈) 나팔.
·**tap**[2] *n.* Ⓒ ① 꼭지, 통주둥이(faucet). ② 마개(plug). ③ 〖電〗 탭, 콘센트. ④ 술의 종류〔품질〕. ⑤ 《英》 술집. ***on* ~** (언제나 마실 수 있게) 꼭지가 달려; 언제든지 쓸 수 있게 준비되어. — *vt.* (-**pp**-) ① (통에) 꼭지를 달다, (통의) 꼭지로부터 술을 따르다(~ *a cask*). ② (…의) 꼭지를 따다. ③ (나무에) 진집을 내어 수액(樹液)을 받다. ④ 〖醫〗 째고 물(따위)을 빼다. ⑤ (전기 본선에서) 지선을 끌다; (본길에서) 샛길을 내다; (전화를) 도청하다.

táp dànce 탭댄스.

†**tape**[teip] *n.* ① Ⓤ,Ⓒ (납작한) 끈; 테이프. ② Ⓒ (천 또는 강철로 만든) 줄자. ③ Ⓒ 녹음 테이프, 스카치테이프 (따위). ***breast the*** ~ 가슴으로 테이프를 끊다, (경주에서) 1착이 되다. — *vt.* (…에) 납작한 끈을〔테이프를〕 달다, 납작한 끈으로〔테이프로〕 묶다〔매다·철하다〕; 테이프에 녹음하다; 《俗》 (인물을) 평가하다(size up).

tápe dèck 테이프 덱《앰프·스피커가 없는 테이프 리코더》.

tápe·lìne, tápe mèasure *n.* Ⓒ 줄자.

***ta·per**[téipər] *n.* Ⓒ 가는 초, 초먹인 심지; 《雅》 약한 빛; Ⓤ,Ⓒ 끝이 뾰족함〔뾰족한 모양〕. — *a.* 끝이 가는. — *vi., vt.* 점점 가늘어지다〔가늘게 하다〕, 점점 줄다(*away, off, down*). ~**·ing** *a.* 끝이 가는.

tápe-recòrd *vt.* (…을) 테이프에 녹음하다.

:**tápe recòrder** 테이프 리코더, 녹음기.

tápe recòrding 테이프 녹음.

***tap·es·try**[tǽpistri] *n., vt.* Ⓤ,Ⓒ 무늬 놓은 두꺼운 천(의 벽걸이)(으로 꾸미다). **-tried** *a.*

tápe·wòrm *n.* Ⓒ 촌충.

tap·i·o·ca[tæ̀pióukə] *n.* Ⓤ 타피오카《cassava 뿌리의 전분》.

ta·pir[téipər] *n.* Ⓒ 〖動〗 맥(貊)《라틴 아메리카》.

táp·ròot *n.* Ⓒ 〖植〗 직근(直根).

:**tar**[tɑːr] *n., vt.* (**-rr-**) Ⓤ (콜)타르(를 칠하다); Ⓒ 《口》 뱃사람. ~ ***and feather*** 뜨거운 타르를 온몸에 칠하고 나서 새털을 꽂다《린치》.

ta·ran·tu·la[tərǽntʃələ] *n.* Ⓒ 독거미의 일종.

***tar·dy**[tɑ́ːrdi] *a.* (걸음걸이 등이) 느린(slow); 더딘(*in*); 늦은(late). **tár·di·ly** *ad.* **tár·di·ness** *n.*

:**tar·get**[tɑ́ːrgit] *n.* Ⓒ 과녁, 목표; 목표액; 〖컴〗 대상. ***hit a*** ~ 과녁에 맞히다; 목표액에 달하다.

:**tar·iff**[tǽrif] *n.* Ⓒ ① 관세〔세율〕표. ② 관세(*on*). ③ 《英》 (여관 등의) 요금표; 《口》 운임(표). ④ 《口》 요금.

tar·mac [tɑ́ːrmæk] (< ***tar***+***mac****adam*) *n.* Ⓒ 《英》 타맥《포장용 아스팔트 응고제》; 타르머캐덤 도로〔활주로〕.

tarn[tɑːrn] *n.* Ⓒ (산 속의) 작은 호수, 늪.

tar·nish[tɑ́ːrniʃ] *vt., vi.* 흐리(게 하)다; (명예 따위) 손상시키다〔되다〕. — *n.* Ⓤ (a ~) (광물 따위의) 흐림, 녹; 더러움, 오점. ~**ed**[-t] *a.*

tar·pau·lin[tɑːrpɔ́ːlin] *n.* Ⓤ 방수포; Ⓒ 방수 외투〔모자〕.

tar·ry[1][tǽri] *vi.* 머무르다(stay)(*at, in*); 망설이다, 늦어지다, 기다리다. — *vt.* 《古》 기다리다.

tar·ry[2][tɑ́ːri] *a.* 타르(질(質))의; 타르를 칠한, 타르로 더럽혀진.

***tart**[1][tɑːrt] *a.* 시큼한, 짜릿한; 신랄한, 호된. **∠·ly** *ad.* **∠·ness** *n.*

tart[2] *n.* Ⓤ,Ⓒ 《英》 과일을 넣은 과자〔파이〕; Ⓒ 《英俗》 매춘부.

tar·tan[tɑ́ːrtn] *n.* Ⓒ (스코틀랜드의 고지 사람이 입는) 격자 무늬의 모직물(옷); Ⓒ 격자 무늬.

Tar·tar[tɑ́ːrtər] *n., a.* (the ~) 타타르사람(의, 같은); (t-) Ⓒ 난폭자(*a young* ~ 다루기 힘든 아이). ***catch a*** ~ 만만치 않은 상대를 만나다.

tar·tar[tɑ́ːrtər] *n.* Ⓤ 〖化〗 주석(酒石); 치석(齒石). ~**·ic**[-tǽrik] *a.* 주석의〔을 함유하는〕.

tár·tar(e) sàuce[tɑ́ːtər-] 마요네즈에 썬 오이나 올리브 등을 넣어 만든 소스.

:**task**[tæsk, -ɑː-] *n.* Ⓒ (의무적인) 일; 직무; 작업, 사업; 고된 일; 〖컴〗 태스크《컴퓨터로 처리되는 일의 단위》. ***call***〔***take***〕 (*a person*) ***to*** ~ 비난하다, 꾸짖다(*for*). — *vt.* (…에) 일을 과(課)하다; 혹사하다.

tásk fòrce 《美》 〖軍〗 기동 부대; 특수 임무 부대; 특별 전문 위원회; 프로젝트 팀.

tásk·màster *n.* Ⓒ 십장, 감독.

***tas·sel**[tǽsəl] *n., vt.* Ⓒ 술(장식)(을 달다); (옥수수의) 수염(을 뜯다); (책의) 서표〔갈피〕 끈. — *vi.* (《英》 **-ll-**) (옥수수 따위) 수염이 나다. ~**(l)ed** [-d] *a.*

†**taste**[teist] *vt.* (…의) 맛을 보다;

먹다, 마시다; 경험하다. — *vi.* (…의) 맛이 나다, 풍미〔기미〕가 있다(*of*). — *n.* ① Ⓤ (a ~) 맛, 풍미. ② Ⓤ (the ~) 미각. ③ (a ~) 경험. ④ Ⓒ 시식(試食); 한 입, 한 번 맛보기. ⑤ Ⓤ,Ⓒ 취미, 기호; Ⓤ 심미안(審美眼)(*for*). ⑥ Ⓤ 풍치. ***a bad ~ in the mouth*** 개운치 않은 뒷맛, 나쁜 인상. ***in good*** 〔***bad***〕 ***~*** 품위 있게〔없게〕. ***to the King's*** 〔***Queen's***〕 ***~*** 더할 나위 없이. **tást·er** *n.* Ⓒ 맛〔술맛〕을 감정하는 사람; 〖史〗 독이 있는지 없는지 맛보는 사람. **tást·y** *a.* 맛있는; 《口》 멋진.

táste bùd 미뢰(味蕾), 맛봉오리《혀의 미각 기관》.

taste·ful [ˊfəl] *a.* 풍류 있는; 품위 있는, 풍아(風雅)한. **~·ly** *ad.*

táste·less *a.* 맛 없는; 아취 없는, 품위 없는. **~·ly** *ad.*

ta-ta [tɑ́:tɑ́/tǽtɑ́:] *int.* 《주로 英》 《兒·俗》 안녕, 빠이빠이.

·**tat·ter** [tǽtər] *n.* Ⓒ 넝마; (보통 *pl.*) 누더기 옷. — *vt.* 너덜너덜 해뜨리다〔찢다〕. **~ed** [-d] *a.*

tat·tle [tǽtl] *n., vi., vt.* Ⓤ 객담〔헛공론〕(을 하다); 고자질(하다). **tát·tler** *n.*

tat·too[1] [tætú:/tə-, tæ-] *n.* (*pl.* **~s**), *vi.* Ⓒ 귀영(歸營) 나팔(을 불다), 귀영북(을 치다); 똑똑 두드리다〔두드리는 소리〕. ***beat the devil's ~*** 손가락으로 책상 등을 똑똑 두드리다《초조·기분이 언짢을 때》.

tat·too[2] *n.* (*pl.* **~s**), *vt.* Ⓒ 문신(文身)(을 넣다). 「싸구려의.

tat·ty [tǽti] *a.* 《英》 초라한, 넝마의;

†**taught** [tɔ:t] *v.* teach의 과거(분사).

taunt [tɔ:nt, -ɑ:-] *vt., n.* Ⓒ (보통 *pl.*) 욕설(을 퍼붓다); 조롱, 냉소; 《廢》 조롱거리; 욕하여 …시키다.

Tau·rus [tɔ́:rəs] *n.* 〖天〗 황소자리; 금우궁(金牛宮).

taut [tɔ:t] *a.* 〖海〗 팽팽하게 친(tight)(*a ~ rope*); (옷차림이) 단정한(tidy). 「하게 켕기다.

taut·en [tɔ́:tn] *vt., vi.* (…을) 팽팽

tau·tol·o·gy [tɔ:tɑ́lədʒi/-ɔ́-] *n.* Ⓤ,Ⓒ 뜻이 같은 말의 반복《보기: *surrounding circumstances*》. **tau·to·log·i·cal** (**·ly**) [ˋtəlɑ́dʒikəl(i)/-ɔ́-] *a.* (*ad.*)

·**tav·ern** [tǽvərn] *n.* Ⓒ 선술집, 여인숙(inn).

taw·dry [tɔ́:dri] *a., n.* Ⓒ 몹시 야한; 값싼 (물건).

·**taw·ny** [tɔ́:ni] *n., a.* Ⓤ 황갈색(의) 《사자의 빛깔》.

:**tax** [tæks] *n.* ① Ⓤ,Ⓒ 세금, 조세 (*on, upon*). ② Ⓤ (a ~) (무리한) 요구; 과로(strain[1]). — *vt.* ① (…에) 과세하다. ② 무거운 짐을 지우다, 혹사하다; 무리한 요구를 하다. ③ 청구하다. ④ 비난하다(accuse). ⑤ 〖法〗 (소송 비용 등을) 사정(査定)하다. **ˊ·a·ble** *a.* 과세의 대상이 되는.

:**tax·a·tion** [tækséiʃən] *n.* Ⓤ 과세; 세수(稅收).

táx evàsion 탈세.

táx-exémpt *a.* 면세의.

táx-frée *a.* = TAX-EXEMPT.

†**tax·i** [tǽksi] *n., vi., vt.* Ⓒ 택시(로 가다, 로 운반하다); (비행기가) 육상〔수상〕을 활주하다〔시키다〕.

tax·i·der·my [-dəːrmi] *n.* Ⓤ 박제(剝製)술. **-mist** *n.*

táxi stànd 택시 승차장.

táxi·wày *n.* Ⓒ 〖空〗 (비행장의) 유도로(誘導路).

tax·on·o·my [tæksɑ́nəmi/-ɔ́-] *n.* Ⓤ 분류(학).

·**táx·pàyer** *n.* Ⓒ 납세자.

táx retùrn 납세〔소득세〕 신고서.

tbsp tablespoon(ful).

†**tea** [ti:] *n.* ① Ⓤ 차《보통, 홍차》 (*make ~* 차를 끓이다). ② Ⓤ 《집합적》 차잎; Ⓒ 차나무. ③ Ⓤ (차 비슷한) 달인 물(*beef ~*). ④ Ⓤ,Ⓒ 《英》 티《5시경 홍차와 함께 드는 가벼운 식사》; Ⓤ 저녁 식사(supper) (ʻdinner'를 낮에 들었을 때의); Ⓤ 다과회. ***black*** 〔***green***〕 ***~*** 홍〔녹〕차. ***high*** 〔***meat***〕 ***~*** 고기 요리를 곁들인 오후의 차.

téa brèak 《英》 차 마시는 (휴게) 시간(cf. coffee break).

téa càddy 《英》 차통(筒).

téa càrt 〔**wàg**(**g**)**on**〕 다구(茶具) 운반대.

†**teach** [ti:tʃ] *vt.* (***taught***) 가르치다;

교수〔훈련〕하다. ── *vi.* 가르치다, 선생 노릇을 하다(*at*). ***I will ~ you to*** (*tell a lie, betray us, &c.*) (거짓말을, 배반을) 하면 용서 안할 테다. †**∠·er** *n.* Ⓒ 선생, (여)교사; (도덕적) 지도자; 사표(師表). **:∠·ing** *n.* Ⓤ 교수; 교의, 가르침.

téa còzy (차 끓이는 주전자의) 보온 커버.

téa·cùp *n.* Ⓒ 찻잔; 찻잔 한 잔(의 양).

teak[tiːk] *n.* Ⓒ 〖植〗 티크; Ⓤ 티크재(材)《가구재·조선재(造船材)》.

teal[tiːl] *n.* Ⓒ 〖鳥〗 상오리.

téa lèaf 차잎; 엽차; (*pl.*) 차찌끼.

†**team**[tiːm] *n.* Ⓒ 《집합적》 ① 팀. ② (수레에 맨) 한 떼의 짐승《소·말 등》. ── *vi.* 한 떼의 짐승을 몰다; 팀이 되다. ── *vt.* 한 수레에 매다; 한데 맨 짐승으로 나르다.

téam·màte *n.* Ⓒ 팀의 일원.

téam spírit 단체〔공동〕 정신.

team·ster[tìːmstər] *n.* Ⓒ 한무리의 말·소를 부리는 사람; 트럭 운전기사; 두목, 왕초.

téam·wòrk *n.* Ⓤ 협동 (작업).

téa pàrty 다과회(茶菓會).

téa·pòt *n.* Ⓒ 찻주전자.

†**tear**[1][tiər] *n.* Ⓒ 눈물; (*pl.*) 비애. ***in ~s*** 울며. ˙**∠·ful** *a.* 눈물어린; 슬픈. **∠·ful·ly** *ad.* **∠·less** *a.*

:**tear**[2][tɛər] *vt., vi.* (***tore; torn***) ① 찢(어 지)다, 잡아뜯다, 할퀴다, 쥐어뜯다(~ *one's hair*). ② 분열시키다〔하다〕. ③ (*vt.*) 괴롭히다. ④ (*vi.*) 돌진하다, 미친듯이 날뛰다(*about, along*). ~ ***away*** 잡아째다〔떼다〕; 질주하다. ~ ***down*** 당겨 벗기다, 부수다. ~ ***round*** 법석떨(며 돌아다니)다. ~ ***up*** 잡아찢다〔뽑다〕; 근절시키다. ── *n.* Ⓒ 째진〔뜯어진, 찢어진〕 곳; 돌진, 날뛰기, 격노; 《俗》 야단법석. ~ ***and wear*** 소모(消耗). **∠·ing** *a.* 격렬한; 잡아 째는.

téar·awày[tɛ́ər-] *n.* Ⓒ 난폭한 사람〔동물〕; 불량배.

téar·dròp[tíər-] *n.* Ⓒ 눈물방울.

téar-gàs[tíər-] *vt.* (***-ss-***) (폭도 등에) 최루가스를 사용하다〔쏘다〕.

téar-jèrker[tíər-] *n.* Ⓒ 《口》 눈물을 짜게 하는 영화〔노래·이야기〕.

téa·ròom *n.* Ⓒ 다방.

:**tease**[tiːz] *vt.* 괴롭히다; 놀려대다; 조르다. ── *n.* Ⓒ 괴롭히는 사람, 괴롭히기; 놀려대는 사람, 놀려대기; 조르는 사람, 조르기; tease 당하기.

téas·er *n.*

tea·sel[tíːzəl] *n.* Ⓒ 〖植〗 산토끼꽃; 산토끼꽃의 구과(毬果)《모직의 보풀 세우는 데 씀》; 보풀세우는 기구. ── *vt.* (《英》 ***-ll-***) 티즐〔보풀 세우는 기구〕로 보풀을 세우다.

téa sèrvice 〔**sèt**〕 찻그릇 한 세트, 티세트.

:**téa·spòon** *n.* Ⓒ 찻숟가락; =⇩.

téa·spoonfùl *n.* (*pl.* ***~s, -tea-spoonsful***) Ⓒ 찻숟가락 하나의 양.

teat[tiːt] *n.* Ⓒ 젖꼭지(nipple).

Tec(**h**)[tek] *n.* Ⓒ 《口》 공예 학교, 공업〔공과〕 대학〔학교〕.

:**tech·ni·cal**[téknikəl] *a.* ① 공업의, 공예의. ② 전문의; 기술(상)의; 학술의. **~·ly** *ad.*

tech·ni·cal·i·ty[tèknəkǽləti] *n.* Ⓤ 전문〔학술〕적임; Ⓒ 학술〔전문〕 사항; 전문어.

˙**tech·ni·cian**[tekníʃən] *n.* Ⓒ 기술자; 전문가.

Tech·ni·col·or [téknikʌ̀lər] *n.* Ⓒ 〖商標〗 (미국의) 테크니컬러식 천연색 촬영법(에 의한 천연색 영화).

:**tech·nique**[tekníːk] *n.* Ⓒ (예술상의) 기법, 기교.

tech·no-[téknou, -nə] '기술·응용'「등의 결합사.

tech·noc·ra·cy[teknákrəsi/-ɔ́-] *n.* Ⓤ,Ⓒ 기술자 정치, 기술 중심주의 《1932년경 미국서 제창》. **tech·no·crat**[téknəkræ̀t] *n.*

tech·no·log·i·cal[tèknəládʒikəl/-ɔ́-] *a.* 공예의; 공예학의. **-gist** *n.*

˙**tech·nol·o·gy**[teknálədʒi/-ɔ́-] *n.* Ⓤ,Ⓒ 과학〔공업〕 기술; Ⓤ 공예(학); Ⓤ 전문어.

téd·dy bèar[tédi-] (특히 봉제품의) 장난감 곰.

Téddy bòy 《口》 (1950년대의 영국의) 반항적 청소년.

:**te·di·ous**[tíːdiəs, -dʒəs] *a.* 지루한, 장황한. **~·ly** *ad.*

te·di·um[tíːdiəm] *n.* Ⓤ 권태.

tee[tiː] *n., vt., vi.* Ⓒ ① 〖골프〗 공자리(위에 놓다《공을》); (QUOITS 따

T

위의) 목표; 정확한 점. ② T자형의 물건. ~ **off** (공을) 공자리에서 치기 시작하다; (제안 따위를) 개시하다. **to a ~,** or **to a T-** 정연히.

·**teem**[ti:m] *vi.* 충만하다, 많이 있다(abound)(*with*). ∠·**ing** *a.*

téen-àge *a.* 10대의. **-àger** *n.* Ⓒ 10대의 소년〔소녀〕.

·**teens**[ti:nz] *n. pl.* 10대(*a girl in her* ~, 10대의 소녀). **high** 〔**middle, low**〕 ~ 18-19〔15-16(또는 16-17), 13-14〕세.

tee·ny·bop·per[tí:nibɑ̀pər/-bɔ̀-] *n.* Ⓒ 10대의 소녀; 히피의 흉내를 내거나 일시적 유행을 좇는 10대.

tee·ter[tí:tər] *n.* 《주로 美》 *vi., vt.,* Ⓒ 시소(seesaw); 전후〔상하〕로 흔들어 움직이다.

†**teeth**[ti:θ] *n.* tooth의 복수.

teethe[ti:ð] *vi.* 이〔젖니〕가 나다.

téeth·ing *n.* Ⓤ 젖니의 발생.

tee·to·tal[ti:tóutl] *a.* 절대 금주의; 《口》 절대적인, 완전한. **~·er,** 《英》 **~·ler** *n.* Ⓒ 절대 금주가.

Tef·lon[téflɑn/-lɔn] *n.* Ⓤ 〖商標〗 테플론《열에 강한 수지》.

tel. telephone.

tel·e-[télə], **tel-**[tel] '원거리의, 전신, 전송, 텔레비전' 의 뜻의 결합사.

tèle·communicátion *n.* Ⓤ (보통 *pl.*)《단수 취급》〖컴〗 원격〔전자〕 통신.

:**tel·e·gram**[téləgræ̀m] *n.* Ⓒ 전보.

:**tel·e·graph**[téləgræ̀f, -grɑ̀:f] *n., vt., vi.* Ⓤ,Ⓒ 전신(기); 타전하다; 〖컴〗 전신. **-gra·ph·ic**[tèləgræ̀fik] *a.*

·**te·leg·ra·phy**[təlégrəfi] *n.* Ⓤ 전신(술). **-pher** *n.* Ⓒ 전신 기수.

tel·e·ol·o·gy[tèliɑ́lədʒi/-ɔ́-] *n.* Ⓤ 〖哲〗 목적론. **-o·log·i·cal**[-əlɑ́dʒikəl/-ɔ́-] *a.* **-gist** *n.*

te·lep·a·thy[təlépəθi] *n.* Ⓤ 텔레파시, 정신 감응; 이심전심(以心傳心) 현상. **tel·e·path·ic**[tèləpǽθik] *a.* **-thist** *n.* Ⓒ 정신 감응(가능)론자.

†**tel·e·phone**[téləfòun] *n.* Ⓤ (종종 the ~) 전화; Ⓒ 전화기. **by ~** 전화로. **~ booth** 공중 전화 박스. **~ directory** 전화 번호부. **~ exchange** (**office**) 전화 교환국.

— *vt., vi.* (…와) 전화로 이야기하다; (…에게) 전화를 걸다(*to*), 전화로 불러내다.

te·leph·o·ny[təléfəni] *n.* Ⓤ 전화 통화법; 전화 통신. **tel·e·phon·ic** [tèləfɑ́nik/-ɔ́-] *a.*

tel·e·pho·to[téləfòutou] *n., a.* Ⓒ 망원 사진(의). **~ lens** 망원 렌즈.

tèle·phótograph *n., vt.* Ⓒ 망원 사진(을 찍다); 전송 사진(을 보내다). **-photográphic** *a.* **-photógraphy** *n.* Ⓤ 망원〔전송〕 사진술.

téle·prìnter *n.* 《주로 英》 = TELETYPEWRITER.

Tel·e·Promp·Ter[-prɑ̀mptər/-ɔ̀-] *n.* Ⓒ 〖商標〗 텔레프롬프터《글씨가 테이프처럼 움직여 연기자에 대사 등을 일러주는 장치》.

:**tel·e·scope**[téləskòup] *n., vi., vt.* Ⓒ 망원경; (충돌하여) 박(히)다; 짧아지다, 짧게 하다.

tel·e·scop·ic[tèləskɑ́pik/-ɔ́-] *a.* 망원경의; 망원경으로 본〔볼 수 있는〕; 멀리 볼 수 있는; 뽑았다끼웠다 할 수 있는, 신축 자재의.

tel·e·text[télətèkst] *n.* Ⓤ 문자 다중(多重) 방송; 〖컴〗 텔레 텍스트.

tel·e·thon[téləθɑ̀n/-θɔ̀n] *n.* Ⓒ (자선 등을 위한) 장시간 텔레비전 프로그램.

tèle·týpewriter *n.* Ⓒ 텔레타이프, 전신 타자기.

tel·e·vise[-vàiz] *vt.* 텔레비전으로 보내다〔보다〕.

†**tel·e·vi·sion**[téləvìʒən] *n.* Ⓤ 텔레비전; Ⓒ 텔레비전 수상기.

tel·ex[téleks] *n.* Ⓤ 텔렉스《국제 텔레타이프 자동 교환기》.

†**tell**[tel] *vt., vi.* (**told**) ① 말하다, 이야기하다, 언급하다. ② 고하다; 누설하다. ③ 명하다. ④ 알다(*Who can ~?* 《反語》 누가 알 수 있겠는가). ⑤ (*vt.*) 분간하다(*~ silk from nylon* 비단과 나일론을 분간하다). ⑥ (*vt.*) 세다(*~ one's beads* 염주를 세다). ⑦ (이하 *vi.*) 고자질하다 (*on, of*). ⑧ (약·말·타격이) 효력〔반응〕이 있다(take effects) (*on, upon*); 명중하다. **all told** 전부 다 해서. **I** (**can**) **~ you,** or **Let me ~ you.** 확실히, …이다《확신의 표현》. **Don't**

T

~ **me...** 설마 …은 아니겠지. ***I'll* ~ *you what*** 할 이야기가 있다. ~ ***apart*** 식별하다. ~ ***off*** 세어서 갈라놓다; (대(隊)를) 분견하다, 일을 할당하다; …에 번호를 붙이다; (결점을 들어서) 몹시 나무라다. ~ ***on*** (*him*) (그의 일을) 고자질하다. ~ ***the world*** 단정[공언]하다. ***You're ~ing me!*** 《俗》 알고 있네! ***~·er** n.* Ⓒ 이야기하는 사람; 금전 출납원; 투표 계표원. **~·ing** *a.* 잘 듣는, 효과적인.

téll·tàle *n., a.* Ⓒ 고자질쟁이, 수다쟁이; (감정·비밀 등의) 표시, 증거; 자연히 나타나는, 숨길 수 없는.

tel·ly[téli] *n.* Ⓒ 《英口》 텔레비전.

te·mer·i·ty[təmérəti] *n.* Ⓤ 만용, 무모.

:tem·per[témpər] *n.* ① Ⓤ (여러 가지 재료의) 알맞은 조합(調合) 정도, 적당한 정도. ② Ⓤ (마음의) 침착, 평정. ③ Ⓤ (강철의) 되불림, (회반죽의) 굳기. ④ Ⓒ 기질. ⑤ U,C 기분; 화. ***hot*** ~ 발끈거리는 성미. ***in a good*** [***bad***] ~ 기분이 좋아서[나빠서]. ***in a*** ~, or ***out of*** ~ 화가 나서. ***lose one's*** ~ 화내다. ***show*** ~ 화내다. — *vt.* 누이다; 달래다, 경감하다; (악기·목소리의 높이를) 조절하다; (강철 따위를) 되불리다; 단련하다; (진흙을) 반죽하다. — *vi.* 부드러워지다; (강철이) 불리어지다.

tem·per·a[témpərə] *n.* Ⓤ 템페라화(법).

˙tem·per·a·ment [témpərəmənt] *n.* U,C ① 기질, 성미, 체질; 격정. ②〖樂〗 (12) 평균율(법). **-men·tal** [ˌ--méntl] *a.* 기질(상)의; 성미가 까다로운; 변덕스러운; 신경질의.

˙tem·per·ance[témpərəns] *n.* Ⓤ 절제, 삼감; 절주; 금주.

:tem·per·ate[témpərit] *a.* 절제하는, 삼가는; 온건한; 절[금]주의; (기후·계절이) 온난한.

:tem·per·a·ture[témpərətʃər] *n.* U,C 온도; 체온. ***run a*** ~ 열이 있다, 열을 내다; 《俗》 흥분하다. ***take one's*** ~ 체온을 재다.

:tem·pest[témpist] *a.* 사나운 비바람, 폭풍우[설]; 대소동.

tem·pes·tu·ous[tempéstʃuəs] *a.* 사나운 비바람의; 폭풍(우) 같은; 격렬한. **~·ly** *ad.*

tem·plate, -plet[témplit] *n.* Ⓒ (수지 등의) 형판, 본뜨는 자; 〖컴〗 순서도용 자, 템플릿.

:tem·ple[1][témpəl] *n.* Ⓒ 성당, 신전(神殿); 절; (T-) (Jerusalem의) 성전; (기독교의 어떤 종파의) 교회당.

˙tem·ple[2] *n.* Ⓒ (보통 *pl.*) 관자놀이.

tem·po[témpou] *n.* (It.) Ⓒ 〖樂〗 속도; 박자, 템포.

˙tem·po·ral[témpərəl] *a.* ① 현세[뜬 세상]의; 세속의. ② 때의, 시간의. ③ 순간적인. ***lords*** ~, or ~ ***peers*** 《英》 (성직자 아닌) 상원 의원 (cf. LORD spiritual).

:tem·po·rar·y[témpərèri/-rə-] *a.* 일시의, 잠시의, 임시의; 덧없는. **˙-rar·i·ly** *ad.*

tem·po·rize[témpəràiz] *vi.* 형세에 따르다, 기회주의적 태도를 취하다; 타협하다; (시간을 벌기 위해) 꾸물거리다. **-ri·za·tion** [ˌ--rizéiʃən/-rai-] *n.*

:tempt[tempt] *vt.* ① 유혹하다. ② (식욕을) 당기게 하다; 꾀다(*to* do). ③ 성나게 하다. ④ 무릅쓰다(~ *a storm* 폭풍우를 무릅쓰고 가다). ⑤ 《古》 시도하다(attempt). ~ ***providence*** 모험하다. **~·er** *n.* Ⓒ 유혹자; (T-) 악마. **~·ing** *a.* 유혹적인, 마음을 끄는; 맛있어 보이는.

:temp·ta·tion[temptéiʃən] *n.* Ⓤ 유혹; Ⓒ 유혹물.

tempt·ress[témptris] *n.* Ⓒ 유혹하는 여자.

†ten[ten] *n., a.* U,C 10(의); Ⓒ 열개[사람](의). ~ ***to one*** 십중 팔구(까지). ***the best*** ~, 10걸(傑), 베스트 텐. ***the T- Commandments.*** ***the upper*** ~ 귀족, 상류 사회(＜the upper ten thousand).

ten·a·ble[ténəbəl] *a.* (성·진지 등) 지킬 수 있는; (학설 등) 조리에 닿는. **-bly** *ad.*

te·na·cious[tinéiʃəs] *a.* 고집하는, 완고한; (기억력이) 강한; 끈기 있는 (sticky). **~·ly** *ad.* **te·nac·i·ty** [-nǽsəti] *n.* Ⓤ 고집; 완강, 끈질

T

김; 강한 기억력; 끈기.

ten·an·cy[ténənsi] *n.* Ⓤ (땅·집의) 임차(賃借); Ⓒ 그 기간.

:**ten·ant**[ténənt] *n.* Ⓒ 차지인(借地人), 차가인(借家人), 소작인; 거주자. ─ *vt.* 빌다, 임차하다; (…에) 살다. **~·ry** *n.* 《집합적》 차지인, 차가인, 소작인(들).

:**tend**[1][tend] *vt.* 지키다(watch over); 돌보다, 간호하다. ─ *vi.* 시중들다(*on, upon*); 주의하다(*to*). **∠·ance** *n.* Ⓤ 시중; 간호.

:**tend**[2] *vi.* 향하다, 기울다(*to*); 경향이 있다, …하기 쉽다(be apt)(*to do*); 도움이 되다(*to*).

ten·den·cious, -tious[tendénʃəs] *a.* 경향적인, 목적이 있는, 선전적인.

:**ten·den·cy**[téndənsi] *n.* Ⓒ 경향(*to, toward*); 버릇; (이야기의) 취지.

ten·der[1][téndər] *n.* Ⓒ 감시인; 돌보는 사람, 간호인; 부속선(附屬船); (기관차의) 탄수차(炭水車).

:**ten·der**[2] *vt.* 제출[제공·제의]하다; (감사 등을) 말하다; 《美》 (접견 등을) 허용하다. ─ *vi.* 입찰하다(*for*). ─ *n.* Ⓒ 제공(물), 신청; 입찰; 법화(法貨) (legal tender).

:**ten·der**[3] *a.* ① (살·피부·색·빛 따위가) 부드러운. ② 허약한, 무른; 부서지기[상하기] 쉬운. ③ 민감한. ④ 상냥한, 친절한. ⑤ 젊은(*of ~ age* 나이 어린), 연약한. ⑥ 미묘한; 다루기 까다로운(*a ~ problem*). ⑦ (…을) 조심[걱정]하는(*of, for*). **~·ly** *ad.* 상냥하게, 친절히; 유약하게; 두려워하며. **~·ness** *n.*

ténder·héarted *a.* 상냥한, 인정 많은.

ténder·lòin *n.* Ⓤ,Ⓒ (소·돼지의) 연한 등심; (T-) (뉴욕에 있던 악덕으로 이름난) 환락가; 부패한 거리.

ten·don[téndən] *n.* Ⓒ 〖解〗 건(腱).

ten·dril[téndril] *n.* Ⓒ 〖植〗 덩굴손.

˙**ten·e·ment**[ténəmənt] *n.* Ⓒ 보유물, 차지(借地), 차가(借家); 가옥.

ténement hóuse 싸구려 아파트; 연립 주택.

ten·et[ténət, tíː-] *n.* Ⓒ 신조; 주의; 교의.

tén·fòld *a., ad.* 10 배의[로], 열 겹의[으로].

ten·ner[ténər] *n.* Ⓒ 《英口》 10파운드 지폐; 《美口》 10달러 지폐.

†**ten·nis**[ténis] *n.* Ⓤ 테니스.

ténnis cóurt 테니스 코트.

ténnis élbow 테니스 등이 원인으로 생기는 팔꿈치의 관절염.

ten·on[ténən] *n., vt.* Ⓒ 〖木工〗 장부(를 만들다); 장부이음하다.

˙**ten·or**[ténər] *n.* ① (the ~) 진로; 취지, 대의. ② Ⓤ 〖樂〗 테너; Ⓒ 테너 가수.

˙**tense**[1][tens] *a.* 팽팽한; 긴장한. ─ *vt.* 팽팽하게 하다; 긴장시키다. **∠·ly** *ad.* **∠·ness** *n.*

:**tense**[2] *n.* Ⓤ,Ⓒ 〖文〗 시제(時制).

ten·sile[ténsəl/-sail] *a.* 장력(張力)의; 잡아늘일 수 있는(ductile). **~ *strength*** (항)장력((抗)張力).

ten·sil·i·ty[tensíləti] *n.*

˙**ten·sion**[ténʃən] *n.* ① Ⓤ,Ⓒ 팽팽함, 긴장; (정신·국제 관계의) 긴장. ② Ⓤ 〖理〗 장력(*surface ~* 표면 장력); 팽창력, (기체의) 압력; 〖電〗 전압. ─ *vt.* 긴장시키다.

†**tent**[tent] *n., vt., vi.* Ⓒ 텐트(에서 자다), 천막으로 덮다; 주거. ***pitch*** [***strike***] ***a ~*** 텐트를 치다[걷다].

ten·ta·cle[téntəkəl] *n.* Ⓒ 〖動〗 촉각, 촉수; 〖植〗 촉모(觸毛). **~d**[-d] *a.* 촉각[촉모] 있는.

˙**ten·ta·tive**[téntətiv] *a.* 시험적인, 시험삼아 하는.

ten·ter·hook[téntərhùk] *n.* Ⓒ 재양틀의 갈고리. ***be on ~s*** 조바심하다.

†**tenth**[tenθ] *n., a.* ① Ⓤ (the ~) 제 10(의), 10째(의). ② Ⓒ 10분의 1(의). ③ Ⓤ (the ~) (달의) 10일. **∠·ly** *ad.* 열번째로[에].

ten·u·ous[ténjuəs] *a.* 가는, 얇은; 희박한; 미미한.

ten·ure[ténjuər] *n.* Ⓤ,Ⓒ (재산·지위 등의) 보유; 그 기간·조건. ***~ of life*** 수명. **ten·úr·i·al** *a.*

te·pee[tíːpiː] *n.* Ⓒ (아메리카 토인의) 천막집.

tep·id[tépid] *a.* 미지근한, 미온의(lukewarm). **~·ly** *ad.* **~·ness** *n.* **te·píd·i·ty** *n.*

ter·cen·te·nary [tə:rsénténəri, ‒‒ténəri/tə:sentí:nəri] *n., a.* Ⓒ 300년(의); 300년제(祭)(의).

:**term** [tə:rm] *n.* 《원래의 뜻: 한계, 한정; (cf. terminus)》 ① Ⓒ 기한, 기간; 학기. ② Ⓒ (법원의) 개정기(開廷期); (지불의) 기일. ③ (*pl.*) (한정하는) 조건, 조항; (계약·지불·값 따위의) 약정. ④ (*pl.*) 요구액, 값. ⑤ (*pl.*) 친교 관계. ⑥ Ⓒ (한정된) 개념, 말, 용어(*a technical* ~ 학술어). ⑦ (*pl.*) 말투. ⑧ Ⓒ 〖論〗 명사; 〖數〗 항(項). ***bring a person to ~s*** 항복시키다. ***come to ~s*** 절충이 되다, 타협하다. ***in ~s of*** …에 의해서; …의 점에서(보면). ***make ~s with*** …와 타협하다. ***not on any ~s*** 결코 …아니다. ***on good*** 〔***bad***〕 ***~s*** 사이가 좋아서〔나빠서〕 (*with*). ***on speaking ~s*** 말을 건넬 정도의 사이인(*with*). ― *vt.* 이름짓다, 부르다.

˙**ter·mi·nal** [tə́:rmənəl] *a.* ① 끝의, 마지막의; 종점의(*a* ~ ***station*** 종착역). ② 정기(定期)의; 학기의. ― *n.* Ⓒ ① 말단; 《美》 종착역(《英》 terminus). ② 〖電〗 단자(端子). ③ 학기말 시험. ④ 〖컴〗 단말(端末)기, 터미널《데이터 입출력 장치》. **~·ly** *ad.* 기(期)〔학기〕마다, 정기로.

˙**ter·mi·nate** [tə́:rmənèit] *vi., vt.* ① 끝나다, 끝내다; (*vi.*) 다하다. ② (*vt.*) 한정하다, (…의) 한계를 이루다. ˙**-na·tion** [∸‒∠ʃən] *n.* Ⓤ,Ⓒ 종결; 만기; 말단; 한계; Ⓒ 〖文〗 (굴절) 어미.

ter·mi·nol·o·gy [tə̀:rmənɑ́lədʒi/-mənɔ́l-] *n.* Ⓤ 술어, 용어; Ⓤ,Ⓒ 용어법. **-no·log·i·cal** [∸‒nəlɑ́dʒikəl/-ɔ́-] *a.*

˙**ter·mi·nus** [tə́:rmənəs] *n.* (*pl.* ***-ni*** [-nài], ***~es***) Ⓒ ① 종점; 《英》 종착역 (cf. 《美》 terminal). ② 한계; 경계(표).

ter·mite [tə́:rmait] *n.* Ⓒ 흰개미.

tern [tə:rn] *n.* Ⓒ 〖鳥〗 제비갈매기.

:**ter·race** [térəs] *n.* Ⓒ ① 대지(臺地), 높은 지대(에 늘어선 집들); (뜰 따위의) 단(段). ③ (집에 이어진) 테라스. ③ 납작한 지붕. ― *vt.* 대지〔단, 테라스〕로 하다. **~d** [-t] *a.* 테라스로 된, 테라스가 있는; 계단식의.

ter·ra-cot·ta [térəkɑ́tə/-kɔ́-] *n., a.* Ⓤ 붉은 질그릇《꽃병·기와·상(像) 따위》; 적갈색(의).

ter·ra fir·ma [térə fə́:rmə] (L.) 육지; 견고한 지위.

ter·rain [təréin] *n.* Ⓤ,Ⓒ 지대, 지세; 〖軍〗 지형.

ter·ra·pin [térəpin] *n.* Ⓒ (북아메리카산) 식용거북.

˙**ter·res·tri·al** [tiréstriəl] *a., n.* 지구의; 육지의; 육상의, 육지에 사는; 지상의; 속세의(worldly); Ⓒ 지상에 사는 것, 인간.

†**ter·ri·ble** [térəbəl] *a.* 무서운; 《口》 극히 서투른. ― *ad.* 《口》 몹시. **:-bly** *ad.*

˙**ter·ri·er** [tériər] *n.* Ⓒ 테리어《몸집이 작은 개》.

˙**ter·rif·ic** [tərífik] *a.* 무서운; 《口》 대단한, 굉장한.

:**ter·ri·fy** [térəfài] *vi.* 겁나게〔놀라게〕 하다.

˙**ter·ri·to·ri·al** [tèrətɔ́:riəl] *a.* 영토의, 토지의; 지역적인; (T-) 《美》 준주(準州)의. ~ ***waters*** 영해. ~ ***principle*** 〖法〗 속지(屬地)주의. ― *n.* Ⓒ (T-) 《英》 국방(의용)군 병사.

:**ter·ri·to·ry** [térətɔ̀:ri/-təri] *n.* ① Ⓤ,Ⓒ 영토, 판도(版圖). ② Ⓤ,Ⓒ (과학 따위의) 분야; 지역, 지방; (행상인의) 담당 구역. ③ Ⓒ (T-) 〖美史〗 준주(準州).

:**ter·ror** [térər] *n.* ① Ⓤ 공포, 무서움(*in* ~ 무서워서). ② Ⓒ 무서운 사람〔것〕. ③ Ⓒ 《口》 성가신 녀석. ***the king of ~s*** 죽음. ***the Reign of T-*** 공포 시대《프랑스 혁명 중 1793년 5월부터 이듬해 7월까지》. **~·is·tic** [∸‒ístik] *a.* **~·ize** [-àiz] *vt.* 무서워하게 하다; 공포 정치로 누르다.

térror-strìcken, -strùck *a.* 겁〔공포〕에 질린.

terse [tə:rs] *a.* (문체가) 간결한 (succinct). **∠·ly** *ad.* **∠·ness** *n.*

ter·ti·ar·y [tə́:rʃièri, -ʃə-] *a., n.* 제 3 (위)의; (T-) 〖地〗 제 3 기(紀)〔계(系)〕(의).

Ter·y·lene [térəlì:n] *n.* Ⓤ 〖商標〗 테릴렌《폴리에스터 섬유》.

T

TESL[tesl] teaching English as a second language 제 2 외국어로서의 영어 교육.

tes·sel·late[tésəlèit] *vt.* 조각맞춤 세공을 하다, 모자이크로 하다. ― [-lit] *a.* 모자이크로 한. **-lat·ed** [-id] *a.* **-la·tion**[≃–léiʃən] *n.*

†**test**[test] *n.* Ⓒ ① 테스트, 검사, 시험(***put to the*** ~ 시험하다). ② 시험물; 시약(試藥); 시금석. ③ 『컴』 시험, 테스트. ***stand the*** ~ 합격하다, 시험에 견디다. ― *vt.* 검사〔시험〕하다. **∠·a·ble** *a.* **∠·er** *n.*

·**tes·ta·ment**[téstəmənt] *n.* 『聖』 성약(聖約)(서); Ⓒ 『法』 유언(서); (T-) 신약성서. ***the New*** 〔***Old***〕 ***T-*** 신〔구〕약 성서.

tést càse 테스트 케이스, 첫 시도; 『法』 시소(試訴).

tést-drìve *vt.* (***-drove; -driven***) (자동차에) 시승하다.

tes·ti·cle[téstikəl] *n.* Ⓒ (보통 *pl.*) 『解·動』 고환(睾丸).

:**tes·ti·fy**[téstəfài] *vi., vt.* 증명〔입증〕하다. (*vi.*) 증인이 되다(*to*); (*vt.*) 확언하다. ~ ***one's regret*** 유감의 뜻을 표하다.

tes·ti·mo·ni·al[tèstəmóuniəl] *n.* Ⓒ 증명서; 표창장; 기념품; 사례.

:**tes·ti·mo·ny**[téstəmòuni/-məni] *n.* Ⓤ ① 증거; 증명, 증언. ② 신앙 성명. ③ 《古》 항의(***against***). ④ (*pl.*) 신의 가르침, 성서; 십계.

tes·tis[téstis] *n.* (*pl.* ***-tes***[-tiːz]) = TESTICLE.

tes·tos·ter·one[testástəròun/-ɔ́-] *n.* Ⓤ 테스토스테론《남성 호르몬》.

tést pìlot (신조기(新造機)의) 시험 조종사.

tést rùn 시운전, 『컴』 모의 실행.

tést tùbe 시험관.

tést-tube bàby 시험관 아기.

tes·ty[tésti] *a.* 성미 급한. **-ti·ly** *ad.* **-ti·ness** *n.*

tet·a·nus[tétənəs] *n.* Ⓤ 『病』 파상풍(cf. lockjaw).

tetch·y[tétʃi] *a.* 성미 까다로운.

tête-à-tête [téitətéit, tétətét] *ad., a., n.* (F.) 단 둘이서〔의〕; 마주보고, 마주 앉은; Ⓒ 비밀 이야기, 밀담; 마주 앉은 두 사람; 2인용 의자.

teth·er[téðər] *n., vt.* Ⓒ (소·말의) 매는 사슬〔밧줄〕(로 매다); 한계, 범위. ***at the end of one's*** ~ 갖은 수가 다하여, 궁지에 빠져.

tet·ra-[tétrə] '넷'의 뜻의 결합사.

Teu·ton [tjúːtən] *n.* Ⓒ 튜턴 사람《영국·독일·네덜란드·스칸디나비아 사람 등》; 독일 사람(German). **~·ic** [tjuːtán-/-ɔ́-] *a.* 튜턴〔게르만〕 사람〔족·말〕의. **~·ism**[tjúːtənìzəm] *n.* Ⓤ 튜턴〔독일〕어법〔문화〕.

:**text**[tekst] *n.* Ⓤ,Ⓒ 본문; Ⓒ 원문, 텍스트; 성구(聖句)《특히 설교 제목으로 인용되는》; 화제(topic), 논제; 『컴』 문서, 글월, 텍스트.

†**text·book**[∠bùk] *n.* Ⓒ 교과서.

·**tex·tile**[tékstail, -til] *a., n.* 직물의, 짠; Ⓒ 직물; 직물 원료. ~ ***fabrics*** 직물. ~ ***industry*** 직물 공업.

tex·tu·al[tékstʃuəl] *a.* 본문〔원문〕(상)의. **~·ly** *ad.*

·**tex·ture**[tékstʃər] *n.* Ⓤ,Ⓒ ① 천, 감; 직물. ② (피부의) 결; (돌·목재의) 결, 조직. ③ (문장·그림·악곡의 심리적인) 감촉. ④ 『컴』 그물 짜기. **téx·tur·al** *a.*

-th[θ], **-eth**[eθ, iθ] *suf.* '4' 이상의 서수 어미(fif*th*, sixti*eth*); 《古》 3인칭 단수·직설법 현재의 동사 어미(do*th*, do*eth*).

tha·lid·o·mide[θəlídəmàid] *n.* Ⓤ 탈리도마이드《전에 진정·수면제로 쓰이던 약》. ~ ***baby*** 기형아《탈리도마이드계 수면제의 영향에 의한 기형아》.

†**than**[強 ðæn, 弱 ðən] *conj.* ① …보다(도) (*He is taller* ~ *I* (*am*). =《口》 ... ~ *me.*). ② 《rather, sooner 등의 다음에서》 …하기보다는 (차라리) …. ③ 《other, else 등의 다음에서》 …밖에 딴, …이외에는, …과 다른. ― *prep.* 《than whom 의 꼴로》 …보다.

†**thank**[θæŋk] *vt.* 감사하다. ***I will*** ~ ***you to*** (*shut the window*). (창문을 닫)아 주시오. ***No,*** ~ ***you.*** 아니오, 괜찮습니다《사양》. ***T- God*** 〔***Heaven***〕***!*** 옳지 됐다! ***T- you for nothing!*** 쓸데 없는 참견이다! ***Thanking you in anticipation.***

이만 부탁드리면서《편지》. ***T- you for that ball!*** 미안합니다!《볼을 남에게 집어 달랄 때의 상투적인 말》. ***You may ~ yourself for*** (*that*). 자업자득일세. — *n.* (*pl.*) 감사, 사의(謝意), 사례(*Thanks!* 고맙소). ***~s to*** …덕택에《반어적으로도》.

:**thank·ful**[스fəl] *a.* 감사하고 있는 (*to* him *for* it). **~·ly** *ad.* **~·ness** *n.*

·**thank·less**[스lis] *a.* 감사하는 마음이 없는, 은혜를 모르는(ungrateful); 감사를 받지 못하는(*a ~ job* [*task*] 공을 알아 주지 않는 일).

:**thanks·giv·ing**[θæ̀ŋksgívìŋ/스스—] *n.* Ⓤ 감사, 사은.

†**that**[強 ðæt, 弱 ðət] (*rel.*) *pron.* (*pl.* ***those***) ① 저것; 그것; 저 사람[일·것]. ②《this를 '후자'로 하여》전자. ③ …의 그것. ④ (*rel. pron.*) (…하는) 바의. ***and all ~*** 및 그런 등속; …따위[등등]. ***and ~*** 게다가. ***at ~*** 그렇다 치더라도;《口》게다가, 그리고 또;《口》이야기는[일은] 그쯤하고, 끝내고;《美》만사[여러 가지]를 생각하여 보고. ***in ~*** =BECAUSE. ***~ is*** (***to*** *say*) 즉. ***So ~'s ~.***《口》이것으로 그만[끝]. — [ðæt] *a.* 그, 저. — [ðət] *conj.* …이라는 (것);《이유》…이므로(*I'm glad* (*~*) *you've come.*);《목적》…하기 위하여(*We work ~ we may live.*);《결과》…만큼, …이므로;《판단》…하다니(*Is he mad ~ he should speak so wild?* 그렇게 터무니 없는 말을 하다니 미쳤는가);《소원》…이면 좋으련만(*O* [*Would*] *~ he might come soon!*);《놀라움·절실한 느낌·분개 등》…되다니(*T- it should ever come to this!* (아아) 일이 이 지경이 될 줄이야!). — *ad.*《口》그렇게(so), 그 정도로(*I can't stay ~ long.* /《俗》*I am ~ sad I could cry.* 울고 싶을 정도로 슬프다).

·**thatch**[θætʃ] *n., vt.* Ⓤ 이엉(을 이다); 짚(으로 이다); Ⓒ 초가지붕, 짚으로 이은 지붕. **~ed**[-t] *a.* 스**·ing** *n.* Ⓤ 지붕이기, 지붕이는 재료.

·**thaw**[θɔː] *n., vi.* Ⓒ 해동, 눈이[서리가] 녹음, (눈·서리가) 녹다, 날씨가 풀리다; (몸이) 차차 녹다; (마음·태도가) 누그러지다, 풀리다. — *vt.* 녹이다; 눅이다; 풀리게 하다.

†**the**[強 ðiː, 弱 ðə(자음의 앞), ði(모음의 앞)] *def. art.* 그, 저, 예(例)의. — (*rel. & dem.*) *ad.* …하면 할수록. ***T- sooner, ~ better.*** 빠르면 빠를수록 좋다. ALL ***~ better. none ~ better for*** doing …해도 마찬가지.

:**the·a·ter,**《英》**-tre**[θíːətər] *n.* ① Ⓒ 극장. ② Ⓤ (the ~) (연)극; 극작품; 연극계. ③ Ⓒ (계단식) 강당, 수술 교실. ④ Ⓒ 전투지역(*the ~ of war* 전쟁터). ***be*** [***make***] ***good ~*** (그 연극은) 상연에 적합하다.

théater·gòer *n.* Ⓒ 자주 연극을 보러 가는 사람. **-going** *n., a.* Ⓤ 관극(의).

·**the·at·ri·cal**[θiǽtrikəl] *a.* 극장의; 연극(상)의; 연극 같은. **~·ly** *ad.* **~s** *n. pl.* 연극(조의 몸짓), 소인극.

·**thee**[強 ðiː, 弱 ði] *pron.* thou의 목적격.

:**theft**[θeft] *n.* Ⓤ,Ⓒ 도둑질; 절도.

†**their**[強 ðɛər, 弱 ðər] *pron.* they의 소유격. **~s** *pron.* 그들의 것.

the·ism[θíːizəm] *n.* Ⓤ 유신론. **-ist** *n.* **the·ís·tic** *a.*

†**them**[強 ðem, 弱 ðəm] *pron.* they의 목적격.

:**theme**[θiːm] *n.* Ⓒ ① 논제, 화제, 테마. ② 과제 작문. ③ 〖樂〗 주제, 주선율; 〖라디오·TV〗 주제 음악(signature).

†**them·selves**[ðəmsélvz] *pron. pl.* 그들 자신.

†**then**[ðen] *ad.* ① 그때, 그 당시. ② 그리고 나서, 이어서; 다음에(next). ③ 그러면; 그래서, 그러므로. ***and ~*** 그리고 나서, 그 위에. ***but ~*** 그러나 (또 한편으로는). ***now ... ~ ...*** 어떤 때에는 … 또 어떤 때에는 …. ***~ and there*** 그 때 그 자리에서; 즉석에서.

:**thence**[ðens] *ad.* 그러므로; 거기서부터; 그때부터. **~·fórth, ~·fór·ward**(**s**) *ad.* 그때 이래.

the·o-[θíːə] '신(神)'의 뜻의 결합사.

T

the·od·o·lite[θiːədəlàit] *n.* Ⓒ 〖測〗 경위의(經緯儀).

the·o·lo·gian[θìːəlóudʒiən] *n.* Ⓒ 신학자.

ˈ**the·ol·o·gy**[θiːálədʒi/θiɔ́-] *n.* Ⓤ 신학. ˈ**the·o·log·ic** [θìːəládʒik/-lɔ́-], **-i·cal**[-əl] *a.* **-i·cal·ly** *ad.*

ˈ**the·o·ret·ic**[θìːərétik], **-i·cal**[-əl] *a.* 이론(상)의; 공론(空論)의. **-i·cal·ly** *ad.*

the·o·rist[θíːərist] *n.* Ⓒ 이론〔공론〕가.

the·o·rize[θíːəràiz] *vi., vt.* 이론을 세우다; 이론을 붙이다.

:the·o·ry[θíːəri] *n.* ① Ⓒ 학설, 설(說), (학문상의) 법칙. ② Ⓤ 이론; (탁상의) 공론. ③ Ⓒ 《俗》 의견.

the·os·o·phy[θiːásəfi/θiɔ́-] *n.* Ⓤ 접신론〔학〕; 신지학(神知學). **-phist** *n.* Ⓒ 접신론자, 신지학자.

ther·a·peu·tic[θèrəpjúːtik] *a.* 치료(학)의. **-tics** *n.* Ⓤ 치료학〔법〕. **-tist** *n.*

ther·a·py[θérəpi] *n.* Ⓤ,Ⓒ 치료.

†**there**[ðεər] *ad.* 그곳에, 거기에서〔로〕, 저곳에(서)〔으로〕; 그 점에서(는). ***Are you ~?*** 《전화》 여보세요 (당신이요). ***be all ~*** 《俗》 정신 똑바로 차리고 있다, 제정신이다; 빈틈 없다. ***get ~*** 《俗》 성공하다. ***T- is*** 〔***are***〕... …이 있다. ***There's a good boy!*** 아아 착한 아이지. ***T- you are!*** 거봐; (물건·돈 등을 내면서) 자, 여기 있습니다. ***You have me ~!*** 졌다; 손들었네. — *n.* 《전치사 다음에》 Ⓤ 거기(*from ~*). — *int.* 자!; 야!; 저봐!; 저런!; 그것 봐라! ***T- now!*** 그것 봐라!

thère·about(s) *ad.* 그 근처에; 그 무렵에; 대략, …쯤.

:thère·áfter *ad.* 그 뒤로, 그 이후; 그것에 의해서.

:thère·bý *ad.* 그것에 의해서, 그 때문에. ***T- hangs a tale.*** 거기에는 까닭이 있다.

thère·fór *ad.* 《古》 그 때문에; 그 대신에.

†**there·fore**[ðέərfɔ̀ːr] *ad.* 그러므로; 그 결과.

thère·fróm *ad.* 《古》 거기서〔그것으로〕부터.

thère·ín *ad.* 《古》 그 속에, 그 점에서.

thère·óf *ad.* 《古》 그것에 관해서; 그것의, 거기서〔그것으로〕부터.

thère·ón *ad.* 《古》 게다가, 그 위에; 그 즉시.

:thère·upón *ad.* 그리하여 (즉시); 그러므로; 그 위에.

therm[θəːrm] *n.* Ⓒ 〖理〗 섬《열량 단위》.

ˈ**ther·mal**[θə́ːrməl] *a., n.* 열(량)의; 열에 의한; 열렬한; 따뜻한; Ⓒ 상승 온난 기류.

ther·m(o)-[θə́ːrmou, -mə] '열(熱)'의 뜻의 결합사.

thèrmo·dynámics *n.* Ⓤ 열역학(熱力學). **-dynámic, -ical** *a.*

:ther·mom·eter [θərmámitər/-mɔ́mi-] *n.* Ⓒ 온도계, 한란계, 체온계(clinical ~). **ther·mo·met·ric** [θəːrməmétrik], **-ri·cal**[-əl] *a.*

thèrmo·núclear *a.* 열핵의.

ther·mos[θə́ːrməs/-mɔs] *n.* Ⓒ 보온병(保溫甁). ***T- bottle*** 〔***flask***〕 〖商標〗 = THERMOS.

ther·mo·stat[θə́ːrməstæ̀t] *n.* Ⓒ (자동) 온도 조절기.

the·sau·rus[θisɔ́ːrəs] *n.* (*pl.* ***-ri*** [-rai]) Ⓒ 보고(寶庫); 사전; 백과사전; 〖컴〗 관련어집, 시소러스.

†**these**[ðiːz] *pron., a.* this의 복수.

ˈ**the·sis**[θíːsis] *n.* (*pl.* ***-ses***[-siːz]) Ⓒ ① 논제, 주제; 〖論〗 정립(定立); 〖哲〗 (변증법에서) 정(正), 테제(cf. antithesis, synthesis). ② (졸업·학위) 논문.

†**they**[強 ðei, 弱 ðe] *pron.* ① he, she, it의 복수. ② (세상) 사람들. ③ (군 또는 민간의) 높은 양반; 당국자. ***T- say that ...*** …이라는 소문이다; …이라고 한다. **:~'d** they would 〔had〕의 단축. **:~'ll** they will 〔shall〕의 단축. †**~'re**[ðεiər] they are의 단축. †**~'ve** they have의 단축.

†**thick**[θik] *a.* ① 두꺼운, 굵은; 두께가 …인. ② 빽빽한, 우거진, 털 많은. ③ 혼잡한, 많은(*with*); (…로) 가득 찬, 덮인(*with*). ④ (액체가) 진한, 걸쭉한. ⑤ (연기·안개 따위가) 짙은, 흐린, 자욱한. ⑥ (목소리가)

탁한, 목쉰, 탁한 목소리의. ⑦ (머리가) 둔한, 우둔한(cf. thickhead). ⑧ 《口》 친밀한. ⑨ 《英口》 견딜 수 없는, 지독한. **as ~ as thieves** 매우 친밀한. **have a ~ head** 머리가 나쁘다. **with honors ~ upon** 넘치는 영광을 한몸에 받고. — *ad.* 두껍게; 진하게; 빽빽하게; 빈번하게; 목쉰 소리로. — *n.* (*sing.*) 가장 두꺼운〔굵은〕 부분; 우거진 수풀; (전쟁 따위의) 한창 때. **through ~ and thin** 좋은 때나 나쁜 때나, 만난(萬難)을 무릅쓰고. *⁄-**ly** *ad.*

*__thick·en__[θíkən] *vt., vi.* ① 두껍게 하다, 두꺼워지다; 굵게 하다, 굵어지다. ② 진하게 하다, 진해지다; 빽빽하게 하다, 빽빽해지다. ③ 흐리게 하다, 흐려지다; 탁하게 하다, 탁해지다; 안개를 자욱하게 하다, 안개가 자욱해지다. ④ (이야기 줄거리 따위) 복잡하게 하다, 복잡해지다. ⑤ 심하게 하다, 심해지다; 강하게 하다, 강해지다. **~·ing** *n.* Ⓤ 두껍게〔굵게, 진하게〕 하기〔한 부분〕; Ⓤ,Ⓒ 농후(濃厚) 재료.

:**thick·et**[θíkit] *n.* Ⓒ 덤불, 잡목숲.

thíck·hèad *n.* Ⓒ 바보. **~·ed** *a.* 머리가 둔한.

*__thick·ness__[θíknis] *n.* ① Ⓤ 두께; 짙음; 농도; 밀생. ② Ⓤ 불명료; 혼탁. ③ Ⓒ 가장 두꺼운 부분. ④ Ⓤ 빈번.

thick·set[*a.* ⁄sét; *n.* ⁄⁄] *a., n.* 울창한, 빽빽한; 땅딸막한; Ⓒ 수풀; 우거진〔울창한〕 산울타리.

thíck-skínned *a.* (살)가죽이 두꺼운; 철면피한; 둔감한.

:**thief**[θiːf] *n.* (*pl.* **thieves**[-vz]) Ⓒ 도둑. 「하다.

thieve[θiːv] *vt., vi.* 훔치다; 도둑질

:**thigh**[θai] *n.* Ⓒ 넓적다리, 가랑이.

thim·ble[θímbəl] *n.* Ⓒ (재봉용) 골무; 〖機〗 끼움쇠테《밧줄의 마찰 예방용》.

thim·ble·ful[-fùl] *n.* Ⓒ (술 따위의) 극소량.

†**thin**[θin] *a.* (**-nn-**) ① 얇은, 가는. ② 야윈. ③ (청중이) 드문드문한, 얼마 안 되는. ④ 희박한(rare), 묽은. ⑤ (목소리가) 가는, 가냘픈; 힘 없는. ⑥ 깊이〔충실감·강도〕 없는; (변명 따위) 빤히 들여다보이는, 천박한, 빈약한. **have a ~ time** 《俗》 언짢은 일을 당하다. — *vt., vi* (**-nn-**) 얇게〔가늘게, 드문드문하게〕 하다〔되다〕; 야위(게 하)다; 약하게 하다, 약해지다. **~ down** 가늘게 하다〔되다〕. **~ out** (식물을) 솎다; (청중이) 드문드문해지다. ⁄-**ly** *ad.*

*__thine__[ðain] *pron.* 《古·詩》 《thou의 소유대명사》 너의 것; 《모음 또는 h자 앞에서》 너의(*in ~ eyes*).

†**thing**[θiŋ] *n.* ① Ⓒ (유형·무형의) 물건, 무생물, 일; (*pl.*) 사물(*~s Korean* 한국의 풍물). ② (*pl.*) 사정, 사태. ③ Ⓒ 말하는 것, 말; 행위, 생각, 의견. ④ Ⓒ 작품, 곡. ⑤ Ⓒ 생물, 동물; 사람, 여자《경멸·연민·애정 등을 나타내어》(*a little young ~* 계집애). ⑥ Ⓒ 사항, 점. ⑦ (*pl.*) 《口》 소지품; 의복《주로 외투》, 도구; 재산, 물건(*~s personal* 〔*real*〕 동〔부동〕산). ⑧ (the ~) 유행. ⑨ (the ~) 바른 일, 중요한 일〔생각〕. **know a ~ or two** 빈틈없다, 익숙하다. **make a good ~ of** 《口》 …으로 이익을 보다. **Poor ~!** 가엾어라! **see ~s** 착각〔환각〕을 일으키다.

thing·a·my, thing·um·my[θíŋəmi], **thing·um·a·jig**[θíŋəmədʒìg], **thing·um(·a)·bob**[θíŋəm(ə)bɑ̀b/-bɔ̀b] *n.* Ⓒ 《口》 뭐라든가 하는 사람〔것〕, 아무개.

†**think**[θiŋk] *vt.* (**thought**) ① 생각하다. ② …라고 여기다, 믿다. ③ (…으로) 생각하다, 간주하다. ④ 상상하다. ⑤ …하려고 하다(*to*). ⑥ 예기하다. ⑦ 생각하여 …하다(*into*). — *vi.* ① 생각하다, 궁리〔숙고〕하다 (*over, about, of, on*)(*I'll ~ about.* 생각해 봅시다《거절》). ② 생각해 내다(*of, on*). ③ 예기하다. **~ aloud** 무심코 혼잣말하다. **~** BETTER[1] **of.** **~ highly** 〔**much**〕 **of** …을 존경하다. **~ little** 〔**nothing**〕 **of** …을 가볍게 보다. **~ of** …의 일을 생각하다; 생각해 내다; 숙고하다; …을 해볼까 생각하다(do*ing*). **~ out** 안출하다; 곰곰이 생각하다, 생각한 끝에 해결하다. **~ over** 숙고하다. **~**

through 해결할 때까지 생각하다. **~ *twice*** 재고하다, 주저하다. **~ *up*** 안출하다. **~ *well* 〔*ill*〕 *of*** …을 좋게〔나쁘게〕 생각하다. **∠·a·ble** *a.* 생각할 수 있는. ***∠·er** *n.* Ⓒ 생각하는 사람, 사상가. **:~·ing**[∠iŋ] *n., a.* Ⓤ 생각(하는); 사려 깊은; 사고(思考).

thínking càp 마음의 반성〔집중〕 상태.

thínk tànk 《口》 두뇌 집단.

thín-skínned *a.* (살)가죽이 얇은; 민감한; 성마른.

†third [θəːrd] *n., a.* Ⓤ 제3(의), 세번째(의); Ⓒ 3분의 1(의); (*pl.*) 〖法〗 남편 유산의 3분의 1《미망인에게의》; Ⓤ 〖野〗 3루; Ⓒ 〖樂〗 제3음, 3도(음정). ***∠·ly** *ad.* 세째로.

thírd-cláss *a., ad.* 3등의〔으로〕.

thírd degrée 《美》 (경찰의) 고문(拷問), 가혹한 신문.

thírd párty 〖法〗 제3자. 「칭.

thírd pérson 제3자; 〖文〗 제3인

thírd-ráte *a.* 3등의; 열등한.

thírd wórld 제3세계.

:thirst [θəːrst] *n.* ① Ⓤ 목마름, 갈증. ② (*sing.*) 갈망(*after, for, of*). ***have a ~*** 목이 마르다; 《口》 한잔 마시고 싶다. — *vi.* 갈망하다(*after, for*).

:thirst·y [θə́ːrsti] *a.* 목마른; 술을 좋아하는; 건조한; 갈망하는(*for*). **thírst·i·ly** *ad.* **thírst·i·ness** *n.*

†thir·teen [θə̀ːrtíːn] *n., a.* Ⓤ,Ⓒ 13(의). **~th** *n., a.* Ⓤ 제13(의), 열세번째(의); Ⓒ 13분의 1(의).

:thir·ti·eth [θə́ːrtiiθ] *n., a.* Ⓤ 제30(의); Ⓒ 30분의 1(의).

†thir·ty [θə́ːrti] *n., a.* Ⓤ,Ⓒ 30(의).

†this [ðis] *pron.* (*pl.* ***these***) ① 이것, 이 물건〔사람〕. ② 지금, 오늘, 여기. ③ (that에 대해서) 후자. ***at ~*** 여기에 있어서. ***by ~*** 이 때까지에. ***~, that, and the other*** 이것 저것. — *a.* 이것의; 지금의. ***for ~*** ONCE. **~ *day week*** 지난주〔내주〕의 오늘. — *ad.* 《口》 이 정도까지, 이만큼. **~ *much*** 이만큼(은), 이 정도(는).

:this·tle [θísl] *n.* Ⓒ 〖植〗 엉겅퀴.

thístle·dòwn *n.* Ⓤ 엉겅퀴의 관모(冠毛).

·thith·er [θíðər, ðíð-] *ad., a.* 《古》 저쪽에〔으로〕, 저기에〔로〕; 저쪽의. **~·ward(s)** *ad.* 저쪽으로.

tho(') [ðou] *conj., ad.* 《口》 = THOUGH.

thong [θɔːŋ, θɑŋ/θɔŋ] *n.* Ⓒ 가죽끈; 회초리끈.

tho·rax [θɔ́ːræks] *n.* (*pl.* **~es, -ra·ces**[-rəsìːz]) Ⓒ 가슴, 흉부. **tho·rác·ic** *a.*

:thorn [θɔːrn] *n.* ① Ⓒ (식물의) 가시. ② Ⓤ,Ⓒ 가시 있는 식물《산사나무 따위》. ③ (*pl.*) 고통〔고민〕거리. ***a ~ in the flesh*** 〔***one's side***〕 고생거리. ***crown of ~s*** (예수의) 가시 면류관. **∠·less** *a.*

·thorn·y [θɔ́ːrni] *a.* 가시가 있는〔많은〕, 가시 같은; 고통스러운, 곤란한.

:thor·ough [θɔ́ːrou, θʌ́rə] *a.* 완전한, 충분한; 철저한; 순전한. **~·ly** *ad.* **~·ness** *n.*

·thor·ough·bred [-brèd] *a., n.* Ⓒ 순종의 (말·동물); 출신이 좋은 (사람), 교양 있는; (T-) 서러브레드《말》.

·thor·ough·fare [-fɛ̀ər] *n.* ① Ⓒ 통로, 가로; 본도. ② Ⓤ 왕래, 통행 (*No* ~. 통행 금지).

·thórough·gòing *a.* 철저한.

†those [ðouz] *a., pron.* that의 복수.

·thou [ðau] *pron.* (*pl.* ***ye***) 너는, 네가《현재는 《古·時》, 신에 기도할 때, 또는 퀘이커 교도간에 쓰이며, 일반적으로는 you를 씀》.

†though [ðou] *conj.* …에도 불구하고, …이지만; 설사 …라도; …라 하더라도. AS **~**. ***even ~*** = EVEN if. — *ad.* 《문장 끝에서》 그래도.

†thought [θɔːt] *v.* think의 과거(분사). — *n.* ① Ⓤ 사고(력), 사색; (어떤 시대·계급의) 사상, 사조. ② Ⓤ,Ⓒ 생각, 착상; (보통 *pl.*) 의견. ③ Ⓤ,Ⓒ 사려, 배려, 고려. ④ Ⓤ 의향, (…할) 작정; 기대. ⑤ (a ~) 좀, 약간. ***at the ~ of*** …을 생각하면. ***have some ~s of doing*** …할 생각이 있다. ***quick as ~*** 즉시. ***take ~ for*** …을 걱정하다. ***upon*** 〔***with***〕 ***a ~*** 즉시.

:thought·ful[ˊfəl] *a.* 사려 깊은; 주의 깊은; 인정 있는(*of*); 생각에 잠긴. ***~·ly** *ad.*

·thought·less[ˊlis] *a.* 사려가 없는; 경솔한(*of*); 인정 없는. **~·ly** *ad.* ***~·ness** *n.*

†thou·sand[θáuzənd] *n., a.* Ⓒ 천(의); (*pl.*) 무수(한). **(a) ~ and one** 무수한. **A ~ thanks [pardons, apologies].** 참으로 감사합니다[미안합니다]. **a ~ to one** 거의 절대적인. **one in a ~** 희귀한[뛰어난] 것; 예외. **~s of** 몇 천의. **~·fold** *a., ad.* 천 배의[로]; 천의 부분으로 된. **~th**[-dθ/-tθ] *n., a.* Ⓤ 제 1 천(의); Ⓒ 천분의 1(의).

·thrash[θræʃ] *vt.* 때리다; 채찍질하다; 도리깨질하다. **—** *vi.* 도리깨질하다; (고통으로) 뒹굴다(*about*). **~ out** (안을) 충분히 검토하다. **~ over** 되풀이하다. **—** *n.* (a ~) (회초리로) 때리기; Ⓒ 물장구질. **ˊ·er** *n.* Ⓒ 때리는 사람[물건]; 도리깨질하는 사람, 탈곡기(脫穀機); 환도상어; (미국산) 앵무새류. **ˊ·ing** *n.* Ⓒ 채찍질; Ⓤ 도리깨질, 타작.

:thread[θred] *n.* ① Ⓤ,Ⓒ 실; 섬유; 재봉실, 꼰 실. ② Ⓒ 가는 것, 줄, 섬조(纖條); 나삿니. ③ Ⓒ (이야기의) 줄거리, 연속. ④ (the [one's] ~) (인간의) 수명. **cut one's mortal ~** 죽다. **hang by [on, upon] a ~** 위기 일발이다. **~ and thrum** 모조리, 전부; 옥석 혼효(玉石混淆)《선악이 뒤섞임》. **—** *vt.* (바늘에) 실을 꿰다; (구슬 따위를) 실에 꿰다; 누비듯이[헤치며] 지나가다; 나삿니를 내다. **—** *vi.* 요리조리 헤치며 가다[지나가다]; 〖料理〗 (시럽 따위가) 실 모양으로 늘어지다.

thréad·bàre *a.* 해어져서 실이 드러난, 입어서 다 떨어진; 누더기를 걸친; 진부한, 케케 묵은.

:threat[θret] *n.* Ⓒ 위협, 협박; 흉조.

:threat·en[θrétn] *vt., vi.* ① 위협하다(*with; to* do). ② …할 듯하다, (…의) 우려가 있다; 닥치고 있다. **~·ing** *a.* 으르는; 험악한; (날씨가) 찌푸린.

†three[θri:] *n., a.* Ⓤ,Ⓒ 3(의); 《복수 취급》 세 사람[개](의). **~·fold**[ˊfòuld] *a., ad.* 3배의[로].

three-D[ˊdí:] *a.* 입체 영화의.

thrée-diménsional *a.* 3차원의; 입체(영화)의; 〖軍〗 육해공군 입체 작전의.

thrée-légged *a.* 다리가 셋인(*a ~ stool*).

three·pence[θrépəns, θríp-] *n.* 《英》 Ⓤ 3펜스; Ⓒ 3펜스 동전.

thrée-plý *a.* 세 겹의; (밧줄 따위) 세 겹으로 꼰.

thrée-quáter *a.* 4분의 3의; (초상화 등이) 칠분신(七分身)의; (의복이) 칠분(길이)의. **—** *n.* Ⓒ 칠분신 초상화[사진]; 〖럭비〗 스리쿼터백.

three·some[ˊsəm] *n.* Ⓒ 3인조; 3인경기(자).

thresh[θreʃ] *vt., vi.* =THRASH. **ˊ·er** *n.* Ⓒ 매질하는 사람[것]; 타작하는 사람[것]; 탈곡기; =**thrésher shàrk** 〖魚〗 환도상어.

:thresh·old[θréʃhould] *n.* Ⓒ ① 문지방; 문간, 입구. ② 출발점, 시초. ③ 〖心〗 역(閾). ④ 〖컴〗 임계값. **at [on] the ~ of** …의 시초에.

:threw[θru:] *v.* throw의 과거.

:thrice[θrais] *ad.* 《古·雅》 세 번; 3배로; 매우(*~ blessed [happy, favo(u)red]* 매우 혜택받은[행복한]).

·thrift[θrift] *n.* Ⓤ ① 검약(의 습관). ② 〖植〗 아르메리아. **ˊ·less** *a.* 절약하지 않는; 낭비하는; 사치스러운. **ˊ·less·ly** *ad.*

·thrift·y[θrífti] *a.* ① 절약하는, 검소한; 알뜰한. ② 무성하는; 번영하는. **thríft·i·ly** *ad.* **thríft·i·ness** *n.*

:thrill[θril] *n.* Ⓒ (공포·쾌감의) 오싹[자릿자릿]하는 느낌, 전율, 스릴; 몸떨림. **—** *vt., vi.* 오싹[자릿자릿]하(게 하)다(*with*); 떨리(게 하)다; 몸에 사무치다(*along, in, over, through*). ***ˊ·er** *n.* Ⓒ 오싹하게 하는 것[사람]; 선정 소설[극], 스릴러. **:ˊ·ing** *a.* 오싹[자릿자릿, 조마조마]하게 하는.

:thrive[θraiv] *vi.* (**throve, ~d; thriven, ~d**) 성공하다; 번영하다; 부자가 되다; (동·식물이) 성장하다. **thrív·ing** *a.*

:throat[θrout] *n.* Ⓒ 〖解〗 목, 기관

T

(氣管); 목소리; 좁은 통로; (기물(器物)의) 목. ***a*** LUMP[1] ***in one's*** 〔***the***〕 ***~. clear one's ~*** 헛기침하다. ***cut one another's ~s*** 서로 망할 짓을 하다. ***cut one's*** (***own***) ***~*** 자멸할 짓을 하다. ***jump down*** (*a person's*) ***~*** 《俗》 아무를 찍소리 못하게 만들다. ***lie in one's ~*** 맹랑한 거짓말을 하다. ***stick in one's ~*** 목에 걸리다; 말하기 어렵다; 맘에 들지 않다. **∠·y** *a.* 후음(喉音)의; 목쉰 소리의; (소·개 등이) 목이 축 늘어진.

·**throb**[θrɑb/-ɔ-] *n., vi.* (**-bb-**) Ⓒ (빠른, 심한) 동계(動悸), (빠르게, 심하게) 두근거리다(*with*); 고동(치다); (맥 따위가) 뛰다〔뛰〕; 떨림, 떨리다.

throe[θrou] *n.* (*pl.*) 격통; 산고(産苦), 고민, 사투(死鬪).

throm·bo·sis[θrɑmbóusis/θrɔm-] *n.* U,C 〖病〗 혈전(증)(血栓(症)).

:**throne**[θroun] *n.* Ⓒ 왕좌, 옥좌; (the ~) 왕위, 왕권; 교황〔감독·주교〕의 자리. — *vt.* 《p.p. 이외는 시(詩)》 왕좌에 앉히다, 즉위시키다.

:**throng**[θrɔːŋ/θrɔŋ] *n.* Ⓒ 《집합적》 군중; 다수(의 사람들 따위). — *vt., vi.* (…에) 모여들다, 쇄도하다(*about,* (*a*)*round*).

throt·tle[θrɑ́tl/-ɔ́-] *n.* Ⓒ 목; 〖機〗 조절판(調節瓣)(의 레버·페달). ***at full ~*** = ***with the ~ against the stop*** 전속력으로. — *vt.* (…의) 목을 조르다; 질식시키다; 억압하다; 〖機〗 (조절판을) 죄다, 감속(減速)시키다.

†**through**[θruː] *prep.* ① …을 통하여, …을 지나서. ② …의 처음부터 끝까지. ③ …동안, 도처에. ④ …때문에; …에 의하여. ⑤ …을 끝내고. — *ad.* ① 통해서. ② 처음부터 끝까지, 쭉 계속하여, …동안. ③ 완전히, 철저히; 시종 일관. ***~ and ~*** 철두 철미, 철저히. — *a.* 쭉 통한, 직통의; 끝난.

:**through·out**[∠àut] *prep., ad.* 도처에; (*prep.*) …동안, 통해서.

thróugh·pùt *n.* U,C (공장의) 생산(고); 〖컴〗 처리율.

†**throw**[θrou] *vt.* (***threw; thrown***) ① (내)던지다(*at, after, into, on*). ② 내동댕이치다. (말이) 흔들어 떨어뜨리다. ③ (배를 암초 등에) 얹히게 하다. ④ 급히 (몸에) 걸치다(*on, round, over*), 벗다(*off*). ⑤ (어떤 상태로) 빠뜨리다. ⑥ 갑자기 움직이다; (스위치, 클러치 등의 레버를) 움직이다. ⑦ (생사를) 꼬다. ⑧ 《美口》 짜고 일부러 지다. ⑨ 《口》 (회의 등을) 열다(give). ***~ about*** 던져 흩뜨리다; 휘두르다. ***~ away*** 내버리다; 낭비하다(*upon*); 헛되게 하다. ***~ back*** 되던지다; 거절하다; 반사하다; (동·식물이) 격세유전(隔世遺傳)을 하다. ***~ cold water*** 실망시키다(*on*). ***~ down*** 던져서 떨어뜨리다〔쓰러뜨리다〕; 뒤집어 엎다; 《美》 박차버리다. ***~ in*** 던져 넣다; 주입〔삽입〕하다; 덤으로 곁들이다. ***~ off*** 던져〔떨쳐〕버리다; (병을) 고치다; 《口》 (시 등을) 즉석에서 짓다; 사냥을 시작하다. ***~ oneself at*** … 의 사랑〔우정 등〕을 얻으려고 무진 애를 쓰다. ***~ oneself down*** 드러눕다. ***~ oneself on*** 〔***upon***〕 …에 몸을 맡기다, …을 의지하다. ***~ open*** 열어 젖히다; 개방하다(*to*). ***~ out*** 내던지다; 내쫓다; 내키어 증축하다; 발산하다; 부결하다. ***~ over*** 저버리다, 포기하다. ***~ up*** (창문을) 밀어 올리다; 《口》 토하다; 급조(急造)하다; 포기하다; (직책을) 사퇴하다. — *n.* Ⓒ 던지기; 던지면 닿을 거리; (스위치·클러치의) 연결; 분리 스카프, 가벼운 두르개; (크랭크·피스톤 등의) 행정(行程). **∠·er** *n.* Ⓒ 던지는 사람〔것〕; (도자기 만드는) 녹로공(轆轤工); 폭뢰(爆雷) 발사관.

thrów·awày *n.* Ⓒ (광고) 삐라, 전단(傳單).

thrów·bàck *n.* Ⓒ 되던지기; 역전; (동·식물의) 격세(隔世) 유전.

thru[θruː] *prep., ad., a.* 《美口》 = THROUGH.

·**thrush**[θrʌʃ] *n.* Ⓒ 〖鳥〗 개똥지빠귀.

:**thrust**[θrʌst] *vt.* (***thrust***) ① 밀다, 찌르다; 찔러넣다(*into, through*). ② 무리하게 …시키다(*into*). — *vi.* 밀다, 찌르다; 돌진하다. — *n.* Ⓒ 밀기, 찌르기; 공격; 돌격; 혹평; Ⓤ

〖機〗 추진력.
thrú·wày *n.* Ⓒ 《美》 고속 도로(expressway).
·**thud**[θʌd] *vi.* (**-dd-**) 털썩 떨어지다, 쾅〔쿵〕 울리다. — *n.* Ⓒ 털썩〔쾅, 쿵〕 소리.
thug[θʌg] *n.* Ⓒ (종종 T-) (옛 인도의 종교적) 암살단원; 자객, 흉한.
thug·ger·y[θʌ́gəri] *n.* Ⓤ 폭력 행위.
:**thumb**[θʌm] *n.* Ⓒ (손·장갑의) 엄지손가락. (*His*) ***fingers are all ~s.*** 손재주가 없다. ***bite one's ~ at*** 모욕하다. ***Thumb down*** 〔***up***〕***!*** 안된다〔좋다〕《엄지 손가락으로 찬부를 나타냄》. ***under*** (*a person's*) ***~,*** or ***under the ~ of*** (*a person*) (아무)의 시키는 대로 하여. — *vt.* (책의 페이지를) (엄지)손가락으로 넘겨서 더럽히다〔상하게 하다〕; (페이지를) 빨리 넘기다; 서투르게 다루다. ***~ a ride*** 엄지손가락을 세워 자동차에 태워달라고 하다(cf. hitchhike).
thúmb ìndex (페이지 가장자리의) 반달 색인.
thúmb·nàil *n., a.* Ⓒ 엄지손톱; 극히 작은 (것); 스케치(의), 소(小)논문 (따위).
thúmb·scrèw *n.* Ⓒ 나비나사; 〖史〗 엄지손가락을 죄는 형틀.
thúmb·tàck *n.* Ⓒ 《美》 압정(押釘).
·**thump**[θʌmp] *vt.* ① 탁〔쿵〕 때리다〔부딪치다〕. ② 심하게 때리다. — *vi.* ① 탁 부딪치다〔소리 내다〕. ② (심장이) 두근거리다. — *n.* Ⓒ 탁〔쿵〕하는 소리.
thump·ing[ˊ-iŋ] *a.* 《口》 거대한; 놀랄 만한, 터무니 없는. — *ad.* 《口》 엄청나게.
:**thun·der**[θʌ́ndər] *n.* ① Ⓤ 우레, 천둥; Ⓤ,Ⓒ 우레 같은 소리, 요란한 울림. ② Ⓤ 위협, 호통; 비난. (***By***) ***~!*** 이런, 제기랄, 빌어먹을! ***look like ~*** 몹시 화가 난 모양이다. ***steal*** (*a person's*) ***~*** (아무의) 생각〔방법〕을 도용하다, 장기(長技)를 가로채다. — *vi.* ① 천둥치다; 요란한 소리를 내다; 큰 소리로 이야기하다. ② 위협하다, 비난하다(*against*). — *vt.* 호통치다. **~·er** *n.* Ⓒ 호통치는 사람. **~·ing** *a.* 천둥치는; 요란하게 울리는; 《口》 엄청난. ***~·ous** *a.* 천둥을 일으키는; 우레 같은〔같이 울리는〕.
·**thúnder·bòlt** *n.* Ⓒ 뇌전(雷電), 벼락; 청천 벽력.
thúnder·clàp *n.* Ⓒ 우뢰 소리; 청천 벽력.
thúnder·clòud *n.* Ⓒ 뇌운(雷雲).
·**thúnder·stòrm** *n.* Ⓒ 천둥치는 폭풍우.
thúnder·strùck, -strìcken *a.* 벼락 맞은; 깜짝 놀란.
thun·der·y[θʌ́ndəri] *a.* 천둥 같은, 천둥 치는; (날씨가) 고약한; (얼굴이) 험상궂은.
·**Thur., Thurs.** Thursday.
†**Thurs·day**[θə́ːrzdei, -di] *n.* Ⓒ 《보통 무관사》 목요일.
†**thus**[ðʌs] *ad.* ① 이와 같이, 이런 식으로. ② 따라서, 그러므로. ③ 이 정도까지. ***~ and ~*** 이러이러하게. ***~ far*** 여기〔지금〕까지는. ***~ much*** 이것만은.
·**thwart**[θwɔːrt] *vt.* (계획 등을) 방해하다; 반대하다, 좌절시키다. — *n.* Ⓒ 보트나 카누의 가로장《노젓는 사람이 앉음》; 카누의 창막이. — *ad., a.* 가로질러, 가로지른.
·**thy**[ðai] *pron., a.* 너(thou)의 소유격.
thyme[taim] *n.* Ⓤ 〖植〗 백리향(百里香).
thy·roid[θáirɔid] *n., a.* Ⓒ 갑상선〔갑상 연골〕(의); 갑상선제(劑); 방패 모양의(무늬의). ***~ cartilage*** 〔***gland, body***〕 갑상 연골〔선〕.
·**thy·self**[ðaisélf] *pron.* 《thou, thee의 재귀형》 너 자신.
ti[tiː] *n.* Ⓤ,Ⓒ 〖樂〗 시《음계의 제7음 (si)》.
ti·ar·a[tiáːrə, -έərə] *n.* Ⓒ 로마 교황의 삼중관(三重冠); (금·보석·꽃 따위를 단 부인용의) 장식관; 고대 페르시아 남자의 관(冠).
tib·i·a[tíbiə] *n.* (*pl.* ***-ae***[tíbiìː], **~s**) Ⓒ 경골(脛骨); (옛날의) 플루트.
tic[tik] *n.* (F.) Ⓤ,Ⓒ 〖醫〗 안면(顔面) 경련.
·**tick**[1][tik] *n.* Ⓒ ① 똑딱 (소리). ② 《주로 英口》 순간. ③ 대조〔체크〕의 표(√따위). — *vi.* (시계가) 똑딱거

리다. — *vt.* ① 재깍재깍 가다《시계가》(*away, off*). ② 체크를 하다, 꺾자치다(*off*). ~ **out** (전신기가 전신을) 똑똑 쳐내다.

tick[2] *n.* Ⓒ 〖蟲〗 진드기.

tick[3] *n.* Ⓒ 이불잇, 베갯잇; 《口》 = **tícking** 이불잇감.

tick[4] *n., vi.* Ⓤ 《주로 英口》 신용 대부(하다), 외상(으로 사다).

tick·er[tíkər] *n.* Ⓒ 똑딱거리는 물건; 체크하는 사람〔것〕; 전신 수신 인자기(印字機); 증권 시세 표시기; 《俗》 시계; 《俗》 심장.

tícker tàpe (통신·시세가 찍혀) ticker에서 자동적으로 나오는 수신용 테이프; (환영을 위해 건물에서 던지는) 색종이 테이프.

†**tick·et**[tíkit] *n.* Ⓒ ① 표, 승차〔입장〕권. ② 게시표, 정찰, 셋집 표찰(따위). ③ 《美口》 (교통 위반의) 소환장, 딱지. ④ 《美》 (정당의) 공천 후보자 명부. ⑤ (the ~) 《口》 적당한 물건〔일〕, 안성맞춤인 일. — *vt.* (…에) 표찰을 달다; 《美》 표를 팔다.

˙**tick·le**[tíkəl] *vt.* ① 간질이다. ② 즐겁게 하다, 재미나게 하다. ③ 가볍게 대다〔움직이다〕. ④ (송어 따위를) 손으로 잡다. — *vi.* 간질거리다. — *n.* Ⓤ,Ⓒ 간지럼; 간질이기. **-lish, -ly** *a.* 간지럼 타는; 다루기 어려운, 델리킷한; 불안정한; 성마른. **~r** *n.* Ⓒ 간질이는 사람〔것〕; 《美》 비망록.

tick-tack-toe[ˊ-ˋ-tóu] *n.* Ⓤ (오목(五目) 비슷한) 세목(三目)놓기 게임.

tick·tock[tíktɑ̀k/-tɔ̀k] *n.* Ⓒ (큰 시계의) 똑딱똑딱(하는 소리).

˙**tid·al**[táidl] *a.* 조수의 (작용에 의한); 간만(干滿)이 있는.

tídal wàve 큰 파도, (지진에 의한) 해일; 조수의 물결; (인심의) 대동요.

tid·bit[tídbìt] *n.* Ⓒ (맛있는 것의) 한 입; 재미있는 뉴스.

tid·dler[tídlər] *n.* Ⓒ 《英·兒》 작은 물고기, (특히) 가시고기. 「취한.

tid·dl(e)y[tídli] *a.* 《英俗》 얼근히

tid·dly·winks[tídliwìŋks], **tid·dle·dy·winks**[tídldi-] *n.* Ⓤ 채색한 작은 원반을 종지에 튕겨 넣는 유희.

:**tide**[taid] *n.* ① Ⓒ 조수; 조류, 흐름; 풍조, 경향; 성쇠. ② 《복합어 이외는 古》 Ⓤ 계절, 때(*even* ~ 저녁). **turn the ~** 형세를 일변시키다. — *vi.* 조수를 타고 가다; 극복하다. — *vt.* ① (조수에 태워) 나르다. ② (곤란 따위를) 헤어나게 하다, (어떻게 해서든지) 견뎌내게 하다. **ˊ~·less** *a.* 조수의 간만이 없는.

˙**ti·dings**[táidiŋz] *n. pl.* 통지, 소식.

:**ti·dy**[táidi] *a.* ① 단정한, 깨끗한 것을 좋아하는. ② 《口》 (금액이) 상당한; 《口》 꽤 좋은. — *vt., vi.* 정돈하다(*up*). — *n.* Ⓒ ① 의자의 등씌우개. ② 자질구레한 것을 넣는 그릇. **tí·di·ly** *ad.* **tí·di·ness** *n.*

†**tie**[tai] *vt.* (**tying**) ① 매다, 동이다, 붙들어매다(*to*); (…의) 끈을 매다. ② 결합〔접합(接合)〕하다; 《口》 결혼시키다; 속박하다. ③ (경기에서) 동점이 되다. ④ 〖樂〗 (음표를) 연결하다. — *vi.* 매이다; 동점이〔타이로〕 되다. **be much ~d** 조금도 틈이 없다. **~ down** 제한하다, 구속하다. **~ up** 단단히 묶다; 싸다; 방해하다, 못 하게 하다; 《美》 짜다, 연합하다(*to, with*); 구속하다; (재산 따위를) 자유로 사용〔처분〕 못 하게 하다. — *n.* Ⓒ ① 매듭; 끈, 구두끈, 줄, 쇠사슬 (따위). ② (*pl.*) 끈으로 매는 단화의 일종; 넥타이. ③ (*pl.*) 연분, 기반(羈絆). ④ 속박, 거추장스러운 것, 귀찮은 사람. ⑤ 동점(의 경기). ⑥ 〖工〗 버팀목; 《美》 침목(枕木); 〖樂〗 붙임줄, 타이. **play** 〔**shoot**〕 **off the ~** 결승 시합을 하다.

tíe·brèak(er) *n.* Ⓒ (테니스 따위의) 동점 결승 경기.

tíed hóuse 《英》 (어느 특정 회사의 술만 파는) 주점.

tíe-dỳe *n., vt.* Ⓤ 홀치기 염색(하다); Ⓒ 그 옷.

tíe-ìn *a.* 함께 끼어 파는.

tíe·pìn *n.* Ⓒ 넥타이 핀.

tier[tiər] *n.* Ⓒ (관람석 따위의) 1단(段); 열. — *vt., vi.* 층층으로 포개어 쌓(이)다.

˙**tíe·ùp** *n.* Ⓒ ① (스트라이크·사고 등에 의한) 교통 두절, 업무 정지. ② (철도 종업원의) 준법(遵法) 투쟁. ③ 제휴, 타이업, 협력.

T

tiff[tif] *n., vi.* Ⓒ 말다툼(을 하다); 기분이 언짢음[언짢다]; 기분을 상하다.

†**ti·ger**[táigər] *n.* Ⓒ ① 〖動〗 범, 호랑이. ② 포악한 사람. ③ 《口》 (경기 따위의) 강적. ④ 《美》 (만세 삼창(three cheers) 후의) 덧부르는 환호. **~·ish** *a.* 범 같은; 잔인한.

:**tight**[tait] *a.* ① 탄탄한, 단단히 맨, 꽉 채운; 팽팽하게 켕긴; (옷 따위) 꼭 맞는, 갑갑한. ② 《方》 아담한, 말쑥한(neat). ③ 빈틈없는, 발이 촘촘한, (물·공기 따위가) 새지 않는; 다루기 어려운, 옴짝달싹할 수 없는. ④ 거의 막상 막하의, 접전(接戰)의. ⑤ 〖商〗 핍박한, 《口》 돈이 잘 안 도는; 《口》 인색한. ⑥ 《俗》 술취한. ***be in a ~ place*** 진퇴양난이다. — *ad.* 단단히, 굳게; 푹. ***sit ~*** 버티다, 주장을 굽히지 않다. — *n.* (*pl.*) 몸에 꼭 끼는 속옷, 타이츠. **:∠·ly** *ad.* **∠·ness** *n.*

:**tight·en**[∠n] *vt., vi.* 바싹 죄(어지)다, 탄탄하게 하다[되다].

tíght-físted *a.* 인색한, 구두쇠의.

tíght-knít *a.* ① (올을) 쫀쫀하게 짠. ② 조직이 탄탄한, 단단하게 조립된.

tíght-lípped *a.* 입을 꼭 다문; 말이 「적은.

tíght·ròpe *n.* Ⓒ 팽팽한 줄. **~ *dancer*** [***walker***] 줄타기 곡예사.

ti·gress[táigris] *n.* Ⓒ 암범.

til·de[tíldə] *n.* Ⓒ 스페인 말의 n 위에 붙이는 파선(波線) 부호《보기: cañon》.

:**tile**[tail] *n.* Ⓒ ① 기와, 타일《집합적으로도》. ② 하수 토관(下水土管). ③ 《口》 실크해트. (***pass a night***) ***on the ~s*** 방탕하여 (밤을 보내다). — *vt.* 기와를 이다, 타일을 붙이다. **tíl·er** *n.* Ⓒ 기와[타일]장이[제조인]; (Freemason의) 집회소 망꾼. **tíl·ing** *n.* Ⓤ 《집합적》 기와, 타일; 기와 이기, 타일 붙이기; 기와 지붕, 타일을 붙인 바닥[목욕통] (따위).

†**till**[1][til] *prep., conj.* …까지, (…할 「때) 까지.

:**till**[2] *vt., vi.* 갈다(cf. tilth). **∠·a·ble** *a.* 경작에 알맞은. **∠·age** *n.* Ⓤ 경작 (상태); 경작지; 농작물. **∠·er**[1] *n.* Ⓒ 경작자, 농부.

till[3] *n.* Ⓒ 돈궤, 귀중품함, 서랍.

till·er[2][tílər] *n.* Ⓒ 〖海〗 키의 손잡이.

·**tilt**[tilt] *vi.* ① 기울다. ② 창으로 찌르다(*at*); 마상(馬上) 창 경기를 하다. — *vt.* ① 기울이다(*up*). ② (창으로) 찌르다; 공격하다. ③ 〖映〗 (카메라를) 상하로 움직이다(cf. pan[2]). ***~ at windmills*** 가상의 적과 싸우다, 불가능한 일을 시도하다《Don Quixote 의 이야기에서》. — *n.* Ⓒ ① 기울기, 경사; 기울임. ② (창의) (한 번) 찌르기; 마상 창 경기. ③ 논쟁. (***at***) ***full ~*** 전속력으로; 전력을 다하여. ***have a ~ at*** [***against***] …을 공격하다. ***on the ~*** 기울어.

tilth[tilθ] *n.* Ⓤ 경작; 경지(cf. till[2]).

:**tim·ber**[tímbər] *n.* ① Ⓤ 재목, 용재(用材); 큰 재목. ② (*pl.*) 〖海〗 선재(船材), 늑재(肋材). ③ Ⓤ 《집합적》 (재목용의) 수목; 《美》 삼림. ④ Ⓤ 《美》 인품, 소질. — *vt.* 재목으로 건축하다[버티다]. **~ed**[-d] *a.* 목조의; 수목이 울창한. **~·ing** *n.* Ⓤ 《집합적》 건축용재; 목공품.

tim·bre[tǽmbər, tím-] *n.* Ⓤ,Ⓒ 음색(音色).

†**time**[taim] *n.* ① Ⓤ 시간, 때; 세월; 기간; 시각, 시(時), 시절; 표준시. ② (one's ~) 생애; Ⓒ (보통 *pl.*) 시대. ③ Ⓤ,Ⓒ 시기, 기회. ④ Ⓤ (복무) 연한; (one's ~) 죽을 때; 분만기; Ⓤ 《口》 형기(刑期); 근무 시간; 시간 급(給). ⑤ Ⓒ 경험, (혼났던) 일 (따위). ⑥ Ⓒ 시세; 경기. ⑦ Ⓤ 여가, 여유. ⑧ Ⓒ 번, 회(回); (*pl.*) 배(倍)(*ten ~s larger than that; Six ~s five is* [*are*] *thirty.* 6×5 = 30). ⑨ Ⓤ 〖樂〗 박자, 음표[쉼표]의 길이; 〖軍〗 보조(步調). ⑩ Ⓤ 〖競技〗 소요 시간, 시작!; 그만!. AGAINST **~. *at a ~*** 한 번에; 동시에. ***at the same ~*** 동시에; 그러나, 그래도. ***at ~s*** 때때로. ***behind the ~s*** 구식의. ***for a ~*** 한때, 잠시. ***for the ~ being*** 당분간. ***from ~ to ~*** 때때로. ***gain ~*** 시간을 벌다; 여유를 얻다; 수고를 덜다. ***in good*** [***bad***] ***~*** 마침 좋은 때에 [시간을 어겨]; 곧[늦어서]. ***in*** (***less than***) ***no ~*** 즉

시. ***in*** ~ 이윽고; 시간에 대어(*for*); 장단을 맞춰(*with*). ***keep good*** 〔***bad***〕 ~ (시계가) 잘〔안〕 맞다. ***keep*** ~ 장단을 맞추다(*with*). ***on*** ~ 시간대로; 분할 지불로, 후불로. ***pass the*** ~ ***of day*** (아침·저녁의) 인사를 하다. ~ ***after*** ~, or ~ ***and again*** 여러 번. ***T- flies.*** 《속담》 세월은 쏜살같다. ~ ***out of mind*** 아득한 옛날부터. ***to*** ~ 시간대로. — *vt.* ① 시간을 재다. ② (…의) 박자를 맞추다. ③ 좋은 시기에 맞추다; (…의) 시간을 정하다. — *vi.* 박자를 맞추다, 장단이 맞다(*with*). — *a.* ① 때의. ② 시한(時限)의. ③ 후불의. **∠·less** *ad.* 영원한; 부정기(不定期)의. **:∠·ly** *a.* 때에 알맞은, 적시의. — *ad.* 알맞게.

tíme bòmb 시한 폭탄.

tíme càpsule 타임 캡슐《그 시대를 대표하는 기물·기록을 미래에 남기기 위해서 넣어둔 그릇》.

tíme fràme 《英》 (어떤 일이 행해지는) 시기, 기간.

tíme-hòno(u)red *a.* 옛날 그대로의, 유서 깊은.

tíme·kèeper *n.* Ⓒ 계시기(計時器)〔인(人)〕; 시계.

tíme làg (두 관련된 일의) 시간적 차, 시차.

tíme-làpse *a.* 계시(繼時) 노출(촬영)의《식물의 성장처럼 더딘 경과의 촬영법》.

tíme lìmit 시한(時限).

tíme-óut *n.* Ⓒ 〖競技〗 (경기중 작전 협의 등을 위해 요구되는) 타임; (중간) 휴식 (시간).

tíme·pìece *n.* Ⓒ 시계.

tim·er[∠ər] *n.* Ⓒ 시간 기록계〔원〕, 계시기(計時器); (내연 기관의) 점화 조정 장치; 〖컴〗 시계, 타이머《시간 간격 측정을 위한 장치·프로그램》.

tíme·sèrver *n.* Ⓒ 기회주의자, 시대에 영합하는 사람.

tíme·sèrving *a., n.* Ⓤ 사대적(事大的)인, 기회주의(의).

tíme-shàring 〖컴〗 시(時)분할 (~ *system* 시분할 시스템).

tíme sìgnal 〖放〗 시보(時報).

tíme sìgnature 〖樂〗 박자 기호.

Tíme Squáre New York 시의 극장가.

***time·ta·ble**[∠tèibl] *n.* Ⓒ 시간표《특히 탈것의》.

tíme·wòrn *a.* 낡은.

tíme zòne (지방) 표준 시간대(帶).

:tim·id[tímid] *a.* 겁많은, 수줍어하는. **~·ly** *ad.* **~·ness** *n.* **ti·míd·i·ty** *n.*

:tim·ing[táimiŋ] *n.* Ⓤ 타이밍《음악·경기 등에서 최대의 효과를 얻기 위한 스피드 조절》.

tim·or·ous[tímərəs] *a.* =TIMID.

tim·pa·ni[tímpəni] *n. pl.* (*sing.* ***-no***[-nòu])《단수 취급》 팀파니《바닥이 둥근 북》. **-nist** *n.*

:tin[tin] *n.* ① Ⓤ 주석; 양철. ② Ⓒ 《주로 英》 주석 그릇, 양철 깡통. — *a.* 주석으로〔양철로〕 만든. — *vt.* (***-nn-***) ① 주석을 입히다. ② 《英》 통조림하다.

tín cán 양철 깡통; 《美海軍俗》 구축함.

tinc·ture[tíŋktʃər] *n.* (a ~) 색, 색조; 기미, …한 티〔기·기미〕; Ⓤ 〖醫〗 정기제(丁幾劑). — *vt.* 착색하다, 물들이다; 풍미를 곁들이다; (…의) 기미〔색조〕를 띠게 하다(*with*).

tin·der[tíndər] *n.* Ⓤ 부싯깃.

tínder·bòx *n.* Ⓒ 부싯깃통; 타기 쉬운 것, 성마른 사람.

tine[tain] *n.* Ⓒ (포크 따위의) 가지, (빗 따위의) 살; (사슴뿔의) 가지.

tín fòil 주석박(箔), 은종이.

ting[tiŋ] *n., vt., vi.* (a ~) 딸랑딸랑 (울리다).

tíng-a-lìng *n.* Ⓤ 방울 소리; 딸랑딸랑, 따르릉.

***tinge**[tindʒ] *n.* (a ~) ① 엷은 색(조). ② 기미, …기, …티. — *vt.* ① 엷게 착색하다, 물들이다. ② 가미하다, (…에) 기미를 띠게 하다(*with*); 조금 바꾸다〔변질시키다〕.

***tin·gle**[tíŋgəl] *vi., n.* (a ~) ① 따끔따끔 아프다〔아픔〕, 쑤시다, 쑤심. ② 마음 졸이다, 조마조마함, 흥분(하다). ③ 딸랑딸랑 울리다(tinkle). **-gling** *a.* 쑤시는; 오싹 소름끼치는; 부들부들떠는.

tín hát 《口》 헬멧, 철모, 안전모.

***tink·er**[tíŋkər] *n.* Ⓒ ① 땜장이. ② 서투른 일〔장색〕. — *vi., vt.* ① 땜장이 노릇을 하다. ② 서투른 수선을 하

다(*away, at, with*): 만지작거리다.

·**tin·kle**[tíŋkəl] *n., vi., vt.* Ⓒ (보통 *sing.*) 딸랑딸랑 (울리다); 딸랑딸랑 울리며 움직이다〔부르다, 알리다〕. **tín·kling** *a., n.* Ⓒ (보통 *sing.*) 딸랑딸랑 울리는 (소리).

tin·ny[tíni] *a.* 주석(tin)의〔을 함유한〕; 양철 같은 (소리의).

tín òpener 《英》 깡통따개.

tín-pan álley[tínpæ̀n-] 《美》 음악가·유행가 작사자〔출판자〕 등이 모이는 지역.

tín plàte 양철.

tin·sel[tínsəl] *n., vt.* (《英》 **-ll-**) Ⓤ (크리스마스 따위의) 번쩍번쩍하는 장식물; 금〔은〕실을 넣은 얇은 천; 번드르르하고 값싼 물건(으로 장식하다). ― *a.* 번쩍거리는; 값싸고 번드르르한.

:**tint**[tint] *n.* Ⓒ ① 엷은 빛깔; (푸른 기, 붉은 기 따위의) …기; 백색 바림 《백색을 가해서 되는 변화색》. ② 색의 농담; 색채(의 배합), 색조. ③ 〚彫刻〛 선음영(線陰影). ― *vt.* (…에) 색(色)을 칠하다, 엷게 물들이다. **∠·ed**[∠id] *a.* 착색의〔한〕.

:**ti·ny**[táini] *a.* 아주 작은.

:**tip**[1] [tip] *n.* Ⓒ ① 끝, 선단. ② 정상. ③ 끝에 붙이는 것. ***at the ~s of one's fingers*** 정통하여. ***on*** 〔***at***〕 ***the ~ of one's tongue*** (말이) 목구멍까지 나와. ***to the ~s of one's fingers*** 모조리, 철두철미. ― *vt.* (**-pp-**) (…에) 끝을 붙이다; 끝에 씌우다.

:**tip**[2] *vt.* (**-pp-**) ① 기울이다; 뒤집어엎다(*over, up*). ② 《英》 (뒤엎어) 비우다(*off, out*). ③ 인사하려고 벗다《모자를》. ― *vi.* 기울다, 뒤집히다. ― *n.* Ⓒ 기울임, 기울어짐, 기욺.

:**tip**[3] *n.* Ⓒ ① 팁, 행하. ② 내보(內報), (경마 등의) 예상; 좋은 힌트, 비결. ③ 살짝 치기, 〚野·크리켓〛 '팁'. ― *vt.* (**-pp-**) (…에) 팁을 주다; 《口》 (경마나 투기에서) 정보를 제공하다; 살짝 치다; 〚野·크리켓〛 팁하다. ~ ***off*** 《口》 내보하다, 경고하다.

típ-òff *n.* Ⓒ 《口》 내보; 경고.

tip·pet[típit] *n.* Ⓒ (끝이 앞으로 늘어진 여자용) 어깨걸이; 목도리; (특히) (성직자·재판관의) 검은 스카프; (소매·스카프 등의) 길게 늘어진 부분.

tip·ple[típəl] *vi., vt.* (술을) 잘〔습관적으로〕 마시다. ― *n.* Ⓒ (보통 *sing.*) (독한) 술. **~r** *n.* Ⓒ 술고래.

tip·ster[típstər] *n.* Ⓒ 《口》 (경마·투기 따위의) 정보 제공자.

tip·sy[típsi] *a.* 기울어진; 비틀거리는; 거나하게 취한.

:**tip·toe**[típtòu] *n.* Ⓒ 발끝. ***on ~*** 발끝으로 (걸어서); 살그머니; 열심히. ― *vi.* 발끝으로 걷다. ― *a.* ① 발끝으로 서 있는〔걷는〕; 주의 깊은, 살그머니 하는. ② 크게 기대하고 있는. ― *ad.* 발끝으로.

típ·tóp *n., a.* (the ~) 정상(의); 《口》 극상(極上)(의).

ti·rade[táireid, ―∠] *n.* Ⓒ 긴 열변; 긴 비난 연설.

:**tire**[1] [taiər] *vt., vi.* ① 피로하게 하다, 지치다(*with, by*). ② 넌더리나게 하다(*with*); 물리다(*of*). ***~ out,*** or ***~ to death*** 녹초가 되게 하다. †**~d**[-d] *a.* 피로한(*with*); 싫증난(*of*). ***∠·less** *a.* 지치지 않는; 꾸준한, 부단한. ***∠·some** *a.* 지루한, 싫증나는; 성가신. **tír·ing** *a.* 피로하게 하는; 싫증나는.

:**tire**[2], 《英》 **tyre**[taiər] *n., vt.* Ⓒ (쇠·고무의) 타이어(를 달다).

'**tis**[tiz] 《古·詩》 it is의 단축.

:**tis·sue**[tíʃuː] *n.* ① Ⓤ,Ⓒ 〚生〛 조직. ② Ⓤ,Ⓒ 얇은 직물. ③ Ⓒ (거짓말 따위의) 뒤범벅, 연속. ④ =∠ **pàper** 미농지.

tit[1] [tit] *n.* Ⓒ 박새류(類)의 새.

tit[2] *n.* Ⓒ 젖꼭지.

tit[3] *n.* 《다음 성구로》 ~ ***for tat*** 되받아 쏘아 붙이기, 대갚음.

·**Ti·tan**[táitən] *n.* ① (the ~s) 〚그神〛 타이탄《Olympus의 신들보다 앞서 세계를 지배하고 있던 거인족의 한 사람》. ② Ⓒ (t-) 거인, 위인; 태양신. ― *a.* =TITANIC. **~·ic**[taitǽnik] *a.* 타이탄의〔같은〕; (t-) 거대한, 힘센.

ti·ta·ni·um[titéiniəm] *n.* Ⓤ 〚化〛 티탄《금속 원소; 기호 Ti》.

tit·bit[títbìt] *n.* 《주로 英》 =TIDBIT.

T

·tithe [taið] *n.* Ⓒ ① (종종 *pl.*) 《英》 십일조(十一租)《1년 수익의 10분의 1을 바치며, 교회 유지에 쓰임》. ② 작은 부분; 소액의 세금. — *vt.* 십일조를 부과하다[바치다].

tit·il·late [títəlèit] *vt.* 간질이다; (…의) 흥을 돋우다. **-la·tion** [⌐–léiʃən] *n.* Ⓤ 간질임; 기분좋은 자극, 감흥.

:ti·tle [táitl] *n.* ① Ⓒ 표제, 제목; 책 이름; 〖映〗 자막, 타이틀. ② Ⓒ,Ⓤ 명칭; 칭호, 직함; 학위. ③ Ⓤ,Ⓒ 권리, 자격(*to, in, of; to* do); 〖法〗 재산 소유권; 권리증. ④ Ⓒ 선수권 (*a ~ match*). — *vt.* ① 표제를〔책 이름을〕 붙이다. ② (필름에) 자막을 넣다. ③ (…에) 칭호를〔직함을〕 주다. **tí·tled** *a.* 직함 있는.

títle dèed 〖法〗 부동산 권리 증서.

títle·hòlder *n.* Ⓒ 선수권 보유자.

títle pàge 타이틀 페이지《책의 속 표지》.

tit·ter [títər] *n., vi.* Ⓒ 킥킥 웃음, 킥킥 거리다.

títtle-tàttle *n., vi.* Ⓤ 객적은 이야기(를 하다).

tit·u·lar [títʃulər] *a.* 이름뿐인; 직함이 있는; 표제〔제목〕의. **~·ly** *ad.*

tiz·zy [tízi] *n.* Ⓒ (보통 *sing.*) 《俗》 흥분(dither); 《英俗》 6펜스.

T-jùnction *n.* Ⓒ T자(字) 길; T자 꼴의 연결부.

TNT, T.N.T. trinitrotoluene.

·to [強 tuː 弱 tu, tə] *prep.* ① 《방향》 …으로, …에(*go to Paris*). ② 《정도》 …까지(*a socialist to the backbone*). ③ 《목적》 위해(*sit down to dinner*). ④ 《추이·변화》 …에, …으로(*turn to red*). ⑤ 《결과》 …한 〔하였던〕 것으로는, …하게도(*to my joy*). ⑥ 《적합》 …에 맞추어(*sing to the piano/It is not to my liking.* 취미에 맞지 않는다). ⑦ 《비교·대조·비율》 …에 비해서, …에 대해서(*ten cents to the dollar,* 1달러에 대하여 10센트). ⑧ 《소속》 …의 (*the key to this safe* 이 금고의 열쇠). ⑨ 《대상》 …을 위해서(*Let us drink to Helen.* 헬렌을 위해서 축배를 듭시다). ⑩ 《접촉》 …에 (*attach it to the tree*). ⑪ 《관계》 …에 대해서, 관해서(*an answer to that question/kind to us*). ⑫ 《시간》 …(분)전(*a quarter to six*). ⑬ 《부정사와 함께》(*It began to rain*). — [tuː] *ad.* 평상 상태로, 정지하여 (*The door is to.* 닫혀 있다); 앞에, 앞으로(*wear a cap wrong side to* 모자를 거꾸로 쓰고 있다). ***come to*** 의식을 회복하다. ***to and fro*** 여기 저기에.

·toad [toud] *n.* Ⓒ 두꺼비; 지겨운 놈. ***eat a person's ~s*** (아무)에게 아첨하다.

tóad·stòol *n.* Ⓒ 버섯, 독버섯.

toad·y [⌐i] *n., vt., vi.* Ⓒ 아첨꾼; 아첨하다. **~·ism** [-ìzəm] *n.* Ⓤ 아첨.

:toast[1] [toust] *n.* Ⓤ 토스트. — *vt., vi.* (빵을) 토스트하다, 굽다; 불로 따뜻이 하다〔따뜻해지다〕. **⌐·er**[1] *n.*

·toast[2] *n.* Ⓒ 축배를 받는 사람; 축배, 축사. — *vt., vi.* (…을 위해서) 축배를 들다. **⌐·er**[2] *n.*

tóast·màster *n.* Ⓒ 축배를 제창하는 사람; 축배의 말을 하는 사람; (연회의) 사회자.

:to·bac·co [təbǽkou] *n.* (*pl.* **~(e)s**) Ⓤ 《종류는 Ⓒ》 담배. **~·nist** [-kənist] *n.* Ⓒ 《주로 英》 담배 장수.

to·bog·gan [təbágən/-ɔ́-] *n., vi.* Ⓒ 터보건《바닥이 판판한 썰매》 (으로 달리다); 《美》 (물가가) 폭락하다.

toc·ca·ta [təkáːtə] *n.* (It.) Ⓒ 〖樂〗 토카타《오르간·하프시코드용의 화려한 환상곡》.

tod [tad/-ɔ-] *n.* 《英俗》 《다음 성구로》 ***on one's ~*** 혼자서, 자신이.

†to·day, to-day [tədéi, tu-] *n., ad.* Ⓤ 오늘; 현재, 오늘날.

tod·dle [tádl/-ɔ́-] *n., vi.* Ⓒ 아장아장 걷기〔걷다〕. **-dler** *n.* Ⓒ 아장아장 걷는 사람, 유아.

tod·dy [tádi/-ɔ́-] *n.* Ⓤ 야자술〔즙〕; Ⓤ,Ⓒ 토디《더운 물을 탄 위스키 따위에 설탕을 넣은 음료》.

to-dó *n.* Ⓒ (보통 *sing.*) 《口》 법석 (fuss), 소동.

:toe [tou] *n.* Ⓒ ① 발가락. ② 발끝. ③ 도구의 끝. ***on one's ~s*** 《口》 활기있는, 빈틈없는. ***turn up one's ~s*** 《俗》 죽다. — *vt.* 발가락으로 대다; (양말 따위의) 앞부리를 대다.

— *vi.* 발끝을 돌리다(*in, out*). ~ **the line** 〔**mark, scratch**〕 스타트 라인에 서다; 명령〔규칙, 관습〕에 따르다.

tóe·hòld 〖登〗 조그마한 발판; 〖레슬링〗 발목 비틀기.

tóe·nàil *n.* Ⓒ 발톱; 비스듬히 박은 못.

tof·fee, -fy [tɔ́:fi, -ɑ́-/-ɔ́-] *n.* Ⓤ,Ⓒ 《주로 英》 토피《캔디》.

tog [tɑg/-ɔ-] *n., vt.* (**-gg-**) Ⓒ (보통 *pl.*) 《口》 옷(을 입히다) (*out, up*).

to·ga [tóugə] *n.* (*pl.* **~s, -gae** [-dʒi:]) Ⓒ 토가《고대 로마인의 헐렁한 겉옷》; (재판관 등의) 직복(職服).

†**to·geth·er** [təgéðər] *ad.* ① 함께, 공동으로. ② 서로. ③ 동시에, 일제히. ④ 계속하여(*for days* ~). ~ **with** …에 함께.

to·geth·er·ness [-nis] *n.* Ⓤ 연대성; 연대감, 동류 의식.

tog·gle [tɑ́gəl/-ɔ́-] *n., vt.* Ⓒ 〖海〗 비녀장(으로 고정시키다); 〖컴〗 토글.

tóggle swìtch 〖컴〗 토글 스위치.

:**toil**[1] [tɔil] *n., vi.* Ⓤ 수고; Ⓒ 힘드는 일; 수고하다; Ⓤ 고생(하다)(*at, on, for*); 애써 나아가다(*along, up, through*). ~ **and moil** 뼈빠지게 일하다. **∠·er** *n.*

toil[2] *n.* (보통 *pl.*) 올가미(snare); 그물.

:**toi·let** [tɔ́ilit] *n.* ① Ⓤ 화장; 복장, 의상. ② Ⓒ 화장실, 변소. **make one's** ~ 몸치장하다.

tóilet pàper 〔**tìssue**〕 (부드러운) 휴지, 뒤지.

toi·let·ry [-ri] *n.* (*pl.*) 화장품류.

tóilet sòap 화장 비누.

tóilet tràining (어린이에 대한) 용변 훈련.

tóilet wàter 화장수.

to·ing and fro·ing [tú:iŋ ənd fróuiŋ] 앞뒤로〔이리저리〕 왔다갔다 하기.

:**to·ken** [tóukən] *n.* Ⓒ ① 표, 증거. ② 《古》 전조(前兆). ③ 기념품, 유물(keepsake). ④ 대용 화폐(*a bus* ~). ⑤ 〖컴〗 징표. **by the same** ~, or **by this** 〔**that**〕 ~ 그 증거로; 그것으로 생각나는데, 그 위에(moreover). **in** 〔**as a**〕 ~ **of** … 의 표시〔증거〕로서. **more by** ~ **of** 《古》 더 한층, 점점. — *a.* 명목상의, 이름만의(nominal).

†**told** [tould] *v.* tell의 과거(분사).

·**tol·er·a·ble** [tɑ́lərəbəl/-ɔ́-] *a.* 참을 수 있는; 웬만한, 상당한(passable). ·**-bly** *ad.*

·**tol·er·ance** [tɑ́lərəns/-ɔ́-] *n.* ① Ⓤ 관용, 아량. ② Ⓤ,Ⓒ 〖醫〗 내약력(耐藥力). ③ Ⓤ,Ⓒ 〖造幣〗 공차(公差); 〖機〗 허용차(許容差), 여유. ④ Ⓤ,Ⓒ 〖컴〗 허용 한계. ·**-ant** *a.*

·**tol·er·ate** [-rèit] *vt.* ① 참다, 견디다(endure). ② 관대히 다루다; 묵인하다. ③ 〖醫〗 (…에 대해서) 내약력이 있다. **-a·tion** [∸–éiʃən] *n.* Ⓤ 관용, 묵인(indulgence); 신앙의 자유, 이교(異敎) 묵인.

·**toll**[1] [toul] *n., vt., vi.* (*sing.*) (죽음·장례식의) 종(을〔이〕 천천히 울리다).

·**toll**[2] *n.* Ⓒ ① 사용료; 통행세, 통행료, 교량 통행료, 항만세; 운임, 장거리 전화료. ② (보통 *sing.*) 사상자(死傷者).

tól(l)·bòoth *n.* Ⓒ (유료 도로의) 통행세 징수소.

tóll brìdge 유료교(橋).

tóll-frèe *a.* 《美》 무료 장거리 전화의《기업의 선전·공공 서비스 등에서 요금이 수화자 부담인》.

tóll ròad 유료 도로.

tom [tɑm/-ɔ-] *n.* (T-) Thomas의 애칭; Ⓒ 동물의 수컷. **T- and Jerry** 달걀을 넣은 럼술. **T-, Dick, and Harry** 《口》 보통 사람; 너나없이.

tom·a·hawk [tɑ́məhɔ̀:k/-ɔ́-] *n., vt.* Ⓒ (북아메리카 토인의) 도끼, 전부(戰斧)(로 찍다). **bury the** ~ 화해하다.

:**to·ma·to** [təméitou/-mɑ́:-] *n.* (*pl.* **~es**) Ⓒ,Ⓤ 토마토.

:**tomb** [tu:m] *n., vt.* Ⓒ 무덤; 매장하다.

「량이.

tom·boy [tɑ́mbɔ̀i/tɔ́m-] *n.* Ⓒ 말괄

·**tómb·stòne** *n.* Ⓒ 묘석.

tóm·càt *n.* Ⓒ 수고양이.

tome [toum] *n.* Ⓒ (내용이 방대한) 큰 책(large volume).

tóm·fóol *n.* Ⓒ 바보; 어릿광대. **~·er·y** [∸∸əri] *n.* Ⓤ,Ⓒ 바보짓.

tómmy-gún 경기관총.

tómmy·ròt *n.* Ⓤ 《口》 허튼 소리, 바보짓.

†**to·mor·row, to-mor·row**[təmɔ́:rou, -ɑ́-, tu-/-ɔ́-] *n., ad.* Ⓤ 내일(은). ***the day after*** ~ 모레.

tom-tom[tʌ́mtʌ̀m/tɔ́mtɔ̀m] *n.* Ⓒ (인도 등지의) 큰 북(소리).

:**ton**[tʌn] *n.* ① Ⓒ 톤《중량 단위 : 영(英)톤(long *or* gross ton) = 2,240파운드; 미(美)톤(short *or* American ton) = 2,000파운드; 미터톤(metric ton) = 1,000kg》. ② Ⓒ 톤《용적 단위: 배는 100 입방 피트; 화물은 40입방 피트》. ③ Ⓒ (보통 *pl.*) 《口》 다수, 다량.

ton·al[tóunəl] *a.* 음조의, 음색의; 색조의.

to·nal·i·ty[tounǽləti] *n.* Ⓤ,Ⓒ 음조, 색조.

:**tone**[toun] *n.* ① Ⓒ 음질, 가락, 음(조); 논조; 어조, 말투. ② Ⓒ 기풍, 품격. ③ Ⓒ 〚樂〛 온음(정). ④ Ⓤ (몸의) 호조, 건강 상태. ⑤ Ⓒ 색조, 명암. ⑥ 〚컴〛 음색, 톤《(1)그래픽 아트·컴퓨터 그래픽에서의 명도. (2)오디오에서 특정 주파수의 소리·신호》. — *vt., vi.* ① 가락〔억양〕을 붙이다, 가락〔억양〕이 붙다. ② 조화시키다〔하다〕. ~ ***down*** 부드럽게 하다, 부드러워지다. ~ ***up*** 강해지다, 강하게 하다.

tóne-dèaf *a.* 음치(音痴)의.

·**tongs**[tɔ(:)ŋz, -ɑ-] *n. pl.* 부젓가락, 집게.

:**tongue**[tʌŋ] *n.* ① Ⓒ 혀; Ⓤ,Ⓒ 〚料理〛 텅《소의 혀》; Ⓒ 혀 모양의 것; 갑(岬). ② Ⓒ 말; 국어. ***coated*** 〔***furred***〕 ~ 〚醫〛 설태(舌苔). ***find one's*** ~ (놀란 뒤 따위) 겨우 말문이 열리다. ***hold one's*** ~ 잠자코 있다. ***long*** ~ 수다. ***lose one's*** ~ (부끄러움 따위로) 말문이 막히다. ***on the*** TIP[1] ***of one's*** ~. ***on the*** ~***s of men*** 소문이 나서. ***with one's*** ~ ***in one's cheek*** 느물거리는 조로; 비꼬아. — *vt., vi.* ① (플루트 따위를) 혀를 사용하여 불다. ② (*vi.*) 혀를 사용하다. ③ (혀·화염이) 널름거리다(*up*).

tóngue-tìe *n., vt.* Ⓤ 혀짤배기임; 혀가 돌아가지 않게 하다. **-tied** *a.* 혀가 짧은; (무안·당혹 따위로) 말을 못하는.

tóngue twìster 빨리 하면 혀가 잘 안 도는 말.

·**ton·ic**[tɑ́nik/-ɔ́-] *a.* ① (약이) 강장(強壯)용의. ② 〚醫〛 강직성의; 〚樂〛 음의, 으뜸음의; 〚音聲〛 강세가 있는. — *n.* Ⓒ ① 강장제. ② 으뜸음.

†**to·night, to-night**[tənáit, tu-] *n., ad.* Ⓤ 오늘밤(에).

·**ton·nage**[tʌ́nidʒ] *n.* Ⓤ,Ⓒ ① (배의) 용적 톤수; 용적량. ② (한 나라 상선의) 총톤수; (배의) 톤세(稅). ③ (화물 따위의) 톤수. ***gross*** 〔***net***〕 ~ (상선의) 총〔순〕톤수(cf. displacement).

ton·sil[tɑ́nsil/-ɔ́-] *n.* Ⓒ 편도선.

ton·sil·li·tis[∸-láitis] *n.* Ⓤ 편도선염.

ton·sure[tɑ́nʃər/-ɔ́-] *n.* Ⓤ 〚宗〛 삭발례(削髮禮); Ⓒ 삭발한 부분. — *vt.* (…의) 머리털을 밀다.

†**too**[tu:] *ad.* ① 또한, 그 위에. ② 너무, 지나치게. ③ 대단히. ***all*** ~ 너무나. ***none*** ~ 조금도 …않은, …는 커녕. ***only*** ~ 유감이나; 더할 나위 없이.

†**took**[tuk] *v.* take의 과거.

†**tool**[tu:l] *n.* Ⓒ ① 도구, 공구, 연장; 공작 기계《선반 따위》. ② 끄나풀, 앞잡이. ③ 〚製本〛 압형기(押型器). ④ 〚컴〛 도구《software 개발을 위한 프로그램》. — *vt.* ① (…에) 도구를 쓰다. ② 〚製本〛 압형기로 무늬〔글자〕를 박다. ③ 《英口》 (마차를) 천천히 몰다. — *vi.* ① 도구를 사용하여 일하다. ② 《英口》 마차를 몰다(*along*). ∠**·ing** *n.* Ⓤ 연장으로 세공하기; 압형기로 무늬〔글자〕박기.

toot[tu:t] *n., vt., vi.* Ⓒ 뚜우뚜우(울리다).

†**tooth**[tu:θ] *n.* (*pl.* ***teeth***) Ⓒ ① 이; 이 모양의 물건, (톱의) 이. ② 맛, 좋아하는 것. ***armed to the teeth*** 완전 무장하고. ***between the teeth*** 목소리를 죽이고. ***cast*** 〔***throw***〕 ***something in a person's teeth*** (…의 일로) 책망하다. ***in the teeth of*** …의 면전에서; …을 무릅쓰고; …에도 불구하고. ***show one's teeth*** 이를 드러내다, 성내다; 거역하다.

~ **and nail** 필사적으로. **to the** [**one's**] ~ 충분히, 완전히. — *vt.* ① (…에) 톱니를 붙이다, 깔쭉깔쭉[들쭉날쭉]하게 하다. ② 물다. — *vi.* (톱니바퀴가) 맞물다. ~**ed**[-θt, -ðd] *a.* 이가 있는, 깔쭉깔쭉한. ∠·**less** *a.* 이 없는, 이가 빠진.

:**tóoth·àche** *n.* U,C 치통.

·**tóoth·brùsh** *n.* C 칫솔.

tóoth·pàste *n.* U,C 크림 모양의 치약.

tóoth·pìck *n.* C 이쑤시개.

tóoth·some *a.* 맛있는.

too·tle[tú:tl] *vi.* (피리 따위를) 가볍게 불다. — *n.* C 피리 소리.

†**top**[1][tap/-ɔ-] *n.* C ① 정상; 위 끝; 절정. ② 표면. ③ 수위, 수석; 상석; (보트의) 1번 노잡이; 최량[중요] 부분. ④ 지붕, 뚜껑; 머리, 두부. ⑤ 〖製本〗 (책의) 상변(上邊)(*a gilt* ~ 천금(天金)). ⑥ (구두의) 상부; (투구의) 털술, 섬유 다발. ⑦ 〖海〗 장루(檣樓). **at the ~ of** 될 수 있는 한 …으로. **from ~ to toe** [**bottom, tail**] 머리끝에서 발끝까지; 온통. **on ~ of it** 게다가(besides). **over the ~** 참호에서 뛰어나와. **the ~ of the milk** 《口》 프로그램 중에서 가장 좋은 것, 백미(白眉). — *a.* 제일 위의, 최고의; 수석의. — *vt.* (**-pp-**) ① (…의) 꼭대기를[표면을] 덮다(*with*). ② (…의) 꼭대기에 있다[이르다]; (…의) 위에 올라가다. ③ (…을) 넘다, (…을) 능가하다; (…의) 수위를 차지하다. ④ (식물의) 끝을 자르다. ⑤ 〖골프〗 (공의) 위쪽을 치다. — *vi.* 우뚝 솟다. ~ **off** [**up**] 완성하다, 매듭을 짓다.

:**top**[2] *n.* C 팽이. **sleep like a ~** 푹 자다.

to·paz[tóupæz] *n.* U 〖鑛〗 황옥(黃玉).

tóp·còat *n.* C (가벼운) 외투.

tóp dráwer 맨 윗서랍; (사회·권위 등의) 최상층.

tóp-drèss *vt.* (밭에) 비료를 주다; (도로 따위에) 자갈을 깔다.

to·pee, to·pi[toupí:, ∠-/∠-] *n.* C (인도의) 헬멧.

tóp·flìght *a.* 일류의.

tóp hàt 실크 해트.

tóp-héavy *a.* 머리가 큰.

to·pi·ar·y[tóupièri/-piəri] *a., n.* 장식적으로 전정(剪定)한 (정원); U,C 장식적 전정법.

:**top·ic**[tápik/-ɔ́-] *n.* C 화제, 논제; (연설의) 제목. :**tóp·i·cal** *a.* 화제의; 제목의; 시사 문제의; 〖醫〗 국소(局所)의.

top·knot[tápnàt/tɔ́pnɔ̀t] *n.* C (머리의) 다발; (새의) 도가머리.

tóp·less *a., n.* C 가슴 부분을 드러낸 (옷·수영복); 매우 높은.

tóp·mòst *a.* 최고의, 절정의.

tóp-nòtch *a.* 《美口》 일류의, 최고의.

to·pog·ra·phy[toupágrəfi/-ɔ́-] *n.* U 지형학; 지세; 지지(地誌). **-pher** *n.* C 지지(地誌)학자, 풍토기(風土記)작자; 지형학자. **top·o·graph·ic** [tàpəgrǽfik], **-i·cal**[-əl] *a.*

top·per[tápər/-ɔ́-] *n.* C 위[상층]의 것; (과일 따위) 잘 보이려고 위에 얹은 좋은 것; 《口》 우수한 사람[것], 뛰어난 것; 《口》 =TOP HAT; =TOPCOAT.

top·ping[tápiŋ/-ɔ́-] *a.* 우뚝 솟은; 《英口》 뛰어난.

top·ple[tápl/-ɔ́-] *vi., vt.* 쓰러지다, 쓰러뜨리다(*down, over*); 흔들거리다, 흔들리게 하다.

tóp-rànking *a.* 최고위의, 일류의.

tóp-sécret *a.* 《美》 극비의.

tóp·sìde *n.* C 흘수선 위의 현측(舷側).

tóp·sòil *n.* U 표토(表土), 상층토.

top·sy-tur·vy[tápsitə́:rvi/tɔ́p-] *n., ad., a* U 전도(轉倒), 거꾸로(된); 뒤죽박죽(으로, 의). ~·**dom** *n.* U 《俗》 전도, 뒤죽박죽, 혼란.

tor[tɔ:r] *n.* C (울퉁불퉁한) 바위산.

:**torch**[tɔ:rtʃ] *n.* C ① 횃불. ② (연관공(鉛管工)이 쓰는) 토치 램프. ③ 《英》 막대 모양의 회중 전등. ④ (지식·문화의) 빛.

tórch·lìght *n.* U 횃불빛.

:**tore**[tɔ:r] *v.* tear[2]의 과거.

tor·e·a·dor [tɔ́:riədɔ̀:r/tɔ́r-] *n.* (Sp.) C (말탄) 투우사(cf. matador).

:**tor·ment**[tɔ́:rment] *n.* U 고통, 고민(거리); C 그 원인. — [-∠] *vt.* 괴롭히다, 못살게 굴다; 나무라다.

T

~·ing *a.* **tor·men·ter, -tor** *n.*

:torn[tɔːrn] *v.* tear²의 과거분사.

tor·na·do [tɔːrnéidou] *n.* (*pl.* **~es**) Ⓒ 큰 회오리바람.

:tor·pe·do[tɔːrpíːdou] *n.* Ⓒ ① 어뢰, 수뢰. ② 〖鐵〗 (경보용) 신호 뇌관. ③ 〖魚〗 시끈가오리. **aerial ~** 공뢰. — *vt.* 어뢰(따위)로 파괴하다; 좌절 시키다.

tor·pid[tɔ́ːrpid] *a.* 마비된, 무감각한; (동면 중과 같이) 활발치 않은, 둔한. **~·ly** *ad.* **~·ness** *n.* **tor·píd·i·ty** *n.*

tor·por[tɔ́ːrpər] *n.* Ⓤ 마비; 활동 정지; 지둔(至鈍).

torque[tɔːrk] *n.* Ⓤ 〖機〗 비트는 힘, 우력(偶力); Ⓒ (고대 사람의) 비비된 목걸이.

:tor·rent[tɔ́ːrənt/-ɔ́-] *n.* Ⓒ ① 분류(奔流). ② 억수같이 쏟아짐(*in* **~s**). ③ (질문·욕 등의) 연발. **tor·ren·tial** [tɔːrénʃəl, tɑr-/tɔr-] *a.*

·tor·rid[tɔ́ːrid, -ɑ́-/-ɔ́-] *a.* (햇볕에) 탄, 염열(炎熱)의; 열렬한.

tor·sion[tɔ́ːrʃən] *n.* Ⓤ 비틀림. **~·al** *a.*

tor·so[tɔ́ːrsou] *n.* (*pl.* **~s, -si** [-si]) (It.) Ⓒ 토르소《머리·손발이 없는 나체 조상(彫像)》; 허리통.

tort[tɔːrt] *n.* Ⓒ 〖法〗 불법 행위.

tor·til·la[tɔːrtíːjə] *n.* Ⓤ,Ⓒ (납작한) 옥수수빵《멕시코인의 주식》.

:tor·toise[tɔ́ːrtəs] *n.* Ⓒ 거북; 느림보.

tórtoise-shèll *n.* Ⓤ 별갑(鱉甲). — *a.* 별갑의, 별갑으로 만든; 별갑 무늬의; 삼색(三色)의.

tor·tu·ous[tɔ́ːrtʃuəs] *a.* 꼬불꼬불한; 비틀린; 마음이 빙퉁그러진, 속검은. **~·ly** *ad.* **~·ness** *n.* **tor·tu·os·i·ty**[≥–ɑ́səti/-ɔ́-] *n.*

:tor·ture[tɔ́ːrtʃər] *n.* Ⓤ 고문; Ⓤ,Ⓒ 고통. *in* **~** 괴로운 나머지[김에]. — *vt.* ① (…을) 고문하다, 몹시 괴롭히다. ② 억지로 비틀다; 곡해하다; 억지로 갖다 붙이다(*into; out of*).

·To·ry[tɔ́ːri] *n.* 〖英史〗 왕당원(王黨員)《Eton교 출신이 많았음》; Ⓒ 보수당원; 〖美史〗 (미국 독립 전쟁 당시의) 영국 왕당원; (t-) 보수적인 사람. — *a.* 왕당(원)의; 보수주의자의. **~·ism**[-ìzəm] *n.*

tosh[tɑʃ/tɔʃ] *n.* Ⓤ 《英俗》 허튼[객적은] 소리; 〖크리켓·테니스〗 완구(緩球), 느린 서브.

:toss[tɔːs/-ɔ-] *vt.* (**~ed,** 《詩》 ***tost***) ① 던져 올리다; 던지다(fling) (*~ a ball*). ② 아래위로 몹시 흔들다; (풍파가 배를) 번롱하다. ③ (아무와) 돈던지기를 하여 결정짓다 (*I'll ~ you for it.* 돈던지기로 결정하자). ④ 〖테니스〗 토스하다, 높이 쳐 올리다. — *vi.* 흔들리다; 뒹굴다; 돈던지기를 하다. **~ oars** (보트의) 노를 세워 경례하다. **~ off** (말이) 흔들어 떨어뜨리다; 손쉽게 해 치우다; 단숨에 들이켜다. — *n.* ① Ⓒ 던지기, 던져 올리기, 던지는[던져 올리는] 거리. ② (the ~) (*sing.*) 상하의 동요; 흥분. ③ Ⓒ 《英》 낙마(落馬). ④ (the ~) 돈던지기.

tóss-ùp *n.* Ⓒ (보통 *sing.*) (승부를 가리는) 돈던지기; 《口》 반반의 가망성.

tot¹[tɑt/-ɔ-] *n.* Ⓒ 어린 아이.

tot² (<total) *n., vt., vi.* (**-tt-**) Ⓒ 합계(하다).

:to·tal[tóutl] *n., a.* Ⓒ ① 전체(의), 합계(의). ② 완전한(*a ~ failure*). — *vt., vi.* 합계하다, 합계 …이 되다. **~·ize**[-təlàiz] *vt.* **~·ly**[-təli] *ad.*

to·tal·i·tar·i·an [toutæ̀lətέəriən] *a., n.* 전체주의의(*a ~ state*); Ⓒ 전체 주의자. **~·ism**[-ìzəm] *n.*

to·tal·i·ty[toutǽləti] *n.* Ⓤ 전체; Ⓒ 합계. *in* **~** 전체로.

tote[tout] *vt., n.* Ⓤ 《美口》 나르다, 나르기, 짊어지다, 짊어지기; Ⓒ 나른[짊어진] 물건. **tót·er** *n.*

to·tem[tóutəm] *n.* Ⓒ 토템《북아메리카 토인이 종족·가족의 상징을 숭배하는 동물·자연물》; 토템상(像). **~·ism**[-ìzəm] *n.*

tótem pòle [**pòst**] 토템 기둥《토템을 새겨 북아메리카 토인이 집 앞에 세움》.

·tot·ter[tɑ́tər/-ɔ́-] *vi., n.* Ⓒ 비틀거리다, 비틀거림, 뒤뚝뒤뚝 걷다[걷기], 흔들리다, 흔들리기. **~·y** *a.*

tou·can[túːkæn, -kən] *n.* Ⓒ 거취조(巨嘴鳥)《남아메리카산의 부리 큰 새》.

†**touch**[tʌtʃ] *vt.* ① (…에) 대다, 만지다; 접촉[인접]하다. ② 필적하다. ③ (악기의 줄을) 가볍게 타다; 『幾』 접하다; 접촉시키다; 조금 해치다[손상하다]. ④ 감동시키다(move). ⑤ 가볍게 쓰다[그리다]; 색깔을 띠게 하다; 가미하다; 언급하다. ⑥ 닿다, 달하다; 《부정구문》 사용하다, 먹다, 마시다; (…에) 손을 대다, 관계하다. ⑦ (…에) 들르다, 기항(寄港)하다. ⑧ 《俗》 (아무에게) 돈을 꾸다 (~ *him for fifty dollars*). — *vi.* ① 대다; 접하다; (…의) 감촉이 있다. ② (…에) 가깝다(*at, to, on, upon*); 기항하다(*at*). ~ ***and go*** 잠깐 들렀다가[언급하고] 나아가다. ~ ***down*** 『美式蹴』 터치다운하다《공을 가진자가 상대방 골 라인을 넘어서는 일》; 『空』 착륙하다. ~ ***off*** 정확히[솜씨 좋게] 나타내다; 휘갈겨 쓰다; (그림에) 가필하다; 발사하다; 개시시키다. ~ ***on*** [***upon***] 간단히 언급하다; 대강하다; 가까워지다. ~ ***out*** 『野』 척살(刺殺)하다. ~ ***up*** (사진·그림을) 수정하다; 가볍게 치다; 상기시키다. — *n.* ① Ⓒ 대기, 접촉; Ⓤ 『醫』 촉진(觸診); 촉감; 정신적 접촉, 동감; 감동. ② (a ~) 기미, 약간(*a ~ of salt*); 광기(狂氣), 가벼운 병. ③ Ⓤ 성질, 특성; 수법, 연주 솜씨; Ⓒ 가필, 일필(一筆), 필력, 솜씨. ④ Ⓤ 《美俗》 돈을 우려냄; Ⓒ 그 돈. ***keep in ~ with*** …와 접촉을 유지하다. ***put*** [***bring***] ***to the ~*** 시험하다. ~ ***of nature*** 자연의 감정, 인정. **∠·a·ble** *a.* 만질[감촉할] 수 있는; 감동시킬 수 있는.

tóuch-and-gó *a.* 아슬아슬한, 위태로운, 불안한; 개략의.

tóuch·dòwn *n.* Ⓤ,Ⓒ 『럭비』 터치다운(의 득점); 『空』 단시간의 착륙.

touched[tʌtʃt] *a.* 머리가 약간 돈; 감동한.

:**touch·ing**[∠iŋ] *a., prep.* ① 감동시키는, 애처로운. ② …에 관해서. **~·ly** *ad.* 비장하게, 애처롭게.

tóuch·lìne *n.* Ⓒ 『럭비·蹴』 측선, 터치라인.

tóuch·stòne *n.* Ⓒ 시금석; (시험의) 표준.

touch·y[∠i] *a.* 성마른, 성미 까다로운; 다루기 힘든; 인화(引火)성의.

:**tough**[tʌf] *a.* ① 강인한, 구부려도 꺾이지 않는, (줏대가) 센; 끈기 있는; 완고한. ② 곤란한, 고된, 괴로운(hard); 《美俗》 난폭한, 다루기 힘든. **∠·en** *vt., vi.* tough하게 하다, tough 해지다. **∠·ly** *ad.*

tóugh-mínded *a.* 감상적이 아닌, 현실적인, 굳센.

tou·pee, tou·pet[tu:péi/∠–] *n.* (F.) Ⓒ 가발(假髮), 다리.

:**tour**[tuər] *n., vi., vt.* Ⓒ 관광[유람] 여행(하다); 주유(周遊)(하다), 소풍(가다). ***go on a ~*** 순유(巡遊)[만유]하다. ***on ~*** 만유[순업(巡業)]하여. **∠·ism**[túərizəm] *n.* Ⓤ 관광 여행[사업]; 《집합적》 관광객.

tour de force[tùər də fɔ́:rs] (F.) 힘부림 재주, 놀라운 재주.

:**tour·ist**[túərist] *n.* Ⓒ 관광객.

tóurist clàss (기선·비행기의) 2등.

tóurist tràp (관광) 여행자 상대로 폭리를 취하는 장사.

˙**tour·na·ment**[túərnəmənt, tə́:r-] *n.* Ⓒ ① (중세의) 마상(馬上) 시합. ② 시합, 경기, 승자 진출전, 토너먼트(*a chess ~*).

tour·ni·quet[túərnikit, tə́:r-] *n.* Ⓒ 지혈기(止血器).

tou·sle[táuzəl] *vt., n.* 헝클어뜨리다; (*sing.*) 헝클어진 머리. **~d**[-d] *a.* 헝클어뜨린.

tout[taut] *vi.* 《口》 성가시도록 권유하다; 강매하다(*for*); 《英》 (연습 중의 경마말의) 상태를 몰래 살피다[정보를 제공하다]; 《美俗》 정보 제공을 업으로 삼다. — *vt.* (…에게) 끈질기게 요구하다, 졸라대다(importune); 《英》 (말의) 상태를 살피다; 《美》 (상금의 배당에 한몫 끼려고, 말의) 정보를 제공하다. **∠·er** *n.*

˙**tow**[tou] *n., vt.* Ⓤ,Ⓒ ① (연안을 따라서) 배를 끌기[끌다], 끌려가는 배. ② (소·개·수레 따위를) 밧줄로 끌다[끌기], 끄는 밧줄. ***take in ~*** 밧줄로 끌다[끌리다]; 거느리다; 돌보아주다.

†**to·ward**[təwɔ́:rd, tɔ:rd] *prep.* ① …의 쪽으로, …에 대하여, …으로의,

T

…가까이, 무렵(~ *the end of July* 7월이 끝날 무렵이 되어서). ② …을 위하여〔생각하여〕(for). — [tɔ:rd/tóuəd] *a.* 《古》 온순한; (*pred. a.*) 절박해 있는(*There is a wedding* ~. 곧 결혼식이 있다).

:to·wards[təwɔ́:rdz, tɔ:rdz] *prep.* 《英》 = TOWARD.

:tow·el[táuəl] *n., vt.* (《英》 **-ll-**) Ⓒ 타월, 세수 수건(으로 닦다). ***throw*** 〔***toss***〕 ***in the*** ~ 〖拳〗 (패배의 인정으로) 타월을 (링에) 던지다; 《口》 패배를 인정하다, 항복하다. **~·(l)ing** *n.* Ⓤ 타월감〔천〕.

†tow·er[táuər] *n.* Ⓒ 탑, 성루(城樓); 성채, 요새. — *vi.* 높이 솟아오르다, 우뚝 솟다. ***~·ing** *a.* 높이 솟은; 거대한; 맹렬한. **~·y** *a.* 탑이 있는〔많은〕; 높이 솟은.

tów·line *n.* Ⓒ (배의) 끄는 밧줄.

†town[taun] *n.* ① Ⓒ 읍(邑), 소도시; 《관사 없이》 (자기 고장) 근처의 주요 도시, 지방의 중심지; 번화가, 상가; 〖英史〗 성아래 (도시). ② 《집합적》 (the ~) 읍민, 시민. ***a man about*** ~ 놀고 지내는 사람《특히 런던의》. ***go down*** ~ 《美》 상가에 가다. ~ ***and gown*** (Oxf. 와 Camb. 의) 시민측과 대학측.

tówn críer (옛날에 공지사항을) 알리면서 다니던 읍직원.

tówn háll 읍사무소, 시청, 공회당.

tówn hòuse 도시의 저택《시골에 country house가 있는 사람의》.

tówn plánning 도시 계획.

tówn·scàpe *n.* Ⓒ 도시 풍경(화); Ⓤ 도시 조경법.

tówns·fòlk *n. pl.* 《집합적》 도시 주민; 읍민.

·tówn·shìp *n.* Ⓒ 《英》 읍구(邑區); 《美·캐나다》 군구(郡區); 〖英史〗 (교구의) 분구(分區).

tów·pàth *n.* Ⓒ (강·운하 연안의) 배 끄는 길.

tów·ròpe *n.* = TOWLINE.

tox·ae·mi·a, tox·e·mi·a[taksí:miə/tɔk-] *n.* Ⓤ 독혈증(毒血症).

tox·ic[táksik/-ɔ́-] *a.* (중)독의.

tox·i·col·o·gy[tàksikálədʒi/tɔ̀ksikɔ́l-] *n.* Ⓤ 독물학. **-co·log·i·cal** [∸–kəládʒikəl/-ɔ́-] *a.* **-cól·o·gist** *n.* Ⓒ 독물학자.

tox·in[táksin/-ɔ́-] *n.* Ⓒ 독소.

†toy[tɔi] *n.* Ⓒ ① 장난감(같은 물건). ② 하찮은 것. ***make a ~ of*** 희롱하다. — *vi.* 장난하다; 희롱하다 (*with*); 시시덕거리다(*with*).

†trace[1][treis] *n.* ① Ⓤ,Ⓒ (보통 *pl.*) 발자국; 형적, 흔적. ② (a ~) 기미, 조금(*of*). ③ Ⓒ 선, 도형. ④ 〖컴〗 뒤쫓기, 추적. (***hot***) ***on the ~s of*** (…을) 추적하여. — *vt.* ① (…의) 추적하다; 발견하다; 더듬어 가다. (…의) 유래를 조사하다. ② (선을) 긋다, (그림을) 그리다, 베끼다, 투사(透寫)하다. ③ (창문에) 장식 무늬(tracery)를 붙이다. — *vi.* 뒤를 밟다; 나아가다. ~ ***back*** 더듬어 올라가다. ~ ***out*** 행방을 찾다; 베끼다, 그리다; 획책하다. **∠·a·ble** *a.* trace 할 수 있는.

trace[2] *n.* Ⓒ (마차 말의) 봇줄. ***in the ~s*** 봇줄에 매이어; 매일의 일에 종사하여(in harness). ***kick over the ~s*** 말을 안 듣다.

tráce èlement 〖生化〗 미량(微量) 원소《체내의 미네랄 따위》.

trac·er[∠ər] *n.* Ⓒ 추적자; 투사(透寫) 용구; 유실물 조사계; 분실물〔행방불명자〕 수사 연락〔조회〕; 〖軍〗 예광탄; 〖化·生〗 추적자(子)《유기체내의 물질의 진로·변화 등을 조사하기 위한 방사성 동위원소》; 〖컴〗 추적 루틴(routine). 「늬 창살.

trac·er·y[tréisəri] *n.* Ⓤ,Ⓒ 장식 무

tra·che·a[tréikiə/trəkí:ə] *n.* (*pl.* **-cheae**[-kiì:], **~s**) Ⓒ 〖解〗 기관(氣管).

tra·che·ot·o·my [trèikiátəmi/træ̀kiɔt-] *n.* Ⓤ,Ⓒ 〖醫〗 기관 절제술.

·trac·ing[tréisiŋ] *n.* Ⓤ 추적; 투사, 복사; Ⓒ 자동 기록 장치의 기록.

trácing pàper 투사지, 복사지.

:track[træk] *n.* ① Ⓒ 지나간 자국, 흔적; (종종 *pl.*) 발자국. ② Ⓒ 통로; (인생의) 행로; 상도(常道); 궤도, 선로; 경주로, 트랙(*a race* ~). ③ Ⓤ 《집합적》 육상 경기. ④ Ⓒ 〖컴〗 트랙. ***in one's ~s*** 《口》 즉석에서, 곧. ***in the ~ of*** …의 예에 따라서, …의 뒤를 따라; …의 도중에.

T

keep 〔***lose***〕 ~ ***of*** …을 놓치지 않다〔놓치다〕. ***make*** ~***s*** 《俗》 떠나다, 도망치다. ***off the*** ~ 탈선하여; 주제에서 탈선해서; (사냥개가) 냄새 자취를 잃고, 잘못하여. ***on the*** ~ 궤도에 올라; 단서를 잡아서(*of*); 올바르게. — *vt.* ① (…에) 발자국을 남기다; (진흙·눈 따위를) 신발에 묻혀 들이다(*into*). ② 추적하다(*down*); 찾아 내다(*out*). ③ (배를) 끌다. **∠·er** *n.* Ⓒ 추적자; 배를 끄는 사람; 사냥 안내인. **∠·less** *a.* 길〔발자국〕 없는.

tráck evènts 트랙 종목《러닝·허들 따위》.

trácking stàtion (인공위성) 추적소, 관측소.

:tract[1] [trækt] *n.* Ⓒ ① 넓은 땅, 지역; (하늘·바다의) 넓이. ② 《古》 기간. ③ 〖解〗 관(管), 계통.

·tract[2] (< tractate) *n.* Ⓒ 소논문, 소책자, (종교 관계의) 팜플렛. ***Tracts for the Times,*** Oxford movement의 소론집.

trac·ta·ble[trǽktəbəl] *a.* 유순한; 세공하기 쉬운. **-bil·i·ty**[∸–bíləti] *n.*

trac·tion[trǽkʃən] *n.* Ⓤ 견인(력)(牽引(力)), (바퀴 따위의) 마찰(friction). **~·al** *a.* **trác·tive** *a.* 견인하는.

tráction èngine 노면(路面) 견인 기관차.

·trac·tor[trǽktər] *n.* Ⓒ ① 끄는 도구. ② 트랙터; 견인차. ③ 앞 프로펠러식 비행기.

tráctor-tráiler *n.* Ⓒ 견인 트레일러.

trad[træd] *a.* 《주로 英口》 =TRADITIONAL.

†trade[treid] *n.* ① Ⓤ 매매, 상업; 거래(***make a good*** ~); 무역. ② Ⓒ 직업, 손일《목수·미장이 등》. ③ Ⓤ 《집합적》 (동)업자들; 고객. ④ Ⓒ 《美》 (정당간의) 거래, 타협. ⑤ (the ~s) 무역풍. ***be good for*** ~ 살 마음을 일으키게 하다. ~ ***première*** 〖映〗 (동업자만의) 내부 시사회. — *vi.* ① 장사〔거래〕하다(*in, with*); 사다; 교환하다(~ *seats*). ② (정당 등이) 뒷거래하다. — *vt.* 팔다, 매매하다. ~ ***away*** 〔***off***〕 팔아버리다. ~ ***in*** (물품을) 대가로 제공하다. ~ ***on*** (…을) 이용하다.

tráde gàp 무역의 불균형.

tráde-ìn *n.* Ⓒ 대가의 일부로서 제공하는 물품《중고차 따위》.

·tráde·màrk *n.* Ⓒ (등록) 상표.

tráde nàme 상표〔상품〕명; 상호.

tráde prìce 도매 가격.

:trad·er[∠ər] *n.* Ⓒ 상인; 상선.

·trades·man[∠zmən] *n.* Ⓒ 《英》 소매상인.

trádes·pèople *n.* 《복수 취급》 상인; 《英》 《집합적》 소매상 (가족·계급).

tráde(s) únion (직업별) 노동 조합.

tráde(s) únionism 노동 조합 제도.

tráde(s) únionist 노동 조합원〔조합주의자〕.

tráde wìnd 무역풍.

tráding còmpany 〔**concèrn**〕 상사(商事) 회사.

tráding estáte 《英》 산업 지구.

tráding pòst 미개지의 교역소(交易所).

tráding stàmp 경품권《몇 장씩 모아서 경품과 교환함》.

:tra·di·tion[trədíʃən] *n.* Ⓤ,Ⓒ ① 전설, 구전. ② 관례, 인습, 전통. ③ 〖宗〗 (모세 또는 예수와 그 제자로부터 계승한) 성전. **~·al, ~·ar·y** *a.* 전설(상)의; 전통〔인습〕적인.

tra·duce[trəd*j*úːs] *vt.* 중상하다 (slander). **~·ment** *n.* **tra·dúc·er** [-ər] *n.*

†traf·fic[trǽfik] *n.* Ⓤ ① (사람·수레·배의) 왕래; 교통, 운수(량). ② 거래, 무역(*in*); 교제. ③ 화물(의 양), 승객(수). ④ 〖컴〗 소통(량). — *vt., vi.* (**-ck-**) 장사〔거래〕하다, 무역하다(*in, with*); (명예를) 팔다 (*for, away*).

tráffic cìrcle 《美》 원형 교차점, 로터리.

tráffic còp 《美口》 교통 순경.

tráffic ìsland (가로의) 안전지대.

tráffic jàm 교통 마비〔체증〕.

traf·fick·er[trǽfikər] *n.* 〖蔑〗 상인, 무역업자.

tráffic sìgnal 〔**lìght**〕 교통 신호(기)〔신호등〕.

tráffic wàrden 《英》 교통 지도원.

T

:trag·e·dy[trǽdʒədi] *n.* U,C 비극; 참사. **tra·ge·di·an**[trədʒíːdiən] *n.* (*fem.* **-dienne**[-diéń]) C 비극 배우[작가].

:trag·ic[trǽdʒik], **-i·cal**[-əl] *a.* 비극의; 비극적인; 비참한. **trag·i·cal·ly** *ad.*

trag·i·com·e·dy[trӕ̀dʒəkɑ́mədi/-ɔ́-] *n.* U,C 희비극. **-cóm·ic, -i·cal** *a.*

:trail[treil] *vt.* ① (옷자락 따위를) 질질 끌다, 늘어뜨리다; 끌며 〔늘어뜨리며〕 가다. ② (…의) 뒤를 쫓다(follow); 길게 이야기하다; (풀을) 밟아서 길을 내다. — *vi.* ① 질질 끌리다; (머리카락·밧줄 따위가) 늘어지다; 꼬리를 끌다. ② (담쟁이·뱀 따위가) 기다; 옆으로 뻗치다; 발을 끌며 걷다(*along*). ③ (목소리 따위가) 점점 사라지다. — *n.* C ① (발)자국; (사냥 짐승의) 냄새 자국. ② 오솔길; 늘어진 것; (연기·구름의) 옆으로 뻗침. ③ 단서. ***off the*** ~ 냄새 자국을 잃고, 길을 잃고. ***on the*** ~ ***of*** …을 추적하여.

†trail·er[ˊər] *n.* C ① 끄는 사람〔것〕. ② 만초(蔓草). ③ 추적자; 동력차에 끌리는 차, 트레일러. ④ 〖映〗 예고편; (필름의) 감은 끝의 공백의 부분(cf. leader). ⑤ 〖컴〗 정보 꼬리.

†train[trein] *vt.* ① 훈련〔양성·교육〕하다; (말·개 따위를) 훈련시키다, 길들이다. ② 〖園藝〗 손질하여 가꾸다(~ *the vine over a pergola* 퍼골라에 포도 덩굴을 뻗어 나가게 하다). ③ (포를) 돌리다(*upon*). ④ 《古》 꾀다, 유혹하다(allure). — *vi.* ① 훈련〔연습〕하다; 몸을 단련하다(~ *for races*). ② 《美俗》 사이좋게 하다(*with.*) ~ ***down*** (선수가) 단련하여 체중을 줄이다. ~ ***it*** 기차로 가다. — *n.* ① C 뒤에 끄는 것, 옷자락; (새·혜성의) 꼬리. ② C 열차(*by* ~); 기차 여행. ③ (보통 *sing.*) 열, 행렬; 연속(되는 것). ④ 《집합적》 일행; 종자(從者), 수행원. ⑤ U 《古》 차례, 순서(*in good* ~ 준비가 잘 갖추어져). ***down*** 〔***up, through***〕 ~ 하행〔상행, 직통〕 열차. **ˊ·a·ble** *a.* **~ed**[-d] *a.* (정식으로) 양성〔훈련〕된, 단련된. **~·ée** *n.* C 훈련을 받는 사람; 직업 교육을 받는 사람; 《美》 신병. **ˊ·er** *n.* C 훈련자; 조교사(調教師); 지도자, 트레이너; 〖美軍〗 조준수(照準手); 〖園藝〗 덩굴 식물을 얹는 시렁. 〖英空軍〗 훈련용 비행기.

:train·ing[ˊiŋ] *n.* U ① 훈련, 교련, 트레이닝; (말의) 조교(調教). ② (경기의) 컨디션. ③ 정지법(整枝法), 가지 다듬기, 가꾸기.

tráining cöllege 《英》 교원 양성소, 교육 대학.

train·man[ˊmən] *n.* C 《美》 열차 승무원; (특히) 제동수.

tráin-spòtter (열차의 형이나 번호를 외어 분별하는) 열차 매니아.

traipse[treips] *vi.* 《口》 싸다니다, 어정거리다; 질질 끌리다《치마 등이》.

˙trait[treit] *n.* C 특색; 특징; 얼굴 모습.

˙trai·tor[tréitər] *n.* (*fem.* **-tress** [-tris]) C 반역자, 매국노; 배반자(*to*). **~·ous** *a.*

tra·jec·to·ry[trədʒéktəri, trǽdʒik-] *n.* C 탄도; (혜성·혹성의) 궤도.

:tram[trӕm] *n.* C 궤도(차); 《英》 시가 전차; 석탄차, 광차(鑛車).

:trám·càr *n.* C 《英》 시가 전차 (《美》 streetcar). 「《英》 전차선로.

trám·lìne[ˊlàin] *n.* C (보통 *pl.*)

tram·mel[trǽməl] *n.* C 말의 족쇄《조교용(助教用)》; (보통 *pl.*) 속박, 구속(물); 물고기〔새〕 그물; (pot 따위를 거는) 만능 갈고리; (*pl.*) 타원 컴퍼스. — *vi.* (《英》 **-ll-**) 구속하다; 방해하다. **~·(l)ed**[-d] *a.* 구속된.

:tramp[trӕmp] *vi.* ① 짓밟다(*on, upon*); (무겁게) 쿵쿵 걷다. ② 터벅터벅 걷다; 도보 여행하다, 방랑하다. — *vt.* (…을) 걷다; 짓밟다. — *n.* ① (*sing.* 보통 the ~) 무거운 발소리. ② C 방랑자; 방랑 생활; 긴 도보 여행. ③ C 〖海〗 부정기 화물선. ④ C 《美俗》 매춘부. ***on (the)*** ~ 방랑하여. **ˊ·er** *n.*

:tram·ple[trǽmpəl] *vt., vi.* 짓밟다, 유린하다; 심하게 다루다, 무시하다(~ *down;* ~ *under foot*). — *n.* C 짓밟음, 짓밟는 소리.

tram·po·lin(e)[trǽmpəlìːn, ˌ-ˊ] *n.* C 트램펄린《쇠틀 안에 스프링을

단 스크의 탄성을 이용하여 도약하는 운동 용구》.

trámp stéamer 부정기 화물선.

trám·wày *n.* = TRAMLINE.

***trance**[træns, -ɑ:-] *n., vt.* Ⓒ 꿈결, 비몽 사몽, 황홀〔혼수〕 상태(로 만들다).

***tran·quil**[trǽŋkwil] *a.* (《英》 **-ll-**) 조용한; 평온한. **~·lize**[-àiz] *vt., vi.* 진정시키다〔하다〕; 조용하게 하다, 조용해지다. **~·ly** *ad.* **~·ness** *n.* ***tran·quíl·(l)i·ty** *n.*

trans-[træns, trænz] *pref.* '횡단; 관통(***trans**atlantic*)', '초월, 저쪽(***trans**alpine*)', '변화(***trans**form*)' 등의 뜻.

***trans·act**[trænsǽkt, -z-] *vt.* 취급하다, 처리하다; 하다 (do). — *vi.* 거래하다(deal)(*with*). **trans·ác·tion** *n.* Ⓤ,Ⓒ 처리; 거래; (*pl.*) (학회의) 보고서, 의사록; 〖컴〗 변동 자료《생략:TA》. **-ác·tor** *n.*

trans·at·lan·tic[træ̀nsətlǽntik, -z-] *a., n.* Ⓒ (보통 유럽측에서) 대서양 건너의 (사람), 아메리카의 (사람); 대서양 횡단의 (기선).

tran·scend[trænsénd] *vt., vi.* 초월하다; 능가하다(excel). (*It*) **~*s description.*** 필설로는 다할 수 없다.

tran·scend·ence[trænséndəns], **-en·cy**[-i] *n.* Ⓤ 초월, 탁월; (신의) 초절성(超絶性). **-ent** *a., n.* 뛰어난, Ⓒ 탁월한(superior) (사람·물건); 물질계를 초월한 (신); 불가해(不可解)한; 〖칸트哲學〗 ('transcendental'과 구별하여) 초절적인.

tran·scen·den·tal[træ̀nsendéntl] *a.* = TRANSCENDENT; 초자연적인; 모호한; 추상적인; 이해할 수 없는; 〖칸트哲學〗 ('transcendent'와 구별하여) 선험적인; 〖數〗 초월 함수의. **~·ism**[-təlìzəm] *n.* Ⓤ 모호(함); 환상(성), 변덕; 불가해; (Kant의) 선험론; (Emerson의) 초절론. **~·ist**[-təlist] *n.* Ⓒ 선험론자, 초절론자.

trans·con·ti·nen·tal[træ̀nskɑntənéntl, træ̀nz-/trǽnzkɔ̀n-] *a.* 대륙 횡단의, 대륙 저쪽의.

***tran·scribe**[trænskráib] *vt.* 베끼다; 전사(轉寫)하다; (다른 악기용 따위로) 편곡하다; 녹음(방송)하다. ***tran·scríp·tion** *n.* Ⓤ 필사(筆寫), Ⓒ,Ⓤ 편곡; 녹음.

***tran·script**[trǽnskript] *n.* Ⓒ 베낀 것, 사본, 등본.

trans·duc·er [trænsdjú:sər] *n.* Ⓒ 〖理〗 변환기(變換器).

tráns·èarth *a.* 〖宇宙〗 지구로 향하는.

tran·sept[trǽnsept] *n.* Ⓒ 〖建〗 (십자형식 교회당의 좌우의) 수랑(袖廊)(의 총칭).

:trans·fer[trǽnsfər] *n.* ① Ⓤ,Ⓒ 전환, 이동, 전임, 전학; Ⓤ (권리의) 이전, (재산의) 양도. ② Ⓤ 치환(置換), (명의의) 변경. ③ Ⓤ 대체(對替), 환(換). ④ Ⓤ 갈아타기; Ⓒ 갈아타는 표. ⑤ Ⓤ 〖컴〗 이송, 옮김. — [trænsfə́:r] *vt., vi.* (**-rr-**) 옮(기)다, 나르다; 양도하다; 전사(轉寫)하다; 전임시키다〔되다〕; 갈아타다. ***transferred epithet*** 〖文〗 전이(傳移) 수식 어구《보기 : a man of *hairy* strength 털 많은 힘센 남자》. **~·a·ble** *a.* **~·ee**[ˆfərí:] *n.* **~·ence** [trænsfə́:rəns, ˊfər-] *n.* Ⓤ,Ⓒ 이동, 전송(轉送); Ⓤ 양도; 〖精神分析〗 (어릴 때 감정의, 새 대상으로의) 전이(轉移). **~·(r)er,** 〖法〗 **~·or**[-fə́:rər] *n.*

trans·fig·u·ra·tion[træ̀nsfigjəréiʃən] *n.* Ⓤ,Ⓒ 변형, 변모; (the T-) (예수의) 변형《마태 복음 17:2》, 현성용(顯聖容) 축일《8월 6일》.

trans·fig·ure[trænsfígjər, -gər] *vt.* 변모〔변용〕시키다; 거룩하게 하다, 이상화하다.

trans·fix[-fíks] *vt.* 꿰뚫다; (못박은 것처럼) 그 자리에서 꼼짝 못 하게 하다. **~·ion** *n.*

:trans·form[-fɔ́:rm] *vt.* ① 변형시키다, 바꾸다(*into*). ② 〖電〗 변압하다. ③ 〖컴〗 변화하다. **~·a·ble** *a.* **~·er** *n.* Ⓒ 변형〔변화〕시키는 사람〔것〕; 변압기. ***trans·for·ma·tion** [ˆfərméiʃən] *n.* Ⓤ,Ⓒ 변형, 변화; 변압; 〖컴〗 변환; Ⓒ (여자의) 다리.

trans·fuse[træsfjú:z] *vt.* 옮겨 붓다, 갈아 넣다; 스며들게 하다(*into*); 고취하다(instill)(*into*); 〖醫〗 수혈

T

하다. **trans·fú·sion** *n.*
·**trans·gress** [trænsgrés, -z-] *vt.* (…의) 한계를 넘다; (법을) 범하다(violate). — *vi.* 법률을 범하다; 죄를 범하다(sin). **-grés·sor** *n.* **-grés·sion** *n.*
·**tran·sient** [trǽnʃənt, -ziənt] *a., n.* 일시적인, 덧없는; Ⓒ 《美》 단기 체류의 (손님). **~·ly** *ad.* **~·ness** *n.* **-sence, -sien·cy** *n.*
tran·sis·tor [trænzístər, -sís-] *n.* Ⓒ 〖無電〗 트랜지스터《게르마늄 따위의 반도체(半導體)를 이용한 증폭 장치》.
·**tran·sit** [trǽnsit, -z-] *n.* ① Ⓤ 통과, 통행; 운송; Ⓒ 통로. ② Ⓤ,Ⓒ 〖天〗 자오선 통과. ③ Ⓤ 경과; 변천. ④ Ⓤ 〖컴〗 거쳐 보냄. — *vt.* 횡단하다; (…을) 통과하다.
·**tran·si·tion** [trænzíʃən, -sí-/-síʒən, -zíʃən] *n.* Ⓤ,Ⓒ 변천, 변이(變移); 과도기; 〖樂〗 (일시적) 전조(轉調)(cf. transposition). **~·al** *a.*
:**tran·si·tive** [trǽnsətiv, -zi-] *a., n.* 〖文〗 타동의; Ⓒ 타동사. **~·ly** *ad.*
tran·si·to·ry [trǽnsətɔ̀:ri, -z-/-təri] *a.* 일시의, 일시적인, 오래 가지 않는, 덧없는, 무상한. **-ri·ly** *ad.*
:**trans·late** [trænsléit, -z-, ⌐-] *vt.* 번역하다; 해석하다; 《俗》 (구두 따위를) 고쳐 만들다; 이동시키다; (행동으로) 옮기다; 〖컴〗 (프로그램·자료·부호 등을 딴 언어로) 번역하다. — *vi.* 번역하다〔되다〕. **trans·lá·tion** *n.* Ⓤ,Ⓒ 〖컴〗 번역. **trans·lá·tor** *n.* Ⓒ 번역자; 〖컴〗 번역기.
trans·lit·er·ate [trænslítərèit, -z-] *vt.* 자역(字譯)하다, 음역하다. **-a·tion** [-⌐-éiʃən] *n.* 「의.
trans·lu·cent [-lú:sənt] *a.* 반투명
trans·mi·grate [-máigreit] *vi.* 이주하다; 다시 태어나다. **-gra·tor** *n.* **-gra·tion** [⌐-gréiʃən] *n.* Ⓤ,Ⓒ 이주; 전생(轉生), 윤회(輪廻).
trans·mis·si·ble [-mísəbəl] *a.* 전할〔옮길〕 수 있는; 전달되는, 보내지는. **-sion** *n.* Ⓤ 전달, 송달; 전염; Ⓒ 전달되는 것; (자동차의) 전동(電動) 장치; 송신, 방송; Ⓤ 〖理〗 (빛 따위의) 전도; 〖生〗 형질(形質) 유전; 〖컴〗 전송. **-sive** *a.* 보내지는, 보내는.
·**trans·mit** [-mít] *vt.* (**-tt-**) ① 보내다, 회송하다. ② 전달〔매개〕하다. ③ (빛·열을) 전도하다. ④ 송신하다, 방송하다. ⑤ (재산을) 전해 물리다; (못된 병을) 유전하다. ⑥ 〖컴〗 (정보를) 전송하다. **~·tal** *n.* **~·ta·ble** *a.* **~·tance** *n.* **~·ter** *n.* Ⓒ 회송〔전달〕자; 유전체; 송신기, 송화기; (무전) 송파기.
trans·mute [-mjú:t] *vt.* 변화〔변질〕시키다. **trans·mu·ta·tion** [⌐-téiʃən] *n.*
tran·som [trǽnsəm] *n.* 〖建〗 상인방, 가로대; 《美》 = ⌐ **window** 교창(交窓).
:**trans·par·ent** [trænspέərənt] *a.* 투명한; (문체 등이) 명료한; 솔직한; (변명이) 빤히 들여다뵈는. **-ence** *n.* Ⓤ 투명(도). **-en·cy** *n.* Ⓤ 투명(도); Ⓒ 투명화(畵). **~·ly** *ad.*
trans·pire [trænspáiər] *vi., vt.* 증발〔발산〕하다〔시키다〕; 배출하다; (비밀이) 새다(become known); (일이) 일어나다.
·**trans·plant** [trænsplǽnt, -plá:nt] *vt.* (식물·피부 등을) 이식하다; 이주시키다. **trans·plan·ta·tion** [⌐-téiʃən] *n.*
:**trans·port** [trænspɔ́:rt] *vt.* 수송하다; 도취〔열중〕케 하다; 유형(流刑)에 처하다; 《廢》 죽이다. — [⌐-] *n.* ① Ⓤ 수송. ② Ⓒ 수송기, 수송선, 수송기관. ③ (a ~ 또는 *pl.*) 황홀, 도취, 열중. ④ Ⓒ 유형수. **~·a·ble** *a.* **~·er** *n.* **~·ive** *a.*
:**trans·por·ta·tion** [trӕnspə:r-téiʃən/-pɔ:rt-] *n.* Ⓤ 수송; 수송료; 수송 기관; 유형(流刑).
tránsport càfe 《英》 (간선 도로변의) 장거리 운전자용 간이 식당.
trans·pose [trænspóuz] *vt.* (위치·순서 따위를) 바꾸어 놓다, 전치(轉置)하다; 〖數〗 이항(移項)하다; 〖樂〗 이조(移調)하다. **trans·po·si·tion** [⌐pəzíʃən] *n.* (cf. transition).
tràns·séxual *a., n.* 성전환의; Ⓒ 성전환자; 성불명자.
tran·sub·stan·ti·a·tion [trӕn-səbstӕnʃiéiʃən] *n.* Ⓤ 변질; 〖神〗 화

체(化體). 〖가톨릭〗 성변화(聖變化) 《성체성사의 빵과 포도주가 예수의 살과 피로 변질하기》.

·**trans·verse**[trænsvə́:rs, -z-, ´-/´-] *a.* 가로의, 횡단하는, 교차하는.

trans·ves·(ti·)tism [trænsvés(tə)tizəm, trænz-] *n.* Ⓤ 복장 도착《이성의 복장을 하는 성도착》.

trans·ves·tite[-tait] *n.* Ⓒ 복장 도착자, 이성의 복장을 하는 사람.

:**trap**[træp] *n., vt.* (**-pp-**) Ⓒ ① 덫(에 걸리게 하다), 계략(에 빠뜨리다). ② (사격 연습용) 표적 날리는 장치 (cf. trapshooting). ③ 방취(防臭) U자관(管)(을 장치하다). ④ 뚜껑문(을 닫다). ⑤ 2륜 마차. ⑥ (*pl.*) 타악기류. ⑦ (옷(감) 따위가) 못에 걸려 찢긴 곳. ⑧ 《英俗》 순경; 《俗》 입. ⑨ 〖컴〗 사다리. — *vi.* 덫을 놓다; 덫 사냥을 직업으로 하다.

tráp·dóor (지붕·마루의) 뚜껑문.

tra·peze[træpí:z/trə-] *n.* Ⓒ (체조·곡예용) 대형 그네.

tra·pe·zi·um[trəpí:ziəm] *n.* (*pl.* **~s, -zia**[-ziə]) Ⓒ 《英》 사다리꼴; 《美》〖幾〗 부등변 사각형.

trap·e·zoid[trǽpəzɔ̀id] *n., a.* Ⓒ 《英》 부등변 사각형(의); 《美》 사다리꼴(의).

·**trap·per**[trǽpər] *n.* Ⓒ 덫을 놓는 사람, (모피를 얻기 위해) 덫으로 새·짐승을 잡는 사냥꾼(cf. hunter).

trap·pings[trǽpiŋz] *n. pl.* 장식, 장신구; 말 장식.

·**trash**[træʃ] *n.* Ⓤ 쓰레기, 잡동사니; 객담. **´·y** *a.*

trásh càn 쓰레기통.

trau·ma[trɔ́:mə, tráu-] *n.* (*pl.* **-mata**[-mətə]) Ⓤ,Ⓒ 〖醫〗 외상(성 증상). **trau·mat·ic**[-mǽtik] *a.*

·**tra·vail**[trəvéil, trǽveil] *n.* Ⓤ 산고(産苦), 진통(*in* ~); 고생, 노고. — *vi.* 《雅》 고생하다; 진통으로 괴로워하다.

†**trav·el**[trǽvəl] *vi.* (《英》 **-ll-**) 여행하다; 이동하다; 팔고 다니다(*for, in*); (피스톤이) 움직이다; (생각이) 미치다. — *vt.* (…을) 걷다, 지나가다(~ *a road*); (…을) 여행하다. — *n.* Ⓤ 여행; (*pl.*) 여행기, 기행(*Gulliver's Travels*). **~ed,** 《英》 **~led**[-d] *a.* 여행에 익숙한, 여행을 많이 한. **~·er,** 《英》 **~·ler** *n.* Ⓒ 여행자; 순회 외교원; 이동 기중기; 〖船〗 고리도르래. 「여행 안내소.

trável àgency〔**bùreau**〕 여행사,

trável àgent 여행 안내업자.

tráveler's chèck 여행자용 수표.

:**trav·el·ing**, 《英》 **-el·ling** [trǽvliŋ] *n., a.* Ⓤ 여행(의); 이동(하는).

tráveling sálesman 《美》 순회 판매원, 주문 맡는 사람.

trav·e·log(ue)[trǽvəlɔ̀:g, -lɑ̀g/-lɔ̀g, -lòug] *n.* Ⓒ (슬라이드·영화 등을 이용하는) 여행담; 기행 영화.

:**trav·erse** [trǽvə:rs, trəvə́:rs] *vt.* 가로지르다, 횡단하다; 방해하다 (thwart). — *vi.* 가로지르다; (산에) 지그재그 모양으로 오르다. — *n.* Ⓒ 횡단(거리); 가로장; 방해(물); (돛배의) 지그재그 항로; 지그재그 등산(길). — *a., ad.* 횡단의, 횡단해서.

trawl[trɔ:l] *n., vi., vt.* Ⓒ 트롤망(網)(으로 잡다), 트롤 어업을 하다; 《美》 주낙(으로 낚다). **´·er** *n.* Ⓒ 트롤선(船)〔어부〕.

:**tray**[trei] *n.* Ⓒ 쟁반; 얕은 접시〔상자〕.

·**treach·er·y**[trétʃəri] *n.* Ⓤ 배신, 배반; 반역(treason); Ⓒ (보통 *pl.*) 배신 행위. **treach·er·ous** *a.* 배반〔반역〕의; 믿을 수 없는.

trea·cle[trí:kəl] *n.* Ⓤ 《英》 당밀(糖蜜).

trea·cly[trí:kəli] *a.* 당밀 같은; (말 따위가) 달콤한; 찐득거리는.

:**tread**[tred] *vi., vt.* (**trod,** 《古》 **trode; trodden, trod**) ① 밟다, 걷다, 짓밟다, 밟아 뭉개다(*on, upon*). ② (수새가) 교미하다(*with*). ~ **down** 밟아 다지다, 짓밟다; (감정·상대를) 억누르다. ~ **in** *a person* **steps** 아무의 본을 받다, 아무의 전철을 밟다. ~ **lightly** (미묘한 문제 따위를) 교묘하게 다루다(show tact). ~ **on air** 기뻐 날뛰다. ~ **on** *a person's* **corns** 화나게 하다. ~ **on eggs** 미묘한 문제에 직면하다. ~ **on the neck of** …을 정복

T

하다. ~ **out** (불을) 밟아 끄다; (포도를) 밟아서 짜다. ~ **on** ***a*** ***person's*** **toes** 화나게 하다; 괴롭히다. ~ **the boards** 무대를 밟다. — *n.* ① (*sing.*) 밟기, 밟는 소리; 발걸음, 걸음걸이. ② Ⓒ (계단의) 디딤판, (사닥다리의) 가로장(rung¹). ③ Ⓤ,Ⓒ (바퀴·타이어의) 레일〔지면〕 접촉부. ④ Ⓒ (자동차의) (좌우) 바퀴 거리.

trea·dle[trédl] *n., vi., vt.* Ⓒ 발판〔페달〕(을 밟다); 발판을 밟아 움직이다《재봉틀 따위를》.

tréad·mìll *n.* Ⓒ (옛날, 죄수에게 밟게 한) 답차(踏車); (the ~) 단조로운 일〔생활〕.

˙**trea·son**[tríːzən] *n.* Ⓤ 반역(죄); 《稀》 배신(*to*). **high ~** 반역죄. ~**·a·ble,** ~**·ous** *a.*

†**treas·ure**[tréʒər] *n.* Ⓤ 《집합적》 보배, 보물, 재보. ***spend blood and*** ~ 생명과 재산을 허비하다. — *vt.* 비장(秘藏)하다, 진중히 여기다; 명기(銘記)하다(*up*).

tréasure hòuse 보고(寶庫).

tréasure hùnt 보물찾기(놀이).

˙**treas·ur·er**[tréʒərər] *n.* Ⓒ 회계원, 출납관〔원〕. ***Lord High T-*** 〖英史〗 재무상. ~**·ship**[-ʃìp] *n.*

tréasure-tròve *n.* Ⓒ 〖法〗 (소유자 불명의) 발굴재(發掘財)《금화·보석 따위》.

:**treas·ur·y**[tréʒəri] *n.* Ⓒ 보고, 보물; 국고; 기금, 자금; (T-) 재무성; 보전(寶典).

:**treat**[triːt] *vt., vi.* ① 취급하다, 다루다, 대우하다. ② 대접하다, 한턱내다(*to*). ③ (매수의 목적으로) 향응하다. ④ 논하다(*of, upon*). ⑤ (*vt.*) (…라고) 생각하다, 간주하다(regard) (*as*). ⑥ (*vi.*) (약품 따위로) 처리하다(*with*). ⑦ (*vi.*) 상담〔교섭〕하다 (*for, with*). — *n.* Ⓒ 향응; (one's ~) 한턱(낼 차례); 즐거운 일《소풍 따위》. STAND ~. :**∠·ment** *n.* Ⓤ,Ⓒ 취급, 대우, 처치, 치료; 논술.

˙**trea·tise**[tríːtis/-z, -s] *n.* Ⓒ 논설, (학설) 논문(*on*).

:**trea·ty**[tríːti] *n.* Ⓒ 조약, 맹약; Ⓤ 계약, 교섭.

˙**tre·ble**[trébəl] *n., a.* Ⓒ 3배(의), 세 겹(의); Ⓤ 〖樂〗 최고음부(의), 소프라노(의); Ⓒ 새된 (목소리·음). — *vt., vi.* 3배로 하다, 3배가 되다. **-bly** *ad.*

†**tree**[triː] *n.* Ⓒ ① 나무, 수목(cf. shrub). ② 목제품(*shoe* ~ 구두의 골). ③ 계통수(樹), 가계도(family tree). ④ 〖컴〗 나무꼴《나무처럼 편성된 정보 구조》. ~ ***of heaven*** 가죽나무. ~ ***of knowledge*** (***of good and evil***) 〖聖〗 지혜의 나무《Adam과 Eve가 그 열매를 먹고 천국에서 추방됨》. ~ ***of life*** 〖聖〗 생명의 나무. ***up a*** ~ 《俗》 진퇴 양난에 빠져. — *vt.* ① (짐승을) 나무 위로 쫓다, 궁지에 몰아 넣다. ② (구두에) 골을 끼다. ③ 나무〔가로대·자루〕를 달다. **∠·less** *a.* **∠·like** [∠làik] *a.*

trée lìne (고산·극지의) 수목 한계선.

˙**trée·tòp** *n.* Ⓒ 우듬지.

tre·foil[tríːfɔil, tré-] *n.* Ⓒ 클로버, 토끼풀속(屬)의 풀; 〖建〗 세 잎 장식.

trek[trek] *n., vi., vt.* (**-kk-**) Ⓒ 《南阿》 (달구지) 여행(을 하다); (달구지 여행의) 한 구간.

trel·lis[trélis] *n., vt.* Ⓒ 격자(로 만들다); 격자 시렁(으로 버티다), 격자울(로 두르다).

:**trem·ble**[trémbəl] *vi., vt., n.* 떨(게 하)다, (a ~) 진동(하다, 시키다); (*vi.*) 흔들리다; (*vi.*) 전율하다, 조바심하다(*at, for*). **trem·bler** *n.* ˙**trem·bling** *a., n.* **trem·bly** *a.* 덜덜 떠는.

:**tre·men·dous**[triméndəs] *a.* ① 무서운, 무시무시한. ② 《口》 대단한; 굉장한; 멋진. ***have a*** ~ ***time*** 《口》 아주 멋지게 지내다. ~**·ly** *ad.*

trem·o·lo[tréməlòu] *n.* (*pl.* ~**s**) (It.) Ⓒ 〖樂〗 전음(顫音), 트레몰로.

trem·or[trémər] *n.* Ⓒ 떨림, 전율; 떨리는 목소리〔음〕; 오싹오싹하는 흥분(thrill).

˙**trem·u·lous**[trémjələs] *a.* 떨리는; 전율하는; 겁많은. ~**·ly** *ad.*

:**trench** [trentʃ] *n.* Ⓒ 도랑; 참호. — *vt.* (홈을) 새기다; (논밭을) 파헤치다; (…에) 도랑을〔참호를〕 파다.

— *vi.* 참호를 만들다(*along, down*); 잠식(蠶食)〔접근〕하다(*on, upon*).

trench·ant[tréntʃənt] *a.* 찌르는 듯한; 통렬한(cutting); 효과적인, 강력한, 가차없는; 뚜렷한(clearcut) (*in ~ outline* 뚜렷하게). **~·ly** *ad.* **~·ness** *n.* **-an·cy** *n.*

trénch còat 참호용 방수 외투; 그 모양의 비옷.

·**trend**[trend] *n., vi.* Ⓒ 향(向); 경향(이 있다); 향하다 (*toward, upward, downward*). 「사람.

trénd-sètter *n.* Ⓒ 유행을 만드는

trend·y[tréndi] *a., n.* 최신 유행의; Ⓒ 유행의 첨단을 가는 (사람).

trep·i·da·tion[trèpədéiʃən] *n.* Ⓤ 공포, 전율.

tres·pass[tréspəs] *n., vi.* U,C ① 침입(하다)《남의 토지 따위에》; 침해(하다)(*on, upon*). ② 방해(하다)《남의 시간 따위를》. (호의에) 편승하다, 기회삼다(*on, upon*). **~ *on a person's preserves*** 아무의 영역을 침범하다, 주제 넘게 굴다. **~·er** *n.*

tress[tres] *n.* Ⓒ (머리털의) 한 다발; 땋은 머리; (*pl.*) 삼단 같은 머리.

tres·tle[trésəl] *n.* Ⓒ 가대(架臺); 버팀다리, 구각(構脚).

tri-[trai] *pref.* '셋, 세겹'의 뜻 (*tri*angle).

tri·ad[tráiæd, -əd] *n.* Ⓒ 3개 한 벌, 세 폭짜리; 3부작; 〖樂〗 3화음; 〖化〗 3가 원소.

:**tri·al**[tráiəl] *n.* ① U,C 시도, 시험. ② Ⓒ 시련, 곤란, 재난; 귀찮은 사람〔것〕. ③ U,C 〖法〗 재판, 심리. ***bring to*** 〔***put on***〕 **~** 공판에 부치다. ***make ~ of*** …을 시험해 보다. ***on ~*** 시험적으로; 시험의 결과(로); 취조를 받고. **~ *and error*** 〖心〗 시행 착오.

tríal rún 〔**tríp**〕 시운전, 시승(試乘); 실험, 시행(試行).

·**tri·an·gle**[tráiæ̀ŋgəl] *n.* Ⓒ ① 삼각(형). ② 3개 한 벌, 3인조. ③ 삼각자. ④ 〖樂〗 트라이앵글. ***the eternal ~*** 삼각 관계.

·**tri·an·gu·lar**[traiǽŋgjələr] *a.* ① 삼각형의. ② 3자간의《다툼 따위》; 3국간의《조약 따위》.

tri·an·gu·late[traiǽŋgjəlèit] *vt.* 삼각형으로 하다〔가르다〕; 삼각 측량을 하다. — [-lit, -lèit] *a.* 삼각의 (무늬 있는); 삼각형으로 된. **-la·tion**[-⌐-léiʃən] *n.* Ⓤ 삼각 측량〔구분〕.

·**trib·al**[tráibəl] *a.* 부족의, 종족의. **~·ism**[-bəlìzəm] *n.* Ⓤ 부족제, 부족 근성.

:**tribe**[traib] *n.* Ⓒ 《집합적》 ① 부족, 종족. ② 《蔑》 패거리. ③ 〖生〗 족(族). ***the scribbling ~*** 문인들.

tribes·man[⌐zmən] *n.* Ⓒ 부족〔종족〕의 일원.

trib·u·la·tion[trìbjəléiʃən] *n.* U,C 고난; 시련.

·**tri·bu·nal**[traibjúːnl, tri-] *n.* ① Ⓒ 재판소; 법정. ② Ⓒ (여론의) 심판. ③ (the ~) 판사석, 법관석.

·**trib·u·tar·y**[tríbjətèri/-təri] *a.* 공물을 바치는; 종속하는; 보조의; 지류의. — *n.* Ⓒ 공물을 바치는 사람; 속국; 지류.

:**trib·ute**[tríbjuːt] *n.* ① U,C 공물, 조세. ② Ⓒ 선물; 감사의 말〔표시〕, 찬사.

trice *n.* 《다음 성구로》 ***in a ~*** 순식간에; 갑자기.

tri·ceps[tráiseps] *n.* (*pl.* **~(*es*)**) Ⓒ 〖解〗 삼두근(三頭筋).

:**trick**[trik] *n.* Ⓒ ① 계략, 계교; 속임수, 요술; 〖映〗 트릭; (동물의) 재주(feat). ② 요령, 비결(knack). ③ (나쁜) 장난; (독특한) 버릇. ④ 《美》 장난감(같은 장식); (*pl.*) 방물. ⑤ 〖카드〗 한 바퀴(분의 패). ⑥ 교대의 근무 시간; (일의) 당번. ⑦ 《美口》 소녀, 아이. ***do*** 〔***turn***〕 ***the ~*** 《口》 목적을 달성하다. ***know a ~ worth two of that*** 그것보다 훨씬 좋은 방법을 알고 있다. ***not*** 〔***never***〕 ***miss a ~*** 《口》 호기를 놓치지 않다, 주위 사정에 밝다. ***play a ~ on*** (*a person*) (아무에게) 장난을 하다. ***play ~s with*** …와 장난하다, …을 놀리다. ***the whole bag of ~s*** 전부. — *vt.* 속이다; (…의) 기대를 저버리다; 모양내다(*out, up*). — *vi.* 요술부리다; 장난하다. **~ *a person into*** 〔***out of***〕 속여서 …시키다〔…을 빼앗다〕. **⌐·er·y** *n.* Ⓤ 책략; 속임수.

T

·trick·le[tríkəl] *vi., vt.* 똑똑 떨어지다[떨어뜨리다](*along, down, out*); (비밀 따위) 조금씩 누설되다[하다](*out*). ― *n.* Ⓒ (보통 a ~) 뚝뚝 떨어짐; 실개천; 소량.
trick·ster [tríkstər] *n.* Ⓒ 사기꾼(cheat); 책략가.
trick·sy[tríksi] *a* 장난치는; 《古》 다루기 어려운; 《古》 교활한.
trick·y[tríki] *a.* 교활한(wily); 속이는; 복잡한, 까다로운; 다루기 어려운. **tríck·i·ly** *ad.*
tri·col·or, 《英》 **-our** [tráikʌ̀lər/tríkə-] *a., n.* 삼색의; Ⓒ 삼색기(旗).
tri·cy·cle[tráisikəl] *n.* Ⓒ 세발 자전거; 삼륜 오토바이. **-cler, -clist** *n.*
tri·dent[tráidənt] *n., a.* Ⓒ 삼지창(槍)《Neptune 이 가진 것》; 세 갈래 진.
:tried[traid] *v.* try의 과거(분사). ― *a.* 시험이 끝난; 확실한.
tri·en·ni·al[traiéniəl] *a., n.* 3년 계속되는; Ⓒ 3년마다의 (축제); 3년생의 (식물). **~·ly** *ad.*
tri·er[tráiər] *n.* Ⓒ 실험자, 시험관(官)[물]; 심문자, 판사.
:tri·fle[tráifəl] *n.* ① Ⓒ 하찮은[시시한] 일[물건]. ② Ⓒ 소량, 조금; 푼돈. ③ Ⓒ,Ⓤ 트라이플《카스텔라류에 크림·포도주를 넣은 과자》. ***a ~*** 좀, 약간. ***not stick at ~s*** 하찮은 일에 구애를 받지 않다. ― *vi.* 실떡거리다, 실없는 짓[말]을 하다; 소홀히 하다(*with*); 가지고 장난하다, 만지작거리다(*with*). ― *vt.* (돈이나 시간을) 낭비하다(*away*).
·trig·ger[trígər] *n.* Ⓒ 방아쇠; 『컴』 트리거《기계가 프로그램이 자동적으로 동작을 개시하도록 하는 것》. ***quick on the ~*** 《美口》 사격이 빠른; 재빠른; 빈틈 없는.
trígger-hàppy *a.* 《口》 권총 쏘기 좋아하는; 호전[공격]적인.
trig·o·nom·e·try [trìgənɑ́mətri/-nɔ́-] *n.* Ⓤ 삼각법. **-no·met·ric** [-nəmétrik], **-no·met·ri·cal**[-əl] *a.* 삼각법의, 삼각법에 의한.
tril·by[trílbi] *n.* Ⓒ 《英口》 펠트 모자의 일종; (*pl.*) 《俗》 발.
·trill[tril] *n., vt., vi.* Ⓒ 떨리는 목소리(로 말하다, 노래하다); 지저귐, 지저귀다; 『音聲』 전동음(顫動音)(으로 발음하다)《r 음을》.
tril·lion[tríljən] *n., a.* Ⓒ 《英》 백만의 3제곱(의); 《美》 백만의 제곱(의), 1조(兆)의.
tril·o·gy[trílədʒi] *n.* Ⓒ 3부작, 3부곡.
:trim[trim] *a.* (**-mm-**) 말쑥한, 정연한, 정돈된. ― *n.* Ⓤ ① 정돈(된 상태); 정비; 준비. ② 복장, 장식; (배의) 장비. ③ 건강 상태; 기분. ④ (또는 a ~) 손질, 깎아 다듬기. ***in (good) ~*** 상태가 좋아; 『海』 균형이 잘 잡혀. ***into ~*** 적당한 상태로. ***in traveling ~*** 여장(旅裝)하여. ***out of ~*** 상태가 나빠. ― *vt.* (**-mm-**) 말쑥하게 하다, 정돈하다; 장식하다(*with*); 깎아 다듬다; 깎아 버리다(*away, off*); 『海·空』 (화물·승객의 위치를 정리하여) 균형을 잡다; (돛을) 조절하다; 《口》 지우다; 《口》 야단치다. ― *vi.* (두 세력의) 균형을 잡다, 기회주의적 입장을 취하다(*between*); 『海·空』 균형이 잡히다; 돛을 조절하다. ***~ a person's jacket*** 《俗》 때리다. ***~ in*** (목재를) 잘라 맞추다. ***~ one's course*** 돛을 조절하여 나아가다. **∠·ly** *ad.* **∠·ness** *n.* **∠·mer** *n.* Ⓒ trim하는 사람[물건]; 기회주의자.
·trim·ming[trímiŋ] *n.* ① Ⓤ,Ⓒ 정돈; 손질, 깎아 다듬기. ② (보통 *pl.*) (요리의) 고명. ③ (보통 *pl.*) (의복·모자 등의) 장식; 잘라낸 부스러기, 가윗밥.
·trin·i·ty[trínəti] *n.* (the T-) 『神』 삼위 일체《성부·성자·성신》; Ⓒ 『美術』 삼위 일체의 상징; 3인조, 3개 한 벌의 것.
trin·ket[tríŋkit] *n.* Ⓒ 작은 장신구; 방물; 시시한 것.
·tri·o[trí:ou] *n.* Ⓒ ① 《집합적》 3인조, 3개 한 벌, 세폭 한짝(triad). ② 『樂』 삼중주, 삼중창. ***piano ~*** 피아노 삼중주《피아노·바이올린·첼로》.
†trip[trip] *n.* Ⓒ ① (짧은) 여행, 소풍; 짧은 항해. ② 경쾌한 발걸음. ③ 실족; 과실; 실언. ④ 딴죽걸기; 곱드러짐, 헛디딤. ⑤ 『機』 벗기는 장치, 급(急) 시동. ***a round ~*** 일주

여행; 《美》 왕복 여행. ***make a ~*** 여행하다; 과실을 범하다. — *vi.* (**-pp-**) ① 가볍게 걷다[춤추다]. ② 실족하다(stumble), 걸려서 넘어지다, 헛디디다(*on, over*). ③ 실수하다; 잘못 말하다. — *vt.* ① 실족시키다; 헛디디게 하다. ② 딴죽걸다; (남의) 실수를 들춰 내다, 말 꼬리를 잡다. ③ 〖機〗 (톱니바퀴 따위의 제륜자(制輪子)를) 벗기다, 시동(始動)시키다; 〖海〗 (닻을) 떼다. ***catch*** (*a person*) **~*ping,*** or **~ *up*** 실수를 들춰 내다, 말꼬리를 잡다. ***go ~ping*(*ly*)** 착착 진행되다. **~ *it*** 춤추다.

tri·par·tite [traipá:rtait] *a.* 3부로 나누어진; 3자간의(*a ~ treaty,* 3국 조약); 세 개 한 벌의, 세 폭짜리의; (정부(正副)) 3통 작성한.

tripe [traip] *n.* Ⓤ ① (식용으로 하는) 반추동물의 위. ② 《俗》 하찮은 것; 졸작.

:**tri·ple** [trípəl] *a., n.* Ⓒ 3 배의 (수·양), 세 겹의, 세 부분으로 된; 3루타. — *vt., vi.* 3 배로[3 겹으로] 하다[되다]; 3루타를 치다.

tríple júmp 삼단 뛰기.

tri·plet [tríplit] *n.* Ⓒ 3개 한 벌, 세 폭 한 짝(trio); 〖樂〗 3연음표; 《口》 세쌍둥이 중의 하나.

trip·li·cate [tríplәkit] *a., n.* 3배의, 세 겹의, 3제곱의; 3부로 된; Ⓒ (정부(正副)) 3통의 (하나). — [-kèit] *vt.* 3배로 하다, 3중으로 하다; 3통으로 작성하다. **-ca·tion** [∸–kéiʃәn] *n.*

tri·pod [tráipɑd/-pɔd] *n.* Ⓒ 〖寫〗 삼각(三脚)(*a ~ affair* 사진 촬영); 삼각걸상.

trip·per [trípәr] *n.* Ⓒ trip하는 사람[것]; (톱니바퀴의) 시동기.

trip·tych [tríptik] *n.* Ⓒ (그림·조각 따위의) 석 장 연속된 것, 세 폭짜리.

trite [trait] *a.* 진부한. **∠·ly** *ad.*

:**tri·umph** [tráiәmf] *n.* ① Ⓒ 〖古로〗 개선식; 승리(*over*); 대성공. ② Ⓤ 승리의 기쁨, 승리감. ***in ~*** 의기양양하여. ***the ~ of ugliness*** 추악무비(醜惡無比). — *vi.* 승리를 거두다, 승리를 자랑하다, 이기다, 성공하다(*over*); 승리를[성공을] 기뻐하다.

***tri·um·phal** [traiʌ́mfәl] *a.* 승리[개선]의.

***tri·um·phant** [traiʌ́mfәnt] *a.* 승리를 거둔; 의기양양한. **~·ly** *ad.*

tri·um·vi·rate [traiʌ́mvirit, -rèit] *n.* Ⓒ 삼두(三頭) 정치; 3인 관리제; 3인조.

triv·et [trívit] *n.* Ⓒ 삼발이; 삼각대(三脚臺).

triv·i·a [tríviә] *n. pl.* 하찮은 일[것].

:**triv·i·al** [tríviәl] *a.* ① 하찮은, 보잘것 없는. ② 보통의, 평범한, 일상의. ③ (사람이) 경박한. **~·ly** *ad.*

triv·i·al·i·ty [trìviǽlәti] *n.* Ⓤ 하찮음, 평범; Ⓒ 하찮은 것[생각·작품].

***trod** [trɑd/-ɔ-] *v.* tread의 과거(분사).

***trod·den** [trɑ́dn/-ɔ́-] *v.* tread의 과거분사.

trog·lo·dyte [trɑ́glәdàit/-ɔ́-] *n.* Ⓒ 혈거인(穴居人); 은자(隱者)(hermit); 〖動〗 유인원(類人猿); 〖鳥〗 굴뚝새.

troi·ka [trɔ́ikә] *n.* (Russ.) Ⓒ 3두마차; 옆으로 늘어선 세 마리의 말; 삼두제(三頭制); (국제 정치의) 트로이카 방식《공산권·서유럽·중립권의 3자 협조》.

***Tro·jan** [tróudʒәn] *a., n.* Ⓒ Troy의 (사람); 용사; 정력가.

Trójan hórse 〖그神〗 큰 목마《옛날 그리스군이 Troy군 공략에 썼음》. 선전 공작대, 제5열.

troll[1] [troul] *vt., vi.* 돌림노래하다; (일하면서) 노래하다; 견지질하다; 굴리다, 굴러다니다(roll). — *n.* Ⓒ 돌림노래; 견지; 제물낚시.

troll[2] *n.* 〖北歐神話〗 트롤도깨비《땅속 굴에 사는 거인, 난쟁이》.

trol·ley** [trɑ́li/-ɔ́-] *n.* Ⓒ 손수레, 광차; (시가 전차의 폴 끝의) 촉륜(觸輪). ***slip [***be off***] ***one's ~*** 《美俗》 머리가 돌다.

trólley bùs 무궤도 전차.

trol·lop [trɑ́lәp/-ɔ́-] *n.* Ⓒ 윤락 여성; 매춘부.

trom·bone [trɑ́mboun, –∠/trɔmbóun] *n.* Ⓒ 트롬본《신축식 저음 나팔》. **-bón·ist** *n.* Ⓒ 트롬본 주자.

:**troop** [tru:p] *n.* Ⓒ ① 떼; 일단, 무리. ② (보통 *pl.*) 군대, 군세(軍勢). ③ (소년단의) 분대《16-32명》; 기병 중대《대위가 지휘하는 60-100 명; 육

군의 company에 해당》. — *vi.* ① 모이다, 몰리다(*up, together*). ② 떼지어 나가다〔오다, 가다〕(*off, away*). ③ 사귀다. — *vt.* 편성하다; (대를) 수송하다. **~*ing the colour*(*s*)** 《英》 군기(軍旗) 경례 분열식. **∠·er** *n.* Ⓒ 기병; 《美》 기마 경관; 기병의 말; 수송선.

tróop·ship *n.* Ⓒ (군대) 수송선.

trope[troup] *n.* Ⓒ 〖修〗 비유(적용법).

:tro·phy[tróufi] *n.* Ⓒ 전리품; 전승 기념물《적의 군기·무기 따위》; (경기 등의) 트로피, 상품, 상배(賞杯).

:trop·ic[trápik/-ɔ́-] *n.* Ⓒ 회귀선(回歸線); (the ~s) 열대(지방)(의). ***the ~ of Cancer*** 〔***Capricorn***〕 북〔남〕회귀선.

:trop·i·cal[trápikəl/-ɔ́-] *a.* ① 열대의; 열대적인; 열정적인. ②(＜trope) 비유의, 비유적인.

trop·o·sphere [trápəsfìər/-ɔ́-] *n.* (the ~) 대류권(對流圈)《지구 표면의 대기층》.

:trot[trat/-ɔ-] *n.* ① (a ~) (말의) 속보(速步), (사람의) 총총걸음, 빠른 운동. ② Ⓒ 《美俗》 자습서, 자습용 번역서. ③ (the ~s) 《口》 설사. ***on the ~*** 쉴새없이 움직여; 도주 중이어서. — *vi., vt.* (***-tt-***) ① 〖馬術〗 (…에게) 속보로 달리(게 하)다; (*vt.*) 총총걸음으로 걷다, 서두르며 가다. ② (*vt.*) 빠른 걸음으로 안내하다(*round, to*); (*vt.*) 《美俗》 자습서로 공부하다. **~ *about*** 분주히 뛰어다니다. **~ *out*** (말을) 끌어내어 걸려 보이다; 《口》 (물건을) 꺼내어 자랑해 보이다. **∠·ter** *n.* Ⓒ 속보로 뛰는 말; (보통 *pl.*) 《口》 (돼지·양의) 족(足) 《식용》.

troth[trɔːθ, trouθ] *n.* Ⓤ 《古》 성실, 충절; 약속; 약혼(betrothal). ***plight one's ~*** 약혼하다. — *vt.* 《古》 약속〔약혼〕하다.

trou·ba·dour[trúːbədɔ̀ːr, -dùər] *n.* Ⓒ (11-13세기의 남프랑스·북이탈리아 등지의) 서정 시인.

†trou·ble[trʌ́bəl] *n.* ① Ⓤ,Ⓒ 걱정(거리). ② Ⓤ 고생; 어려움; 귀찮음. ③ Ⓒ 귀찮은 일〔사람〕. ④ Ⓤ,Ⓒ 분쟁, 소동. ⑤ Ⓤ,Ⓒ 병(*I have a ~ with my teeth.* 이가 아프다); 고장, 장애. ***ask for ~*** 《俗》 곤경(困境)을 자초하다, 쓸데 없는 간섭을 하다. ***get into ~*** 문제를 일으키다, 벌을 받다. ***in ~*** 곤란해서; 욕을 먹어, 벌을 받고, 검거되어. ***It is too much ~.*** 달갑지 않은 친절이다. ***take ~*** 수고하다, 노고를 아끼지 않다. — *vt.* ① 어지럽히다, 소란하게 하다. ② 괴롭히다, 부탁하다(*May I ~ you to do it for me?* 그것을 하여 주시겠습니까); 애먹이다. — *vi.* ① 애먹다, 애쓰다(*Pray don't ~.* 염려〔걱정〕하지 마십시오). ② 걱정하다. **~d**[-d] *a.* 곤란한, 난처한; 거친(*~d waters* 거친 바다; 혼란 상태).

tróuble·màker *n.* Ⓒ 말썽 꾸러기.

tróuble·shòot *vt.* (***~ed, -shot***) (기계를) 수리하다; (분쟁을) 조정하다. — *vi.* 수리를 맡아 하다; 분쟁 조정역을 하다. **~er** *n.* Ⓒ 수리원; 분쟁 조정자.

:trou·ble·some[-səm] *a.* 귀찮은, 골치 아픈; 다루기 힘든.

·trough[trɔːf, traf/trɔf] *n.* Ⓒ ① (단면이 V자형인 긴) 구유, 반죽 그릇; 여물통. ② 골; 〖氣〗 기압골; 홈통, (특히) 낙수받이.

trounce[trauns] *vt.* 호되게 때리다(beat); 벌주다; 《口》 (경기 등에서) 압도적으로 이기다.

troupe[truːp] *n.* Ⓒ (배우·곡예사 등의) 일단(一團). **tróup·er** *n.*

:trou·sers[tráuzərz] *n. pl.* 바지 (*a pair of ~* 바지 한 벌)《구어로는 'pants'》.

trous·seau[trúːsou, —∠] *n.* (*pl.* ***~s, ~x***[-z]) Ⓒ 혼수 옷가지, 혼수감.

·trout[traut] *n., vi.* Ⓒ 〖魚〗 송어(를 잡다).

trow·el[tráuəl] *n.* Ⓒ 흙손; 모종삽. ***lay it on with a ~*** 흙손으로 바르다; 극구 칭찬하다. — *vt.* (《英》 ***-ll-***) 흙손으로 바르다.

·Troy[trɔi] *n.* 소아시아 북서부의 옛 「도시.

·tru·ant[trúːənt] *n., a.* Ⓒ 농땡이; 무단 결석하는 (사람·학생). ***play ~*** 무단 결석하다. — *vi.* 농땡이 부리다, 무단 결석하다. **tru·an·cy** *n.*

ˈ**truce**[truːs] *n.* Ⓤ,Ⓒ 휴전; 중지.
truck[1][trʌk] *vt., vi.* 물물 교환하다(barter); 거래하다. ── *n.* Ⓤ 물물교환; 현물 지급(제); 《口》 거래; 교제(*with*); Ⓒ 《美》 시장에 낼 야채; 하찮은 물건; Ⓒ 《口》 잡동사니. ── *a.* 물물 교환의; 시장에 낼 야채의.
:**truck**[2] *n.* Ⓒ 손수레, 광차(鑛車); 《美》 화물 자동차, 트럭; 《英》 무개화차. **∠·age** *n.* Ⓤ (수레·트럭의) 운임; 운송. **∠·er** *n.* Ⓒ 트럭 운전자〔운송업자〕.
trúck fàrm 〔**gàrden**〕 《美》 시판용(市販用) 야채의 재배 농원.
trúck fàrmer 《美》 ⇧의 경영자.
truc·u·lent[trʌ́kjələnt] *a.* 야만스런, 모질고 사나운, 잔인한. **-lence, -len·cy** *n.*
ˈ**trudge**[trʌdʒ] *vi.* 무겁게 터벅터벅 걷다. ~ ***it*** 터벅터벅 걷다. ── *n.* Ⓒ 무거운 걸음.
†**true**[truː] *a.* ① 참다운, 틀림없는. ② 성실〔충실〕한. ③ 정확한, 바른; (기계가) 정밀한. ④ 진짜의; 순종의; 합법의. ⑤ (가능성·기대 따위를) 믿을 수 있는. ⑥ (방향·힘 등이) 일정한, 변치 않는. ***come*** ~ 정말이 되다, (희망이) 실현되다. ***hold*** ~ 유효하다, 들어맞다. ***prove*** ~ 사실로 판명되다. ~ ***bill*** 〖法〗 (대배심(grand jury)의) 공소(公訴) 인정서. ~ ***to life*** 실물 그대로. ~ ***to nature*** 핍진(逼眞)의. ── *ad.* 진실로; 정확히. ── *n.* (the ~) 진실; 정확한 상태; 〖컴〗 참. ── *vt.* 바르게 맞추다.
trúe-blúe *n., a.* Ⓤ (퇴색 않는) 남빛(의); Ⓒ (주의에) 충실한 (사람).
truf·fle[trʌ́fəl] *n.* Ⓤ,Ⓒ 송로(松露) 무리의 버섯.
trug[trʌg] *n.* Ⓒ 《英》 (야채·과일 등을 담는) 직사각형의 운두 낮은 나무 그릇.
tru·ism[trúːizəm] *n.* Ⓒ 자명한 이치; 진부한〔판에 박은〕 문구.
:**tru·ly**[trúːli] *ad.* 참으로; 성실〔충실〕히; 바르게, 정확히. ***Yours*** (***very***) ~ 경구(敬具)《편지의 끝맺는 말》.
:**trump**[trʌmp] *n.* Ⓒ ① (트럼프의) 으뜸패(의 한 벌). ② 비법, 비방. ③ 《口》 믿음직한 사람. ***play a*** ~ 으뜸패를〔비방을〕 내놓다. ***turn up ~s*** 《口》 예상외로〔순조롭게〕 잘 되어 가다. ── *vt., vi.* 으뜸패를 내놓(고 따)다; 비방을 쓰다; …보다 낫다, 지우다; 날조하다, 조작하다(*up*).
trúmp càrd 으뜸패; 비법; 비방.
trump·er·y[trʌ́mpəri] *a., n.* Ⓤ 《집합적》 겉만 번드르르한 (물건), 굴퉁이; 하찮은 (물건); 허튼 소리, 잠꼬대.
:**trum·pet**[trʌ́mpit] *n.* Ⓒ 트럼펫, 나팔(소리); 나팔 모양의 물건, 나팔형 확성기. ***blow one's own*** ~ 제 자랑하다. ── *vi.* 나팔 불다; (코끼리 등이) 나팔 같은 (목)소리를 내다. ── *vt.* 나팔로 알리다; 퍼뜨려 알리다. **~·er** *n.* Ⓒ 나팔수; 떠벌이; 《美》 (북아메리카산의) 백조의 일종; (남아메리카산의) 두루미의 일종; 집비둘기.
trun·cate[trʌ́ŋkeit] *vt.* (원뿔·나무 따위의) 머리를〔끝을〕 자르다; (긴 인용구 따위를) 잘라 줄이다; 〖컴〗 끊다. ── *a.* 끝을〔두부(頭部)를〕 자른; 잘라 줄인. ~ ***cone*** 〔***pyramid***〕 〖幾〗 원〔각〕뿔대. **-ca·tion**[trʌŋkéiʃən] *n.* Ⓤ 〖컴〗 끊음, 끊기.
trun·cheon[trʌ́ntʃən] *n.* Ⓒ 《주로 英》 경찰봉; 권표(權標), 지휘봉. ── *vt.* 《古》 곤봉으로 때리다.
trun·dle[trʌ́ndl] *n.* Ⓒ 작은 바퀴, 각륜(脚輪); 바퀴 달린 침대〔손수레〕. ── *vt., vi.* 굴리다, 구르다, 밀고가다(*along*); 돌(리)다.
:**trunk**[trʌŋk] *n.* Ⓒ ① 줄기, 몸통. ② (대형) 트렁크. ③ 본체(本體), 주요부. ④ (전화의) 중계선; (철도 따위의) 간선(幹線). ⑤ (코끼리의) 코. ⑥ (*pl.*) (선수·곡예사의) 짧은 팬츠. ── *a.* 주요한.
trúnk càll 《英》 장거리 전화 호출.
trúnk ròad 《英》 간선 도로.
truss[trʌs] *n.* Ⓒ 〖建〗 가〔형〕구(架〔桁〕構), 트러스; 〖醫〗 탈장대(脫腸帶); 다발; 건초의 다발《56-60파운드》; 보릿짚 단《36파운드》; 〖海〗 하활대 중앙부를 돛대에 고정시키는 쇠붙이. ── *vt.* 〖料理〗 (요리전에) 날개와 다리를 몸통에 꼬챙이로 꿰다; (교량 따위를) 형구로 버티다; 다발짓다.
:**trust**[trʌst] *n.* ① Ⓤ 신임, 신뢰;

T

Ⓒ 신용(*in*). ② Ⓒ 믿는 사람〔것〕. ③ Ⓤ 희망, 확신. ④ Ⓤ 신용 대부, 외상 판매. ⑤ Ⓤ 책임; 보관; 위탁; 신탁; Ⓒ 신탁물. ⑥ Ⓒ 〖經〗 기업 합동, 트러스트(cf. cartel, syndicate). ***in*** ~ 위탁하여. ***on*** ~ 외상으로; 남의 말대로. — ***a.*** 신탁의. — ***vt.*** ① 신뢰〔신용〕하다; 의지하다; 맡기다, 위탁하다. ② (비밀을) 털어놓다(*with*). ③ 희망〔기대〕하다(*to* do; *that*); 믿다. ④ 신용대부〔외상 판매〕하다. — ***vi.*** ① 믿다(*in*); 신뢰하다(*on*); 맡기다(*to*). ② 기대하다(*for*). ③ 외상 판매하다. **∠·a·ble** *a.* **∠·ful** *a.* 신용〔신뢰〕하고 있는. **∠·ing** *a.* 믿는.

˙trus·tee [trʌstí:] ***n.*** Ⓒ 피신탁인, 보관인, 관재인(管財人). **~·ship** [-ʃìp] ***n.*** Ⓤ,Ⓒ 수탁자의 직무; Ⓒ (국제 연합의) 신탁 통치 (지역).

trúst fùnd 신탁 자금〔기금〕.

trúst tèrritòry (국제 연합의) 신탁 통치 지역.

˙trust·wor·thy [∠wə̀:rði] ***a.*** 신뢰할 수 있는, 확실한. **-thi·ness** *n.*

˙trust·y [trʌ́sti] ***a., n.*** Ⓒ 믿을 수 있는〔충실한〕 (사람); 《美》 모범수(囚).

†truth [tru:θ] ***n.*** (*pl.* **~s** [-ðz, -θs]) Ⓤ 진리; Ⓒ 진실, 사실; Ⓤ 성실; 정직. ***in*** ~ 실제, 사실은. ***of a*** ~ 《古》 참으로. ***to tell the*** ~, or ~ ***to tell*** 실은, 사실을 말하면.

˙truth·ful [∠fəl] ***a.*** 정직한; 성실한; 진실의. **~·ly** *ad.* **~·ness** *n.*

†try [trai] ***vt.*** ① (시험삼아) 해보다; 노력하다; 시험해 보다. ② 〖法〗 심리하다. ③ 괴롭히다, 시련을 겪게 하다. ④ 정련〔정제〕하다. — ***vi.*** 시도해 보다, 노력하다(*at, for*). ~ ***on*** (옷을) 입어보다; 시험해 보다. ~ ***one's hand at*** …을 해보다. ~ ***out*** …을 철저히 해보다; 엄밀히 시험하다; 《美》 자기 적성을 시험해 보다(*for*). — ***n.*** Ⓒ 시도, 시험; 노력. **:∠·ing** *a.* 시련의; 괴로운; 화나는.

trý-òn ***n.*** Ⓒ 《英口》 (속이려는) 시도; (가봉된 옷을) 입어보기, 가봉.

trý·òut ***n.*** Ⓒ 《美口》 적성 검사.

tsar [tsɑ:r, zɑ:r], **tsar·e·vitch, &c.** ⇨CZAR, CZAREVITCH, &c.

tsét·se (**flỳ**) [tsétsi(-)] ***n.*** Ⓒ 체체 파리《남아프리카산, 수면병의 매개체》.

T-shirt [tí:ʃə̀:rt] ***n.*** Ⓒ 티셔츠.

tsp. teaspoon(ful).

T́ squàre T자.

:tub [tʌb] ***n.*** Ⓒ ① 통, 동이; 목욕통; 《英口》 목욕. ② 《美俗》 뚱보. ③ 한 통의 분량. ④ 《口·蔑》 느리고 모양 없는 배. — ***vt., vi.*** (**-bb-**) 통에 넣다〔저장하다〕; 《英口》 목욕시키다〔하다〕.

tu·ba [tjú:bə] ***n.*** Ⓒ 저음의 (큰) 나팔통.

tub·by [tʌ́bi] ***a.*** 통 모양의; 땅딸막한, 뚱뚱한(corpulent).

:tube [tju:b] ***n.*** Ⓒ ① 관(pipe), 통(cylinder); 관〔통〕 모양의 물건〔기관(器官)〕; (치약·그림물감 등이 든) 튜브. ② (특히 런던의) 지하철. ③ 《美》 진공관. **∠·less** *a.* 튜브〔관〕 없는.

tu·ber [tjú:bər] ***n.*** Ⓒ 〖植〗 괴경(塊莖); 〖解〗 결절(結節). **~·cle** ***n.*** Ⓒ 작은 돌기, 소결절(小結節); 〖醫〗 결핵 결절. **tu·bér·cu·lar** *a.*

˙tu·ber·cu·lo·sis [-∸-lóusis] ***n.*** Ⓤ 〖醫〗 (폐)결핵《생략 T.B.》. **tu·bér·cu·lous** *a.*

tu·ber·ous [tjú:bərəs] ***a.*** 괴경(塊莖)(tuber)이 있는.

túb-thùmper ***n.*** Ⓒ 《美》 보도관, 대변인.

tu·bu·lar [tjú:bjələr] ***a.*** 관 모양의; 파이프의.

TUC, T.U.C. Trades Union Congress (영국의) 노동 조합 회의.

:tuck [tʌk] ***vt.*** ① (옷단을) 징그다, (주름을 접어) 호다; (소매·옷자락을) 걷어 올리다. ② 말다, 싸다; 포근하게 감싸다(~ *the children in bed*). ③ (좁은 곳으로) 밀어넣다, 틀어박다(*in, into, away*). ④ 《俗》 잔뜩 먹다(*in, away*). — ***vi.*** 징그다, 주름을 잡다; 《俗》 (음식을) 긁어 넣듯이 처먹다(*in*). ~ ***the sheets in*** 시트 끝을 요 밑으로 접어넣다. — ***n.*** ① Ⓒ (큰 옷을 줄이어) 징그기, (접어 넣은) 단. ② Ⓤ 《英俗》 먹을 것, 과자.

tuck·er [∠ər] ***n.*** Ⓒ (옷단을) 징그는 사람; (재봉틀의) 주름잡는 기계; (17-18세기의 여성용의) 깃에 대는 천; 슈미젯((여성의 목 · 가슴을 가리는 속옷)); ((濠俗)) 음식물. ***one's best bid and*** ~ 나들이옷.

túck-ìn *n.* Ⓒ (*sing.*) ((英俗)) 맛있는 음식, 굉장한 진수 성찬.

***Tue(s).** Tuesday.

†**Tues·day**[tjúːzdei, -di] *n.* Ⓒ ((보통 무관사)) 화요일.

***tuft**[tʌft] *n.* Ⓒ (머리털·실 따위의) 술, 타래; 덤불; 꽃〔잎〕의 송이〔덩이〕. — *vt., vi.* (…에) 술을 달다; 송이져 나다. **~·ed**[ˊ-id] *a.* **ˊ·y** *a.*

:**tug**[tʌg] *vt.* (**-gg-**). *n.* Ⓒ (힘껏) 잡아 당기다〔당기기〕; (배를) 끌다(tow). ~ ***of war*** 줄다리기; 맹렬한 싸움.

***túg·bòat** *n.* Ⓒ 예인선(船).

***tu·i·tion**[tjuːíʃən] *n.* Ⓤ 교수; 수업료. **~·al, ~·ar·y**[-èri/-əri] *a.*

†**tu·lip**[tjúːlip] *n.* Ⓒ 〖植〗 튤립.

tulle[tjuːl] *n.* Ⓤ 튤((베일용의 얇은 비단 망사)).

:**tum·ble**[tʌ́mbəl] *vi.* ① 구르다, 넘어지다. ② 전락하다; 폭락하다. ③ 뒹굴다; 좌우로 흔들리다; 공중제비를 하다. ④ ((俗)) 구르다시피 달려오다〔달려나오다〕(*in, into, out, down, up*). ⑤ 부닥치다, 딱 마주치다(*on, into*). — *vt.* 넘어뜨리다, 뒤집어엎다, 내동댕이치다, 내던지다, 던져 흩어지게 하다(*out, in, about*); 헝클어〔구겨〕뜨리다(rumple); 쏘아 떨어뜨리다. — *n.* Ⓒ 전도(轉倒), 전락; 공중제비, 재주넘기; (a ~) 혼란. ***all in a*** ~ 뒤죽박죽이 되어. **-bling** *n.* Ⓤ 텀블링((매트에서 하는 곡예)).

túmble·dòwn *a.* (집이) 찌부러질 듯한; 황폐한.

***tum·bler**[-ər] *n.* Ⓒ ① 곡예사; 오뚝이((장난감)). ② 큰 컵 (하나 그득) ((전에는 밑이 튀어나와서 탁자에 놓을 수 없었음)). ③ 공중제비하는 비둘기.

túmble·wèed *n.* Ⓤ 회전초((가을 바람에 쓰러져 날리는 명아주·엉겅퀴 따위의 잡초; 북아메리카산)).

tum·brel[tʌ́mbrəl], **-bril**[-bril] *n.* Ⓒ 비료차; (프랑스 혁명 때의) 사형수 호송차; 〖軍〗 두 바퀴의 탄약차.

tu·mes·cent[tjuːmésənt] *a.* 부어오르는; 종창(腫脹)성의. **-cence** *n.*

tum·my[tʌ́mi] *n.* Ⓒ ((兒)) 배(腹).

tu·mor, ((英)) **-mour**[tjúːmər] *n.* Ⓒ 종창(腫脹), 부기; 종기. **~·ous** *a.* 종양의, 종양 모양의.

***tu·mult**[tjúːmʌlt, -məlt] *n.* Ⓤ,Ⓒ (크게) 떠들썩함; 소동; 혼란; 흥분.

***tu·mul·tu·ous**[tjuːmʌ́ltʃuəs] *a.* 떠들썩한; 흥분한, 혼란한. **~·ly** *ad.* **~·ness** *n.*

tu·mu·lus[tjúːmjələs] *n.* (*pl.* ***-li***[-lài]) Ⓒ 고분(古墳).

tun[tʌn] *n., vt.* (**-nn-**) Ⓒ 큰 술통(에 넣다); 턴((액량의 단위(=252갤런))).

tu·na[tjúːnə] *n.* Ⓒ 다랑어.

tun·dra[tʌ́ndrə, tún-] *n.* Ⓤ (북시베리아 등의) 툰드라, 동토대(凍土帶).

:**tune**[tjuːn] *n.* ① Ⓒ,Ⓤ 곡조, (노래) 곡. ② Ⓤ 장단이 맞음, 조화, 협조. ③ Ⓤ (마음의) 상태, 기분. ***in*** 〔***out of***〕 ~ 장단이 맞아서〔안맞아〕; 사이좋게〔나쁘게〕(*with*). ***sing another*** 〔***a different***〕 ~ 논조〔태도〕를 바꾸다; 갑자기 겸손해지다. ***to the*** ~ ***of*** (*fifty dollars*) (50달러)라는 다액의. — *vt.* (악기의) 음조를 맞추다; 조율(調律)하다; 조화시키다(*to*); ((詩)) 노래하다. ~ ***to*** (라디오 등) 파장(波長)을 맞추다. ~ ***out*** (라디오 따위를) 끄다. ~ ***up*** (악기의) 음조를 정조(整調)하다; 노래하기〔연주하기〕 시작하다; ((諧)) 울기 시작하다. **ˊ·ful** *a.* 음조가 좋은, 음악적인. **ˊ·ful·ly** *ad.* **ˊ·less** *a.* **ˊ·less·ly** *ad.* **tún(e)·a·ble** *a.* 가락을 맞출 수 있는. **-bly** *ad.*

tun·er[tjúːnər] *n.* Ⓒ 조율사(師); 〖라디오·TV〗 파장 조정기, 튜너.

tung·sten[tʌ́ŋstən] *n.* Ⓤ 〖化〗 텅스텐.

tu·nic[tjúːnik] *n.* Ⓒ (고대 그리스·로마인의) 소매 짧은 윗도리; 허리에 착달라붙는 여자 저고리; (군인·경관의) 윗옷의 일종; 〖動〗 피막(被膜); 〖植〗 종피(種皮).

túning fòrk 소리굽쇠, 음차(音叉).

:**tun·nel**[tʌ́nl] *n., vt., vi.* ((英)) **-ll-**) Ⓒ 터널(을 파다); 지하도.

tun·ny[tʌ́ni] *n.* Ⓒ ((주로 英)) 다랑어.

tup·pence[tʌ́pəns] *n.* ((英)) =TWO-

PENCE.

·**tur·ban** [tə́:*r*bən] *n.* Ⓒ (회교도의) 터번; 터번식 부인 모자. **~ed** [-d] *a.*

tur·bid [tə́:*r*bid] *a.* 흐린, 흙탕물의; 어지러운. **tur·bíd·i·ty** *n.*

·**tur·bine** [tə́:*r*bin, -bain] *n.* Ⓒ 터빈.

tur·bo·jet [tə́:*r*boudʒèt] *n.* Ⓒ 〖空〗 터보 제트기; =⇧.

túr·bo·prop (ѐngine) [-pràp(-)/-ɔ̀-] *n.* Ⓒ 〖空〗 터보프롭 엔진.

tur·bot [tə́:*r*bət] *n.* (*pl.* **~s,** 《집합적》 ~) Ⓒ 가자미류(類).

·**tur·bu·lent** [tə́:*r*bjələnt] *a.* (파도·바람이) 거친(furious); 광포한, 소란스러운. **-lence, -len·cy** *n.* **~·ly** *ad.*

tu·reen [tjurí:n] *n.* Ⓒ (뚜껑 달린) 수프 그릇.

·**turf** [tə:*r*f] *n.* (*pl.* **~s,** 《稀》 **turves**) ① Ⓤ 잔디, 떼. ② Ⓒ 한 장의 뗏장. ③ Ⓤ,Ⓒ 토탄(peat). ④ Ⓤ (the ~) 경마(장). ***on the* ~** 경마를 업으로 하여. — *vt.* 잔디로 덮다. **∠·man** *n.* Ⓒ 경마팬. **∠·y** *a.*

tur·gid [tə́:*r*dʒid] *a.* 부은(swollen); 과장된. **~·ness, tur·gíd·i·ty** *n.*

:**tur·key** [tə́:*r*ki] *n.* ① Ⓒ 칠면조; Ⓤ 그 고기. ② Ⓒ 《俗》 실패; 《美俗》 (영화·연극의) 실패작. ***talk* (*cold*) ~** 《美俗》 입바른 소리를 하다.

:**Turk·ish** [tə́:*r*kiʃ] *a., n.* Ⓒ 터키(인·식)의; Ⓤ 터키어(의).

Túrkish báth 터키탕.

tur·mer·ic [tə́:*r*mərik] *n.* Ⓤ (인도산) 심황; 심황 뿌리(의 가루)《조미료·물감용》.

·**tur·moil** [tə́:*r*mɔil] *n.* Ⓤ (a ~) 혼란, 소동.

†**turn** [tə:*r*n] *vt.* ① 돌리다; (고동을) 틀다. ② (…을) 돌아가다(~ *the corner*). ③ 뒤집다(*back, in, up*); (책장을) 넘기다; 뒤집어 엎다. ④ 튀겨 보내다, 받아 막다(~ *a punch*). ⑤ 향하게 하다, 바꾸다(~ *water into ice*). ⑥ 번역하다. ⑦ 나쁘게 하다, (음식 따위를) 시게[상하게]하다(~ *his stomach* 메스꺼게 하다/ *Warm weather will* ~ *milk.*). ⑧ 돌게 만들다(*His head is* ~*ed.* 머리가 돌았다). ⑨ (선반·녹로 따위로) 갈리다; 형(形)을 만들다(*Her person is well* ~*ed.* 모습이 아름답다). ⑩ 생각해[짜]내다, 그럴듯하게 표현하다(*She can* ~ *pretty compliments.* 겉발림말을 잘 한다). ⑪ 넘기다, 지나다(*He has* ~*ed his fourteeth year.* 저 앤 벌써 14세다 / *I'm* ~*ed of forty.* 사십고개를 넘었다). — *vi.* ① 돌다, 회전하다. ② 구르다, 뒹굴다; 굼틀대다(*A worm will* ~. 《속담》 지렁이도 밟으면 꿈틀한다). ③ 방향을 바꾸다, 전향하다; 뒤돌아 보다. ④ 돌다, 구부러지다(~ *to the left*); 되돌아가다. ⑤ 기울다, 의지하다(*to*); …에 의하다(depend)(*on*). ⑥ 변하다, 일변[역전]하다; 단풍이 들다; 《보어와 함께》 …으로 변하다, …이 되다(*She* ~*ed pale.*). ⑦ (머리가) 어찔어찔하다, 핑 돌다; (속이) 메스껍다. ⑧ 선반(旋盤)을 돌리다; (선반으로 …이) 깎여지다, 만들어지다. ***make* (*a person*) ~ *in his grave*** 지하에서 편히 잠들지 못하게 하다[슬퍼하게 만들다]. **~ *about*** 뒤돌아 보다; 방향을 바꾸다[돌리다]. **~ *against*** 반항하다, 싫어하다. **~ (*a person*) *round one's finger*** 제마음대로 다루다. **~ *aside*** 비키다, 옆으로 피하다; 빗나가다; 외면하다. **~ *away*** (얼굴을) 돌리다; 쫓아버리다; 해고하다; 피하다. **~ *down*** 뒤집다, 접다; 엎어 놓다; (가스불 따위를) 낮추다, (라디오 소리를) 작게 하다; 거절하다. **~ *in*** 안쪽으로 구부러지다[구부리다, 향하(게 하)다]; 들이다; 《口》 잠자리에 들다; 접어 넣다; 《美》 제출하다. **~ *loose*** (풀어서) 놓아주다. **~ *off*** (고동·스위치를 틀어) 멈추게 하다, 끄다; (이야기를) 딴 데로 돌리다; 《주로 英》 해고하다; 옆길로 들어서다, (길이) 갈라지다. **~ *on*** (고동·스위치를 틀어) 나오게 하다, 켜다; (…에) 적대하다; (이야기가) …으로 돌아가다; …여하에 달리다(*on*). **~ *out*** 밖으로 구부러지다[구부리다, 향하(게 하)다]; 뒤집다; 스트라이크를 시작하다; 《口》 잠자리에서 나오다; 외출[출근]하다; 결과가 …이 되다, …으로 판명되다(prove) (*to be; that*); 내쫓다, 해고하다; (속에 있는 물건을) 내놓다; 폭

로하다; 만들어내다, 생산하다; 차려입히다, 성장(盛裝)시키다(fit out). ~ **over** 뒹굴리다, 돌아눕다; 넘어뜨리다; 인도(引渡)하다; (책장을) 넘기다; (…만큼의) 거래를 하다; (자금을) 회전시키다, 운전하다; 전업(轉業)하다; 숙고(熟考)하다. ~ **round** 기항(寄港)하다. ~ **to** …이 되다; 조회하다, 조사하다(refer to); …에게 조력을 구하다; 일을 착수하(게하)다; (페이지를) 펴다(*Please* ~ *to page 10.*). ~ **up** 위로 구부러지(게하)다[향(하 게)하다]; 위를 보(게하)다; 나타나다, 생기다; 일어나다; 접어 줄이다; (가스불 따위를) 세게 하다, (라디오 소리를) 크게 하다; (엎어놓은 트럼프 패를) 뒤집다; 파뒤집다, 찾아내다; 《口》 구역질나게 하다. ~ **upon** (…의) 여하에 달리다; …을 적대(敵對)하다. — ***n.*** Ⓒ ① 회전; 전향, 빗나감; 구부러짐, 모퉁이, 비틀림. ② 말투. ③ (a ~) 변화, 변화점. ④ 순번, 차례. ⑤ (a ~) 경향, 기질. ⑥ 모양, 형. ⑦ 한 바탕의 일, 한 판, 한 바퀴 돌기, 한 차례의 놀이, 산책, (연극·쇼의) 한 차례. ⑧ (새끼 등의) 한 사리. ⑨ 행위(*a good* 〔*an ill*〕 ~)(*to*). ⑩ 《口》 놀람; 어지러움. ⑪ 〖印〗 복자(伏字). ⑫ (*pl.*) 경도, 월경. ⑬ 〖樂〗 돈꾸밈임. **About** 〔**Left**〕 **~!** 뒤로 돌아〔좌향좌〕. **at every** ~ 어느 곳에나, 언제든지. **by ~s** 교대로, 번갈아. **give** (*a person*) **a** ~ 놀라게하다. **in** ~ 차례로. **on the** ~ 《口》 변하기 시작하여. **out of** (**one's**) ~ 순서없이, 순서에 어긋나게; 제가 나설 계제가 아닌데도《말참견하다, 따위》. **serve one's** ~ 소용〔도움〕이 되다. **take a favorable** ~ 차도가 있다. **take ~s** 교대로 하다. **to a** ~ 알맞게《구워진 불고기 따위》, 충분히. ~ **and** ~ **about** 돌아가며, 윤번으로. ~ **of speed** 속력.

túrn·abòut ***n.*** Ⓒ 방향 전환; 변절, 전향; 회전 목마.

túrn·aròund ***n.*** Ⓒ 전환; 전향, 변절; (배 따위의) 왕복 시간.

túrn·còat ***n.*** Ⓒ 변절자.

:turn·ing [´-iŋ] ***n.*** ① Ⓤ 회전, 선회; 변절; 변화; Ⓒ 굴곡. ② Ⓤ 녹로〔선반〕 세공. 「위기.

túrning pòint 변환점, 전(환)기;

˙tur·nip [tə́ːrnip] ***n.*** Ⓒ 〖植〗 순무.

túrn-òn ***n.*** Ⓤ (환각제 등에 의한) 도취《상태》; 흥분〔자극〕시키는 것.

˙túrn·òut ***n.*** Ⓒ ① 《집합적》 (구경·행렬 따위에) 나온 사람들; 출석자. ② 대피선. ③ 생산액, 산출고. ④ 《英》 동맹 파업(자). ⑤ 《口》 마차와 구종. ⑥ 채비.

túrn·òver ***n.*** Ⓒ 전복; 접은 것; (노동자의) 인사 이동(異動)·배치 전환; 투하 자본 회전(율); (일기(一期)의) 총매상고. — ***a.*** 접어 젖힌《칼라 따위》.

˙túrn·pìke ***n.*** Ⓒ 유료 도로, 통행료를 받는 문〔길〕.

túrn-ròund ***n.*** Ⓒ 반환 지점; 안팎 겸용 옷.

túrn sìgnal (**lìght**) 방향 지시등.

túrn·stìle ***n.*** Ⓒ 회전식 문.

túrn·tàble ***n.*** Ⓒ 〖鐵〗 전차대(轉車臺); (축음기) 회전반.

túrn·ùp ***n., a.*** Ⓒ 뜻밖에 나타난 사람; 돌발 사건; 《英口》 격투; 《英》 (바지 따위의) 접어 올린 (부분).

˙tur·pen·tine [tə́ːrpəntàin] ***n., vt.*** Ⓤ 테레빈; 테레빈유(油)(를 바르다).

tur·pi·tude [tə́ːrpətjùːd] ***n.*** Ⓤ 비열, 배덕(背德).

tur·quoise [tə́ːrkwɔiz] ***n., a.*** Ⓤ,Ⓒ 터키옥(玉)《보석》; 청록색(의).

˙tur·ret [tə́ːrit, tʌ́r-] ***n.*** Ⓒ ① (성벽의) 작은 탑, 망루; (선회) 포탑(砲塔). ② (전투기의) 조종석.

:tur·tle [tə́ːrtl] ***n.*** Ⓒ 바다거북; =∠**dòve** 〖鳥〗 호도애. **turn** ~ (배 따위가) 뒤집히다.

túrtle·nèck ***n.*** Ⓒ (스웨터 따위의) 터틀넥; 터틀넥 스웨터.

tusk [tʌsk] ***n., vt.*** Ⓒ (긴) 엄니(로 찌르다).

tus·sle [tʌ́səl] ***n., vi.*** Ⓒ 격투(하다).

tus·sock [tʌ́sək] ***n.*** Ⓒ 풀숲, 덤불; 더부룩한 털.

tut [tʌt, ɿ] ***int.*** 체! — ***vi.*** (**-tt-**) 혀를 차다.

tu·te·lage [tjúːtəlidʒ] ***n.*** Ⓤ 보호〔감독〕(받음), 후견(後見)(guardianship); 교육, 지도; 피(被)후견.

:tu·tor [tjúːtər] ***n.*** (*fem.* **~ess**) Ⓒ

T

가정 교사; 《英》 (대학·고교의) 개인 지도 교사《보통 fellow가 담당》; 〖美大學〗 강사《instructor의 아래》; 〖法〗 후견인. — *vt., vi.* 가정 교사로서 가르치다; (학생을) 지도하다; 개인 지도 교사 노릇을 하다; 억제하다; 《美口》 개인 교수를 받다. **~·age, ~·ship**[-ʃip] *n.*

tu·to·ri·al [tjuːtɔ́ːriəl] *a.* tutor의. — *n.* Ⓒ ① (대학에서 tutor에 의한) 특별지도 시간[학급]. ② 〖컴〗 지침(서).

tut·ti-frut·ti[túːtifrúːti] *n.* (It. =all fruits) Ⓤ,Ⓒ 설탕에 절인 과일(을 넣은 아이스크림).

tu·tu[túːtuː] *n.* (F.) Ⓒ 튀튀《발레용 짧은 스커트》.

tux·e·do[tʌksíːdou] *n.* (*pl.* ~(*e*)*s* [-z]) Ⓒ 《美》 턱시도《남자의 약식 야회복》.

:**TV**[tíːvíː] *n.* Ⓒ 텔레비전.

twad·dle[twɑ́dəl/-ɔ́-] *n., vi.* Ⓤ 객적은 소리(하다).

twang[twæŋ] *n., vt., vi.* Ⓒ 현(弦)의 소리, 팅 (울리게 하다, 울리다); 콧소리(로 말하다).

tweak[twiːk] *n., vt.* Ⓒ 비틀기, 꼬집다; 왈칵[홱] 당김[당기다]; (마음의) 동요, 고통.

twee[twiː] *a.* 《英俗》 귀여운.

·**tweed**[twiːd] *n.* Ⓤ 트위드《스카치 나사(羅紗)》; (*pl.*) 트위드 옷.

tweez·ers[twíːzərz] *n. pl.* 족집게, 핀셋.

†**twelfth**[twelfθ] *n., a.* Ⓤ (보통 the ~) 제12(의); Ⓒ 12분의 1(의).

†**twelve**[twelv] *n., a.* Ⓤ,Ⓒ 12(의). ***the T-*** (예수의) 12사도. **∠·fòld** *ad., a.* 12배(의).

twélve·mònth *n.* Ⓤ 12개월, 1년.

†**twen·ty**[twénti] *n., a.* Ⓤ,Ⓒ 20(의). ·**twen·ti·eth**[-iθ] *n., a.* Ⓤ (보통 the ~) 제 20(의), 스무번째(의); Ⓒ 20분의 1(의).

twerp[twəːrp] *n.* Ⓒ 《俗》 너절한 놈.

:**twice**[twais] *ad.* 두 번, 2회; 2배로[만큼]. ***think*** ~ 재고[숙고]하다.

twid·dle[twídl] *vt., vi., n.* 만지작거리다, 가지고 놀다(*with*); (a ~) 가지고 놀기. ~ 〔***twirl***〕 ***one's thumbs*** (지루하여) 양손의 엄지손가락을 빙빙 돌리다.

:**twig**[1][twig] *n.* Ⓒ 잔 가지, 가는 가지. ***hop the*** ~ 《俗》 갑작스레 죽다.

twig[2] *vt., vi.* (**-gg-**) 《英俗》 이해하다, 알다; 깨닫다, 알아차리다.

:**twi·light**[twáilàit] *n.* Ⓤ 어둑새벽, 여명; 황혼, 땅거미; 희미한 빛, 여명기(期). — *a., vt.* 어스레하게 밝은[밝히다].

twílight zòne 중간 지대, 경계 영역; 도시의 노후화 지역.

twill[twil] *n.* Ⓤ 능직(綾織), 능직물. **~ed**[-d] *a.* 능직의.

:**twin**[twin] *a., n.* Ⓒ 쌍둥이의 (한 사람); 닮은 (것); (*pl.*) 쌍둥이; (the Twins) 《단수 취급》 〖天〗 쌍둥이자리. — *vt., vi.* (**-nn-**) 쌍둥이를 낳다; 《廢》 짝을 이루다(*with*).

twín béd 트윈베드《둘을 합치면 더블베드가 됨》.

·**twine**[twain] *n., vt., vi.* Ⓤ 끈실; (실을) 꼬다, 꼬기; (사리어) 감기[감다]; 얽힘, 얽히다.

twín-éngined *a.* (비행기가) 쌍발의.

twinge[twindʒ] *n., vi., vt.* Ⓒ 쑤시는 듯한 아픔; 쑤시듯이 아프(게 하)다, 쑤시다.

:**twin·kle**[twíŋkəl] *vi., vt., n.* 빤짝빤짝 빛나(게 하)다; (눈을) 깜빡거리다; (*sing.*) 빤짝임, 깜짝임; 깜빡할 사이. **twín·kling** *a., n.*

twín sèt 《英》 cardigan과 pullover의 앙상블《여자용》.

twín tòwn 자매 도시.

·**twirl**[twəːrl] *vt., vi.* 빙글빙글 돌(리)다, 손끝으로 이리저리 만지작거리다. ~ ***one's thumbs*** ⇨TWIDDLE. — *n.* Ⓒ ① 회전; 빙글빙글 돌리기. ② (펜의) 장식 글씨. **∠·er** *n.* Ⓒ 배턴걸《고적대의 선두에서 지휘봉을 돌리는 사람》.

:**twist**[twist] *vt., vi.* ① 비틀(리)다; 꼬(이)다; 감(기)다. ② 구부리다, 구부러지다. ③ 나사 모양으로 만들다, 소용돌이치다. ④ (*vt.*) 곡해하다, 억지로 갖다 붙이다; 왜곡하여 말하다 (misrepresent). ⑤ 누비고 나아가다. ~ ***off*** 비틀어 떼다. ~ ***up*** 꼬다, (종이 등을) 나사 모양으로 꼬다.

T

— *n.* ① Ⓒ 뒤틀림, 꼬임, 비틀림. ② Ⓒ 꼰 실, 새끼, 끈; 꽈배기 빵. ③ Ⓒ (성격의) 비꼬임, 기벽(奇癖), 괴팍함(kink); 《英口》 사기. ④ Ⓤ 《英》 혼합주; (the ~); 트위스트(춤). **∠·er** *n.* Ⓒ (새끼 따위를) 꼬는〔비트는〕 사람; 실꼬는 기계; 견강부회하는 사람; 《주로 英》 부정직한 사람; 〖球技〗 곡구(曲球); 《美》 회오리바람.

twis·ty [twísti] *a.* ① (길 따위가) 구불구불한. ② 부정직한.

twit [twit] *n., vt.* (**-tt-**) Ⓒ 문책(하다), 힐책(하다); 조소(하다)(taunt).

·**twitch** [twitʃ] *vt., vi., n.* Ⓒ 홱 잡아당기다〔당기기〕; 씰룩씰룩 움직이(게 하)다; 경련(하다, 시키다); (*vt.*) 잡아채다(*off*). **∠·ing**(**·ly**) *a.* (*ad.*)

·**twit·ter** [twítər] *n., vi., vt.* Ⓤ (보통 the ~) 지저귐, 지저귀다; Ⓒ 벌벌 떨다〔떪〕; 킥킥 웃다〔웃음〕; 안절부절 못함〔못하다〕; (*vi.*) 지저귀듯이 재잘거리다.

†**two** [tu:] *n., a.* Ⓤ,Ⓒ 2(의). Ⓒ 두 개〔사람〕(의). ***a day or ~*** 하루이틀. ***by ~s and threes*** 드문드문, 삼삼오오. ***in ~*** 두 동강으로. ***in ~s*** 《俗》 곧, 순식간에. ***put ~ and ~ together*** 이것 저것 종합하여 생각하다, 결론을 내다. ***That makes ~ of us.*** 《口》 나도 마찬가지다. ***~ and ~,*** or ***~ by ~*** 둘씩. ***T- can play at that game.*** (그렇다면) 이쪽에도 각오가 있다, 반드시 그 (앙)갚음을 한다.

twó-bìt *a.* 《美俗》 25센트의; 근소한, 보잘것 없는.

twó-diménsional *a.* 2차원의; 평면적인, 깊이 없는(~ *array* 〖컴〗 2차원 배열).

twó-édged *a.* = DOUBLE-EDGED.

twó-fáced *a.* 양면의; (언행에) 표리가 있는, 위선적인.

twó·fòld *a., ad.* 두 배의〔로〕, 2중의〔으로〕; 두 부분이〔요소가〕 있는.

twó-hánded *a.* 양손이 있는, 양손을 쓸 수 있는; 2인용의.

two·pence [tʌ́pəns] *n.* 《英》 Ⓤ 2펜스; Ⓒ 2펜스 은화.

two·pen·ny [tʌ́pəni] *a., n.* 《英》 2펜스의, 싸구려의; Ⓤ 《英》 맥주의 일종; Ⓒ 《英俗》 머리(*Tuck in your ~!* 머리를 더 숙여라 《등넘기놀이에서》). 「싸구려의.

twópenny-hálfpenny *a.* 하찮은,

twó-píece *n., a.* Ⓒ 투피스(의).

twó-plý *a.* 두 겹으로 짠; (실이) 두 겹인.

twó-séater *n.* Ⓒ 2인승 비행기〔자동차〕.

twó-síded *a.* 양면이〔표리가〕 있는.

two·some [∠səm] *n.* Ⓒ (보통 *sing.*) 둘이 하는 경기〔댄스〕.

twó-tìme *vt., vi.* 《俗》 배신하다, 속이다《특히 남편, 아내, 애인을》.

twó-tóne *a.* 두 색의《같은 또는 다른 계통의 색을 배열한》.

twó-wáy *a.* 두 길의; 양면 교통의; 상호적인; 송수신 겸용의.

ty·coon [taikú:n] *n.* (Jap.) Ⓒ 《美》 실업계의 거물.

:**ty·ing** [táiiŋ] *v.* tie의 현재 분사. — *n.* Ⓒ 매듭; Ⓤ 매는(tie) 일.

tyke [taik] *n.* Ⓒ 똥개(dur); 개구쟁이, 아이.

†**type** [taip] *n.* ① Ⓒ 형(型), 유형; 양식(style). ② Ⓒ 전형, 견본, 모범; 실례(가 되는 물건·사람). ③ Ⓒ 표, 부호, 상징. ④ Ⓤ,Ⓒ 활자, 자체(字體). ⑤ Ⓒ 혈액형. ⑥ Ⓒ 〖컴〗 꼴, 유형, 타입. ***in ~*** 활자로 짠〔짜서〕. ***set ~*** 조판하다. — *vt.* 타이프라이터로 찍다(typewrite); (혈액)형을 검사하다; 《稀》 상징하다; (…의) 전형이 되다.

týpe·càst *vt.* (~(***ed***)) (극중 인물의 신장·목소리 따위에 맞는) 배우를 배역하다.

týpe·sètter *n.* Ⓒ 식자공.

týpe·wrìte *vt.* (***-wrote; -written***) 타이프라이터로 찍다〔치다〕. **-wrìting** *n.* Ⓤ 타이프라이터 사용(법). **:-wrìter** *n.* Ⓒ 타이프라이터; = TYPIST. **-wrìtten** *a.* 타이프라이터로 찍은.

typh·li·tis [tifláitis] *n.* Ⓤ 맹장염.

·**ty·phoid** [táifɔid] *a., n.* Ⓤ 장티푸스(의)〔같은〕; = ∠ **féver** 장티푸스.

:**ty·phoon** [taifú:n] *n.* Ⓒ 태풍.

ty·phus [táifəs] *n.* Ⓤ 발진티푸스.

:**typ·i·cal** [típikəl] *a.* 전형적인; 대표적인; 상징적인(*of*); 특징 있는(*of*). **~·ly** *ad.*

T

typ·i·fy[típəfài] *vt.* 대표하다; (…의) 전형이 되다; 상징하다; 예시(豫示)하다(foreshadow).
typ·ing[táipiŋ] *n.* Ⓤ 타이프라이터 치기〔사용법〕.
:**typ·ist**[táipist] *n.* Ⓒ 타이피스트.
ty·pog·ra·pher[taipágrəfər/-5-] *n.* Ⓒ 인쇄공, 식자공.
ty·po·graph·ic [tàipəgrǽfik], **-i·cal**[-əl] *a.* 인쇄(상)의(*typographic errors* 오식(誤植)).
ty·pog·ra·phy[taipágrəfi/-5-] *n.* Ⓤ 인쇄(술).
ty·ran·nic[tirǽnik, tai-], **-ni·cal** [-əl] *a.* 포학한, 무도한; 압제적인. **~·ly** *ad.*
tyr·an·nize[tírənàiz] *vi., vt.* 학정〔폭정〕을 행하다, 학대하다(*over*).
:**tyr·an·ny**[tírəni] *n.* ① Ⓤ,Ⓒ 전체정치, 폭정. ② Ⓤ 포학, 학대; Ⓒ 포학한 행위. ③ Ⓤ 〖그史〗 참주(僭主)정치(cf. tyrant).
:**ty·rant**[táiərənt] *n.* Ⓒ ① 〖그史〗 참주(僭主)《전제 군주; 선정을 베푼 이도 있었음》. ② 폭군.
tyre[taiər] *n., v.* 《英》 = TIRE².
ty·ro[táiərou] *n.* (*pl.* **~s**) Ⓒ 초심자; 신참자.
tzar[zaːr, tsaːr], **tza·ri·na**[zaːríːnə, tsaː-], **&c.** = CZAR, CZARINA, &c.

T

U

U, u [ju:] *n.* (*pl.* ***U's, u's***[-z]) Ⓒ U자형의 물건.
u·biq·ui·tous [ju:bíkwətəs] *a.* (동시에) 도처에 있는, 편재(遍在)하는; 《戲》 여기저기 모습을 나타내는. **-ui·ty** *n.* Ⓤ,Ⓒ 동시 편재(의 능력).
Ú-bòat *n.* Ⓒ U보트《제1·2차 대전 중의 독일 잠수함》.
ud·der [ʌ́dər] *n.* Ⓒ (소·염소 등의) 젖통.
UFO, U.F.O. [jú:fou, jú:èfóu] *n.* Ⓒ 미확인 비행 물체(＜*u*nidentified *f*lying *o*bject)(cf. flying saucer).
u·fol·o·gy [ju:fálədʒi/-5-] *n.* Ⓤ 미확인 비행 물체학.
ugh [u:x, ʌx, ʌ] *int.* 억!; 윽!《혐오·공포 따위를 나타내는 소리》.
:ug·ly [ʌ́gli] *a.* ① 추한; 못생긴. ② 불쾌한, 지겨운. ③ (날씨가) 잔뜩 찌푸린, 험악한; 위험한. ④ 《美口》 심술궂은, 괴까다로운, 싸우기 좋아하는. — *n.* Ⓒ 추한 것; 추남, 추녀; 《英》 (19세기에 유행한) 여자 모자의 챙. **úg·li·ly** *ad.* **úg·li·ness** *n.*
úgly dúckling 미운 오리새끼《처음 집안 식구로부터 못난이 취급받다가 후에 잘되는 아이》.
UHF, uhf 【컴】 ultrahigh frequency. **U.K.** United Kingdom (of Great Britain and Northern Ireland).
u·ku·le·le [jù:kəléili] *n.* Ⓒ 우쿨렐레《기타 비슷한 4현(弦) 악기》.
ul·cer [ʌ́lsər] *n.* Ⓒ 【醫】 궤양; 병폐, 폐해. **~·ate** [-èit] *vi., vt.* 궤양이 생기(게 하)다, 궤양화(化)하다. **~·a·tion** [⌐–éiʃən] *n.* Ⓤ 궤양. **~·ous** *a.* 궤양성의, 궤양에 걸린.
ul·na [ʌ́lnə] *n.* (*pl.* ***-nae*** [-ni:], ***~s***) Ⓒ 【解】 척골(尺骨). **ul·nar** [-r] *a.* 척골의.
ul·te·ri·or [ʌltíəriər] *a.* 저쪽의; 장래의, 금후의; (표면에) 나타나지 않은, (마음) 속의, 이면(裏面)의.
:ul·ti·mate [ʌ́ltəmit] *a.* 최후의, 궁극적인; 최종적인; 본원적인, 근본의; 가장 먼. — *n.* Ⓒ 최종점, 결론. ***in the ~*** 최후로. ****~·ly*** *ad.* 최후로, 결국.
·ul·ti·ma·tum [ʌ̀ltəméitəm] *n.* (*pl.* ***~s, -ta***[-tə]) Ⓒ 최후의 말(제의·조건), 최후 통고(통첩).
ul·tra- [ʌ́ltrə] *pref.* '극단으로, 초(超), 과(過)' 따위의 뜻.
ul·tra·ma·rine [ʌ̀ltrəmərí:n] *a.* 해외의(overseas); 감청색(紺青色)의. — *n.* Ⓤ 감청색; 울트라마린《감청색 그림물감》.
ùltra·sónic *a.* 【理】 초음파의《매초 2만회 이상으로 사람 귀에 들리지 않음》.
últra·sòund *n.* Ⓤ 【理】 초음파.
ùltra·víolet *a.* 자외(紫外)(cf. infrared). — *n.* Ⓤ 자외선. ***~ rays*** 자외선.
um·ber [ʌ́mbər] *n.* Ⓤ 엄버《천연 안료(顔料); 원래는 갈색, 태우면 밤색이 됨》; 갈색, 암갈색, 밤색. — *a.* (암)갈색의.
umbílical còrd 【解】 탯줄.
um·brage [ʌ́mbridʒ] *n.* Ⓤ 노여움, 화냄, 불쾌; 《古·詩》 그림자; 나무 그늘. ***take ~ at*** …을 불쾌히 여기다, …에 성내다. **um·bra·geous** [ʌmbréidʒəs] *a.* 그늘을 만드는, 그늘이 많은.
:um·brel·la [ʌmbrélə] *n.* Ⓒ 우산; 비호; 【軍】 지상군 원호 항공대; 핵(核)우산.
um·laut [úmlàut] *n.* (G.) 【言】 ① Ⓤ 움라우트, 모음 변이. ② Ⓒ 움라우트의 부호.
:um·pire [ʌ́mpaiər] *n.* Ⓒ (경기의) 심판원, 엄파이어; 중재인; 【法】 재정인(裁定人). — *vi., vt.* 심판(중재)하다(*for*).
ump·teen [ʌ́mptí:n, ⌐⌐] *a.* 《俗》 아주 많은, 다수의.

U

'un[ən] *pron.* 《方》 = ONE (*a little* 〔*young*〕 ~ 아이, 젊은이).
un-[ʌn] ① 형용사 및 부사에 붙여서 '부정(否定)'의 뜻을 나타냄. ② 동사에 붙여서 그 반대의 동작을 나타냄. ③ 명사에 붙여서 그 명사가 나타내는 성질·상태를 '제거'하는 뜻을 나타내는 동사를 만듦: ***un***man.
un·a·bashed[ʌ̀nəbǽʃt] *a.* 부끄러워하지 않는, 태연한, 뻔뻔스러운.
un·a·bat·ed[ʌ̀nəbéitid] *a.* 줄지 않는, 약해지지 않는.
:un·a·ble[ʌnéibəl] *a.* …할 수 없는 (*to* do); 자격이 없는.
un·a·bridged[ʌ̀nəbrídʒd] *a.* 생략하지 않은, 완전한.
un·ac·com·pa·nied[ʌ̀nəkʌ́mpənid] *a.* 동반자가 없는, (…이) 따르지 않는; 〖樂〗 무반주의.
:un·ac·count·a·ble [ʌ̀nəkáuntəbəl] *a.* ① 설명할 수 없는, 까닭을 알 수 없는. ② 책임 없는(*for*). **-bly** *ad.*
un·ac·count·ed-for [ʌ̀nəkáuntidfɔ̀ːr] *a.* 설명이 안 된.
·un·ac·cus·tomed[ʌ̀nəkʌ́stəmd] *a.* 익숙하지 않은(*to*); 보통이 아닌, 별난.
un·ac·quaint·ed[ʌ̀nəkwéintid] *a.* 알지 못하는, 낯선, 생소한(***with***).
un·a·dorned[ʌ̀nədɔ́ːrnd] *a.* 꾸밈〔장식〕이 없는; 있는 그대로의.
un·a·dul·ter·at·ed [ʌ̀nədʌ́ltərèitid] *a.* 섞인 것이 없는; 순수한, 진짜의.
un·af·fect·ed[1][ʌ̀nəféktid] *a.* 움직이지〔변하지〕 않는; 영향을 안 받는.
un·af·fect·ed[2] *a.* 젠체하지 않는, 있는 그대로의; 꾸밈 없는, 진실한.
un·a·fraid[ʌ̀nəfréid] *a.* 두려워하지 않는(*of*).
un·aid·ed[ʌnéidid] *a.* 도움을 받지 않는. ~ ***eyes*** 육안.
un·al·loyed[ʌ̀nəlɔ́id] *a.* 〖化〗 합금이 아닌, 순수한; 《비유》 (감정 등이) 진실의.
un·al·ter·a·ble[ʌnɔ́ːltərəbəl] *a.* 변경할〔바꿀〕 수 없는. **-bly** *ad.*
un·al·tered[ʌnɔ́ːltərd] *a.* 불변의.
un·am·big·u·ous[ʌ̀næmbígjuəs] *a.* 애매하지 않은, 명백한.
un-A·mer·i·can[ʌ̀nəmérikən] *a.* (풍속·습관 따위가) 아메리카식이 아닌; 비미(非美)〔반미〕적인.
·u·nan·i·mous [ju(ː)nǽnəməs] *a.* 동의의(*for, in*); 만장일치의, 이구동성의. **~·ly** *ad.* **u·na·nim·i·ty** [jùːnəníməti] *n.* Ⓤ 이의 없음; 만장 일치.
un·an·swer·a·ble[ʌnǽnsərəbəl, -ɑ́ː-] *a.* 대답할 수 없는; 논박할 수 없는; 책임 없는.
un·an·swered[ʌnǽnsərd, -ɑ́-] *a.* 대답 없는; 논박되지 않은; 보답되지 않은.
un·ap·pre·ci·at·ed[ʌ̀nəpríːʃièitid] *a.* 진가(眞價)가 인정되지 않은; 고맙게 여겨지지 않는.
un·ap·proach·a·ble[ʌ̀nəpróutʃəbəl] *a.* 접근하기 어려운; 따르기 어려운; (태도 따위가) 쌀쌀한.
·un·armed[ʌnɑ́ːrmd] *a.* 무기가 없는; 무장하지 않은.
un·a·shamed[ʌ̀nəʃéimd] *a.* 창피를 모르는, 몰염치한, 뻔뻔스러운.
un·asked[ʌnǽskt, -ɑ́ː-] *a.* 부탁〔요구〕받지 않은; 초대받지 않은.
un·as·sum·ing[ʌ̀nəsjúːmiŋ] *a.* 겸손한.
un·at·tached[ʌ̀nətǽtʃt] *a.* 부속되어 있지 않은; 무소속의, 중립의; 약혼〔결혼〕하지 않은; (장교가) 무보직의(cf. **attaché**).
·un·at·tain·a·ble[ʌ̀nətéinəbəl] *a.* 이룰 수 없는, 도달〔달성〕하기 어려운.
un·at·tend·ed[ʌ̀nəténdid] *a.* 수행원〔시중꾼〕이 없는; 방치된; (의사의) 치료를 받지 않은.
un·at·trac·tive[ʌ̀nətrǽktiv] *a.* 남의 눈을 끌지 않는; 매력적이 아닌.
un·au·thor·ized[ʌnɔ́ːθəràizd] *a.* 권한 밖의, 공인되지 않은; 독단의.
un·a·vail·ing[ʌ̀nəvéiliŋ] *a.* 무익한; 무효의; 헛된. **~·ly** *ad.*
un·a·void·a·ble[ʌ̀nəvɔ́idəbəl] *a.* 피할 수 없는. **-bly** *ad.*
·un·a·ware[ʌ̀nəwέər] *a.* 눈치채지 못하는, 알지 못하는(*of, that*); 《稀》 부주의한, 방심하는. ― *ad.* 뜻밖에, 불의에, 갑자기; 무심히. **~s** *ad.* = UNAWARE.
·un·bal·ance[ʌnbǽləns] *n., vt.*

U

Ⓤ 불균형(하게 하다); 평형을 깨뜨리다. **~d**[-t] *a.* 평형이 깨진; 불안정한; 마음[정신]이 혼란된.

˙**un·bear·a·ble**[ʌ̀nbɛ́ərəbəl] *a.* 참기[견디기] 어려운. **-bly** *ad.*

un·beat·en[ʌ̀nbí:tn] *a.* (채찍에) 매맞지 않은; 진 적이 없는; 사람이 다닌 일이 없는, 인적 미답의.

un·be·com·ing[ʌ̀nbikʌ́miŋ] *a.* 어울리지 않는; (격에) 맞지 않는(*to, of, for*); 보기 흉한, 버릇 없는.

un·be·known[ʌ̀nbinóun] *a.* 《口》 미지(未知)의, 알려지지 않은(*to*).

un·be·lief[ʌ̀nbilí:f] *n.* Ⓤ 불신앙; 불신; 의혹.

un·be·liev·a·ble [ʌ̀nbilí:vəbəl] *a.* 믿기 어려운, 믿을 수 없는.

un·be·liev·er [ʌ̀nbilí:vər] *n.* Ⓒ 믿지 않는 사람; 불신앙자; 회의자.

un·be·liev·ing[ʌ̀nbilí:viŋ] *a.* 안 믿는; 믿으려 하지 않는; 회의적인.

un·bend[ʌ̀nbénd] *vi., vt.* (***-bent, ~ed***) (굽은 것을) 곧게 하다[되다]; (긴장 따위를) 풀(게 하)다, 편히 쉬게 하다; 〖海〗 (돛을) 끄르다, (밧줄·매듭을) 풀다. **~·ing** *a.* 굽지 않는, 단단한; 고집센; 확고한.

un·bi·as(s)ed[ʌ̀nbáiəst] *a.* 편견이 없는, 공평한.

un·bid·den[ʌ̀nbídn] *a.* 명령[지시]받지 않은, 자발적인; 초대받지 않은.

un·bleached[ʌ̀nblí:tʃt] *a.* 표백하지 않은, 바래지 않은.

un·blem·ished[ʌ̀nblémiʃt] *a.* 흠이 없는; 오점이 없는; 결백한, 깨끗한.

un·blink·ing[ʌ̀nblíŋkiŋ] *a.* 눈 하나 깜짝 않는; 태연한.

un·born[ʌ̀nbɔ́:rn] *a.* 아직 태어나지 않은, 태내(胎內)의; 미래의, 후세의.

un·bound·ed[ʌ̀nbáundid] *a.* 무(제)한의.

un·bri·dled[ʌ̀nbráidld] *a.* 굴레[고삐]를 매지 않은; 구속이 없는; 방일(放逸)한.

˙**un·bro·ken**[ʌ̀nbróukən] *a.* ① 파손되지 않은, 완전한. ② 중단되지[끊기지] 않은; 꺾이지 않은. ③ (말 따위가) 길들여지지 않은. ④ 미개간의.

un·buck·le[ʌ̀nbʌ́kəl] *vt.* (…의) 죔쇠를 끄르다[벗기다].

un·bur·den[ʌ̀nbə́:rdn] *vt.* (…의) 무거운 짐을 내리다; (마음의) 무거운 짐을 덜다, (마음을) 편하게 하다.

un·but·ton[ʌ̀nbʌ́tn] *vt.* (…의) 단추를 끄르다; 흉금을 털어놓다.

un·called-for[ʌ̀nkɔ́:ldfɔ̀:r] *a.* 불필요한, 쓸데 없는; 지나친, 주제넘은.

un·can·ny[ʌ̀nkǽni] *a.* 초자연적인, 이상하게 기분 나쁜, 괴이한.

un·cap[ʌ̀nkǽp] *vt.* (***-pp-***) 모자를[뚜껑을] 벗기다. — *vi.* (경의를 표하여) 모자를 벗다.

un·cared-for[ʌ̀nkɛ́ərdfɔ̀:r] *a.* 돌보는 사람 없는; 황폐한.

un·cer·e·mo·ni·ous[ʌ̀nserəmóuniəs] *a.* 격식[형식]을 차리지 않는, 스스럼 없는, 무간한; 버릇[예의] 없는. **~·ly** *ad.*

⁑**un·cer·tain**[ʌ̀nsə́:rtn] *a.* ① 불확실한; 의심스러운; 분명치 않은. ② 일정치 않은; 변하기 쉬운, 믿을 수 없는. ③ (빛이) 흔들거리는. **~·ly** *ad.*

˙**un·cer·tain·ty**[ʌnsə́:rtnti] *n.* ① Ⓤ 반신반의; 불확정. ② Ⓒ 불명; 확신히 할 수 없는 일[물건]. ***the ~ principle,*** or ***the principle of ~*** 〖理〗 불확정성 원리.

un·chal·lenged[ʌntʃǽlindʒd] *a.* 도전을 받지 않는; 문제가 안 되는; 논쟁되지 않는.

un·change·a·ble[ʌntʃéindʒəbəl] *a.* 변하지 않는, 불변의. 「지 않는.

un·changed[ʌntʃéindʒd] *a.* 변하

un·char·i·ta·ble [ʌntʃǽrətəbəl] *a.* 무자비한; (비평 등이) 가차 없는, 엄한.

un·chart·ed[ʌntʃá:rtid] *a.* 해도(海圖)에 기재돼 있지 않은; 미지의.

un·checked[ʌntʃékt] *a.* 억제되지 않은; 조회[검사]받지 않은.

un·civ·il[ʌnsívəl] *a.* 예절 없는; 야만적인, 미개한. **-i·lized**[-əlàizd] *a.* 미개한, 야만적인.

†**un·cle**[ʌ́ŋkəl] *n.* Ⓒ 백부, 숙부, 아저씨; 《口》 (친척 아닌) 아저씨. ***cry*** [***say***] ***~*** 《美口》 졌다고 말하다.

˙**un·clean**[ʌnklí:n] *a.* 더러운, 불결한; (도덕적으로) 더럽혀진; 사악(邪惡)한, 외설한; (종교 의식상) 부정

(不淨)한. ～·**ly**[-li] *ad.*, [ʌnklén-li] *a.* 불결하게(한); 부정(不貞)하게(한).

un·coil[ʌnkɔ́il] *vt., vi.* (감긴 것을) 풀다; 풀리다.

:**un·com·fort·a·ble** [ʌnkʌ́mfərtəbəl] *a.* 불쾌한, 불안(부자유)한. **-bly** *ad.*

un·com·mit·ted[ʌ̀nkəmítid] *a.* 미수의; 언질에 구속(구애)되지 않는; 의무가 없는; (법안이) 위원회에 회부되지 않은.

˙**un·com·mon**[ʌnkámən/-ɔ́-] *a.* 흔하지 않은, 드문, 이상(비상)한; 비범한. ～·**ly** *ad.* 드물게; 매우, 진귀하게.

un·com·mu·ni·ca·tive[ʌ̀nkəmjú:nəkèitiv/-kə-] *a.* 속을 털어놓지 않는; 수줍어하는, 말이 없는.

un·com·plain·ing[ʌ̀nkəmpléiniŋ] *a.* 불평하지 않는.

un·com·pro·mis·ing[ʌnkámprəmàiziŋ/-ɔ́-] *a.* 양보(타협)하지 않는; 강경(단호)한, 완고한.

un·con·cern [ʌ̀nkənsə́:rn] *n.* Ⓤ 무관심, 태연, 냉담. ～**ed** *a.* 무관심한(*with, at*); 관계가 없는(*in*).

˙**un·con·di·tion·al**[ʌ̀nkəndíʃənəl] *a.* 무조건의; 절대적인. ～·**ly** *ad.*

un·con·di·tioned[ʌ̀nkəndíʃənd] *a.* 무조건의; 절대적인; 본능적인.

un·con·gen·ial [ʌ̀nkəndʒí:niəl, -njəl] *a.* 성미에 안 맞는, 싫은; 부적당한, 맞지 않는.

un·con·nect·ed[ʌ̀nkənéktid] *a.* 관계가(관련이) 없는(*with*); (논리적으로) 앞뒤가 맞지 않는.

un·con·scion·a·ble [ʌnkánʃənəbəl/-ɔ́-] *a.* 비양심적인; 불합리한; 터무니 없는.

:**un·con·scious**[ʌnkánʃəs/-ɔ́-] *a.* 무의식의; 모르는(*of*); 부지중의; 의식 불명의. ── *n.* (the ～) 〖精神分析〗 무의식. ～·**ly** *ad.*

un·con·sti·tu·tion·al[ʌ̀nkɑ̀nstətjú:ʃənəl/-kɔ̀n-] *a.* 헌법에 위배되는, 위헌(違憲)의.

un·con·trol·la·ble[ʌ̀nkəntróuləbəl] *a.* 억제(통제)할 수 없는.

un·con·trolled[ʌ̀nkəntróuld] *a.* 억제되지 않는, 자유로운.

un·con·ven·tion·al [ʌ̀nkənvénʃənəl] *a.* 관습(선례)에 매이지 않는.

un·con·vinced[ʌ̀nkənvínst] *a.* 납득을 않는; 모호한, 미심쩍어하는.

un·cooked[ʌnkúkt] *a.* 날것의, 요리하지 않은.

un·cork[ʌnkɔ́:rk] *vt.* 코르크 마개를 빼다; 《口》 (감정을) 토로하다.

˙**un·count·a·ble**[ʌnkáuntəbəl] *a.* 무수한, 셀 수 없는. ── *n.* Ⓒ 〖文〗 불가산(不可算) 명사.

un·cou·ple[ʌnkʌ́pəl] *vt.* (…의) 연결을 풀다; (개를 맨) 가죽끈을 풀다.

:**un·couth**[ʌnkú:θ] *a.* (언행이) 무지하고 서투른, 거친, 서툰; 기묘한; 기분 나쁜.

:**un·cov·er**[ʌnkʌ́vər] *vt.* ① (…의) 덮개를 벗기다; 모자를 벗다. ② 털어놓다, 폭로하다. ── *vi.* 《古》 (경의를 표하여) 탈모하다.

un·cross [ʌ̀nkrɔ́(:)s, -krás] *vt.* (…의) 교차된 것을 풀다.

un·crown[ʌnkráun] *vt.* (…의) 왕위를 빼앗다. ～**ed**[-d] *a.* 아직 대관식을 안 올린; 무관(無冠)의.

unc·tion[ʌ́ŋkʃən] *n.* Ⓤ (성별(聖別)의) 도유(塗油); (대관식의) 도유식; (바르는) 기름약, 연고 (도포(塗布)); 성유(聖油); 《비유》 달래는(누이는, 기쁘게 하는) 것, 감언; 종교적 열정; 겉으로만의 열심(감동).

unc·tu·ous[ʌ́ŋktʃuəs] *a.* 기름(연고) 같은; 기름기가 도는; 미끈미끈한; 말치레가 번드레한; 짐짓 감동한 듯 싶은. ～·**ly** *ad.*

un·curl[ʌnkə́:rl] *vt., vi.* (꼬불꼬불한 것, 말린 것 따위를) 펴다; (…이) 펴지다, 곧게 되다.

un·cut[ʌnkʌ́t] *a.* 자르지 않은; (책이) 도련(刀鍊)되지 않은; 삭제된 데가 없는; 《美俗》 (마약 따위가) 잡물이 안 섞인.

un·dam·aged[ʌndǽmidʒd] *a.* 손해를 받지 않은, 무사한.

un·dat·ed[ʌndéitid] *a.* 날짜 표시가 없는; 무기한의.

˙**un·daunt·ed**[ʌndɔ́:ntid] *a.* 겁내지 않는, 불굴의, 용감한.

un·de·cid·ed[ʌ̀ndisáidid] *a.* 미결의, 미정(未定)의; 우유 부단한; (날씨 따위가) 어떻게 될지 모르는.

U

un·de·fend·ed[ʌ̀ndiféndid] *a.* 방비가 없는; 변호인이 없는; (고소 따위) 항변이 없는.

un·de·fined[ʌ̀ndifáind] *a.* 확정되지 않은; 정의가 내려지지 않은; 〖컴〗 미정의.

un·dem·o·crat·ic [ʌndèməkrǽt-ik] *a.* 비민주적인.

***un·de·ni·a·ble**[ʌ̀ndinái əbəl] *a.* 부정할 수 없는; 다툴 여지가 없는; 우수한. **-bly** *ad.*

†**un·der**[ʌ́ndər] *prep.* ① …의 아래〔밑〕에; …의 내부에, 보다 아래를〔밑을〕. ② (연령·시간·가격·수량 등) … 이하의; (지위가) …보다 아래인〔의〕. ③ (지배·영향·보호·감독·지도 등)의 밑에, …하(下)에; (의무·책임)하에 (～ *one's hand and seal* 서명 날인하여). ④ (압박·고통·형벌·수술 등)을 받고; (조건·상태) 하(下)에 (～ *the new rules*). ⑤ …때문에 (～ *the circumstances*). ⑥ …에 따라서(～ *the law*). ⑦ …에 속하는. ⑧ …중에(～ *discussion* 토의중에). ⑨ …의 밑에 (숨어서); …을 핑계로〔빙자하여〕. — *ad.* 아래에, 종속〔복종〕하여. — *a.* 아래의, 하부의; 하급의; 부족한.

un·der-[ʌ̀nder, ⌐—] *pref.* '아래의〔에〕, 밑에서, 하급의, 보다 못한, 보다 작은, 불충분하게' 따위의 뜻.

ùnder·achíeve *vi.* 〖敎育〗 자기 지능 지수 이하의 성적을 얻다.

ùnder·áct *vt., vi.* 불충분하게 연기(演技)하다.

únder·bèlly *n.* Ⓒ 하복부, 아랫배. ***soft*** ～ (군사상의) 약점, 무방비 지대.

ùnder·bíd *vt.* (～; ～, **-bidden;** **-dd-**) 보다 싼 값을 붙이다〔싸게 입찰하다〕.

***únder·brùsh** *n.* Ⓤ (큰 나무 밑에서 자라는) 작은 나무.

únder·càrriage *n.* Ⓒ (차량의) 차대; (비행기의) 착륙 장치《바퀴와 다리》.

ùnder·chárge *vt.* 제값보다 싸게 청구하다(*for, on*); (포에) 충분히 장약(裝藥)을 않다.

únder·clàss *n.* Ⓒ (the ～) 하층계급, 최하층 계급.

únder·clòthes *n. pl.* 속옷, 내의.

únder·còver *a.* 비밀히 한, 비밀의; 첩보 활동의. ～ ***agent*** 〔***man***〕 첩보원, 스파이.

únder·cùrrent *n.* Ⓒ 저류(底流), 암류(暗流); 표면에 나타나지 않는 경향.

únder·cùt *n.* Ⓒ 소·돼지의 허리살. — [⌐—⌐] *vt.* (～; **-tt-**) 하부를〔밑을〕 잘라〔도려〕내다; (남보다) 싼 값으로 팔다〔일하다〕.

ùnder·devéloped *a.* 개발〔발전·현상(現像)〕이 덜된, 후진(後進)의.

únder·dòg *n.* Ⓒ 싸움에 진 개; (생존 경쟁의) 패배자.

ùnder·dóne *a.* 설구운, 설익은.

***ùnder·éstimate** *vt.* 싸게 어림하다; 과소 평가하다. — *n.* Ⓒ 싼 어림, 과소 평가.

ùnder·expóse *vt.* 〖寫〗 노출 부족으로 하다. **-expósure** *n.*

ùnder·féed *vt.* (**-fed**) 먹을 것을 충분히 주지 않다.

ùnder·fóot *ad.* 발 밑〔아래〕에; 《美》 가는 길에 방해가 되어; 짓밟아, 멸시하여.

únder·gàrment *n.* Ⓒ 속옷, 내의.

:**un·der·go**[ʌ̀ndərgóu] *vt.* (**-went;** **-gone**) 경험하다; (시련을) 겪다, (시험·수술 따위를) 받다; (재난·위험 따위를) 당하다, 만나다; 견디다.

***un·der·grad·u·ate** [-grǽdʒuit, -èit] *n.* Ⓒ (대학의) 재학생.

:**un·der·ground**[ʌ́ndərgràund] *a.* 지하의〔에서 하는〕; 비밀의. — *ad.* 지하에〔에서〕; 비밀히, 몰래. — *n.* Ⓤ 지하(도); Ⓒ (보통 the ～) 《美》 지하철 (《美》 subway); 〖政〗 지하조직〔운동〕.

únder·gròwth *n.* Ⓤ 발육 부전; (큰 나무 밑의) 관목, 덤불.

ùnder·hánd *a.* (구기에서) 밑으로 던지는〔치는〕; 비밀의, 부정한, 뒤가 구린. — *ad.* 밑으로 던져〔쳐〕; 비밀히. **～·ed** *a.* = UNDERHAND; 일손이 부족한.

ùnder·líe *vt.* (**-lay; -lain; -lying**) (…의) 밑에 있다〔가로놓이다〕; (…의) 기초를 이루다.

:**un·der·line**[ʌ̀ndərláin] *vt.* …의 밑에 선을 긋다; 강조하다. — [⌐—⌐]

U

n. Ⓒ 밑줄; (삽화·사진의) 해설 문구.
un·der·ling[ʌ́ndərliŋ] *n.* Ⓒ 《보통 蔑》 아랫 사람, 졸때기, 졸개.
˙ùnder·lýing *a.* 밑에 있는; 기초를 이루는, 근본적인.
˙ùnder·míne *vt.* (…의) 밑을 파다, 밑에 갱도를 파다; 토대를 침식하다; (명성 등을) 은밀히 손상시키다; (건강 등을) 서서히 해치다.
un·der·neath[ʌ̀ndərníːθ] *prep., ad.* (…의) 밑에〔의, 을〕. ― *n.* (the ~) 하부, 하면(下面).
ùnder·nóurished *a.* 영양 부족의. **-nóurishment** *n.*
únder·pànts *n. pl.* 하의; (남자용) 팬츠.
únder·pàss *n.* Ⓒ (철도·도로의 밑을 통하는) 지하도.
ùnder·páy *vt.* (**-paid**) (급료·임금을) 충분히 주지 않다.
ùnder·pín *vt.* (**-nn-**) (건축물의) 토대를 갈아 놓다, 기초를 보강하다; 지지하다, 입증하다. **-pínning** *n.* Ⓤ,Ⓒ 건축물의 토대, 버팀; 지주; (추가적인) 버팀대.
ùnder·prívileged *a.* (경제·사회적으로) 충분한 권리를 못 가진.
˙ùnder·ráte *vt.* 낮게 평가하다; 얕보다.
un·der·score[-skɔ́ːr] *vt.* (…의) 밑에 선을 긋다; 강조하다. ― *n.* [⌐―⌐] Ⓒ 밑줄.
ùnder·séa *a.* 바다 속의〔에서 하는〕. ― *ad.* 바다속에〔에서, 을〕. **-séas** *ad.* = UNDERSEA.
ùnder·sécretary *n.* (종종 U-) Ⓒ 차관(次官).
ùnder·séll *vt.* (**-sold**) (…보다) 싸게 팔다.
únder·shìrt *n.* Ⓒ 내의, 속셔츠.
un·der·sign [-sáin] *vt.* (편지·서류의) 끝에 서명하다. **~ed**[-d] *a.* 아래 기명한. ― *n.* [⌐―⌐] (the ~ed) 서명자, (서류의) 필자.
ùnder·sízed *a.* 보통보다 작은, 소형의.
†un·der·stand [-stǽnd] *vt.* (**-stood**) ① 이해하다; 깨쳐 알다; (…의) 다루는 요령을 알고 있다. ② (학문 등에) 정통하다; 들어서 알고 있다. ③ 당연하다고 생각하다; 추측하다, (…의) 뜻으로 해석하다. ④ 《수동으로》 마음으로 보충 해석하다, (말을) 생략하다. ― *vi.* 이해하다; 전해 듣고 있다. **~ *each other*** 서로 양해하다; 동의하다. **˙~·a·ble** *a.*
:un·der·stand·ing[-stǽndiŋ] *n.* Ⓤ 이해(력); 지력(知力); 깨달음, 지식; Ⓒ (보통 *sing.*) (의견·희망 따위의) 일치, 동의, 양해. ***on the ~ that*** …라는 조건으로〔양해 아래〕. ***with this ~*** 이 조건으로.
ùnder·státe *vt.* 삼가서 말하다; 줄잡아 말하다. **~ment** *n.*
únder·stùdy *vt.* 〖劇〗 대역(代役)의 연습을 하다. ― *n.* Ⓒ 〖劇〗 대역(代役) 배우; 《俗》 보결 선수.
:un·der·take [ʌ̀ndərtéik] *vt.* (**-took; -taken**) 떠맡다, 인수하다; 약속하다(*to* do); 보증하다; 착수하다, 기도(企圖)하다. **-ták·er** *n.* Ⓒ 인수인, 청부인; [⌐―⌐―] 장의사업자. **˸-ták·ing** *n.* Ⓒ 인수한〔떠맡은〕 일, 기업, 사업; 약속, 보증; [⌐―⌐―] Ⓤ 장의사업(業).
únder·tòne *n.* Ⓒ 저음, 작은 소리; 엷은 빛깔, 다른 빛깔을 통해서 본 빛깔; 저류(底流), 잠재적 요소.
únder·tòw *n.* Ⓤ 해안에서 되돌아치는 물결; 해저의 역류(逆流).
ùnder·válue *vt.* 싸게〔과소〕 평가하다; 얕보다. **-valuátion** *n.*
˙únder·wáter *a.* 수중〔물속〕(용)의; 흘수선(吃水線) 밑의. 「속옷.
:únder·wèar *n.* Ⓤ 《집합적》 내의,
ùnder·wéight *n.* Ⓤ,Ⓒ 중량 부족〔미달〕. ― *a.* 중량 부족의.
˙un·der·went[ʌ̀ndərwént] *v.* undergo의 과거.
˙únder·wòrld *n.* Ⓒ 하층 사회, 암흑가; 저승, 지옥; 이승.
ùnder·wríte *vt.* (**-wrote; -written**) 아래〔밑〕에 쓰다 《과거분사형으로》; (특히 해상 보험을) 인수하다; (회사의 발행 주식·사채(社債) 중, 응모자가 없는 부분을) 인수하다; (…의) 비용을 떠맡다. **-wríter** *n.* Ⓒ (특히 해상) 보험업자; 주식·사채 인수인.
un·de·served[ʌ̀ndizə́ːrvd] *a.* (받을) 가치가〔자격이〕 없는, 과분한.

U

*__un·de·sir·a·ble__[ʌ̀ndizáirəbəl] *a., n.* Ⓒ 바람직하지〔탐탁지〕 않은 (사람·물건).
__un·de·vel·oped__[ʌ̀ndivéləpt] *a.* (심신이) 충분히 발달하지 못한; (토지가) 미개발의; 현상(現像)이 안 된.
__un·did__[ʌndíd] *v.* undo의 과거.
__un·dies__[ʌ́ndiz] *n. pl.* 《口》 (여성·아동용) 내의, 속옷.
__un·dig·ni·fied__ [ʌndígnəfàid] *a.* 위엄이 없는.
__un·di·lut·ed__[ʌ̀ndilú:tid, -dai-] *a.* 물 타지 않은, 희석하지 않은.
__un·di·min·ished__[ʌ̀ndimíniʃt] *a.* 줄지 않은, 쇠퇴되지 않은.
__un·dis·ci·plined__[ʌndísəplind] *a.* 훈련이 안 된; 군기(軍紀)가 없는.
__un·dis·cov·ered__ [ʌ̀ndiskʌ́vərd] *a.* 발견되지 않은, 미지의.
__un·dis·guised__[ʌ̀ndisgáizd] *a.* 있는 그대로의, 가면을 쓰지 않은, 드러낸, 숨김 없는.
__un·dis·put·ed__[ʌ̀ndispjú:tid] *a.* 의심〔이의〕 없는, 확실한; 당연한.
*__un·dis·turbed__[ʌ̀ndistə́:rbd] *a.* 방해되지 않는; 평온한.
__un·di·vid·ed__ [ʌ̀ndiváidid] *a.* 나눌 수 없는, 연속된, 완전한; 전념하는.
*__un·do__[ʌndú:] *vt.* (**-did; -done**) ① 원상태로 돌리다; 취소하다; 제거하다. ② 풀다, 끄르다, 늦추다; (의복 따위를) 벗기다. ③ 파멸〔영락〕시키다; 결딴내다. ④ 《古》 (수수께끼 등을) 풀다. ~**·ing** *n.* Ⓤ 원상태로 돌리기; 끄름, 풂; 파멸.
*__un·done__[ʌndʌ́n] *v.* undo의 과거분사. — *a.* 풀어진, 끌러진; 파멸〔영락〕한; 하지 않은, 미완성의.
*__un·doubt·ed__[ʌndáutid] *a.* 의심할 여지 없는, 확실한. **:~·ly** *ad.*
__un·dreamed-of__ [ʌndrémtàv, -drí:md-/-ɔ̀v], __un·dreamt·of__ [-drémt-] *a.* 꿈에도 생각 않은, 생각조차 못한, 뜻하지 않은.
*__un·dress__[ʌndrés] *vt.* 옷을 벗기다; 장식을 떼다; 붕대를 끄르다. — *vi.* 옷을 벗다. — *n.* [⌐⌐] Ⓤ 평복, 약복(略服). — [⌐⌐] *a.* 평복의.
*__un·due__[ʌndjú:/-djú:] *a.* 과도한, 지나치게 많은; 부적당한; 매우 심한; (지불) 기한이 되지 않은.
__un·du·late__ [ʌ́ndʒəlèit, -djə-] *vi.* 물결이 일다, 물결 치다; (땅이) 기복(起伏)하다, 굽이치다. — *vt.* 물결치게 하다; 기복지게〔굽이치게〕 하다. **-lat·ing** *a.* **-la·tion**[⌐–léiʃən] *n.*
*__un·du·ly__[ʌndjú:li/-djú:-] *ad.* 과도하게; 부당하게.
__un·dy·ing__[ʌndáiiŋ] *a.* 불사(不死)의, 불멸〔불후〕의; 영원한.
__un·earned__[ʌnə́:rnd] *a.* 노력하지 않고 얻은. ~ ***income*** 불로 소득.
__únearned íncrement__ (토지 등의) 자연적 가치 증가.
__un·earth__[ʌnə́:rθ] *vt.* 발굴하다; (사냥감을) 굴에서 몰아내다; 발견〔적발〕하다. **~·ly** *a.* 이 세상 것이라고는 생각 안 되는; 이상한; 기분나쁜; 신비로운; 《口》 터무니 없는.
:__un·eas·y__[ʌní:zi] *a.* 불안한, 걱정되는; 불쾌한; 힘드는; 편치 못한; 불편한, 거북한, 딱딱한 (태도 등). ***un·éas·i·ly** *ad.* ***un·éas·i·ness** *n.*
__un·ed·u·cat·ed__[ʌnédʒukèitid] *a.* 교육을 받지 못한, 무지한.
__un·em·ploy·a·ble__[ʌ̀nimplɔ́iəbəl] *a.* (노령·병 등으로) 고용 불가능한.
*__un·em·ployed__[ʌ̀nimplɔ́id] *a.* 일이 없는, 실직한; 사용〔이용〕되고 있지 않은; 한가한.
:__un·em·ploy·ment__[-mənt] *n.* Ⓤ 실업(失業). 「수당.
__unemplóyment bènefit__ 실업
__unemplóyment compensàtion__ 《美》 실업 보상.
__un·end·ing__[ʌnéndiŋ] *a.* 끝없는; 무한한, 영구한.
__un·en·vi·a·ble__[ʌnénviəbəl] *a.* 부럽지 않은, 부러워할 것 없는.
*__un·e·qual__[ʌní:kwəl] *a.* ① 같지 않은; 불평등〔불균등〕한. ② 《廢》 불공평한, 일방적인. ③ 한결같지 않은, 변하기 쉬운. ④ 불충분한, 감당 못하는(*to*). **~(l)ed** *a.* 견줄 데 없는. **~·ly** *ad.*
__un·e·quiv·o·cal__[ʌ̀nikwívəkəl] *a.* 모호하지 않은, 명백한.
__un·err·ing__[ʌnə́:riŋ] *a.* 잘못이 없는; 틀림 없는; 정확〔확실〕한.
__UNESCO__[ju:néskou] (＜ *U*nited *N*ations *E*ducational, *S*cientific, and *C*ultural *O*rganiza-

U

tion) *n.* 유네스코《국제 연합 교육과 학 문화 기구》.

˙**un·e·ven** [ʌníːvən] *a.* ① 평탄하지 않은. ② 한결같지〔고르지〕 않은. ③ 격차가 있는. ④ 홀수의. **~·ly** *ad.* **~·ness** *n.*

un·e·vent·ful [ʌ̀nivéntfəl] *a.* 평온 무사한.

un·ex·cep·tion·a·ble [ʌ̀niksépʃənəbəl] *a.* 나무랄 데〔더할 나위〕 없는, 완전한.

un·ex·cep·tion·al [ʌ̀niksépʃənəl] *a.* 예외가 아닌, 보통의.

:**un·ex·pect·ed** [ʌ̀nikspéktid] *a.* 뜻밖의, 뜻하지 않은, 불의의. ˙**~·ly** *ad.* **~·ness** *n.*

un·fail·ing [ʌnféiliŋ] *a.* 틀림〔잘못〕이 없는, 신뢰할 수 있는; 확실한; 다함이 없는, 끊임없는. **~·ly** *ad.*

˙**un·fair** [ʌnfɛ́ər] *a.* ① 불공평한, 부당한. ② 부정(不正)한.

un·faith·ful [ʌnféiθfəl] *a.* 성실〔충실〕하지 않은, 부정(不貞)한; 부정확한. **~·ly** *ad.*

˙**un·fa·mil·iar** [ʌ̀nfəmíljər] *a.* ① 잘 알지 못하는; 진기한. ② 생소한; 익숙지 않은; 경험이 없는(*with, to*).

un·fash·ion·a·ble [ʌ̀nfǽʃənəbəl] *a.* 유행에 뒤진, 멋없는.

un·fas·ten [ʌnfǽsn/-áː-] *vt., vi.* 풀다, 풀리다, 늦추다, 헐거워〔느슨해〕지다, 열(리)다.

un·fath·om·a·ble [ʌnfǽðəməbəl] *a.* 깊이를 헤아릴 수 없는, 불가해한.

˙**un·fa·vor·a·ble,** 《英》 **-vour-** [ʌnféivərəbəl] *a.* 형편이 나쁜, 불리한; 역(逆)의; 불친절한. **-bly** *ad.*

un·feel·ing [ʌnfíːliŋ] *a.* 느낌이 없는; 무정한, 잔인한.

un·feigned [ʌnféind] *a.* 거짓 없는.

un·fet·tered [-d] *a.* 차꼬가〔속박이〕 풀린; 자유로운.

˙**un·fin·ished** [ʌnfíniʃt] *a.* 미완성의; 완전히 마무리(가공)되지 않은.

˙**un·fit** [ʌnfít] *a.* 부적당한, 적임이 아닌(*to, for*); (육체적·정신적으로) 적당치 못한. — *n.* (the ~) 부적임자. — *vt.* (**-tt-**) 부적당하게 하다, 자격을 잃게 하다(*for*).

un·flag·ging [ʌnflǽgiŋ] *a.* 쇠(衰)하지 않는, 지칠 줄 모르는.

un·flinch·ing [ʌnflíntʃiŋ] *a.* 움츠리지〔주춤하지〕 않는, 단호한.

un·forced [ʌnfɔ́ːrst] *a.* 강제되지 않은, 자발적인.

un·fore·seen [ʌ̀nfɔːrsíːn] *a.* 예기치 못한, 뜻밖의.

un·for·get·ta·ble [ʌ̀nfərgétəbəl] *a.* 잊을 수 없는.

:**un·for·tu·nate** [ʌnfɔ́ːrtʃənit] *a., n.* Ⓒ 불행한 (사람); (특히) 매춘부; 불길한; 유감스러운. :**~·ly** *ad.*

un·found·ed [ʌnfáundid] *a.* 근거 없는.

un·freeze [ʌnfríːz] *vt.* 녹이다; 〖經〗 동결을 해제하다.

˙**un·friend·ly** [ʌnfréndli] *a.* 우정이 없는, 불친절한, 적의 있는; 형편이 나쁜. — *ad.* 비(非)우호적으로.

un·furl [ʌnfə́ːrl] *vt., vi.* 펼치다, 펼쳐지다; 올리다, 올라가다.

un·fur·nished [ʌnfə́ːrniʃt] *a.* 공급되지 않은; 설비가 안 된; 비품이〔가구가〕 없는.

un·gain·ly [ʌngéinli] *a.* 보기 흉한, 몰골스러운.

un·god·ly [ʌngɑ́dli/-ɔ́-] *a.* 신앙심 없는; 죄많은; 《口》 지독한, 심한.

un·gov·ern·a·ble [ʌngʌ́vərnəbəl] *a.* 제어할 수 없는, 제어가 어려운, 어찌할 도리 없는.

un·gra·cious [ʌngréiʃəs] *a.* 예절 없는, 무례〔야비〕한; 불쾌한.

un·gram·mat·i·cal [ʌ̀ngrəmǽtikəl] *a.* 문법에 맞지 않는.

˙**un·grate·ful** [ʌngréitfəl] *a.* ① 은혜를 모르는. ② 애쓴 보람 없는, 헛수고의; 불쾌한.

un·guard·ed [ʌngɑ́ːrdid] *a.* 부주의한; 방심하고 있는; 무방비의.

:**un·hap·py** [ʌnhǽpi] *a.* ① 불행한, 비참한, 슬픈. ② 계제가 나쁜; 부적당한. ˙**-pi·ly** *ad.* ˙**-pi·ness** *n.*

˙**un·health·y** [ʌnhélθi] *a.* ① 건강하지 못한, 병약한; 건강을 해치는. ② (정신적으로) 불건전한, 유해한.

un·heard [ʌnhə́ːrd] *a.* 들리지 않는; 변명이 허용되지 않는; 《古》 들은 바가 없는.

un·heard-of [ʌnhə́ːrdɑ̀v/-ɔ̀v] *a.* 들은 적이 없는; 전례가 없는.

un·heed·ed [ʌnhíːdid] *a.* 돌봐지

지 않는, 주목되지 않는, 무시된.
un·hes·i·tat·ing [ʌnhézətèitiŋ] *a.* 망설이지 않는; 기민한. **~·ly** *ad.*
un·hinge [ʌnhíndʒ] *vt.* (…의〔에서〕) 돌쩌귀를 떼다; 떼어놓다; (정신을) 어지럽히다.
un·ho·ly [ʌnhóuli] *a.* 신성치 않은, 부정(不淨)한; 신앙심이 없는; 사악한; 《口》 심한, 발칙한. **-li·ness** *n.*
un·hook [ʌnhúk] *vt.* 갈고리에서 벗기다; (의복의) 훅을 끄르다.
un·hoped-for [ʌnhóuptfɔ̀ːr] *a.* 뜻밖의, 예기치 않은, 바라지도 않은.
un·hurt [ʌnhə́ːrt] *a.* 다치지 않은; 무사한.
u·ni- [júːnə] *pref.* 「의 뜻. '일(一)', 단(單)'
UNICEF [júːnəsèf] (< *U.N.* *I*nternational *C*hildren's *E*mergency *F*und) *n.* 유니세프《(유엔) 국제 아동 긴급 기금; 현재는 United Nations Children's Fund지만 약어는 같음》.
úni·còrn *n.* Ⓒ 일각수(一角獸)《이마에 한 개의 뿔이 있는 말 비슷한 상상의 동물》.
un·i·den·ti·fied [ʌ̀naidéntəfàid] *a.* 동일한 것으로 확인되지 않은.
unidéntified flýing óbject 미확인 비행 물체《생략 UFO》.
:**u·ni·form** [júːnəfɔ̀ːrm] *a.* 일정한, 한결같은; 균일한. — *n.* Ⓒ,Ⓤ 제복, 유니폼. — *vt.* 제복을 입히다. **~ed** [-d] *a.* 제복의〔을 입은〕. ***~·ly** *ad.* ***~·i·ty** [⌐–fɔ́ːrməti] *n.* Ⓤ,Ⓒ 한결같음; 동일(성); 일정〔일관〕(성).
u·ni·fy [júːnəfài] *vt.* 한결같게 하다, 통일하다.
u·ni·lat·er·al [jùːnəlǽtərəl] *a.* 한쪽만의; 일방적인; 〖法〗 편무(片務)의.
un·im·ag·i·na·ble [ʌ̀nimǽdʒənəbəl] *a.* 상상할 수 없는. **-bly** *n.*
un·im·ag·i·na·tive [ʌ̀nimǽdʒənətiv] *a.* 상상력이 없는.
un·im·paired [ʌ̀nimpέərd] *a.* 손상되지 않은; 약화되지 않은.
un·im·peach·a·ble [ʌ̀nimpíːtʃəbəl] *a.* 나무랄 데 없는, 죄가 없는.
***un·im·por·tant** [ʌ̀nimpɔ́ːrtənt] *a.* 중요하지 않은, 보잘 것 없는.
un·in·hab·it·ed [ʌ̀ninhǽbitid] *a.* 무인(無人)의; 사람이 살지 않는.
un·in·tel·li·gi·ble [ʌ̀nintélədʒəbəl] *a.* 이해할 수 없는; 분명치 않은.
un·in·ten·tion·al [ʌ̀nintén∫ənəl] *a.* 고의가 아닌, 무심코 한.
un·in·ter·rupt·ed [ʌ̀nintərʌ́ptid] *a.* 끊임없는, 연속적인.
:**un·ion** [júːnjən] *n.* ① Ⓤ 결합, 연합, 합동. ② Ⓤ,Ⓒ 결혼, 화합. ③ Ⓒ 동맹, (노동) 조합. ④ Ⓒ (U-) 연방; (the U-) 아메리카 합중국; (연방을 나타내는) 연합 기장《영국의 Union Jack, 미국 국기의 별 있는 부분 따위》. ⑤ (보통 the U-) 《美》 학생 클럽〔회관〕. ⑥ Ⓒ 〖機〗 접합관(管); 〖醫〗 유착(癒着), 유합. ⑦ 〖컴〗 합집합. ***trade*** 〔《英》 ***labo*** (***u***)***r***〕 ~ 노동조합. **~·ism** [-ìzəm] *n.* Ⓤ 노동조합 주의(opp. separatism); (U-) 〖美史〗 (남북 전쟁때의) 연방주의. **~·ist** *n.* Ⓒ 노동조합주의자, 노동조합원.
un·ion·ize [júːnjənàiz] *vt., vi.* 노동조합으로 조직하다, 노동조합에 가입시키다〔가입하다〕. **-i·za·tion** [⌐–izéi-/-nai-] *n.*
únion jàck 연합 국기; (the U-J-) 영국 국기.
:**u·nique** [juːníːk] *a.* 유일(무이)한, 독특한; 진기한.
u·ni·sex [júːnəsèks] *a.* 《口》 (복장 등이) 남녀 공통의.
u·ni·son** [júːnəsən, -zən] *n.* Ⓤ 조화, 일치; 〖樂〗 동음, 화음, 제창(齊唱). ***in ~ 세창으로, 일치하여.
:**u·nit** [júːnit] *n.* Ⓒ ① 한 개, 한 사람. ② 《집합적》 (구성) 단위; 〖數〗 부대; 〖理〗 단위. ③ 〖數〗 최소 완전수《즉 1》. ④ 〖敎育〗 (학과의) 단위, 단원(單元). ⑤ 〖컴〗 장치. ~ ***price*** 단가.
U·ni·tar·i·an [jùːnətέəriən] *a., n.* Ⓒ 유니테리언파(派)의 (사람). **~·ism** [-ìzəm] *n.* Ⓤ 유니테리언파(派)의 교의《신교의 일파로, 신의 유일함을 주장하며 예수를 신격화하지 않음》.
u·ni·tar·y [júːnətèri/-təri] *a.* 단일의; 단위(單位)의; 〖數〗 일원(一元)의, 귀일(歸一)(법)의.
:**u·nite** [juːnáit] *vt.* 하나로 하다, 결합〔접합〕하다; 합병하다; 결혼시키다; (성실 따위를) 겸비하다; (의견 등을)

일치시키다. — *vi.* 하나로 되다; (행동·의견 등이) 일치하다.

:u·nit·ed[juːnáitid] *a.* 결합〔연합〕한; 일치〔결속〕된.

:Uníted Nátions, the 국제 연합 《생략 U.N.》.

†Uníted Státes (of América), the 아메리카 합중국, 미국《생략 U.S.(A.)》.

˙u·ni·ty[júːnəti] *n.* Ⓤ 단일(성); Ⓒ 개체, 통일(체); Ⓤ 조화, 일치; 일관성; Ⓒ 〖數〗 1. ***live in*** ~ 사이좋게 살다.

Univ. University.

:u·ni·ver·sal[jùːnəvə́ːrsəl] *a.* ① 우주의, 만유의, 전세계의. ② 만인의, 널리〔일반적으로〕 행해지는; 보편적인 (opp. individual). ③ 만능의. ④ 〖論〗 전칭(全稱)의. — *n.* Ⓒ 〖論〗 전칭 명제. ˙~**·ly** *ad.* 일반(적)으로, 널리; 어느 곳이나. ~**·i·ty**[ˌ-ˊ--sǽləti] *n.* Ⓤ 보편성.

:u·ni·verse[júːnəvə̀ːrs] *n.* (the ~) 우주, 만물; 전세계.

:u·ni·ver·si·ty[jùːnəvə́ːrsəti] *n.* Ⓒ 대학(교), 종합대학. ~ EXTENSION.

:un·just[ʌndʒʌ́st] *a.* 부정〔불법·불공평〕한. ~**·ly** *ad.*

un·kempt[ʌnkémpt] *a.* (머리에) 빗질을 안 한; (옷차림이) 단정하지 못한.

:un·kind[ʌnkáind] *a.* 불친절한, 몰인정한, 냉혹한. ~**·ly** *ad.* ~**·ness** *n.*

un·know·a·ble[ʌnnóuəbəl] *a.* 알 수 없는; 〖哲〗 불가지(不可知)의.

un·know·ing[ʌnnóuiŋ] *a.* 무지한; 모르는, 알(아채)지 못하는(*of*). ~**·ly** *ad.*

:un·known [ʌnnóun] *a.* 알려지지 않은; 미지의, 무명의. ***U- Soldier*** 〔《英》 ***Warrior***〕 전몰 무명 용사(勇士). — *n.* Ⓒ 미지의 인물〔물건〕; 〖數〗 미지수(數).

un·lace[ʌnléis] *vt.* (구두·코르셋 따위의) 끈을 풀다〔늦추다〕.

un·law·ful[ʌnlɔ́ːfəl] *a.* 불법〔위법〕의, 비합법의; 사생(아)의. ~**·ly** *ad.*

un·lead·ed [ʌ̀nlédid] *a.* 무연(無鉛)의《가솔린 등》.

un·learn[ʌnlə́ːrn] *vt.* (~***ed***[-d, -t], ~***t***) (배운 것을) 잊다; (버릇·잘못 등을) 버리다, 염두에서 없애다. ~**·ed**[-id] *a.* 무식한, 무교육의; [-d] 배우지 않고 아는.

un·leash[ʌnlíːʃ] *vt.* (…의) 가죽끈을 풀다; 해방하다.

un·leav·ened[ʌnlévənd] *a.* 발효시키지 않은; 《비유》 영향을 안받은.

†un·less[ənlés] *conj.* 만약 …이 아니면〔하지 않으면〕, …(이)외에는. — *prep.* …을 제외하고.

:un·like[ʌnláik] *a.* 닮지 않은, 다른. — *prep.* …와 같지 않고, …과 달라서.

˙un·like·ly[ʌnláikli] *a.* 있을 것 같지 않은; 가망 없는, 성공할 것 같지 않은. **-li·hood**[-hùd] *n.*

˙un·lim·it·ed[ʌnlímitid] *a.* 끝없는, 무한한; 무제한의; 부정(不定)의.

un·lined[ʌnláind] *a.* 안을 대지 않은, 얇은; 선이 없는.

˙un·load[ʌnlóud] *vt.* (짐을) 부리다; (마음 따위의) 무거운 짐을 덜다; (총·포의) 탄알〔탄약〕을 빼내다; (소유주(株)를) 처분하다. — *vi.* 짐을 풀다.

˙un·lock[ʌnlák/-lɔ́k] *vt.* 자물쇠를 열다; (단단히 잠긴 것을) 열다; (마음속·비밀 따위를) 털어놓다. — *vi.* 자물쇠가 열리다.

un·looked-for[ʌnlúktfɔ̀ːr] *a.* 예기치 않은, 의외의.

un·loose[ʌnlúːs], **un·loos·en** [ʌnlúːsn] *vt.* 풀다, 늦추다; 해방하다.

:un·luck·y[ʌnlʌ́ki] *a.* 불행한, 불행을 가져오는; 잘되지 않는; 불길한; 공교로운. **un·luck·i·ly** *ad.*

un·made[ʌnméid] *v.* unmake의 과거(분사).

un·man[ʌnmǽn] *vt.* (**-nn-**) 남자다움을 잃게 하다; 용기를 꺾다. ~**·ly** *a.* 사내답지 못한; 비겁한.

un·man·age·a·ble [ʌnmǽnidʒəbəl] *a.* 다루기 힘든, 제어하기 어려운.

un·manned[ʌnmǽnd] *a., ad.* 예절〔버릇〕없는〔없게〕, (언행이) 무지하고 서투른〔르게〕.

un·man·ner·ly [ʌnmǽnərli] *a. ad.* 예절〔버릇〕 없는〔없게〕, (언행이)

U

무지하고 서투른[르게].

·**un·mar·ried**[ʌnmǽrid] *a.* 미혼의.

un·mask[ʌnmǽsk/-ɑ́:-] *vt.* 가면을 벗기다; 정체를 폭로하다. — *vi.* 가면을 벗다.

un·matched[ʌnmǽtʃt] *a.* 상대가 없는, 비할[견줄] 데 없는.

un·men·tion·a·ble [ʌ̀nménʃənəbəl] *a.* 입에 담을 수 없는; (상스럽거나 해서) 말해서는 안 될.

un·mind·ful[ʌnmáindfəl] *a.* 마음에 두지 않는, 염두에 없는, 부주의한, 무관심한(*of; that*).

·**un·mis·tak·a·ble**[ʌ̀nmistéikəbəl] *a.* 틀릴 리 없는, 명백한. **-bly** *ad.*

un·mit·i·gat·ed [ʌnmítəgèitid] *a.* 누그러지지 않은, 완화[경감]되지 않은; 순전한, 완전한.

un·mo·lest·ed[ʌ̀nməléstid] *a.* 곤란[괴로움]받지 않는; 평온한.

·**un·moved**[ʌnmú:vd] *a.* (결심 등이) 흔들리지 않는, 확고한; 냉정한.

un·named [ʌnnéimd] *a.* 무명의; 지명되지 않은.

:**un·nat·u·ral**[ʌnnǽtʃərəl] *a.* ① 부자연한. ② 보통이 아닌, 이상한. ③ 인도(人道)에 어긋나는, 몰인정한. ~·**ly** *ad.* ~·**ness** *n.*

:**un·nec·es·sar·y** [ʌnnésəsèri/-səri] *a.* 불필요한, 무익한. ·-**sar·i·ly** *ad.* 「기를」 잃게 하다.

un·nerve [ʌnnə́:rv] *vt.* 기력을[용

·**un·no·ticed**[ʌnnóutist] *a.* 주의를[남의 눈을] 끌지 않는, 눈에 띄지 않는; 돌보아지지 않는.

un·num·bered[ʌnnʌ́mbərd] *a.* 세지 않은; 헤아릴 수 없는, 무수한.

UNO, U.N.O United Nations Organization《U.N.의 구칭》.

un·ob·tru·sive[ʌ̀nəbtrú:siv] *a.* 겸손한.

·**un·oc·cu·pied**[ʌnɑ́kjəpàid/-ɔ́-] *a.* ① (집·토지 따위가) 임자가 없는, 사람이 살고 있지 않는. ② 일이 없는, 한가한.

·**un·of·fi·cial**[ʌ̀nəfíʃəl] *a.* 비공식적인.

un·or·tho·dox [ʌ̀nɔ́:rθədɑ̀ks/-dɔ̀ks] *a.* 정통이 아닌, 이단적인; 파격적인.

un·pack[ʌnpǽk] *vt.* (꾸러미·짐을) 풀다; (속의 것을) 꺼내다; 【컴】 풀다《압축된 데이터를 원형으로 돌림》. — *vi.* 꾸러미를[짐을] 끄르다.

un·paid [ʌnpéid] *a.* 지불되지 않은; 무급(無給)의, 무보수의; 명예직의. ***the great*** ~ (명예직인) 치안판사.

un·pal·at·a·ble[ʌnpǽlətəbəl] *a.* 입에 맞지 않는, 맛 없는; 불쾌한.

un·par·al·leled[ʌnpǽrəlèld] *a.* 견줄[비할] 데 없는, 전대 미문의.

un·par·lia·men·ta·ry[ʌ̀npɑ:rləméntəri] *a.* 의회의 관례[국회법]에 어긋나는.

un·pick[ʌnpík] *vt.* (바늘 끝 따위로) 실밥을 뜯다.

un·placed[ʌnpléist] *a.* 【競馬】 등외의, 3등 안에 들지 않는.

:**un·pleas·ant**[ʌnpléznt] *a.* 불쾌한. ~·**ly** *ad.* ~·**ness** *n.* Ⓤ 불쾌. ***the late ~ness***《美諧》 남북 전쟁.

·**un·pop·u·lar**[ʌnpɑ́pjələr/-ɔ́-] *a.* 인기[인망]없는, 시세 없는.

·**un·prec·e·dent·ed** [ʌnprésədèntid] *a.* 선례가 없는; 신기한.

un·pre·med·i·tat·ed[ʌ̀nprimédətèitid] *a.* 미리 생각되지 않은; 고의가 아닌, 우연한; 준비 없는.

·**un·pre·pared**[ʌ̀npripɛ́ərd] *a.* 준비가 없는, 즉석의; 각오가 안된.

un·pre·ten·tious [ʌ̀npriténʃəs] *a.* 젠체 않는, 겸손한.

un·prin·ci·pled[ʌnprínsəpəld] *a.* 절조가 없는; 교리를 배우지 않은.

un·pro·duc·tive[ʌ̀nprədʌ́ktiv] *a.* 비생산적인; 불모(不毛)의; 헛된.

un·pro·fes·sion·al[ʌ̀nprəféʃənəl] *a.* 전문가가 아닌, 비직업적인, 풋나기의; 직업 윤리에 어긋나는.

·**un·prof·it·a·ble** [ʌnprɑ́fitəbəl/-ɔ́-] *a.* 이익 없는; 무익한. **-bly** *ad.*

un·pro·voked[ʌ̀nprəvóukt] *a.* 자극 받지[되지] 않은, 정당한 이유가[까닭이] 없는. **-vok·ed·ly**[-vóukidli] *ad.*

un·pun·ished[ʌnpʌ́niʃt] *a.* 벌받지 않은, 처벌을 면한.

un·qual·i·fied[ʌnkwɑ́ləfaid/-ɔ́-] *a.* 자격이 없는; 적임이 아닌; 제한 없는, 무조건의; 순전한.

un·quench·a·ble[ʌnkwéntʃəbəl] *a.* 끌 수 없는, 억제할 수 없는. **-bly** *ad.*

˚**un·ques·tion·a·ble**[ʌnkwéstʃənəbəl] *a.* ① 의심할 여지가 없는, 확실한. ② 더할 나위 없는. ***-bly** *ad.*

un·ques·tioned[ʌnkwéstʃənd] *a.* 문제되지 않는; 의심이 없는.

un·ques·tion·ing[ʌnkwéstʃəniŋ] *a.* 의심치 않는; 주저하지 않는; 무조건의, 절대적인. **~·ly** *ad.*

un·qui·et[ʌnkwáiət] *a.* 침착하지 못한, 들뜬, 불안한, 불온한.

un·quote[ʌnkwóut] *vi.* 인용을 끝내다.

un·rav·el[ʌnrǽvəl] *vt.* (《英》 *-ll-*) (얽힌 실 따위를) 풀다; 해명하다, (이야기의 줄거리 따위를) 해결짓다. — *vi.* 풀리다, 풀어지다.

un·read[ʌnréd] *a.* (책 등이) 읽히지 않는; 책을 많이 읽지 않은, 무식한.

un·read·a·ble[ʌnríːdəbəl] *a.* 읽을 수 없는, 읽기 어려운; 읽을 가치가 없는, 시시한.

˚**un·re·al**[ʌnríːəl] *a.* 실재(實在)하지 않는, 공상의.

:**un·rea·son·a·ble** [ʌnríːzənəbəl] *a.* 비합리적인; 부조리한; (요금 따위) 부당한, 터무니 없는. **-bly** *ad.*

un·rea·son·ing[ʌnríːzəniŋ] *a.* 이성적으로 생각하지 않는, 사리에 맞지 않는.

un·re·lent·ing[ʌ̀nriléntiŋ] *a.* 용서 없는, 무자비한; 굽힐 줄 모르는.

˚**un·re·li·a·ble**[ʌ̀nriláiəbəl] *a.* 신뢰할[믿을] 수 없는.

un·re·mit·ting[ʌ̀nrimítiŋ] *a.* 끊임없는; 끈질긴.

un·re·quit·ed[ʌ̀nrikwáitid] *a.* 보답받지 못한; 보복을 당하지 않는.

un·re·served[ʌ̀nrizə́ːrvd] *a.* 거리낌 없는, 솔직한(frank); 제한이 없는; 예약되지 않은. **-serv·ed·ly** [-vidli] *ad.*

˚**un·rest**[ʌnrést] *n.* Ⓤ 불안; 불온 「(상태).

un·re·strained[ʌ̀nristréind] *a.* 억제되지 않은, 무제한의, 제멋대로의. **-strain·ed·ly**[-stréinidli] *ad.*

un·ripe[ʌnráip] *a.* 익지 않은; 시기 상조의.

˚**un·ri·valed,** 《英》 **-valled** [ʌnráivəld] *a.* 경쟁자가 없는, 비할 데 없는.

un·roll[ʌnróul] *vi., vt.* (말린 것을[것이]) 풀(리)다, 펴다, 펼쳐지다; 나타내다.

un·ruf·fled[ʌnrʌ́fəld] *a.* 떠들어대지 않는, 혼란되지 않은; 물결이 일지 않는; 조용한, 냉정한.

un·ru·ly[ʌnrúːli] *a.* 제어하기[다루기] 어려운, 무법한. **-li·ness** *n.*

˚**un·safe** [ʌnséif] *a.* 위험한; 불안한, 안전하지 않은.

un·said[ʌnséd] *v.* unsay의 과거(분사). — *a.* 말하지 않는.

˚**un·sat·is·fac·to·ry** [ʌ̀nsætisfǽktəri] *a.* 마음에 차지 않는, 불충분한. **-ri·ly** *ad.*

un·sa·vor·y, 《英》 **-vour·y** [ʌnséivəri] *a.* 맛없는; 맛이[냄새가] 나쁜; (도덕상) 불미한.

un·scathed[ʌnskéiðd] *a.* 다치지 않은, 상처 없는.

un·sci·en·tif·ic[ʌ̀nsaiəntífik] *a.* 비과학적인. **-i·cal·ly** *ad.*

un·scram·ble[ʌnskrǽmbəl] *vt.* (혼란에서) 원상태로 돌리다; (암호를) 해독하다.

un·screw[ʌnskrúː] *vt.* 나사를 빼다; 나사를 돌려 늦추다.

˚**un·scru·pu·lous** [ʌnskrúːpjələs] *a.* 거리낌 없는, 예사로 나쁜 짓을 하는; 무법한, 비양심적인. **~·ly** *ad.*

un·seat[ʌnsíːt] *vt.* 자리에서 내쫓다, 면직시키다; (의원의) 의석(議席)을 빼앗다; 낙마시키다.

un·seem·ly[ʌnsíːmli] *a., ad.* 보기 흉한[하게], 꼴사나운, 꼴사납게, 부적당한[하게].

:**un·seen**[ʌnsíːn] *a.* 본 적이 없는; 보이지 않는.

˚**un·self·ish** [ʌnsélfiʃ] *a.* 이기적이 아닌, 욕심[사심]이 없는. **~·ly** *ad.* **~·ness** *n.*

un·set·tle[ʌnsétl] *vt.* 어지럽히다, 동요시키다; 침착성를 잃게 하다. — *vi.* 동요하다. ***-tled**[-d] *a.* (날씨 따위가) 변하기 쉬운; 불안정한, 동요하는; 미결제의; (문제가) 미해결의; (주소 따위가) 일정치 않은; 정주자(定住者)가 없는.

U

un·sight·ly[ʌnsáitli] *a.* 꼴사나운, 보기 거북한[흉한].
*__un·skilled__ [ʌnskíld] *a.* 익숙하지 [숙련되지] 못한; 숙련이 필요치 않은.
un·so·cia·ble [ʌnsóuʃəbəl] *a.* 교제를 싫어하는, 비사교적인. **~·ness** *n.* **-bly** *ad.* 「인, 비사교적인.
un·so·cial [ʌnsóuʃəl] *a.* 비사회적
un·so·lic·it·ed[ʌ̀nsəlísətid] *a.* 탄원(嘆願)을 받지 않은; 의뢰 받지도 않은, 괜한, 쓸데 없는.
un·so·phis·ti·cat·ed[ʌ̀nsəfístəkèitid] *a.* 단순한; 순진한; 섞지 않은, 순수한; 진짜의.
un·sound[ʌnsáund] *a.* 건전[건강]하지 않은; 근거가 박약한; (잠이) 깊이 안 든.
un·spar·ing[ʌnspέəriŋ] *a.* (물건 따위를) 아끼지 않는, 손이 큰(*of, in*); 무자비한, 호된. **~·ly** *ad.*
*__un·speak·a·ble__[ʌnspíːkəbəl] *a.* ① 이루 말할 수 없는. ② 언어 도단의; 심한. **-bly** *ad.*
un·spec·i·fied[ʌnspésəfàid] *a.* 특기[명기]하지 않은.
*__un·sta·ble__[ʌnstéibəl] *a.* 불안정한; 변하기 쉬운; 〖化〗 (화합물이) 분해하기[다른 화합물로 변하기] 쉬운.
*__un·stead·y__[ʌnstédi] *a.* ① 불안정한; 변하기 쉬운, 미덥지 못한. ② 소행이 나쁜.
un·stop[ʌnstάp/-stɔ́p] *vt.* (**-pp-**) (…의) 마개를 뽑다; 장애를 없애다.
*__un·suc·cess·ful__[ʌ̀nsəksésfəl] *a.* 성공하지 못한, 잘되지 않은, 실패한. **~·ly** *ad.*
*__un·suit·a·ble__[ʌnsúːtəbəl] *a.* 부적당한, 어울리지 않은. **-bly** *ad.*
un·suit·ed[ʌnsúːtid] *a.* 부적당한 (*to, for*); 어울리지 않는.
un·sul·lied[ʌnsʌ́lid] *a.* 더럽혀지지 않은, 깨끗한.
un·sung[ʌnsʌ́ŋ] *a.* 노래되지 않은; 시가(詩歌)에 의해 찬미되지 않은.
un·sup·port·ed[ʌ̀nsəpɔ́ːrtid] *a.* 받쳐지지 않은; 지지되지 않는.
un·sur·passed[ʌ̀nsərpǽst, -άː-] *a.* 능가할 자 없는; 탁월한.
un·sus·pect·ed[ʌ̀nsəspéktid] *a.* 의심받지 않는; 생각지도 못할.
un·sys·tem·at·ic[ʌ̀nsistəmǽtik] *a.* 조직적이 아닌, 계통이 안선; 무질서한.
un·taint·ed[ʌntéintid] *a.* 때묻지 [더럽혀지지] 않은, 오점이 없는.
un·tamed[ʌntéimd] *a.* 길들지 않은, 억제[훈련]되지 않은.
un·tan·gle[ʌntǽŋgəl] *vt.* (…의) 엉킨 것을 풀다; (분규 등을) 해결하다.
un·tapped[ʌ̀ntǽpt] *a.* (통의) 마개를 안 뽑은; 이용[활용]되지 않은 《자원 등》.
un·ten·a·ble[ʌnténəbəl] *a.* 옹호[지지]할 수 없는; (집 등이) 거주할 수 없는.
un·think·a·ble[ʌnθíŋkəbəl] *a.* 생각할 수 없는; 있을 성 싶지(도) 않은.
un·think·ing[ʌnθíŋkiŋ] *a.* 생각[사려] 없는; 부주의한.
un·ti·dy[ʌntáidi] *a.* 단정치 못한.
*__un·tie__[ʌntái] *vt.* (***untying***) 풀다, 끄르다; 속박을 풀다; (곤란 등을) 해결하다.
†**un·til**[əntíl] *prep.* 《때》 …까지, …에 이르기까지, …이 될 때까지. — *conj.* ① 《때》 …까지, …때까지; 마침내. ② 《정도》 …할 때까지.
*__un·time·ly__[ʌntáimli] *a.* 때 아닌, 철 아닌; 계제가 나쁜. — *ad.* 때 아닌 때에; 계제가 나쁘게.
un·tir·ing[ʌntáiəriŋ] *a.* 지치지 않는, 끈질긴, 불굴의.
un·ti·tled[ʌntáitld] *a.* 칭호[작위]가 없는; 권리가 없는; 제목이 없는.

*__un·to__[ʌ́ntu, (자음 앞) ʌ́ntə] *prep.* 《古·雅》 …에; …까지(《to와 같지만 부정사에는 안 씀》).
*__un·told__[ʌntóuld] *a.* 이야기되지 않은, 밝혀지지 않은; 셀 수 없는.
*__un·touch·a·ble__[ʌntʌ́tʃəbəl] *a.* 만질[손댈] 수 없는; (손) 대면 안되는. — *n.* Ⓒ (인도에서 최하층의) 천민.
*__un·touched__[ʌntʌ́tʃt] *a.* 손대지 않은; 언급되지 않은; 감동되지 않은.
un·to·ward[ʌntóuərd, -tɔ́ːrd] *a.* 운이 나쁜; 부적당한; 《古》 완고한.
un·trained[ʌntréind] *a.* 훈련되지 않은.
un·tried[ʌntráid] *a.* (시험)해 보지 않은; 경험이 없는; 〖法〗 미심리

(未審理)의.

*__un·true__[ʌntrúː] *a.* 진실이 아닌; 불성실한; (표준·치수에) 맞지 않는.

__un·truth__[ʌntrúːθ] *n.* Ⓤ 진실이 아님, 허위; Ⓒ 거짓말. ~·__ful__ *a.* 진실이 아닌, 거짓(말)의. ~·__ful·ly__ *a.* ~·__ful·ness__ *n.*

__un·tu·tored__[ʌntjúːtərd] *a.* 교사에게 배우지 않은, 교육 받지 않은; (언행이) 무지하고 서투른; 소박한.

*__un·used__[ʌnjúːzd] *a.* ① 쓰지 않는; 사용한 적이 없는. ② [-júːst] 익숙하지 않은(*to*).

‡__un·u·su·al__[ʌnjúːʒuəl, -ʒəl] *a.* 보통이 아닌; 유별난, 진기한. *~·__ly__ *ad.* ~·__ness__ *n.*

__un·ut·ter·a·ble__[ʌnʌ́tərəbəl] *a.* 발음할 수 없는; 이루 말할 수 없는; 말도 안 되는. -__bly__ *a.*

__un·var·nished__[ʌnvɑ́ːrniʃt] *a.* 니스칠을 안 한; 꾸밈 없는; 있는 그대로의.

__un·veil__[ʌnvéil] *vt.* (…의) 베일을 벗기다; (…의) 제막식을 올리다; (비밀을) 털어 놓다. — *vi.* 베일을 벗다, 정체를 드러내다.

__un·voiced__[ʌnvɔ́ist] *a.* (목)소리로 내지 않는; 『音聲』 무성(음)의.

__un·want·ed__[ʌ̀nwɑ́ntid, -wɔ́(ː)nt-] *a.* 바람직하지 못한, 쓸모없는; 불필요한.

__un·war·rant·ed__ [ʌnwɔ́ːrəntid/-ɔ́-] *a.* 보증되어 있지 않은; 부당한.

__un·war·y__[ʌnwɛ́əri] *a.* 부주의한; 경솔한.

__un·washed__[ʌnwɑ́ʃt, -ɔ́ː-/-ɔ́-] *a.* 씻지 않은; 불결한. ***the great*** ~ 하층 사회 (사람들).

__un·wa·ver·ing__ [ʌnwéivəriŋ] *a.* 동요하지 않는, 확고한.

*__un·wel·come__[ʌnwélkəm] *a.* 환영받지 못하는; 달갑지 않은, 싫은.

__un·well__ [ʌnwél] *a.* 기분이 나쁜, 건강이 좋지 않은, 불쾌한; 《口》 월경중인.

*__un·whole·some__[ʌnhóulsəm] *a.* 건강에 좋지 않은; 불건전한, 유해한. ~·__ly__ *ad.* ~·__ness__ *n.*

__un·wield·y__[ʌnwíːldi] *a.* 다루기 힘든; 부피가 큰, 모양이 없는.

‡__un·will·ing__[ʌnwíliŋ] *a.* 바라지 않는, 마음 내키지 않는. ~·__ly__ *ad.* ~·__ness__ *n.*

__un·wind__ [ʌnwáind] *vt., vi.* (-***wound***) 풀(리)다, 되감(기)다.

*__un·wise__[ʌnwáiz] *a.* 슬기 없는, 약지 못한, 어리석은. ~·__ly__ *ad.*

__un·wit·ting__[ʌnwítiŋ] *a.* 모르는, 무의식의. ~·__ly__ *ad.* 부지불식간에.

__un·wont·ed__[ʌnwóuntid, -wɔ́ːnt-] *a.* 보통이 아닌, 이상한; 드문; 《古》 익숙하지 않은(*to*).

__un·world·ly__[ʌnwɔ́ːrldli] *a.* 비세속적인; 정신계의.

‡__un·wor·thy__[ʌnwɔ́ːrði] *a.* ① 가치 없는. ② …의[할] 가치 없는(*of*). ③ 비열한, 부끄러운.

__un·wound__[ʌnwàund] *v.* unwind 의 과거(분사). — *a.* 감긴 것이 풀린; 감기지 않은.

__un·writ·ten__[ʌnrítn] *a.* 써 있지 않은; 불문(不文)의; 글씨가 씌어 있지 않은, 백지의.

__un·yield·ing__[ʌnjíːldiŋ] *a.* 굽지 않는, 단단한; 굴하지[굽히지] 않는, 단호한. ~·__ly__ *ad.*

__un·zip__[ʌnzíp] *vt.* (-***pp***-) (…의) 지퍼를 열다. — *vi.* 지퍼가 열리다.

†__up__[ʌp] *ad.* ① 위(쪽으)로, 위에. ② (남에서) 북으로. ③ 일어나서, 서서(*get up*). ④ 《美》 (해가, 수평선 위로) 떠 올라서. ⑤ (값·온도 따위가) 높이 올라(서). ⑥ …쪽으로, 접근하여(*He came up to me.*). ⑦ 아주, 완전히(*The house burned up.* 집이 전소했다). ⑧ 끝나서, 다하여(*It's all up with him.* 그는 이제 글렀다). ⑨ 일어나《발생》, 나타나(*What is up?* 무슨[웬] 일이야). ⑩ 숙달하여(*be up in mathematics* 수학을 잘 하다). ⑪ 저장하여, 가두어(*lay up riches* 부(富)를 쌓다). ⑫ 《美》 『野』 타수(打數)…. ⑬ 『골프』 득점이 앞서, 이기어. ⑭ 《口》 『테니스 따위』 각(apiece). ***be up and doing*** 크게 활약하다. ***up against*** 《口》 …에 직면하여. ***up and down*** 올라갔다 내려갔다, 위 아래로; 이리 저리. ***Up Jenkins*** 동전돌리기 놀이. ***up to*** 《口》 …에 종사하여, …하려고 하여; …에 견디어, …할 수 있어; 계획 중에; …(에 이르기)까지; 《口》 …의 의

U

무인. ***Up with it!*** 세워라!; 들어 올려라! ***Up with you!*** 일어서라!; 분발하라! — *prep.* …의 위로〔에〕, 위쪽으로, …을 끼고〔따라서〕; (강의) 상류에, 오지(奧地)로. ***up hill and down dale*** 산 넘고 골짜기를 건너. — *a.* 나아간, 올라간; 위의, 올라가는(*an up line*); 지상의; 가까운; 〖野〗 타수(打數) …의. — *n.* Ⓒ 상승; 오르막; 출세, 행운. ***on the up and up*** 《美口》 성공하여; 정직하여. ***ups and downs*** 높낮이, 고저(高低), 기복; 상하; 영고 성쇠. — *vt.* 들어 올리다; 증대하다. — *vi.* 《口》 (갑자기) 일어서다; 치켜들다.

úp-and-cóming *a.* 《美》 진취적인, 정력적인; 유망한.

úp·bèat *n., a.* (the ~) 〖樂〗 약박(弱拍); (the ~) 상승 경향; 명랑한, 낙관적인.

up·braid[ʌpbréid] *vt.* 꾸짖다, 책하다, 비난하다. **~ing** *n., a.* Ⓤ 비난(하는 듯한).

úp·brìnging *n.* Ⓤ 양육, (가정) 「교육.

úp·còming *a.* 다가오는, (간행·발표 등이) 곧 예정된.

úp·cóuntry *n., a.* (the ~) 내지(內地)(의), 해안〔국경〕에서 먼. — *ad.* 내지에〔로〕.

ùp·dáte *vt.* (기사 따위를) 아주 새롭게 하다; (…에) 극히 최근의 사건〔것〕까지 넣다〔싣다〕. — [ㅅㅡ] *n.* U,C 〖컴〗 최신 정보, 갱신.

ùp·énd *vt., vi.* 거꾸로 세우다〔하다〕; 서다; 일으켜 세우다.

ùp-frónt *a.* 정직한; 솔직한; 맨 앞줄의; 중요한; 선불의.

up·grade[ʌ́pgrèid] *n.* Ⓒ 《美》 치받이; 〖컴〗 향상《제품의 품질·성능 등이 좋아짐》. ***on the ~*** 상승하여; 진보하여. — [ㅅㅡ] *a., ad.* 치받이의〔에서〕. — [ㅡㅅ] *vt.* 승격시키다; 품질을 높이다.

ùp·héave *vt., vi.* (*~d, -hove*) 들어 올리다; 치오르다; 상승시키다〔하다〕. **ùp·héaval** *n.* U,C 들어 올림; 융기; 격변, 동란.

·**úp·hill** *a.* 오르막의, 올라가는, 치받이의; 힘드는. — *ad.* 치받이를 올라, 고개〔언덕〕 위로.

:**up·hold**[ʌphóuld] *vt.* (*-held*) ① (떠)받치다. ② 후원〔고무〕하다; 시인하다. ③ 〖法〗 (판결 따위를) 확인하다. **~·er** *n.* Ⓒ 지지자.

up·hol·ster[ʌphóulstər] *vt.* (방을) 꾸미다, (…에) 가구를 설비하다; (가구에) 덮개〔스프링·속 따위〕를 씌우다〔달다, 넣다〕. **~·er**[-stərər] *n.* Ⓒ 실내 장식업자, 가구상. **~·y** *n.* U,C 가구의 덮개〔씌우개〕; Ⓤ 《집합적》 가구류(類); 실내 장식업.

úp·kèep *n.* Ⓤ 유지(비).

·**up·land**[ʌ́plənd, -lǽnd] *n.* Ⓒ (종종 *pl.*) 고지, 산지(山地). — *a.* 고지의, 고지에 사는〔에서 자라는〕.

·**up·lift**[ʌplíft] *vt.* ① 들어 올리다. ② (정신을) 고양(高揚)하다. ③ (사회적·도덕적·지적으로) 향상시키다. — [ㅅㅡ] *n.* Ⓤ ① 들어 올림. ② (정신적) 고양(高揚); (사회적·도덕적) 향상(에의 노력).

up·mar·ket[ʌ́pmɑ̀ːrkit] *a.* 《英》 고급품(지향)의.

†**up·on**[əpɔ́ːn, -pɑ́-/-pɔ́-] *prep.* = ON.

:**up·per**[ʌ́pər] *a.* ① (더) 위의, 상부의. ② 상위〔상급〕의. ③ (지층(地層) 따위가) 후기의(more recent). ***get* 〔*have*〕 *the ~ hand of*** …에 이기다. — *n.* Ⓒ (구두의) 갑피. ***on one's ~s*** 《口》 창이 다 떨어진 구두를 신은; 초라한 모습으로; 가난하여.

úpper cáse 〖印〗 대문자 활자 케이스.

úpper-cláss *a.* 상류의; 《美》 (학교에서) 상급(학년)의. **~man**[-mən] *n.* Ⓒ 《美》 (대학의) 상급생《junior(3년생) 또는 senior(4년생)》.

úpper crúst, the (파이 따위의) 겉껍질; 《口》 상류 사회.

úpper·cùt *n., vt., vi.* (*-cut; -tt-*) Ⓒ 〖拳〗 어퍼컷(으로 치다).

Upper Hóuse, the 상원(上院).

·**úpper·mòst** *a.* 최상〔최고〕의; 맨먼저 마음에 떠오르는, 가장 눈에 띄는. — *ad.* 최상에, 최고위에, 최초로〔에〕.

up·pish[ʌ́piʃ] *a.* 《口》 건방진.

up·pi·ty [ʌ́pəti] *a.* 《美口》 = UPPISH.

ùp·ráise *vt.* 들어 올리다.

:up·right [ʌ́pràit] *a.* 곧은, 곧게 선; 올바른, 정직한. ── [-ˊ] *ad.* 똑바로, 곧추 서서. ── [ˊ-] *n.* ① Ⓤ 직립(상태), 수직. ② Ⓒ 곧은 물건. **~·ly** *ad.* **~·ness** *n.*

úpright piáno 수형(竪型) 피아노.

˙up·ris·ing [ʌ́pràiziŋ, -ˊ-] *n.* Ⓒ ① 일어남. ② 오르막. ③ 반란, 폭동.

˙up·roar [ʌ́prɔ̀ːr] *n.* Ⓤ 큰 소란; 소「동, 소음.

up·roar·i·ous [ʌprɔ́ːriəs] *a.* 몹시 떠들어 대는; 시끄러운. **~·ly** *ad.*

˙up·root [ʌprúːt] *vt.* 뿌리째 뽑다; 근절시키다.

:up·set [ʌpsét] *vt.* (***-set; -tt-***) ① 뒤집어 엎다; (계획 따위를) 망치다. ② 마음을 뒤흔들어 놓다, 당황케 하다. ③ 몸을 해치다; 지게 하다. ── *vi.* 뒤집히다. ── [ˊ-] *n.* Ⓤ,Ⓒ 전복; 마음의 뒤흔들림; 혼란; Ⓒ 《口》 불화; 패배. ── [-ˊ] *a.* 뒤집힌; 혼란한.

úp·shòt *n.* (the ~) 결과; 결론; (의론의) 요지(gist).

˙úpside-dówn *a.* 거꾸로의.

úp·stáge *ad.* 무대의 뒤(안)쪽으로(에서). ── *a.* 무대 뒤(안)쪽의; 거만한, 뽐내는.

:up·stairs [ʌ́pstɛ́ərz] *ad.* 2층에(으로), 위층에(으로); 《口》 〖空〗 상공에. ── *a.* 2층의. ── *n.* Ⓤ 《단수 취급》 이층, 위층.

ùp·stánding *a.* 곧추선, 직립한; 훌륭한.「녀석.

úp·stàrt *n.* Ⓒ 벼락 출세자; 건방진

úp·státe *a.* 《美》 주(州)의 북부(해안·도회에서 멀리 떨어진 곳)의. ── [ˊˋ] *n.* Ⓤ (특히 N.Y.) 주의 오지(奧地).

˙úp·stréam *ad., a.* 상류에(로 향하는), 흐름을 거슬러 올라가(는).

up·súrge *vi.* 파도가 일다; (감정이) 솟구치다; 급증하다. ── [ˊˋ] *n.* Ⓒ 솟구쳐 오름; 급증.

úp·swìng *n.* Ⓒ 위쪽으로 흔듦(흔들림), 상승(운동); 향상, 약진.

úp·tàke *n.* (the ~) 이해, 이해력; 흡수. ***be quick in the ~*** 이해가 빠르다.

úp·tíght *a.* 《俗》 (경제적으로) 곤란한; 긴장하고 있는; 흥분한; 초조한.

up-to-date [ʌ́ptədéit] *a.* 최신의, 최근의 자료(정보 등)에 의거한; 최신식의, 현대적인, 시대에 뒤지지 않는, 최신의 정보에 밝은.

úp-to-the-mínute *a.* 극히 최근(최신)의, 최신식의.

úp·tówn *ad.* 《美》 (도시의) 높은 지대에(로). ── [ˊˋ] *a.* 《美》 (도시의) 높은 지대의; 주택 지구(주택가)의. ── [ˊˊ] *n.* Ⓒ 《美》 주택 지구, 주택가.

ùp·túrn *vt.* 위로 향하게 하다; 뒤집다; 파헤치다. ── [ˊˋ] *n.* Ⓒ 혼란, 격동; 상승; (경제의) 호전. **~ed** *a.* 위로 향한; 뒤집힌.

:up·ward [ʌ́pwərd] *a.* 위(쪽으)로 향하는(향한); 상승하는.

˙up·ward(s) [ʌ́pwərd(z)] *ad.* 위쪽으로, 위를 향해서; …이상. ***~ of*** …보다 이상.

˙u·ra·ni·um [juréiniəm, -njəm/ juər-] *n.* Ⓤ 〖化〗 우라늄《방사성 금속 원소; 기호 Ur》. ***enriched*** (***concentrated***) ***~*** 농축 우라늄. ***natural ~*** 천연 우라늄. ***~ fission*** 우라늄 핵분열. ***~ pile*** 우라늄 원자로.

U·ra·nus [júərənəs] *n.* 〖그神〗 우라누스신(神)《하늘의 화신》; 〖天〗 천왕성.

˙ur·ban [ə́ːrbən] *a.* 도회(풍)의, 도시에 사는. ***~ district*** 《英》 준(準) 자치 도시. ***~ renewal*** (***redevelopment***) 도시 재개발. ***~ sprawl*** 스프롤 현상《도시의 불규칙하고 무계획적인 교외 발전》.

ur·bane [əːrbéin] *a.* 도회적인, 세련된, 예의 바른, 점잖은, 품위 있는. **ur·ban·i·ty** [-bǽnəti] *n.*

ur·ban·ize [ə́ːrbənàiz] *vt.* 도회화하다.

˙ur·chin [ə́ːrtʃin] *n.* Ⓒ 개구쟁이, 선머슴; 소년.

u·re·a [juəríːə, júəriə] *n.* Ⓤ 〖化〗 요소(尿素).

u·re·thra [juəríːθrə] *n.* (*pl.* ***-thrae*** [-θriː], **~s**) Ⓒ 〖解〗 요도(尿道).

u·re·thri·tis [jùərəθráitis] *n.* Ⓤ 〖醫〗 요도염.

:urge [əːrdʒ] *vt.* ① 몰아대다, 재치다. ② 재촉하다. ③ 격려하다; 권고하다. ④ 주장하다. ⑤ 강요하다.

— *n.* Ⓒ 충동, 자극.

⁑**ur·gent**[ə́:rdʒənt] *a.* ① 긴급한, 중요한. ② 강요하는. **~·ly** *ad.* 절박하여; 빈번히, 자꾸. ***úr·gen·cy** *n.*

u·ri·nate[jú:ərənèit] *vi.* 소변을 보다.

u·rine[jú:ərin] *n.* Ⓤ 오줌, 소변. **u·ri·nal**[-rənəl] *n.* Ⓒ 소변기, 소변소. **u·ri·nar·y**[-rənèri] *a., n.* 오줌의, 비뇨기의; Ⓒ 소변소.

***urn**[ə:rn] *n.* Ⓒ ① (굽 또는 받침이 달린) 항아리. ② 납골(納骨) 단지; 무덤. ③ (따르는 꼭지가 달린) 커피 끓이개.

†**us**[強 ʌs, 弱 əs] *pron.* 《we의 목적격》 우리들을〔에게〕.

⁑**US, U.S.** United States (of America). ⁑**USA, U.S.A.** United States of America.

us·a·ble[jú:zəbəl] *a.* 사용할 수 있는, 사용에 적합한.

U.S.A.F. U.S. Air Force.

⁑**us·age**[jú:sidʒ, -z-] *n.* ① Ⓤ 사용법, 취급법. ② Ⓤ,Ⓒ 관습, 관용(慣用). ③ Ⓤ (언어의) 관용법, 어법(語法).

†**use**[ju:s] *n.* ① Ⓤ 사용, 이용. ② Ⓤ 효용, 이익. ③ Ⓒ 사용 목적, 용도. ④ Ⓤ 사용법; 다루는 법. ⑤ Ⓤ,Ⓒ 필요(*for*). ⑥ Ⓤ 사용권(*of*). ⑦ Ⓤ 습관. ⑧ Ⓤ 〖法〗 (토지 따위의) 수익권. ⑨ Ⓒ 각교회·교구 특유의 예식(禮式). ***have no ~ for*** … 의 필요가 없다; 《口》 …은 싫다. ***in*** 〔***out of***〕 **~** 사용되고〔되지 않고〕, 행해져〔폐지되어〕. ***lose the ~ of*** …이 쓰지 못하게 되다. ***make ~ of*** …을 이용〔사용〕하다. ***of ~*** 쓸모 있는, 유용한. ***put to ~*** 쓰다; 이용하다. ***~ and wont*** 관습, 관례. — [ju:z] *vt.* ① 쓰다; 소비하다; 활동시키다. ② 대우〔취급〕하다. ***~ up*** 다 써버리다; 《口》 지치게〔기진케〕 하다. **∠·a·ble** *a.* = USABLE. ⁑**ús·er** *n.* Ⓒ 사용자.

†**used**[1][ju:st, (to의 앞) ju:s*t*] *a.* ① …에 익숙하여(*to*). ② [ju:zd] 써서 〔사용하여〕 낡은(*up*), 사용한〔된〕.

†**used**[2][ju:st] *vi.* 《口》 …하는 것이 보통이었다, …하곤 했다(*to* do).

†**use·ful**[jú:sfəl] *a.* 유용한; 편리한; 도움이 되는. **~·ly** *ad.* **~·ness** *n.*

⁑**úse·less** *a.* 쓸모〔소용〕 없는; 무익한. **~·ly** *ad.*

úser-fríendly *a.* (컴퓨터 따위가) 쓰기 쉬운, 다루기 간단한.

ush·er**[ʌ́ʃər] *n.* Ⓒ ① (교회·극장 따위의) 안내인; 수위, 접수계, 전갈하는 사람. ② (결혼식장에서) 안내를 맡은 사람. ③ 《古·蔑》 (영국 사립 학교의) 조교사(助敎師). — *vt.* 안내하다; 전갈하다. **~ *in 〔***out***〕 맞아 들이다〔배웅하다〕.

U.S.N. U.S. Navy.

USS, U.S.S. United States Ship. **U.S.S.R.** Union of Soviet Socialist Republics.

†**u·su·al**[jú:ʒuəl, -ʒəl] *a.* 보통의; 언제나의, 통상의, 일상〔평소〕의, 예(例)의. ***as ~*** 여느때처럼. †**~·ly** *ad.* 보통, 대개.

u·su·rer[jú:ʒərər] *n.* Ⓒ 고리 대금업자.

***u·surp** [jusə́:rp, -z-/-z-] *vt.* (권력·지위 따위를) 빼앗다, 강탈〔횡령〕하다. **u·sur·pa·tion**[∸–péiʃən] *n.* **~·er** *n.*

u·su·ry[jú:ʒəri] *a.* Ⓤ 고리(高利); 고리 대금업.

⁑**u·ten·sil**[ju:ténsəl] *n.* Ⓒ (부엌·낙농장 등의) 도구, 기구, 가정용품.

u·ter·ine[jú:tərin, -ràin/-ràin] *a.* 자궁의; 동모 이부(同母異父)의.

u·ter·us [jú:tərəs] *n.* (*pl.* ***-teri*** [-tərài]) Ⓒ 〖解〗 자궁(子宮).

u·til·i·tar·i·an[jù:tilətέəriən] *a.* 공리적인; 실용적인; 공리주의의. — *n.* Ⓒ 공리주의자. **~·ism**[-ìzəm] *n.* Ⓤ 〖哲〗 공리설〔주의〕《유용성이 선(善)이라는 주장》.

⁑**u·til·i·ty**[ju:tíləti] *n.* ① Ⓤ 유용, 효용, 실용; 〖컴〗 도움모, 유틸리티. ② Ⓒ (보통 *pl.*) 유용물. ③ Ⓒ (보통 *pl.*) 공익 사업. ***public ~*** 공익 사업. — *a.* (옷·가구 등) 실용 본위의.

utílity ròom 허드렛방《세탁기·난방 기구 등을 두는 방》.

⁑**u·ti·lize** [jú:təlàiz] *vt.* 이용하다. **-liz·a·ble** *a.* **-li·za·tion**[∸–lizéiʃən/-lai-] *n.*

⁑**ut·most**[ʌ́tmòust/-məst] *a.* 가장 먼; 최대(한도)의. — *n.* (the

U

〔one's〕 ~) 최대 한도, 극한. ***at the*** ~ 기껏해야. ***do one's*** ~ 전력을 다하다. ***to the*** ~ 극도로.

·**U·to·pi·a** [ju:tóupiə] *n.* ① 유토피아《Thomas More의 *Utopia* 속의 이상국》. ② U,C (u-) 이상향(鄕); (u-) 공상적 정치〔사회〕 체제. **~n** *a., n.* C 유토피아의 (주민); (u-) 공상적 사회 개혁론자, 몽상가.

:**ut·ter**[1] [ʌ́tər] *a.* 전적인, 완전한; 절대적인. * **~·ly** *ad.* 전혀, 아주, 전연.

:**ut·ter**[2] *vt.* ① 발음〔발언〕하다. ② ((목)소리 등을) 내다. ③ (생각 따위를) 말하다, 나타내다. ④ (위조 지폐 따위를) 행사하다.

·**ut·ter·ance** [ʌ́tərəns] *n.* ① U 말함, 발언, 발성. ② U 말씨, 어조, 발음. ③ C (입 밖에 낸) 말, 언설, 소리. ***give*** ~ ***to***…을 입 밖에 내다, 말로 나타내다.

útter·mòst *a., n.* = UTMOST.

Ú-tùrn *n., vi.* C (자동차 따위의) U턴(을 하다), U자형 회전.

u·vu·la [jú:vjələ] *n.* (*pl.* **~s, -lae** [-lì:]) C 〖解〗 현옹(懸壅), 목젖. **-lar** *a.* 목젖의; 〖音聲〗 목젖을 진동시켜 발성하는.

U

V

V, v[vi:] *n.* (*pl.* ***V's, v's***[-z]) Ⓒ V 자형의 것; Ⓤ (로마 숫자의) 5.
v. verse; *bersus* (L. = against); volt.
vac [væk] *n.* Ⓒ 《英口》 휴가(vacation); = VACUUM CLEANER.
·**va·can·cy**[véikənsi] *n.* ① Ⓤ 공허. ② Ⓒ 빈 자리, 공석, 결원(*on, in, for*). ③ Ⓒ 공백, (빈)틈. ④ Ⓒ 빈 곳〔터·방 따위〕. ⑤ Ⓤ 방심 (상태).
:**va·cant**[véikənt] *a.* ① 공허한, 빈. ② 비어 있는, 사람이 안 사는; 결원의. ③ 멍한, 허탈한, 한가한. **~·ly** *ad.* 멍청하게, 멍하니.
va·cate[véikeit, −́−/vəkéit] *vt.* 비우다; (집 등을) 퇴거하다; (직·지위 등에서) 물러나다; 〖法〗 무효로 하다, 취소하다. ── *vi.* 물러나다; 《美口》 떠나가다; 휴가를 보내다〔얻다〕.
†**va·ca·tion**[veikéiʃən, vək-] *n.* ① Ⓒ (학교 따위의) 휴가〔방학〕, 휴일. ② Ⓤ,Ⓒ (법정의) 휴정기(休廷期). ── *vi.* 휴가를 보내다.
vac·ci·nate[vǽksənèit] *vt.* (…에게) 우두를 접종하다; 백신 주사〔예방접종〕하다. ·**-na·tion** [væ̀ksənéiʃən] *n.* Ⓤ,Ⓒ 종두; 백신 주사, 예방 접종.
vac·cine[væksí:n, −́−/−́−́] *n.* Ⓤ,Ⓒ 우두종; 백신.
vac·il·late[vǽsəlèit] *vi.* 동요하다; (마음·생각이) 흔들리다. **-tion** [−̀−léiʃən] *n.*
va·cu·i·ty[vækjú:əti] *n.* Ⓤ 공허; 빈 곳, 진공; Ⓤ (마음의) 공허, 방심; Ⓒ 얼빠진 것.
vac·u·ous[vǽkjuəs] *a.* 빈; (마음이) 공허한; 얼빠진; 무의미한.
:**vac·u·um**[vǽkjuəm] *n.* (*pl.* **~s,** ***vacua***[vǽkjuə]) Ⓒ 진공; 빈 곳; 공허; (*pl.* **~s**) 《口》 = VACUUM CLEANER. ── *vt.* 《口》 진공 청소기로 청소하다.
vácuum bòttle〔**flàsk**〕 보온병.
vácuum clèaner 진공 청소기.
vácuum-pácked *a.* 진공 포장의.
vácuum pùmp 진공(배기) 펌프.
va·de me·cum [véidi mí:kəm] (L. = go with me) 필휴(必携)물; 편람.
·**vag·a·bond**[vǽgəbɑ̀nd/-ɔ̀-] *n.* Ⓒ 방랑〔부랑〕자; 불량배. ── *a.* 방랑하는, 방랑성의; 변변찮은; 떠도는. **~·age**[-idʒ] *n.* Ⓤ 방랑 (생활); 방랑성.
va·gar·y[véigəri, vəgέəri] *n.* Ⓒ (보통 *pl.*) 변덕; 취광; 색다른 생각.
va·gi·na[vədʒáinə] *n.* (*pl.* **~s, -nae** [-ni:]) Ⓒ 〖解〗 질(膣); 칼집(같이 생긴 부분); 〖植〗 엽초(葉鞘).
·**va·grant** [véigrənt] *a.* ① 방랑하는, 방랑성의; 방랑(자)의. ② 변하기 쉬운, 변덕스러운. ── *n.* Ⓒ 부랑〔방랑〕자. **vá·gran·cy** *n.* Ⓤ 방랑(생활); 환상, 공상.
:**vague**[veig] *a.* 모호〔막연〕한; 분명치 않은. ·**∠·ly** *ad.* **∠·ness** *n.*
:**vain**[vein] *a.* ① 쓸데 없는, 헛된. ② 가치 없는; 공허한. ③ 자부〔허영〕심이 강한(*of*). **in ~** 헛된, 헛되게; 경솔하게. ·**∠·ly** *ad.*
vain·glo·ry[véinglɔ̀:ri/−̀−́−] *n.* Ⓤ 자부(심), 자만; 허영, 허식. **-rious** [−̀−́riəs] *a.*
val·ance[vǽləns, véil-] *n.* Ⓒ (침대의 주위·창의 위쪽 등에) 짧게 드리운 천.
·**vale**[veil] *n.* Ⓒ 《詩》 골짜기.
val·e·dic·tion[væ̀lədíkʃən] *n.* Ⓤ 고별.
val·e·dic·to·ry [væ̀lədíktəri] *a.* 고별의. ── *n.* Ⓒ 《美》 (졸업생 대표의) 고별사.
va·lence [véiləns], **-len·cy** [-lənsi] *n.* Ⓒ 〖化〗 원자가(原子價).
val·en·tine[vǽləntàin] *n.* Ⓒ St. Valentine's Day에 이성에게 보내

V

는 카드·선물 등; 그날에 택한 연인.
val·et [vǽlit] *n., vt., vi.* Ⓒ (남자의 치다꺼리를 하는) 종자(從者)(로서 섬기다); (호텔의) 보이.
***val·iant** [vǽljənt] *a.* 용감한, 씩씩한. **~·ly** *ad.*
***val·id** [vǽlid] *a.* ① 근거가 확실한; 정당한. ② 〖法〗 정당한 수속을 밟은, 유효한. **~·ly** *ad.* **~·ness** *n.* ***va·líd·i·ty** *n.* Ⓤ 정당, 확실성; 유효; 〖法〗 효력.
val·i·date [vǽlədèit] *vt.* (법적으로) 유효케 하다; 확인하다; 비준하다. **-da·tion** [ˌ–déiʃən] *n.*
va·lise [vəlíːs/-líz, -líːs] *n.* Ⓒ 여행 가방.
†**val·ley** [vǽli] *n.* Ⓒ 골짜기, 계곡; 골짜기 비슷한 것; (큰 강의) 유역.
***val·or,** 《英》 **val·our** [vǽlər] *n.* Ⓤ 용기. **vál·or·ous** *a.* 용감한.
†**val·u·a·ble** [vǽljuəbəl] *a.* 값비싼; 가치 있는; 귀중한; 평가할 수 있는. — *n.* Ⓒ (보통 *pl.*) 귀중품.
***val·u·a·tion** [væ̀ljuéiʃən] *n.* ① Ⓤ 평가. ② Ⓒ 사정 가격.
†**val·ue** [vǽljuː] *n.* ① Ⓤ 가치, 유용성. ② Ⓤ (a ~) 평가. ③ Ⓤ,Ⓒ 값어치, 액면 금액. ④ Ⓒ 대가(對價)(물), 상당 가격(물). ⑤ Ⓒ 의의(意義). ⑥ Ⓒ 〖數〗 값. ⑦ (*pl.*)(사회적) 가치(기준)《이상·습관·제도 등》. ⑧ Ⓒ 〖樂〗 음의 장단. ⑨ Ⓒ (*pl.*) 〖美術〗 명암(明暗)의 (정)도. — *vt.* 평가〔존중〕하다. **~ *oneself*** 뽐내다 (*for, on*). **~·less** *a.* 가치가 없는, 하찮은.
válue-added táx 부가 가치세《생략 VAT》.
válue jùdg(e)ment 가치 판단.
val·u·er [vǽljuːər] *n.* Ⓒ 평가자.
:**valve** [vælv] *n.* Ⓒ ① 〖機〗 판(瓣). ② 〖解〗 판(막)(瓣(膜)). ③ (쌍껍질조개의) 조가비; 〖植〗 (꼬투리, 포(苞), 깍지의) 한 조각. ④ (관악기의) 판. ⑤ 《英》 〖電子〗 진공관.
vamp *n.* Ⓒ 요부, 탕녀. — *vt.* (남자를) 호리다.
vam·pire [vǽmpaiər] *n.* Ⓒ 흡혈귀; 남의 고혈을 짜는 사람; 요부, 탕녀; (중·남아메리카산) 흡혈박쥐.
van[1] [væn] *n.* (the ~) 〖軍〗 전위 (前衛), 선봉, 선진(先陣); 선구; Ⓒ 선도자. ***in the ~ of*** …의 선두에 서서. ***lead the ~ of*** …의 선두에 서다.
:**van**[2] *n.* Ⓒ (가구 운반용) 유개(有蓋) 트럭〔마차〕; 《英》 (철도의) 유개 화차. ***guard's ~*** 차장차(cf. caboose).
va·na·di·um [vənéidiəm, -djəm] *n.* Ⓤ 〖化〗 바나듐《희금속 원소; 기호 V》.
Van·dal [vǽndəl] *n.* 반달 사람《5세기에 Gaul, Spain, Rome을 휩쓴 민족》; (v-) Ⓒ 문화·예술의 파괴자. — *a.* 반달 사람의; (v-) 문화·예술을 파괴하는. **~·ism** [-ìzəm] *n.* Ⓤ 반달 사람식; (v-) 문화·예술의 파괴, 만행.
***vane** [vein] *n.* Ⓒ ① 바람개비; (풍차·추진기 따위의) 날개. ② (새의) 날갯죽지《깃털축(軸) 양쪽의》.
van·guard [vǽngɑ̀ːrd] *n.* Ⓒ 《집합적》 〖軍〗 전위; (the ~) 선구; Ⓒ 선도자; 지도적 지위.
***va·nil·la** [vənílə] *n.* ① Ⓒ 〖植〗 바닐라《열대 아메리카산 난초과 식물》; 그 열매. ② Ⓤ 바닐라 에센스《아이스크림·캔디 따위의 향료》.
:**van·ish** [vǽniʃ] *vi.* 사라지다(*into*); 소멸하다; 〖數〗 영이 되다.
vánishing pòint 〖美術·寫〗 (투시화법에서) 소실점(消失點); 물건이 다하는 소멸점.
:**van·i·ty** [vǽnəti, -ni-] *n.* ① Ⓤ 공허. ② Ⓤ,Ⓒ 무가치(한 것). ③ Ⓤ,Ⓒ 무익(한 행동). ④ Ⓤ 허영(심). ⑤ =VANITY CASE. ⑥ Ⓒ (거울 달린) 화장대.
vánity bàg 〔**bòx, càse**〕 (휴대용) 화장품 케이스.
***van·quish** [vǽŋkwiʃ] *vt.* 정복하다; (…에게) 이기다.
***van·tage** [vǽntidʒ/-ɑ́ː-] *n.* Ⓤ ① 우월, 유리한 지위〔상태〕. ② 《英》 〖테니스〗 밴티지《deuce 후 얻은 한 점》.
vap·id [vǽpid] *a.* 김〔맥〕빠진; 흥미 없는; 생기 없는. **~·ly** *ad.* **~·ness** *n.* **va·pid·i·ty** [væpídəti, və-] *n.*
:**va·por,** 《英》 **-pour** [véipər] *n.* ① Ⓤ,Ⓒ 증기, 수증기, 김, 연무(煙霧), 안개, 아지랑이. ② Ⓤ 〖理〗 (액체·

V

고체의) 기화 가스. ③ Ⓒ 실질이 없는 물건, 공상, 환상. *the* **~s**《古》 우울. — *vi.* 증기를 내다; 증발하다; 뽐내다, 허세부리다. **~·ish** *a.* 증기 같은, 증기가 많은; 우울하게 된. **~·ly** *a.* = VAPOROUS.

va·por·ize [véipəràiz] *vt., vi.* 증발 시키다〔하다〕, 기화시키다〔하다〕. **-iz·er** *n.* Ⓒ 기화기, 분무기. **-i·za·tion** [vèipərizéiʃən/-rai-] *n.*

va·por·ous [véipərəs] *a.* 증기 같은, 증기가 많은; 안개 낀; 《古》 덧없는, 공상적인.

vápo(u)r tràil 비행운(雲)(contrail).

·**var·i·a·ble** [vέəriəbəl] *a.* ① 변하기 쉬운. ② 변(경)할 수 있는. ③ 〖生〗 변이(變異)하는. — *n.* Ⓒ ① 변하기 쉬운〔변화하는〕 물건〔양(量)〕. ② 〖數〗 변수(變數). ③ 〖氣〗 변풍(變風). ④ 〖컴〗 변수. **-bly** *ad.* **-bil·i·ty** [≻–-bíləti] *n.* Ⓤ 변하기 쉬움; 〖生〗 변이성(變異性).

·**var·i·ance** [vέəriəns] *n.* Ⓤ ① 변화, 변동. ② 상위(相違), 불일치. ③ 불화, 다툼(discord). **at ~ with** …와 불화하여; …와 틀려〔달라〕. **set at ~** 버성기게 하다, 이간하다.

·**var·i·ant** [vέəriənt] *a.* ① 상이한. ② 가지가지의. ③ 변하는. — *n.* Ⓒ ① 변형, 변체(變體). ② (동일어(語)의) 이형(異形), 다른 발음; 이문(異文). ③ 이설(異說).

:**var·i·a·tion** [vὲəriéiʃən] *n.* ① Ⓤ,Ⓒ 변화, 변동. ② Ⓒ 변화량〔정도〕; 변화물. ③ Ⓒ 〖樂〗 변주곡. ④ Ⓤ,Ⓒ 〖生〗 변이.

var·i·cose [vǽrəkòus] *a.* 정맥 팽창의, 정맥류(瘤)의; 정맥류 치료용의.

:**var·ied** [vέərid] *a.* ① 가지가지의; 변화 있는. ② 변한. **~·ly** *ad.*

var·i·e·gate [vέəriəgèit] *vt.* 잡색으로 하다; 얼룩덜룩하게 하다; (…에게) 변화를 주다. **-gat·ed** [-id] *a.* 잡색의; 다채로운, 변화가 많은.

:**va·ri·e·ty** [vəráiəti] *n.* ① Ⓤ 변화, 다양(성). ② Ⓤ,Ⓒ 여러 가지를 그러 모은 것. ③ (*a* ~) 종류. ④ (*a* ~) 〖生〗 변종. ⑤ Ⓤ 〖言〗 변형. ⑥ Ⓤ,Ⓒ 버라이어티쇼. **a ~ of** 갖가지의.

varíety stòre 〔**shòp**〕 잡화점.

†**var·i·ous** [vέəriəs] *a.* ① 다른, 틀리는. ② 가지각색의. ③ 《口》 다수의. ④ 변화 많은, 다방면의. **~·ly** *ad.*

·**var·nish** [vɑ́:rniʃ] *n.* ① Ⓤ 《종류는 Ⓒ》 니스. ② (*sing.*) 니스를 칠한 표면; Ⓤ 겉치레; 속임. — *vt.* (…에) 니스 칠하다; 겉치레하다, 겉꾸미다.

var·si·ty [vɑ́:rsəti] *n.* Ⓒ 대학 등의 대표팀《스포츠의》; 《英口》 = UNIVERSITY.

·**var·y** [vέəri] *vt.* ① (…에) 변화를 주다, 수정하다. ② 다양하게 하다. ③ 〖樂〗 변주하다. — *vi.* ① 변하다. ② (…와) 다르다(*from*). ③ 가지각색이다. **~·ing** *a.* 변화 있는, 다양한.

vas·cu·lar [vǽskjələr] *a.* 맥관〔혈관〕의, 맥관〔혈관〕이 있는〔으로 된〕.

†**vase** [veis, -z/vɑ:z] *n.* Ⓒ (장식용) 병, 단지; 꽃병.

vas·ec·to·my [væséktəmi] *n.* Ⓤ,Ⓒ 정관(精管) 절제(술).

·**vas·sal** [vǽsəl] *n.* Ⓒ (봉건 군주에게서 영지를 받은) 가신(家臣); 종자, 노예. — *a.* 가신의〔같은〕; 예속하는. **~·age** [-idʒ] *n.* Ⓤ 가신임, 가신의 신분〔일〕; 예속; 《집합적》 (가신의) 영지.

:**vast** [væst, -ɑ:-] *a.* 거대한, 광대한, 막대한; 《口》 대단한. ·**∠·ly** *ad.* **∠·ness** *n.* **∠·y** *a.* 《古》 = VAST.

vat [væt] *n., vt.* (**-tt-**) Ⓒ (*the* ~) (양조·염색용의) 큰 통(에 넣다, 속에서 처리하다).

VAT value-added tax.

·**Vat·i·can** [vǽtikən] *n.* (*the* ~) ① 바티칸 궁전, 로마 교황청. ② 교황 정치, 교황권.

·**vaude·ville** [vóudəvil] *n.* Ⓤ 《美》 보드빌 쇼; 《英》 가벼운 희가극.

:**vault**[1] [vɔ:lt] *n.* Ⓒ ① 둥근 지붕, 둥근 천장 (모양의 것). ② 둥근 천장이 있는 장소〔복도〕. ③ 푸른 하늘 (*the* ~ *of heaven*). ④ 지하(저장)실; (은행 등의) 귀중품 보관실; 지하 납골소(納骨所). — *vt.* 둥근 천장꼴로 만들다, 둥근 천장을 대다. **~·ing**[1] [vɔ́:ltiŋ] *n.* Ⓤ 둥근 천장 건

V

축물; 《집합적》 둥근 천장.

vault[2] *vi., n.* Ⓒ (높이) 뛰다, (장대·손을 짚고) 도약(하다). ― *vt.* 뛰어넘다. **∠·ing**[2] *a.* 도약하는, 도약용의; 과대한.

váult·ed *a.* 아치형 천장의[이 있는], 아치형의.

váulting hòrse (체조용의) 뜀틀.

V.C. Vice-Chancellor; Victoria Cross. **VCR** video cassette recorder 카세트 녹화기. **V.D.** venereal disease. **VDU** visual display unit 브라운관 디스플레이 장치.

˙**veal**[viːl] *n.* Ⓤ 송아지 고기.

vec·tor[véktər] *n.* Ⓒ 〖理·數〗 벡터; 동경(動徑); 방향량(量); 〖컴〗 선 그림《화상의 표현 요소로서의 방향을 지닌 선》. ― *vt.* (지상에서 전파로 비행기의) 진로를 인도하다.

Veep[viːp] *n.* 《美俗》 미국 부통령; (v-) = VICE-PRESIDENT.

veer[viər] *vi.* (바람의) 방향이 바뀌다; 방향[위치]을 바꾸다; (의견 따위가) 바뀌다(*round*). **~ and haul** (밧줄을) 늦추었다 당겼다 하다; (풍향이) 번갈아 바뀌다. ― *n.* Ⓒ 방향 전환. **~·ing**[ví(ː)riŋ/víər-] *a.* 늘 변하는, 불안정한.

veg [vedʒ] *n. sing.* & *pl.* 《英口》 (보통 요리된) 야채.

†**veg·e·ta·ble** [védʒətəbəl] *n.* ① Ⓒ 야채, 푸성귀. ② Ⓤ 식물. ③ Ⓒ 식물 인간. **green ~s** 푸성귀. ― *a.* 식물[야채]의 [같은]; 식물로 된.

veg·e·tar·i·an[vèdʒətέəriən] *n.* Ⓒ 채식주의자. ― *a.* 채식(주의)의; 고기가 들지 않은. **~·ism**[-ìzəm] *n.* Ⓤ 채식주의[생활].

veg·e·tate[védʒətèit] *vi.* 식물처럼 자라다; 무위 단조한 생활을 하다.

˙**veg·e·ta·tion**[vèdʒətéiʃən, -dʒi-] *n.* Ⓤ ① 《집합적》 식물(plants). ② 식물의 성장.

˙**ve·he·ment**[víːəmənt, víːi-] *a.* 열정적인, 열렬한; 격렬한. **˙-mence** *n.* **~·ly** *ad.*

:**ve·hi·cle**[víːikəl] *n.* Ⓒ ① 차량; 탈것. ② 매개물, 전달 수단. ③ 〖繪畫〗 (그림 물감을 녹이는) 용액. ④ 우주 차량《로켓·우주선 따위》. **ve·hic·u·lar**[viːhíkjələr] *a.*

:**veil**[veil] *n.* Ⓒ ① 베일, 너울. ② 가리개, 막; 덮어 가리는 물건. ③ 구실. **beyond the ~** 저승에. **take the ~** 수녀가 되다. **under the ~ of** …에 숨어서. ― *vt.* ① (…에) 베일을 걸치다[…로 가리다]. ② 싸다; 감추다. **~ed**[-d] *a.* 베일로 가린; 감춰진. **∠·ing** *n.* Ⓤ 베일로 가리기; 베일; 베일용 천.

:**vein**[vein] *n.* ① Ⓒ 정맥(靜脈); Ⓒ 《俗》 혈관. ② Ⓒ 〖植〗 엽맥(葉脈); (곤충의) 시맥(翅脈); 나뭇결, 돌결; 줄기. ③ Ⓒ 광맥. ④ (a ~) 특질, 성격, 기질(*a ~ of cruelty* 잔학성). ― *vt.* (…에) 맥을[줄기를] 내다. **~ed**[-d] *a.* 맥[줄기·엽맥·나뭇결·돌결]이 있는. **∠·y** *a.* 정맥[심줄]이 있는[많은].

ve·lar[víːlər] *a., n.* Ⓒ 〖音聲〗 연구개(음)의; 연구개 (자)음《k, g, ŋ, x》.

Veld(t)[velt, felt] *n.* Ⓒ (the ~) (남아프리카의) 초원.

vel·lum[véləm] *n.* Ⓤ (필기·제본용의) 고급 피지(皮紙)《새끼양·송아지 가죽》; 모조 피지, 벨럼.

˙**ve·loc·i·ty**[vilɑ́səti/-ɔ́-] *n.* Ⓤ ① (또는 a ~) 빠르기, 속력. ② 〖理〗 속도.

ve·lour(s) [vəlúər] *n.* Ⓤ 벨루어, 플러시 천《비단·양털·무명제(製) 벨벳의 일종》.

:**vel·vet**[vélvit] *n.* ① Ⓤ,Ⓒ 벨벳[우단] (같은 물건). ② Ⓤ 《俗》 고스란한 이익. ― *a.* ① 벨벳제(製)의, 우단과 같은. ② 보드라운. **˙~·y** *a.* 벨벳과 같은, 부드러운; (술이) 감칠 맛이 있는.

vel·vet·een[vèlvətíːn] *n.* Ⓤ 무명 벨벳; (*pl.*) 면 비로드의 옷.

ve·nal[víːnl] *a.* 돈으로 좌우되는, 돈 힘으로의; 돈으로 얻을 수 있는, 매수되기 쉬운; 타락한. **~·ly** *a.* **~·i·ty**[vi(ː)nǽləti] *n.*

ven·det·ta[vendétə] *n.* Ⓒ (Corsica 섬 등지의) 근친 복수《피해자의 친척이 가해자(의 친척)의 목숨을 노리는》(blood feud).

vénding machìne 자동 판매기.

ven·dor[véndər, vendɔ́ːr] *n.* Ⓒ ① 〖法〗 매주(賣主), 매각인; 행상인,

노점상인(street ～). ② =VENDING MACHINE.

ve·neer[viníər] *n.* ① Ⓒ,Ⓤ 베니어 《합판(plywood)의 맨 윗거죽 판, 또는 합판 각 켜의 한 장》. ② Ⓒ 겉치레〔꾸밈〕, 허식. ── *vt.* (…에) 겉꾸밈 널을 대다; 겉바르기하다; 겉치레하다.

ˈ**ven·er·a·ble**[vénərəbəl] *a.* ① 존경할 만한. ② 나이 먹어〔오래 되어〕 존엄한; 오래 되어 숭엄한. ③ 〖英國國敎〗 …부주교님; 〖가톨릭〗 가경자(可敬者)…《열복(列福)에의 과정에 있는 사람에 대한 존칭》.

ven·er·ate[vénərèit] *vt.* 존경(숭배)하다. **-a·tion**[∸-éiʃən] *n.*

ve·ne·re·al[vəníəriəl] *a.* 성교의, 성교에서 오는; 성병의〔에 걸린〕. ～ ***disease*** 성병《생략 V.D.》.

ˈ**Ve·ne·tian**[víni:ʃən] *a.* 베니스(사람)의, 베니스풍〔식〕의. ── *n.* Ⓒ 베니스 사람; 《口》 =∠ **blínd** 베니션 블라인드《끈으로 올리고 내리기와 채광 조절을 하는 발》.

:**venge·ance**[véndʒəns] *n.* Ⓤ 복수, 원수 갚기. ***take*** 〔***inflict, wreak***〕 ～ ***on*** …에게 복수하다. ***with a*** ～ 《口》 맹렬하게, 철저하게.

venge·ful[véndʒfəl] *a.* 복수심에 불타는. ～**·ly** *ad.*

ve·ni·al [ví:niəl, -njəl] *a.* (죄·과오 등이) 가벼운, 용서될 수 있는. ～**·i·ty**[∸-ǽləti] *n.* Ⓤ 경죄(輕罪).

ˈ**ven·i·son**[vénəsən, -zən/vénizən] *n.* Ⓤ 사슴 고기.

ˈ**ven·om**[vénəm] *n.* Ⓤ ① (뱀·거미 따위의) 독. ② 악의, 원한. ③ 독설. ～**·ous** *a.* 유독한; 악의에 찬.

ve·nous[ví:nəs] *a.* 정맥(속)의; 맥이〔줄기가〕 있는.

ˈ**vent**[vent] *n.* Ⓒ ① 구멍, 빠지는 구멍. ② 바람 구멍, (자동차 등의) 환기용 작은 창. ③ (관악기의) 손구멍. ④ (옷의) 터진 구멍〔자리〕. ⑤ (물고기·새 등의) 항문(肛門). ⑥ (감정 등의) 배출구. ***find*** 〔***make***〕 ***a*** ～ ***in*** …에 배출구를 찾다, 나오다. ***give*** ～ ***to*** (감정을) 터트리다, 나타내다. ── *vt.* ① (…에) 구멍을 내다; 나갈 구멍을 터주다. ② (감정 등을) 터뜨리다; 배출구를 찾아내다(*oneself*). ③ 공표하다.

ˈ**ven·ti·late**[véntəlèit, -ti-] *vt.* ① 환기하다. ② (혈액을) 신선한 공기로 정화하다. ③ 환기 장치를 달다. ④ (문제를) 공표하다, 자유롭게 토론하다. **-la·tor** *n.* Ⓒ 환기하는 사람〔도구〕, 환기 장치. **:-la·tion**[∸-léiʃən] *n.* Ⓤ 통풍 (상태), 환기 (장치); (문제의) 자유 토의.

ven·tri·cle[véntrikəl] *n.* Ⓒ 〖解〗 실(室), 심실(心室). **ven·tric·u·lar**[-∠kjələr] *a.*

ven·tril·o·quism [ventríləkwìzəm], **-quy**[-kwi] *n.* Ⓤ 복화(腹話)(술). **-quist** *n.* Ⓒ 복화술가.

:**ven·ture**[véntʃər] *n.* Ⓒ ① 모험(적 사업). ② 투기; 건 물건. ***at a*** ～ 모험적으로; 되는 대로. ── *vt.* ① 위험에 직면케 하다, (내)걸다. ② 위험을 무릅쓰고〔용기를 내어〕 하다, 결행하다. ③ (의견 따위를) 용기를 내어 발표하다. ── *vi.* ① 위험을 무릅쓰고 해보다(*on, upon*). ② 대담하게도 (…을) 하다. ③ 용기를 내어 가다〔오다, 나아가다〕. ～**·some** *a.* 모험적인, 대담한; 위험한.

ven·ue[vénju:] *n.* Ⓒ 〖法〗 범행지(부근), 현장; 재판지; 《口》 집합지, 밀회 (장소).

ˈ**Ve·nus**[ví:nəs] *n.* ① 〖로神〗 비너스 《사랑과 미의 여신》; 절세의 미인. ② 〖天〗 금성.

「진실; 정확.

ve·rac·i·ty[vərǽsəti] *n.* Ⓤ 정직;

:**ve·ran·da(h)**[vərǽndə] *n.* Ⓒ 베란다.

:**verb**[və:rb] *n.* Ⓒ 〖文〗 동사.

ˈ**ver·bal**[vɔ́:rbəl] *a.* ① 말의, 말에 관한. ② 말로 나타낸, 구두의. ③ 축어적인. ④ 말뿐인. ⑤ 〖文〗 동사의, 동사적인. ── *n.* Ⓒ 〖文〗 준동사《동명사·부정사·분사》. ～**·ly** *ad.*

ver·bal·ize [vɔ́:rbəlàiz] *vt.* 말로 나타내다; 〖文〗 동사로 바꾸다. ── *vi.* 말이 지나치게 많다.

ver·ba·tim[vərbéitim] *ad., a.* 축어(逐語)적인〔으로〕.

ver·bi·age[vɔ́:rbiidʒ] *n.* Ⓤ 군말이 많음.

ver·bose[və:rbóus] *a.* 말이 많은, 번거로운. **ver·bos·i·ty**[-bɑ́sə-/-ɔ́-] *n.* Ⓤ 다변(多辯), 용장(冗長).

ver·dant[vɔ́:rdənt] *a.* 푸른 잎이

무성한, 청청한, 미숙한. **ver·dan·cy** *n.*

*__ver·dict__ [və́ːrdikt] *n.* Ⓒ ① 〖法〗 (배심원의) 답신, 평결. ② 판단, 의견.

ver·di·gris[və́ːrdəgrìːs, -gris] *n.* Ⓤ 녹청(綠青), 푸른 녹.

*__verge__[1][vəːrdʒ] *n.* Ⓒ ① 가, 가장자리; (화단 등의) 가장자리. ② 끝, 경계, 한계. ***on the ~ of*** 막 …하려는 참에, 바야흐로 …하려고 하여. — *vi.* (…에) 직면하다; 접하다(*on*).

verge[2] *vi.* 바싹 다가가다(*on*); (…에) 향하다, 기울다(*to, toward*).

ver·ger[və́ːrdʒər] *n.* Ⓒ 《英》 (성당·대학 따위의) 권표(權標) 받드는 사람; 사찰(司察).

*__ver·i·fy__[vérəfài, -ri-] *vt.* ① (…으로) 입증〔증명〕하다. ② 확인하다. ③ (사실·행위 따위가 예언·약속 따위를) 실증하다. ④ 〖法〗 (선서·증거에 의하여) 입증하다. ⑤ 〖컴〗 검증하다. **-fi·ca·tion**[ㅗ-fikéiʃən] *n.* Ⓤ 입증; 확인; 〖컴〗 검증. **-fi·er** *n.* Ⓒ 입증〔증명〕자, 검증자; 가스 계량기; 〖컴〗 검공기(檢孔機).

ver·i·si·mil·i·tude [vèrəsimílətjùːd] *n.* Ⓤ 정말 같음(likelihood), 박진(迫眞)함; Ⓒ 정말 같은 이야기〔일〕.

*__ver·i·ta·ble__[véritəbəl] *a.* 진실의.

ver·i·ty[vérəti] *n.* Ⓤ 진실(성); 진리; Ⓒ 진실한 진술.

ver·mi·cel·li[vəːrməséli, -tʃéli] *n.* (It.) Ⓤ 버미첼리《spaghetti 보다 가는 국수류(類)》.

ver·mil·ion[vərmíljən] *n.* Ⓤ 주(朱), 진사(辰砂); 주홍색. — *a.* 진사의; 주홍색〔칠〕의.

ver·min[və́ːrmin] *n.* Ⓤ 《집합적》 (보통 *pl.*) 해로운 짐승〔새〕《쥐·두더지 따위; 영국에서는 엽조(獵鳥)나 가금(家禽)을 해치는 매·올빼미·여우·족제비 따위》; 사회의 해충, 건달, 깡패. **~·ous** *a.* 벌레가 많은, 벌레로 인해 생기는, 벼룩·이가 뀐; 벌레 같은; 비열한, 해독을 끼치는.

ver·mouth, -muth[vərmúːθ/ və́ːməθ] *n.* Ⓤ 베르무트《맛이 달콤한 백포도주》.

*__ver·nac·u·lar__[vərnǽkjələr] *n.* Ⓒ ① (the ~) 제나라 말. ② 방언; (직업상의) 전문어. ③ (학명이 아닌) 속칭. — *a.* ① (언어가) 제나라의. ② 제고장 말로 씌어진.

ver·nal[və́ːrnl] *a.* 봄의, 봄같은; 청춘의, 싱싱한.

ver·ru·ca [verúːkə] *n.* (*pl.* ***-cae*** [-rúːsiː]) Ⓒ 〖醫〗 무사마귀; 〖動·植〗 사마귀 모양의 돌기.

*__ver·sa·tile__[və́ːrsətl/-tail] *a.* 재주가 많은, 다예한, 다방면의; 변하기 쉬운, 변덕스러운. **~·ness** *n.* **-til·i·ty**[ㅗ-tíləti] *n.*

:**verse**[vəːrs] *a.* ① Ⓤ 시(poem), 《집합적》 시가(poetry). ② Ⓒ 시의 한 행. ③ Ⓤ 시형(詩形). ④ Ⓒ (시의) 귀절. ⑤ Ⓒ (성서의) 절. ***give chapter and ~ for*** (인용구 따위의) 출처를 명백히 하다.

versed[vəːrst] *a.* 숙달〔정통〕한, …에 환한(*in*).

ver·si·fy[və́ːrsəfài] *vi* 시를 짓다. — *vt.* 시로 말하다, 시로 만들다; (산문을) 시로 고치다. **-fi·er** *n.* Ⓒ 시인; 엉터리 시인.

*__ver·sion__[və́ːrʒən, -ʃən] *n.* Ⓒ ① 번역, 역서(譯書). ② (예술상의) 해석(*a Dali ~ of Lady Macbeth* 달리가 묘사한 맥베스 부인). ③ (개인적인〔특수한〕 입장에서 본 어떤 사건의) 설명. ④ 〖컴〗 버전.

ver·so[və́ːrsou] *n.* (*pl.* **~s**) Ⓒ (책의) 왼쪽 페이지; (물건의) 이면.

*__ver·sus__[və́ːrsəs] *prep.* (L.) (소송·경기 등의) …대(對)《생략 v., vs.》.

ver·te·bra [və́ːrtəbrə] *n.* (*pl.* ***-brae***[-brìː], **~s**) Ⓒ 척추골, 등뼈. **-bral** *a.*

ver·te·brate[və́ːrtəbrit, -brèit] *n., a.* Ⓒ 척추 동물; 척추〔등뼈〕가 있는.

ver·tex[və́ːrteks] *n.* (*pl.* ***~es, -tices***[-təsìːz]) Ⓒ 최고점, 절정; 〖數〗 정점.

:**ver·ti·cal**[və́ːrtikəl] *a.* ① 수직의, 연직의(opp. horizontal). ② 정상의. ③ 천정(天頂)의. ④ 〖經〗 (생산 공정 따위의) 종(縱)으로 연결한. ⑤ 〖幾〗 정점의, 대정(對頂)의. — *n.* Ⓒ 수직선〔면·권·위〕, 세로. **~·ly** *ad.*

ver·tig·i·nous [vəːrtídʒənəs] (＜⇩) *a.* 빙빙 도는; 어지러운; 눈이 빙빙 도는 듯한; (눈이) 아찔아찔하는. **~·ly** *ad.*

ver·ti·go[vɔ́ːrtigòu] *n.* (*pl.* **~es, -gines**[vəːrtídʒənìːz]) Ⓤ,Ⓒ 〖醫〗 현기증, 어지러움.

verve[vəːrv] *n.* Ⓤ (예술품의) 정열, 힘, 활기.

†**ver·y** [véri] *ad.* ① 대단히, 매우. ② 《강조》 참말로, 아주. ***V- fine!*** 훌륭하다, 멋지다; 《反語》 훌륭하기도 해라. ***V- good.*** 좋습니다, 알았습니다. ***V- well.*** 좋아, 알았어《마지못한 승낙》. ― *a.* ① 참된, 정말의. ② 순전한. ③ 《강조》 바로 그, 같은. ④ …까지도. ⑤ 현실로.

véry hìgh fréquency 〖電〗 초단파《생략 VHF, vhf》.

Véry lìght 〔**sìgnal**〕 (Very pistol로 쏘아올리는) 베리식 신호광(光).

ves·i·cle[vésikəl] *n.* Ⓒ 〖醫·解·動〗 수포(水疱); 〖植〗 기포(氣泡); 〖地〗 기공(氣孔).

ves·per[véspər] *n.* (V-) 개밥바라기, 태백성(太白星); Ⓒ 《詩》 저녁, 밤; 저녁 기도; 저녁에 울리는 종; (*pl.*) 〖宗〗 만도(晩禱), 저녁 기도(의 시각)《canonical hours의 6회째》.

:**ves·sel**[vésəl] *n.* Ⓒ ① 용기(容器), 그릇. ② (대형의) 배. ③ 비행선. ④ 〖解·生〗 도관(導管), 맥관(脈管). ***~s of wrath*** 〔***mercy***〕 〖聖〗 노여움〔자비〕의 그릇《하느님의 노여움을〔자비를〕 받을 사람들》.

:**vest**[vest] *n.* Ⓒ ① 조끼. ② (여성용의 V자형) 앞장식. ③ (여성용의) 속옷. ― *vt.* ① 옷을 입히다, (특히 제복을) 입히다. ② (권리 따위를) 부여하다. ③ 소유〔지배〕권을 귀속시키다. ― *vi.* ① 제복을 입다. ② (권리·재산·따위가) 귀속하다(*in*). ***~ing order*** 〖法〗 권리 이전 명령.

vest·ed[véstid] *a.* ① (재산 등의) 귀속이 정해진, 기득의《권리, 이권 등》. ② (특히) 제의(祭衣)를 입은. ***~ rights*** 〔***interests***〕 기득권〔권익〕.

ves·ti·bule[véstəbjùːl] *n.* Ⓒ 현관, 문간방; 《美》 (객차의) 연랑(連廊); 〖解·動〗 전정(前庭).

˙**ves·tige**[véstidʒ] *n.* Ⓒ ① 흔적. ② 《보통 부정어를 수반하여》 극히 조금(*of*). ③ 〖生〗 퇴화 기관(器官). ④ 《稀》 발자취. **ves·tig·i·al**[vestídʒiəl] *a.* 흔적의; 〖生〗 퇴화한.

vest·ment[vés*t*mənt] *n.* Ⓒ (보통 *pl.*) 의복; 〖宗〗 법의(法衣), 제복.

ves·try[véstri] *n.* Ⓒ (교회의) 제복실; 교회 부속실《주일 학교·기도회 등에 쓰이는》; (영국 국교회·미국 성공회의) 교구 위원회(教區委員會). **~·man**[-mən] *n.* Ⓒ 교구민 대표자, 교구 위원.

vet[1][vet] *n.* 《口》 =VETERINARIAN.

vet[2] *n.* 《美口》 =VETERAN.

vet. veteran; veterinarian; veterinary. 「속》.

vetch[vetʃ] *n.* Ⓤ 〖植〗 살갈퀴《잠두

:**vet·er·an**[vétərən] *n.* Ⓒ ① 고참병; 노련자, 베테랑. ② 《美》 퇴역〔재향〕 군인. ― *a.* 실전의 경험을 쌓은; 노련한.

vet·er·i·nar·i·an[vètərənɛ́əriən] *n.* Ⓒ 수의(獸醫).

vet·er·i·nar·y [vétərənèri/-nəri] *n., a.* Ⓒ 수의(獸醫)(의)(*a ~ hospital* 가축 병원).

˙**ve·to**[víːtou] *n.* (*pl.* **~es**) ① Ⓤ (법안에 대한 대통령·지사 등의) 거부권; 그 행사. ② Ⓒ 부재가(不裁可) 이유의 성명. ③ Ⓒ 금지; Ⓤ 금지권. ***put*** 〔***set***〕 ***a*** 〔***one's***〕 ***~ upon*** …을 거부〔금지〕하다. ― *a.* 거부(권)의. ― *vt.* 거부하다, 금지하다.

:**vex**[veks] *vt.* ① (사소한 일로) 성나게 하다, 짜증나게〔속타게〕 하다; 괴롭히다. ② 《古·詩》 뒤흔들리게〔들썩이게〕 하다, 동요시키다, (태풍 따위가) 뒤엎다. ***be ~ed at*** …에 성내다, …을 분해하다. ***be~ed with*** (*a person*) (아무)에게 화를 내다. **~ed**[-t] *a.* 속타는, 짜증난, 성난; 말썽 있는. **~·ed·ly**[⌐idli] *ad.* **⌐·ing** *a.* 화나는, 속상한, 성가신.

˙**vex·a·tion**[vekséiʃən] *n.* ① Ⓤ 애탐, 애태움, 화냄, 괴롭힘, 괴로움. ② Ⓤ (정신적) 고통, 고민. ③ Ⓒ 고민거리, 귀찮은 사물. **-tious** *a.* 화나는, 짜증나는, 속타는.

VHF, V.H.F., vhf very high frequency.

:vi·a[váiə, víːə] *prep.* (L.) …경유, …을 거쳐.
vi·a·ble[váiəbəl] *a.* 생존할 수 있는; (태아·갓난애 등이) 자랄 수 있는.
vi·a·duct[váiədʌ̀kt] *n.* Ⓒ 고가교(高架橋), 육교.
vi·al[váiəl] *n.* Ⓒ 작은 유리병, 약병(phial).
vi·brant[váibrənt] *a.* 진동하는; 울려 퍼지는; 활기찬; 〖音聲〗 유성(有聲)의.
vi·bra·phone[váibrəfòun] *n.* Ⓒ 비브라폰《전기 공명 장치가 붙은 철금(鐵琴)》.
:vi·brate[váibreit/−ˊ] *vi.* ① 진동하다, 떨다. ② 감동하다. ③ 마음이 떨리다, 후들거리다. ④ (진자처럼) 흔들리다. — *vt.* ① 진동시키다. ② 감동시키다. ③ 오싹하게[떨리게, 후들거리게]하다. ④ (진자가) 흔들어 표시하다.
·vi·bra·tion[vaibréiʃən] *n.* ① U,C 진동, 떨림. ② Ⓒ (보통 *pl.*) 마음의 동요. ③ U,C 〖理〗 진동.
vi·bra·to[vibrɑ́ːtou] *n.* (*pl.* **~s**) (It.) U,C 〖樂〗 비브라토《소리를 떨어서 내는 효과》.
vi·bra·tor[váibreitər/−ˊ−] *n.* Ⓒ 진동하는[시키는] 물건; 〖電〗 진동기.
·vic·ar[víkər] *n.* Ⓒ ① 〖英國國教〗 교구 신부. ② 〖美國聖公會〗 회당 신부《교구 부속의 교회를 관리함》. ③ 〖가톨릭〗 대리 감목(監牧), 교황 대리 감목; 대리자. **~·age**[-idʒ] *n.* Ⓒ vicar의 주택[봉급]; Ⓤ 그 지위[직].

vi·car·i·ous[vaikέəriəs, vik-] *a.* 대신의; 대리의; 〖生〗 대상(代償)의. **~·ly** *ad.* **~·ness** *n.*
:vice[1][vais] *n.* ① U,C 악, 사악, 부도덕, 악습. ② Ⓒ (말(馬) 따위의) 나쁜 버릇. ③ Ⓒ (인격·문장 등의) 결점.
vice[2] *n., v.* 《英》 = VISE.
vice-[váis, vàis] *pref.* 관직을 나타내는 명사에 붙여서 '부(副)·대리·차(次)'의 뜻을 나타냄.
·více-président *n.* Ⓒ 부통령, 부총재; 부회장[사장·총장].
vice·régal *a.* 부왕(副王)의, 태수[총독]의.
vice·roy[ˊrɔi] *n.* Ⓒ 부왕(副王), 태수, 총독.
vi·ce ver·sa[váisi vəːrsə] (L.) 반대[역으]로; 역(逆) 또한 같음.
:vi·cin·i·ty[visínəti] *n.* U,C ① 근처, 근방, 주변. ② 근접(*to*).
:vi·cious[víʃəs] *a.* ① 사악한, 부도덕한, 타락한. ② 악습이 있는, (말(馬) 따위) 버릇 나쁜. ③ 악의 있는. ④ 부정확한; 결함이 있는. ⑤ 지독한, 심한. **~·ly** *ad.* **~·ness** *n.*
vícious círcle [**cýcle**] 〖經〗 악순환; 〖論〗 순환 논법.
·vi·cis·si·tude[visísətjùːd] *n.* ① Ⓒ 변화, 변천. ② (*pl.*) 흥망, 성쇠.
:vic·tim[víktim] *n.* Ⓒ ① 희생(자), 피해자(*of*). ② 밥, 봉. ③ 산 제물. ***fall a ~ to*** …의 희생이 되다.
vic·tim·ize[víktəmàiz] *vt.* 희생으로 삼다, 괴롭히다; 속이다. **-i·za·tion**[ˋtimizéiʃən/-maiz-] *n.* Ⓒ 승리자, 정복자. — *a.* 승리(자)의.
·Vic·to·ri·an[viktɔ́ːriən] *a.* ① 빅토리아 여왕(시대)의. ② 빅토리아 왕조풍의. ③ 구식인. **~ *age*** 빅토리아 왕조 시대(1837-1901). — *n.* Ⓒ 빅토리아 여왕 시대의 사람《특히 문학자》. **~·ism**[-ìzəm] *n.* Ⓤ 빅토리아 왕조풍.
:vic·to·ri·ous[viktɔ́ːriəs] *a.* ① 이긴, 승리의. ② 승리를 가져오는.
:vic·to·ry[víktəri] *n.* ① U,C 승리. ② (V-) 〖古로〗 승리의 여신(상).
·vict·ual[vítl] *n.* Ⓒ (보통 *pl.*) 식료품. — *vt., vi.* (《英》 **-ll-**) (…에게) 식량을 공급하다[싣다]. **~·(l)er** *n.* Ⓒ (배·군대에의) 식량 공급자; 《英》 음식점[여관]의 주인; 식량 운송선.
vi·de·li·cet[vidéləsèt] *ad.* (L.) 즉《viz.로 생략하고 보통 namely라 읽음》.
·vid·e·o[vídiòu] *a., n.* 〖TV〗 영상 수송(용)의; Ⓤ 비디오; 텔레비전.
vídeo tàpe 비디오 테이프.
vídeo·tàpe *vt.* (…을) 테이프 녹화하다.
·vie[vai] *vi.* (**vying**) 경쟁하다, 다투다(*with*).
†view[vjuː] *n.* ① Ⓒ (*sing.*) 보기, 봄. ② Ⓤ 시력, 시계. ③ Ⓒ 보이는

것, 경치, 광경. ④ Ⓒ 풍경화〔사진〕. ⑤ Ⓒ 보기, 관찰. ⑥ Ⓒ 고찰; 생각, 의견. ⑦ U,C 전망, 의도, 목적, 가망, 기대. ⑧ 〖컴〗 보임. ***end in*** **~** 목적. ***in*** **~** 보이어, 보이는 곳에; 고려하여; 목적으로서; 기대하여. ***in*** **~** ***of*** …이〔에서〕 보이는 곳에; …을 고려하여; …때문에. ***on*** **~** 전시되어, 공개하여. ***point of*** **~** 견지, 견해. ***private*** **~** (전람회 따위의) 비공개 전람. ***take a dim*** 〔***poor***〕 **~** ***of*** 비평적으로 보다, 찬성 않다. ***with a*** **~** ***to*** (do*ing*, 《俗》 do) …할 목적으로, …을 기대하여. ***with the*** **~** ***of*** (do*ing*) …할 목적으로. — *vt.* ① 보다, 바라보다. ② 관찰하다; 검사〔임검(臨檢)〕하다. ③ 이리저리 생각하다, 생각하다. ④ 《口》 텔레비전을 보다. — *vi.* 《口》 텔레비전을 보다. **˚∠·er** *n.* Ⓒ 보는 사람; 텔레비전 시청자(televiewer). **∠·less** *a.* 눈에〔눈이〕 안 보이는; 의견 없는, 선견지명이 없는.

víew finder 〖寫〗 파인더.

˚view·point [∠pɔ̀int] *n.* Ⓒ ① 견해, 견지. ② 보이는 곳.

˚vig·il [vídʒil] *n.* ① U,C 밤샘, 철야, 불침번. ② Ⓤ 불면. ③ (the ~) 교회 축일의 전날〔전야〕; 철야로 기도하는 밤; (보통 *pl.*) 축일 전날밤의 철야 기도.

˚vig·i·lance [vídʒələns] *n.* Ⓤ ① 경계, 조심. ② 철야, 불침번, 불면. ③ 〖醫〗 불면증.

˚vig·i·lant [-lənt] *a.* 자지 않고 지키는, 경계하는; 방심하지 않는. **~·ly** *ad.*

vig·i·lan·te [vìdʒəlǽnti] *n.* Ⓒ 《美》 「자경(自警) 단원.

vi·gnette [vinjét] *n.* Ⓒ 당초문(唐草紋), (책의 타이틀 페이지·장(章) 머리〔끝〕 따위의) 장식 무늬; 윤곽을 흐리게 한 그림〔사진〕; 인물 스케치. — *vt.* 장식 무늬를 달다; (인물을 뚜렷이 드러내기 위해, 초상화〔사진〕의 배경을) 바림으로 하다.

:vig·or, 《英》 **-our** [vígər] *n.* Ⓤ ① 활기, 원기; 정력; 활력. ② 〖法〗 효력, 유효성.

:vig·or·ous [vígərəs] *a.* ① 원기가 있는, 활기에 찬. ② 힘찬, 기운찬. ③ 정력적인. **˚~·ly** *ad.*

˚Vi·king, v- [váikiŋ] *n.* 바이킹《8-10 세기경 유럽의 스칸디나비아 해적; 《一般》 해적.

:vile [vail] *a.* ① 대단히 나쁜〔싫은〕. ② 상스러운, 야비한. ③ 부도덕한. ④ 빈약한, 하찮은, 변변찮은. ⑤ 지독한.

vil·i·fy [víləfài] *vt.* 비난하다; 중상하다. **-fi·ca·tion** [∸–fikéiʃən] *n.* Ⓤ 비난, 중상.

˚vil·la [vílə] *n.* Ⓒ (시골·교외의 큰) 「별장.

†vil·lage [vílidʒ] *n.* Ⓒ ① 마을, 촌(락)《town보다 작음》. ② 《집합적》 (the ~) 촌민. **:víl·lag·er** *n.* Ⓒ 마을 사람, 촌민.

˚vil·lain [vílən] *n.* Ⓒ ① 악한, 악인. ② 《諧》 놈, 이 자식〔녀석〕. ③ =VILLEIN. **~·ous** *a.* 악인의; 악인〔악당〕 같은; 비열〔악랄〕한; 매우 나쁜, 지독한. **~·y** *n.* Ⓤ 극악, 무도(無道); Ⓒ 나쁜 짓.

vil·lein [vílən] *n.* Ⓒ 〖史〗 농노(農奴). **~·age** *n.* Ⓤ 농노의 신분; 농노의 토지 보유 (조건).

vim [vim] *n.* Ⓤ 힘, 정력, 활기.

vin·ai·grette [vìnəgrét] *n.* Ⓒ 각성제 약병〔통〕; 냄새 맡는 약병〔통〕.

vin·di·cate [víndəkèit] *vt.* (불명예·의심 따위를) 풀다, (…의) 정당함〔진실임〕을 입증하다; 변호하다; 주장하다. **-ca·tor** *n.* Ⓒ 옹호〔변호〕자. **-ca·tion** [∸–kéiʃən] *n.* U,C 변호, 변명; 증명.

vin·dic·tive [vindíktiv] *a.* 복수심이 있는, 앙심 깊은.

:vine [vain] *n.* Ⓒ 덩굴(식물); 포도나무.

˚vin·e·gar [vínigər] *n.* Ⓤ (식)초.

˚vine·yard [vínjərd] *n.* Ⓒ 포도밭.

˚vin·tage [víntidʒ] *n.* ① Ⓒ (한 철의) 포도 수확량; 거기서 나는 포도주; (포도주 양조용의) 포도 수확. ② =VINTAGE WINE. ③ U,C (어떤 시기·해의) 수확, 생산품.

víntage wíne (풍작인 해에 담근) 정선(精選)한 포도주《그 해의 연호를 붙여 팖》.

vint·ner [víntnər] *n.* Ⓒ 포도주 (도매)상.

˚vi·nyl [váinəl, vínəl] *n.* Ⓤ 〖化〗 비닐기(基); U,C 비닐. **~** ***chloride***

염화 비닐. ~ **polymer** 비닐 중합체. ~ **resin** 〔**plastic**〕 비닐 수지.

vi·ol[váiəl] *n.* Ⓒ 중세의 현악기.

vi·o·la[vióulə] *n.* Ⓒ 〖樂〗 비올라. ~ **da gamba**[də gáːmbə] viol류의 옛날 악기(bass viol).

:**vi·o·late**[váiəlèit] *vt.* ① (법률·규칙 따위를) 범하다, 깨뜨리다; 어기다. ② 침입〔침해〕하다. ③ (불법으로) 통과하다. ④ (신성을) 더럽히다, 강간〔능욕〕하다. **-la·tor** *n.* Ⓒ 위의 행위를 하는 사람. ***-la·tion**[∸léiʃən] *n.* Ⓤ,Ⓒ 위반; 침해; 모독; 폭행.

:**vi·o·lence**[váiələns] *n.* Ⓤ ① 맹렬. ② 난폭, 폭력. ③ 손해, 침해. ④ 모독. ⑤ 〖法〗 폭행.

:**vi·o·lent**[váiələnt] *a.* ① 맹렬한, 격심한. ② (언사 따위가) 과격한. ③ 난폭한, 폭력에 의한. ④ 지독한. ~ **death** 변사, 횡사. **:~·ly** *ad.*

:**vi·o·let**[váiəlit] *n.* ① Ⓒ 〖植〗 제비꽃(의 꽃). ② Ⓤ 보랏빛(bluish purple). — *a.* 보랏빛의, 제비꽃 향기가 나는. ~ **rays** 자선(紫線); 《오용》 = ULTRAVIOLET rays.

:**vi·o·lin**[vàiəlín] *n.* Ⓒ ① 바이올린. ② 현악기. ③ (관현악 중의) 바이올린 연주자. ***~·ist**[-ist] *n.*

VIP, V.I.P. [víːàipíː] *n.* (*pl.* **~s**) Ⓒ 《口》 높은 양반(사람), 요인, 고관 (< *v*ery *i*mportant *p*erson).

***vi·per**[váipər] *n.* Ⓒ ① 독사, 살무사. ② 독사〔살무사〕 같은 놈〔사람〕. **~·ous**[-əs] *a.* 살무사의〔같은〕, 독이 있는; 사악한.

vi·ra·go[viráːgou, -réi-] *n.* (*pl.* **~(*e*)*s***) Ⓒ 잔소리 많은 여자, 표독스런 계집.

:**vir·gin**[vɔ́ːrdʒin] *n.* ① Ⓒ 처녀, 미혼녀. ② Ⓒ 동정(童貞)인 사람. ③ (the V-) 성모 마리아. ④ (V-) = VIRGO. — *a.* ① 처녀의, 처녀인, 처녀다운; 순결한. ② 아직 사용되지〔밟히지〕 않은. ③ 경험이 없는, 처음의, 신선한.

vir·gin·al[vɔ́ːrdʒənl] *a.* 처녀의〔같은, 다운〕; 순결한. — *n.* Ⓒ 16-17세기에 사용된 방형(方形) 무각(無脚)의 소형 피아노 비슷한 악기.

Virgínia créeper 〖植〗 양담쟁이.

vir·gin·i·ty[vərdʒínəti] *n.* Ⓤ 처녀임, 처녀성; 순결.

Vir·go [vɔ́ːrgou] *n.* 〖天〗 처녀자리, (황도대(黃道帶)의) 처녀궁(宮).

vir·ile [víral, -rail] *a.* 성년 남자의; 남성적인; 힘찬; 생식력이 있는.

vi·ril·i·ty[viríləti] *n.* Ⓤ 남자다움; 힘참, 정력; 생식력.

vi·rol·o·gy[vaiərálədʒi, -rɔ́l-] *n.* Ⓤ 바이러스 학(學). **-gist** *n.*

***vir·tu·al**[vɔ́ːrtʃuəl] *a.* ① 사실〔실질〕상의. ② 〖理·컴〗 가상의. ***~·ly** *ad.* 사실상.

vírtual reálity 가상 현실(감)《컴퓨터가 만든 가상 공간에 들어가, 마치 현실처럼 체험하는 기술》.

:**vir·tue**[vɔ́ːrtʃuː] *n.* ① Ⓤ 도덕적 우수성, 선량; 미덕; 고결. ② Ⓤ 정조. ③ Ⓒ 미점, 장점; 가치. ④ Ⓤ 효력, 효능. **by** 〔**in**〕 ~ **of** …의 힘으로, …에 의하여. ***make a ~ of*** NECESSITY.

vir·tu·os·i·ty [vəːrtʃuásəti/-ɔ́s-] *n.* Ⓤ 예술〔연주〕상의 묘기; 미술 취미, 골동품을 보는 안식.

vir·tu·o·so[vɔ̀ːrtʃuóusou/-zou] *n.* (*pl.* **~s, -si**[-siː]) Ⓒ 미술품 감정가, 골동품에 정통한 사람; 예술(특히, 음악)의 거장(巨匠).

***vir·tu·ous**[vɔ́ːrtʃuəs] *a.* ① 선량한, 도덕적인, 덕이 있는. ② 정숙한. **~·ly** *ad.* **~·ness** *n.*

vir·u·lent[vírjulənt] *a.* 맹독의, 치명적인; 악의에 찬; (병이) 악성인. **~·ly** *ad.* **-lence, -len·cy** *n.*

***vi·rus**[váiərəs] *n.* Ⓒ ① 바이러스, 여과성(濾過性) 병원체. ② (정신·도덕적) 해독. ③ 〖컴〗 전산균, 셈틀균 《컴퓨터의 데이터를 파괴하는 등의 프로그램》.

***vi·sa**[víːzə] *n.* Ⓒ (여권·서류 따위의) 배서(背書), 사증(査證). — *vt.* (여권 따위에) 배서〔사증〕하다.

vis·age[vízidʒ] *n.* Ⓒ 얼굴, 얼굴 모습.

vis-a-vis[vìːzəvíː] *a. ad.* (F.) 마주 보는〔보아〕, 마주 대하여(*to, with*). — *n.* Ⓒ (특히 춤에서) 마주 대하고 있는 사람; 마주 보고 앉게 된 마차〔의자〕.

vis·cer·a [vísərə] *n. pl.* (*sing.*

V

vis·cus[vískəs]) ((the) ~) 내장(內臟).

vis·cer·al[vísərəl] *a.* ① 내장〔창자〕의; 내장을 해치는《병》. ② 《美·캐나다》 뱃속에서의; 감정적인, 본능을 드러낸; 비이성적인; 도리를 모르는.

vis·cose [vískous] *n.* Ⓤ 비스코스 《인견·셀로판 따위의 원료》.

vis·cos·i·ty[viskásəti/-ɔ́-] *n.* Ⓤ 점착성, 점질(粘質); 점도(粘度).

˚**vis·count** [váikàunt] *n.* Ⓒ 자작(子爵). **~·cy** *n.* Ⓤ 자작의 지위. **~·ess** *n.* Ⓒ 자작 부인〔미망인〕; 여(女)자작.

vis·cous[vískəs] *a.* 끈적이는, 점착성의; 가소성(可塑性)의.

vise, 《英》 **vice** [vais] *n., vt.* Ⓒ 〖機〗 바이스(로 죄다).

:**vis·i·ble**[vízəbəl] *a.* ① 눈에 보이는. ② 명백한. ③ 면회할 수 있는. **-bly** *ad.* 눈에 띄게; 명백히. **vis·i·bil·i·ty**[⏊–bíləti] *n.* Ⓤ 눈에 보이는 것〔상태〕; Ⓤ,Ⓒ 시계(視界), 시거(視距).

:**vi·sion**[víʒən] *n.* ① Ⓤ 시력, 시각. ② Ⓒ 광경, 아름다운 사람〔광경〕. ③ Ⓤ 상상력, (미래) 투시력, 예언력. ④ Ⓒ 환영; 환상; 허깨비, 유령. ***see* ~*s*** 꿈을 갖다; 미래의 일을 상상하다.

˚**vi·sion·ar·y**[víʒənèri/-nəri] *a.* ① 환영의, 환영으로 나타나는. ② 공상적인, 비현실적인; 환상에 잠기는. — *n.* Ⓒ 환영을 보는 사람; 공상가.

†**vis·it**[vízit] *vt.* ① 방문하다; 문병하다. ② 체재하다, 손님으로 가다. ③ 구경〔보러〕 가다; 시찰 가다; 왕진하다. ④ (병·재해 따위가) 닥치다; (재난을) 당하게〔입게〕 하다. — *vi.* ① 방문하다; 구경하다; 체재하다. ② 《美口》 지껄이다, 얘기하다(chat) (~ *over the telephone* 전화로 이야기하다). ~ ***with*** 《美口》 …에 체재하다. — *n.* Ⓒ ① 방문; 문병; 구경; 시찰; 왕진; 체재. ② 《美口》 (허물 없는) 이야기, 담화. ***pay a*** ~ 방문하다.

˚**vis·it·a·tion**[vìzətéiʃən] *n.* ① Ⓒ 방문. ② Ⓒ (고관·고위 성직자 등의) 시찰, 순시; 선박 임검. ③ (V-) 성모 마리아의 Elizabeth 방문, 그 축일《7월 2일》. ④ Ⓒ 천벌; 천혜(天惠).

†**vis·i·tor**[vízitər] *n.* Ⓒ ① 방문자, 문병객, 체재객; 관광객. ② 순시자; (대학의) 장학사.

vísitors' bòok 《英》 숙박자 명부, 내객 방명록.

vi·sor[váizər] *n.* Ⓒ (투구의) 얼굴 가리개; (모자의) 챙; 마스크, 복면.

˚**vis·ta**[vístə] *n.* Ⓒ ① (가로수·거리 따위를 통해 본 좁은) 전망, 멀리 보이는 경치; (툭 터진) 가로수 길, 거리. ② 예상; 전망.

˚**vis·u·al**[víʒuəl] *a.* 시각의, 시각에 인식되는; 보기 위한; 눈에 보이는. **~·ly** *ad.*

vísual áids 시각 교육용 기구.

vísual displáy (ùnit) 〖컴〗 영상 표시 (장치).

˚**vis·u·al·ize**[víʒuəlàiz] *vi., vt.* 눈에 보이게 하다; 생생하게 마음 속에 그리다. **-i·za·tion**[⏊–əlizéiʃən] *n.* Ⓤ 구상화하기; Ⓒ 시각화한 사물.

:**vi·tal**[váitl] *a.* ① 생명의〔에 관한〕; 생명이 있는, 살아 있는; 생명 유지에 필요한. ② 대단히 필요〔중요〕한; 치명적인. ③ 활기에 찬, 생생한. — *n.* (*pl.*) ① 생명 유지에 필요한 기관 《심장·뇌·폐 따위》. ② 급소, 핵심. **~·ism**[-ìzəm] *n.* Ⓤ 〖哲〗 활력론; 〖生〗 생명력설. ˚ **~·ly** *ad.* 중대하게, 치명적으로.

˚**vi·tal·i·ty**[vaitǽləti] *n.* Ⓤ 생명력, 활력, 활기, 원기; 활력.

vítal statístics 인구 동태 통계.

:**vi·ta·min(e)**[váitəmin/vít-] *n.* Ⓒ 비타민.

vi·ti·ate[víʃièit] *vt.* (…의) 질을 손상시키다, 나쁘게 하다, 더럽히다, 썩이다; 무효로 하다. **vi·ti·a·tion**[⏊–éiʃən] *n.*

vi·ti·cul·ture[vítəkʌ̀ltʃər] *n.* Ⓤ 포도 재배.

vit·re·ous[vítriəs] *a.* 유리의; 유리 같은; 유리질의.

vit·ri·fy[vítrəfài] *vt., vi.* 유리화하다, 유리 모양으로 하다〔되다〕. **vit·ri·fac·tion**[⏊–fǽkʃən], **vit·ri·fi·ca·tion**[⏊–fikéiʃən] *n.* Ⓤ 유리화; 투명; Ⓒ 유리화된 것.

vit·ri·ol[vítriəl] *n.* Ⓤ 〖化〗 황산염,

반류(礬類); 황산; 신랄한 말〔비꼼〕. ***blue*** 〔***copper***〕 ~ 담반(膽礬), 황산동. ***green*** ~ 녹반(綠礬), 황산철(鐵). ***oil of*** ~ 황산. ***white*** ~ 호반(皓礬), 황산아연. **~·ic**[⌐–ɑ́lik/-ɔ́-] *a.* 황산의〔같은〕; 황산에서 얻어지는; 통렬한.

vi·tu·per·ate[vaitjúːpərèit, vi-] *vt.* 욕(설)하다. **-a·tive**[-rèitiv] *a.* **-a·tion**[–⌐–éiʃən] *n.*

vi·va[vɑ́ivə] *n., vt.* Ⓒ 구두 시험〔시문(試問)〕(을 하다).

vi·va·cious[vivéiʃəs, vai-] *a.* 활발한, 명랑한. **~·ly** *ad.* **vi·vac·i·ty**[-vǽsəti] *n.*

vi·va vo·ce[vɑ́ivə vóusi] (L.) 구두(口頭)로〔의〕; 구술 시험.

:viv·id[vívid] *a.* ① (색·빛 등이) 선명한, 산뜻한. ② (기억 따위가) 똑똑한; 생생한. ˙**~·ly** *ad.* **~·ness** *n.*

viv·i·sect[vívəsèkt, ⌐–⌐] *vt., vi.* 산채로 해부하다; 생체 해부를 하다. **-sec·tion**[⌐–sékʃən] *n.* Ⓤ 생체 해부. **-sec·tor** *n.* Ⓒ 생체 해부자.

vix·en[víksən] *n.* Ⓒ 암여우; 쨍쨍대는〔짓궂은〕 여자. **~·ish** *a.* 쨍쨍대는, 짓궂은.

viz. *videlicet* (L. =namely).

V̀ nèck (의복의) V꼴 깃.

:vo·cab·u·lar·y [voukǽbjəlèri/-ləri] *n.* ① Ⓤ,Ⓒ 어휘. ② Ⓒ (알파벳순의) 단어집.

:vo·cal[vóukəl] *a.* ① 목소리의, 음성의〔에 관한〕. ② 목소리를 내는, 구두(口頭)의; (흐르는 물 등이) 속삭이는, 소리 나는. ③ 〖樂〗 성악의; 〖音聲〗 유성음의. ~ ***music*** 성악. — *n.* Ⓒ 목소리. **~·ist** *n.* **~·ly** *ad.*

vócal còrds 〔**chòrds**〕 성대.

vo·cal·ize[vóukəlàiz] *vt.* 목소리로 내다, 발음하다; 〖音聲〗 모음〔유성〕화하다. — *vi.* 발성하다, 말하다, 노래하다, 소리치다. ˙**-i·za·tion**[⌐–izéiʃən] *n.*

˙**vo·ca·tion**[voukéiʃən] *n.* ① Ⓒ 직업, 장사. ② Ⓤ 〖宗〗 신(神)의 부르심, 신명(神命). ③ Ⓤ (특정 직업에 대한) 적성, 재능. ④ Ⓒ 천직, 사명.

˙**vo·ca·tion·al**[-əl] *a.* 직업(상)의; 직업 보도의.

voc·a·tive[vɑ́kətiv/vɔ́-] *n., a.* Ⓒ 〖文〗 호격(呼格)(의).

vo·cif·er·ous[vousífərəs] *a.* 큰 소리로 외치는, 시끄러운. **~·ly** *ad.*

vod·ka [vɑ́dkə/vɔ́-] *n.* Ⓤ 보드카《러시아의 화주(火酒)》.

˙**vogue**[voug] *n.* ① (the ~) 유행. ② (a ~) 인기. ***be in*** ~ 유행하고 있다. ***be out of*** ~ (유행·인기가) 없어지다. ***bring*** 〔***come***〕 ***into*** ~ 유행시키다〔되기 시작하다〕.

†**voice**[vɔis] *n.* ① Ⓤ,Ⓒ (인간의) 목소리, 음성; (새의) 울음 소리. ② Ⓒ (바람·파도와 같은 자연물의) 소리. ③ Ⓤ 발성력, 발언력; 표현; (표명된) 의견, 희망. ④ Ⓤ 발언권, 투표권(*in*); Ⓒ 가수(의 능력); 〖樂〗 (성악·기악곡의) 성부(聲部). ⑤ Ⓒ 〖文〗 태(態); Ⓤ 〖音聲〗 유성음(有聲音). ***be in*** (***good***) ~ (성악가·연설가 등의) 목소리가 잘 나오다. ***find one's*** ~ 입밖에 내서 말하다, 용기를 내서 말하다. ***give*** ~ ***to*** (…을) 입밖에 내다. ***lift up one's*** ~ 소리치다; 항의하다. ***mixed*** **~*s*** 〖樂〗 혼성. ***raise one's*** **~*s*** 언성을 높이다. ***with one*** ~ 이구동성으로. — *vi.* ① 목소리를 내다, 말로 나타내다. ② 〖音聲〗 유성음으로 (발음)하다. **~d**[-t] *a.* 목소리로 낸; 〖音聲〗 유성음의.

vóice-bòx *n.* Ⓒ 후두(喉頭) (larynx).

˙**vóice·less** *a.* 목소리가 없는; 무음의, 벙어리의; 〖音聲〗 무성음의. **~·ly** *ad.*

vóice-òver *n.* Ⓒ (TV 따위의 화면 밖의) 해설 소리.

:void[vɔid] *a.* ① 빈, 공허한; (집·토지 따위가) 비어 있는. ② (…이) 없는, 결한(*of*). ③ 무익한; 〖法〗 무효의. — *n.* (a ~) 빈 곳; (the ~) 공간; (a ~) 공허(감). — *vt.* 무효로 하다, 취소하다; 배설하다, 비우다. **⌐·a·ble** *a.* 무효로 할 수 있는; 배출〔배설〕할 수 있는.

voile[vɔil] *n.* Ⓤ 보일《엷은 직물》.

vol. volume; volunteer.

˙**vol·a·tile**[vɑ́lətil/vɔ́lətàil] *a.* ① 휘발성의. ② 쾌활한; 변덕스러운; 일시적인, 덧없는. ③ 〖컴〗 (기억이) 휘발성의《전원을 끄면 데이터가 소실되는》(~ ***memory*** 휘발성 기억 장

V

치). **-til·i·ty**[ˊ–tíləti] *n.*

˙**vol·can·ic**[vɑlkǽnik/vɔl-] *a.* ① 화산(성)의; 화산이 있는. ② (성질 따위가) 폭발성의, 격렬한.

:**vol·ca·no**[vɑlkéinou/vɔl-] *n.* (*pl.* **~(e)s**) Ⓒ 화산. ***active* 〔*dormant, extinct*〕 ~** 활〔휴, 사〕화산.

vole[voul] *n.* Ⓒ 들쥐류(類).

vo·li·tion[vouliʃən] *n.* Ⓤ 의지의 작용, 의욕; 의지력, 의지, 결의; 선택. **~·al** *a.* 의지의, 의욕적인.

˙**vol·ley**[vɑ́li/vɔ́-] *n.* Ⓒ ① 일제 사격; 빗발치듯하는 탄환〔화살·돌〕; (질문·욕설의) 연발. ② 〖테니스·蹴〗 발리《공이 땅에 닿기 전에 치거나 차보내기》. — *vt.* ① 일제 사격하다; (질문 따위를) 연발하다. ② 발리로 되치다〔되차다〕. — *vi.* ① 일제히 발사되다. ② 발리를 하다.

:**vól·ley·bàll** *n.* Ⓤ 배구; Ⓒ 그 공.

˙**volt**[voult] *n.* Ⓒ 〖電〗 볼트. **~·age** [ˊidʒ] *n.* Ⓤ,Ⓒ 전압(電壓)(량).

volte-face[vɑ̀ltəfɑ́:s, vɔ̀(:)l-] *n.* (F.) Ⓒ 방향 전환; (의견·정책 따위의) 전향.

vol·u·ble [vɑ́ljəbəl/vɔ́-] *a.* 수다스러운, 입심 좋은, 말 잘 하는, 유창한. **-bly** *ad.* **~·ness** *n.* **-bil·i·ty** [ˋ–bíləti] *n.*

:**vol·ume**[vɑ́ljum/vɔ́-] *n.* ① Ⓒ 권(券); 책, 서적. ② Ⓤ 체적, 부피; 용적; 양(量); 음량. ③ Ⓒ 큰 덩어리, 대량. ④ Ⓤ 〖컴〗 용량, 부피, 볼륨. ***speak* ~*s*** 웅변으로 말하다, 의미 심장하다.

˙**vo·lu·mi·nous**[vəlú:mənəs] *a.* ① (부피가) 큰 책의; 권수가 많은; 큰 부수(部數)의. ② 저서가 많은, 다작의. ③ 풍부한; 부피가 큰.

:**vol·un·tar·y**[vɑ́lənteri/vɔ́ləntəri] *a.* ① 자유 의사의, 자발적인. ② 의지에 의한; 임의의, 지원〔자원〕의. ③ 〖生〗 수의적인. **~ *muscle*** 〖解〗 수의근(隨意筋). **~ *service*** 지원 병역. — *n.* Ⓒ 자발적 행위; (교회에서 예배의 전, 중간, 후의) 오르간 독주. **-tar·i·ly** *ad.* 자발적으로. **-ta·rism**[-tərìzəm] *n.* Ⓤ 〖哲〗 주의설(主意說); 자유 지원제.

:**vol·un·teer**[vɑ̀ləntíər/vɔ̀l-] *n.* Ⓒ 유지(有志), 지원자〔병〕. — *a.* 유지의; 지원병의; 자발적인. — *vt.* 자발적으로 나서다; 지원하다(*to* do). — *vi.* 자진해서 일을 맡다; 지원병이 되다(*for*).

vo·lup·tu·ar·y[vəlʌ́ptʃuèri/-əri] *n.* Ⓒ 주색〔육욕〕에 빠진 사람.

vo·lup·tu·ous[vəlʌ́ptʃuəs] *a.* 오관(五官)의 즐거움을 찾는, 관능적 쾌락에 빠진; 육욕을 자극하는; 관능적인, (미술·음악 따위) 관능에 호소하는. **~·ly** *ad.* **~·ness** *n.*

˙**vom·it**[vɑ́mit/vɔ́-] *vt.* ① (먹은 것을) 게우다. ② (연기 따위를) 내뿜다; (욕설을) 퍼붓다. — *vi.* 토하다; (화산이) 용암 따위를 분출하다. — *n.* Ⓒ 게움, 구토; Ⓤ 구토물, 게운 것; 토제(吐劑).

voo·doo[vú:du:] *n.* (*pl.* **~s**) Ⓤ 부두교(敎)《아프리카에서 발생하여 서인도 제도, 미국 남부의 흑인들이 믿는 원시 종교》; Ⓒ 부두 도사(道士). — *a.* 부두교의. **~·ism**[-ìzəm] *n.* Ⓤ 부두교.

vo·ra·cious[vouréiʃəs] *a.* 게걸스레 먹는, 대식(大食)하는; 대단히 열심인, 물릴 줄 모르는. **~·ly** *ad.* **~·ness** *n.* **vo·rac·i·ty**[-rǽsəti] *a.*

vor·tex [vɔ́:rteks] *n.* (*pl.* **~*es, -tices***[-təsì:z]) Ⓒ (물·공기 따위의) 소용돌이; (the ~) (사회적·지적(知的) 운동 등의) 소용돌이.

:**vote**[vout] *n.* ① Ⓒ 찬부 표시, 투표; (the ~) 투표〔선거〕권. ② Ⓒ 표결 사항; 투표수; 투표인; 투표 용지. — *vi.* 투표로 결정하다〔지지하다〕; 《口》 (세상 여론이) 평하다, 결정하다; 《口》 제의하다. **~ *down*** (투표에 의해) 부결하다. **~ *in*** 선거하다. ˙**vót·er** *n.* Ⓒ 투표자; 유권자. **vót·ing** *n.* Ⓤ 투표.

vo·tive[vóutiv] *a.* (맹세를 지키기 위해) 바친; 기원의.

˙**vouch**[vautʃ] *vi.* 보증하다; 확증하다(*for*). **ˊ·er** *n.* Ⓒ 보증인; 증거물, 증빙 서류; 영수증.

vouch·safe[vautʃséif] *vt.* 허용하다, 주다, 내리다. — *vi.* …해 주시다(*to* do).

:**vow**[vau] *n.* Ⓒ (신에게 한) 맹세, 서약, 서원(誓願). ***take* ~*s*** 종교단의 일원이 되다. ***under a* ~** 맹세

를 하고. — *vt., vi.* 맹세하다; (…을) 할(줄) 것을 맹세하다; 단언하다.

:**vow·el** [váuəl] *n.* Ⓒ 모음(자).

:**voy·age** [vɔ́iidʒ] *n.* Ⓒ (먼 거리의) 항해. — *vi., vt.* 항해하다. **vóy·ag·er** *n.* Ⓒ 항해자.

vo·yeur [vwɑːjə́ːr] *n.* (F.) Ⓒ 관음자(觀淫者).

V.P. Vice-President.

vs. versus.

V́-sìgn *n.* Ⓒ 승리의 사인《집게손가락과 가운뎃손가락으로 만들어 보이는 V자》.

vul·can·ize [vʌ́lkənàiz] *vt.* (고무를) 유황 처리하다, 경화하다. **-i·zation** [ˌ–izéiʃən] *n.*

:**vul·gar** [vʌ́lgər] *a.* ① 상스러운, 야비(저속)한. ② 일반의, 통속적인; (상류 계급에 대해) 서민의; 일반 대중의. ***the*** **~** (***herd***) 일반 대중. **~·ism** [-ìzəm] *n.* Ⓤ 속악(俗惡), 상스러움; Ⓤ,Ⓒ 저속한 말. **~·ly** *ad.*

vul·gar·i·ty [vʌlgǽrəti] *n.* Ⓤ 속악(俗惡), 상스러움, 예의 없음, 야비함.

vul·gar·i·ze [vʌ́lgəràiz] *vt.* 속되게 하다; 대중화(大衆化)하다. **-za·tion** [ˌ–izéiʃən/-raiz-] *n.*

vul·ner·a·ble [vʌ́lnərəbəl] *a.* 부상하기(다치기) 쉬운, 공격 받기 쉬운; (비난·유혹·영향 따위를) 받기 쉬운, 약점이 있는(*to*); 〖카드놀이〗 (세판 승부 브리지에서 한 번 이겼기 때문에) 두 배의 벌금을 짊어질 위험이 있는 (입장의). **~ *point*** 약점. **-bil·i·ty** [ˌ–bíləti] *n.*

vul·pine [vʌ́lpain] *a.* 여우의(같은) (foxy), 교활한(sly).

˙**vul·ture** [vʌ́ltʃər] *n.* Ⓒ 독수리; 욕심쟁이.

vul·va [vʌ́lvə] *n.* (*pl.* ***-vae***[-viː], **~*s***) Ⓒ 〖解〗 음문(陰門).

vy·ing [váiiŋ] (〈vie) *a.* 다투는, 경쟁하는. **~·ly** *ad.*

V

W

W, w [dʌ́blju(ː)] *n.* (*pl.* ***W's, w's*** [-z]) Ⓒ W자 모양의 것.

W watt. **W, W., w.** west(ern).

wack·y [wǽki] *a.* 《美俗》 괴팍한; 광기가 있는.

wad [wɑd/-ɔ-] *n.* Ⓒ (부드러운 것의) 작은 뭉치; 썹고난 껌; (가득 찬) 뭉치, 덩어리; 채워[메워] 넣는 물건[솜]; 장전된 탄환을 고정시키는 충전물; 지폐 뭉치; 《美俗》 다액의 돈. — *vt.* (**-dd-**) 작은 뭉치로 만들다; 채워 넣다; (총에) 알마개를 틀어 넣다. **∠·ding** *n.* Ⓤ 채우는 물건[솜].

wad·dle [wɑ́dl/-ɔ́-] *vi.* (오리처럼) 어기적어기적 걷다. — *n.* (a ~) 어기적어기적 걸음; 그 걸음걸이.

:wade [weid] *vi.* ① (물 속을) 걸어서 건너다; (진창·눈 따위 걷기 힘든 곳을) 간신히 지나가다. ② 애를 써 나아가다(*through*). — *vt.* (강 따위를) 걸어서 건너다. **~ *in*** 얕은 물속에 들어가다; 간섭하다; 상대를 맹렬히 공격하다. **~ *into*** 《口》 맹렬히 공격하다; 힘차게 일에 착수하다. **~ *through slaughter* [*blood*] *to*** (*the throne*) 살육을 해서 (왕위)를 얻다. — *n.* (a ~) 도섭(徒涉). **wád·er** *n.* Ⓒ 걸어서 건너는 사람; 【鳥】 섭금(涉禽); (*pl.*) 《英》 (낚시꾼용) 긴 장화.

wa·di [wɑ́di/-ɔ́-] *n.* Ⓒ (아라비아·북아프리카 등지의, 우기 이외는 말라붙는) 마른 골짜기; 그 곳을 흐르는 강.

***wa·fer** [wéifər] *n.* ① Ⓒ,Ⓤ 웨이퍼; 오블라토. ② Ⓒ 【가톨릭】 (미사용의) 제병(祭餠)《얇은 빵》. ③ 봉합지(封緘紙). **~·ly** *a.* 웨이퍼 같은; 얇은.

wáfer-thín *a.* 아주 얇은. 「《과자》.

waf·fle[1] [wɑ́fəl/-ɔ́-] *n.* Ⓒ,Ⓤ 와플

waf·fle[2] *n., vt.* Ⓤ 《英》 쓸데 없는 소리(를 지껄이다).

wáffle ìron 와플 굽는 틀.

***waft** [wæft, -ɑː-] *vt.* (수중·공중을) 부동(浮動)시키다, 떠돌게 하다. — *n.* Ⓒ 부동; (냄새 따위의) 풍김; (바람의) 한바탕 불기.

wag**[1] [wæg] *vt., vi.* (**-gg-**) (상하·좌우로 빨리) 흔들(리)다. **~ *the tongue (쉴새없이) 지껄이다. — *n.* Ⓒ 흔듦; 흔들거림.

wag[2] *n.* Ⓒ 익살꾸러기.

:wage [weidʒ] *n.* Ⓒ ① (보통 *pl.*) 임금, 급료《일급·주급 따위》. ② 《古》 (보통 *pl.*) 갚음, 보답. — *vt.* (전쟁·투쟁을) 하다(*against*). **~ *the peace*** 평화를 유지하다.

wáge clàim 임금 인상 요구.

wáge èarner 급료[임금] 생활자.

wáge pàcket 《英》 급료 봉투 (《美》 pay envelope).

wa·ger** [wéidʒər] *n.* Ⓒ 노름; 내기에 건 돈[물건]. **~ *of battle 【史】 결투(에 의한) 재판. — *vt.* (내기에) 걸다.

wag·gle [wǽgəl] *v., n.* =WAG[1].

:wag·on, 《英》 **wag·gon** [wǽgən] *n.* Ⓒ (각종) 4륜차, 짐차; 《英》 무개 화차. HITCH ***one's ~ to a star. on* [*off*] *the ~*** 《美俗》 술을 끊고 [또 시작하고]. — *vt.* wagon으로 나르다. **~·er** *n.* Ⓒ (짐마차의) 마차꾼.

wa·gon-lit [vagɔ̃li] *n.* (F.) Ⓒ (유럽 대륙 철도의) 침대차. 「의 짐.

wágon·lòad *n.* Ⓒ wagon 한 대분

wág·tàil *n.* Ⓒ 【鳥】 할미새.

waif [weif] *n.* Ⓒ 부랑자, 부랑아; 임자 없는 물품[짐승]; 표착물(漂着物). **~*s and strays*** 부랑아의 떼; 그러모은 것.

:wail [weil] *vi.* ① 울부짖다; 비탄하다(*over*). ② (바람이) 구슬픈 소리를 내다. — *vt.* 비탄하다. — *n.* ① Ⓒ 울부짖는 소리. ② (*sing.*) (바람의) 처량하게 울리는 소리.

wain·scot [wéinskət, -skòut] *n., vi.* 《英》 **-tt-**) Ⓤ 【建】 벽판(壁板) (을 대다), 징두리널(재료). **~·(t)ing** *n.*

Ⓤ 벽판, 징두리널; 그 재료.

:waist[weist] *n.* Ⓒ ① 허리, 요부(腰部); 허리의 잘록한 곳. ② (의복의) 허리; 《美》 (여자·어린이의) 몸통옷, 블라우스. ③ (현악기 따위) 가운데의 잘록한 곳. 「허리띠.

wáist·bànd *n.* Ⓒ (스커트 등의)

ˈwaist·coat[wéskət, wéistkòut] *n.* Ⓒ 《英》 조끼(《美》 vest).

wáist·déep *a., ad.* 깊이가 허리까지 차는[차게].

waist·ed[wéistid] *a.* 허리 모양을 한; 《복합어》 …한 허리의.

wáist-hígh *a.* 허리 높이의.

wáist·lìne *n.* Ⓒ 허리의 잘록한 곳; 웨이스트 (라인), 허리통.

†wait[weit] *vi.* ① 기다리다(*for*). ② 시중들다(*at, on*). ③ 하지 않고 내버려 두다, 미루다. — *vt.* ① 기다리다. ② 시중을 들다. ③ 《口》 늦추다. **~ *on*** [***upon***] …에게 시중들다; …을 섬기다; (연장자를 의례적으로) 방문하다; (결과가) 따르다. — *n.* Ⓒ ① 기다림, 기다리는 시간. ② (보통 *pl.*) 《英》 (크리스마스의) 성가대. ③ 〖컴〗 기다림, 대기. ***lie in*** [***lay***] **~ *for*** …을 숨어[매복해] 기다리다. **:∠·er** *n.* Ⓒ 급사, 음식 나르는 쟁반; 기다리는 사람; =DUMB-WAITER.

wáiting gàme (게임 등에서의) 지연 작전. 「부.

wáiting lìst 순번 명부; 보궐인 명

wáiting ròom 대합실. 「여급.

ˈwait·ress[wéitris] *n.* Ⓒ 여급사,

waive[weiv] *vt.* (권리·요구 등을) 포기하다; 그만두다; 연기[보류]하다. **wáiv·er** *n.* Ⓤ 〖法〗 포기; Ⓒ 기권 증서.

†wake¹[weik] *vi.* (**woke, ~d; ~d,** 《稀》 **woke, woken**) ① 잠깨다, 일어나다(*up*); 깨어 있다; (정신적으로) 눈뜨다(*up, to*). ② 활기 띠다; 되살아나다. — *vt.* ① 깨우다, 일으키다(*up*). ② (정신적으로) 각성시키다; 분기시키다(*up*); 되살리다; 환기하다. **~ *to*** …을 깨닫다. ***waking or sleeping*** 자나깨나. — *n.* Ⓒ (헌당식(獻堂式)의) 철야제(徹夜祭); 《Ir.》 밤샘, 경야.

wake² *n.* Ⓒ 항적(航跡); (물체가) 지나간 자국. ***in the ~ of*** …의 자국을 따라; …에 잇따라; …을 따라.

wake·ful[wéikfəl] *a.* 잠 못이루는, 잘 깨는; 자지 않는; 방심하지 않는. **~·ly** *ad.* **~·ness** *n.*

:wak·en[wéikən] *vt.* ① 깨우다, 일으키다. ② (정신적으로) 눈뜨게 하다, 분기시키다. — *vi.* 잠이 깨다, 일어나다; 깨닫다.

†walk[wɔːk] *vi.* ① 걷다; 걸어가다; 산책하다. ② (유령이) 나오다. ③ 〖野〗 (사구(四球)로) 걸어 나가다. — *vt.* ① (길·장소를) 걷다; (말·개 따위를) 걸리다. ② 데리고 걷다, 동행하다. ③ 〖野〗 (사구로) 걸리다. ④ (무거운 것을) 걸리듯 좌우로 움직여 운반하다. ⑤ (…와) 걷기 경쟁을 하다. **~ *about*** 걸어다니다, 산책하다. **~ *away from*** …의 곁을 떠나다; (경주 등) 쉽사리 앞지르다. **~ *away*** [***off***] ***with*** …을 가지고 도망하다; (상 따위를) 타다. **~ *in*** 들어가다. **~ *into*** 《俗》 때리다, 욕하다; 《俗》 배불리 먹다. **~ *off*** (노하여) 가버리다; (죄인 등을) 끌고 가다; 걸어서 …을 없애다(**~ *off a headache***). **~ *out*** 나다니다; 퇴장해 버리다; 갑자기 떠나다; 《口》 파업하다. **~ *out on*** 《美口》 버리다. **~ *over*** (대항할 말이 없어서 코스를) 보통 걸음으로 걸어 수월히 이기다. **~ *tall*** 가슴을 펴고 걷다, 스스로 긍지를 갖다. **~ *the boards*** 무대에 서다. **~ *the chalk*** (취하지 않았음을 경찰관에게 보이기 위해서) 똑바로 걸어 보이다. **~ *the hospitals*** (의학생이) 병원에서 실습하다. **~ *the street*** 매음하다. **~ *through life*** 세상을 살아가다. ***W- up!*** 어서 오십시오!《손님을 끄는 소리》. **~ *upon air*** 정신 없이 기뻐하다. **~ *up to*** …에 걸어서 다가가다. **~ *with God*** 하느님의 길을 걷다. — *n.* Ⓒ ① (*sing.*) 걷기; 보행; 걸음걸이; (말의) 보통 걸음. ② 산책. ③ 보도; 인도; 산책길. ④ 〖野〗 사구출루(四球出壘). ⑤ (가축의) 사육장. ***a ~ of*** [***in***] ***life*** 직업; 신분. ***go for*** [***take***] ***a ~*** 산책하(러 가)다. **˙∠·er** *n.* Ⓒ 보행자; 산책하는 사람; (날거나 헤엄치지 않고) 걷는 새.

walk·ie-talk·ie, walk·y·talk·y [⸗itɔ́:ki] *n.* Ⓒ 휴대용 무선 전화기.
wálk-ìn *n.* Ⓒ 밖에서 직접 들어갈 수 있는 아파트; (선거의) 낙승; 대형 냉장고.
:**walk·ing**[⸗iŋ] *n., a.* Ⓤ 걷기; 걷는; 보행(용의).
wálking pàpers 《口》 해고 통지.
wálking stìck 지팡이; 대벌레.
wálk-òn *n.* Ⓒ 〖劇〗 (대사가 없는) 단역《통행인 따위》.
wálk-òut *n.* Ⓒ 《美口》 동맹 파업; 항의하기 위한 퇴장.
wálk·òver *n.* Ⓒ 〖競馬〗 (경쟁 상대가 없을 때 코스를) 보통 걸음으로 걷기; 《口》 낙승; 부전승.
wálk-ùp *a., n.* Ⓒ 《美口》 엘리베이터가 없는 (건물).
wálk·wày *n.* Ⓒ 《美口》 보도, 인도 《특히 공원, 정원 등의》; (공장 내의) 통로.
†**wall**[wɔ:l] *n.* Ⓒ ① 벽; (돌·벽돌 등의) 담. ② (보통 *pl.*) 성벽. ③ (모양·용도 등이) 벽과 같은 것. ***drive* 〔*push*〕 *to the* ~** 궁지에 몰아 넣다. ***give* (*a person*) *the* ~** (아무에게) 길을 양보하다. ***go to the* ~** 궁지에 빠지다; 지다; 사업에 실패하다. ***run one's head against the* ~** 불가능한 일을 꾀하다. ***take the* ~ *of* (*a person*)** 아무를 밀어제치고 유리한 입장을 차지하다. ***with one's back to the* ~** 궁지에 몰려서. — *vt.* 벽〔담〕으로 둘러싸다; 성벽을 두르다, 벽으로 막다(*up*). **~ed**[-d] *a.* 벽을 댄; 성벽을 두른.
wal·la·by[wɑ́ləbi/-ɔ́-] *n.* Ⓒ 〖動〗 작은 캥거루.
:**wal·let**[wɑ́lit/-ɔ́-] *n.* Ⓒ 지갑; 《英古》 (여행용) 바랑.
wáll·flòwer *n.* Ⓒ 〖植〗 계란풀; 무도회에서 상대가 없는 젊은 여자.
wal·lop [wɑ́ləp/-ɔ́-] *vt.* 《口》 때리다, 강타하다. — *n.* Ⓒ 《口》 강타, 타격력.
wal·lop·ing[-iŋ] *a.* 《口》 육중한, 커다란, 굉장히 큰; 센, 강한. — *n.* Ⓒ 강타; 완패.
wal·low[wɑ́lou/-ɔ́-] *vi.* (진창·물속 따위를) 뒹굴다, 허우적거리다; (주색 따위에) 빠지다, 탐닉하다(*in*). ***~ in money*** 돈에 파묻혀 있다, 돈이 주체 못할 만큼 많다. — *n.* (*a* ~) 뒹굶; Ⓒ (물소 따위가 뒹구는) 수렁.
wáll pàinting 벽화.
***wáll·pàper** *n., vt.* Ⓤ (벽·방 등에) 벽지(를 바르다).
Wáll Strèet 월가(街)〔스트리트〕; 미국 금융시장.
wáll-to-wáll *a.* 바닥 전체를 덮은 《카펫 따위》; 《口》 포괄적인.
***wal·nut**[wɔ́:lnʌ̀t, -nət] *n.* Ⓒ 호두《열매·나무》; Ⓤ 그 목재; 호두색.
***wal·rus** [wɔ́(:)lrəs, wɑ́l-] *n.* Ⓒ 〖動〗 해마.
wálrus moustáche 팔자수염.
waltz**[wɔ:lts] *n.* Ⓒ 왈츠. — *vi.* 왈츠를 추다; 들떠서 춤추다; (경쾌하게) 춤추듯 걷다. ***~ off with 《口》 경쟁자를 쉽게 물리치고 (상을) 획득하다; 유괴하다.
wan**[wɑn/-ɔ-] *a.* (-nn-***) ① 창백한, 해쓱한. ② 약한. **⸗·nish** *a.* 좀 해쓱한.
***wand**[wɑnd/-ɔ-] *n.* Ⓒ (마술사의) 지팡이; (직권을 나타내는) 관장(官杖); 〖樂〗 지휘봉; 《美》 (활의) 과녁판.
:**wan·der**[wɑ́ndər/-ɔ́-] *vi.* ① 걸어 돌아다니다, 헤매다(*about*). ② 길을 잘못 들다, 옆길로 벗어나다(*off, out, of, from*). ③ 두서〔종잡을 수〕 없이 되다; (열 따위로) 헛소리하다, (정신이) 오락가락하다. *** ~·er** *n.*
***wan·der·ing**[-iŋ] *a.* ① 헤매는; 옆길로 새는. ② 두서 없는. — *n.* (*pl.*) 산보, 방랑, 만유(漫遊); 헛소리. **~·ly** *ad.*
wan·der·lust[-lʌ̀st] *n.* Ⓤ 여행열; 방랑벽.
***wane**[wein] *vi.* ① (달이) 이지러지다; (세력·빛 따위가) 이울다. ② 종말에 가까워지다. — *n.* (*the* ~) (달의) 이지러짐; 쇠미; 종말. ***in* 〔*on*〕 *the* ~** (달이) 이지러져서; 쇠미하여, 기울기 시작하여.
wan·gle[wǽŋgəl] *vt.* 《口》 책략으로 손에 넣다, 술책을 쓰다, 헤어나다.
wan·na [wɔ̀:nə, wɑ̀-] 《美口》 = WANT to.
†**want**[wɔ(:)nt, wɑnt] *vt.* ① 없다, 모자라다(*of*). ② 바라다; 필요하다.

③ 《부정사와 더불어》 …하고 싶다. 해주기를 바라다. ④ 해야 한다. 하는 편이 낫다. — *vi.* 부족하다(*in, for*); 곤궁하다. — *n.* ① Ⓤ 결핍, 부족; 필요; 곤궁. ② Ⓒ (보통 *pl.*) 필요품. **for ~ of** …의 결핍 때문에. **in ~ of** …이 필요하여; …이 없어. **:∠·ing** *a., prep.* 결핍한; 불충분하여; …이 없는, 부족하여.

·wan·ton [wántən, -ɔ́(ː)-] *a.* ① 까닭 없는; 악의 있는; 분방한. ② 음탕한, 바람난. ③ 《詩》 들떠 날뛰는; 변덕스러운; 개구쟁이의. ④ 《詩》 (초목 따위) 우거진. — *n.* Ⓒ 바람둥이, 바람난 여자. — *vi.* ① 뛰어 돌아다니다, 장난치다, 까불다. ② 우거지다. **~·ly** *ad.* **~·ness** *n.*

†war [wɔːr] *n.* ① Ⓤ,Ⓒ 전쟁. ② Ⓤ 군사, 전술. ③ Ⓤ,Ⓒ 싸움. ***at ~*** 교전 중인(*with*). ***declare ~*** 선전하다(*on, upon, against*). ***go to ~*** 전쟁하다(*with*). ***make*** 〔***wage***〕 ***~*** 전쟁을 시작하다(*on, upon, against*). ***the ~ to end ~*** 제1차 대전의 일컬음. ***W- between the States*** = CIVIL WAR. ***~ of nerves*** 신경전. — *vi.* (-rr-) 전쟁하다, 싸우다.

·war·ble [wɔ́ːrbəl] *vi., vt.* 지저귀다; 지저귀듯 노래하다; 《美》 = YODEL. — *n.* (a ~) 지저귐. **wár·bler** *n.* Ⓒ 지저귀는 새, 《美》 (특히 색채가 고운) 명금(鳴禽); 가수.

wár crìme 전쟁 범죄.

wár crìminal 전쟁 범죄인.

wár crỳ 함성; (정당의) 표어.

:ward [wɔːrd] *n.* ① Ⓤ 감시, 감독; 보호; 후견. ② Ⓒ 병실, 병동; (양로원 등의) 수용실; 감방. ③ Ⓒ 〖法〗 피후견자. ④ Ⓒ (도시의) 구(區). ⑤ Ⓤ 《古》 감금. ***be in ~ to*** …의 후견을 받고 있다. ***be under ~*** 감금되어 있다. — *vt.* 막다(*off*); 병실에 수용하다 《古》 보호하다.

-ward [wərd] *suf.* '…쪽으로'의 뜻: north*ward*.

wár dànce (토인의) 출진(出陣) 〔전승(戰勝)〕춤.

·war·den [wɔ́ːrdn] *n.* Ⓒ ① 감시인, 문지기. ② 간수장; (관공서의) 장(長); 《英》 학장, 교장. ③ 교구(教區) 위원.

ward·er [wɔ́ːrdər] *n.* Ⓒ 지키는 사람, 감시인; 《주로 英》 간수.

:ward·robe [wɔ́ːrdròub] *n.* ① Ⓒ 옷장; 의상실. ② 《집합적》 (개인 소유의) 의류, 의상 (전부).

wárd·ròom *n.* Ⓒ (군함의) 사관실.

-wards [wərdz] *suf.* 《주로 英》 = WARD.

ward·ship [wɔ́ːrdʃip] *n.* Ⓤ 후견, 보호; 피후견인임.

:ware [wɛər] *n.* ① (*pl.*) 상품. ② Ⓤ 《집합적》 제품; 도자기.

·ware·house [wɛ́ərhàus] *n.* Ⓒ ① 창고. ② 《주로 英》 도매상, 큰 상점. — [∠hàuz, -hàus] *vt.* 창고에 넣다〔저장하다〕. **~·man** *n.* Ⓒ 창고업자〔주〕; 창고 노동자, 창고계.

·war·fare [wɔ́ːrfɛ̀ər] *n.* Ⓤ 전투(행위), 전쟁, 교전 (상태).

wár·hèad *n.* Ⓒ (어뢰·미사일의) 탄두(*an atomic ~* 핵탄두).

wár-hòrse *n.* Ⓒ 군마; 《口》 노병.

·war·like [∠làik] *a.* ① 전쟁〔군사〕의. ② 호전적인; 전투〔도전〕적인; 상무(尙武)의.

†warm [wɔːrm] *a.* ① 따뜻한; 몹시 더운. ② (마음씨·색이) 따뜻한; 친밀한; 마음에서 우러나는. ③ 열렬한, 흥분한. ④ 〖獵〗 (냄새·자취가) 생생한. ⑤ 《口》 (숨바꼭질 따위에서, 술래가 숨은 사람에) 가까운. ⑥ 불유쾌한. ⑦ 《英口》 살림이 유복한. ***getting ~*** 《口》 (숨바꼭질의 술래가) 숨은 사람 쪽으로 다가가는; 진실에 가까워지는. ***grow ~*** 흥분하다. ***in ~ blood*** 격분하여. ***~ with*** 더운 물과 설탕을 섞은 브랜디(cf. COLD without). ***~ work*** 힘드는 일. — *vt., vi.* ① 따뜻하게 하다, 따뜻해지다. ② 열중(하게)하다; 흥분시키다〔하다〕. ③ 동정적으로 되(게 하)다. ***~ up*** 〖競〗 준비 운동을 하다. — *n.* (a ~) 《口》 따뜻하게 하기, 따뜻해지기. **∠·er** *n.* Ⓒ 따뜻하게 하는 사람〔물건〕.

wárm-blóoded *a.* 온혈(溫血)의; 열혈의; 온정이 있는.

wárm-héarted *a.* 친절한, 온정이 있는.

wárming pàn 긴 손잡이가 달린 난상기(暖床器).

wárming-úp *n.* Ⓒ 〖競〗 워밍업, 준비 운동.

˙**warm·ly**[wɔ́ːrmli] *ad.* 따뜻이; 다정하게; 흥분하여.

wár·mònger *n.* Ⓒ 전쟁 도발자, 주전론자. **~ing** *n.* Ⓤ 전쟁 도발 행위.

:**warmth**[wɔːrmθ] *n.* Ⓤ ① (기온·마음·색 따위의) 따뜻함. ② 열심, 열렬; 흥분, 화. ③ 온정.

wárm-ùp *n.* = WARMING-UP.

:**warn** [wɔːrn] *vt.* ① 경고하다 (*against, of*); 경고하여 …시키다. ② 훈계하다; 예고[통고]하다.

:**warn·ing**[wɔ́ːrniŋ] *n.* ① Ⓤ,Ⓒ 경고; 훈계. ② Ⓒ 경보; 훈계가 되는 것 [사람]. ③ Ⓤ 예고, 통지. ④ Ⓒ 전조. ***take* ~ *by*** …을 교훈으로 삼다.

˙**warp**[wɔːrp] *vt.* ① (판자 따위를) 뒤둥그러지게 하다, 구부리다. ② (마음·진실 등을) 뒤틀리게 하다; 왜곡하다. ③ 〖海〗 (배를) 밧줄로 끌다. ― *vi.* 뒤둥그러[구부러]지다; 뒤틀리다. ― *n.* ① (the ~) (피륙의) 날실(opp. woof). ② (a ~) 뒤둥그러짐; 비뚤어짐; 뒤틀림.

wár pàint 아메리카 인디언이 출전 전에 얼굴·몸에 바르는 물감; 《口》 성장(盛裝).

wár·pàth *n.* Ⓒ (북아메리카 원주민의) 출정의 길. ***on the* ~** 싸우려고; 노하여.

:**war·rant**[wɔ́(ː)rənt, -á-] *n.* ① Ⓤ 정당한 이유, 근거; 권한. ② Ⓒ 보증(이 되는 것). ③ Ⓒ 영장(*a* ~ *of arrest* 구속 영장/*a* ~ *of* ATTORNEY); 지급 명령서; 허가증). ④ Ⓒ 〖軍〗 하사관 사령(辭令). ― *vt.* 권한을 부여하다; 정당화하다; 보증하다; 《口》 단언하다. ***I'll* ~ (*you*)** 《삽입구》 확실히. **~·a·ble** *a.* 보증할 수 있는; 정당한. **~·ed**[-id] *a.* 보증된; 보증하는. 「위.

wárrant òfficer 〖軍〗 하사관, 준

war·ran·ty[wɔ́(ː)rənti, -á-] *n.* Ⓒ 보증, 담보; (확고한) 이유, 근거.

war·ren[wɔ́(ː)rən, -á-] *n.* Ⓒ 양토장(養兎場); 토끼의 번식지; 사람이 몰려 들끓는 지역.

war·ring[wɔ́ːriŋ] *a.* 서로 싸우는; 적대하는; 양립하지 않는.

˙**war·ri·or**[wɔ́(ː)riər, -á-] *n.* Ⓒ 무인(武人); 노병(老兵), 용사.

:**war·ship**[wɔ́ːrʃìp] *n.* Ⓒ 군함(war vessel).

wart[wɔːrt] *n.* Ⓒ 사마귀; (나무의) 옹이. **∠·y** *a.* 사마귀 모양의[가 많은].

wár·tìme *n., a.* Ⓤ 전시(의).

˙**war·y**[wέəri] *a.* 주의 깊은(*of*). **wár·i·ly** *ad.* **wár·i·ness** *n.*

†**was**[wɑz, 弱 wəz/-ɔ-] *v.* be의 1인칭·3인칭 단수·직설법 과거.

†**wash**[wɑʃ, -ɔ(ː)-] *vt.* ① 씻다, 빨다; 씻어내다(*off, out, away*). ② (종교적으로) 씻어 정하게 하다. ③ (물결이) 씻다, 밀려닥치다; 적시다; 떠내려 보내다, 쓸어 가다(*away, off, along, up, down*); 침식하다. ④ (색·금속 등을) 엷게 입히다, 도금하다. ⑤ 〖鑛〗 세광(洗鑛)하다. ― *vi.* ① 씻다; 세탁이 잘 되다. ② 《英口》 믿을 만하다. ③ 물결이 씻다(*upon, against*). **~ *down*** 씻어내다; (음식을) 쓸어 넣다. **~ *one's hands*** 손을 씻다; 《완곡히》 변소에 가다. **~ *one's hands of*** …에서 손을 떼다. **~ *out*** 씻어내다; 버리다. **~ *up*** (식후) 설거지하다. ― *n.* ① (a ~) 씻기. ② (the ~) 세탁; (*sing.*) 세탁물. ③ Ⓤ (파도의) 밀려옴, 그 소리; 배 지나간 뒤의 물결, 비행기 지나간 뒤의 기류의 소용돌이. ④ Ⓤ 물기 많은 음식. ⑤ Ⓒ 세제(洗劑), 화장수. ⑥ Ⓒ (그림 물감의) 엷게 칠한 것; 도금. ⑦ Ⓤ 〖鑛〗 세광 원료. **∠·a·ble** *a.* 세탁이 잘 되는.

wásh·bàsin *n.* Ⓒ 《英》 세숫대야.

wásh·bòard *n.* Ⓒ 빨래판.

wásh·clòth *n.* Ⓒ 세수[목욕용] 수건; 행주.

wásh·dày *n.* Ⓤ,Ⓒ (가정에서의 일정한) 세탁날.

wáshed-óut *a.* 빨아서 바랜; 《口》 기운 없는.

wáshed-úp *a.* 《俗》 실패한, 퇴짜맞은; 《口》 기진한.

˙**wash·er**[∠ər] *n.* Ⓒ 세탁하는 사람; 세탁기; 좌철(座鐵), 와셔.

:**wash·ing**[∠iŋ] *n.* Ⓤ,Ⓒ ① 빨래, 세탁. ② 《집합적》 세탁물; (*pl.*) 빨래(한) 물; 씻겨 나온 것《때·사금(砂金) 따위》.

wáshing machìne 세탁기.
wáshing sòda 세탁용 소다.
wáshing-ùp *n.* Ⓤ 설거지.
wásh·òut *n.* Ⓒ (도로·철도의) 유실, 붕괴; 붕괴된 곳; 《俗》 실패(자), 실망.
wásh·ròom *n.* Ⓒ 《美》 ① 화장실. ② 세탁실. ③ 세면소.
wásh·stànd *n.* Ⓒ 《美》 세면대.
†**was·n't**[wáznt, wʌ́z-/wɔ́z-] was not의 단축.
˙**wasp**[wɑsp, -ɔ(ː)-] *n.* Ⓒ ① 【蟲】 장수말벌. ② 성 잘 내는 사람. **∠-ish** *a.* 말벌 같은; 허리가 가는; 성 잘 내는; 심술궂은.
WASP, Wasp (< *White Anglo-Saxon Protestant*) *n.* Ⓒ 《蔑》 백인 앵글로색슨 신교도《미국 사회의 주류》.
wast·age[wéistidʒ] *n.* Ⓤ 소모「(량); U,C 폐물.
:**waste**[weist] *a.* ① 황폐한, 미개간의, 불모의. ② 쓸모 없는; 폐물의; 여분의. **lay ~** 파괴하다, 황폐케하다. **lie ~** (땅이) 황폐하다, 개간되지 않고 있다. — *vt.* ① 낭비하다 (*on, upon*). ② 황폐시키다. — *vi.* 소모하다; 헛되이[낭비]되다; 쇠약해지다(*away*). — *n.* ① Ⓒ (종종 *pl.*) 황무지; 황량한 전망. ② Ⓤ 낭비. ③ Ⓤ 쇠약; U,C 폐물, 찌꺼기. **go** [**run**] **to ~** 헛되이 되다, 낭비되다. **∠·less** *a.* 낭비 없는.
˙**wáste·bàsket** *n.* Ⓒ 휴지통.
˙**waste·ful**[∠fəl] *a.* 낭비하는, 불경제의. **~·ly** *ad.* **~·ness** *n.*
wáste lànd(**s**) 황무지.
wáste·pàper *n.* Ⓤ 휴지.
wástepaper bàsket 《英》 휴지
wáste pìpe 배수관.
wast·rel [wéistrəl] *n.* Ⓒ 낭비자; 《주로 英》 부랑자[아]; (제품의) 파치.
†**watch**[wɑtʃ, -ɔː-] *n.* 《원뜻 'wake'》 ① Ⓒ 회중[손목]시계. ② Ⓤ 지켜봄, 감시; 주의, 경계. ③ Ⓤ 【史】 불침번, 야경. ④ Ⓒ 【史】 (밤을 3[4]분한) 1구분, 경(更). ⑤ C,U 【海】 (4시간 교대의) 당직, 당직 시간, 당직원. **be on the ~ for** …을 감시하고 있다; 방심치 않고 있다; 대기하고 있다. **in the ~es of the night** 밤에 자지 않고 있을 때에. **keep** (**a**) **~** 감시하다. **on** [**off**] **~** 당번[비번]인. **pass as a ~ in the night** 곧 잊혀지다. **~ and ward** 밤낮없는 감시; 부단한 경계. — *vt.* ① 주시하다; 지켜보다; 감시하다. ② 간호하다, 돌보다. ③ (기회를) 엿보다. — *vi.* ① 지켜보다; 주의하다. ② 경계하다; 기대하다(*for*). ③ 자지 않고 있다, 간호하다. **~ out** 《美口》 조심하다, 경계하다. **~ over** 감시하다; 간호하다, 돌보다. **∠·er** *n.* Ⓒ 감시인; 간호인; 《美》 투표 참관인. ***∠·ful** *a.* 주의깊은; 방심하지 않는(*of, against*). **∠·ful·ness** *n.*
wátch·dòg *n.* Ⓒ 집 지키는 개; (엄한) 감시인.
˙**wátch·màker** *n.* Ⓒ 시계 제조[수리]인.
˙**watch·man**[∠mən] *n.* Ⓒ 야경꾼.
wátch·tòwer *n.* Ⓒ 감시탑, 망루(望樓).
wátch·wòrd *n.* Ⓒ 【史】 암호; 표어, 슬로건.
†**wa·ter**[wɔ́ːtər, wátər] *n.* ① Ⓤ 물. ② Ⓤ 분비액《눈물·땀·침·오줌 따위》. ③ Ⓤ 물약, 화장수; (종종 *pl.*) 광천수. ④ (종종 *pl.*) 바다, 호수, 강; (*pl.*) 조수, 홍수, 물결, 놀. ⑤ (*pl.*) 영해, 근해. ⑥ Ⓤ (보석의) 품질, 등급; Ⓒ (피륙의) 물결 무늬. ⑦ Ⓒ 자산의 과대 평가 등에 의하여 불어난 자본[주식]. **above ~** (경제적인) 어려움을 모면하여. **back ~** 배를 후진(後進)시키다. **bring the ~ to a *person's* mouth** 군침을 흘리게 하다. **by ~** 배로, 해로로. **cast one's bread upon the ~s** 음덕(陰德)을 베풀다. **get into hot ~** 곤경에 빠져서. **hold ~** (그릇이) 물이 새지 않다; (이론·학설 따위가) 정연하고 빈틈이 없다, 옳다. **in deep ~**(**s**) 《俗》 곤경에 빠져서. **in low ~** 돈에 옹색하여, 기운이 없어. **in smooth ~**(**s**) 평온하게, 순조로이. **like ~** 물쓰듯, 펑펑. **make** [**pass**] **~** 소변보다. **of the first ~** (보석 따위) 최고급의; 일류의. **take** (**the**) **~** (배가) 진수하다; (비행기가) 착수하다. **take ~** (배가) 물을 뒤집어 쓰다; 《美俗》 기운을 잃다, 지치다. **the ~ of crystallization** 【化】 결정수. **the ~ of forgetful-**

ness 〖그神〗 망각의 강; 망각; 죽음. ***throw cold ~ on*** …에 트집을 잡다. ***tread ~*** 선헤엄치다. ***written in ~*** 허망한. — *vt.* ① (…에) 물을 끼얹다〔뿌리다, 주다〕; 적시다. ② 물을 타서 묽게 하다. ③ (피륙 등에) 물결 무늬를 넣다. ④ 불입 자본을 늘리지 않고 명의상의 증주(增株)를 하다. — *vi.* ① (동물이) 물을 마시다. ② (배·기관이) 급수를 받다. ③ 눈물이 나다, 침을 흘리다.

wáter bèd 물을 넣는 매트리스.

wáter bìrd 물새.

wáter-bòrne *a.* 수상 운송의; 물에 떠 있는.

wáter bòttle (세면대·식탁용의 유리로 만든) 물병; 《주로 英》 수통.

wáter bùffalo 물소.

wáter cànnon trùck 방수차《데모 진압용》.

wáter clòset (수세식) 변소.

*__wáter còlo(u)r__ 수채화 물감; 수채화(법).

wáter-còol *vt.* 〖機〗 수냉(水冷)(식)으로 하다.

wáter còoler 음료수 냉각기.

wáter-còurse *n.* Ⓒ 물줄기, 강; 수로.

wáter crèss 〖植〗 양갓냉이.

:__wa·ter·fall__[-fɔ̀:l] *n.* Ⓒ 폭포.

wáter·fòwl *n.* Ⓒ 물새.

wáter·frònt *n.* Ⓒ (보통 *sing.*) 물가의 토지, 둔치; (도시의) 강가, 호수가, 해안 거리.

wáter hòle 물웅덩이; 얼어붙은 못·호수 따위의 얼음 구멍.

wáter ìce 《英》 = SHERBET.

wátering càn 〔**pòt**〕 물뿌리개.

wátering hòle 《美口》 술집.

wátering plàce (마소의) 물 마시는 곳; (대상(隊商) 등을 위한) 급수장; 온천장; 해수욕장.

wáter lèvel 수평면; = WATERLINE.

wáter lìly 〖植〗 수련.

wáter·lìne *n.* Ⓒ 흘수선(吃水線).

wáter·lògged *a.* (목재 등) 물이 스며든; (배가) 침수한.

Wa·ter·loo[wɔ́:tərlú:, ˌ-ˌ-ˊ] *n.* 워털루《벨기에 중부의 마을; 1815년 나폴레옹의 패전지》 (의 싸움); Ⓒ 대패전; 대결전. ***meet one's ~*** 참패하다.

wáter màin 수도 본관(本管).

wáter·màrk *n., vt.* Ⓒ (강의) 수위표; (종이의) 투문(透紋)(을 넣다).

*__wáter·mèlon__ *n.* Ⓒ 〖植〗 수박(덩굴).

wáter mìll 물레방아.

wáter pòlo 〖競〗 수구(水球).

*__wáter pòwer__ 수력.

*__wa·ter·proof__[-prù:f] *a., n., vt.* 방수(防水)의; Ⓤ 방수 재료〔포·복〕, Ⓒ 레인코트; 방수처리(하다).

wáter·shèd *n.* Ⓒ 분수계; 유역.

wáter·sìde *n.* (the ~) 물가.

wáter skì 수상스키(의 용구).

wáter-skì *vi.* 수상스키를 하다.

wáter sòftener 연수제(軟水劑); 정수기.

wáter·spòut *n.* Ⓒ 물기둥, 바다회오리; 홈통.

*__wáter supplỳ__ 상수도; 급수(량).

wáter tàble 〖土〗 지하수면.

wáter·tìght *a.* 물을 통하지 않는; (의론 따위) 빈틈없는.

wáter tòwer 급수탑; 《美》 소화용 급수탑〔사다리차〕.

*__wáter·wày__ *n.* Ⓒ 수로, 운하.

wáter whèel 수차(水車); 양수차.

wáter wìngs (수영용의) 날개형 부낭(浮囊).

wáter·wòrks *n. pl.* 수도 설비, 급수소.

*__wa·ter·y__[wɔ́:təri, wɑ́t-] *a.* ① 물의; 물이〔물기〕 많은; 비 올 듯한; 수중의. ② 눈물어린. ③ (액체가) 묽은, (색 따위) 엷은; 물빛의; (문장 따위) 약한, 맥빠진.

*__watt__[wɑt/-ɔ-] *n.* Ⓒ 와트《전력의 단위》. **~·age**[ˊidʒ] *n.* Ⓤ 와트 수.

wat·tle[wɑ́tl/-ɔ́-] *n.* Ⓤ 휘추리(세공), 휘추리로 엮은 울타리; Ⓒ (닭·칠면조 따위의, 목 아래의) 늘어진 살; Ⓤ 아카시아의 일종. — *vt.* (울타리·지방 따위를) 휘추리로 엮어 만들다; 겯다. **wat·tled**[-d] *a.* 휘추리로 결어 만든; 늘어진 살이 있는.

†__wave__[weiv] *n.* Ⓒ ① 물결, 파도. ② 《詩》 (강·바다 등의) 물, 바다. ③ 파동, 기복, 굽이침; 파상 곡선; (머리털의) 웨이브; (감정 등의) 고조. ④ 격발, 속발(續發)(*a crime ~* 범죄의 연발). ⑤ (신호의) 한 번 흔듦, 신호. ⑥ 〖理〗 파(波), 파동.

⑦ 【컴】 파, 파동. ***make*** **~*s*** 《美口》 풍파〔소동〕을 일으키다. — *vi.* ① 물결치다; 흔들리다; 너울거리다; 펄럭이다; (파상으로) 기복하다, 굽이치다. ② 흔들어 신호하다(*to*). — *vt.* ① 흔들다; 휘두르다; 펄럭이게 하다. ② 흔들어 신호하다〔나타내다〕(*She ~d him nearer.* 손짓으로 불렀다). ③ 물결치게 하다, (머리털에) 웨이브를 내다. **~ *aside*** 물리치다. **~ *away*** 〔***off***〕 손을 흔들어 쫓아버리다, 거절하다. 「波帶).

wáve bànd 【無電·TV】 주파대(周

wáve·lèngth *n.* Ⓒ 【理】 파장.

·**wa·ver**[wéivər] *vi.* ① 흔들리다; (빛이) 반짝이다. ② 비틀거리다; 망설이다. — *n.* Ⓤ 망설임.

wav·y[wéivi] *a.* 파상의, 파도〔굽이〕치는; 파도 많은, 물결이 일고 있는.

:**wax**[1][wæks] *n.* Ⓤ 밀랍(蜜蠟); 왁스; 납(蠟)(모양의 것). **~ *in one's hands*** 뜻대로 부릴 수 있는 사람. — *vt.* (…에) 밀을 바르다, 밀을 입히다, 밀로 닦다. — *a.* 밀의, 밀로 만든. **~ed**[-t] *a.* 밀을 바른. **∠·en** *a.* 밀로 만든; (밀처럼) 말랑말랑한, 부드러운, 창백한. **∠·y** *a.* 밀 같은; 밀로 만든, 밀을 입힌, 밀을 함유한; 창백한; 유연(柔軟)한.

wax[2] *vi.* 차차 커지다; 증대하다; (달이) 차다; …이〔하게〕 되다.

wáx·wòrk *n.* Ⓒ 납(蠟) 세공〔인형〕.

†**way**[1][wei] *n.* ① Ⓒ 길, 가로. ② Ⓤ 진로; 진행, 전진. ③ (*sing.*) 거리; 방향; 근처, 부근, 방면(*He lives somewhere Seoul ~.*). ④ Ⓒ 방법, 수단; 풍(風), 방식; 습관, 풍습. ⑤ (종종 *pl.*) 버릇; 방침, 의향; (처세의) 길. ⑥ Ⓤ 《口》 장사(*He is in the toy ~.* 장난감 장사를 하고 있다). ⑦ Ⓒ (…한) 점, 사항; (경험·주의 따위의) 범위. ⑧ (a ~) 《口》 상태. ⑨ (*pl.*) 진수대(進水臺). ***all the*** **~** 도중 내내; 멀리(서), 일부러; 《美》 =ANYWHERE. ***a long*** **~ *off*** 멀리 떨어져서, 먼 곳에. ***by the*** **~** 도중에; 그런데. ***by*** **~ *of*** …을 경유하여〔거쳐〕; …로서; …을 위하여, …할 셈으로. ***by*** **~ *of doing*** 《英口》 …하는 버릇으로; …을 직업으로 하여; …으로 유명하여, …라는 상태〔지위〕로 (돼 있다)(*She's by ~ of being a pianist.*). ***come a person's*** **~** (아무에게) 일어나다; (일이) 잘 돼 나가다. ***find one's*** **~** …에 다다르다, 고생하며 나아가다(*to, in, out*). ***force one's*** **~** 무리하게 나아가다. ***gather*** 〔***lose***〕 **~** 【海】 속력을 내다〔늦추다〕. ***get in*** 〔***into***〕 ***the*** **~** 방해가 되다. ***get out of the*** **~** 제거하다, 처분하다; 피하다, 비키다. ***get under*** **~** 진행하기 시작하다, 시작되다; 출범(出帆)하다. ***give*** **~** 무너지다, 허물어지다; 굴복하다, 물러나다, 양보하다(*to*); 참다 못해 …하다(*give ~ to tears* 울음을 터뜨리다). ***go a good*** 〔***long***〕 **~** 크게 도움이 되다(*to, toward*). ***go little*** **~** 그다지 도움이 안되다(*to, toward*). ***go*** 〔***take***〕 ***one's own*** **~** 자기 마음대로 하다. ***go one's*** **~** 출발하다, 떠나다. ***go out of the*** **~** 딴데를 들르다; 애초 예정에 없던 일을 하다; 일부러〔주제넘게〕 …하다. ***go the*** **~ *of all the earth*** 〔***all flesh, all living***〕 죽다. ***have a*** **~ *with a person*** (사람) 다룰 줄 알다. ***have one's*** 〔***own***〕 **~** 제 마음〔멋〕대로 하다. ***in a bad*** **~** 형편이 나빠져서; 경기가 나빠. ***in a great*** **~** 대규모로; 《英》 (감정이) 격해서. ***in a small*** **~** 소규모로. ***in a*** **~** 어떤 점으로는, 보기에 따라서는; 어느 정도; 《英》 (감정이) 격해서. ***in no*** **~** 결코 …아니다. ***in one's*** **~** 능사로, 전문인. 〔***in***〕 ***one*** **~ *or another*** 〔***the other***〕 어떻게든 해서, 이럭저럭. ***in the*** **~** 도중에; 방해가 되어. ***in the*** **~ *of*** …의 버릇이 있어; …에 대하여; …에 유망하여. ***look nine*** **~*s***, or ***look two*** **~*s to find Sunday*** 지독한 사팔눈이다. ***make one's*** **~** 가다, 나아가다; 성공하다. ***make*** **~** 길을 열다〔양보하다〕(*for*); 나아가다, 진보하다. ***once in a*** **~** 이따금. ***on the*** **~** 도중에. ***out of one's*** **~** 자기 쪽에서 (일부러). ***out of the*** **~** 방해가 안되는 곳에; 길에서 벗어나; 이상(異常)한; 살해되어. ***pay one's*** **~** 빚지지 않고 지

내다. ***put a person in the ~ of*** …할 기회를 주다. ***see one's ~*** 할 수 있을 것으로 생각하다(*to*). ***take one's ~*** 나아가다(*to, toward*). ***the ~ of the world*** 세상의 관습. ***under ~*** 진행중에; 항해중에. ***~s and means*** 수단, 방법; 재원(財源).

way² *ad.* 《美口》 훨씬, 멀리(away). ***~ back*** 훨씬 이전.

way·far·er [⌐fɛ̀ərər] *n.* Ⓒ 《雅》 (특히 도보의) 나그네.

way·lay[wèiléi] *vt.* (**-laid**) 숨어 기다리다; (…을) 기다리다가 말을 걸다.

wáy-óut *a.* 《美俗》 이상한, 색다른; 전위적인, 탁월한.

-ways[wèiz] *suf.* '방향·위치·상태'를 보이는 부사를 만듦.

˚**wáy·sìde** *n., a.* (the ~) 길가(의).

˚**way·ward**[wéiwərd] *a.* ① 정도(正道)에서 벗어난. ② 제멋대로 하는; 고집 센. ③ 변덕스러운; 일정하지 않은. **~·ly** *ad.* **⌐·ness** *n.*

W.C. West Central (London).

w.c. water closet.

†**we**[wi:l, 弱 wi] *pron.* ① 우리는[가]. ② 《제왕의 자칭》 짐(朕), 나. ③ (부모가 자식에게) 너, (간호사가 환자에게) 당신(*How are we today?* 오늘 좀 어떤지요).

†**weak**[wi:k] *a.* ① 약한; 힘없는; (권위·근거 등이) 박약한. ② 어리석은, 결단력이 없는. ③ (용액이) 묽은. ④ 약점 있는; 불충분한. ⑤ 〖文〗 약변화의; 〖音聲〗 (소리가) 악센트 없는, 약한. ⑥ 〖商〗 (시장이) 약세인, 내림세인. ***~ point*** (***side***) 약점. ***~ verb*** 약변화, 동사. ***⌐·ly** *a., ad.* 약한, 병약한; 약하게. **:⌐·ness** *n.* Ⓤ 약함; 허약, 박약; 우둔; Ⓒ 약점; 못견디게 좋아하는 것; 편애(偏愛)(*for*).

:**weak·en**[⌐ən] *vt., vi.* ① 약하게 하다; 약해지다. ② 묽게 하다. ③ 결단성이 없어지다, 우유부단하게 되다.

weal *n.* Ⓒ 채찍 맞아 지렁이처럼 부르튼 곳.

†**wealth**[welθ] *n.* ① Ⓤ 부(富); Ⓤ,Ⓒ 재산; 재화. ② Ⓤ 풍부(*of*). **:⌐·y** *a.* 유복한; 풍부한.

wean[wi:n] *vt.* 젖떼다(*from*); 떼어놓다, 버리게 하다, 단념시키다 (*from, of*). **⌐·ling** *n.* Ⓒ 젖이 갓 떨어진 아이[동물].

:**weap·on**[wépən] *n.* Ⓒ 무기, 병기, 흉기. ***women's ~s*** (여자의 무기인) 눈물《Shak., *Lear*, II. iv. 280》. **~·ry** *n.* Ⓤ 《집합적》 무기(weapons).

†**wear**[wɛər] *vt.* (***wore; worn***) ① 몸에 지니고 있다; 입고[신고, 쓰고, 차고] 있다. ② (수염을) 기르고 있다. ③ 얼굴에 나타내다. ④ 닳게 하다; 써서 낡게 하다; 닳아서 구멍이 생기게 하다. ⑤ 지치게 하다. ⑥ 〖海〗 (배를) 바람을 등지게 돌리다. ── *vi.* ① 사용에 견디다, (오래) 가다. ② 닳아서 해지다(*away, down, out, off*). ③ (때 따위가) 점점 지나다(*away, on*). ***~ away*** 닳(리)다; 경과하다. ***~ down*** 닳(게 하)다; 닳려서 낮아지(게 하)다; 지치게 하다, (반항 등을) 꺾다. ***~ off*** 점점 줄어들다[닳게 하다]. ***~ one's years well*** 젊어 뵈다. ***~ out*** 써서[입어] 낡게 하다; 닳리다; 다(하게)하다; 지치(게 하)다. ── ***n.*** Ⓤ ① 착용. ② 옷(*everyday ~* 평상복). ③ 입어 낡음, 닳아 해짐. ④ 지탱함. ***be in ~*** (옷이) 유행되고 있다. ***~ and tear*** 닳아해짐, 마손, 소모.

:**wea·ry**[wíəri] *a.* ① 피로한; 싫어진, 싫증난(*of*). ② 지치게 하는; 넌더리 나는. ── *vt.* 지치게 하다; 지루하게 하다. ── *vi.* ① 지치다; 지루해지다, 싫증나다(*of*). ② 동경하다(*for*). ***wéa·ri·ly** *ad.* ***wéa·ri·ness** *n.* **wéa·ri·some** *a.* 피곤하게 하는; 싫증나는.

wea·sel[wí:zəl] *n.* Ⓒ ① 족제비. ② 교활한 사람. ③ 수륙 양용차.

wéasel wòrds 핑계.

†**weath·er**[wéðər] *n.* Ⓤ ① 일기, 날씨. ② 황천(荒天). ***April ~*** 비가 오다 개다 하는 날씨; 울다 웃다 함. ***make heavy ~ of*** (작은 일을) 과장하여 생각하다. ***under the ~*** 《口》 몸이 편찮아; 얼근히 취하여. ── *a.* 바람 불어오는 쪽의, 바람을 안은. ── *vt.* ① 비바람에 맞히다; 외기(外氣)에 쐬다, 말리다; (암석을) 풍화시키다. ② 〖海〗 (…의) 바람을 거슬러 달리다. ③ (곤란 따위를) 뚫

고 나아가다. ── *vi.* 외기에 쐬어 변화하다, 풍화하다.
wéather-bèaten *a.* 비바람에 시달린; 햇볕에 탄.
wéather·bòard *n., vt., vi.* Ⓒ 미늘 판자(를 대다).
˙**wéather·còck** *n.* Ⓒ 바람개비; 변덕쟁이.
wéather fòrecast 일기예보.
˙**wéather·màn** *n.* Ⓒ 《美》 일기예보자, 예보관, 기상대 직원.
wéather·pròof *a., vt.* 비바람에 견디는〔견디게 하다〕. 「측소.
wéather stàtion 측후소, 기상 관
wéather vàne 바람개비(weathercock).
:weave [wi:v] *vt.* (***wove,*** 《稀》 ***~d; woven,*** 〖商〗 ***wove***) ① 짜다, 엮다. ② (이야기 따위를) 꾸미다, 얽다. **~ *one's way*** 누비듯이 나아가다; (길을) 이리저리 헤치고 나아가다. ── *vi.* ① 짜다. ② (좌우로) 헤치고 나아가다. 《空軍俗》 적기를 누비면서 잘 피하다. ── *n.* Ⓤ (a ~) 짜기, 짜는 법. ˙**wéav·er** *n.* Ⓒ 짜는 사람, 직공(織工); 피리새.
:web [web] *n.* Ⓒ ① 거미집, 거미줄 모양의 것. ② 피륙; 한 베틀분의 천. ③ 꾸민 것(*a* ~ *of lies* 거짓말 투성이). ④ (물새의) 물갈퀴. ⑤ 한 두루마리의 인쇄용지. **~bed** [-d] *a.* 물갈퀴 있는. **∠·bing** *n.* Ⓤ (피대 따위로 쓰는 튼튼한) 띠; (깔개 따위의) 두꺼운 가장자리; 물갈퀴.
˙**wed** [wed] *vt.* (***~ded; ~ded,*** 《稀》 ***wed; -dd-***) (…와) 결혼하다〔시키다〕; 결합하다(*to*). ── *vi.* 결혼하다. ˙**~·ded** [∠id] *a.* 결혼한; 결합한; 집착한(*to*).
:we'd [wi:d, 弱 wid] we had 〔would, should〕의 단축.
˙**Wed.** Wednesday.
:wed·ding [wédiŋ] *n.* Ⓒ 결혼(식); 결혼 기념식.

wédding brèakfast 결혼 피로연.
wédding càke 혼례 케이크.
wédding rìng 결혼 반지.
˙**wedge** [wedʒ] *n.* Ⓒ 쐐기. ── *vt.* ① 쐐기로 짜개다〔죄다〕. ② 무리하게 밀어 넣다(*in, into*), 밀고 나가다. **~ *away*** 〔***off***〕 밀어 제치다.
wed·lock [wédlɑk/-lɔk] *n.* Ⓤ 결혼 (생활).
†Wednes·day [wénzdei, -di] *n.* Ⓒ 《보통 무관사》 수요일.
˙**wee** [wi:] *a.* 《주로 Sc.》 조그마한.
:weed [wi:d] *n.* ① Ⓒ 잡초. ② (the ~) 《口》 담배; 엽궐련; Ⓤ 《美俗》 마리화나. ③ Ⓒ 깡마르고 못생긴 사람〔말〕. ── *vt., vi.* 잡초를 뽑다. **~ *out*** 잡초를〔못 쓸 것을〕 제거하다. **∠·er** *n.* Ⓒ 제초기, 제초하는 사람. **∠·y** *a.* 잡초의, 잡초 같은; 잡초가 많은; 호리호리한.
wéed-kìller *n.* Ⓒ 제초제.
†week [wi:k] *n.* Ⓒ ① 주(週). ② 평일, 취업일. ***this day*** 〔***today***〕 **~** 전주〔내주〕의 오늘. **~ *in,* ~ *out*** 매주마다.
:week·day [∠dèi] *n., a.* Ⓒ 평일(의).
:week·end [∠ènd] *n., a., vi.* Ⓒ 주말《토요일 오후 또는 금요일 밤부터 월요일 아침까지》; 주말의; 주말을 보내다. **~·er** *n.* Ⓒ 주말 여행자.
week·ends [∠ènz] *ad.* 주말에.
:week·ly [∠li] *a.* ① 1주간의; 1주간 계속되는. ② 주 1회의, 매주의. ── *ad.* 주 1회, 매주. ── *n.* Ⓒ 주간지(紙·誌).
wee·ny *a.* 《口》 작은, 조그마한.
:weep [wi:p] *vi.* (***wept***) ① 울다, 눈물을 흘리다. ② 슬퍼하다, 비탄하다(*for, over*). ③ 물방울이 듣다. ── *vt.* ① (눈물을) 흘리다; 비탄하다. ② (수분을) 스며 나오게 하다. **~ *away*** 울며 지내다. **~ *oneself out*** 실컷 울다. **~ *out*** 울며 말하다. **∠·er** *n.* Ⓒ 우는 사람; (장례식에 고용되어) 우는 남자〔여자〕. ˙**∠·ing** *a.* 우는, 눈물을 흘리는; (가지가) 늘어진.
wéeping wíllow 〖植〗 수양 버들.
weep·y [wí:pi] *a.* 눈물 잘 흘리는.
wee·vil [wí:vəl] *n.* Ⓒ 〖蟲〗 바구밋과의 곤충.
wee·wee [wí:wì:] *n., vi.* Ⓒ 《俗·兒》 쉬(하다).
weft [weft] *n.* (the ~) 《집합적》 (피륙의) 씨실(woof).
:weigh [wei] *vt.* ① 저울에 달다, 손으로 무게를 헤아리다. ② (비교해서) 잘 생각하다. ③ (무게로) 압박하다.

내리 누르다(*down*). ④ (닻을) 올리다. — *vi.* ① 무게를 달다; 무게가 …나가다. ② 중요시되다, 존중되다(*with*). ③ 무거운 짐이 되다, 압박하다(*on, upon*); 숙고하다. ④ 〖海〗 닻을 올리다. ~ ***in*** (기수가 경마 후〔권투 선수가 시합 전〕에) 몸무게를 달다. ~ ***one's words*** 숙고하여 말하다, 말을 음미하다. ~ ***out*** 달아서 나누다; (기수가 경마 전에) 몸무게를 달다.

wéigh·brìdge *n.* Ⓒ 계량대(臺)《차량·가축 등을 재는, 노면과 같은 높이의 대형 저울》.

wéigh-ìn *n.* Ⓒ 기수(騎手)의 레이스 직후의 계량.

†**weight**[weit] *n.* ① Ⓤ 무게, 중량. ② Ⓒ 저울눈, 형량(衡量). ③ Ⓒ 무거운 물건, 추, 분동(分銅); 무거운 짐; 압박; 부담. ④ Ⓤ 중요성; 영향력. ⑤ Ⓤ 〖統〗 가중치. ***by*** ~ 무게로. ***give short*** ~ 저울 눈을 속이다. ***have*** ~ ***with*** …에 있어 중요하다. ***pull one's*** ~ 자기 체중을 이용하여 배를 젓다; 제구실을 다하다. ~***s and measures*** 도량형. — *vt.* (…에) 무겁게 하다, 무게를 가하다; 무거운 짐을 지우다; 괴롭히다(*with*). *´**~·y** *a.* 무거운, 유력한; 중요한; 영향력이 있는; 견디기 어려운.

wéight·less *a.* 무중력 상태인.

wéight lìfter 역도 선수.

wéight lìfting 역도.

weir [wiər] *n.* Ⓒ 둑(dam); (물고기를 잡는) 어살.

*__weird__[wiərd] *a.* 초(超)자연의; 이상한, 《口》 기묘한; 《古》 운명의. — *n.* Ⓤ,Ⓒ 《古·Sc.》 운명, (특히) 불운.

weird·ie, -y[wíərdi], **-o**[-ou] *n.* Ⓒ 《口》 괴짜.

†**wel·come** [wélkəm] *a.* ① 환영받는. ② 고마운. ③ 마음대로 …할 수 있는(*to*). ***and*** ~ 그것으로 됐다. ***You are*** (***quite***) ~. 《美》 ('Thank you.'에 대한 대답으로) 천만의 말씀. — *int.* 어서 오십쇼! — *n.* Ⓒ 환영(인사). — *vi.* 환영하다.

*__weld__[weld] *vt.* 용접(溶接)〔단접〕하다; 결합하다, 밀착시키다(*into*). — *vi.* 용접〔단접〕되다. ´**~·ment** *n.* Ⓤ,Ⓒ 용접(한 것).

:**wel·fare**[wélfɛ̀ər] *n.* Ⓤ 행복, 후생, 복지 (사업). **~·ism** [´-fɛ̀ərizəm] *n.* Ⓤ 복지 정책〔보조금〕.

wélfare stàte 복지 국가.

wélfare wòrk 복지 후생 사업.

wélfare wòrker 복지 사업가.

:**well**[1][wel] *n.* Ⓒ ① 우물. ② 샘; 원천. ③ (층계의) 뚫린 공간, (엘리베이터의) 종갱(縱坑). ④ 우묵한 곳, 책상의 잉크병 받이. — *vi.* 솟아나다(*up, out, forth*).

†**well**[2] *ad.* (**better; best**) ① 잘, 훌륭히; 만족스럽게. ② 적당히. ③ 충분히; 아주; 크게, 꽤; 상세히. ***as*** ~ …도 또한, 그 위에; 마찬가지로. ***as*** ~ ***as*** …과 같이. ***may*** (***as***) ~ …하는 것이 좋다. ***might as*** ~ …하는 것이나 마찬가지다. ***W- done!*** 잘한다! — *a.* ① 《美口》 건강한. ② 적당한. ③ 좋은, 만족한, 형편〔운〕 좋은. ***get*** ~ 좋아지다, 낫다. — *int.* ① 《놀라움》 어머, 저런. ② 《승인·양보》 과연; 그래 그럼. ③ 《기대, 이야기의 계속》 그런데; 그래서; 자. ④ 《항의》 그것이 어쨌단말야(***W-?***). ***W-, to be sure!*** 저런, 이것 놀랐는걸. ***W- then?*** 아하, 그래서?

†**we'll**[wi:l] we shall (will)의 단축.

wéll-advísed *a.* 사려깊은, 현명한.

wéll-appóinted *a.* 충분히 장비〔설비·준비〕된.

wéll-bálanced *a.* 균형잡힌; 상식 있는; 제정신의.

wéll-beháved *a.* 행실〔품행〕좋은.

*__wéll-béing__ *n.* Ⓤ 복지, 안녕, 행복.

wéll-bòrn *a.* 집안이 좋은.

wéll-bréd *a.* 교양 있게 자란, 품위가 있는; (말 따위) 씨가 좋은.

wéll-buílt *a.* 잘 세워진〔만들어진〕; 《특히》 체격이 훌륭한《사람》.

wéll-connécted *a.* 좋은 친척〔연줄〕이 있는.

wéll-defíned *a.* (정의가) 명확한; 윤곽이 뚜렷한.

wéll-dispósed *a.* 호의 있는; 선의의; 마음씨 좋은, 친절한.

wéll-dóne *a.* (고기가) 잘 구워진〔익은〕; 잘 한.

wéll-éarned *a.* 제 힘으로 얻은.

wéll-estáblished *a.* 기초가 튼튼한; 안정된, 확립한.
wéll-féd *a.* 영양이 충분한; 살찐.
wéll-fóunded *a.* 근거〔이유〕 있는, 사실에 입각한. 「한.
wéll-gróomed *a.* 옷차림이 단정
wéll-héeled *a.* 《俗》 부유한, 아주 돈 많은. 「식한.
wéll-infórmed *a.* 정보에 밝은, 박
wéll-inténtioned *a.* 선의의, 선의로 한.
wéll-képt *a.* 손질이 잘 된.
:**wéll-knówn** *a.* 유명한; 친한.
wéll-méaning *a.* 선의의, 선의에서 나온.
wéll-méant *a.* 선의로 한.
wéll-nígh *ad.* 거의.
wéll-óiled *a.* 《비유》 기름진; 능률적인; 《俗》 취한.
wéll-presérved *a.* 잘 보존된; (나이에 비해) 젊게 보이는. 「(*in*).
well-read [ˊréd] *a.* 다독의; 박학한
wéll-róunded *a.* (통통히) 살찐; (문체 따위가) 균형잡힌.
wéll-spóken *a.* 말씨가 점잖은; (표현이) 적절한.
wéll-thóught-òf *a.* 평판이 좋은.
wéll-tímed *a.* 때를 잘 맞춘.
·**wéll-to-dó** *a.* 유복한. ***the ~*** 부유 계급.
wéll-tríed *a.* 숱한 시련을 견뎌낸.
wéll-túrned *a.* 잘 표현된.
wéll·wìsher *n.* Ⓒ 호의를 보이는 사람.
wéll-wórn *a.* 써서 낡은; 진부한.
·**Welsh** [welʃ, weltʃ] *a.* 웨일스(사람·말)의. — *n.* (the ~)(*pl.*) 《집합적》 웨일스 사람; Ⓤ 웨일스어(語).
welsh [welʃ, weltʃ] *vi., vt.* 《俗》 경마에 건 돈을 승자에게 치르지 않고 달아나다; 꾼 돈을 떼어먹다.

Welsh·man [ˊmən] *n.* Ⓒ 웨일즈 사람.
Wélsh rábbit 〔**rárebit**〕 녹인 치즈를 부은 토스트.
welt [welt] *n., vt.* Ⓒ 대다리《구두창에 갑피를 대고 맞꿰매는 가죽테》(를 대다); 가장자리 장식(을 붙이다); 채찍〔맷〕자국; 구타(하다).
wel·ter [wéltər] *vi.* 뒹굴다, 허위적〔버둥〕거리다(*in*); 묻히다, 잠기다, 빠지다(*in*). — *n.* (*sing.*) 뒹굶; 동요, 혼란.
wélter·wèight *n.* Ⓒ 〖競馬〗 (장애물 경주 따위에서) 말에 지우는 중량물; 웰터급 권투선수〔레슬러〕.
wench [wentʃ] *n.* Ⓒ 《諧·蔑》 젊은 여자, 소녀; 《古》 하녀.
wend [wend] *vt.* (~***ed,*** 《古》 ***went***) 돌리다. — *vi.* 《古》 가다.
†**went** [went] *v.* go의 과거; 《古》 wend의 과거(분사). 「사).
:**wept** [wept] *v.* weep의 과거(분
†**were** [wəːr, 弱 wər] *v.* be의 과거 《직설법 복수, 가정법 단수·복수》.
†**we're** [wiər] we are의 단축. 「축.
†**were·n't** [wəːrnt] were not의 단
wer(e)·wolf [wíərwùlf, wə́ːr-] *n.* (*pl.* ***-wolves***) Ⓒ (전설에서) 이리가 된 사람, 이리 인간.
Wes·ley [wésli, -z-], **John** (1703-91) 영국의 목사; 감리교회의 창시자. **~·an** *a., n.* 웨슬리의; Ⓒ 감리교회의 (교도).
†**west** [west] *n.* ① (the ~) 서쪽, 서부 (지방). ② (the W-) 서양. ③ (the W-) (미국의) 서부지방. ***in*** 〔***on, to***〕 ***the ~ of*** (…의) 서부에 〔서쪽에 접하여, 서쪽에 위치하여〕. ***~ by north*** 〔***south***〕 서미(微) 북〔남〕. ***~-north*** 〔***-south***〕 ~ 서북〔남〕서. — *a.* 서쪽(으로)의; 서쪽에서의. — *ad.* 서쪽에〔으로, 에서〕. ***go ~*** 서쪽으로 가다; 《俗》 죽다.
Wést Cóuntry 잉글랜드의 Southampton과 Severn 강 어귀를 잇는 선의 서쪽 지방.
Wést Énd, the (런던의) 서부 지구《상류 지역》.
west·er·ly [wéstərli] *a., ad., n.* 서쪽으로 향한〔향하게〕; 서쪽에서(의); Ⓒ 서풍.
:**west·ern** [wéstərn] *a.* ① 서쪽의, 서쪽으로 향한, 서쪽에서의. ② (W-) 서양의. ③ (W-) 《美》 서부 지방의. ④ (W-) 서반구의. — *n.* Ⓒ (문학의) 서부물, 서부극〔음악〕. **~·er** *n.* Ⓒ 서방에 사는 사람; (W-) (미국의) 서부 사람. **~·most** [-mòust] *a.* 가장 서쪽의.
west·ern·ize [wéstərnàiz] *vt.* 서양식으로 하다, 서구화하다. **-i·za-**

tion [ˌ–izéiʃən] *n.*

:west·ward [wéstwərd] *n., a., ad.* (the ~) 서쪽; 서쪽(으로)의; 서방에(으로). **~·ly** *a., ad.* 서쪽으로의, 서쪽에; 서쪽에서의. **:~s** *ad.*

:wet [wet] *a.* (**-tt-**) ① 젖은, 축축한. ② 비의, 비가 잦은. ③ 《美》 주류 제조 판매를 허가하고 있는. ***be all*** ~ 《美俗》 완전히 잘못되다. ~ ***through*** (***to the skin***) 흠뻑 젖어서. — *n.* ① Ⓤ 습기, 물기. ② (the ~) 비; 우천. ③ Ⓒ 《美》 주류 제조 판매에 찬성하는 사람. ④ (a ~) 《英俗》 (한 잔의) 술. — *vt., vi.* (***wet, wetted; -tt-***) 적시다; 젖다. ~ ***the bed*** 자다가 오줌을 싸다. **ㅅ·tish** *a.* 축축한.

wét·bàck *n.* Ⓒ 《美口》 (Rio Grande 강을 헤엄쳐 건너) 미국으로 밀입국한 멕시코 사람.

wét blánket 흥을 깨뜨리는(탈을 잡는) 사람(것).

wét dréam 몽정(夢精).

wét nùrse (젖을 주는) 유모(cf. dry nurse).

wét sùit 잠수용 고무옷. 「단축.

†we've [wiːv, 弱 wiv] we have의

whack [*h*wæk] *vt., vi.* 《口》 찰싹 때리다. — *n.* Ⓒ 구타; 몫; 시도. **ㅅ·ing** *a., n.* 《英口》 엄청난; Ⓒ 철썩(세게) 치기, 강타. **ㅅ·y** *a.* =WACKY.

whacked [*h*wækt] *a.* 《주로 英口》 기진맥진한.

:whale [*h*weil] *n.* Ⓒ 고래; 《美口》 굉장히 큰(엄청난) 것. — *vi.* 고래잡이에 종사하다.

whal·er [ˊ–ər] *n.* Ⓒ 포경선.

whal·ing [ˊ–iŋ] *n.* Ⓤ 고래잡이(일).

wham [*h*wæm] *n* Ⓒ 쾅치는 소리; 충격. — *vt., vi.* (**-mm-**) 쾅치다, 후려갈기다.

wham·my [*h*wǽmi] *n.* Ⓒ 《美俗》 재수없는(불길한) 물건; 주문, 마력. ***put a*** (***the***) ~ ***on*** (…을) 트집잡다.

:wharf [*h*wɔːrf] *n.* (*pl.* **~s, wharves**) Ⓒ 부두, 선창. **~·age** [ˊ–idʒ] *n.* Ⓤ 부두 사용(료); 《집합적》 부두.

†what [*h*wɑt/*h*wɔt] (*rel.*) *pron.* ① 《의문사》 무엇; 어떤 것(사람); 얼마《금액》. ② 《감탄》 얼마나. ③ 《의문사》 …(하는) 바의 것(일); …(하는) 것(일)은 무엇이나(*do ~ you please* 네가 무엇을 하든); …와 같은(*He is not ~ he was.* 옛날의 그가 아니다). ***and*** ~ ***not*** 그밖의 여러 가지, …등등. ***but*** ~ 《부정문에서》 …않는, …이외에는. ***I'll*** TELL ***you*** ~. ***W- about*** (***it***)***?*** (그것은) 어떠한가. ***W- for?*** =WHY? ***W- if...?*** 만약 …라면(하다면) 어찌 될 것인가; =WHAT THOUGH? ~ ***is called*** 이른바. ~ ***is more*** 그 위에. ***W- of it?*** 그게 어쨌다는 건가. ~***'s*** ~ 《口》 사물의 도리, 일의 진상. ***W- though ...?*** 설사 …라도 그것이 어떻단 말인가. ~ ***with ...,*** (***and***) ~ ***with*** (…을) 하거나 또 (…을) 하거나하여, …다 …다하여. — *a.* ① 《의문사》 무슨, 어떤; 얼마의. ② 《감탄사》 정말이지, 어쩌면. ③ 《관계사》 (…하는) 바의; …할 만큼의.

:what·ev·er [*h*wɑtévər/*h*wɔt-] (*rel.*) *pron.* ① (…하는) 것(일)은 무엇이나; 무엇이 …하든지. ② 《美口》 《강조》 대체 무엇이(을)(*W- do you mean?* 대체 어쩔 셈이냐?). — *a.* ① 《관계사》 (비록) 어떤 …이라도; 어떤 …을 하더라도. ② 《no나 any 다음에서》 조금의 …도.

whát·nòt *n.* Ⓒ (책·장식품을) 얹어놓는 (장식) 선반.

:wheat [*h*wiːt] *n.* Ⓤ 밀. **ㅅ·en** *a.* 밀의, 밀로 만든.

whee·dle [*h*wíːdl] *vt.* 감언으로 유혹하다(*into*); 감언이설로 속여 빼앗다(*out of*).

:wheel [*h*wiːl] *n.* Ⓒ ① 바퀴, 수레바퀴. ② (운명의) 수레바퀴. ③ 《美口》 자전거. ④ (자동차의) 핸들, 타륜(舵輪); 물레. ⑤ (*pl.*) 기계; 회전. ⑥ 《美俗》 《비유》 세력가, 거물. ***at the*** ~ 타륜을 잡고; 지배하여. ***a turn of the*** ~ 운명의 변천. ***go on*** ~***s*** 순조롭게 나아가다. ***grease the*** ~***s*** 바퀴에 기름을 치다; 일을 원활하게 진행시키다, 뇌물을 쓰다. ~***s within*** ~***s*** 착잡한 사정, 복잡한 기구. — *vt.* ① (수레를) 움직이다; 수레로 나르다. ② 선회시키다. ③ 녹로로 만들다. — *vi.*

선회하다, 방향을 바꾸다(*about, round*); 자전거를 타다; (새 따위가) 원을 그리며 날다(따위). **~ed**[-d] *a.* 바퀴 있는. **∠·er** *n.* Ⓒ 수레로 나르는 사람; …륜차; (마차의) 뒷말; = WHEELWRIGHT. 「레.

whéel·bàrrow *n.* Ⓒ 외바퀴 손수

whéel·bàse *n.* Ⓒ 축거(軸距)《자동차 전후의 차축간의 거리》.

whéel·chàir *n.* Ⓒ (환자용의) 바퀴 달린 의자. 「완가.

whéeler-dèaler *n.* Ⓒ《美俗》수

whéel·wrìght *n.* Ⓒ 수레 목수.

wheeze [*h*wiːz] *vi., vt.* 씨근거리(며 소리내)다; 씩씩거리며 말하다. — *n.* Ⓒ 씩씩거리는 소리; (배우의) 진부한 익살; 진부한 이야기.

wheez·y[*h*wíːzi] *a.*

whelk[*h*welk] *n.* Ⓒ 쇠고둥《7cm정도의 식용 고둥》.

whelp[*h*welp] *n.* Ⓒ 강아지; (사자·범·곰 등의) 새끼;《蔑》개구쟁이, 변변치 못한 아이. — *vi., vt.* (개 따위가) 새끼를 낳다.

†**when**[*h*wen] (*rel.*) *ad.* ① 언제. ② …한 바의, …한[하는] 때. ③ 바로 그 때. — *conj.* ① (…할) 때에. ② …때에는 언제나. ③ …함에도 불구하고, …인데[한데도]. — (*rel.*) *pron.* 언제; 그때. — *n.* (the ~)때.

·**whence** [*h*wens] (*rel.*) *ad.*《雅》① 어디서, 어찌하여. ② …바의, …하는 그 곳으로(부터).

:**when·ev·er**[-évər] (*rel.*) *ad.* …할 때에는 언제든지; 언제 …하더라도;《口》(도대체) 언제.

†**where**[*h*wεər] (*rel.*) *ad.* ① 어디에[서, 로, 에서], 어느 위치에[방향으로], 어느 점에서. ② …하는 바의《장소》, 그러자 거기에서, …하는 장소에[로, 에서]. — *n.* (the ~) 어디; 장소; 광경.

·**whére·abòuts** *ad., n.* ① 어디쯤에. ② Ⓤ《복수 취급》소재, 있는 곳, 행방.

:**where·as** [*h*wεərǽz] *conj.* ① …인 까닭에, …을 고려하면. ② 이에 반하여, 그러나, 그런데. — *n.* Whereas(…인 까닭에)로 시작하는 문서.

·**whère·bý** (*rel.*) *ad.* ①《古》어떻게. ② 그에 의하여.

:**whére·fòre** (*rel.*) *ad., n.* 어째서, 그러므로; Ⓒ (종종 ~s) 이유.

:**whère·ín** (*rel.*) *ad.* ①《雅》무엇 가운데에, 어떤 점에서. ② 그 중에, 그 점에서.

·**where·up·on**[*h*wὲərəpán/-pɔ́n] (*rel.*) *ad.* 거기서, 그래서, 그때문에.

:**wher·ev·er**[*h*wεərévər] (*rel.*) *ad.* ① 어디에든지, 어디로든지. ②《口》대체 어디에.

whère·withál *n.* (the ~) (필요한) 자금, 수단.

·**whet**[*h*wet] *vt.* (**-tt-**) ① (칼 따위를) 갈다. ② (식욕 등을) 자극하다, 돋우다. — *n.* Ⓒ ① 갊. ② 자극(물); 식욕을 돋우는 물건. ③《方》잠시 동안.

†**wheth·er** [*h*wéðər] *conj.* …인지 어떤지; …인지 또는 …인지, …이든 또 …이든. ~ ***or no*** 어떻든, 하여

whét·stòne *n.* Ⓒ 숫돌. ㄴ간.

whew[*h*wjuː] *int., n.* 어휴!; 후!《놀라움·실망·안도 등을 나타냄》.

whey[*h*wei] *n.* Ⓤ 유장(乳漿)《우유에서 curd를 빼 낸 나머지 액체》.

†**which**[*h*witʃ] *n.* Ⓤ (*rel.*) *pron.* ① 어느것[쪽]. ② …하는 바의《것·일》, 어느 것이든. — (*rel.*) *n.* 어느 (쪽의); 그리고 그, 그런데 그.

:**which·ev·er**[-évər] (*rel.*) *pron., a.* ① 어느 …이든지. ② 어느 쪽이 …하든지.

·**whiff**[*h*wif] *n.* (a ~) ① (바람 등의) 한 번 붊. ② 확 풍기는 냄새. ③ 담배의 한 모금. — *vt., vi.* 훅 불다; 담배 피우다.

†**while**[*h*wail] *n.* (a ~) (잠시) 동안, 때, 시간. ***after a*** ~ 잠시 후에. ***between*** **~s** 틈틈이. ***for a*** ~ 잠시 동안. ***in a little*** ~ 얼마 안 있어. ***once in a*** ~ 가끔. ***the*** ~ 그 동안, 그렇게 하고 있는 동안에. ***worth*** (***one's***) ~ 가치 있는. — *conj.* ① …하는 동안에; …하는 동안, …하는 한(限). ② …에 대하여, 그런데, 그러나 한편. — *vt.* 빈둥빈둥 (때를) 보내다(*away*).

·**whim**[*h*wim] *n.* Ⓒ 변덕, 일시적 기분. ***full of*** **~s** (***and fancies***) 변덕스러운.

·whim·per [*h*wímpə*r*] *vi., vt.* 훌쩍훌쩍 울다; (개 따위가) 낑낑거리다. — *n.* Ⓒ 흐느껴 욺, 낑낑거리는 소리. **~·er** *n.* Ⓒ 훌쩍훌쩍우는 사람. **~·ing·ly** *ad.* 훌쩍거리며, 킁킁거리며.

whim·s(e)y [*h*wímzi] *n.* Ⓤ 변덕, 색다름; Ⓒ 색다른 언동. **·whím·si·cal** *a.* 변덕스러운.

·whine [*h*wain] *vi., vt.* ① 애처롭게 울다; (개 따위가) 낑낑거리다. ② 우는 소리를 하다. — *n.* Ⓒ ① 애처럽게 우는 소리; (개 등이) 낑낑거리는 소리. ② 우는 소리.

whin·ny [*h*wíni] *vt., n.* (말이 낮은 소리로) 울다; Ⓒ 우는 소리.

:whip [*h*wip] *n.* ① Ⓒ 매[채찍](질). ② Ⓒ 《주로 英》 마부. ③ Ⓒ 〖獵〗 사냥개 담당원. ④ Ⓒ 《英》 (의회의) 원내 총무《중대 의결을 할 때 자기 당원의 출석을 독려함》. ⑤ Ⓤ,Ⓒ 크림·달걀 따위를 거품일게 한 디저트 과자. — *vt.* (**-pp-**) ① 채찍질하다. ② 갑자기 움직이다(*away, into, off, out, up*). ③ (달걀 따위를) 거품일게 하다. ④ 《口》 (경기 등에서) 이기다. ⑤ 단단히 감다, 휘감다; (가장자리를) 감치다. ⑥ 낚싯대를 휙 던져 낚다(~ *a stream*). — *vi.* ① 채찍을 사용하다. ② 갑자기 움직이다(*behind; into; out of; round*). **~ *away*** 뿌리치다. **~ *in*** (사냥개 따위를) 채찍으로 불러모으다. **~ *... into shape*** …을 억지를 써서 이룩하다. **~ *up*** (말 따위에) 채찍질하여 달리게 하다; 그러모으다; 갑자기 부여잡다; 흥분시키다.

whíp·làsh *n.* Ⓒ 채찍끈; =⇩.

whíplash ìnjury (자동차의 충돌로 인한) 목뼈의 골절상 및 뇌진탕.

whípper·snàpper *n.* Ⓒ 시시한 인간, 건방진 녀석.

whip·pet [*h*wípit] *n.* Ⓒ 경주용 작은 개《영국산》. 「(형벌).

whip·ping [*h*wípiŋ] *n.* Ⓤ,Ⓒ 채찍질

whip·py [*h*wípi] *a.* 탄력성이 있고 부드러운. 「금 모금.

whíp-ròund *n.* Ⓒ 《英》 모금, 기부

whir [*h*wəːr] *vi., vt.* (**-rr-**) 휙 날다; 휙 하다; 윙윙 돌다. — *n.* Ⓒ 휙하는 소리; 윙하고 도는 소리.

:whirl [*h*wəːrl] *vt.* ① 빙빙 돌리다. ② 차로 신속히 운반하다. — *vi.* ① 빙빙 돌다. ② 질주하다. ③ 현기증나다. — *n.* Ⓒ ① 선회; 소용돌이. ② 잇따라 일어나는 일. ③ 혼란.

whirl·i·gig [*h*wə́ːrligìg] *n.* Ⓒ 회전하는 장난감《팽이·팔랑개비 따위》; 회전 목마; 회전 운동; 〖蟲〗 물매암이.

·whírl·pòol *n.* Ⓒ (강·바다의) 소용돌이 (모양의 물건).

·whírl·wìnd *n.* Ⓒ ① 회오리바람, 선풍. ② 급격한 행동. ***ride*** (***in***) ***the ~*** (천사가) 선풍을 다스리다.

whirr [*h*wəːr] *n., v.* =WHIR.

·whisk [*h*wisk] *n.* Ⓒ ① 작은 비(모양의 솔). ② 철사로 만든 거품내는 기구. ③ (총채·솔 따위의) 한 번 털기. ④ 민첩한 행동. — *vt.* ① (먼지 따위를) 털다(*away, off*). ② (달걀 따위를) 휘저어서 거품내다. ③ 급히 채가다[데려가다](*away, off*). ④ 가볍게 휘두르다. — *vi.* (급히) 사라지다(*out of, into*).

·whisk·er [*h*wískə*r*] *n.* Ⓒ ① (보통 *pl.*) 구레나룻; (고양이·쥐 등의) 수염. ② (가느다란) 침상 결정(針狀結晶). **~ed** [-d] *a.* 구레나룻 있는.

:whis·k(e)y [*h*wíski] *n.* Ⓤ 《종류는 Ⓒ》 위스키.

:whis·per [*h*wíspə*r*] *vi.* ① 속삭이다; 몰래 말하다. ② (바람·냇물 따위가) 살랑살랑[졸졸] 소리를 내다; 은밀히 말을 퍼뜨리다. **~ *in a person's ear*** 아무에게 귀띔하다. — *n.* Ⓒ 속삭임; 소근거림; 살랑살랑[졸졸] 소리.

whíspering campàign 계획적 데마 (작전).

whist [*h*wist] *n.* Ⓤ 휘스트《카드놀이의 일종》.

:whis·tle [*h*wísəl] *vi.* ① 휘파람[피리]불다; 기적을 울리다. ② (탄환 등이) 팽 하고 날다. — *vt.* 휘파람을 불다[불어 부르다, 신호하다]. **~ *for*** …을 휘파람을 불어 부르다; 헛되이 바라다. — *n.* Ⓒ 휘파람; 호각, 경적. ***wet one's ~*** 《口》 한 잔 하다. **~r** *n.*

whístle stòp (경적 신호가 있을 때만 열차가 서는) 작은 역; 작은 읍; (유세 중 작은 읍의) 단기 체류.

˙**whit** [*h*wit] ***n.*** Ⓤ 조금, 미소(微少) 《보통 부정할 때 씀》. ***not a ~*** 조금도 …않다.

†**white**[*h*wait] ***a.*** ① 흰, 백색의, 하얀. ② 창백한; 투명한, 색없는. ③ 흰 옷의; (머리 따위) 은백색의. ④ 백색 인종의. ⑤ 결백한; 《俗》 공정한, 훌륭한. ⑥ 왕당파의, 반공산주의의. ⑦ 눈이 많은; 공백의. ***bleed a person ~*** (아무)에게서 (돈 따위를) 짜내다. — ***n.*** ① Ⓤ,Ⓒ 하양, 백색. ② Ⓤ 흰 그림 물감〔안료〕. ③ Ⓤ 흰 옷, 흰 천. — ***vt.*** 《古》 희게 하다. ˙**∠·ness** ***n.*** Ⓤ ① 흼; 백. ② 결백.

whíte ánt 흰개미(termite).

whíte·bàit ***n.*** Ⓤ 〖魚〗 정어리〔청어〕의 새끼; 뱅어.

whíte-cóllar ***a.*** 사무 계통의, 샐러리맨의.

whíte córpuscle 백혈구.

whíte élephant 흰코끼리; 성가신 소유물, 무용지물.

whíte flág (항복·휴전의) 백기.

White·hall [∠hɔ̀:l] ***n.*** 런던의 관청가; Ⓤ 《집합적》 영국 정부(의 정책).

whíte héat 백열; 격노.

whíte hópe 《美口》 촉망되는 사람.

whíte-hót ***a.*** 백열한〔의〕; 열렬한.

˙**Whíte Hòuse, the** 백악관《미국 대통령 관저》; 미국 대통령의 직권; 미국 정부.

whíte líe 가벼운〔악의없는〕 거짓말.

whíte líght 대낮의 빛; 공정한 판「단.

˙**whit·en**[*h*wáitn] ***vt., vi.*** 희게 하다〔되다〕; 표백하다. **~·ing** ***n.*** Ⓤ 호분(胡粉), 백악(白堊).

whíte·òut ***n.*** Ⓤ,Ⓒ 〖氣〗 눈의 난반사로 백일색이 되어 방향 감각이 없어지는 극지 대기 현상.

whíte páper 백지; (정부의) 백서「(白書).

whíte pépper 흰 후추.

whíte sàuce 화이트소스《버터·우유·밀가루로 만듦》.

whíte tíe 흰 나비 넥타이; 연미복.

˙**whíte·wàsh** ***n.*** ① Ⓤ 백색 도료. ② Ⓤ,Ⓒ 실패를 겉꾸림하는 일〔물건·수단〕. — ***vt.*** ① 백색 도료를〔회반죽을〕 칠하다. ② 실패를 겉꾸림하다; 《美口》 영패시키다.

whíte wáter 급류; 물보라; (여울 따위의) 흰 물결.

whíte wíne 백포도주.

˙**whith·er**[*h*wíðər] (***rel.***) ***ad.*** 《古·雅》 ① 어디로; (…하는) 곳으로. ② (…하는) 어디로든지.

whit·ing[*h*wáitiŋ] ***n.*** Ⓒ 〖魚〗 대구의 일종.

whit·ish[*h*wáitiʃ] ***a.*** 희읍스름한.

Whit·sun[*h*wítsən] ***a.*** Whitsunday의.

Whit·sun·day[*h*wítsʌ́ndei, -di, -səndèi] ***n.*** Ⓤ,Ⓒ 성신 강림절《부활절 후의 제 7 일요일》.

whit·tle[*h*wítl] ***vt.*** (칼로 나무를) 깎다; 깎아서 모양을 다듬다, 새기다; 삭감하다(***down, away, off***). — ***vi.*** (칼로) 나무를 깎다, 새기다.

˙**whiz**(**z**) [*h*wiz] ***vi.*** 윙윙〔핑핑〕하다, 붕 날다〔달리다〕. — ***n.*** Ⓒ 윙하는 소리; 《美俗》 숙련가.

WHO World Health Organization.

†**who**[hu:, 弱 hu] (***rel.***) ***pron.*** ① 누구, 어떤 사람. ② (…하는) 사람, 그리고 그 사람은〔사람이〕, …하는 사람(은 누구든지).

whoa[*h*wou/wou] ***int.*** 워! 《말을 멈추게 할 때 내는 소리》.

who'd[hu:d] who had 〔would〕의 단축.

who·dun·it [hu:dʌ́nit] (＜who done it) ***n.*** Ⓒ 《口》 추리 소설〔극·영화〕.

:**who·ev·er**[hu:évər] (***rel.***) ***pron.*** …하는 사람은 누구든(지), 누가 …을 하더라도〔하든〕.

†**whole**[houl] ***a.*** ① 전체의, 전…, 완전한. ② 건강한. ③ 통째(로, 의). ④ (형제 등) 친…. ⑤ 고스란한. ⑥ 다치지 않은. ⑦ 〖數〗 정수(整數)의. ***a ~ lot of*** 《俗》 많은. ***out of ~ cloth*** 터무니없는, 날조한. — ***n.*** Ⓒ ① 전부, 전체. ② 완전한 것; 통일체. ***as a ~*** 전체로서. ***on*** 〔***upon***〕 ***the ~*** 전체로 보아서; 대체로. **∠·ness** ***n.***

˙**whóle·héarted**(**ly**) ***a.*** (***ad.***) 정성어린, 진심으로.

whóle nòte 〖樂〗 온음표.

whóle nùmber 〖數〗 정수(整數).

˙**whole·sale**[hóulsèil] ***n., vt., vi.***

Ⓤ 도매(하다). ― *a.* 도매의; 대대적인; 대강의. ― *ad.* 도매로; 대대적으로; 통틀어, 완전히; 대강. **~·er** *n.*

:whole·some [ˊsəm] *a.* 건강에 좋은; 건전한, 유익한. **~·ly** *ad.* **~·ness** *n.*

whóle-whéat *a.* (밀기울을 빼지 않은) 전 밀가루로 만든.

who'll [hu:l, 弱 hul] who will (shall)의 단축.

:whol·ly [hóu*l*li] *ad.* ① 아주, 완전히. ② 오로지.

†whom [hu:m, 弱 hum] (*rel.*) *pron.* who의 목적격.

whom·so·ever (*rel.*) *pron.* whoever의 목적격.

˙whoop [hu:p, *h*wu:p] *vi.* ① 큰 소리로 외치다. ② (올빼미가) 후우후우 울다. ③ (백일해로) 그르렁거리다. ― *vt.* 소리지르며 말하다. **~ *it up*** 《俗》 와와 떠들어대다. ― *n.* Ⓒ ① 외치는 소리. ② 후우후우 우는 소리. ③ 그르렁거리는 소리.

whoop·ee [*h*wú(:)pi:, wúpi:] *int., n.* Ⓤ 《美口》 와아《환희·흥분을 나타냄》; 야단 법석.

whóop·ing còugh [hú:piŋ-] 〖醫〗 백일해.

whop·per [ˊər] *n.* Ⓒ 《口》 엄청나게 큰 것; 엄청난 거짓말.

whop·ping [ˊiŋ] *a., ad.* 《口》 터무니 없는[없이], 엄청난; 몹시.

whore [hɔ:*r*] *n.* Ⓒ 매춘부. ― *vi.* 매춘 행위를 하다; 매춘부와 놀다. ― *vt.* (여자를) 타락시키다; 갈보 취급하다.

who're [hú:ər] who are의 단축.

whóre·hòuse *n.* Ⓒ 매음굴.

whorl [*h*wə:*r*l] *n.* Ⓒ 〖植〗 윤생체(輪生體); 소용돌이; 〖動〗 (고둥의) 나선, 그 한 사리; 〖解〗 (내이(內耳)의) 미로(迷路). **~ed** [-d] *a.* 나선 모양으로 된, 소용돌이가 있는.

:who's [hu:z] who is [has]의 단축.

†whose [hu:z] (*rel.*) *pron.* who (which)의 소유격.

who·so·ev·er [hù:souévər] (*rel.*) *pron.* 《강의어》 = WHOEVER.

†why [*h*wai] (*rel.*) *ad.* ① 왜, 어째서. ② …한 (이유), (왜 …(을) 했는)가의 (이유). ***W- not?*** 왜 안되는가. ***W- so?*** 왜 그런가. ― *n.* (*pl.*) 이유. ― *int.* ① 어마, 저런. ② 뭐. ③ 물론(*W-, yes.*).

W.I. West Indies.

wick [wik] *n.* Ⓒ (양초·램프 따위의) 심지. **ˊ·ing** *n.* Ⓤ 심지의 재료.

:wick·ed [wíkid] *a.* ① 나쁜, 사악한. ② 심술궂은; 장난이 심한. ③ 위험한; (말 따위) 버릇이 나쁜(*a ~ horse*). **~·ly** *ad.* **~·ness** *n.*

wick·er [wíkə*r*] *n.* Ⓤ (결어 만드는) 채; 채그릇 세공. ― *a.* 채로 만든, 채그릇 세공의.

wícker·wòrk *n.* Ⓤ 고리 버들 세공.

wick·et [wíkit] *n.* Ⓒ 작은 문, 쪽문, 회전식 입구, 개찰구; 창구(窓口); 수문(水門); 〖크리켓〗 삼주문(三柱門), 위켓(장); (타자의) 칠 차례.

wícket·kèeper *n.* Ⓒ 〖크리켓〗 삼주문의 수비자.

†wide [waid] *a.* ① 폭이 넓은; 폭이 …되는; 너른. ② (지식 등이) 해박한; 편견없는, 활짝[넓게] 열린. ③ (의복 등) 헐렁헐렁한, 헐거운. ④ (표적에서) 벗어난, 잘못 짚은, 동떨어진(*of*). ⑤ 〖音聲〗 개구음(開口音)의. **~ *of the mark*** 과녁을 벗어나서; 엉뚱하게 잘못 짚어. ― *ad.* 넓게; 크게 벌리고; 멀리; 빗나가, 잘못 짚어. ***have one's eyes ~ open*** 정신을 바싹 차리다. ― *n.* Ⓒ 넓은 곳; 〖크리켓〗 빗나간 공.

:wíde-ángle *a.* (렌즈가) 광각(廣角)의.

:wide·ly [wáidli] *ad.* ① 널리; 먼곳에. ② 크게, 대단히.

˙wid·en [wáidn] *vt., vi.* 넓히다, 넓어지다.

˙wíde·spréad *a.* 널리 퍼진, 일반적인, 만연한.

widg·eon [wídʒən] *n.* Ⓒ 〖鳥〗 홍머리오리.

†wid·ow [wídou] *n.* Ⓒ ① 미망인, 과부. ② 〖카드〗 돌리고 남은 패. ― *vt.* 과부[홀아비]로 만들다. **~·ed** [-d] *a.* 아내를[남편을] 여윈. **~·er** *n.* Ⓒ 홀아비. **~·hood** [-hùd] *n.* Ⓤ 과부신세[살이].

:width [widθ, witθ] *n.* ① Ⓤ,Ⓒ 넓이, 폭. ② Ⓒ (피륙 등의) 한 폭. **~·ways** [ˊwèiz], **~·wise** [ˊwàiz]

ad. 옆(쪽)으로.

·**wield**[wi:ld] *vt.* ① (칼·필봉 등을) 휘두르다. ② (권력을) 휘두르다, 지배하다.

wie·ner(**·wurst**) [wíːnər(wə̀ːrst)] *n.* Ⓤ,Ⓒ 《美》 위너 소시지.

†**wife** [waif] *n.* (*pl.* **wives**) Ⓒ ① 처. ② 《古》 여자. ***old wives' tale*** 허황된 이야기. ***take to ~*** 아내로 삼다. **~·like**[∠làik], **∠·ly** *a.* 아내다운; 아내에 어울리는.

:**wig**[wig] *n.* Ⓒ 가발. — *vt.* (**-gg-**) (…에) 가발을 씌우다; 《英口》 몹시 꾸짖다. **~ged**[-d] *a.* 가발을 쓴.

wig·gle[wígəl] *vi., vt.* (짧고 빠르게) 뒤흔들(리)다. — *n.* Ⓒ 뒤흔듦, 뒤흔드는 선(線). **wíg·gler** *n.* Ⓒ 뒤흔드는 것(사람); 장구벌레. **wíg·gly** *a.*

wig·wam[wígwɑm/-wɔm] *n.* Ⓒ (북아메리카 토인의) 오두막집.

†**wild**[waild] *a.* ① 야생의. ② (토지가) 황폐한; 사람이 살지 않는. ③ 야만의; 난폭한; 어거하기 힘든; 제멋대로의, 방탕한. ④ 소란스런; (폭풍우 따위가) 모진; 어지러운; 미친듯한, 열광적인(*with, about, for*); 《口》 열중한(*to* do). ⑤ 공상적인. ⑥ 무모한; 빗나간. ***grow ~*** 야생하다. ***run ~*** 사나워지다; 제멋대로 하다; 제멋대로 자라게 방치돼 있다. — *n.* (the ~) 황무지, 황야; (*pl.*) 미개지. — *ad.* 난폭하게; 되는 대로. **:∠·ly** *ad.* 난폭하게; 황폐하여; 무턱대고. **∠·ness** *n.*

wíld càrd ① (카드놀이에서) 자유패, 만능패. ② 〖컴〗 만능 문자 기호 (~ *character* 와일드 카드 문자).

·**wíld·càt** *n.* Ⓒ ① 살쾡이. ② 무법자. ③ 《美》 (객차·화차가 연결 안 된) 기관차. ④ (석유의) 시굴정(試掘井). — *a.* 무모한; 당돌한; 비합법적인; (기관차 등이) 폭주(暴走)하는. — *vt.* (석유 등을) 시굴하다.

:**wil·der·ness** [wíldərnis] *n.* ① Ⓒ 황야, 사람이 살지 않는 땅. ② Ⓤ 끝없이 넓음.

wíld·fire *n.* Ⓤ 옛날 화공(火攻)에 쓰인 화염제. ***spread like ~*** (소문 등이) 삽시간에 퍼지다.

wíld fòwl 엽조(獵鳥). 「도」.

wíld-góose chàse 헛된 수색(시

Wíld Wést, the 《美》 (개척 시대의) 미국 서부 지방.

wile[wail] *n.* Ⓒ (보통 *pl.*) 책략, 간계(奸計). — *vt.* 속이다(*away, into, from; out of*). **~ *away*** 시간을 이럭저럭 보내다. 「&c.

·**wil·ful**[wílfəl], **&c.** = WILLFULL,

†**will**[1][強 will, 弱 wəl, l] *aux. v.* (p. **would**) ① 《단순미래》 …할 것이다. ② 《의지미래》 …할 작정이다. ③ 《성질·습관·진리》 종종〔늘〕 …하다 (*People ~ talk.* 남의 입이란 시끄러운 법); 원하다; …할 수 있다(*The theater ~ hold two thousand persons.* 그 극장엔 2천명은 들어갈 수 있다). ④ 《공손한 명령》 …해 주십시오(*You ~ not play here.* 이곳에서 놀지 말아 주시오). ⑤ 《추측》 …일 것이다(*He ~ be there now.* 지금쯤은 거기 있을 것이다).

:**will**[2][wil] *n.* Ⓤ,Ⓒ 의지(력); 결의; 소원; 목적; (사람에 대한) 감정(*good* 〔*ill*〕 ~ 선의〔악의〕); Ⓒ 〖法〗 유언(장). ***against one's ~*** 본의 아니게. ***at ~*** 마음대로. ***do the ~ of*** (…의 뜻)에 따르다. ***have one's ~*** 자기 뜻〔의사〕대로 하다. ***with a ~*** 정성껏, 열심히. — *vt.* 결의하다; 바라다; 원하다; 의지의 힘으로 시키다; 유증(遺贈)하다. **willed**[-d] *a.* …할 의사를 가진.

·**will·ful**[wílfəl] *a.* 계획적인, 고의의; 고집 센. **~·ly** *ad.* **~·ness** *n.*

wil·lies[wíliz] *n. pl.* (the ~) 《美口》 겁, 섬뜩한 느낌.

:**will·ing**[wíliŋ] *a.* 기꺼이 …하는(*to* do); 자진해서 하는. ·**~·ly** *ad.* ·**~·ness** *n.*

will-o'-the-wisp[wíləðəwísp] *n.* Ⓒ 도깨비불; 사람을 호리는 것.

:**wil·low**[wílou] *n.* Ⓒ 버드나무; 《口》 버드나무 제품. WEEPING ~. **~·y** *a.* 버들이 우거진; 버들 같은; 낭창낭창한; 우아한.

will pòwer 의지력, 정신력.

wil·ly-nil·ly[wíliníli] *ad.* 싫든 좋든. — *a.* 망설이는, 우유부단한.

wilt[1][wilt] *vi., vt.* (초목이) 시들(게 하)다, 이울(게 하)다; (사람이) 풀이 죽(게 하)다. — *n.* Ⓤ 〖植〗 청고병(青枯病).

W

wilt[2] *aux. v.* 《古》 = will《주어가 thou일 때》.
wil·y[wáili] *a.* 책략이 있는, 교활한.
wimp[wimp] *n.* Ⓒ 《口》 겁쟁이.
wim·ple[wímpəl] *n.* Ⓒ (수녀용의, 원래는 보통 여인도 썼던) 두건; 《英》 잔 물결. ── *vt.* 두건으로 싸다; 잔물결을 일으키다. ── *vi.* 잔물결이 일다.
†**win**[win] *vt.* (**won; -nn-**) ① 쟁취하다; 획득하다; 이기다. ② 명성을 얻다; (노력하여) 이르다; 설득하다; 구워삶아서 결혼을 승낙시키다. ── *vi.* 이기다; 다다르다; 소망을 이루다; (노력하여) …이 되다; (사람의 마음을) 끌다(*on, upon*). **~ out** 〔**through**〕 뚫고 나가다, 성공하다. **~ over** 자기편으로 끌어 들이다, 회유하다. ── *n.* Ⓒ 승리, 성공; 번 돈; 상금.
wince[wins] *vi.* 주춤〔멈칫〕하다; 움츠리다(*under, at*). ── *n.* Ⓒ (보통 *sing.*) 주춤함, 흠칫〔움찔〕함, 움츠림.
winch[wintʃ] *n.* Ⓒ 윈치, 수동(手動)식 크랭크.
†**wind**[1][wind] *n.* ① Ⓤ,Ⓒ 바람; 큰 바람. ② Ⓤ 바람에 불려오는 냄새; 소문. ③ Ⓤ (위·장에 괴는) 가스 (*break* ~ 방귀 뀌다). ④ Ⓤ 숨, 호흡. ⑤ Ⓤ 객담, 빈말. ⑥ (the ~) 《집합적》 관악기(류); Ⓤ (the ~) 《단수 취급》 (오케스트라의) 관악부 (cf. the strings). **before** 〔**down**〕 **the ~** 【海】 바람을 등지고, 바람이 불어가는 쪽에. **between ~ and water** (배의) 흘수선에; 급소에. **cast** 〔**fling**〕 **to the ~** 내버리다, 포기하다. **find out how the ~ blows** 〔**lies**〕 풍향(風向)을 살피다; 형세를 엿보다. **get** 〔**recover**〕 **one's ~** 숨을 돌리다. **get ~ of** …한 풍문을 바람결에 듣다. **in the teeth** 〔**eye**〕 **of ~** 바람을 안고. **in the ~** 일어나려고 하여; 진행중에. **kick the ~** 《俗》 교살당하다. **lose one's ~** 숨을 헐떡이다. **off the ~** 【海】 바람을 등지고. **on the ~** 바람을 타고. **raise the ~** 《俗》 자금〔돈〕을 모으다. SAIL **close to the ~.** SECOND **~. take the ~ of** (다른 배의) 바람 웃녘으로 나가다; 보다 유리한 지위를 차지하다. **take the ~ out of** *a person's* **sails** (아무의) 선수를 치다, …을 앞지르다. **the four ~s** 사면 팔방. ── *vt.* 바람에 쐬다, 통풍하다; 낌새 채다; 숨가쁘게 하다; 숨을 돌리게 하다.
:**wind**[2][waind] *vt.* (**wound**) ① (시계 태엽 등을) 감다; (털실 등을) 감아서 토리를 짓다(*into*); 휘감다. ② 구불구불 나아가다; 교묘히 들맞추다. ── *vi.* 휘감기다(*about, round*); 구불구불 구부러지다, 구불구불 나아가다; (시계 태엽이) 감기다; 교묘히 들맞추다. **~ off** 되감다. **~ up** (실 등을) 다 감다; (닻을) 감아 올리다; (시계 태엽을) 감다; 긴장시키다; (연설을) 끝맺다(*by, with*); 결말을 짓다; (회사 따위를) 해산하다(*up*); 【野】 (투수가) 팔을 돌리다, 와인드업하다. ── *n.* Ⓒ 감는 일, 한 번 감기; 굽이(침).
wind[3] [waind, wind] *vt.* (**~ed, wound**) (피리, 나팔 등을) 불다, 불어 신호하다.
wínd·bàg *n.* Ⓒ (백파이프의) 공기 주머니; 《口》 수다쟁이.
wínd-blòwn *a.* 바람에 날린; (머리를) 짧게 잘라 앞에 착 붙인.
wínd·brèak *n.* Ⓒ 방풍림(林); 바람막이 (설비).
wínd·chèater *n.* = PARKA.
wínd còne (비행장의) 원뿔꼴 바람개비(wind sock).
wínd·fàll *n.* Ⓒ 바람에 떨어진 과일; 뜻밖의 횡재《유산 등》.
wínd instrument 관악기, 취주악기.
wind·lass[wíndləs] *n.* Ⓒ 자아틀, 「윈치(winch).
wínd·less *a.* 바람 없는, 잔잔한.
:**wind·mill**[wín*d*mìl] *n.* Ⓒ 풍차; 《俗》 헬리콥터. **fight** 〔**tilt at**〕 **~s** 가상(假想)의 적과 싸우다.
†**win·dow**[wíndou] *n.* Ⓒ 창, 창구; 유리창; (우주선의) 재돌입 회랑; 【컴】 창, 윈도. **have all one's goods in the** (**front**) **~** 겉치레뿐이다, 피상적이다.
wíndow bòx (창가에 놓는) 화초 「상자.
wíndow drèssing 진열창 장식(법); 겉꾸밈.
wíndow·pàne *n.* Ⓒ 창유리.
wíndow-shòp *vi.* (**-pp-**) 사지 않

W

고 진열창만 보고 다니다.
wíndow sìll 창턱.
wínd·pìpe *n.* Ⓒ 〖解〗 기관(氣管).
wínd·shìeld, 《英》 **-scrèen** *n.* Ⓒ (자동차 앞의) 바람막이 유리.
wíndshield 〔《英》 **wíndscreen**〕 **wìper** (자동차 따위의) 와이퍼.
wínd slèeve 〔**sòck**〕 = WIND CONE.
wínd-swèpt *a.* 바람에 시달린, 바람에 노출된.
wínd·ùp[wáind-] *n.* Ⓒ 종결, 마무리; 〖野〗 와인드업《투구의 동작》.
wind·ward[wíndwərd] *a., ad.* 바람 불어오는 쪽의〔으로〕. — *n.* Ⓤ 바람 불어오는 쪽. ***get to*** (***the***) ~ ***of*** (다른 배·냄새 따위의) 바람 불어오는 쪽으로 돌다; …을 앞지르다.
:wind·y[wíndi] *a.* 바람이 센, 바람받이의; (장(腸)에) 가스가 생기는; 수다스러운; 말뿐인; 공허한.
:wine[wain] *n.* ① Ⓤ 포도주; 과실주. ② Ⓒ (포도주처럼) 기운을 돋우는〔취하게 하는〕 것. ③ Ⓤ 붉은 포도줏빛. ***in*** ~ 술에 취하여. ***new*** ~ ***in old bottles*** 새 술은 새 부대에; 옛 형식으로는 다룰 수 없는 새로운 주의. — *vt., vi.* 포도주로 대접하다; 포도주를 마시다. 「그 포도주.
wíne cèllar 포도주 저장 지하실;
wíne còoler 포도주 냉각기.
wíne·glàss *n.* Ⓒ 포도주 잔.
win·er·y[wáinəri] *n.* Ⓒ 포도주 양조장.
†wing[wiŋ] *n.* Ⓒ ① 날개; 날개 모양을 한〔구실을 하는〕 물건. ② 《口·諧》 (동물의) 앞발, (사람의) 팔. ③ 〖建〗 날개; 무대의 양 옆. ④ 비행; 〖軍〗 비행단; 《軍口》 (*pl.*) (미국 공군의) 기장. ⑤ (보통 *sing.*) 〖政〗 (좌익·우익의) 익. ***add*** 〔***lend***〕 ~***s to*** … 을 촉진하다. ***give*** ~(***s***) ***to*** 날 수 있게 하다. ***on the*** ~ 비행중에; 활동중에; 출발하려고 하여. ***show the*** ~***s*** 〖軍〗 (평시에) 시위 비행을 하다. ***take under one's*** ~***s*** 비호하다. ***take*** ~ 날아가다. ***under the*** ~ ***of*** …의 보호 하에. — *vt.* (…에) 날개를〔깃을〕 달다; 날 수 있게 하다; 속력을 내게 하다; 날(리)다; (새의) 날개·(사람의) 팔에 상처를 입히다.
~ ***its way*** (새가) 날아가다. ~**ed** [-d] *a.* 날개 있는; 고속(高速)의; (새가) 날개를 다친; (사람이) 팔을 다친. ∠**·less** *a.*
wíng commànder 《英》 공군 중령. 「글벅적한 파티.
wing·ding[wíŋdiŋ] *n.* Ⓒ 《美俗》 시
wíng shìp 〖空〗 (편대의) 선두기의 좌〔우〕후방을 나는 비행기.
wíng·spàn *n.* Ⓒ (항공기) 양 날개의 길이.
:wink[wiŋk] *vi.* 눈을 깜박이다; 눈짓하다(*at*); 보고도 못 본 체하다(*at*); (별 등이) 반짝이다. — *vt.* (눈을) 깜박이다; 눈짓으로 신호하다. ***like*** ~***ing*** 《俗》 순식간에; 기운차게. — *n.* Ⓒ 눈깜박임; (별 등의) 반짝임; Ⓤ,Ⓒ 눈짓; 순간. ***forty*** ~***s*** (식후의) 걸잠, 수잠. ***not sleep a*** ~, or ***not get a*** ~ ***of sleep*** 한숨도 못 자다. ***tip a person the*** ~ 《俗》 남에게 눈짓하다. ∠**·er** *n.* Ⓒ 깜박이는〔눈짓하는〕 사람〔것〕; 《口》 속눈썹.
win·kle[wíŋkəl] *n.* Ⓒ 〖貝〗 경단고둥류《식용》. — *vt.* 《口》 (조갯살 따위를) 뽑아내다(*out*).
˚win·ner[wínər] *n.* Ⓒ ① 승리자. ② 이긴 말. ③ 수상자. ④ …을 얻는 사람.
˚win·ning *a.* 결승의; 이긴; 사람의 마음을 끄는, 매력적인. — *n.* Ⓤ 승리; 성공; Ⓒ 상금, 상품.
wínning pòst (경마장의) 결승점, 결승표.
win·now[wínou] *vt.* (곡식에서) 겨를 까부르다(*away, out, from*); (진위 등을) 식별하다; (좋은 부분을) 골라〔가려〕 내다; 《古》 날개치다. — *vi.* 키질하다; 까불질하다. ~**·er** *n.*
win·o[wáinou] *n.* Ⓒ 《俗》 주정뱅이, 알코올 중독자.
win·some[wínsəm] *a.* 사람의 마음을 끄는; 쾌활한.
†win·ter[wíntər] *n., a.* Ⓤ,Ⓒ 겨울(의); 만년(晩年); Ⓒ 나이, 세(歲). — *vi.* 겨울을 나다; 피한(避寒)하다(*at, in*). — *vt.* (동·식물을) 월동시키다; 얼리다.
wínter·tìme, 《詩》 **-tìde** *n.* Ⓤ 겨울(철).
˚win·try[wíntri], **win·ter·y**[wín-

W

təri] *a.* 겨울의〔같은〕; 겨울다운; 추운; 냉담한.

·**wipe**[waip] *vt.* 닦다, 훔치다; 닦아 내다(*away, off, up*); 비비다, 문지르다. ~ (*a person's*) **eye** (아무를) 앞지르다, 선수 치다. ~ **out** (얼룩을) 빼다; 《비유》 (부끄러움을) 씻다; 전멸 시키다. ── *n.* Ⓒ 닦기, 한 번 닦기; 《俗》 찰싹 때리기; 손수건.

:**wire**[wáiər] *n., a.* ① Ⓤ,Ⓒ 철사(로 만든); 전선; 〖컴〗 줄, 유선. ② Ⓤ 전신; Ⓒ 전보. ③ Ⓤ 철(조)망; Ⓒ (악기의) 금속현(弦). **be on ~s** 흥분해〔속태우고〕 있다. **get under the ~** 간신히 시간에 대다. **pull** (**the**) **~s** 뒤〔배후〕에서 조종〔책동〕하다. ── *vt.* 철사로 묶다; 전선을 가설하다〔끌다〕; (새를) 철망으로 잡다; 《口》 전보를 치다. ── *vi.* 《口》 전보 치다.

wíre cùtter 철사 끊는 펜치.

:**wire·less** [∠lis] *a.* 무선(전신)의; 《英》 라디오의. ~ **set** 라디오 수신기. ~ **station** 무전국. ~ **telegraph** 〔**telephone**〕 무선 전보〔전화〕. ── *n.* Ⓤ 무선 전신〔전화〕; = RADIO. ── *vi., vt.* 무전을 치다.

wíre nètting 철망.

wíre·tàp *vt., vi.* 도청하다. ── *n.* Ⓒ 도청 장치. 「선(架線).

wir·ing[wáiəriŋ] *n.* Ⓤ 《집합적》 가

·**wir·y**[wáiəri] *a.* 철사 같은; 철사로 만든; (사람이) 실팍진.

·**wis·dom**[wízdəm] *n.* Ⓤ 지혜, 현명; 학문, 지식; 분별; 명언(名言), 금언; 《집합적》 《古》 현인(賢人).

wísdom tòoth 사랑니. **cut one's ~** 사랑니가 나다; 철이 나다〔들다〕.

†**wise**[1] [waiz] *a.* 현명한, 분별 있는; 영리해 보이는; 학문이 있는; 《美俗》 알고 있는. **be** 〔**get**〕 **~ to** 〔**on**〕 《美俗》 …을 알(고 있)다. **look ~** (잘난체) 점잔빼다. **none the ~r,** or **no ~r than** 〔**as ~ as**〕 **before** 여전히 모르고. **put** *a person* **~ to** …을 아무에게 알리다. **~ after the event** (어리석은 자의) 늦꾀《뒤늦게 깨닫는》. **~ woman** 여자 마술사; 여자 점쟁이; 산파. **∠·ly** *ad.* 현명하게. **not ~ly but too well** 방법은 서툴지만 열심히《Sh.》 ── *vt., vi.* 《흔히 다음 구로만》 **~ up** 《美俗》 알다, 알리다(*up*).

wise[2] *n.* (*sing.*) 방법; 정도; 양식, …식. **in any ~** 아무리 해도. (**in**) **no ~** 결코 …아니다〔않다〕. **in some ~** 어딘지, 어딘가. **on this ~** 이와 같이. 「방향으로」의 뜻.

-wise[wàiz] *suf.* '…와 같이, …의

wíse·cràck *n., vi.* Ⓒ 《口》 재치 있는〔멋진〕 대답(을 하다).

†**wish**[wiʃ] *vt.* ① 바라다, 원하다; …하고 싶어 하다; …면 좋겠다고 생각하다. ② 빌다, 기원하다. ── *vi.* 바라다(*for*); …이기를 빌다(*I ~ you a merry Christmas!* 크리스마스를 축하합니다). **have nothing left to ~ for** 만족스럽다, 더할 나위 없다. **~ on** 《美俗》 (남에게) 강제하다, 떠맡기다. ── *n.* Ⓤ,Ⓒ 소원, 바람; Ⓒ 원하는〔바라는〕 일〔것〕; (*pl.*) 기원.

wísh·bòne *n.* Ⓒ (새 가슴의) Y자형의 뼈《dinner 후 여흥으로 두 사람이 서로 당겨, 긴 쪽을 쥔 사람은 소원이 이루어진다 함》.

·**wish·ful** [∠fəl] *a.* 원하는(*to* do; *for*); 갖고 싶은 듯한.

wíshful thínking 희망적 관측.

wisp[wisp] *n.* Ⓒ (건초 등의) 한 모숨; (머리칼의) 다발; 작은 것; 도깨비불(will-o'-the-wisp); 작은 비, 양복 솔. 「나무.

·**wis·te·ri·a** [wistíəriə] *n.* Ⓤ,Ⓒ 등

·**wist·ful**[wístfəl] *a.* 탐나는 듯한; 생각에 잠긴.

:**wit**[wit] *n.* ① Ⓤ,Ⓒ 기지, 재치(cf. humor). ② Ⓒ 재치 있는 사람, 재사. ③ Ⓤ 지력, 이해. ④ (*pl.*) (건전한) 정신, 분별. **at one's ~s'** 〔**~'s**〕 **end** 어찌할 바를 몰라. **have** 〔**keep**〕 **one's ~s about one** 빈틈이 없다. **have quick** 〔**slow**〕 **~s** 약삭빠르다〔빠르지 않다〕. **live by one's ~s** 약빠르게 처세하다, 이럭저럭 둘러대며 살아가다. **out of one's ~s** 제정신을 잃어.

:**witch**[witʃ] *n.* Ⓒ 마녀; 쭈그렁 할멈, 못된 할멈; 《英》 매혹적인 여자. ── *vt.* (…에게) 마법을 쓰다; 호리다. ── *a.* 마녀의. 「력.

·**wítch·cràft** *n.* Ⓤ 마법; 마력; 매

wítch dòctor 마술사.
wítch házel 〖植〗 조롱나무의 일종; 그 잎·껍질에서 낸 약《외상(外傷)용》.
wítch hùnt 《美俗》 마녀 사냥; 《비유》 정적을 박해하기 위한 모함·중상.
†**with**[wið, wiθ] *prep.* ① …와 (함께); …의 속에(*mix ~ the crowd*). ② …을 가진〔지니고〕(*a man ~ glasses*). ③ …으로, …을 써서. ④ 《행동의 양식·상태를 나타내어》 …을 사용하여, 보여(*~ care* 주의해서). ⑤ …에 더하여. ⑥ …에 관하여 (*What is the matter ~ you?*). ⑦ …때문에; …으로 인하여. ⑧ 보관하여. ⑨ …에 있어서. ⑩ …와 동시〔같은 방향〕에; …의 쪽에(*vote ~ the Democrat*). ⑪ …와 (떨어져) (*part ~ a thing* 물건을 내놓다). ⑫ …을 상대로. ⑬ (…의 허가)를 받고. ⑭ …에도 불구하고.
:**with·draw** [wiðdrɔ́:, wiθ-] *vt.* (**-drew; -drawn**) 움츠리다(*from*); 물러서게 하다, 그만두게 하다(*from*); 회수하다(*from*); 철수하다; (특혜 등을) 빼앗다(*from*); 취소하다; (소송을) 취하하다. — *vi.* 물러서다〔나다〕, 퇴출하다; (회 따위에서) 탈퇴하다(*from*); 취소하다; (군대가) 철수하다. * **~·al** *n.*
·**with·drawn**[-drɔ́:n] *v.* withdraw의 과거분사. — *a.* (사람이) 내성적인; 외진, 인적이 드문.
:**with·er**[wíðər] *vi.* 이울다, 시들다, 말라 죽다(*up*); (애정이) 식다, 시들다(*away*). — *vt.* 이울게〔시들게, 말라 죽게〕 하다(*up*); 쇠퇴시키다, 약해지게 하다; 움츠러들게 하다. **~ed** [-d] *a.* 이운, 시든; 쇠퇴한.
with·ers[wíðərz] *n. pl.* (말 따위의) 두 어깨뼈 사이의 융기.
·**with·hold** [wiðhóuld, wiθ-] *vt.* (**-held**) 억누르다; 주지〔허락하지〕 않다(*from*); 보류하다.

†**with·in**[wiðín, wiθ-] *prep.* ① …의 안쪽에〔으로〕, …속〔안〕에. ② …의 한도 내에(서), …이내에〔로〕, …의 범위내에서. — *ad.* 안에, 속으로; 옥내〔집안〕에; 마음 속에.
†**with·out**[wiðáut, wiθ-] *prep.* …없이; …하지 않고; …이 없으면; …의 밖에(서). **do** 〔**go**〕 **~** …없이 때우다. **~ day** 무기한으로. **~ leave** 무단히. **~ reserve** 사양 않고, 거리낌 없이. — *ad.* 외부에; 집 밖에; 외〔표〕면은; …없이. — *conj.* 《古·方》 …하지 않고서는.
·**with·stand**[wiðstǽnd, wiθ-] *vt.* (**-stood**) (…에) 저항하다; (…에) 반항〔거역〕하다; (…에) 잘 견디다.
wit·less *a.* 우둔한.
:**wit·ness**[wítnis] *n.* ① Ⓒ 〖法〗 증인, 목격자. ② Ⓤ 증거, 증언. ③ Ⓒ 연서인(連署人). **bear ~ to** 〔**of**〕 …의 증거가 되다, …을 입증하다. **call *a person* to ~** …을 증인으로 세우다. — *vt.* 목격하다; (증인으로서) 서명하다. — *vi.* 증언하다(*against, for, to*). **W- Heaven!** 《古》 하느님 굽어 살피소서.
wítness bòx 〔《美》 **stànd**〕 증인석.
wit·ti·cism[wítəsìzəm] *n.* Ⓒ 재치 있는 말, 명언; 익살.
wit·ting[wítiŋ] *a.* 《古》 알고 있는; 고의로, 알면서. **~·ly** *ad.*
·**wit·ty**[wíti] *a.* 재치〔기지〕 있는, 익살 잘 떠는. **wít·ti·ly** *ad.* **wít·ti·ness** *n.*
:**wives**[waivz] *n.* wife의 복수.
:**wiz·ard**[wízərd] *n., a.* Ⓒ (남자) 마술사; 요술쟁이; 《口》 천재, 귀재(鬼才), 천재적인, 굉장한. **~·ry** *n.* Ⓤ 마술, 마법.
wiz·en(**ed**)[wízn(d)] *a.* 바싹 마른, 시든.
woad[woud] *n.* Ⓤ 〖植〗 대청(大青); 그 잎에서 낸 물감.
wob·ble[wábəl/-ɔ́-] *vi.* 동요하다, 떨리다; (마음·방침 등이) 흔들리다, 불안정하다. — *n.* Ⓒ (보통 *sing.*) 비틀거림, 동요; 불안정.
:**woe**[wou] *n.* Ⓤ 비애; (큰) 고생, 고뇌; (*pl.*) 재난. — *int.* 슬프도다!, 아아! **W- be to** 〔**betide**〕 …은 화가 있을진저, …의 재앙이 있으라. **W- worth the day!** 오늘은 왜 이렇게 재수가 없을까.
woe·be·gone[⌐bigɔ̀(:)n, -ɑ́n] *a.* 수심〔슬픔〕에 잠긴, 비통한.
·**woe·ful**[⌐fəl] *a.* 슬픔에 찬, 비참한; 애처로운; 《諧》 심한, 지독한(*~ ignorance* 일자무식). **~·ly** *ad.*
:**woke**[wouk] *n.* wake[1]의 과거(분사).
wok·en[wóukən] *v.* wake[1]의 과거분사.

wold[would] *n.* Ⓤ,Ⓒ《英》(불모의) 고원(高原).

†**wolf**[wulf] *n.* (*pl.* **wolves**) Ⓒ 이리; 잔인한〔탐욕스런〕 사람; 《口》 색마, 엽색꾼. ***cry ~*** 거짓말을 하여 법석 떨게 하다. ***keep the ~ from the door*** 굶주림을 면하다. ***a ~ in a lamb's skin*** 양의 탈을 쓴 이리. — *vi.* 이리 사냥을 하다. — *vt.* 게걸스레 먹다(*down*). **∠·ish** *a.* 이리 같은; 잔인한; 탐욕스런.

wólf·hòund *n.* Ⓒ (옛날 이리 사냥에 쓰던) 큰 사냥개.

†**wom·an**[wúmən] *n.* (*pl.* **women**) Ⓒ (성인) 여자; 부인; 《집합적; 단수·무관사》 여성; (the ~) 여자다움; 《주로 方》 아내; 하녀. ***make an honest ~ of*** (애인 등을) 정식 아내로 삼다. ***play the ~*** 여자같이 굴다. ***~ of the world*** 산전 수전 겪은 여자. — *a.* 여자의. *** ~·hood** [-hùd] *n.* Ⓤ 여자임; 여자다움; 《집합적》 여성. **~·ish** *a.* 여성 특유의; 여자 같은. **~·like**[-làik] *a.* 여자 같은; 여자다운; 여성에게 알맞은. ***~·ly** *a.* 여자 같은; 여자다운; 여성에게 어울리는.

wóman·kìnd *n.* Ⓤ 《집합적》 여성.

womb**[wu:m] *n.* Ⓒ 자궁(子宮); 《비유》 사물이 발생하는 곳. ***from the ~ to the tomb 요람에서 무덤까지. ***in the ~ of time*** 장래.

wom·bat[wámbæt/wɔ́mbət] *n.* Ⓒ 웜바트《오스트레일리아의 곰 비슷한 유대(有袋) 동물》.

wómen·fòlk(s) *n. pl.* 부인, 여성; 여자들.

:won[wʌn] *v.* win의 과거(분사).

†**won·der**[wʌ́ndər] *n.* ① Ⓤ 놀라움, 불가사의. ② Ⓒ 놀라운 사물〔일〕. ***and no ~*** …도 무리가 아니다, 당연한 이야기다. ***a* NINE *day's ~.*** ***do*** 〔***work***〕 ***~s*** 기적을 행하다. ***for a ~*** 이상하게도. ***in ~*** 놀라서. ***No*** 〔***Small***〕 ***~*** (***that***) …도 이상하지 않다. ***to a ~*** 놀랄 만큼. — *vi., vt.* 이상하게 생각하다(*that*); 놀라다(*at, to*); …이 아닐까 생각하다, 알고 싶어지다(*if, whether, who, what, why, how*). **~·ing** *a.* 이상한 듯한《표정 따위》. **~·ment** *n.* Ⓤ 놀라움, 경이.

†**won·der·ful**[wʌ́ndərfəl] *a.* ① 놀라운, 이상한. ② 《口》 굉장한. **~·ly** *ad.* **~·ness** *n.*

wónder·lànd *n.* Ⓤ 이상한 나라.

***won·drous**[wʌ́ndrəs] *a.* 《詩·雅》 놀라운, 이상한. — *ad.* 《古》 놀랄 만큼.

:wont[wɔ:nt, wount, wʌnt] *a.* 버릇처럼 된, (버릇처럼) 늘 …하는(*to* do). — *n.* Ⓤ 습관, 풍습. **~·ed** [∠id] *a.* 버릇처럼 된, 예(例)의.

†**won't**[wount, wʌnt] will not의 단축.

***woo**[wu:] *vt.* 구혼〔구애〕하다; (명예 등을) 추구하다; (아무에게) 조르다(*to* do). **∠·ed** *n.*

†**wood**[wud] *n.* ① Ⓒ (종종 *pl.*) 숲, 수풀. ② Ⓤ,Ⓒ 나무, 재목; 목질(木質). ③ Ⓤ 장작, 땔나무. ④ (the ~) (술)통. ⑤ (the ~) 목관 악기; 《집합적》 (악단의) 목관 악기부; (*pl.*) (악단의) 목관 악기 주자들. ***cannot see the ~ for the trees*** 작은 일에 구애되어 대국을 그르치다. ***from the ~*** (술 따위) 술통에서 갓낸. ***out of the ~***(***s***) 어려움을〔위기를〕 벗어나. — *a.* 나무로 만든. — *vt.* 재목〔장작·수목〕을 공급하다; 식림(植林)하다. — *vi.* 목재〔장작〕를 모아두다. ***~·ed**[∠id] *a.* 나무가 무성한; 《복합어로》 …한 목질의.

wóod blòck 목판(화); (포장용) 나무 벽돌.

wóod·chùck *n.* Ⓒ 〖動〗 (북아메리카산) 마못류(類).

wóod·còck *n.* Ⓒ 〖鳥〗 누른도요.

wóod·cùt *n.* Ⓒ 목판(화). 「각가.

***wóod·cùtter** *n.* Ⓒ 나무꾼; 목판조

:wood·en[wúdn] *a.* ① 나무의, 나무로 만든. ② 무뚝뚝한, 얼빠진.

:wood·land[wúdlənd, -lænd] *n., a.* Ⓤ 삼림지(森林地)(의). **~·er** *n.*

***wood·man**[wúdmən] *n.* Ⓒ 나무꾼; 《英》 영림서원; 숲에서 사는 사람.

***wóod·pècker** *n.* Ⓒ 딱따구리.

wóod·shèd *n.* Ⓒ 장작 쌓는 헛간.

wóod wìnd 목관 악기; (*pl.*) (오케스트라의) 목관 악기부.

***wóod·wòrk** *n.* Ⓤ 나무 제품; (가

옥의) 목조부.
wóod·wòrm *n.* Ⓒ 〖蟲〗 나무좀.
˙**wood·y** [ˊi] *a.* ① 나무가 무성한. ② 나무의, 목질(木質)의.
woof [wu:f] *n.* (the ~) 《집합적》 (피륙의) 씨(줄)(opp. warp).
†**wool** [wul] *n.* Ⓤ 양털; 털실; 모직물; 모직의 옷; 양털 모양의 물건; (흑인 등의) 고수머리. ***go for ~ and come home shorn*** 혹 떼러 갔다가 혹 붙여 오다. ***much cry and little ~*** 태산 명동(泰山鳴動)에 서일필(鼠一匹). — *a.* 모직의.
:**wool·en,** 《英》 **wool·len** [wúlən] *a.* 양털(제)의. — *n.* (*pl.*) 모직물; 모직의 옷.
wóol·gàthering *n., a.* Ⓤ 얼빠짐, 멍청한; 방심(한).
˙**wool·(l)y** [wúli] *a.* ① 양털(모양)의. ② 〖動·植〗 털(솜털)로 덮인. ③ (생각, 소리가) 희미한. — *n.* (*pl.*) 《口》 모직의 옷(특히 스웨터 등).
wóolly-héaded, -mínded *a.* 생각이 혼란된, 머리가 멍한.
wooz·y [wú(:)zi] *a.* 《口》 (술 따위로) 멍청해진, 멍한.
†**word** [wəːrd] *n.* ① Ⓒ 말, 단어; 〖컴〗 낱말, 워드(machineword). ② Ⓒ (종종 *pl.*) (짧은) 이야기, 담화, (입으로 하는) 말(*a ~ of praise*). ③ Ⓒ 명령(*His ~ is law.* 그의 명령은 곧 법률이다); 암호; 약속. ④ Ⓤ 기별, 소식. ⑤ (*pl.*) 말다툼. ⑥ (*pl.*) 가사(歌詞). ⑦ (the W-) 성서(the Word of God); (예수로 표상되는) 하느님의 뜻. ***be as*** GOOD ***as one's ~.*** ***big ~s*** 호언 장담. ***break one's ~*** 약속을 어기다. ***bring ~*** 알리다. ***by ~ of mouth*** 구두로. ***eat one's ~s*** 식언하다. ***give*** 〔***pledge, pass***〕 ***one's ~*** 약속하다. ***hang on a person's ~s*** 아무의 말을 열심히 듣다. ***have the last ~*** 논쟁에서 상대방을 이기다; 최후의 단을 내리다. ***have ~s with*** …와 말다툼하다. ***in a*** 〔***one***〕 ***~*** 요컨대. ***keep one's ~*** 약속을 지키다. ***man of his ~*** 약속을 지키는 사람. ***My ~!*** 이런! ***on*** 〔***with***〕 ***the ~*** 말이 떨어지기가 무섭게. ***take a person at his ~*** 남의 말을 곧이듣다. ***the last ~*** 마지막〔결론적인〕 말; 유언; 《口》 최신 유행 〔발명〕품; 최우수품, 최고 권위. ***upon my ~*** 맹세코; 이런! ***~ for ~*** 축어적으로, 한마디 한마디. ***~ of honor*** 명예를 건 약속〔언명(言明)〕. — *vt.* 말로 표현하다〔나타내다〕. ***ˊ·ing*** *n.* (*sing.*) 말씨, 어법. ˚***ˊ·less*** *a.* 말없는, 무언의; 벙어리의.
wórd·plày *n.* Ⓒ 말다툼, 언쟁; 익살, 둘러대기.
wórd pròcessing 〖컴〗 워드 프로세싱《생략 WP》(~ *program* 워드 프로세싱 프로그램 / ~ *system* 워드 프로세싱 시스템〔체계〕).
wórd pròcessor 〖컴〗 워드 프로세서, 문서〔글월〕처리기.
word·y [wə́ːrdi] *a.* 말의; 말이 많은; 장황한. **wórd·i·ness** *n.* Ⓤ 말이 많음, 수다(스러움).
†**wore** [wɔːr] *v.* wear의 과거.
†**work** [wəːrk] *n.* ① Ⓤ 일; 직업; 노동, 공부, 직무; 사업; 짓; 〖理〗 일(의 양). ② Ⓒ 제작물; (예술상의) 작품, 저작; (보통 *pl.*) 토목〔방어〕 공사. ③ (*pl.*) 《흔히 복합어로》 공장; (기계의) 움직이는 부분, 장치, 기계. ④ (*pl.*) 〖神〗 (신이 하신) 일. ***at ~*** 일하고, 운전〔활동〕 중에. ***fall*** 〔***get, go***〕 ***to ~*** 일에 착수하다; 작용하기 시작하다. ***in ~*** 취업하여. ***make short ~ of*** …을 재빨리 해치우다. ***man of all ~*** 만능꾼. ***out of ~*** 실직하여. ***set to ~*** 일에 착수(케)하다. ***~ in process*** 반제품. ***~ in progress*** (문예·미술 등의) 미완성품. ***~ of art*** 예술품. — *vi.* (***~ed, wrought***) ① 일하다, 작업을 하다(*at, in*). ② 공부하다, 노력하다(*against, for*). ③ 근무하고 있다, 바느질하다. ④ (기관·기계 등이 효과적으로) 움직이다, 돌다, 운전하다; 서서히〔노력하여〕 나아가다〔움직이다〕. ⑤ 발효(醱酵)하다. ⑥ 순조롭게〔잘〕 되어가다; 작용하다. ⑦ (마음·얼굴 등이) 심하게 움직이다, 실룩거리다. — *vt.* ① 일시키다; (사람·마소 등을) 부리다; (손가락·기계 따위를) 움직이다; (차·배 등을) 운전하다; (광산·사업 등을) 경영하다. ② (계획 등을) 실시하다, 세우다. ③ (문제 등

을) 풀다. ④ 초래하다, (영향 따위를) 생기게 하다, 행하다. ⑤ 서서히 〔애써서〕 나아가게 하다. ⑥ 세공(細工)하다; 반죽하다. ⑦ 단련하다; (사람을) 차차로 움직이다; 흥분시키다 (*into*). ⑧ 발효시키다. ⑨《口》(아무를) 움직여〔속여서〕 …을 얻다. ~ **away** 계속해〔부지런히〕 일하다. ~ **in** 삽입하다; 조화되다. ~ **loose** 느슨해지다. ~ **off** 서서히 제거하다; 처리하다. ~ **on** 〔**upon**〕 …에 작용하다; =work away. ~ **one's way** 일하면서 여행하다; 애써서 나아가다. ~ **out** (계획을) 세밀하게 세우다; (문제 등을) 풀다; (광산을) 다 파서 바닥내다, 써서 낡게 하다; (빚을 돈으로 갚는 대신) 일하여 갚다; 연습시키다; 애써서 완성하다; (합계를) 산출하다; (사람을) 지치게 하다; 결국 …이 되다. ~ **up** 점차로 만들어내다; 서서히 흥분시키다, 선동하다; (이야기의 줄거리 따위를) 발전시키다(*to*); 정성들여 만들다; 뒤섞다; 대성〔집성〕하다. — *a.* 일하는, 노동의〔을 위한〕.

work·a·day [wə́ːrkədèi] *a.* 일하는 날의, 평일의; 평범한; 실제적인.

wórk·bàg *n.* Ⓒ (특히, 재봉의) 도구 주머니.

wórk·bàsket *n.* Ⓒ 도구 바구니《특히 재봉〔바느질〕의》.

wórk·bènch *n.* Ⓒ (목수·직공 등의) 작업대; 〖컴〗 작업대.

wórk·bòok *n.* Ⓒ 연습장; 규정집, (예정·완성한) 작업 일람표.

wórk·dày *n.* Ⓒ 작업일, 근무일; (하루의) 취업 시간. — *a.* =WORKADAY.

:**wórk·er** *n.* Ⓒ ① 일〔공부〕하는 사람, 일손, 일꾼, 노동자; 세공장(匠). ② 일벌, 일개미 (따위).

wórk fòrce 노동 인구, 노동력.

wórk·hòuse *n.* Ⓒ《美》소년원, (경범죄자의) 취〔노〕역소;《英》구빈원(救貧院).

:**wórk·ing** *n.* ① Ⓒ 작용. ② Ⓤ 일, 작동, 활동; 노동; 운전; 경영. ③ Ⓒ (보통 *pl.*) (광산·채석장 등의) 작업장. — *a.* 일하는; 노동(자)의; 작업(용)의; 경영의; 실제로 일하는, 실용의; 유효한.

wórking càpital 운전 자본.

wórking clàss(es) 노동 계급.

wórking dày =WORKDAY (*n.*)

wórking pàrty 특별 작업반;《英》(기업의 능률 향상을 위한) 노사(勞使)위원회.

wórk lòad 작업 부담량.

:**work·man** [wə́ːrkmən] *n.* Ⓒ 노동자, 장색. ~**·like** [-làik] *a., ad.* 직공다운; 능숙한; 능란하게; 솜씨 있게;《종종 蔑》손재간 있는. *~**·ship** [-ʃìp] *n.* Ⓤ (장색의) 솜씨; (제품의) 완성된 품; (제)작품.

wórk·òut *n.* Ⓒ (경기의) 연습, 연습경기; (일반적으로) 운동; 고된 일.

wórk·ròom *n.* Ⓒ 작업실.

wórk shèet 〖會計〗 시산표(試算票).

***work·shop** [ˊʃàp/-ɔ̀-] *n.* Ⓒ 작업장, 일터; 공장;《美》강습회, 연구회.

wórk·stàtion *n.* Ⓒ 〖컴〗 작업(실) 전산기.

wórk·tàble *n.* Ⓒ 작업대.

†**world** [wəːrld] *n.* ① (the ~) 세계, 지구; 지구상의 한 구분. ② Ⓒ (보통 the ~) 분야, …계(界). ③ (the ~) 인류. ④ Ⓒ (보통 the ~) 세상; 세상사(事), 인간사. ⑤ Ⓒ 별, 천체. ⑥ Ⓒ 이승. ⑦ (the ~) 만물, 우주; 광활한 퍼짐〔범위〕. ⑧ (a 〔the〕 ~) 다수, 다량(*of*). ***as the ~ goes*** 일반적으로 말하면. ***come into the ~*** 태어나다. ***for all the ~*** 무슨 일이 있어도; 아무리 보아도, 꼭. ***for the ~*** 세상 없어도. ***get on in the ~*** 출세하다. ***How goes the ~ with you?*** 경기〔재미〕가 어떠십니까. ***in the ~***《의문사 다음에 써서》도대체. ***make the best of both ~s*** 세속(世俗)의 이해와 정신적 이해를 조화시키다. ***man of the ~*** 세상 경험이 많은 사람. ***the next*** 〔***other***〕 ***~*** 저승, 내세(來世). ***to the ~***《俗》아주, 완전히. ***~ without end*** 영원히.

:**world·ly** [wə́ːrldli] *a.* ① 이 세상의, 현세의. ② 세속적인. **wórld·li·ness** *n.* Ⓤ 속된 마음.

wórldly-wíse *a.* 세재(世才)가 뛰어난, 세상 물정에 밝은.

wórld pówer 세계 열강.

Wórld Wár I 〔**II**〕 [-wɔ́ːr 〔túː〕] 제 1 〔2〕차 세계 대전.

wórld-wèary *a.* 세상이 싫어진, 생활에 지친.

:world·wide[⌐wáid] *a.* 세상에 널리 알려진〔퍼진〕, 세계적인.

:worm[wəːrm] *n.* Ⓒ ① 벌레《지렁이·구더기 따위 같이 발이 없고 물렁한 것》. ② 벌레 같은 모양〔동작〕의 물건《나삿니 따위》. ③ (*pl.*) 기생충병. ***A ~ will turn.*** 《속담》 지렁이도 밟으면 꿈틀한다. — *vi.* 벌레처럼 기다, 기듯 나아가다(*into, out of, through*); 교묘히 환심을 사다(*into*). — *vt.* ① (벌레처럼) 서서히 나아가게 하다; 서서히 들어가게하다(*into*). ② (비밀을) 캐내다(*out, out of*). ③ 벌레를 없애다. **⌐·y** *a.* 벌레가 붙은〔먹은, 많은〕; 벌레 같은.

wórm-eàten *a.* 벌레 먹은; 케케묵은. 「식물; 고민.

wórm·wòod *n.* Ⓤ 다북쑥속(屬)의

:worn[wɔːrn] *v.* wear의 과거 분사. — *a.* ① 닳아〔낡아〕빠진. ② 녹초가 된. 「진. ② 진부한.

·wórn-óut *a.* ① 다 써버린; 닳아빠

†wor·ry[wə́ːri, wʌ́ri] *vt* ① 괴롭히다, 걱정〔근심〕시키다. ② 물어뜯어 괴롭히다; 물고 흔들다. — *vi.* ① 걱정〔근심〕하다, 괴로워하다(*about*). ② (개 따위가) 동물《쥐·토끼 등을》 물어뜯어 괴롭히다. ***I should ~.*** 《美口》 조금도 상관 없네. ***~ along*** 고생하며 헤쳐 나아가다. — *n.* Ⓤ 근심, 걱정, 고생; Ⓒ 걱정거리, 고생거리. **·wor·ried**[-d] *a.* 곤란한, 당혹한; 걱정스런. **wor·ri·er**[-ər] *n.* Ⓒ 괴롭히는 사람; 잔걱정이 많은 사람. **wór·ri·ment** *n.* Ⓤ 《美口》 걱정, 근심, 괴로움. **wór·ri·some** *a.* 귀찮은; 성가신.

†worse[wəːrs] *a.* 《bad, evil, ill의 비교급》 더욱 나쁜. ***be ~ off*** 살림이 어렵다. (***and***) ***what is ~,*** or ***to make matters ~*** 설상가상으로. — *ad.* 《badly, ill의 비교급》 더욱 나쁘게. — *n.* Ⓤ 더욱 나쁜 일〔물건〕(*a change for the ~* 악화). ***have*** 〔***put to***〕 ***the ~*** 패배하다〔시키다〕.

wors·en[wə́ːrsən] *vt., vi.* 악화시키다〔하다〕.

:wor·ship[wə́ːrʃip] *n.* Ⓤ ① 숭배, 경모. ② 예배(식). ③ 각하(閣下). ***place of ~*** 교회. ***Your*** 〔***His***〕 ***W-*** 각하. — *vt., vi.* (《英》 ***-pp-***) ① 숭배〔존경〕하다. ② 예배하다. **-ful** [-fəl] *a.* 존경할 만한; 경건한. **·~-(p)er** *n.* Ⓒ 숭배〔예배〕자.

†worst[wəːrst] *a.* 《bad, evil, ill의 최상급》 가장 나쁜. — *ad.* 《badly, ill의 최상급》 가장 나쁘게. — *n.* (the ~) 최악의 것〔상태·일〕. ***at*** (***the***) ***~*** 아무리 나빠도; 최악의 상태인. ***get*** 〔***have***〕 ***the ~ of it*** 패배하다, 지다. ***give*** (*a person*) ***the ~ of it*** (아무를) 지우다. ***if*** (***the***) ***~ comes to*** (***the***) ***~*** 최악의 경우에는. ***put*** (*a person*) ***to the ~*** (아무를) 지우다. — *vt.* 지우다, 무찌르다.

wor·sted[wústid, wə́ːr-] *n.* Ⓤ 소모사(梳毛絲), 털실; 소모직물. — *a.* 털실의, 털실로 만든.

†worth[wəːrθ] *pred. a.* …만큼의 값어치가 있는; …만큼의 재산이 있는. ***for all one is ~*** 전력을 다하여. ***for what it is ~*** (사실 여부는 어쨌든) 그런 대로, 진위 선악은 차치하고. ***~*** (***one's***) ***while*** 시간을 들일〔애쓸〕 만한 가치가 있는. — *n.* Ⓤ 값어치; (일정한 금액에) 상당하는 분량; 재산. **·⌐·less** *a.* 가치 없는.

·wórth·whíle *a.* 할 만한 가치가〔보람이〕 있는.

:wor·thy[wə́ːrði] *a.* ① 가치 있는, 훌륭한, 상당한. ② (…하기에) 족한, (…할) 만한; (…에) 어울리는(*of; to* do). — *n.* Ⓒ 훌륭한 인물, 명사. **wór·thi·ly** *ad.* **wór·thi·ness** *n.*

†would[wud, 弱 wəd, əd] *aux. v.* 《will의 과거》 ① 《미래》 …할 것이다; …할 작정이다. ② 《과거 습관》 가끔〔곧잘〕 …했다. ③ 《소원》 …하고 싶다, …하여 주시지 않겠습니까. ④ 《가정》 …할 텐데, 하였을 것을; 기어코 …하려고 하다. ⑤ 《추량》 …일 것이다.

·would·be[wúdbìː] *a.* ① 자칭(自稱)의, 제딴은 …인 줄 아는. ② …이 되고 싶은〔되려고 하는〕.

wouldst[wudst] *aux. v.* 《古·詩》 = WOULD.

:wound[1][wuːnd] *n.* Ⓒ ① 부상, 상

처. ② 손해; 고통; 굴욕. ── *vt.* 상처를 입히다; (감정 등을) 해치다. **:~·ed**[´id] *a.* 부상한, 상처 입은 (*the ~ed* 부상자들).
wound²[waund] *v.* wind²의 과거(분사).
:wove[wouv] *v.* weave의 과거(분사).
:wo·ven[wóuvən] *v.* weave의 과거분사.
wow[wau] *n.* (*sing.*) 《美俗》 (연극 따위의) 대히트; 대성공. ── *int.* 야아, 이거 참.
W.P.C. 《英》 woman police constable. **wpm** words per minute. **W.R.A.C.** Women's Royal Army Corps.
wrack[ræk] *n.* ① Ⓤ 파괴, 파멸. ② Ⓒ 난파선(의 표류물). ③ Ⓤ 바닷가에 밀린 해초. ***go to ~ and ruin*** 파멸하다, 거덜나다.
W.R.A.F. Women's Royal Air Force.
wraith[reiθ] *n.* Ⓒ (사람의 죽음 전후에 나타난다는) 생령(生靈); 유령.
˙wran·gle[rǽŋgəl] *vi.* 말다툼[논쟁]하다. ── *vt.* 논쟁하다; 《美》 목장에서 (말 따위를) 보살피다. ── *n.* Ⓒ 말다툼. **-gler** *n.* Ⓒ 《美》 말지기; 《英》 (Cambridge 대학에서) 수학 학위 시험 1급 합격자.
:wrap[ræp] *vt.* (***~ped, wrapt; -pp-***) ① 싸다; 두르다; 휩싸다. ② 덮다, 가리다. ── *vi.* 싸다, 휩싸이다. ***be ~ped up in*** …에 열중되다; …에 말려들다. ***~ up*** (방한구로) 휩싸다. ── *n.* Ⓒ (보통 *pl.*) 몸을 싸는 것; 어깨 두르개, 무릎 가리개, 외투. **´·page**[´idʒ] *n.* Ⓤ 포장지[재료]. **˙´·per** *n.* Ⓒ 싸는 사람[물건]; 포장지; 봉(封) 띠; (책의) 커버; 낙낙한 실내옷, 화장옷. **´·ping** *n.* Ⓤ (보통 *pl.*) 포장(지), 보자기.
˙wrath[ræθ, rɑːθ/rɔːθ] *n.* Ⓤ ① 격노. ② 복수; 벌. **´·ful, ´·y** *a.* 《口》 격노한.
wreak[riːk] *vt.* (성을) 내다; (원한을) 풀다; (복수·벌 따위를) 가하다(*upon*).
:wreath [riːθ] *n.* (*pl.* **~s** [riːðz, -θs]) Ⓒ ① 화환(花環). ② (연기·구름 따위의) 소용돌이.
˙wreathe[riːð] *vt.* ① 화환으로 만들다[꾸미다]. ② 두르다; 싸다. ── *vi.* (연기 등이) 동그라미를 지으며 오르다.
:wreck[rek] *n.* ① Ⓤ 파괴; 난파; Ⓒ 난파선. ② Ⓒ 잔해. ③ Ⓒ 영락한 사람. ④ Ⓒ (난파선의) 표류물. ***go to ~ (and ruin)*** 파멸하다. ── *vt.* 난파시키다; 파괴하다; (아무를) 영락시키다. ── *vi.* 난파[파멸]하다; 난파선을 구조[약탈]하다. **˙~·age**[´idʒ] *n.* Ⓤ 《집합적》 난파, 파괴; 잔해, 난파 화물. **´·er** *n.* Ⓒ 난파선 약탈자; 건물 철거업자; 레커차(車), 구난(救難)차[열차]; 난파선 구조원[선].
˙wren[ren] *n.* Ⓒ 〖鳥〗 굴뚝새.
˙wrench[rentʃ] *n.* Ⓒ ① (급격한) 비틂; 염좌(捻挫). ② 〖機〗 렌치《너트·볼트 따위를 돌리는 공구》. ③ (이별의) 비통. ── *vt.* ① (급격히) 비틀다, 비틀어 떼다(*away, off, from, out of*). ② 삐다, 접질리다. ③ (뜻·사실을) 왜곡하다; 억지로 갖다 붙이다. ④ (…에게) 몹시 사무치다[영향을 미치다](affect badly).
˙wrest[rest] *vt.* ① 비틀다, 비틀어 떼다(*from*); 억지로 빼앗다(*from*). ② (사실·뜻을) 억지로 갖다 대다, 왜곡하다. ── *n.* Ⓒ 비틂; 접질림.
˙wres·tle[résəl] *vi.* ① 레슬링[씨름]을 하다; 맞붙어 싸우다(*with*). ② (역경·난관·유혹 등과) 싸우다(*with, against*); (어려운 문제와) 씨름하다(*with*). ── *vt.* (…와) 레슬링[씨름]하다. ── *n.* Ⓒ 레슬링 경기; 맞붙어 싸움; 분투. **˙-tler** *n.* Ⓒ 레슬링 선수, 씨름꾼. **:-tling** *n.* Ⓤ 레슬링, 씨름.
˙wretch[retʃ] *n.* Ⓒ ① 불운한 사람. ② 나쁜 놈.
:wretch·ed[rétʃid] *a.* ① 불운한, 비참한. ② 나쁜; 지독한. **~·ly** *ad.* **~·ness** *ad.*
˙wrig·gle[rígəl] *vi.* ① 꿈틀거리다; 꿈틀[허위적]거리며 나아가다(*along, through, out, in*). ② 교묘하게 환심을 사다(*into*); 잘 헤어나다(*out of*). ── *vt.* 꿈틀[허위적]거리게 하다. ── *n.* Ⓒ (보통 *sing.*) 꿈틀거림. **wríg·gler** *n.* Ⓒ 꿈틀거리는 사람; 장구벌레. **-gly** *a.*

wring**[riŋ] *vt.* (**wrung**) ① 짜다; (새의 목 따위를) 비틀다; (물을) 짜내다, 착취하다(*from, out, out of*). ② 꽉 쥐다; 억지로 얻다(*from, out of*). ③ 괴롭히다; (말의 뜻을) 왜곡하다. **~*ing wet 흠뻑 젖어. **~ *out*** (돈·물을) 짜내다. ── *n.* Ⓒ 짜기. **∠·er** *n.* Ⓒ 짜는 사람; (세탁물) 짜는 기계.

:wrin·kle[1] [ríŋkəl] *n., vt., vi.* Ⓒ (보통 *pl.*) 주름(잡다, 지다). **-kled**[-d] *a.* 주름진. **wrín·kly** *a.* 주름진, 주름 많은. 「안.

wrin·kle[2] *n.* Ⓒ 《口》 좋은 생각, 묘

:wrist[rist] *n.* Ⓒ 손목; 손목 관절.

wríst wàtch 손목시계.

writ[rit] *n.* Ⓒ 〖法〗 영장; 문서. ***Holy* 〔*Sacred*〕 *W-*** 성서. ── *v.* 《古》 write의 과거(분사). **~ *large*** 대서특필하여; (폐해 따위가) 증대하여.

†write[rait] *vt.* (***wrote,*** 《古》 ***writ; written,*** 《古》 ***writ***) ① (글씨·문장 따위를) 쓰다; 문자로 나타내다, 기록하다. ② 편지로 알리다. ③ (얼굴 따위에) 똑똑히 나타내다. ④ 〖컴〗 (정보를) 기억하게 하다, 써넣다. ── *vi.* ① 글씨를 쓰다. ② 저작하다. ③ 편지를 쓰다(*to*). ④ 〖컴〗 (기억 장치에) 쓰다. **~ *a good* 〔*bad*〕 *hand*** 글씨를 잘〔못〕 쓰다. **~ *down*** 써 두다; (자산 따위의) 장부 가격을 내리다. **~ *off*** 장부에서 지우다, 꺼자치다. **~ *out*** 써 두다; 정서하다; 다 써버리다. **~ *over*** 다시 쓰다; 가득히 쓰다. **~ *up*** 게시하다; 지상(紙上)에서 칭찬하다; 상세히 쓰다. **:wrít·er** *n.* Ⓒ 쓰는 사람, 필자, 기자; 저자.

wríte-dòwn *n.* Ⓤ 평가 절하, 상각 《자산 따위의 장부 가격의 절하》.

wríte-òff *n.* Ⓒ (장부에서의) 삭제; (세금 따위의) 공제. 「손가락 경련.

wríter's cràmp 〖病〗 서경(書痙),

wríte-ùp *n.* Ⓒ 《口》 기사, (특히) 칭찬 기사, 남을 추어올리기.

writhe**[raið] *vt.* (**~*d;* ~*d, 《古·詩》 ***writhen***[ríðn]) 뒤틀다; 굽히다. ── *vi.* 몸부림치다; 고민하다(*at, under, with*).

†writ·ing[ráitiŋ] *n.* ① Ⓤ 씀; 습자; 필적. ② Ⓤ 저술(업). ③ Ⓤ 문서, 편지, 서류, 문장. ④ (*pl.*) 저작. ***in* ~** 써서, 문장으로. **~ *on the wall*** 절박한 재앙의 징조. ── *a.* 문자로 쓰는; 필기용의.

†writ·ten[rítn] *v.* write의 과거분사. ── *a.* 문자로 쓴; 성문의. **~ *examination*** 필기 시험. **~ *language*** 문어(文語). **~ *law*** 성문법.

†wrong[rɔːŋ, raŋ] *a.* ① 나쁜, 부정한. ② 틀린; 부적당한. ③ 역(逆)의; 이면의. ④ 고장난; 상태가 나쁜. ***get* 〔*have*〕 *hold of the ~ end of the stick*** (이론·입장 등을) 잘못 알다. **~ *side out*** 뒤집어서. ── *ad.* 나쁘게; 틀려서; 고장나서. ***go* ~** 길을 잘못 들다; 고장나다; (여자가) 몸을 그르치다. ── *n.* ① Ⓤ 나쁜 짓; 부정. ② Ⓤ,Ⓒ 부당(한 행위·대우). ③ Ⓤ,Ⓒ 해(害). ***do* ~** 나쁜 짓을 하다; 죄를 범하다. ***do* (*a person*) ~, or *do* ~ *to* (*a person*)** (아무에게) 나쁜 짓을 하다; 아무를 부당하게 다루다; (아무를) 오해하다. ***in the* ~** 나쁜; 잘못되어. ***put* (*a person*) *in the* ~** 잘못을 남의 탓으로 돌리다. ***suffer* ~** 해를 입다; 부당한 처사를 당하다. ── *vt.* ① 해치다; 부당하게 다루다. ② 치욕을 주다; 오해하다. **∠·ful** *a.* 나쁜; 부정한, 불법의. **∠·ful·ly** *ad.*

wróng·dòer *n.* Ⓒ 나쁜 짓을 하는 사람, 범(죄)인.

wróng·dòing *n.* Ⓤ,Ⓒ 나쁜 짓(하기).

wróng-héaded *a.* 판단〔생각·사상〕이 틀린; 완미한. 「히.

***wrong·ly**[∠li] *ad.* 잘못하여; 부당

†wrote[rout] *v.* write의 과거.

***wrought**[rɔːt] *v.* work의 과거(분사). ── *a.* 만든; 가공한; 세공한; 불린.

wróught íron 단철(鍛鐵).

***wrung**[rʌŋ] *v.* wring의 과거(분사).

wry**[rai] *a.* ① 뒤틀림, 일그러진. ② (얼굴 따위) 찌푸린. ***make a ~ face 얼굴을 찡그리다. **∠·ly** *ad.* 냉담하게, 심술궂게, 비꼬는 투로 (dryly). **~·neck**[∠nèk] *n.* Ⓒ 목이 비뚤어진 사람; 딱따구릿과의 일종.

wt. weight.

X

X, x[eks] *n.* (*pl.* ***X's, x's***[éksiz]) Ⓒ X자 모양의 것; Ⓤ (로마 숫자의) 10; Ⓒ 미지의 사람[것]; 〖數〗 미지수[량]; 《美》 성인 영화의 기호(*an X-rated film* 성인용 영화).
X chrómosome 〖生〗 X염색체.
xen·o·pho·bi·a [zènəfóubiə, zìnə-] *n.* Ⓤ 외국(인) 혐오.
Xe·rox [zíərɑks/-rɔ-] *n.* ① 〖商標〗 제록스《전자 복사 장치》. ② Ⓒ 제록스에 의한 복사.
-xion[kʃən] *suf.* 《주로 英》 = -TION.
XL extra large.
:Xmas [krísməs] *n.* = CHRISTMAS.
˙X-ray[éksrèi] *n., vt., a.* 엑스선(사진); X선으로 검사[치료]하다; 뢴트겐 사진을 찍다; X선의[에 의한].
xy·lo·phone[záiləfòun, zíl-] *n.* Ⓒ 목금, 실로폰. **-phon·ist**[-nist] *n.* Ⓒ 목금 연주자.

Y

Y, y[wai] *n.* (*pl.* ***Y's, y's***[-z]) Ⓒ Y자형의 것; Ⓤ,Ⓒ 〖數〗 (제 2의) 미지수[량].
Y 〖化〗 yen; Y.M.C.A. *or* Y.W.C.A.(*I'm staying at Y.*).
-y, -ie, -ey[i] *suf.* 사람·동물을 나타내는 단음절의 말에 붙어 '애착·친밀'의 뜻을 더함: aunt*y*, bird*ie*, nurs*ey*.
:yacht[jɑt/-ɔ-] *n., vi.* Ⓒ 요트(를 달리다, 경주를 하다). **∠·ing** Ⓤ 요트 조종[놀이].
yachts·man[∠mən] *n.* Ⓒ 요트조종[소유]자, 요트 애호가.
Ya·hoo[já:hu:, jéi-] *n.* Ⓒ 야후《'걸리버 여행기' 속의, 인간의 모습을 한 짐승》.
yak[jæk] *n.* Ⓒ 야크, 이우(犛牛)《티베트·중앙 아시아산의 털이 긴 소》.
yam·mer [jǽmər] *vi., vt., n.* Ⓒ 《口》 끙끙[낑낑]거리다[거리기]; 불평을 늘어놓다[늘어놓음], 투덜거리며 말하다; (새가) 높은 소리로 울다[우는 소리, 욺].
Yank[jæŋk] *n., a.* 《俗》 = YANKEE.
yank [jæŋk] *vt., vi., n.* Ⓒ 《口》 확 잡아당기다[당김].
:Yan·kee[jǽŋki] *n.* Ⓒ ① 《美》 뉴잉그랜드 사람. ② (남북 전쟁의) 북군 병사; 북부 여러 주 사람. ③ 미국인. — *a.* 양키의. **∼·ism**[-ìzəm] *n.* Ⓤ 양키 기질; 미국식 (말씨).
yap[jæp] *n.* Ⓒ 요란스럽게 짖는 소리; 《俗》 시끄러운[객쩍은] 잔소리; 불량배, 바보. — *vi.* (***-pp-***) (개가) 요란스럽게 짖다; 《俗》 시끄럽게[재잘재잘] 지껄이다.
:yard[1] [jɑ:rd] *n.* Ⓒ ① 울안, 마당, (안)뜰. ② 작업장, 물건 두는 곳, (닭 따위의) 사육장. ③ (철도의) 조차장(操車場). — *vt.* (가축 등을) 울안에 넣다.
:yard[2] *n.* Ⓒ 야드《길이의 단위: 3피트, 약 91.4cm》, 마(碼); 〖海〗 활대. ***by the ∼*** 《比》 상세히, 장황하게.
yard·age *n.* Ⓤ 야드로 잼; 그 길이.
yárd·àrm *n.* Ⓒ 〖海〗 활대끝.
yárd·stìck *n.* Ⓒ 야드 자《대자》; 판단[비교]의 표준.
:yarn[jɑ:rn] *n.* ① Ⓤ 방(적)사(紡(績)絲), 뜨개질, 피륙 짜는 실. ② Ⓒ 《口》 (항해자 등의) 긴) 이야기; 허풍. ***spin a ∼*** 긴 이야기를 하다.

— *vi.* 《口》 (긴) 이야기를 하다.
yar·row [jǽrou] *n.* U,C 〚植〛 서양톱풀.
yash·mak [jǽʃmæk] *n.* C(이슬람교국 여성이 남 앞에서 쓰는) 이중 베일.
yaw [jɔː] *vi., n.* C 침로(針路)에서 벗어나다〔벗어남〕.
yawl [jɔːl] *n.* C 고물 근처에 두 개째의 짧은 돛대가 있는 범선; 4〔6〕개의 노로 젓는 함재(艦載) 보트.
:**yawn** [jɔːn] *vi.* ① 하품하다. ② (입·틈 등이) 크게 벌여져 있다. — *vt.* 하품하며 말하다. ***make (a person) ~*** (아무를) 지루하게 하다. — *n.* C ① 하품. ② 틈, 금. ***˙∠·ing*** *a.* 하품하고 있는; 지루한.
yaws [jɔːz] *n.* U 〚醫〛 인도 마마.
Y chrómosome 〚生〛 Y염색체.
yd. yard(s).
˙**ye**[1] [jiː, 弱 ji] *pron.* 《古·詩》《thou의 복수》 너희들; 《口》 = YOU.
Ye, ye[2] [ðiː, 弱 ðə, ði] *def. art.* 《古》 = THE.
˙**yea** [jei] *ad.* ① 그렇다, 그렇지 (yes). ② 《古》 실로, 참으로. — *n.* C 찬성 찬성 투표(자). ***~s and nays*** 찬부(의 투표).
˙**yeah** [jɛə, jɑː] *ad.* 《口》 = YES (*Oh ~?* 정말이냐?).
†**year** [jiər/jəːr] *n.* C ① …년, …해, …살. ② 연도, 학년. ③ (태양년·항성(恒星)년 등의) 1년; (유성의) 공전주기. ④ (*pl.*) 연령; (*pl.*) 노년. ***for ~s*** 몇 년이나. ***~ after*** 〔***by***〕 ~ 해마다, 매년. ***~ in, ~ out*** 연년세세, 끊임없이. ***˙∠·ly*** *a.* 연 1회의; 매년의; 그 해만의; 1년간의.
yéar·bòok *n.* C 연감(年鑑), 연보.
year·ling [∠liŋ] *n., a.* C (동물의) 1년생; 당년의; 1년된. 「된.
yéar·lòng *a.* 1년〔오랜〕동안 계속
:**yearn** [jəːrn] *vi.* ① 동경하다, 그리워하다(*for, after*); 그립게 생각하다(*to, toward*). ② 동정하다(*for*). ③ 간절히 …하고 싶어하다(*to* do). ***˙∠·ing*** *n., a.* U,C 동경〔열망〕(하는). ***∠·ing·ly*** *ad.*

yéar-róund *ad.* 1년중 계속되는.
˙**yeast** [jiːst] *n.* U ① 이스트, 빵누룩; 효모(균). ② 고체 이스트. ③ 영향을〔감화를〕 주는 것. ④ 거품. ***∠·y*** *a.* 이스트의〔같은〕; 발효하는; 불안정한.
:**yell** [jel] *vi.* 큰 소리로 외치다, 아우성치다. — *vt.* 외쳐 말하다. — *n.* C ① 외치는 소리, 아우성. ② 《美》 엘《대학생 등의 응원의 고함》.
†**yel·low** [jélou] *a.* ① 황색의; 피부가 누런. ② 편견을 가진; 질투심 많은. ③ 《口》 겁많은. ④ (신문 기사 등이) 선정적인. ***the sear*** 〔***sere***〕 ***and ~ leaf*** 늘그막, 노년. — *n.* ① U,C 노랑, 황색. ② U 황색 (그림) 물감. ③ C 노란 옷; U,C (달걀의) 노른자위. — *vt., vi.* 황색으로 하다〔되다〕. ***˙∠·ish*** *a.* 누르스름한.
yéllow féver 황열병(黃熱病).
yéllow flág 검역기《전염병 환자가 있는 표시, 또는 검역으로 정박중이라 해서 배에 다는 황색기; quarantine flag라고도 함》. 「의 일종.
yéllow·hàmmer *n.* C 〚鳥〛 멧새
yéllow páges 전화부의 직업별난. 「색 신문.
yéllow préss, the (선정적인) 황
˙**yelp** [jelp] *vi.* (개·여우 따위의) 날카로운 울음 소리를 내다, 깽깽 울다. — *n.* C 캥캥 짖는〔우는〕 소리.
yen[1] [jen] *n.* (Jap.) *sing. & pl.* 엔(円)《일본의 화폐 단위》.
yen[2] *n., vi.* (***-nn-***) C 《美口》 열망(하다); 동경(하다)(*for*). ***have a ~ for*** 열망하다.
˙**yeo·man** [jóumən] *n.* (*pl.* ***-men***) C ① 〚英史〛 자유민. ② 《英》 소지주, 자작농. ③ 《英》 기마 의용병. ④ 《古》 (국왕·귀족의) 종자(從者). ⑤ 〚美海軍〛 (창고·서무계의) 하사관. ***~('s) service*** (일단 유사시의) 충성, 급할 때의 원조〔도움〕《Sh. *Haml.*》. ***~·ly*** *a., ad.* yeoman의〔다운, 답게〕; 용감한〔하게〕; 정직한.
yeo·man·ry [jóumənri] *n.* U 《집합적》 자유민; 소지주, 자작농; 기마 의용병.
†**yes** [jes] *ad.* ① 네, 그렇습니다; 정말, 과연《긍정·동의의 뜻으로 씀》. ② 그래요?, 설마? ③ 그 위에, 게다가 (~, ***and*** ...). — *n.* U,C '네'라는 말〔대답〕《동의·긍정을 나타내는》. ***say ~*** '네'라고 (말)하다, 승낙하다. — *vi.* '네'라고 (말)하다.

yés màn 《口》 예스맨《윗사람 하는 말에 무엇이나 예예하는 사람》.

†**yes·ter·day**[jéstərdèi, -di] *n., ad.* Ⓤ 어제, 어저께; 최근.

yes·ter·year[jéstərjìər/-jə̀:r] Ⓤ 《古·詩》 작년; 지난 세월.

†**yet** [jet] *ad.* ① 아직; 지금까지. ② 《부정사》 아직 (…않다), 당장은, 우선은. ③ 《의문문》 이미(*Is dinner ready ~?* 이미 식사 준비가 됐습니까); 머지 않아, 언젠가(는)(*I'll do it ~!* 언젠가는 하고 말 걸); 더우기, 그 위에. ④ 《nor와 함께》 …조차도. ⑤ 《비교급과 함께》 더 한층; 그럼에도 불구하고, 그러나. ***as ~*** 지금까지로서는. (***be***) ***~ to*** 아직 …않다(*Three are ~ to return.* 미귀환 3명). ***~ again*** 다시 한번. — *conj.* 그럼에도 불구하고, 그러나, 그런데도.

ye·ti[jéti] *n.* (히말라야의) 설인(雪人) (the abominable SNOWMAN).

·**yew**[ju:] *n.* Ⓒ 【植】 주목(朱木); Ⓤ 그 재목.

Y.H.A. Youth Hostels Association.

Yid·dish[jídiʃ] *n., a.* Ⓤ 이디시어(語)(의)《독일어·헤브라이어·슬라브어의 혼합으로, 헤브라이 문자로 쓰며 러시아·중유럽의 유대인이 씀》.

:**yield**[ji:ld] *vt.* ① 생산[산출]하다, 생기게 하다. ② (이익을) 가져오다. ③ 주다, 허락하다; 양도하다; 포기하다; 명도(明渡)하다. ④ 항복하다. — *vi.* ① (토지 등에서) 농작물이 산출되다. ② 굴복하다. ③ (눌리어) 구부러지다, 우그러지다. ***~ consent*** 승낙하다. ***~ oneself*** (***up***) ***to*** …에 몰두하다. ***~ the*** [***a***] ***point*** 논점을 양보하다. — *n.* Ⓤ,Ⓒ 산출(물); 산액(産額); 수확. ·***~·ing*** *a.* 생산적인; 하라는 대로 하는, 순종하는; 구부러지기 쉬운.

Y.M.C.A. Young Men's Christian Association.

yob [jɑb/jɔb], **yob·(b)o** [jɑ́bou/jɔ́b-] *n.* Ⓒ 《英俗》 신병, 건달, 무지렁이《boy를 거꾸로 한 것》.

yo·del, yo·dle[jóudl] *n., vt., vi.* Ⓒ 요들(로 노래하다, 을 부르다)《본성(本聲)과 가성(假聲)을 엇바꿔 가며 부르는 스위스나 티롤 지방의 노래》.

yo·ga, Y-[jóugə] *n.* Ⓤ 【힌두교】 요가, 유가(瑜伽).

yo·g(h)urt [jóugə:rt] *n.* Ⓤ 요구르트.

yo·gi[jóugi] *n.* Ⓒ 요가 수도자.

:**yoke**[jouk] *n.* Ⓒ ① (2마리의 가축의 목을 잇는) 멍에 (모양의 것). ② (멍에에 맨) 한 쌍의 가축[소]. ③ 멜대; (블라우스 따위의) 어깨, (스커트의) 허리. ④ 인연, 굴레; 구속, 속박; 지배. ***pass*** [***come***] ***under the ~*** 굴복하다. — *vt.* (…에) 멍에를 씌우다[에 매다]; 결합시키다; 한데 맺다(*to*). — *vi.* 결합하다; 어울리다.

yo·kel[jóukəl] *n.* Ⓒ 시골뜨기.

yolk[jou*l*k] *n.* Ⓤ,Ⓒ (달걀의) 노른자위; Ⓤ 양모지(羊毛脂). 「方」 = ⇩.

yon(**d**) [jɑn(d)/-ɔ-] *a., ad.* 《古·

:**yon·der**[jɑ́ndər/-ɔ́-] *ad., a.* 저쪽[저기]에(의); 훨씬 저쪽의.

yore[jɔr] *n.* 《다음 용법뿐》 ***in days of ~*** 옛날에는. ***of ~*** 옛날의.

†**you**[ju:, 弱 ju, jə] *pron.* ① 당신(들)은[이], 자네[당신](들)에게(을). ② 사람, 누구든지. ***Are ~ there?*** 【電話】 여보세요. ***Y- there!*** 《호칭》 여보세요. ***Y- idiot, ~!*** 이 바보야!

you-all[ju:ɔ́l, jɔ:l] *pron.* 《美南部口》 (2 사람 이상에 대한 호칭으로) 너희들, 여러분. 「단축.

†**you'd** [ju:d] you had (would)의

†**young**[jʌŋ] *a.* ① (나이) 젊은; 기운찬; 어린. ② (같은 이름의 사람 · 부자·형제를 구분할 때) 나이 어린 쪽[편]의(junior). ③ (시일 · 계절 · 밤 등이) 아직 이른, 초기의; 미숙한(*in, at*). ④ (정치 운동 등이) 진보적인. — *n.* (the ~) 《집합적》 (동물의) 새끼. ***the ~*** 젊은이들. ***with ~*** (동물이) 새끼를 배어. ***∠·ish*** *a.* 약간 젊은. 「젊은이.

:**young·ster**[∠stər] *n.* Ⓒ 어린이;

†**your** [juər, jɔ:r, 弱 jər] *pron.* ① 《you의 소유격》 당신(들)의. ② 《古·口》 예(例)의(familiar), 이른바. ③ 《경칭으로》 (*Good morning, Y- Majesty!* 폐하, 안녕히 주무셨습니까). 「단축.

†**you're** [juər, 弱 jər] you are의

†**yours** [juərz, jɔ:rz] *pron.* ① 당신

의 것; 댁내. ② 당신의 편지. ***of*** ~ 당신의. ~ ***truly*** 여불비례(餘不備禮); 《諧》 =I, ME.

†**your·self** [juərsélf, jər-, jɔ:r-] *pron.* (*pl.* **-selves**) 당신 자신. ***Be ~!*** 《口》 정신 차려.

:**youth** [ju:θ] *n.* Ⓤ ① 젊음, 연소(年少). ② 청춘; 초기; 청년기. ③ 《집합적》 젊은이들.

:**youth·ful** [jú:θfəl] *a.* ① 젊은; 젊음에 넘치는. ② 젊은이의[에 적합한]. **~·ly** *ad.* **~·ness** *n.*

yóuth hòstel 유스 호스텔《주로 청년을 위한 비영리 간이 숙소》.

†**you've** [ju:v, 弱 juv] you have의 단축.

yowl [jaul] *vi.* 길고 슬프게 (우)짖다; 비통한 소리로 불만을 호소하다. — *n.* Ⓒ 우는 소리.

Yo·yo [jóujòu] *n.* (*pl.* **~s**) Ⓒ 【商標】 요요《장난감의 일종》.

yr. year(s); your.

yu·an [ju:á:n] *n.* Ⓒ 원(元)《중국의 화폐 단위》.

yuc·ca [jʌ́kə] *n.* Ⓒ 【植】 유카속의 목본 식물. 「절).

yule, Y- [ju:l] *n.* Ⓤ 크리스마스 (계

yúle·tìde *n.* Ⓤ 크리스마스 계절.

yum·my [jʌ́mi] *a.* 《口》 맛나는.

yum-yum [jʌ́mjʌ́m] *int.* 냠냠.

Y.W.C.A. Young Women's Christian Association.

Z

Z, z [zi:/zed] *n.* (*pl.* ***Z's, z's***[-z]) Ⓒ Z자 모양의 것; 【數】 (제 3의) 미지수(량). ***from A to Z*** 처음부터 끝까지, 철두철미.

za·ny [zéini] *n.* Ⓒ 익살꾼; 바보.

zap [zæp] *vt.* (**-pp-**) 《美俗》 치다, 타살하다; 습격하다. — *n.* Ⓤ ① 정력, 원기. ② 【컴】 (EPROM상의 프로그램의) 지움.

:**zeal** [zi:l] *n.* Ⓤ 열심, 열중(*for*).

zeal·ot [zélət] *n.* Ⓒ 열중[열광]자. **~·ry** *n.* Ⓤ 열광.

:**zeal·ous** [zéləs] *a.* 열심인, 열광적인. **~·ly** *ad.*

˙**ze·bra** [zí:brə] *n.* Ⓒ 얼룩말.

zébra cròssing 《英》 (흑백의 얼룩 무늬를 칠한) 횡단 보도.

Zeit·geist [tsáitgàist] *n.* (G.) (the ~) 시대 정신[사조].

˙**ze·nith** [zí:niθ/zé-] *n.* Ⓒ ① 천정(天頂). ② 정점(頂點), 절정.

zeph·yr [zéfər] *n.* 《雅》 (Z-) (의인화(擬人化)한) 서풍; Ⓒ 산들바람, 연풍(軟風); Ⓤ,Ⓒ 가볍고 부드러운 실·천·옷.

Zep·pe·lin, z- [zépəlin] *n.* Ⓒ 체펠린 비행선; 《一般》 비행선.

:**ze·ro** [zíərou] *n.* (*pl.* ~(**e**)**s**) ① Ⓒ 영. ② Ⓤ 영점; (온도계의) 영도. ③ Ⓤ 무; 최하점. ④ Ⓤ 【空】 제로 고도(高度)《500피트 이하》. ***fly at*** ~ 제로 고도로 날다. — *a.* 영의; 전무한. — *vi., vt.* 겨냥하다; (…에) 표준을 맞추다(*in*).

zéro hòur 【軍】 예정 행동[공격] 개시 시각; 위기, 결정적 순간.

˙**zest** [zest] *n.* Ⓤ ① 풍미(를 돋우는 것)《레몬 껍질 등》. ② 묘미, 풍취. ③ 대단한 흥미, 열심. ***with*** ~ 대단한 흥미를 갖고, 열심히. — *vt.* (…에) 풍미[흥미]를 더하다. **∠y** *a.* (짜릿하게) 기분 좋은 풍미가 있는; 뜨거운. **~·ful**[∠fəl] *a.*

:**zig·zag** [zígzæ̀g] *a., ad.* 지그재그의[로]. — *vi., vt.* (**-gg-**) 지그재그로 나아가(게 하)다. — *n.* Ⓒ 지그재그[Z자]형(의 것).

zil·lion [zíljən] *n., a.* Ⓒ 《美口》 엄청나게 많은 수(의).

:**zinc** [ziŋk] *n.* Ⓤ 【化】 아연.

zing [ziŋ] *int., n.* Ⓒ 《美口》 쌩(소리). — *vi.* (물체가 날아갈 경우 등) 쌩소리를 내다.

Zi·on [záiən] *n.* 시온 산《예루살렘에 있는 신성한 산》; 《집합적》 유대 민족; Ⓤ 천국; Ⓒ 그리스도 교회.

~·**ism**[-ìzəm] *n.* Ⓤ 시온주의《유대인을 Palestine에 복귀시키려는 민족 운동》. ~·**ist** *n.* Ⓒ 시온주의자.

zip[zip] *n.* Ⓒ (총알 따위의) 핑 (소리); Ⓤ《口》원기; 지퍼. — *vi.* (**-pp-**) 핑 소리를 내다;《口》기운차게 나아가다; 지퍼를 닫다〔열다〕. — *vt.* 빠르게 하다; 활발히 하다; 지퍼〔척으〕로 채우다〔열다〕. ~ ***across the horizon*** 갑자기 유명해지다. **∠·per** *n.* Ⓒ 지퍼, 척. **∠·py** *a.*《口》기운찬.

:zíp còde《美》우편 번호(《英》postcode).

zith·er(**n**)[zíθər(n), zíð-] *n.* Ⓒ 30-40줄의 양금 비슷한 현악기.

·**zo·di·ac**[zóudiæ̀k] *n.* (the ~)〖天〗황도대(黃道帶), 수대(獸帶); 12궁도(宮圖). ***signs of the*** ~〖天〗12궁(宮). **-a·cal**[zoudáiəkəl] *a.*

zom·bi(**e**)[zámbi/-5-] *n.* ① Ⓒ 초자연력에 의해 되살아난 시체;《俗》바보. ② Ⓤ (럼과 브랜디로 만든) 독한 술.

zon·al[zóunəl] *a.* 띠(모양)의; 지역〔구역〕으로 갈린.

:zone[zoun] *n.* Ⓒ ①〖地〗대(帶). ② 지대, 구역. ③《美》(교통·우편의) 동일 요금 구역. ④〖컴〗존. ***in a*** ~ 멍청히, 집중이 안 되는 상태에. ***loose the maiden*** ~ ***of*** …의 처녀성을 빼앗다. ***the Frigid*** 〔***Temperate, Torrid***〕 ***Z-*** 한〔온·열〕대. — *vt., vi.* 지대로 나누다〔를 이루다〕.

zon·ing[zóuniŋ] *n.* Ⓤ《美》(도시의) 지구제; (소포 우편의) 구역제.

zonked[zaŋkt/-ɔ-] *a.*《美俗》취한; (마약으로) 흐리멍덩한.

:zoo[zu:] *n.* Ⓒ 동물원.

:zo·o·log·i·cal[zòuəládʒikəl/-5-] *a.* 동물학(상)의.

zoológical garden(**s**) 동물원.

:zo·ol·o·gy[zouálədʒi/-5-] *n.* Ⓤ ① 동물학. ②《집합적》(어떤 지방의) 동물(상(相))(fauna). ***-gist** *n.* Ⓒ 동물학자.

·**zoom**[zu:m] *n., vi.* ① (a ~)〖空〗급상승(하다), 붕 (소리 나다). ②《俗》인기가 오르다, 붐을 이루다(cf. boom). ③〖映·寫〗(줌 렌즈 효과로, 화면이) 갑자기 확대〔축소〕되다. — *vt.* (화면을) 갑자기 확대〔축소〕시키다.

zóom lèns〖寫〗줌 렌즈《경동(鏡胴)의 신축으로 초점 거리·사각(寫角)을 자유롭게 조절할 수 있는 렌즈》.

zuc·chi·ni [zu(:)kí:ni] *n.* (*pl.* ~(**s**)) Ⓒ《美》(오이 비슷한) 서양 호박.

Zu·lu[zú:lu:] *n.* (*pl.* ~(**s**)), *a.* Ⓒ 줄루 사람《아프리카 남동부의 호전적인 종족》(의); Ⓤ 줄루어(語)(의); Ⓒ 원뿔꼴의 밀짚 모자.

부 록

I. SIGNS and SYMBOLS (기호와 약호)

.	period, full stop
,	comma
;	semicolon
:	colon
'	apostrophe
?	question mark
!	exclamation mark
–	dash
-	hyphen
" "	double quotation marks
' '	single quotation marks
/	virgule, slant
...(***)	ellipsis
...	suspension points
~	swung dash
·	dot
( )	parentheses
[ ]	brackets
< >	angle brackets
{ }	braces
*	asterisk
§	section: §12
¶	paragraph
©	copyright(ed)
®	registered trademark
@	at: 300@ $700 each
%	percent
&	ampersand: Brown & Co.

¢	cent(s)
$	dollar(s)
£	pound(s)
₩	won
#	number: a #6 bolt
	pounds: 53#
×	crossed with (of a hybrid)
+	plus
-	minus
×	multiplied by, times
÷	divided by
=	equals
〈	is less than
〉	is greater than
∞	infinity
∥	parallel: AB ∥ CD
$\frac{1}{2}$	a half
$\frac{2}{3}$	two thirds
$\frac{1}{4}$	a quarter
$7\frac{2}{5}$	seven and two fifths
0.314	zero point three one four
$\sqrt{9}$	the square root of 9
x^2	*x* squared
x^3	*x* cubed
50℃	fifty degrees centigrade
90°F	ninety degrees Fahrenheit

II. WEIGHTS and MEASURES (도량형)

Linear Measure (길이)

		1 inch	= 2.54 cm	(1 cm = 0.3937 in.)
12 inches	=	1 foot	= 0.3048 m	(1 m = 3.2808 ft.)
3 feet	=	1 yard	= 0.9144 m	(1 m = 1.0936 yd.)
5.5 yard	=	1 rod	= 5.029 m	(1 m = 0.1988 rd.)
302 rods	=	1 mile	= 1.6093 km	(1 km = 0.6214 mi.)

Square Measure (넓이)

		1 square inch	= 6.452 cm^2	(1 cm^2 = 0.1550 sq. in.)
144 square inches	=	1 square foot	= 929.0 cm^2	(1 cm^2 = 0.0011 sq. ft.)
9 square feet	=	1 square yard	= 0.8361 m^2	(1 m^2 = 1.1960 sq. yd.)
30.25 square yards	=	1 square rod	= 25.29 m^2	(1 m^2 = 0.0395 sq. rd.)
160 square rods	=	1 acre	= 0.4047 ha	(1 ha = 2.4711 acres)
640 acres	=	1 square mile	= 2.590 km^2	(1 km^2 = 0.3861 sq. mi.)

Cubic Measure (부피)

		1 cubic inch	= 16.387 cm^3	(1 cm^3 = 0.0610 cu. in.)
1728 cubic inches	=	1 cubic foot	= 0.0283 m^3	(1 m^3 = 35.3148 cu. ft.)
27 cubic feet	=	1 cubic yard	= 0.7646 m^3	(1 m^3 = 1.3080 cu. yd.)

Liquid Measure (액량) USA〔Great Britain〕

		1 gill	= 0.1183〔0.142〕l	(1 lit. = 8.4531〔7.0423〕gi.)
4 gills	=	1 pint	= 0.4732〔0.568〕l	(1 lit. = 2.1133〔1.7606〕pt.)
2 pints	=	1 quart	= 0.9464〔1.136〕l	(1 lit. = 1.0566〔0.8803〕qt.)
4 quarts	=	1 gallon	= 3.7853〔4.546〕l	(1 lit. = 0.2642〔0.2200〕gal.)

Avoirdupois Weight (무게)

		1 dram	= 1.772 g	(1 g = 0.5643 dr. av.)
16 drams	=	1 ounce	= 28.35 g	(1 g = 0.0353 oz. av.)
16 ounces	=	1 pound	= 453.59 g	(1 kg = 2.2046 lb. av.)
2000 pounds	=	1 (short) ton	= 907.185 kg	(1 kg = 0.0011 s. t.)
2240 pounds	=	1 (long) ton	= 1016.05 kg	(1 kg = 0.0010 l. t.)

III. 불 규 칙 동 사 표

1. 이탤릭체는 《古》 또는 《稀》 2. 오른쪽 숫자는 본문 참조

현 재	과 거	과 거 분 사
abide	abode; abided	abode; abided
arise	arose	arisen
awake	awoke, awaked	awoken, awaked
be (am, *art*, is; are)	was, *wast, wert;* were	been
bear[2]	bore, *bare*	borne, born
beat	beat	beaten, beat
become	became	become
befall	befell	befallen
begin	began	begun
behold	beheld	beheld, *beholden*
bend	bent; *bended*	bent; *bended*
beseech	besought	besought
beset	beset	beset
bet	bet; betted	bet; betted
bid	bade, bad; bid	bidden; bid
bind	bound	bound
bite	bit	bitten, bit
bleed	bled	bled
blend	blended; blent	blended; blent
bless	blessed; blest	blessed; blest
blow[1]	blew	blown, 《俗》 blowed
break	broke; *brake*	broken; *broke*
breed	bred	bred
bring	brought	brought
broadcast	broadcast; broadcasted	broadcast; broadcasted
build	built	built
burn	burnt; burned	burnt; burned
burst	burst	burst
buy	bought	bought
can[1]	could	—
cast	cast	cast
catch	caught	caught
choose	chose	chosen
cleave[1]	cleft; cleaved; clove	cleft; cleaved; clove
cling	clung	clung
come	came	come
cost	cost	cost
creep	crept	crept
crow[2]	crowed, crew	crowed

현재	과거	과거분사
cut	cut	cut
deal	dealt	dealt
dig	dug; 《英古》 *digged*	dug; 《英古》 *digged*
do, does	did	done
draw	drew	drawn
dream	dreamed; dreamt	dreamed; dreamt
drink	drank, *drunk*	drunk, drunken
drive	drove	driven
dwell	dwelt; 《稀》 *dwelled*	dwelt; 《稀》 *dwelled*
eat	ate; *eat*	eaten; *eat*
fall	fell	fallen
feed	fed	fed
feel	felt	felt
fight	fought	fought
find	found	found
flee	fled	fled
fling	flung	flung
fly[1]	flew; fled	flown; fled
forbid	forbade, forbad	forbidden
forecast	forecast; forecasted	forecast; forecasted
foresee	foresaw	foreseen
forget	forgot, *forgat*	forgotten, forgot
forgive	forgave	forgiven
forsake	forsook	forsaken
freeze	froze	frozen
get	got, *gat*	got, 《英古·美》 gotten
give	gave	given
go	went	gone
grind	ground; 《稀》 *grinded*	ground; 《稀》 *grinded*
grow	grew	grown
hang	hung; hanged	hung; hanged
have, *hast,* has	had, *hadst*	had
hear	heard	heard
hide[1]	hid	hidden, hid
hit	hit	hit
hold	held	held, *holden*
hurt	hurt	hurt
keep	kept	kept
kneel	knelt; kneeled	knelt; kneeled
knit	knitted; knit	knitted; knit
know	knew	known
lay	laid	laid
lead[2]	led	led
lean[2]	leaned; 《英》 leant	leaned; 《英》 leant
leap	leaped; leapt	leaped; leapt

현재	과거	과거분사
learn	learned; learnt	learned; learnt
leave[1]	left	left
lend	lent	lent
let	let	let
lie[2]	lay	lain
light[1,2]	lighted; lit	lighted; lit
lose	lost	lost
make	made	made
may	might	—
mean[3]	meant	meant
meet	met	met
melt	melted	melted, molten
mislay	mislaid	mislaid
mislead	misled	misled
misspell	misspelled; misspelt	misspelled; misspelt
mistake	mistook	mistaken
misunderstand	misunderstood	misunderstood
mow	mowed	mowed, mown
must	(must)	—
ought	(ought)	—
outdo	outdid	outdone
outgrow	outgrew	outgrown
outrun	outran	outrun
overcome	overcame	overcome
overdo	overdid	overdone
overhang	overhung	overhung
overhear	overheard	overheard
overrun	overran	overrun
oversee	oversaw	overseen
oversleep	overslept	overslept
overtake	overtook	overtaken
overthrow	overthrew	overthrown
pay	paid	paid
prove	proved	proved, 《英古·美》 proven
put	put	put
quit	quitted; quit	quitted; quit
read	read	read
rebuild	rebuilt	rebuilt
recast	recast	recast
rend	rent	rent
reset	reset	reset
rid	rid; ridded	rid; ridded
ride	rode; *rid*	ridden; *rid*
ring[1]	rang, 《稀》 *rung*	rung
rise	rose	risen

현 재	과 거	과 거 분 사
run	ran	run
saw[3]	sawed	sawn, 《稀》 *sawed*
say, *saith*	said	said
see	saw	seen
seek	sought	sought
sell	sold	sold
send	sent	sent
set	set	set
sew	sewed	sewed, sewn
shake	shook	shaken
shall, *shalt*	should	—
shave	shaved	shaved, shaven
shear	sheared, *shore*	sheared; shorn
shed[2]	shed	shed
shine	shone; shined	shone; shined
shoe	shod	shod, shodden
shoot	shot	shot
show	showed	shown, 《稀》 *showed*
shred	shredded; *shred*	shredded, *shred*
shrink	shrank; *shrunk*	shrunk; shrunken
shut	shut	shut
sing	sang; sung	sung
sink	sank; sunk	sunk; sunken
sit	sat, *sate*	sat
slay	slew	slain
sleep	slept	slept
slide	slid	slid, 《美》 slidden
sling	slung, *slang*	slung
slit	slit; *slitted*	slit; *slitted*
smell	smelled; smelt	smelled; smelt
sow	sowed	sown, sowed
speak	spoke; *spake*	spoken; *spoke*
spell	spelled; spelt	spelled; spelt
spend	spent	spent
spill	spilled; spilt	spilled; spilt
spin	spun, span 《美에선 古》	spun
spit[1]	spat; spit 《英에선 古》	spat; spit 《英에선 古》
split	split	split
spoil	spoiled; spoilt	spoiled; spoilt
spread	spread	spread
spring	sprang, sprung	sprung
stand	stood	stood
steal	stole	stolen
stick	stuck	stuck
sting	stung, *stang*	stung

현 재	과 거	과 거 분 사
stink	stank, stunk	stunk
stride	strode	stridden
strike	struck	struck, 《때로》 *stricken*
string	strung	strung
strive	strove	striven
swear	swore, *sware*	sworn
sweat	sweat; sweated	sweat; sweated
sweep	swept	swept
swell	swelled	swelled, swollen
swim	swam, *swum*	swum
swing	swung, *swang*	swung
take	took	taken
teach	taught	taught
tear[2]	tore	torn
tell	told	told
think	thought	thought
thrive	throve; thrived 《英에선 稀》	thriven; thrived 《英에선 稀》
throw	threw	thrown
thrust	thrust	thrust
tread	trod; *trode*	trodden; trod
undergo	underwent	undergone
understand	understood	understood
undertake	undertook	undertaken
undo, undoes	undid	undone
uphold	upheld	upheld
upset	upset	upset
wake[1]	waked; woke	waked; woken, woke
wear	wore	worn
weave	wove, *weaved*	woven, 〚商〛 wove
weep	wept	wept
wet	wet; wetted	wet; wetted
will, *wilt*	would	—
win	won	won
wind[2]	wound; 《稀》 *winded*	wound; 《稀》 *winded*
withdraw	withdrew	withdrawn
withhold	withheld	withheld
withstand	withstood	withstood
wring	wrung	wrung
write	wrote; *writ*	written; *writ*